Pavli

Fjalor

SHQIP/ANGLISHT/SHQIP

10 000/10 000
Fjalë titull/entries

60 000 fjalë/derivatives
100 000 referenca/references

Botime **EDFA**

Tiranë

Të drejtat e riprodhimit grafik të këtij botimi
u përkasin Botimeve EDFA

Punuan për botimin:
Dr. Fatmir Z. Xhaferi
Infbotues
Grafiche Graziani

CIP Katalogimi në botim BK Tiranë
Qesku, Pavli
Fjalor shqip-anglisht-shqip: 10.000 fjalë titull, 60.000 fjalë, 100.000 referenca
= English-Albanian-English dictionary/Pavli Qesku. – Tiranë : EDFA..
526 f, 24 cm
ISBN 99927-867-5-2

Printed in the Republic of Albania

Botime **EDFA**
Po.Box. 1417
Tiranë
Tel & Fax: +355 4 2257 589
E-mail: edfa.books@gmail.com

PAVLI QESKU

ENGLISH/ALBANIAN/ENGLISH DICTIONARY

REVISED EDITION

10 000/10 000
entries

60 000
derivatives

Tiranë

PARATHËNIE

Me këtë botim të përmirësuar shpresoj se plotësohen ca më mirë kërkesat themelore të studentëve të anglishtes e të shqipes.

Veç rreth 10 000 fjalëve tituj, në fjalor përfshihen dhe 60 000 fjalë të prejardhura e të përbëra si dhe me shprehje të përdorshme, për t'i shërbyer sa më mirë studentëve të gjuhës edhe turistëve, udhëtarëve e afaristëve. Pjesa anglisht-shqip e fjalorit jep edhe shqiptimin e anglishtes sipas sistemit fonetik ndërkombëtar.

UDHËZIME PËRDORIMI

Në këtë fjalor nuk jepen:
- kohët kryesore për foljet e rregullta të shqipes
- trajtat e shumësit të emrave të rregullt

Fjalët renditen alfabetikisht dhe me çerdhe, çka do të thotë se fjala gjendet ose brenda çerdhes - pra nën fjalën "mëmë" - ose në vendin që i takon sipas alfabetit.

Fjalët e prejardhura e të përngjitura vijnë pas fjalës titull.

dark /da:k/ *mb* i errët: **~ brown** ngjyrëkafe e errët.................♦ **~en** /'da:kn/ *ka* errësoj ♦ *jokal* errësohet ♦ **~ness** *em* errësirë; terr

dér/ë, -a *f sh* **dýer, dýert** door(way); exit; *bs* way out; solution: **~ë e çelur** an open door; **me dyer të mbyllura** *dr* in camera; **~ë e fisme** a noble family; **ia fik ~ën dikujt** ruin sb completely; **ia lë në ~ë dikujt** lay (the blame, etc.) at sb's door; **ia zë ~ën dikujt** gate-crash sb ♦ **~ëbárdhë** *mb, em* lucky; fortunate (person): **nga ta di unë, o ~!** how should I know, my dear! ♦ **~ëçélur, ~ëhápur** *mb, em* hospitable (person) ♦ **~ëmbýllur** *mb, em* inhospitable; godforsaken ♦ **~ëtár, -i** *m* door-keeper ♦ **~ëz, -a** *f* door *(of a cage, etc.);* wicket ♦ **~ëzí, -zézë** *mb, em* unfortunate; wretch

Shenjat e përdorura:
♦ shënon kategori gramatikore,
    safe /seif/ *mb* i sigurt: **~ and sound** shëndoshë e mirë · *em* kasafortë

- fjalë të re brenda çerdhes
    safety:-belt *em* rrip sigurimi · **~-pin** *em* gjilpërë me kokë · **~-valve** *em* valvul sigurimi

Vija e lakuar (~) zëvendëson fjalën titull brenda zërit, ose pjesë të fjalëve të përngjitura e të përbëra,

> **rrállë (i, e) ... i kam shokët të ~** to be unrivalled
> **sad** /sæd/ *mb* i pikëlluar: **how ~** ! sa keq! · **~den** *kal* pikëlloj

Dypikëshi (:) vihet pas pjesës së parë të fjalës së prejadhur ose të përngjitur; pjesa e parë e këtyre fjalëve zëvendësohet me ~.

> **rrallë:hérë** *ndajf* rarely; seldom; scarcely: **si ~** as seldom ever (before) · **~kúnd** *ndajf* in few places · **~kúsh** *pakuf* few (people): **si ~** unlike many
> **above:-board** *mb* i ndershëm · **~-mentioned** *mb* i lartpërmendur

dhe për të shënuar fillimin e ilustrimeve me shembuj,

> **rrallë:hérë** *ndajf* rarely; seldom; scarcely: **si ~** as seldom ever (before)

Pikëpresja (;) ndan kuptimet, sinonimet, shprehjet sinonimike.

> **saloon** /sə'lu:n/ *em* automobil luksi; *am* bar, pijetore

Ndër kllapa ( ) vihen shpjegime orientuese e plotësuese:
p.sh. thinning-out *(of plants, of hair, etc.)*

> **save** /seiv/ *em sport* pritje *(e topit)* · *kal* shpëtoj (**from** da); mbaj, ruaj; mbledh; kursej *(kohë, para);* pres *(topin);* shpëtoj *(portën nga goli); tek* ruaj *(një dokument)*

si dhe fjalë që mund të shmangen:
p.sh. te fjala titull **qërím**

> **~ohu (prej) këtej!** make yourself scarce!

/ përdoret në krahun shqip-anglisht të fjalorit për të ndarë rrënjën e fjalës nga mbaresa:

> **rrall/ój** *kal* -óva, -úar; **búrr/ë**

për të shmangur përsëritje të pjesëve të barabarta në shembujt:

> **rrállë (i, e) ... flokë të ~** thin/ straggling hair ... **i kam shokët të ~** to be unrivalled/ un-matched/ matchless
> **scavenge** /'skævindʒ/ *jokal* rrëmoj nëpër plehra · **~r** *em* njeri/ kafshë që rrëmon nëpër mbeturina

NË KRAHUN ANGLISHT-SHQIP

Kohët e foljeve të parregullta, e kryera e thjeshtë dhe pjesorja e shkuar jepen në kllapa, p.sh. :

come /kʌm/ *jokal.*(**came, come**)
do /du:/ *(v iii njëjës, e tanishme* **does** /dʌz/; **did** /did/, **done** 'dʌn/)
make /mejk/ (**made**)
run /rʌn/ (**ran** /ræn/, **run** /rʌn/, **running** /'rʌniŋ/)
set (**set, setting**)
think /θiŋk/ (**thought** /θo:t/)

Shumësi i emrave të parregullt jepet në kllapa:

wife /waif/ *em (sh* **wives** /waivz/)

Shkallët e parregullta të mbiemrit dhe ndajfoljes jepen në kllapa:

good /gud/ *mb* (**better** /'betə'/, **best** /best/)

Mbiemrat dhe ndajfoljet një a dyrrokëshe në anglisht i formojnë shkallët duke marrë pjesëzën **-er** për krahasoren dhe **-est** për sipëroren.

high - higher - highest; low - lower - lowest
fine - finer - finest
lucky - luckier - luckiest; pretty - prettier - pretties *(vëre ndërrimin e* **y** *në* **ie**)

Mbiemrat dhe ndajfoljet njërrokëshe me bashkëtingëllore fundore, e dyfishojnë bashkëtingëlloren.

big - bigger - biggest

Mbiemrat dhe ndajfoljet me më shumë se dy rrokje i formojnë shkallët duke marrë ndajfoljen **more** dhe **most.**

probable - more probable - most probable
likely - more likely - most likely

(r) shënon tingullin "r", që në anglishten britanike zakonisht nuk shqiptohet.

Në anglishten e folur, sidomos në gjuhën e përditshme, këto rregulla shpesh nuk respektohen.

UDHËZIME PËR SHQIPTIMIN

Për shqiptimin e anglishtes të mbahen parasysh këto pak rregulla:

- shqiptimi i fjalëve të prejardhura jepet vetëm për rastet kur fjala e prejardhur apo e përngjitur ndryshon nga fjala e parme për hir të theksit edhe të cilësisë së tingullit.

- në fjalor nuk jepen shqiptimet e prapashtesave: **-able, -ably, -age, -al, -ally, -er, -ic, -ier, -ing, -ion, -isation, -ise, -ism, -ist, -ive , -ly, -ment , -or, - ous, -less, -ness, -some, -tion,** etj. veç kur tingulli i prapashtesës pëson ndryshim.

Shqiptimi i shqipes - Albanian pronunciation

a [a]	- **art**	[art]
b [b]	- **botë**	['botə]
c [ts,tz] as in **ts**ar	- **cak**	[tsak]
ç [tʃ] as in **ch**ur**ch**	- **çam**	[tʃam]
d [d]	- **ditë**	['ditə]
dh [ð] as in **th**is	- **dhëmb**	[ðəmb]
e [e]	- **emër**	['emər]
ë [ə] as in **ea**rn	- **ëndërr**	['əndər*]
f [f]	- **forcë**	['fortsə]
g [g]	- **grua**	['grua]
gj [gʲ] (semiliquid, palatal consonant) as in ju**dg**e	- **gjuhë**	['gʲuhə]
h [h]	- **hap**	[hap]
i [i]	- **iki**	['iki]
j [j] (soft palatal) as in **you**ng	- **jap**	[jap]
k [k]	- **komb**	[komb]
l [l] (weak) as in **l**ike	- **lab**	[lab]
ll [l*] (strong) as in a**ll**	- **llërë**	['l*ər ə]
m [m]	- **mik**	[mik]
n [n]	- **nuse**	['nuse]
nj [ɛ] (palatal)	- **njeri**	[ɛe'ri]
o [o]	- **orë**	['o:rə]
p [p]	- **prind**	[prind]
q [t/ʃ] (very soft, palatal)	- **qesh**	[t/eʃ]
r [r] weak **r**	- **rini**	[ri'ni]
rr [r*] strong rolled **r**	- **arrë**	['ar*ə]
s [s]	- **send**	[send]

sh [ʃ] as in **sh**oe	- **shtëpi**	[ʃtə'pi]
t [t]	- **takë**	['takə]
th [θ] as in **th**ink	- **thirrje**	['θir*je]
u [u]	- **urim**	[u'rim]
v [v]	- **vete**	[v'ete]
x [dz]	- **xixë**	['dzidzə]
xh [dʒ] as in **j**oy	- **xham**	[dʒam]
y [y] as in French é**tu**de	- **yll**	[yl*]
z [z]	- **zanore**	[zan'ore]
zh [ʒ] as in plea**s**ure	- **zhurmë**	['ʒurmə]

Shqiptimi i anglishtes

ZANORE

i:	**i** e përparme e gjatë e hapur	bee /bi:/, please /pli:z/, reprieve /ri'pri:v/	
i	**i** e mesme e shkurtër e mbyllur	it /it/, big /big/, pocket /'pokit/	
e	**e** e përparme e shkurtër e mbyllur	bed /bed/, peck /pek/, fend /fend/, dead /ded/	
æ	**e** e përparme e hapur	and /ænd/, grand /grænd/, hack /hæk/	
o	**o** e mesme e shkurtër	bob /bob/, cot /kot/, pocket /'pokit/	
o:	**o** e pasme e gjatë	daub /do:b/, brought /bro:t/	
u	**u** e përparme e shurtër	put /put/, foot /fut/, book /buk /	
ʌ	**a** qiellëzore, e mesme e shkurtër	gut /gut/, uncle /ʌŋkl/, buck /bʌk/	
ə	**ë** e mesme e shkurtër	ever /'evə*/, mother /'mʌðə*/	
ə:	**ë** e pasme e gjatë	earn /ə:n/, girl /gə:l/	

DIFTONGJE

ei	**ei** si në shqipe	late /leit/, may /mei/, train /trein/
ou	**ou** i pasmë	goat /gout/, hoax /houks/, load /loud/
ai	**aj** si në shqipe	try /trai/, buy /bai/, eye /ai/
au	**au** si në shqipe	now /nau/, louse /laus/, house /haus/
oi	**oj** si në shqipe	hoist /'hoist/, boy /boi/
iə*	**ië**	near /niə*/, beer /biə*/, here /'hiə*/
ɛə*	**eë**	hair /hɛə*/, there /ðɛə*/
uə*	**uë**	moor /muə*/, poor /puə*/

LLORE

	...ipe	brown /braun/, cob /kob/, fabrik /'fæbrik/
	...tuar	pack /pæk/, stop /stop/, peak /pi:k/
d	...ellëzore e zëshme	date /deit/, find /faind/, dead /ded/
t	t e fymetuar paraqiellëzore	take /teik/, put /put/, tree /tri:/
g	g si në shqipe	group /gru:p/, girl /gə:l/, egg /eg/
k	k si në shqipe	cap /kæp/, fraction /'frækʃən/, break /breik/
v	v si në shqipe	victor /'viktə*/, severe /si'viə*/, vane /vein/
f	f si në shqipe	find /faind/, brief /bri:f/, figment /'figmənt/
ð	dh si në shqipe	there /ðɛə*/, with /wið/, brother /'brʌðə*/
θ	th si në shqipe	thin /θin/, thick /θik/, breath /breθ/
s	s si në shqipe	sing /siŋ/, strap /stræp, this /ðis/
z	z si në shqipe	rose /rouz/, zink /ziŋk/, zero /zerou/, tsar /za:*/
ʃ	sh si në shqipe	shoe /ʃu/, shy /ʃai/, fish /fiʃ/
tʃ	ç si në shqipe	church /tʃə:tʃ/, child /tʃaild/, fetch /fetʃ/
ʒ	zh si në shqipe	leisure /'leʒə*/, pleasure /'pleʒə*/
dʒ	xh si në shqipe	judge /dʒʌdʒ/, jug /dʒʌg/, age /eidʒ/
h	h si në shqipe	hand /hænd/, hoist /hoist/
m	m si në shqipe	maiden /'meidən/, make /meik/, mom /mom/
n	n si në shqipe	nod /nod/, knife /naif/
ŋ	ng grykore; g-ja mbetet në grykë gati përgjysmë	sing /siŋ/, king [kiŋ/
l	ll dhe l	nail /neil/, link /liŋk/, love /lʌv/, full /ful/
ts	c e pazëshme	tsar /tsa:*/
r	r si në shqipe	rule /ru:l/

Kujdes në leximin e shqiptimit

sh shqiptohet s/h, jo si sh e shqipes
gj shqiptohet g/j, jo gj si e shqipes
ll shqiptohet si dy l të veçanta, jo ll
nj shqiptohet n/j, jo si nj e shqipes

SHKURTIME - ABBREVIATIONS

am	amerikan	American English
an	anatomi	anatomy
ant	antikitet	antiquity
ark	arkitekturë	architecture
arkl	arkeologji	archaeology
art	art	art
as	asnjanës	neuter
ast	astronomi	astronomy
au	automobilizëm	car racing
av	aviacion	aviation
bl	biologji	biology
bjq	bujqësi	agriculture; farming
bs	bisedor	colloquial
bt	botanikë	botany
dft	dëftor	demonstrative
dr	drejtësi	juridical
dt	detari	nautical; naval
ek	ekonomi	economy
el	elektoteknikë	electrotechnics
em	emër; emërore	noun (substantive); nominative
f	fem	feminine
fg	figurativ	figurative
fj u	f jalë e urtë	saying; maxim
fl	filozofi	philosophy
fn	financë	finance
frm	farmaci	pharmacy
ft	fetar	religious; ecclesiastic
fto	fotografi	photography
fz	fizikë	physics
fzo	fiziologji	physiology
gjg	gjeografi	geography
gjh	gjuhësi	linguistics
gjl	gjeologji	geology
gjll	gjelltari	cooking
gjm	gjeometri	geometry

hk	hekurudhë	railway
hst	histori	history
inf	informatikë	information technology
jkl	jokalimtare	intransitive
kl	kalimtare	transitive
kllz	kallëzuesor	predicative
km	kimi	chemistry
kn	kinema	cinema; film-making
kq	keqësues	derogative; pejorative
kr thj	e kryer e thjeshtë	simple past tense
krh	krahinor	regional
ldh	lidhëz	conjunction
lt	letrar	literary
m	mashkullor	masculine
mb	mbiemër	adjective
mk	mjekësi	medicine
mt	matematikë	mathematics
mz	muzikë	music
nd	ndajfolje; ndajfoljore	adverb; adverbial
ndr	ndërtim	construction
nj	njëjës	singular
nm	numëror	ordinal
nm rrsht	numëror rreshtor	ordinal numeral
nm thm	numëror themelor	cardinal numeral
onmt	onomatope	onomatopoea
pj	pjesëz	particle
pjs shk	pjesore e shkuar	past participle
pkf	pakufishëm	indefinite
pl	politik	political
plk	palakueshëm	indeclinable
prfj	parafjalë	preposition
prm	përemër	pronoun
prmb	përmbledhës	collective
prn	pronor	possessive
ps	pësore	passive
psk	psikologji	psychology
psth	pasthirrmë	interjection
pvt	pavetore	impersonal
rd	radioteknikë	radio

rtv	*radiotelevizion*	*radiotelevision*
sh	*shumës*	*plural*
shak	*shaka*	*joking*
shk	*shkuar*	*past*
shkrt	*shkurtim*	*abbreviation*
shr	*sharje*	*swear-word*
sht	*shtypshkronjë*	*printing*
sp	*sport*	*sport*
thm	*themelor*	*cardinal*
ush	*ushtarak*	*military*
tk	*teknikë*	*technical*
tks	*tekstil*	*textile*
tll	*tallës*	*derisory*
trg	*tregti*	*commerce*
tt	*teatër*	*theatre*
tv	*televizion*	*television*
v	*vetë; vetor*	*person; personal*
vj	*vjetruar*	*obsolete; antiquated*
vl	*vulgar*	*vulgar*
vt	*veterinari*	*veterinary*
vtv	*vetvetor*	*reflexive*
zl	*zoologji*	*zoology*

SHKURTIM ANGLISHT

sb	*somebody*	*dikë*
sl	*slang*	*sleng; zhargon*

FJALOR
SHQIP - ANGLISHT

A

a *ldh* or: ~... ~... either... or...; whether: **shpejt ~ vonë** sooner or later; **vjen, ~ s'vjen** whether or not he'll come ♦ *pj* do; is; have; will; shall; ~ **erdhi?** did he come? ♦ *psth:* ~, **po!** ah, yes!

abazhúr, -i *m* lampshade

abetár/e, -ja *f* abc book; primer

abëcë, -ja *f* abc; beginning, simple facts *(of a trade)*

abon:é, -ja *f:* ~ **vjetore** yearly ticket/ card ♦ **~ím, -i** *m* subscription ♦ **~óhem** *vtv* subscribe to

abórt, -i *m mk* abortion ♦ ~ **lój** *kl, jkl* abort

absolút, -e *mb* absolute; complete ♦ **~ísht** *nd* absolutely ♦ **~íz/ëm, -mi** *m* absolutism

abstrákt, -e *mb* abstract

absúrd, -e *mb* absurd; nonsensical ♦ **~itét, -i** *m nj* absurdity; nonsense

abuz:ím, -i *m* abuse, misuse; overindulgence *(in food, etc.):* ~ **i pushtetit** misuse of office ♦ **~lóhet** *ps, pvt* ♦ **~lój** *kl* misuse; abuse; overindulge in

acár, -i *m* chill; *fg* anger; wrath ♦ ~, **-e** *mb* frosty; *fg* angry: **erë** ~ frosty wind ♦ **~ím, -i** *m* worsening; irritation ♦ **~lóhem** *vtv v iii* freeze; *fg* worsen, be exacerbated ♦ **~lój** *kl* worsen; exacerbate: **ia ~oj nervat dikujt** get on sb's nerves ♦ **~të (i, e)** frosty; freezing ♦ **~úar** *pjs shk* ♦ **~úar (i, e)** *mb* tense; aggravated *(situation);* irritated *(wound)*

acíd, -i *m km* acid

adapt:ím, -i *m* adaptation ♦ **~lóhem** *vtv* ♦ **~lój** *kl* adapt; adjust

adásh, -i *m* namesake

administr:át/ë, -a *f* administration; *prmb* personnel ♦ **~atív, -e** *mb* administrative ♦ **~atór, -i** *m* administrator: ~ **i bankës** bank manager ♦ **~ím, -i** *m* administration; management ♦ **~lóhet** *ps* ♦ **~lój** *kl* administer; govern; run; manage *(sb's property)*

admirál, -i *m ush-dt* admiral

admir:ím, -i *m* admiration ♦ **~lóhet** *ps* ♦ **~lój** *kl, jkl* admire ♦ **~úes, -i** *m* admirer ♦ **~úesh/ëm (i), -me (e)** *mb* admirable

adoleshén:c/ë, -a *f* adolescence ♦ **~t, -i** *m* adolescent; teen-ager

adopt:ím, -i *m* adoption ♦ **~lóhem** *ps* ♦ **~lój** *kl dr* adopt; endorse *(a decision)* ♦ **~lúar (i, e)** *mb dr* adopted; adoptive *(child)* ♦ *em* adoptee

adrenalín/ë, -a *f fzo, frm* adrenaline

adrés/ë, -a *f* address ♦ **~ój** *kl* address

adriatík *mb* Adriatic (sea) ♦ **A~, u** *m gjg* Adriatic (Sea)

adhur:ím, -i *m* adoration; worship: **me ~im** adoringly ♦ **~lóhem** *ps* ♦ **~lój** *kl* adore; worship ♦ **~úar (i, e)** *mb, em* adored; worshipped ♦ **~úes, -i** *m* adorer; worshipper ♦ **~ues, -e** *mb* adoring *(look)* ♦ **~úesh/ëm (i), -me (e)** *mb* adorable

aero:bík/ë, -a *f* aerobics *(me folje në njëjës)* ♦ **~dróm, -i** *m* aerodrome ♦ **~náut, -i** *m* aeronaut ♦ **~plán, -i** *m* (aero)plane, *am* airplane; aircraft: ~ **reaktiv** jet plane; **dy ~ë** two aircraft ♦ **~planmbájtës/e, -ja** *f ush* aircraft carrier ♦ **~pórt, -i** *m* airport

afarí:st, -i *m* businessman ♦ **~z/ëm, -mi** *m* mercantilism

afát, -i *m* term; deadline; schedule: **me ~ të gjatë** long-term; **ka ~ gjer më** be due/ expire on

áfër *nd* near(ly); close; soon; about: ~ **e** ~ close together; **aty/ këtu** ~ nearby; **tani** ~ soon; ~ **njëzet** about (on the right side of) twenty ♦ **~ína, -t** *f sh* vicinity ♦ **~m (i), -e (e)** *mb* near *(relative):* **kushërinj të** ~ next of kin; **ditët e** ~**e** in the next few days ♦ **~m, -i (i) (të)** relative(s); kinsman ♦ **~m/e, -ja (e)** *f* near future; immediacy ♦ **~méndsh** *nd, pj* obviously ♦ **mi (së)** *nd* closely; soon; shortly after: **së** ~ be shown soon *(of a film, etc.)* ♦ **~sí, -a** *f* nearness; proximity; likeness; neighbourhood: **në** ~ **të** in the vicinity of; **me** ~ roughly ♦ **~síra, -t** *f sh* neighbourhood ♦ **~sísh/ëm (i), -me (e)** *mb* approximate ♦ **~sísht** *nd* nearly; approximately; roughly ♦ *pj* more or less ♦ **~t (i, e)** *mb* near; next; close (at hand); upcoming; related: **shtëpia më**

e ~ the next/ nearest house; **mik i** ~ close friend

Afganistán, -i *m gjg* Afghanistan ♦ **~ás, -e** *mb* Afghan ♦ **~ás, -i** *m* Afghan (*sh* **-i**)

afísh/e, -ja *f* poster; bill ♦ **~lóhet** *ps* ♦ **~lój** *kl* post (*bills*)

afrésk, -u *m art* fresco; wall-painting

afrik:án, -e *mb* African ♦ **~án, -i** *m* African ♦ **A~/ë, -a** *f gjg* Africa

afr:ím, -i *m* approach; proximity; rapprochement ♦ **~óh/em** *vtv* approach; *ps:* **~u!** come up; **po ~et fundi** the end is near; it's the beginning of the end ♦ **~lój** *kl* approach; bring close(r)/ near(er): **~oj karrigen** bring the chair closer to ♦ *jokal:* **po ~n shiu** it looks like rain ♦ **~úar (i, e)** *mb* close-set (*eyes*); sociable: **jam i ~ me shokë** mix well with friends ♦ **~úesh/ëm (i), -me (e)** *mb* amiable; sociable; accessible (*place*)

áfsh, -i *m* heat; *fg* ardour: **~ i verës** summer heat; **~i keq** bad smell; stench; **me ~** passionately; heatedly

áft/ë, -a *vt* foot-and-mouth disease

áft/ë (i, e) *mb* able; capable: **i ~ për shërbim** *ush* able-bodied ♦ **~ësí, -a** *f* ability; capability, faculty: **~ blerëse** purchasing power ♦ **~ësím, -i** *m* qualification

ag, -u *m* daybreak; fog; blur: **~u i syrit** the pupil of the eye ♦ **~ím, -i** *m* dawn ♦ **~lón** *jkl* **-ói, -úar** dawn

agoní, -a *f* agony; (*death*) throes

agrár, -e *mb* agrarian

agres:ión, -i *m* aggression ♦ **~ív, -e** *mb* aggressive ♦ **~ór, -e** *mb* aggressor (*state*) ♦ **~ór, -i** *m* aggressor; assailant

agronóm, -i *m* agronomist ♦ **~í, -a** *f* agronomy ♦ **~ík, -e** *mb* agronomic(al)

agrúme, -t *f sh bt* citrus(es) ♦ **~ísht/e, -ja** *f* citrus grove/ plantation

agulíç/e, -ja *f bt* primrose

agurídh, -e *mb* unripe; green (*fruit*); *fg* green; gullible

agjen:cí, -a *f* agency: **~ e udhëtarëve** travel agency ♦ **~t, -i** *m* agent: **~ i fshehtë** under cover agent ♦ **~túr/ë, -a** *f* secret agency; *prmb* secret agents ♦ **~turór, -e** *mb* spying (*network*)

agjër:ím, -i *m ft* fasting ♦ **~lój** *jkl ft* fast

agjita:ción, -i *m* agitation ♦ **~tór, -i** *m* (*political*) agitator

ah *psth* ah; oh; ouch (*it hurts*) ♦ **~á** *psth:* **~, e kuptova!** aha, I got it!

ah, -u *m bt* beech

ahúr, -i *m* barn; shed; cellar

aí *vetor* he; *dft* that one; that; he who: **~ vetë** he in person; **atë vit** that year

áj/ër, -ri *m* air: **në ~ të pastër** in the open air

ájk/ë, -a *f* cream; *fg* flower, pick (*of the army*)

ajník, -u *m* gentle breeze

ajó *vetor* she; it; *dft* that (one); that: **~ vajzë** that

girl; **atë ditë** that day

ajr:ím, -i *m* airing; ventilation ♦ **~lóhet** *vtv, ps* ♦ **~lój** *kl* air; ventilate (*a room*) ♦ **~ór, -e** *mb:* forcat **~e** *ush* air force ♦ **~ós** *kl shih* ajroj ♦ **~ósur (i, e), ~úar (i, e)** *mb* airy; aired; ventilated

ajsbérg, -u *m* iceberg

akáci/e, -a *f bt* acacia

akademí, -a *f* academy ♦ **~k, -u** *m* academic; scholar ♦ **~k, -e** *mb* academic; scholarly

akapar:ím, -i *m* monopolisation (*of the market*) ♦ **~lóhet** *ps* ♦ **~lój** *kl* monopolise (*the market*); secure as first-comer

akóma *nd* still; yet; as yet; (some) more: **është natë ~** it is still dark; **ka ~** there is more

akórd, -i¹ *m mz* chord; accord; *ek* agreement; piece work ♦ **~ím, -i** *m mz* tuning up; accord ♦ **~lóhet** *vtv* ♦ **~lój** *kl mz* tune up (*a piano, etc.*); tune in (*a station*); award (*sb a prize*): **i ~oj telat me dikë** be in tune/ cahoots with sb ♦ **~úes, -i** *m* tuner (*of a piano, etc.*)

akrabá, -ja *f prmb* family circle ♦ **~llék, -ku** *m* backdoor influence

akredit/ój *kl* accredit (*a representative*)

akrép, -i¹ *m zl* scorpion; *ast* the Scorpion

akrép, -i² *m* hand (*of the watch, etc.*)

akrilík, -e *mb km, tks* acrylic

akrob:así, -a *f* acrobatics; stunts; *keq* trickery: **~ ajrore** stunt flying ♦ **~át, -i** *m* acrobat; stuntman ⟨*sh* **–men**⟩ ♦ **~atík, -e** *mb* acrobatic

aksidént, -i *m* accident; mishap ♦ **~óhem** *vetv* be involved in an accident ♦ **~lój** *kl* cause an accident ♦ **~úar (i, e)** *mb, em* injured in an accident

aksión, -i¹ *m* action; *ush* engagement; *sp* attack

aksión, -i² *m fn* share; preference ♦ **~ár, -i** *m fn* shareholder ♦ **~ár, -e** *mb:* **shoqëri ~e** joint-stock company

aksh *pkf* **në ~ vend** at such and such place

akt, -i *m* act; gesture; certificate: **~ i lindjes/ vdekjes** birth/ death certificate; **dramë me një ~** one-act play

aktív, -e *mb* active: **rrota të para ~** front-wheel drive ♦ **~, -i** *m* activists (*of a party*) ♦ **~íst, -i** *m* activist ♦ **~itét, -i** *m nj* activity; function ♦ **~izím, -i** *m* activation ♦ **~iz/óhem** *vtv* become active; participate; *ps* ♦ **~iz/ój** *kl* activate

aktór, -i *m* actor; *fg* leading figure

aktuál, -e *mb* present; current (*events*): **rrezik ~** real danger ♦ **~itét, -i** *m* current events

akuarél, -i *m art* watercolour ♦ **~íst, -i** *m* watercolourist

akuariúm, -i *m* aquarium

áku/ll, -lli *m* ice: **zë ~** ice (over); **xham ~lli** frosted/ white glass; **thyej ~llin** break the ice ♦ **~ll** *mb, nd* icy; tidy; spick and span; frigid: **~ i ftohtë** very cold; **~ i ri** brand new ♦ **~náj/ë, -a** *f* glacier ♦ **~najór, -e** *mb:* **liqen ~** glacial lake ♦ **~lóhem**

vtv turn into ice; freeze ♦ **~lój** *kl* ice; freeze; *fg* chill ♦ **~** *v iii jkl* ice over/ up ♦ **~ór/e, -ja** *f* ice-cream ♦ **~llt (i, e)** *mb* icy; ice-cold; frozen

akumul:atór, -i *m* accumulator; storage battery ♦ **~ím, -i** *m* accumulation ♦ **~lóhet** *vtv, ps* ♦ **~lój** *kl* accumulate; store

akustík, -e *mb* acoustic ♦ **~ë, -a** *ffz* acoustics *(me folje në njëjës)*

akút, -e *mb* acute *(pain);* sharp

akúz/ë, -a *f dr* accusation; charge: **~ e rreme** false/ trumped up charge ♦ **~lóhem** *ps* ♦ **~lój** *kl dr* accuse; charge: **~oj për vrasje dikë** accuse sb of murder ♦ **~zúar, -i (i)** *m dr* defendant; accused: **bankë e të ~rit** the dock ♦ **~úar (i, e)** *mb, em dr* accused ♦ **~úes, -i** *m* accuser; plaintiff

alamét *mb:* **~ djali** a fine/ strapping young man

alárm, -i *m ush* alarm; warning; alert ♦ **~íst, -i** *m kq* alarmist; scare-monger ♦ **~lóhem** *vtv, ps* ♦ **~lój** *kl* alarm

albanoló:g, -u *m* Albanologist ♦ **~gjí, -a** *f* Albanology; Albanian studies ♦ **~ík, -e** *mb* Albanological

albúm, -i *m* album; collection

albumín/ë, -a *f* albumin; albumen

aleá:nc/ë, -a *f* alliance ♦ **~t, -e** *mb* allied ♦ **~t, -i** *m* ally

alegorí, -a *f lt* allegory ♦ **~k, -e** *mb* allegorical

alergjí, -a *f mk* allergy: **kam ~ nga** be allergic to ♦ **~k, -e** *mb* allergic(al)

alfabét, -i *m* alphabet ♦ **~ík, -e** *mb* alphabetic: **rend ~** alphabetical order

álg/ë, -a *f bt* sea-weed

algjéb/ër, -ra *f* algebra ♦ **~rík, -e** *mb* algebraic(al)

Algjerí, -a *f gjg* Algeria ♦ **~án, -e** *mb* Algerian ♦ **~án, -i** *m* Algerian

alibí, -a *f dr* alibi: **provoj ~ë** establish one's alibi

alkimí, -a *f* alchemy ♦ **~st, -i** *m* alchemist

alkoól, -i *m km* alcohol; spirit ♦ **~ík, -e** *mb* alcoholic ♦ **~íst, -i** *m* alcoholic; heavy drinker ♦ **~iz/óhem** *vtv* become alcoholic/ addicted to alcohol; *ps* ♦ **~iz/ój** *kl* add alcohol to; fortify *(wine)*

aló *ose* **álo** *psth* hallo; hello

Alp:e, -t *f sh gjg* Alps ♦ **~ín, -e** *mb* Alpine ♦ **~iníst, -i** *m* mountain-climber ♦ **~iníz/ëm, -mi** *m sp* mountain-climbing

altár, -i *m ft* altar; sacrificial table

altoparlánt, -i *m* loudspeaker; *kq* mouthpiece

alumín, -i *m km* aluminium ♦ **~le, -ia** *fbs* aluminium ware

aluzión, -i *m* allusion; hint: **bëj ~** to hint (at sth.)

all, -e *mb* crimson

allafrênga *nd bs* in the West-European fashion

Alláh, -u *m ft, psth* Allah

alla:shqiptárçe *nd bs* in the Albanian fashion/ manner ♦ **~túrka** *nd bs* in the Turkish fashion

allçí, -a plaster; plaster-cast; gypsum

allishverísh, -i *m bs* deal; bargain; *kq* dealing

amán *psth bs :* **~, mos!** please don't!

amanét, -i *m bs* behest

amarét/ë, -a *f gjell* macaroon

amatór, -i *m* lover; amateur

ambalázh, -i *m* packing; package: **letër ~** brown paper ♦ **~ím, -i** *m* packing ♦ **~lóhet** *ps* ♦ **~lój** *kl* pack; package

ambasád/ë, -a *f* embassy ♦ **~ór, -i** *m* ambassador

ambíc:i/e, -a *f* ambition ♦ **~ióz, -e** *mb* ambitious

ambiént, -i *m* environment; *fg* atmosphere; *sh* facilities, grounds ♦ **~lóhem** *vtv, ps* ♦ **~lój** *kl* adapt (to); acclimatise

ambulánc/e, -a *f* surgery; outpatient clinic; ambulance (car)

amerik:án, -e *mb* American ♦ **~án, -i** *m* American ♦ **~íz/ëm, -mi** *m gjh* Americanism ♦ **A~/ë, -a** *f gjg* America

ám/ë, -a *f* source *(of a river);* mother; stub *(of a cheque)* ♦ **~ënór, -e** *mb* maternal ♦ **~ësí, -a** *f dr* maternity

ámësht (i, e) *mb* insipid; tasteless; unsavoury; *fg* dull; bland; tedious *(person)* ♦ **~í, -a** *f* insipidness; tastelessness

amfíb, -e *mb bl* amphibian

amfiteát/ër, -ri *m* amphitheatre

amín *pj ft* amen

amnist:í, -a *f dr* amnesty, general pardon ♦ **~óhem** *vtv, ps* ♦ **~ój** *kl* pardon; grant amnesty

amortiz:atór, -i *m tk* damper; shock-absorber ♦ **~ím, -i** *m tk (shock)* absorption ♦ **~lóhet** *vtv, ps* ♦ **~lój** *kl tk* damp; absorb *(a shock, etc.); ek* amortise ♦ **~úes, -e** *mb tk* damping *(device); ek* amortisation

ampúl/ë, -a *f frm* ampoule; vial

amsh:ím, -i *m* eternity ♦ **~úar (i, e)** *mb* eternal

amtár, -e *mb* native; mother *(tongue)*

ámull *nd* in stagnation ♦ *mb* stagnant; still ♦ **~í, -a** *f* stagnation; backwater ♦ **~t (i, e)** *mb* stagnant; dull, flat *(market)*

amvís/ë, -a *f* housewife *(sh-wives)* ♦ **~ërí, -a** *f* housewifery

amvón/ë, -a *f ft* pulpit

anále, -t *f sh* annals

analfabét, -e *mb, em* illiterate ♦ **~íz/ëm, -mi** *m* illiteracy

analí:st, -i *m* analyst ♦ **~z/ë, -a** *f* analysis *(sh-ses); (blood)* test ♦ **~iz/óhet** *ps* ♦ **~iz/ój** *kl* analyse; break down

analó:g, -e *mb* analogous; similar ♦ **~gjí, -a** *f* analogy; parallel ♦ **~gjík, -e** *mb* analogous

anaprápt:as *nd* backwards; back-to-front: **numërim ~** countdown

anark:í, -a *f* anarchy ♦ **~ík, -e** *mb* ♦ **~íst, -i** *m* anarchist

anasjéll:as, ~tas *nd* vice-versa; inversely ♦ **~/ë (i,**

e) *mb* inverted; reverse *(order)*

ánash *nd* sideways; edgeways; edgewise: **shikoj ~** give a sidelong glance

anatomí, -a *f* anatomy; dissection ♦ **~k, -e** *mb* anatomic(al)

andéj *nd* there; that way; from that place; in that direction: **shko ~** go that way; **~ tutje** over there ♦ *prfj* beyond; across: **~ lumit** on that bank of the river ♦ **~mi (së)** *nd* from that place; hence ♦ **~sh/ëm (i), -me (e)** *mb* opposite *(side)*

andráll/ë, -a *f bs* care; worry; trouble

anekdót/ë, -a *f* anecdote; story; joke ♦ **~ík, -e** *mb* anecdotal

anekënd *nd* all over; everywhere ♦ *prfj* all over

anéks, -i *m* annex; wing *(of a building);* utility room: **~ kuzhine** kitchenette ♦ **~ím, -i** *m* annexation ♦ **~lóhet** *ps* ♦ **~lój** *kl* annex; take possession of *(territory)*

ane:mbánë *nd* on all sides; all over; throughout ♦ *prfj* on all sides of; all over; throughout ♦ **~përqárk** *nd* around; about; round and round

anestezí, -a *f mk* an(a)esthesia

an/ë, -a *f* side; face; part; partiality: **~ë e djathtë** right(hand) side; **~ë e kënd** everywhere; all over; **nga ~a e mbarë** right side/ face up; **mbaj ~ë** be partial/ biased (to); **nga një(ra) ~ë** on the one hand; **nga ~a tjetër** on the other hand ♦ **~s** *nd*, *prfj* around; sideways; edgeways; by: **i bie ~ e ~** beat about the bush ♦ **~sór, ♦i** *m sp* linesman ♦ **~sór, -e** *mb* side *(effect); fg* lateral: **rrugë ~e** side-street ♦ **~tár, -i** *m* member ♦ **~tarësí, -a** *f* membership

angarí, -a *f* fag; hard work ♦ *nd:* **punoj ~** do drudgery work

angazh:ím, -i *m* commitment; pledge ♦ **~lóhem** *vtv* commit oneself *(to sth);* pledge *(to do sth); ush* be engaged *(in fighting); ps* ♦ **~lój** *kl* hire *(a cab);* book *(a room); ush* engage *(the enemy in battle);* occupy *(sb with sth)*

ángësht (i, e) *mb fg* tight-fisted; miserly; stingy ♦ **~í, -a** *f* anxiety; sultriness *(of the weather)* ♦ **~í óhem** *vtv* ♦ **~lój** *kl* make anxious; distress; torment

angl:éz, -e *mb* English: **gjuha ~** the English language ♦ **~éz, -i** *m* English ♦ **A~í, -a** ♦ *gjg* England ♦ **~ikán, -e** *mb* Anglican *(church)* ♦ **~ísht** *nd:* **flas ~** speak English ♦ **~ísht/e, -ja** *f* (the) English (language)

angoléz, -e *mb* Angolian ♦ **~, -i** *m* Angolian ♦ **A~/ë, -a** *gjg* Angola

angullí:m/ë, -a *f* whine; yowl *(of a dog)* ♦ **~/n** *jk/* **-u, -rë** whine; yowl

angjinár/e, -ja *f bt* artichoke

aníj/e, -a *f* ship; boat; (sea) vessel; (sea-)craft: **~ lufte** warship; **~ kozmike** space ship; **në ~** on board the ship

aním, -i *m* bend; lean; inclination; listing *(of a ship)*

animación, -i *m kn* animation

ankánd, -i *m* auction: **nxjerr në ~** auction

ankés/ë, -a *f* complaint; grievance; petition

ankét/ë, -a *f* questionnaire; (opinion) poll

ank:ím, -i complaint; grievance ♦ **~lóhem** *vtv* complain: **~ nga stomaku** have a stomach complaint ♦ **~ój/ë, -a** *em bs* whimperer

ankor:ím, -i *m dt* anchorage; berth ♦ **~lóhem** *vtv* ♦ **~lój** *kl* (cast) anchor; berth

ankth, -i *m* nightmare; anguish; anxiety ♦ **~sh/ëm (i), -me (e)** *mb* nightmarish; anguished; anxious

ankúes, -i *m* petitioner; complainant ♦ **~, -e** *mb* complaining; plaintive *(tone)*

an/óhem *vtv* ♦ **~ ój** *jk/* lean; tilt; *fg* incline (**to**); favour, side (**with**); list *(of a boat)* : **~oj nga e djathta** lean to the right ♦ *kl* incline; bend

anomalí, -a *f* abnormality; anomaly

anoním, -i *m* anonymous person ♦ **~, -e** *mb* anonymous; unnamed

anormál, -e *mb* abnormal; deranged *(person)*

ansámb/ël, -li *m* ensemble; group

antén/ë, -a *f rtv* antenna; aerial; *sh z/* feelers

anti-biotík, -u *m frm* antibiotic ♦ **~dót, -i** *m mk* antidote ♦ **~fashíst, -i** *m* anti-fascist ♦ **~fashíst, -e** *mb* anti-fascist ♦ **~imperialíst, -e** *mb, em* anti-imperialist(ic)

antík, -e *mb* ancient; *bs* antique; quaint ♦ **~/ë, -a** *f bs* antique; curio; *iron* queer fish; queer type: **dyqan ~ash** curiosity shop; **njerí ~ë** a queer type ♦ **~itét, -i** *m* antiquity; antiquities

anti:kolonial, -e anti-colonialist ♦ **~komuníst, -e** *mb, em* anticommunist(ic) ♦ **~-Krísht, -i** *m* anti-Christ ♦ **~lóp/ë, -a** *f z/* antelope; black buck ♦ **~marksíst, -e** *mb, em* anti-Marxist ♦ **~patí, -a** *f* antipathy; dislike ♦ **~patík, -e** *mb, em* unpleasant/ disagreeable person ♦ **~pód, -i** *m* antipode(s) ♦ **~septík, -e** *mb mk* antiseptic ♦ **~shkencór, -e** *mb* un/ non-scientific ♦ **~shoqërór, -e** *mb* anti-social; unsocial ♦ **~téz/ë, -a** *f* antithesis *(sh* **-ses)**

antologjí, -a *f* anthology; collection *(of poems, etc.)*

anúar (i, e) *mb* slanted, leaning (to, over)

anul:ím, -i *m* annulment; repeal; cancellation ♦ **~/óhet** *ps* ♦ **~lój** *kl* annul; cancel; repeal ♦ **~úar (i, e)** *mb* annulled; repealed; cancelled

aórt/ë, -a *f an* aorta

aparát, -i *m* apparatus; *(radio, tv)* set; tract; organ: **~ dëgjimi** hearing aid; **~ fotografik** camera

apartamént, -i *m* apartment; flat; (hotel) suite

apél, -i *m* (roll) call; *dr* appeal: **gjykatë ~** appellate court ♦ **~ím, -i** *m dr* appeal ♦ **~lóhet** ♦ **~lój** *kl dr* appeal *(to a higher court)* ♦ **~úes, -i** *m dr* appellant

apendicít, -i *m mk* appendix *(sh* **-dixes)**

aperitív, -i *m* aperitif

apó *ldh* or; perhaps, maybe; *bs* and: **po ~ jo?** yes or no?

apostolík, -e *mb ft* apostolic(al)

apostróf, -i *m gjh* apostrophe; inverted coma ♦ **~/ë, -a** *f lt* apostrophy

apóstu/ll, -lli *m ft* Apostle; *fg* champion

aprov:ím, -i *m* approval; consent; endorsement ♦ **~/óhet** ♦ **~/ój** *kl* approve; consent; endorse

aq *nd* as much; so (much); this/ that much: **edhe një herë ~** just as much; **jo dhe ~ mirë** not quite so well ♦ *pkf* so many; so much: **~ e ~ njerëz** so many people

ar, -i *m* gold: **prej ~i** golden; of gold; **i larë në ~** gilded

aráb, -e *mb* Arabian; Arabic; Arab ♦ **~, -i** *m* Arab ♦ **A~í, -a** *f gjg* Arabia ♦ **~ík, -e** *mb* Arabian; arabic ♦ **~ísht** *nd* in (the) Arabic (language) ♦ **~ísht/e, -ja** *f* (the) Arabic (language)

aránçát/ë, -a *f* orangeade

árb/ër, -ri *m hst* Arbër; inhabitants of Arbëri ♦ **~ërésh, -i** *m* Arbëresh ♦ **~ërésh, -e** *mb* Arbëresh *(idiom)* ♦ **~ërísht** *nd* (in the) Arbëresh (dialect) ♦ **~ërísht/e, -ja** *f* Arbëresh dialect ♦ **~ërór, -i** *m* Albanian ♦ **~ërór, -e** *mb* Albanian

arbít/ër, -ri *m* arbitrator; *fg* arbiter; *sp* umpire, referee ♦ **~rár, -e** *mb* arbitrary ♦ **~raritét, -i** *m* arbitrariness ♦ **~rázh, -i, ~rím, -i** *m* arbitration; arbitrage ♦ **~róhet** *ps* ♦ **~r/ój** *kl* arbitrate; *sp* referee

ardh:j/e, -a *f* coming; arrival; advent ♦ **~m/e, -ja (e)** *f* future; prospect: **në të ~en** in future; **e ~me e sigurt** secure prospects ♦ **~sh/ëm (i), -me (e)** *mb* future; next; forthcoming; to-be: **vitin e ~ëm** next year; **ditët e ~me** in the days to come ♦ **~shm/e, -ja (e)** *f shih* **ardhm/e, -ja** ♦ **~ur, -a (e)** *f fn* income(s); coming; arrival: **të ~at nga** proceeds from ♦ **~, -i (i)** *m* immigrant; (new)comer ♦ **~, -it (të)** *as* coming; advent ♦ **~ (i, e)** *mb* immigrant; imported; raised *(dough)*; *bs* well-built; forthcoming *(person)*

arén/ë, -a *f* arena; ring; pit; *fg* theatre *(of fighting, etc.)*

ár/ë, -a *f* field; arable land

argás *kl* harden; chafe *(the skin)*; tan *(hides)* ♦ **~/em** *vtv* chafe; harden, be tanned ♦ **~j/e, -a** *f* chafing *(of the skin)*; tanning *(of hides)*

argët:ím, -i *m* entertainment; amusement; pastime ♦ **~/óhem** *vtv* ♦ **~/ój** *kl* entertain; amuse

argumént, -i *m* argument; reason ♦ **~ím, -i** *m* argumentation; reasoning ♦ **~/óhet** *ps* ♦ **~/ój** *kl* argue; reason

argjénd, -i *m* silver ♦ **~silver**; silverware ♦ **~ár, -i** *m* silversmith ♦ **~arí, -a** *f* silversmithing; silverware; silver-work ♦ **~ím, -i** *m* silvering; silver plating ♦ **~/óhet** *vtv, ps* ♦ **~/ój** *kl* silver; silver plate; *v iii* turn silvery white *(of hair)*; *jkl* shine like silver ♦ **~t/ë (i, e)** *mb* silvery ♦ **~urína, -t** *f sh* silverware

Argjentín/ë, -a *f gjg* Argentina ♦ **~as, -e** *mb* Argentinian ♦ **~as, -i** *m* Argentinian

argjíl/ë, -a *f* clay ♦ **~ór, -e** *mb* clayey; clay *(mb)*

argjipéshk/ëv, -vi *m sh* **-víj, -víjtë** *ft* archbishop ♦ **~ví, -a** *f ft* archbishopric

arí, -u *m zl* bear; *bs* bear; boor

ári/e, -a *f mz* aria

aristokra:cí, -a *f* aristocracy; nobility ♦ **~át, -i** *m* aristocrat ♦ **~tík, -e** *mb* aristocratic

aritmetík, -e *mb* arithmetîcal ♦ **~/ë, -a** *f* arithmetic ♦ **~ór, -e** *mb shih* **aritmetik, -e**

ari:xhéshk/ë, -a, ~xhófk/ë, -a *f fm e* arixhi, -u ♦ **~xhí, -u** *m* gypsy

arkaí:k, -e *mb* archaic ♦ **~z/ëm, -mi** *m* archaism

arkeo:lóg, -u *m* arch(a)eologist ♦ **~logjí, -a** *f* arch(a)eology ♦ **~logjík, -e** *mb* arch(a)eological

árk/ë, -a *f* box; case; chest; cash-desk/ box: **~ë e kursimit** savings bank ♦ **~ëtár, -i** *m* cashier; teller ♦ **~ ~ëtím, -i** *m fn* cashing; receipts ♦ **~ët/óhet** *ps* ♦ **~ët/ój** *kl fin* cash: **~oj një çek** cash a cheque

arkitékt, -i *m* architect; *fg* master-mind ♦ **~úr/ë -a** *f* architecture ♦ **~urór, -e** *mb* architectural

arkív, -i *m* archive(s) ♦ **~íst, -i** *m* archivist ♦ **~/óhet** *ps* ♦ **~/ój** *kl* file; shelve *(documents)*

arkivól, -i *m* coffin; bier

arktík, -e *mb gjg* Arctic

armát/ë, -a *f* army ♦ **~ím, -i** *m nj* arming; *ush* armament: ♦ **~ór, -i** *m dt* ship-owner; shipbuilder ♦ **~ós** *kl* arm; provide/ supply arms to; load *(a weapon)*: **~ një aníje** man/ equip a ship ♦ **~ós/em** *vtv, ps* ♦ **~ósj/e, -a** *f* arming; armament ♦ **~ósur (i, e)** *mb* armed: **forca të ~a** armed forces ♦ **~úr/ë, -a** *f ndr* reinforcement; timbering *(of a mine)*; rim *(of glasses)*

armé, -ja *f* pickled cabbage; sauerkraut

armén, -e *mb* Armenian ♦ **~, -i** *m* Armenian ♦ **A~í, -a** *f gjg* Armenia

árm/ë, -a *f* weapon(ry); arm; force; service: **~ë zjarri** fire arms; **~a e aviacionit** the air force; **thërres nën ~ë** call to arms; **shok ~ësh** fellow soldier; comrade-in-arms ♦ **~ëpushím, -i** *m* armistice; cease-fire ♦ **~ëtár, -i** *m* armourer; gunsmith ♦ **~tarí, -a** *f* gunsmithing ♦ **~tór/e, -ja** *fush* armoury; gun-room

armí/k, -ku *m* enemy; foe: **~ i betuar** sworn; **ai është ~ i vetes** he is his own enemy ♦ **~k, -e** *mb* enemy (army); hostile ♦ **~qësí, -a** *f* enmity; feud; hostility; animosity ♦ **~qësím, -i** *m* antagonising ♦ **~qës/óhem** *vtv* become hostile to; be enemies with ♦ **~qës/ój** *kl* make enemies with; antagonise ♦ **~qësór, -e** *mb* hostile; inimical

arn:ésë/ë, -a *f* mending; darning; patch *(on clothes)* ♦ **~/ë, -a** *f* patch: **punë me ~a** patched up job ♦ **~ím, -i** *m* patching; mending; darning ♦ **~/óhem** *vtv, ps* ♦ **~/ój** *kl* patch; mend; darn *(socks)*; vamp; *fg* make shift; manage ♦ **~úes, -i** *m* clothes' mender

arom:atík, -e *mb* aromatic ♦ **~ l/ë, -a** *f* aroma; perfume; fragrance; smell

arsenál, -i *m ush* arsenal; stock-pile *(of weapons)*

arseník, -u *m km* arsenic

arsím, -i *m* education ♦ **~ím, -i** *m* education; schooling ♦ **~lóhem** *vtv* ♦ **~lój** *k/* educate; train ♦ **~ór, -e** *mb* educational; teaching: **sistem ~** educational system ♦ **~tár, -i** *m* teacher

arsý/e, -ja *f nj* reason; cause; motive: **~ e shëndoshë** sound judgement; **për ~e se** because of ♦ **~esh/ëm (i), -me (e)** *mb* reasonable; sensible: **qenie e ~me** rational being ♦ **~etím, -i** *m* reasoning ♦ **~et/óhem** *vtv* justify/ excuse oneself; *ps* ♦ **~et/ój** *jk/* reason: **~oj drejt** reason correctly ♦ *k/* justify; excuse *(one's actions)*

art, -i *m* art; art(s); skill: **~et e bukura** fine arts; **~i ushtarak** art of war; martian art

artéri/e, -a *f an* artery; main road; main (railway) line

árt/ë (i, e) *mb* gold(en): **medalje e ~ë** gold medal; **rast i ~ë** golden opportunity

artificiál, -e *mb* artificial; man-made *(leather, etc.)*: **buzëqeshje ~e** affected smile ♦ **~isht** *nd* artificially; affectedly

artíku/ll, -lli¹ *m* article; item; goods: **~j sportivë** sports goods

artíku/ll, -lli² *m* article: **~ kryesor** leading article; editorial, leader; *gjh* headword *(of a dictionary, etc.)*

artil:erí, -a *f ush prmb* artillery ♦ **~jér, -i** *m ush* artilleryman

artíst, -i *m, fg* artist; singer ♦ **~ík, -e** *mb* artistic: **mjeshtëri ~e** artistic skill/ mastery; artistry; **letërsi ~e** fiction; **film ~** feature film

artizán, -i *m* artisan; craftsman ♦ **~ál, -e** *mb* artisan *(work)* ♦ **~át, -i** *m* craftsmanship; handicraft

artrít, -i *m mk* arthritis

arturín/ë, -a *f* gold-ware; gold ornaments

arúsh/ë, -a *f zl* she-bear: **A~a e Madhe** *ast* the Great Bear; **A~a e Vogël** *ast* the Little Bear ♦ **~arúshk/ë, -a** *f* whelp *(of a bear)*; baby/ teddy bear

arrakát, -e *mb* stray; errant; maverick: **dele ~e** stray sheep; **vajzë ~e** tomboy

arratí, -a *f* escape; flight; stampede: **marr ~në** scuttle off; be on the run ♦ **~s** *k/* exile; banish ♦ **~s/em** *vtv* escape *(from prison);* flee; *v iii* scatter; disperse ♦ **~sj/e, -a** escape; flight ♦ **~sur, -i (i)** *m* fugitive; run-away; escapee ♦ **~sur (i, e)** *mb* fugitive; run-away *(mb); fg* stray *(thoughts); fg* distracted; absent-minded

arrést, -i *m* arrest: **fletë ~i** arrest warrant ♦ **~ím, -i** *m* arrest; detention ♦ **~lóhem** *ps* ♦ **~lój** *k/* arrest; detain ♦ **~úar, -i (i)** *m* detainee ♦ **~úar (i, e)** *mb* arrested; detained

árr/ë, -a *f bt* walnut (tree, fruit); nut: **ia marr ~at dikujt** have sb on the hip; **~ë e fytit** *an* Adam's apple ♦ **~ëz, -a** *f an* cervix; Adam's apple

arrí:het *vtv* ripen; mature *(of fruit);* come to a head *(of a boil, etc.);* *pvt, ps* ♦ **~lj** *jk/* arrive; reach; *v iii* come; reach to (up to); succeed; manage; *v iii* suffice: **~j në shtëpi** reach home; **~j herët** arrive early; **s'~j të kuptoj** fail to grasp; **s'më ~n kuleta** I can't afford it ♦ *k/* reach; attain; overtake: **e ~j me dorë** reach one's hand (for sth); **~j qëllimin** attain one's goal ♦ **~r/ë (i, e)** *mb* ripe; mature: **vajzë e ~ë** girl of an age to be married ♦ **~tj/e, -a** *f* arrival; attainment; achievement ♦ **~tsh/ëm (i), -me (e)** *mb* attainable ♦ **~tur (i, e)** *mb* achieved; perfect; mature: **vepër e ~** mature work

arrogán:c/ë, -a *f* arrogance; haughtiness ♦ **~t, -e** *mb* arrogant; haughty; scornful ♦ *em* arrogant person

as, -i¹ *m* ace *(in cards); sh, -ë, -ët fg* ace

as² */dh:* **~ ... ~ ...** neither... nor...; **~ mish, ~ peshk** neither fish nor fowl; **~ unë nuk e di** I don't know either; **~ as edhe një** not a single ♦ *pj:* **~ më flet një fjalë** do say something

asamblé, -ja *f* assembly

asfált, -i *m* asphalt ♦ **~ím, -i** *m ndr* asphalting ♦ **~lóhet** *ps* ♦ **~lój** *k/* asphalt ♦ **~úar (i, e)** *mb* asphalted; surfaced with asphalt

asfiksí, -a *f mk* asphyxia; *fg* choking; blocking; smothering ♦ **~lój** *k/* asphyxiate; choke; smother

asgjë *pkf* nothing: **nuk kursej ~** spare nothing ♦ **~, -ja** *f* nothingness; nought

asgjë:káfshë *pkf* nothing ♦ **~kúnd(i)** *nd* nowhere; not nearly ♦ **~mángut** */dh* nevertheless ♦ **~sénd(i)** *pkf* nothing; not a thing ♦ **~s:ím, -i** *m* annihilation; extermination: **~ i mbeturinave** disposal of refuse ♦ **~lóhem** *ps* ♦ **~lój** *k/* annihilate; exterminate

asimil:ím, -i *m* assimilation; digestion ♦ **~lóhem** *ps* ♦ **~lój** *k/ bl* assimilate; digest ♦ **~úesh/ëm (i), -me (e)** *mb* assimilable; digestible

asistén:c/ë, -a *f* assistance: **në ~ë** on benefits ♦ **~t, -i** *m* assistant

askí, -a *f* bracers; *am* suspenders

as:kújt *shih* **askúsh** ♦ **~kúnd(i)** *nd* nowhere; not anywhere ♦ **~kúrr/ë** *nd* never; never before ♦ **~kurrëfárë** *pkf* none at all; no kind of ♦ **~kurrgjë** *pkf* nothing at all; absolutely nothing ♦ **~kurrkúsh**, **askúsh** *pkf* no one; nobody ♦ *em bs* nonentity ♦ **~ndonjë** *pkf* no-one: **~ prej tyre** no one of them ♦ **~ndonjëhérë** *nd:* **si ~ tjetër** like never before ♦ **~ndonjěr/i, -a** *pkf* no one

asnján:ës, -i *m* neutral ♦ **~ës, -e** *mb* neutral; *gjh* neuter ♦ **~ësí, -a** *f* neutrality; impartiality

as:njerí *pkf* no one; nobody: **s'ka ~** there is no one (in) ♦ **~një** *pkf* no one; not a single: **në ~ mënyrë** by no means; **~ qime** not a shred ♦ **~njër/i, -a** *pkf* no one; nobody: **~i prej nesh/ nga ne** no one of us

asó:bóte *nd shih* **~hére ♦ ~dóre** *dft* such; of that kind ♦ **~hére, ~kóhe** *nd* then; at that time

asortimént, -i *m* assortment; range *(of products, etc.)*

aspák *nd* by no means: **nuk ka të bëjë ~ me të** it has nothing to do with him

aspékt, -i *m* aspect; view; side

aspirín/ë, -a *f frm* aspirin

astár, -i *m* lining *(of a jacket)*

astmatík, -u *m mk* asthmatic ♦ **~/ë, -a** *f mk* asthma

astro:lóg, -u *m* astrologer ♦ **~logjí, -a** *f* astrology ♦ **~logjík, -e** *mb* astrological ♦ **~náut, -i** *m* astronaut ♦ **~nautík/ë, -a** *f* astronautics *(me folje në njëjës)* ♦ **~nóm, -i** *m* astronomer ♦ **~nomí, -a** astronomy ♦ **~nomík, -e** *mb* astronomic(al); *fg* sky-high *(prices)*

ashensór, -i *m* lift; elevator ♦ **~íst, -i** *m* lift-boy/attendant

áshk/ël, -la *f* splinter; chip *(of wood)* ♦ **~/óhet** *ps* ♦ **~ël/ój** *kl* split; chip; chop ♦ *jkl* splinter

áshp/ër (i, e) *mb* rough; tough *(character)*; *fg* stern; fierce; harsh: **lëkurë e ~** rough skin; **rërë e ~** coarse sand; **dimër i ~** severe winter ♦ **~ër** *nd* coarsely; roughly; *fg* cruelly; rudely ♦ **~ em -ër, -rit (të)** *as* harshness; roughness; coarseness: **me të ~** harshly; roughly ♦ **~ërsí, -a** *f* roughness *(of the skin, etc.)*; callousness; severity *(of the winter)*; sternness; severity; harshness ♦ **~ërsím, -i** *m* exacerbation; worsening *(of relations, etc.)* ♦ **~ërs/óhem** *vtv, ps* ♦ **~ërs/ój** *kl* aggravate; worsen; roughen *(a surface)*

asht, -i *m sh* **éshtra, éshtrat** bone

ashtú *nd* so; thus; like that; as: **nuk është ~** it is not so; **~ thonë** that is what they say; **mos ~!** don't do that!; **~ qoftë!** so be it!; **~!** is that so?

at, -i *m* saddle horse; steed

atá *vetor* they; them; *dft* those: **~ atje** those (over) there: **~ vetë** they themselves

atashé, -u *m* attaché

atdhé, -u *m* fatherland; homeland; country ♦ **~dáshës, -e** *mb* patriotic ♦ **~dashurí, -a** *f* patriotism; love of one's country ♦ **~tár, -i** *m* patriot ♦ **~tár, -e** *mb* patriotic ♦ **~tarí, -a** *f* patriotism; love of one's county

ate:íst, -i *m* atheist ♦ **~íst, -e** *mb* atheistic ♦ **~íz/ëm, -mi** *m* atheism

atentát, -i *m* assassination attempt ♦ **~ór, -i** *m* (would-be-)assassin

át/ë, -i *m sh* **étër, étërit** father; *fet* padre; *sh* ancestors: **~ë e bir** father and son; **gjallë i ~i** a copy of his father; the living image of his father

atë:bótë *nd* then; at that time ♦ **~hérë** *nd* then; at that time; in that case: **që ~** since then; from that time; **~ u kujtova** it dawned on me then; **~, u morëm vesh** so, we're agreed ♦ **~hérsh/ëm (i), -me (e)** *mb* then; of that time

atë:rór, -e *mb* paternal; fatherly ♦ **~sí, -a** *f* paternity

atíll/ë (i, e) *mb dft* such; like; like that: **njeri i ~ë** such person

atjé *nd* there: **rri ~!** stay there; **u ul ~, tek...** he sat there where...; **~ tej** over there ♦ **~sh/ëm (i), -me (e)** *mb:* **gjendja e ~shme** the situation there

atlantík, -e *mb gjg* Atlantic ♦ **A~, -u** *m gjg* Atlantic

atlás, -i *m* atlas: **~ i botës** world atlas

atlét, -i *m* athlete ♦ **~e, -t** *f sh bs* sneakers ♦ **~ík, -e** *mb* athletic ♦ **~ík/ë, -a** *f sp* athletics: **~ë e lehtë** track-and-field sports

atllás, -i *m tks* satin

atmosfér/ë, -a *f* atmosphere; *fiz, tk* atmosphere ♦ **~ík, -e** *mb* atmospheric

ató *vetor* they; *dft* those; what: **me ~** with them; **~ vajza** those girls

atóm, -i *m* atom ♦ **~ík, -e** *mb* atomic; atom *(mb)*

atý *nd* there; about; at the same time: **që këtu deri ~** from here to there; **rri ~** stay there; **~ nga ora pesë** at about five o'clock; **~ për ~** instantly, at once ♦ **~-~** *nd bs* without delay; at once; nearly; more or less: **~ harron** he forgets so easily ♦ **~këtú** *nd* here and there; now and then; now and again

atýnë *plk ft* Paternoster; Our Father

atýre *shih* **ata, ato;** *dft bs* in those parts; there: **~ vendeve** in those places

áth/ët (i, e) *mb* sour; acrid; *fg* biting *(remarks)*; *fg* peevish; testy: **shije e ~** sour taste; **erë e ~** pungent smell ♦ **~ët** *nd:* **më vjen ~** smart under *(a remark)* ♦ **~ëtím, -i** *m* turning sour ♦ **~ëtím/ë, -a** *f* chilly wind; chill ♦ **~ëtír/ë, -a** *f* sourness; tartness ♦ **~/óhem** *vtv* ♦ **~ët/ój** *kl* (make, turn) sour; *v iii* taste sour ♦ **~ëtúar (i, e)** *mb* soured; *fg* embittered; piqued ♦ **~tësí, -a** *f* sourness; tartness

audi:énc/ë, -a *f* audience ♦ **~tór, -i** *m* hall; auditorium; audience

aureól/ë, -a *f* halo; aura

Australí, -a *f gjg* Australia: **anglishte e ~së** Austrialian English ♦ **a~án, -e** *mb* Australian ♦ **a~án, -i** *m* Australian

Austrí, -a *f gjg* Austria ♦ **a~ák, -e** *mb* Austrian ♦ **a~ák, -u** *m* Austrian

auto:ambulánc/ë, -a *f* ambulance car ♦ **~biografí, -a** *f* autobiography ♦ **~blínd/ë, -a** *f ush* armoured car (vehicle) ♦ **~bót, -i** *m* tank-truck; tanker ♦ **~bús, -i** *m* bus; coach ♦ **~cistérn/ë, -a** *f* tank-truck; tanker ♦ **~gól, -i** *m* own-goal ♦ **~kolón/ë, -a** *f* convoy of vehicles ♦ **~kombájn/ë, -a** *f* combine harvester ♦ **~mát, -i** *m* automaton *(sh -ta)* ♦ **~matík, -u** *m ush* automatic, submachine-gun; *tk* automaton; *bs* automatic exchange ♦ **~matík, -e** *mb* automatic; self-acting; self-moving: **armë ~e** repetitive fire-arm; **central ~** automatic exchange ♦ **~matikísht** *nd* automatically; involuntarily ♦ **~matizím, -i** *m* automation ♦ **~matizóhet**

vtv, ps ✦ **~matiz/ój** kl automate ✦ **~mjét, -i** m motor vehicle ✦ **~mobíl, -i** m motor car; automobile ✦ **~mobilistík, -e** mb: **garë ~e** motor racing; **rrugë ~e** motorway; am motor-road ✦ **~mobilíz/ëm, -mi** m sp motoring; motor-racing ✦ **~nóm, -e** mb autonomous; self-governing ✦ **~nomí, -i** f autonomy ✦ **~ofiçín/ë, -a** f repair-shop truck ✦ **~pár/k, -ku** m car park ✦ **~portrét, -i** m self-portrait

autopsí, -a f mk autopsy; post-mortem (examination)

autór, -i m author; writer: **e drejtë e ~it** copyright

autorepárt, -i m ush motorised unit

autorësí, -a f authorship

autorit:ár, -e mb authoritarian; authoritative; imperious ✦ **~ét, -i** m authority

autoriz:ím, -i m authorisation ✦ **~/ój** kl authorise; give the go-ahead/ green light

autostrád/ë, -a f bs motorway; am superhighway; speedway

avantázh, -i m advantage; sp lead; head-start

avarí, -a f tk breakdown; failure; dt average

avásh nd bs slowly; easy: **merre ~** take it easy ✦ **~-~** nd bs slowly; easily; by easy stages ✦ **~/ëm** (i), -me (e) mb bs slow; go-slow; slow-paced ✦ **~llëk, -u** m bs slowness; sluggishness ✦ **~t/ë (i, e)** mb bs slow ✦ **em** slow coach

aváz, -i m bs. **i bie një ~i** harp on the same string

aventúr/ë, -a f adventure: **~ë dashurie** (love) affair ✦ **~iér, -i** m adventurer; bs womaniser

avi:ación, -i m aviation: **shkollë ~i** aviation/ flying school ✦ **~atór, -i** m aviator; pilot ✦ **~ón, -i** m aeroplane; airplane: **~ reaktiv** jet plane

avít (avís) kl bs approach; bring near(er) ✦ **~/em** vtv bs approach; come near(er) ✦ **~j/e, -a** f bs approach; nearing ✦ **~ur (i, e)** mb bs friendly; winsome; winning (manner, person)

avllí, -a f courtyard; wall

avokát, -i m lawyer; solicitor; am attorney (at-law); fg advocate: **~ mbrojtës** counsel for the defence ✦ **~í, -a** f dr legal profession ✦ **~ór, -e** mb drejt: **zyrë ~** law office ✦ **~ór/e; -ja** f law office

ávu/ll, -lli m steam; vapour; bs heat ✦ **~llím, -i** m evaporation ✦ **~ll/óhem** vtv, ps ✦ **~ll/ój** kl evaporate; vaporise; tk steam ✦ jkl v iii steam; vanish; disappear ✦ **~llór/e, -ja** f steamer; steamship; steamboat ✦ **~llúar (i, e)** mb evaporated; vaporised; steamed up (of window panes)

axhamí, -u m bs child; kid; beginner; fag ✦ **~llë/k, -ku** m bs childishness; pranks

axhust:atór, -i m fitter; bench-hand ✦ **~erí, -a** f tk fitting; bench-work; fitting-shop ✦ **~/ój** kl tk true (a piece)

azdís kl bs let loose ✦ **~/em** vtv bs v iii grow vigorously (of plants); fg run riot; get out of hand ✦ **~ur (i, e)** mb bs lush (growth); fg loose; out of hand; fg spirited; mettlesome (horse): **erë e ~** a raging wind

Azí, -a f gjg Asia ✦ **~atík, -e** mb Asian; Asiatic ✦ **~atík, -u** m Asian

azíl, -i m shelter; asylum: **kërkoj ~** seek/ apply for asylum ✦ **~ánt, -i** m asylum-seeker

azót, -i m km nitrogen ✦ **~ík, -e** mb nitrogenous

azhurn:ím, -i m adjournment; postponement; updating ✦ **~/óhem** vtv, ps ✦ **~/ój** kl -**óva, -uar** adjourn; postpone; put off; update

B

bab:á, -i *m dhe ft* father; leading figure; *sh* ancestors; forefathers: **për shpirt të ~it** free; for nothing; **~llarët e kombit** father of the nation ♦ **~agjýsh, -i** *m* grandfather; *bs* grandpa ♦ **~axhán, -e** *mb bs* easy-going; good-natured; simple-hearted ♦ **~azót, -i** *m* grandfather ♦ **~/ë, -a** *m* father ♦ **~ëlók, -u** *m bs* dad; chap

babëzí, -a *f* greed; voracity; want ♦ **~t/em** *vtv* eat greedily ♦ **~tur (i, e)** *mb* greedy; voracious

báb:i *m* dad; pa ♦ **~úsh, -i** *m* grandpa

Babiloní, -a *f gjg, hst* Babylon; *fg* mayhem

bacíl, -i *m bl* bacillus *(sh* -i*)*

badihavá *nd bs* free; dirt cheap; *fg* at random: **flas ~** talk nonsense

bagázh, -i *m* baggage; luggage

bagëtí, -a *f prmb* livestock

báhç/e, -ja *f bs* (kitchen) garden ♦ **~ván, -i** *m bs* gardener

báit, -i *m inf* byte

bajám/e, -ja *f bt* almond; *sh mk bs* tonsil(s)

baját, -e *mb bs* stale *(bread, etc.);* trite; vapid *(talk)*

bájg/ë, -a *f* dung: **e lëshoj si lopa ~ën** drop a careless remark

bajonét/ë, -a *f* bayonet

bajrá/k, -ku *m vj* banner; flag ♦ **~ktár, -i** *m vj* standard-bearer; *hst* chieftain, head of clan; *fg* arrogant person

Bajrám, -i *m ft* Bairam (Moslem feast of Eid)

bájz/ë, -a *f zl* coot

bak/áll, -álli *m sh* **-éj, -éjtë** *vj* grocer

bák/ër, -ri *m* copper; copper ware/ utensils ♦ **~ëre, -t** *f sh* copper utensils ♦ **~ërt (i, e)** *mb* copper *(coloured):* **enë e ~** copper utensil/ vessel ♦ **~ërta, -t (të)** *f sh* copper utensils

bakllavá, -ja *f gjll* baklava; baclava *(sweet)*

bakshísh, -i *m* tip

baktér, -i *m* bacterium *(sh* -ia*)*

balád/ë, -a *f lt, mz* ballad

balánc/ë, -a *f shih* **peshor/e, -ja: vë në ~ë** put on a balance ♦ **~lóhet** *ps* ♦ **~lój** *kl* balance ♦ *jokal* keep one's balance

balásh, -i *m* roan (animal); albino

baldós/ë, -a *f zl* badger

balén/ë, -a *f zl* whale; *bs* whale bone; baleen

bal:erín, -i *m* ballet dancer ♦ **~erín/ë, -a** *f* ballerina ♦ **~ét, -i** *m* ballet

bálo, -ja *f* white-snout (animal); *bs* white-haired person: **kape laro, prite ~** free-for-all

balón/ë, -a *f* balloon; kite; flask

balsám, -i *m* balm; balsam ♦ **~ím, -i** *m* embalming; stuffing *(of an animal)* ♦ **~lój** *kl* embalm; stuff *(animals, etc.)*

bált/ë, -a *f* mud; slush; slime; potter's clay; *ose* **-ëra, -ërat** mud-flat; mire; dregs; earth: **~ë xhamash** putty; **e bëj ~ë dikë** treat sb like dirt; **dal nga ~a** get out of scraps/ woods; **lë në ~ë dikë** leave sb in the lurch

ballafaq:ím, -i *m* confrontation; showdown; comparison *(of notes)* ♦ **~lóhem** *vtv, ps* ♦ **~ lój** *kl* confront; face

ballamár, -i *m dt* mooring(s); rope

báll:as *dhe* **~azi** *nd* frontally; face to face; squarely; openly ♦ **~/ë, -i[1]** *m* forehead; brow; front *(of a building);* face, side *(of a box, etc.);* *fg* flower, pick *(of the youth):* **~ët e krevatit** bedsteads; **në lule të ~it** between the eyes; **vendet në ~ë** front seats; **në ~ë** in the forefront; **~ë për ~ë** face to face; opposite; **ruaj si sytë e ~it** cherish sth like the apple of one's eye ♦ **~ë** *prfj:* **~ë meje** in front of me ♦ **~ësór, -e** *mb* frontal

báll/ë, -i[2] *m* degree of intensity *(of earthquake shock, of wind)*

ballíst, -i *m* Ballist *(member of the Albanian National Front)*

Ballkán, -i *m gjg* Balkan ♦ **b~as, -i** *m* inhabitant of the Balkans ♦ **b~ík, -e** *mb* of the Balkans

ballkón, -i *m* balcony

bállo, -ja *f em* ball: **~ me maska** costume ball

ballór, -i *m an* frontal bone ♦ **~, -e** *mb, an* frontal *(bone):* **sulm ~** attack along the whole front

ballúk/e, -ja *f* forelock; quiff *(of hair)*

bam *onomat* bang; thump ♦ *nd* bluntly: **ia them ~** tell sb sth bluntly

bambú, -ja *f bt* bamboo

bamírës, -e *mb* charitable ♦ **~í, -a** *f* charity

bámje, -a *f bt* okra; *bs* lady's fingers

banák, -u *m* counter; bench: **nën ~** under the counter ♦ **~iér, -i** *m* barman

banál, -e *mb* banal; trite; trivial *(talk)* ♦ **~itét, -i** *m* banality; triviality; trivia ♦ **~izím, -i** *m* triteness ♦ **~izóhet** *ps* ♦ **~iz/ój** *k/* trivialise

banán/e, -ja *f bt* banana

banderól/ë, -a *f* streamer

bánd/ë, -a *f mz* band; *kq* gang

bandíll, -i *m* strapping young man; *kq* womaniser, jack-a-dandy

bandít, -i *m* bandit; thug ♦ **~íz/ëm, -mi** *m* banditry

ban:és/ë, -a *f* residence ♦ **~ím, -i** *m* : **leje ~i** residence permit

Bangladésh, -i *m gjg* Bangladesh ♦ **~as, -e** *mb* Bangladeshi ♦ **~as, -i** *m* Bangladeshi

bankár, -e *mb fn* banking *(operations):* **depozitë ~e** bank deposit

bankét, -i *m* banquet: **shtroj një ~** banquet; lay/ throw a banquet

bánk/ë, -a¹ *f* desk; bench; work-table: **~ë shkolle** school desk; **në ~ën e të akuzuarit** on the dock

bánk/ë, -a² *f* bank; banking-house: **sportel i ~ës** bank till/ counter ♦ **~ár, -e** *mb* Banking *(house, operation)* ♦ **~iér, -i** *m* banker

ban/óhet *pvt* ♦ **~lój** *jk/* dwell; live in: **~oj në një dhomë me dikë** share a room with sb ♦ **~ór, -i** *m* inhabitant; resident ♦ **~uar (i, e)** *mb* inhabited ♦ **~úesh/ëm (i), -me (e)** *mb* inhabitable; fit to live in

bánj/ë, -a *f* bath-room/-house; water-closet; lavatory; bathing: **~ë me dush** shower-bath; **bëj ~jë** have a bath; **~ë dielli** sun-bath; **~ë e nevojtore** bathroom; **shkoj në ~ë** go to the toilet

bar, -i¹ *m bt* grass; hay; herb: **~ i keq** ill weed; **e mbulon ~i** be overgrown with grass; **ha ~** bite dust; **~ blete** *bt* lemon balm; **~ veshi** *bt* houseleek; **~ zemre** *bt* gentian

bar, -i² *m frm* drug; medicine; physic; (-)bane: **~ me kokrra** tablets; **~ miu** rat-bane

bar, -i³ *m* bar: **punoj në ~** work in a bar

barab:ár *nd* equally; equal: **ndajmë ~** go shares ♦ **~ártë (i, e)** *mb* equal: **të drejta të ~a** equal rights ♦ **~ em** equal ♦ **~rínjës, -e** *mb gjm* equilateral *(triangle, etc.)*

barák/ë, -a *f* hut; shack; shanty ♦ **~tín/ë, -a** *f* shanty town

bára:s *nd* equal(ly); even *sp (to end)* in a draw: **ndajmë ~** split even ♦ **~snátë, -náta** *f sh* **-snétë,**

-snétët equinox ♦ **~spésh/ë, -a** *f* balance; equipoise; equilibrium ♦ **~speshím, -i** *m* balancing; equilibrium ♦ **~óhet** *vtv, ps* ♦ **~spesh/ój** *k/* balance ♦ **~svlér/ë, -a** *f* equivalence ♦ **~svlérës, -i** *m* equivalent ♦ **~svlérsh/ëm (i), -me (e)** *mb* equivalent ♦ **~zí, -a** *f* equality ♦ **~zím, -i** *m* equalisation; draw; tie; *mat* equation: **gol i ~it** equaliser ♦ **~z/óhem** *vtv* ♦ **~z/ój** *k/* equalise; make equal (even) ♦ *jkl sp* draw; tie

barbár, -e *mb* barbaric; barbarous: **krim ~** atrocious crime ♦ **~, -i** *m* barbarian ♦ **~í, -a** *f* barbarity; *sh* atrocity ♦ **~ízëm, -mi** *m* barbarism; cruelty; atrocity

bar-bufé, -ja *f* bar-buffet; snack bar

barbú/n, -ni *m z/* mullet

barbúnj/ë, -a *f bt* kidney-bean; runner-bean

bardh:é/më (i), -me (e) *mb* whitish; off-white ♦ **~/ë, -a (e)** *f* white; *sh* linen; blank *(in a form):* **në të ~ë** *(to sign)* in blank; **e ~a e syrit** the white of the eye; **e ~a e vezës** the white of the egg ♦ **~ë, -t (të)** *as* whiteness ♦ **~ë (i, e)** *mb* white; fair *(skin)*; blank *(page, look); fg* fortunate; *fg* generous: **faqja e ~** honour; reputation; **mëlçi e ~bs** lungs; **me zemër të ~** with a kind heart; **vijat e ~a** zebra crossing ♦ **~ë** *nd:* **bëhem ~ në fytyrë** turn white in the face ♦ **~ësí, -a** *f* whiteness ♦ **~ësír/ë, -a** *f* whiteness; pallor; day-break ♦ **~ósh, -e** *mb, em* whitish; fair; white-haired ♦ **~ulín, -e** *mb* albino

barél/ë, -a *f* stretcher

bar/és *jk/ bs* walk; pace; run

bar:ésh/ë, -a *f* shepherdess ♦ **~í, -u** *m* shepherd; herdsman; *ft* pastor

baríst, -i *m* barman; bar-keeper

barísht/e, -ja *f* herbage: **~e deti** sea weeds ♦ **~ór, -e** *mb* herbaceous

baritón, -i *m mz* baritone

baritór, -e *mb art, lt, fet* pastoral

bar/k, -ku *m* abdomen; *bs* belly; tummy; womb; *mk bs* trots; bowel hurry; *bs* heart; soul: **më dhemb ~u** have a tummy/ the gripes; **fëmijë të një ~u** siblings; **e kam ~un të gjerë** have a big heart; **fërkoj ~un** gloat over *(sb's misfortune);* **hap ~un** get sth off one's chest

bar-kafé, -ja *f* bar-café

bark:aléc, -e *mb, em kq* pot-belly ♦ **~as** *nd* on one's belly/ stomach

bárk/ë, -a *f* boat: **~ë shpëtimi** life boat; **ngas ~ën** row a boat ♦ **~ëtár, -i** *m* boatman

bark:ór, -e *mb* ventral *(fin);* concave *(mirror)* ♦ **~úsh/e, -ja** *f an* ventricle

barna:tár, -i *m* pharmacist; druggist ♦ **~tór/e, -ja** *f* pharmacy; drugstore

barométr/ër, -ri *m* barometer; *bs* glass

barón, -i *m* baron ♦ **~ésh/ë, -a** *f* baroness

bart *k/* carry; transport; move ♦ **~/em** *vtv, ps* ♦ **~ës, -i** *m* carrier; remover; vehicle *(of germs)* ♦ **~ín/ë, -**

a *f* litter; carrier; stretcher ♦ **~j/e, -a** *f* carriage; transport

barút, -i *m* powder: **~ i zi** black powder ♦ **~** *mb fg* fiery; impatient

bárr/ë, -a *f* load; burden; brunt; pregnancy: **kafshë ~e** pack animal; **me një ~ë mend** brainy *(person)*; **~a e luftës** the brunt of the war; **~ë e shkuar** miscarriage; **i bëhem ~ë dikujt** be a drag on so; **s'e vlen ~a qiranë** it is not worth while

barrikád/ë, -a *f* barricade; *fg* barrier

bárrsë *mb f (animal)* with young

bas, -i *m mz* bass *(voice)*

basketbóll, -i *m sp* basketball ♦ **~íst, -i** *m sh-ë, -ët* basketball player

básm/ë, -a *f* printed cotton fabric

bast, -i *m* bet; wager; stake: **vë ~** bet

bastárad, -i *m bl* crossbreed; bastard/ illegitimate child ♦ **~, -e** *mb* crossbred; mongrel; *kq* degenerate; illegitimate *(child)* ♦ **~ím, -i** *m* degradation; corruption; bastardisation ♦ **~/óhem** *vtv* ♦ **~/ój** *kl bl* bastardise

bastís *kl* raid; search ♦ **~em** *ps* ♦ **~j/e, -a** *f* raid; search

bastún, -i *m* (walking) stick/ cane

bash, -i *m dt* prow; stem; best part, choice, flower: **~i i djemve** the pick of the youth

bashk:atdhetár, -i *m* compatriot; fellow countryman *(sh–men)* ♦ **~ekzisténc/ë, -a** *f* co-existence ♦ **~ekzist/ój** *jkl* co-exist; cohabit

báshk/ë, -a *f* fleece *(of sheep)*

báshkë *nd* together; at the same time; simultaneously: **i bëj/ vë ~** put/ pool together; **s'lidh dot dy fjalë ~** be unable to put two words together ♦ **~bisedím, -i** *m* dialogue ♦ **~bised/ój** *jkl* converse; confer with ♦ **~bisedúes, -i** *m* interlocutor ♦ **~fajtór, -i** *m dr* accomplice ♦ **~fshatár, -i** *m* fellow-countryman ♦ **~jetés/ë, -a** *f* cohabitation; concubinage; co-existence ♦ **~jet/ój** *jkl* cohabit; live together; co-exist ♦ **~kóhës, -i** *m* contemporary ♦ **~kóhës, -e** *mb* contemporary ♦ **~kohór, -e** *mb:* **letërsi ~e** contemporary literature ♦ **~kómbës, -i** *m* co-national ♦ **~luftëtár, -i** *m* fellow-fighter (-soldier) ♦ **~ngjít** *kl* enclose; conjoin; attach ♦ **~ngjítet** *ps* ♦ **~ngjítur (i, e)** *mb* enclosed; attached; herewith; hereunder ♦ **~nxënës, -i** *m* school-mate/ fellow; old boy ♦ **~punëtór, -i** *m* collaborator; co-operator: **~ në krim** *drejt* associate in crime; **~ i jashtëm** free-lance ♦ **~puním, -i** *m* collaboration; *dr* complicity: **në ~ me** in collaboration/ association with ♦ **~pun/ój** *jkl* collaborate; co-operate ♦ **~qytetár, -i** *m* fellow-citizen ♦ **~rendít** *kl* co-ordinate *(clauses)* ♦ **~rendítem** *vtv, ps* ♦ **~rendítj/e, -a** *f* co-ordination; timing together *(of various activities)* ♦ **~rendóhet** *ps* ♦ **~rend/ój** *kl* co-ordinate ♦ **~rísht** *nd* together; jointly; simultaneously; at the same

time: **vendosim ~** make a joint decision ♦ **~sí, -a** *f* communion; community ♦ **~shórt, -i** *m* husband; spouse ♦ **~shórt/e, -ja** *f* wife; spouse ♦ **~shortór, -e** *mb* conjugal; marital *(life)* ♦ **~tingëllór/e, -ja** *f gjh* consonant ♦ **~veprím, -i** *m* joint action ♦ **~vepr/ój** *kl* act jointly

bashkí, -a *f* municipality: **kryetar i ~së** mayor ♦ **~ák, -e** *mb* mayoral; municipal

bashk:ím, -i *m* unity; union; merger; amalgamation ♦ **~lóhem** *vtv* ♦ **~lój** *kl* join; connect; link up; unite; merge: **~ojmë forcat** join forces/ hands ♦ **~u (së)** *nd:* **të gjithë së ~** all together; **së ~ me** together with ♦ **~úar (i, e)** *mb* joined together; united; connected; linked: **Kombet e B~a** United Nations; **Mbretëria e B~r** United Kingdom; **Shtetet e B~a** the United States ♦ **~udhëtár, -i** *m* fellow-traveller

baták, -u *m* mire; wallow; *fg* quagmire; cesspool; backwater: **ujë ~u** ditch-water

batakçí, -u *m bs* swindler; cheat; conman ♦ **~llë/k, -ku** *m bs* swindle; cheat; raw-deal

batalión, -i *m ush, fg* battalion

bataníj/e, -a *f* blanket; cover

bataré, -ja *f* volley; spray *(of bullets)*; fusillade

baterí, -a *f el, ush, tk* battery; *sp* heat; *mz* drums: **~të kanë rënë** the batteries are low

batërdí, -a *f bs* ruin; waste: **bëj ~në** work havoc ♦ **~s** *kl bs* ruin; demolish; (lay) waste ♦ **~s/em** *vtv, ps*

batíc/ë, -a *f* high water; tide

batís *kl* overthrow; overturn; capsize ♦ *jkl shih* **batiset** ♦ **~let** *vtv bs* sink; capsize; collapse ♦ **~j/e, -a** *f bs* overturn; capsize

báth/ë, -a *f bt* broad bean

baúl/e, -ja *f* chest; trunk; travelling box

baxhanák, -u *m* sister-in-law's husband

báxh/ë, -a *f* sky-light; dormer-window; trap-door

báxho, -ja *f* dairy; dairy-shop

báz/ë, -a *f* base; *fg* basis; foundation; groundwork; *sh* fundamentals *(of a science);* grassroots *(of the party):* **në ~ë të logjikës** on the strength of logic; **pa ~a** baseless; groundless; **~ë detare** naval base ♦ **~ë** *mb* basic; fundamental: **rrogë ~ë** basic salary ♦ **~/óhem** *vtv:* **~ në fakte** base oneself on facts ♦ **~lój** *kl* base; support *(a theory)*

bazúk/ë, -a *f ush* bazooka

be, -ja *f* oath: **bëj ~ e rrufe** swear by all that is holy

béb/e, -ja[1] *f* baby: **bëj si ~** behave like a child/ kid

béb/e, -ja[2] *f* pupil *(of the eye)* ♦ **~ëz, -a** *f* pupil *(of the eye)*

bedél, -i *m hst* substitute *(for sb in the army, etc.);* whipping boy

bedén, -i *m* battlements; embrasure *(of castle walls);* lace(work)

béf:as *nd* suddenly; off guard: **zë ~ dikë** catch sb off his guard ♦ **~así, -a** *f* suddenness; surprise:

zë/ gjej në ~ dikë catch sb by surprise/off his guard/napping ♦ **~asísh/ëm (i), -me (e)** *mb* sudden; unexpected; abrupt *(change, etc.)* ♦ **~asísht** *nd* suddenly; without warning ♦ **~as/ój** *kl* surprise; catch off guard/ napping ♦ **~të (i, e)** *mb* sudden; abrupt

begát/ë (i, e) *mb* prosperous; *fg* fertile: **vit i ~** bumper year ♦ **~í, -a** *f* prosperity; plenty ♦ **~lóhem** *vtv v iii* prosper, thrive ♦ **~lój** *kl* make prosperous ♦ **~sh/ëm (i), -me (e)** *mb* prosperous; plentiful

begení, -a *f bs* respect; condescension ♦ **~s** *kl bs* (show) respect; condescend on ♦ *jkl tll* deign ♦ **~sj/e, -a** *f bs shih* **begeni, -a**

begónj/ë, -a *f bt* begonia

beh *jkl v iii :* **ia ~** pop in ♦ **~, -u** *m:* **zë në ~** catch off guard

behár, -i *m* warm season ♦ **~** *mb fg* happy; merry

behár/e, -t *dhe* **~na, -t** *f sh* spices; pot-herbs; condiments

be/j *m sh* **-lérë, -lérët** *vj* bey *(title)*

béjt/e, -ja *f* lame/ worthless verse; doggerel; jingle ♦ **~xhí, -u** *m sh* folk poet; versifier

bejzbóll, -i *m sp* baseball

bek:ím, -i *m* blessing; benediction ♦ **~/óhem** *vtv, ps* ♦ **~/ój** *kl ft* bless; give one's benediction/ blessing to; *bs* thank; be thankful to ♦ **~úar (i, e)** *mb ft* blessed; *fg* fortunate: **ujët e ~** holy water

bel, -i¹ *m* waist; middle

bel, -i² *m* spade

belá, -ja *f bs* mischief; trouble: **më zë/ pjell ~ja** be in a nice scrape; **kali i ~rave** scapegoat

belarús, -e *mb* Belarussian ♦ **~, -i** *m* Belarussian ♦ **B~í, -a** *f gjg* Belarus

belb/acák, -e *mb* stammering; stuttering ♦ **~/em** *vtv* stammer; stutter ♦ **~ër (i, e)** *mb* stammering; stuttering ♦ **~ër** *nd* with a stammer ♦ **~ëzím, -i** *m* stammer(ing); stutter(ing); murmur ♦ **~ëz/ój** *jkl* stammer; stutter ♦ *kl* blabber; mumble

bel:g, -e *mb* Belgian ♦ **~g, -u** *m* Belgian ♦ **~gjián, -e** *mb* Belgian ♦ **~gjián, -i** *em* Belgian ♦ **B~gjík/ ë, -a** *f gjg* Belgium

ben/g, -gu¹ *m zl* fig-bird; oriole: **bëhem ~ i verdhë** turn pale

benz:ín/ë, -a *f km* benzine; petrol; *am* gas(oline) ♦ **~ól, -i** *m* benzol

beqár, -e *mb* single ♦ **~, -i** *m* bachelor ♦ **~í, -a** *f* celibacy; bachelor's life style; *prmb* bachelors

berbér, -i *m* barber ♦ **~hán/e, -ja** *f* barber's shop

bereqét, -i *m bs* bread grain; cereal; harvest: **vit me ~** a good/ bumper year; **fjalë pa ~** useless words

berét/ë, -a *f* beret; cap; biretta

berihá, -ja *f bs* alarm: **vë ~në** sound the alarm; **shkoj pas ~së** jump on the band-wagon

berónj/ë, -a *f bt* holly

berr, -i *m* sheep and goat; lamb

bés:ë, -a *f* pledge; faith; word of honour; protection; *vj* troth; *vj* allegiance; *ft* religion: **i rri në ~ë dikujt** keep one's promise to sb; **shkel ~ën** break one's word of honour; **për ~ë!** my (word of) honour!; **e pres në ~ë dikë** betray so; go back on one's word; walk out on sb ♦ **~ëkéq, -e** *mb* faithless; unreliable ♦ **~ëlídhj/e, -a** *f* alliance; league ♦ **~ëtýtë** *mb, em* superstitious (person) ♦ **~ëbestëtytní, -a** *f* superstition ♦ **~ím, -i** *m* confidence, trust; conviction; faith; *sh* prejudice: **mungesë ~i** lack of confidence; **kam ~ se** be confident that confidence; **nga të gjitha ~et** of every persuasion ♦ **~tár, -i** *m* believer; faithful ♦ **~ník, -u** *m* loyal person; *ft* believer; (the) faithful ♦ **~, -e** *mb* loyal; faithful; trustworthy; accurate *(account)* ♦ **~nikërí, -a** *f* loyalty; faithfulness; accuracy *(of an account, etc.)* ♦ **~nikërísht** *nd* loyally; faithfully; accurately ♦ **~/óhem** *vtv, ps:* **s'më ~ohet** I can't believe it ♦ *pvt* be confident: **~ohet se...** it is believed that... ♦ **~/ój** *kl, jkl* believe, believe in God; have faith in God; (en)trust; confide; think; suppose: **nuk u ~oj syve/ veshëve** hardly believe one's eyes/ ears; **~omë!** trust me!; **i ~oj një detyrë dikujt** entrust sb with a task; **~oj se po** I think so ♦ **~úar (i, e)** *mb* trustful; trustworthy; reliable ♦ **~úesh/ëm (i), -me (e)** *mb* credible; reliable; trustworthy: **burim i ~shëm** reliable source ♦ **~ueshmërí, -a** *f* credibility

beshamél, -i *m gjll* bechamel

betéj/ë, -a *f* battle: **fushë e ~ës** battle field

betér, -e *mb bs* extremely bad; very ugly ♦ **~** *nd bs* very; extremely *(bad)*

bet:ím, -i *m* oath; vow *(in court):* **bëj ~in** swear ♦ **~/óhem** *vtv* swear; vow

betón, -i *m ndr* concrete ♦ **~ím, -i** *m ndr* concrete casting ♦ **~/óhet** *ps* ♦ **~/ój** *kl ndr* cast in concrete

betúar (i, e) *mb* sworn; under oath: **armik i ~ i** sworn enemy of

bezdí, -a *f bs* annoyance; bother(ation); worry ♦ **~s** *kl* annoy; bother ♦ **~s/em** *vtv, ps* ♦ **~sj/e, -a** *f bs* annoyance; botheration ♦ **~ssh/ëm (i), -me (e)** *dhe* **~sur (i, e)** *mb bs* annoying; vexatious

béz/e, -ja *f tks* cotton baize

bézhë *mb* beige

bë/hem *vtv* **bëra (u), bërë** become; turn into; *v iii* ripen; *v iii* be ready; *v iii* take place, occur; side (with); *bs* get; be due; *ps:* **~het i butë** become soft; **~hem dhé** turn ash-grey *(in the face);* **~hem i madh** grow up; **u ~ dreka** lunch is ready; **~hem gati** make ready; **ç'po ~het kështu?** what's going on?; **u ~ ç'u** what's done can't be undone; **~hem më mirë** get better; **më ~het sikur** have the impression that (as if); **~hemi katër vetë** we are four; **u ~ natë** it became dark; **s'më ~het për...** I don't feel like... ♦ **~/j** *kl* **-ra, -rë** make; do; prepare; *fg* set up; devise cause; take for;

compel(l); *v iii* emit; exude *(sweat, steam etc.);* produce; yield; lay *(eggs);* cover *(a distance);* lead *(a good life):* **~j buzët me të kuq** put lipstick; **~j drekën** prepare/ cook lunch; **~j emër** make a name for oneself; **~j grevë** go on strike; **~j luftë** wage war; **~j mjekësi** study/do medicine; **më ~j një të mirë** can you do me a favour? **~j njërën** raise hell; **~j para** make money; **~j pazarin** do the shopping; **~j për të qeshur/ qarë** make sb laugh/cry; **~j ujët** pass water; **~n keq** it's harmful; **më ~jnë veshët** hear things; **ç'po ~n?** what are you doing?; **e ~n dot?** can you do it?; **kjo gjellë më ~n keq** this food disagrees with me; **s'~j dot pa të** I cannot do without him ♦ *jk/* move; take; turn; say; be able to; behave; cost: **~j majtas** turn to the left; **~j si ~j** manage somehow; **ikë, -ia ~ri ai** go away, he said; **~n mirë të vish** you'd better come; **~j si fëmijë** behave like a child; **sa ~n?** how much does it cost?; **aq më ~n mua** I care less; **dy dhe dy ~jnë katër** two and two make/ are/ is four; **~n mu** it sticks out a mile away ♦ *pvt:* **~n vapë** it is hot; **~n erë** it blows ♦ **~m/ë, -a** *f* deed; feat of valour; exploit ♦ **~rë** *pjs shk e* **bëj** ♦ **~r/ë, -a (e)** *f*(të) deed; act; gesture; **të ~a e të pabëra** good deeds and misdeeds ♦ **~r/ë (i, e)** *mb* done; ripe; *bs* ready-made *(clothes):* **punë e ~!** it's done! ♦ **~rë, -ët (të):** doing; making; deed; exploit: **në të ~** in the making; **një të thënë e një të ~** no sooner said than done

bërsí, -a *f* grounds; dregs

bërt/ás *jk/* shout; cry loud; *v iii* scream ♦ *k/* shout at; scold ♦ **~ítur, -a (e)** *f*(të) shouts; scolding

bërthám/ë, -a *f* stone, *am* pit *(of fruit);* nucleus; core: **~a e atomit** nucleus of the atom; **i kam ~at në vend** have all the marbles ♦ **~ór, -e** *mb* nuclear: **armë ~e** nuclear weapons

bërxóll/ë, -a *f* gjel/ chop: **~ dashi** mutton chop

bërrýl, -i *m* elbow; bend *(of the road);* meander *(of the river);* tk elbow joint: **bëhem ~** be sozzled

bësh/ëm (i), -me (e) *mb* portly; corpulent: **burrë i ~ëm** heavily-built man

bëzhdíl/ë, -a *f* sweepings; speck of dust *(in the eye);* weeds

biberón, -i *m* rubber nipple; sucker; dummy; baby bottle with nipple

bíb/ë, -a *f z/* gosling, duckling, turkey-hen; *kq* silly girl

bíb/ël, -la *f* Bible; the Book

bibilúsh, -i *m bs* weenie

biblík, -e *mb* biblic(al); scriptural

biblio:grafí, -a *f* bibliography ♦ **~grafík, -e** *mb* bibliographic(al) ♦ **~ték/ë, -a** *f* library; *bs* bookshelf *(sh* **-shelves***)*

biçák, -u *m* pocket/ jack-knife (*sh* **-knives***)*

biçikl:ét/ë, -a *f* bicycle; bike ♦ **~íst, -i** *m* bicycle repairer

bidón, -i *m* tank; drum; can

bíe¹ *jk/* **ráshë, rënë** fall; come down/ off; drop *fg* hit, strike, kick; *v iii* occur; *v iii* abate; recede; *v iii* lie; be situated; *v iii* begin to appear; *fg* spread *(of a disease);* be ill with: **~ brenda** fall into a trap, be framed; **~ i vdekur** drop dead; **~ nata** night falls; **~ në mina** hit mines; **~ në para** come into money; **~ të fle** go to sleep; **çmimet po ~n** prices are falling; **bjeri t'i ~m** rough-and-tumble; **fryn e ~** it is blowing and raining ♦ *k/* hit; knock; strike; pull; play *(an instrument);* bs fall on; attack; *bs* do; give; set about *(doing sth):* **i ~ derës** knock at the door; **i ~ lumit me not** swim across the river; **i ~ me pëllëmbë** slap; **i ~ në të** make a good guess; **më ~ mbarë** it suits me; **i ~ pianos** play on the piano; **i ~ një fshesë dhomës** give the room a sweeping; **~ erë** smell; have a (bad) smell

bíe² *k/* **prúra, prúrë** bring in/ up/ along; bear; fetch; carry; take to: **i ~ një karrige dikujt** bring a chair for so; **~ dikë me vete** bring sb along

biéll/ë, -a *f tk* piston/ connecting rod

bifték, -u *m gjil* beefsteak

bíg/ë, -a *f* fork; bifurcation; twin peaks; *dt* floating crane

bigórr, -i *m* encrustation; fur(ring) *(of the boiler, etc.);* *fg* scum; dregs

bigudí, -a *f* hair-curler (-roller)

bíj/ë, -a *f* daughter; *fg* offspring: **moj ~ë!** my dear (daughter)! ♦ **~ë** *mb* filial; branch *(office, company)*

bilánc, -i *m* balance(-sheet); account: **~ vjetor** annual budget

bilárdo, -ja *f* billiards; snooker; *am* pool

bilbíl, -i *m z/* nightingale; whistle: **e kam gjuhën ~** have the gift of the tongue

bilé *pj bs* indeed

bíle, -t *m sh bs* weenie *(of a little boy)*

bilet:arí, -a *f* box/ ticket-office ♦ **~ lë, -a** *f* ticket, fare

bím/ë, -a *f* plant; vegetation ♦ **~ësí, -a** *f* vegetation; plant ♦ **~ór, -e** *mb* vegetal: **vaj ~** vegetable oil

biná, -ja *f bs* carcass, frame *(of a building);* bs heavy-limbed person

binár, -i *m* beam; joist; *hk* rail: **treni doli nga ~ët** the train left the rails; **jam në ~ë** be on the good road

bind *k/* convince; persuade; *bs* amaze; shock ♦ **~l em** *vtv, ps* ♦ **~ës, -e** *mb* convincing ♦ **~j/e, -a** *f* conviction; persuasion; faith; *sh* world outlook ♦ **~shëm** *nd* convincingly ♦ **~sh/ëm (i), -me (e)** *mb* obedient ♦ **~ur (i, e)** *mb* convinced; persuaded; obedient

bíngo, -ja *f* bingo

binják, -u *m* twin; *sh ast* the Twins; Gemini ♦ **~, -e** *mb* twin; identical: **motra ~e** twin sisters

bio:grafí, -a *f* biography ♦ **~logjí, -a** *f* biology ♦ **~logjík, -e** *mb* biologic(al): **armë ~e** biological weapon

bi/r, -ri *m* son; boy: **o, ~!** dear son!; **dreqi e i ~i** every man Jack

bír:bo, -ja *m kq* rogue; scamp; rascal

birës:ím, -i *m dr* adoption ♦ **~/óhem** *ps* ♦ **~/ój** *kl dr* adopt *(a child)*

birman:éz, -e *mb* Burmese ♦ **~éz, -i** *m* Burmese ♦ **B~í, -a** *f gjg* Burma

birúc/ë, -a *f* small hole; prison (isolation) cell

birr:arí, -a *f* beer-house ♦ **~/ë, -a** *f* beer

bised/ë, -a *f* talk; conversation; chat: **zë/ hap ~ë** open a conversation; start the ball rolling; **~ë në radio** radio chat ♦ **~ím, -i** *m* talk(ing); conversation; *sh* talks, negotiations ♦ **~/óhet** *ps* ♦ **~/ój** *jkl* talk; converse; chat ♦ *kl* discuss ♦ **~úes, -i** *m* interlocutor

bis/k, -ku *m* green shoot; sprig; squirt *(of water)* ♦ **~ónj/ë, -a** *f* sprout; new branch; *fg* slim/ gracious girl

biskót/ë, -a *f* biscuit

bisták, -u *m* bunch *(of grapes)*

bisturí, -a *f mk* lancet

bísh/ë, -a *f* beast; *fg* brute: **bëhem ~ë** become furious

bisht, -i *m* tail *(of an animal);* braid, plait; stem *(of leaves);* handle; shank *(of a pipe);* tail-pieçe/ end; *kq* stooge; *sh fg* odds and ends; *gjll* rump *(of meat joint); keq* snag; but *(of a cigarette):* **~ i fshesës** broomstick; **e lë në ~ dikë** leave sb behind; outdo sb; **i bëhem ~ dikujt** tail after sb; **i bëj ~** shirk, dodge *(one's duty);* **me ~ ndër shalë** with tail between one's legs; **luaj ~in** be fickle

bishtáj/ë, -a *f bt* pod *(of peas, etc.)*

bisht:aléc, -i *m* pigtail ♦ **~ním, -i** *m* shirk(ing); dodging ♦ **~n/ój** *jkl* avoid; shirk; malinger; dodge *(duty)*

bitís *kl bs* finish; complete ♦ *jkl* destroy; ruin: **~i ajo punë** it's done; it's over ♦ **~/et** *vtv, ps*

bitúm, -i *m min* bitumen

biúl/e, -ja *f* drinking pipe/ straw

bixhóz, -i *m* card game; gamble, gambling ♦ **~çí, -u** *m* gambler

bizantín, -i *m* Byzantine ♦ **~, -e** *mb, fg* Byzantine ♦ **~íz/ëm, -mi** *m sh, fg* Byzantinism

bizél/e, -ja *f bt* pea ♦ **~e** *mb* pea-green; bright green

bíz/ë, -a *f* awl *(of the shoemaker);* hook *(for lacework)*

biznés, -i *m* business

bizhuterí, -a *f prmb* (costume) jewellery

bjerr *kl* **bóra, bjerrë** lose; forfeit: **iu ~të shpirti!** may he rot in hell! ♦ **~aditës, -i** *m,* **~mót, -i** *m* loafer; idler

bjeshk/ë, -a *f* summer mountain pasture: **e bëj ~ë** exaggerate

bjond, -e *mb* blond(e)

blán/ë, -a *f* scar; mark *(of teeth on flesh);* blot; stain

blasfem:í, -a *f* blasphemy ♦ **~/ój** *jkl* blasphemy

blát/ë, -a *f ft* wafer; present, gift ♦ **~ím, -i** *m* devotion ♦ **~/óhem** *vtv, ps* ♦ **~/ój** *kl* **-óva, -uar** *ft* devote; make an oblation; make a present to

bleg:ërí/j *jkl* **-ta, -tur, ~/ój** *jkl v iii* bleat; baa *(of sheep)* ♦ **~ërím/ë, -a** *f* bleat; baa *(of sheep)* ♦ **~tór, -i** *m* stock-breeder/ farmer; shepherd ♦ **~rál, -e** *mb:* **fermë ~e** animal farm ♦ **~torí, -a** *f* animal farming; stock raising

ble/j *kl, jkl* buy; purchase; acquire; *kq* corrupt: **~j me shumicë** buy wholesale; **ia ~j mendjen dikujt** read sb's thoughts ♦ **~rë (i, e)** *mb* bought; ready-made; *kq* corrupt ♦ **~r/ë (e)** *f (të)* purchase; shopping ♦ **~rës, -i** *m* buyer; purchaser ♦ **~rës, -e** *mb:* **fuqi ~e** purchasing power

blerím, -i *m* green(ness); *prmb* green area ♦ **~ín/ë, -a** *f* meadow; green

blérj/e, -a *f* buy; purchase

bler/ón *jkl* **-ói, -úar** become green *(with grass)* ♦ **~të (i, e)** *mb* light/ bright green: **zonë e ~** green area *(of a city)*

blet:ár, -i *m* beekeeper ♦ **~arí, -a** *f* beekeeping; apiculture ♦ **~/ë, -a** *f zl* bee; *prmb* hive; a hive of bees

bli, -ni *m zl* sturgeon

bli, -ri *m bt* linden/ lime tree

blic, -i *m fto* flashlight

blíhe/m *ps e* **blej: nuk ~t me para** it can't be had for money

blínd/ë, -a *f* armour/ shell-plate ♦ **~/óhet** *ps* ♦ **~/ój** *kl ush* armour-plate; sheet ♦ **~úar (i, e)** *mb* armour-clad/ plated; shell-proof *(vest, shelter);* armoured *(division)*

blir:ím, -i *m* flood ♦ **~/ój** *jkl v iii* flood; burst its banks *(of a river)*

blof, -i *m* bluff: **bëj ~** bluff ♦ **~/ój** *kl* bluff

blój/ë, -a *f* grinding; milling: **mulli ~e** flour (grist) mill ♦ **~tës, -i** *m* miller

blóz/ë, -a *f* soot; smut

blu, -ja *f* blue: **kaskat ~** blue helmets

blúaj *kl* **blóva, blúar** grind; mill; chew *(the food);* *fg* mull over; grill *(sb in interrogations);* *bs* talk nonsense: **~ me mend** chew the cud

blú:es, -i *m* miller; grinder; grinding machine ♦ **~het** *ps e* **bluaj**

blúz/ë, -a *f* blouse; *am* shirt-waist; *sp* jersey; shirt; overall

bllo/k, -ku *m* block; chain *(of shops, etc.);* writing pad; *pl* bloc: **~ çeqesh** cheque-book

bllok:ád/ë, -a *f ush* blockade ♦ **~ím, -i** *m* blocking; obstruction; *fn* freeze *(of wages); tk* lock(ing); stricture *(of the bowls)* ♦ **~/óhem** *vtv, ps* ♦ **~/ój** *kl ush* blockade; *fn* freeze *(wages);* block; obstruct; clamp *(a car)* ♦ **~úar (i, e)** *mb ush* blockaded; *fn* frozen *(funds);* blocked; clogged ♦ **~úes, -e** *mb* blocking *(device)*

bóa *f zl* boa

bób/ël, -la *f zl* slug

bobín/ë, -a *f tk* bobbin; spool; winder; roll *(of a film); el* coil

bobóle, -t *f sh gjll* shell pasta

bóc/ë, -a *f sht* proof: **korrektor ~ash** proof-reader

bóç/e, -ja *f* bud *(of a flower);* drupe *(of some fruit);* soft shell *(of walnut, etc.);* ball *(of cotton);* cone *(of pine);* yolk *(of the egg);* poached egg

bodéc, -i *m* prod; goad: **e do me ~** he needs a lot of pushing

bodrúm, -i *m* cellar; basement

bof *onomat bs* ugha; pop: **ai ~ te dera** he popped up at the door: **bëj ~** be hot/ impatient

bóhç/e, -ja *f* bundle; apron

bohém/ë, -a *f* bohemian life

boj:atís *kl* paint *(the house);* dye *(wool, etc.)* ♦ **~atís/et** *ps* ♦ **~atísj/e, -a** *f* painting *(of the house);* dying *(of wool, etc.);* shine *(of shoes, etc.)* ♦ **~axhí, -u** *m* (house-)painter ♦ **~/ë, -a¹** *f* paint; colour; ink; dye; complexion: **~ë vaji** oil paint; **më prishet ~ja** change colour; **i jap një ~ë** give a lick of paint; **i humbi ~a** he vanished; **ia nxjerr ~ën** expose

bój/ë, -a² *bs* height: **hedh/ marr ~ë** grow tall

bojkotím, -i *m* boycott(ing) ♦ **~/óhem** *ps* ♦ **~/ój** *kl* boycott

boks, -i *m sp* box(ing); pugilism ♦ **~iér, -i** *m* boxer; pugilist; fighter

bólb/ë, -a *f bs* great misfortune; disaster

boll *nd bs* enough; plenty; quite: **ka ~** there is enough

bóll/ë, -a *f zl* grass snake

boll:ëk, -u *m bs* plenty; abundance ♦ **~sh/ëm (i), -me (e)** *mb* plentiful; ample

bomb:ardím, -i *m* bombardment ♦ **~ard/ój** *kl* bomb; *fg* shower *(with questions)* ♦ **~ardúes, -e** *mb av* bombing *(mb)* ♦ **~ardúes/i** *m av ush* bomber ♦ **~/ë, -a** *f ush* bomb: **bie si ~ë** come like a bolt (from the blue sky) ♦ **~ol, -a** *f* cylinder; bottle; refill: **~ gazi** gas refill

bonbón/e, -ja *f* bon-bon; sugar-plum

bonifik:ím, -i *m* land improvement ♦ **~/óhet** *ps* ♦ **~/ój** *kl* systematise *(land)*

bordél, -i *m* brothel; whore-house

borderó, -ja *f fn* pay-roll

bór/ë, -a *f nj* snow: **i bardhë si ~a** (as) white as snow; snow white; **bie ~ë** snow; **lule ~e** *bt* snowdrop ♦ **~ë** *nd:* **~ë i bardhë** as white as snow; snow-white

borgjéz, -e *mb* bourgeois: **shpirt ~** pettiness ♦ **~, -i** *m* bourgeois ♦ **~í, -a** *f* bourgeoisie; middle class: **~i e lartë/ madhe** upper middle class

borí, -a *f* trumpet; bugle; horn, klaxon

boríg/ë, -a *f bt* black pine

borizán, -i *m* horn-blower; trumpeter

borxh, -i *m* debt; liability: **shlyerje e ~it** debt ser-

vicing; **kam ~ të** be duty-bound to; be capable of; **i dal ~it dikujt** warn sb; **këtë ta kam ~** I owe you one ♦ **~lí, -u** *m bs* debtor

borzilók, -u *m bt* basil

bosnj:ák, -e *mb* Bosnian ♦ **~ák, -u** *m* Bosnian ♦ **B~e, -a** *f gjg* Bosnia

bostán, -i *m bt* melon ♦ **~xhí, -u** *m* kitchen-/ truck-gardener

bosh, -i *m* hole; empty package: **mbush ~et** fill holes; fill in the blanks ♦ **~, -e** *mb bs* empty; hollow; aimless; idle *(running of a machine); fg* pointless: **fjalë ~e** hollow-sounding words; **punë ~e!** rush!; nonsense! ♦ **~ nd bs** empty; free idly; idle: **mbetet ~** remain empty/ unoccupied; **sillet ~** run idle *(of machine)* ♦ **~atís** *kl bs* empty; evacuate ♦ **~atís/em** *vtv bs vtv, ps* ♦ **~atísj/e, -a** *f bs* emptying; evacuation ♦ **~llë/k, -ku** *m bs* emptiness; void; blank; gap: **mbush ~kun** fill the gap

bosht, -i *m* spindle; shaft; *tk* axle-tree; axis *(of the earth, etc.):* **~ i kurrizit** *an* backbone ♦ **~ór, -e** *mb* axial

bot *bs kllz:* **bjer e ~** hammer and tongs

botaní:k, -e *mb* botanical: **kopsht ~** botanical gardens ♦ **~k/ë, -a** *f* botany

bót/ë, -a *f* world; earth; *prmb bs* mankind; *dhe* civilisation, society; *(animal, etc.)* kingdom, realm: **~a e lashtë** the ancient world; **rreth ~ës** round the world; **gazi i ~ës** laughing stock; **shkoj në atë ~ë** pass hence ♦ **~ëkuptím, -i** *m* world outlook ♦ **~ërísht** *nd* publicly; world-wide ♦ **~rór, -e** *mb:* **në shkallë ~e** on a world scale

bot:ím, -i *m* publication: **~ i parë** first edition/ impression ♦ **~/óhet** *ps* ♦ **~/ój** *kl* publish ♦ **~úes, -i** *m* publisher ♦ **~úes, -e** *mb* publishing: **shtëpi ~e** publishing house

bóv/ë, -a *f dt* buoy

bóz/ë, -a *f* bozë *(refreshing drink of fermented maize):* **e bëj ~ë diçka** hack an argument to death

bozhór, -i *m zl* pelican

bozhúr/e, -ja *f bt* peony

braktís *kl* abandon; desert; neglect ♦ **~/em** *ps* ♦ **~/je, -a** *f* abandonment; desertion: **~ e detyrës** neglect of duty

brambull:í/j *jkl,* **~ón** *jkl* **-ói, -úar** crackle

bránë *nd:* **heq ~** drag along

bráv/ë, -a *f* lock: **~ automatike** automatic lock

brázd/ë, -a *f* furrow; drill; wrinkle: **bie në ~ë** come/ fall into line

Brazíl, -i *m gjg* Brazil ♦ **~ián, -e** *mb* Brazilian ♦ **~, -i** *m* Brazilian

bredh, -i *m bt* fir (tree)

bredh *joka/* **bródha, brédhur** wander; roam *(in the streets)* ♦ **kl bs** travel; cast *(one's eyes about):* **ka ~ur botën** he has travelled far and wide ♦ **~acák, -e** *dhe* **~arák, -e** *mb* loafing; wandering ♦ *em* loafer; wanderer; tramp ♦ **~/ë, -a** *f* ricochet *(of the* *bullet);* shooting off ♦ **~j/e, -a** *f* wandering; vagrancy

brefotróf, -i *m* orphanage

breg, -u *m sh* **brígje, brígjet** (sea) coast; (river) bank; (lake) shore; strand; waterfront: **i bie ~ pas ~u** beat about the bush; **nxjerr në ~** bring to a successful end ♦ **~dét, -i** *m* coast(line); littoral; (sea)shore ♦ **~ár, -e** *mb* coastal; littoral: **vijë ~e** coastline ♦ **~as, -i** *m* coastal inhabitant ♦ **~ëzím, -i** *m dt* mooring; berth ♦ **~ëz/óhet** *vtv dt* gain the coast; hug the coast; moor; *ps* ♦ **~ëz/ój** *k/* moor *(a boat);* shore ♦ **~ór, -e** *mb shih* **bregdetar, -e** ♦ **~/e, -ja** *f* hillock; low bank; small rise

bré/hem *vtv* ♦ **~ /j** *k/* gnaw; nib; eat away/ at/ into; erode ♦ *jk/ v iii* be tormented; be eroded ♦ **~j/ë, -a** *f mk, vtr* rot; gangrene ♦ **~jtës, -i** *m z/* rodent ♦ **~jtës, -e** *mb z/* rodent ♦ **~jtur (i, e)** *mb* eroded; gnawed; worn out

brék/ë, -t *f sh* briefs; drawers; panties: **~ë banje** trunks; **në ~ë** in (his) shorts ♦ **~úsh/e, -t** *f sh* bloomers

brénd:a *nd:* **hyrë ~a!** come in!; **bie ~a** fall into (a trap); be framed; end up in jail; **për të qenë ~a** in order to be on the safe side ♦ *prf:* **~a shtëpisë** inside the house; **~a ligjit** in the spirit/ on the right side of the law; **~a ditës** in one day ♦ **~ësí, -a** *f* interior; depth: **në ~ të vendit** in the hinterland; **i hyj në ~ diçkaje** grasp the contents ♦ **~í, -a** *f* contents; essence ♦ **~sh/ëm (i), -me (e)** *mb* inside; inner; interior; internal; domestic; intestinal *(war):* **xhep i ~** inside pocket ♦ **~sh/ëm, -mi (i)** *m* insider ♦ **~shm/e, -ja (e)** *f(të)* interior; *sh* entrails; viscera; guts; *sh* underwear ♦ **~shkrúar (i, e)** *mb gjm* inscribed

bréng/ë, -a *f* grief; worry; vexation ♦ **~ós** *k/* distress; cross ♦ **~ósem** *vtv* grieve; vex ♦ **~ósj/e, -a** *f* grievance; distress

brer:ím/ë, -a *f* downpour ♦ **~/ón** *pvt* **-ói, -úar** pour with rain

brerór/e, -ja *f* halo; luminous radiance

brésh/ër, -ri *m* hail(stone): **iki nga shiu e bie në ~ër** jump from the frying pan into the fire ♦ **~ërí, -a** *f* volley; salvo: **~ automatiku** machine-gun burst ♦ **~ërím/ë, -a** *f* hailstorm ♦ **~ër/ój** *k/* shell heavily; pound; strafe; spray *(bullets)* ♦ **~ër/ón** *pvt* hail

bréshk/ë, -a *f z/* tortoise; turtle

bréshtë (i, e) *mb* wild; rough; uncultivated

bretk, -u¹ *m an bs* back: **më bie ~u në punë** break one's back working;

bret/k, -ku² *m z/* toad ♦ **~kós/ë, -a** *f z/* frog: **stil ~ë** *sp* breaststroke

brez, -i *m* sash; belt; girdle; middle; waist; tie-beam; *(next, old)* generation: **~i i sigurimit** safety belt; **deri në ~** up to the middle *(in water)*

brezár/e, -ja *f* hill-terrace

bri, -ri *m* horn; *mz* horn, corn; feelers *(of a snail):* **zë demin për ~rësh** take the bull by the horns; **budallallëk me ~rë** a bloomer

bri *prf:* **~ meje** next to/ beside me

bricjáp, -i *m:* **Tropiku i B~it** *ast* Capricorn; Southern Tropic

brigád/ë, -a *f ush* brigade; team *(of workers)* ♦ **~iér, -i** *m* team leader

brilánt, -i *m* diamond

brilantín/ë, -a *f* brilliantine

brím/ë, -a *f shih* **vrím/ë, -a** ♦ **~/ój** *k/* hole; pierce; *fg* ferret

brin:ár *mb, em kq* cuckold ♦ **~ór, -e** *mb* horny; horned *(animal)*

brínj:as *dhe* **~azi** *nd* edgeways; edgewise ♦ **~/ë, -a** *f an* rib; side; edge; slope; hillside: **ia zbërthej ~ët dikujt** beat sb into matchsticks

brírth, -i *m* feeler; antenna *(of a snail)*

bris/k, -ku *m* razor; pocket knife ♦ **~k** *mb:* **ujë ~** very cold water ♦ **~k** *nd:* **i imprehtë ~** razor-sharp; **e kam gjuhën ~** have a sharp/ glib tongue

brísht/ë (i, e) *mb* brittle; fragile; frail *(health):* **vit i ~** leap year ♦ **~ësí, -a** *f* brittleness; frailty

Britaní, -a *f gjeog:* **~ e Madhe** Great Britain ♦ **~, -e** *mb, em* British

brítm/ë, -a *f* cry; outcry; shout; scream

bróçkull, -a *f* nonsense; rubbish

brof *jk/* jump *(to one's feet);* (give a) start: **më ~ zemra** my heart jumped ♦ **~** *nd* with a start/ jump

brohor/ás *jokal, k/* cheer; hail ♦ **~í, -a** *f* cheer(ing); hailing ♦ **~ít** *jk/ shih* **~ás** ♦ **~ítj/e, -a** *f* cheering; acclamation

brók/ë, -a¹ *f* (water) jug

brom *psth* chin-chin

bronk, -u *m an* bronchus *(sh* **-chi***)* ♦ **~iál, -e** *mb an* bronchial ♦ **~ít, -i** *m mk* bronchitis

bronz, -i *m* bronze ♦ **~të (i, e)** *mb* bronze *(mb);* brazen; tanned *(in the sun)*

broshúr/ë, -a *f* brochure

brufull:ím, -i *m* belch *(of flames)* ♦ **~/ón** *jk/* **-ói, -úar** swarm; surge

brúmbu/ll, -lli *m z/* bug; bumble-bee; drone

brúm/ë, -i *m* dough; *(potato)* mash; *fg* material, stuff; *gjell* pasta; *ind (paper)* pulp: **ka ~ë artisti** he has the makings of an artist ♦ **~ós** *k/* knead *(dough);* *fg* temper *(sb's character)* ♦ **~ós/em** *vtv, v iii* ♦ **~ósj/e, -a** *f* kneading; *fg* tempering *(of one's character)* ♦ **~të (i, e)** *mb* pulpy; soft; mealy

brun, -e *mb, em* brown *(complexion)*

brutál, -e *mb* brutal; rude ♦ **~itét, -i** *m* brutality

brúto *mb* gross *(weight);* *fn* overall; raw: **naftë ~** crude oil

bruz, -i *m* sapphire; turquoise ♦ **~të (i, e)** *mb* sapphire blue; turquoise

brým/ë, -a *f* rime; hoarfrost; frost-dew ♦ **~ës, -i** *m* November

brýmës, -e *mb, em* chestnut sorrel

búa/ll, -lli *m* buffalo; *kq* thick-head: **e bëj mizën ~ll** make a mountain out of a molehill ♦ **~llíc/ë, -a** *f* buffalo-cow

bubërr/ój *jkl* (de)louse; *fg* potter/ tinker about: **~oj nëpër xhepa** search one's pockets

búb/i *m* pup(py dog)

buboník, -e *mb mk:* **murtajë ~e** bubonic plague

bubrék, -u *m an bs* kidney

bubulák, -e *mb* cheerful; crackling *(fire)*

bubull:ím/ë, -a *f* thunder; roll/ peal/ clap of thunder ♦ **~í/n** *jkl* **-u, -rë** *pvt* roll, peal *(of thunder)* ♦ **~/ón** *pvt* **-ói, -úar** roll; peal *(of thunder)*

bubu:rréc, -i *m, -ë, -ët* *zl* bug; cock-chaffer ♦ **~zhél, -i** *m zl* dung-beetle ♦ **~zhíng/ë, -a** *f zl* cock-chaffer

bucél/ë, -a *f (water)* cask, keg; *tk* hub *(of the wheel)*

búç/e, -ja *f* bitch; she-wolf

buç:ét *jkl* **-íti, -ítur** roar; rumble: **~asin topat** the guns are roaring; **më ~et gjaku** my blood is boiling ♦ **~ítj/e, -a** *f* roar; rumble

buçk:án, -e *dhe* **~o** *mb, em* chubby *(child)*

budall/á, -ái *m bs* fool; idiot: **një copë ~a** damn fool; **hìqem si ~a** play the fool ♦ **~á, -qe** *mb bs* foolish; stupid; idiotic: **trim ~** foolhardy ♦ **~allë/ k, -u** *m bs* stupidity; foolishness: **këput një ~k** drop a brick; **lëri ~ëqet!** cut the crap! ♦ **~allós** *kl bs* stupefy; (make) dull ♦ **~allós/em** *vtv bs* become foolish; go gaga; *ps* ♦ **~áq/e, -ja** *f bs fm e ~/a, -ai*

budíng, -u *m gjll* pudding

bud:íst, -i *m ft* Buddhist ♦ **~íz/ëm, -mi** *m ft* Buddhism

buf, -e *mb, em bs* podgy; dumpy *(child);* ripe *(fg fruit);* *kq* numbskull

buf, -i *m zl* owl; *kq* dunce; dullard

bufé, -ja *f* sideboard; dresser; buffet, cold-meal

bufón, -i *m* buffoon; jester

buhavít *kl bs* swell; *bs* bore ♦ **~/em** *vtv* ♦ **~j/e, -a** *f bs* swell(ing)

buís *jkl* swarm; gush out; shoot up *(of water):* **~i bleta** the bees have swarmed

buj *jkl* lodge; put up *(for the night)*

bujár, -e *mb, em* hospitable; generous (person) ♦ **~í, -a** *f* hospitality; generosity

bujáshk/ë, -a *f* splinter; chip *(of wood);* shavings *(of the plane)*

búj/ë, -a *f* sensation; ado; great to-do: **pa ~** without ado

buj/k, -ku *m* farmer; peasant; serf ♦ **~késh/ë, -a** *f fm e ~lk, -u* ♦ **~krób, -i** *m hst* serf; villein; bondsman ♦ **~krobërí, -a** *f hst* serfdom; villeinage; bondservice ♦ **~qësí, -a** *f* agriculture; farming ♦ **~qësór, -e** *mb* agricultural; farm(ing): **prodhim ~** agricultural produce; **tokë ~e** farm land

bújrëm *dhe* **bujrúm** *psth bs* welcome; help yourself

bújsh/ëm, (i), -me (e) *mb* sensational: **fitore e ~shme** resounding victory

bújtës, -i *m* night guest; *bi* host, carrier *(of a germ, etc.)* ♦ **~tín/ë, -a** *f* inn; hospice

búk/ë, -a *f* bread; food; living; *nj* pulp, kernel, pith *(of fruit);* *nj fg* essence; round *(of cheese, of wax, etc.);* *sh bs* age: **~ë e bardhë/ e zezë** white/ brown bread; **furrë ~e** bakery; **për një copë ~ë** *bs (to sell)* for a song; **dhoma e ~ës** dining-room; **~a e re** the new harvest; **~a e kripa** bread and butter; **~ë e ujë** *bs* piece of cake; **nxjerr ~ën** earn a living; **fjalë pa ~ë** words without substance; sound bites; **i kam pesëdhjetë ~ë** be fifty years of age

búk/ël, -la¹ *f zl* weasel

búk/ël, -la² *f* curl *(of hair)*

búkur, -i (i) *m* handsome person ♦ **~, -a (e)** *f (të):* **e ~a e dheut** great beauty; fairy ♦ **≈ (i, e)** *mb* beautiful; pretty; handsome: **vajzë e ~** good-looking/ bonnie girl; **artet e ~a** fine arts; **të ~a fjalë na the!** you gave us a lot of beautiful words! ♦ **~** *nd* beautifully; fine; well: **~fort!** mighty good!; smashing!; terrific ♦ **~í, -a** *f* beauty; pulchritude; *sh* scenery; landscape; sights: **~ trupore** physical beauty; **për ~** quite well; fine; to a T ♦ **~í** *nd bs* wonderful; splendidly: **punët shkojnë ~** it's going like a bomb ♦ **~ósh, -e** *mb, em* pretty (person); beau; belle: **~e e shpëlarë** pretty-pretty ♦ **~ósh, -i** *m* beau ♦ **shkrím, -i** *m* calligraphy; handwriting

bulb, -i *m an (eye)* ball; *bt* bulb: **~ i i qépës** onion bulb

bulçí, -a *f* cheek; *bs* mouthful

buldozér, -i *m* bulldozer ♦ **~íst, -i** *m* bulldozer driver

buletín, -i *m* bulletin: **~ i lajmeve** news bulletin

bulevárd, -i *m* boulevard

búl/ë, -a *f bt* bud; drop *(of water, etc.);* bubble *(of air);* *an (ear)* lobe

bulkth, -i *m zl* cricket

bulmét, -i *m* dairy produce ♦ **~ór, -i** *m* dairyman ♦ **~ór, -e** *mb* dairy *(mb)* ♦ **~ór/e, -ja** *f* dairy shop

bulón, -i *m tk* bolt: **vida e ~a** nuts and bolts

bulur:ím/ë, -a *f* low; bellow *(of cattle)* ♦ **~í/n** *jkl* **-u, -rë** low; bellow *(of cattle)* ♦ **~/ón** *jkl* **-ói, -úar** roar; rumble; bellow

bullafíq, -e *mb, em* plump; thick-set; heavy; dumpy

bullgár, -e *mb* Bulgarian ♦ **~, -i** *m* Bulgarian ♦ **B~í, -a** *f gjg* Bulgaria ♦ **~ísht** *nd* in Bulgarian ♦ **~ísht/ e, -ja** *f* Bulgarian

bullënd/ër, -ra *f* foot/ steam bath

bullúng/ë, -a *f* bulge; bump; lump; hump

bum *onomat* boom; bang ♦ **~, -i** *m ek* boom: **periudhë e ~it** boom period

bumeráng, -u *m* boomerang

bunác/ë, -a *f dt* calm; dead calm *(before the storm);* pond water; thick darkness

bunkér, -i *m ush* bunker; blockhouse; pill-box

buqét/ë, -a *f* bouquet; bunch; nosegay *(of flowers)*

buraní, -a *gjll* spinach-and-rice dish

burbúq/e, -ja *f* blossom; bud ♦ **~e** *mb:* **vajzë ~ a girl** fresh like a rose

bur/g, -gu *m* prison; jail; gaol ♦ **~g** *nd:* **bëhet ~** grow dark ♦ **~gím, -i** *m* imprisonment; incarceration; jailing ♦ **~g/ós** *kl* **-a, -úar** imprison; jail; incarcerate ♦ **~gósem** *ps* **~gósur (i, e)** *mb* imprisoned; jailed; incarcerated ♦ **em** prisoner

burgjí, -a *f* screw: **ia shtrëngoj ~të dikujt** tighten the screws on s. o.

burím, -i *m* source; spring *(of water)*; *sh* sources; documents; origin: **nga ~ i sigurt** from a reliable source

búrm/ë, -a¹ *f* screw

búrm/ë, -a² *f* overripe fruit ♦ **~ë** *mb* overripe *(fig)*

búrm/ë, -a³ *f* dimple *(on the cheek)*

burnót, -i *m* snuff

burokra:cí, -a *f* bureaucracy; red-tape ♦ **~t, -i** *m* bureaucrat; red-tapist ♦ **~tík, -e** *mb* bureaucratic

bur/ón *jkl* **-ói, -úar** spring from; gush out/ forth; have its source *(at, in) (of a river):* **më ~on nga zemra** come from the heart

búrs/ë, -a¹ *f* scholarship; grant; school award

búrs/ë, -a² *f* exchange: **~ë e vlerave** stock exchange

bursíst, -i¹ *m* student on a scholarship

bursíst, -i² *m* stockjobber

burr:acák, -e *mb* cowardly ♦ **~acák, -u** *m* coward; poltroon ♦ **~acakërí, -a** *f* cowardice ♦ **~éc, -i** *m* coward; jack-straw ♦ **~/ë, -i** *m* man *(sh* men *)*; male; fellow; husband: **~ë fjale** man of his word; **fjalë ~i** gentleman's agreement; **~ë shteti** statesman ♦ **~ërésh/ë, -a** *f* brave woman ♦ **~ërí, -a** *f* manliness; bravery; courage; *prmb* men folk ♦ **~ërísht** *nd* courageously ♦ **~ëríshte** *mb* men's *(clothes, etc.)* ♦ **~ëróhem** *vtv* come of age ♦ **~erór, -e** *mb* male *(voice, etc.)*; virile; manly; courageous brave

bust, -i *m* bust: **~ mermeri** marble bust

búsull, -a *f* compass

búsht/ër, -ra *f* bitch; *bs kq* bitch; slut

bút, -i *m* butt; large barrel

buták, -u *m* *zl* mollusc

bút:ë, -t (të) *as* softness; gentleness ♦ **~/ë (i, e)** *mb* soft; smooth *(to the touch);* tender; gentle *(slope);* tame *(animal);* mild *(weather);* soft *(drink);* cultivated *(plant):* **metal i ~** soft metal; **prind i ~** lenient parent; **me të ~** softly; gently ♦ **~ë** *nd* softly; gently; kindly; mildly: **eci ~** tread lightly ♦ **~ësí, -a** *f* softness; smoothness; ductility *(o f the metal);* *fg* leniency; gentleness ♦ **~ësír/ë, -a** *f* mild weather; spells of mildness ♦ **~ësísht** *nd* gently; softly

buxhét, -i *m fn* budget ♦ **~ór, -e** *mb fn* subsidised *(company)*

buzagáz *nd* with a smile ♦ **~, -i** *m* smile ♦ **~, -e** *mb* smiling; cheerful

búz/ë, -a *f* lip; brim; edge; hem, welt *(of a dress);* brink; fringe: **~a e detit** the seashore; **~a e rrugës/ e trotuarit** the kerb of the street; **bie hundë më ~ë** come a cropper; **bëj/ vë ~ën në gaz** smile; **hundë e ~ë** sulkily; **i kam ~ët me qumësht** be wet behind one's ear; **i bëj ~ë diçkaje** purse up one's lips at sth; **mbush ~ë më ~ë** fill to the brim; **var ~ët** pull a log face; be down at the mouth ♦ **~ë** *prfj:* **~ detit** by the sea ♦ **mbrëmjes** at nightfall ♦ **~qésh** *jkl* smile; *v iii fg* rejoice: **~ me pahir** force a smile ♦ **~j/e, -a** *f* smile ♦ **~ur** *mb, em* smiling; with a smile

buzm, -i *m* (tree-)trunk; Christmas log: **Nata e B~it** Christmas Eve

búzór, -e *mb* labial *(sound)*

byc, -i *m* sty(e)

byk, -u *m* chaff; saw-dust; trash: **bëj ~** trash/ destroy completely

bym:éhet *vtv, ps* ♦ **~/éj** *kl* expand; dilate ♦ **~ím, -i** *m fz* expansion

byrazér, -i *m bs* brother; chap; pal; mate ♦ **~k/ë, -a** *f bs* sister

byrék, -u *m gjll* pie ♦ **~tór/e, -ja** *f* pie-shop

byró, -ja *f* bureau; head-office; board; office

býth ë, -a *f bs* behind; buttocks; bottom; backside; bum; arse; stump; stubble; bottom *(of the bottle, etc.):* **e bëj ~ë dikë** drink sb under the table

byzylýk, -u *m* bracelet; armlet; wrist; ankle; *sh bs* hand-shackles

C

ca *pkf bs* some; a few; a little: **~njerëz** some people; **para ~ditësh** e few days ago ♦ **~** *nd:* **edhe ~** some more; **prit ~** wait a little; **~ më mirë** better still

cafull:ím, -i *m* yelp *(of a dog)* ♦ **~lón** *jkl* **-ói, -úar** yelp; yap

ca/k, -ku *m* bound(ary); home

cakërr/ój *kl* click *(glasses)* ♦ *jkl fg* chime *(of bells)*

cakt:ím, -i *m* fixing *(the time for):* **leje pa ~** indefinite leave ♦ **~lóhem** *ps* ♦ **~lój** *kl* fix; set; appoint; lay out; determine: **~ takim** fix/ schedule an appointment ♦ **~úar (i, e)** *mb* fixed; set *(time)*

calík, -u *m (wine, oil)* skin; bellows *(of a forge)*

capërl/óhem *vtv, ps* ♦ **~lój** *kl* hack to pieces; tear

car, -i *m hist* Czar ♦ **~ín/ë, -a** *f* Czarina ♦ **~íst, -e** *mb* Czarist

cecé *mb plk :* **miza ~** *zł* tsetse

céf/ël, -la *f* skin; peel; husk shell

cek *kl* graze; skim *(the surface of)* ♦ **~lem** *vtv, ps* e **cek**

cék/ë, -a *f* shallow ♦ **~ët (i, e)** *mb* shallow *(water);* light; *fg* superficial; frivolous: **gjumë i ~** light sleep ♦ **~ët** *nd* shallow; *fg* light-mindedly ♦ **~ëtín/ë, -a** *f* shallow; shoal ♦ **~lój** *kl* graze; skim ♦ *jkl* strand; hit bottom ♦ **~ tësí, -a** *f* shallowness; shoal; *fg* superficiality

celofán, -i *m* cellophane

celúl/ë, -a *f bl shih* **qeliz/ë, -a;** *pl* (party) cell

celuloíd, -i *m* celluloid

cen, -i *m* defect; flaw; *fg* vice ♦ **~ím, -i** *m* violation *(of rights)* ♦ **~lóhem** *vtv, ps* ♦ **~lój** *kl* touch *(food);* *fg* violate; encroach; *fg* hurt; injure: **~oj të drejtat e dikujt** impinge on sb's rights

censúr/ë, -a *f* censure; censorship ♦ **~lój** *kl* censure

cent, -i *m* cent *(1/100 of a dollar)*

centi:grád/ë, -a *f* centigrade ♦ **~grám, -i** *m* centigram(me) ♦ **~mét/ër, -ri** *m* centimetre

centrál, -i *m* station; (telephone) exchange ♦ **~íst,** **-i** *m* (telephone exchange) operator ♦ **~íz/ëm, -mi** *m* centralism ♦ **~izím, -i** *m* centralisation ♦ **~izóhet** *ps* ♦ **~iz/ój** *kl* centralise

centrifúg/ë, -a *f* centrifuge; spin: **thaj me ~ë** to spin-dry ♦ **~ál, -e** *mb* centrifugal *(pump, etc.)* ♦ **~ím, -i** *m tk* centrifuging; spinning ♦ **~óhet** *ps* ♦ **~lój** *kl tk* centrifuge; spin

centrím, -i *m tk* centring; truing *(a pice);* *sp* putting a ball in the danger zone ♦ *tk* centre; true *(a piece for machining);* *sp* put in the danger zone *(the ball)*

centripetál, -e *mb* centripetal

centr:íst, -e *mb pl* centre *(mb)* ♦ **~íst, -i** *m pl* centrist ♦ **~íz/ëm, -mi** *m pl* centre-party policy ♦ **~óhet** *tk, sp ps* ♦ **~lój** *kl tk* centre, true *(a piece for machining);* *sp* put a centre pass

cen:úar (i, e) *mb* flawed; marred; *fg* tarnished ♦ **~úes, -i** *m* encroacher; intruder

cep, -i[1] *m* point *(of a star);* corner: **në ~ të rrugës** round the corner

cep, -i[2] *m* bunch *(of grapes)*

cerebrál, -e *mb an* cerebral

ceremoní, -a *f* ceremony ♦ **~ál, -e** *mb* ceremonial

cerg/ ë, -a *f* wool rag; spider's web; cobweb; *sh* tatters; rags

certifikát/ë, -a *f* certificate; bill: **~ë e lindjes** birth certificate

cicerón, -i *m* (museum) guide; cicerone *(sh -ni)*

cic/ë, -a *f bs* breast; *sh* tits; *bis* boobs

cicër:ím, -i *m,* **~ím/ë, -a** *f* song, warble, chirp *(of birds)* ♦ **~lój** *jkl v iii* sing; warble; *fg* chat cheerfully

cicmíc, -i *m* nine-piece checkers; *bs* dalliance; *bs* pettifoggery: **luaj/ bëj ~** fiddle around with

cíf/ël, -la *f* splinter; chip; sliver *(of wood, etc.)* ♦ **~lóhet** *vtv* ♦ **~lój** *kl* **-óva, -úar, ~lós** *kl* splinter; chip off

cigán, -e *mb* gypsy *(mb),* ♦ **~-i** *m* gypsy

cigár/e, -ja *f* cigaret(te) ♦ **~ísht/e, -ja** *f* cigaret(te)-holder

cik *k/* graze; skim; touch lightly ♦ **~átur (i, e)** *mb* touched; cracked: **qenka i ~ur!** he's cracked; he's bonkers

cík/ël, -li *m* cycle: **~ël i programuar** *inf* canned cycle

ciklamín, -i *m, bt* cyclamen

ciklík, -e *mb* cyclical

ciklón, -i *m* cyclone ♦ **~ár, -e** *mb* cyclonic; cyclone *(mb)*

ciklóp, -i *m* cyclops *(sh* **-pes***)* ♦ **~ík, -e** *mb* cyclopian; cyclopic

cík:m/ë, ~n/ë-a *f* white-frost ♦ **~nós** *k/* singe/ brown *(the food)* ♦ **~nóset** *vtv* ♦ **~nósur (i, e)** *mb* singed, browned *(food)*

cilës:í, -a *f* quality; attribute: **i ~ë së parë** top-quality/ -notch ♦ **~óhem** *ps* ♦ **~lój** *k/* qualify ♦ **~ór, -e** *mb* qualitative *(adjective)*

cíl/i, -a *sh* **-ët, -at** *pyet* who; which: **~i është?** who/ which is it?; **~i prej të dyve?** which one of the two? ♦ *pkf* who: **ja ~i po vjen** look who's coming! ♦ **~/i (i), -a (e)** *lidhor sh* **-ët, -lat (të)** who; which

cilínd/ër, -ri *m* cylinder; *tk* roller ♦ **~rík, -e** *mb* cylindrical

cimbál, -i *m mz* cymbal ♦ **~íst, -i** *m mz* cymbalist

cimbís *k/* pinch

cingërím/ë, -a¹ *f* frost; chill; *sh* shivers

cingër:ís *k/* chafe; scratch *(a wound)*; poke *(the fire)*: **i ~ nervat dikujt** grate on sb's nerves ♦ **~ís/em** *vtv* ♦ **~ísur (i, e)** *mb*: **me nerva të ~a** with one's nerves on the edge ♦ **~lój** *jk/* squeal; be squeamish *(about sth)*; ring; buzz *(of one's ears)*

cíngo, -ja *f bs* enamelled metal; enamelled kitchen ware

cingún, -i *m* miser; niggard; skinflint ♦ **~, -e** *mb* miserly; tight-fisted

cini:k, -u *m* cynic ♦ **~k, -e** *mb* cynical ♦ **~z/ëm, -mi** *m* cynicism

cinxamí, -u *m zl/* wren

cínx/ër, -ri *m zl* cicada; *zl* cricket; *shk* chatterbox

cip, -i *m* : **~ më ~** full to the brim

cíp/ë, -a *f* skin; *an* membrane; *bs* surface; *bs* bashfulness: **~a e qepës** onion skin; **njeri pa ~ë** impudent person

cir/k, -ku *m* circus: circus arena (ring)

cirk:át/ë, -a *f* spurt *(of mud, of liquid)*; sleet ♦ **~/ë, -a** *f* drop; drip; spray; spatter; spot: **një ~ë ujë** a drop of water ♦ **~lóhem** *vtv, ps* ♦ **~lój** *k/* (be)spatter *(with mud)*; dribble ♦ *jk/* drip; trickle

cirkuít, -i *m tk* circuit; *sp* racetrack

círl/ë, -a *f zl/* thrush

cirónk/ë, -a *f zl* bleak; spawn *(of fish)*

cistérn/ë, -a *f tk* cistern; tanker

cit:át, -i *m* quotation ♦ **~ím, -i** *m* quoting; *shih* **citat, -i** ♦ **~lóhem** *ps* ♦ **~lój** *k/* quote; cite

citrík, -e *mb km* citric: **acid ~** citric acid

civíl, -i *m* civilian ♦ **~, -e** *mb* civil; civilian *(clothes)*: **zyrë e gjendjes ~e** registry office

cjap, -i *m sh* **cjépë, cjéptë** *zl/* he/ billy-goat

cof *jk/* die; *bs* pip out; crock up ♦ **~tín/ë, -a** *f* dead animal; crag *(of an animal)*

cóh/ë, -a *f* woollen stuff; woollen vest *(for women)*

cop:ash *nd* in bits and pieces ♦ **~/ë, -a** *f* piece; bit; interval; cut: **një ~ë mish** a cut of meat; **një ~ë tokë** a plot of land; **një ~ë herë e shkurtër** a short while; **~ëra bisede** snatches of conversation; **e bëj rrugën me ~a** travel by stages; **bëj një ~ë gjumë** have a wink of sleep; **pesë lekë ~a** five leks apiece ♦ **~ë** *mb* broken; fragmented ♦ **~ëtím, -i** *m* shredding; fragmentation ♦ **~ëtóhe/ m** *vtv, ps* ♦ **~ët/ój** *k/* break; tear *(into pieces)*; cut up: **ia ~oj zemrën dikujt** break sb's heart ♦ **~ëtúar (i, e)** *mb* broken; shattered; fragmented ♦ **~ëzím, -i** *m* breaking into small pieces ♦ **~ëzóhet** *vtv* ♦ **~ëz/ój** *k/* break into smithereens ♦ **~ëzúar (i, e)** *mb* fragmented

cub, -i *m* robber; bandit

cúc/ë, -a *f* girl(ie); lass

cúf/ël, -la *f* flakes *(of snow)*; bunch; tuft *(of grass)*; flock *(of hair)*

cuks *jokal, kl v iii* tingle; itch: **më ~lëkura** my skin itches

cul/e, -ja *f kryes* old clothes; rags

cullúf/e, -ja *f kryes* lock *(of hair)*

cun/g, -gu *m* (tree) stump; stub ♦ **~, -e** *mb* stumpy; stubby ♦ **~gët (i, e)** *mb* stumpy *(tree etc.)*; *fg* imperfect; incomplete *(work)* ♦ **~gím, -i** *m* cutting off; amputation ♦ **~g/óhet** *vtv, ps* ♦ **~g/ój** *k/* cut off; lop *(a tree)*; dock *(an animal's tail)*; *fg* mutilate *(a text)* ♦ **~gúar (i, e)** *mb* cut-off; lopped *(tree)*; docked *(tail)*; amputated *(limb)*; *fg* mutilated *(text)*

curr, -e *mb* stubbed; lopped (ear): **i bëj veshët ~** prick up one's ears

curríl, -i *m* trickle *(of water)* ♦ **~ nd** *(to flow)* straight

curr/ój *k/* dock *(an animal's ears, tail)*; cock *(one's ears)*

cýl/e, -ja *f* flute: **i bie ~es** talk nonsense

cyt *k/* nag; banter; tease ♦ **~em** *vtv* nag one another ♦ **~/ës, -e** *mb* nagging; teasing ♦ *em* tease; nagger ♦ **~j/e, -a** *f* nagging; banter; pin-prick

Ç

ç' *pyetës* what: **~'po bën?** what are you doing?; **~'është kështu?** *bs* what's up? ♦ **nd** *bs* why; what: **~'të duhet ty?** it is none of your business ♦ *lidhor:* **nga ~'kam marrë vesh** from what I've heard ♦ *pj:* **~'ia vë re!** never mind him

çáçk/ë, -a *f* top of the head

çád/ër, -ra *f* umbrella; tent: **~ër dielli** parasol

çáfk/ë, -a¹ *f zl* mew; *fg* waspish woman

çáfk/ë, -a² *f* cup: **~ë çaji** tea-cup

çafkëlór/e, -ja *f zl* skylark

çá/hem *vtv, ps:* **~het më dysh** split in two: **më ~et koka** have a splitting headache

çáhje *mb* *f* free-stone *(peach)*

ça/j *k/* cut; split; *fg* tear (ahead); break through; force *(one's way through);* *bs* be very good at *(doing sth):* **~ dru** chop wood; **i ~ kokën dikujt** talk sb's head off ♦ *jk/* make headway; forge ahead; hurry

çaj, -i *m bt* tea(-plant): **një filxhan ~** a cup of tea ♦ **~ník, -u** *m* teapot ♦ **~tór/e, -ja** *f* teashop; teahouse

çak/áll, -álli *m sh* **-éj, -éjtë** *zl, fg* jackal

çák/ëll, -lli *m* (road, railway) metal; ballast

çakërdís *k/* scatter; confuse ♦ **~/em** *vtv* ♦ **~ur (i, e)** *mb* scattered; disorderly; *fg* puzzled; confused: **bëj si i ~** behave wildly

çakërr, -e *mb bs* squint-eyed ♦ **~ít** *k/ bs* open wide; goggle

çakërrqéjf *nd bs* tipsy: **jam ~** be up the pole

çakmák, -u *m* (cigarette) lighter

çakord:ím, -i *m mz, tk* discord; discordance ♦ **~/ój** *k/ mz* discord; put out of tune ♦ **~úar (i, e)** *mb mz* discordánt; out of tune

ça/l, -i, ~amán, -i *m* lame (person) ♦ **~/ë (i, e)** *mb, ém* lame; limping ♦ **~ë** *nd:* **eci ~** walk with a halt ♦ **~ím, -i** *m* limp; lameness ♦ **~/ój** *jk/* limp; be lame: **~oj nga njëra këmbë** be lame of one leg ♦ *k/ fg* impede; hamper ♦ **~thi** *nd* lamely; with a limp

çallát/ë, -a *f* notch; cut; blunted edge *(of a tool);* mark *(on a tree for felling)* ♦ **~/óhet** *vtv* ♦ **~/ój** *k/* notch; mark *(a tree for felling);* blunt; dent *(a knife)*

çallëstís *jk/ bs* make shift; make do ♦ *k/* manage; find

çállm/ë, -a *f* turban; crest *(of some birds)*

çamarrók, -u *m bs* naughty/ playful/ child ♦ **~, -e** *mb bs* naughty; playful *(child):* **vajzë ~e** hoyden

çamçakëz, -i *m* chewing-gum

çanák, -u *m* bowl: **ha në një ~ me dikë** to feed from the same trough

çáng/ë, -a *f* gong

çánt/ë, -a *f* bag: **~ë shkolle** school-bag; **~ë shpine** knapsack; rucksack

çap, -i *m* step; pace: **s'bëj ~** make no headway

çapaçúl, -e *mb* slovenly; sluttish; disorderly

çapár/e, -t *f sh mz* cymbal; castanets

çáp/ë, -a *f* bite; mouthful; crease *(of the dress)*

çapël/óhem *vtv* be torn apart; *v iii* straddle; *fg* bend backwards *(to do sth)* ♦ **~/ój** *k/* tear; break off; rip apart/ open

çapít *jk/ bs* step; walk ♦ **~/em** *vtv bs* totter; begin walk; pace up and down ♦ **~j/e, -a¹** *f bs* slow walk; heavy tread

çapkën, -i *m* playful child; perk; little rogue ♦ **~, -e** *mb* playful; roguish

çapók, -u *m an* haunch; leg-bone; drumstick *(of roast chicken)*

çaprashít *k/ bs* mix up; make a mess of ♦ *jk/* stagger; totter; *fg* chatter

çapráz, -i *m nj* angle *(of saw-teeth);* *sh* saw-teeth bender ♦ **~, -e** *mb bs* irregular; unruly *(child)* ♦ **~** *nd:* **ia bëj mendjen ~ dikujt** muddle sb's head

çap/úa *m* spur *(of a cock)*

çarçáf, -i *m* (bed-)sheet; veil *(of Muslim women);* winding sheet: **e kam mendjen ~** be completely at a loss

çardák, -u *m* balcony; corridor

çár/ë, -a (e) *f* **(të)** gap; split; *fg* breach: **merr të ~**

split; **fund me të ~** slit skirt ♦ **~/ë (i, e)** *mb* split; chapped *(hands); bs* split: **dru të ~** chopped wood ♦ **~j/e, -a** *f* slit; cut; gash

çar/k, -ku *m* trap; snare; *(potter's)* wheel; set *(of false teeth):* **~ minjsh** mouse trap; **ngreh ~un** set up a trap

çarmat:ím, -i *m* disarmament; decommissioning ♦ **~lój** *kl shih* **~lós;** *min* dismantle ♦ **~ós** *kl, fg* disarm; decommission *(a ship)* ♦ **~ós/em** *vtv, ps* ♦ **~ósj/e, -a** *f shih* **ÇARMATIM.**

çast, -i *m* moment; instant: **paguaj në ~** pay on the nail; **i ~it** instant *(coffee, etc.);* fast-food *(service)*

çatá/ll, -lli *m* prong; tine *(of the fork);* irregular tooth; tusk *(of the wild pig);* two-pronged (-tined) fork

çatdhes:ím, -i *m dr* expatriation ♦ **~lóhem** *vtv, ps* ♦ **~lój** *kl dr* expatriate ♦ **~úar (i, e)** *mb, em kryes* **(të)** *dr* expatriated

çatí, -a *f* roof; shelter

çdo *pkf* any; every; each: **~ njeri** everyone; everybody; **në ~ kohë** at any time; **me ~ mënyrë** by all means; **~ ditë** every day; **me ~ çmim** at all costs; at any price ♦ **~hérë** *nd* always; at any time ♦ **~kúsh** *pkf* everyone; anyone ♦ **~llój** *pkf* any kind ♦ **~njër/i, -a** *pkf:* **~njëri prej nesh** each one of us

çeç:én, -e *mb* Chechen ♦ **~én, -i** *m* Chechen; *kq* rugamaffin ♦ **Ç~nja** *f gjg* Chechnya

çéhr/e, -ja *f bs* look; complexion; appearance

çek *kl* touch; graze; broach *(a subject)*

çe/k, -ku¹ *m fn* cheque; check: **thyej një ~** cash a cheque

çek, -e *mb* Czech ♦ **~, -u** *m* Czech

çek:án, -i *m* hammer; knocker: **ku i rreh ~i?** what is he driving at? ♦ **~íç, -i** *m shih* **çekan, -i;** *an* hammer *(of the middle ear)*

Çekí, -a *f gjg* Czech (Republic) ♦ **~sht** *nd* (in the) Czech (language) ♦ **~shte, -ja** *f* Czech language

çekuilíb/ër, -ri *m* imbalance ♦ **~rím, -i** *m* loss of balance ♦ **~róhem** *vtv* ♦ **~r/ój** *kl* unbalance; throw off balance ♦ **~rúar (i, e)** *mb* unbalanced; (mentally) deranged

çel *kl* open; launch *(a program);* turn/ scitch on *(the lights); v iii* hatch *(of a hen):* **sa ~ e mbyll sytë** in a wink; ♦ **~/em** *vtv v iii* open; bloom; clear up *(of the sky);* unfold *(of a view);* cheer up; *fg* confide: **~i dita** the day has broken; **u ~ në fytyrë** his face lit joy ♦ **~ës, -i** *m* key; *tk* spanner; *el, tk* switch; *(can)* opener; *mz* clef: **~ kopil** master/ skeleton key; **mbaj me ~ diçka** keep sth under lock and key ♦ **~ët (i, e)** *mb* clear; light; cheerful: **ngjyrë e ~** light colour

çelí/k, -ku *m* steel ♦ **~kós** *kl* steel; temper ♦ **~kósem** *vtv* ♦ **~kósj/e, -a** *f* steeling; hardening ♦ **~ktë (i, e)** *mb* steel *(mb);* steel-like

çél/je, -a *f* opening; beginning; blossoming, bur-

geoning *(of flowers)* ♦ **~/tas** *nd* openly; openheartedly ♦ **~ur (i, e)** *mb* open(ed); light *(colour);* cheerful *(face);* blossomed *(flower);* hatched *(eggs)* ♦ **~ur** *nd* open; openly; sincerely: **dera është ~** the door is open

çengél, -i *m* hook; grapple; fire-chain; *dt* anchor ♦ **~** *mb fg* tough; wiry

çérdh/e, -ja *f* nest; *fg* shelter; nursery school, retreat, den *(of thieves);* emplacement *(of a gun, etc.); fg* hotbed: **~e grerëzash** a hornets' nest; **~e ditore** day nursery

çedhúk/ël, -la *f zl* skylark

çerék, -u *m* quarter: **e bëj ~ë** quarter; tear pieces ♦ **~finál/e, -ja** *f sp* quarterfinal ♦ **~kílësh, -e** *mb* quarter-kilo ♦ **~lítërsh, -e** *mb* quarter-litre

çervísh, -i *m gjl* onion sauce

çerr, -i *m zl* wren; chick

çét/ë, -a *f* (armed) band/ gang

çézm/ë, -a *f* fountain; tap: **ujë ~e** water from the tap

çështj/e, -a *f* question; matter; problem; affair; issue; cause: **thelbi i ~es** the crux of the matter

çfárë *pyetës* what: **~ njeriu është ai?** what kind of man is he?; **~?** what/ pardon/ sorry?; **ja ~ tha ai** this is what he said ♦ *lidhor:* **nuk e di ~ do** I don't know what he wants ♦ **~dó** *pkf* whatever; whichever; any: **me ~ mënyre/mjeti** by all means; by all manner of means ♦ **~dollój** *pkf* whatever; whichever; any kind (type) ♦ **~dósh/ëm (i), -me (e)** *mb* indiscriminate; nondescript: **njeri i ~** ordinary man

çibán, -i *m* blain; furuncle

çibúk, -u *m* (tobacco) pipe; *bjq* scion; cutting

çiflí/g, -gu *m* land property ♦ **~ár, -i** *m* landowner ♦ **~ár, -e** *mb* landed *(classes)*

çift, -i *m* pair; couple; team *(of horses);* brace *(of pigeons); mt* even number: **~ i ri** young/ newly married couple; **më bëjnë sytë tek e ~** see double ♦ **~, -e** *mb* double; twin: **numër ~** even number ♦ **~ nd** in couples; in twos ♦ **~/e, -ja** *f* double-barrel sporting rifle ♦ **~elí, -a** *f mz* two-stringed lute ♦ **~ím, -i** *m* coupling; pairing; mating ♦ **~lóhem** *vtv, ps* ♦ **~lój** *kl* couple; pair (off); mate

çifút, -i *m* Jew ♦ **~, -e** *mb* Jewish ♦ **~ërí, -a** *f prmb bs* Jewry; Jews

çik *kl* barely touch; graze; touch; *fg* hint: **~ një çështje** touch on a question ♦ *jkl* touch; graze; skim ♦ **~em** *vtv ps e* **çik**

çík/ë, -a¹ *f* girl

çík/ë, -a² *f* bit; moment; drop; spot; leak: **asnjë ~e** not a bit; **për një ~ë** narrowly; **pas një ~e** after a while; **zë ~at** stop leaks ♦ **~ël, -la** *f* bit; chip; shred; droplet ♦ **~ël/óhem** *vtv, ps* ♦ **~ël/ój** *kl* cut/ break/ tear into pieces; *v iii jkl* drip; trickle ♦ **~ërrím/ë, -a** *f kryes* knick-knacks; brick-à-brack; *fg* trifle;

bagatelle ♦ **~ërrimtár, -i** m cheapjack

çiklí:st, -i m sp cyclist ♦ **~stík, -e** mb sp: **rreth ~** cycling tour ♦ **~z/ëm, -mi** m sp cycling

çikrík, -u m spinning/ water-wheel; windlass: **më luan ~u** be beyond oneself (with worry)

çil, -e dhe **~ák, -e** mb grey; am gray ♦ **~, -i** em dun (horse); grey-haired person

çilimí, -u m bs kid; child; brat: **bëj si ~** behave like a child; **punë ~njsh** childish thing; child's play ♦ **~llë/k, -ku** m bs childishness; childish pranks

çílt:as dhe **~azi** nd openly; frankly; sincerely: **flas ~** speak frankly ♦ **~ër (i, e)** mb open; sincere; frank ♦ **~ërí, -a** f openness; frankness; sincerity

çiment:ím, -i m cementing, (case)hardening ♦ **~o, -ja** f ndr cement ♦ **~/óhet** vtv ♦ **~lój** kl ndr, tk cement; (case)harden ♦ **~úes, -i** m cement-mixer

çímk/ë, -a f zl bed-bug

çip, -i m corner (of the mouth); edge

çirák, -u[1] m apprentice; trainee; shop-boy

çírr/em vtv be torn; fg shout; scream; ps: **~em nga rrobat** tear one's clothes

çitján/e, -t f sh vj loose breeches; bloomers; slops (of Muslim women)

çízm/e, -ja f kryes boot: **kusar me ~e** expert thief

çjerr kl/ **çóra, cjérrë** tear; scratch ♦ jkl feel a sharp pain ♦ **~ë, -a (e)** f (të) rent; torn place (in one's clothes); cut; scream; hoarse voice; shouts; threats ♦ **~ë (i, e)** mb torn; tattered (clothes); hoarse, gruff (voice): **me zemër të ~** with a broken heart ♦ **~ës, -e** mb piercing; jarring; hoarse (voice) ♦ **~j/e, -a** f tearing; scratch(ing)

çka pyetës what: **~ i the?** what did you tell him? ♦ ldh what; which; that which: **atë ~ di** what I know ♦ lidhor: **është kryesorja** what is important ♦ nd bs so-so; not bad; middling

çlír:ët (i, e) mb loose(-fitting); relaxed (muscle, etc.); fg free-and-easy

çlir:ím, -i m liberation; release; emancipation ♦ **~imtár, -i** m liberator ♦ **~imtár, -e** mb liberating; liberation (mb) ♦ **~/óhem** vtv, ps ♦ **~ój** kl **-óva -úar** liberate; free; release; deliver; relieve (sb of a burden); extricate; loose(n); v iii km, fz release (heat, energy) ♦ **~úar (i, e)** mb liberated; free(d); delivered; relieved; loose

çlodh kl/ rest (one's legs) ♦ **~em** vtv rest; relax; v iii lie (of the dead) ♦ **~ës, -e** mb restful; relaxing: **ngjyra ~e** restful colours ♦ **~/e, -a** f rest(ing); recreation; relaxation ♦ **~ur (i, e)** mb rested; relaxed

çmall kl/ satisfy one's yearning/ longing/ nostalgia for ♦ **~/em** vtv, ps

çmend kl/ madden; infuriate; enrage ♦ **~/em** vtv go mad/ crazy: **mos u ~e?** are you crazy? ♦ **~j/e, -a** f insanity; madness ♦ **~ur, -i (i)** m madman (sh- **men**) ♦ **~ur (i, e)** mb mad; crazy; lunatic ♦ **~urí, -a** f nj madness; lunacy; foolishness ♦ **~urísht** nd madly; like mad; crazily; nuts

çmim, -i m estimation; prizing up; price; prize; reward: **~ i prerë** fixed price; **ngre ~et** raise prices; **me çdo ~** at all costs

çmin:ím, -i m ush mine-clearing (a minefield, etc.) ♦ **~óhet** ps ♦ **~lój** kl ush clear (a minefield)

çm/óhet ps ♦ **çm/oj** kl estimate; assess; esteem: **~oj dëmin** estimate the damage; **e ~oj lart dikë** have a high esteem of sb

çmont:ím, -i m tk dismantling; stripping (of a piece of machinery) ♦ **~óhet** ps ♦ **~lój** kl tk dismantle; disassemble; take apart; remove

çmos pkf bs : **dëgjoj ~ për dikë** hear of every colour about sb; **bëj ~ ta kënaq dikë** go out of one's way oblige sb

çmú:ar (i, e) mb valuable; precious: **gur i ~** precious stone ♦ **~arj/e, -a** f estimate; estimation; assessment ♦ **~es, -i** m estimator; assessor ♦ **~esh/ëm (i), -me (e)** mb precious; valuable

çnder:ím, -i m dishonour(ing); rape; violation ♦ **~óhem** vtv, ps ♦ **~lój** kl dishonour, disgrace; rape; violate ♦ **~úar (i, e)** mb dishonoured, disgraced; raped, violated ♦ **~úes, -i** m violator; rapist

çnjeréz:ísht nd inhumanely; brutishly ♦ **~ór, -e** mb inhuman; cruel; brutal

çobán, -i m herdsman; shepherd ♦ **~ésh/ë, -a** f fm shepherdess

çóhe/m vtv stand/ get/ go up; rise; wake/ sit up (in bed); v iii take off (of helicopter, etc.); v iii go up (of smoke, etc.); ps: **~m më këmbë** rise one's feet; **~m herët** be an early riser; **~t dielli** the sun rises ♦ **çoj**[1] kl/ **çóva, çúar** raise; lift; put/ pull up; prop up (in bed); arouse, inspire; awaken; increase; clear (the table): **~ dorën** raise one's hand; **~ perden** raise the curtain; **~ flamurin** hoist the flag

çoj[2] kl/ **çóva, çúar** send; lead (sb by the hand); take; deliver; carry out; spend (one's time doing sth); v iii jkl bs last: **~ në shkollë** send school; **~ me punë** send on an errand; **e ~ për dore dikë** lead sb by the hand; **i ~ një letër dikujt** send a letter sb; **rruga të çon në** the street leads; **e ~ shumë mirë** have a very good time; **si ia çon?** how are you getting on?; **këpucët e ~në një dimër** the shoes will last one winter; **s'po e ~ më gjatë** I am not pushing it further

ço/k, -ku m stonemasons hammer; (door)knocker; tongue, clapper (of the bell); knuckle (of the finger); cue ball (in snooker) ♦ **~anís** kl/ hack; cut fine; fg scold; dress (stone) jkl knock at (the door) ♦ **~lás** kl/ jkl knock (at the door); rap; chink (glasses) ♦ **~ít** kl, jkl chink; chip; crack ♦ **~ítet** ps ♦ **~ítj/e, -a** f chinking; chipping; cracking (china, etc.)

çokollát/ë, -a f chocolate mb chocolate brown (colour)

ço:kú nd bs somewhere; seldom; from time to time;

on and off: ~ **e kam parë** I've seen him somewhere; ~ **shihemi** we see each other occasionally ♦ **~kúsh** *pkf bs* someone; somebody

çoráp, -i *m dhe* **-e, -et** sock; stocking: **e bëj ~ punën** make a mess of it; **ia bëj mendjen ~ dikujt** muddle sb's head

çorb/ë, -a *f gjll* thick soup; *kq* pigwash; hogwash; slop

çorient:ím, -i *m* disorientation; confusion ♦ **~/óhem** *vtv, ps* ♦ **~/ój** *kl* disorient(ate); confuse; derange

çorodí, -a *f* bewilderment; bafflement ♦ **~t (~s)** *kl* corrupt; degenerate; bewilder; baffle ♦ **~t/em** *vtv* ♦ **~tës, -e** *mb* disorientating; bewildering ♦ **~tj/e, -a** *f* corruption; disorientation; bewilderment ♦ **~tur (i, e)** *mb* corrupt(ed); degenerate; bewildered; baffled

çregjistr:ím, -i *m* writing/ striking off *(a name, etc.)*; deleting *(of a record, etc.)* ♦ **~óhem** *vtv* ♦ **~/ój** *kl* write/ strike off *(a name in a list, etc.)*; wipe out; clear; delete *(a recording, etc.)*; put out of adjustment

çrregull:ím, -i *m sh-er -et* disorder: ~ **i tretjes** indigestion ♦ **~/óhet** *vtv, ps* ♦ **~/ój** *kl* put out of order ♦ **~t (i, e)** *mb:* **dhomë e ~** untidy room ♦ **~úar (i, e)** *mb* disordered; out of order

çubárdh *mb, em* albino

çuçurí/j *jkl* chirp; twitter ♦ **~m/ë, -a** *f* whisper; chirp; twitter *(of birds)* ♦ **~t (~s)** *jkl* whisper; *v iii* chirp; twitter *(of birds)*; *v iii* gurgle *(of streams)* ♦ **~tj/e, -a** *f* whisper(ing); low murmur

çudí, -a *f nj* surprise; amazement; wonder; marvel; miracles; wonders: **bëj ~ me vete** wonder; **nuk është ~ që** small wonder that ♦ **~bërës, -i** *m* miracle-maker; wonder-worker ♦ **~, -e** *mb:* **bar ~** cure-all; panacea ♦ **~t** *kl* surprise; astonish; astound; amaze: **do të ~esha po të** I'd be surprised if ♦ **~tem** *vtv:* **nuk ~ që** small wonder that ♦ **~tërísht** *nd* surprisingly; strangely; oddly ♦ **~tëse** *mb* exclamatory *(mark)* ♦ **~tj/e, -a** *f* surprise; wonder ♦ **~tsh/ëm (i), -me (e)** *mb* strange; odd *(person)*; wonderful ♦ **~tur (i, e)** *mb* surprised; amazed

çúk/ë, -a *f* top; summit; peak *(of a mountain)* top *(of a tree)*

çukërm/ój *jkl v iii* paw *(the ground)*; hoe; scratch *(the soil)*

çukít *kl v iii* peck; sting; scratch *(the soil)*; chink; chip *(china, etc.)* ♦ **~/em** *vtv, ps* ♦ **~j/e, -a** *f* pecking; chipping; chinking *(of china, etc.)*; scratch(ing); bickering

çun, -i *m bs* boy; lad; son: **bëhu ~ i mirë!** be a good boy! ♦ **~ák, -u** *m bs* child; little boy; kid; green-horn; wet-head

çúp/ë, -a *f* girl; daughter; young girl: **zë ~e** girl(ish) voice; ~ **spathi** queen of spades ♦ **~ëlín/ë, -a** *f bs* little girl; naughty girl; romp ♦ **~ërí, -a** *f* girlhood ♦ **~ërísht** *nd* girlishly; girl-like

çur/g, -gu *m* trickle; squirt *(of liquid)*; fount ♦ **~/ón** *jkl* **-ói, -úar** gush forth; squirt; shoot up

çurlik/ój *jkl* squawk

çyç, -i *m* tip *(of the shoe)*; snout *(of a kettle)*

çyrýk, -e *mb bs* crippled; maimed; damaged ♦ **~ nd** in half; half done

D

dac, -i *m* (tom-)cat ♦ ~ *nd* naked
dáck/ë, -a *f* slap; smack; flapper; spank
dád/ë, -a *f shih* **dado, -ja;** granny; mom ♦ ~**o, -ja¹**
  f (wet) nurse
dádo, -ja² *f tk* nut
dafín/ë, -a *f bt* laurel; bay leaf (*sh* **leaves**): **fle mbi**
  ~**a** rest on one's laurels
daják, -u *m* rod; stick; cudgel
daj/ë, -a *m* uncle
dájr/e, -ja *f* tambourine ♦ ~**exhí, -u** *m* tambourine-
  man
daktilo:grafí, -a typing; type-writing ♦ ~**grafím, -i**
  m typing; type-writing ♦ ~**grafíst, -i** *m* typist ♦
  ~**grafóhet** *ps* ♦ ~**graf/ój** *k/* type(-write)
dal *jk/* **dóla, dálë** come/ be/ go/ let/ set/ fall out;
  leave; *v iii* rise; go up; appear; spring/ originate/
  stem from; *v iii* come off, fade (*of colours, etc.*); *v
  iii bs* end; *v iii fg* become known; *v iii* (*a book*) is in
  print, (*a film*) is released; *fg* match; *v iii* arrive (*first,
  last in a race*); turn out to be (*worthy, etc.*); *v iii* be
  sufficient/ enough: ~ **baras me** tie/ be even; ~
  inxhinier become/ be trained as an engineer; ~
  më vete set up on one's own; ~ **shëtitje** go for a
  walk; **doli dielli** the sun was up/ out; **doli dimri**
  winter is over; ~ **tradhtar** turn traitor; **po i ~in**
  dhëmbët (the child) is cutting its teeth; **më del** l
  can afford it; **më doli fjala** I said so; **s'ia ~ dot** l
  can't make it; I can't afford it; **të ~ë ku të ~ë** come
  what may; sink or swim ♦ *k/ bs* cross (*a river*): ~
  jashtë move; evacuate (*one's bowels*); go abroad;
  pvt e **dal**
dál/ë, -a (e) *f* (të) bulge; lump; projection: **të hyra e**
  të ~a comings and goings; **të ~at jashtë** excreta
  ♦ ~**ë, -t (të)** *as shih* ~**j/e, -a;** end: **më/ në të ~ë**
  on the point of leaving; **të ~ët jashtë** excretion ♦
  ~**ë (i, e)** *mb* bulging; projecting; high (*cheek-
  bones*); (much-)travelled (*man*): **sy të ~** goggling
  eyes
dalëngadálë *nd* slowly; unhurriedly

dálj/e, -a *f* coming/ going out; emergence; way out;
  exit; *fn* expenditure; publication, issue (*of a book,
  etc.*)
dált/ë, -a *f* chisel ♦ ~**ím, -i** *m* chisel(l)ing ♦ ~**lóhet**
  ps ♦ ~**lój** *k/* chisel; engrave ♦ ~**úar (i, e)** *mb*
  chisel(l)ed; engraved
dallavér/e, -ja *f* swindle; fraud; double-dealing ♦
  ~**xhí, -u** *m bs* swindler; fraud; double-dealer; rig-
  ger
dalldí, -a *f* ecstasy; rapture; infatuation; crush ♦ ~**s**
  jk/ go into raptures; be infatuated; have a crush
  (*for sb*) ♦ ~**s/em** *vtv*
dallëndýsh/e, -ja *f z/* swallow: **me një ~e s'vjen**
  pranvera one swallow doesn't make a summer
dállg/ë, -a *f* wave; undulation; *fg* surge: **më hipën**
  ~**a** feel a surge of anger ♦ ~**ëzím, -i** *m* waving;
  billowing (*of the sea*); roll (*of the hills*) ♦ ~**ëzóhet**
  vtv wave (*of the sea, etc.*); *fg* sway (*of the crowd*);
  ps ♦ ~**ëz/ón** *jk/* -**ói, -úar** wave; swell; billow (*of
  the sea*); *fg* sway ♦ ~**lój** *k/* ripple (*a surface of water*)
  ♦ ~**ëzúar (i, e)** *mb* wavy; billowy (*sea*)
dallím, -i *m* distinction; discrimination; differentia-
  tion
dallkaúk, -u *m bs kq* sycophant; yes-man ♦ ~ *mb*
  goofy; bumbling; mawkish ♦ ~**llë/k, -ku** *m bs kq*
  sycophancy; fawning
dall/óhem *vtv* be seen; *v iii* be distinguishable; dis-
  tinguish oneself; *ps* ♦ ~**ój** *k/* distinguish ♦ *jk/* be
  different ♦ ~**úar (i, e)** *mb, em* distinguished; out-
  standing (person) ♦ ~**úes, -e** *mb* distinguishing
  (*feature*) ♦ ~**úesh/ëm (i), -me (e)** *mb* distinguish-
  able; discernible ♦ ~**úeshëm** *nd* distinctly
damár, -i *m* vein; (blood) vessel; rib (*of a leaf*); grain
  (*of the wood*); *fg* humour, mood; lode, seam (*of
  mineral*): **si ta zërë ~i** as the fancy takes him; **më**
  hipën/ kërcen ~i fly into a rage; go off the handle
damásk, -u *m tks* damask
damáz, -i *m* stallion; bullock
dám/ë, -a¹ *f* draughts; *am* checkers

dám/ë, -a² *f* madam; dame; dancing partner *(woman);* queen *(in chess)*

dámk/ë, -a *f* mark; brand *(of fire);* stigma ♦ **~ós** *kl* mark; brand *(with fire);* stigmatise ♦ **~ósem** *vtv* brand oneself; *ps* ♦ **~ósj/e, -a** *f* marking; branding; stigmatisation

damll:á, -ja *f bs* stroke; palsy ♦ **~ós** *kl bs v iii* paralyse; cripple ♦ **~ós/em** *vtv bs* have a stroke; *ps* ♦ **~ósur (i, e)** *mb bs* paralysed by a stroke; damned, darned

dangáll, -i *m bs* fat person; *kq* hogshead ♦ **~** *nd:* **bëhem ~** eat fit burst; be stiff with cold

danéz, -e *mb* Danish ♦ **~, -i** *m* Dane ♦ **D~imárk/ë, -a** *f gjg* Denmark

dárdh/ë, -a *f bt* pear *(tree, fruit); sp* suspended punch ball: **~a e ka bishtin prapa** *fj u* there is more it than meets the eye

dár/ë, -a *f* pincers; nippers

dárk/ë, -a *f* supper; dinner; evening: **muhabet si pas ~e** idle talk ♦ **~ój** *kl* dine

dásm/ë, -a *f* wedding party ♦ **~ór, -i** *m* wedding guest

dash, -i *m sh* **desh, déshtë** ram; *ast* the Ram, Aries; *ush* battering-ram

dash/akéq, -akéqi *m* ill-wisher ♦ **~akéq, -e** *mb* ill-wishing; malevolent ♦ **~aligësí, -a** *f* malevolence; ill-will ♦ **~amír, -i** *m* well-wisher ♦ **~amír, -e** *mb* well-wishing; well-meaning; benevolent ♦ **~amirësí, -a** *f* benevolence; kindness ♦ **~j/e, -a** *f* willingness; accord: **me ~je** willingly; deliberately; **pa ~je** unwillingly ♦ **~nór, -i** *m* lover; sweetheart; boy-friend ♦ **~nór/e, -ja** *f* love; sweetheart; girl-friend ♦ **~ur** *pjs e dúa* ♦ *nd:* **~ pa ~** willy-nilly ♦ **~ur (i, e)** *mb* dear; beloved; loving; amiable *(person);* pleasant; likeable *(wine):* **mik i ~** dear friend ♦ **~ur, -a (e)** *f* **(të)** love; sweetheart; girl-friend; dear; darling: **e ~a bijë** my darling daughter ♦ **ur~, -i (i)** *m* lover; sweetheart; boy-friend; dear; darling: **i ~i bir** my darling son ♦ **~urí, -a** *f;* love; affection: **me ~** with love; **shtie ~i më dikë** fall in love with sb ♦ **~uríçk/ë, -a** *f* flirt(ation); fling ♦ **~ur/óhem** *vtv, ps* ♦ **~ój** *kl* love; be/ fall in love with; be fond of ♦ **~urúar (i, e)** *mb:* **vajzë e ~** young girl in love

dát/ë, -a1 *f bs* awe; scare; dread: **shtie ~ën** appal

dát/ë, -a² *f* date: **sa është ~a sot?** what date is today? ♦ **~ëlíndj/e, -a** *f* date of birth; birthday ♦ **~lój** *kl* date; put the date *(on a document)*

daúll/e, -ja *f* drum: **~e e shpuar** a leaky vessel ♦ **~exhí, -u** *m,* **~tár, -i** *m* drummer

davá, -ja *f bs* quarrel; *vj* law-suit

davarít *kl* scatter; disperse *(the clouds)* ♦ **~em** *vtv, ps* ♦ **~j/e, -a** *f* scattering; dispersal

debát, -i *m* debate ♦ **~ím, -i** *m* debate ♦ **~lóhet** *vtv* ♦ **~ój** *kl, jkl* (engage in a) debate

debí, -a *f fn* debit

debíl, -i *m psk* weak- (feeble-)minded

decimál, -e *mb mt* decimal *(system)*

dedé *mb bs* woolly; soft-brained; naïve

dedikím, -i, ~/óhem, ~/ój *kl shih* **kushtim, kushtohem, kushtoj**

def, -i *m* tambourine

defékt, -i *m* defect; flaw; trouble

deficít, -i *m* deficit ♦ **~ár, -e** *mb* showing a deficit; debit *(account)*

deftér, -i *m vj* exercise book; debt score

degdís *kl bs* banish; deport ♦ **~lem** *vtv bs* disappear; vanish; *ps* ♦ **~j/e, -a** *f bs* banishment; deportation

dég/ë, -a *f* branch; bow, limb *(of a tree); bs* stalk *(of maize, etc.);* tributary *(of a river);* branch-office; subsidiary: **e hedh ~ë më ~ë** drive from pillar post ♦ **~ë** *nd* upright ♦ **~ëzím, -i** *m* branching *(of a tree);* side-line; *(of a road, etc.)* ♦ **~ëzóhet** *vtv* branch off; *ps* ♦ **~ëz/ój** *kl* branch; ramify

degradím, -i *m* demotion; degradation; decomposition ♦ **~lóhem** *vtv, ps* ♦ **~lój** *kl* demote; degrade

degjener:ím, -i *m* degeneration; deterioration ♦ **~lóhem** *vtv, ps* ♦ **~lój** *jkl* degenerate; deteriorate; be corrupted ♦ *kl v iii* (cause) degenerate; corrupt ♦ **~úar (i, e)** *mb* degenerate; corrupt

deh *kl* make drunk ♦ **~lem** *vtv* get drunk; be intoxicated/ inebriated with; *ps* ♦ **~ës,.-e** *mb, fg* intoxicating; inebriating ♦ **~j/e, -a** *f* intoxication; inebriation; inebriety; drunkenness ♦ **~ur (i, e)** *mb* drunk(en); intoxicated ♦ **~ em** drunkard

dekadént, -e *mb* decadent

dekád/ë, -a *f* ten days; decade

dekán, -i *m* dean *(of a university);* doyen ♦ **~át, -i** *m* deanery

deklar:át/ë, -a *f* declaration; statement ♦ **~lóhem** *vtv* declare oneself; *ps* ♦ **~lój** *kl* declare

dekolté, -ja *f* open/ low-cut neck; décolleté

dekompoz:ím, -i *m* decomposition ♦ **~lóhet** *vtv, ps* ♦ **~lój** *kl* decompose

dekór, -i *m tt* stage set(ting); decorum

dekor:át/ë, -a *f* decoration; medal ♦ **~atív, -e** *mb* decorative; ornamental ♦ **~atór, -i** *m* ♦ **~ím, -i** *m* decoration; decorating ♦ **~lóhem** *ps* ♦ **~lój** *kl* decorate; award a decoration/ medal

dekrét, -i *m* decree ♦ **~lóhet** *ps* ♦ **~lój** *kl* decree; ordain

dél/e, -ja *f* ewe; sheep; **lule ~eje** *bt* daisy

deleg:ación, -í *m* delegation; envoy ♦ **~át, -i** *m* delegate; envoy ♦ **~ím, -i** *m* delegation; *dr* proxy ♦ **~lój** *kl* delegate ♦ **~úar, -i (i)** *m* delegate; envoy

delendís *kl* expose *(sb's dishonesty)*

delenxhí, -u *m bs* rascal; knave; bastard

delfín, -i *m zl* dolphin; *fg* heir; *hst* dauphin

deli *mb :* **~ djalë** strapping young man

delikát, -e *mb* delicate; tender *(skin, etc.);* refined *(taste)* ♦ **~ёs/ё, -a** *f* delicacy; finesse

delíkt, -i *m* offence; delict; misdemeanour

delmér, -i *m* shepherd

délt/ë, -a *f gjg* delta; estuary *(of a river)*

de/ll, -i *m an* tendon; sinew; vein: **~ poetik** poetical vein/ mood ♦ **~llёzór, -e** *mb* veined; venous

dem, -i *m* bull; sire: **e zë ~in për brirësh** take the bull by the horns

demagó:g, -u *m* demagogue ♦ **~gjí, -a** *f* demagogy ♦ **~gjík, -e** *mb* demagogic(al)

demask:ím, -i *m* unmasking; exposure ♦ **~lóhem** *vtv, ps* ♦ **~lój** *kl ush, fg* unmask; expose ♦ **~úar (i, e)** *mb ush, fg* unmasked; exposed

dembél, -e *mb* lazy; indolent; slothful ♦ **~ em** lazy person; lazy-bones; slow-coach ♦ **~í, -a** *f* laziness; indolence; sloth ♦ **~íz/ëm, -mi** *m* laziness ♦ **~ósem** *vtv* laze; mooch; idle ♦ **~ósj/e, -a** *f* lazing; dawdling ♦ **~ósur (i, e)** *mb* lazy; mooched ♦ **~lёk, -u** *m bs* laziness; idleness

demék *pj bs* : **~ s'dashka ai!** as if he wouldn't (fancy it)

demét, -i *m* sheaf of grain; bundle of corn/ dry leaves

demo:grafí, -a *f* demography ♦ **~krací, -a** *f* democracy ♦ **~krát, -i** *m* democrat ♦ **~ mb** democratic ♦ **~kratík, -e** *mb* democratic

demón, -i *m* d(a)emon

demonstr:át/ë, -a *f* demonstration ♦ **~atív, -e** *mb* demonstrative ♦ **~ím, -i** *m* demonstration; show ♦ **~lóhet** *vtv, ps* ♦ **~lój** *kl* demonstrate; show; prove ♦ *jkl* demonstrate ♦ **~úes, -i** *m* demonstrator

demoraliz:ím, -i *m* demoralisation ♦ **~lóhem** *vtv, ps* ♦ **~lój** *kl* demoralise; dishearten ♦ **~úar (i, e)** *mb* demoralised; disheartened ♦ **~úes, -e** *mb* demoralising; disheartening

denbabadén *nd bs* of old; from times immemorial

dend *kl* press; cram; stuff; ply *(with food, etc.);* bs thrash ♦ **~ em** *vtv, ps*

dend:ësí, -a *f* density; thickness *(of a forest, of plants, etc.)* ♦ **~ësím, -i** *m* thickening; becoming dense ♦ **~ësír/ë, -a** *f* density; thickness ♦ **~ës/óhet** *vtv, ps* ♦ **~ës/ój** *kl v iii* thicken; intensify ♦ **~ësúar (i, e)** *mb* condensed; compressed; frequent ♦ **~ur (i, e)** *mb* dense; thick; frequent; intense *(fire):* **flokё tё ~ drizё** dense bushy hair ♦ **~ nd** thickly; densely; often ♦ **~urí, -a** *f* thickness; *fz* density; frequency

den/g, -gu *m* bale; bundle *(of clothes); fg* lot: **~ pa markё** *bs* nonentity ♦ **~g** *nd:* **jam ~ me para** be loaded

denigr:ím, -i *m* denigration; vilification ♦ **~lóhem** *ps* ♦ **~lój** *kl* denigrate; vilify

denonc:ím, -i *m* report *(to the police);* denunciation *(of a treaty, etc.)* ♦ **~lóhem** *ps* ♦ **~lój** *kl* report *(a crime);* denounce *(a treaty, etc.)* ♦ **~úes, -**

i *m* reporter *(to the police);* denouncer

dent:ár, -e *mb:* **klinikё ~e** dental surgery ♦ **~íst, - i** *m* dentist

dénj/ё (i, e) *mb* worthy; deserving ♦ **~ёsísht** *nd* worthily; deservingly ♦ **~lój** *jkl* deign; deem/ consider worthy; condescend

deodoránt, -i *m* deodorant

departamént, -i *m* department; division *(of a ministry);* district

depërt:ím, -i *m* penetration; infiltration ♦ **~lóhet** *ps* ♦ **~lój** *kl, fg* penetrate; infiltrate; filter in/ through ♦ **~úes, -e** *mb* penetrating *(wind, voice, etc.);* piercing; *fg* discerning

dépo, -ja *f* depot; warehouse; store(house)

depolitiz:ím, -i *m* depoliticising ♦ **~óhet** *vtv, ps* ♦ **~lój** *kl* depoliticise

depon:ím, -i *m dr* deposition: **bёj njё ~ nё gjyq** give evidence in court ♦ **~lój** *kl, jkl dr* give evidence; testify; make a deposition ♦ **~úes, -i** *m* witness

depozít/ё, -a *f* deposit ♦ **~ím, -i** *m, fin* deposit(ing) ♦ **~lóhet** *ps* ♦ **~lój** *kl* store; *fn* deposit; bank ♦ **~úes, -i** *m* depositor

depresión, -i *m* depression; slump

deputét, -i *m* deputy; member of Parliament

derdh *kl* spill; shed; pour; deposit *(a sum);* cast *(a mould, etc.); bs* ejaculate; *bs* spend lavishly: **~ kafenё** spill the coffee; **~ njё pikё lot** shed a tear; **~ gjak** shed blood ♦ **~ em** *vtv v iii* be spilled; *v iii* flow into *(of a river);* pour; *v iii* hang loose *(of hair);* stream (into, out); cast; be poured *(of concrete, molten metal, etc.); v iii bs* ejaculate; *ps:* **po ~ en qiejt** the heavens have opened; **i ~ em me tёrbim** come down like a fury (on sb) ♦ **~j/e, -a** *f* pour; shedding; spill; *fn* deposit; mouth; estuary *(of a river);* outlet ♦ **~ur (i, -e)** *mb* spilled, spilt; falling freely, hanging loosely *(of hair, of a dress, etc.); tk* cast *(mould, etc.); fg* shapely *(figure); fn* deposited.

dér/ё, -a *f sh* **dýer, dýert** door(way); exit; *bs* way out; solution: **~ё e çelur** an open door; **me dyer tё mbyllura** *dr* in camera; **~ё e fisme** a noble family; **ia fik ~ёn dikujt** ruin sb completely; **ia lё nё ~ё dikujt** lay (the blame, etc.) at sb's door; **ia zё ~ёn dikujt** gate-crash sb ♦ **~ёbárdhё** *mb, em* lucky; fortunate (person): **nga ta di unё, o ~!** how should I know, my dear! ♦ **~ёçélur, ~ёhápur** *mb, em* hospitable (person) ♦ **~ёmbýllur** *mb, em* inhospitable; godforsaken ♦ **~ёtár, -i** *m* doorkeeper ♦ **~ёz, -a** *f* door *(of a cage, etc.);* wicket ♦ **~ёzí, -zézё** *mb, em* unfortunate; wretch

dérgj/em *vtv* languish ♦ **~j/e, -a** *f* sickness; sick bed ♦ **~ur (i, e)** *mb* sick; bedridden

déri *prfj* (up); until; (up) till: **~ kёtu** up to here; hitherto; **~ nё kёtё pikё** up to this point; **~ sot** until/ up till today; **~ nё tokё** down to the ground; **~ nё**

gju knee-deep/ high; **nga... ~...** from... to/ till...; **~ diku** somehow; some extent ♦ **~sá** /dh/ until; till; as long as; so/ as long as; provided: **punoj ~ erret** work till dark; **~ të jem gjallë** as long as I live

derivát, -i m mat, derivative; km by-product

dermán, -i m bs remedy: **pa ~** without remedy; without fail; **s'ka ~** there is no remedy

dermatoló:g, -u m dermatologist ♦ **~gjí, -a** f dermatology

dert, -i m bs care; worry; concern: **plot ~** careworn

dervísh, -i m ft dervish (member of a Muslim sect)

derr, -i m pig; swine; gj/l pork: **~ i egër** wild boar; **bërxollë ~i** pork chop; **~ me zile** dirty swine; **bëhem ~** be bored stiff; **punoj si ~** work like a horse ♦ **~ mb bs : një ~ hunde** a horribly great nose ♦ **~çe** dhe **~ërísht** nd bs (to eat) like a pig; (to work); doggedly; ♦ **~kúc, -i** m suckling pig; piglet; pigling

desánt, -i m ush landing trooper ♦ **~ím, -i** m ush landing; parachuting (of troops) ♦ **~lój** kl ush land; parachute (troops)

despót, -i m hst despot; kq tyrant ♦ **~át, -i** m hst despotate ♦ **~ík, -e** mb despotic; tyrannical ♦ **~íz/ ëm, -mi** m despotism; tyranny

desh pj almost; nearly; just: **~ rashë** I nerly fell

deshifr:ím, -i m deciphering; decoding ♦ **~/óhet** ps ♦ **~lój** kl decode (a radiogram, etc.); break (a code); tk scramble (a signal) ♦ **~úes, -i** m decoder; scrambler

det, -i m sea: **me ~ e me tokë** by sea and by land; **më zë ~i** be seasick; **bëhem ~** be flooded/ soaked/ drunk; wet (in bed); **i hyj ~it më këmbë** take a leap in the dark; **ujk ~i** sea wolf ♦ **~ nd: u bë fusha ~** the pitch was awash

detánt/ë, -a f pl détente

detál, -i m detail; particular (of a painting)

detár, -i m seaman; sailor; mariner ♦ **~, -e** mb marine; maritime; naval: **port ~** sea-port; **bimësi ~e** sea plants ♦ **~í, -a** f seamanship

detashmént, -i m ush detachment

detektív, -i m detective; private eye

detýr/ë, -a f duty; task; post, position: **~ë shtëpie** home work; prep ♦ **~ím, -i** m constraint; compulsion; coercion; duty, obligation; due, liability: **~ ushtarak** compulsory service ♦ **~imísht** nd obligatorily ♦ **~lóhem** vtv ♦ **~lój** kl constrain; compel; v iii be binding on; owe; be under an obligation: **e ~uan të...** he was compelled ♦ **~úar (i, e)** mb compulsory; obligatory ♦ **~úes, -e** mb compulsory; obligatory; owing; indebted ♦ **~úesh/ëm (i), -me (e)** mb compulsory; forced: **punë e ~me** forced labour

devé, -ja f zl camel

devótsh/ëm (i), -me (e) mb devoted ♦ **~mërí, -a** f devotedness; devoutedness

dezert:ím, -i m desertion; defection ♦ **~lój** jk/ desert; defect (from the army) ♦ **~ór, -i** m dhe **~úes, -i** m deserter; defector

dëb:ím, -i m expulsion; eviction ♦ **~lóhem** ps ♦ **~l ój** kl drive out; evict

dëbór/ë, -a f snow shih **bor/ë, -a**

dëb:úar (i, e) mb chased (away, off); expelled; evicted

dëfr/éhem vtv ♦ **~léj** kl amuse; entertain (sb) ♦ jk/ amuse oneself; be amused/ entertained ♦ **~ím, -i** m amusement; entertainment; pastime

dëft/éhem vtv behave; bear oneself: **~ trim** bear oneself with courage; ps ♦ **~léhet** pvt: **nuk ~ me gojë** it defies description ♦ **~léj** kl show; indicate; point; reveal; bs tell/ prompt: **i ~ej rrugën dikujt** show sb the way; **mos ~e!** do not prompt!

dëftés/ë, -a f receipt; voucher: **~ë pagese** receipt of payment; **~ë borxhi** receipt of loan; IOU; **~ë lirimi** school-leaving certificate

dëft/óhem vtv show oneself to be (brave, etc.); bear oneself (honourably, etc.); pass off as; ps ♦ **~lój** kl tell; recount; show; reveal; demonstrate; betray: **~oj një ndodhi** tell a story; **~oj dashuri për** show love (affection) for ♦ **~ór, -e** mb gjh demonstrative (pronoun); indicative (mood of the verb) ♦ **~ór, -i** m gjuh demonstrative pronoun ♦ **~ór/e, -ja** f gjh indicative mood (of the verb) ♦ **~úes, -e** mb indicative; index (finger) ♦ **~úes, -i** m index (finger)

dëgj:és/ë, -a f obedience ♦ **~ím, -i** m hearing; listening: **aparat ~i** hearing aid ♦ **~lóhem** vtv, ps: **më ~óhet fjala** have a say (in a matter) ♦ **~lój** kl jk/ hear; listen; heed; obey; (në fjali pyetëse, habitore) be indifferent : **s'të ~j dot** I can't hear you; **ku ~on ai!** he won't listen! ♦ k/ hear; listen ♦ **~úar, -it (të)** as hearing: ♦ **~úar (i, e)** mb heard; known: **duket si emër i ~** this name rings a bell; **histori e ~** twice-told story ♦ **~úes, -i** m listener; sh audience ♦ **~úesh/ëm (i), -me (e)** mb obedient; heedful; audible

dëk:ím, -i m rupture ♦ **~lóhem** vtv have a rupture; ps ♦ **~lój** kl rupture ♦ **~úar (i, e)** mb ruptured

dëlír kl clear (the forest, etc.); tidy up (the room, etc.); prune (a tree); purge; bs empty (one's bowls) ♦ **~lem** vtv clean oneself; be delivered (of a pregnant woman); relieve oneself (of a burden); ps ♦ **~ë (i, e)** mb clean; delivered (woman); fg pure, chaste; fg innocent ♦ **~ësí, -a** f cleanliness; tidiness; chastity; candour ♦ **~j/e, -a** f cleaning; purging

dëllínj/ë, -a f bt juniper (tree, fruit)

dëm, -i m damage; harm; waste; detriment: **çoj ~ waste** ♦ **~sh/ëm (i), -me (e)** mb harmful; noxious; pernicious

dëmshpërbl/ éj kl pay damages; indemnify ♦ **~ím, -i** m damages; indemnity; compensation (for dam-

age done) ♦ **~ýer (i, e)** *mb* indemnified

dëmtím, -i *m* damage; harm(ing) ♦ **~lóhem** *vtv, ps* ♦ **~úar (i, e)** *mb* damaged; impaired ♦ **~úar, -i (i)** *m* injured party ♦ **~úes, -i** *m* pest ♦ **~úes, -e** *mb* harmful; damaging; noxious

dënés *jkl,* **~lem** *vtv* sob; whimper ♦ **~lë, -a** *f* sob(bing)

dëng *nd bs* full

dëngla, -t *f sh bs* brag; big talk; boasting

dën:ím, -i *m* condemnation; *dr* punishment; sentence: **~ me vdekje** capital punishment; death penalty; **goditje ~i** *sp* free kick ♦ **~lóhem** *ps* ♦ **~lój** *kl* condemn; penalise; reprimand ♦ **~úar (i, e)** *mb* condemned; sentenced ♦ **~úar, -i (i)** *m* condemned person; convict ♦ **~úes, -e** *mb* condemnatory; sententious ♦ **~úesh/ëm (i), -me (e)** *mb* condemnable; blamable; blameworthy; reprehensible

dërdëllít *jkl, kl* tattle; twaddle; chit-chat ♦ **~j/e, -a** *f bs* tattle; twaddle; chit-chat

dërdëng, -e *mb bs* plump; stout; heavily built; brawny; rugged (person)

dërg:és/ë, -a *f* shipment; dispatch: **~ë e mallit** consignment ♦ **~ím, -i** *m* sending; dispatch *(of troops, etc.)*; shipment *(of goods)*; consignment ♦ **~lóhem** *ps* ♦ **~lój** *kl* send; dispatch; forward; consign; remit *(goods, money, etc.)*; convey *(regards to sb)*: **~oj dikë te mjeku** send sb see the doctor; sends sb for/ fetch the doctor; **i ~oj të fala dikujt** send one's regards sb ♦ **~úar, -i (i)** *m* envoy; delegate ♦ **~úes, -i** *m* sender; dispatcher; forwarding agent ♦ **~úes, -e** *mb* forwarding *(mb)*

dërsí/hem *vtv* sweat ♦ **~lj** *kl, jkl* sweat; perspire ♦ **~rë (i, e)** *mb* sweated; sweating; covered in sweat

dërrás/ë, -a *f* board; plank: **~ë e zezë** blackboard; **çaj ~a** rattle on; **kam një ~ë mangët** have a tile missing ♦ **~lë** *mb bs* flat *(chest)*; *bs* dense; stupid

dërrm/ë, -a *f* : **i vë/ jap ~ën dikujt** fire sb; chuck sb out

dërrmísh *kl* rub; chafe *(the skin)*; scratch; draw blood ♦ **~j/e, -a** *f* chafing; scratching

dërrm/óhem *vtv v iii* crumble; be crushed; hurt oneself; *fg* be worn out/ exhausted; try hard; *ps* ♦ **~lój** *kl* crumble; crush; break into bits; *fg* defeat; overpower; wear out ♦ **~úar (i, e)** *mb* crumbled *(bread, etc.)*; crushed; broken *(stone, etc.)*; *fg* worn out; exhausted; dead-beat ♦ **~úes, -e** *mb* crushing; overwhelming: **shumicë ~e** overwhelming majority

dëshír/ë, -a *f* desire; wish; yearning; craving: **~ë e kotë** wishful thinking; **me ~ë** willingly; **shpreh një ~ë** express/ make a wish ♦ **~ím, -i** *m* desire; longing ♦ **~lóhem** *vtv* have a great desire; yearn/ long/ pine for; wish; *ps* ♦ **~lój** *kl* desire; wish; be willing; long for; love; like: **~oj të bëj diçka** want to do sth; love to do sth ♦ **~ór, -e** *mb gjh* optative;

desiderative *(mood of the verb)* ♦ **~ór/e, -ja** *f gjh* optative/ desiderative mood ♦ **~úar (i, e)** *mb* desirous; anxious; eager; desired *(solution, result, object)*: **lë shumë për të ~** leave much to be desired ♦ **~úesh/ëm (i), -me (e)** *mb* desirable

dëshm:í, -a *f* testimony; testimonial; certificate: **~ e rreme** false testimony; **~ mirësjelljeje** good-conduct certificate ♦ **~ím, -i** *m* testimonial ♦ **~itár, -i** *m* witness; best man *(at a civil marriage)* ♦ **~l óhet** *vtv, ps* ♦ **~lój** *jkl* witness; testify *(in court)*; vouch; attest; bear witness ♦ *kl v iii* show; prove; display

dëshmór, -i *m* martyr

dëshpër:ím, -i *m* despair; desperation ♦ **~lóhem** *vtv* despair *(of sth)*; despond; *ps* ♦ **~lój** *kl* despair; dishearten; discourage ♦ **~úar (i, e)** *mb, em* despaired; dispirited; discouraged; desperate *(attempt)* ♦ **~úes, -e** *mb* despairing; disheartening; discouraging *(news, etc.)* ♦ **~úesh/ëm (i), -me (e)** *mb* desperate *(situation)*

dësht:ák, -e *mb* still-born; *fg* abortive *(plan, etc.)*; wash-out ♦ **~ em** still-born child; failure ♦ **~ím, -i** *m* failure; *mk* miscarriage; abortion ♦ **~lój** *jkl* miscarry; abort ♦ *kl* abort; *fg* fail *(in an attempt)* ♦ **~úar (i, e)** *mb* still-born; aborted *(plan)*; *fg* frustrated, thwarted *(plan, scheme)*

di *kl* know; have a knowledge of; be able to: **e ~ mirë se kush është** I know him well; I know well what he is; **me sa ~ unë** as far as I know; to the best of my knowledge; **nuk e ~** I don't know; **kush e di?** who knows?; you can never tell; **~ të notoj** I can swim ♦ *jkl* have knowledge; understand: **nuk ~ ç'është frika** refuse to be frightened; **ku do t'ia ~jë ai** he won't listen

diabét, -i *m mk* diabetes ♦ **~ík, -e** *mb mk* diabetic *(patient)*

diafrágm/ë, -a *f* diaphragm; partition; screen

diagnóz/ë, -a *f* diagnosis *(sh* **-ses***)*; diagnostic

diagonál, -e *mb gjm* diagonal; biased ♦ **~le, -ja** *f gjm* diagonal ♦ **~isht** *nd* diagonally

diagrám, -i *m* diagram(me); chart; graph; curve

dialékt, -i *m gjuh;* dialect ♦ **~ík, -e** *mb fil* dialectic(al)

dialektík/ë, -a *f fil* dialectics *(me folje në njëjës)*

dialektór, -e *mb* dialectal

dialóg, -u *m* dialogue; ~~talks~~

diamánt, -i *m* diamond

diamét/ër, -ri *m gjm* diameter ♦ **~rál, -e** *mb* diamteric ♦ **~ralísht** *nd:* **~ i kundërt** diametrically opposed

diapozitív, -i *m* slide; transparency

diarré, -ja *f mk* diarrhoea

diaspór/ë, -a *f* diaspora; expatriates

diatéz/ë, -a *f gjuh:* **~ë veprore/ pësore** active/ passive voice

diç *pkf* something: **~ kërkon** he is looking for something ♦ **~ká** *pkf* something; some; little: **~ ka**

ndodhur something has happened ♦ **~ka** *nd* somewhat; a little; a trifle; *(to feel)* so-so; not bad: **~ më mirë** a little better

díel, -a (e) *f* **(të)** Sunday

díe/ll, -lli *m* sun: **dritë e ~llit** sunlight; **pikë e ~llit** sunstroke; **dal në ~ll** *fg* be out of the woods; **ditën për (me) ~ll** in broad daylight; **ëndërra në ~ll** daydreaming; pie in the sky ♦ **~llór, -e** *mb* solar: **orë ~re** sundial

diét/ë, -a¹ *f* diet: **jam me ~ë** be on a diet

diét/ë, -a² *f fn* travelling/ business expenses; per diem expenses

diferénc/ë, -a *f* difference; rest; remainder ♦ **~ím, -i** *m* differentiation; discrimination ♦ **~lóhem** *vtv, ps* ♦ **~lój** *kl* differentiate; discriminate ♦ **~úar (i, e)** *mb* differentiated; discriminated (against)

difterí, -a *f mk, vtr* diphtheria

díg/ë, -a *f* dam; dike; breakwater

dígjem *vtv, ps:* **u dogj sigureca** the fuse is out; **do të ~esh!** you'll get into hot water!

digjitál, -e *mb tk* digital

dihát (dihás) *jkl* gasp; pant; wheeze ♦ **~j/e, -a** *f* panting; gasping

dí:het *vtv, pvt* be known: **s'~ në se** it is not known whether ♦ **~j/e, -a** *f* knowledge ♦ **~jení, -a** *f* knowledge; know; information: **(sa) për ~** for (your) information; **kam ~ për** be aware of ♦ **~jetár, -i** *m* scholar; savant; sage ♦ **~jsh/ëm (i), -me (e)** *mb, em* learned (person)

dikastér, -i *m* (government) department ♦ **~iál, -e** *mb* departmental *(powers)*

diktát, -i *m* dictate; diktat; compulsion; dictum ♦ **~ór, -i** *m* dictator; *fg* tyrant ♦ **~oriál, -e** *mb* dictatorial ♦ **~úr/ë, -a** *f* dictatorship

diktím, -i¹ *m* detection; location *(of a disease, etc.)*

dikt:ím, -i² *m* dictation *(of a letter); dr* review *(of a case in court)* ♦ **~imím, -i** *m dr* cassation; quashing; annulment *(of a court ruling)* ♦ **~imóhet** *dr ps* ♦ **~im/ój** *kl dr* annul; quash

dikt/ój¹ *kl* detect; discover; find out

dikt/ój² *kl* dictate *(a letter to);* dictate; lay down *(terms)*

di:kú *nd* somewhere; some place; sometime: **~ afër** somewhere near; **deri ~** somewhat; some extent ♦ **~kújt** *pkf dhan e* **dikush** ♦ **~kúr** *nd* before; ago; previously; formerly; in the past; long ago (before); some day, sometime *(in the future)* ♦ **~kúrsh/ëm (i), -me (e)** *mb* previous; old-time; ancient ♦ **~kúsh** *pkf* someone; somebody

dilém/ë, -a *f* dilemma; quandary

diletánt, -i *m* amateur ♦ **~íz/ëm, -mi** *m* diletantism; amateurishness; amateurism

dimensión, -i *m shih* **përmas/ë, -a**

dím/ër, -ri *m* winter: **rroba ~ri** winter clothes ♦ **~ërím, -i** *m* hibernation ♦ **~ër/óhet** *vtv, pvt, ps* ♦ **~ër/ój** *jkl* hibernate ♦ **~ kl** winter ♦ **~ërór, -e** *mb* wintry; hibernal: **gjumë ~** winter slumber

dinák, -e *mb* cunning; sly; crafty; artful ♦ **~ em** cunning person; sly hand ♦ **~ërí, -a** *f* cunning; craftiness; artfulness

dinamík, -e *mb mek* dynamic(al); energetic ♦ **~/ë, -a** *f fz* dynamics *(me folje në njëjës);* dynamic

dinamít, -i *m* dynamite

dínamo, -ja *f tk* dynamo; generator

dinastí, -a *f* dynasty

dinjit:ár, -i *m* dignitary ♦ **~ét, -i** *m* dignity; rank

dioqéz/ë, -a *f ft* diocese

diplom:así, -a *f* diplomacy ♦ **~ánt, -i** *m* graduate ♦ **~át, -i** *m* diplomat ♦ **~ík, -e** *mb* diplomatic *(corps)* ♦ **~/ë, -a** *f* diploma; university degree: **me ~ë** *bs* notorious; ill-famed ♦ **~ím, -i** *m* graduation; majoring ♦ **~lóhem** *vtv* get a diploma; graduate; major ♦ **~úar (i, e)** *mb, em* graduate

direk, -u *m* pole; post; tie-beam; *dt* mast

direktív/ë, -a *f* directive; guide

dirigj:ént, -i *m mz* conductor; director ♦ **~ím, -i** *m* conducting; direction *(of an orchestra)* ♦ **~lóhem** *ps* ♦ **~lój** *kl mz* conduct; direct *(an orchestra)* ♦ **~úes, -i** *m mz* conductor; director

disá *pkf* some; a few; several: **~ herë** several times

disenjatór, -i *m* designer; *tk* draughtsman

disertación, -i *m* dissertation

disfát/ë, -a *f* defeat; rout; defeat; failure ♦ **~íst, -i** *m* defeatist ♦ **~íst, -e** *mb* defeatist *(mb)* ♦ **~íz/ëm, -mi** *m* defeatism

disí *nd* somehow; somewhat; so-so; middling: **~ më mirë** somewhat better

disidént, -i *m* dissident ♦ **~, -e** *mb* dissident

disintegr:ím, -i *m,* **~lóhet** *vtv,* **~lój** *kl shih* **shpërbërje, -a, shpërbëhet, shpërbëj**

disiplín/ë, -a¹ *f* discipline; branch *(of studies, of sports, etc.)*

disiplín/ë, -a² *f* discipline; rule ♦ **~ím, -i** *m* disciplining; harnessing *(the flow of a river, etc.)* ♦ **~lóhem** *vtv, ps* ♦ **~lój** *kl* discipline; enforce discipline; regulate; harness *(the flow of a river)* ♦ **~ór, -e** *mb* disciplinary: **thyerje ~e** breach of discipline ♦ **~úar (i, e)** *mb* disciplined; observing discipline

dis/k, -ku *m* disc; disk(ette); *sp* discus; *mz* record: **në ~** naked; barefoot ♦ **~k** *mb:* **sharrë ~** disc saw ♦ **~ket/ë, -a** *f* diskette

dísko, -ja *f bs* disco ♦ **~ték/ë, -a** *f* disco(thèque)

diskredit:ím, -i *m* discredit(ing) ♦ **~lóhem** *vtv, ps* ♦ **~lój** *kl* discredit; bring into disrepute ♦ **~úar (i, e)** *mb* discredited; disreputable ♦ **~úes, -e** *mb* discrediting; disreputable

diskrimin:ím, -i *m* discrimination ♦ **~lóhet** *ps* ♦ **~lój** *kl* **-óva -úar** discriminate against ♦ **~úes, -e** *mb* discriminating; discriminatory

dìskut:ím, -i *m* discussion; debate; argument: **në ~** under discussion; **pa ~** without fail ♦ **~lóhet**

vtv, pvt: **nuk** ~ there is no question about it ♦ ~**l**
ój *kl* discuss; dispute; argue ♦ ~**úes, -i** *m* discussant; contributor a discussion ♦ ~**úesh/ëm (i), -**
me (e) *mb* disputable; questionable; controversial *(issue)*

dispozición, -i *m* disposal; command; availability

distánc/ë, -a *f* distance; difference, gap, advantage *(of points in a match)*

distil:ím, -i *m tk* distilling; distillation ♦ ~**lóhet** *tk*
ps ♦ ~**lój** *kl* distil

distinktív, -i *m* badge

distributór, -i *m tk* distributor: ~ **automatik** slot/
vending machine; ~ **i benzinës** petrol/ *am* gasoline pump

dít:a-dítes *nd* daily; day in day out; day day ♦ ~**ár,**
-i *m* dairy; journal; record *(of classwork)* ♦ ~**ë, -a**
f day; daytime; daylight; *sh* life: ~**ë feste** holiday;
~**ë pune** workday; **gjatë** ~**ës** in the day/ daytime; **është punë** ~**ësh** it is a matter of days; ~**a**
e lindjes birthday; **në** ~**ët e rinisë** in one's young
days; **nga** ~**a në** ~**ë** from day day; day in day out
♦ ~**ëbárdhë** *mb, em* lucky; fortunate (person) ♦
~**líndj/e, -a** *f* birthday ♦ ~**ën** *nd* during the day;
by day: ~ **nëpër diell** in broad daylight ♦ ~**ë/zí,**
-zézë *mb* ill-fated; unlucky; unfortunate ♦ ~**ór, -e**
mb daily; diurnal: **paga** ~**e** (one) day's pay;
shfaqje ~**e** matinée

dítur, -i (i) *m* learned person; scholar; sage; erudite
♦ ~ **(i, e)** *mb* learned; wise; well-read; known:
është e ~ **se** it is known that; it is common knowledge that **ia bëj të** ~ **se** let sb know that ♦ ~**í, -a**
f knowledge; learning; sapience

div, -i *m* giant

diván, -i *m* divan; sofa; couch

divergj:énc/ë, -a *f* divergence; disagreement ♦
~**ént, -e** *mb* divergent; diverging; incompatible

divizión, -i *m ush* division: ~ **i koracuar** armoured
division

divórc, -i *m* divorce ♦ ~**lóhem** *vtv, ps* ♦ ~**lój** *kl*
divorce; separate ♦ ~**úar (i, e)** *mb* divorced

dizenterí, -a *f mk, vtr* dysentery

djál/ë, -i *m sh* **djém, djémtë** boy; son; *bs* fellow;
chap; boyfriend: **veshje për djem** boy's clothes
♦ ~**ërí, -a** *f* boyhood; boys *(of the neighbourhood)*
♦ ~**ërísht** *nd* boyishly; like a boy ♦ ~**ëríshte** *mb*
boyish *(clothing)* ♦ ~**ósh, -i** *m* young man; youngster ♦ ~**oshár, -e** *mb* youthful

djall, -i *m sh* **djaj, djájtë** devil; deuce; fiend: **e**
marrtë ~**i!** devil take it!; darn it!; ~ **o punë!** confound it!; ♦ ~**ëzí, -a** *f* devilry; malice ♦ ~**ëz/ór, -e**
mb devilish; diabolic; fiendish; malicious ♦ ~**ëzúar**
(i, e) *mb* diabolical; malicious ♦ ~**ós** *kl* spoil;
bundle; mess; screw *(a piece of work)* ♦ ~**ós/em**
vtv be spoiled/ ruined/ bungled; *ps*

djáth/ë, -i *m* cheese: **e kam (si) bukë e** ~**ë** have
an easy game; **e ha sapunin për** ~**ë** take allum

for sugar

djátht/ë, -a (e) *f* right (hand, side, foot); *pl* rightwing: **në të** ~**ë** on/ the right ♦ ~**ák, -e** *mb* righthanded ♦ ~**as** *nd* (the right); (on the) right ♦ ~**të**
(i, e) *mb* right *(side)*; right-hand ♦ ~**ësí, -a** *f* dexterity; skill; cleverness ♦ ~**íst, -e** *mb* rightist ♦ ~**íz/**
ëm, -mi *m* rightwing ideology

dje *nd* yesterday: ~ **mbrëmë** last night; ~ **një javë**
yesterday week

djeg *kl* **dógja, djégur** burn; singe *(food)*; consume;
scald; cauterise *(a wound)*; *v iii* blight *(plants)*; *v iii*
smart; sting; *fg* be burnt (consumed) *(by desire)*;
bs outdo; put out of use; put out of the game; *bs*
smart at; *bs* smoke *(a cigarette)*; fire *(a kiln, etc.)*;
heat *(a furnace)*: **u dogja!** I'm undone!; **të** ~ **kur**
të thonë se it rubs to be told that; **më** ~**in sytë**
my eyes are smarting *(by the smoke, etc.)*; ~
shumë benzinë consume much petrol; **më** ~
miza rankle at sth ♦ ~**ës, -e** *mb* hot; burning; combustible; inflammatory *(substance)*: **spec** ~ hot
pepper; **lëndë** ~**e** fuel ♦ ~**ësír/ë, -a** *f* burn; burning sensation; brash; hot food; heartburn; heat;
hot spell *(of weather)*; sting; bite ♦ ~**i/e, -a** *f*
burn(ing); combustion; blight *(of the plants)*: : ~**e**
e thellë deep burn; **motor me** ~**e të brendshme**
internal combustion engine; ~**e e qëllimshme**
arson ♦ ~**ór/e, -ja** *f ush* (percussion) cap; primer;
detonator ♦ ~**sh/ëm (i), -me (e)** *mb* combustible
♦ ~**ur** *pjs e* **djeg** ♦ ~**ur (i, e)** *mb* burnt; singed;
scorched; blighted *(plants)*; sunburnt; *fg* burning/
yearning for: **kartë e** ~ a useless card ♦ ~**ur, -a**
(e) *f* **(të)** burn; scald; burnt hole *(in the clothes)*;
shih **djegësir/ë, -a**

djemurí, -a *f për mb* boys; youth; youngsters ♦ ~**sht**
nd boyishly; boy-like ♦ ~**shte** *mb* youthful

djep, -i *m* cradle; *fg* centre; hot-bed; *tk* bed: **këngë**
~**i** lullaby; ~ **pas** ~**i** from generation generation;
që në ~ from the cradle

djérs/ë, -a *f* sweat; perspiration: **i mbytur në** ~**ë**
drenched with sweat ♦ ~**ít** *jk/* sweat; perspire; *v iii*
treacle; drip *(of a water vessel)*; begin grow *(of a
young man's whiskers)*; *fg* toil; labour: ~ **nga**
sikleti sweat with embarrassment; **s'i ka** ~**itur**
ende mustaqja he is still wet behind his ears ♦ *kl*
sweat *(a horse, etc.)*; make (sb) sweat ♦ ~**ít/em**
vtv sweat; perspire; transpire; *v iii* steam *(of window panes, etc.)*; *ps* ♦ ~**ítj/e, -a** *f* sweat(ing); perspiration

djerr, -i *m* fallow land ♦ ~, **-e** *mb* fallow; uncultivated; waste *(land)* ♦ ~**ín/ë, -a** *f* waste/ fallow/ uncultivated land

djerr:ój *jk/* muse; star-gaze; doodle; brew mischief:
ç'po ~**on?** what are you musing about?

djésh/ëm (i), -me (e) *mb* yesterday's; of yesterday;
of the previous day

dmth *ldh shkrt i* **domethënë**

do, -ja *f mz* C; do
do¹ *bs pvt e* **dúa:** ~ **thënë** it has to be said
do² *pj* will; shall; would; should ~ **të punoj** I'll work;
~ **të punoja** I'd work
dobë:sí, -a *f* weakness; feebleness; weak spot;
frailty: **kam ~ për dikë** have a weakness for sb;
kam ~ për të ëmblat have a sweet tooth ◆ **~sím,**
-i *m* weakening; laxity *(of discipline, of morale,*
etc.); **kurë ~i** slimming diet ◆ **~s/óhem** *vtv, ps* ◆
~s/ój *kl, fg* weaken; enfeeble; slim ◆ **~súar (i, e)**
mb weakened; enfeebled ◆ **~t (i, e)** *mb* weak;
feeble; faint *(voice, etc.);* lean *(meat, etc.);* poor
(soil, quality.); frail *(constitution);* loose *(bond);*
vulnerable *(position);* *fg* base; vile: **pikë e ~** weak/
vulnerable spot; **jam i ~ në matematikë** be poor
in maths; **kam zemër të ~** have a bad heart; **ia**
gjej anën e ~ dikujt get on the soft/ blind side of
sb ◆ **~ti (i)** *m* weak: **bëhem me të ~n** side with
the underdog ◆ **~t** *nd* weakly; feebly; faintly;
loosely *(tied);* badly; poorly *(done)*
dobí, -a *f* usefulness; advantage; benefit; gain: **pa**
~ uselessly; needlessly; ~ **praktike** expediency
dobíç, -i *m kq* bastard; illegitimate child; blighter;
cur
dobísh/ëm (i), -me (e) *mb* useful; profitable; ad-
vantageous
docént, -i *m* university teacher; reader
doç, -i *m kq* bastard; cur: **ia lë ~in në derë dikujt**
lay the blame at sb's door
doemós *nd* without fail; certainly; surely
dogán/ë, -a *f* customs; customs-duty; customs
house: **mall me ~ë** dutiable goods; **pa ~ë** duty-
free ◆ **~iér, -i** *m* customs officer/ agent ◆ **~ór, -e**
mb customs *(mb):* **taksë ~e** customs duty
dogm:atík, -u *m* dogmatist ◆ **~atík, -e** *mb* dog-
matic ◆ **~atíz/ëm, -mi** *m* dogmatism ◆ **~/ë, -a** *f*
dogma
dok, -u¹ *m tks* duck
dok, -u² *m dt* dock: **nxjerr në ~ anijen** dock a
ship
dóke, -t *f sh* customs; usages; uses
dokëndís *kl bs v iii* lie/ sit heavy *(of food);* offend;
move; touch ◆ **~/em** *vtv bs* be piqued; be touched;
be moved; *ps e* **dokëndis**
dók/ërr, -rra *f* joint *(of the ankle, of the wrist);* knot;
sh bs nonsense: **ç'flet ~rra!** don't talk rubbish
doktór, -i *m* doctor; physician ◆ **~át/ë, -a** *f* doctor-
ate; doctor's degree ◆ **~ésh/ë, -a** *f* lady/ woman
doctor
doktrín/ë, -a *f* doctrine; tenet
dokudó *nd* anywhere; carelessly; so-so: **punë e**
bërë ~ slipshod work ◆ *mb* ordinary: **ai s'është**
njeri ~ he is no ordinary man
dokumént, -i *m* document; *sh* papers; *sh* sources:
~e sekrete classified documents; **~e të rreme**
forged papers ◆ **~ación, - i** *m* documentation ◆

~ár, -i *m* documentary (film); newsreel ◆ **~ár, -e**
mb documentary ◆ **~ím, -i** *m* documentation;
documentary evidence ◆ **~lóhet** *ps* ◆ **~lój** *kl* docu-
ment; supply with documentary evidence
dolláp, -i *m* cupboard; *krh* window; *krh* coffee-
roaster: ~ **rrobash** wardrobe; ~ **buke** dresser;
~ **i veglave** tool-chest
dollár, -i *m* dollar
dollí, -a *f* toast: **ngre ~ për dikë** propose a toast
sb
dollmá, -ja *f gjll* dolma *(vine or cabbage leaf with*
stuffing)
domát/e, -ja *f* tomato: **lëng ~esh** tomato juice
domethën:ë *ldh* that is (say); i. e.; so ~, **vendose**
so, you've decided ◆ **~s, -e** *mb* meaningful; sig-
nificant ◆ **~i/e, -ja** *f* meaning; significance
dominó, -ja *f* domino: **gur ~je** domino piece
domosdó, -ja *f* necessity ◆ ~ *nd* without fail; abso-
lutely; certainly: **të vish ~** you must absolutely
come ◆ **~sh/ëm (i), -me (e)** *mb* indispensable;
essential
dorác, -i *m* one-handed/ armed person
doracák, -e *mb* handy: **vegël ~e** handy tool ◆ ~, -
u *m* manual
dóra-dóre *dhe* **~-dóres** *nd* hand-in-hand; *fg* hand-
in-glove; together; for the time being
dórazi *nd:* **dërgoj ~** deliver by hand
dordoléc, -i *m* scarecrow; guy
doréz/ë, -a *f* glove; (door) handle/ knob; *(telephone)*
handset, receiver: ~ **me një gisht** mittens;
muffles; **me ~a** *fg* with kid gloves
dór/ë, -a *f sh* **dúar, dúart** hand; arm; *bs* skill; help;
quality of work; *fg* rule; domination; influence; turn
(in a game); deal *(in card games);* ownership,
possession; handful, fistful; coat *(of painting);*
handle; pommel; *bs* note of hand; receipt; *fg* qual-
ity, grade; *bs* rank; sheaf *(sh* **sheaves***) (of wheat,*
etc.); lock *(of wool);* ball; cake *(of cheese, etc.):*
~ë e fortë strong hand; **kam ~ë të gjatë** have a
long arm; **e kam në ~ë** have control of; **shtie në**
~ë take possession; **i jap ~ën dikujt** give sb a
helping hand; **e kam unë ~ën** I deal; **bëj një ~ë**
para make a fistful of money; **frena ~e** hand
brakes; **shami ~e** handkerchief; **orë ~e** wrist
watch; **punë ~e** handy work; **i ~ës së parë** top
quality/ -drawer; **nën ~ë** *kq* underhand; **~a vetë**
in person; **~ë më ~ë** hand in hand; **këso ~e** in
this manner; of this kind; **me të dyja duart** with
both hands; without restriction; **hiqi duart!** hands
off!; **i jap duart dikujt** ditch sb; **më jep ~a** be
free at giving; **kam ~ë** be skilful; be violent; be
thievish; **kam ~ë të mbarë** strike lucky; **lë pas**
~e neglect; **paguaj me para në ~ë** pay cash in
hand/ on the dot ◆ **~dhënë** *mb* free-handed; gen-
erous ◆ **~gjërë** *mb* free-handed; munificent ◆
~hápët *dhe* **~hápur** *mb, em* open-handed; un-

sparing ♦ **~héqj/e, -a** *f* resignation: **paraqit ~en** hand in/ tender) one's resignation ♦ **~lëshúar** *mb* spendthrift ♦ **~** *nd* freely; generously ♦ **~líre** *mb* open-handed; generous; liberal; spendthrift ♦ **~mbárë** *mb* lucky; fortunate; strike-lucky ♦ **~menjë** *nd:* **shërim ~** healing by the first intention ♦ **~ngúshte** *mb* tight-fisted ♦ **~rrúdhur** *mb, em* tight-fisted; stingy ♦ **~shkrím, -i** *m* manuscript ♦ **~shpúar** *mb, em* spendthrift ♦ **~shtrëngúar** *mb* tight-fisted; miserly; stingy ♦ **~thárë** *dhe* **~tháte** *mb* left-handed; gawky; gauche ♦ **~ëz, -a** *f shih* **dorezë, -a** handful; sleeve cuff; ball, lump, cake *(of dough, of cheese, etc.)*; wisp *(of hay)*; sheaf *(sh* **sheaves***) (of wheat, etc.)* ♦ **~ëzán/ë, -i** *m,* **~ës, -i** *m* guarantor: **hyj ~ë për dikë** stand surety for sb; go bail for sb ♦ **~í, -a** *f* guarantee; warranty; security ♦ **~ëzím, -i** *m* delivery; surrender ♦ **~ëz/óhem** *vtv* give up; surrender; *ps:* **mos u ~o!** don't give up! ♦ **~ëz/ój** *kl* hand in; deliver; surrender *(a city, etc.)*; give in; yield; resign; *ft* ordain

dorëzónj/ë, -a *f bt* honeysuckle
dorëzúes, -i *m* consignor; delivery agent
dorí, -u *m* sorrel
dós/ë, -a *f* sow; *bs kq* trollop; trot
dosidó *nd* somehow; in a manner; carelessly; in a slipshod manner: **ha ~** eat irregularly ♦ **~sh/ëm (i), -me (e)** *mb* careless; slipshod
dósj/e, -a *f zyrt* dossier; file; bundle; binder; folder
dot *pj:* **e bën ~?** can you do it?; **s'e bëj ~** I can't do it
dóz/ë, -a *f, fg* dose; quantity ♦ **~ím, -i** *m* dosage ♦ **~óhet** *ps* ♦ **~lój** *kl* dose
drag/úa, -ói *m mit* dragon; monster; *fg* brave person
dram:atík, -e *mb* dramatic ♦ **~atizím, -i** *m* dramatising ♦ **~atiz/óhet** *ps* ♦ **~atiz/ój** *kl* dramatise: **~oj gjërat** pile on the agony! ♦ **~atúrg, -u** *m* playwright; dramatist ♦ **~aturgjí, -a** *f* dramaturgy ♦ **~aturgjík, -e** *mb* dramaturgical ♦ **~lë, -a** *f* drama; play
dráp/ër, -ri *m dhe* **-ërínj, -ërínjtë** sickle; reaping hook: **i vë ~rin** mow down
dre, -ri *m zl* deer
dredh *kl*/ **dródha, drédhur** twist; spin *(yarn)*; roll *(a cigarette)*; curl *(one's hair)*; *bs kq* shirk *(the question)*: **e ~ gjuhën** avoid a direct answer ♦ *jkl* swerve/ turn abruptly; twist and turn; dither: **e ~** turn cat in pan; sing another tune ♦ **~arák, -e** *mb* winding, zigzagging *(road)*; *fg* crafty; wily ♦ **~ em** crafty person; sly boots ♦ **~lë, -a** *f* curve, turn *(of the road, etc.)*; meander *(of the river)*; spiral coil; curl *(of the hair)*; whip-lash; whirlwind; *fg* slight of hand: **i bëj ~a punës** shirk duty; **i bëj ~a pyetjes** elude the question ♦ **~ës, -i** *m* spinner *(of yarn)*; twister ♦ **~ëz, -a** *f bt* strawberry; tendril *(of the vine*

plant, *etc.)*; ivy ♦ **~í, -a** *f* cunning; craftiness; artfulness ♦ **~ím, -i** *m* turn; twist; winding; meandering; *sh* trill *(of the voice)*; quaver ♦ **~j/e, -a** *f* spinning; twist(ing); twining; *shih* **dredh/ë, -a** *sh* trill; quaver *(of the voice)* ♦ **~lój** *jkl, kl* turn; swerve; zigzag; avoid *(a blow, etc.)*; *fg* shirk; avoid ♦ **~úes, -e** *mb* winding *(road)*; *fg* cunning; crafty ♦ **~ur (i, e)** *mb* twisted *(yarn)*; curly *(hair)*; rolled *(paper, etc.)* ♦ **~ur, -a** *f* **(të)** twist; turn; meander; prevaricaion: *gjll* roll

drégëz, -a *f* scar *(of a wound):* **zë ~** scar over
drejt *nd* straight; right; in good order, neatly; upright, erect; directly; well, correctly; *fg* openly: **shkoj ~ (përpara)** go straight (ahead); **rri ~** sit up; **shkoj ~ e në shtëpi** go straight home; **kuptoj ~** understand (sb, sth) correctly; get sth right ♦ *pj* straight; full: **~ e në fytyrë** in full face ♦ *prfj;* towards: **~ veriut** towards the north ♦ **~as** *nd* towards; *fg* in harmony; with understanding: **aty ~ straight there** ♦ **~ë (i, e)** *mb* straight; flat *(surface)*; upright *(bearing)*; upstanding *(position)*; *fg* correct, fair, honest, straightforward; *fg* righteous, just; right *(angle)*: **çështje e ~** a just cause; **ligjëratë e ~** *gjuh* direct speech ♦ **~lë, -a (e)** *f* **(të)** right; *nj* law: **të ~a të barabarta** equal rights; **të ~at e autorit** copyright; **ç'është e ~a** in truth; **ke të ~ë** you're right ♦ **~lë, -i (i)** *m* righteous (honourable, fair) person ♦ **~ësí, -a** *f;* correctness *(of a thesis)*; justice; law: **studioj për ~** study law ♦ **~ëz, -a** *f* straight line; bar ♦ **~ím, -i** *m* direction; course; bearing; management; leadership; straightening up: **në ~ të veriut** in the north direction; due north; the north; **në ~ të kundërt** in the opposite direction; **~ artisik** art direction; **pa ~** without address ♦ **~/óhem** *vtv, ps* : **~ me fytyrë nga dielli** face the sun; **i ~ dikujt për diçka** address oneself sb for sth ♦ **~lój** *kl* straighten up; make straight; set upright *(a pole, etc.)*; turn; point; address; drive *(a car, etc.)*; steer *(a ship)*; conduct *(an orchestra, etc.)*; run, manage, lead *(a firm, a company)*; edit *(a newspaper):* **i ~oj një letër dikujt** address a letter sb; **~oj një program** shepherd a program ♦ **~ór, -i** *m* director; manager; headmaster; governor *(of a prison, etc.)* ♦ **~óresh/ë, -a** *f e* **drejtor, -i** ♦ **~orí, -a** *f* executive board; board of directors; director's/ manager's office ♦ **~:peshím, -i** *m* balance; equilibrium ♦ **~peshóhet** *ps* ♦ **~pesh/ój** *kl* balance ♦ **~përdréjt** *dhe* **~përsëdréjti** *nd* directly; straight; *(to broadcast)* live ♦ **~përdréjtë (i, e)** *mb* direct; straight; live *(broadcast)* ♦ **~qëndrím, -i** *m ush:* **marr ~** stand attention ♦ **~shkrím, -i** *m gjh* spelling; orthography ♦ **~shqiptím, -i** *m gjh* orthoepy ♦ **~úar (i, e)** *mb* straightened up; guided *(missile, etc.)*: **valë të ~a** beamed radio-waves ♦ **~úes, -i** *m* director; leader *(of a company, etc.)*;

addresser *(of a letter)* ♦ **~úes, -e** *mb:* **qarqet ~e** leading circles

drék/ë, -a *f* lunch; midday meal; luncheon

drem:ít *jk/* doze (off); drowse; nap; snooze ♦ **~ítj/ e, -a** *f* drowsiness; doze; snooze ♦ **~ítur (i, e)** *mb* dozing; drowsy ♦ **~k/ë, -a** *f* doze; *bs* forty winks, zizz

drenúsh/ë, -a *f zl* doe; hind

dreq, -i *m shih* **djall, -i:** **ç'~in ke!** what the hell is wrong with you?; what the blazes? ♦ **~ësí, -a** *f* devilry; devilment; oddity ♦ **~nóhe/m** *vtv* behave devilishly; *ps* ♦ **~n/ój** *k/* bedevil; confound; muddle ♦ *k/, jk/* curse ♦ **~ós** *k/ bs* bedevil; confound; muddle: **u ~ puna** it's a hell of a mess ♦ **~ós/em** *vtv* be ruined; *ps* ♦ **~ósur (i, e)** *mb bs* ruined; botched; messed; muddled

drídh:e/m *vtv* **dródha (u), drídhur** *v iii* be spun/ twined/ stranded *(of rope, of yarn);* curl up *(of hair);* *bs* shake, tremble; flicker *(of the flame); ps:* **~m e përdridhem** twist and turn; **~et toka** the earth shakes; **më ~n duart** my hands are shaking ♦ **~j/e, -a** *f* shake, tremble, shiver(ing) *(with cold);* shudder(ing) *(with fear, etc.);* flicker(ing) *(of the flame, of a light, etc.)* ♦ **~m/ë, -a** *f sh* shivers; *mk* tremor: **shtie ~mën** strike with awe ♦ **~ur (i, e)** *mb* shaking; shaky ♦ **~ur, -a (e)** *f* (**të**) shivers; tremble; tremor **kam të ~** have the shivers

dritár/e, -ja *f* window; *fg* outlet; opening: **~e me dy palë xhama** double-glazed window ♦ **~ez, -a** *f* small window; till; ticket-window

drít/ë, -a *f* light; lamp; day; dawn; (eye-)sight: **~a e diellit** sunlight; **në ~ë** in the light; **ndez ~ën** turn on the light; **çeli ~a** it dawned; **del në ~ë** come into the light of day; come out into the open; be printed *(of a book);* **~a e syrit** the apple of the eye; **e nxjerr në ~ë** bring into the world; help out of a predicament; **Ylli i D~ës** *ast* Venus ♦ **~ë** *mb fg* shining; neat; tidy; spotless

dríth/ë, -i *m sh* cereals; bread grains

drithër:ím, -i *m* tremble, trembling ♦ **~ím/ë, -a** *f* shivers ♦ **~lóhem** *vtv* shiver; tremble; *fg* tremble; shake *(with fear); ps* ♦ **~lój** *jk/* tremble; shiver: **~ i tëri** tremble all over; be all of a tremble ♦ *k/ fg* scare; cause tremble ♦ **~ues, -e** *mb* shivering *(with cold); fg* scary

dríz/ë, -a *f bt* thorn bush

drobít *k/* tire out; weaken ♦ **~/em** *vtv* ♦ **~j/e, -a** *f* weakness; senility ♦ **~ur (i, e)** *mb* tired out; weakened *(with age)*

dróçk/ë, -a *f* clot *(of blood)*

dróg/ë, -a *f* drug; dope; *bs* grass ♦ **~ím, -i** *m* doping *(of an athlete, etc.)* ♦ **~lóhem** *vtv* take drugs ♦ **~lój** *k/* dope; drug ♦ **~úar (i, e)** *mb* doped; drugged

dru, -ri *m* tree; timber; *bs* stupid/ unpolished person: **~ frutorë** fruit-trees; **bëhet ~** stiffen; freeze stiff; become skinny ♦ **~, -ja** *f* wood; fire-wood; *fg* stick; thrashing; beating: **çaj ~** chop wood; **ha ~** take a beating/ licking; **i vë ~në dikujt** take the stick sb

drú:aj *jk/* be afraid; fear; be shy/ timid: **~ të futem në ujë** be shy (of) water; **mos ~!** have no fear! **~ajtj/e, -a** *f* timidity; shyness ♦ **~ajtur (i, e)** *mb* shy; timid; bashful ♦ **~/hem** *vtv* be shy; be timid; be bashful; fear; doubt: **~ se** doubt that

dru:njtë (i, e) *mb* wooden; woody; woodlike ♦ **~vár, -i** *m* woodcutter; woodchopper

dry, -ni *m* (pad)lock; *fg* dumb character; *sp* keylock *(in wrestling)*

duá, -ja *f ft* prayer *(of Muslim believers):* **ha bukën e mikut, bëj ~në e armikut** run with the hare and hunt with the hounds

dúa *k/* **désha, dáshur** love; like; be fond of; desire; want; *v iii* require; *bs* ask *(a price for sth); pvt* should *(me pjesore);* need: **e ~ me gjithë zemër** love sb with all one's heart; **ç'të të dojë e bardha zemër** everything that your heart desires; **desha të shkoj edhe unë** I was tempted go too; **~ të fle** I want sleep; **çfarë do?** what do you want?; **kur të ~sh/ doni** any time (you wish); **si të ~sh** suit yourself; **sa do?** how much do you ask for it?; how many do you want (need)?; **do bërë** it should be done; **ç'i do fjalët** it is no use talking; **s'~ t'ia di për para** money means nothing me

dúaj, -t *m sh* sheaves

duar:bósh *nd* with empty hands; empty-handed ♦ **~krýq** *nd* with folded arms; with crossed arms ♦ **~lárë** *mb, em* uninvolved; not guilty ♦ **~trok/ás** *k/, jk/, fg* clap; applaud ♦ **~trokít/em** *ps* ♦ **~trokítj/ e, -a** *f* applause ♦ **~tháre** *dhe* **~tháte** *mb, em* ham-fisted (-handed)

dubl:ikát/ë, -a *f zyrt* duplicate ♦ **~ím, -i** *m* dubbing *(of a film).* ♦ **~lóhem** *ps* ♦ **~lój** *k/* duplicate; dub *(a film); tt* double; act two parts ♦ **~ues, -i** *m* duplicator; dubber *(of a film); tt* doubler

duél, -i *m* duel

duét, -i *m mz* duet

duf, -i *m* anger; rage; passion: **nxjerr ~in** vent one's anger

duhán, -i *m, bt* tobacco: **s'e pi ~in** I don't smoke ♦ **~xhí, -u** *m vj* tobacconist; *bs* smoker

dúh/em *vtv* be in love; *pvt* should, ought, must; *v iii* be necessary; be needed; *ps:* **~et me një vajzë** he is in love with a girl; **~et thënë se** it has to be said that; **aq/ kaq sa ~et** as much as is needed; **ç'i ~et atij!** it is no business of his

dúhm/ë, -a *f;* stench; mugginess *(of the weather)*

dúhur (i, e) *mb* necessary; proper; appropriate: **në kohën e ~** at the proper time

duk *m bs* use; value; weight: **punë pa ~** ungrateful/ unrewarding job

dúke *pj* –ing: **~ kënduar** singing; **~ shkuar për**

në shtëpi on the way home

dúk/em *vtv* be seen; appear; look; *v iii* seem; think, judge; look like; *bs* show off; *v iii bs* be apparent/ obvious/ clear: **~et qartë** it is clearly visible; it is obvious; **~u ndonjë ditë** come round and see us some day; **~et i ri** he looks young; **më ~et e drejtë që ai të** it seems just that he should; **si të ~et?** how do you like it?; **~et që** no wander that; **sa për t'u ~ur** for the sake of appearances ♦ **~j/ e, -a** *f* appearance; look: **në ~e të parë** at first glance; off: **vë në ~e** point out ♦ **~sh/ëm, (i), - me (e)** *mb* visible; seeming, apparent; *bs* good-looking: **ndryshim i ~ëm** well-marked difference; **qetësi e ~me** apparent calm ♦ **~shëm** *nd* evidently; obviously; considerably ♦ **~urí, -a** *f* manifestation; phenomenon

dum *m plk*: **nuk i jap dot ~ diçkaje** fail get sth straight; fail grasp sth

dumdúm *mb ush* dum-dum *(bullet)*

dún/ë, -a *f gjg* dune

duralumín, -i *m* duralumin

dur:ím, -i *m* patience; forbearance: **bëj ~** be patient; **humbas ~in** lose one's temper ♦ **~lóhem** *vtv, pvt, ps*: **s'më ~t sa të...** I can hardly wait till... ♦ **~lój** *kl* endure; resist; suffer; be patient; put up with: **~oj dhembjen** take/ suffer pain; **s'~ova dot pa qeshur** I could not help laughing; **si e ~on atë njeri?** how can you tolerate him? ♦ *jkl v iii* resist; last; wait; accept: **~o sa të** wait till ♦ **~úar (i, e)** *mb* patient; tolerant; lenient ♦ **~úesh/ëm (i), - me (e)** *mb* patient; bearable; supportable

dush, -i *m* shower

dush/k, -ku *m bt* oak; oak-wood; oak leaves *(as animal fodder);* shuck; husk *(of indian corn)*

dúshku/ll, -lli *m bt* pistachio

duzín/ë, -a *f* dozen: **me ~a** by the dozen

dy *nm thm* two: **pa një pa ~** unhesitatingly; **me të ~ duart** with both hands; readily ♦ **~ (të), -ja (të)** both ♦ *em* two; both of ♦ *nm rrsht* two; second: **dhoma ~** room (number) two

dyfék, -u *m*, **dyféqe, dyféqet** *vj* gun; rifle

dy:físh, -i *m* double; twice ♦ **~físh, -e** *mb* double; twin; twice: **dritare ~e** double glazed window ♦ **~fish** *nd* twofold; twice as much/ large/ many/ big; double; in two: **palos ~** fold in two ♦ **~fishím, -i** *m* doubling; reduplication ♦ **~fish/óhet** *vtv* (re)double; *ps* ♦ **~fish/ój** *kl* (re)double; multiply; intensify *(one's efforts, etc.)* ♦ **~të (i, e)** *mb* double; two-fold *(connection);* two-way *(solution);* double *(stand);* two-faced ♦ **~fishúar (i, e)** *mb* (re)doubled ♦ **~fytýrësh, -e** *mb* two-faced; hypocritical

dylbí, -a *f* field-glass: **~ teatri** binoculars

dýll/ë, -i *m* wax; ear-wax: **letër ~i** wax paper ♦ **~ë** *nd*: **~ i verdhë** very pale; waxen ♦ **~ós** *kl* wax; polish *(the floor);* seal; wafer *(a letter)* ♦ **~et** *ps* ♦

~j/e, -a *f*; waxing; polishing; sealing

dymbëdhjétë *nm thm* twelve ♦ *nm rrsht* twelve; twelfth: **dhoma ~** room (number) twelve ♦ **~/ë (i, e)** *nm rrsht* twelfth ♦ **~/ë em** *f* twelfth *(part of):* **atij i bie ora ~** nothing comes amiss him

dynd *kl bs* shake; rock *(the foundations of);* drive out (away, off) ♦ **~/em** *vtv v iii* shake *(from the foundations);* throng; invade; *v iii fg* follow in rapid succession; *ps* ♦ **~j/e, -a** *f* invasion

dynym, -i *m* dynym *(=1/10th of a hectare)*

dynjá, -ja *f bs* world; great quantity: **ai ka parë ~ me sy** he is widely travelled ♦ **~ nd** in great quantity

dy:pálësh, -e *mb* bilateral ♦ **~píkësh, -i** *m* colon (:); di(a)eresis *(sh* **-es)**

dyqán, -i *m* shop; store; business ♦ **~xhí, -u** *m* shop-keeper/ assistant/ owner

dyqínd *nm thm* two hundred: **~ vjet** two hundred years ♦ **~ nm rrsht** two hundred **dhoma (numër) ~** room two hundred ♦ **~qíndtë (i, e)** *nm rrsht;* two hundredth; *em* two hundredth *(part of)*

dyst *nd bs* smoothly; even(ly); flat: **ulem ~** sit down on the ground ♦ *mb* flat; even; level: **~ taban** flat-foot ♦ **~ë (i, e)** *mb bs* flat; smooth; even; level *(ground)* ♦ **~ím, -i** *m bs* smoothing; levelling *(of a surface)* ♦ **~lóhet** *vtv, ps* ♦ **~lój** *kl bs* level out; grade *(a surface);* level down; *fg* put right

dysh, -i *m* two: **mbetem pa një ~** *bs* remain penniless ♦ **~, -e** *mb bs* double *(bed, coffee, drink);* twin; twosome ♦ **~ nd** in two; in/ by half; hesitatingly; in doubt: **thyhem më ~** bend backwards *(to achieve sth)* ♦ **~as** *nd* in two; hesitatingly, in two minds ♦ **~le, - ja** *f* two; group of two; twosome

dyshék, -u *m* mattress: **ngrihem nga ~u** rise from (the sick) bed

dyshemé, -ja¹ *f* floor; bed *(of the bridge, etc.)*

dysh:ím, -i *m* doubt; suspicion; *bs* hunch: **pa ~ / pa pikë ~i** no doubt; without (the least, a shadow of) doubt; **s'ka ~ se** it is beyond doubt that ♦ **~të (i, e)** *mb* dubious; doubtful; **person i ~** a suspect ♦ **~lóhet** *pvt* ♦ **~lój** *jkl* doubt; be in doubt; suspect; have suspicions *(about sb)* ♦ **~/úar (i, e)** *mb* suspicious; suspect ♦ **~úes, -e** *mb* doubtful; distrustful; suspicious

dýt/ë (i, e) *mb* second; second-class/ rate/ hand: **kati i ~** the second floor; first floor *(English style)* ♦ **~ em** *f* second: **dal i ~i** arrive second; be runner-up ♦ **~ësór, -e** *mb* secondary; collateral ♦ **~i (së)** *nd* secondly; in the second place; for the second time

dyzét *nm thm* forty ♦ *nm rrsht* forty; fortieth: **dhoma ~** room (number) forty ♦ *em* forties: **vitet ~** the forties *(of this century)* ♦ **~, -a** *em* **~a, -at: mbaj të ~** fast for forty days; observe the quadragesima ♦ **~/ë (i, e)** *nm rrsht* fortieth ♦ *em* one fortieth *(part of)*

dyz:ím, -i *m* hesitation; *g/h* doublet; *fz* duplication ♦ **~lóhet** *vtv* (re)double; *ps* ♦ **~lój** *jk/*hesitate ♦ *k/* double; repeat ♦ **~úar (i, e)** *mb* redoubled; repeated *(line in a stanza)*

Dh

dháll/ë, -i *m* whey; butter-milk: **ia bëj kokën ~ë dikujt** talk sb's head off

dhanóre *mb gjh* dative *(case)* ✦ **~/e, - ja** *f gjh* dative (case)

dháshë *kr thj e* **jap**

dhe */dh* and: **si i ati ~ i biri** like father, like son ✦ *nd* still: **~ më i madh** still greater ✦ *pj:* **~ me kaq nuk u kënaqe!** you're not satisfied with that!

dhe, -u *m* earth; soil; land: **mbi ~** on the surface *(of the mine);* **nën ~** under the ground; *fg* on the sly; **kall/ shtie në ~** bury; **në ~ të huaj** in foreign land; **ha ~** bite dust; **bëhem ~** turn ash-grey; **merr ~në** be rife; be widespread; **mizë ~u** ant; **e bukur e ~ut** fairy

dhelp:arák, -e *mb* foxy; crafty; sly ✦ **~/ër, -ra** *f zl* fox; *fg* sly/ old fox ✦ *mb* foxy; astute; shrewd ✦ **~ërí, -a** *f* slyness; cunning ✦ **~ërísht** *nd* slyly; shrewdly ✦ **~ërúsh, -i** *m* fox cub/ whelp

dhemb *jk/* ache; hurt: **më ~ koka** have a headache: **të ~?** does it hurt? ✦ **~/em** *vtv v iii* (have/ take) pity *(for, on sb);* *v iii* spare: **mos të të ~et** don't spare him ✦ **~j/e, -a** *f* ache, pain; grief, sorrow: **me ~e** painfully; **pa ~e** painlessly ✦ **~sh/ ëm (i), -me (e)** *mb* painful; aching; sore *(wound, etc.)* ✦ **~shëm** *nd* tenderly; fondly; compassionately ✦ **~shur (i, e)** *mb* tender; affectionate; tender-hearted; fond: **njeri i ~** a caring person ✦ **~shurí, -a** *f* tenderness; fondness: **plot ~** tenderly

dhen, -të *f sh* sheep: **si dhia mes ~ve** misfit; **lule ~sh** *bt* daisy

dhespót, -i *m* bishop *(of the Orthodox Church)*

dhëmb, -i *m an* tooth *(sh* **teeth***);* tusk *(of an elephant);* fang *(of a beast);* prong, twine *(of the fork):* **~ët e qumështit** milk teeth; **mishi i ~ëve** toothgum ✦ **~áll/ë, -a** *f an* molar; back-tooth ✦ **~ëz, -a** *f* small tooth; cog; dent ✦ **~ëzím, -i** *m* toothing; indenting ✦ **~ëz/óhet** *vtv, ps* ✦ **~ëz/ój** *k/* indent; *mek* mill *(a cogwheel)* ✦ **~ëzúar (i, e)** *mb* inden-

tured; serrated; jagged *(hill, crest)*

dhënd/ër, -rļ *m sh* **-úrë, -úrët** bridegroom; son-in-law

dhën:ë *pjs e* **jap**; **~/ë, -a (e)** *f* (të) *sh* datum *(sh* **data***);* report; information: **sipas të ~ave** according reports ✦ **~/ë (i, e)** *mb* given; assigned; *fg* devoted; attached: **madhësi e ~ë** a known/ given quantity ✦ **~ës, -i** *m* giver; transmitter ✦ **~ës, -e** *mb* giving; unsparing; transmitting: **stacion ~** transmitting station ✦ **~i/e, -a** *f* giving: **~e e titullit** bestowal of a title

dhi, -a *f zl* gòat; she-goat; nanny-goat

dhiát/ë, -a *f ft* testament: **Dh~a e Re/ Vjetër** the New/ Old Testament

dhímbs/em *vtv veta i* to have pity for; take pity on; spare ✦ **~ur (i, e)** *mb* pitiful

dhítem *vtv e* **dhjes**

dhjak, -u *m ft* deacon

dhjam *k/* fatten (up) *(livestock for slaughter)* ✦ **~/ em** *vtv* grow fat; *kq* be enriched ✦ **~/ë, -i** *m* fat; grease: **mish pa ~ë** lean meat ✦ **~ór,'-e** fatty *(substance, tissue)* ✦ **~ós/em** *vtv* fatten; grow fat ✦ **~ósj/e, -a** *f* fattening ✦ **~ósh, -e** *mb* fat: **fytyrë ~e** fat face ✦ **~th, -i** *m mk bs* hernia ✦ **~ur (i, e)** *mb* fat; greasy; fattened *(animal)*

dhje/s *jk/ vl* shit; crap ✦ *k/* screw; botch *(a piece of work)*

dhjet:ë *nm thm* ten: **~ vetë** ten persons ✦ **~** *nm rrsht* ten: **në orën ~** at ten (o'clock) ✦ **~/ë, -a** *f* ten; ten *(of spades, etc, in cards);* number ten; mark ten; grade ten *(in school rating)* ✦ **~ (i, e)** *mb* tenth: **muaji i ~** the tenth month ✦ **~i (i), ~a (e)** *em* tenth; tenth of; **dal i ~i** arrive tenth *(in a running race)* ✦ **~ëfísh** *nd* tenfold ✦ **~ëfísh, -i** *m* tenfold ✦ **~ëfishím, -i** *m* tenfold increase ✦ **~ëfishóhet** *vtv, ps* ✦ **~ëfish/ój** *k/* multiply by ten; *fg* redouble *(one's efforts, etc.)* ✦ **~ë (i, e)** *mb* tenfold *(greater)* ✦ **~ëra** *prm* tens ✦ **~ësh** *nd (to divide)* in ten parts ✦ **~ësh, -i** *m* small coin; **jam pa**

një ~ be penniless ♦ **~ësh, -e** *mb* ten: **strofë ~e** ten-line stanza ♦ **~ësh/e, -ja** *f mt* decimal *(nmber)*; ten; group of ten; *bs* ten-shooter; tenner: **~ja më e mirë** top-ten ♦ **~lój** *kl* decimate ♦ **~ór, -i** *m* December ♦ **~ór, -e** *mb* decimal *(system):* **presje ~e** decimal point

dhóm/ë, -a *f* room; *pl* chamber: **~a e gjumit** bedroom; **~a e bukës** dining room; **~a e deputetëve** chamber of deputies

dhún/ë, -a *f* violence; outrage; rape ♦ **~ím, -i** *m* violation; raping; ravishing ♦ **~lóhem** *ps* ♦ **~lój** *kl* use

violence/ force; violate; breach *(a right);* infringe *(sb's privacy, etc.);* rape; ravish ♦ **~sh/ëm (i), -me (e)** *mb* violent ♦ **~shëm** *nd* violently

dhuntí, -a *f* gift; talent

dhunúes, -i *m* violator; law-breaker; rapist

dhur:át/ë, -a *f* present; gift: **~ë nga qielli** godsend; windfall ♦ **~ím, -i** *m* donation; offering; present, gift: **~ i gjakut** blood donation ♦ **~lóhet** *ps* ♦ **~lój** *kl* present; give; donate; make a present of ♦ **~úes, -i** *m* donor: **~ i gjakut** blood donor

E

e *nyjë e përparme* : **vajzë ~ mirë** a good girl; **klasa ~ parë** the first grade; **shoqet ~ saj** her friends; **~ hënë** Monday ♦ *pronor* his; her: **~ ëma** his/ her mother ♦ *trajtë e shkurtër e prm vetor* him; her; it: **~ pashë kur doli** I saw him (her) leave; **merr~ me vete** take him (her) along ♦ *ldh* and: **tani ~ tutje** from now on; **njëzet ~ katër** twenty-four, four and twent ♦ *pj:* **~ iku pastaj** and then he left ♦ *psth:* **~ kush na erdhi!** see, who's coming!

ec:ejáke, -et *m sh* comings and goings; pacing up and down/ and fro ♦ **~/i** *jk/* walk; go; drive; *v iii bs* be valid: **~i poshtë e lart** pace up and down; **~i me kohën** keep abreast of the time; **kjo para nuk ~ën** this currency is not in use; **s'më ~i** it did not work ♦ **~j/e, -a** *f* walk(ing); pace; gait: **~e sportive** foot-race ♦ **~ur, -a (e)** *f* gait *shih* **ecj/e, -a:** **e njoh nga e ~a** I know him by his gait ♦ **~ur, -it (të)** *as shih* **ecj/e, -a** ♦ **~urí, -a** *f* course: **~a e ngjarjeve** the course of events

eduk:át/ë, -a *f* education; good breeding/manners: **me ~ë** good mannered ♦ **~atív, -e** *mb* educational; instructive ♦ **~atór, -i** *m* educator; educationalist ♦ **~atór/e, -ja** *f fm e* **edukator, -i;** nursery school teacher ♦ **~ím, -i** *m* education; upbringing: **shkollë ~i** reformation school ♦ **~óhem** *vtv, ps* ♦ **~ój** *kl* educate; train ♦ **~úar (i, e)** *mb* educated; well-bred/ mannered

edhé, -ja *f bs* plus sign ♦ *nd:* **~ më mirë** better still ♦ **~** *ldh* and; like; even: **si i ati ~ i biri** like father, like son ♦ **~** *kllz* plus; and: **dhjetë ~ dy** ten and two ♦ **~** *pj:* **jo vetëm, por ~** not only, but also; **si/ ashtu ~** both… and…

efékt, -i *m* effect: **~ anësore** side effect *(of a medicine)* ♦ **~ív, -i** *m ush* effective; effective strength; standing army

égër (i, e) *mb* wild; savage; harsh *(drink);* severe *(winter, etc.);* ferocious: **kafshë e ~** wild animal; **vend i ~** wilderness ♦ **~, -it (të)** *as* savage(ry) ♦ **~ sí, -a**

f wildness; savagery; ferocity *(of an animal);* severity *(of weather);* *fg* roughness *(of manner)* ♦ **~sím, -i** *m* growing wild; infuriation ♦ **~sír/ë, -a** *f* wild beast; savage ♦ **~sísht** *nd* savagely; ferociously ♦ **~sóhem** *vtv v iii* grow wild; be infuriated/ enraged; *ps* ♦ **~s/ój** *kl* make savage; *v iii* make harsh; *fg* infuriate; enrage ♦ **~súar (i, e)** *mb* wild; infuriated; enraged

eglendís/em *vtv bs* trifle; amuse oneself with; *pass/* while away the time

egoí:st, -e *mb* egoistic(al); selfish; self-seeking; self-centred ♦ **~st, -i** *m* egoistic person ♦ **~z/ëm, -mi** *m* egoism; selfishness

Egjé, -u *m gjg* Egean (Sea)

Egjípt, -i *m gjg* Egypt ♦ **~ián, -e** *mb* Egyptian ♦ **~ián, -i** *m* Egyptian

éja, -ni *urdhërore e* **vij;** *dhe psth:* **~ këtu!** come here!; **~ të dalim** let's go out

ekíp, -i *m* group; team; squad

eklíps, -i *m ast* eclipse ♦ **~lóhem** *vtv, ps* ♦ **~lój** *kl* *v iii ast* eclipse; outshine

ekologjí, -a *f* ecology ♦ **~k, -e** *mb* ecological

ekonomí, -a *f* economy; economics *(me folje në njëjës);* thrift: **me ~** sparingly ♦ **~k, -e** *mb* economic; of economics; thrifty ♦ **~st, -i** *m* economist ♦ **~zím, -i** *m* economising; saving ♦ **~zóhet** *ps* ♦ **~z/ój** *kl* economise; save

ekrán, -i *m kn* screen; *tk* shield ♦ **~izím, -i** *m kn* screening; screen adaptation; dramatising *(a novel, etc.)* ♦ **~izóhet** *ps* ♦ **~iz/ój** *kl kn* screen; dramatise *(a novel, etc.)*

ekskavatór, -i *m* excavator ♦ **~íst, -i** *m* excavator operator

ekskursión, -i *m* excursion; outing; trip ♦ **~íst, -i** *m* excursionist; tripper; hiker

eksód, -i *m* **-e, -et** exodus

ekspansión, -i *m pl, ek* expansion ♦ **~íst, -e** *mb pl, ek* expansionist

ekspedít/ë, -a *f* expedition

eksperiénc/ë, -a f experience

eksperimént, -i m experiment; trial; test ♦ **~ál, -e** mb experimental ♦ **~ím, -i** m experiment(ing); test ♦ **~óhet** ps ♦ **~lój** kl experiment; test; try

ekspért, -i m expert ♦ **~íz/ë, -a** f expertise

eksplor:atór, -i m explorer ♦ **~ím, -i** m exploration; exploring ♦ **~óhet** ps ♦ **~lój** kl explore; probe; fg investigate; enquire into ♦ **~úes, -i** m.explorer; path-finder ♦ **~úes, -e** mb explorative; exploring (mb)

eksplozív, -i m explosive: **mbushje ~i** explosive charge ♦ **~, -e** mb explosive (situation)

ekspórt, -i m export ♦ **~ím, -i** m export; exporting ♦ **~óhet** ps ♦ **~lój** kl export ♦ **~úes, -i** m exporter

ekspoz:ít/ë, -a f exhibition; show: **sallë e ~ës** show-room ♦ **~lój** kl exhibit; show; fg display; expose (to the wind etc.)

eksprés mb express (train); espresso (coffee) ♦ **~, -i** m expres/ special-delivery letter; express train; espresso (coffee)

ekspresion:íst, -i m art, lt expressionist ♦ **~íst, -e** mb art, lt expressionist ♦ **~íz/ëm, -mi** m art, lt expressionism

ekstáz/ë, -a f ecstasy; rapture; transport: **bie në ~ë** go into raptures (over sth)

ekstrém, -i m extreme: **~ i dhjathtë/ majtë** pl extreme right/ left ♦ **~, -e** mb extreme: **masa ~** drastic measures ♦ **~íst, -e** mb extremist; ultraist ♦ **~íst, -i** m extremist; ultraist ♦ **~íz/ëm, -mi** m extremism; ultraism

ekú, -ja f fn ecu

ekuación, -i m mt equation

ekuatór, -i m gjg equator ♦ **~iál, -e** mb equatorial

ekuilíb/ër, -ri m balance; equilibrium: **humb ~in** lose one's balance ♦ **~r/ój** kl balance; counterbalance

ekuipázh, -i m dt, av crew

ekuivalént, -e mb equivalent ♦ **~, -i** m equivalent

ekzekut:ím, -i m execution: **urdhër ~i** execution of an order; death warrant ♦ **~ív, -e** m executive: **pushtet ~iv** executive power; the executive ♦ **~l óhem** ps ♦ **~lój** kl execute; carry out; put into execution (a plan, a decision, etc.); put to death ♦ **~úes, -i** m executor; performer (on the piano etc.) ♦ **~úes, -e** mb executive (office, power)

ekzém/ë, -a f mk eczema

ekzist:énc/ë, -a f existence; life livelihood ♦ **~encialíst, -e** mb existentialist ♦ **~encialíz/ëm, -mi** m fil existentialism ♦ **~lój** jkl exist; be; live ♦ **~úes, -e** mb existing

ekzot:ík, -e mb exotic; outlandish ♦ **~íz/ëm, -mi** m exoticism

elastík, -e mb elastic; resilient; pliable; agile

elb -i m bt barley

elefánt, -i m zl elephant

elegán:c/ë, -a f elegance; stylishness; refinement (of style, etc.) ♦ **~nt, -e** mb elegant; smart; dressy; chic ♦ **~t** nd elegantly; smartly; stylishly: **i veshur ~** elegantly dressed

elegjí, -a f lt, mz elegy

elektorá:l, -e mb electoral: **fushatë ~e** election campaign ♦ **~t, -i** m electorate

elektr:icíst, -i m electrician ♦ **~icitét, -i** m fz electricity ♦ **~ifikím, -i** m electrification ♦ **~ifikóhet** ps ♦ **~ifik/ój** kl electrify ♦ **~ifikúar (i, e)** mb electrified ♦ **~ík, -u** m bs electricity; electric lamp (bulb) ♦ **~ík, -e** mb electric(al) ♦ **~izóhem** vtv, ps ♦ **~izój** kl electrify; fg thrill ♦ **~ód/ë, -a** f fiz, tk electrode ♦ **~ón, -i** m fz electron ♦ **~oník, -e** m electronic: **postë ~e** e-mail; electronic mailbox ♦ **~oník/ë, -a** f electronics (me folje në njëjës) ♦ **~oshók, -u** m mk electróshock; electric shock

elemént, -i m km element; component; battery cell; person ♦ **~ár, -e** mb elementary; basic; simple

elimin:ím, -i m elimination ♦ **~óhem** vtv, ps ♦ **~lój** kl eliminate; get rid of; liquidate ♦ **~úes, -e** mb sp preliminary (heat, round)

elíps, -i¹ m f gjm ellipse (sh -ses)

elíps/ë, -a f m gjuh, lt ellipsis (sh -ses)

elít/ë, -a f, prmb élite

elmáz, -i m cutting diamond

emal:ím, -i m tk enamelling ♦ **~lóhet** ps ♦ **~lój** kl tk enamel ♦ **~úar (i, e)** mb enamelled: **enë të ~a** enamelware

emancip:ím, -i m emancipation ♦ **~lóhem** vtv ♦ **~lój** kl emancipate ♦ **~úar (i, e)** mb emancipated

embárgo, -ja f drejt, dt embargo; ban

emblém/ë, -a f emblem

embrión, -i m embryo ♦ **~ál, -e** mb embryonic(al); fg rudimentary; undeveloped

ém/ër, -ri m name; gjh noun; fg reputation: **~ër i vajzërisë** maiden name; **në ~ër të** in the name/ on behalf of; **sa për ~ër** for the sake of form; formally ♦ **~ërím, -i** m appointment (to a post); nomination (of a candidate) ♦ **~ër/óhem** ps ♦ **~ër/ój** kl name; appoint; nominate (so to a post, etc.) ♦ **~ërór, -e** mb nominal; gjh nominative (case) ♦ **~ërór/e, -ja** f gjh nominative case ♦ **~ërtím, -i** m denomination ♦ **~ërtóhet** ps ♦ **~ërt/ój** kl denominate; name ♦ **~ërúes, -i** m mat: **~ i përbashkët** common denominator

emigr:ación, -i m emigration ♦ **~ánt, -i** m emigrant: **~ politik** political exile ♦ **~lój** kl emigrate ♦ **~úar (i, e)** mb, em emigrant

emisión, -i m (news) program(me); discharge (of gas, etc.); fn issue

emoción, -i m emotion; excitement: **me ~** emotionally; excitedly ♦ **~lóhem** vtv become emotional/ excited ♦ **~lój** kl excite ♦ **~úar (i, e)** mb excited; moved ♦ **~úes, -e** mb exciting

émt/ë, -a f aunt

enciklopedí, -a f encyclop(a)edia ♦ **~k, -e** mb

encyclop(a)edic
end, -i *m bt* pollen
end¹ *kl* weave; web
end² *kl* shed; cast: **~ shikimin** cast one's glance *(around)*
endacák, -e *mb* wandering; errand; vagrant; nomad(ic) *(tribe);* migrant *(birds, etc.)* ♦ **~, -u** *m* nomad; wanderer
endé *ndaj:* **nuk ka ardhur ~** he's not come yet; **dua ~** I want more
éndem *vtv* wander; ramble; loiter; roam; *v iii* move about; flitter: **~ rrugëve** loiter in the streets
éndës, -i *m* weaver ♦ **~, -e¹** *mb* weaving *(machine)*
éndës, -e² *mb* wandering; nomad(ic)
éndj/e, -a¹ *f* weaving
éndj/e, -a² *f* wandering; loitering; roaming
energj:etík, -e *mb* energy *(mb)* ♦ **~etík/ë, -a** *f* energetics *(me folje në njëjës);* energy; electric power ♦ **~í, -a** *f* energy; power: **~ diellore** solar energy ♦ **~ík, -e** *mb* energetic; active; vigorous; *bs* zippy
én/ë, -a *f* vessel; utensil; receptacle: **laj ~ët** wash the dishes; **~ët e gjakut** *an* blood vessels
éngjë/ll, -lli *m* angel ♦ **~ëllór, -e** *mb* angelic(al)
enigm:atík, -e *mb* enigmatic(al); puzzling ♦ **~/ë, -a** *f* enigma; puzzle; riddle
énkas *nd bs* on purpose; deliberately
ent, -i *m* corporation; body; agency: **~ botues** publishing house
entuziá:st, -e *mb* enthusiastic ♦ **~z/ëm, -mi** *m* enthusiasm; excitement ♦ **~zm/óhem** *vtv* enthuse *(over sth);* get excited; *ps* ♦ **~zm/ój** *kl* enthuse ♦ **~zmúar (i, e)** *mb* enthused; enthusiastic
énjt/e, -ja (e) *f(të)* Thursday
ep *kl* bend; twist; ply: **nuk ~et** it does not bend ♦ **~/em** *vtv v iii* bend; curve; arch *(one's back);* *fg* yield; *ps:* **m (i), -e (e)** *mb* upper ♦ **~sí, -a** *f* superiority: **~ numerike** superiority in numbers; **fitoj ~** gain the ascendancy
epidemí, -a *f* epidemic
epigrám, -i *m* epigram(me)
epík, -e *mb* epic
epilep:sí, -a *f mk* epilepsy ♦ **~tík, -e** *mb mk* epileptic
epi:lóg, -u *m* epilogue ♦ **~qénd/ër, -ra** *f* epicentre ♦ **~sód, -i** *m* episode ♦ **~táf, -i** *m* epitaph ♦ **~tét, -i** *m lt* epithet
ep:j/e, -a *f* bend(ing) ♦ **~/ój** *kl* bend *(one's body, a branch, etc.)*
epók/ë, -a *f* epoch; era; age: **~a e gurit** the stone age
epopé, -ja *f* epic (poem); epos; heroic deeds
eprór, -i *m* superior ♦ **~, -e** *mb* superior
epsh, -i *m* lust; concupiscence; prurience
épsh/ëm, (i), -me (e) *mb* pliable; flexible; supple *fg* flexible; yielding; submissive
epshór, -e *mb* lusty; lascivious; prurient; voluptuous

épur (i, e) *mb* bent
eráshk/ë, -a *f* fan
érdha *kr thj e* vij
ér/ë, -a¹ *f* wind; *bs* air: **~ë e fortë** gusty wind; **ditë me ~ë** a windy day; **fryn ~ë e marrë** it is blowing great guns; **fjalë në ~ë** nonsense; **bëhem ~ë** fly off; whip away; **hedh në ~ë** blow up
ér/ë, -a² *f* smell; perfume; odour; waft: **i bie në ~ë diçkaje** smell a rat; **merr ~ë puna** leak out *(of a secret);* **s'marr ~ë nga diçka** not have the faintest idea of sth
ér/ë, -a³ *f* era; epoch: **~a e re** the new/ our era
ërëza, -t *f sh* spices; pot-herbs; condiments
erot:ík, -e *mb* erotic; amatory ♦ **~íz/ëm, -mi** *m* eroticism
erozión, -i *m gjeol* erosion
erud:ición, -i *m* erudition; learning ♦ **~ít, -e** *mb* erudite; scholarly; learned ♦ **~ít, -i** *m* scholar
err *kl* darken *(so's sight):* **ia ~ sytë dikujt** blind so ♦ **~/em** *vtv, pvt* get/ become dark; *v iii* darken; *fg* frown: **fillon të ~t** begin get dark; **~em jashtë** stay out after dark; ♦ **~ësím, -i** *m* darkening; blackout ♦ **~ësír/ë, -a** *f* darkness; dimness; obscurity ♦ **~ës/óhem** *vtv* be overtaken by night; *v iii* be darkened; grow dim; *fg* frown; *ps:* **~ rrugëve** stay in the streets after dark ♦ **~ës/ój** *kl* -óva, -úar darken; *fg* obscure; overshadow; mar *(so's reputation, fame, etc.)* ♦ **~ësúar (i, e)** *mb* darkened; *fg* obscured; overshadowed ♦ **~ët (i, e)** *mb* dark; dim; obscure; unpleasant *(memory);* *fg* hidden *(agenda);* sinister *(plans);* *fg* gloomy; frowning *(face):* **dhomë e ~** dark room; **kuptim i ~** obscure meaning ♦ **~ët** *nd* dark; darkly; obscurely ♦ **~ur, -it (të)** *as* nightfall; dusk; twilight: **në të ~** at nightfall
esé, -ja *f lt* essay
esénc/ë, -a *f* essence ♦ **~iál, -e** *mb* essential
ésëll *nd* before meals; on an empty stomach; sober: **pi ~** drink with an empty stomach; **jam ~** be sober; *fg* have no idea; **bëhem ~** sober up
estét, -i *m* (a)esthete ♦ **~ík, -e** *mb* (a)esthetic ♦ **~ík/ë, -a** *f* (a)esthetics *(me folje në njëjës)*
eston:éz, -e *mb* Esthonian ♦ **~éz, -i** *m* Esthonian ♦ **E~í, -a** *f gjg* Esthonia
estrád/ë, -a *f* variety show; speaker's platform
éshk/ë, -a *f* tinder ♦ **~ë** *mb* dry; parched: **e kam gojën ~** my mouth is parched ♦ **~ë** *nd:* **~ e thatë** as dry as a stick
esht:ák, -e *mb* osseous; bony ♦ **~/ër, -ra** *f* bone; *sh* bones, mortal remains: **i prehen ~rat në** his remains rest at ♦ **~ërák, -e** *mb* bony; big-boned ♦ **~ërór, -e** *mb* bony; osseous
etáp/ë, -a *f* stage; phase: **me ~a të shkurtra** by easy stages
ét/em *vtv* thirst
etér, -i *m km* ether space

étër, -it *m sh shih* **at/ë, -i: ~it tanë** our fathers/ fore-
fathers/ ancestors
etík, -e *mb* ethical; moral
etikét/ë, -a¹ *f* label; *am* tag: **~ë e çmimit** price tag;
ngjit një ~ë stick a label *(on sth); fg* sleaze
etikét/ë, -a² *f* etiquette
etík/ë, -a *f* ethics *(me folje në njëjës)*
etj *shkrt i* **e të tjera** etc.
étj/e, -a *f* thirst; craving; avidity: **shuaj ~en** quench
one's thirst
etn:ík, -e *mb* ethnic(al): **spastrim ~** ethnic cleans-
ing
ét:sh/ëm (i), -me (e) *mb* thirsty; eager ♦ **~shëm**
nd thirstily; eagerly ♦ **~ur (i, e)** *mb* thirsty; eager;
avid
éth/e, -ja *f* fever; high temperature; *sh* excitement;
sh lust; passion: **më shtypin pak ~et** have a
slight fever; **~et e arit** gold fever; gold rush; **~t e**
fitimit lust of money ♦ **~sh/ëm (i), -me (e)** *mb*
feverish *(efforts, etc.)*
euforí, -a *f* euphoria; ebullience ♦ **~k, -e** *mb* eu-
phoric; high-spirited
eukalípt, -i *m bt* eucalyptus
eukaríst, -i *m fet* Lord's supper
eunúk, -u *m* eunuch
evgjít, -i *m* dark-skinned person; *bs* darkie
evolución, -i *m* evolution
Evróp/ë, -a *f gjg* Europe ♦ **e~ián, -e** *mb* European:
Bashkimi E~ European Union ♦ **e~ián, -i** *m* Eu-
ropean
ezofág, -u *m an* (o)esophagus

Ë

ë *psth* oh; aha; oh: **~, po!** aha, yes! ♦ *pj* hum; hm; *bs* what; pardon: **~, çfarë the?** what did you say? ♦ **~h** *psth bs* ugh; *bs* ah; ay ♦ **~hë** *psth bs* aha; ugh: **~, përsërite po të duash!** aha, let me see you doing it again! ♦ *pj bs* aha: **është i mirë? - ~** is it good? - aha

ëmb/ël, -la (e) *f* sweets ♦ **~/ël, -lit (të)** *as* gentleness: **me të ~ël** gently ♦ **~ël (i, e)** *mb* sweet; pleasant; soft-spoken; gentle; mild; sweet-tempered easy *(gait); iron* flattering *(words):* **i ~ si mjaltë** honey-sweet; sweet like honey; **melodi e ~** sweet tune ♦ **~ël** *nd* sweetly; gently; mildly; softly ♦ **~ëlósh, -e** *mb* sweetish ♦ **~ëlsí, -a** *f* sweetness; *fg* gentleness; softness; mildness *(of voice, etc.):* **me ~** gently; mildly ♦ **~ëlsím, -i** *m* sweetening ♦ **~ëlsír/ë, -a** *f* sweet; sweetmeat; cake; confection ♦ **~ëls/óhem** *vtv* ♦ **~ëls/ój** *kl* sweeten *(a cake, etc.);* soothe; soften *(one's words, etc.); kq* make sloppy; make mawkish ♦ **~ëlsúar (i, e)** *mb* sweetened; *kq* sugar-coated, sweetened *(pill);* mawkish; sloppy ♦ **~ëltór, -i** *m* pastry-man; pastry-cook; confectioner ♦ **~tór/e, -ja** *f* confectioner's (shop)

ëm/ë, -a *f* mother: **~ë e bijë** mother and daughter

ënd/et *vtv* - **(u), -ur** delight in; fancy: **më ~et një kafe** fancy a coffee ♦ **~/ë, -a** *f* pleasure; fancy: **ma ka ~a** fancy sth

ënd/ërr, -rra *f* dream: **botë e ~rrave** dreamland; **~ërr me sy hapur** daydreaming; pipe-dream ♦ **~ërrím, -i** *m* dream; reverie; musing ♦ **~ërrimtár, -e** *mb* dreaming; dreamy ♦ **~ërrít** *jkl* dream ♦ **~ërrítj/e, -a** *f* dreaming; reverie ♦ **~ërr/ój** *jkl* dream; dream; muse ♦ *kl* dream of ♦ **~ërrt (i, e)** *mb* dreamy; imaginary; fancied ♦ **~ërrúar (i, e)** *mb* dreamt of ♦ **~ërrúes, -e** *mb* dreamy ♦ *em* dreamer

ëndj/e, -a *f* pleasure; appetite: **e bëj diçka me ~e** do sth with pleasure

ënjt *kl v iii* swell; *bs* stuff, ply *(with food, etc.); bs* bore death/ stiff ♦ **~/em** *vtv e* **ënjt: më ~et syri** have a swollen eye ♦ **~j/e, -a** *f* swelling ♦ **~ur (i, e)** *mb* swollen ♦ **~ur, -a (e)** *f* **(të)** swelling; bump

është *shih* **jam**

F

fa, -ja *f mz* fa, f

fabrík/ë, -a *f* factory; works ♦ **~ím, -i** *m* manufacture; make; production; *kq* fabrications ♦ **~lóhet** *ps* ♦ **~lój** *kl* manufacture; make; produce; *kq* fabricate

fábul, -a *f* fable; subject *(of a story, etc.)* ♦ **~íst, -i** *m* fabulist; fable-writer

faj, -i *m* fault; blame: **ia hedh ~in dikujt** saddle the blame on sb; **e kam vetë ~in** I have myself blame

fajdé, -ja *f* usury; *bs* remedy, cure: **s'bën ~** it is useless ♦ **~xhí, -u** *m* usurer

fajës:ím, -i *m* blame; imputation ♦ **~lóhem** *vtv, ps* ♦ **~lój** *kl* find fault with; impute

fajk/úa, -ói *m zl* falcon; hawk

fajtór, -i *m* culprit ♦ **~, -e** *mb* culpable; blameworthy

faks, -i *m* fax machine/ message ♦ **~imíl/e, -ja** *f* facsimile ♦ **~lój** *kl* fax

fakt, -i *m* fact: **~ i njohur** a known fact; **në ~** in (point of) fact; **the fact is...** ♦ **~lóhet** *ps* ♦ **~lój** *kl* show with facts ♦ **~úar (i, e)** *mb* proved with facts

faktór, -i *m, mt* factor: **~ i panjóhur** unknown factor/ quantity

fakultét, -i *m* faculty; *am* school; department *(of a university)*

fal *kl* pardon, forgive; absolve, acquit *(sb of sth);* exonerate; relieve *(sb of a debt);* give for keeps; *ft* pray; hang *(one's head with sleep, etc.):* **ta kam ~ur** you may keep it; **ma ~ pak penën!** can you lend me your pen?; **më ~ni/ ~mëni!** excuse me!; **më ~ni për vonesën** I'm sorry to be late ♦ *jkl v iii* set *(of the sun)*

fála, -t (të) *f sh* regards; greetings; love; salutations: **i bëj të ~ dikujt** send one's regards sb

fálas *nd* free; gratis; for nothing: **arsim ~** free education

fál/em *vtv* beg; thank; *ft* pray; *v iii* pass away; *v iii* bend down; set *(of the sun);* *ps:* **të ~em nderit**

psth thank you ♦ **~emindérit** *psth* thank you ♦ **~ënder:ím, -i** *m* thanks; gratitude ♦ **~ënder/ój** *kl* thank; be grateful: **të ~oj për** thank you for...

faliment:ím, -i *m trg* bankruptcy ♦ **~lój** *kl* go bankrupt ♦ **~úar (i, e)** *mb trg* bankrupt

fálj/e, -a *f* pardon; excuse; forgiveness; exoneration *(from taxes, duties, service, etc.)*

fals, -e *mb* false; spurious; sham ♦ **~ifikím, -i** *m* falsification; forgery; counterfeit ♦ **~ifikóhet** *ps* ♦ **~ifik/ój** *kl* counterfeit; forge *(money);* fake; falsify *(sb's signature, etc.)* ♦ **~ifikúar (i, e)** *mb* counterfeit; forged; falsified ♦ **~ifikúes, -i** *m* falsifier; forger; counterfeiter

fálur (i, e) *mb* forgiven; pardoned; exonerated; absolved; dim *(light);* setting *(sun):* **gjë e ~** a gift

fall, -i *m* fortune-telling; soothsaying: **shtie ~** tell *(sb's)* fortune ♦ **~tár, -i** *m* soothsayer; fortune-teller ♦ **~xhésh/ë, -a** *f shih* **falltar/e, -ja** ♦ **~xhí, -u** *m shih* **falltar, -i** ♦ **~xhór/e, -ja** *f shih* **falltar/e, -ja**

fám/ë, -a *f* fame; reputation; renown: **me ~ë të keqe** ill-famed; notorious; **me ~ë botërore** of world renown

familj:ár, -e *mb* family *(mb);* domestic; homely; intimate; informal *(manner):* **jetë ~e** family life ♦ **~arísht** *nd* as a family ♦ **~arité, -i** *m* familiarity ♦ **~arizím, -i** *m* familiarisation ♦ **~arizóhem** *vtv* be familiar *(with)* ♦ **~ariz/ój** *kl* familiarise ♦ **~/e, -a** *f, bl:* family: **kryetar i ~es** head of family

fámsh/ëm (i), -me (e) *mb* famous; renowned

famullí, -a *f ft* parish ♦ **~tár, -i** *m ft* parson; curator ♦ **~tár, -e** *mb ft* parish *(mb)*

fanat:ík, -u *m* fanatic ♦ **~ík, -e** *mb* fanatical ♦ **~íz/ëm, -mi** *m* fanaticism

fandáksur (i, e) *mb, em bs* weirdo; kooky; oddball

fanell:át/ë, -a *f* flannel(ette) ♦ **~/ë, -a** *f* flannel; singlet; vest; jersey

fanít/et *vtv - (u), -ur* haunt: **më ~et fytyra e** be haunted by the face of...

fant, -i *m* knave; jack *(in card games)*

fanta:stík, -e *mb* fantastic(al); imaginary; fanciful; *bs* wonderful; smashing; terrific ♦ **~zí, -a** *f* fantasy; imagination; fancy; *mz* fantasia ♦ **~zm/ë, -a** *f* ghost; phantom; apparition; spectre ♦ **~/óhet** *ps* ♦ **~/ój** *jkl, kl* fancy; daydream

fáq/e, -ja *f* face; cheek; side *(of a cube);* page; sheet *(of paper); bs* surface *(of the sea); fg* aspect; slip *(of the pillow, etc.);* tick *(of the mattress); fg* honour: **~e e bardhë** blank sheet; *fg* honour; **~e botës** in public; **~e e thikës** flat of the knife; **~e për ~e** face to face; **i jap ~e dikujt** embolden sb; **i jap një ~e** roast the lightly *(meat);* toast *(bread);* dress *(stone);* carve *(wood);* plane down (away) *(a plank);* **jep ~e** begin dry up/ ripe/ bake; **me dy ~e** double-faced; **me ~e nga dielli** facing the sun; **sa për sy e ~e** for the sake of appearances

faq/ój *kl* dress *(stone);* cut *(gems);* level out ♦ **~ór/ e, -ja** *f* flask ♦ **~ós** *kl sht* page; lay out *(a page)* ♦ **~óset** *ps* ♦ **~ósj/e, -a** *f sht* page-making; page set-up

far, -i *m shih* **fener, -i**

fáre *nd* entirely; complete(ly); never; (not) at all; very; quite: **e harrova ~** I clean forgot it; **~ i ri** quite young; **për ~** for keeps; **qenka ~ ky!** he's nuts! ♦ *pkf* none

far:efís, -i *m prmb* kin; kinsfolk; relatives; kindred ♦ **~ní, -a** *f* kinship; nepotism ♦ **~/ë, -a** *f* seed; pip *(of fruit); zl* spawn *(of fish); bs* seed, sperm; yeast *(for bread, etc.);* rennet *(for cheese); prmb* sort, kind, race: **~a e njerëzimit** human race; **~ë e keqe** bad sort; **asnjë për ~ë** not a single; **~ë e fis** kith and kin ♦ *mb bs :* **ai ~ë djali!** that fine lad! ♦ *pkf* at all: **pa ~ë pune** without anything do at all ♦ **~ës, -e** *mb:* **misër ~** seed maize

farfurí, -a *f* porcelain; china; chinaware ♦ **~t** *jkl* shine

farín:g, -u *m an* pharynx ♦ **~gjít, -i** *m mk* pharyngites

farísht/ë, -a *f,* **farísht/e, -ja** *f* seed-bed

fárk/ë, -a *f* smithy; forge; *fg* body, build ♦ **~ëtár, -i** *m* blacksmith ♦ **~ëtarí, -a** *f* forge ♦ **~ëtím, -i** *m* forging; tempering *(of metal)* ♦ **~ëtóhem** *vtv, ps* ♦ **~ët/ój** *kl* forge; temper *(metal); fg* shape, mould *(sb's character)* ♦ **~ím, -i** *m* forging *(of metal)* ♦ **~óhem** *vtv* be tempered *(physically); ps* ♦ **~/ój** *kl* dress *(stone);* lay with stone-slabs *(a courtyard);* shoe *(a horse)*

farmací, -a *f* chemist's shop; pharmacy; drugstore ♦ **~st, -i** *m* (dispensing) chemist; *am* druggist

farmá/k, -ku *m bs* poison ♦ *mb* very bitter/ salty ♦ **~k** *nd* very; extremely: **~ i hidhur** extremely bitter ♦ **~kós** *kl bs* poison; envenom ♦ **~ jokal:** **akoma s'e paske ~ur?** haven't you done eating yet? ♦ **~kósem** *vtv, ps*

far/óhem *vtv* ♦ **~/ój** *kl bs* root out; eradicate; exterminate; destroy wholesale ♦ *jkl shih* **~lóhem** ♦ **~ósh, -e** *mb* seedy; full of seeds

fárs/ë, -a *f lt* farce: **si ~ë** farcical

fasád/e, -a *f* façade; face; front *(of a building); fg* appearance

fasúl/e, -ja *f bt* bean

fásh/ë, -a¹ *f* strip *(of cloth); mk* band(age); beam *(of light)*

fásh/ë, -a² *f* calm; lull *(before the storm)* ♦ **~ë** *nd* calmly: **bie ~ë** calm down

fashíku/ll, -lli *m sht* fascicle; issue

fashíst, -i *m* fascist ♦ **~, -e** *mb* fascist

fashít *kl* calm down; assuage *(pain, etc.)* ♦ **~et** *vtv* calm down; abate *(of storm, etc.); ps* ♦ **~j/e, -a** *f* calming down; abatement

fashíz/ëm, -mi *m* fascism

fat, -i *m* fate; luck; destiny; fortune; *bs* lot; share: **~ i mirë/ keq** good/ bad fortune; **~ i ndyrë!** hard luck/ cheese!; **me ~** lucky; fortunate; **kam ~in (e mirë) që** have the good fortune; **paç ~!** good luck!; **sjell ~** bring good luck ♦ **~ál, -e** *mb* fatal; fated ♦ **~alíst, -i** *m* fatalist ♦ **~alíst, -e** *mb* fatalist ♦ **~alíz/ëm, -mi** *m* fatalism ♦ **~bárdhë** *mb* fortunate; lucky ♦ **~bardhësí, -a** *f* fortune; good luck ♦ **~kéq, -e** *mb* unlucky; unfortunate ♦ **~kéq, -i** *m* unfortunate wretch ♦ **~keqësí, -a** *f nj* misfortune; ill luck; bad luck; calamity ♦ **~keqësísht** *nd* unluckily; unfortunately ♦ **~líg, -ë** *mb shih* **fatkeq, -e** ♦ **~mírë** *mb* lucky; fortunate ♦ **~mirësí, -a** *f* good luck; good fortune; success ♦ **~mirësísht** *nd* luckily; fortunately

fatós, -i *m* nursery-school child; *fg* brave person; captain; soldier

fatúr/ë, -a *f trg* invoice; bill: **paguaj ~ën** pay/ foot the bill ♦ **~ím, -i** *m trg* invoicing ♦ **~lóhem** *vtv v iii bs* enter an invoice; *ps* ♦ **~lój** *kl trg* invoice

fat/zí, -zézë *mb* ill-fated; ill-starred; unfortunate; hapless ♦ **~zi, -u** *m* ill-fated person

fáun/ë, -a *f* fauna

favór, -i *m* favour; good turn; advantage ♦ **~izím, -i** *m* favour(itism) ♦ **~izóhem** *ps* ♦ **~iz/ój** *kl* favour ♦ **~sh/ëm (i), -me (e)** *mb* favourable; advantageous

fazán, -i *m zl* pheasant

fáz/ë, -a *f* phase; period: **jashtë ~e** out-of-phase; **fije e ~ës** *el* live wire; **dal nga ~a** fly off the handle; hit the top

fe, -ja *f* religion; worship; cult

féçk/ë, -a *f* trunk *(of the elephant);* snout *(of the pig);* proboscis; sucking organ *(of some insects); kq* snout; mug

federá:l, -e *mb* federal *(republic)* ♦ **~t/ë, -a** *f* federation ♦ **~tív, -e** *mb* federative

fej:és/ë, -a *f* betrothal; engagement ♦ **~lóhem** *vtv* be engaged be married ♦ **~lój** *kl* engage; affiance ♦ **~úar, -i (i)** *m* fiancé ♦ **~úar (i, e)** *mb* engaged *(to be married);* betrothed

feks *jkl* shine; *pvt* dawn: **i ~i fytyra** his face light up *(with joy)* ♦ *kl* polish; *v iii* brighten up; *fg* cross one's mind

fém/ër, -ra *f* female *(mb)*; feminine; she-/ cow *(of animals)*; hen- *(of birds)*: **mendje ~ër** fertile mind; **zë ~re** female voice ♦ **~ërí, -a** *f prmb* womanhood ♦ **~ërór, -e** *mb* female *(gender)*; feminist *(movement, etc.)*; feminine *(face, voice, etc.)*; womanly ♦ **~ërór/e, -ja** *f gjh* feminine gender

fend *jkl v/* fart noiselessly ♦ **~lë, -a** *f* noiseless fart

fenér, -i *m* lantern; safety/ storm lamp; headlight *(of a car)*; light-house; beacon

fenomén, -i *m* phenomenon *(sh -a)*; genius; *fg* wonder

ferexhé, -ja *f vj* yashmàk *(of Moslem women)*

fermént, -i *m* ferment ♦ **~ím, -i** *m* fermentation ♦ **~lóhet** *vtv* ♦ **~lój** *kl* ferment

ferm:ér, -i *m* farmer; *am* rancher ♦ **~lë, -a** *f* farm; *am* ranch

ferr, -i *m* hell: **ia bëj jetën ~ dikujt** make life (a) hell for sb

ferr/ë, -a *f bt* bramble bush; thorn *(of blackberry bush)*; *fg* snag; *fg* bur; sticky person: **i bëhem ~ë dikujt** be a drag on sb; **çaj ~ën** tear away; **zog ~e** *zl* wren: **~ë gomari** *bt* thistle ♦ **~ës, -i** *m zl* titmouse

fést/e, -ja *f* fez: **më vjen ~ja vërdallë** be completely at sea/ a loss

fést/ë, -a *f* holiday; feast; festivity; celebration ♦ **~festím, -i** *m* celebration; festivity ♦ **~ivál, -i** *m* festival ♦ **~óhet** *ps* ♦ **~lój** *kl* celebrate

fetár, -i *m* religious/ pious person; believer ♦ **~, -e** *mb* religious; believing; god-fearing; pious

fét/ë, -a *f* slice *(of bread, of cheese etc.)*

feudál, -i *m* feudal lord ♦ **~, -e** *mb* feudal: **zot ~** seigneur ♦ **~íz/ëm, -mi** *m* feudalism

fëllíq *kl* dirty; soil; *fg* tarnish *(sb's reputation)*; disgrace ♦ *jkl* get dirty ♦ **~lem** *vtv, ps* ♦ **~ësí, -a** *f nj* dirt; filth; muck; *fg* foul play ♦ **~ësír/ë, -a** *f shih* **~ësi, -a**; muck; mess; filthy person ♦ **~ur (i, e)** *mb* dirty; smeared; foul; *fg* obscene *(words)*: **ujë i ~** contaminated water; **para e ~** dirty money

fëmíj/ë, -a *m* child *(sh* **children***)*: **~ë lozonjar** child full of play; **përralla për ~ë** nursery tales; **shtëpi e ~ës** orphanage; **mos u bëj ~ë** don't be a kid ♦ **~rí, -a** *f* childhood; infancy; *prmb* children ♦ **~rísht** *nd* childishly ♦ **~rór, -e** *mb* childish; childlike; children's; infantile

fërfë:llím/ë, -a *f* rustle *(of the leaves)*; flap *(of the wings)* ♦ **~ll/óhem** *vtv* shiver *(with cold)*; *ps* ♦ **~l ój** *jkl v iii* rustle *(of dead leaves, etc.)*; flap *(of wings)* ♦ *kl v iii* fling; throw ♦ **~rím/ë, -a** *f* rustle *(of leaves)*; flap *(of wings, etc.)* ♦ **~rí/n** *jkl* rustle; flicker ♦ **~rít** *jkl shih* **fërfërin** ♦ **~rítj/e, -a** *f* rustle; froufrou *(of silk, etc.)*

fërg:és/ë, -a *f gjll* egg-and-cheese fry ♦ **~ím, -i** *m* fry(ing) ♦ **~lóhem** *vtv v iii* fry; bake *(in the sun)*; ps

: **~m me dhjamin tim** fry in one's own fat/ grease ♦ **~lój** *kl* fry: **~oj vezë** fry eggs ♦ **~úar (i, e)** *mb* fried: **peshk i ~** fried fish ♦ **~úara (të)** *f* fried food; fries

fërk:ím, -i *m* rub(bing); massage; *sh fg* friction; scrubbing *(of floors, etc.)* ♦ **~lóhem** *vtv* rub oneself *(with a towel, etc.)*; have a massage; *fg* have a quarrel with; *kq* fawn on *(sb)*; *ps* ♦ **~lój** *kl* rub; scrub *(the floor)*; burnish *(a metal surface)*; massage; stroke; fondle; caress: **i ~oj krahët dikujt** pat sb on the shoulder ♦ **~úar, -a (e)** *f* rub; massage

fërshëll/éj *jkl* whistle; hiss ♦ **~ím/ë, -a** *f* whistle; hiss

fërtél/e, -ja *f* tatter; rag ♦ **~e** *nd* in tatters; in rags

fëshfër:ím/ë, -a *f* rustle; rustling ♦ **~í/n** *jkl* -**u, -rë** rustle ♦ **~ít** *jkl shih* **~lín** ♦ **~ítj/e, -a** *f* rustle

fíb/ër, -ra *f* fibre; yarn

fidán, -i *m* nursery tree ♦ *mb fg* tall and slender/ graceful *(body)* ♦ **~ísht/e, -ja** *f* nursery-farm

fidhé, -të *f sh gjll* vermicelli

fíer, -i *m bt* fern; brake

figur:ánt, -i *m tt* walker-on ♦ **~atív, -e** *mb* figurative; visual *(memory)* ♦ **~lë, -a** *f* figure; illustration; picture; court card *(in game cards)*; piece *(in chess)*: **~ë qendrore** kingpin; **ai është sa për ~ë** he is just a figurehead; **libër me ~a** picture/ illustrated book; **bëj ~ë të mirë** cut a fine figure ♦ **~sh/ëm (i), -me (e)** *mb* figurative *(meaning)*

fíj/e, -a *f* thread, yarn, fibre; strand *(of a cable, etc.)*; blade *(of grass)*; sheet *(of paper, etc.)*; *fg* shred; stick; *fg* bond: **një ~e floku** one hair; **kam një ~e dyshim** have a shadow of doubt; **~e për pe** in great detail; **i shkoj pas ~es dikujt** rub sb along the grin; toe sb's line ♦ *pkf:* **asnjë ~e** not a shred

fik *kl* switch/ turn off *(the lights, etc.)*; extinguish *(a fire)*; snuff *(a candle)*; delete; *fg* ruin: **më ~e!** you've ruined me!

fi/k, -ku *m bt* fig: **bie nga ~ku** be thrown out of the saddle; **~k deti** *bt* prickly pear

fik:át (~ás) *kl* dry; desiccate; smother ♦ *jkl v iii* die out *(of a fire, etc.)* ♦ **~átem** *vtv, ps* ♦ **~lem** *vtv v iii* go out; be extinguished; *v iii* die out (away); *fg* be ruined; *ps:* **~em gazit** faint with laughter ♦ **~ës, -i** *m* fire extinguisher; *vj* snuffer *(of candles)*

fíkët, -it (të) *as* faint; swoon

fíkj/e, -a *f* switching off; *fg* ruin; erasure; deletion

fiks, -e *mb* fixed *(price)* ♦ *nd:* **në orën tetë ~** at eight o'clock sharp

fíkur (i, e) *mb* extinguished; spent *(fire)*; dead *(engine)*; *fg* dead tired; ruined

filán, -i *pkf, em* so-and-so: **~ zotëri** a mister so-and-so

filarmoní, -a *f* philharmonic society ♦ **~k, -e** *mb* philharmonic

filatelí, -a *f* philately; stamp-collecting ♦ **~k, -e** *mb* philatelic ✦ **~st, -i** *m* philatelist; stamp-collector

fildísh, -i *m* ivory ✦ **~të (i, e)** *mb:* **dhëmbë të ~** ivory tusks

filét/ë, -a *f gjil/* fil(l)et; tenderloin

filiál, -i *m* filial; branch(-office)

filigrán, -i *m* filigree; watermark *(of the bank notes)*

Filipín/e, -t *f sh gjg* Philippines

filíz, -i *m* young plant; new shoot *(of a tree)*; sprig; *fg* offspring; heir

film, -i *m* film; motion picture, *am* movie; *sht* transparency: **~ artistik** feature film; **~ me/ pa zë** sound/ silent film; talking picture ✦ **~ím, -i** *m* filming; shooting (making) a film ✦ **~óhet** *kn ps* ✦ **~/ój** *k/ kn* film; shoot *(a film, a scene)*

filo:lóg, -u *m* philologist ✦ **~logjí, -a** *f* philology ✦ **~logjík, -e** *mb* philological ✦ **~zóf, -i** *m* philosopher ✦ **~zofí, -a** *f* philosophy ✦ **~zofík, -e** *mb* philosophic(al)

fílt/ër, -ri *m* filter; strainer; percolator; screen *(of light, etc.)*; filter-tip ✦ **~rím, -i** *m* filter(ing); straining ✦ **~róhet** *vtv, ps* ✦ **~r/ój** *k/* filter; strain; percolate

filxhán, -i *m* cup: **~ çaji** tea-cup; **një ~ çaji** a cup of tea: **mbytem në një ~ ujë** drown in a teacup

fill *nd* directly; immediately; alone: **~ pas** immediately after; **mbetem ~** remain alone; **~ e flakë** from top bottom; thoroughly

fi/ll, -lli *m* thread; yarn; strand *(of a rope)*; filament: **shkoj ~llin në gjilpërë** thread a needle; **~lli i mendimeve** the string/ train of thoughts; **humbas ~llin** lose one's bearings; **zë ~ll** begin; **~ll e për pe** in great detail; **ia heq ~llin dikujt** hang up on sb

fill:éstár, -e *mb* initial; elementary, rudimentary *(knowledge)*; primary *(type)*: **shpejtësi ~e** initial velocity ✦ **~éstár, -i** *m* beginner; novice; initiate ✦ **~ím, -i** *m* beginning; start; commencement; *sh* rudiments, fundamentals *(of knowledge)*: **(që) nga ~i** right from the start; **~ e mbarim** through and through; across the board; down the whole line ✦ **~imísht** *nd* in the beginning; as a beginning; at the start; firstly ✦ **~/óhet** *vtv, pvt, ps* ✦ **~/ój** *k/* begin; start; commence: **~oj punën** begin work(ing); **~oj bukën** begin eat ✦ *jkl v iii* begin; set in; be opened; have its source: **po ~oi shiu** it is beginning rain ✦ **~lór, -e** *mb* primary *(education)* ✦ **~/ e, -ja** *f bs* primary school

finál/e, -ja *f sp* final; *tt, mz* finale: **~et e kupës** cup finals; **hyj në ~e** get into/ get through the finals ✦ *mb* final: **ndeshje ~e** final ✦ **~íst, -i** *m* finalist ✦ **~, -e** *mb* finalist

fináncl/e, -a *f* finance: **si jemi me ~ën?** how do we stand for cash? ✦ **~iár, -e** *mb* financial *(situation)*: **vit ~** fiscal year ✦ **~iér, -i** *m* financier ✦ **~ím, -i** *m* financing; funds ✦ **~óhem** *ps* ✦ **~/ój** *k/* finance; subsidise

finland:éz, -e *mb* Finn ✦ **~éz, -i** *m* Finn ✦ **F~/ë, -a** *f gjg* Finland ✦ **~ísht** *nd* (in the) Finnish (language) ✦ **~íshte, -ja** *f* (the) Finnish (language)

finók, -e *mb* crafty; guileful; wily *(person)*

finók, -u *m bt* fennel

fírm/ë, -a *f* signature; *trg* firm; business house/ concern: **nuk më shkon ~a** have no voice in the chapter ✦ **~lój** *k/ dhe* **~ós** *k/* sign; subscribe

fír:o, -ja *f* waste ✦ **~/ój** *jk/ v iii* lose weight; vanish ✦ *k/* diminish; cut down; waste: **e ~oi zjarri** it was wasted by the fire

fis, -i *m hst* tribe; clan; kin, *bs* relative: **farë e ~** relatives; **e ka për ~** it runs in the family ✦ **~/ëm (i), -me (e)** *mb* noble; pedigree *(animal)* ✦ **~ník, -u** *m* nobleman ✦ **~, -e** *mb* noble ✦ *em* noblewoman *(sh -women)* ✦ **~nikërí, -a** *f* noblesse; nobility ✦ **~nikërím, -i** *m* ennoblement ✦ **~nikëróhem** *vtv, ps* ✦ **~nikër/ój** *k/* ennoble; improve *(a breed of animals)* ✦ **~nór, -e** *mb* tribal; clannish

fishék, -u *m* cartridge: **krehër ~ësh** cartridge clip; **~ pa barut** a spent match ✦ *nd bs* like a shot: **dal ~** go off like lightning; **jam ~** be penniless ✦ **~zjárr, -i** *m* fireworks

fishk *k/* wither; wilt; shrivel ✦ **~/em** *vtv* wither; fade *(of beauty, etc.)*; *fg* todry up; wane away; *ps e* **fishk**

fishkëll/éj *jk/ dhe k/* whistle; hoot *(of a siren)*; hiss *(sb out of stage, etc.)* ✦ **~ím, -i** *m dhe* **~ím/ë, -a** *f* whistle *(of disapproval)*; hoot *(of the siren)*; whiz *(of a bullet)*; whirr ✦ **~yes, -e** *mb* whistling; hissing *(sound)*

físhkët (i, e) *mb* withered; wizened ✦ **~j/e, -a** *f* withering; fading *(of flowers, etc.)*; searing ✦ **~ur (i, e)** *mb* withered; faded *(beauty)*

fishnjár, -i *m zl* weasel

fitíl, -i *m* (lamp)wick; fuse; match *(of a mine, etc.)*; *tks* sliver; swab *(for wound dressing)*

fitím, -i *m* gain; profit; earning(s): **nxjerr ~e** make a profit; **punë me ~** a lucrative business ✦ **~tár, -i** *m* victor; conqueror ✦ **~tár, -e** *mb* victorious; triumphant

fit/óhet *vtv, ps* ✦ **~/ój** *k/* earn; gain; profit; attain *(a rank, etc.)*; win over; *bs* get: **~oj kohë** buy time; **~oj një ndeshje** win a match; **ia ~oj zemrën dikujt** win/ capture sb's heart ✦ *jk/* win; triumph: **~oj me lehtësi** win hands down; walk away with ✦ **~ór/e, -ja** *f* victory; win; gain: **~e e merituar** well-deserved victory; **~e e lehtë** an easy conquest; a walk-away/ -over ✦ **~úar (i, e)** *mb* won; acquired *(habit)*; *em* victor; winner ✦ **~úes, -i** *m* winner; victor ✦ **~úes, -e** *mb* victorious: **numër ~** winning number *(in a lottery)*

fizarmoník/ë, -a *f* accordion

fizík, -e *mb* physical/ bodily *(strength)* ✦ **~án, -i** *m* physicist ✦ **~/ë, -a** *f* physics *(me folje në njëjës)* ✦ **~ultúr/ë, -a** *f* physical culture

fizio:lóg, -u *m* physiologist ✦ **~ologjí, -a** *f* physiology ✦ **~nomí, -a** *f* physiognomy; features ✦

~terapí, -a *f mk* physiotherapy

fjal:amán, -e *mb* talkative; loquacious; wordy ♦ **~l/ë, -a** *f* word; speech; gossip, rumour; text *(of a lyric)*: **~a e fundit** the last word; the last will; the bottom price/ line *(in a deal)*; **~ë boshe** empty/ idle talk; **~ë e urtë** saying; proverb; **~ë për ~ë** word for word; literally; **bie ~a** by the way; **çoj ~ë** pass the word on; spread rumours; **i çoj ~ë dikujt** put sb wise; **hedh një ~ë** make a hint; **këtu ta kam ~ën** that's the point; there's the rub; **me një ~ë** in one word; **me pak ~ë** in a few words; in a nutshell; **një ~ë goje** easier said than done; **pa ~ë** without doubt; **të jap ~ën se** I promise that ♦ **~ët/ój** *jk/* quarrel; wrangle ♦ **~ët/óhem** *vtv* quarrel *(with sb)* ♦ **~í, -a** *f gjh* clause; sentence ♦ **~ím, -i** *m* speech; address; oration; harangue ♦ **~ór, -i** *m* dictionary; glossary ♦ **~ós** *jk/* speak; talk ♦ *k/* say: **ç'~ ashtu?** what are you saying/ talking about? ♦ **~ós/em** *vtv* speak; talk; converse: **~em me dikë** talk with sb; bandy words with sb

fjét:j/e, -a *f* sleep: **dhoma e ~es** bed(-)room ♦ **~ór/e, -ja** *f* dormitory; ♦ **~ur (i, e)** *mb* sleepy; dormant: **sy të ~** sleepy eyes; **treg i ~** dull market; **me mendje të ~** with one's mind at rest ♦ **~ur** *nd:* **e gjej ~ dikë** find sb asleep

fjóll/ë, -a *f* skein *(of wool, etc.)*; eddy *(of dust, etc.)*; wisp *(of smoke)*: **~ë bore** snow-drift ♦ **~ë nd** in wreathes; in rings: **e bëj muhabetin ~ë** spin a fine yarn; **puna shkon ~ë** it is going with a swing

fjóngo, -ja *f* ribbon

fjord, -i *m gjg* fjord; fiord

flagrán:c/ë, -a *f* flagrancy: **zë në ~ë** catch in the act ♦ **~t, -e** *mb* flagrant; wanton.

flak *k/* fling; throw; *fg* discard: **~ përdhe** fling down

flakadán, -i *m* bonfire; *fg* beacon; torch

flákem *vtv* fling oneself *(on so)*; *ps e* **flak**

flák/ë, -a *f* flame; flare; blaze: **~ë kashte** nine day's wonder; **merr ~ë** catch fire ♦ **~ë** *mb fg* brand new *(dress, etc.)*; *fg* flaming; blazing ♦ **~ë nd:** **~ë i kuq** flaming red; **fill e ~ë** all across; all over; **~ë për ~ë** instantly ♦ **~ërí/j¹** *jk/ v iii* blaze; go up in flames; sparkle ♦ **~m, -i** *m* flame; flare; flaming; blaze

flakërí/j² *k/* fling; hurl; launch

flakëróhem¹ *vtv, ps e* **flakëroj¹**

flakëróhem² *ps e* **flakëroj²**

flakër/ój¹ *jk/ v iii* flame; blaze; flare; *v iii* glow red ♦ *k/ v iii* redden; enflame: **dielli e ~oi qiellin** the sun turned the sky red ♦ *k/* scorch; burn; *v iii fg* enflame; slap *(sb's face)*

flakër/ój² *k/* fling; hurl; toss: **~oj përdhe** fling down ♦ *jk/* fly *(around)*; dart

flakë:rúar (i, e) *mb* blazing; flaming *(fire)*; hot *(coals)*; red; glowing red; *fg* shining; bright ♦ **~rúes, -e** *mb* blazing; flaming; *fg* fiery; ardent: **diell ~** blazing sun

flákj/e, -a *f* throw(ing): **~a e diskut** discus throw

fláktë (i, e) *mb* flaming; flaring; blazing *(sun, etc.)*; *fg* fiery; ardent; burning

flákur (i, e) *mb* thrown; rejected; throw-away *(mb)*

flakurím/ë, -a *f* slap; facer

flám/ë, -a *f vtr* cholera; *bs* pest; falling sickness: **~ë e pulave** fowl cholera; **i rëntë ~a** a plague on it! ♦ **~ós/em** *vtv* contract cholera ♦ **~ósur (i, e)** *mb* stricken with cholera; very bad; dam(n)

flamúr, -i *m* banner; flag; standard; colours: **ndërroj ~** shift one's allegiance ♦ **~tár, -i** *m* flag bearer ♦ **~tár, -e** *mb :***anije ~e** flagship

flas *jk/* **fóla, fólur** speak; talk; gossip: **~ shqip** speak Albanian; **~ të drejtën** tell the truth; **çfarë flet ashtu?** what are you talking about? ♦ *k/ bs* upbraid; scold; *bs* bandy words with: **i ~ rëndë dikujt** scald sb severely

fláshk/em *vtv* wither; flag; *fg* be enervated ♦ **~ët (i, e)** *mb* flagging; weak; flabby

flát/ër, -ra *f* wing ♦ **~r/ój** *jk/ v iii* beat/ flap its wings; wing *(of a bird)*

fláut, -i *m mz* flute ♦ **~íst, -i** *m* flute-player

fle *jk/* **fjéta, fjétur** sleep; *v iii* be stagnant *(of water)*: **~ top** sleep soundly/ like a top/ like a log; **bie të ~** go bed; **fli rehat!** rest assured!

flég/ër, -ra *f* wing *(of a double-door, etc.)*; nostril; slice: **një ~ër shalqi** a slice of water-melon

flegmatík, -e *mb* phlegmatic; cool

flesh, -i *m* flash: **lajme ~** flash news; flash-light

flét/ë, -a *f* leaf; sheet *(of paper, etc.)*; foil; wing *(of a bird, of a door, etc.)*; fin *(of fish)*; paddle *(of a water-wheel)*: **~ë e thatë** dry/. dead leaf; **~ë votimi** voting paper; **~ë ari/ argjendi** gold/ silver foil; **~ë e bardhë** blank sheet; **kthej ~ën** turn the page; *bs* shift one's allegiance; **ia pres ~ët dikujt** clip sb's wings ♦ **~garancí, -a** *f* warranty; guarantee ♦ **~hýrj/e, -a** *f* admission card; entrance bill; bill of entry ♦ **~lavdërím, -i** *m* certificate of honours ♦ **~pagés/ë, -a** *f* pay-slip ♦ **~palósj/e, -a** *f (promotion)* folder ♦ **~thírrj/e, -a** *f dr* summons to appear; subpoena; *ush* call-up paper ♦ **~ór/e, -ja** *f* copy/ note/ exercise-book: **~e zyrtare** official gazette ♦ **~úshk/ë, -a** *f* leaflet; fly-leaf; *kq* gutter journal

fli, -a *f ft* sacrifice; immolation; victim; martyr: **bëj ~** sacrifice

flíhet *vtv, pvt* feel like sleeping: **s'më ~** I don't feel like sleeping

flij:ím, -i *m* sacrifice ♦ **~lóhem** *vtv, ps* ♦ **~lój** *k/ ft* sacrifice; martyr

flíte/t *vtv, pvt* be said/ talked about/ rumoured/ reported; *ps:* **~t shumë për të** he is much talked about; **përse ~j?** what was the talk about?

flok, -u *m* hair; *sh* fringe *(of a rug, of a shawl)*; flake *(of snow)*: **pa ~ë** hairless; bald *(head)*; **për një fije ~u** by a hair's breadth ♦ **~j/e, -a** *f* shaggycarpet ♦ **~náj/ë, -a** f dense shaggy hair; mass/ thatch of hair ♦ **~tár, -i** m barber; hairdresser ♦ **~tár/e, -ja** f hair-dresser ♦ **~tarí, -a** f barber's shop; hair(-)dresser parlour; hairdressing ♦ **~tór/e, -ja** f shih **floktari, -a**

flór/ë, -a f bt flora: **~a dhe fauna** flora and fauna

florí, -ri m gold: **~ i pastër** pure gold; **ajo është grua ~** she's a daisy ♦ mb fg gold; invaluable; precious: **koha është ~** time is money ♦ **~njtë (i, e)** mb golden; gold-coloured

flót/ë, -a f fleet: **~ë ajrore** air force; **~ë ushtarake-detare** navy

flútur, -a f zl butterfly; tk throttle; sh (collar) frill(s); valance (of the bed-spread); bow-tie ♦ mb light; lively; lithe ♦ nd quickly; lightly ♦ **~ák, -e** mb flying: **mizë ~e** (house) fly ♦ **~ím, -i** m flight ♦ **~im** nd: **u nis ~** he went off flying/ like lightning); **~ímthi** nd flying: **kap ~** catch sth flying; **gjuajtje ~** volley ♦ **~lój** jkl v iii fly: v iii be blown away (off); fg jump (with joy); bs be carried away (with enthusiasm): **~oj nga gëzimi** leap/ dance with joy ♦ kl fling; throw; cast ♦ **~úes, -e** mb flying; navigational (technique, etc.)

fllad, -i m light breeze; waft: **~i i detit** sea breeze ♦ **~ít** kl freshen up; refresh; cool ♦ **~ít/em** vtv cool oneself; feel cool; v iii cool off; fg refresh oneself; ps

fllúsk/ë, -a f bubble; blister; boil; fg flop; failure: **~ë sapuni** soap bubble ♦ **~lój** jkl dhe **~ós** kl v iii bubble; (raise a) blister ♦ **~ósem** vtv form blisters; ps

fodúll, -e mb bs arrogant; haughty ♦ **~, -i** m arrogant person ♦ **~ëk, -u** mb bs arrogance; haughtiness

fók/ë, -a f zl seal

folé, -ja f nest; tk hole; socket: **ngre ~në** nest (of birds); **~ hajdutësh** a den of thieves

fólës, -i m speaker

fólj/e, -a f gjh verb ♦ **~ór, -e** mb gjh verbal; verb (mb)

folklór, -i m folklore ♦ **~ík, -e** mb folkloric; folklore (mb) ♦ **~íst, -i** m folklore student; folklorist ♦ **~istík, -e** mb folkloristic

fól:a kr thj e **flas** ♦ **~m/e, -ja (e)** f (të) gjh idiom (of a region) ♦ **~ur** pjs e **flas** ♦ **~ur, -it (të)** as; speech; utterance ♦ **~ur (i, e)** mb: **gjuhë e ~** spoken language

fond, -i m ek, fn fund; sh securities; stock (of library books)

fond:erí, -a f foundry ♦ **~itór, -i** m foundry-man

fonetík, -e mb gjh phonetic ♦ **~lë, -a** f gjh phonetics (me folje në njëjës)

foragjér, -e mb buj: **bimë ~e** forage crops

fórc/ë, -a f force; strength: **~ë punëtore** work force; labour; **~ë e vullnetit** will power; **~ at ushtarake** military forces; **~ë madhore** force majeure; act

of God; **me ~ë** forcefully; **mbledh ~at** summon one's strength; muster up one's forces ♦ **~ím, -i** m strengthening; reinforcement; hardening ♦ **~/óhem** vtv, ps ♦ **~lój** kl strengthen; fg fortify; temper; tk harden; re-enforce: **~oj trupin** build one's body; do body-building ♦ **~úes, -e** mb strengthening; fortifying

form:ación, -i m formation; (social) order ♦ **~ál, -e** mb formal (request) ♦ **~alíst, -e** mb formalist ♦ **~alíst, -i** m stickler for form ♦ **~alísht** nd formally; for the sake of form ♦ **~alitét, -i** m formality ♦ **~alíz/ëm, -mi** m formalism ♦ **~át, -i** m size; format; trim size (of a book) ♦ **~at/ój** kl tk format (a disk, etc.) ♦ **~lë, -a** f form; shape; mould; appearance; formality; group study: **merr ~ë** shape; **sa për ~ë** for form's sake; **jam në ~ë** be ship-shape ♦ **~ím, -i** m formation; forming; shaping; moulding ♦ **~/óhem** vtv, ps ♦ **~lój** kl form; shape; v iii mould; set up (a government, etc.); create; make; draw: **~oj karakterin** shape one's character; **~oj një mendim** form an idea ♦ **~úar (i, e)** mb formed; shaped; (well-)built (body) ♦ **~ulár, -i** m form: **~ bosh/ i pambushur** a blank form ♦ **~úl/ë, -a** f formula: **~ë politike** political catch-phrase ♦ **~ím, -i** m formulation ♦ **~/óhet** ps e **formulój**

fort nd hard; tightly; fast; very; loudly; aloud: **qëlloj ~** hit hard; **luaj ~** play a tough game; **shtrëngoj ~** hold tightly; **~ i bukur** very beautiful ♦ p: j **~ mirë** very well ♦ **~és/ë, -a** f fortress; reinforcement ♦ **~/ë (i, e)** mb strong; intense; hard; tough; heavy (rain); harsh (winter); fg rigorous; poignant; resistant; retentive (memory); loud (voice): **dritë e ~ë** strong light; **dru i ~ë** hard wood; **malore e ~ë** steep climb; **me të ~ë** forcefully; **zemër e ~ë** stout heart ♦ **~ësí, -a** f strength; hardness; toughness ♦ **~ifik:át/ë, -a** f ush fortification ♦ **~ifikím, -i** m ush fortification(s) ♦ **~ifikóhem** vtv ush be entrenched in fortifications ♦ **~ifik/ój** kl ush fortify (a position)

forúm, -i m forum (sh -ums, -a)

fosfór, -i m km phosphorus

fosíl, -i m fossil ♦ **~ízóhet** vtv -úa, -úar dhe fg fossilise

foshnj:arák, -e mb baby-/ child-like; childish; infantile ♦ **~/ë, -a** f child; baby; infant; fg kid: **~ë gjiri** sucking baby; child in breast-feed; **sillem si ~ë** behave like a child ♦ **~ërí, -a** f childhood; infancy ♦ **~ór, -e** mb childish; infantile: **shkollë ~e** nursery school ♦ **~ór/e, -ja** f nursery school

foto:gráf, -i m photographer ♦ **~grafí, -a** f photograph; photo ♦ **~grafík, -e** mb photographic: **aparat ~** camera ♦ **~graf/ój** kl photograph ♦ **~kópj/e, -a** f photocopy; bs photocopier ♦ **~kopjím, -i** m photocopying ♦ **~kopj/ój** kl photocopy ♦ **~reportér, -i** m press photographer

fqinj, -i m neighbour ♦ **~, -e** mb: **banoj në shtëpinë**

~e live next-door (to sb) ✦ **~ërí, -a** *f prmb* neighbours; neighbourhood; vicinity ✦ **~ër/ój** *jkl* neighbour on ✦ **~ësí, -a** *f* neighbourliness: ~ e mirë good-neighbour *(relations)*

fragmént, -i *m* fragment; piece; excerpt; shard *(of pottery)* ✦ **~ár, -e** *mb* fragmentary; broken; discontinuous

frak, -u *m* tail-coat; *bs* tails

fraksión, -i *m* faction ✦ **~íst, -e** *mb:* **grup ~** breakaway/ splinter group ✦ **~íst, -i** *m* factionalist

franc:éz, -e *mb* French ✦ **~éz, -i** *m* French ✦ **F~/ë, -a** *f gjg* France

françeskán, -e *mb ft* Franciscan *(order)*

fraq, -i *m* chill ✦ **~óhem** *vtv v iii* be chilled; take a cold; sear; *ps* ✦ **~/ój** *kl* dry up *(excessive humidity);*

frásh/ër, -ri *m bt* ash(-tree)

frat, -i *m sh* **frétër, frétërit** *ft* friar; monk

fraz:eologjí, -a *f* phraseology ✦ **~k, -e** *mb:* **fjalor ~** phrase-book ✦ **~/ë -a** *f* phrase; sentence: **~ë e gatshme** stock phrase

fre, -ri *m* rein; bridle; *fg* control, check: **pa ~** unbridled; **e mbaj në ~ dikë** keep sb in check

fregát/ë, -a *f dt* frigate; fast escort vessel; *zl* seaeagle

frekuénc/ë, -a *f fz* frequency: **~ë e lartë/ ulët** high (low) frequency

frekuent:ím, -i *m* attendance ✦ **~/óhet** *ps* ✦ **~/ój** *kl* attend *(school, courses, etc.)* ✦ **~úes, -i** *m* – goer: **~ i teatrove** theatre-goer

fren, -i *m* brake;·*fg* control: **~ dore** hand brake; **pa ~a** without control; **marr ~at në dorë** take full control ✦ **~ím, -i** *m* braking; *mek* locking *(of a mechanism)* ✦ **~óhem** *vtv* restrain/ check oneself; exercise self-restraint; *ps* ✦ **~/ój** *kl* brake; apply the brakes on () ✦ *jkl* pull up; *fg* restrain ✦ **~úes, -i** *m* brake-control *(of rolling stock)* ✦ **~úes, -e** *mb* braking *(system);* *mek* locking *(device);* *fg* inhibitive

fresk, -u *m* cool(ness); cool breeze ✦ *nd:* **jam fresk** be penniless; **bën ~** it is cool

frésk/ë -a *f art* fresco

frésk:ët (i, e) *mb* fresh; cool; latest; new- : **mot i ~** cool weather; **gjalpë i ~** fresh butter ✦ **~ët** *nd:* **bën ~** it is cool ✦ **~í, -a** *f* freshness; cool(ness); fresh breeze ✦ **~ím, -i** *m* cooling; refreshing ✦ **~óhem** *vtv, ps* ✦ **~/ój** *kl* cool; *dhe fg* refresh; renovate; brush up *(a language):* **~oj kujtesën** refresh one's memory ✦ **~ór/e, -ja** *f* fan ✦ **~úes, -e** *mb:* **pije ~e** refreshment (drink)

fréz/ë, -a *f tk* milling-cutter; mill(er) ✦ **~ím, -i** *m tk* milling ✦ **~/óhet** *tk ps* ✦ **~/ój** *kl tk* mill

frën/g, -gu *m bs* French; Frenchman; Frank; European ✦ **~gjísht** *nd* in (the) French (language) ✦ **~/e, -ja** *f* (the) French (language)

frigorifér, -i *m* refrigerator; *bs* fridge; frig

frik:acák, -e *mb kq* cowardly; fearful ✦ **~acák, -u** *m* coward ✦ **~/ë -a** *f* fear; dread; insecurity: **tërë ~ë** fearfully; **kam ~ë se** fear that...; **nga ~a e** for fear of; **mos ki ~ë** have no fear ✦ **~ësím, -i** *m* fright; intimidation ✦ **~ësóhem** *vtv, ps* ✦ **~ës/ój** *kl* frighten; intimidate ✦ **~ësúar (i, e)** *mb* frightened; scared; intimidated ✦ **~sh/ëm (i), -me (e)** *mb* dreadful; fearful; frightening; redoubtable *(opponent)*

fríngo *mb bs, nd* : **~ i ri** brand new; new from the box

fron, -i *m* stool; pew *(in a church);* throne; stem *(of a glass)*

front, -i *m* front; *min* face *(of the gallery)* ✦ **~ál, -e** *mb* frontal ✦ **~alísht** *nd* frontally; on a (broad) front

frúshku/ll, -lli *m* whip; lash ✦ **~/ój** *kl* whip; lash; flog ✦ **~úes, -e** *mb:* **kritikë ~e** lashing criticism

frushull:ím/ë, -a *f* whistle *(of the wind);* rustle *(of leaves, etc.)* ✦ **~lón** *jkl* **-ói, -úar** whistle; whine *(of the wind);* rustle *(of leaves etc.)*

frut:arí, -a *f* fruit-growing ✦ **~/ë -a** *f* fruit: **sallatë ~ash** fruit salad ✦ **~ikultúr/e -a** *f* fruit-growing ✦ **~l ór, -e** *mb* fruit(-bearing) ✦ **~ór/e, -ja** *f* orchard; fruit-bowel

frúth, -i *m mk* measles˜

frý/hem *vtv* swell up/ out; puff up; bulge; *bs* gorge oneself *(with food);* *v iii* overflow *(of rivers);* *ps:* **~hem si gjeli në pleh** strut about ✦ **~/j** *kl* swell; inflate; puff out; bloat; exaggerate: **i ~ zjarrit** fan the fire; **i ~ shkrepëses** blow out a match; **i ~ bilbilit** blow the whistle; **i ~j gjërat** make an overstatement ✦ *jokal, v iii* blow *(of the wind);* *bs* gorge *(with food);* *v iii* overflow; rise, swell *(of the river, etc.):* **~ veri** it is blowing (from the) north

frým/ë, -a *f* breath; wind; air *(of the wind instrument);* *bs* smell; inhabitants, persons; *fg* spirit;· *ft* ghost: **F~a e Shenjtë** the Holy Ghost; **~ë e kohës** spirit of the age; **~ë e rëndë** foul breath; **fshat me njëqind ~ë** village with one hundred inhabitants;· **jap ~ën e fundit** give up one's ghost; **marr ~ë** breathe; **më mbetet/ mbahet ~a** catch one's breath; **sa për të mbajtur ~ën** enough keep body and soul together ✦ *pkf bs* : **~ë njeriu nuk shihej** there was no one to be seen ✦ **~ëmárrj/e, -a** *f* respiration; breathing ✦ **~ëzím, -i** *m* inspiration ✦ **~ëzóhem** *vtv, ps* ✦ **~ëz/ój** *kl* inspire ✦ **~ëzúar (i, e)** *mb* inspired ✦ **~ëzúes, -e** *mb* inspiring; inspirational ✦ **~ëzúes, -i** *m* inspirer ✦ **~ór, -i** *m* living/ animate being ✦ **~, -e** *mb* living; animate; wind *(instrument):* **qenie ~e** living being

frýr/ë, -a (e) *f* (të) swell; bump *(on one's head, etc.)* ✦ **~ë (i, e)** *mb* swollen; inflated; bloated; *kq* exaggerated; *fg* pompous; *bs* gorged *(with food):* **me sy të ~** with swollen eyes ✦ **~ës, -i** *m* blower *(of molten glass);* bellows *(of a forge)* ✦ **~j/e, -a** *f* swell; (act of) blowing; exaggeration

fryt, -i *m* fruit: **~ me farë/ bërthamë** pip/ stone fruit; **~ i rënë** windfall ♦ **~sh/ëm (i), -me (e)** *mb* fruitful; useful

fshat, -i *m* village; hamlet; *prmb* villagers; country(side): **shtëpi ~i** country house ♦ **~ár, -i** *m* villager; peasant ♦ **~ár, -e** *mb* country; village *(mb)*; peasant; rural *(economy, etc.)*: **vajzë ~e** country girl ♦ **~arák, -e** *mb bs* peasant-like; rustic ♦ **~arësí, -a** *f prmb* peasantry

fsheh *k/* hide; conceal; cover up: **ia ~ diçka dikujt** hide sth from sb; **nuk e ~ dot diçka** make no secret about sth ♦ **~arák, -e** *mb kq* sly; stealthy ♦ **~ësír/ë, -a** *f* hide-out; hiding place ♦ **~j/e, -a** *f* hiding; concealment ♦ **~tas, ~tazi** *nd* secretly; stealthily ♦ **~t/ë, -a (e)** *f* (të) secret: **të ~at e zemrës** the secrets of the heart; **i tregoj një të ~ë dikujt** tell sb a secret ♦ **~t/ë (i, e)** *mb* secret; undercover; latent; dormant *(germ)*: **agjent i ~ë** undercover agent ♦ **~tësí, -a** *f* secrecy; privacy ♦ **~tësír/ë, -a** *f* secret; hiding-place; hide-out ♦ **~ur (i, e)** *mb* hidden; secret; sly; latent: **para të ~a** hoarded money ♦ **~ur** *nd* in hiding; secretly: **rri ~** remain in hiding ♦ **~urazi** *nd* secretly; slyly; on the sly

fshes:ár, -i *m* street-sweeper ♦ **~/ë, -a** *f* broom; whisk; wiper: **bisht i ~ës** broom-stick; *fg* smallest cog of the wheel; **~ë elektrike** vacuum-cleaner

fshíhe/m[1] *vtv, ps e* **fsheh**

fshí/hem[2] *vtv* ♦ **~lj** *k/* sweep; clean; dust; wipe; erase; *bs* polish *(a dish)*: **~j shtëpinë** sweep the house; **~j mobiljet** dust the furniture; **~j sytë** dry one's eyes; **i ~u dallga** they were washed overboard

fshik *k/* raise blisters; graze *(the skin)*; skim *(a subjec)*: **plumbi e ~u në krah** the bullet grazed his arm ♦ **~/em** *vtv* have blisters; be grazed *(by a bullet)*; *ps* ♦ **~/ë, -a** *f* blister; *an* bladder; cocoon ♦ **~ëz, -a** *f* vesicle ♦ **~j/e, -a** *f* grazing; light touch; scratch

fshíku/ll, -lli *m*, **fshíkull, -a** *f* lash; *fg* taunt, shaft *(of satire, of criticism)* ♦ **~llím, -i** *m* lashing; whipping ♦ **~llím/ë, -a** *f* lashing; whistle ♦ **~llóhem** *ps* ♦ **~ll/ój** *k/* flog; *fg* taunt; whip up ♦ **~llúes, -e** *mb* whipping; lashing *(wind, etc.)*

fshír:a, -at (të) *f sh* sweepings ♦ **~ë (i, e)** *mb* swept *(room, etc.)*; dusted; brushed *(clothes)*; dried up; mopped ♦ **~ës, -i** *m* : **~ i oxhaqeve** chimney-sweeper ♦ **~ës/e, -ja** *f* duster; eraser; swab; (windscreen) wiper ♦ **~j/e, -a** *f* (the act of) sweeping

ftés/ë, -a *f* invitation (card)

ftill:ím, -i *m* unravel(ling) ♦ **~óhem** *vtv, ps* ♦ **~/ój** *k/* put in order; tidy up; settle *(an affair)*; *fg* clarify; unravel: **~oj mendimet** clarify one's thoughts

ftoh *k/* cool; *fg* cool off *(towards a friend)*; *bs* snuff; put out *(a fire)*: **lë të ~et** allow sth cool (down) ♦ **~/em**[1] *vtv v iii* cool (down); chill; refresh oneself; get a cold; *fg* cool down/ off *(towards sb)*; *bs* calm down; *euf* die; *ps:* **po ~t moti** the weather is getting cold(er): **më ~t entuziazmi** my enthusiasm has cooled ♦ **~/em**[2] *ps* ♦ **~/ës, -i** *m tk* cooler: **~ i ajrit** air-cooler ♦ **~ës, -e** *mb* cooling *(device)*: **agjent ~** refrigerant ♦ **~j/e, -a** *f* cooling (off); *bs* cold: **marr ~je** catch a cold ♦ **~t/ë, -a (e)** *f* (të); cold; chill: **duroj të ~ët** endure the cold ♦ **~t/ë (i, e)** *mb* cold; cool; chilly; *fg* distant: **sjellje e ~ë** a cool manner; **luftë e ~ë** *pl* cold war; **me gjak të ~ë** with a cool head ♦ **~të** *nd* cold; *fg* coldly; coolly: **është/ bën ~** it is cold; **e pres ~ dikë** give sb a cool reception ♦ **~tësí, -a** *f* coldness ♦ **~tësír/ë, -a** *f* cold weather; coldness; coolness; chill ♦ **~ur, -a (e)** *f* cold; chill: **marr një të ~** catch a chill ♦ **~ur, -it (të)** *as; shih* **ftohj/e, -a** *shih* **ftohur, - (e)** ♦ **~ur (i, e)** *mb* cooled (down)

ftoj *k/* **ftóva, ftúar** invite

ftúa, ftói *m sh* **ftonj, ftónjtë** *bt* quince

ftú:ar, -i (i) *m* guest ♦ **~es, -i** *m* host; *dr* summons officer

fuçí, -a *f* barrel; hogshead; cask: **~ nafte** oil barrel

fúg/ë, -a *f mz* fugue

fukar/á, -ái *m* (the) poor ♦ *mb* poor; indigent ♦ **~á, -ja** *f prmb* (the) poor; (the) destitute ♦ **~allëk, -u** *m* abject poverty

fund, -i *m* bottom; floor *(of the sea)*; end; foot *(of the hill)*; stub *(of the cigarette, etc.)*; dregs, grounds; skirt; hem *(of the dress, etc.)*: **~ ranor** sandy bottom; **~i i arkës** Sunday best; **deri në ~** the end; **~ e krye** from beginning end; from top bottom; **më në ~** at (long) last; **në ~ të ~it** in the final analysis ♦ **í, -a** *f nj* dregs; lees; off-scourings; *fg* scum; riffraff ♦ **~it (i, e)** *mb* last; final; latest; ultimate: **dal i ~** bring up the rear; **dorë e ~** the finishing touch; **fjala e ~** the last word *(of science)*; latest fashion; **i dorës së ~** of the lowest quality; **mjet i ~** the last resort; **moda e ~** the last cry ♦ **em** the last: **deri tek i ~** the last (man) ♦ **~ja** *nd* at last; after all ♦ **~m/ë (i), -e (e)** *mb* finite: **madhësi e ~e** finite quantity ♦ **~ór, -e** *mb* last; ending; terminal ♦ **~ór/e, -ja** *f gjh* final syllable; ending ♦ **~ós** *k/* sink; founder ♦ **~/em** *vtv, ps* ♦ **~j/e, -a** *f* sinking *(of a ship)*; submergence ♦ **~ur (i, e)** *mb* sunk(en); submerged; subsided

funébër *mb* funeral: **marsh ~** *mz* funeral march

funerál, -i *m* : **vargan ~** funeral procession

funksión, -i *m* office; duty; function ♦ **~ál, -e** *mb* functional; serviceable ♦ **~ár, -i** *m* official; officer ♦ **~ím, -i** *m* functioning; operation ♦ **~/ój** *jk/* operate; function; *v iii* work; run

fuqí, -a *f* (bodily) strength; force; might; *mat* power: **~ e mbinatyrshme** supernatural power; **~ punëtore** work force; **F~të e Mëdha** the Great

Powers; **hipi në ~** come into office; **me tërë ~në** with all one's strength; hammer and tongs ♦ **~plótë** *mb* plenipotentiary ♦ **~sh/ëm (i), -me (e)** *mb* powerful; strong ♦ **~shëm** *nd* strongly; powerfully; with force; vehemently ♦ **~zím, -i** *m* strengthening; invigoration ♦ **~zóhem** *vtv, ps* ♦ **~z/ój** *kl* strengthen; invigorate

fúrç/ë, -a *f* brush

furgón, -i *m* van

furí, -a *f* fury; frenzy; rampag ♦ **~shëm** *nd* furiously; with a rage ♦ **~sh/ëm (i), -me (e)** *mb* furious; frantic: **sulm i ~ëm** frenzied attack

fúrk/ë, -a *f* prop; fork *(to support a vine-tree);* distaff; hay/ pitch-fork

furnél/ë, -a *f* cooker

furniz:ím, -i *m* supply; stocks: **pikë ~i (me karburant)** petrol/ *am* gas station ♦ **~óhem** *vtv, ps* ♦ **~lój** *kl* supply; provide with; fill up *(a car)* ♦ **~úes, -i** *m* supplier; provider

furtún/ë, -a *f* storm; tempest

fúrr/ë, -a *f* bake-house; bakery; furnace; kiln; oven

furrí/k, -u *m* coop; *fg* hovel: **një ~ zogj** a hatch of chicks

furrnált/ë, -a *f tk* blast furnace

furrtár, -i *m* baker

fustán, -i *m* dress; *bs* petticoat ♦ **~éll/ë, -a** *f* kilt; fustanella

fushát/ë, -a *f* campaign; expedition

fúsh/ë, -a *f* plain; *sp* ground, pitch, court; *ush* (battle) field; background *(of a picture, etc.);* dial *(of a watch, etc.);* blank *(in dominoe); fg* domain; sphere *(of activity):* **~ë aviacioni** airfield; **~ë patinazhi** (ice) rink; **~ë tenisi** tennis court; **~ë e pamjes** range of visibility; **nxjerr për ~e** bring out into the open ♦ **~ím, -i** *m* camping; *ush* encampment ♦ **~lój** *jkl* (en)camp ♦ **~ór, -e** *mb:* **zonë ~e** lowland zone; **spital ~** field hospital

fushqét/ë, -a *f vj* rocket; signal rocket

fut (fus) *kl* put in/ into; let in/ into; give; drive; *bs* have; eat; drink; go into: **~ spica** make insinuations; **~ hundët** poke one's nose into sth; **~ një gozhdë** drive a nail (in, into); **~ëm nga 100 lekë** we contributed 100 leks each; **e ~ topin në rrjetë**

put the ball into the net; **ia ~ kot** talk nonsense; **ia ~ nja dy gota** have a glass or two; **ia ~ një shuplakë dikujt** slap sb; **ia ~ vetes** commit suicide; shoot oneself in the foot; **s'di ku të ~ kokën** have nowhere turn ♦ *jkl v iii :* **ia ~i shiu** there was a sudden shower

futbóll, -i *m* football; soccer: **top ~i** foot ball ♦ **~íst, -i** *m* football player

fút/em *vtv* get in/ into; go in/ into; *fg* delve into; begin; *v iii fg* penetrate; *v iii* shrink *(of fabric); v iii* cave in; start *(doing sth); ps:* **~em me zor** intrude; push/ squeeze in; **~m si qorri** go blindly; blunder *(into sth);;* **~em në ushtri** join the army; **i janë ~ur faqet** his cheeks have sunk; **i ~em punës** set down work; **u ~ dielli** the sun set

fút/ë, -a *f* apron ♦ *mb* pitch black

fútj/e, -a *f* putting in/ into; entering; intrusion; penetration ♦ **~fútur, -a (e)** *f* (të) recess *(in a wall); bs* inlet; small bay ♦ **~fútur (i, e)** *mb* hidden; sunken *(cheeks, etc.); fg* sociable

futurí:st, -e *mb art* futuristic ♦ **~st, -i** *m art, lt* futurist ♦ **~z/ëm, -mi** *m art, lt* futurism

fýçk/ë, -a *mb* empty; hollow *(nut)*

fýe/j *kl* **-va, -r** offend; hurt *(sb's feelings)*

fýe/ll, -lli *m* pipe; flute; fife; *bs* shin *(of the leg);* (blood) vessel: **~lli i bariut** shepherd's pipe ♦ **~tár, -i** *m* piper

fý:er (i, e) *mb* offended; hurt; injured ♦ **~erj/e, -a** *f* offence; injury; insult: **gëlltit një ~e** sit under an insult ♦ **~es, -i** *m* offender ♦ **~es, -e** *mb* offending; insulting ♦ **~hem** *vtv* take offence; *ps*

fyt, -i *m* throat; *bs* nozzle; neckline *(of the dress); bs* mouthful: **zë për ~i** grab sb by the throat; **njom ~in** *bs* wet one's whistle; **një ~ ujë** one gulp of water; **deri në ~** up one's neck ♦ **~as, ~azi** *nd:* **kapemi ~** be at each other's throat; **jam ~ me punë** be up one's neck in work

fytýr/ë, -a *f* face; *bs* surface; aspect; *fg* cheek, impudence: **~ e mbushur** a full face; **me ~ nga rruga** *(house)* facing the street; **ai s'ka ~** he does no sense of shame; **më ikën ~a** turn pale; **ndërroj ~** change colour ♦ **~ëz, -a** *f; vj* face veil; vizor *(of the helmet)*

G

gab:ím, -i *m* error; mistake; fault: **~ shtypi** misprint; **~ i trashë** blunder; bloomer ♦ *nd:* **kuptoj ~** misunderstand; **e ke ~** you're wrong/ mistaken ♦ **~imísht** *nd* wrongly; erroneously; mistakenly; unwittingly ♦ **~lóhem** *vtv, ps* ♦ **~lój** *jk/* err; mistake; get wrong; **~oj në gjykim** misjudge ♦ *k/* mistake; mislead: **~oj rrugë** take the wrong road ♦ **~úar (i, e)** *mb* wrong; mistaken; erroneous; faulty: **hap i ~** false/ faulty step; **qofsha i ~, por…** I hope I am wrong, but…

gadíshu/ll, -lli *m gjg* peninsula

gáf/ë, -a *f bs* gaffe; blunder

gafíl *nd:* **e zë ~ dikë** catch sb napping

gafórr/e, -ja *f z/* crab: **tropiku i G~es** *gjg* Tropic of Cancer

gafrr/óhet *vtv, ps* ♦ **~lój** *k/* tousle; ruffle *(the hair)*

gagáç, -i *m* stammerer; statterer

gagarít *jk/ v iii* quack; *bs* prattle; blabber

gajás *k/* wear out; exhaust ♦ *jk/* guffaw; burst into tears; foam *(in the mouth)* ♦ **~lem** *vtv* be worn out; gasp, pant: **~m së qeshuri** guffaw ♦ **~ur (i, e)** *mb* worn out; exhausted ♦ **~ur/a (e)** *f* **(të)** guffaw

gájd/e, -ja *f mz* bagpipe ♦ **~exhí, -u** *m* bagpipe player

gájl/e, -ja *f bs* worry, trouble: **mos ki ~e** don't worry

gajtán, -i *m* braid

galak:sí, -a *f astr* galaxy; the milky way ♦ **~tík, -e** *mb ast* galactic ♦ **~tík/ë, -a** *f ast* galaxy

galanterí, -a *f nj prmb* leather (plastic, etc.) articles

galén/ë, -a *f min* galena; **radio (me) ~ë** crystal set

galerí, -a *f* gallery; furrow *(made by animals)* tt circle

galét/ë, -a *f* hardtack

gál/ë, -a *f z/* jackdaw

galíç *nd:* **ulem ~** sit down (on one's haunches); squat

galóp, -i *m* gallop ♦ **~ nd** at a gallop ♦ **~ánt, -e** *mb:* runaway *(inflation)*

galvan:izím, -i *m tk* galvanisation ♦ **~izóhet** *ps* ♦

~iz/ój *k/ tk* galvanise ♦ **~izúar (i, e)** *mb tk* galvanised

gallát/ë, -a *f bs : bëj ~ë* have great fun

gallóf, -i *m z/* white crow; bumble-bee; *kq* gawk; idiot

gallósh/e, -ja *f* galosh; overshoe

gáma *p/k:* **rreze ~** gamma rays

gám/ë, -a *f mz* scale; *fg* gamut; range

gamíl/e, -ja *f z/* camel

gamúl/e, -ja *f* pile; heap

gan:éz, -e *mb* Ghan(a)ian ♦ **~éz, -i** *m* Ghan(a)ian ♦ **G~/ë, -a** *f gjg* Ghana

gangrén/ë, -a *f mk* gangrene; dry-rot ♦ **~izím, -i** *m mk* gangrene; gangrening; rotting ♦ **~iz/óhet** *vtv* **-úa (u), -úar** *mk* gangrene; rot

gangstér, -i *m* gangster; hoodlum; thug ♦ **~íz/ëm, -mi** *m* gangsterism

gángull *nd:* **e pjek pulën ~** roast a whole chicken

gápërr *nd:* **me sytë ~** with wide open eyes; goggling

garan:cí, -a *f dr* guarantee; warranty ♦ **~garánt, -i** *m* guarantor; warrantor; surety: **hyj/ bëhem ~ për dikë** answer/ enter surety for sb ♦ **~t/óhem** *vtv, ps* ♦ **~t/ój** *k/* guarantee; underwrite; guarantee for; vouch for; answer for *(sb)*; *dr* stand/ act as surety for *(sb)* ♦ **~túar (i, e)** *mb f* guaranteed

garázh, -i *m* garage

gardalín/ë, -a *f z/* goldfinch

gárd/ë, -a *f* guard: **~a kombëtare** national guard

gardëród/ë, -a *f* wardrobe; cloakroom; *am* clothes closet ♦ **~íst, -i** *m* wardrobe attendant

gard:ían, -i *m* (prison) guard ♦ **~íst, -i** *m* guard

gardh, -i *m sh* **gjérdhe, gjérdhet** hedge; fence: **prapa ~it** behind the bush; in secret

gár/ë, -a *f* competition; contest; *sh sp* race

gargár/ë, -a *f* gargle; mouth-wash ♦ **~ít** *jk/* gargle

gárgu/ll, -lli *m z/* bee-eater; merops; starling

garnitúr/ë, -a *f gjl* dressing *(of a dish);* trimming(s) *(of a dress)*

garnizón, -i *m ush* garrison

garúzhd/ë, -a *f* ladle; dipper

gárz/ë, -a *f* gauze

gastár/e, -ja *f* glass; shred of broken glass ♦ **~ína, -t** *f sh bs* glassware

gastr:ík, -e *mb an, mk* gastric ♦ **~ít, -i** *m mk* gastritis;

gásht/ë, -a *f* knee-cap

gát/ër, -ra *f* saw-mill; marble-cutter/saw

gát:i *nd* ready; prepared; braced; geared: **bëhem ~ bel** get ready; **darka është ~** supper is ready/served

gáti *pj* nearly; almost: **~ harrova** I nearly forgot

gat:ím, -i *m* cooking; *nj* mixing *(of clay, etc.)*; art of cooking ♦ **~ít (~s)** *kl bs* prepare; get/ make ready; cook *(a meal)* ♦ **~ít/em** *vtv bs* prepare oneself; get ready; brace oneself for; *ps* ♦ **~ítj/e, -a** *f* preparing; *bs* cooking ♦ **~itór, -e** *mb* preparatory ♦ **~ítu** *psth* attention ♦ *nd:* **i rri ~ dikujt** be at sb's beck and call ♦ **~sh/ëm (i), -me (e)** *mb* ready; prepared; willing; ready-made *(clothes)*; take-away/home *(meals)*; hackneyed *(phrase)*: **i ~ëm për ndihmë** ready help; helpful ♦ **~shmërí, -a** *f* readiness; preparedness ♦ **~/úaj** *kl* cook *(a meal)*; mix *(cement, etc.)*; knead *(dough)*; *kq* brew, hatch *(a plan)*; *fg* temper, shape, mould *(one's character)*: **ç'~uan në mendje?** what are you brewing in your mind? ♦ **~úar (i, e)** *mb* mixed *(cement, etc.)*; cooked *(meal)* ♦ **~úhe/m** *vtv* be educated/tempered; be moulded *(of one's character)*; *v iii, ps, pvt e* **~/úaj:kështu është ~ar ai** that's the stuff he is made of

gavét/ë, -a *f* mess-tin

gaz, -i¹ *m* joy; happiness; mirth: **me buzë në ~** smiling; **bëhem ~i i botës** be an object of ridicule; **s'e mbajta dot ~in** I couldn't help laughing

gaz, -i² *m* gas; petroleum; *bs* wind; flatulence: **~ natyror** natural gas; **lëshoj ~ra** break wind; **ia shkel ~it** *bs* go flat out

gazél/ë, -a *f zl* gazelle

gazet:ár, -i *m* journalist ♦ **~í, -a** *f* journalism: **gjuhë e ~isë** journalese ♦ **~ashítës, -i** *m* newsboy; newsman ♦ **~lë, -a** *f* (news)paper; journal; newspaper editorial board: **~ë e përditshme** daily (newspaper)

gaz:ménd, -i *m* great joy; rejoicing ♦ **~mór, -e** *mb* delightful *(news, etc.)*; jolly; cheerful merry; joyful; amusing *(play, piece of writing, etc.)* ♦ **~ór/e, -ja** *f* joke; anecdote; funny story

gaz/óhet *ps* ♦ **~lój** *kl* aerate; carbonate ♦ **~óz/ë, -a** *f* soda/carbonated water ♦ **~të (i, e)** *mb* gaseous

gaztór, -e *mb* funny; amusing ♦ **~, -i** *m* jester

gazúar (i, e) *mb* carbonated *(water)*

gdhe, -ri *m* knot *(of wood)*; *fg* boor: **i trashë ~ as** thick as two planks

gdhend *kl* rough-polish *(a plank, etc.)*; carve *(an inscription)*; dress, hew *(stone)*; *fg* impress *(sth in one's memory)*; *bs* refine, polish *(sb's manners)*; *bs* give a good dressing *(sb)* ♦ **~ém** *vtv, ps* ♦ **~ës, -i** *m* chiseller; (wood-)carver ♦ **~j/e -a** *f* carving; chiselling; incision; polishing *(of one's style, etc.)* ♦ **~ur (i, e)** *mb* carved *(wood)*; dressed *(stone)*; inscribed; polished *(style)*

gdhí/hem *vtv, pvt* dawn; stay up all night: **si u ~ve?** how did you sleep *(last night)*? ♦ **~lj** *kl* have a sleepless night ♦ *jkl* wake up; rise ♦ *pvt* dawn; grow light ♦ **~rë, -t (të)** *as:* **ndaj/ në të ~** at daybreak

gég/ë, -a *m* Geg ♦ **~lë, -e** *mb* Geg *(dialect, etc.)* ♦ **~ërísht/e, -ja** *f gjh* (the) Geg (dialect)

gérm/ë, -a *f* letter: **njeri me ~ë** man of learning

géte, -t *f sh* gaiters; panty-hose

géto, -ja *f* ghetto

gëk *onmt:* **s'bëj as ~ as mëk** not to make a sound

gël/ón *jkl* **-ói, -úar** ooze/ gush out; teem with

gëlqér/e, -ja *f* lime; chalk ♦ **~ór, -i** *m gjeol* limestone; calcareous formation ♦ **~ór, -e** *mb* calcareous; **gur ~** limestone

gëlltít *kl* swallow (up); gulp down: **s'e ~dot atë njeri** I can't bear that person ♦ **~lem** *vtv bs* swallow; gulp down; *fg* mumble; *pvt fg* be tolerated; *ps:* **ç'ke që ~sh?** don't mince your words! ♦ **~j/ e, -a** *f* swallowing; gulp(ing)

gëmúsh/ë, -a *f* bush; brush-wood

gënj/éhem *vtv, ps:* **~t lehtë** he's easily cheated ♦ **~léj** *kl* **-éva, -yer** lie *(sb)*; cheat; deceive: **~j veten** delude oneself ♦ *jkl* lie; mislead; dodge; *sp* feint: **nuk di të ~j** be above telling a lie ♦ **~eshtár, -i** *m* liar; cheat; deceiver ♦ **~eshtár, -e** *mb* lying; deceptive; misleading ♦ **~ésht/ër, -ra** *f* lie; deceit; *bs* fib; flam: **s'di ç'është ~ra** be a stranger deceit ♦ **~éshtërt (i, e)** *mb* false; untrue; deceptive; illusive: **shpresë e ~** illusive hope ♦ **~ím, -i** *m* lying; lie; cheating; deception ♦ **~ýer (i, e)** *mb* cheated; deceived; eluded; deluded

gërbúl/ë, -a *f mk* leprosy; leper ♦ **~ët (i, e)** *dhe* **~ur (i, e)** *mb mk* leprous

gërdáll/ë, -a *f bs* skinny horse; crock; *shr* lanky, weedy (person)

gërdít *kl* nauseate; loath ♦ **~et** *vtv* ♦ **~sh/ëm (i), -me (e)** *mb* nauseating; disgusting; loathsome

gërh/ás *jkl* snore ♦ **~í/j** *jkl* shih **~ás;** *v iii* purr *(of the cat)*; grunt, gruntle *(of the pig)* ♦ **~ím/ë, -a, ~ítj/ e, -a** *f* snore; snoring; wheeze purr(ing) *(of the cat)*; grunt(ing) *(of the pig)*

gërmádh/ë, -a *f* ruin; *bs* ramshackle; hovel

gërm:ím, -i *m* digging; *sh ark* excavations ♦ **~lój** *kl* dig; excavate: **~oj një gropë** dig a hole ♦ *jkl* rummage; dig *(into one's pockets)*; search; *fg* search *(into one's memory for sth)* ♦ **~úes, -i** *m* digger; excavator

gërmúq, -e *mb bs* hump-back ♦ *nd* with a humped back

gërnét/ë, -a *f mz bs* clarinet; clarinettist; clarinet-player

gërnj:ár, -e *mb* quarrelsome; cross-patch

gërshét, -i *m dhe* ~**/ë, -a** *f* braid; plait; pig-tail ♦ ~ *nd* in a braid: **e bëj ~ një punë** complicate things ♦ ~**ëz, -a** *f mit* water sprite/ nymph ♦ ~**ím, -i** *m* plaiting; braiding *(of hair)*; *fg* intertwine, interweaving ♦ ~**óhet** *vtv, ps* ♦ ~**lój** *kl* plait, braid *(one's hair)*; *fg* intertwine, interweave ♦ ~**túar (i, e)** *mb* plaited, braided *(hair)*; *fg* intertwined, interwoven

gërshër/ë, -a *f* scissors; shears; clippers: **i ka prerë një ~ë** they are of the same cut

gërth/ás *jk l* shout; yell; *v iii* cry ♦ *k l* scold ♦ ~**ítj/e, -a, ~ítur, -a (e)** *f* shout; scream; yell; croak *(of some birds)*

gërví:m/ë, -a *f* screech *(of the wheels, etc.)* ♦ ~**ín** *jk l* -**u, -rë** screech

gërvísht *k l* scratch; *fg* irritate; hurt *(the ear)* ♦ ~**lem** *vtv, ps* ♦ ~**ës, -e** *mb* scratching *(tool)*; *fg* shrill *(voice)*; *fg* irritating; jarring *(note, etc.)* ♦ ~**j/e, -a** *f* scratch(ing); superficial wound ♦ ~**ur, -a (e)** *f*(**të**) scratch: **një e ~ është** it's just a scratch ♦ ~**ur (i, e)** *mb* scratched; *fg* shrill; jarring *(sound)*

gërríc *k l* scratch ♦ ~**lem** *vtv* ♦ ~**/ë, -a** *f* scratch

gërr/yej *k l* scratch; scrap; *v iii* erode *(the metal)* *bs* eat up: **më ~yen dyshimi** be eaten up with suspicion; **të ~yen era** the wind sweeps in ♦ ~**ýer (i, e)** *mb* scratched; scrapped; eroded: **me sy të ~** with sunken eyes ♦ ~**ýerj/e, -a** *f* erosion ♦ ~**ýes, -i** *m* scrapper ♦ ~**ýes, -e** *mb* digging; excavating *(mb)*; erosive; corrosive ♦ ~**ýhet** *vtv, ps e* **gërryej**

gështénj/ë, -a *f bt* chestnut: ~**a të pjekura** roast chestnuts ♦ ~**t/ë (i, e)** *mb bs* chestnut brown

gëzím, -i *m* joy; rejoicing: **me ~** with joy/ pleasure; **lot ~i** tears of joy

gëzóf, -i *m* fur; fell; fur-coat ♦ ~**tár, -i** *m* trader in furs

gëz/óhem *vtv* be glad/ happy; rejoice *(about sth)*; *ps* ♦ ~**lój** *k l* gladden; fondle; cheer up; brighten; have: **ç'i ~ve?** what's the good of it?; ~**oj të drejtën e** enjoy the right; be entitled ♦ *jk l* be glad *(about sth)*; rejoice *(at, over, sth)*; benefit; draw advantage *(from sth)* ♦ ~**gëzúar (i, e)** *mb* glad; cheerful; joyful; delightful; pleased: **jam i ~ që** I am delighted ♦ ~**úar** *psth* chin-chin: ~ **Krishtlindjet!** merry Christmas!; ~ **Vitin e Ri!** Happy New Year!; **për shumë vjet ~!** many happy returns! ♦ ~**úesh/ëm (i), -me (e)** *mb* joyful; rejoicing; cheerful ♦ ~**úeshëm** *nd* joyfully; cheerfully; with joy

gëzhój/ë, -a *f* shell; cartridge case; shell *(of nuts, etc.)*

gic, -i *m* suckling pig; piglet

gicil:í, -a *f* tickle ♦ ~**lóhem** *vtv* feel ticklish; *ps* ♦ ~**lój** *k l* tickle

gijotín/ë, -a *f* guillotine

gisht, -i *m* finger; toe; claw; talon *(of an animal)*; *bs* thimbleful; *sh tks* stripes; watering *(of the fabric)*: ~ **i madh** thumb; **në majë të ~ave** at one's fingers' tips; on tiptoe; **dal me ~ në gojë** draw blank; **kam ~ në diçka** have a finger in sth; **i jep ~in të merr dorën** give him an inch and he'll take a mile; **s'i vij as te maja e ~it dikujt** not to be a patch on sb; not to be fit hold a candle sb ♦ ~**/e, -ja** *f shih* **gishtëz, -a** ♦ ~**ëz, -a** *f* thimble; trigger *(of the fire arm)* ♦ ~**t/o, -ua** *m m* Tom Thumb

gíz/ë, -a *f tk* pig-iron

gladiatór, -i *m hist* gladiator

glás/ë, -a *f* bird dropping

glazúr/ë, -a *f* glaze; glazing

glob, -i *m* globe; ball: ~**i i tokës** terrestrial globe ♦ ~**ál, -e** *mb* global; all-inclusive

glukóz/ë, -a *f* glucose

gllabër:ím, -i *m* gobbling up ♦ ~**óhem** *vtv, ps* ♦ ~**lój** *k l* gobble up; swallow; devour: **i ~oi errësira** they disappeared into the dark

gllënjk/ë, -a *f* swallow; gulp: **pi me një ~ë** drink at one gulp

gobéll/ë, -a *f* deep water hole

góc/ë, -a[1] *f* girl; girlie: **si ~ë** girlish; girlishly

godí, -a *f* agreement; accord

godín/ë, -a *f* building: ~**a e shkollës** the school building

godít[1] *k l* hit; strike; *sp* kick *(the ball)*; *v iii* be hit; *fg* attack: ~ **me pëllëmbë** slap; ~ **me artileri** shell, pound; **e ~i dielli** he had a sunstroke ♦ *jk l v iii* beat; *bs* strike; *fg* hint *(at sth)* ♦ *pvt* happen: **ora ~i dymbëdhjetë** the clock struck twelve; ~ **ndonjëherë të vijë këtej** he comes this way sometimes

godít[2] *k l* build; repair, mend; deck out; dress *(a dish)*; tidy up *(a room, etc.)*: ~ **një shtëpi** build a house; ~ **orën** repair the watch

godítem[1] *vtv* come blows; *ush* clash; collide; *ps e* **godit**[1]

godítem[2] *vtv* deck oneself out; come terms *(with sb on sth)*; be repaired/ mended; *ps e* **godit**[2]

godít:ës, -e *mb ush* attack; shock *(wave)* ♦ ~**j/e, -a** *f* blow; hit(ting); strike; *sp* kick; *ush* attack; *sh* throb; beat *(of the pulse, etc.)*; firing, shelling, pounding: ~**e e lirë** free kick; ~**e e diellit** sunstroke ♦ ~**ur (i, e)**[1] *mb* hit; *fg* shocked; flabbergasted

godítur (i, e)[2] *mb* built; decked out; dressed *(dish)*: **frazë e ~** a well-turned out phrase; **martesë e ~** a perfect match

góg/ël, -la *f* oak-apple; acorn: **i vogël sa një ~** tiny

gogësí/j *jk l* yawn; belch ♦ ~**tj/e, -a** *f* yawn(ing); belch(ing)

gogól, -i *m* ogre; scarecrow

gogozhár/e, -ja *f* (marinaded) red paprika

goj:áç, -i *m kq* big-mouth; chatterbox; gossip(-monger); stutterer ♦ **~arísht** *nd* orally; by word of mouth; viva voce ♦ **~as** *nd* orally; by word of mouth ♦ **~ásh, -i** *m·kq* big/ loud-mouth ♦ **~azi** *nd* orally; by word of mouth ♦ **~c/ë, -a** *f* muzzle *(for an animal)* ♦ **~lë, -a** *f* mouth; mouthful; *bs* living; *bs* person in charge of sb; *bs* speech; idiom *(of a region);* opening; stitch *(in knitting):* **~ë më ~ë** tête-à-tête; **~ët e liga** evil tongues; **e mbajnë të gjithë në ~ë** his name is a homestead word; **fitoj sa për ~ën** earn a bare living; **flas me ~ën plot** speak with conviction; **ia mbyll ~ën dikujt** gag sb; **jam i ~ës** have a glib tongue; **kam ~ë të ëmbël** be sweet-spoken; **mbylle ~ën!** shut your mouth/ *bs* your trap!; shut up!; **me ~ë hapur** in open-mouthed wonder; **me gjysmë ~e** under one's breath; **pa ~ë** speechless; **të lumtë ~a!** well said!; hear, hear! ♦ **~ëlidhur** *mb* tongue-tied ♦ **~ëlig** *mb* blasphemous ♦ **~ëmjáltë** *mb* sweet-spoken ♦ **~ëshpúar** *mb* incapable of keeping a secret ♦ **~ëtár, -i** *m* orator; fine speaker ♦ **~í, -a** *f* oratory; speech-making ♦ **~ëthatë** *mb* famished ♦ **~ëvrázhdë** *mb* gruff ♦ **~ëz, -a** *f* zvog e **goj/ë, -a;** bit *(of the head-stall)* needle hook; hole; mouth; muzzle *(of an animal)* ♦ **~ór, -e** *mb* oral: **ushtrime ~e** oral exercise ♦ **~ós** *k/* gossip; mouth ♦ **~/em** *ps*

gol, -i *m sp* goal; score: **shënoj tre ~a** perform a hat trick

golf, -i *m sp* golf: **triko ~** pullover, sweater

gollgán, -i *m an* hip-bone joint

gollomésh, -i *m zl* bat

gomár, -i *m* donkey; ass; jackass; donkey-load; *shr* asshole: **është një kokërr ~i!** he's some fool; **ia bëj shpirtin ~ dikujt** talk the hind leg of a donkey; **prit ~ të mbijë bar** wait till the cows come home ♦ **~/e, -ja** *f* jenny-donkey; she-ass ♦ **~íc/ë, -a** *f* jenny-donkey; she-donkey ♦ **~llë/k, -ku** *m* stupidity; asininity

góm/ë, -a *f* (India) rubber; eraser; tyre, *am* tire: **ka rënë ~a** the tyre is flat ♦ **~íst, -i** *m* tyre-(*am* tire-) dealer; tyre-repairer ♦ **~isterí, -a** *f* tyre shop ♦ **~ón/e, -ia** *f* Rubber dinghy

goné, -ja *f* carpenter's square

gong, -u *m* gong

gónxh/e, -ja *f* bud; *fg* fine young woman

gop, -i *m bs* cunt

gordián, -e *mb:* **nyjë ~e** Gordian knot

gór/e, -ja *f* bitch; *kq* punk

górg/ë, -a *f* hollow; cave; cavern; pit; deep waterhole

goríll/ë, -a *f zl* gorilla

gorré, -ja *f* gully; streamlet

gorríc/ë, -a *f bt* wild pear; choke-pear; *sh fg* piffle

gostí, -a *f* (dinner) party; spread; feast ♦ **~t** *k/* -a, -ur treat *(the guests);* serve *(the food)* ♦ **~/em** *ps* ♦

~tj/e, -a *f* treat *(of guests)*

gót/ë, -a *f* glass; *sh mk* cups; *bs* drink(ing): **~ë uji** glass of water; **mbytem në një ~ë ujë** drown in a teacup

gót:ë, -t *m sh hst* Goths ♦ **~ík, -e** *mb* gothic: **stil ~** gothic style

govát/ë -a *f* wash-tub; trough *(to feed animals)*

goxhá *bs nd:* **~ i madh** quite big ♦ *mb:* **është ~ burrë** he's a great guy; **paske ~ makinë** you've got some car

gózhd/ë, -a *f* nail; rivet: **më ngec sharra në ~ë** hit a snag ♦ **~ím, -i** *m* nailing; riveting ♦ **~lóhem** *vtv, ps* ♦ **~lój** *k/* nail; rivet; *fg* nail down *(enemy forces)* ♦ **~úar (i, e)** *mb* nailed; riveted

gozhúp, -i *m* leather jacket; wind jacket; padded jacket

gra, -të *sh i* **grua, -ja**

grabít (grábis) *k/* rob; kidnap ♦ **~em** *ps* ♦ **~ës, -i** *m* robber; kidnapper ♦ **~j/e, -a** *f* robbing; robbery; kidnapping ♦ **~qár, -i** *m* rapacious birds; birds of prey; robber; kidnapper ♦ **~qár, -e** *mb:* **shpendë ~ë** birds of prey

grabúj/ë, -a *f* rake

gráck/ë, -a *f* trap; snare: **zë me ~ë** catch in a trap

grád/ë, -a *f* degree; *bs* thermometer; *ind* proof *(of alcoholic drinks);* scientific degree; *ush* rank: **dhjetë ~ë nën zero** ten degrees below zero; **~ë kapiteni** rank of captain ♦ **~ím, -i** *m* promotion *(in rank)* *tk* gradation, scaling *(of a measuring instrument)* ♦ **~lóhem** *vtv, ps* ♦ **~lój** *k/ ush* promote; upgrade; scale *(a measuring instrument)* ♦ **~uál, -e** *mb* gradual ♦ **~ualísht** *nd* gradually ♦ **~úes, -i** *m ush* gun setter

grafík, -u *m* graph; diagram(me); *(temperature)* chart ♦ **~, -e** *mb* graphic; scriptural ♦ **~lë, -a** *f* art graphic art ♦ **~ísht** *nd* graphically

grafít, -i *m* graphite; black-lead

grafull:ím, -i *m* boiling over *(of water);* overflowing ♦ **~lój** *jk/* -ói, -úar boil over; overflow; *fg* foam *(with anger);* *v iii* regurgitate

grah *k/* drive hard *(a horse, etc.);* *jk/* run off: **u ~ këmbëve** run; be quick with one's feet ♦ *jk/ v iii* overtake; *bs* set down earnestly *(work);* pullulate; teem

gráhm/ë, -a *f* last breath; death-rattle; stench

gram, -i¹ *m* gram(me); *fg* grain: **nuk ka dy ~ mend** he has not a grain of wisdom

gram, -i² *bt* bermuda grass

gramafón, -i *m* gramophone; phonograph: **pllakë ~i** gramophone record

gramatik/ë, -a *f* grammar ♦ **~ór, -e** *mb* grammatical; grammar *(rules)*

gramatúr/ë, -a *f* weight in grams

granát/ë, -a *f ush* grenade ♦ **~ahédhës, -e** *f ush* grenade-launcher

graníl, -i *m ndr* grit

granít, -i *m* granite

grarí, -a *f për mb* womenfolk; womanhood ♦ **~sht** *nd:* **i veshur ~** dressed up like a woman ♦ **~shte** *mb* womanish; womanly

grás/o, -ja *f tk* grease ♦ **~óhet** *ps* ♦ **~lój¹** *kl tk* grease

gras/ój² *jkl* practice moderation; be moderate *(in eating, drinking)*

grat, -i *m bs:* **punë pa ~** ungrateful/ unrewarding job ♦ **~sh/ëm (i), -me (e)** *mb* fertile; productive

gráthët (i, e) *mb* rough; shaggy; bristly *(hair)*

gravitét, -i *m fz* gravity: **forca e ~it** gravity pull

gravúr/ë, -a *f art* engraving; etching

grazhd, -i *m* manger; (hay) rack; cow-shed ♦ **~ár, -i** *m* stable boy; saddle-horse

grek, -e *mb* Greek; Grecian ♦ **~, -u** *m* Greek

gremín/ë, -a *f* abyss; chasm; precipice: **shkoj drejt ~ës** ride for a fall

gremís *kl* push/ bring down ♦ **~/em** *vtv* tumble down; fall; go scampering; *ps* ♦ **~j/e, -a** *f* fall; tumbling down; collapse

grep, -i *m* hook; hairpin; latch; knitting needle; crotchet-hook; butcher's hook; hanger, peg *(of clothes); kq* pilferer: **bie në ~** take the bait; **ia hedh ~in dikujt** put the cap on sb; **ia nxjerr me ~ fjalën dikujt** hook/ force a word out of sb

Greqí, -a *f gjg* Greece ♦ **~sht** *nd* in (the) Greek (language) ♦ **~sht/e, -ja** *f* (the) Greek (language)

grérëz, -a *f zl* wasp; hornet; *bs* troublemaker: **fole ~ash** wasps' nest

grév/ë, -a *f* strike; industrial action; walk-out: **~ë urie** hunger strike; **bëj ~ë** (go on) strike ♦ **~ëthyes, -i** *m përb* strike-breaker; scab; blackleg ♦ **~íst, -i** *m* striker

gri *mb* grey; *am* gray: **qiell ~** a grey sky ♦ **~, -ja** grey *(am* gray) colour; greyness

gríf/ë, -a *f mit, zl* griffin; griffon vulture

grífsh/ë, -a *f zl* jay

grígj/ë, -a *f* herd; flock *(of sheep)*

grih *kl* whet; sharpen *(a cutting tool)*

grí/hem *vtv* quarrel; fall out with; have a row/ fight with; be hashed; be mowed down *(by gunfire); bs* tire oneself; *ps* ♦ **~/het** *ps* ♦ **~h/ë, -a** *f* whetting stone; grindstone; grinding wheel ♦ **~hës, -i** *m* grinding/ whetting wheel ♦ **~hj/e, -a** *f* whetting; grinding ♦ **grih/ój** *kl* grind; whet; hone *(a tool)*

gri/j *kl* grate; mince; hash; shred *(paper, etc.); v iii* nibble *(the food); bs* mow down *(with gunfire);* cut down; *bs* talk nonsense; *fg* be very good in (at): **~j mishin** mince meat; **më ~n koka** have a splitting headache; **u ~më nga paratë** we've spent so much money; **~j para** make stacks of money; **~j sallatë** talk nonsense

gríl/ë, -a *f* shutter; lattice(work); grille; grating

grim, -i *m* make-up ♦ **~iér, -i** *m* make-up

grím:c/ë, -a *f* particle; speck *(of dust)*; shred: **~ë alfa** *fz* alpha particle ♦ **~ím, -i** *m* crumbling; shred-

ding; scrapping ♦ **~c/óhet** *vtv, ps* ♦ **~/ë, -a** *f* crumb *(of bread, etc.);* bit; small quantity: **asnjë ~ë shpresë** not the remotest hope

grind/avéc, -e *mb* quarrelsome; ill-tempered ♦ **~avéc, -i,** *m* quarreller; cross-patch ♦ **~/em** *vtv* quarrel; fret *(of a child) v iii* scowl *(of a dog)* ♦ **~ës, -e** *mb* quarrelsome ♦ **~j/e, -a** *f* quarrel(ling); wrangle; discord; litigation: **mbjell ~e** sow discord

grip, -i *m mk* influenza; grip(pe)

grír/ë (i, e) *mb* minced; hashed; cut; worn thin: **mish i ~** minced meat ♦ **~ës, -i** *m* grinder; cutter ♦ **~ës, -e** *mb* grinding; cutting *(mb)* ♦ **~ës/e, -ja** *f* grinder; shredder ♦ **~j/e, -a** *f* cutting; mincing; shredding

gris *kl* tear; wear out; shred; tatter; scratch *(one's face, etc.);* pierce *(the silence, the mist); bs* get over with: **~ këpucët** wear out one's shoes ♦ **~grísem** *vtv, ps* ♦ **~j/e, -a** *f* tearing; shredding; rip *(in one's clothes)* ♦ **~ur (i, e)** *mb* torn; worn out; tattered; ripped; scratched; scarred: **me rroba të ~a** with torn clothes ♦ **~ur, -a (e)** *f* (të) tatter; tearing; shred; rip

grish *kl* invite; call on; appeal ♦ **~/em** *ps* ♦ **~ës, -i** *m* inviter; host ♦ **~ës, -e** *mb* inviting; invitation *(mb)* ♦ **~j/e, -a** *f* invitation

gromësí/j *kl* belch ♦ **~r/ë, -a** *f* belch(ing)

gróp/ë, -a *f* hole; gap; *gjg* depression; *an* pit *(of the stomach);* socket *(of the eye); bs* grave: **~ë e zezë** cesspool; sump; **rrugë me ~a** road full of potholes; **me një këmbë në ~ë** with one foot in the grave; **~ë e bilardos** billiard pocket ♦ **~lój** *kl* (dig a) hole in ♦ *jkl* dig a hole; bury ♦ **~ós** *kl* hole (in); bury ♦ **~ósem** *vtv, ps:* **i qenë ~ur sytë** his eyes had sunk; ♦ **~ósj/e, -a** *f* holing; hole-digging; burying; downfall ♦ **~ósur (i, e)** *mb* holed; buried; *ush* entrenched; sunken *(eyes, cheeks)*

grosh, -i *m vj* grosh *(small coin):* **llafe ~i** small talk; **s'kam asnjë ~** be penniless

grósh/ë, -a *f bt* bean: **lëng ~e** *kq* worthless person

grotésk, -u *m lt, art* grotesque ♦ **~, -e** *mb lt, art* grotesque

grúa, -ja *f sh* **gra, grátë** woman *(sh* **women***); nj* womenfolk; womankind; womanhood; wife; spouse: **~ e re/ plakë** a young/ an old woman; **zë ~je** womanly voice; **burrë e ~** husband and wife; **~ e ligjshme** lawful/ wedded wife; **marr për ~** marry; wife ♦ **~gruár, -i** *m* woman-monger; womaniser

grúmbu/ll, -lli *m* heap; pile; stack; bank; crowd: **~ bore/ rërë** snow/ sand bank; **~ shtëpish** a cluster of houses ♦ **~ll** *nd* in heaps; in piles; in stacks; in crowds; **mbledh ~** heap up; stack; **ia jap** put it flatly sb ♦ **~ím, -i** *m* accumulation; collection; amassment: **vendi i ~it** meeting/ rallying place ♦ **~lóhem** *vtv, ps:* **më është ~uar puna** work has piled up on me ♦ **~lój** *kl* collect; gather;

amass; rally *(forces, troops);* procure; accumulate ♦ **~úes, -i** *m* collector; procurer *(of products)* ♦ **~úes, -e** *mb* procuring; purchasing *(firm)*

gru:nór, -e *mb* wheaten ♦ **~njëra, -t** *f sh* wheat crop; wheat-field; cereals ♦ **~njtë (i, e)** *mb* wheaten; gold-brown *(colour)*

grup, -i *m* group; party; cluster; battery, unit *(of artillery, etc.); tk* batch: **~ aeroplanësh** a flight of aircraft; **~ zbuluesish** a scouting party; **~ gjaku** blood group; **~ shtëpish** a cluster of houses ♦ *nd* in a group ♦ **~armátë, -a** *f ush* army group ♦ **~ásh, -i** *m* factionalist ♦ **~ázh, -i** *m* faction ♦ **~ím, -i** *m* group(ing); division into groups ♦ **~mósh/ë, -a** *f* age group ♦ **~óhem** *vtv, ps* ♦ **~lój** *kl* group; arrange in groups; cluster

grúr/ë, -i *m bt* wheat: **kalli ~i** wheat ear; **e kam ~ë me dikë** be in the best of terms with sb; **shkon puna ~ë** work is going smoothly/without a hitch

grusht, -i *m* fist(icuffs); punch; *fg* blow; fistful; *pl* coup: **ha një ~** take a blow; **qëlloj me ~** hit a blow; **~ i rëndë/ dërrmues/ i fundit** heavy/ telling/ finishing blow; **një ~ lajthi** a handful of hazelnuts; **një ~ para** a tidy sum; **fitoj para me ~e** make fistfuls of money; **~ shteti** coup d'état; **mblidhem ~** cower down; shrivel ♦ **~ím, -i** *m* fisticuffs; blow; *sp* punch(ing) *(of the ball)* ♦ **~lój** *kl.sp* punch *(the ball)*

gryk:as *nd* up to the neck; full the brim; in an embrace ♦ **~áshk/ë, -a** *f* pinafore; bib ♦ **~/ë, -a** *f* throat; neck; *bs* mouthful; gulp; *tk, ush* muzzle *(of the gun, etc.); mk bs* tonsils; neck *(of a dress); gjg.* mouth *(of a river); fg* best part of *(a dish); bs* mouth; *kq* trap: **më dhemb~a** have a sore throatoat; **më mblidhet lëmsh në ~ë** have a lump in one's throat; **~ë e shishes** bottle neck; **mbush gjer në ~ë** fill the brim; **një ~ë ujë** a gulp of water; **kam pesë ~ë për të ushqyer** have five mouths feed; **kyçe ~ën!** shut your trap! **i hidhem në ~ë dikujt** jump at sb's throat; **jam në borxh deri në ~ë** be up one's neck in debt; **~ët e bardha, ~a e keqe/ e ligë** *bs* diphtheria ♦ **~ës, -i** *m* glutton ♦ **~ës, -e** *mb* gluttonous; greedy ♦ **~ës/e, -ja²** *f* pinafore; bib *(for children)* vest; neckband; collar; attachable collar; neck of the stocking ♦ **~ësí, -a** *f* greediness; gluttony ♦ **~ór, -e** *mb* greedy ♦ *em* glutton ♦ **~ór, -e** *mb gjh* guttural *(sound)* throaty *(voice)* ♦ **~ór/e, -ja** *f* pinafore, bib *(for children);* apron; gorget

grym *kl/ shih* **grymos** ♦ **~/em** *vtv v iii* rot; *ps:* **iu ~të shpirti!** may his soul rot in hell! ♦ **~ët (i, e)** *m* rotten; accursed; damned ♦ **~ós** *kl* curse; damn; weaken ♦ **~ósem** *vtv v iii* rot; *ps*

grrem:ç, -i *m* hook; peg: **ia gjej ~in** get the hang ♦ **~tas** *nd* with a bend; crookedly

guác/ë, -a *f zl* oyster

gúa/ll, -lli *m* shell; carapace: **~lli i breshkës** tortoise shell

guásk/ë, -a *f* shell; pod; sea-shell; carapace: **~ë e arrës** nutshell; **mbyllem në ~ën time** retire into one's own shell

gudulí, -a *f* tickling; titillation ♦ **~s** *kl* tickle ♦ **~em** *vtv* be tickled; feel ticklish ♦ **~sës, -e** *mb* tickling; ticklish; titillating ♦ **~sj/e, -a** *f* tickling; titillation

gueríl, -e *mb* guer(r)illa *(warfare)* ♦ **~j/e, -a** *f* guer(r)illa fighter/ unit

guf:á/s *kl* swell; puff up ♦ **~átem** *vtv* swell; rise; *bs* strut about; boast ♦ **~ím, -i** *m* swell(ing)

gúfk/ë, -a *f* flock *(of hair);* tuft *(of grass); fg* chubby little girl

guf/óhet *vtv* be swollen; rise *(of the sea) ps* ♦ **~lój** *jkl v iii* rise; gush, shoot forth/ up/ out *(of water);* sprout, grow; *v iii fg* swell; *v iii fg* be luxuriant *(of vegetation):* **më ~on zemra** my heart swells *(with pride, etc.)* ♦ **~** *kl* puff up *(the hair)*

gufósk/ë, -a *f* cave; cavern

gúga, -t *f sh* babble; cooing *(of a child)*

gugásh, -i *m zl* wood pigeon

gug:át *jkl* babble *(of a child);* coo; titter; chortle ♦ **~átj/e, -a** *f* babbling; cooing; titter; chortle

gugú: ç/e, -ja *f zl* turtle-dove; *fg* ducky; dearie; darling ♦ **~ftú, -ja** *f zl* ring-dove; *fg shih* **~úç/e, -ja** ♦ **~sh, -i** *m zl* male ring-dove ♦ **~sh/e, -ja** *f zl* ring-dove

guhák, -u *m zl* wood-pigeon; *kq* gawk; simpleton; lout; dimwit

gulç, -i *m nj* gasp; grunt; gust *(of wind);* drought *(of air); fg* greed; lust ♦ **~ím, -i** *m* hard breathing; panting; wheezing ♦ **~lóhem** *vtv e* **gulçoj;** loath; *ps* ♦ **~lój** *jkl* pant; gasp; grunt; *v iii* labour; pant; worry; *fg* lust; desire; *v iii* gush out (forth) *(of liquids):* **motori ~onte në të përpjetë** the engine laboured uphill

gúlf/ë, -a *f* gush; outburst

gúm/ë, -a *f* reef; submerged cliff (rock)

gumëzhí:m, -i *m dhe* **~m/ë, -a** *f* drone; buzz; hum ♦ **~/n** *jkl/ -u, -rë* drone; buzz, hum; *fg* bubble: **~jnë bletët** the bees are humming; **më ~inë veshët** my ears are ringing ♦ **~t** *jkl shih* **~ín** ♦ **~tj/e, -a** *f* hum(ming); buzz(ing)

gun/ë, -a *f* cape; *fg* mantle: **nën ~ë** underhand; on the sly; under the counter; **kthej ~ën nga fryn era** see which way the cat jumps

gung:áç, -i *m* hump/ hunch/ crook-back ♦ **~áç, -e** *mb* hump-backed; gibbous; *bt* tuberous *(root)* ♦ **~/ë, -a** *f* bump; hump; knot; knur; hillock; rise; *mk* scrofula: **deve me dy ~a** two-humped camel; **~a e kurrizit** the hump of the back ♦ **~ë** *mb* strong; sturdy; robust; *fg* stubborn ♦ **~ës, -e** *mb* hardshell *(walnut)* ♦ **~ët (i, e)** *mb* humpy; humped ♦ **~óhem** *vtv, ps*

gur, -i *m* stone; piece; pawn *(in chess);* dice *(in board games) bs* weight; *mk* calculus: **~ i çmuar**

gem; precious stone; **~ kufiri** border landmark; **~ prove** touchstone; **orë me 21 ~ë** watch with 21 jewels/ rubies; **~ në tëmth** *mk* biliary calculus; **~ një kilogramësh** weight of one kilo; **e dinë edhe ~ët e rrugës** it is the talk of the town; **e nxjerr nga ~i diçka** be very resourceful; **hedh/ vë~ në rrota** put spokes into sb's wheel; **nuk lë ~ mbi ~** not leave a stone standing; **me një ~ vras dy zogj** hit two birds with one shot; **mur ~i** stone wall ♦ **~** *nd:* **~ i fortë** very hard; **bëhet ~** harden up; grow hard *(of feelings)*

gurabíj/e, -a *f gjell* short-cut biscuit

gur:acák, -e *mb* stony; full of stones; hard; sinewy; wiry ♦ **~açók, -ü** *m* pebble; marble ♦ **~açókthi** *nd* : **luaj ~** play marbles ♦ **~aléc, -i** *m* pebble; marble ♦ **~ës, -e** *mb* hard *(nut);* hard-shelled; *fg* stony ♦ **~gác, -i** *m* flintstone

gurgulé, -ja *f* hubbub; commotion

gurgull:ím, -i *m* gurgle; gurgitation ♦ **~ím/ë, -a** *f* gurgling; gurgle ♦ **~/óhet** *ps* ♦ **~lój** *jk/ v iii* gurgle; bubble: **~on përroi** the stream gurgles ♦ *kl km* gurgle; bubble;

gur:íshtl/e, -a *f* stony ground ♦ **~je** *mb:* **qershi ~** stone cherry

gur:káli *m km bs* blue stone ♦ *mb* blue-green *(colour)* ♦ **~mác, -i** *m* marble; pebble ♦ **~mácthi** *nd* : **luaj ~** play marbles

gurmáz, -i *m an* (o)esophagus; gullet; *bs* throat

gurnéc, -i *m zl* white roach

gur:ór/e, -ja *f* stone quarry/ pit ♦ **~ós** *kl* turn into stone; petrify ♦ **~/ósem** *vtv* ♦ **~ósj/e, -a** *f* turning into stone ♦ **~të (i, e)** *mb* stony; hard; petrified; *fg* hardened; stone-like: **mur i ~** stone wall

gúrr/ë, -a *f* stream; spring; source *(of a river);* origin; beginning: **~ë lotësh** streams of tears; **~ë e frymëzimit** source of inspiration ♦ **~ë** *nd* in streams

gúsh/ë, -a *f* neck; throat; gullet; chin; breast *(of birds);* crop, craw, maw, pouch *(of the pelican and other birds);* mk goitre; *ush* cartridge chamber; magazine holder: **~ë me rrathë** double chin; **gjëndrra e ~ës** goitre; **~ë për/ më ~ë** cheek by jowl; **zë/ marr në ~ë** hug; embrace

gush:ít *k/* gut; cut; slit *(sb's throat);* gash: **~ peshkun** gut a fish ♦ **~ít/et** *ps* ♦ **~/óhet** *ps e* **gushoj**

gushór/e, -ja *f* necklace; pinafore; bib *(for children);* collar; neckband

gusht, -i *m* August ♦ **~ovjésht/ë, -a** *f* late summer and early autumn

guvernatór, -i *m* governor

gúv/ë, -a *f* hole; hollow; cavern

gux:ím, -i *m* courage; boldness; daring; **marr ~in të** make bold ♦ **~ímsh/ëm (i), -me (e)** *mb* courageous; audacious; **plan i ~ëm** a daring plan ♦ **~imtár, -i** *m* courageous person: **~ kokëkrisur** dare-devil ♦ **~imtár, -e** *mb* courageous; bold; daring ♦ **~/ój** *jk/* dare; make bold: **si ~on?** how dare you!

gúzhm/ë, -a *f* connecting ring *(of the plough);* rowlock; oarlock; snow-shoes: **i vë ~ën dikujt** put sb in a fix; drive sb hard *(for sth)*

gyp, -i *m* pipe; tube; conduit; *an, b/* duct; shaft *(of a feather);* scroll *(of paper):* **~ uji** water pipe; **~i i sobës** stove-pipe

Gj

gjah, -u *m* hunt(ing); shoot(ing); game: **dal për ~**
go hunting (for); *fg* hunt down ♦ **~tár, -i** *m* hunter;
huntsman
gjak, -u¹ *m* blood; bloodstains; *fg* bloodshed; *nj*
blood-feud; (blood) relation; temper: **~u s'bëhet
ujë** *fj u* blood is thicker than water; **e kam në ~
diçka** have sth in one's blood; **~u i ~ut tim** my
own flesh and blood; **ftoh ~rat** cool tempers; **ia
ngrij ~un dikujt** freeze sb's blood; **më shkon
~ për hundësh** bleed in the nose; **s'e prish ~un**
keep one's cool; **rruazë e ~ut** blood cell ♦ *mb*
bleeding; bloody; bloodstained; blood-red ♦ *nd:*
~ i kuq/ i kuq ~ blood red; deep red
gja/k, -ku² *m* blood feud
gjak:atár, -e *mb* sanguinary; bloody; bloodthirsty
♦ **~dérdhj/e -a** *f* bloodshed; bloodbath ♦ **~le, -a**
f gjll blood sausage ♦ **~ës, -i** *m* killer *(in a blood
feud);* murderer; assassin ♦ **~í, -a** *f* blood feud ♦
~ësór, -i *m* murderer; bloodthirsty person ♦
~ftóhtë *mb* cool-tempered; composed; *zl* cold-
blooded *(animal)* ♦ **~ftohtësí, -a** *f* sangfroid; cool-
ness; composure; aplomb: **me ~** in cold blood;
with aplomb ♦ **~nxéhtë** *mb* hot-blooded; hot/ -
tempered ♦ **~nxehtësí, -a** *f* hot-temper ♦ **~ós** *kl*
bleed; smear with blood ♦ **~/em** *vtv, ps* ♦ **~j/e, -a**
f bleeding; staining with blood ♦ **~ur (i, e)** *mb*
bleeding *(wound);* blood-stained
gjálm/ë, -i *m* thong; twine; string
gjálp/e, -i *m* butter: **e kam ~ë me dikë** be in the
best of terms with sb ♦ **~ë, -t** *as* butter
gjall:és/ë, -a *f* living being; livelihood ♦ **~/ë, -i (i)** *m*
(the) living: **të ~ët dhe të vdekurit** the living and
the dead ♦ **~ë, -t (të)** *as* life; living; existence: **për
të ~ë të tij** in his lifetime ♦ **~ë (i, e)** *mb* living;
(a)live; animate; *fg* lively; vivid *(description);* *fg*
strong; deep; keen; sharp; raw, undone, under-
done *(meat);* just like: **baltë i ~ë** smeared with
mud all over; **gjë e ~ë** living thing; livestock; **mish
i ~ë** raw flesh; underdone meat; **përshtypje e**

~ë a vivid impression; **plagë e ~ë** sore wound ♦
nd/ alive; living; in life; *fg* vividly; colourfully; quite;
very: **sa të jem ~** as long as I live; **~ i ati** very
much like his father; **~ a vdekur** alive or dead ♦
~ërí, -a *f* liveliness; vivacity brightness *(of colours)*
life, existence; briskness *(of trade, etc.)* ♦ **~ërím,
-i** *m* animation; invigoration ♦ **~érísht** *nd* vividly;
vivaciously; energetically; vigorously ♦ **~ër/óhem**
vtv ♦ **~ër/ój** *kl* **óva, -úar** *v iii* revive; enliven; in-
vigorate; animate ♦ **~érúes, -e** *mb* vivifying; in-
vigorating; animating ♦ **~i (së)** *nd:* **tundu për së
~** look alive; **për së ~** in one's lifetime ♦ **~ím, -i**
m existence; life ♦ **~j/e, -a** *f* lifetime: **me ~e të tij**
in his lifetime; while he was alive living ♦ **~/ój** *jkl*
óva, -úar: ~oj me të keq scrape/ grub along
gjaní, -a *f fz* frequency
gjárp/ër, -ri *m zl* snake; serpent: **më zë ~ri** be in a
fix ♦ **~érím, -i** *m* winding; twisting; *sh* sharp bend
(of the road); meandering *(of the river)* ♦ **~ér/ój** *jkl*
wind; meander; turn ♦ **~érúes, -e** *mb* winding
(road); meandering *(water course);* sinuous ♦
~érúsh, -e *mb:* **vijë ~e** sinuous line
gjás/ë, -a *f* possibility; likelihood: **pas gjithë ~ave**
according all signs; very likely
gjásht/ë, -a *f* six ♦ **~ë** *nmnm thm* six: **është me ~ë
gishta** he is a light-fingered one ♦ **~/ë** *prmb* **- (të),
~a (të): erdhën që të ~ë** all the six of them came
♦ **~ë** *nm rrsht* six: **dhoma ~ë** room (number) six
♦ **~ë (i, e)** *nm rrsht* sixth ♦ **~/ë, -a** *em f* (one) sixth;
sixth (part of) ♦ **~/ë, -i** *em* sixth: **dal i ~i** arrive
sixth; arrive in the sixth place; be paced sixth ♦
~dhjétë *nm thm* sixty ♦ *nm rrsht* sixty: **vitet ~**
the sixties ♦ **~dhjétë (i, e)** *nm rrsht* sixtieth ♦
~dhjét/ë, -a *em* (one) sixtieth; sixtieth (part of);
(të): mbush të ~t complete sixty (years of age) ♦
~mbëdhjétë *nmnm thm* sixteen ♦ **~** *nm rrsht*
sixteen(th): **dhoma ~** room sixteen ♦ **~ (i, e)** *nm
rrsht* sixteenth ♦ **~** *em f* (one) sixteenth; sixteenth
(part of) ♦ **~ësh, -e** *mb bs* group of six; sextet; *sht*

six *(size of type)* ♦ ~ *nd* in six parts; in six ♦ ~**/e, -ja** *f* group of six; sextet

gjat:ahúl, -e *mb kq* tallish; lanky; weedy; spindly *em* tallish person; spindleshanks ♦ **~amán, -e** *mb bs* tallish; tall and thin ♦ **~as** *dhe* **~azi** *nd* lengthways; lengthwise; at length; in great length ♦ **~/ë (i, e)** *mb* long; prolonged; lengthy; tall: **burrë i ~ë** a tall man high; **e kam dorën të ~ë** be overbearing; be ready with one's fists; be light-fingered; **nuk e kam të ~ë** be nearing one's end; **pa e bërë të ~ë** without hesitating; neck and crop; **s'ia bëj të ~ë dikujt** cut sb short; not stand on ceremony with so; **valë të ~a** *rd* long waves; long waveband ♦ **~ë** *nd* while; a long time; *(me më)* longer; any longer; further: ~ **e gjerë** in full length; in great detail; **sa gjerë ~** in full length; **i bie ~** take the long way: **shkon ~** last long; take a long time ♦ **~ë** *prfj:* ~ **rrugës** along the road; on the way; ~ **darkës** in the course of dinner ♦ **~ësí, -a** *f* length; height; tallness; duration; *gjg* longitude: **~a dhe gjerësia** length and width; **~a e valës** *fz* wave length ♦ **~ësór, -e** *mb* lengthwise ♦ **~i (së)** *nd* lengthwise; in length; long: **pres së ~** cut lengthways; **tre metra së ~** three meters long ♦ **~ósh, -e** *mb* tall; rather tall; tallish; prolonged

gjedh, -i *m dhe* **-e, -et** cattle: **mish ~i** beef

gjédh/e, -ja *f* specimen; sample; swatch; selection

gjé/j *kl* find; befall; consider; get; arrive at; have: **e ~tën fëmijën** the child was found; **ç'e ~ti!** hard luck him!; **ç'të ~ti?** what took you?; **~j miratim** meet with approval; **ia ~j rastin** get the opportunity; **e ~j fjalën me dikë** find the common language with so; **~j Amerikën** strike oil; hit the jackpot ♦ *pvt* be found; meet with; apply : **~n zbatim** be implemented/ applied

gjel, -i *m zl* cock; rooster; *fg* cocky person; cock of the walk; weather-cock; popcorn: **jam ~** be topdog; ~ **deti** *zl* turkey cock

gjelamán, -i *m zl* peacock butterfly; swallow-tail

gjélb/ër, -ra (e) *f* green: **e ~ e hapët** light green ♦ **~ër (i, e)** *mb* green; fresh: **tryezë e ~** green table; table of negotiations ♦ **~ërím, -i** *m* greenness; verdure; green area *(of a city)* ♦ **~ërohet** *vtv, ps* ♦ **~ër/ój** *jkl v iii* be (become) green ♦ *kl* green; make/ paint green ♦ **~ërósh, -e** *mb* green(ish) ♦ **~ërsí, -a** *f* greenness; verdancy ♦ **~ërúar (i, e)** *mb* green; verdant

gjéll/ë, -a *f* meal; dish: **~ë e parë** first dish; starter ♦ **~ëbërës, -i** *m* cook ♦ **~ëtarí, -a** *f* cooking; culinary art ♦ **~tór/e, -ja** *f* eating-house; restaurant

gjemb, -i *m* thorn; prickle; thistle; spine *(of a hedgehog);* barb *(of the barbed wire);* (fish)bone: **jam (rri) si mbi/ në ~a** sit on pins and needles; ~ **në këmbë** Scot free ♦ **~áç, -i** *m bt* thistle thorn; prickle; *zl* hedgehog ♦ **~ásh, -e** *mb* thorny; prickly

gjemí, -a *f vj* sail-boat ♦ **~tár, -i** *m vj* sailor

gjen, -i *m bl* gene

gjénd/em *vtv* be; be situated in; lie; turn up *(at an inopportune moment);* find oneself in *(a situation); v iii* be considered *((correct, etc.):* **~et larg** it is far; **u ~a ngushtë** I found myself in a difficult position; **s'më ~en të vogla** I do not happen have small change with me; **nuk i ~et filli** it is a real tangle; **i ~em dikujt në hall** help sb in need ♦ **~j/e, -a** *f* situation; condition; standing; presence: **~e e vështirë** a difficult situation; **në ~e të mirë** well-off; in easy circumstances; **~e mendore** state of mind; **~e civile** civil status; **zyrë e ~es civile** registry; **jam në ~e** be well-do; be able ♦ **~ur (i, e)** *mb bs* helpful; obliging

gjenealogjí, -a *f* genealogy; lineage ♦ **~k, -e** *mb* genealogical *(tree)*

gjenerál, -i *m ush* general

gjenerátór, -i *m tk* generator

gjen:etík, -e *mb* genetic(al) ♦ **~etík/ë, -a** *f* genetics *(me folje në njëjës)* ♦ **~ëz/ë, -a** *f* genesis

gjení, -a *f* genius; talent ♦ **~, -u** *m* genius ♦ **~ál, -e** *mb* ingenious; clever; bright *(idea)*

gjenocíd, -i *m* genocide

gjeo:grafí, -a *f* geography ♦ **~grafík, -e** *mb* geographic(al): **atlas ~ i botës** world atlas; **fjalor ~grafik** gazetteer ♦ **~logjí, -a** *f* geology ♦ **~logjík, -e** *mb* geologic(al) ♦ **~mét/ër, -ri** *m* landsurveyor ♦ **~metrí, -a** *f* geometry ♦ **~metrík, -e** *mb* geometric(al)

Gjeorgjí, -a *f gjg* Georgia ♦ **~án, -e** *mb* Georgian ♦ **~án, -i** *m* Georgian ♦ **~sht** *nd* (in) Georgian (language) ♦ **~sht/e, -ja** *f* Georgian (language)

gjep, -i *m* spool; winder; bobbin

gjépur, -a *f* nonsense: **flas ~a** talk nonsense/ bunkum

gjer *prfj, pj:* ~ **më sot/ tani** until today/now; up this day (moment); ~ **në gju** knee-high; knee-deep

gjér:as *dhe* **~azi** *nd* in breadth; in width; in great length

gjerb *kl* sip *(coffee, etc.)* ♦ **~ë, -a** *f* sip *(of tea, etc.);* eaves leak *(of the roof)* ♦ **~lój** *kl* sip ♦ *jkl v iii* leak: **~on çatia** the roof leaks

gjerdán, -i *m* necklace; cartridge belt

gjérdh:e, -t *sh i* **gardh, -i** ♦ **~isht/ë, -a** *f* hedge

gjér/ë (i, e) *mb* broad; wide; spacious; roomy; *fg* liberal; generous; extensive: **dy metra i ~** two meters wide (in width); **me zemër të ~** with a generous heart ♦ **~ë** *nd* in breadth; *fg* broadly; extensively: **më bien ~ rrobat** the clothes fit me loosely; ~ **e gjatë** at/ in great length; **bie sa ~ gjatë** fall flat ♦ **~ësí, -a** *f* breadth; width; liberality; generosity; *gjg* latitude: ~ **dhe gjatësi** breadth and length ♦ **~ësísht** *nd* broadly; widely; extensively

gjergjéf, -i *m* embroidery frame/ hoop

gjéri (së) *nd* in width; across

gjermán, -e *mb* German ♦ **~, -i** *m* German ♦ **Gj~í, -a** *f gjg* Germany ♦ **~ísht** *nd* in (the) German (language) ♦ **~ísht/e, -ja** *f* (the) German (language)

gjersá *ldh:* **e kërkuan ~ e gjetën** they searched for him till they found him; **~ e do, mbaje** since you want it, you may keep it

gjest, -i *m* gesture: **~ bujar** a generous gesture

gjetíu *nd* elsewhere; somewhere else: **e kisha mendjen ~** my mind was not there

gjét:j/e, -a *f* finding (out) ♦ **~ur (i, e)** *mb:* **fëmijë i ~** foundling; **figurë e ~** happy figure of speech

gjeth, -i *m* leaf; leafage; foliage: **çeli ~i** the trees are leafing ♦ **~gjéth/e, -ja** *f* leaf *(sh* **leaves***); prmb shih* **gjeth, -i: ~e të thata** dead/ dry leaves; **pa ~e** leafless; **dridhem si ~e plepi** shake like a(n aspen) leaf ♦ **~urína, -t** *f sh* fallen/ dead leaves

gjevrék, -u *m* breadstick; saltstick

gjezdís *jokal, kl bs* stroll; travel; show *(so)* about

gjë, -ja *f* thing; stuff; matter; question; livestock; *nj* possession; belongings: **~ e bukur** a pretty thing; **~ e ndyrë** an ugly customer; **~ e vështirë** difficult matter; **~ e vogël** trifle; **je ~ me të?** are you related with him?; **pa ~ të keqe** as if nothing were wrong; offhandedly; **pazari i ~ve** livestock market; **s'ka ~ të rëndë** there is nothing serious with him; **~ prej ~je** nothing at all; **s'ka ~** it's nothing; it doesn't matter; **të falem nderit! - s'ka ~!** thank you - you're welcome ♦ **~ pkf** anything: **a pe ~?** did you notice anything?; **s'do të thotë ~** it means nothing ♦ **~ pj: më kërkove ~?** were you looking for me?; **fole ~?** did you say anything?

gjë:egjëz/ë, -a *f* puzzle ♦ **~kúndi** *nd:* **nuk dukej ~** he was nowhere to be seen; **nuk e marr vesh ~** I do not understand anything at all; **s'është ~** he is nowhere near it; he is all over the place

gjëm/ë, -a[1] *f* calamity; lament: **bëj ~ën po deshe!** do your worst!

gjëm/ë, -a[2] *f* thunder; peal of thunder ♦ **~ím, -i** *m* rumble; roar; peal *(of thunder, etc.)* ♦ **~imtár, -e** *mb* rumbling; roaring ♦ **~lój**[1] *jkl pvt* thunder; *v iii* roar; rumble: **~on deti** the sea thunders; **më ~ojnë veshët** my ears are ringing loudly

gjëm/ój[2] *kl, jkl* chase; follow; stalk *(a woman):* **i ~oj këmba-këmbës dikujt** follow sb at his heels; give a hot pursuit so

gjënd/ër, -ra *f an* gland ♦ **~ërór, -e** *mb an* glandular

gjësénd(i) *plk* something; anything; **të dha ~ për mua?** did he give you anything for me?; **hiç ~** nothing at all

gjëz/ë, -a *f* puzzle; conundrum; quiz: **~ë muzikore** musical quiz

gjí, -ri *m* bosom; breast; *gjg* bay; inlet: **shtrëngoj në ~** clasp one's breast; **ushqej me ~** breastfeed *(a child);* **nga ~ri i dheut** from the bowls of the earth

gjigánt, -i *m* giant ♦ **~, -e** *mb* gigantic; huge

gjilpër/ë, -a *f* needle; *tk* pin; injection, syringe; spine *(of a hedgehog):* **~ë e gramafonit** gramophone stylus/ needle; **~ë me kokë** pin; **bëj një ~ë** *bs* have a jab; **kërkoj ~ën në kashtë** search for a needle in a haystack; **shkoj ~ën** thread a needle; **shpëtoj për një majë ~e** have a narrow escape ♦ **~ýer, -i** *m* packing needle; awl

gjimnást, -i *m* gymnast ♦ **~ík/ë, -a** *f* gymnastics ♦ **~ikór, -e** *mb* gymnastic

gjimnáz, -i *m* secondary general school; comprehensive school; high school ♦ **~íst, -i** *m* secondary/ high school student

gjind, -të *m sh bs* folk ♦ **~/e, -ja** *f prmb bs* people; crowd

gjíndsh/ëm (i), -me (e) *mb* helpful; serviceable; obliging

gjinekoló:g, -u *m* gyn(a)ecologist ♦ **~gjí, -a** *f mk* gyn(a)ecology ♦ **~gjík, -e** *mb mk* gyn(a)ecologic(al)

gjinésht/ër, -ra *f bt* gorse

gjiní, -a *f* family; race; kind; *bi* genus; *gjh* gender; sex; *lt* genre: **~a njerëzore** human kind/ race

gjinkáll/ë, -a *f zl* cicada; buzzer; *am* locust; *bs* chatterbox

gjinór, -e *mb:* **organe ~e** genitals; **rasa ~e** *gjh* the genitive case ♦ **~/e, -ja** *f gjh* genitive (case)

gjips, -i *m min* gypsum

gjiráf/ë, -a *f zl* giraffe

gjiríz, -i *bs* sewer; cesspool

gjitár, -i *m zl* mammal ♦ **~, -e** *mb* mammalian

gjith:andéj *nd* everywhere; all over ♦ **~ánsh/ëm (i), -me (e)** *mb* all-sided; all-round; versatile; comprehensive: **vështrim i ~** overview ♦ **~ashtú** *nd* also; too; in the same manner; similarly ♦ **~çká** *pkf* everything: **ajo është ~ për të** she means everything him ♦ **~çmós** *pkf bs* everything; every sort of thing: **ai ka parë ~ me sy** he has seen of every colour ♦ **~ë** *pkf* all; whole; everything; everyone, everybody; full of; each; every: **~ bota** the whole world; **~ hir** full of grace; gracefully; **~ jetën** all one's life**~ sa ishin** everyone present; **me ~ zemër** with all one's heart; wholeheartedly ♦ **~ë** *pj* quite like; very much like; just: **~ hundë e buzë** with a long face; **~ sy e veshë** all eyes and ears ♦ **~/ë (i, e)** *pkf* all; whole; everybody: **i ~ fshati** the whole village; **rekord i të ~a kohëve** an all-time record ♦ **~ë (të)** *sh m,* **~a (të)** *f:* **kjo është e ~a** that's all; this is everything *(I have);* **mbi të ~a** above everything; above all; **para së ~ash** first of all/ and foremost ♦ **~ë-gjíthë** *nd bs* all in all; all told ♦ **~ësí, -a** *f* universe ♦ **~ësísh/ëm (i), -me (e)** *mb* universal ♦ **~fárë** *dhe* **~farëllój** *pkf* various; diverse; all kind of ♦ **~farëllójsh/ëm (i), -me (e)** *mb* various; diverse; of all kinds; miscellaneous ♦ **~fárësh** *mb* diverse; indiscriminate; of ♦ **~kúnd** *nd* everywhere; in all places; all over ♦ **~kúsh** *pkf* everyone, everybody ♦ **~mónë** *nd* always; at all times: **ai vjen ~ në kohë** he is always punctual ♦ **~një** *nd* always; ever; constantly; still: **~ në rritje** on the up and up; **~ po aty** still there ♦ *pj* ever: **~ e më lart** higher and higher; ever higher ♦ **~qýsh** *nd* all in all; totally; in total ♦ **~secíl/i, -a** *pkf* each one; every one ♦ **~séj** *nd* in all; in total; as a whole; wholly; entirely: **sa jemi ~?** how many are we in all? ♦ *pj* only; exclusively: **mbaroj (me) ~** be totally helpless; it's all over ♦ **~sekúsh** *pkf* each one; everyone ♦ **~sesí** *nd* anyhow; in any case; at all costs; in detail; at great length: **do të kthehem ~** I'll be back regardless

gjíz/ë, -a *f* curdle cheese: **m'u prish ~a** *tll* i don't care a fig

gjób/ë, -a *f* fine; ticket; penalty: **i vë ~ë dikujt** fine so; give sb a ticket ♦ **~ít** *k/* fine; impose a penalty ♦ **~ítem** *ps* ♦ **~ítj/e, -a** *f* fining

gjója *pj bs* allegedly; supposedly: **bëj ~** make believe; **~ se** pretending that

gjoks, -i *m* chest; breast; bosom: **~ i gjerë** broad chest; **shtrëngoj në ~** clasp one's chest; **~ pule** *gjell* chicken breast; **i vë ~in punës** put one's shoulder the wheel ♦ **~ór/e, -ja** *f* breastplate; breastband *(of a harness);* bra; *ush* bandoleer

gjol, -i *m bs* lake; swamp

gjór/ë (i, e) *mb, em* unfortunate; wretch(ed); poor devil

gju, -ri *m* knee; *sh* sinews; clot; energy: **kupë e ~rit** knee-cap; **më ~një** on one's knees; **gjer në ~** knee-deep; knee high

gjúaj *k/* hunt; shoot; *fg* await *(one's opportunity);* throw *(a ball, etc.):* **~ peshk** fish; **s'lë rast pa ~tur** grab every opportunity ♦ *jokal:* **~ fort** hit hard ♦ **~tës, -i** *m* hunter; *av ush* fighter aircraft/plane: **~s reaktiv** jet fighter ♦ **~tj/e, -a** *f* hunting, shooting; hit; kick; shot; stroke

gjue:tár, -i *m* hunter; shooter ♦ **~tár, -e** *mb* hunting *(mb)* ♦ **~tí, -a** *f* hunting; shooting

gjúhc/ë, -a *f zl* bleak

gjúh/ë, -a¹ *f* tongue; *gjg* strip of land *(into the sea);* clapper *(of the bell):* **~ë e ligë** evil tongue; **e kam ~ën brisk** have a sharp tongue; **e kam në majë të ~ës** have sth on the tip of one's tongue; **jam i ~ës** have a glib tongue; **kam ~ë** *kq* be talkative/garrulous; **më lidhet ~a** become tongue-tied

gjúh/ë, -a² *f* language; tongue; *bs* speech; dialect; idiom: **~ë amëtare** mother tongue; **thyej ~ën** wag one's tongue ♦ **~ësí, -a** *f* linguistics *(me folje në njëjës)* ♦ **~ësór, -e** *mb* linguistic ♦ **~ëtár, -i** *m* linguist

gjúhëz, -a *f* tongue; clapper *(of the bell)* tongue *(of the flames);* an glottis *zl* bleak

gjullurdí, -a *f bs* bedlam; pandemonium; great con-

fusion

gjum:ásh, -e *mb* slug-a-bed; sleepy-head ♦ **~/ë, -i** *m* sleep; slumber: **bëj një sy ~ë** have forty winks; **më vjen ~ë** feel sleepy ♦ **~ësí, -a** *f* sleepiness; somnolence; slumber

gjúnj:as *nd* on one's knees; **bie ~** fall on one's knees ♦ **~zi** *nd shih* **gjunjas** ♦ **~ës/e, -ja** *f* kneepad ♦ **~ëzím, -i** *m* kneeling; kow-towing; submission ♦ **~ëzóhem** *vtv* kneel; kow-tow; submit ♦ **~ëzój** *k/* reduce submission

gjurm/ë, -a *f* (foot)print track; trace; *sh* vestiges, traces; *sh fg* impression; imprint; sole *(of the sock, of the stocking):* **fsheh ~ët** cover one's traces; **lë ~ë** make an impression; leave an imprint on; **pa lënë ~ë** disappear without a trace ♦ **~ím, -i** *m* tracking down *(of game, etc.)* investigation search ♦ **~óhem** *ps* ♦ **~ój** *k/* track; pursue; shadow *fg* investigate into ♦ **~úes, -i** *m* pursuer; pathfinder

gjyk:át/ë, -a *f dr* (law) court; court of justice; tribunal: **~ë e lartë** high court of justice; supreme court; **~ë ushtarake** court-martial; military tribunal ♦ **~atës, -i** *m dr* judge; *fg* arbiter ♦ **~ím, -i** *m dr* trial; judgement; *fg* assessment: **~ i shëndoshë** sound judgement; **~ i nxituar** snap judgement ♦ **~/óhem** *vtv bs* dispute; wrangle *(with so); pvt, ps* : **po të ~t pas fjalëve të tij** if we were judge by what he says ♦ **~/ój** *k/* judge; size up; assess: **~oj gjendjen** size up the situation; **si e ~on ti këtë?** how do you find this? ♦ *jk/* think; argue; *dr try;* judge; sit judgement over; *sp* referee; umpire ♦ **~úar, -i (i)** *m dr* defendant ♦ **~úes, -e** *mb* judicatory; judicial ♦ **~úes, -i** *m* judge; arbiter; arbitrator; umpire ♦ **~úesh/ëm (i), -me (e)** *mb* reasonable; rational; judicious

gjýl/e, -ja *f vj* cannon-ball; *sp* shot: **hedhje e ~es** shot-put

gjym, -i *m* kettle; jug: **bie shi me ~a** rain in buckets

gjýmt/ë (i, e) *mb* crippled; maimed; mutilated; *fg* incomplete; lop-sided ♦ **~ím, -i** *m* maiming; mutilation; crippling disfigurement ♦ **~óhem** *vtv, ps* ♦ **~/ój** *k/* cripple; limb; maim; mutilate ♦ **~úar (i, e)** *mb* crippled; maimed; mutilated

gjymtýr/ë, -a *f an* limb(s); extremities; *gjuh, mt* term: **~ë parësore/ kryesore** *gjh* primary

gjymysh, -i *m* filigree; gold (silver) thread

gjynáh, -u *m ft* sin; *bs* error; *bs* pity: **bëj ~** sin ♦ *psth:* **sa ~** what a pity!; what a shame!; **~ që s'erdhe** it's a shame you couldn't come ♦ **~qár, -i** *m ft* sinner; *bs* pitiable person

gjyq, -i *m dr* trial; court of justice; tribunal; *bs* talk; debate: **bëj ~** *bs* start a quarrel; **ftesë ~i** summons; **çoj në ~ dikë** bring sb court; **thërres në ~** summon *(a witness, etc.)* ♦ **~ësór, -e** *mb dr* judicial ♦ **~tár, -i** *m dr* judge; *sp* referee; umpire ♦ **~tarí, -a** *f prmb* judges; *sp* body of referees/ umpires

gjyrýk, -u *m* bellows

gjysmák, -e *mb* half; incomplete; lop-sided; half-witted: **zgjidhje ~e** half-baked settlement

gjýsm/ë, -a *f* half; half-sole *(of the shoes)*: **me ~ë çmimi** at half price; **më dy e ~ë** at half past two; **jam aty nga ~a** be half-way through; **me ~ë goje** under one's breath; **me ~ë zemre** half-heartedly ♦ *nd* half; incomplete; half and half; fifty-fifty: **e bëjmë ~ë për ~ë** go (equal) shares ♦ **~ëfinál/e, -ja** *f sp* semi-final ♦ **~ëfinál, -e** *mb sp* semi-final *(match)* ♦ **~ëfinalíst, -i** *m* semi-finalist ♦ **~ëhën/ë, -a** *f* half-moon crescent ♦ **~ëmbrójtës, -i** *m sp* halfback; midfielder ♦ **~ëmbrójtj/e, -ja** *f sp* mid-fielders ♦ **~ë/rréth, -rréthi** *m sh* -rráthë, -rráthët semicircle ♦ **~ërrúzu/ll, -lli** *m gjg* hemisphere ♦ **~ësulmúes, -i** *m sp* inside forward ♦ **~ështíz/ë, -a** *f:* **ngre flamurin në ~ë** fly a flag at half-mast ♦ **~ím, -i** *m* halving ♦ **~lóhem** *vtv* be halved ♦ **~lój** *k/* halve; divide into halves ♦ **~úar (i, e)** *mb* halved

gjysh, -i *m* grandfather; granddad; grandpa(pa); *sh* ancestors; forefathers: **~ pas ~i** generation after generation ♦ **~e, -ja** *f* grandmother; grandma; grandmam(m)a; granny

gjyvéç, -i *m gjll* casserole; earthenware pan

gjyzlýk/ë, -t *m sh* eyeglasses; spectacles: **~ë dielli** sunglasses

H

ha *k/* **héngra, ngrënë** eat; bite; sting; erode; *fg* be eaten up with *(worries, etc.);* mince *(words);* take *(a piece in chess);* bs receive *(a blow, etc.);* consume: **~ bukë** have a meal; **~ me dhëmbë** teeth; **~ shumë kohë** it's time-consuming; **ai e ~ ç't'i thonë** he believes everything he is told; **ajo e hëngri me të butë** she softened him; **ia ~ kokën dikujt** do short work of sb; **ma ~ mendja** I suppose/ believe so; **më ~ koka** my head is itching; **i hëngri kurrizi** he asked for it; **s'e ~ dot kaq lart** I can't rise it; **s'ia ~ qeni shkopin** he can pull one faster than anyone; **ti nuk e ~ dot me të** you're no match for him ♦ *jk/* itch; *v iii fg* lean; list; tilt *(of the cargo); fg* cheat: **~ në kandar** give short weight

habí, -a *f* surprise; astonishment; wonder ♦ **~t (~s)** *k/* surprise, amaze, astonish; confuse, perplex: **ç'më ~e!** you're amazing! ♦ **~t/em** *vtv* ♦ **~tj/e, -a** *f* surprise; amazement; astonishment ♦ **~tór/e, -ja** *f gjh* admirative mood ♦ **~tóre** *mb gjh* admirative ♦ **~tsh/ëm (i), -me (e)** *mb* surprising; amazing; astonishing ♦ **~tur (i, e)** *mb* surprised, amazed, astonished; confused, perplexed

hafíj/e, -a *m bs* spy; informer; *bs* nark; spook

háhe/m *vtv v iii* be eaten; *v iii* be fit eat; feel like eating; *v iii sh* scuffle; *v iii* be eroded/ worn thin; *fg* quarrel; *v iii fg* like; fancy; *fg* compete with; *bs* haggle *(over the price of sth)* ps: **kjo bukë s'~t** this bread is not fit eat; **s'më ~t** be off one's food; **i janë ngrënë pantallonat prapa** his trousers are out at the seats; **nuk më ~t muhabeti me dikë** not to fancy talking to sb; **ai ~t me më të mirët** he can match the best

Haít, -i *m gjg* Haiti ♦ **~ían, -e** *mb* Haitian ♦ **~án, -i** *m* Haitian

haját, -i *m* court; colonnaded courtyard; porch

hájde, -ni *psth:* **~ni të shkojmë** let's go; **~ mendje!** what an (absurd) idea!

hajdút, -i *m* thief: **~ xhepash** pickpocket ♦ **~çe**

nd bs stealthily; furtively ♦ **~ërí, -a** *f prmb* thiefdom; theft; thievery ♦ **~ërísht** *nd* stealthily; furtively

hajmalí, -a *f* amulet

hájth/ëm (i), -me (e) *mb* slim; slender ♦ **~mërí, -a** *f* slimness; slenderness

hajván, -i *m bs* animal; a pack load of; *kq* beast; brute; animal

ha/k, -ku *m bs* due; pay; revenge: **sa të bën ~u?** how much do I owe you?; **marr ~un e dikujt** avenge sb; **e bëj ~** deserve sth

hakërr/éhem *vtv shih* **~lóhem** ♦ **~ím, -i** *m dhe* **~ím/ë, -a** *f* threats ♦ **~lóhem** *vtv* threaten; scowl at; glower

hak:márrës, -e *mb* vengeful; vindictive ♦ *em* vengeful person ♦ **~márrj/e, -a** *f* revenge; vengeance ♦ **~/mérrem** *vtv* **-móra, -márrë** avenge oneself; take revenge

halá *nd bs* still; yet: **~ s'është pjekur** it is not yet ripe

halé, -ja *f,* **hál/e, -ja** *f bs* bog; *am* can; shitter

hál/ë, -a *f* bone spike *(of the wheat-ear)* needle *(of conifers);* splinter *(of wood):* **~ë peshku** fish-bone **e kam ~ë në sy dikë** hate the sight of ♦ **~ór, -e** *mb bt* coniferous

hall, -i *m bs* care; headache; way out, remedy, solution: **kam ~** have a problem; **bëj ~** manage somehow; shift for oneself; **nga ~i** out of necessity ♦ *nd:* **~ kështu, ~ ashtu** it is bad both ways ♦ **~xhí, -u** *m* person in trouble/ having problems; poor wretch

hallakát (hallakás) *k/ bs* scatter; throw about ♦ **~l em** *vtv, ps* ♦ **~j/e, -a** *f* scattering ♦ **~ur (i, e)** *mb bs* scattered; dishevelled; *fg* scatter-brained

hallavít/em *vtv* idle about; loaf; loiter

háll/ë, -a *f* aunt *(on one's father's side)*

hallk, -u *m prmb bs* mob; crowd: **punët e ~ut** sb else's affairs

hállk/ë, -a *f* link *(in a chain);* connecting ring; *sh* shackles

hallv/ë, -a *f gjll* halva(h) *(sweetmeat):* **~ë e ftohtë** cold comfort

ham/áll, -álli *m sh* **-áj, -ájtë** *bs* porter: **punoj si ~** work like a horse ♦ **~all/ëk, -ku** *m* porterage; *kq* drudgery

hamám, -i *m* Turkish bath

hambár, -i *m* granary; wooden case; *dt* hold

haménd:as *nd* by guesswork ♦ **~j/e, -a** *f* guesswork; conjecture; supposition: **gjej me ~e** (make a) guess

hámës, -e *mb* gluttonous; greedy

hamgjít *k/* attract; seduce; lure ♦ **~j/e, -a** *f* attraction; seduction; lure

hamshór, -i *m zl* stallion

han, -i *m* inn; khan; *kq* doss-house

háne *bs nd:* **ka ~ që..**, it's a long time since...

hangár, -i *m* shed; hangar *(of aircraft)*

hanxhár, -i *m vj* dagger; chopping-knife

han:xhésh/ë, -a *f fm* ♦ **~xhí, -u** *m sh vj* inn-keeper: **i bëj hesapet pa ~un** reckon without the host

hap, -i *m* step; pace; tread: **~ i gabuar** false step; **~ i rëndë** trudge; heavy tread; **~ pas ~i** step by step; *(to follow)* at sb's heels

hap *k/* open; spread; start, establish *(business);* free, relieve; turn/ switch on *(the light);* begin *(conversation);* el break *(a circuit):* **~ derën** open the door; **~ dhëmbët** *kq* chuckle; scowl; **~ fjalë** spread rumours; **~ punë/ telashe** create problems; **~ sýtël** be careful; **~e derën!** open the door!; **ia syrin dikujt** spoil sb; embolden sb; **na e ~i barkun** it made us sick ♦ *jkl v iii* open up; blossom, bloom *(of flowers);* *v iii* dawn; *v iii* clear up *(of the sky)*

háp/e, -ja *f* tablet; pill: **~e për fuqi** *bs* pep pill

háp/em *vtv, ps:* **dera u ~ vetë** the door opened of itself; **kjo derë nuk ~et dot** this door won't open; **më ~en sytë** my eyes were opened *(to the truth);* **më ~et zemra** my heart bleeds; **nuk i ~em askujt** refuse confide to anyone; **më ~et goja (për gjumë)** yawn

haperdá/hem *vtv:* **u ~në zogjtë** the birds flew about ♦ **~lj** *k/* **-áva, -árë** scatter; throw about

hápës, -i *dhe* **~le, -ja** *f* (can, etc.) opener; key

hap:ësír/ë, -a *f* space; cavity: **~ë ajrore** air space ♦ **~ët (i, e)** *mb* open *(space);* light *(colour)* ♦ **~j/ e, -a** *f* opening; start; gambit *(in chess):* **fjala e ~es** opening speech ♦ **~tas** *nd* openly; to the face; face to face; openly; straight from the shoulder ♦ **~tazi** *nd shih* **haptas, hapur** ♦ **~ur, -a (e)** *f* (të) opening; hole; space; slit; wide; unlimited ♦ **~ur (i, e)** *mb* open(ed); undone *(button);* exposed; free *(access);* *fg* fair; open-air *(cinema);* *fg* frank; above-boar; light *(colours);* *fg* flagrant; blatant; wanton; flowering, blossoming: **derë e ~** open door; **gjoks i ~** bare chest; **me ballë ~** honestly; fearlessly; **det i ~** the high seas; **në qiell të ~** in

the open ♦ *nd* open(ly); straight; open-heartedly: **e lë derën ~** leave the door open; **kundërshtoj ~** oppose openly; **me gojë ~** in open-mouthed astonishment; **me krahë ~** with open arms; cordially

harabél, -i *m zl* sparrow; *kq* chicken-brained person

haráç, -i *m* tribute: **mbaj ~** hold ransom

harakíri *m plk* hara-kiri: **bëj ~** commit hara-kiri

harám, -i *m bs* ill-gotten gain; *dhe* prodigal son ♦ *mb* undeserved; ill-gotten *(gain)*

harb/óhem *vtv, ps* ♦ **~lój** *jkl bs kq* loiter; *v iii* grow luxuriantly/ vigorously *(of plants);* blast *(of the wind);* pour down *(of the rain);* *kq* sow one's wild oats ♦ **~úar (i, e)** *mb bs kq* unleashed; unbridled

harbút, -i *m* riffraff; uncouth person ♦ **~, -e** *mb vj* plebeian; low-class; vulgar ♦ **~çe** *nd* roughly ♦ **~ërí, -a** *f:* **me ~** in a rough manner ♦ **~ërísht** *nd* uncouthly

hardhí, -a *f bt* (grape-)vine: **gjethe ~e** vine leaf

haré, -ja *f* great joy; merriment; glee

harém, -i *m* harem

haréng/ë, -a *f zl* herring

harésh/ëm (i), -me (e) *mb* joyous; merry; gleeful

har/k, -ku *m* bow; *gjeom, ark* arch: **~u dhe shigjeta** bow and arrow; **urë me një ~** single-span bridge; **orkestër e ~qeve** string orchestra ♦ *mb* arched; bowed ♦ **~ëtár, -i** *m hst* archer; bowman *(sh—men)* ♦ **~lóhem** *vtv* arch; bend; turn sharply; *ps* ♦ **~lój** *k/* arch ♦ **~úar (i, e)** *mb* arched

harlís *k/ bs* invigorate; set free *(a horse)* ♦ *jkl v iii* be lush *(of plants)* ♦ **~lem** *vtv v iii* be lush *(of plants);* *fg* get out of control; run wild ♦ **~j/e, -a** *f* luxuriance *(of plants)* ♦ **~ur (i, e)** *mb* lush; luxuriant; *fg* untethered *(horse);* out of control; unhinged

harmoní, -a *f* harmony; accord: **në ~ me** in keeping with; in accord with; in step with; **në ~ të plotë** in full agreement ♦ **~k, -e** *mb* harmonious ♦ **~k/ ë, -a** *f mz* harmonica; accordion ♦ **~sh/ëm (i), -me (e)** *mb* harmonious; congenial ♦ **~zím, -i** *m* harmonisation; accord; matching *(of colours, etc.)* ♦ **~z/óhet** *vtv, ps* ♦ **~zlój** *k/ lib* harmonise ♦ *jkl v iii shih* **~zohet;** match ♦ **~zúar (i, e)** *mb* harmonised; matching *(colours, etc.)*

hárp/ë, -a *f mz* harp ♦ **~íst, -i** *m* harpist

hárt/ë, -a *f* map; *(navigation)* chart

hart:ím, -i *m* compilation; draft(ing) *(of a document)* ♦ **~lóhet** *ps* ♦ **~lój** *k/* compile; draft *(a document);* compose; write; prepare *(a plan):* **~oj një ligj** draft a law ♦ **~úes, -i** *m* compiler; drafter; writer *(of a law, etc.)*

harvallín/ë, -a *f* hovel; shebang; old ramshackle house

harxh, -i *m bs* costs; expense; *gjll* filling ♦ **~ím, -i** *m bs* consumption; expense ♦ **~lóhem** *vtv bs* spend; go into expenses; *ps* ♦ **~lój** *k/ bs* spend;

expend; use up: **~oj fjalën/ frymën kot** waste one's breath ♦ **~úar (i, e)** *mb bs* spent; expended; consumed

harr *k/* weed out *(a field)*

harr:áq, -e *mb bs* absent-minded ♦ *em* absent-minded person ♦ **~és/ë, -a** *f* forgetfulness; oblivion; *fg* neglect(fulness): **shtie në ~ë diçka** put sth into oblivion ♦ **~ím, -i** *m* forgetting; absent-mindedness; oblivion

hárrj/e, -a[1] *f z/* midge; gnat-fly

harr/óhem *vtv, ps* : **~ohem pas punës** be absorbed in one's work; **s'më ~ohet** I cannot forget it ♦ **~lój** *k/* forget; grow out of practice; leave behind; neglect, abandon: **~j emrin e dikujt** forget sb's name; **~va syzet në shtëpi** I left my eyeglasses at home ♦ **~úar (i, e)** *mb* forgotten; godforsaken; outlandish *(place)*; forgetful: **i ~ pas punës** absorbed/ deep in one's work

has *k/* come across; meet by chance ♦ *jk/* hit; stumble: **~ në shkëmb** hit a rock; **më ~ sharra në gozhdë** hit a snag ♦ **~/em** *vtv* meet with; come up against

hás/ër, -ra *f* rush mat

hásm, -i *m* foe; enemy ♦ **~ërí, -a** *f* enmity; hostility; animosity

hashásh; -i *m bt* poppy; opium

hatá, -ja *f bs* calamity; disaster ♦ *nd:* **ia kaluam ~** we had a great time; **sa një ~** enormous ♦ **~sh/ëm (i), -me (e)** *mb* disastrous; extremely ugly; *bs* wonderful; terrific

hatër, -i, hát/ër, -ri *m bs nj* favour; bias; partiality: **s'më bie në ~ër** I don't remember it; it doesn't ring a bell; **mbaj me ~ër dikë** be partial to sb; **për ~rin tim** for my sake

haúr, -i *m* barn; animal shed

haúz, -i *m* ditch; pond

havá, -ja *f bs* weather; climate

havalé, -ja, havál/e, -ja *f bs* hate; care; burden; task; vantage point: **i bëhem ~ dikujt** bore sb; pester/ torment sb *(with requests)*

haván, -i *m* mortar; tobacco-cutter

haví, -a *f tk* welder

havjár, -i *m gjl* caviar

hedh *k/* **hódha, hédhur** throw in/ out/ off/ down/ up/ away/ about; fling; hurl; launch; cast off/ out; *fg* dispose of; overthrow; drop; put into; *bs* gulp down *(a glass of)*; store, put by, lay *(stores of food, etc.)*; *bs* send; transfer; *fg* plunge; cast *(lots)*; *bs* cheat; winnow *(wheat)*: **~ armët** put down one's weapons; **~ baltë mbi dikë** sling mud at sb; **~ çengelat** cast anchor; be firmly rooted; **~ dashuri me/ më dikë** fall in love with sb; **~ dritë në diçka** shed light into sth; **~ gjylen** *sp* put the shot; **~ gurë në rrota** put spokes into the wheels; **~ këmbët sipas valles** dance to the tune; **~ poshtë diçka** turn sth down; disparage sth; **~**

rrënjë be firmly rooted; settle for good; **~ shtat** grow up tall; **i ~ hi syve dikujt** pull the wool over sb's eyes; **ia ~ fajin dikujt** saddle the blame with/ on sb; **ta hodhën** you've been had/ framed ♦ *jk/* rain heavily; snow heavily; *bs* cast *(of a beehive)*; swarm; throw; *bs* cast; miscarry ♦ **~ës, -i** *m* thrower; launcher ♦ **~j/e, -a** *f* throw(ing); launch(ing) ♦ **~ur, -a (e)** *f* **(të)** jump, hop, skip; hint; *sh* throwaway; garbage; refuse; cheat; sell: **ç'të ~!** what a sell! ♦ **~ur (i, e)** *mb* thrown-away *(mb)*; rubbish; trash; refuse *(soil)*; slim; tall; high *(cheekbones)*; *fg* dashing; enterprising; pushy *(person)* ♦ **~urín/ ë, -a** *f* refuse; throw-away

hegjemon:í, -a *f* hegemony ♦ **~íst, -e** *mb* hegemony-seeker ♦ **~íz/ëm, -mi** *m* hegemonism; hegemony-seeking

hej *psth* hey; hoy

héjb/e, -ja *f* saddlebag

hektár, -i *m* hectare

hékur, -i *m* iron; flat/ smoothing iron; *sp* bar; *sh bs* shackles; chains: **dritare me ~a** (iron-)barred window; **bëj ~in** do the ironing; **hedh ~in** *dt* cast anchor; **ushtrime në ~** *sp* bar exercise; **udhë ~i** railway; *am* railroad ♦ *mb* cast-iron; iron-clad *(constitution)* ♦ **~ísht/e, -ja** *f* scrap iron ♦ **~ós** *k/* iron *(clothes)*; *bs* run over; flatten out ♦ **~ósem** *vtv, ps* ♦ **~ósj/e, -a** *f* ironing; pressing *(of clothes)* ♦ **~t (i, e)** *mb* iron *(mb)* *fg* cast-ion; iron-clad; steel-like; iron *(si mb)*: **rrugë/ udhë e ~** railway ♦ **~údh/ë, -a** *f* railway; *am* railroad

helík/e, -a *f* propeller *(of a ship)*; rotor *(of a helicopter)*

helikoptér, -i *m* helicopter; *bs am* chopper

helm, -i *m* poison; *fg* venom: **gjarpër me ~** poisonous snake; **gjuhë me ~** venomous tongue

helmét/ë, -a *f* helmet

hélm:ës, -e *mb* poisonous: **bimë ~e** poisonous plant ♦ **~ësír/ë, -a** *f* bitterness; poisonous plant ♦ **~ët (i, e)** *mb* poisonous; venomous ♦ **~ím, -i** *m* poisoning: **~ nga ushqimi** food poisoning ♦ **~l óhem** *vtv, ps* ♦ **~lój** *k/* poison; envenom; *fg* sadden; afflict ♦ **~úar (i, e)** *mb* poisoned; envenomed; *fg* saddened ♦ **~úes, -e** *mb* poisonous; venomous

he:ll, -lli *m sh* **-j, -jet** spit; skewer; icicle: **kërkoj qiqra në ~** ask for the moon ♦ *nd* straight; motionless: **rri ~** stand upright

hematóm/ë, -a *f mk* h(a)ematoma

hemisfér/ë, -a *f an, gjm, gjg* hemisphere

hemorragjí, -a *f mk* h(a)emorrhage; bleeding ♦ **~rroíde, -t** *f sh mk* h(a)emorrhoids

hendbóll, -i *m sp* handball ♦ **~íst, -i** *m sp* handball player

hendé/k, -ku *m* ditch; *ush* moat; trench; *fg* gap: **e hedh ~un** get over the difficulty ♦ **~lój** *k/* dig a trench around *(a field, a fortification, etc.)*

(en)trench

heq k/ **hóqa, héqur** remove; take off/ out; pull out/ off; (with)draw; extract; dispel *(sb's fear)*; *fg* give up *(hope, etc.)*; cut; *mat* subtract; suffer *(punishment)*; *fg* pass oneself off as: **~ ca para mënjanë** put aside some money; **~ dhëmbin e prishur** pull out a bad tooth; **~ dorë** give up (doing sth); **~ këmishën** take off one's shirt; **~ një paralele** draw a parallel; **~ për dore dikë** lead sb by the hand; **~ pikën e zezë** suffer hell on earth; **~ qafe dikë** get rid of sb; **e ~ për hunde dikë** lead sb by the nose; **hiqe atë mendje!** perish the thought!; **hiqe dorën!** take off your hand!; **i ~ një shuplakë dikujt** give sb a slap; **nuk i ~ dot sytë nga** be unable to take one's eyes of ♦ *jk/ v iii bs* fall *(of snow, of rain)*; go through; have: **hoqa keq** I had a bad half-hour ♦ **~j/e, -a**[1] *f* pulling out; removal; withdrawal; *fg* suffering

héqj/e, -a[2] *f* slipper

héqur (i, e) *mb* drawn; lean; thin *(face)*; *bs* long-suffering: **tel i ~** drawn wire; **fytyrë e ~** a drawn/ lean/gaunt face ♦ **~, -a (e)** *f* **(të)** suffering; hardship

hérdhe, -t *f sh* testicles

here: tík, -e *mb* heretic ♦ **~tík, -u** *m* heretic ♦ **~zí, -a** *f* heresy

hér/ë, -a *f nj* time; while; season: **një copë ~ë** a while; **një ~ë tjetër** another time; **në drekë ~ë** at lunchtime; **dy ~ë aq** twice as much/ many; **një ~ë në ditë** once a day; **~ë më ~ë/ pas ~e** from time to time ♦ *nd* sometime: **~ë mirë, ~ë keq** sometimes good, sometimes bad

hérë-hérë *nd* sometimes; from time to time; occasionally

hérët *nd* early; previously; formerly: **më ~** earlier; **fle ~** keep early hours; **~ a vonë** sooner or later

hermafrodít, -e *mb* hermaphroditic ♦ **~i** *m* hermaphrodite ♦ **~íz/ëm, -mi** *m* hermaphroditism

hermet: ík, -e *mb* hermetic; (air, water)tight; (gas)proof; sealed ♦ **~iz/ój** k/ seal

hérni/e, -a *f mk* hernia

heró, -i *m* hero: **si ~** like a hero; heroically ♦ **~ík, -e** *mb* heroic ♦ **~ikísht** *nd* heroically ♦ **~ín/ë, -a**[1] *f fm* e **hero, -i**

heroín/ë, -a[2] *f frm* heroin

heroíz/ëm, -mi *m* heroism; heroic deed

hérsh/ëm (i), -me (e) *mb* early *(fruit)*; ancient; old

hesáp, -i *m bs* reckoning; count; score: **~e të vjetra** old scores; **pa ~** countless; **ka ~** it is a good deal; **s'më ka ~** I can't afford it; **i ndreq ~et me dikë** settle a score with sb

hesht jk/ be/ keep silent; be quiet ♦ **~as dhe ~azi** *nd* quietly; on the quiet; noiselessly; *fg* tacitly; in silence; silently

hésht/ë, -a *f* spear; lance; pike

heshtj/e, -a *f* quiet; silence; calm: **e kaloj në ~e**

---

diçka pass sth in silence ♦ **~ur (i, e)** *mb* silent; quiet; calm; still; tacit *(understanding)*

hetero:gjén, -e *mb* heterogenous ♦ **~seksuál, -e** *mb b/* heterosexual

het:ím, -i *m* investigation ♦ **~imór, -e** *mb dr* investigative ♦ **~lóhet** *ps* ♦ **~lój** k/ examine; *dr* investigate; notice; ♦ **~úes, -i** *m* examiner; investigator ♦ **~úes, -e** *mb* searching *(look)*; *dr* investigative ♦ **~uesí, -a** *f dr* investigator's office

hezitím, -i *m* hesitation ♦ **~lój** k/ hesitate

hë, -ni *psth:* **~, fol!** come on, speak! ♦ *pj:* **~ pra, ç'kërkon?** so then, what are you looking for? ♦ **~** *nd* slowly; little by little: **~, ~, shkuan vite** years went by slowly

hën/ë, -a *f* moon: **~ë e re/ e ngrënë** new/ waning moon; **~ë e plotë** full moon; **një herë në ~ë** once in a blue moon; **puna e ~ës** *euf* epilepsy ♦ **~/ë, -a (e)** *f* **(të)** Monday

hëngra kr thj e **ha**

hi, -ri *m* ash; cinder; *fg* ashes; remains: **e bëj ~ diçka** reduce sth ashes

hibríd, -i *m bt, z/* hybrid; cross-breed

hiç, -i *m* nothing; worthless thing/ person: **filloj nga ~i** begin from scratch; **pesë me ~** a flash in the pan ♦ **~** *nd bs* at all: **s'e di ~** I don't know anything at all ♦ *pkf:* **s'ka ~ fare** there is nothing at all

hidraulík, -u *m* plumber ♦ **~, -e** *mb* hydraulic ♦ **~l ë, -a** *f* hydraulics *(me folje në njëjës)*

hidro:centrál, -i *m* hydroelectric station; water-power station ♦ **~gjén, -i** *m km* hydrogen: **bombë me ~** hydrogen/ H bomb ♦ **~izolím, -i** *m tk* damp-course

hídhem *vtv* **hódha (u), hédhur** jump; skip; hop; *bs* go over *(to a different issue)*; *ps:* **~ me parashutë** parachute; **~ përpjetë nga inati** hit the roof; go over the top; **~ matanë lumit** cross the river

hidh:ërím, -i *m* bitter taste; bitterness; *fg* sadness; grief ♦ **~ërlóhem** *vtv, ps:* **ishin ~ëruar me njëri-tjetrin** they had fallen out with one another ♦ **~ërlój** k/ make bitter; *fg* embitter; sadden ♦ **~ërúar (i, e)** *mb* bitter *(taste)*; *fg* embittered; sad ♦ **~ësí, ~ësír/ë, -a** *f* bitterness ♦ **~ët (i, e)** *mb shih* **~ur (i, e)** ♦ **~ur (i, e)** *mb* bitter; *fg* sad; bad *(news)*; ill *(luck)*; *fg* embittered; *fg* chilly; frosty *(weather)*; *fg* caustic *(remark)* ♦ **~ur** *nd* bitterly; *fg* angrily; testily

hién/ë, -a *f z/* hy(a)ena

hierarkí, -a *f* hierarchy: **sipas ~së** in pecking order ♦ **~k, -e** *mb* hierarchic(al): **shkallë ~e** hierarchic order; pecking order

higjién/ë, -a *f* hygiene ♦ **~ík, -e** *mb* hygienic

híj/e, -a *f* shade; *fg* shadow; look, air; *fg* grace, propriety; apparition, ghost: **rri në ~e** stay in the shade; **nuk të ka ~e të** it is unseemly of you; **i**

bëj ~e dikujt overshadow sb; fawn on sb; **lë në ~e diçka** leave sth in the dark; **i lë ~en dikujt** walk out on sb; **pastë ~en e vet** I should not like be/ lie in his shoes ♦ **~ím, -i** *m* shading ♦ **~íra, -t** *f sh* undergrowth *(in a forest)* ♦ **~ír/ë, -a** *f* shade; shady place ♦ **~lój** *k/* shade; *fg* embellish; make graceful

hijesh:í, -a *f* grace(fulness); charm; propriety ♦ **~ím, -i** *m* shading; *fg* grace; charm ♦ **~óhem** *vtv* become graceful; *ps* **~lój** *k/* grace; embellish; make graceful ♦ *jk/ v iii* look charming ♦ **~úar (i, e)** *mb* graceful; charming

hijezím, -i *m* shading; shading in *(of a drawing)*

híjsh/ëm (i), -me (e) *mb* graceful; charming; well-favoured; seemly *(conduct)* ♦ **~ëm** *nd* gracefully; properly

hilé, -ja *f dhe* **híl/e, -ja** *f bs* trick; trickery; quirk: **la bëj me ~ dikujt** practice deceit on sb; **bëj (me) ~ cheat** ♦ **~qár, -e** *mb* tricky; fraudulent ♦ **~qár, -i** *m* trickster; card-sharper

himn, -i *m* hymn: **~i kombëtar** the national anthem

hingëllí/j *jk/* neigh; whinny *(of a horse)* ♦ **~m, -i** *m,* **~më, -a** *f* neigh(ing); whinny

hínk/ë, -a *f* funnel ♦ **~ët (i, e)** *mb* funnel-shaped/-like

hiper:ból/ë, -a *f It* hyperbole; *gjm* hyperbola ♦ **~bolík, e** *mb It* hyperbolic; exaggerated ♦ **~bolizím, -i** *m It* exaggeration ♦ **~bolizóhet** *ps* ♦ **~boliz/ój** *k/* **óva, -úar** hyperbolise; exaggerate ♦ **~tensión, -i** *m mk* hypertension

híp/et *pvt e* **hipi** ♦ **~li** *jk/* climb/ go up; ascend; *v iii* be promoted; *v iii bs* go up *(of prices); v iii bs* overflow *(its banks)*: **~ në pemë** climb up a tree; **~ shkallët** go upstairs; **~ në përgjegjësi** be promoted; **~ në fuqi** come into office; **më ~ën në kokë të bëj diçka** fancy doing sth; **i ~ në qafë dikujt** ride roughshod on sb ♦ *k/* mount; ride; go on board *(a ship, etc.);* raise; *v iii fg* be overcome by; feel like; *bs* mount; copulate: **më ~ën inati** become angry; **më ~ën një e qeshur** have a fit of laughter; **më ~ën gjumi** be overcome with sleep; **i ~ kalit** ride a horse

hípi *m* hippy

hip:ík, -e *mb sp* horse *(race)* ♦ **~íz/ëm, -mi** *m sp* horse racing

hípj/e, -a *f* climbing; going up; rising; promotion; accession: **~je në fron** accession the throne

hipno:tík, -e *mb* hypnotic ♦ **~tíz/ëm, -mi** *m* hypnotism ♦ **~tizím, -i** *m* hypnosis; hypnotising ♦ **~tizóhem** *ps* ♦ **~tiz/ój** *k/* hypnotise ♦ **~tizúes, -i** *m* hypnotiser; hypnotist ♦ **~z/ë, -a** *f* hypnosis *(sh -es):* **në gjendje ~e** in a hypnotic state

hipokr:ít, -e *mb* hypocritical; sanctimonious ♦ **~ít, -i** *m* hypocrite; dissembler ♦ **~izí, -a** *f* hypocrisy; sanctimony

hipoték/ë, -a *f* mortgage ♦ **~ím, -i** *m* mortgaging ♦ **~lóhet** *ps* ♦ **~lój** *k/* mortgage

hipote:tík, -e *mb* hypothetical ♦ **~z/ë, -a** *f* hypothesis *(sh -es);* supposition

hípur *nd* riding; on top of: **~ në kalë** riding a horse; on horseback

híqem *vtv* **hóqa (u), héqur** move off/ aside/ away; shift; *v iii bs (goods)* sell well/ fast; *v iii fg* avoid; shirk; grow lean; be wasted *(with disease);* pose/ show off as; *ps:* **~ mënjanë** move/ step aside; **hiqmu që qafe!** get off my back!; **~ këmbadoras** crawl on all fours; **s'më hiqet nga mendja** I cannot get it off my mind; **birra hiqet shumë** there is a great demand for beer

hir, -i *m* grace; charm; favour; sake: **me ~** with a good grace; **për ~ të** for the sake of; **me ~ e pa ~/ ~ e pa ~** willy-nilly; by hook or (by) crook ♦ **~ës:í, -a** *f* grace; gracefulness; charm: **H~a Juaj** Your Grace ♦ **~lóhet** *ps* ♦ **~lój** *k/* pardon *(a sin, etc.);* sanctify ♦ **~sh/ëm (i), -me (e)** *mb* graceful; gracious

hírtë (i, e) *mb* grey; *am* gray

Hirúsh/e, -ja *f folk* Cinderella

hírr/ë, -a *f* whey ♦ **~ët (i, e)** *mb* clear grey *(eyes)*

hís/e, -ja *f bs* part; share; lot; times: **është ~ja ime** it is my share

hister:í, -a *f* hysteria ♦ **~ík, -e** *mb* hysteric(al) ♦ **~z/ëm, -mi** *m* hysteria

historí, -a *f* history; story; tale: **po ajo ~** the same old story; **kjo ~ s'pi ujë** this story won't wash ♦ **~án, -i** *m* historian ♦ **~k, -u** *m* history ♦ **~k, -e** *mb* historic(al); memorable

híth/ër, -ra *f bt* nettle: **~ër deti** *z/* jelly-fish

hój/e, -a *f* honeycomb ♦ **~ëz, -a** *f* honeycomb; nostril; *an* alveolus *(sh -li):* **~at e hundës** the nostrils

hokatár, -i *m* joker; jester; droll ♦ *mb* joking *(si mb)*

hokéj, -i *m sp* hockey

holand:éz, -e *mb* Dutch ♦ **~éz, -i** *mb* Dutch ♦ **H~/ë, -a** *f* The Netherlands ♦ **~ísht** *nd* (in) Dutch (language) ♦ **~ísht/e, -ja** *f* Dutch

holokáust, -i *m* holocaust

hóll:a, -t (të) *f sh* money; (small) change; underwear; light clothing: **bëj me të ~** change a bill ♦ **~ë, -t (të)** *as* waist; middle; shin *(of the leg);* faint; swoon: **më bie të ~t** faint ♦ **~ë (i, e)** *mb* thin; slim; slender *(body);* lean; sharp; fine, powdery *(flour);* tenuous *(distinction);* diluted, watery *(soup, etc.);* delicate *(piece of work; touch);* high-pitched *(sound); fg* keen, witty, clever; badly-/ poorly-off: **me trup të ~** slenderly built; **tipare të ~a** fine features; **veshje e ~** light clothing; **shaka e ~** a witty joke ♦ **~ë** *nd* thin(ly); finely; delicately; with/ in good taste; *fg* slightly; barely; in a shrill voice; *fg* sharply; keenly; wittily: **punoj ~** have a delicate touch; **e ndaj ~ muhabetin** cut it fine ♦ **~ësí, -a** *f* thinness; tenuity; detail; particular: **me ~** in detail ♦ **~ësír/ë, -a** *f* detail; particular: **hyj në ~a** go into detail ♦ **~ësísh/ëm (i), -me (e)** *mb* detailed *(information);* itemised *(list);* minute ♦ **~ësísht** *nd* in detail; minutely ♦ **~ím, -i** *m* thinning (out); rolling *(of pasta sheet)* ♦ **~lóhem** *vtv, ps* ♦ **~lój** *k/* thin; draw; sharpen; taper; dilute, thin out *(a drink); bs* slim; *fg* refine *(one's style, etc.):* **~oj majën e lapsit** sharpen the pencil point ♦ **~úar (i, e)** *mb* thin(ned); sharpened; pointed; tapering: diluted, watery; seedy *(seat of the trousers)* ♦ **~ues, -i** *m* dilutant ♦ **~ues, -e** *mb* diluting

homázh, -i *m* homage; respect; tribute: **bëj ~** pay homage

homo:gjën, -e *mb* homogenous ♦ **~lóg, -e** *mb* homologous ♦ **~logím, -i** *m drejt.* **gjykatë ~i** probation court ♦ **~log/ój** *k/ dr* probate ♦ **~seksuál, -e** *mb* homosexual ♦ **~seksuál, -i** *m* homosexual ♦ **~seksualíz/ëm, -mi** *m* homosexuality

hon, -i *m* abyss; precipice

honéps *k/ bs* support; bear with: **s'e ~ dot dikë** be unable to put up with so

honorár, -i *m* fee: **~ët e avokatit** lawyer's fee

hop, -i *m* moment, short interval; jump, skip: **pas një ~i** after a while; **me ~e** with fits and starts

hop *psth* whoop; hop

hópa *nd bs :* **mbaj foshnjën ~** carry a child in one's arms

hópthi *nd* hopping on one leg

hordhí, -a *f* horde; multitude

horizónt, -i *m nj/* horizon; skyline: **në ~** on the horizon; **me ~ (të gjerë)** broad-minded ♦ **~ál, -e** *mb* horizontal ♦ **~ál/e, -ja** *f* horizontal line ♦ **~alísht** *nd* horizontally

hormón, -i *m fzo* hormone ♦ **~ál, -e** *mb fzo* hormonal

horoskóp, -i *m* horoscope: **shtie ~in** cast the horoscope

horr, -i *m bs* knave; con man; scoundrel ♦ **~llë/k, -ku** *m bs* knavery

hostén, -i *m* goad; gad; harpoon

hosháf, -i *m* dried fruit compote

hotél, -i *m* hotel: **zë ~** book a hotel ♦ **~íst, -i** *m* hotel-keeper/ proprietor; hotelier

hov, -i *m* impetus; vigour; *fg* rush; burst: **me ~** with a rush; **ia pres ~in dikujt** check sb's career ♦ *jk/* jump; rush; dash: **~ drejt dikujt** make a go at sb ♦ *k/:* **i ~ kalit** jump on horseback

hoxh:ésh/ë, -a *f* hodja's wife ♦ **~llë, -a** *m* hodja, khoja, muezzin *(Moslem priest)*

hu, -ri *m* pole; stake; *fg* dullard; blockhead: **~ gardhi** fence pole; **i ~rit dhe i litarit** gallows'/ gaol bird; **si ~ gardhi** (as) stiff as a poker

húa, -ja *f* loan: **jap ~** loan; make a loan; **ta kam ~ këtë** I owe you this one ♦ **~j** *k/* loan; borrow

húaj, -i (i) *m* stranger; outsider ♦ **~ (i, e)** *mb* alien; strange; foreign; outlandish; *fg* distant, cold; *fg*

hostile: **tingëllon i ~** have a strange accent; **mish i ~** *mk* growth ♦ *em* *f* stranger; foreigner

húajt:ës, -i *m* loaner; lender ♦ **~j/e, -a** *f* loaning; borrowing ♦ **~ur (i, e)** *mb* borrowed; loan *(words):* **para të ~a** loan money

húall, -i *m sh* **hóje, hójet** honeycomb

húaz:ím, -i *m* loan; *gjh* loan-word; borrowing ♦ **~l ój** *k/* borrow ♦ **~úar (i, e)** *mb* borrowed; loan *(word)*

húdh/ër, -ra *f bt* garlic: **thelb ~e** clove of garlic

huká:m/ë, -a *f* breath; puff; huff: **~ë e rëndë** heavy breathing ♦ **~t (~s)** *k/, jk/* breathe hard; pant; puff; huff: **~ nga lodhja** pant with fatigue ♦ **~t/em** *vtv* breathe; gasp; yawn ♦ **~tj/e -a** *f* (heavy) breathing; panting

hulahúp, -i *m mz* hula-hoop

hulumt:ím, -i *m* investigation; research ♦ **~l óhet** *ps* ♦ **~lój** *k/* investigate; research ♦ **~ues, -i** *m* investigator; researcher

hull:í, -a *f* furrow; drill *(in the fields);* groove; wrinkle

human:íst, -i *m* humanist ♦ **~íst, e** *mb* humanist(ic) ♦ **~itár, -e** *mb* humanitarian: **shkencat ~e** humanities; liberal arts ♦ **~íz/ëm, -mi** *m* humani(tariani)sm

humb *k/* lose; waste *(time, money etc.):* **~ ndeshjen** lose the match; **~ (në) udhë** lose one's way; **më ~ boja** disappear altogether ♦ *jk/* disappear; vanish; *fg* be absorbed *(in thought);* waste *(sth on so);* be confused; be mislaid; be/ get lost: **pa ~ur kohë** without wasting time; **~ pas punës** be absorbed in work; **~ pa shenjë e pa dukë** disappear without a trace ♦ **~l ás** *k/, jk/* lose; waste ♦ **~ës, -e** *mb* losing: **pala e ~ë** the losing side ♦ **~, -i** *m* loser; underdog: **jam me ~in** side with the underdog ♦ **~ësír/ë, -a** *f* hole; pit; abyss ♦ **~j/e, -a** *f* loss; waste; *sh* casualties, victims ♦ **~ur (i, e)** *mb* lost; forfeited; missing; wasted; *fg* absent-minded; absorbed, obsessed *(with one's work);* out-of-the-way *(place):* **sende të ~a** lost things; **fëmijë të ~** waifs and strays; **kohë e ~** wasted/ lost time ♦ **~ur, -i (i)** *m sh* loss; casualty; waifs and strays; looser ♦ *nd:* **më shkon ~ mundi** my effort is wasted

humnér/ë, -a *f* abyss; precipice; pit

humór, -i *m* humour; good spirits; mood; sense of humour ♦ **~íst, -i** *m art, lt* humourist

hund/ë, -a *f* nose; *dt* prow; headland; *bs* nozzle *(of the kettle):* **~ë e buzë** sulkily; with a long face; **e heq për ~e dikë** lead sb by the nose; **fut ~ët diku** poke one's nose into sth; **ia thyej ~ën dikujt** snub sb; take sb down a peg or two; **më del për ~e** pay through the nose; **më vjen në majë të ~ës** be fed up with; **shami ~ësh** handkerchief; *bs* nose-rag ♦ **~l ój** *jk/ v iii* snort; snuffle; pronounce through the nose ♦ **~ës, -i** *m* nos(e)y ♦ **~le, -ja** *f* noseband *(of the harness);* muzzle ♦ **~ëz, -a** *f* muzzle; nose-piece (-band); nozzle; small nose ♦ **~ór, -e** *mb* gjuh, an nasal *(sound, cavity, etc.)*

hungar:éz, -e *mb* Hungarian ♦ **~éz, -i** *m* Hungarian ♦ **H~í, -a** *f gjg* Hungary ♦ **~ísht** *nd* (in the) Hungarian (language) ♦ **~ísht/e, -ja** *em* Hungarian

hungër:í/j *jkl shih* **~oj** ♦ **~ím, -i** *m* grunt(ing); snarl(ing) ♦ **~ím/ë, -a** *f* grunt; snarl; honk *(of a pig);* screech; creak ♦ **~ít** *jkl shih* **hungëoj** ♦ **~ítj/e, -a** *f shih* **~ím/ë, -a** ♦ **~lój** *jkl v iii* snarl; growl; grunt; be disgruntled

huq, -i¹ *m bs* vice; bad habit: **kalë me ~e** wicked horse

huq, -i² *m* miss; error; slip ♦ *nd bs* miss; *fg* wasted: **dal ~** miss *(the ball, the mark);* be wide of the mark; go phut; **e nxjerr ~ dikë** leave sb flat-footed

hurb *kl* sip ♦ **~/ë, -a** *f* sip: **pi një ~ë** have a sip ♦ *mb* soft-boiled *(egg)*

húrdh/ë, -a *f* pond; mere

húrm/ë, -a *f bt* date *(palm, fruit);* persimmon, Sharon fruit; khaki

hut, -i *m zl* owl

hut:áq, -e *mb* absent-minded; distraught ♦ **~áq, -i** *m* addle-brained person ♦ **~és/ë, f, ~ím, -i** *m* absent-mindedness; distraction ♦ **~ímthi** *nd* confusedly; in confusion ♦ **~lóhem** *vtv* be confused/ perplexed/ bewildered/ nonplussed ♦ **~lój** *kl* con-

fuse; mix up; muddle; outface ♦ **~úar (i, e)** *mb* confused; mixed up; addled; perplexed; nonplussed

hy/j *jkl* **-ra, -rë** enter; go/ come in; *v iii* sink; subside; start, begin; embark; *v iii* shrink *(of fabric); v iii bs* set; *pvt* be entered into; join: **~j fshehurazi** sneak in(to); **~j me vrap** run in; **~j me zor/ forcë** push in; force one's way into; **~j ndërmjetës** mediate; **~j në luftë** go into war; **~ri dielli** the sun set; **~ri dimri** winter set in; **nga një vesh më ~n, nga tjetri më del** in at one ear and out the other; **s'më ~n në punë** it's useless to me

hyj, -i *m* divinity ♦ **~nésh/ë, -a** *f* goddess ♦ **~ní, -a** *f* god; deity ♦ **~n/or, -e** *mb* divine; *fg* wonderful; excellent ♦ **~núesh/ëm (i), -me (e)** *mb* divine

hýr/ë, -a (e) *f* **(të)** *shih* **hyrj/e, -a;** hole; recess; dimple *(on the cheek)* ♦ **~ë, -t (të)** *as:* **në të ~ të vjeshtës** in the beginning of autumn ♦ **~ës, -e** *mb* ingoing; entering; introductory *(talk, etc.)* ♦ **~j/e, -a** *f* entrance; admission; gate; visit; introduction *(of a book); fn* income; revenue; receipts; proceeds; *bs* flat, dwelling apartment: **biletë ~eje** admission ticket; **~e kryesore** main entrance; **kam shumë ~e e dalje** have may visitors; **kam ~e më vete** have an independent apartment

hyzme:qár, -i *m vj* manservant ♦ **~t, -i** *m bs* service; care

I

i *nyjë e përparme:* **sheshi i fshatit** the village square; the square of the village; **qyteti i ri** the new town; **i dashur mik** my dear friend; **i tij/ saj** his/her(s); **i tillë** such; **i cili** which; who; **i ati** his/her/their father ✦ *tr shkrt prm:* **i thashë atij** I told him

ia *tr shkrt prm:* **ia dhashë librin** I gave the book him

ibrík, -u *m* kettle; coffee/ tea/-pot

idé, -ja *f* idea: ~ **e gabuar** a wrong idea; **s'e kam** ~**në** have no idea

ideál, -i *m* ideal ✦ ~**íst, -i** *m* idealist ✦ ~**íst, -e** *mb* idealist ✦ ~**íz/ëm, -mi** *m* idealism

ident:ifikím, -i *m t* identification: **bëj** ~**ín e viktimës** *bs* id a victim ✦ ~**fik/óhet** *ps* ✦ ~**ifik/ój** *kl* identify ✦ ~**ík, -e** *mb* identical ✦ ~**ikít, -i** *m* identikit ✦ ~**tét, -i** *m* identity

ideoló:g, -u *m* ideologist; think-tank *(of the party)* ✦ ~**gjí, -a** *f* ideology ✦ ~**gjík, -e** *mb* ideological

idërsháh, -u *m bt* geranium

idíl, -i *m* idyll; romance ✦ ~**ík, -e** *mb* idyllic

idióm/ë, -a *f* idiom ✦ ~**atík, -e** *mb* idiomatic *(expession)*

idiót, -i *m mk* idiot ✦ *mb* idiotic; foolish ✦ ~**ësí, -a** *f* idiocy

idhnák, -e *mb* fretful; snappish; peevish

íj:as *dhe* ~**azi** *nd* sideways; edgeways ✦ ~**ë, -a** *f* side; flank

ík/i *jkl* go away; escape; avoid *(a question); v iii* flow; *vtv v iii* come off; come/ break loose; *v iii* go by; end; *v iii* be consumed; be wasted; die: ~**ë këtej!** get out of here!; ~**i nga burgu** escape from prison; **eja të** ~**im** let's go; **më** ~**ën gjak për hundësh** have a bleeding nose; **më** ~**ën nga dora** get out of control; **më** ~**u kolla** my cough is better; **po** ~**ën nata** the night is wearing out; **thashë se** ~**a** I thought I was dead ✦ ~**j/e, -a** *f* escape; departure; leave

ikón/ë, -a *f* icon ✦ *mb bs* pale; pallid; wan

iks, -i *m fz* ex; **mat** x *(value);* *bs* so-and-so

íkur (i, e) *mb* fugitive; runaway; *bs* gone; dead

iláç, -i *m* medicine; *am* drug; *bs (rat, etc.)* -bane; poison; *bs* powder: ~ **për rroba** washing powder; **s'ka** ~ it is incurable

ile:gál, -i *m* underground activist (worker) *(of a party, a sect, etc.)* ✦ ~**gál, -e** *mb* illegal ✦ ~**galitét, -i** *m* illegality: **hidhem në** ~ go to earth

ilír, -i *m hist* Illyrian ✦ ~, **-e** *mb* Illyrian ✦ **I**~**í, -a** *his, gjg* Illyria ✦ ~**ík, -e** *mb* Illyrian ✦ ~**ísht** *nd* in (the) Illyrian (language) ✦ ~**ísht/e, -ja** *f gjh* (the) Illyrian (language)

ilustr:ím, -i *m* illustration; picture; plate *(of a book):* **libër me** ~**e** picture book ✦ ~**lóhet** *ps* ✦ ~**lój** *kl* illustrate ✦ ~**úar (i, e)** *mb* illustrated ✦ ~**úes, -e** *mb* illustrative ✦ **-úes, -i** *em* -, **-it** illustrator

iluzión, -i *m* illusion

im, -e *prn* my: **gjyshi** ~**/** ~ **gjysh** my grandfather; **motra** ~**e/** ~**e motër** my sister ✦ **em (m ími, sh mítë (të), f ímja, sh míjat (të)): erdhën të mitë** my own folks are coming: **këta janë të mitë** these are mine

imagjin:ár, -e *mb* imaginary: **i sëmurë** ~ hypocondriac ✦ ~**át/ë, -a** *f psk* imagination; fancy ✦ ~**lóhet** *vtv* be imagined/ fancied; *ps* : **s'mund të** ~ it is beyond imagination ✦ ~**lój** *kl* imagine; fancy

imázh, -i *m* image

imediát, -e *m* immediate: **nevoja** ~**e** urgent needs

imcák, -u *m* midget; dwarf

ímët (i, e) *mb* fine; detailed; thin *(face, etc.);* subtle: **shi i** ~ a fine drizzle; **vij i** ~ **nga trupi** be of small built ✦ *nd* fine; *fg* in detail: **bluaj** ~ grind fine ✦ ~**a, -t (të)** *f sh* sheep and goats; small change

imigr:ación, -i *m* immigration ✦ ~**ánt, -i** *m* immigrant; *prmb* immigrants ✦ ~**ím, -i** *m sh* -e, **-et** migration ✦ ~**lój** *jkl* immigrate

imit:ím, -i *m* imitation ✦ ~**lóhem** *ps* ✦ ~**lój** *kl* imitate; mimic

imorál, -e *mb* immoral ♦ **~itét, -i** *m* immorality; immoral conduct

imperial:íst, -i *m* imperialist ♦ **~íst, -e** *mb* imperialist(ic) ♦ **~íz/ëm, -mi** *m* imperialism

impiánt, -i *m tk* plant; installation: **~ ndriçimi** lighting plant

impon:ím, -i *m* imposition: **bëj me ~** do sth under pressure/ duress ♦ **~lóhem** *vtv* impose oneself (**upon**) ♦ **~lój** *kl* impose *(one's conditions)*

impórt, -i *m* import ♦ **~ím, -i** *m* import(ing) ♦ **~l óhet** *ps* ♦ **~lój** *kl* import ♦ **~úes, -i** *m* importer ♦ **~úes, -e** *mb* importing

impresioníst, -i *m art, lt* impressionist ♦ **~st, -e** *mb* impressionistic ♦ **~zëm, -zmi** *m* impressionism

improviz:ím, -i *m* improvisation; impromptu ♦ **~l óhet** *ps* ♦ **~lój** *kl* improvise; extemporise *(on the piano)* ♦ **~úar (i, e)** *mb* extemporal; extemporary; ad-lib: **fjalim i ~** of-the-cuff speech

impúls, -i *m* impulse; *fz* impetus: **i jap ~ tregtisë së lirë** boost/ bolster free trade ♦ **~ív, -e** *mb* impulsive; rash; *fiz* impelling *(force)*

ímtës:í, -a *f* detail; minuteness ♦ **~ísht** *nd* in great detail; minutely ♦ **~óhet** *ps* ♦ **~lój** *kl* grind; *fg* go in detail

imuni:tét, -i *m bl, mk, dr* immunity ♦ **~zím, -i** *m* immunisation ♦ **~z/óhem** *ps* ♦ **~z/ój** *kl bl, mk, dr* immunise/ render immune against ♦ **~zúar (i, e)** *mb bl, mk, dr* immune; free *(from)*

imzót, -i *m vj ft (titull)* Monsignor ♦ *psth* my lord, milord; master

inát, -i *m* anger; wrath; ire; spite; grudge: **me ~** angrily; **mbaj ~** bear a grudge; **ia bëj për ~ dikujt diçka** do sth to spite sb ♦ **~çésh/ë, -a** *f* vixen ♦ **~çí, -e** *mb bs* hot-tempered; spiteful ♦ **~ós** *kl bs* anger; nettle ♦ **~ósem** *vtv bs* get angry; be nettled: **mos u ~os!** keep your shirt! ♦ **~ósur (i, e)** *mb bs* angry; nettled

inaugur:ím, -i *m* inauguration; opening ♦ **~lóhet** *ps* ♦ **~lój** *kl* inaugurate; open *(an exhibiton)*

incidént, -i *m* incident

inciz:ím, -i *m*: **~ i zërit** sound recording ♦ **~lóhet** *tk ps* ♦ **~lój** *kl* record *(on tape);* engrave

ind, -i *m an* tissue

indéks, -i *m* index *(sh* **indices***):* **~ i çmimeve** price index

Indí, -a *f gjg* India ♦ **~án, -e** *mb* Indian: **Oqeani I~** *gjg* the Indian Ocean ♦ **~án, -i** *m* Indian

indiferén:c/ë, -a *f* indifference ♦ **~t, -e** *mb* indifferent; listless (person) ♦ **~íz/ëm, -mi** *m* indifference

indigjén, -i *m* native ♦ **~, -e** *mb* native; indigenous

indinj:át/ë, -a *f* indignation ♦ **~lóhem** *vtv* become/ get indignant ♦ **~lój** *kl* make indignant

indivíd, -i *m* individual ♦ **~uál, -e** *mb* individual; *sp* singles *(match)* ♦ **~ualitét, -i** *m* individuality ♦ **~ualíz/ëm, -mi** *m* individualism

indoevropián, -e *mb* Indo-European

indoktrin:ím, -ím indoctrination ♦ **~lój** *kl* -indoctrinate

Indonezí, -a *f gjg* Indonesia ♦ **i~án, -e** *mb* Indonesian ♦ **i~án, -i** *m* Indonesian

industrí, -a *f* industry ♦ **~ál, -e** *mb* industrial ♦ **~alíst, -i** *m* industrialist ♦ **~alizím, -i** *m* industrialisation ♦ **~alizóhet** *ps* ♦ **~aliz/ój** *kl* industrialise ♦ **~alizúar (i, e)** *mb* industrialised

inercí, -a *f fz* inertia *fg* inertia; inertness; idleness; sluggishness

infárkt, -i *m mk* infarct; *bs* heart attack

infeksión, -i *m* infection ♦ **~tím, -i** *m* infection; infecting; contagion ♦ **~tív, -e** *mb* infectious; contagious ♦ **~t/óhem** *vtv* become infected ♦ **~t/ój** *kl* infect; *fg* corrupt ♦ **~túar (i, e)** *mb* infected

inferiór, -e *mb* inferior ♦ **-itét, -i** *m:* **kompleks i ~it** *psk* inferiority complex

infermiér, -i *m* male nurse ♦ **~/e, -ja** *f* female nurse ♦ **~í, -a** *f* infirmary; sickroom/ bay

inflación, -i *m ek* inflation

influénc/ë, -a *f* influence ♦ **~lóhem** *ps* ♦ **~lój** *jkl* influence

inform:ación, -i *m,* **~át/ë, -a** *f* information; intelligence ♦ **~atív, -e** *mb* informative ♦ **~atór, -i** *m* informer; informant ♦ **~ím, -i** *m* information ♦ **~l óhem** *ps* ♦ **~lój** *kl* inform ♦ **~úar (i, e)** *mb:* **qarqe të ~a** (well-) informed circles

infra:kúq, -e *mb fz* infra-red ♦ **~struktúr/ë, -a** *f* infrastructure

ingran:ázh, -i *m tk* gear; cog-wheel: **sistem ~esh** gearing ♦ **~lóhem** *ps* ♦ **~lój** *kl tk* (put into) gear; engage; mesh in

iniciat:ív/ë, -a *f* initiative; enterprise ♦ **~ór, -i** *m* initiator ♦ **~ór, -e** *mb* initiatory *(committee)*

inkuizi:ción, -i *m hst* inquisition ♦ **~tór, -i** *m :* **I~i i Madh** *hst* the Grand Inquisitor

inkuraj:ím, -i *m* encouragement ♦ **~lóhem** *ps* ♦ **~lój** *kl* encourage; hearten ♦ **~úes, -e** *mb* encouraging; heartening

inkursíon, -i *m* incursion; raid; foray; inroad

inorganík, -e *mb* inorganic

insékt, -i *m* insect; *am* bug

inspekt:ím, -i *m* inspection; investigation; check-up ♦ **~ój** *kl* inspect; investigate; check up ♦ **~ór, -i** *m* inspector ♦ **~orát, -i** *m* inspectorate; board of inspection

instal:ím, -i *m* installation; installation facilities ♦ **~l óhem** *vtv* settle down; establish oneself *ps* ♦ **~lój** *kl* install; settle

instínkt, -i *m* instinct ♦ **~ivísht** *nd* by instinct

institu:ción, -i *m* institution; institute ♦ **~t, -i** *m* institute of learning

instruksión, -i *m* instruction; *ush* briefing ♦ **~t/ óhem** *ps* ♦ **~t/ój** *kl* instruct; *ush* brief ♦ **~tór, -i** *m* instructor

instrumént, -i *m* instrument; tool; deed, document: **~e frymore** *mz* wind instruments ♦ **~ál, -e** *mb mz* instrumental ♦ **~íst, -i** *m mz* instrumentalist

integr:ím, -i *m* integration (**into**) ♦ **~itét, -i** *m* integrity; entirety: **~ tokësor** territorial integrity ♦ **~/óhem** *vtv, ps* ♦ **~/ój** *k/* integrate

intel:ékt, -i *m* intellect; mind ♦ **~ ektuál, -e** *mb* intellectual: **punë ~e** white collar/ brain work ♦ **~ektuál, -i** *m* intellectual ♦ **~ektualíz/ëm, -mi** *m* intellectualism ♦ **~igjénc/ë, -a** *f* intelligence; understanding; sagacity

intens:ifikím, -i *m* intensification ♦ **~ifik/óhet** *vtv, ps* ♦ **~ifik/ój** *k/* **-óva, -úar** intensify; step up; make more frequent ♦ **~itét, -i** *m* intensity; strength: **~i i fushës** *fz* field strength ♦ **~ív, -e** *mb* intensive

interés, -i *m* interest: **dashuri për/ me ~** cupboard love ♦ **~ánt, -e** *mb* interesting: **qenka ~ ky!** what a queer fish! ♦ **~ím, -i** *m* interest; concern; good offices ♦ **~/óhem** *vtv* be interested; take/ show an interest in ♦ **~/ón** *jk/* **-ói, -úar** be interested in ♦ **~úar (i, e)** *mb* interested; concerned: **palët e ~a** interested parties ♦ **em** interested party (person)

interméxo, -ja *f tt* interval *mz* intermezzo

internacionál/e, -ja *f pl* international; the Internationale ♦ **~íst, -i** *m* internationalist ♦ **~íst, -e** *mb* internationalist(ic) ♦ **~íz/ëm, -mi** *m* internationalism; internationality

internét, -i *m* Internet: **lidhje në ~** Internet connection

intern:ím, -i *m* internment ♦ **~/óhem** *ps* ♦ **~/ój** *k/* intern ♦ **~úar (i, e)** *mb* interned ♦ **~úar, -i (i)** *m* internee

interpel:ánc/ë, -a *f* question-time *(in parliament)* ♦ **~/ój** *jk/* **óva, -úar** interpellate

interpret:ím, -i *m* interpretation; interpreting: **~ i gabuar** misinterpretation; **~ i búkur** fine performance/ execution ♦ **~/óhet** *ps* ♦ **~/ój** *k/* interpret: **~oj gabim** misinterpret; **~oj rolin kryesor** star *(in a film)* ♦ *jk/* interpret ♦ **~úes, -i** *m mz, tt* actor; performer; interpreter

intervál, -i *m* interval; break; pause; *tt, kn* entr'acte; intermission; interval: **me ~e të shkurtër** at short intervals

intervención, -i *m* intervention ♦ **~íst, -i** *m* interventionist

intervíst/ë, -a *f* interview ♦ **~/óhem** *ps* ♦ **~/ój** *k/* interview ♦ **~úar, -i** *m* interviewee ♦ **~úes, -i** *m* interviewer

intím, -e *mb* intimate ♦ **~itét, -i** *m* intimacy: **kam ~ me dikë** be on intimate terms with sb

intrig:ánt, -i *m* intriguer ♦ *mb* intriguing; designing ♦ **~/ë, -a** *f* intrigue; secret plotting; secret love affair; plot *(of a novel, etc.);* design ♦ **~/ój** *k/, jk/* intrigue; plot; scheme ♦ **~úes, -e** *mb* intriguing; plotting; scheming

intuít/ë, -a *f* intuition

invalíd, -i *m* invalid; disabled person ♦ **~itét, -i** *m* infirmity; incapacity; disability: **~ i përkohshëm** temporary incapacity

inventár, -i *m* inventory ♦ **~izím, -i** *m* stock-taking ♦ **~izóhet** *ps* ♦ **~iz/ój** *k/* make an inventory of; take stock of

invest:ím, -i *m* investment ♦ **~/óhet** *ps* ♦ **~/ój** *k/* invest ♦ **~úes, -i** *m* investor ♦ **~úes, -e** *mb* investing; investor *(mb)*

inxhiniér, -i *m* engineer: **~ minierash** mining engineer ♦ **~í, -a** *f* engineering: **~ detare** naval engineering

injek:sión, -i *m mk* injection: **i bëj një ~ dikujt** give sb an injection ♦ **~tím, -i** *m* injection; injecting ♦ **~t/óhet** *ps* ♦ **~/ój** *k/* inject

injorán:c/ë, -a *f* ignorance; illiteracy ♦ **~t, -i** *m* ignoramus *(sh -es)* ♦ *mb* ignorant; unacquainted *(with sth)*

ipéshk/ëv, -vi *m sh* **-vij, -vijtë** *ft* bishop ♦ **~ëví, -a** *f ft* bishopric

ipsilón, -i *m mt* epsilon

Irák, -u *m gjg* Iraq ♦ **~én, -e** *mb* Iraqi ♦ **~én, -i** *m* Iraqi

Irán, -i *m gjg* Iran ♦ **~ían, -e** *mb* Iranian ♦ **~ían, -i** *m* Iranian

iríq, -i *m z/* hedgehog; wart: **~ deti** *z/* sea urchin

irland:éz, - e *mb* Irish ♦ **~éz, -i** *m* Irish ♦ **I~/ë, -a** *f gjg* Ireland: **I~ e Veriut** *gjg* Northern Ireland

írn/óhem *vtv v iii* be soiled; turn livid *(with cold);* be green *(with envy)* ♦ **~/ój** *k/* soil; (make) dirty ♦ **~úar (i, e)** *mb* begrimed, soiled; livid, blue *(with cold)*

ironí, -a *f* irony: **për ~ të fatit** by an ironic twist of the fate ♦ **~k, -e** *mb* ironic(al) ♦ **~zím, -i** *m* irony ♦ **~z/ój** *k/* deride; treat with irony

irracionál, -e *mb* irrational

irredent:íst, -i *m pl* irredentist ♦ **~íst, -e** *mb:* **lëvizje ~e** irredentist movement ♦ **~íz/ëm, -mi** *m, pl* irredentism

islám:ík, -e *mb ft* Islamic ♦ **~íz/ëm, -mi** *m ft* Islam(ism) ♦ **~izím, -i** *m* conversion Islam

island:éz, -e *mb* Icelandic ♦ **~éz, -i** *m* Icelander ♦ **I~d/ë, -a** *f gjg* Iceland

íso, -ja *f mz* bourdon; chime *(of bells);* **i mbaj ~n dikujt** chime in with so

ísha *pkr e* **jam: ishte se ç'na ishte** once upon a time there was

íshu/ll, -lli *m* island ♦ **~llár, -i** *m* islander ♦ **~llór, -e** *mb* insular

Italí, -a *f gjg* Italy ♦ **~án, -e** *mb* Italian ♦ **~án, -i** *m* Italian ♦ **~sht** *nd'* in (the) Italian (language) ♦ **~sht/ e, -ja** *f* (the) Italian (language)

itinerár, -i *m* itinerary; route

ithtár, -i *m* follower; disciple

iú *tr shk prm:* **nuk ~ përgjigj njeri** no one answered him

izol:ánt, -i *m e/* insulator ♦ **~atór, -i** *m shih* **izolant,**

-i ✦ **~ím, -i** *m* isolation; insulation ✦ **~lóhem** *vetv* isolate oneself; *ps* ✦ **~lój** *k/* isolate; separate; cut/ seal off; *el* insulate ✦ **~úar (i, e)** *mb* isolated; segregated; secluded; *el* insulated ✦ **~úes, -e** *mb* insulating

Izraél, -i *m gjg* Israel ✦ **~ít, -e** *mb* Israeli; Israelite ✦ **~ít, -i** *m* Israeli

J

ja *pj* here; there; this (is); that (is); just: ~ **shtëpia ime** here/ this is my house; ~ **ku qenka!** here he is!; ~, **erdha!** coming! ♦ *ldh:* ~, ~ either... or
jabanxhí, -u *mvj* stranger; outlander
jaguár, -i *m zl* jaguar
jahní, -a *f gjell* stew ♦ *mb* : **fasule** ~ bean stew
jaht, -i *m dt* yacht
ják/ë, -a *f* collar; neckband
jakí, -a *f* sticking plaster
jam *jk/* **qéshë, qénë** be: **rrofsh e qofsh!** a long life you!; **na ishte një herë** once upon a time there was; **unë ~** I am; **kush është?** who is there?; who is it?; **nga je?** where are you from?; **do të jesh më mirë** you'll be better; **po të isha unë aty** if I were there; **ashtu qoftë!** so be it!; **duke qenë se** since; as; because; **në qoftë se** if; in case; **udhë e mbarë i qoftë!** good riddance! ♦ *me folje në paskajore:* ~ **duke punuar** I am working; **isha duke shkruar** I was writing ♦ *folje ndihmëse* : ~ **rruar** I have shaved; ~ **ftohur** I have caught a cold; **qe mbyllur brenda** he had shut himself in
janár, -i *m* January
jap *k/* **dháshë, dhënë** give; yield *(a result):* ~ **alarmin** sound the alarm; **jepem** yield; surrender; ~ **e marr me dikë** be on give-and-take terms with sb; ~ **gjak** donate blood; ~ **hua** lend; ~ **muzikë** teach music; ~ **një darkë të madhe** throw a large party; ~ **e marr** try hard; **i ~ maki-nës** drive a car; **i ~ zemër dikujt** hearten sb; **ia ~ të qeshurit** burst out in laughter; **kush ia dha?** who gave it to him?; **ma jep/ nëma mua** give it to me ♦ *jokal v iii* go; begin; offer; sell; estimate; appear; look: **ia dha një shi** there was a sudden shower; **ma jep në kokë** go one's head *(of drink, etc.);* **sa jep ti?** how much do you offer?
japon:éz, - e *mb* Japanese ♦ **-éz, -i** *m* Japanese ♦ **J~í, -a** *f gjg* Japan ♦ **~isht** *nd* (in the) Japanese (language) ♦ **~isht/e, -ja** *f* (the) Japanese (language)

jargaván, -i *m bt* lilac
jarg:avít/em *vtv kq* dribble; slobber ♦ **~lë, -a** *f* dribble; slaver; slime *(of fish)* ♦ **~ës, -e** *mb* slobbery ♦ **~ós** *k/* slobber over ♦ **~ósem** *vtv* dribble; slobber
jasemín, -i *m bt* jasmin(e); jessamine
jastëk, -u *m* pillow; *tk* cushion: **këllëf ~u** pillowcase
jásht:ë *nd* out(side); abroad: **fle ~** sleep in the open/ rough; **dal ~** go out; relieve one's nature ♦ *em* outside; exterior; appearance: **pamje nga ~** exterior *(of a house)* ♦ *mb* bare: **me këmbët ~** barefooted ♦ *prfj* out of; outside; beyond; above: ~ **qytetit** out of town; ~ **mase** beyond measure; **punë~ orarit** extra-time work; **pozicion ~ loje** *sp* offside position ♦ **~ëlígjsh/ëm (i), -me (e)** *mb* illegitimate: **fëmijë i ~** natural child ♦ **~ëm (i), -me (e)** *mb;* outer; outside; foreign; external; exterior: **lagjet e ~me** suburbs ♦ *em* outsider ♦ **~ëqít** *k/ bl* excrete; evacuate ♦ **~ëqítj/e, -a** *f bl* excretion ♦ **~ëshkollór, -e** *mb* extramural; out-of-school ♦ **~ëtokësór, -e** *mb:* **qenie ~e** alien ♦ **~ëzakonísht** *nd* extraordinarily; exceptionally ♦ **~ëzakónsh/ëm (i), -me (e)** *mb* extraordinary; exceptional: **seancë e ~me** special session; **gjendje e ~me** emergency situation ♦ **~/e, -ja (e)** *f* outward; exterior; outside ♦ **~i (së)** *nd* outwardly; externally; from outside
jáv/ë, -a *f* week ♦ **~ór, -e** *mb* weekly *(publication)*
jeh/ón *jk/* **-ói, -úar** echo; resound; ring: **më ~ojnë veshët nga** my ears are ringing with
jél/e, -ja *f* mane: **~ja e kalit** the horse's mane
jelék, -u *m* waistcoat; *am* vest
jépe/m *vtv* devote oneself; indulge *(in drink, etc.);* be addicted; *fg* yield; surrender (oneself); be skilful in; *v iii* break; turn up; bend; *ps:* ~ **pas fëmijëve** be devoted one's children; **atij i ~t për çdo gjë** he can turn his hand to everything; **u dha në derë** he popped in at the door

jerm, -i *m* delirium ♦ **~lój** *jk*/ rave; be delirious
jeshíl, -e *mb bs* green ♦ *em*-**e, -ja** *f bs* green ♦ **~l óhem** *vtv bs* v *iii* become green ♦ **~lón** *jk*/ **-ói, - úar** *bs* become green ♦ *kl* make/ fill with green ♦ **~të (i, e)** *mb* green ♦ **~lë/k, -ku** *m bs* greenness; verdure; green area; vegetables
jet;és/ë, -a *f* living; livelihood: **nivel i ~ës** standard of living; **nxjerr/ fitoj ~ën** make/ earn one's living ♦ **~/ë, -a** *f* life; existence; livelihood: **~a në tokë** life on earth; **pa ~ë** lifeless; **bëj ~ë** enjoy oneself; **gjithë ~ën** all one's life; **ka ~ë të shkurtër** be short-lived; **shok i ~ës** life companion; **vë në ~ë** put into practice ♦ **~ëgjátë** *mb;* long-lived ♦ **~ëgjatësí, -a** *f* longevity; life expectancy/ expectation: **bar i ~së** elixir of longevity ♦ **~ësór, -e** *mb dhe fg* vital: **hapësirë ~e** vital space ♦ **~ëshkrím, -i** *m* biography ♦ **~ëshkúrtër** *mb;* short-lived; ephemeral ♦ **~ík, -e** *mb shih* **jetësor, -e**
jetím, -i *m* orphan ♦ **~, -e** *mb* orphan ♦ **~ór/e, -ja** *f* orphanage
jet/óhet *pvt* live: **s'~ pa ajër** it is impossible live without air; *ps* ♦ **~lój** *jk*/ live; v *iii* last; *fg* v *iii* live; be cherished: **~oj me sot me nesër** live from hand mouth; live from day day; **~oj çaste të vështira** go through a bad half hour ♦ *kl* live; experience; go through ♦ **~úarit (të)** *as* living: **mënyra e të ~** mode of living; way of life ♦ **~úar (i, e)** *mb* life *(si mb):* **ngjarje e ~** event from real life
jev/g, -gu *m bs* Roma
jezuít, -e *mb* Jesuitical ♦ **~, -i** *m keq* Jesuit
jo *pj* no: **~ që ~** absolutely not; **të thashë apo ~?** didn't I say so?; **~ more!** you bet!
jod, -i *m km* iodine
jon, -i *m fz* ion
Jon, -i *m gjg* Ionian (Sea)
jón/ë *prn sh* **tona** our: **shtëpia ~** our home; **në tokën tonë** in our land; **familjes sonë** our family ♦ **~a** *em sh* **tona** ours: **një nga tonat** one of ours; **është ~** it is ours; **e bëmë tonën** we did our bit/ best
jónxh/ë, -a *f bt* lucerne; alpha-alpha
Jordan:éz, -e *mb* Jordanian ♦ **~éz, -i** *m* Jordanian ♦ **J~í, -a** *f gjg* Jordan
jorgán, -i *m* (bed)quilt: **i bëhem ~ dikujt** protect sb
josh *kl* allure; entice; attract; coax ♦ **~lem** *vtv;* be allured; be enticed; *ps* ♦ **~lë, -a** *f* lure; allurement; enticement ♦ **~ës, -e** *mb* alluring; enticing; attractive
jót/e (e) *sh* **tua (e)** your: **dhoma ~e** your room: **këpucët e tua** your shoes; **~ ëmë** your mother; **shoqet e tua** your friends ♦ **~ja** *em sh* **tuat (të)** yours: **është ~** it's yours
ju *vetor* you: **~ e dini** you know; **varet prej ~sh** it depends on you ♦ *trajtë e shkurtër e prm vetor* you: **~ them ~ve** I am telling you: **~ pashë ~** I saw you ♦ **~á** *tr shkrt prm:* **~ dhashë të gjitha** I gave you everything ♦ **~aj** *prn* your: **libri ~** your book; **në dhomën tuaj** in your room; **nëna ~** your mother ♦ **~aji** *em sh* **túajt, f júaja, sh túajat: s'është ~** it is not one of yours
jubil:ár, -e *mb:* **ditë ~e** jubilee day ♦ **~é, -u** *m* jubilee
jug, -u *m* south ♦ **~lë, -a** *f* southern wind; southerly wind ♦ **~líndj/e, -a** *f* south-east ♦ **~lindór, -e** *mb* south-easterly/ eastern ♦ **~ór, -e** *mb* southern ♦ **~perëndím, -i** *m* south-west ♦ **~ór, -e** *mb* south-western; south-westerly ♦ **J~sllav, -e** *mb* Yugoslavian ♦ **~slláv, -i** *m* Yugoslavian
júnt/ë, -a *f* junta
jurí, -a *f* jury
juri:dík, -e *mb* juridical ♦ **~diksión, -i** *m* ♦ jurisdiction ♦ **~st, -i** *m* jurist
justifik:ím, -i *m* excuse ♦ **~lóhem** *vtv;* excuse oneself; justify oneself; *ps* ♦ **~lój** *kl* justify; excuse **nuk e ~on veten** it cannot be justified ♦ **~úesh/ëm (i), -me (e)** *mb* justifiable; excusable

K

ka, -u *m sh* **qe, qétë** ox *(sh* **oxen***)*
kabá *dhe* **~shëm (i), -shme (e)** *mb bs* cumbersome, unwieldy; *fg* ungainly; awkward
kabaré, -ja *f* cabaret
kabin:ét, -i *m* room; cabinet ♦ **~/ë, -a** *f (telephone)* box; booth; *(bathing)* hut: **~ë e pilotit** *av* cockpit
kábllo, -ja *f* cable
kacabú, -ni *m zl* stag-beetle
kacafýt *k/* throttle; choke; strangle ♦ **~/em** *vtv* come grips; *fg* wrestle; struggle *(with a difficulty)* ♦ **~j/e, -a** *f* skirmish; struggle
kacagjél, -i *m zl* red ant; *fg* cock of the walk; top-dog
kaca:vár/em *vtv* a (u), **-ur** *dhe* **~v/írrem** *vtv* **-vóra (u), -vjérrë** clamber; climb up; *v iii* climb up ♦ **~várj/e, -a** *f* climb(ing)
kacék, -u *m* leather bottle; skin; bellows *(of the forge)*; *bs* bagpipe: **~ me verë** wine skin; **bëhem ~** eat/ drink fit burst
kaçák, -u *m vj* outlaw; bandit
kaçavíd/ë, -a *f* screw-driver
káçk/ë, -a *f bs* walnut *(fruit)*; empty nut
kaçúb/ë -a *f* bush; shrub
kaçúl, -i *m* crest *(of feathers)*; cock's comb; *fg* street urchin; *bs* brat
kaçul:ít/ë, -a *f* crest *(of a bird)*
kaçurrél, -e *mb* curly *(hair)* ♦ *em* curl; ringlet
kadaíf, -i *m gjll* kadaif *(sweet of thread-like pasta soaked in syrup)*
kadást/ër, -ra fordnance survey: **regjistër ~re** register of landed property
kadénc/e, -a *f* cadence; rhythm
kadét, -i *m* cadet; *dt* midshipman
kadif:é, -ja, kadíf/e, -ja *f* corduroy; velvet ♦ **~énjtë (i, e)** *mb* velvety
kadítsh/ëm (i), -me (e) *mb* stale; old; long-standing: **bukë e ~me** stale bread
kafáz, -i *m* cage; *ndr* well *(of a staircase)*: **dritare me ~** blind window

káf/e, -ja *f,* **kafé, -ja** *f* coffee *(tree, bean)*; café ♦ *mb* brown ♦ **~ín/ë, -a** *f km, frm* caffeine ♦ **~ené, -ja** *f bs* café ♦ **~exhí, -u** *m bs* café-keeper; café owner
káfk/ë, -a *f an* scull; cranium; shell *(of a turtle)* ♦ **~ór, -e** *mb* cranial ♦ **~u/ll, -lli** *m* shell; carapace *(of a turtle etc.)*
kafshát/ë, -a *f* mouthful; bite; morsel: **ha një ~ë** have a bite/ snack/ spot of (lunch, etc.); **për një ~ë bukë** *(to sell sth)* for a song
káfsh/ë, -a *f* animal; beast: **~ë shtëpiake** domestic animal ♦ **~ërí, -a** *f* beastliness ♦ **~ërísht** *nd* bestially ♦ **~ërór, -e** *mb* beastly; ferocious
kafsh:ím, -i *m* bite; biting; snap ♦ **~/óhem** *vtv* bite; snap at; *ps* ♦ **~/ój** *k/* bite; snap; champ; *v iii* sting: **e ~oi qeni** the dog bit him; **~oj buzët** bite one's lips; **qeni që leh nuk ~on** *fj u* the barking dog does not bite ♦ *jkl v iii bs* hit; *(a spanner)* has no grip ♦ **~úar (i, e)** *mb* bit(ten) ♦ *em* **-, -a (e)** *f* **(të)** bite; morsel
kah, -u *m,* **~/e, -ja** *f* direction; sense *(of the road)*
kahérë *nd* long ago
káik/e, -ja *f bs* caique; small boat
kaísh, -i *m bs* belly-band; belt; razor-strap; *shr* numskull
kajmák, -u *m* (milk) cream ♦ **~lí/e, -a** *f gjll* cream scone
kajsí, -a *f bt* apricot
kakáo, -ja *f bt* cacao(-tree); cocoa; chocolate
kakarís *jkl* cluck; cackle; chortle ♦ **~j/e, -a** *f* cluck(ing); chortle; cackle, loud foolish laughter
kák/ë, -a *f nj fëm* popo ♦ **~ërdhí, -a** *f* droppings *(of sheep and goats)*; turd
kakí, -a *f bt shih* **hurm/ë, -a** ♦ *mb* khaki; dull yellowish brown
káktus, -i *m bt* cactus *(sh* **-ti***)*
kalá, -ja *f* castle; fort(ress); *fg* bulwark; citadel; stronghold; rook *(in chess)*
kalamá, -ni *m bs* child; kid: **bëj si ~** behave like a child ♦ *mb* childish ♦ **~llë/k, -ku** *m bs* childish-

ness

kalaménd *kl* rock; toss; *fg* dazzle ♦ **~em** *vtv* ♦ **~ës, -e** *mb* vertiginous; woozy

kalánd/ër, -ra *f tk* calender

kalaqáfë *nd* pick-a-back: **i hipi ~ dikujt** ride on sb's shoulders; *fg* ride roughshod on sb

kalb *kl* (cause) rot/ decay; decompose; *v iii fg* corrupt: **e ~ në dru dikë** tan sb's hide ♦ **~em** *vtv e*: **~em në burg** rot in prison ♦ **~ësí, -a** *f bt* rot; putridity; putrefaction; *fg* trash; *fg* rotter ♦ **~ësír/ ë, -a** *f* rot; rotten part *(of fruit, etc.)* ♦ **~ët (i, e)** *mb* rotten; decomposed; putrid, putrescent: **shkel në dërrasë të ~** make a false step; tread on shaky ground ♦ **~ëzím, -i** *m* rot(ting); putrefaction; decay; disintegration: **~ i dhëmbit** tooth decay ♦ **~ëzóhet** *vtv* ♦ **~ëz/ój** *kl* rot; putrefy; *fg v iii* decompose; corrupt; disintegrate ♦ **~ëzúar (i, e)** *mb* rotten; decomposed ♦ **~j/e, -a** *f* rot; decay; decomposition ♦ **~ur (i, e)** *mb* rotten; decayed: **i ~ në para** stinking wealthy

kalcíum, -i *m km* calcium

kaldáj/ë, -a *f* boiler ♦ **~íst, -i** *m* boiler man

kaleidoskóp, -i *m* kaleidoscope ♦ **~ík, -e** *mb* kaleidoscopic(al)

kalém, -i *m* pencil; *bs* schooling; chisel *(of the silversmith)*; cutting *(of a rosebush, etc. for planting)*: **i bie ~it** make one's reckoning; **s'e vë në ~ dikë** think little of sb ♦ **~xhí, -u** *m kq* hack-writer; penny-a-liner

kalendár, -i *m* calendar ♦ **~ík, -e** *mb*: **ditë ~e** calendar days

kalésh, -e *mb* hairy; woolly *(head)*: **vetull ~e** beetle brow

kál/ë, -i *m sh* **kúaj, kúajt** horse; *shah* knight: **~ë gërdallë/ shpirraq** nag; **~ë karroce** cart horse; *bs* dumbbell; **~ë me doreza** *sp* pommel horse; **~i i belarave** *fg* scapegoat; **hipur në ~ë** on horseback; **mizë ~i** *zl* horse-fly; **punoj si ~ë** work like a horse; **sillem si ~i në lëmë** run round in circles ♦ **~ë-fuqí** *m sh* **kúaj-fuqí** *fz, tk* horsepower ♦ **~ër:ím, -i** *m* horse-riding; horsemanship ♦ **~l ój** *jkl* ride on horseback ♦ *kl* mount; ride *(a horse)*

kalíb/ër, -ri *m tk* calibre; callipers; gauge: **~ i rëndë** heavy piece *(of artillery)* ♦ **~rím, -i** *m tk* calibration; gauging ♦ **~r/óhet** *ps* ♦ **~r/ój** *kl tk* calibrate; gauge; *fg* pinpoint *(artillery shelling)*

kalím, -i *m* passage(-way); transition; promotion *(to a higher grade in school)* ♦ **~tár, -i** *m* passer-by *(sh* **passers-by***)* ♦ **~tár, -e** *mb* transitional; *gjh* transitive *(verb)*; ephemeral ♦ **~thi** *nd* in passing; hastily

kalít *kl* temper; harden ♦ **~em** *vtv, ps* ♦ **~j/e, -a** *f* hardening; tempering ♦ **~ur (i, e)** *mb* hardened; tempered

kalíum, -i *m km* potassium

kalk, -u *m,* **kálk/ë, -a** *f* tracing paper; *gjh* calque; loan-word

kalkul:ím, -i *m* calculation ♦ **~/ój** *kl* calculate ♦ **~atríç/e, -ja** *f* calculator

kalmár, -i *m zl* cuttlefish

kal/óhem *ps, pvt* ♦ **~/ój** *jkl* pass by/ through; go by/ across/ through; *v iii* pass; *v iii* come off *(with success)*; *v iii* end: **~oj përpara** go ahead; **vitin që ~oi** last year; **e ~oj mirë** have a good time; **i ~on afati** become overdue; **lë të ~ojë dikë** let sb pass ♦ *kl* pass; cross; jump/ skip over; overtake; *fg* excel; do better than: **~oj dorë më dorë** pass from hand to hand; **~oj klasën** be promoted a higher grade; **~oj lartësinë dy metra** jump/ clear 2 metres height; **e ~oj kohën kot** while away one's time; **e ~oj lumin** get over a difficulty

kalór:ës, -i *m* rider; horseman; *hst* knight; *fg* champion ♦ **~ësí, -a** *f prmb ush* cavalry; horsemen; *vj* chivalry; knighthood ♦ **~ësiák, -e** *mb* chivalrous: **urdhër ~** knighthood

kalóri, -a *f fz* calorie ♦ **~fér, -i** *m* radiator ♦ **~fík, -e** *mb* calorific: **vlerë ~e** calorific value

kaloshín, -i *m* gig

kált/ër (i, e) *mb* sky-blue; azure ♦ **~ër, -ra (e)** *em* sky-blue/ azure colour ♦ **~ërím, -i** *m* sky-blue colouring; blueness ♦ **~ëróhet** *vtv* ♦ **~ër/ój** *jkl v iii* become sky-blue ♦ **~ërór, -e** *mb* bright sky-blue ♦ **~ërósh, -e** *mb* bluish ♦ **~ërsí, -a** *f* blueness; sky-blue colour; blue expanse ♦ **~ërúar (i, e)** *mb* painted sky-blue; sky-blue; azure ♦ **~ërrém/ ë (i), -e (e)** *mb* bluish

kalúar (i, e) *mb* past; last; bygone: **të dielën e ~** last Sunday; **gjëra të ~a** bygones; **moshë e ~** advanced age ♦ **~, -a (e)** *f* (të) past; bygones

kalúar *nd*: **jam ~** sit pretty; be on the winning side

kalúç, -i *m sp* vaulting horse: **~ me doreza** side-horse; pommel horse

kalúes, -e *mb* passing; transitional; fair ♦ **~sh/ëm (i), -me (e)** *mb* traversable, passable *(road)*; fordable *(river)*; surmountable *(difficulty)* ♦ **~shëm** *nd* passably good; fair ♦ **~shmërí, -a** *f* traversibility *(of a road)*

kalúsh, -i *m* small horse; pony

kall[1] *kl* put in/ into; cram; bury; *bs* egg on; cheat; outsmart:; **~ gozhdën në mur** drive a nail into the wall; **~ në dhe** bury; **ta paskën ~ur!** you've been framed!; **ia ~ djallin diçkaje** let sth go rack and ruin; **i ~ datën dikujt** scare sb stiff

kall[2] *kl krh* burn; light *(a cigarette, etc.)*

kálla, -t *f* intrigue; plot

kallaballëk, -u *m bs* crowd; mob: **u bë ~ i madh** there was a large crowd; **jemi ~** we're quite a party; **mblidh ~un!** think straight!

kallafát *kl* slobber *(a piece of work)* ♦ **~ím, -i** *m* caulking ♦ **~/óhet** *ps* ♦ **~/ój** *kl* caulk *(a boat)*; *fg* patch up

kalláj, -i *m km, min* tin: **fletë ~i** tinfoil; **ngjit me ~**

tin-solder ♦ **~ís** *k/*tin; whiten *(pans, etc.)*; *fg* gloss, whitewash; *kq* smear, smudge ♦ **~ís/em** *vtv, ps* ♦ **~ísj/e, -a** *f* tinning; whitening ♦ **~ísur (i, e)** *mb* tinned; whitened *(copper vessels)*; *fg* polished; glossed over; *fg* deceitful; *kq* smeared; smudged ♦ **~xhí, -u** *m* tinsmith; tinker

kallám, -i *m bt* reed; rush; fife; shin *(of the leg)*: **~ peshkimi** fishing rod; **~ sheqeri** sugar cane; sugar stick

kallamár, -i *m* inkstand; *zl* squid

kallamídh/e, -ja *f* cartridge

kallamísht/e, -ja *f* straw *(of wheat, etc.)*; stub; rush (reed) ground

kalldrëm, -i *m* cobbled way; stone pavement

kállem i *vtv* enter; go into; *ps e* **kall¹**

kallëp, -i *m tk* form; mould, dice *(of a cast, etc.)*; (ice) cube; (chocolate) bar; *kq* sort; stamp; description: **derdh në ~** pour into a mould; **~sapuni** soap cake; **njerëz të çdo ~i** people of every stamp/description; **i fut në një ~** lump together ♦ *nd:* **i marr ~ fjalët e dikujt** construe sb's words literally; **rri ~** fit like a glove

kállëz, a *f* wheat-ear; husk of grain

kallëz:ím, -i *m* narrative; story; tale; denouncement *(to the police)* ♦ **~zimtár, -i** *m* narrator ♦ **~lóhem** *ps* ♦ **~lój** *kl* inform; spy on *(sb)*; denounce; point out (to); tell *(a story, a tale)*: **~oj me gisht** point a finger at; **~oj të drejtën** tell the truth; **mos ~o!** don't prompt!

kallëzóre *mb gjh* accusative ♦ **~/e, -ja** *f gjh* accusative

kallëzúes, -i¹ *m* informer; denouncer

kallëzúes, -i² *m gjh* predicate

kallí, -ri *m* ear *(of wheat, etc.)*; cob *(of maize)*; catkin *(of inflorescence)*; shin *(of the leg)*: **mbetem ~** remain alone; remain naked; be down and out/ broke

kallkán, -i *m* ice; icicle: **bëhem ~** be ice-cold; *fg* be stiff/dead ♦ **~ós** *kl* ice; freeze; stiffen ♦ **~ós/ em** *vtv*

kállo, -ja *f* corn: **duar me ~** callous hands; **e shkel në ~ dikë** tread on sb's corns

kallp, -e *mb bs* sham; spurious: **para ~** counterfeit money

kallúm/ë, -a *f dt* keel; back

kam *kl, jkl* **páta, pásur** have; posses; be: **~ fat** be lucky; **~ uri** be hungry; **ç'ke?** what's wrong with you?; **e ka mirë ai** he's right; **kështu e ka ai** that's like him; **ki mendjen!** take care!; **e ~ për nder** consider it an honour; **e ~ me gjithë mend** be in earnest; **e ~ me shaka** be joking ♦ *kl bs* ask a price: **sa e ke?** how much do you ask for it?; **mezi e ~ diçka** cherish sth dearly; **ku e ke hallin?** what's your problem?; what are you driving at?; **pasha sytë e ballit** bless my eyes ♦ *pvt* there is; there are; (it) is: **ka kohë plot** there is

plenty of time; **ka erë** it is windy; **ka leverdi** it is profitable; **s'ka se si!** (it's) impossible! ♦ *kr thj bs* say; be over: **e di, - ia pati ai** I know, he said; **kaq e pati** that's the end of him; **e pati dhe kjo punë** that's done; it's over and done with ♦ *folje ndihmëse* have: **~ marrë** I have taken; **kisha marrë** I had taken; **pata marrë** I had taken

kamár/e, -ja *f* niche; recess: **e kam gojën ~e** have a big mouth

kamarósem *vtv* bloat; swell

kamat:ár, -i *m* usurer; money-lender ♦ **~/ë, -a** *f* usury

kamatëvonés/ë, -a *f* default interest; delayed interest; interest on arrears

kamban:ár, -i *m* bell-ringer ♦ **~/ë, -a** *f* (church)bell; bell-jar: **i bie ~ës** ring the bell; ♦ **~ór/e, -ja** *f* bell-tower; belfry

kambiál, -i *m fn* bill (of exchange); promissory note

Kambóxhia *f gjg* Cambodia; Kampuchea ♦ **k~án, -e** *mb* Cambodian ♦ **k~án, -i** *m* Cambodian

kambrík, -u *m tks* cambric

kameleón, -i *m zl* chameleon

kamerdár/e, -ja *f* inner tube *(of a tyre)*

kámer/ë, -a *f* camera: **~ë fotografike** camera; **~ë televizive** tv camera

kameriér, -i *m* waiter ♦ **~/e, -ja** *f* waitress

Kamerún, -i *m gjg* Cameroon(s)

kám/ë, -a *f* dagger

kámës, -i *m* rich person ♦ *mb* **-, -e** rich; wealthy

kamión, -i *m* truck; lorry

kámj/e, -a *f* property; possession; wealth

kamomíl, -i *m bt* camomile: **çaj ~i** camomile infusion

kamósh, -i *m* chamois leather

kamp, -i *m* camp; rest house; holiday resort; encampment; camping ground; *fg* group: **~ përqendrimi** concentration camp; **~ politik** political camp ♦ **~ím, -i** *m* camping; camping ground; encampment

kampión, -i *m sp* champion; *bs* champ; *fg* advocate; sample *(of goods)*: **~ botëror** world champion; **~ i lirisë** champion of freedom; **sipas ~it** up/ as per sample ♦ *mb* **~, -e** champion *(team)* ♦ **~át, -i** *m* championship(s)

kampíst, -i *m* camper

kamufl:ázh, -i, -ím, -i *m* camouflage; disguise ♦ **~lóhem** *vtv, ps* ♦ **~lój** *kl* camouflage; disguise ♦ **~úar (i, e)** *mb* camouflaged; disguised

kámur (i, e) *mb* well-do; *bs* well-heeled; wealthy ♦ *em* (the) well-do: **të ~it dhe të skamurit** the haves and have-nots

kamxhík, -u *m* whip: **i hyj me ~ dikujt** take the whip to sb

kanabís, -i *em bt* canabis

Kanad:á, -ja *f gjg* Canada ♦ **~éz, -e** *mb* Canadian ♦ **~éz, -i** *m* Canadian

kanakár, -e *mb* pet; favourite ♦ **~, -i** *m* favourite person/ child

kanál, -i *m* canal; channel; *an* duct: **në ~e zyrtare** through official channels ♦ **~izím, -i** *m* canal-digging/ network: **~izim i ujërave të zeza** sewerage ♦ **~izóhet** *ps* ♦ **~iz/ój** *kl* channel *(information)*

kanapé, -ja *f* sofa

kanát, -i *m*, **~/ë, -a** *f* shutter; leaf, fold *(of a door)* ♦ *nd.* **hap ~ më ~** fling wide open *(a door)*

kanavác/ë, -a *f* canvas; thin towel

kancelár, -i *m* chancellor ♦ **~í, -a** *f* chancellery; stationery *(items)*

kancér, -i *m mk* cancer ♦ **~óz, -e** *mb* cancer *(growth)*

kandár, -i *m* steelyard: **nuk ngre ~** carry/ have no weight

kánd/ërr, -rra *f* insect

kandidát, -i *m* candidate; applicant; pretender *(to the throne, etc.)* ♦ **~úr/ë, -a** *f* candidature; candidacy

kandíl, -i *m* oil lamp *(without a bulb):* **i mbaj ~in dikujt** aid and abet sb; **~ deti** *zl* jelly-fish ♦ **~ér, -i** *m* candle-holder/ stick

kandís *kl bs* persuade; bring round *(to a point of view)* ♦ *jkl* be persuaded ♦ **~/em** *vtv, ps*

kanéll/ë, -a *f bt* cinnamon; canella

kán/ë, -a *f (water)* jug; can

kangúr, -i *m zl* kangaroo

kángjella, -t *f* rail; railing; rail-fence

kanibál, -i *m* cannibal; man-eater ♦ **~íz/ëm, -mi** *m* cannibalism

kanión, -i *m gjg* canyon

kaníst/ër, -ra *f* basket; hamper

kanoní:k, -e *mb ft* canonic ♦ **~z/ój** *kl* canonise

kanós *kl* threaten; menace ♦ **~/em** *vtv* threaten; menace; *v iii* approach; be looming large: **po ~t shiu** it looks like rain ♦ **~ës, -e** *mb* threatening; menacing ♦ **~j/e, -a** *f* threat; menace

kanotázh, -i *m sp* rowing

kanotiér/ë, -a *f* singlet; vest

kantiér, -i *m* yard; (construction) site; *dt* dockyard; shipyard

kantín/ë, -a *f* wine cellar; wine vault

kánto, -ja *f mz* it canto

kanún, -i *m hst* canon *(law):* **s'e jep ~i** it is forbidden by the law ♦ **~ór, -e** *mb* canon *(mb):* **e drejtë ~e** canon law

kánxh/ë, -a *f* hook; cramp; fire-poker: **hedh ~ën/ ~at** be solidly anchored; **i hedh ~at dikujt** have a firm grip on sb

kaolín, -i *m* kaolin; china clay

kaós, -i *m* chaos ♦ **~tík, -e** *mb* chaotic

kap *kl* take; catch; capture; seize; get; grasp; *v iii* get/ be caught; fasten; overtake: **~e!** at him!; take it!; **~ të gjallë** capture alive; **~ të pesëdhjetat** reach one's fifties; **e ~ ligji** it's within the law; **e**

~i frika he was seized with fear; **i ~ gjërat** be quick on the uptake; **i ~i rrota këmbën** his foot got caught in the wheel; **këtu më ~e** you got me there; **nuk e ~a dot trenin** I missed the train; **~ për dore** take by the hand ♦ *jkl* fasten; catch; hit: **~ me gjilpërë** fasten with a pin; **~ në befasi** catch unawares

kapacitét, -i *m fiz, tk* capacity; accommodation; ability: **~i i sallës** capacity of a hall

kapadaí, -u *m bs* arrogant person; bully; blusterer ♦ **~llë/k, -u** *m bs* arrogance; haughtiness; forwardness

kapák, -u *m* lid; cover; shutter *(of a window):* slap; lapel *(of the jacket);* flap *(of the pocket):* **~ ~u i syrit** eyelid; **i vë ~ një çështjeje** cover up a question

kapár, -i *m fn* deposit; earnest money; surety

kapardís/em *vtv* swagger; boast: **~em si qeni në qerre** throw one's weight about ♦ **~j/e, -a** *f* swagger; boast(ing)

kapedán, -i *m vj* captain; *hst* chieftain *(of a tribe);* solider

kapél/ë, -a *f* hat; cap

káp/em *vtv* **kápa (u), kápur** catch; get hold of; seize *(on sth), fg* fight, quarrel; begin recover *(economically); ps:* **~em pas degës** get hold of a branch; **~em me fjalë me dikë** bandy words with sb; **s'ka ku të ~et** he hasn't a leg stand on

káp/ë, -a¹ *f* (military) cap; stock *(of hay);* mow

káp/ë, -a² *f* dummy; feeding bottle; pacifier

kapërc/éhem *vtv, ps* ♦ **~éj** *kl* cross *(a street, etc.);* ford *(a river);* jump over; climb over, scale *(a height, a wall);* swallow; exceed; overtake; overreach; skip, omit: **~ej me not** swim across *(a river, etc.);* **i ~ej fuqitë e mia** overreach oneself; **~ej një fjalë** skip a word ♦ *jkl bs* leap in the dark; be through; be over *(with sth);* be over/ more than/ past *(a certain age)* ♦ **~ím, -i** *m* jump(ing over); clearing *(a hurdle, etc.);* overcoming; getting over; surmounting *(an obstacle, etc.)* ♦ **~ímthi** *nd* with a jump; in passing: **përmend ~ diçka** mention sth in passing ♦ **~yer** *pjs e* **kapërcej** ♦ **~yer (i, e)** *mb* overcome; surmounted *(difficulty, etc.); bs* hasty; rash

kapërdí/hem *vtv* fall/ dive headfirst; gulp; swallow; *ps* ♦ **~lj** *kl* swallow; overturn; overthrow ♦ **~mthi** *nd* headfirst; headlong

kapërth/éhem *vtv* scuffle; engage in a skirmish; fight; *v iii* get tangled; *ps* ♦ **~léj** *kl* fasten; tie up; secure ♦ **~ím, -i** *m* scuffle; quarrel; fight

kápës, -i *m* catcher ♦ **~/e, -ja** *f* clip; fastener; *tk* clamp: **~ letrash** paper clip; **~ metalike** staple; **~e rrobash** peg *(for the washing)* ♦ **~, -e** *mb bl* prehensile

kapíc/ë, -a *f* haystack; hayrick; pile; stack ♦ *nd:* **e hedh ~ë dikë** throw sb all of a heap

kapist:áll, -i *m* bridle *(of the harness)* ♦ **~/em** *vtv* *kq* swagger; show off; rig oneself out ♦ **~/ër, -ra** *f* halter; bridle

kapít *k/* wear out; exhaust; hang *(one's head)*

kapitál, -e *mb* capital; major; cardinal; crucial: **dënim ~** capital punishment; **riparim ~** overall repairs

kapitál, -i *m ek* capital: **~ aksionar** capital stock; **e marr për ~ diçka** take sth for granted ♦ **~íst, -i** *m* capitalist ♦ **~íst, -e** *mb* capitalist(ic) ♦ **~íz/ ëm, -mi** *m* capitalism

kapitanerí, -a *f* captain's cabin; harbour-master's office

kapítem *vtv e* **kapit**

kapitén, -i *m ush* captain; *av* flight lieutenant; skipper: **gradë e ~it** rank of captain; captaincy

kapít:ës, -e *mb* exhausting; tiresome ♦ **~j/e, -a** *f* exhaustion; fatigue

kapítu/ll, -lli *m* chapter: **nis një ~ të ri** start a new chapter

kapitull:ím, -i *m* capitulation: **~ pa kushte** unconditional surrender ♦ **~lój** *jk/* capitulate ♦ **~úes, -i** *m* capitulator ♦ **~úes, -e** *mb* capitulatory

kapítur (i, e) *mb* exhausted; prostrated; worn out; tired out

kápj/e, -a *f* catch; hold; grasp: **~e belazi** *bs* wrestling

kapl:ím, -i *m* cover(ing); protection ♦ **~lóhem** *vtv, ps*: **~em nga djersët** be drenched in sweat ♦ **~l ój** *k/* cover; *fg* grip; *v iii fg* be seized with *(laughter, etc.)*: **e ~oi errësira** it was covered by the dark; **e ~uan punët** he was overwhelmed with work

kaplóq/e, -ja *f kq* pate; thickhead

kapósh, -i *m* cock; rooster; red ant; popcorn: **jam ~ i fshatit** rule the roost; **katandiset ~i një thelë** shrink next to nothing

kapót/ë, -a *f* overcoat; *tk* hood; bonnet; *bs* condom

kapró/ll, -lli *m zl* roe deer

kaps *nd:* **jam ~** be constipated

kapsallít *k/* blink; wink; twitch; roll *(one's eyes)*

kapsllëk, -u *m* constipation

kapsól/ë, -a *fush* percussion cap; *fg kq* dumb head

kapsúl/ë, -a *f* capsule

kápsh/ëm (i), -me (e) *mb* accessible; get-at-able; *fg* understandable

kaptér, -i *m ush* sergeant

kaptín/ë, -a *f bs* head; pate; *vj* chapter *(of a book)*; peak; summit; top *(of a mountain)*

kapt/ój *k/* cross *(the street, etc.)* ♦ *jk/ v iii* set: **~oi dielli/ hëna** the sun/the moon set

kapúç, -i *m* hood; cowl; *tk* cap: **~ i gjurit** knee-cap

kapúl, -i *m* stack; mound; bank *(of earth)*

kapulít *k/* blink; wink

kaq *nd* so many/ much; as much/ many; enough; no more: **një herë ~** just as much/ many; **mirë dhe ~!** thank goodness!; **~ e ka/ ia pret** that's the long and short of him ♦ *pkf* so much; so many;

such: **~ e ~ herë** so many times

kaqól, -i *m* shooter; taw *(at marbles)*; *bs* soft-head; duffer ♦ *mb* doltish

karabiná, -ja *f* frame, carcass *(of a building)*

karabín/ë, -a *fush* car(a)bine

karabiniér, -i *m* carabiniere *(Italian gendarme)* ♦ **~í, -a** *f prmb* carabinieri

karabullák, -u *m zl* common/ great cormorant; *bs* goof, lubber

karabúsh, -i *m* flower stalk *(of the onion, leek, etc.)*; corncob; *fg* gawk; dolt; dope; nincompoop

karafíl, -i *m bt* carnation; pink; *gjll* clove *(as condiment)*; *keq* light-minded person

karagjóz, -i *m* jester; buffoon; clown ♦ **~llë/k, -ku** *m bs* buffoonery

karagjýl, -i *m* Persian lamb

karakatín/ë, -a *f kq* ramshackle/ tumble-down house

karaktér, -i *m* character; type: **~ i butë** good-/ soft-natured; **njeri pa ~** spineless person ♦ **~istík, -e** *mb* characteristic; typical; peculiar () ♦ **~istík/ ë, -a** *f* characteristic; trait; feature ♦ **~iz/óhem** *vtv, ps* ♦ **~lój** *k/* characterise

karamból, -i *m* cannon; carom *(at billiards)*; collision *(of cars, etc.)*

karamél, -i *m gjell:* **krem ~** crème caramel ♦ **~/e, -ja** *f* sweet; sugar drop; sweetmeat; caramel

karantín/ë, -a *f* quarantine

karár, -i *m bs* decision; rest; quiet; measure: **i jap ~** make up one's mind *(about sth)*; **vij në ~** find some rest; **me ~** with good measure

karát, -i *m* carat *(of gold)*: **~ ar** gold content

karaté, -ja *f sp* karate ♦ **~íst, -i** *m* karateist ♦ **~k/ë, -a** karateka

karavídh/e, -ja *f zl* crab

karbón, -i *m km* carbon: **letër ~i** carbon paper ♦ **~át, -i** *m km* carbonate ♦ **~ík, -e** *mb km* carbonic ♦ **~izím, -i** *m* carbonisation; charring ♦ **~izóhet** *vtv, ps* ♦ **~iz/ój** *k/* carbonise; char ♦ **~izúar (i, e)** *mb* carbonised; charred

karburá:nt, -i *m* fuel; petrol; *am* gas; gasoline: **furnizim me ~** fuelling

kardiák, -u *m mk* cardiac patient; heart case ♦ **~, -e** *mb mk* cardiac; heart *(mb)*

kardinál, -i *m ft* cardinal

kardinál, -e *mb* cardinal *(importance, point)*

kardio:grám, -i *m mk* cardiogram(me) ♦ **~lóg, -u** *m* cardiologist; heart specialist ♦ **~logjí, -a** *f mk* cardiology

karé *nd:* **flokë të qethur ~** close-cropped hair

karf:íc/ë, -a *f* (hair, tie) pin; safety pin; brooch ♦ **~ós** *k/* pin; fasten with pins; stitch; pin down; *v iii fg* be overcome by *(sleep, fatigue, etc.)* ♦ **~lsem** *vtv* stick/ against; *fg* be overcome; *ps e* **karfos**

karikatór, -i *m ush* magazine *(of the rifle, etc.)*

karikatúr/ë, -a *f* caricature; *fg* travesty ♦ **~íst, -i** *m* caricaturist; cartoonist ♦ **~iz/ój** *kl* caricature

karkaléc, -i *m zl* grasshopper: **~ i fushës** locust; **~ deti** shrimp; prawn

karmelít *mb ft* Carmelite ♦ **~, -i** *m ft* white friar; Carmelite nun

kárm/ë, -a *f* promontory; steep slope/ bank ♦ **~/óhem** *vtv* fall; climb down ♦ **~/ój** *kl* drive out; put out of door

karnavál, -i *m* carnival; *fg* ridiculous figure

karó, -ja *f:* **dyshi ~** two of diamonds *(in cards)*

karót/ë, -a *f bt* carrot

karpentiér, -i *m* carpenter

karshí *bs nd:* **rri ~** sit face to face ♦ *prfj:* **~ dyqanit** opposite of the shop; **~ diellit** against the sun; **bëj detyrën ~ vendit** do one's duty by the country ♦ **~llëk, -ku** *m bs* opposition: **i bëj ~ dikujt** snub sb

kartél, -i *m ek, fn* cartel

kart:él/ë, -a *f* card; sheet; chart ♦ **~/ë, -a** *f* (cigarette) paper; card; chart; charter; playing card: **i hap ~at** lay one's cards on the table; **kështjellë prej ~e** castles in the air ♦ **~ëmonédh/ë, -a** *f* bank-note ♦ **~vizít/ë, -a** *f* (visiting) card ♦ **~olín/ë, -a** *f* postcard ♦ **~ón, -i** *m* cardboard; pasteboard; mill-board; card: **kuti ~i** cardboard box; **~ i verdhë/ kuq** *sp* yellow/ red card ♦ **~oték/ë, -a** *f* card-index; card-index box

karthí, -a *f* kindling; brushwood

karván, -i *m* caravan: **Ylli i K~it** *ast* Venus ♦ *nd* in single file ♦ **~ár, -i** *m* caravan driver

karrapítem *vtv* get tired

karrél, -i *m tk* runner *(of the typewriter)*; traveller *(of the lathe)*

karrém, -i *m zl* earthworm; *fg* bait

karriér/ë, -a *f* career: **bëj ~ë** have a successful career ♦ **~íst, -i** *m* careerist; career-seeker ♦ **~íz/ëm, -mi** *m* careerism; career-seeking

karríg/e, -ja *f* chair; seat; *keq* lucrative position: **~e elektrike** electric chair

kárro, -ja *f* cart; wag(g)on ♦ **~cerí, -a** *f* body/ coachwork; carriage ♦ **~c/ë, -a** *f* carriage; wheelbarrow; pram, push-cart; trolley: **kalë ~e** person with narrow views ♦ **~cíer, -i** *m* cart-driver; wag(g)on-driver; coachman; cabman ♦ **~-ofiçín/ë, -a** *f* movable repair shop

karróq/e, -ja *f* half a bushel *(dry measure = 20 kg)*; *kq* thick-head: **bëhem ~e** get loaded; be drunk

kasafórt/ë, -a *f* safe; strong-room: **shpërthej/ hap një ~ë** break a safe

kasáp, -i *m* butcher: **shkoj si cjapi te ~i** court disaster ♦ **~hán/ë, -a** *f vj* slaughter-house; *fg* shambles; blood-bath

kasát/ë, -a *f* cassata *(Sicilian ice-cream)*; *bs* ice lolly

kás/ë, -a *f* case; box; cashier; till; *ndr* door/ window-case

kask:ét/ë, -a *f* cap ♦ **~/ë, -a** *f* helmet: **~at blu** blue helmets

kasóll/e, -ja *f* hut; shed; shack; dog kennel

kast, -i *m bs:* **me ~** deliberately; **s'e bëra me ~** I did not mean (do) it

kást/ë, -a *f:* **shoqëri me ~a** society divided into castes

kastór, -i *m zl* beaver; castor

kastravéc, -i *m bt* cucumber; *kq* green-horn; dude; fop; berk: **~a turshi** pickled cucumbers; cucumbers in brine

kashaí, -a *f* currycomb; horse brush ♦ **~ís** *kl* brush; curry *(a horse)* ♦ **~set** *ps* **~sj/e, -a** *f* brushing; currying *(of a horse)*

kashelásh/ë, -a *f* puzzle

kashnjét, -i *m* chestnut grove (forest, stand)

kasht/ë, -a *f* straw; *bs* body, build; *fg* chaff: **kapelë ~e** straw hat; **flakë ~e** a nine-days' wonder; **K~a e Kumtrit** *ast* the Milky Way ♦ **~ór, -e** *mb* straw *(hat)* ♦ **~ór/e, -ja** *f* thatched roof; straw loft; straw bottle/ hat/ seat *(of a chair);* stubble ♦ **~urína, -t** *f sh* stubble; roughage

kat, -i *m* stor(e)y; floor; level: **në ~in e parë** on the ground/ first floor

kataklíz/ëm, -mi *m* cataclysm; deluge; universal flood ♦ **~mór, -e** *mb* cataclysmic

katakómb, -i *m* catacomb

kataliz:atór, -i *m km* catalyst ♦ **~/ë, -a** *f km* catalysis *(sh* **-ses)**

katalóg, -u *m* catalogue; list ♦ **~/ój** *kl* catalogue; list

kataná, -ja *f* kite ♦ *mb* awkward

katandí, -a *f bs* possession; plight: **me shtëpi e ~** lock-stock-and-barrel ♦ **~s** *kl* reduce/ lay low ♦ *jkl* be reduced a (bad) plight ♦ **~lem** *vtv, ps*

katapúlt/ë, -a *f hist, av* catapult

katarákt, -i *m* waterfall; *mk* cataract

katarósh, -e *mb* snaggletooth; irregular tooth

katastróf/ë, -a *f* catastrophe; disaster ♦ **~ík, -e** *mb* catastrophic

katéd/ër, -ra *f* pulpit; desk *(of the speaker):* **~ra e gjuhës** the language department *(of a faculty)*

katedrál/e, -ja *f* cathedral *(church)*

kategorí, -a *f* category; *sp* division: **i çdo ~e** of every category/ description ♦ **~k, -e** *mb* categorical; flat: **kundërshtim ~** flat refusal ♦ **~kísht** *nd* categorically; flatly ♦ **~zím, -i** *m* division into categories ♦ **~z/óhem** *vtv, ps* ♦ **~/ój** *kl* divide into categories

katekíz/ëm, -mi *m ft* catechism: **shkollë e ~mit** Sunday school

kát/ër, -ra *f* four *(of spades, etc. in card games, etc.):* **punoj sa për ~ër** work enough for four; make the dust fly; **me të ~ra** full tilt; **i bëj sytë ~ër** peel one's eyes ♦ **~ër** *nm thm* four: **~ ndaj në për ~ër** divide by four ♦ **~ër (të), -ra (të)** *prmb* four of: **erdhën që të ~ër** the four of them came ♦ *nm* *rrsht* four; fourth: **dhoma ~ër** room four ♦ **~ërfísh, -i** *m* fourfold; quadruple ♦ **~ërfísh, -e** *mb* four-: **tel ~** four-stranded cable ♦ **~ërfísh** *nd (to increase)* fourfold; four times as much ♦ **~ërfishím, -i** *m* fourfold increase ♦ **~ërfishóhet** *vtv* quadruple; increase fourfold; *ps* ♦ **~ërfish/ój** *k/* quadruple; increase fourfold ♦ **~ërfíshtë (i, e)** *mb* quadrupled; four times as great/as large ♦ **~ërkëmbësh, -i** *m* quadruped ♦ **~ërkëmbësh, -e** *mb* quadruped ♦ **~ërkëndësh, -i** *m gjm* quadrangle ♦ **~ërmbëdhjétë** *nm thm* fourteen; fourteenth: fourteen persons ♦ *nm rrsht* fourteen: **dhoma ~** room fourteen ♦ **~ (i, e)** *nm rrsht* fourteenth *(part of)*; fourteenth *(in a contest, in a race)* ♦ *em* fourteenth ♦ **~ërsh, -i** *m*, **~le, -ja** *f* group of four; foursome ♦ **~sh, -e** *mb* four: **tel ~** four-strand wire ♦ **~ërsh (më)** *nd/* in four parts: **bëhem më ~** bend oneself backwards *(to do sth)* ♦ **~t (i, e)** *nm rrsht* fourth ♦ *em f* fourth *(part of)*

katikúle, -t *f bs* flattery; flummery

katíl, -i *m kq* ruthless person ♦ **~, -e** *mb:* **shpirt ~** ruthless heart

katód/ë, -a *f fz* cathode

katoli:cíz/ëm, -mi *m* Catholicism; *prmb* Catholics ♦ **~k, -e** *mb* Catholic: **Kisha K~ke** the (Roman) Catholic Church ♦ **~k, -u** *m* (Roman) Catholic

katragjýsh, -i *m* great-great-grandfather

katrahúr/ë, -a *f bs* hullabaloo

katrán, -i *m* tar; bitumen; pitch ♦ *mb bs* pitch dark/ black; *bs* evil; ominous ♦ *nd keq.* **~ i zi** pitch black ♦ **~ós** *k/* tar; grave *(a ship's bottom)*; *bs* smear; *fg* scamp, botch *(a piece of work)* ♦ **~ós/em** *vtv, ps* ♦ **~ósur (i, e)** *mb* tarred; *fg* botched *(piece of work)* ♦ **~úar (i, e)** *mb* tarred

katra:njákë, -t *m sh* quadruplets ♦ **~pílas** *nd/* topsy-turvy; from end end ♦ **~sýll, -e** *mb* cross-eyed; squint-eyed ♦ *em* cross-eyed person

katrór, -i *m gjm, mt* square: **ngre në ~** square ♦ **~r, -e** *mb* square: **metër ~** square metre; **kllapë ~e** square bracket

katrúv/e, -ja *f* pitcher

kat/úa, -ói *m* cellar; shed; stable; cot

katúnd, -i *m* village; hamlet: **ia fut ~it** talk nonsense ♦ **~ár, -i** *m* village; peasant; *bs* country-bumpkin ♦ **~árçe** *nd bs* rustically; *bs* roughly ♦ **~arí, -a** *f* peasantry; country folk ♦ **~ës, -i** *m* villager; peasant ♦ **~ësí, -a** *f* peasantry

kath, -i *m* sty on the eyelid

kathíst/ër, -ra *f* chicken coop

kaubój, -i *m* cowboy

kauçúk, -u *m* cautchouc; India rubber

Kaukáz, -i *m gjg* Caucasus ♦ **~ián, -e** *mb* Caucasian ♦ **~, -i** *m* Caucasian

kaúll, -i *m bs* guarantee; trial; bet: **shes me ~** sell on trial

kaurdís *k/* fry; roast *(coffee)*; *bs* manage with diffi-culty ♦ **~/em** *vtv, ps:* **~em me dhjamin tim** fry in one's own grease ♦ **~j/e, -a** *f* frying; roasting

kaurmá, -ja *f gjll* liver fry

kaustík, -e *mb km* caustic

kaúsh, -i *m* paper cone; *bs* prison cell, bunkhouse, can: **akullore me ~** cone ice-cream

káuz/ë, -a *f* cause: **~ë e përbashkët** common cause

kavalerí, -a *f ush* cavalry; horse

kavalét, -i *m art* easel: **pikturë e ~it** easel painting

kavaliér, -i *m* partner *(of a lady in a ball)*; gallant person

kaváll, -i *m* fife: **vrima e fundit e ~it** the smallest cog of the wheel

kavanóz, -i *m* glass jar

Kazakistán, -i *m gjg* Kazakhstan ♦ **~ás, -e** *mb* Kazakhstani ♦ **~ás, -i** *m* Kazakhstani

kazán, -i *m* cauldron; *tk* boiler; race melting pot; still *(for distilling raki)*

kazérm/ë, -a *f* barracks, quarters; *kq* large ramshackle house

kazërtmá, -ja *f gjll* stew

kazíno, -ja *f* casino

kázm/ë, -a *f* pickaxe: **i vë ~at diçkaje** bring sth ruin

kec, -i *m* goat kid

kéd/ër, -ri *m bt* cedar (tree)

kep, -i *m gjg* cape; headland; rugged rock; dressing axe ♦ *mb fg* sharp; keen; astute; shrewd ♦ **~** *k/* dress *(stone);* hoe; *v iii* nibble at *(the food)* ♦ **~ës, -i** *m* stone-dresser; hoer; *bs* nibbler, pilferer

keq, -të (të) *as bs* harshness; violence; awe; dread: **me të ~** by sheer force/ violence; roughly; **pa të ~** off-handedly ♦ **~ (i), -e (e)** *mb sh* **këqíj, këqíja (të)** bad; evil; wrong; poor; rotten; ill; malignant *(tumour);* nasty; wicked; ugly, ungainly; unqualified: **barku i ~** *mk bs* dysentery; **burrë i ~** rough customer; **det i ~** rough/ heavy sea; **dhëmb i ~** a rotten tooth; **farë e ~e** bad sort; **fat i ~** bad luck; **fyti i ~** *mk bs* diphtheria; **fytyrë e ~e** an ugly face; **kam mendje të ~e** have an evil mind; **shenjë e ~e** a bad/ ominous sign; **sy i ~** evil eye; **vezë e ~e** a bad egg ♦ *em* bad/ evil person; harm; badness: **të këqijtë** the wicked, *bs* badies ♦ *nd/* bad(ly); ill; amiss; evil; poorly (of); very; hard: **~ e më** from bad to worse; **e marr për ~** take amiss; **i mbajtur ~** in bad repair; **ia punoj ~ dikujt** play a low trick on sb; **jam ~ nga veshët** be hard of hearing; **jam ~ për** be in great need for; **më vjen ~, por...** I'm sorry, but...; **ndjehem ~** feel ill/ awkward; **s'është fort ~** it's not half as bad; **s'ka ku të shkojë më ~** it can't be worse; **sa ~!** how bad ♦ **~árdhj/e, -a** *f* regret; remorse ♦ **~as** *nd* very badly; *(to beat)* soundly: **u rrëzua ~** he had a very bad fall ♦ **~bërës, -i** *m* evil-doer

~bërës, -e *mb* evil-doing; spiteful ♦ **~dáshës, -e** *mb* ill-willing; ill-intentioned; malevolent (person) ♦ **~dáshj/e, -a** *f* ill-will; malevolence ♦ **~/e, -ja (e)** *f sh* **këqíja, këqíjat (të)** dire need; evil; harm; wickedness; grave illness: **jam në të ~e** be in a pickle; **burimi i së ~es** the source of evil; **s'ka asgjë të ~e** there is nothing wrong in it; **gjysma e së ~es!** thank goodness! ♦ **~/em** *vtv* become worse ♦ **~ësím, -i** *m* worsening; deterioration; ♦ **~ësóhem** *vtv* become worse; be aggravated ♦ **~ës/ój** *k/* worsen; aggravate; exacerbate ♦ **~ësúes, -e** *mb* aggravating; pejorative *(sense of a word)* ♦ **~kuptím, -i** *m* misunderstanding ♦ **~kuptóhe/ m** *vtv* misunderstand; *ps* ♦ **~kupt/ój** *k/* misunderstand ♦ **~përdór** *k/* misuse ♦ **~përdórem** *vtv, ps* ♦ **~përdorím, -i** *m* misuse; abuse; ill-treatment ♦ **~trajtím, -i** *m* ill-treatment ♦ **~trajtóhem** *ps* ♦ **~trajt/ój** *k/* ill-treat; misuse; maltreat

kérr:mëz, -a *f* purr *(of the cat)* ♦ **~nj/ón** *jk/* **-ói, -úar** purr *(of the cat)*

két/ër, -ri *m z/* squirrel

kë *pyet* whom: **me ~?** with whom?

këdó *pkf:* **pyet ~ që të duash** ask whoever you like

këlb:áz/ë, -a, ~óq/e, -ja *f f* phlegm

këlshéjt, -i *m* chalice

këlth:ás *jk/, k/* **~íta, ~ítur** *dhe* **klítha, klíthur** shout; scream; holler ♦ **~ítj/e, -a** *f* shout(ing) ♦ **~ítur, -a (e)** *f* (të) shout; scream

këlýsh, -i *m* young *(of animals);* pup; kitten; *kq* cur; brat; *kq* bastard; *kq* underling

këll/ás *k/* put in/ into; cram: **ç'i ~et bretkun!** never mind him!

këll/éhet *vtv* **-ýe, -ýer** become turbid; be muddled *(of water, etc.)*

këlléf, -i *m* slip; case; sleeve *(of a disk, etc.);* jacket *(of a book);* sheath; scabbard *(of a knife, etc.);* casing *(for teeth);* antimacassar: **~ dysheku** (mattress) tick; **~ jastëku** pillow-case

këllíç *nd* lengthwise; lengthways; on end; crosswise: **pres ~** cut across

këllír/ë, -a *f* slop; dish-water; *kq* scum; dregs ♦ *mb* dirty

këll/k, -ku *m* hip; *fg sh* sinews; strength: **e gjerë nga ~qet** broad-hipped; **kjo punë do ~qe** it takes sand do it

këmbadóras, ~zi *nd* on all fours

këmbá:l/e, -ja *f* puttee ♦ **~léc, -i** *m* support; tripod; trestle ♦ **~lk/ë, -a** *f* stilt; stile ♦ **~s** *nd* on foot: **shkoj ~** foot it ♦ **~tís** *k/* support; prop up; buttress *(a wall, etc.)*

këmb/éhem *vtv* cross *(sb's path);* change; take turns at; *bs* go mad; be maddened; *ps* ♦ **~léj** *k/* (ex)change; alternate *(movements):* **~ej paratë** change money; **~ej fjalë me dikë** bandy words with sb; **~ej një fjalë me dikë** give sb the time of the day ♦ **~és, -i** *m* money changer ♦ **~és/ë, -a** *f* change; exchange; barter

këmb/ë, -a *f* foot *(sh –feet);* leg *(of the table, etc.);* quarter *(of meat); gjll* leg, gigot; foothold, footing; step *(of the staircase),* rung *(of the ladder):* **~a e djathtë/ majtë** the right/ left foot; **~ë e krye** head over heals; **e pres me ~ët e para dikë** give sb a hot reception; **i bie ~ës** kick the bucket; **i bie së mirës me ~ë** throw away a good chance; **i rri më ~ë dikujt** wait on sb hand and foot; **ia vë të dyja ~ët në një këpucë dikujt** sit hard on sb; bring sb to heel; **këputem nga ~ët** be run off one's feet; **kthej ~ët nga dielli** *bs* go west; **marr ~ë** cut one's sticks; **marr nëpër ~ë** trample underfoot; **më ~ë** standing; on one's feet; **me një ~ë** hopping on one leg; *bs* willy-nilly; **me një ~ë në varr** with one foot in the grave; **në ~ë të të atit** instead of his father; **në majë të ~ëve** on tiptoe; **ngul/ shkel ~ë** dig one's heels; **shkel me ~ë** trample under one's foot; **shputa e ~ës** the sole of the foot; **si me ~ë** slipshod; botched *(work)* ♦ **~ëkrýq** *nd* cross-legged ♦ **~engúl** *jk/* insist; persevere ♦ **~ës, -e** *mb* insistent; persevering; tenacious ♦ **~engúlj/e, -a** *f* insistence; persevering; tenacity ♦ **~ës, -i** *m* pedestrian; *ush vj* foot-soldier; prop; tripod; *bs* aide; substitute; assistant ♦ **~ësór, -e** *mb* pedestrian; infantry ♦ **~ësór/e, -ja** *f* step-ladder; footrest ♦ **~ësór, -i** *m* pedestrian; *ush* foot-soldier; footman; infantryman ♦ **~ësórçe** *nd* standing-up ♦ **~ësór/e, -ja** *f* sidewalk; pavement; walk ♦ **~ësorí, -a** *f ush* infantry ♦ **~ëshéshtë** *mb* flat-foot(ed); duck-foot(ed) ♦ **~térs, -e** *mb* ill-augured; inauspicious ♦ **~térs, -i** *bs* hoodoo; jinx ♦ **~ëz, -a** *f ush* trigger; prop; support; stumbling block; tripping

këmbím, -i *m* exchange; conversion; alternation: **kurs i ~it** exchange/ conversion rate; **monedhë ~i** token of barter

këmbj/e, -a *f* tripod; trivet

këmbór/ë, -a *f* bell: **dash me ~ë** bellwether; leading figure

këmbý:er (i, e) *mb* bartered; swapped; alternate; *fg* crazy ♦ **~erazi** *nd* alternately ♦ **~es, -i** *m* reliever *(at the rounds of the watch duty); tk* cooler ♦ **~esh/ëm (i), -me (e)** *mb* exchangeable; convertible; negotiable *(cheque)*

këmish:ár, -i *m* shirt-maker ♦ **~arí, -a** *f* shirt-shop; shirt-making ♦ **~/ë, -a** *f* shirt; blouse; *tk* jacket; sleeve: **~ë nate** night-gown/ -shirt; **në ~ë** in shirt-sleeves; **lind me ~ë** be born with a silver spoon in one's mouth

këmishëzí, -u *m hst* black shirt

këná, -ja *f* kenna; henna

kënáq *k/* please; satisfy; contend; gratify: **~ një dëshirë** fulfil a desire ♦ **~lem** *vtv, ps* ♦ **~ësí, -a** *f* satisfaction; pleasure; contentment; gratification;

fulfilment ♦ **~j/e; -a** *f* satisfying; contentment ♦ **~sh/ëm (i), -me (e)** *mb* satisfactory; pleasing; fair *(result)* ♦ **~ur (i, e)** *mb* satisfied; content; pleased

kënd, -i *m* angle; corner: **anë e ~** all over; **i jap ~diçkaje** find a solution sth

këndéj *prfj:* **~ lumit** this side of the river ♦ **~/më (i), -me (e)** *dhe* **~sh/ëm (i), -me (e)** *mb* lying/ situated on this side

këndéll *k/* invigorate; refresh; revive ♦ **~/em** *vtv, ps* ♦ **~j/e, -a** *f* invigoration; refreshing; revival *(of nature)*

këndés, -i *m* rooster; chanticleer; *bs* cock-a-doodle

kénd/ë, -a *f* pleasure: **ma ka ~a** have a liking for/ fancy sth

këndím, -i *m* singing; reading: **shkrim e ~** writing and reading

këndírr *k/* smother ♦ **~/em** *vtv* be smothered; *fg* despair

këndóhet[1] *pvt, ps[1]:* **i ~ gëzimi në fytyrë** you could read joy on his face

kënd/óhet[2] *ps[1]* ♦ **~/ój[1]** *k/* sing: **~oj një këngë** sing a song ♦ *jk/* sing; *v iii* sing, chirp, twitter; *v iii* murmur; gurgle; crackle; sing *(to sb, to sb's memory)*

kënd/ój[2] *k/* **óva, -úar** read: **~oj gazetën** read the newspaper ♦ *jk/ v iii* read: **ja ç'~on këtu** this is how it reads

këndsh/ëm (i), -me (e) *mb* pleasant; pleasing; agreeable

kënd:úar (i, e) *mb* schooled; well-read: **poezi e ~** poetry in song

kënét/ë, -a *f* marsh; fen; swamp; bog; *fg* quagmire ♦ **~ísht/ë, -a** *f* marshland ♦ **~ór, -e** *mb* swampy; marshy; paludial

këng/ë, -a *f* song; chirp, twitter *(of the birds)*; crackle *(of the fire)*; gurgle *(of the stream):* **~ë djepi** lullaby ♦ **~tár, -i** *m* singer ♦ **~tár, -e** *mb* singing: **zog ~** singing bird; warbler

këpuc:ár, -i *m* shoemaker ♦ **~arí, -a** *f* shoemaking; shoe shop ♦ **~/ë, -a** *f* shoe: **~ë atlete** trainers, sneakers; **~ë sheshe** low-heel shoes; **~ë me qafa** boots

këpúsh/ë, -a *f* z/ tick; *kq* bug; bur; stickler

këpút (këpús) *k/* break; snap; pick, pluck, cull; tear off; wean *(a baby, etc.)*; *fg* wear/ tire out; *bs* fix *(a time for an engagement):* **~ fillin** break the thread; **~ mish** tear a muscle; **~ një të sharë** rap out an oath; **i ~ një shuplakë dikujt** slap/ smack sb; **të ~ shpirtin** it wrings your heart ♦ *jk/ fg* talk; tell: **i ~ të trasha** tell lies; **ia ~ kot** make a wild guess ♦ **~/em** *vtv* tire out; be exhausted; *v iii fg* fail; give way; be wobbly; climb down; fall; *v iii* break (off); be interrupted; *fg* despair; *ps:* **u ~a** I am cracking up; **iu ~ zëri** his voice failed; **u ~ nga shkëmbi** he fell from the rock ♦ **~ës, -e** *mb* tiring; exhausting ♦ **~j/e, -a** *f* picking; plucking *(of flowers, etc.)*; breaking; exhaustion ♦ **~ur (i, e)** *mb* broken;

snapped; tired out; exhausted; *fg* very poor; destitute; weaned *(baby, etc.)*; interrupted: **me zë të ~** in a broken voice

këqýr *k/, jk/* watch; take care of; examine: **e ~ si djalin tim** cherish sb like a son ♦ **~/em** *vtv* look oneself *(in the mirror)*; *ps* ♦ **~j/e, -a** *f* watch(ing)

kërbáç, -i *m* stick: **kulaçi e ~i** the stick and the carrot

kërbísht, -i *m* an loins ♦ **~ór, -i** *m* z/ vertebrata ♦ **~ór, -e** *mb* z/ vertebrate

kërc:ás *jk/ v iii* crack(le); snap; burst, explode; *v iii bs* break out, go off: **diçka ~iti** something snapped; **~as e iki** leave in a hurry; **më ~asin dhëmbët** my teeth are chattering ♦ *k/* crack; snap; hit: **~as gishtat** crack/ snap one's fingers; **~as dhëmbët** grate one's teeth

kërc/e, -ja *f an* cartilage; crust *(of bread, of pie)*; gristle

kërc:éhet *pvt, ps* ♦ **~/ëj** *jk/ dhe k/* jump; leap; hop; dance; *v iii* go/ shoot up; increase sharply; soar; pop (up): **~ej pupthi** jump on one foot; **më ~en damari** get into a temper ♦ *k/* jump; leap over; dance

kërcé/ll, -i *m bt* stalk

kërcëllí/j *k/, jk/* grind; gnash *(one's teeth)* ♦ **~m, -i** *m* grinding; gnashing *(of one's teeth)* ♦ **~m/ë, -a** *f* crack(le) *(of fire arms)*

kërcëll/ój *k/* chink; click *(glasses)*; gnash *(one's teeth)* ♦ *jk/ v iii* crack; crackle; roar *(of guns, etc.)*

kërcën:ím, -i *m* threat; menace: **~i luftës** the threat of war; **~ i maskuar** veiled threat ♦ **~/óhem** *vtv* make threats; *v iii* be threatened; *ps* : **i ~ dikujt** threaten sb ♦ **~/ój** *k/* threaten; menace; bully; browbeat; *v iii* be threatened by/ with ♦ **~úes, -e** *mb* threatening; menacing ♦ **~úeshëm** *nd* threateningly; menacingly

kërcí, -ri *m* shin *(of the leg)*; neck *(of the sock)*

kërcím, -i *m* jump(ing); hop(ping); dance; dancing: **~ së gjati/ larti** long/ high jump; **~ me shkop** pole vaulting; **~ trehapësh** triple jump ♦ **~tár, -i** *m* dancer

kërc:ítj/e, -a *f* crackle, crackling *(of the fire)*; crash(ing); creak *(of the hinges, etc.)*; screech: **~e e thatë** thud

kërcl/ór, -e *mb* cartilaginous

kërcú, -ri *m* tree-stump; stub; log: **~ përmbi karthija** round peg in a square hole ♦ *mb:* **mbetem ~** remain lonely; **bëhem ~** freeze stiff

kërcýer (i, e) *mb* bulging *(eyes, etc.)*; acidified *(wine)*; *fg* rash: **mollëza të ~a** high cheekbones

kërdí, -a *f* havoc; massacre; shambles: **bëj ~në** play/ wreak/ work havoc ♦ **~s** *k/, jk/* slaughter; massacre; tire out; take a heavy toll on: **~ me rrena dikë** tell sb a pack of lies ♦ **~s/em** *vtv* be thoroughly defeated; get a whipping; be exhausted; tire out; *ps*

kërdhókull, -a *f an* hip bone

kërk:és/ë, -a *f* request; petition; *ek* demand: **~ë këmbëngulëse** urgent request; urgency ♦ **~ím, -i** *m* asking; request(ing); petition(ing); research; search: **~e shkencore** scientific research; **në ~ të** in search of ♦ **~imór, -e** *mb:* **punë ~e** research work ♦ **~imtár, -i** *m* researcher ♦ **~/óhem** *ps* ♦ *pvt* be required; be requested ♦ *pvt* be wanted *(by the police)* ♦ **~lój** *k/* look/ search for; seek; ask *(a price);* request; demand; claim; solicit; research; investigate; try *(to do sth); bs* make a pass at *(a woman):* : **~oj hënën** ask for the moon; **~oj ndihmë** ask for help; seek assistance; **~oj ndjesë** beg pardon; **çfarë po ~on?** what are you looking for ♦ *jk/* be exacting/ demanding; *v iii* require; take: **~oj me forcë** push hard *(for sth);* **~oj nëpër terr** fumble in the dark; **sa të ~osh** as much/ many as you want ♦ **~úar (i, e)** *mb* requested; far-fetched *(argument);* in (great) demand; much sought for; wanted *(criminal):* **muzikë e ~** music on (listeners') request ♦ **~úes, -i** *m* demander; petitioner; applicant; researcher ♦ **~úes, -e** *mb* searching *(mb);* demanding; exacting *(attitude);* research *(work)*

kërlésh/em *vtv* bristle *(of the hair)* ♦ **~j/e, -a** *f* bristling up *(of the hair)*

kërm/ë, -a *f* carrion; *bs* whole/ uncut meat

kërmí/ll, -lli *m z/* snail; *an* cochlea ♦ *mb* spiral; snail-like

kërp, -i *m bt* hemp

kërpíc/ë, -a *f* heap; stack; shock ♦ **~ë** *nd* all of a heap; cram full

kërpít *k/* eat neatly; do neatly/ carefully *(one's job):* **~ një copë kockë** rip/ scratch up a bone ♦ **~/em** *vtv* eat and drink well; recover *(after an illness);* spruce oneself up

kërpúdh/ë, -a *f* mushroom; fungus *(sh -i):* **mbijnë si ~at** grow like tadpoles

kërshërí, -a *f* curiosity

kërtýl *k/* cram; ply *(sb with food);* shower *(sb with sth)* ♦ **~/em** *vtv*

kërth:as, ~azi *nd* edgeways; across: **vështroj ~** look across (at sb); **i bie ~** take a short cut ♦ **~ët (i, e)** *mb* across; squint *(eye);* wry *(look)*

kërthí, -ri *m* young *(lamb, etc.);* baby; favourite child ♦ *mb* new-born; young

kërthíz/ë, -a *f an* navel; belly-button; *fg* centre; hub

kërvésh *k/* purse up *(one's lips);* grimace ♦ **~/em** *vtv v iii* be pursed up *(of lips);* make a grimace ♦ **~j/e, -a** *f* pursing up *(of lips)*

kërr, -i *m* foal; grey horse ♦ **~, -e** *mb* grey

kërráb/ë, -a *f (shepherd's)* crook; hook(ed stick); fork: **ia lë ~ën dikujt** pass the buck sb ♦ **~ëz, -a** *f* knitting-needle

kërr/ét *jk/* **-íti, -ítur** crow; croak; caw *(of crows);* grunt *(of hogs)*

kërríç, -i *m* young donkey; jack-ass; *kq* ass

kërrnáme, -t *f* coquetry; dalliance

kërrús *k/* bend; slouch ♦ **~/em** *vtv* bend/ arch *(one's back);* yield; stoop ♦ **~ur (i, e)** *mb* bent; arched; hunch-backed; stooping

kësáj *shih* **kjo**

kës/én *pvt* **-éu, -ýer** have a shooting pain

kësisoj, kësój *pkf:* **~ ngjyre** such/ a similar colour

kësmét, -i *m.dal* **për ~** set out in search of fortune

këst, -i *m* instalment: **paguaj me ~e** pay by instalments

kësúl/ë, -a *f* scull-cap: **e kam mizën nën ~ë** have a chip on one's shoulder ♦ **K~ëkúq/e, -ja** *f* Red-Riding Hood

këshíll, -i *m* council; board: **~i i ministrave** council of ministers ♦ **~/ë, -a** *f* advice; counsel: **~at e mjekut** doctor's advice ♦ **~ím, -i** *m* advice; counsel; admonition ♦ **~imór, -e** *mb* advisory; admonitory ♦ **~imór/e, -ja** *f* consultancy ♦ **~/óhem** *vtv* consult with ♦ *pvt* be advisable; *ps* ♦ **~lój** *k/* consult *(sb);* advise; admonish ♦ **~tár, -i** *m* adviser; *dr* counsel; barrister; councillor; counsellor ♦ **~úes, -e** *mb* advisory; consultative ♦ **~úesh/ëm (i), -me (e)** *mb* advisable

kështjell/ë, -a *f* castle; fortress *fg* bulwark: **~ë prej karte/ letre** house of cards; **~ë në erë** castles in the air

kështú *nd* thus; so; like this; as; so; true; sure: **~ qoftë!** so be it!; **~ e ka zakon ai** that's like him; **në se është ~** if so; **~ që** so that; therefore; **~ me radhë** and so on; and so forth; **~ po!** that's it!; that's just the job ♦ **fjalë e ndërmjetme:** **~ pra** and so

këtá (këtýre, këtá) *dft m* these; those: **~ këtu** these ones here; **~ muaj** these months

këtéj *nd* in this place; here; this way; hereabouts; hence: **prej ~** from this place/ here; **shih ~** look here/ this way; **kaloni ~** this way, please; **~ e tutje** from this moment on ♦ *prfj:* **~ lumit** on this side of the river; **(sa) andej e ~** in all directions

këtíll/ë (i, e) *dft:* **ngjyrë e ~** a similar colour; **diçka e ~** something like this

këtó (këtýre, këtó) *dft f:* **~ dítë** these days; **~ vajza** these girls

këtú *nd* here; in this place: **deri ~** up this point/ place; **eja ~** come here; **~ e tutje** from now; **~ qante, ~ qeshte** now he wept, now he laughed; **~ afër** hereabouts; **~ ta kam fjalën** that's what I mean

këtúsh/ëm (i), -me (e) *mb:* **gjendja e ~me** the situation here

kiamét, -i *m bs* disaster; calamity; doomsday: **u bë ~i** it was a real disaster; **s'u bë ~i** it's not the end of the world

kibernetík/ë, -a *f* cybernetics *(me folje në njëjës)*

kic *k/* champ; teeth; nibble *(the food)* ♦ **~, -i** *m fëm*

milk teeth
kiç, -i *m* stern; rear end *(of a boat)*
kík/ë, -a, -ël, -la *f* sharp mountain peak
kikirík, -u *m bs* peanut
kíl/e, -ja *f bs* kilo: **ka me ~** there are tons *(of it, of them)* ♦ **~ësh, -e** *mb* one-kilo *(weight):* **pako ~e** one-kilo pack
Kíli *m gjg* Chile ♦ **k~án, -e** *mb* Chilean ♦ **k~án, -i** *m* Chilean
kilik/óhem *vtv, ps* ♦ **~lój** *kl bs* tickle ♦ **~ós** *kl bs* tickle ♦ **~ósem** *vtv, ps* ♦ **~ósj/e, -a** *f bs* tickling
kilo:báit, -i *m tk* kilobyte ♦ **~grám, -i** *m* kilogram(me) ♦ **~hérc, -i** *m fz* kilohertz ♦ **~kalorí, -a** *f fz* kilocalorie ♦ **~mét/ër, -ri** *m* kilometre ♦ **~metrázh, -i** *m* mileage
kilóta, -t *f* breeches; trunks
kilo:vát, -i *m el* kilowatt ♦ **~vólt, -i** *m* kilovolt
kimét, -i *m bs :* **ia di ~in diçkaje** value sth; **mbaj me ~** cherish sth
kím/ë, -a *f gjll* salmagundi
kimí, -a *f* chemistry ♦ **~k, -e** *mb* chemical: **~ lëndë ~e** chemicals ♦ **~st, -i** *m :* **inxhinier ~** chemical engineer
kind, -i *m* lapel; pleat *(of a dress)*
kinemá, -ja *f* cinema; *bs* film-making; *bs* movies ♦ **~tografí, -a** *f* film-making; cinematography ♦ **~tografík, -e** *mb* cinematographic(al)
kinetík, -e *mb fz* kinetic ♦ **~/ë, -a** *f fz* kinetics *(me folje në njëjës)*
kin:éz, -e *mb* Chinese ♦ **~, -i** *m* Chinese ♦ **~ézçe** *nd* (in the) Chinese (language) ♦ **~ézçe, -ja** *em* (the) Chinese (language) ♦ **K~/ë, -a** *f gjg* China
kinín/ë, -a *f frm* quinine
kinkalerí, -a *f* fancy-goods shop; knickknacks; small fancy articles
kino:arkív, -i *m* film-store; film archives ♦ **~komedí, -a** *f* film comedy ♦ **~operatór, -i** *m* cameraman ♦ **~stúdio, -ja** *f* film-studio ♦ **~teát/ër, -ri** *m* cinema-theatre (building)
kínse *pj:* **bën ~ nuk di gjë** he pretends he does not know
kióskë, -a *f* kiosk
kipc, -i *m* double: **~i i Hitlerit** Hitler's double
kirúr:g, -u *m* surgeon ♦ **~gjí, -a** *f mk* surgery ♦ **~gjík, -e** *mb mk* surgical; surgery
kismet, -i *m* shih **kësmet, -i**
kish/ë, -a *f* church: **gjete ~ë të falesh** *tll* you've come the wrong shop ♦ **~tár, -e** *mb* ecclesiastic(al); sacerdotal
kitár/ë, -a *f* ♦ **~íst, -i** *m* guitarist; guitar player
kíth/ët (i, e) *mb* slanting ♦ **~i (së)** *nd:* **për së ~** transversally
kjo (kësáj, këtë) *dft f* this (one): **~ këtu** this one here; **në këtë çast** at this moment; **përveç kësaj** in addition this
klan, -i *m* clan

klarinét/ë, -a *f mz* clarinet ♦ **~íst, -i** *m* clarinet-player
klás/ë, -a *f* class; school-room; form; division; quality: **~ë e parë** first grade; **shok ~e** class-mate; **shoqëri me ~a** society divided into classes; **udhëtoj në ~ën e parë** travel first class; **i ~ës së parë** top-/quality/drawer/ notch
klasicí:st, -i *m art, lt* classicist ♦ **~z/ëm, -mi** *m art, lt* classicism
klasifik:ím, -i *m* classification; division: **kryesoj ~in** top the table/ rating ♦ **~/óhem** *vtv, ps* ♦ **~/ój** *kl* classify; class; rate
klasík, -u *m* classic; follower of classicism ♦ **~, -e** *mb* classic(al)
klasór, -e *mb:* **dallime ~e** class distinctions
kléçk/ë, -a *f* thin stick; (tooth) pick; *fg* snag; cavil: **e ka një ~ë** there is a snag
kler, -i *m prmb* clergy(men); priesthood ♦ **~ík, -u** *m* clergyman
kliént, -i *m* customer; client ♦ **~él/ë, -a** *f* customers; clientele
klík/ë, -a *f kq* clique; circle; cabal
klim:aterík, -e *mb* climatic: **qendër ~e** health resort ♦ **~atík, -e** *mb* climatic; weather *(mb)* ♦ **shih klimaterik, -e** ♦ **~/ë, -a** *f* climate; weather
kliník, -e *mb* clinical ♦ **~/ë, -a** *f* clinic; surgery
klishé, -ja *f sht* cliché; hackneyed-phrase
klith *jkl* scream; shout; screech ♦ **~j/e, -a** *f,* **~m/ë, -a** *f* scream; shout
klízm/ë, -a *f* purge; enema; clonic irrigation; clyster
klon, -i[1] *m bl* clone
klon, -i[2] *m* border surveillance system; border barbed-wire fence
klon:ím, -i *m bl* cloning ♦ **~lój** *kl bl* clone
klor, -i *m km* chlorine ♦ **~hidrík, -e** *mb* hydrochloric
klóun, -i *m* clown
klub, -i *m* club; circle; association; bar, pub
kllápe, -a *f* door-bolt/ latch; *sh bs* shackles; groove; *sh* bracket, parenthesis; *fg* trap: **~ë katrore** square bracket; **ndër ~a** in brackets; **bie në ~ë** fall into a trap
kllapí, -a *f* delirium; frenzy
kllapít *kl* gulp down
kllapós *kl* bolt *(the door)*; *fg* trap; *bs* shackle
kllapurít *jkl* ramble
klloç:ít *jkl, kl* hatch up, brood, sit *(of a hen)* ♦ **~ítj/e, -a** *f* hatching up; brooding ♦ **~k/ë, -a** *f* brooding/ sitting hen ♦ **ast bs** Pleiads
kllup *kl, jkl* gobble *(the food)*
koágul, -a *m* coagulum *(sh -a)*
koalición, -i *m* coalition: **qeveri ~i** coalition government
kob, -i *m* calamity; (tidings of) bale; perfidy
kobált, -i *m* cobalt
kob:ár, -i *m* pilferer; pickpocket ♦ *mb* stealthy ♦ **~ásh, -e** *mb* pilfering; larcenous ♦ *em* scrounge

♦ **~/ë, -a** *f* theft, stealth; evil deed: **i bëj ~ën dikujt** do short work of sb

kób/ër, -ra *f z/* cobra

kobít *k/* steal; pilfer; snitch; swindle ♦ **~/em** *ps e* **kobit**

kób:sh/ëm (i), -me (e) *mb* sinister; ominous; evil: **fund i ~ëm** sinister end ♦ **~tár, -e** *mb* sinister; perfidious; treacherous

kobúr/e, -ja *f bs* pistol; hand-gun; *bs* jerk

kóc/ë, -a *f z/* wrasse

kóck/ë, -a *f* bone: **~ë e fortë** *fg* hard nut crack; tough guy; **bëhem ~ë e lëkurë** become skin and bones; **deri në ~ë** the bone; **mbledh ~at** recover one's forces; rest (oneself); **një dorë ~a** a bag of bones ♦ **~ëmádh, -e** *mb* big-boned ♦ **~ór, -e** *mb* bony; osseous

kocomí, -u *m* little mouse

koçán, -i *m* shelled corn-cob; stem *(of the cabbage, etc.)*

koçí, -a *f* wagon; cart

kod, -i *m dr* code: **~i civil** civil code; **~i penal** criminal code; **telegram në ~** coded telegram

kód/ër, -ra *f* hill(ock): **~ra pas bregut** disconnected talk; nonsense

kod:ifikím, -i *m* codification ♦ **~ifikóhet** *ps* ♦ **~ifik/ój** *k/ dr* codify; code *(a message)* ♦ **~lóhet** *ps* ♦ **~lój** *k/* code *(a message)*

kodósh, -i *m kq* pander; pimp ♦ **~llë/k, -ku** *m bs* pandering

kodrín/ë, -a *f* low hill ♦ **~ór, -e** *mb* hilly

koeficiént, -i *m mt, tk* coefficient

kofín, -i *m* crate: **si ~i pas të vjeli** a bit late in the day

kofsh:ár/ë, -t *f sh* long johns; tight wool(l)en trousers ♦ **~/ë, -a** *f* thigh; *gj/l* leg; gigot *(of veal, etc.)*

koheré:nc/ë, -a *f* coherence; consistency ♦ **~rént, -e** *mb* coherent; *fg* consistent; coherent ♦ **~zión, -i** *m* cohesion

kóh/ë, -a *f* time; while; season, tide; epoch, age; *bs* weather; *mz* movement *(of a symphony); gjh* tense; *tk* stroke: **~a e gurit** the Stone Age; **~ë e mirë** good weather; **~ët e foljes** tenses of the verb; **~ë e vdekur** dull season; **~ë më ~ë** from time to time; **~ë shtesë** overtime; *sp* extra/ injury time; **motor me katër ~ë** four-stroke engine; **me ~ë** in due time; **me kalimin e ~ës** as time goes by; **në ~ën e drekës** in dinner-time; **pa ~ë** untimely ♦ **~ór, -e** *mb* temporal; *gjh* time *(clause)*

koj *k/* **kóva, kúar** feed: **~ të me lugë** spoon-feed

kok, -u *bt* cocoa; coconut *(tree, palm)*

koka:ín/ë, -a *f* cocaine; *bs* candy ♦ **~kól/ë, -a** *f* Coca-Cola

kokáll/ë, -a *f* bone; hip-bone

kók/ë, -a *f* head; tuber *(of some plants)*; front; source; beginning; *fg* leader; heading *(of a letter)*: **~a e gozhdës** the head of the nail; **~a e lumit**

the source of the river; **~a e vendit** the leader of the country; **~ë më ~ë** tête-à-tête; **ia bëj me ~ë dikujt** nod at sb; **bie me ~ë** fall headlong/ headfirst; **djalë për ~ën e djalit** a fine boy; **e dua me ~ë** love sb dearly; **~ e këmbë** head over heels; wholly; **me ~ë poshtë** upside down; on one's head; **mik me ~ë** a fast friend; **nga ~a në këmbë** from head toe; **pa ~ë e pa këmbë** without rhyme or reason; **thyej ~ën** break one's neck; **vë ~ën në torbë** risk one's life ♦ **~ëçárj/e, -a** *f* headache; worry ♦ **~ëdérr, -e** *mb* pig-head(ed); stubborn ♦ **~ëfortë** *mb* strong-head(ed) ♦ **~ëfortësí, -a** *f* strong-headedness; stubbornness ♦ **~ëkrísur** *mb* hot-head(ed) ♦ **~ëmádh, -e** *mb* big-head(ed) ♦ **~ëngjéshur** *mb* headstrong ♦ **~ëpóshtë** *nd* headfirst; headlong; upside down; humbly: **rri ~** stand on one's head; hang down one's head

kokërdhók, -u *m* eye-ball ♦ *nd* wide-open; giggling

kók/ërr, -rra *f* piece *(of fruit)*; grain *(of sand, etc.)*; lump *(of sugar)*: **shes fruta me ~rra** sell fruit by the piece; **~ërr për ~ërr** one by one; in great detail; **bëj ~rrën e qejfit** have a high/ whale of a time

kokërrz:ím, -i *m* granulation ♦ **~lóhet** *ps* ♦ **~lój** *k/* granulate ♦ *jk/ v iii* fructify ♦ **~ór, -e** *mb* granular

kokë:shkrétë *mb* strong-headed; stubborn; daredevil ♦ **~tráshë** *mb kq* thick-head(ed); dumbhead; numskull; cuddy ♦ **~trashësí, -a** *f kq* thick-headedness

koklavít *k/* tangle; entangle; *fg* complicate ♦ **~em** *vtv v iii* get tangled; *v iii fg* become complicated; *fg* get mixed up; be involved in *(an affair)*; *ps* ♦ **~j/ e, -a** *f* tangling; tangle; entanglement; *fg* complication; *fg* involvement ♦ **~ur (i, e)** *mb* tangled *(thread)*; *fg* complicated

kókm/e, -ja *f* (tin-)can; coffee-pot; penny-pot

kokón/ë, -a *f* puppet; *fg* doll; pretty girl (woman)

kokorósh, -e *mb* sturdy *(fellow)*; swanky; *kq* dandyish ♦ *em* sturdy/ stout fellow

kokósh, -i *m* cock, rooster; *kq* cocky person; bully; popcorn ♦ **~k/ë, -a** *f* popcorn

kokrríz/ë, -a *f* grain; granule; *mk* pimple

koks, -i *m tk* coke; coking coal

koktéj, -i *m* cocktail(-party)

kokúl:ët *dhe* **~ur** *mb* head down; *fg* ashamed; diligent; humble; modest ♦ *nd* diligently; modestly; humbly

kolaboracioní:st, -e *mb hst* collaborationist ♦ **~, -i** *m hst* collaborationist ♦ **~z/ëm, -mi** *mb* collaborationism

kolaud:ím, -i *m tk* test(ing): **fluturim ~i** *av* test flight ♦ **~lóhet** *tk ps* ♦ **~lój** *k/* test; try out

kolég, -u *m* colleague

kolégj, -i *m* college; boarding school

kolegj:iál, -e *mb* collegiate; collegial: collective

(leadership)

kolegjiúm, -i *m* board of editors; *dr* college

koleksión, -i *m* collection *(of stamps, etc.)* ♦ **~íst, -i** *m* collector: **~ pullash** stamp collector ♦ **~lój** *kl* collect *(stamps, etc.)*

kolektív, -i *m* : **pronë e ~it** collectively-owned property ♦ **~, -e** *mb*: **mbrojtje ~e** collective defence ♦ **~íz/ëm, -mi** *m* collectivism ♦ **~izím, -i** *m* collectivisation ♦ **~izóhem** *vtv, ps* ♦ **~iz/ój** *kl* collectivise

kolend:ár/ë, -ët *m sh* Christmas carol singers ♦ **~/ër, -ra** *f* ♦ Christmas cake/ Eve; *sh* carol

kolér/ë, -a *f mk, vtr* cholera; plague

kolerík, -e *mb psk* choleric; hot-tempered; irascible

kolesterín/ë, -a *f* cholesterol

kolíb/e, -ja *f* hut; dog kennel

kolíb/ër, -ri *m zl* humming bird

kolipóst/ë, -a *f* postal package; parcel post

kolít, -i *mk* colic

kólm/ë (i), -e (e) *mb* plump; fulsome *(of body shape)*

kolokiúm, -i *m* colloquium; conference

Kolombí, -a *f gjg* Colombia ♦ **k~án, -e** *mb* Colombian ♦ **k~án, -i** *m* Colombian

kolonél, -i *m ush* colonel: **gjeneral ~** colonel general

kolón/e, -a *f* pillar; column; file; *sht* galley-proof: **ecim në ~ë për një** march in single/ Indian file

koloní, -a *f* colony; settlement ♦ **~ál, -e** *mb* colonial ♦ **~alíst, -i** *m* colonialist ♦ **~alíst, -e** *mb* colonialsit(ic) ♦ **~alíz/ëm, -mi** *m* colonialism ♦ **~zatór, -i** *m* coloniser; settler; forceful settler ♦ **~zím, -i** *m* colonisation ♦ **~z/óhet** *ps* ♦ **~z/ój** *kl* colonise

kolónj/ë, -a *f* eau de Cologne

kolopúç, -i *m bs* chubby child

kolorít, -i *m* : **~ lokal** local colouring

kolós, -i *m* colossus ♦ **~ál, -e** *mb* colossal; huge; enormous; tremendous

kolovájz/ë, -a *f* swing; see-saw

kolovít *kl* swing; dangle *(one's feet)*; sway ♦ **~/em** *vtv* swing; go up in a swing; be wobbly *(of one's legs)*; sway ♦ **~j/e, -a** *f* swinging

koll, -i *m* starch: **vë në ~** starch *(a shirt)*

kollój *nd bs* easily: **~ të thuash!** it's easier said than done ♦ **~sh/ëm (i), -me (e)** *mb* easy ♦ **~të (i, e)** *mb* easy

kollán, -i *m* (cartridge) belt; bandoleer

kollár/e, -ja *f* (neck)-tie

kollarís *kl* starch; stiffen *(a collar, etc.)* ♦ **~let** *ps* ♦ **~ur (i, e)** *mb* starched; stiffened *(collar, etc.)*

kóll/em *vtv* cough ♦ **~/ë, -a** *f* cough(ing): **~ë e thatë** hacking cough; **~ë e mirë/ ëmbël/ bardhë** whooping cough ♦ **~ít** *kl* cough out ♦ **~ítem** *vtv* cough ♦ **~ítj/e, -a** *f* cough(ing)

kollofít *kl* guzzle; wolf *(the food)*

kollotúmba *plk:* **bëj ~** throw somersaults

kolltúk, -u *m* armchair; *fg* post; soft job

kom, -i *m* horse-hair; mane; goat-wool cloth

komand:ánt, -i *m* commander; commandant: **~ i përgjithshëm** general commander; commander-in-chief ♦ **~/ë, -a** *f* command; headquarters; order: **marr ~ën** take/ assume the command; **jap ~ë** issue orders ♦ **~ím, -i** *m* command(ing); seconding *(of an army officer)* ♦ **~lóhem** *ps* ♦ **~lój** *kl* (be in) command; order about; commandeer; *tk* control ♦ *jkl v iii fg* be in command; **kush ~on këtu?** who's in charge here? ♦ **~úes, -e** *mb* commanding; in command

komb, -i[1] *m* nation

komb, -i[2] *m* knot; knur *(of the wood)*; **an** *bs* Adam's apple; *fg* pain; pang: **lidh ~** tie a knot; **më bëhet ~** have a lump *(in one's throat)*

kombajn:ér, -i *m* combine harvester operator/ driver ♦ **~/ë, -a** *f* combine harvester

komb:ësí, -a *f* nationality; *bs* nation(hood) ♦ **~ëtár, -e** *mb* national: **himni ~** the national anthem ♦ **~ëtár/e, -ja** *f* national representative team; national trait/ characteristic

kombinát, -i *m* mill; plants; combine: **~ tekstili** textile mills

kombinezón, -i *m* slip; combinations

kombin:ím, -i *m* combination; matching *(of colours, etc.)* ♦ **~lóhet** *ps* ♦ **~lój** *kl* combine; match *(colours, etc.)*; co-ordinate *(actions)*

kombísht, -i *m* green (unripe) melon

komblík, -u *m an* pelvis

komedí, -a *f* comedy; play(-acting): **luaj/ bëj ~** play up ♦ **~ánt, -i** *m* comedian

komént, -i *m* comment(ary); remarks; notes ♦ **~atór, -i** *m* commentator; newscaster ♦ **~ím, -i** *m* commenting ♦ **~lóhet** *ps* ♦ **~lój** *kl* **-óva, -úar: ~oj një ngjarje** comment on an event ♦ **~úes, -i** *m* commentator

komét/ë, -a *f ast* comet

komík, -u *m* comic actor; comedian; jester ♦ **~, -e** *mb* comic(al); funny ♦ **~/e, -ja** *f* comicality

kominóshe, -t *f sh* overalls

komisár, -i *m ush* commissar(y) ♦ **~iát, -i** *m* : **~i policisë** police station/ *am* precinct

komisión, -i *m* commission; board; panel; order: **~ i provimit** board of examiners ♦ **~ár, -i** *m trg* agent

komít, -i *m hst* outlaw; outcast

komitét, -i *m* committee: **~ i drejtues** steering committee

komó, -ja *f* dresser; high-boy ♦ **~dín/ë, -a** *f* night-table

kompákt, -e *mb* compact; solid; dense; *fg* solid; united ♦ **~ësí, -a** *f* compactness; *fg* solidarity

kompaní, -a *f ush* company; society: **~ ndërtimi** building contractor/ society; **~ me kapital të përbashkët** joint-stock company

kompás, -i *m* compasses; divider; *dt* compass

kompensát/ë, -a *f* plywood

kompens:ím, -i *m* recompense; compensation ♦ **~lóhem** *vtv* ♦ **~lój** *kl* recompense; compensate

kompetén:c/ë, -a *f* competence; competency ♦ **~t, -e** *mb* competent; qualified

kompil:ím, -i *m* compilation; drawing up; making out *(of a list, etc.)* ♦ **~lój** *kl* compile; draw up *(a list, etc.)* ♦ **~úes, -i** *m* compiler

kompjúter, -i *m* computer: **~ tryeze** desktop (computer); **~ portativ** portable/ lap-top computer; **~ dore** hand-held/ palm computer ♦ **~íst** *em*-**ë, -ët** computer operator ♦ **~izím, -i** *m* computerisation; computer processing ♦ **~iz/óhet** *vtv* ♦ **~iz/ój** *kl* computerise ♦ **~izúar (i, e)** *mb* computerised: **radhitje e ~** computer typesetting

kompléks, -i *m* group; whole; *mz* band; ensemble; *psk* complex: **e shoh në ~ një çështje** consider the whole issue; **~ xhazi/ i muzikës së xhazit** jazz group ♦ **~, -e** *mb* complex; complicated; intricate ♦ **~itét, -i** *m* complexity; intricacy

komplik:ím, -i *m* complication ♦ **~lóhet** *vtv* become complicated ♦ **~lój** *kl* complicate ♦ **~úar (i, e)** *mb* complicated; intricate

komplimént, -i *m* compliment

komplót, -i *m* plot; conspiracy; design *(against)*; cabal: **~ kundër shtetit** conspiracy against the state ♦ **~íst, -i** *m* plotter; conspirator; designer ♦ **~lój** *jkl* plot; conspire *(against)*

komponént, -i *m* component; *tk* software *(of a computer, etc.)*

kompósto, -ja *f gjll* compote

kompoz:ición, -i *m art, lt, mz* composition ♦ **~ím, -i** *m art, lt, mz* composing; *gjh* compound ♦ **~ít/ë, -a** *f gjh* compound ♦ **~itór, -i** *m* composer ♦ **~lój** *kl art, lt mz* compose

komprés/ë, -a *f* compress; *(ice)* pack

kompresór, -i *m tk* compressor; supercharger

kompromet:ím, -i *m* compromise; compromising; implication ♦ **~lóhem** *vtv, ps* ♦ **~lój** *kl* compromise; implicate

kompromís, -i *m* compromise; arrangement ♦ **~axhí, -u** *m bs* compromiser

komshí, -u *m* neighbour

komun:ál, -e *mb* municipal; communal: **këshill ~** municipal/ town council ♦ **~ál/e, -ja** *f*: **shërbime ~** public utility services ♦ **~/ë, -a** *f* commune; municipality; township; city hall; town council

komunik:ación, -i *m* communication ♦ **~át/ë, -a** *f* communiqué, bulletin; (press) report/ release ♦ **~ím, -i** *m* communication: **mjete të ~it** means of communication; media ♦ **~lóhet** *ps* ♦ **~lój** *kl* communicate; transmit; convey ♦ *jkl* communicate ♦ **~úes, -e** *mb:* **enë ~e** *fz* communicating vessels

komuníst, -e *mb* communist(ic) ♦ **~, -i** *m pl* com-

munist

komunitét, -i *m* community: **~ shqiptar** Albanian community

komuníz/ëm, -mi *m pl* communism

kon, -i *m gjm* coné: **trung i ~it** truncated cone; frustum of a cone

koňák, -u *m vj* inn; guest room; house

koncentr:át, -i *m* concentrate ♦ **~lóhet** *vtv* become concentrated ♦ **~lój** *kl* concentrate ♦ **~úar (i, e)** *mb* concentrated

koncépt, -i *m* concept; conception ♦ **~lóhet** *ps*: **nuk ~ohet dot** it is inconceivable ♦ **~lój** *kl* conceive; understand

koncérn, -i *m* concern

koncért, -i *m mz* concert

koncesión, -i *m* concession; dealership: **jap një ~** grant a concession

kondák, -u *m* butt *(of the rifle)*

kondens:atór, -i *m el, tk* condenser; capacitor ♦ **~ó/het** *ps* ♦ **~lój** *kl* condense

kondít/ë, -a *f* condition; term; provision: **me ~ë që** providing that

kón/e, -ia *f* pet dog

konfederát/ë, -a *f* confederation

konferénc/ë, -a *f* conference: **i mbaj ~ë dikujt** *bs* lecture sb; **~ë e nivelit të lartë** summit meeting

konfisk:ím, -i *m* confiscation; forfeiture; attainder ♦ **~lóhet** *ps* ♦ **~lój** *kl* confiscate; attach; forfeit; distrain; seize ♦ **~úar (i, e)** *mb* confiscated; seized *(property)*

konflíkt, -i *m* conflict: **~ i armatosur** armed conflict

konform:íst, -e *mb* conformist ♦ **~, -i** *m* conformist ♦ **~íz/ëm, -mi** *m* conformism

Kóngo, -ja *f gjg* Congo ♦ **k~léz, -e** *mb* Congolese ♦ **k~léz, -i** *m* Congolese

kongrés, -i *m* congress ♦ **~íst, -i** *m* delegate a congress; *am* congressman

koník, -e *mb* conical

koniunktúr/ë, -a *f* situation; conjecture; circumstance

konkluzión, -i *m* conclusion

konkrét, -e *mb* concrete: **në mënyrë ~e** concretely ♦ **~ësí, -a** *f* concreteness ♦ **~ísht** *nd* concretely; in concrete terms ♦ **~izím, -i** *m* concretising; materialising; concretisation ♦ **~izóhet** *ps* ♦ **~iz/ój** *kl* concretise; materialise

konkúrs, -i *m* competition; contest ♦ **~rénc/ë, -a** *f* competition; rivalry: **~ë e egër** cut-throat competition ♦ **~rént, -i** *m* competitor; rival; applicant *(for a post)*: **s'kam ~** be unrivalled ♦ **~rím, -i** *m* competition; competing ♦ **~róhet** *ps* ♦ **~r/ój** *jkl* compete ♦ *kl* compete; rival ♦ **~rúes, -i** *m* competitor ♦ **~rúes, -e** *mb* competing *(mb)*

konóp, -i *m* rope

konsekuénc/ë, -a *f* consequence; outcome

konséns, -i *m* consensus

konservatór, -i *m* conservatoir; conservatorium; school of music; conservative, Tory ♦ ~, -e *mb* conservative ♦ ~íz/ëm, -mi *m pl, etc.* conservatism

konsérv/ë, -a *f* preserve: **mish ~e** tinned/ canned meat ♦ ~ím, -i *m* preserving; canning; conservation *(of energy)* ♦ ~lóhet *vtv, ps* ♦ ~lój *kl* preserve; conserve; bottle; pot; tin; can *(food, etc.)* ♦ ~úar (i, e) *mb* preserved; conserved; canned *(food)*

konsider:át/ë, -â *f* consideration; esteem; regard: **marr në ~ë** take into account ♦ ~lóhet *ps* ♦ ~lój *kl* consider; think of consider; regard; esteem ♦ ~úesh/ëm (i), -me (e) *mb* considerable; sizeable

konsolid:ím, -i *m* consolidation ♦ ~lóhet *vtv, ps* ♦ ~lój *kl* consolidate ♦ ~úar (i, e) *mb* consolidated: **fond i ~** *fn* consolidated fund

konspékt, -i *m* conspectus; synopsis; précis; overview ♦ ~lóhet *ps* ♦ ~lój *kl* make a conspectus/ synopsis of

konspira:ción, -i *m* conspiracy; plot ♦ ~tív, -e *mb* conspiring; plotting; secret ♦ ~tór, -i *m* conspirator; plotter

konstat:ím, -i *m* ascertainment; establishment *(of a fact, etc.);* observation ♦ ~lóhet *ps* ♦ ~lój *kl* ascertain; establish; certify; observe

konstruksión, -i *m tk* structure; construction ♦ ~t, -i *m* build; body frame ♦ ~tív, -e *mb* constructive; *fg* constructive; helpful ♦ ~tór, -i *m* constructor

konsult:atív, -e *mb* consultative; advisory ♦ ~ë, -a *f* counsel; advice; *mk* consultation ♦ ~ím, -i *m* consultation ♦ ~lóhem *vtv* consult; seek advice ♦ ~lój *jkl* óva, -úar consult ♦ ~ór/e, -ja *f* consultancy; consultation clinic

kónsu/ll, -i *m* çonsul: **~ i përgjithshëm** consul general ♦ ~llát/ë, -a *f* consulate; consulship ♦ ~llór/e, -ja *f* consular office ♦ ~llór, -e *mb* consular

konsúm, -i *m* consumption; wear and tear; use: **sende të ~it të gjerë** consumer goods ♦ ~atór, -i *m* consumer ♦ ~íz/ëm, -mi *m* consumerism ♦ ~lóhem *vtv, ps* ♦ ~lój *kl* consume; use up: **~on shumë benzinë** consume a lot of petrol ♦ ~úes, -i *m* consumer; user

kont, -i *m* count

kontáb:ël *mb ek, fn* book-keeping; accounting *(office)* ♦ ~ilitét, -i *m ek, fn* book-keeping; accountancy

kontákt, -i *m* contact; touch: **hyj në ~ me dikë** get in touch with sb; **vendos ~in** make contact; *el* switch on

kontékst, -i *m* context

kontésh/ë, -a *f* countess

kontinént, -i *m gjg* continent ♦ ~ál, -e *mb* continental

kontingjént, -i *m ush* contingent

kontrabánd/ë, -a *f* contraband; smuggling: **bëj ~ë** smuggle ♦ ~ë *mb, nd* contraband: **~ë armësh** gun-running; **mall ~ë** smuggled goods: **fut/ nxjerr ~ë** smuggle in/ out ♦ ~íst, -i *m* smuggler; contrabandist: **~ armësh** gun-runner

kontrabás, -i *m mz* double bass

kontraceptív, -i *m frm* contraceptive; condom ♦ ~, -e *mb* contraceptive

kontradíkt/ë, -a *ffl* contradiction: **frymë e ~ës** contrariness ♦ ~ór, -e *mb* contradictory

kontrakt:ím, -i *m* contracting ♦ ~lóhet *ps* ♦ ~lój *kl* contract ♦ ~úes, -e *mb* contractual *(parties)* ♦ em party in a contract/ an agreement

kontrást, -i *m* contrast; clash *(of colours, etc.);* difference; conflict *(of interests, etc.)*

kontrát/ë, -a *f* contract; agreement; compact: **bëj/ lidh ~ë me dikë** make/ clinch a contract with sb; **~ë banimi** tenancy agreement; **kushtet e ~ës** terms of the contract

kontrib/uój *jkl* -uóva, -úar contribute; help ♦ ~út, -i *m* contribution

kontróll, -i *m* control; check-up; inspection; examination; self-control/possession: **~ doganor** customs examination; **komision i ~it** audit commission; **bëj një ~** run a check; **~ mjekësor** medical check-up ♦ ~ím, -i *m* controlling; checking ♦ ~lóhem *vtv:* **~ohem te mjeku** see the doctor; *ps* ♦ ~lój *kl* control; check up; audit; examine: **~oj llogarinë** audit the accounts; ♦ **~ në trup dikë** to frisk sb ♦ ~ór, -i *m shih* **kontrollues, -i** *tk* monitor ♦ ~úes, -i *m* controller ♦ ~úesh/ëm (i), -em (e) *mb* controllable

konvaleshénc/ë, -a *f mk* convalescence

konvejér, -i *m tk* conveyor; chain system

konven:cional, -e *mb* conventional; accepted; prefixed: **armë ~e** conventional weapons ♦ ~t/ë, -a *f* convention; agreement

konvergjén:c/ë, -a *f* convergence ♦ ~t, -e *mb mt,* convergent; converging

konvert:ím, -i *m ek* conversion *(of the currency)* ♦ ~lóhet *ps* ♦ ~lój *kl ek* convert ♦ ~úesh/ëm (i), -me (e) *mb ek* convertible *(currency)*

konvíkt, -i *m* dormitory *(of a boarding school)* ♦ ~ór, -i *m* boarder; boarding student

konják, -u *m* cognac; French brandy

kooper:atív/ë, -a *f* co-operative; talon *(in the game of domino)* ♦ ~ativíst, -i *m* member of a co-operative farm ♦ ~ativíst, -e *mb* co-operative ♦ ~ativíz/ëm, -mi *m* co-operative system ♦ ~ativizóhem *ps* ♦ ~ativiz/ój *kl* include in a co-operative ♦ ~ativizúar (i, e) *mb* included in a co-operative system ♦ ~ím, -i *m* co-operation; co-operating ♦ ~lóhem *vtv* join a co-operative association; *ps* ♦ ~lój *kl* co-operate

koordin:át/ë, -a *f mt, gjg* co-ordinate ♦ ~ím, -i *m*

co-ordination. ♦ **~lój** *kl* co-ordinate

kopáç/e, -ja *f* cudgel; bludgeon

kopálla, -t *f sh* nonsense; gibberish; idle talk

kopán, -i *m* paddle *(of the fuller)*; flail *(for threshing wheat)*; mallet; bunch *(of grape)* ♦ **~éc, -i** *m* (child in) swaddling clothes ♦ **~ís** *kl* beat; thwack; thrash ♦ **~ís/em** *ps*

kopé, -ja *f* herd; flock; pack *(of animals)*: **me ~** in droves

kopertón, -i *m* tyre *(of a car)*

kóp/ër, -ra *f bt* dill

kopíl, -i *m* bastard; child born out of wedlock; *kq* smart Alec; downy bird; cuss; *kq* brat; sucker *(of a plant)*: **çelës ~** skeleton key; **ia lë ~in në derë dikujt** lay the blame at sb's door ♦ **~, -e** *mb* bastard *(child)*; *bs* smart; sharp; astute

kopj:ác, -i *m bs* cheat; copy-cat ♦ **~atív, -e** *mb* carbon *(paper)*: **laps ~** indelible pencil ♦ **~/e -a** *f* copy; transcript; draft *(of a document)*; *fot, kn* print; fake: **~e rezervë** back-up copy; **~e e një tabloje** replica of a painting; **bëj ~e në mësim** cheat at school ♦ **~ím, -i** *m* copying; transcription; printing ♦ **~lóhet** *ps* ♦ **~lój** *kl* copy; transcribe; *bs* cheat; fake ♦ **~úes, -e** *mb* copying ♦ **~úes, -i** *m bs* cheat *(at school)*

koprác, -i *m* miser; niggard; pinch-penny ♦ **~, -e** *mb* misery; niggardly; avaricious ♦ **~í, -a** *f* avarice; miserliness

kóps:ë, -a *f* button: **~ë me sustë** press button; stud ♦ **~ít** *kl* button (up); *bs* tie up *(loose ends of a deal)* ♦ **~ítem** *vtv, ps* ♦ **~ítj/e, -a** *f* buttoning ♦ **~ítur (i, e)** *mb* buttoned; fastened: **punë e ~** *bs* a settled thing

kopsht, -i *m* garden; kindergarten, nursery school: **~ perimesh** kitchen garden; truck-farm; **~ zoologjik** zoo; **~ ditor** day nursery ♦ **~ár, -i** *m* gardener ♦ **~arí, -a** *f* gardening; horticulture

kopúk, -u *m shr* knave; villain; scam

kóq/e, -ja *f bs* grain; pimple; *sh vl* balls; *kq* dumb-cluck ♦ **~ëz, -a** *f* small pimple

kor, -i *m* chorus; choir

korac:át/ë, -a *f ush-dt* battleship ♦ **~/ë, -a** *f ush* cuirass; armour (plate) ♦ **~úar (i, e)** *mb ush* iron-clad

korál, -i *m zl* coral

korál, -e *mb* choral

korán, -i *m zl* lake trout

korb, -i *m zl* crow; raven: **~ i ujit** *zl* cormorant ♦ *nd* very *(dark)* ♦ **~, -e** *mb* dark ♦ **~/ë, -a** *zl* crow; *fg* ill-starred woman ♦ *mb* wretched; poor; unlucky

kordél/e, -ja *f* ribbon; band *(of a dress, a hat, etc.)*

kórd/ë, -a *f* chord; *an* (vocal) cord; *mz* string

kordón, -i *m* cord(on); galloon; *el* flex

kórdh/e, -a *f* sabre ♦ **~ëtár, -i** *m hst* swordsman

kórdhëz, -a *f* string *(of a bow)*

kór/e, -ja *f* crust *(of the earth, etc.)*; bark *(of the tree)*:

një ~e bukë a crust of bread; **zë ~e** crust over

Koré, -ja *f gjg* Korea ♦ **k~án, -e** *mb* Korean ♦ **k~án, -i** *m* Korean ♦ **l~ánçe** *nd* (in the) Korean (language) ♦ **k~ánç/e, -ja** *f* Korean (language)

koreográf, -i *m art* choreographer ♦ **~í, -a** *f art* choreography ♦ **~ík, -e** *mb art* choreographic; spectacular

korifé, -u *m tt* corypheus *(sh* **-aei***)*; coryphée; *fg* leader; leading figure

koríj/e, -a *f* copse; coppice; thicket

koríst, -i *m* chorister; quire-singer; chorus singer

korít *kl* put to shame ♦ **~lem** *vtv* be ashamed; *ps*

korít/ë, -a *f* trough; wash-tub; wash-trough

kórn/e, -ja *f sp bs* corner(-kick)

korníz/ë, -a *f* frame(work); setting; cornice; window jamb: **vë në ~** frame *(a photo)*

koronár/e, -ja *mb* **-e, -et** *an* coronary

korp:armát/ë, -a *f ush* army corps ♦ **~us, -i** *m* main building; corps; corpus *(sh* **corpora***)*: **K~i i Paqes** Peace Corps

korsé, -ja *f* corset; stays; bodice

kortárë, -t *m sh* quartered limbs ♦ **~-~** *nd*: **shqyej ~** quarter

korté, -u *m shih* **kortezh, -i** ♦ **~zh, -i** *m* (funeral) procession

korr *kl* reap; harvest; *fg* mow down; *fg* score *(a victory)* ♦ **~a, -t (të)** *f sh* crops; harvest

korrékt, -e *mb* correct; right; fair: **lojë ~e** fair play ♦ **~és/ë, -a** *f shih* **~ësí, -a** ♦ **~ím, -i** *m* correction; re-education: **shtëpi ~i** reformatory ♦ **~lóhem** *vtv* correct oneself; be reformed; be re-educated ♦ **~ór, -i** *m* corrector; (proof) reader ♦ **~úes, -e** *mb* corrective; formative *(labour, etc.)* ♦ **~úr/ë, -a** *f sht* proof-reading

korrént, -i *m el* current: **pres ~in** cut the power supply

korrespondén:c/ë, -a *f* correspondence; mail ♦ **~t, -i** *m* correspondent: **~ i luftës** war correspondent

kórr:et *ps* ♦ **~ës, -i** *m* reaper; harvester ♦ **~ës, -e** *mb* harvesting *(machine)*

korriér, -i *m* courier; messenger

korrigj:ím, -i *m* correction; emendation: **~ i gabimeve** erratum ♦ **~lóhem** *vtv, ps* ♦ **~lój** *kl* correct; emend

korrík, -u *m* July

kórrj/e, -a *f* harvesting; reaping; crop; harvest: **~e të mira** a rich harvest

korrupt:ím, -i *m* corruption ♦ **~lóhem** *ps* ♦ **~lój** *kl* corrupt; bribe ♦ **~úar (i, e)** *mb* corrupt ♦ **~úes, -e** *mb* corrupting ♦ **~uésh/ëm (i), -me (e)** *mb* corruptible; venal

kos, -i *m* yoghurt: **u bë deti ~** it is free for all

kosár, -i *m* reaper

kós/ë, -a *f* scythe; mowing: **i vë ~ën** mow down; annihilate ♦ **~ít** *kl* mow; *fg* mow down ♦ **~ítem** *ps* ♦ **~ístës, -i** *m* mower ♦ **~ítës, -e** *mb* mowing *(ma-

chine) ♦ **~ítj/e, -a** *f* mowing ♦ **~ítur (i, e)** *mb* mown

kosov:ár, -i *m* Kosovar; inhabitant/ native of Kosova ♦ **~, -áre** *mb* related Kosova and its inhabitants ♦ **~árçe** *nd* in the manner/ dialect of Kosova ♦ **K~/ë, -a** *f gjg* Kosova

kósto, -ja *f ek* cost: **~ e prodhimit** manufacturing/ factory cost ♦ **~íst, -i** *m* cost accountant

kostúm, -i *m* costume; dress: **provë me ~e** *tt* dress rehearsal ♦ **~íst, -i** *m* costume designer

kosh, -i *m* basket; crate; (dust)bin; sidecar *(of the motorcycle):* **hedh në ~** throw into the dustbin

koshér/e, -ja *f* beehive

kot *nd* vainly; in vain; uselessly; aimlessly; wasted; accidentally: by accident: **lodhem ~** try in vain; **~ e ke!** it's useless try!; **e shkoj ~ kohën** waste one's time; **i ra ~ në të** it was a fluke; **marr ~** go berserk; blow the top; **~ së ~i** in vain; pointlessly

kot *kl* nap; doze off; drowse: **më ~i gjumi** I was overcome with sleep

kotéc, -i *m* hen-house; *kq* hovel

kotél/e, -ja *f* kitten

kótem *vtv* nap; doze off; drowse

kótë (i, e) *mb* useless; unavailing; aimless; meaningless; pointless; absurd: **përpjekje e ~** a vain attempt

kotélét/ë, -a *f gjll* cutlet

kotësí, -a *f* uselessness; vainglory; vanity

kotull/óhem *vtv* nap; doze off

kother/e, -ja *f* crust *(of bread)*

kováç, -i *m* blacksmith ♦ **~hán/ë, -a** *f* smithy

kóv/ë, -a *f* bucket; pail; scoop: **shi me ~a** buckets of rain

kozmetík, -e *mb:* **prodhime ~e** cosmetics ♦ **~/ë, -a** *f* cosmetic

kozm:ík, -e *mb* cosmic; space *(ship):* **hapësirë ~e** outer space; **pluhur ~** stardust ♦ **~onáut, -i** *m* cosmonaut ♦ **~onautík/ë, -a** *f* cosmonautics *(me folje në njëjës)* ♦ **~opolít, -e** *mb* cosmopolitan ♦ **~opolít, -i** *m* cosmopolitan; cosmopolite ♦ **~os, -i** *m* cosmos; outer space

krah, -u *m* arm; wing *(of a bird, etc.);* sail, vane *(of a windmill);* side; armful *(of hay, etc.);* ush flank; branch *(of a tree, etc.);* hand, workforce; *tk* prize *(of a lever);* blade *(of a semaphore);* cross-beam *(of the steel-yard);* **~ për ~** arm in arm; **~ët e këmishës** shirt sleeves; **flas prapa ~ëve** speak behind sb's back; **i fërkoj ~ët dikujt** pat sb on his back; **i kthej ~ët dikujt** turn one's back sb; **me ~ë hapur** with open arms; with joy; **punëtor ~u** manual worker

krahaqáfë *nd* slung over the shoulder

kraharór, -i *m* chest; *bs* breast; bosom: **dërrasë e ~it** *an bs* breastbone

kráhas *nd* side by side ♦ *prfj* beside; by; along (with); in addition; side by side with: **~ kësaj** parallel with this

krahas:ím, -i *m* comparison; *lt* simile ♦ **~imtár, -e** *mb shih* **krahasues, -e** ♦ **~lóhem** *vtv* compare (with, to); match; *ps* : **s'~ohesh me të** you are not a match for him ♦ **~lój** *kl* compare; match ♦ **~ór, -e** *mb gjh* comparative *(degree of the adjective)* ♦ **em -e, -ja** *f* comparative degree ♦ **~úar (i, e)** *mb* compared ♦ **~úes, -e** *mb* comparative ♦ **~úesh/ëm (i)m -me (e)** *mb* comparable

kráhës/e, -ja *f, ~s, -i* *m* sleeveless shirt (blouse)

krahín/ë, -a *f* region; province ♦ **~ór, -e** *mb* regional; provincial

krahisht:ím, -i *m* good order; tidiness ♦ **~lóhet** *ps* ♦ **~lój** *kl* put in order; tidy up

krahjét/ë, -a *f bt* birch

krahósh, -i *m* knapsack

krakëllí:m/ë, -a *f* caw *(of the crow)* ♦ **~ln** *jkl* **-ti, -tur** crow; caw

krap, -i *m sh* **krep, kréptë** *zl* carp; *shr* dullard: **si ~** dumb like a fish

krasít *kl* prune; trim *(a hedge)* ♦ **~let** *ps*

krást/ë, -a *f* bare/rocky hill

kratér, -i *m gjg* crater

kravát/ë, -a *f* necktie; tie

kredenciál, -e *mb:* **letra ~e** credentials

kredí, -a *f fn* credit; esteem: **me ~** on credit; **njeri me ~** man of influence ♦ **~t, -i** *m fn shih* **kredi, -a** ♦ **~tór, -i** *m* creditor ♦ *mb* **-, -e: pala ~e** the creditor party

krédo, -ja *f* creed

kredh *kl* **kródha, krédhur** plunge; immerse ♦ **~ës, -i** *m* diver ♦ **~j/e, -a** *f* diving; immersion

kreh *kl* comb *(one's hair);* card *(wool, etc.):* **i ~ bishtin dikujt** curry favour with sb ♦ **~lër, -ri** *m* (hair)comb; rake *(of the gardener);* cartridge clip ♦ **~j/e, -a** *f* combing; hair-do/ style; carding *(of wool)*

krejt *nd* entirely; wholly; quite; very; altogether: **~ i lagur** drenched through; **~ i ri** brand new; **harrova ~** I clean forgot it ♦ *pkf:* **~ vendi** the whole country ♦ *pj:* **~ i ati** quite like his father ♦ **~ësísht** *nd shih* **krejt**

kréko *nd bs* neatly; tidily; smartly *(dressed);* upright

krekós *kl bs* straighten; set upright ♦ **~em** *vtv bs* stand upright; *fg* flounce; put on airs ♦ **~j/e, -a** *f* straightening up; *fg* airs; boasting

kréla, -t *f sh* curls

krem, -i *m* cream; off-white colour; custard

kremastár, -i *m* (clothes) hanger

krematór, -i *m* crematorium *(sh -ia, -iums)*

krémt/e, -ja (e) *f(të)* religious holiday (feast) ♦ **~ím, -i** *m* festivity; celebration ♦ **~lóhet** *ps* ♦ **~lój** *kl* celebrate

krenáj/ë, -a *f* top *(of the hill);* height; altitude; beginning

kren/ár, -e *mb* proud ♦ **~arí, -a** *f* pride ♦ **~arísht** *nd* proudly; with pride ♦ **~lóhem** *vtv* be proud of;

take pride in

krés/ë, -a *f* pillow; top *(of the head):* **i bie ~ dikujt** hit sb on the head; be hard on sb

kréshk/ë, -a *f* leaf; *sh* bark *(of a tree);* scale *(of fish)*

kréshmë, -t *f ft* Lent: **mbaj ~ë** keep Lent; **prish ~ët** break fast ♦ **~lój** *jk/ ft* keep Lent; fast ♦ **~ór, -e** *mb ft* lenten *(fáre)*

kreshník, -u *m* knight ♦ **~le, -ja** *f* valiant woman

kreshpër:ím, -i *m* bristling up *(of hair)* ♦ **~lóhem** *vtv* bristle up *(of hair)*; *fg* fume; rage; *fg* threaten; *ps* ♦ **~lój** *kl* make *(sb's hair)* stand on end; *fg* enrage ♦ **~úar (i, e)** *mb* bristled; *fg* enraged

kresht:ák, -e *mb* crested; bristled ♦ **~lë, -a** *f* mane *(of the horse, etc.)*; bristle; crest *(of a mountain)*; comb *(of a cock)*; back *(of the chair)* ♦ **~lë (i, e)** *mb* bristly; wiry *(hair)*

kréva *kr thj e* **kryej**

krevát, -i *m* bed: **~ tek/ dopjo** single/ double bed

krezm, -i *m ft* ointment ♦ **~ím, -i** *m ft* confirmation ♦ **~lóhem** *ft ps* ♦ **~lój** *kl ft* confirm

krídhem *vtv* **kródha (u), krédhur** dive; dip; sink; *fg* be immersed *(in sth)*; *fg* be absorbed/ deep *(in thought)*; *ps*

krídh/ë, -a *f* mud-hole

kríf/ë, -a *f* mane; crest: **~a e luanit** a lion's mane

kríhem *vtv* comb one's hair; be combed; *ps e* **kreh**

krij:és/ë, -a *f* creature; product: **~ë e mendjes** product of the brain; brain-child ♦ **~ím, -i** *m* creating; creation; product ♦ **~imtarí, -a** *f* creativeness; creativity ♦ **~lóhet** *vtv* be created; take shape; form; *ps*: **më ~ohet një përshtypje** have an impression ♦ **~lój** *kl* create; make; found *(an association, etc.)*; cause; prepare *(the conditions for sth)*; open *(a file on sb, on sth)*; form *(an idea, etc.)* ♦ **~úes, -i** *m* creator; inventor; founder; (founding) father; *nj ft* Creator ♦ **~úes, -e** *mb* creative

krik, -u *m tk* jack: **~ me vidhë** screw jack

krík/ëll, -lla *f* jug; mug: **një ~ëll birrë** a pint of beer

krikëll:ím/ë, -a *f* creak *(of hinges, etc.)* ♦ **~í/n** *jk/ -u, -rë* creak

krim, -i *m* crime; *sh* atrocities: **bota e ~it** the underworld; **është ~ që…** it's a shame that…

krimb, -i *m zl* worm; vermin: **~i i dheut** earth worm; **~i i mishit** maggot; **i hyn ~i** be worm-eaten; **zë ~a** be ridden with vermin ♦ *kl* soil; dirty *(one's clothes)* ♦ **~lem** *vtv v iii* be worm-eaten/ riddled with vermin; be soiled; *bs* wallow *(in money)* ♦ **~ur (i, e)** *mb* worm-eaten; *fg* sickly; *bs* soiled *(clothes)*; rotten: **i ~ në para** *bs* filthy rich

krimin:ál, -e *mb* criminal ♦ **~alíst, -i** *m dr* criminal lawyer ♦ **~alistík/ë, -a** *f dr* criminal studies ♦ **~alitét, -i** *m* criminality; crime rate ♦ **~él, -i** *m dr* criminal

krip *kl* (dredge with) salt; (be)sprinkle: **ia ~ kokën dikujt** do sb in ♦ **~aník, -u** *m* salt-box; salt-bottle

♦ *gjll* salted cheese pie ♦ **~lem** *vtv, ps* ♦ **~lë, -a** *f* salt; saline; *sh mk* salts: **~ë gjelle** kitchen salt; **~a e shakasë** point of a joke; **shtie ~ë në plagë** rub salt into the wounds ♦ *mb* dog poor: **mbetem ~ë** remain penniless ♦ **~ës, -i** *m* salt bottle/ sprinkler ♦ **~ësí, -a** *f* saltiness ♦ **~ësím, -i** *m* salting ♦ **~ësír/ë, -a** *f* brine; pickle; saltiness; salinity ♦ **~ës/ój** *kl -óva, -úar* salt; add salt ♦ **~ëzím, -i** *m* salination ♦ **~ëz/ój** *kl* salinate ♦ **~j/e, -a** *f* salting ♦ **~ór, -e** *mb* salty; saline ♦ **~ór/e, -ja** *f* salt-pan/ mine/ pit/ works *(me folje në njëjës);* salt-sprinkler/ -bottle; salt-cellar

krípt/ë, -a *m f ark* undercroft; crypt; *bi* crypt, small cavity

krípur (i, e) *mb* salty; salted; *bs* heavily priced; *fg* witty *(joke):* **ujë i ~** salt water; **çmime të ~a** very steep prices

kris *jk/ v iii* crack; *v iii* creak; *v iii* go off; start; burst out: **~ e iki** go off; beat it; **~i lufta** the war started ♦ *k/* burst into *(laughter etc.)* ♦ **~et** *vtv* crack up ♦ **~lë, -a** *f* crack; fissure ♦ **~j/e, -a** *f* cracking; crack; hole; fissure

krískull, -i *m an* breast bone; sternum

krísm/ë, -a *f* crack; shot; crash; clatter; rap *(at the door)*

kristál, -i *m* crystal ♦ *mb:* **ujë ~** crystal-clear water ♦ **~izím, -i** *m* crystallisation ♦ **~izóhet** *vtv* ♦ **~iz/ój** *kl* crystallise ♦ **~izúar (i, e)** *mb* crystallised ♦ **~ór, -e** *mb* crystalline; *shih* **kristaltë (i, e)** ♦ **~të (i, e)** *mb* crystalline; crystal-clear

krísur (i, e) *mb* cracked; *fg* crazy; cracked; touched *(in the upper story)*

krisht:ér/ë (i, e) *mb* Christian: **bota e ~** Christendom ♦ **~ér/ë, -i (i)** *m* Christian ♦ **~erím, -i** *m fet* Christianity; Christendom; *prmb* Christians ♦ **K~líndj/e, -a** *f* Christmas, X-mas: **këngë e K~es** Christmas carol

kritér, -i *m* criterion *(sh -ia)*

kritík, -u *m* critic; (book) reviewer ♦ **~, -e** *mb* critical; crucial *(moment)* ♦ **~lë, -a** *f* criticism; critique; *prmb* critics ♦ **~lóhem** *ps* ♦ **~lój** *kl* criticise; blame; censor ♦ **~úes, -i** *m* critic; censor

kríz/ë, -a *f ek* crisis *(sh -es);* shortage; *mk* fit; *(heart)* attack

Kroa:cí, -a *f gjg* Croatia ♦ **k~t, -e** *mb* Croatian ♦ **k~t, -i** *m* Croat ♦ **~tísht** *nd* (in the) Croatian ♦ **~tísht/e, -ja** *f* Croat (language)

krokodíl, -i *m zl* crocodile: **lotë ~i** crocodile tears

krom, -i *m km* chromium; chrome

kromásh, -e *mb kq* mangy

kromat:ík, -e *mb* chromatic *(scale)*

króm/ë, -a *f mk* scab; mange

kromím, -i *m* chrome-plating ♦ **~lóhet** *ps* ♦ **~lój** *kl -óva, -úar* chrome-plate

kromós *kl* give the scabies ♦ **~lem** *vtv* be attained by scabies; *fg* stench ♦ **~ur (i, e)** *mb* scabbed;

mangy; *fg* stenchy

kromozóm, -i *m bl* chromosome

kroník, -e *mb* chronic *(disorder)*

kroní:k/ë, -a *f* chronicle; news-reel/ report ♦ **~st, -i** *m* chronicler; reporter

krono:logjí, -a *f* chronology ♦ **~logjík, -e** *mb* chronological ♦ **~mét/ër, -ri** *m* chronometer; stopwatch; timepiece ♦ **~metrík, -e** *mb* chronometric ♦ **~metrím, -i** *m* timing ♦ **~metr/óhet** *ps* ♦ **~metr/ój** *kl* time

kros, -i *m sp* cross-country race: **jap një ~** put a ball across ♦ **~ím, -i** *m sp* crossing ♦ **~lój** *kl sp* cross *(the ball)*

krúa, krói *m sh* **króje, krójet** fountain; watercourse; well-

krú:aj *kl* **króva, krúar** scrap *(a pot)*; scratch; scavenge: **~ kokën** scratch one's head; **~ grykën** clear one's throat ♦ **~ajtj/e, -a** *f* scratching; scrapping; brash ♦ **~ara, -t (të)** *f sh* itching; brash ♦ **~es/e, -ja** *f* scrapper ♦ **~/hem** *vtv* scratch oneself; itch: **vetë t'u ~ajt** you were asking for it

krúnd/e, -t *f sh* bran: **jam ~e** *bs* be penniless

krúp/ë, -a *f* nausea; loathing; disgust ♦ **~sh/ëm (i), -me (e)** *mb* nauseating; disgusting

kruskót, -i *m* dash-board *(of a car)*

krúsm/ë, -a *f* ruin; destruction: **i vë ~ën shëndetit** ruin one's health

krúspull *nd:* **bëhem ~** crouch; shrivel; cringe ♦ **~ím, -i** *m* crouching; shrivelling ♦ **~lóhem** *vtv* crouch; shrivel; huddle up; *ps* ♦ **~lój** *kl. dhe* **~ós** *kl* crease; crumble up; cringe ♦ **~ósem** *vtv, ps* ♦ **~ósur (i, e), ~úar (i, e)** *mb* huddled up; creased; crumbled

krush/k, -ku *m* in-law *(sh* in-laws) ♦ **~k/ë, -a** *f* bride's maid ♦ **~qí, -a** *f prmb* in-laws; marriage alliance

krýe, kréu *m sh* **krérë, krérët** *sh* head; *nj* chapter; leader; *sh* peers; gentility: **dhjetë krerë lopë** ten (head of) cattle ♦ **~, -t** *as* head; brain; top, tip; source *(of a river, etc.);* place of honour; beginning; leading figure: **~e jave** each week; **fund e ~e** entirely; **që në ~e** from the beginning; **rrugë pa ~e** impasse; **ia dal në ~e** bring it off

krye:artíku/ll, -lli *m* editorial; leading article ♦ **~bashkiák, -u** *m* mayor ♦ **~familjár, -i** *m* head of the family ♦ **~fjál/ë, -a** *f gjh* subject

krýej *kl* **kréva, krýer** finish; accomplish; carry through the end; fulfil *(a desire);* carry out *(an order)*

krye:këpút *nd* entirely; completely ♦ **~komandánt, -i** *m ush* commander-in-chief; chief commander ♦ **~kuzhiniér, -i** *m* head-cook; chef ♦ **~lártë** *mb* proud; haughty; uppish (person); sublime ♦ **~lartësí, -a** *f* pride; haughtiness ♦ **~miníst/ër, -ri** *m* premier; prime minister. ♦ **~ministrí, -a** *f* premiership; council of ministers ♦ **~mjésht/ër, -**

ri *m* foreman ♦ **~néç, -e** *mb* stubborn; headstrong; froward ♦ **~ësí, -a** *f* stubbornness ♦ **~ngrítës, -i** *m* insurgent; rebel ♦ **~ngrítj/e, -a** *f* uprising; insurrection; revolt; rebellion ♦ **~peshkóp, -i** *m ft* archbishop ♦ **~peshkopát/ë, -a** *f* archbishopric ♦ **~/plák, -pláku** *m sh* **-pléq, -pléqtë** alderman ♦ **~prokurór, -i** *m dr* attorney general ♦ **~punétor, -i** *m* foreman ♦ **~qytét, -i** *m* capital; capital city

krýer *pjs e* **kryej** ♦ **~, -a (e)** *f gjh* past tense ♦ **~ (i, e)** *mb* accomplished; completed; done; finished: **fakt i ~** accomplished fact

kryerádh/ë, -a *f* paragraph; indent ♦ **~redaktór, -i** *m* editor-in-chief; chief editor

krýerj/e, -a *f* accomplishment; completion; execution *(of a duty)*

kryesí, -a *f* presidency; chairmanship; lead(ership)

kryesísht *nd, pj* chiefly; mostly; especially; specially

kryes/óhet *ps* ♦ **~lój** *kl* chair; preside ♦ *dhe jk/* lead: **~oj (në) një garë** lead a race

kryesór, -e *mb* chief; principal; main; central

kryesúes, -i *m* leader; chairman *(of a meeting)* ♦ **~, -e** *mb* leading

kryeshëndóshë *plk* condolences

kryetár, -i *m* chairman; president; head; boss; manager *(of an office):* **~ i gjyqit** president of the court

krye:úr/ë, -a *f* bridgehead ♦ **~vép/ër, -ra** *f* masterpiece

krýhet *vtv, ps:* **~ një vit nga** one year is completed since

kryq, -i *m* cross; crucifix: **i vë ~in** write off; cancel; **K~i i Kuq** the Red Cross; **~i i shenjtë** the rood ♦ *mb* cross; cruciform: **rrugë ~** cross-roads; **me duart ~** with crossed arms ♦ *nd:* **i bie ~ e tërthor një vendi** criss-cross a country; **më shkon ~** go wrong ♦ **~as** *nd* crosswise; across ♦ **~e, -t** *f sh* an small of the back: **këput ~t** break one's back ♦ **~ëzát/ë, -a** *f hst* crusade ♦ **~ëzátës, -i** *m hst* crusader ♦ **~ëzím, -i** *m* crucifixion; *bi* cross-breeding; cross-breed; crossing; junction ♦ **~ëz/óhem** *vtv v iii* cross; intersect *(of two lines);* *ft* be crucified; *v iii* crossbreed; *ps* ♦ **~ëz/ój** *kl* place crosswise; cross; *hst* crucify; *ft* cross; make the sign of the cross on; crossbreed: **~oj duart** cross one's arms

kryqëzór, -i *m ush-dt* cruiser

kryq:ëzúar (i, e) *mb* crossed; *hst* crucified; *b/* crossbred; intersected: **hekura të ~** cross bars ♦ **~tár, -i** *m hst* crusader

krrëk *nd bs :* **mbush ~** fill the brim

krrok *jk/* caw; crow

ksenofób, -i *m* xenophobe ♦ **~í, -a** *f* xenophobia

kseróks, -i *m* Xerox

ksilo:fón, -i *m mz* xylophone ♦ **~foníst, -i** *m mz* xylophonist ♦ **~grafí, -a** *f* xylography; wood-engraving

kthé:hem *vtv* **kthéva (u), kthýer** return; come/ go

back; turn; change direction; resume; *v iii* turn/ transformed into; *v iii* revive *(of faith etc.): ps:* ~ **majtas/ djathtas** turn left/right; **i ~ bisedës** resume the conversation; **~het në akull** turn into ice ♦ **~/j** *kl* **kthéva, kthýer** turn over/ up/ down; overturn; roll *(one's sleeves);* bend *(a bar, etc.);* cast; point; change *(direction, course);* return, restitute; convert to; transform; reject *(a student in exams):* ~ **rrugë** change direction/ *fg* one's manners; ~ **borxhin** pay back a loan; ~ **letrat përmbys** turn the cards face down; ~ **në dollarë** convert into dollars; ~ **xhepat** turn one's pockets inside out; **e ~ një gotë** down a drink; **i ~ fjalë dikujt** answer back to sb; **i ~ vizitën dikujt** return sb's call ♦ **~s/ë, -a** *f* bend; curve; *fg* change; turn(ing); **~ë e fortë** hairpin bend; **~ë e lumit** bend/ meander of the river

kthét/ër, -ra *f* claw; paw

kthim, -i *m* return; way back; backtracking; restitution; *fn* conversion: **biletë ~i** return only ticket; **gjatë ~it** on the way back; **ndeshje e ~it** *sp* return match; **kursi i ~it të lekut** exchange rate of the lek

kthín/ë, -a *f* alcove; room; partition; division

kthjell *kl* clarify; clear up *(a question)*; elucidate ♦ **~/em** *vtv* clear up: **u ~ qielli** the sky cleared up ♦ **~ët (i, e)** *mb* clear; limpid; *fg* understandable; *fg* lucid; sober: **ujë i ~** clear water; **si rrufe në qiell të ~** like a bolt from the blue ♦ **~ím, -i** *m* clearing up; clarification ♦ **~/óhem** *vtv v iii* clarify; clear up; *v iii fg* become clear/ understandable; sober up; *ps:* **u ~ua uji** the water cleared up ♦ **~/ój** *kl* **-óva -úar** clarify; clear up; *fg* clarify; sober up; *fg* explain *(a question)* ♦ **~tësí, -a** *f* clarity; limpidity

kthýer *pjs shk e* **kthej** ♦ ~ **(i, e)** *mb* bent *(tall bar, etc.)*

ku *nd* where; in which *(place, direction):* ~ **shkon?** where are you going? ♦ *ldh:* **do të shkojmë ~ të na thuash ti** we'll go wherever you tell us ♦ *pj:* ~ **e ~** by far; by a long chalk; much (greater/ better/ worse)

kuaçít *jkl* cluck; chuck *(of a hatching hen)* ♦ **~j/e, -a** *f* cluck; chuck *(of a hatching hen)*

kuád/ër, -ri[1] *m* cadre; staff; *ush* personnel

kuád/ër, -ri[2] *m* painting; sequence *(of a film)*; frame(work): **~ër kontrolli** *el* control board; **~ër i drejtimit** *av* dash-board.

kuadrát, -i *m* square

kualifik:ím, -i *m* qualification; training: **garë ~i** qualifying heat; **kurs ~i** training course ♦ **~/óhem** *vtv* qualify; be trained: **~em për turin tjetër** qualify for the next round ♦ **~úar (i, e)** *mb* qualified; trained; skilled *(worker)*

kuánt, -i *m fz* quantum *(sh* **-ta)**

kuárc, -i *m min* quartz: **orë me ~** quartz watch/ clock

kuartét, -i *m mz* quartet: ~ **harqesh** string quarter

kub, -i *m gjm* cube; *mat* cubic power: **ngre në ~** raise the cubic power ♦ **~, -e** *mb* cubic

kubán, -e *mb* Cuban ♦ **~, -i** *m* Cuban ♦ **K~b/ë, -a** *f gjg* Cuba

kubé, -ja *f* vault; dome; cupola

kúb/ël, -la *f zl* shad

kub:ík, -u *m* cubicle ♦ **~ík, -e** *mb* cubic: **rrënjë ~e** *mat* cubic root ♦ **~íst, -i** *m art* cubist ♦ **~íz/ëm, -mi** *m art* cubism

kuç, -i *m bs fëm* dog: **me ~ e me maç** rag-tag and bobtail

kuçéd/ër, -ra *f mit* hydra; *bs* monster; harpy

kúçk/ë, -a *f shr* bitch

kudó *nd* everywhere; wherever: ~ **që shkonte** wherever he went

kúdh/ër, -ra *f* anvil: **njëri i bie ~rës, tjetri çokut** work at cross purposes

kufí, -ri *m* boundary; border; frontier; limit; bounds: **nuk njoh ~** know no bounds; **e shkel ~rin** *bs* step on the line ♦ **~tár, -i** *m* border guard; frontiersman ♦ **~tár, -e** *mb* borderline *(mb):* **zonë ~e** border zone

kufíz/ë, -a *f* term *(of an equation)*

kufiz:ím, -i *m* limitation; restriction: **pa ~** without restriction ♦ **~/óhem** *vtv v iii* limit; be limited (within); limit oneself; *ps* **~lój** *kl v iii* limit; bound; border ♦ *jkl v iii* border on; delimit; mark out *(with a dividing line);* limit, restrict ♦ **~ór, -e** *mb* delimiting; restrictive; limitative ♦ **~úar (i, e)** *mb* limited; restricted; narrow *(mind)* ♦ **~úes, -e** *mb* delimiting; demarcating *(line, etc.);* restrictive

kúfj/e -a *f* headphone

kufóm/ë, -a *f* corpse; dead body; cadaver; carcass; *bs* stiff; crock

kuintál, -i *m* quintal *(=100 kg)*

kuintesénc/ë, -a *f* quintessence

kuintét, -i *m mz* quintet(te)

kuís *jkl* yelp *(of a dog);* whimper; squeal *(of a pig)* ♦ **~j/e, -a** *f* yelp *(of a dog);* whimper; squeal; squeak

kuislíng, -u *m dhe mb* quisling

kujdés, -i *m* care; attention; caution; prudence: **ki ~** take care *(of yourself);* **veproj me ~** act with caution ♦ **~/em** *vtv* (take) care; look after ♦ **~í, -a** *f* care; prudence; caution ♦ **~ím, -i** *m* care ♦ **~/óhem** *vtv shih* **kujdesem** ♦ **~sh/ëm (i), -me (e)** *mb* attentive; cautious; prudent: **bëj hapa të ~ëm** take cautious steps ♦ **~tár, -i** *m* warden; tutor *(of a pupil, etc.);* guardian *(of a minor);* monitor *(of a group of pupils):* ~ **i muzeut** curator ♦ *mb* tutorial ♦ **~tarí, -a** *f* tutorship; protectorate

kúj/ë, -a *f* howl; ululation: **me ~ e me bujë** with great ado

kujt:és/ë, -a *f tk* memory; remembrance: **~ë e dobët** short/ poor memory; **ia ngacmoj ~ën dikujt** jog sb's memory ♦ **~ím, -i** *m* remembering; memory; reminiscence; keepsake, souvenir; *sh* memoirs ♦ **~lóhem** *vtv v iii* remember; recollect; evoke *(an event)*; *ps* ♦ **~lój** *kl* remember; mention; remind *(sb of sth)*: **~oj fjalët e di~** remember sb's words; **ky emër s'më ~on asgjë** that name does not ring a bell; **mirë që ma ~ove** that reminds me! ♦ *jkl* think; believe: **~ova se** I believed that; **pa pritur e pa ~uar** all of a sudden; unexpectedly ♦ **~úesh/ëm (i), -me (e)** *mb* sharp; quick-witted; mindful; thoughtful; grateful

kukafshéh:tas, ~thi *nd:* **luaj ~** play hide-and-seek

kukëz/óhem *vtv* bend/ arch (one's back); *ps* ♦ **~l ój** *kl* bend; arch *(the back)*

kukúdh, -i *m mit* goblin; *fg* evil person; lonely wolf ♦ *mb, nd* lonely

kúkull, -a *f* puppet; doll: **teatri i ~ave** puppet show

kukuréc, -i *m gjll* roasted entrails *(of sheep and goat)*

kukurís *jkl* chuckle ♦ **~s/em** *vtv shih* **~ís** ♦ **~sj/e, -a** *f* chuckle ♦ **~zm/ë, -a** *f* peal of laughter

kuku:vájk/ë, -a *f zl* (little) owl ♦ **~vríq, -i** *m* chick; male owl; *mit shih* **kukudh, -i**

kul/áç, -áçi *m* roll *(of bread)*; bun; muffin

kulár, -i *m* yoke *(of an ox)*; *bs* yoke; noose ♦ *nd* in a coil

kulét/ë, -a *f* wallet; money-purse: **mbush ~ën** line one's purse

kulm, -i *m* summit; top; ridge *(of the roof)*; *fg* climax: **ky është ~i!** this tops it all! ♦ *nd* full

kúlp/ër, -ra *f bt* clematis

kult, -i *m* cult; worship; idolatry: **~ i heroit** hero worship

kultiv:atór, -i *m tk* cultivator ♦ **~ím, -i** *m* cultivation; growing; grooming: ♦ **~lóhet** *ps* ♦ **~lój** *kl bjq* cultivate; grow; farm; groom *(sb for a position)* ♦ **~úes, -i** *m* cultivator; grower

kultúr/ë, -a *f* culture; civilisation; *bjq* cultivation, farming; *bjq* field crop ♦ **~ím, -i** *m* culture; civilisation ♦ **~ór, -e** *mb* cultural: **nivel ~** standard of culture ♦ **~úar (i, e)** *mb* cultured; cultivated; civilised: **njeri i ~** person of learning

kull, -i *m* red bay horse

kullandrís *kl bs* govern *(the household)*; put in (good) order; tidy up ♦ **~lem** *vtv bs* manage *(with little)*; *ps e* **kullandris**

kullés/ë, -a *f* strainer; percolator; *bs* dregs

kúll/ë, -a *f* turret; *tk* derrick; castle, rook *(in chess)*

kull:ím, -i *m* drainage; weeping *(of a wound, etc.)* ♦ **~lóhet** *vtv* precipitate; *fg* be clarified; settle *(of a liquid)*; *ps* ♦ **~lój** *kl* strain; filter; percolate; decant *(wine)*; drain *(a glass etc.)*; *bs* clarify; clear up *(an issue)* ♦ *jkl v iii* decant; *v iii* bs pour; rain heavily; be drenched *(in rain, in sweat)*; *v iii* weep *(of a wound)* ♦ **~ój/ë, -a** *f* strainer; percolator; filter

kullót (kullós) *kl v iii* graze; pasture *(livestock)*; *bs* feed *(one's eyes in the scenery)* ♦ *jokal:* **më ~**

mendja my mind is elsewhere ♦ **~/ë, -a** *f* pasture ground; pasturage; animal feed ♦ **~ës, -i** *m* pastor

kull:úar (i, e) *mb* pure; clean; limpid *(of liquids)*; strained; filtered; clear; limpid; serene *(sky)*, *fg* distinct; pure; unmixed *(language, etc.)*: **ar i ~** pure gold ♦ **~úes, -e** *mb* draining *(system)*

kullumbrí, -a *f bt* blackthorn; sloe

kumár, -i *m* gambling ♦ **~xhí, -u** *m* gambler; gamester

kumbará, -ja *f* savings-pot; piggy-bank; money-box; coin-box

kumbár/ë, -a *f, ~, -i* *m* marriage witness; godfather ♦ **~í, -a** *f prmb* godparent

kumb:ím, -i *m* sound; ring; resonance: **~i i kambanave** the peal of bells ♦ **~lón** *jkl* **-ói, -úar** ring out; resound; echo: **më ~ojnë veshët nga** my ears are ringing with ♦ **~úes, -e** *mb* ringing; resounding; high-sounding ♦ **~úesh/ëm (i), -me (e)** *mb* ringing; resounding; sonorous

kúmbull, -a *f* plum; *bs* bloomer; poppycock: **këput ~a** talk nonsense; **i bëj paratë rrush e ~a** spend one's money recklessly

kumrí, -a *zl* rig-dove

kumt, -i *m* news; tidings ♦ **~ár, -i** *m* herald; messenger ♦ **~és/ë, -a** *f* paper *(read at a conference)*

kúmt/ër, -ri *m* godfather: **Kashta e K~rit** the Milky Way

kumt:ím, -i *m* communication; information ♦ **~lóhet** *vtv, ps* ♦ **~lój** *kl* communicate *(a decision, etc.)* ♦ *jkl* read a paper *(at a conference)* ♦ **~úes, -i** *m* messenger; herald; harbinger; reader of a paper *(at a conference)*

kunádh/e, -ja *f zl* marten

kun/át, -áti *m* brother-in-law ♦ **~át/ë, -a** *f* sister-in-law

kund *nd:* **~ nuk e gjeta** I did not find him anywhere

kúndër *nd* against; opposite; face to face; facing: **i rri ~ dikujt** sit in front of sb; **kush është ~?** who is against? ♦ *prfj:* **~ rrjedhës** against the current ♦ **~ajrór, -i** *m ush* anti-aircraft gun ♦ **~ajrór, -e** *mb* anti-aircraft *(mb)*: **strehim ~** air-raid shelter ♦ **~gáz, -i** *m* gas mask

kunderm:ím, -i *m* fragrance; odour ♦ **~lój** *jkl* smell; odour ♦ **~úes, -e** *mb* fragrant; odorous; smelling

kundër:ofensív/ë, -a *f ush* counteroffensive ♦ **~parúll/ë, -a** *f* counter-parole; checkword ♦ **~pésh/ë, -a** *f* counterweight; counterpoise; counterbalance ♦ **~peshím, -i** *m* counterbalancing; counterpoise ♦ **~pesh/ój** *kl* counterbalance; counterpoise ♦ **~revolución, -i** *m* counterrevolution ♦ **~revolucionár, -e** *mb* counterrevolutionary ♦ **~spiunázh, -i** *m* counterespionage ♦ **~súlm, -i** *m ush, sp* counterattack; counteroffensive ♦ **~sulm/ój** *kl ush, sp* counterattack ♦ **~shtár, -e**

mb opposite; opposed; opposing: **palët ~e** the opposed/ contesting parties ♦ **~shtár, -i** *m* opponent; rival; adversary: **gjej ~ të denjë** find a worthy match ♦ **~shtí, -a** *f* contradiction ♦ **~shtím, -i** *m* opposition; objection; contradiction: **në ~ me** in opposition/ contrary; **bie në ~ me vetveten** contradict oneself ♦ **~sht/óhem** *ps* ♦ **~sht/ój** *kl* oppose; resist ♦ *jkl* object; be adverse ♦ **´~t, -a (e)** *f* (të) opposite; contrary; reverse: **krejt e ~a** quite the opposite; **në të ~ën** otherwise ♦ **~ (i, e)** *mb* opposite; opposed *(interests, etc.):* **fjalë të ~a** antonyms ♦ **~tánk, -u** *m ush* antitank ♦ **~tánk, -e** *mb* antitank *(mb)* ♦ **~vájtës, -i** *m* trespasser; infringer; transgressor; offender ♦ **~vájtj/e, -a** *f* trespassing; infringement; transgression; offence ♦ **~veprím, -i** *m* counteraction; reaction ♦ **~vepr/ój** *kl* counteract ♦ *v iii* react ♦ **~veprúes, -e** *mb* counteractive; reactive ♦ **~vëni/e, -a** *f* confrontation; showdown ♦ **~v/íhem** *vtv* oppose; *ps* ♦ **~zbulím, -i** *m* counterintelligence

kundréjt *nd* in front; opposite ♦ *prfj* in front of; towards; by; against; in comparison (with): **bëj detyrën ~ dikujt** do one's duty by sb; **~ pagesës** against payment

kundrím, -i *m* contemplation

kundrín/ë, -a *f gjh* object ♦ **~ór, -i** *m gjh* object

kundr/óhem *ps* ♦ **~lój** *kl* contemplate; observe

kundrúall *nd* in front ♦ *prfj:* **~ meje** in front of me

kung:át/ë, -a *f ft* Eucharist ♦ **~lë, -a** *f ark ft* apse ♦ **~ím, -i** *m ft* communion; the Lord's supper ♦ **~l óhem** *vtv ft* take the sacrament; *ps* ♦ **~lój** *kl ft* give the sacrament

kúngu/ll, -lli *m bt* pumpkin; gourd; *am* squash; water-bottle; *kq* dunderhead: **~ i njomë** *gjll* courgette

kunúp, -i *m z/* mosquito ♦ **~iér/ë, -a** *f* canopy; mosquito net(ting)

kunj, -i *m* peg; *bs* matchstick; toothpick; *fg* quip; jibe: **kam një ~ me dikë** have a spite against sb

kuót/ë, -a *f* altitude; height ♦ **~ización, -i** *m* membership fee/ due

kupác, -i *m* wooden bowl; mortar; trencher

kupé, -ja *f* compartment *(in a rail coach)*

kúp/ë, -a *f* cup; glass; bowl; *sh* cupping; glass *(to cure a cold);* vault; *bs* drink(ing); heart *(in card games):* **~a e kupave** cup winners' cup; **~a e gjurit** knee-cup; **~a e qiellit** canopy of heaven; welkin; **e mori më qafë ~a** drink was his ruin; **e mbush ~n** fill the cup (overflowing)

kuplét, -i *m lt, mz* couplet

kupón, -i *m* coupon; counterfoil *(of the cheque, etc.)*

kupt:ím, -i *m* understanding; meaning; sense; signification; comprehension: **s'ka ~** it makes no sense; **fjalë me dy ~e** double-talk ♦ **~imór, -e** *mb gjh* semantic

kuptimplótë *mb* meaningful; significant *(glance)*

kupt:ímsh/ëm (i), -me (e) *mb* significant ♦ **~lóhem** *vtv* be understood; *v iii* be understandable: **~ohet vetiu** it is obvious; it goes without saying; *ps* ♦ **~l ój** *kljk/* understand; grasp; see; know; realise; make out: **e ~oj që e kam gabim** I understand I am wrong; **nuk e ~oj dot** fail grasp (the meaning of) sth; **~on?** do you see?; *bs* savvy?; **e ~ova!** I see ♦ **~úesh/ëm (i), -me (e)** *mb* understandable; comprehensible; intelligible *(handwriting, etc.)*

kuq *kl* dye (in) red; rouge *(one's lips)* ♦ **~ (i), -e (e)** *mb* red: **flokë të ~** red/ ruddy hair; **verë e ~e** red wine; **dal më këpucë të ~e** *tl* be in the red; **Kryqi i K~** the Red Cross ♦ *em m* red ♦ **~ (të)** *as* red colour/ paint/ dye; redness; blush; rouge, lipstick; yolk *(of the egg)* ♦ **~alásh, -e** *dhe* **~alósh, -e** *mb, em* ginger ♦ **~le, -ja (e)** *f* (të) red (colour); red (dye); yolk *(of the egg):* **e ~e e ndezur** bright red ♦ **~em** *vtv* redden; become/ turn red/ glow red; blush; flush; *ps* ♦ **~ezí** *mb* red-and-black: **flamuri ~** the red-and-black flag *(the Albanian national colours)* ♦ **~ëlím, -i** *m* red brightness; red glow ♦ **~ël/ón** *jk/-ói, -úar* be red/ glow red ♦ **~ërrém/ë (i), -me (e)** *mb* reddish; ruddy ♦ **~ërrís** *kl* roast; brown; toast *(bread)* ♦ **~ërrís/et** *vtv* be roasted; be browned *(of bread etc.);* begin ripen *(of fruit)* ♦ **~ërrl/ón** *jk/-ói, -úar* be red; glow red ♦ **~o, -ja** *m* ruddy animal; *bs* red-head; red-haired person; *bs* communist ♦ **~lón** *jk/-ói, -úar* be red; glow red ♦ **~ur (i, e)** *mb* dyed in (painted) red; fried; roasted; roast *(meat, bread);* red hot *(iron)*

kur *nd* when; at times; sometimes: **~ iku?** when did he go **s'ka rëndësi se ~** it does not matter when; **~ e ~** from time time; **që/qysh ~** from the time when; since **~ e tek** seldom ♦ *ldh* when; if: **do të pushojmë ~ të** we'll rest when we; **~ s'e di pyet** if you don't know, you may ask; **më erdhi keq ~ e pashë në atë ditë** I was sorry to see him in that plight

kuráj/ë, -a *f* courage

kurán, -i *m ft* Koran; Qur'an

kurbán, -i *m ft* sacrifice; offering; *bs* scapegoat

kurbát, -i *m* gypsy ♦ **~k/ë, -a** *f* gypsy woman/ girl

kurbét, -i *m vj* foreign land; exile; emigration ♦ **~çí, -u** *m vj* emigrant

kúrb/ë, -a *f shih* **lakor/e, -ja**

kurd, -e *mb* Kurdish ♦ **~, -i** *m* Kurd ♦ **K~istán, -i** *m gjg* Kurdistan

kurdís *kl* wind up *(a watch, etc.);* *bs* hatch up *(a plot, etc.);* *bs* egg on against ♦ **~em** *vtv* chatter away; *ps* ♦ **~j/e, -a** *f* winding up; *bs* hatching up *(of plots, etc.);* *bs* chatter ♦ **~ur (i, e)** *mb* wound up; *kq* egged on against; incited; provoked; framed-up *(trial)*

kur:dó *nd:* **eja ~** come any time; **~ që të duash** any time you wish ♦ **~dohérë** *nd* always; at all times; whenever: **si ~** as always

kuresht:ár, -i *m* curious/ inquisitive person ♦ **~ár, -**

e *mb* curious; inquisitive ♦ **~í, -a** *f* curiosity; inquisitiveness ♦ **~j/e, -a** *f* curiosity; inquisitiveness: **nga ~a** out of curiosity

kúr/ë, -a *f* treatment; therapy ♦ **~rím, -i** *m* cure; treatment

kurm, -i *m* torso; trunk; back *(of a whole meat)*

kurmagják, -u *m* blood sausage

kurmëz/óhem *vtv* twist; writhe *(with pain)*; *v iii* arch *(one's back)* ♦ **~lój** *kl* twist; wriggle; *v iii* arch one's back ♦ **~úar (i, e)** *mb* twisting; wriggling; writhing *(with pain)*; arched *(back)*

kurm/óhet *ps* ♦ **~lój** *kl* slice up ♦ **~úar (i, e)** *mb* sliced up

kurnác, -i *m* stinger; miser ♦ **~ërí, -a** *f* stinginess; avarice

kur/óhem *vtv* be treated; have a treatment; *ps* ♦ **~lój** *kl* treat; cure

kurór/ë, -a *f* wreath; garland *(of flowers, etc.)*; crown; wedlock; couple; *ast* halo, aureole; *tk* crown-wheel: **fëmijë i lindur jashtë ~ës** child born out of wedlock; **thyerje e ~ës** adultery ♦ **~ëzím, -i** *m* crowning; church wedding ♦ **~ëzóhem** *vtv* wed; *v iii fg* be crowned *(with success)*; *ps* ♦ **~ëz/lój** *kl* crown; *fet* wed; *fg* crown with success: **~oj mbret** crown king

kurs, -i *m* course *(of studies, of navigation)*; school year; grade; *fn* rate; *fg* line *(of action)*: **~ i shoferëve** driving school; **~i i këmbimit** exchange rate ♦ **~ánt, -i** *m* trainee; cadet *(of a military school)*

kursé *dhe* **kúrse** *ldh* while; whereas; *bs* since; because: **~ nuk di gjë, mos folë** since you know nothing, do not speak

kurs/éhem *vtv* spare oneself; be sparing in; *ps:* **nuk ~** spare no expense ♦ **~léj** *kl, jkl* spare; save; be thrifty; skimp: **nuk i ~ej lëvdatat** be lavish with praise ♦ **~ím, -i** *m* saving; sparing use of; economy: **librezë ~i** savings book; **jap me ~** skimp ♦ **~imtár, -i** *m* saver; thrifty person ♦ *mb* thrifty; economical

kursív, -i *m sht* italics ♦ **~, -e** *mb* italic *(font)*

kursýer (i, e) *mb* sparing; economical; sparing; few: **i ~ në fjalë** sparing of words

kurtésh, -i *m mk* nettle-rash

kurth, -i *m* trap; snare; *fg* ambush; pitfall

kurv:ár, -i *m keq* whore-monger; womaniser ♦ **~/ë, -a** *f* whore; prostitute ♦ **~ërí, -a** *f* prostitution; whoring; *prmb* whoredom ♦ **~ërím, -i** *m* prostitution; whoring ♦ **~ër/lój** *jkl* whore; fornicate

kúrr:ë *nd* never; ever: **o tani o ~** now or never; **ke hipur ~ në kalë?** have you ever ridden a horse? ♦ **~ëfárë** *pkf* any; at all: **pa ~ të drejte** without any right at all ♦ **~gjë** *pkf* nothing: **~ tjetër** nothing else; **u zunë për ~** they quarrelled over nothing

kurríll/ë, -a *f zl* common crane

kurríz, -i *m* back; hunch; hump; back of the hand; ridge *(of the nose)*; back rest *(of the chair)*; crest *(of the mountain)*; crown *(of the road)*: **i rrah ~in dikujt** pat sb on the back; **ia lë në ~ diçka dikujt** lay sth at sb's door; **në ~ të dikujt** at sb's expense; the detriment of sb; **peshku i ~it** backbone ♦ **~o, -ja** *m* humpback; hunchback ♦ *mb* humpbacked; hunchbacked ♦ **~ór, -e** *mb* spinal; vertebrate: **shtylla ~e** *an* backbone; **kafshë ~e** vertebrates

kurr:kúnd *nd* nowhere: **s'jam ~** be all over the place ♦ **~kúsh** *pkf* nobody; on-one; none: **~ nuk e dinte** nobody knew; **mos i trego ~jt** do not tell anyone ♦ **~sesí** *nd* by no means; in no way; nowise; never: **nuk e pranoj ~** I can never accept it

kusár, -i *m* robber; highwayman; thief ♦ **~í, -a** *f* robbery; piracy; *prmb* robbers ♦ **~ísht** *nd* stealthily; furtively

kusí, -a *f* saucepan; pot; small bucket

kusúr, -i *m* rest; *bs* remainder; *bs* worry; problem; *bs* flaw; vice: **mbaje ~in** keep the rest; **njeri me ~e** man full of vices; **nuk lë ~** do one's level best

kush *prm pyetës* who: **~ është?** who is it?; who's there?; **kë kërkoni?** who are you looking for? ♦ *pkf:* **ja ~ qenka!** see who is there! ♦ *pkf lidhor* he who: **le ta marrë ~ të dojë** anyone may take it ♦ *pkf* no one; nobody: **atë s'e do ~** nobody needs it ♦ **~dó** *pkf:* **le të vijë ~** anyone is free come; **~ prej tyre** each one of them ♦ **~edí** *nd, fjalë e ndërmjetme:* **merre, ~, të duhet** take it, you might need it ♦ *pj:* **~ si do të jetë** I wonder how it'll be; **~ se ç'kujton që është** *tl* he thinks he is somebody

kushërí, -ri *m* cousin; relative: **~ i parë** first/ full/ germane cousin; cousin of the first degree ♦ **~ní, -a** *f* kinship; *prmb* cousins; relatives ♦ **~r/ë, -a** *f fm e* **kushëri, -i**

kushinét/ë, -a *f tk* bearing

kusht, -i *m* condition; term; provision: **~et e jetesës** living conditions; **pa ~e** unconditional; **me ~ që** provided that

kushtetú:es, -e *mb* constitutional; constitutive ♦ **~t/ë, -a** *f* constitution

kushtëz:ím, -i *m* conditioning; provision ♦ **~/óhet** *vtv* be conditioned on/ by ♦ **~lón** *kl* **-ói, -úar** condition ♦ **~úar (i, e)** *mb* conditioned: **refleks i ~** *psk* conditioned reflex

kusht:ím, -i *m* dedication ♦ **~/óhem** *vtv* dedicate oneself (**to**); *v iii* be consecrated; *ps* ♦ **~lój** *kl* dedicate; devote *(sth to sb)*; consecrate *(a cult building)*

kusht/ón *jkl, kl* cost: **sa ~on?** how much does it cost?

kushtór, -e *mb gjh* conditional ♦ **~le, -ja** *f gjh* conditional mood

kushtrím, -i *m* (clarion-)call

kushtúesh/ëm (i), -me (e) *mb* costly; expensive; dear

kut, -i *m* *vj* kut *(=80 cm)*; *fg* yardstick: **mat me ~in tim** measure by one's own yardstick

kutërb:ím, -i *m* stench; pong ♦ **~/ój** *kl, jk/* **-ói, -úar** stench; pong ♦ **~/ón** *jk/* **-ói, -úar** stench; stink

kutí, -a *f* box; case; chest; can; square; chequer: **~ shkrepësesh** matchbox; **~ tualeti** vanity case; **~ me mish kau** beef can; **pëlhurë me ~** chequered cloth

kutur:í, -a *f* guess(work); risk ♦ **~imthi** *nd* by guess(work); haphazardly ♦ **~ís** *jk/* dare; risk; venture: **nuk ~i dot** he did not risk it ♦ **~ísur (i, e)** *mb* overbold; dare-devil ♦ **~ú** *nd* at random; haphazardly; thoughtlessly

Kuvájt, -i *m* *gjg* Kuwait ♦ **k~ián, -e** *mb* Kuwaiti ♦ **k~ían, -i** *m* Kuwaiti

kuvénd, -i *m* conversation, talk; assembly; *ft* convent; *ft* monastery: **bëj ~** hold a conversation; **K~ Popullor** people's assembly; **mend pas ~it** hindsight ♦ **~ár, -i** *m* converser; gifted talker ♦ **~ár, -e** *mb* conversant ♦ **~ím, -i** *m* conversation; talk ♦ **~/óhet** *ps* ♦ **~/ój** *jk/* converse; talk ♦ *k/* discuss; thrash *(a question)*

kuvért/ë, -a *f* cover; bedspread; *dt* deck

kuvlí, -a *f* cage *(of birds, of animals)*; *kq* hovel; hole

kuzhín/ë, -a *f* kitchen; cuisine; art of cooking; cooker: **~ë elektrike** electric cooker ♦ **~iér, -i** *m* cook

ky *dft* *m* this; the present one; the current one: **~ këtu** this (one) here; **dua këtë** I want this (one)

kyç, -i *m* lock; key; locker; *an* joint; *ark* vertex *(of an arch)*: **mbaj me/ në ~** keep under lock and key; **~i i dórës/ këmbës** wrist/ ankle; **i vë ~in diçkaje** lock sth up; **i vë ~in gojës** seal one's ♦ *mb* key *(issue)* ♦ *k/* lock: **~ derën** lock the door; **~e gojën!** shut up! ♦ **~e/m** *vtv* lock oneself up; *v iii* lock; *ps:* **dera nuk ~j** the door wouldn't lock ♦ **~ur (i, e)** *mb* locked up: **derë e ~** locked door; *fg* tightmouthed/ tightlipped person ♦ **~ur** *nd:* **e mbaj derën ~** keep the door locked

L

la, -ja *f mz* a, la

lab, -i *m sh* **lébër, lébërit** inhabitant (native) of Labëri ♦ **~, -e** *mb* of Labëri and its inhabitants

labërg:ím, -i *m* flagging *(of the lesh)* ♦ **~lóhem** *vtv v iii* become loose/ soft; *v iii* bag; flag; sag *(of the flesh)* ♦ **~lój** *kl* loosen *(one's belt, etc.)*; ease; *v iii* make loose/ soft/ flabby/ lumpy/ baggy ♦ **~úar (i, e)** *mb* flagging; flabby; loose

labirínt, -i *m* labyrinth; maze

labor:ánt, -i *m* laboratory assistant ♦ **~atór, -i** *m* laboratory; *bs* lab ♦ **~atorík, -e** *mb:* **analizë ~e** laboratory test (analysis)

labur:íst, -i *m* labour; member of the Labour Party ♦ **~íst, -e** *mb pl* labourite ♦ **~íz/ëm, -mi** *m pl* labourism

lác/ë, -a *f* spot; bit; piece *(of cloth)* ♦ **~ë** *mb fg* skinny; scrawny

láck/ë, -a *f:* **me ~ë e me plaçkë** rag-tag and bob tail; bag and baggage

lafarák, -e *mb* ragged; in rags; tattered ♦ *em kq* riffraff

lafsh/ë, -a *f* comb; *an* foreskin *(of the penis):* **~a e gjelit** cock's comb

lag *kl* wet; soak; moisten; *bs* water; *bs* drink over/ wet *(a deal):* **ia ~ dikujt** *bs* outsmart sb ♦ **~lem** *vtv* get wet; wet in bed; *ps:* **e hedh pa u ~ur** escape unscathed; **~u sot e rruhu mot** take ages (to do sth) ♦ **~ës, -e** *mb* watering *(can, etc.)* ♦ **~ës/e, -ja** *f* watering can; wet pad ♦ **~ësír/ë, -a** *f* moisture; humidity; moist (soggy) ground ♦ **~ësl óhem** *vtv, ps:* **~ës/ój** *jkl v iii* sweat; use; *v iii* sap; be full of sap *(of plants):* **~on muri** the wall is sweating ♦ *kl* moisten; wet; sprinkle *(with water)* ♦ **~ësht (i, e)** *mb* moist; humid; dank; damp; wet: **mot i ~.** wet weather ♦ **~ështí, -a** *dhe* **~ështír/ë, -a** *f* moisture; humidity; dampness; wet weather ♦ **~ështóhet** *vtv* get wet; be moistened; be full of sap *(of plants)*; *ps* ♦ **~ësht/ój** *kl* wet; water; moisten ♦ *jkl v iii* drizzle ♦ **~ët (i, e)** *mb* wet; drip ping wet; rainy *(season)*; moist; humid: **pushkë e ~ bs** dead match ♦ **~i/e, -a** *f* wetting; moistening ♦ **~sht/ë, -a** *f* dew ♦ **~ur (i, e)** *mb* wet; moist(ened); humid: **si mi i ~** like a wet rat; **si pulë e ~** crestfallen

lágj/e, -ja *f* (town)' quarter; neighbourhood: **ndahemi në ~e** be divided into camps

lá/hem *vtv* (have a) wash; bathe; *fg* be exonerated; be quits/ even *(with sb)*; *fg* excuse oneself; *v iii* clear up *(of the sky)*; *ps:* **~hem e ndreqem** have a wash and brush-up; **u ~më bashkë** we're quits; **~hem në lot** be bathed with/ in tears

lahút/ë, -a *f mz* lute

laí:k, -e *mb* lay; laic(al); non-denominational

la/j *kl* wash (up); clean; (wet) develop *(a film)*; plate *(with gold, etc.)*; *bs* wash down, chase *(a meal with a beer)*; *bs* settle *(an account)*; pay off *(old scores)*; avenge; *fg* exonerate; excuse; expiate *(one's sins)*; *v iii* be swept away: **e ~j dhe e lyej dikë** butter sb up; suck up to sb; **i ~j duart nga diçka** wash one's hands of sth; **~j borxhin** pay one's debt; **~j rrobat** do one's washing; launder; **~j sytë** feed one's eyes (on the scenery); **pa ~rë sytë** in the small hours of the morning

lajk:atár, -i *m* flatterer; adulator; sycophant ♦ **~atár, -e** *mb* flattering; obsequious; wheedling ♦ **~atím, -i** *m* flattery; blandishment ♦ **~atóhem** *vtv* coddle; be pampered; fawn on; *ps* ♦ **~at/ój** *kl* flatter; blandish; coddle; wheedle ♦ **~atúar (i, e)** *mb* pampered *(little girl)* ♦ **~atúes, -e** *mb* flattering; pampering ♦ **~axhí, -u** *m bs shih* **~atár, -i** ♦ **~lë -a** *f* flattery; blandishment; adulations: **i bëj ~a dikujt** flatter sb ♦ **~ës, -i** *m* flatterer ♦ **~ës, -e** *mb* flattering; pampering

lájl/e, -ja *f* floral decoration

lajm, -i *m* news; report: **jap ~in** give/ break the news ♦ **~ërím, -i** *m* information; announcement; notice: **stendë e ~eve** notice-board ♦ **~ëróhem** *ps* ♦ **~lój** *kl* announce; notify; inform ♦ **~ërúes, -i** *m* announcer ♦ **~ës, -i** *m* go-between; match-maker ♦ **~ësí, -a** *f* match-making ♦ **~ëtár, -i** *m* messenger; *fg* harbinger; herald ♦ **~ëtár, -e** *mb:* **shpend ~** harbinger bird

lajtmotív, -i *m* leitmotiv; leitmotif

lajthí, -a *f bt* hazelnut

lajthít *jk/* mistake; err; make a slip; be mad; lose one's wits ♦ *k/* lose; miss; *fg* drive mad: **~ udhën** lose the way ♦ **~j/e, -a** *f* error; slip ♦ **~ur (i, e)** *mb* mistaken; wrong; *fg* mad; crazy

lak, -u *m sh* **léqe, léqet** loop; noose; *fg* snare; *sh* stirrup rope; bend; mesh *(of the net):* **me ~un në grykë** with the noose round one's neck; hard up; **i bëj ~ diçkaje** avoid/ shirk sth; **më bëhet ~ në fyt** have a lump in one's throat; **më dridhen leqet e këmbëve** shake in one's boots ♦ **~adrédhas** *nd* with zigzags: **shkoj ~** twist and turn/ zigzag ♦ **~adrédh/ë, -a** *f* winding course *(of the road, etc.)*; bend; twist

lakanís *k/* hash; chop ♦ **~/em** *vtv* be torn; bleed; *ps e* **lakanis**

laké, -u *m* lackey

lak/ër, -ra *f bt* cabbage; *bs sh* vegetables; greens; *sh bs* nonsense: **ka ~ra në kokë** *fg* he is full of nonsense; **i nxjerr ~rat në shesh** blow the gaff/ the top; **lule ~re** *bt* cauliflower

larkërarmé, -ja *f* sauerkraut

lakër/óhem *vtv, ps* ♦ **~/ój** *k/* tear to pieces; tatter

lakím, -i *m* twist(ing); bend; *gjh* declension

lakm:í, -a *f* envy; ambition; greed; avidity: **e kam ~ dikë** envy sb ♦ **~ím, -i** *m* envy ♦ **~itár, -e** *mb* envious; covetous ♦ **em** covetous person ♦ **~/óhet** *vtv, ps* ♦ **~/ój** *k/, jk/ kq* envy; covet; desire; yearn for; crave for; exert oneself; overstretch oneself: **~oj pas parasë** be money-minded; **ma ~on zemra** my heart desires it ♦ **~úar (i, e)** *mb* coveted; envied ♦ **~úes, -e** *mb, em* covetous; envious ♦ **~úesh/ëm (i), -me (e)** *mb* enviable; desirable

lak/óhem *vtv* bend; *v iii* wind *(of the road, etc.)*; *fg* dodge; shirk *(a duty)*; *gjh* be declined *(of a noun, etc.)*; *ps* ♦ **~/ój** *k/* bend; curve; *gjh* decline *(a noun, etc.)*

lakon:ík, -e *mb* laconic(al); concise ♦ **~íz/ëm, -mi** laconicism; laconism

lakór, -e *mb* curved *(line)* ♦ **~/e, -ja** *f* curved line

lakrór, -i *m gjll* pie: **e bëj ~ dikë** give sb a whacking; **ia heq petët ~it** blow the lid off ♦ **~ës, -e** *mb:* **kungull ~** kitchen pumpkin

lak:úar (i, e) *mb* bent; bowed; curved: **vijë e ~** curved line

lakuríq, -e *mb* bare; naked; nude ♦ *nd* in the nude; nakedly; *fg* without adornment: **e lë ~ dikë** cut sb with a shilling: **e vërteta ~** the naked truth ♦ **~ës, -i** *m z/* bat ♦ **~ësí, -a** *f* nudity; nudeness; nakedness

lakút, -i *m* greedy person ♦ **~, -e** *mb* greedy; voracious

lál/ë, -a *m bs* dad; elder brother: **~ë e ...të** close friends; **nusja e ~ës** *z/* weasel

lamásh, -i *m bs* ragamuffin; beggar; tramp; *kq* bloody sucker

lamtumír/ë, -a *f* farewell; good-bye: **mbrëmje ~e** farewell party; **i lë/ jap ~ën dikujt** bid farewell sb ♦ **~ë** *psth* farewell; adieu; good-bye

lanét, -i *m bs* devil: **e bëj ~ dikë** disown sb

lang/úa, -ói *m* hound; *fg* clever person

lapangjóz, -i *m* rascal ♦ **~, -e** *mb bs* slovenly; messy; mucky; rascally

laparós *k/ bs* smear; besmirch ♦ **~/em** *vtv bs* smear

lapér, -e *mb kq* rakish; dissolute

láp/ë, -a *f* skinny/ tough meat; ring *(of fat chin)*; flab *(of stomach)*; flew *(of the dog's mouth)*; loose flesh; blade *(of the axe)*: **~a fiku** fig skins; **~at e fytyrës** deep wrinkles of the face ♦ **~/ër, -ra¹** *f shih* **lap/ë, -a;** wattle; gill; dewlap

láp/ër, -ra² *f* slap; smack *(in the face)*

lapërdhár, -e *mb* scurrilous; foul-mouthed ♦ **~í, -a** *f* scurrility; foul language

lapidár, -i *m* lapidary

laps, -i *m* pencil: **~ plumbi** lead pencil; **vizatim me ~** pencil drawing

lapurák, -e *mb* featherless; bald-neck, callow *(bird)*; *fg* bare-back: **zog ~** fledgling

lapustíl, -i *m* felt-tip pen

lára, -t (të) *f sh* sink water; undergarments, linen

laradásh, -i *m* popcorn; somersault; cartwheel; *z/* pelican

lara:gán, -e *dhe* **~mán, -e** *mb* mottled; speckled; spotted *(animal)*; *fg* double-dealing: **turmë ~e** a motley crowd

larásk/ë, -a *f z/* pie; magpie: **gjuaj për ~a** go on a wild-goose chase

larásh, -i *m z/* griffon vulture

lár/ë, -a *f* spot; spotted cow; bare patch *(of the ground)*

lár/ë (i, e) *mb* washed; wet developed *(film)*; (silver-, gold-) plated; polished; *bs* paid off *(debt)*; settled, squared *(account)*; *fg* exonerated, cleared; clear *(sky)*; pardoned *(sin)*: **këmishë e ~** fresh shirt; **me ballë të ~ë** proudly; **i ~ë në lot** streaming with tears ♦ **~/ë, -a (e)** *f (të) dhe* **~ë, -ët (të)** *as* washing; pay-off, settlement *(of a debt,, etc.)*: **s'kam të ~ë me dikë** be unable thank sb enough ♦ **~ës, -i** *m* washing machine; levelling plane; *vj* testimony *(for the defendant)* ♦ **~ës, -e** *mb* washing: **makinë ~e** washing machine; **pluhur ~** washing powder

larg *nd* far; away; off; distantly: **~ duart nga** (keep your) hands off; **~ qoftë!** God forbid it!; **më ~** further; **nga ~** from a distance ♦ *prfj:* **~ meje** far from me; **~syve, ~ zemrës** seldom seen, soon forgotten ♦ **~as** *nd* from a distance; from afar; far and wide; *fg* indirectly; roundabout ♦ **~ësí, -a** *f* distance; range ♦ **~ët, -a (e)** *f* distance; remoteness ♦ **~ët (i, e)** *mb* distant; remote; far-off (-away); outlying; aloof: **e ardhme e ~** remote future; **kushëri i ~** distant cousin; **mundësi e ~** a remote possibility; **më i ~** furthest ♦ **~ím, -i** *m* removal; moving off/ away/from; removal; dismissal *(from work)* ♦ **~lóhem** *vtv* move away (off); leave; quit; depart; cool off, become aloof; *fg* avoid; disagree *(of opinions)*; *v iii fg* be dispelled/ alleviated/ assuaged *(of fear, etc.)*; *ps:* **~ohem nga shtëpia** leave home; **~ohem nga puna** quit one's job; **i ~ohem dikujt** keep clear of sb ♦ **~lój** *k/* remove; move off (away); remove; expel; dismiss *(from work, from school)*; *fg* cool off; estrange; alienate; *fg* dispel *(fear, doubt, etc.)*; alleviate *(pain, etc.)*: **~oj dëborën** remove the snow; **~oj karrigen** move the chair away

larg:pámës, -e *mb* far-sighted; far-seeing ♦ *em* far-sighted person; man of vision ♦ **~pamësí, -a** *f* far-sightedness ♦ **~pámj/e, -a** *f* far-sight

lárg:u (së) *nd* from a distance; from afar ♦ **~úar (i, e)** *mb* spaced out; far and wide apart; at great intervals; *fg* distant; aloof; cool; estranged

larín:g, -u *m an* larynx ♦ **~gjít, -i** *m mk* laryngitis

lárj/e, -a *f* washing; cleaning; wet development *(of a film)*; *mk* irrigation; *bs* squaring *(of accounts)*

lár:m/ë (i), -me (e) *mb* variegated; motley; spotted *(animal)*; *fg* hypocrite ♦ **~mí, -a** *f* variety; diversity; variance ♦ **~mísh/ëm (i), -me (e)** *mb* varied; variegated; diversified *(style, etc.)* ♦ **~o, -ja** *m* spotted/ pied animal; *fg kq* henchman, underling, flunky: **kape ~ prite balo** free for all ♦ **~ósh, -e** *mb* spotted; pied *(animal)* ♦ **~óshet** *vtv* be spotted; begin ripe *(of fruit)*

lart *nd* high (up); above; on top; high(ly); more than; *bs* in high quarters; loud(ly): **~ e më ~** up and up; **~ e poshtë** high and low; up and down; **~ mbi kókë/ mur** above the head/ on top of the wall; **atje ~** up there; **e mbaj ~ diçka** ask a high price for sth; **e mbaj hundën ~** put on airs; **e vras ~** aim (too) high; **njëzet vjeç e ~** above twenty years old; **shkoj ~** go up; *fg* succeed; make a good career ♦ *k/lz* up with: **~ kokën!** up with your head! ♦ *prfj bs* above; on top: **~ murit** on top of the wall; above the wall ♦ **~as** *dhe* **~az** *nd shih* **lart** ♦ **~ë (i, e)** *mb* high; tall; up-; elevated; distinguished; superior; senior; top; loud *(voice)*; *fg* lofty; prominent; soaring, steep *(price)*: **më i ~ë** higher; **ndërtesë e ~ë** high-rise; **gjykatë e ~ë** high / supreme court; **oficer i ~ë** senior officer; **me zë të ~ë** aloud ♦ **~ësí, -a** *f* height; altitude; *fg* loftiness; *(në tituj)* highness: **jam në ~në e duhur** be up to *(one's duty)* ♦ **~ësím, -i** *m* elevation; edification ♦ **~ës:ír/ë, -a** *f* height; altitude ♦ **~l**

óhem *vtv v iii* rise; be elevated; *ps* ♦ **~lój** *k/* raise; elevate; lift; edify; ennoble: **~oj figurën e** extol the image of ♦ **~i (së)** *nd* from high; from above: **e shikoj dikë së ~** look down upon sb ♦ **~madhërí, -a** *f :* **L~a Juaj** Your Highness

lárv/ë, -a *f z/* larva *(sh –ae)*; maggot

laskár, -i *m bt* tendril

lastár, -i *m* offshoot; scion; spray; *fg* tall and handsome person

lást/ër, -ra *f sht* plate

lastrók, -e *mb* slovenly; sluttish; messy; mucky; *fg* rakish *em* rake

lasht, -i, ~/ë, -a *m krh* time; old time ♦ **~a, -t (të)** *f sh* bread grains; winter crops ♦ **~ák, -u** *m* miscast ♦ **~ë** *nd* early: **mbjell ~** sow early ♦ **~ë (i, e)** *mb* old; ancient; aged; early *(fruit)*; winter *(crop)* ♦ **~ësí, -a** *f* antiquity ♦ **~i (së) dhe ~** *nd* in ancient times; in the antiquity ♦ **~lóhem** *vtv* grow old; age; *v iii* grow well; *ps* ♦ **~lój** *jk/* age; grow old; grow stringy *(of beans)*; *v iii* grow well; miscarry, cast *(of animals)* ♦ **~úar (i, e)** *mb* aged; old; stringy *(beans)*

lat/ë, -a¹ *f* hatchet; dressing axe; blade *(of an axe, etc.)*

lát/ë, -a² *f* coupon *(of the ration card)*; point *(in the driving licence)*

latifúnd, -i *m* landed property; large landed estate; *hst* land ownership ♦ **~íst, -i** *m* rich landowner

latín, -e *mb* Latin: **gjuha ~e** (the) Latin (language); **Amerika L~e** Latin America ♦ **~íst, -i** *m* Latinist ♦ **~isht** *nd* Latin; in (the) Latin (language) ♦ **~ísht/e, -ja** *f* (the) Latin (language)

lat: óhem *ps* ♦ **~lój** *k/* dress *(timber, stone)*; *fg* polish *(one's style, etc.)* ♦ **~úar (i, e)** *mb* dressed *(stone)*; carved *(wood)*

laturís *k/ bs* splash; bespatter; daub; paint heavily *(one's face)* ♦ **~em** *vtv bs* daub oneself; *ps* ♦ **~ur (i, e)** *mb* daubed

laureát, -i *m :* **~ i çmimit Nobel** Nobel prize-winner

laurésh/ë, -a *f z/* lark; field-lark; sky-lark

lavd, -i *m* praise; commendation ♦ **~erím, -i** *m* commendation; praise; eulogy; mention with honours; eulogy ♦ **~ër/óhem** *vtv* boast; talk big; *ps* ♦ **~ërlój** *k/* praise; laud; commend; eulogise ♦ **~ërúar (i, e)** *mb* praised; lauded ♦ **~ërúesh/ëm (i), -me (e)** *mb* praiseworthy; laudable; commendable *(action)* ♦ **~í, -a** *f, psth* glory: **~ Zotit!** thank God! ♦ **~ísh/ëm (i), -me (e)** *mb* glorious; glorified

láv/ë, -a *f* lava

láv/ër, -ra *f* ploughing; tilling; digging *(of the land)*; arable land

lavír/e, -ja *f* slut; jade; strumpet; wanton woman

lavjérrës, -i *m fz* pendulum

lazánj/ë, -a *f gjell* lasagne

lazdr:ák, -e *mb* cuddlesome; coquettish ♦ **~lój** *k/*

pet; spoil; fondle; cuddle

lazm:ít/em *vtv dhe* **~/óhem** *vtv* coo and woo ♦ **~/ój** *kl* fondle; pet; cuddle

le *pj.* ~ **të nisemi** let's go; ~ **të shkojë** let him go

lebetí, -a *f bs* dread; panic; cry: **marr ~në** be panic-stricken; **vë ~në** give a cry ♦ **~t** *kl bs* strike terror into; throw into panic ♦ **~t/em** *vtv bs* be terrified; panic; cry; wail; *ps* ♦ **~tj/e, -a** *f bs* panicking; cry ♦ **~tur (i, e)** *mb* terror-stricken; overawed; panicky

léb/ër, -ra *f mk, vtr* leprosy

leck:amán, -i *m* ragamuffin; riffraff ♦ **~amán, -e** *mb* clothed in rags; riffraff; *fg* poor ♦ **~/ë, -a** *f* rag; tatter; shred; *sh* rags; old clothes; traps; *kq* rag *(for wiping the floor):* **më duket vetja ~ë** feel cheap; **e bëj ~ë dikë** treat sb like dirt; **me gjithë ~a** bag and baggage; **ngre ~at** pack off ♦ **~ós** *kl* tear; tatter; shred ♦ **~ós/em** *vtv* be worn/ torn; **shih ~ós** ♦ **~ósur (i, e)** *mb* torn; tattered; shredded; ragged; in rags ♦ *em* ragamuffin

ledh, -i¹ *m* moat; bank; rampart *(of a castle);* dam; earthwork

ledh, -i² *m bs* mud; drift

lédh:atár, -e *mb* coaxing; cajoling; spoilt *(child);* capricious: **buzëqeshje ~e** an inviting smile ♦ **~atím, -i** *m* coaxing; fondling; petting; coddling ♦ **~atóhem** *vtv* be pampered; be spoilt; *ps* ♦ **~at/ój** *kl* fondle; caress; coddle ♦ **~atúar (i, e)** *mb* spoilt; pampered *(child)* ♦ **~atúes, -e** *mb* fondling; endearing *(words, gesture)* ♦ **~/ë, -a** *f* endearment; fondling; petting; caress; cuddle: **e marr me ~a dikë** croon over sb

legál, -e *mb* legal ♦ **~ísht** *nd* legally; lawfully ♦ **~itét, -i** *m* legality; lawfulness ♦ **~izím, -i** *m* authentication; legalisation *(of a document)* ♦ **~iz/óhet** *ps* ♦ **~iz/ój** *kl* authenticate; legalise *(a document.)*

legát/ë, -a *f* legation ♦ **~, -i** *m* legate; ambassador

legén, -i *m* (wash-)basin; *an* pelvis; *kq* trash: **i bie ~it** blab; go blabber

legjend:ár, -e *mb* legendary ♦ **~/ë, -a** *f* legend; banderol *(in cartoons, etc.)*

legjión, -i *m hst* legion ♦ **~ár, -i** *m* legionnaire

legjisla:ción, -i *m* legislation; laws ♦ **~tív, -e** *mb* legislative ♦ **~tór, -i** *m* legislator ♦ **~túr/ë, -a** *f* legislature

leh *jkl v iii* bark; yelp; bay: ~ **në hënë** bay at the moon

léh/e, -ja *f* plot *(in a flower garden);* strip *(of land);* furrow

léhj/e, -a *f* bark(ing); yelp(ing)

lehón/ë, -a *f* woman in labour/ child-bed ♦ **~í, -a** *f* childbirth; delivery; child-bed

léht:as, -az *nd* lightly; gently; easily; without difficulty; slightly: **prek ~** graze ♦ **~ë (i, e)** *mb* light; easy; smooth; thin; slight; agile: **peshë e ~** light weight; **artileri e ~** light artillery; **punë e ~** an easy job; **prekje e ~** a gentle touch; **mjegull e**

~ a thin mist; **erë e ~** a light breeze; **me këmbë të ~a** light-footed; **i ~nga mendja** light-minded ♦ **~ë** *nd* lightly; nimbly; gently; softly; thoughtlessly; superficially: **e marr ~ diçka** sit loose on sth ♦ **~ësí, -a** *f nj* ease; fluency *(of speech);* attenuation *(of circumstances):* **kapërcej me ~ një pengesë** overcome a difficulty without effort; **krijoj ~ për dikë** provide facilities for sb ♦ **~ësím, -i** *m* easing *(of a burden, of pain, etc.);* assuaging; relief: **ndjenjë ~i** feeling of relief ♦ **~ësír/ë, -a** *f* shih **~ësí, -a** ♦ **~ësísht** *nd* easily; lightly; gently ♦ **~ës/óhem** *vtv* ease oneself of *(a burden, etc.);* become light *(of a weight);* *v iii* be lightened; be facilitated; become easier; *v iii* be alleviated/ allayed *(of fears, etc.);* *ps:* **u ~ova kur mora vesh se** I was relieved to hear that ♦ **~ës/ój** *kl* ease (off); unburden; relieve *(a beam, etc.);* make easier; facilitate; alleviate; allay *(fears);* relieve ♦ **~ësúes, -e** *mb:* **rrethana ~e** attenuating circumstances

léhur, -a (e) *f* (të) bark(ing) ♦ **~, -it (të)** *as* bark(ing)

le/j *jkl* **léva, lérë** be born; rise: **i ~u djalë** a boy was born her; she gave birth a boy; **~u dielli** the sun rose

léj/e, -a *f* permit; permission; licence; leave; authorisation: **~e banimi** residence permit; **~e ndërtimi** building permission; **jap ~en për diçka** give the go-ahead to sth; **~e barre** pregnancy leave; **me ~en tuaj** by your leave; **jam me ~e** be on leave ♦ **~edálj/e, -a** *f* ticket of leave ♦ **~hýrj/e, -a** *f* pass; check-pass ♦ **~ím, -i** *m* permit; permission

lejlék, -u *m zl* stork

lej/óhem *vtv:* **nuk ~et kurrësesi të...** it is strictly forbidden ...; *ps* ♦ **~/ój** *kl* allow; let; permit; tolerate: **më ~ojni të hyj** may I come in?; **po të na e ~ojnë kushtet** circumstances permitting ♦ **~úesh/ëm (i), -me (e)** *mb* permissible

lek, -u *m* lek *(Albanian currency);* money: **e bëj për një ~ dikë** treat sb like dirt

leksík, -u *m gjh* lexicon; vocabulary ♦ **~ór, -e** *mb* lexical *(meaning)*

leksión, -i *m* lecture; lesson: **i bëj/ mbaj ~ dikujt** lecture sb

lektís *jkl* miss; long for; dote after ♦ **~ur (i, e)** *mb* far-gone *(in love);* lovesick

lektór, -i *m* lecturer; reader *(at a university, etc.)*

lél/ë, -a *f bs* slovenly; slattern; sluttish person

lemerí, -a *f bs* dread; terror; panic: **i shtie ~në dikujt** strike terror into sb ♦ **~s** *kl* terrify; overawe ♦ **~s/em** *vtv* dread; be terrified; *ps* ♦ **~sj/e, -a** *f* terrifying; overawing ♦ **~sur (i, e)** *mb bs* terrified; overawed ♦ **~sh/ëm (i), -me (e)** *mb* horrific; terrifying; awesome

lémz/ë, -a *f* hiccup; hiccough

lénd/e, -ja *f* acorn; oak-apple

leopárd, -i *m zl* leopard

lépe *psth bs :* **~, si the?** pardon, what did you say?; **me ~ e me peqe** slavishly

lépu/r, -ri *m* rabbit; hare; *kq* coward: **~ i egër** hare; **~r i butë** rabbit; **i shtie ~rin në bark dikujt** have the wind up sb ♦ **~rúsh, -i** *m* young hare; coney; bunny ♦ **~rúshk/ë, -a** *f* female rabbit/ hare

léq/e, -ja *f* ham *(of the leg)*; hamstring; hock *(of a horse's leg)*

leqendí, -a *f bs* weakness; affliction ♦ **~s** *kl bs* weaken; sadden; dismay ♦ **~s/em** *vtv bs* be weakened; be enfeebled; *ps* ♦ **~sj/e, -a** *f bs* weakening

ler:ásh, -e *mb* foul; dirty; *fg* foul-mouthed ♦ **~/ë -a** *f* mud; muck; dirt ♦ **~ë** *nd* drenched *(in, with):* **~ në gjak** soaked in blood ♦ **~ós** *kl* dirty; foul; screw *(work)*; *fg* stain *(sb's reputation)*; sleaze ♦ **~ósem** *vtv* dirty oneself; be soiled; *ps* ♦ **~ósur (i, e)** *mb* dirty; bespattered *(with mud)*; soiled *(clothes)*; *bs* botched *(work)*; *fg* tarnished *(reputation)*

lés/ë, -a *f* harrow; trellis: **bëhem ~ë** be stupid drunk

lésk/ër, -ra *f* scale *(of paint, etc.)*; *bs* rag; scurf *(of the skin)* ♦ **~ër/óhem** *vtv v iii* peel off; fall off in scales; flake; be tattered/ torn into rags; *ps* ♦ **~ër/ój** *kl* scale; peel off; tatter; shred ♦ **~ërúar (i, e)** *mb* peeled off; scaled *(wall paint, etc.)*; torn; tattered

les/óhet *ps* ♦ **~lój** *kl* harrow

lesh, -i *m nj* wool; hair: **~ra të gjata** long hair; **i shtie veshët në ~** turn a deaf ear; **më zë gjuha ~** be hoarse telling sth sb ♦ *mb* wool(l)en: **triko ~i** wool(l)en sweater ♦ **~aták, -e** *mb* hairy; long-haired; shaggy

leshelí *nd* mish-mash; pell-mell

léshko, -ja *m* dolt; soft-head ♦ *mb* woolly; besotted; fuddled

leshták, -e *mb* hairy; shaggy

leshterík, -u *m bt* sea-weed; alga

lésht:ë *as:* **lë ~të e kokës për diçka** pay with one's dear life for sth ♦ **~/ë, -a (e)** *f* (**të**) wool(l)ens ♦ **~/ë (i, e)** *mb* wool(l)en; woolly; hairy; shaggy; *fg* gullible: **mish i ~** mutton ♦ **~ór, -e** *mb* long-haired; hairy; woolly; shaggy

letargjí, -a *f bl* lethargy; *fg* slumber ♦ **~k, -e** *mb bl* lethargic; *fg* slumbering

lét/ër, -ra *f nj* paper; letter; card; *(tin)* foil; *sh* literature; *sh* papers, documents: **~ër ambalazhi** brown/ packing paper; **ia djeg ~rat dikujt** beat sb's card; **shkruaj një ~ër** write a letter ♦ *mb:* **para ~ër** soft money ♦ **~ërkëmbím, -i** *m* correspondence ♦ **~ërnjoftím, -i** *m* identity card *(shkrt* **ID)** ♦ **~ërsí, -a** *f* literature: **~ artistike** fiction; **~ për fëmijë** children's literature ♦ **~ërthíthës/e, - ja** *f* blotting-paper ♦ **~rár, -e** *mb:* **rreth ~** literary circle/ club

leton:éz, -e *mb* Lettonian; Latvian ♦ **~éz, -i** *m* Lett ♦ **L~í, -a** *f gjg* Lettonia; Latvia

leukoplást, -i *m mk* adhesive tape

levarásh, -e *mb* capricious; fickle

levénd, -e *mb bs* tall; gracious

leverdí, -a *f bs* gain; advantage; profit: **me/ pa ~** (dis)advantageous ♦ **~s** *kl* be profitable/ advantageous ♦ **~ssh/ëm (i), -me (e)** *mb* profitable; gainful; advantageous

lév/ë, -a *f fz* lever; *bs* bar: **hap me ~ë** prise open (with a bar)

levrék, -u *m zl* wrasse; blackfish

lex:ím, -i *m* reading; browsing: **sallë e ~it** reading room ♦ **~/óhet** *vtv, ps* ♦ **~/ój** *kl* read (out); browse: **~oj nëpër të një libër** breeze through a book; **ia ~oj mendjen dikujt** read sb's thoughts ♦ **~úar (i, e)** *mb* read ♦ **~úes, -i** *m* reader ♦ **~úesh/ëm (i), -me (e)** *mb* readable; legible *(handwriting)*

lez, -i *m mk* growth; wart

lezbí:k, -e *mb* Lesbian ♦ **~z/ëm, -mi** *m* Lesbianism

lezét, -i *m bs* (good) taste; gusto; *fg* grace(fulness); pleasure; relish: **i ka ~ fusani i ri** she looks pretty in her new dress; **nuk ka ~** it is not proper ♦ **~l óhem** *vtv bs v iii* be tasteful/ savoury; *v iii* be pleasing/ pleasant *(to the eye, etc.)*; become pretty; *ps* ♦ **~lój** *kl* flavour *(a dish)*; make pleasant/ pleasing; make handsome/ pretty/ winsome ♦ **~sh/ëm (i), -me (e)** *mb bs* tasty; flavoured *(dish)*; pleasant-looking; proper; becoming *(behaviour)*

lë *kl* **láshë, lënë** let; leave; put *(down);* forget; hand over; let go; allow; *bs* neglect; stop, give up *(doing sth);* *bs* abandon, divorce: **~ duhanin** stop/ give up smoking; **~ një gol** concede a goal; **~ kokën për dikë** sacrifice one's life for sb; **~ mendjen pas dikujt** lose one's head for sb; **~re ku është** leave it where it is; **e ~ për nesër** put if off till/ for tomorrow; **~re rehat!** leave him alone!; **e ~ me fjalë me dikë** make a deal/ agree with sb; **e la krahun në luftë** he lost an arm in the war; **i ~ shëndetin dikujt** take leave of sb; bid sb farewell; **ia ~ shtëpinë dikujt** make the house over to sb

lëbýr, -i *m* veil *(over the eyes);* dazzle ♦ *kl v iii* be veiled *(of the eyes):* **më ~en sytë** have a veil over one's eyes; be dazed ♦ **~/em** *vtv v iii* be veiled *(of the eyes);* *fg* be dazzled/ dazed ♦ **~ës, -e** *mb* dazzling *(light)* ♦ **~j/e, -a** *f* dazzle; glare *(of lights)*

lëfýt, -i *m* throat; neck *(of the bottle, of the kettle, etc.)*

lëk/úa, -ói *m bt* water lily

lëkúnd *kl* shake; rock; *fg* unsettle: **ia ~ besimin dikujt** shake sb's confidence ♦ **~/em** *vtv* rock; sway *(left and right);* wave *(in the wind);* go up and down *(in a swing);* *v iii* stagger; fluctuate *(of prices, etc.);* *fg* hesitate; waver; *ps* ♦ **~ës, -i** *m* swing ♦ **~j/e, -a** *f* rocking; sway; shock *(of an earthquake);* *fg* hesitation; *fg* fluctuation *(of prices)* ♦

~sh/ëm (i), -me (e) *mb* swinging; rocking; *fg* hesitating; hesitant; wavering; unstable; insecure ♦ **~ur (i, e)** *mb shih* **~lëm (i), -me (e): me hap të ~** with a shaky gait

lëkúr *k/* emaciate; reduce skin and bones ♦ **~lem** *vtv* become skinny/ scrawny/ scraggy; *ps* ♦ **~l/ë, -a** *f* skin; hide *(of animals);* pelt; fur; bark, rind, pealings *(of fruit):* **~ë e regjur** tanned hide; **e vë veten në ~ën e dikujt** put oneself in sb's shoes; **shpëtoj ~ën** save one's skin/ bacon ♦ *mb* lean *(meat);* skinny: **e bëj ~ë dikë** tan sb's hide ♦ **~të (i, e)** *mb* leathery ♦ **~ur (i, e)** *mb* skinny

lëmásh/k, -ku *m bt* moss

lëmék *k/* moisten; wet; *fg* weaken ♦ **~/em** *vtv* be moistened; *fg* be weakened; *v iii* fade; *ps* ♦ **~ët (i, e) dhe ~ur (i, e)** *mb* moist; wet; humid

lëm/ë, -i *m* threshing-floor/ ground; *fg* field; sphere *(of activity):* **e bëj ~ë** raze the ground; **sillem si kali në ~ë** run round in circles

lëmísht/e, -ja *f* twig; dry branch

lëm/óhem *vtv, ps* ♦ **~/ój** *k/* polish; dress *(stone);* smooth; plane down *(a plank);* caress; fondle; stroke gently; *fg* polish; comb *(one's hair)*

lëmósh/ë, -a *f* alms; hand-out; charity ♦ **~ëtár, -i** *m sh-*ë, -ët alms-giver; alms-taker/ receiver

lëmsh, -i *m* ball *(of thread);* sphere, globe; *fg* tangle *(of intrigues, etc.); fg* lump *(in one's throat);* scrimmage *(in football)* ♦ *nd* in a ball: **bie ~** fall all of a heap; **bëhem ~** double up *(with pain);* be completely at a loss; **i bëj punët ~** make a mess of it; **u bëfsh ~!** *bs* damn you!

lëm:úar (i, e) *mb* smooth; glossy; polished

lëna, -t (të) *f sh* remains *(of the table)*

lënd/ë, -a *f* matter; substance; *(construction);* material; content; subject matter: **~ë druri** timber; **~ë organike** organic matter; **~a e historisë** the subject of history ♦ **~ët (i, e)** *mb* material

lëndín/ë, -a *f* meadow; grass-clearing

lënd/óhem *vtv* be hurt/ injured/ *fg* offended; rankle; *ps* ♦ **~lój** *k/* hurt; injure; offend

lëndór, -e *mb* material: **bota ~e** material world

lënd:úar (i, e) *mb* hurt; injured; wounded; *fg* offended; piqued: **krenari e ~** wounded pride ♦ **~úes, -e** *mb* hurtful; injurious; *fg* offending

lënésh/ë, -a *f* spinster; old maid

lënë *pjs e shkuar e* **lë** ♦ **~ (i, e)** *mb* left; abandoned; divorced; bequeathed *(assets);* deserted *(village, etc.);* neglectful: **kopsht i ~ pas dore** neglected garden; **grua e ~** divorced woman; **i ~ nga trutë** a bit dotty

lën/g, -gu *m* liquid; sap *(of plants);* water; juice *(of fruit);* stock, gravy, drip *(of roast meat):* **me ~ e me plëng** rag-tag and bobtail; **~ gështenjash** sloppy food; **~ stërlëngu** distant cousin

lëng:át/ë, -a *f* disease; epidemic: **~a e thatë** wasting disease; **~a e hënës** epilepsy

lëng:ës, -e *mb* sappy; juicy; succulent *(fruit, plant)* ♦ **~ësír/ë, -a** *f* sap *(of plants);* bs liquid ♦ **~ësht (i, e)** *mb shih* **lëngët (i, e)** ♦ **~ët (i, e)** *mb* liquid; watery; runny *(soup, etc.):* **gaz i ~ët** liquid gas ♦ **~ëtýr/ë -a** *f kq* slop; sloppy (wishy-washy) food ♦ **~ëzóhet** *vtv* liquefy *(of gas, etc.);* drip *(with water);* ooze; seep; *ps* ♦ **~ëz/ój** *k/* liquefy ♦ *jkl v iii* (drip with) water ♦ *jkl* make the mouth water ♦ **~ëzúar (i, e)** *mb* liquefied

lëng:ím, -i *m* languishment; malady ♦ **~/ój** *jkl* languish; *fg* pine *(with sth, for sb)*

lëngsh/ëm (i), -me (e) *mb* liquid *(gas, etc.);* watery; runny; sloppy *(food);* juicy *(fruit);* succulent

lëni/e, -a *f* abandonment; desertion

lënúr *k/* comb *(wool, etc.)* ♦ **~/em** *vtv* be torn; be scratched; *fg* be worn out; be exhausted; *ps* ♦ **~ës/ e, -ja** *f* comber; carder *(of wool, etc.)*

lëpí:/hem *vtv* lick; *v iii* lap; wash; *kq* be painted heavily; *kq* fawn, wheedle, stooge *(on sb);* preen oneself; *ps:* **dallga ~ej pas bregut** the waves lapped the coast ♦ **~/j** *k/* lick; lap; tongue *(the food);* lick clean *(a dish); kq* take back *(an insult):* **~ij buzët** lick one's lips/ chops; **~j atë që pështyj** eat humble pie; **i ~j këmbët/ çizmet dikujt** lick sb's boots ♦ **~rë (i, e)** *mb* licked; *kq* daubed; painted *(face)* ♦ **~rës, -i** *m kq* bootlicker; lickspittle; index, first *(finger)*

lëpíz/ë, -a *f* shelf; sideboard

lëpjét/ë, -a *f bt* dock; sorrel: **e kam gjuhën ~ë** have a sharp tongue

lëpúsh/ë, -a *f bt* coltsfoot; shock *(of maize leaves);* bs paper money

lër:ím, -i *m* ploughing, *am* plowing *(of the fields);* tilling ♦ **~/óhet** *ps* ♦ **~/ój** *k/, jkl* plough, *am* plow; till: **~oj në ujë** dig in water ♦ **~úar (i, e)** *mb* ploughed *(field)* ♦ **~úes, -i** *m* ploughman, *am* plowman; tiller

lësh:ím, -i *m* release; launch; tolerance; concession; divorce: **~i i raketës** launch of a missile; **bëj ~e** make concessions ♦ **~/óhem** *vtv* go/ fall down; droop; be released/ unleashed; *fg* rush; dash; *fg* yield; *fg* grow week; *ps :* **~ohem në karrige** sink into a chair; **flokët i ~oheshin mbi supe** her hair reached down her shoulders; **~ohem pas qejfeve** abandon oneself a life of fun ♦ **~/ój** *k/* drop; let fall/ go/ loose; abandon; put/ set down; release *(a prisoner);* unleash *(a dog);* launch *(a missile, etc.);* drop *(a remark); v iii* bs abate; grow less; *v iii* produce; shed; emit; give; let out; put forth; launch *(a missile);* send forth; bs divorce; *v iii* betray; abandon; fail: **~oj alarmin** sound the alarm; **~oj armët** put down one's arms; **~oj buzët** pull a long face; **~oj flokët** let one's hair down; **~oj gjuhën** let one's tongue loose; **~oj mjekër** grow a beard; **~oj nga dora** let go one's grasp; **~oj një kumbull** drop a brick; **~oj**

pe yield; make a concession; **~oj piskamën** give out a shrill cry; **~oj dhoma me qira** let rooms; **~on lule** put forth flowers; **e ~oi koka** his headache is gone; **e ~oi zemra** his heart failed him; **e ~oj dorën** be free with one's money; **i ~oj rrugë dikujt** make way for sb ♦ *jkl v iii bs* swarm *(of bees); v iii bs* overflow: **~on bark** bend *(of a wall)*; grow a paunch ♦ **~úar (i, e)** *mb* hanging; flagging; divorced; weak; wobbly; *fg* dejected; *fg* foul(-mouthed): **me krahë të ~** with arms hanging limply; **me zemër të ~** dispirited; downcast; **me dorë të ~** with a free/ liberal hand ♦ **~úes, -i** *m* issuer; issuing bank; *tk* release button

lëtýr/ë -a *f* slime; sloppy *(food)*: **~at e shoqërisë** the scum of society

lëvd:át/ë, -a *f* praise; commendation ♦ **~/óhem** *vtv* praise oneself; sing one's own praises; *ps* ♦ **~/ój** *kl* praise; laud; commend; boast about ♦ **~úar (i, e)** *mb* praised; lauded; commended

lëvér/e, -ja *f* rag; piece of cloth; *bs* kerchief; *sh* linen

lëvíz *kl* move; start, set in motion: **nuk ~ nga vendi** not budge; **~ mbretin** move the king *(in chess)*; **nuk ~ as gishtin** not to lift a finger; **s'lë gur pa ~ur** not to leave a stone unturned ♦ *jkl fg* go on; move ahead; advance; *v iii* shift; change: **jeta ~** life goes on ♦ **~/let** *ps* ♦ **~ës, -e** *mb* mobile; motile; moving; motive *(force)* ♦ **~j/e, -a** *f* motion; movement; gesture; activity ♦ **~sh/ëm (i) -me (e)** *mb* moving; mobile; travel(l)ing *(crane);* unstable; shifty, changeable *(person)*: **theks i ~ëm** shifting stress ♦ **~ur (i, e)** *mb* moving; moveable

lëvór/e, -ja *f* shell *(of the egg, etc.);* peel *(of some fruit)* ♦ **~zhg/ë, -a** *f* shell; pod; husk; bark *(of a tree);* cortex: **~ë veze** egg shell; **mbyllem në ~ën time** retire into one's own shell

lëvrí/j *jkl v iii* teem; swarm with; be restless: **~jnë krimbat** be teeming with worms

lëvr/óhet *ps* ♦ **~/ój** *kl, jkl* till; plough, *am* plow; cultivate; research ♦ **~úar (i, e)** *mb* ploughed, *am* plowed; tilled; cultivated: **gjuhë e ~** cultivated language ♦ **~úes, -i** *m* tiller; ploughman, *am* plowman; researcher ♦ **~úesh/ëm (i), -me (e)** *mb* tillable *(land)*

li, -a *f mk, vtr* smallpox: **fytyrë e vrarë ~e** pockmarked face

li, -ri *m bt* flax: **pëlhurë ~ri** linen

liberál, -i *m* liberal ♦ **~, -e** *mb* liberal; generous; broad-minded ♦ **~íz/ëm, -mi** *m* liberalism ♦ **~izím** *m* liberalisation ♦ **~izóhet** *vtv* become liberalised ♦ **~iz/ój** *kl* liberalise *(the economy, etc.)*

líb/ër, -ri *m* book; log: **~ër leximi** reader; **raft ~rash** book-shelf ♦ **~rár, -i** *m* bookseller ♦ **~rarí, -a** *f* bookshop; bookstore ♦ **~rashítës, -i** *m* bookseller; bookshop assistant ♦ **~rét, -i** *m art, lt* libretto ♦ **~réz/ë, -a** *f* booklet; pass book: **~ë kursimi** savings book ♦ **~ór, -e** *mb gjh* literary;

bookish

licé, -u *m* lycée; middle school ♦ **~íst, -i** *m* lycée student

lidh *kl* tie (up); bind; fasten; dress *(a wound);* connect *(to the mains);* team up with *(sb)*; impede; *fg* enter into *(a contract)*: **~ duart** cross one's arms; **~ fatin me dikë** throw in one's lot with sb; **~ tokën** earth *(a connection);* **ç'të ~ ty me të?** how are you related with him?; **i ~ rrogë dikujt** salary sb; **ia ~ gjuhën dikujt** shut sb's mouth; floor sb; **ia ~ sytë dikujt** blindfold sb ♦ *jkl* tie a knot; form fruit *(of fruit-trees, etc.); ft* begin Lent: **~ e zgjidh** make the law ♦ **~/lem** *vtv v iii* be tied/ bound/ fastened; *v iii tk* be connected/ linked; *fg* be united in marriage; *fg* unite/ ally with; *v iii* be related with; *v iii* set *(of fruit); ps:* **u ~ qarku** the circuit is closed; **~em pas bishtit të dikujt** tail behind sb; **më ~et gjuha** be tongue-tied ♦ **~ës, -i** *m* binder; bookbinder ♦ **~ës, -e** *mb* connecting; binding *(material)*: **vizë ~e** hyphen ♦ **~ës/e, -ja** *f* tie; binding band; connector; *gjh* conjunction: **~ja e këpucëve** shoe lace ♦ **~ëz, -a** *f shih* **~ës/e, -ja** *gjh* conjunction; tendril *(of the vine-tree)* ♦ **~j/e, -a** *f* tie; bond; fastening; dressing *(of a wound);* connection; link(age), bearing; relation; alliance: **s'ka ~e** it is irrelevant; it has no bearing with; **flas pa ~e** speak incoherently; **~e krushqie** alliance by marriage; **humbas ~en** lose the (telephone) line; **~e e shkurtër** *el* short circuit; **L~a e Kombeve** the League of Nations; **në ~e me** in relation/with reference ♦ **~ór, -e** *mb* an connective *(tissue); gjh* relative *(pronoun); gjh* subjunctive *(mood)* ♦ **~ór/e, -ja** *f gjh* subjunctive (mood) ♦ **~ur (i, e)** *mb* tied; leashed *(dog, etc.)*; bound up; blindfolded *(eyes);* dressed *(wound);* coherent *(speech); el* in circuit; well-built; stout *(body)* ♦ **~ur** *nd:* **mbaj qenin ~** keep the dog in leash; **~ me** in respect/ with regard; ♦ **~ura, -t (të)** *f sh ft* Lent

lig, -u (i) *m sh* **ligj, lígjtë (të)** evil person/ -doer ♦ **~, -të (të)** *as bs* evil(-doing); awe; dread ♦ **~ (i), -ë (e)** *mb* evil; wicked; malicious; mean; fickle *(woman);* low *(quality);* nasty *(weather);* adverse *(wind);* lean *(meat);* ill *(health);* faint-hearted; cowardly: **gjuhë të ~a** evil tongues; **punë të ~a** evil deeds; **farë e ~ë** bad sort; **në vend të ~** in a sore spot ♦ **~, -u (i)** *m bs* devil; the evil one ♦ *kl* weaken; enfeeble; waste; emaciate; sicken: **e ka ~ur sëmundja** he has been consumed by disease

ligatín/ë, -a *f* boggy ground; morass; bog

lig:avéc, -i *m zl bs* slug; *kq* faint-heart; weakling ♦ **~lem** *vtv* become lean/ weak/ wasted *(with disease);* fail; be disheartened; faint; *ps:* **mos u ~!** don't say die!; **më ~et zemra** my heart failed/ sank

líg/ë, -a (e) *f (të)* evil; harm; epilepsy: **burimi i të**

~ave the source of evil

líg/ë, -a f league

ligësí, -a f malice; wickedness; evil; cowardice

ligësht:í, -a f faint; swoon; weakness; sickness; consuming disease: **më bie ~** faint; **~ e shpirtit** faint-heartedness ♦ **~ím, -i** m sickness; disheartening ♦ **~óhem** vtv weaken; be wasted *(with disease);* be sick; despair; lose heart; faint ♦ **~lój** kl v iii weaken; enfeeble; sicken; fg dishearten; unnerve ♦ **~úar (i, e)** mb weakened; enfeebled; wasted *(with disease);* sick; poorly-off; disheartened; unnerved; faint

lígët (i, e) mb bs weak; lean; emaciate

ligsht nd in a fix; lowly; unfairly; in great confusion: **e zë ~ dikë** put sb in a corner; **veproj ~** act unfairly; **më vjen ~** faint; pity *(sb);* **jam ~** be unwell/ seriously ill ♦ **~të (i, e)** mb weak; lean; emaciate(d); wasted *(by disease);* sick; ill; unwell ♦ **~ur (i, e)** mb lean; peaky; emaciated

ligj, -i m law; right; reason; motive: **brenda ~it** on the right side of the law; **nxjerr jashtë ~it** ban; outlaw; **s'më zë ~i** be above the law ♦ **~bërës, -i** m lawmaker; legislator ♦ **~bërës, -e** mb lawmaking; legislative

lígje, -t sh weeping; lament(ation); keen *(for the dead)*

ligjër:át/ë, -a f speech; discourse; oration; gjh speech ♦ **~ím, -i** m speech; oration ♦ **~lój[1]** jkl speak; talk ♦ kl recite *(a poem);* make a speech; harangue *(the audience);* orate

ligjër/ój[2] kl legalise; sanction by law; make the law

ligjërúes, -i[1] m speaker; orator; declaimer

ligjërúes, -i[2] m lawmaker; legislator

ligj:ës:í, -a f law: **~ë e zhvillimit** laws of evolution ♦ **~lóhet** ps ♦ **~lój** kl legalise; sanction by law ♦ **~ór, -e** mb legal; lawful; legitimate: **mjekësi ~e** forensic medicine ♦ **~sh/ëm (i), -me (e)** mb lawful; legitimate: **kërkesë e ~me** legitimate demand ♦ **~vënës, -i** m lawmaker; legislator ♦ **~vënës, -e** mb lawmaking; legislating *(body, power)*

lijósh, -e mb pock-marked *(face)*

lik nd level with, grazing, skimming *(the ground):* **~ me barin** grazing the tip of the grass

likén, -i m bt lichen

likér, -i m liqueur

likuid:atór, -i m liquidator; receiver *(of bankruptcy)* ♦ **~ím, -i** m liquidation; trg sale ♦ **~lóhem** ps ♦ **~lój** kl liquidate *(a company);* settle; pay off *(a debt);* liquidate *(physically);* get rid off; bump off; dispatch; assassinate

likurísht/ë, -a f zl octopus

limán, -i m port; harbour; fg haven

limér, -i m den; burrow; hide-out; retreat *(for criminals)*

lím/ë, -a f tk file

limf:atík, -e mb an lymphatic ♦ **~l/ë, -a** f an lymph;

bt sap

limít, -i m mt limit; bound

lim/óhem vtv, ps ♦ **~lój** kl file; polish; shape

limón, -i m bt lemon ♦ mb lemon-coloured; very pale; very sour ♦ **~ád/ë, -a** f lemonade

limontí, -a f idleness; sloth; leisure

limontóz, -i m tartaric powder

lim:úar (i, e) mb filed; polished ♦ **~urín/ë, -a** f filings; file dust

limuzín/ë, -a f limousine

linç:ím, -i m lynching ♦ **~lóhem** ps ♦ **~lój** kl lynch

lind jkl be born; v iii rise *(of the sun);* fg arise: **~i hëna/ dielli** the moon/ sun rose; **~ pyetja** the question arises; **kur ka ~ur?** when was he born? ♦ kl give birth to; beget: **~i një vajzë** she gave birth to a baby-girl ♦ **~/em** vetv be born; ps ♦ **~j/ e, -a** f birth; delivery; childbirth; emergence; gjg east; orient: **në ~ të** to the east of; **qytet i ~es** native town; **shtëpi e ~es** maternity home; **L~a e Largët** the Far East ♦ **~ór, -i** m easterner ♦ **~ór, -e** mb eastern; easterly *(wind).* **Evropa L~e** Eastern Europe ♦ **~shmërí, -a** f birth-rate ♦ **~ur (i, e)** mb born; inborn *(condition):* **artist i ~** a born artist

lineár, -e mb linear

ling, -u m trot; hurry; haste; rush ♦ nd in a hurry: **iki ~** leave in a hurry

lingërí, -a f skirmish

lingót, -i m ingot: **ar në ~a** ingot gold

linguíst, -i m linguist ♦ **~ík/ë, -a** f linguistics

linó, -ja f tks linen: **këmishë ~je** linen shirt

linoleúm, -í m linoleum; oil-cloth

linotíp, -i m sht linotype ♦ **~í, -a** f linotyping ♦ **~íst, -i** m linotype operator

línj/ë, -a[1] f shirt; linen sheet: **dal ~ës** jump out of one's skin

línj/ë -a[2] f line; bi strain: **~a është e zënë** the line is engaged/ busy

linjít, -i m lignite; brown coal

línjt:a, -t (të) f sh underwear; undies; linen-drapery ♦ **~ë (i, e)** mb linen *(fabric)*

liqén, -i m lake ♦ **~ór, -e** mb: **zonë ~e** lake district

lír/ë, -a f lyre

lír/ë (i, e) mb free; fig. clear; unoccupied, vacant; cheap; disengaged *(line);* fg generous, liberal *(with one's money):* **e kam dorën të ~ë** be open-handed; **je i ~ë të shkosh** you are free to go; **rrugë e ~ë** open way; **sonte s'jam i ~ë** I am not free/ I am busy tonight; **vende të ~a** free seats; vacancies ♦ **~ë** nd loosely *(tied);* easily; fluently: free; unoccupied; cheap(ly): **sot jemi ~** we are free tonight; **shes ~** sell cheap (short) ♦ **~ësí, -a** f cheapness ♦ **~ësím, -i** m cheapening ♦ **~ësóhet** vetv become cheap; ps ♦ **~ës/ój** kl **-óva, -úar** cheapen ♦ **~ët (i, e)** mb loose *(knot)* ♦ **~í, -a** f freedom; liberty; licence: **~ e përkohshme** drejt bail; **~ poetike** poetic licence

lirík, -e *mb lt* lyric(al); *mz* opera *(ginger):* **teatër ~** opera house ♦ **~/ë, -a** *f* lyric poetry; lyric (poem)

lirí:m, -i *m* freeing; release: **dal në ~** *usht* get one's ticket; retire; **~ me kusht** *dr* parole; **nxjerr në ~** discharge *(an officer)* ♦ **~sht** *nd* freely; unimpeded; fluently: **marr frymë ~** breathe a sigh of relief

liríz/ëm, -mi *m lt, art* lyricism

lir/óhem *vtv kryes v iii* free/ liberate oneself; be released *(from prison);* unburden oneself; *v iii* be unleashed/ unfettered; disengage oneself; *v iii* get loose; be alleviated *(of a burden);* *v iii* become detached; *v iii* become cheap; evacuate; relieve oneself; *ps* ♦ **~/ój** *kl* **-óva, -úar** free; liberate *(a country);* set free; rescue *(a prisoner); hist* franchise *(a slave);* unleash *(a dog, etc.);* evacuate *(a town);* loosen; unbend; relieve *(of a burden);* ease *(the pain);* cheapen: **~oj një të burgosur** release a prisoner; **~oj dorën** become free with one's money; be lenient; **ia ~oj vidhat dikujt** loosen one's grip on sb ♦ *jkl v iii* get loose; fall off; come off *(of a button, etc.)* ♦ **~sh/ëm (i), -me (e)** *mb* free; easy; loose; jaunty: **rrobë dhome e ~me** loose gown ♦ **~shëm** *nd* free; easy; loosely; *fg* fluently: **rri ~** sit at ease; *bs* free; unoccupied; **flas ~ një gjuhë të huaj** be fluent in a foreign language ♦ **~shmërí, -a** *f* ease *(of movement);* fluency *(of speech)* ♦ **~úar (i, e)** *mb* freed; released; *hst* affranchised; discharged *(army-man);* demobilised; delivered; redeemed *(of a burden);* unleashed *(dog);* loose *(collar, tie);* cheapened *(good)*

lis, -i *m* tree; *bt* oak: **mizë ~i** multitude; legions

líst/ë, -a *f* list; menu; roll: **~ë e pagave** pay-roll; **~ë e zezë** black list; **~ë përfundimtare** short list

litár, -i *m* rope: **~ çeliku** steel cable/ rope; **i hurit dhe i ~it** gallows's bird; **ia vë ~in në fyt dikujt** have the rope around sb's neck; **më mblidhet ~i/ vjen ~i në grykë** reach the end of one's tether; **tërheqje ~i** *sp* tug-of-war ♦ *nd* rope-like; thick and fast; very long: **bie shi ~** rain is coming down like ropes; **e bëj ~ diçka** spin a long yarn

litárth, -i *m an* funiculus ♦ **~i** *nd:* **luaj ~** skip the rope

literatúr/ë, -a *f* literature; bibliography

lít/ër, -ri *m* litre; *am* liter ♦ **~ërsh, -e** *mb:* **shishe ~e** one-litre bottle

lituan:éz, -e *mb* Lithuanian ♦ **~éz, -i** *m* Lithuanian ♦ **L~í, -a** *f gjg* Lithuania ♦ **~isht** *nd* (in the) Lithuanian (language) ♦ **~isht/e, -ja** *f* Lithuanian (language)

liturgjí, -a *f ft* liturgy ♦ **~k, -e** *mb* liturgic(al): **muzikë ~e** church music

livádh, -i *m* meadow(land); grassland ♦ **~ís** *jkl v iii*

graze; pasture; *keq* roam freely: **e lë të ~ë dikë** give sb his head; let sb have his head

livánd/ë, -a *f bt* lavender

livr:ím, -i *m trg* delivery; shipment; consignment ♦ **~óhet** *trg ps* ♦ **~ój** *kl trg* deliver; consign

lob, -i *m pl* lobby

loc, -i *m* younger brother; pal; chap

lóck/ë, -a *f* acorn; *fg* cockle *(of the heart);* darling: **~a dushku** acorn; **~a e syrit** eyeball

lód/ër, -ra¹ *f* toy; plaything; *fg* game; trick: **i bëj ~ra dikujt** play pranks on sb; **lëri ~rat!** stop kidding!

lód/ër, -ra² *f* drum; *an* eardrum: **hedh këmbët siç bie ~ra** dance to the tune ♦ **~tár, -i** *m* drummer

lod:értár, -e *mb* playful; frisky ♦ **~r:ím, -i** *m* playing; capering; frolic ♦ **~lój** *jkl* play; caper; frolic

lodh *kl* tire; wear out; weary; *fg* harass *(the enemy):* **~ sytë** strain one's eyes ♦ **~lem** *vtv* be tired/ fatigued; weary; strive hard; be bored *(of doing sth);* *ps* ♦ **~ës, -e** *mb* tiresome; irksome; wearisome; boring ♦ **~ët (i, e)** *mb* tired out; worn; fatigued ♦ **~j/e, -a** *f* tiredness; fatigue; weariness; boredom ♦ **~sh/ëm (i), -me (e)** *mb* tiresome; tiring; wearisome ♦ **~ur (i, e)** *mb* tired; worn out (with fatigue); weary; bored: **me pamje të ~** with a weary look

lo/g, -gu *m* clearing *(in the woods);* flat ground; square

logarít/ëm, -mi *m mt* logarithm

logjík, -e *mb* logical ♦ **~/ë, -a** *f* logic: **flas pa ~ë** chop logic ♦ **~sh/ëm (i), -me (e)** *mb* logical; rational

logjistík, -e *mb ush* logistic(al) ♦ **~/ë, -a** *f ush* logistics *(me folje në njëjës)*

loj:cák, -e *mb* playful; frisky; *fg* frivolous: **fëmijë ~** child full of play ♦ **~/ë, -a** *f* **-na, -nat** play(thing); game; *sp* match; toy; acting; *fg* prank; play-acting; *ush* exercise: **~a e parë** the first half *(of the game);* **~ë e fatit** freak of fortune; **~ë fëmijësh** child's play; **bëhem ~ë e dikujt** play into sb's hands; **e vë në ~ë dikë** pull sb's leg; **L~ërat Olimpike** Olympic Games; **shtesë e ~ës** extra time ♦ **~tár, -i** *m* player: **~ futbolli** football-player

lokál, -i *m* premises; room: **~ kumari** gambling house ♦ **~, -e** *mb* local; native: **ora ~e** local time ♦ **~íst, -i** *m* parochialist ♦ **~íst, -e** *mb:* **interesa ~e** parochial interests ♦ **~itét, -i** *m* locality *(administrative division)* ♦ **~íz/ëm, -mi** *m* parochialism ♦ **~iz/óhet** *vtv* be located; be localised; *ps* ♦ **~iz/ój** *kl* **-óva, -úar** locate; pinpoint

lók/e, -ja *f* mother; mom; granny; old woman/ lady

lokomotív/ë, -a *f* locomotive; engine

lólo, -ja *f bs* numskull; gullible person; clown; fool *(of the court);* stooge ♦ *mb* gullible: **e bëj ~ dikë** make sb look foolish

londinéz, -i *m* Londoner ♦ **~, -e** *mb* of London

londít *kl* jostle; toss about ♦ **~em** *vtv* jostle; rock to and fro

lopár, -i *m* cow-herd; cowboy

lopat/ë, -a *f* spade; shovel; paddle; oar; flipper *(of the frogman):* **fitoj para me ~ë** scoop money; **nuk më merr ujë ~a** have no voice in the chapter ♦ **~ëz, -a** *f zl* newt; tadpole

lop:çár, -i *m* cow-herd; cowboy ♦ **~/ë, -a** *f* cow: **e lëshoj si ~a bajgën** drop a careless remark

lot, -i *m* tear; drop *(of water, etc.):* **me ~ në sy** with tears in one's eyes; **derdh ~** shed tears; **e qaj diçka me ~** put sth up as lost; do sth to death/ brown/ to perfection ♦ *mb:* **i kulluar ~** crystal clear

lotarí, -a *f* lot; lottery: **më bie ~a** *fg* hit the jackpot; draw the short stick

lot:ím, -i *m* weeping ♦ **~/ój** *jkl* **-óva, -úar** weep; shed tears; water *(of a vessel):* **më ~ojnë sytë nga tymi** smoke brings tears to my eyes ♦ *kl* weep; cry over *(the loss of)* ♦ **~sjéllës, -e** *mb.* **gaz ~** tear gas; **bombë ~e** tear bomb/ canister ♦ **~úar (i, e)** *mb* tearful ♦ **~úes, -e** *mb an* lachrymal; weeping *(willow)*

loz *jkl, kl* play ♦ **~onjár, -e** *mb* playful; frolicsome; skittish: **fëmijë ~** child full of play

lózh/ë, -a *f tt* gallery; *ark* loggia; *fg* lodge

lúaj *kl* move; shift; displace; act, interpret *(a role);* *bs* go mad; *bs* touch; appear *(in a role):* **~ derën** hang about; idle around; **~ gurët** pull the ropes; **~ këmbët** be quick; **e ~ nëpër gishta diçka** know sth like the back of one's hand; **mos e ~!** don't touch it!; **nuk i ~ asnjë presje** not to change an iota; **s'lë gur pa ~tur** not to leave a stone unturned ♦ *jkl* move; shift; act; play: **~ cicmic** play one's little games; **~ me fjalë** play upon words; **~ me jetën/ kokën** make light of one's life; put one's life on the line; **~ në një film** appear in a film; **~ vendit!** you don't say so! **ç'po luan kështu?** *bs* what is your little game?; **kush luan?** whose turn is it to play?; **~ mendsh për dikë** be madly in love with sb; **ai ka ~tur** he has gone mad; **diç ~n** sth is brewing ♦ **~tj/e, -a** *f* moving; movement; shifting ♦ **~tsh/ëm, (i), -me (e)** *mb:* **pasuri e ~me** *dr* movable property ♦ **~tur (i, e)** *mb* mad; crazy

luán, -i *m zl* lion: **copë e ~it** lion's share; **~i i detit** *zl* sea lion ♦ **~ésh/ë, -a** *f zl* lioness

lubí, -a *f* monster; ogre; *kq* glutton

luft:aníj/e, -a *f* warship ♦ **~arák, -e** *mb* military; martial ♦ **~ash** *nd:* **luajmë ~** play war-games ♦ **~/ë, -a** *f* (war)fare; struggle; *fg* clash, conflict *(of interests, etc.):* **bëj ~ë** wage war; **në gjendje ~e** on a war footing ♦ **~édáshës, -e, ~éndézës, -e, ~énxítës, -e** *mb, em* warmongering ♦ *em* warmonger; war-dog ♦ **~étár, -i** *m* warrior; fighter; combatant ♦ **~ím, -i** *m* fight(ing); battle; combat; action: **jashtë ~it** out of action; *sp* knockout/ KO ♦ **~/óhem** *ps* ♦ **~/ój** *jkl* fight; combat *(abuse, etc.);* struggle; strive: **~oj me thonj e me dhëmbë** fight

tooth and nail; **i ~onte zemra në kraharor** the heart thumped against his ribs

lu/g, -gu *m* trough; headrace *(of the flourmill);* creek; small valley

lug/át, -áti *m* ogre; goblin; ghoul

lug/ë, -a *f* spoon; scoop: **~ë buke** table spoon; **i bie maces me ~ë** be wet behind the ears; **i fryj ~ës sime** mind one's own business; **s'më merr ~a gjë/ ujë** have no voice in the chapter; **vë në bisht të ~ës dikë** pull sb's leg ♦ **~ës, -e** *mb* concave ♦ **~ësím, -i** *m* caving in ♦ **~ím, -i** *m* grooving; caving in ♦ **~ín/ë, -a** *f* valley; vale; dale ♦ **~/óhet** *vtv* cave in; *ps* ♦ **~/ój** *kl* **-óva, -úar** groove; cave in

luhát (luhás) *kl* shake gently; stir ♦ *jkl v iii fg* waver; hesitate ♦ **~em** *vtv* sway; swing; *v iii* wave *(in the wind);* *fg* waver; *v iii fg* fluctuate *(of prices);* oscillate *(of temperatures);* *ps* ♦ **~j/e, -a** *f* sway; fluctuation; oscillation; *sh* wavering; hesitation

lúhet *ps, pvt e* **luaj: s'~ me të** you can't fool him

luks, -i *m* luxury ♦ **~óz, -e** *mb* luxurious; de luxe

lukth, -i *m an* pit of the stomach

lukuní, -a *f* pack *(of wolves)*

lúl/e, -ja *f bt* flower; *fg* cream, pick, élite; prime *(of youth):* **bredh ~e më ~e** gather the roses of life; sow one's wild oats; **e bëj ~e dikë** bring sb to his senses; **fushë me ~e** primrose path; **ia shtroj me ~e dikujt** strew sb's path with flowers; **jam ~e** be feeling fine; be well off; **në ~e të ballit** between the eyes ♦ **~eakshám, -i** *m bt* evening glory ♦ **~ebór/ë, -a** *f bt* snow-drop ♦ **~edél/e, -ja** *f bt* daisy; marguerite ♦ **~edíelli** *m bt.* **vaj ~dielli** sun-flower oil ♦ **~edrédh/ë, -a** *f bt* strawberry ♦ **~ekambán/ë, ~ekëmbór/ë, -a** *f bt* bell-flower ♦ **~elák/ër, -ra** *f bt* cauliflower ♦ **~emëllág/ë, -a** *f bt* geranium ♦ **~equmështór/e, -ja** *f bt* milkwort ♦ **~eshpát/ë, -a** *f bt* gladiola ♦ **~eshpátëz, -a** *f bt* iris ♦ **~eshqérr/ë, -a** *f bt* daisy ♦ **~eshqipónj/ë, -a** *f bt* monstera ♦ **~eshtrýdh/e, -ja** *f bt* strawberry ♦ **~etáç/e, -ja** *f bt* primula ♦ **~eváth, -i** *m bt* fuchsia ♦ **~evíl/e, -ja** *f bt* wisteria; wisteria ♦ **~ëgják/e, -ja** *f bt* peony ♦ **~ëkúq/e, -ja** *f bt* poppy; *sh euf* menses: **bëhem ~kuqe** blush crimson ♦ **~ëzím, -i** *m* flowering; bloom(ing); flourishing; efflorescence ♦ **~ëzóhem** *vtv* flower; bloom; flourish; *ps* ♦ **~ëz/ój** *kl v iii* flower; bloom; blossom; *fg* flourish; prosper ♦ **~ëzúar (i, e)** *mb* flourishing; flowery; florid; *fg* prospering ♦ **~ím, -i** *m* blossom(ing); efflorescence ♦ **~ishtár, -i** *m* florist ♦ **~ishtarí, -a** *f* floriculture; flower-gardening ♦ **~ísht/e, -ja** *f* public garden; flower-garden

lum *pj:* **~ si ti!** *bs* lucky beggar/ dog!

lúm/ë, -i *m* river: **~ë fjalësh** a torrent of words; **ai i ~it** *euf* water sprite; **e merr ~i** go down the drain; go to pot; **hedh ~in** turn the corner ♦ *nd* in torrents; gushing

lumn/í, -a *f* glory ♦ **~/ój** *k/* glorify ♦ **~úar (i, e)** *mb* glorified

lumór, -e *mb* fluvial; river *(mb):* **port** ~ river port

lúmtë (të) *psth:* **të ~, djalo!** good for you, young man!

lúmtur (i, e) *mb* happy ♦ **~í, -a** *f* happiness; bliss; beatitude ♦ **~ísht** *nd* happily; fortunately ♦ **~/óhem** *vetv* be/ feel happy ♦ **~/ój** *k/* make happy; please

lúnd/ër, -ra[1] *f z/* otter

lúnd/ër, -ra[2] *f* boat; barge; raft ♦ **~ërtár, -i** *m* boatman; navigator ♦ **~ërtári, -a** *f* boating; navigation ♦ **~ák, -u** *m z/* nautilus ♦ **~ím, -i** *m* sailing; navigation; boating; voyage ♦ **~óhet** *pvt* ♦ **~/ój** *jk/* navigate; sail; *v iii* float ♦ **~úes, -i** *m* navigator; pilot ♦ **~úes, -e** *mb* navigating ♦ **~úesh/ëm (i), -me (e)** *mb* navigable

lúng/ë, -a *f* boil; furuncle

luqérbu/ll, -lli *m z/* lynx

lusp/ë, -a *f* scale *(of fish, etc.)* ♦ **~ór, -e** *mb* scaly

lúst/ër, -ra *f* lustre; polish; finish; veneer: **~ra e këpucëve** shoe shine; **i jap ~ër diçkaje** polish sth ♦ **~raxhí, -u** *m* shoeshine ♦ **~rím, -i** *m* polish ♦ **~r/óhet** *ps* ♦ **~r/ój** *k/* **-óva, -úar** polish; shine; finish, burnish *(a surface)*; *fg* veneer ♦ **~rúes, -i** *m* polisher; burnisher

lut (lus) *k/* ask; beg; *ft* celebrate: **e ~ dikë të rrijë për darkë** ask sb to stay for dinner; **~ Pashkët** celebrate Easter ♦ *jk/ ft* pray ♦ **~/em** *vtv* beg; ask; request; *ft* pray: **i ~ dikujt të rrijë për drekë** ask sb to stay for lunch; **të falem nderit! - të ~!** thank-you! - you're welcome ♦ **~ës, -i** *m* applicant; *ft* supplicant ♦ **~ës, -e** *mb* supplicating, imploring *(look)*

♦ **~j/e, -a** *f* application; petition; request; entreaty; prayer; grace; celebration *(of a ritual):* **them ~en e bukës** say grace ♦ **~ur, -a (e)** *f* (të) begging; entreaty

lúzm/ë, -a *f* swarm *(of bees)* ♦ *nd:* **u mblodhën ~ë** they swarmed up ♦ **~/ón** *jk/* swarm *(of bees)*

lý:ej *k/* **léva, lýer** paint; dye; spread *(butter, etc.)*; *fg* stain, smear: **~ flokët** dye one's hair; **laj e ~ dikë** butter sb up; **ia ~ dorën dikujt** grease sb's palm ♦ **lýer (i, e)** *mb* painted; spread *(with butter, etc.)*; smeared; stained ♦ **~erj/e, -a** *f* painting ♦ **~h/em** *vtv* be painted; be smeared; be stained; *ps*

lym, -i *m* mud; mire ♦ *mb* alluvial *(soil)*

lyp *k/* beg; supplicate; *v iii* take, require *(time, effort);* need ♦ **~ës, -i** *m* beggar; mendicant ♦ **~j/e, -a** *f* begging ♦ **~sár, -i** *m kq* beggar ♦ **~s/em** *vtv,* *pvt* be needed; be required; *v iii* be necessary; need: **~et të jem këtu** I have to be here; **më ~en ca para** I need some money ♦ **~ur, -a (e)** *f* (të) begging; alms; hand-out

lyr *k/* oil; grease ♦ **~/ë, -a** *f* fat; grease; fatty substance: **pa ~ë** fat-free; *fg* not funny; insipid ♦ **~ës, -e** *mb* fatty *(substance);* lubricating *(mb)* ♦ **~ësí, -a** *f* oiliness; greasiness *(of the skin, etc.)* ♦ **~ós** *k/* oil; grease ♦ **~ós/em** *vtv* soil/ smear oneself; *ps* ♦ **~ósur (i, e)** *mb* soiled; smeared ♦ **~súar (i, e)** *mb shih* **lyrosur (i, e)** ♦ **~sh/ëm (i), -me (e)** *mb* fat; oily; *fg* unctuous; greasy

lýsht/ër, -ra *f* alluvium ♦ **~ërór, -e** *mb* alluvial

lyth, -i *m mk* wart

Ll

llác/ë, -a *f* stitch *(in knitwork);* mesh(ing) *(of the net)*

lláck/ë, -a *f bs* spot; blot; smudge ♦ **~ós** *kl bs* spot; smudge; *kq* bedaub *(with paint)* ♦ **~ósem** *vtv bs* smear oneself; *kq* daub *(with paint on sth); ps*

llaç, -i *m* mortar; *(cement)* mixture; mud *bs* grub; food; chow

llaf, -i *m bs* word; *sh* gossip; rumour: **~e të kota** idle talk; **ka ~e se** there is a rumour that ♦ **~atór, -e** *dhe* **~azán, -i** *m* chatterbox; chatterer; windbag; big mouth ♦ **~azán, -e** *mb* talkative; chatty; garrulous ♦ **~ós** *jkl, kl bs* talk; chat ♦ **~lem** *vtv bs* talk; chat

llagáp, -i *m bs* second name; nickname

llagavít *kl bs* smear; smudge ♦ **~lem** *vtv bs* smear/ smudge oneself; *ps*

llagëm, -i *m* underground tunnel

llahtár, -i *m~/ë, -a, ~í, -a f bs* dread; awe ♦ **~ís** *kl bs* terrify; scare; overawe ♦ **~ís/em** *vtv bs* be struck with terror/ awe; be overawed ♦ **~ísur (i, e)** *mb bs* awe-struck; overawed ♦ **~sh/ëm (i), -me (e)** *dhe* **~të (i, e)** *mb* awesome; dreadful: **pamje e ~me** a ghastly sight

llak, -u *m* lacquer; lac; hair spray/ setter ♦ **~ím, -i** *m* lacquering ♦ **~óhet** *ps* ♦ **~lój** *kl* -óva, -úar lacquer

llamarín/ë, -a *f* sheet-iron

llamb:adár, -i *f* chandelier; lamp-holder ♦ **~ádh/e, -ja** *f* candlestick ♦ **~/ë, -a** *f* lamp; bulb; tube: **~ë me gaz** kerosene/ gas-lamp; *tk* gas burner ♦ **~urít** *jkl* shine; illuminate; flash; *fg* shine; radiate *(with joy)* ♦ **~urítës, -e** *mb* shining; illuminating ♦ **~urítj/ e, -a** *f* shine; illumination ♦ **~úshk/ë, -a** *f* small bulb *(of a torchlight)*

llangós, -i *m* barking dog; *fg* loafer; *fg* gossip

llangós *kl* slosh; smudge; smear ♦ **~lem** *vtv, ps* ♦ **~ur (i, e)** *mb* sloshed; smudged; smeared

llap *kl* lap up; lick: **e ~i macja qumështin** the cat lapped up the milk ♦ *jkl fg* prattle; blabber; flap one's mouth

llapá, -ja *f* pap *(food for babies);* thick soup

llapashít *kl* splash *(one's feet in water)* ♦ **~lem** *vtv* splash; paddle: **~em në baltë** splash through mud ♦ **~j/e, -a** *f* splash; plash

lláp/e, -a *f bs* tongue; clack; lap *(of the ear);* shoe-tongue/ strap; (ear-)flap *(of the hat);* blade *(of the leaf);* poultice: **~ë e ftohtë** ice-pack; **nxjerr ~ën** pull one's tongue out (at so); **kam ~ë** have a long tongue/ a big mouth; **ia nxjerr ~ën dikujt** drive so hard ♦ **~ër/ój** *kl* -óva, -úar chat; gossip; mouth ♦ **~ës, -e** *mb* chatty; talkative; big-mouthed

llapëtí/j *jkl v iii* shine brightly; flash ♦ *kl* polish; shine (up) ♦ **~m/ë, -a** *f* shine; sheen; glitter; flash

llapëtýr/ë, -a *f* dishwater; hogwash; *sh* foul language

llaps *jkl* -i, -ur flash; glare; be bright

llás/ë, -a *f* overindulgence; spoiling *(of a child);* pampering

llask:ónj/ë, -a *f* young branch (bough); offshoot

llaskúç, -i *m kq* sponger; toady; sucker; freeloader; pry; busybody

llastíc/ë, -a *f* spoiled child; darling; molly-coddle

llastí/k, -ku *m* rubber; *nj* elastic band: **top ~u** rubber ball ♦ **~/ë, -a** *f bs sh* rubber shoes; *bs* dummy; *sh* suspenders *(of the trousers)* ♦ **~të (i, e)** *mb* elastic

llast/ím, -i *m* pampering; spoiling *(of children)* ♦ **~l óhem** *vtv, ps* ♦ **~lój** *kl* spoil *(a child);* pamper; (molly-)coddle ♦ **~úar (i,´e)** *mb* spoiled *(child)*

llaút/ë, -a *f mz* lute

lláv/ë, -a *f* pack *(of wolves)*

llëpúsh/ë, -a *f* shack *(of the maize)*

llër/ë, -a *f* fore-arm: **përvesh ~ët** roll up one's sleeves

llíxh/ë, -a *f* thermal baths

llogarí, -a *f* account; calculation; sums; reckoning; book-keeping; bill *(of the restaurant):* **bëj ~** reckon up; do sums; **s'më del ~ a** it does not add up; *bs* be unable to afford sth; **~ a e arkës** cash account; **i ndaj/ qëroj ~ të me dikë** settle accounts with so; **i kërkoj ~ dikujt** demand an explanation of so ♦ **~t (~s)** *k/* count; calculate; reckon; estimate; *fg* consider: **nuk e ~ dikë** count/ leave so out ♦ **~tár, -i** *m* accountant; book-keeper ♦ **~tet** *pvt, ps* ♦ **~ës, -e** *mb:* **qendër ~e** computational centre ♦ **~tj/e, -a** *f* accounting; counting; reckoning ♦ **~tur (i, e)** *mb* calculated; reckoned; accounted: **humbje e ~** expected loss

llogór/e, -ja *f* trench; entrenchment; ditch

llógje, -t *f sh bs kq* empty talk

llóh/ë, -a *f* sleet; slush

lloj, -i *m* kind; sort; type; *bi* species; *art, lt* genre ♦ **~shmërí, -a** *f* variety; assortment

llókm/ë, -a *f* slice *(of meat, etc.);* piece; chunk; *fg* livelihood: **ia pres ~ën dikujt** deprive so of the means of livelihood

llokoçít *k/* splash; swash; stir ♦ *jk/ shih* **~lem** ♦ **~em** *vtv, ps* ♦ **~j/e, -a** *f* splash(ing); plop; plonk

llokúm, -i *m, ~/e, -ja* *f* loukum; Turkish delight; bar *(of dynamite):* **~ në gojë** easy game/ target; sitting duck; piece of cake

llomot:ár, -e *mb* chatty; talkative ♦ **~í, -a** *f* blab; rigmarole; clack ♦ **~ít** *jk/* mumble; blab(ber); gabble; shoot off one's mouth ♦ **~ítj/e, -a** *f* mumble; gabble

llosh, -e *mb kq* untidy; messy *(person);* thickheaded ♦ *em* drag; slattern

lloz, -i *m* bolt; iron bar *(of the stonecutter);* ush bs breech *(of a fire-arm);* bs awkward person

llúc/ë, -a *f* slime; slush

llufít *k/ bs* guzzle *(the food)*

llukaník, -u *m gjell* tripe sausage

llúk/ë, -a *f* bad egg; *fg* stupid person ♦ *mb* bad; addle *(egg)*

llulláq, -i *m, mb* mauve (colour)

llúll/ë, -a *f* pipe: **pi një ~ë** smoke a pipe

llum, -i *m* slime; dirt; sediment; dregs; *fg* scum; riffraff: **e bëj ~botch;** bungle; spoil; **bie në ~sink** into the mire

llup *k/* gobble up *(the food)* ♦ **~lë, -a** *f bs* greed; gluttony ♦ **~ës, -i** *m* glut; guzzler ♦ **~ës, -e** *mb* greedy; gluttonous

lluq, -e *mb* soft *(mud);* unbaked, muddy *(bread);* fg addle-pate; mucky; filthy

llúrb/ë, -a *f* slime; mud; dirt; ooze; dregs; lees; *bs* hogwash ♦ **~ët (i, e)** *mb* muddy; slimy; turbid; troubled *(water);* sloppy *(food):* **vezë e ~** soft-boiled egg ♦ **~ëtír/e, -a** *f* sleet; slush; dregs; lees; sloppy food; *kq* scum ·

M

ma *tr shkrt prm* me: ~ **jep/ jep~** give it to me; ~ **trego/ trego~** tell me; ~ **tha vetë** he told me that

mác/e, -ja *f* cat; she-cat; *bs* pussycat; *kq* shrew: **~e e egër** wild cat; *bs* scratch-cat; **shkojmë si ~ja me miun** lead a cat-and-dog life ♦ *mb* skinny; sickly

maç *mb* **plaku** ~ king of spades ♦ **~ók, -u** *m* (he/ tom -)cat; *fg* nagger

madjé *pj* indeed; even

madh, -i (i) *m* (the) great; adult; grown-up; *bs* head of state: **i ~ e i vogël** old and young ♦ **~, -të (të)** *as* airs; largeness: **mbahem me të ~** give oneself airs ♦ **~ (i), -e (e)** *mb* large; great; big; grown-up, adult; heavy *(rain);* large-scale: **ajo është pastërtore e ~e** she is very particular about cleanliness; **Arusha e M~e** *ast* the Big Bear; **bëhem i ~** grow up; become a celebrity; **e bëj të ~e diçka** make a scene/ raise hell about sth; exaggerate sth; **fjalë të mëdha** big/ pompous words; **punë e ~e!** big deal!; **ishte veshur punë e ~e** she was dressed to kill; **kokë e ~e** big shot; **udhë e ~e** high road; **pushim i ~** long break; **vëlla i ~** elder brother ♦ **~e, -ja (e)** *f:* **qesh me të ~e** laugh aloud ♦ **~ërí, -a** *f (dhe në tituj)* majesty: **M~a e Tij/ Saj** His/ Her Majesty ♦ **~ërísh/ëm (i), -me (e)** *mb* majestic; grand ♦ **~ërísht** *nd* majestically ♦ **~ëróhem** *vtv* grow up; *kq* boast; pride oneself in; *ps* ♦ **~ër/ój** *kl* promote; raise *rank;* exalt ♦ **~ësí, -a** *f* size; *mat* quantity: **~a e kapelës** size of the hat; ~ **e ndryshueshme** variable quantity ♦ **~ështí, -a** *f* majesty; stateliness; grandiosity; *kq* haughtiness ♦ **~ështóhem** *vtv* ~ **ësht/ój** *kl* exalt; extol ♦ **~ështór, -e** *mb* majestic; grand; imposing; stately; *kq vj* haughty: **pamje ~e** commanding presence ♦ **~/óhem** *vtv* grow (up); *v iii* grow bigger/ larger/ wider; rise in esteem; *ps :* **u ~ua djali** the boy has grown up ♦ **~/ój** *kl* bring up *(children); kq* exaggerate ♦ **~ór, -e** *mb dr* adult;

grown up; *ush* senior; great: **moshë ~e**; full legal age; **jam në moshë ~e** be of age; **forcë ~e** act of God ♦ **~osh, -e** *mb* portly; biggish

máfi:a *f it* Mafia ♦ **~óz, -i** *m it* Mafioso *(sh* -i)

mafísh/e, -ja *f gjll* meringue

magazín/ë, -a *f* store-house/ room; warehouse; department store; cartridge *(of the printer, etc.)* ♦ **~iér, -i** *m* store-house keeper ♦ **~ím, -i** *m* storage ♦ **~/óhet** *ps* ♦ **~/ój** *kl* store

mágm/ë, -a *f gjl* magma

magnát, -i *m* magnate: ~ **i naftës** oil magnate (king)

magnét, -i *m* magnet; *mek* magneto ♦ **~ík, -e** *mb* magnetic ♦ **~íz/ëm, -mi** *m* magnetism; *fg* pull ♦ **~izím, -i** *m* magnetisation ♦ **~izóhet** *vtv, ps* ♦ **~iz/ój** *kl tk* magnetise; attract

magnetofón, -i *m sh* -a, -at tape recorder: **regjistroj në ~** (record on) tape

magj:éps *kl* charm; bewitch; cast a spell on; *fg* enchant ♦ **~éps/em** *vtv, ps* ♦ **~épsës, -e** *mb* charming *(smile);* enchanting; fascinating ♦ **~ésj/e, -a** *f* charm(ing); spell ♦ **~épsur (i, e)** *mb* charmed; bewitched; spellbound; *fg* enchanted ♦ **~í, -a** *f* witchcraft; magic; wizardry; *fg* spell; fascination: **si me ~** as if by magic; **i bëj ~ dikujt** cast a spell on sb; charm sb ♦ **~ík, -e** *mb* magic(al); *fg* fascinating; charming; enchanting; : **shkop ~k** magic wand; **sy ~k** magic eye; peephole ♦ **~istár, -i** *m* sorcerer; magician; wizard; witch ♦ **~istár/e, -ja** *f* sorceress

magjistrát, -i *m* magistrate ♦ **~úr/ë, -a** *f* magistracy

magji:stríc/ë, -a *f* sorceress; witch; hag ♦ **~sh/ëm (i), -me (e)** *mb* charming; fascinating

magjýp, -i *m bs* gypsy

mahí, -a *f* inflammation *(of the wound)* ♦ **~s** *kl* inflame *(a wound); jkl* come to a head *(of a cyst)* ♦ **~s/et** *vtv*

mahmúr *nd bi: s:* **ngrihem ~** get out on the wrong side of the bed

mahnít *kl* amaze; astound ♦ **~/em** *vtv* ♦ **~ës, -e**

mb amazing; astonishing ♦ **~j/e, -a** *f* amazement ♦ **~/ëm (i), -me (e)** *mb* amazing ♦ **~ur (i, e)** *mb* amazed; wonder-struck: **shoh i ~** look in amazement

maj, -i *m* May: **Një Maji** May Day; Labour Day

majá, -ja *f* leaven; yeast

majasëll, -lli *m mk bs* piles

majdanóz, -i *m bt, gjll* parsley

máj/ë, -a *f* tip; sharp point; top *(of the head, of the roof, etc.); bs* flower; pick; élite; *bs* peak; summit; *tks* weft: **~a e gishtit** finger-tip; **e kam në ~ë të gjuhës diçka** have sth at the tip of the tongue; **e kam në ~ë të hundës dikë** be fed up with sb; **mbush me ~ë** fill to the brim; **në ~ë të gishtave** on tiptoe; **një ~ë gishti** a thimbleful of; **në fund e në ~ë** from top to bottom; from end to end ♦ **~ë** *prfj:* **~ë çatisë** at the top of the roof; **~ë kalit** on horseback

majhósh, -e *mb* sour-sweet

majm *kl* fatten *(animals);* fertilise *(the land)* ♦ **~em** *vtv, ps* ♦ **~ë, -t (të)** *as* fatness ♦ **~ë (i), -me (e)** *mb* fat; rich *(soil);* fertile *(land); fg* enriched ♦ **~ërí, -a** *f* fatness *(of animals);* fertility *(of the soil)* ♦ **~ók, -e** *dhe* **-ósh** *mb* fat; greasy

majmún, -i *m zl* monkey; ape ♦ **~ërí, -a** *f kq* monkey tricks; aping; mimicry ♦ **~ór, -e** *mb bl* simian

majolík/ë, -a *f* majolica

majonéz/ë, -a *f gjll* mayonnaise

majór, -i *m ush* major: **gjeneral ~** major general

májt/as *nd* (on, to the) left: **kthehem ~** turn left ♦ **~t/ë (e)** *f* left; left hand ♦ **~ë (i e)** *mb pl* left(ist) ♦ *em* left (hand, foot) ♦ **~íst -i** *m* leftist ♦ **~íst, -e** *mb* leftist ♦ **~íz/ëm, -mi** *m* leftist views

majúc, -i *m* tip; point: **kësulë me ~** pointed cap ♦ **~e** *mb* pointed **mjekër ~** pointed beard

makará, -ja *f tk* windlass; pulley

makaróna, -t *f sh* pasta

makét, -i *m* model; rough-cast; dummy *(of an aircraft)*

makiavel:ík, -e *mb* Machiavellian ♦ **~íz/ëm, -mi** *m* Machiavelli(ani)sm

makijázh, -i *m* make-up: **bëj ~** make up one's face

makin/erí, -a *f* machinery; machine; engine: **~ të rënda** heavy-duty machinery; **sallë e ~ve** engine room ♦ **~/ë, -a** *f* machine; engine; car, automobile: **~ë e mishit** meat grinder; **~ë rroje** safety razor; **~ë shkrimi** typewriter; **~ë garash** racing car; **rrugë ~ash** motor road ♦ **~íst, -i** *m hk* engine-driver; *am* engineer; *dt* ship's engineer

makro:ekonomí, -a *f* macro-economics *(me folje në njëjës)* ♦ **~ekonomík, -e** *mb* macro-economic

makrós/ë, -a *f* moss; *an* placenta; ear's wax

máksi *mb, em* maxi (dress) ♦ **~mál, -e** *mb* maximum *(load);* extreme; utmost: **lartësi ~e e fluturimit** *av* flight ceiling ♦ **~e, -ja** *em* maximum ♦ **~imúm, -i** *m* maximum; *dr* extreme penalty: **~ i**

shpejtësisë top speed ♦ **~múmi** *nd:* **~** njëqind vetë one hundred people at the most

makth, -i *m* nightmare; incubus; *fg* chimera

makút, -i *m* grabber; greedy-guts ♦ **~, -e** *mb kq* greedy ♦ *em* grabber ♦ **~ërí, -a** *f* greed(iness); gloat

mal, -i *m* mountain; mount: **M~i i Zi** *gjg* Montenegro; **më bëhet zemra ~** be mighty pleased; **varg ~esh** mountain chain ♦ **~acák, -u** *mb* mountaineer; person living in the mountains

Malajzí, -a *f gjg* Malaysia ♦ **m~ian, -e** *mb* Malaysian ♦ **~i** *mb* Malaysian

malazéz, -e *mb* Montenegrin ♦ **~, -i** *mb* Montenegrin

malári/e, -a *f nj mk* malaria

malc:ím, -i *m* inflammation; festering *(of a wound)* ♦ **~/óhet** *vtv* **~/ój** *kl* inflame; fester; irritate *(a wound)* ♦ **~úar (i, e)** *mb* inflamed; festered *(wound)*

mal:ësí, -a *f* highland; high country; *prmb* highlanders ♦ **~ór, -i** *m* highlander; mountaineer ♦ **~ësór, -e** *mb:* **grua ~re** woman highlander ♦ **~ësorçe** *nd* in the highlander fashion ♦ **~ók, -u** *m kq* bumpkin; boor; rough-neck ♦ **~ór, -e** *mb:* **peizazh ~** mountain scape ♦ **~ór/e, -ja** *f em* steep; uphill: **~e e fortë** a steep climb

Mált/ë, -a *f gjeg* Malta ♦ **~éz, -e** *mb* Maltese ♦ **~éz, -i** *m* Maltese

malukát, -i *m bs* monster

mall, -i¹ *m* nostalgia; longing: **kam ~ për dikë** miss sb: **~i për shtëpinë** homesickness

mall, -i² *m ek* merchandise; goods; commodity: **anije/ tren ~rash** cargo ship/ freight train; **~ i keq** shoddy goods; *bs* ugly customer; **çfarë ~i është?** what stuff is he made of?

mallëngj/éhem *vtv* ♦ **~/éj** *kl* touch; move ♦ **~ím, -i** *m* emotion ♦ **~/ýer (i, e)** *mb* moved; touched ♦ **~/ýes, -e** *dhe* **~/ýesh/ëm (i), -me (e)** *mb* moving; touching; soul-stirring

mallk:ím, -i *m* imprecation; curse; malediction; perdition: **më zë ~imi** lie under a curse ♦ **~/óhem** *ps:* **~uar qoftë!** a curse on it!; damn!; blast! ♦ **~/ój** *kl* curse; imprecate; *ft* excommunicate: **~oj ditën kur** curse/ rue the day when ♦ **~úar (i, e)** *mb* cursed; accursed; damned

mallót/ë, -a *f vj* woollen (over)coat

mallúar (i, e) *mb* homesick; nostalgic

mam:á, -ja *f* mammy; mom; ma: **çun i ~së/ djalë ~aje** tender-foot; soft boy ♦ **~i** *f nj* mummy; mom

mamí, -a *f* midwife

mamúz, -i *m* spur: **shpoj kalin me ~e** spur a horse

man, -i *m bt* mulberry (tree, fruit): **~a toke** wild strawberries

manaférr/ë, -a *f bt* blackberry *(bush, fruit)*

manár, -i *m* pet animal

manastír, -i *m* monastery; friary; nunnery

Mançurí, -a *f gjg* Manchuria ♦ **m~án, -e** *mb* Manchurian ♦ **m~án, -i** *m* Manchurian

mandarín/ë, -a *f bt* mandarin(e)

mandát, -i *m dr* warrant *(of arrest); pl* mandate

mandát/ë, -a *f bs* news of woe: **i ardhtë ~a!** a curse on him!

mandéj *nd:* **~ ai tha** then he said

mandolín/ë, -a *f mz* mandolin(e) ♦ **~íst, -i** *m* mandolin(e) player; mandolinist

manekín, -i *m* mannequin; tailor's dummy

mangá/ll, -lli *m* brazier

mangán, -i *m km* manganese ♦ **~éz, -i** *m km shih* **mangan, -i**

mangë:sí, -a *f* shortage; scarcity; deficiency ♦ **~t (i, e)** *mb* short; deficient; incomplete; *bs* deficient, moron, half-wit: **e jap peshën të ~ët** give short weight ♦ **~t** *nd:* **më del llogaria ~ët** be out in one's reckoning; **kam një dërrasë ~ët** have a screw loose; **s'i lë gjë ~ët punës** do sth brown

maní, -a *f mk* mania; *fg* fad (for): **~a e persekutimit** persecution mania ♦ **~ák, -e** *mb mk* maniac(al): **është ~ak për** he is a fiend for

manifaktúr/ë, -a *f* manufacture: **~ e mëndafshit** silk manufacture; **~ për burra** men's wear

manifést, -i *m pl* manifesto ♦ **~ím, -i** *m* manifestation; expression; demonstration ♦ **~/óhet** *vtv, ps* ♦ **~/ój** *jkl* demonstrate ♦ *kl* manifest; show; express ♦ **~úes, -i** *m* demonstrator

manikýr, -i *m* manicure: **bëj ~manicure** ♦ **~íst, -i** *m* manicurist

manipul:ím, -i *m* manipulation; handling: **~im i zgjedhjeve** election rigging ♦ **~/óhem** *ps* ♦ **~/ój** *kl* manipulate

manivél/ë, -a *f tk* crank; handle: **i bíe ~ës** turn the handle

manométr/ër, -ri *m fz* manometer; pressure gauge

manóv/ër, -ra *f* manoeuvre; *ush* exercise: **~ra politike** political juggling ♦ **~ím, -i** *m ush* exercise; *fg* manoeuvring ♦ **~/óhet** *ps* ♦ **~/ój** *jkl* manoeuvre: **~oj për të fituar kohë** play for time ♦ **~úes, -i** *m* manoeuvrer ♦ **~úesh/ëm (i), -me (e)** *mb* manoeuvrable; manageable

manshét/ë, -a *f* shirt-sleeve cuff

mant:él, -i *m* mantle; cloak ♦ **~o, -ja** *f* mantle *(for women)*

manuál, -i *m* manual; handbook

manusháq/e, -ja *f bt* violet; *fg* blushing little girl

manjól/ë, -a *f bt* magnolia

maqedón:as, -e *mb* Macedonian ♦ **~as, -i** *m* Macedonian ♦ **~í, -a** *f gjg* Macedonia

maratón/ë, -a *f sp* marathon ♦ **~íst, -i** *m sp* marathon runner

maráz, -i *m bs* spite; envy; sadness; grief: **e kam ~ dikë** hate sb's sight (guts); **vdiq nga ~i** he died of grief/ a broken heart

mardh *jkl* be cold ♦ **~/ë, -a** *f* cold; chill; frost; hoarfrost; rime ♦ **~ur (i, e)** *mb* numb with cold

mareshál, -i *m ush* marshal; sergeant-major

margarín/ë, -a *f* margarine

marifét, -i *m bs* knack; trick; dodge: **do ~ kjo punë** it takes some skill to do it; **ia kuptoj ~in dikujt** get up to sb's tricks ♦ **~çí, -u** *m bs* contriver; schemer; trickster ♦ **~çí, -e** *mb* shifty

marihuán/ë, -a *f* marihuana; marijuana

marin:ár, -i *m* sailor; mariner; seaman ♦ **~/ë, -a** *f* navy: **~a tregtare** merchant navy; **~a e luftës** the navy ♦ **~ës, -i** *m ush* mariner

márk/ë, -a[1] *f* mark *(unit of currency)*

márk/ë, -a[2] *f* brand; trade-mark; trade name; sort: **~ë duhani** brand of tobacco; **deng pa ~ë** non-entity

marks:íst, -i *m pl* Marxist ♦ **~íst, -e** *mb* Marxist ♦ **~íz/ëm, -mi** *m pl* Marxism

markúç, -i *m* hosepipe

marmelát/ë, -a *f* marmalade

Marók, -u *m gjg* Morocco ♦ **~én, -e** *mb* Moroccan ♦ **~én, -i** *m* Moroccan

mars, -i *m* March

Mars, -i *m ast, mit* Mars ♦ **~ían, -e** *mb* Martian *(atmosphere)*

marsh, -i[1] *m mz* march: **~ funebër** funeral march

marsh, -i[2] *m tk* speed gear: **~ prapa** reverse gear; **me ~in e parë** at low gear ♦ *psth:* **para ~!** forward march! ♦ **~ím, -i** *m* march(ing): **në ~im en route** */raut/* ♦ **~/ój** *jkl* march; *fg* advance

martés/ë, -a *f* marriage; matrimony; wedlock; wedding: **lidh me ~ë** join in marriage; **i lindur jashtë ~ës** born out of wedlock ♦ **~ór, -e** *mb* matrimonial; conjugal

márt/ë, -a (e) *f* (të) Tuesday

martír, -i *m* martyr: **~ i lirisë** martyr the cause) of freedom ♦ *mb* martyred ♦ **~izím, -i** *m* martyrisation; raising to martyrdom ♦ **~iz/óhem** *vtv, ps* ♦ **~iz/ój** *kl* martyr

mart:óh/em *vtv, ps* ♦ **~/ój** *kl* marry; *bs* sell; get rid of *(sth useless); bs* lose: **~oj vajzën me dikë** marry one's daughter to sb; **s'di ku i ~ova syzet** I seem to have lost my glasses ♦ **~úar (i, e)** *mb, em* married; wedded: **burrë i ~uar** married man

marúl/e, -ja *f bt* lettuce

marr *kl* **móra, márrë** take in/ out/ off/ away; carry away/ off/ along; fetch; receive; get; obtain; *v iii* consume; hire; rob *(sb of sth);* capture; shorten *(one's hair);* begin, start; catch *(a cold);* contract *(a disease); bs* detain; *bs* mistake/ mix up with *(sb);* follow *(a direction);* board *(the train, etc.); v iii fg* take on; assume: **~ fjalën** take the floor; **~ me të keq dikë** stroke sb the wrong way; **~ me vete** take along; **~ mendimin e dikujt** consult sb's opinion; **~ në krahë dikë** take sb in one's arms; **~ nëpër gojë dikë** slander sb; **~ një mësim të mirë** get a good lesson; **~ qytetin** capture the town; **~ shënim diçka** take note of sth; **~ tatëpjetën** go downhill/ down the drain; **~ veten** recover; pick up; **e ~ më qafë dikë** ruin sb; **e ~ në sy diçka** make light of sth; **e mora lirë i** had it cheap; **e mora për të vëllanë** I mistook him for his brother; **e mori lumi** it went down the drain; **i ~ erë diçkaje** smell sth; **ia ~ anën diçkaje** get the hang of sth; **ia ~ një kënge** take up a song; begin to sing; **merr dheun** spread like wildfire; **sa merr në muaj?** how much do you earn in a month?; **salla merr 100 vetë** the room can accommodate (seat); **të ~sha të keqen/ të ligën/ të ligat!** be a darling!; **të ~të e mira!** God bless you! ♦ *jk/* take; *bs* go; follow *(a direction)*; turn; begin; *v iii bs* hold, accommodate; *v iii* go off; catch *(fire)*; *v iii* mate *(of animals):* **~ dállgët** get one's dander up; **~ frymë** breathe; inhale; **~ fuqi nga** derive one's strength from; **~ fushave** cut across the fields; **~ gjallëri** be enlivened; **~ kot** fly off the handle; take on airs; **~ majtas** turn (to the) left; **~ një sy gjumë** have forty winks; **~ përpjétë/ tatëpjetë** go uphill/ downhill; **~ shpirt** be enlivened; **~ vesh** hear/ learn sth; **~ vesh nga diçka** have a smattering knowledge of sth; **~ zemër** take heart; make bold; **~ zjarr** fly into a passion; **ka ~ë nga i ati** he has taken after his father; **merr fund** come to an end; **merr hark** arch; **merr shumë kohë** take a long time; **more vesh?** *s/* savvy?; **mori zjarr shtëpia** the house caught fire; **s'~ vesh** refuse to obey; **s'ma merr mendja** I don't believe it; **ta merr mendja!** certainly! ♦ *si folje ndihmëse* begin; make as if: **~ të dal** make towards the exit: **jap e ~**bustle about; hustle and bustle; strive hard; **jap e ~ me këmbë e me duar** gesticulate largely

marra:méndj/e, -a *f* vertigo; dizziness; giddiness ♦ **~ménth, -i** *m* vertigo; dizziness ♦ **~ménthi** *nd* dizzily; giddily

márrë *pjs e* **marr**

márrë (i, e) *mb* mad; crazy; thoughtless; furious *(wind, etc.)*

marrëdhëni/e, -ja *f* relations; relationships; affair

márrës, -i *m* receiver; consignee *(of goods); tk (telephone)* handset; recipient ♦ **~, -e** *mb* receiving *(set)*

marrëvéshj/e, -a *f* agreement: **~e dypalëshe** bilateral agreement; **~e e fshehtë** collusion; connivance

marr:ëzí, -a *f nj* madness; insanity; **lëri ~të** stop being foolish ♦ **~ëzísht** *nd:* **dua ~ dikë** be madly in love with sb ♦ **~í, -a** *f* craziness; insanity

márrj/e, -a *f* (in-)take; take-over; capture; seizure; *rtv* reception

marr/óhem *vtv* go mad; become crazy ♦ **~lój²** *kl* madden; drive mad; make crazy ♦ **~ós** *kl* madden; drive mad ♦ **~ós/em** *vtv* go mad; become

insane; be crazy; *fg* be furious; (go into a) rage; *fg* dote on: **~em pas dikujt** be crazy for sb; **mos u ~e?** are you crazy? ♦ **~ósj/e, -a** *f* maddening; craziness ♦ **~ósur (i, e)** *mb* mad; crazy; insane

masák/ër, -ra *f* massacre; slaughter ♦ **~rím, -i** *m* massacre; ♦ **~lóhem** *vtv, ps* **~r/ój** *kl* -óva –úar massacre; slaughter; butcher

masázh, -i *m* massage; rub(bing) ♦ **~atór, -i** *m* masseur ♦ **~e, -ja** *f* masseuse

más/ë, -a¹ *f* measure; size; *fg* limit; *fg* yardstick; *mz* time; metre: **~ë e zakonshme** regular size; **e kaloj ~ën** go beyond the limit; **me ~ë** moderately

más/ë, -a² *f* measure; step; punishment; penalty: **~a gjysmake** half(-spirited) measures; **~ë mbrojtëse** safeguard

más/ë, -a³ *f* measure; large quantity; *sh* masses of people; *el* earth, short circuit: **parti e ~ave** party with an appeal to the masses; **bën ~ë** *el* short circuit

masív, -i *m gjg* massif; large mass ♦ **~, -e** *mb* massive; *(political movement)* of the masses; heavy; solid: **ar ~** solid gold ♦ **~itét, -i** *m* mass character *(of a movement)* ♦ **~izím, -i** *m* becoming massive, becoming widespread *(of a movement)* ♦ **~izóhet** *vtv, ps* ♦ **~iz/ój** *kl* give a mass character to *(a political movement)*

maskar/á, -ai *m kq* scoundrel; rascal; scumbag ♦ *mb* scoundrelly; rascally

maskarád/ë, -a *f* masquerade

maskarallë/k, -ku *m bs* dirty trick

másk/ë, -a *f* mask; features; face: **~ë kundërgaz** gas mask ♦ **~ím, -i** *m ush* masking; camouflage; fancy dress(ing) ♦ **~lóhem** *vtv, ps* ♦ **~lój** *kl* mask; put a mask on; *fg* disguise; *usht* camouflage *(a gun, etc.)* ♦ **~úar (i, e)** *mb* masked; *fg* disguised; *ush* camouflaged

masón, -i *m* (free)mason ♦ **~erí, -a** *f* (free)masonry

mastík/ë, -a *f* chewing gum; ouzo

masúr, -i *m* bobbin; spool *(of yarn);* corncob *(used as a stopper)*

mashallá *psth bs* bless God ♦ *nd:* **me shëndet është ~** he is ship-shape

másh/ë, -a *f* tongs; hair pin; *kq* cat's paw; blind tool

máshkull, -i *m sh* **méshkuj, méshkujt** male: **~ dhe femër** male and female; *tk* tongue and groove connection; **fytyrë ~i** masculine face; **skuadra e meshkujve** men's team ♦ **~ór, -e** *mb* male; virile; *bt, b/* unproductive *(plant, being); gjh* masculine: **seksi ~** the male sex; **forcë ~e** virile strength; virility; **gjini ~e** *gjh* masculine gender ♦ **~ór/e, -ja** *f gjh* masculine gender

mashtráp/ë, -a *f* jug; mug

mashtr:ím, -i *m* deceit; fraud; imposture; cheating ♦ **~lóhem** *ps* ♦ **~lój** *kl* deceive; cheat; swindle; seduce ♦ **~úar (i, e)** *mb* deceived; cheated;

swindled; seduced ✦ **~úes, -i** *m* deceiver; fraud; cheat; swindler; seducer

mashúrk/ë, -a *f bt* snap bean

mat (mas) *kl* measure; *fg* weigh up; evaluate; estimate; size up: **~ nga koka në këmbë** look sb up and down; **~ fjalët** weigh one's words

mat, -i *m* checkmate: **e zë/e bëj ~ dikë** checkmate sb

mat:áne *nd* next; across: **në dhomën ~** in the next room ✦ *prfj:* **~ lumit** across the river; **~ detit** overseas

matar:ím, -i *m :* **~ i shtëpisë** house-keeping ✦ **~/óhet** *ps* ✦ **~/ój** *kl* arrange; settle *(one's children in life)*; keep *(house)*

mát/em *vtv* measure oneself; *fg* contend with; compete; be about/ begin to; be wary/ careful/ cautious; *ps:* **s'~em dot me të** not to be a match for sb; **~et të bjerë shi** it looks like raining; **~em mirë** be wary

matematík, -e *mb* mathematical ✦ **~án, -i** *m* mathematician ✦ **~/ë, -a** *f* mathematics *(me folje në njëjës)* ✦ **~ór, -e** *mb* mathematical

materi:ál, -i *m* material; stuff: **~ ndërtimi** building material ✦ **~ál, -e** *mb* material; mundane: **botë ~e** material world ✦ **~alíst, -i** *m* materialist; earthbound ✦ **~alíz/ëm, -mi** *m fil* materialism ✦ **~alizím, -i** *m* materialisation; substantiation ✦ **~alizóhet** *vtv, ps* ✦ **~iz/ój** *kl* materialise; substantiate ✦ **~le, -a** *f fil* matter; *km* substance

maternitét, -i *m* maternity hospital

mát:ës, -i *m* measure; gauge; metre: **~ i gazit** gas metre ✦ **~ës, -e** *mb:* **aparat ~** measuring instrument ✦ **~j/e, -a** *f* measurement; measure: **njësi ~eje** unit of measure

mátk/ë, -a *f* queen-bee; brood-hen

matrapáz, -i *m bs* wheeler and dealer; tout ✦ **~llë/k, -ku** *m* wheeling and dealing

matriark:ál, -e *mb* matriarchal ✦ **~át, -i** *m hst* matriarchate

matríc/ë, -a *f tk* matrix: **~e me pika** dot matrix

matríku/ll, -lli *m* register; regimental roll; identification tag

mátsh/ëm (i), -me (e) *mb* measurable

matúf, -i *m* dotard; gaga ✦ **~, e** *mb* besotted; dull; slow-witted ✦ **~éps** *kl shih* **matufós** ✦ **~ós** *kl* (make) dull ✦ **~ósem** *vtv* become dull; grow green with age; go gaga; *ps* ✦ **~ósj/e, -a** *f* dotage ✦ **~ósur (i, e)** *mb* dull; green with age

mátur (i, e) *mb* measured; moderate; cautious: **me hapa të ~** with deliberate steps

matur:ánt, -i *m* middle/ high school graduate ✦ **~/ë, -a** *f* middle school final examinations; *prmb* secondary/ high school graduates; alumni ✦ **~í, -a** *f* moderation; prudence; discretion: **tregoj ~** use discretion

maún/ë, -a *f* barge; lorry *ush-dt* lighter

mauzolé, -u *m* mausoleum

maví *mb bs* dark-blue; livid: **bëhem ~** turn blue/ livid *(with cold, etc.)* ✦ *em* dark-blue colour ✦ **~j/ós** *kl bs* make blue/ livid *(with cold, with rage)* ✦ **~jósem** *vtv bs* turn blue/ livid *(with cold, with rage)* ✦ **~jósur (i, e)** *mb* livid

máz/ë, -a *f* skim; cream; veil *(over the eyes)*

mazgáll/ë, -a *f* breach *(in the wall)*; crack; niche *(by the fireside)*

mazít *kl* skim *(milk)* ✦ **~et** *ps* ✦ **~ur (i, e)** *mb* skimmed *(milk)*

mazok:íst, -i *m* masochist ✦ **~íst, -e** *mb* masochistic ✦ **~íz/ëm, -mi** *m* masochism

mazúrk/ë, -a *f mz* mazurka

mbá/hem *vtv* support/ sustain oneself; catch at, hold on; *v iii* subsist; resist; be well (off); refrain from; keep to; *fg* pose/ pass oneself off as; *v iii* be held/ convened *(of a conference)*; *ps:* **~hej si i mençur** he posed as a wise man; **~hem gjallë** subsist; keep alive; **~hem me shkop** support oneself on a stick; **~hem me të madh** put on great airs; **~hem në një qime/ fije** hang on a thread; **a ~hesh?** how are you?; **më ~het goja** stammer; **s'u ~jta pa qeshur** I couldn't help laughing; **s'ka ku të ~het** it hasn't a leg to stand on ✦ **~j** *kl* keep; hold; support; carry; fetch; wear; stop; keep/ refrain from; hold back; prevent; *v iii* keep *(the fruit, the young)*; provide for; take care of; *fg* consider; *bs* hold, keep *(the drink)*; *bs* ask *(a price for sth)*; *fg* maintain; withhold *(sth from sb's salary):* **~ bletë** raise bees; **~ ditar** keep a diary; **~ dorën** use sparingly; be careful with one's money; **~ dorën!** hold your hand!; **~ fjalën** keep one's word/ promise; **~ flamurin** carry the banner; be notorious; **~ frymën** hold one's breath; **~ gojën!** hold your tongue!; **~ kreshmë** keep Lent; **~ lotët** hold back one's tears; **~ makinën** stop/ maintain the car; **~ mend** remember; **~ në krahë dikë** hold/ carry sb in one's arms; **~ një hotel** run a hotel; **~ shënim** take note; **~ shtëpinë** provide for/ be the breadwinner of the family; **~ size** wear spectacles; **~ vendin!** don't interfere!; **~ vesh** listen; **~ veten** get a hold/ grip of oneself; earn one's keep; **e ~ si njeri të mirë** consider sb to be a good man; **kjo mollë nuk ~n** this apple is a bad keeper; **nuk ma ~n xhepi** be unable to afford sth; **s'kam nga ia ~** have no alternative; be at a loss ✦ *jkl* continue *(in a direction)*; start; *v iii* keep; last; *v iii* be nourishing; *v iii* take up: **~ inat me dikë** bear sb a grudge; **ia ~ djathtas** turn/ keep going right; **ma mban** be game for sth; have the guts; have the nerve; **makina mban katër vetë** the car can seat four; **moti do të ~ë** the good weather will last; **s'di nga t'ia ~** lose one's bearings; be at a loss; **ushqim që të ~n** solid food ✦ *pvt bs* be fine *(of weather)* ✦ **~tës, -i** *m* bearer;

carrier; bread-winner *(of a family);* keeper; support; prop; *mk, bl* carrier *(of germs):* **~tësi i flamurit** flag-bearer ♦ **~tës, -e** *mb* supporting *(wall, etc.)* ♦ **~tës/e, -ja** *f* support; post; prop; strut *(of a bridge);* *mek* brace; stand; rack; box: **~tëse lulesh** flower stand; **~tëse pjatash** dish-rack ♦ **~tj/e, -a** *f* holding *(of a conference, of a speech, etc.);* bearing; carrying *(of arms);* maintenance *(of relations):* **~tje e sendeve të vjedhura** receiving stolen goods ♦ **~tur, -i (i)** *m* cripple ♦ **~tur (i, e)** *mb* well-kept; in good shape; second-hand *(clothes, etc.); bs* controlled; self-possessed: **plak i ~tur** an old man in good shape ♦ *em* cripple

mballomatár, -i *m bs* cobbler; shoe-repairer ♦ **~óm/ ë, -a** *f bs* patch *(on mended shoes);* vamp ♦ **~ós** *kl bs* patch; cobble; vamp *(shoes, etc.); fg* slobber; patch up clumsily; fudge; tinker; *fg* shift, load *(the blame on to sb)* ♦ **~óset** *ps* ♦ **~ósur (i, e)** *mb bs* cobbled; patched; vamped; slobbered

mbánë *nd:* **dal ~** get across; **ia dal ~** be through with sth; be successful with sth ♦ *prfj:* **~ lumit** by the river; **dal me not ~ lumit** swim across the river

mbarés/ë, -a *f gjh* ending; extremity; terminal

mbár/ë, -a *f:* **kafshë për ~** remount stock

mbár/ë, -a (e) *f up/* right side; good(ness): **e ~a e qilimit** right side of the carpet; **të priftë e ~a!** good luck (to you)! ♦ **~ë, -t (të)** *as* right side; right way *(of doing sth):* **i vihem për së ~i punës** put one's right hand to the task ♦ **~/ë (i, e)** *mb f* right; lucky; good; favourable; *fg* happy *(day):* **ana e ~ë e stofit** the right sight of the stuff; **bëhu djalë i ~ë!** be a good boy!; **puna e ~ë!** God speed your work!; **rruga e ~ë i qoftë!** *t/l* good riddance; **filloj me këmbë të ~ë** put one's best foot forward ♦ **~ë** *nd* right; on the right side; well; in good order: **e kthej ~** turn the right side up; **e filloj ~** have a good start; **kur të më bëhet ~** when I feel like it; **flas ~ e prapë** speak at random ♦ **~ë** *pkf:* **~ vendi** the whole country; **bota ~ e di** it is general knowledge ♦ **~ësí, -a** *f* good luck; forwardness: **sjell ~** bring good luck ♦ **~ësísht** *nd* luckily; fortunately ♦ **~ës/óhem** *vtv* be righted; *v iii* begin well; *ps:* **u ~ua puna** things were going right ♦ **~ës/ój** *kl* right; put on the right road

mbarështím, -i *m* stock-raising/ farming; running; administration ♦ **~shtóhet** *ps* ♦ **~sht/ój** *kl* raise; farm *(sheep, etc.);* govern: **~oj shtëpinë** keep house ♦ **~vájtj/e, -a** *f* progress; advance

mbar:ím, -i *m* end; finish; termination: **nga fillimi në ~** from beginning to end; from start to finish; **fillim e ~** completely ♦ **~lóhem** *vtv v iii* be completed/ finished; end; *v iii* be exhausted; be finished; run out of *(food); v iii* be due; be consumed *(with a disease); ps* : **u ~uan ushqimet** run out of food; **~oi afati i pagesës** the payment is over-

due ♦ **~lój** *kl* end; finish; complete; terminate; come to an end; use up; carry out: **~oj shkollën** complete studies; **e ~oj një porosi** carry out an order; **~oj punë me dikë** be done with sb ♦ *jkl* end; be over/ through; *v iii bs* end; die out; *bs* pass away; pine after: **~oi zjarri** the fire is out; **~ova për një pikë ujë** be dying for a drop of water; **për sot ~uam** that's all for today; **~oj së ngrëni** finish eating; **~oj për drejtësi** graduate for law; **~ova me ty i** am through with you; **~oi shkolla** the school is over

mbars *kl vtr* cover; sire *(the mare, etc.);* make pregnant ♦ **~lem** *vtv v iii vet* be sired; be pregnant; *fg* be fraught *(with consequences)* ♦ **~ë** *mb* pregnant *(woman);* with young *(of animals)* ♦ **mbársj/ e, -a** *f* pregnancy; siring; covering

mbart *kl* carry; fetch; transport; *fin* carry *(a sum); fg* bear; have; cherish: **~ ujë** fetch water; **~ shtëpinë** move house **~ në shpinë** carry on one's back ♦ **~lem** *vtv, ps* ♦ **~ës, -i** *m* porter; carrier; bearer ♦ **~ës, -e** *mb* carrying: **aftësi ~e** transport capacity ♦ **~j/e, -a** *f* carriage; transport

mbarúar (i, e) *mb* finished, done *(work);* perfect; hopeless; ruined; used: **është punë e ~** it's as good as done; **mjeshtër i ~** past master; **është i ~** he's past hope

mbas *nd, prfj shih* **pas**

mbáse *pj* perhaps; maybe **~ vjen** maybe he'll come

mbath *kl* put on, wear *(shoes);* shoe *(a horse); bujq* earth up *(a tree, etc.); fg* load on: **~ fëmijët** dress and shoe the children; **~ të carat** caulk the cracks; **ia ~ këpucët dikujt** round upon sb ♦ *jkl* hasten away; be off: **ia ~ për në shtëpia** hurry home; **ua ~ këmbëve** show a clean pair of heels ♦ **~l em** *vtv, ps:* **u ~ e doli** he put on his shoes and went out ♦ **~ës, -i** *m* shoe-horn; farrier ♦ **~j/e, -a** *f* pants; trunks; slip; shoeing; *bjq* earthing up ♦ **~j/e, -et** *f sh* drawers; trunks; footwear ♦ **~tár, -i** *m* farrier ♦ **~ur (i, e)** *mb* shoed; shod *(horse):* **i ~ mirë** well-shoed ♦ **~ura, -t (të)** *f sh* drawers; trunks; panties: **të ~ të gjata** long-johns

mbel/s *jkl* remain; be left behind; get stuck; fail/ be floored *(in the exams);* keep *(saying sth):* **~s besnik** remain faithful; **~s i vrarë** fall *(in action);* **~s keq** be put out; be in an awkward situation; **~s pa gojë** remain speechless; **~tëm që të fillonim herët** we agreed to start early; **ku ~tëm?** where did we leave off?; **le të ~tet midis nesh** let it be said between us; **më ka ~tur ora** my watch has stopped ♦ *kl* floor *(a student)*

mbés/ë, -a *f* niece; grand-daughter

mbét/em *vtv, ps:* ♦ **~ës, -i** *m* failed student ♦ **~ës, -e** *mb* failing *(student); fz* residual *(magnetism, etc.)* ♦ **~j/e, -a** *f* leftovers; remains; *mat* rest; remainder; residue: **~et e tryezës** table ♦ **~ur (i, e)** *mb* remaining; unmarried *(girl);* residual: **mall i**

~ stock of unsold goods ♦ **~ura, -t (të)** *f sh* remains; leftovers; rest ♦ **~urín/ë, -a** *f* refuse; remains; vestige: **kuti e ~ave** garbage box; **~a industriale** industrial refuse

mbërth:éck/ë, -a *f* button(-hole); catch *(of the bracelet, etc.)*: **~a e këmishës** shirt-cuff button ♦ **~I éhem** *vtv* button oneself up; fasten *(on, onto);* nail oneself; stick to; be locked up *(in a fg ht);* ps: **u ~ye në vend** he was stunned; he was riveted to the ground ♦ **~I éj** *k/* button up; fasten; *fg* pin down; grip; catch; fit, assemble, put together; *fg* transfix; *veta iii* be seized *(with fear, etc.)*; be in the grip of: **~ej këmishën** button one's shirt; **~ej në kryq** nail up on the cross; crucify; **~ej pantallonat** button up/ do/ zip up one's trousers; **~ej për gryke dikë** grab sb by his throat; **~ej sytë** close one's eyes fast; die; **~ej vidhat** tighten the nuts ♦ **~ím, -i** *m* buttoning; fastening ♦ **~ýer (i, e)** *mb* buttoned up; fastened; zipped; assembled; fitted, assembled

mbërrí/j *jk/, k/* shih **arrij** ♦ **~tj/e, -a** *f* shih **arritj/e, -a** ♦ **~tsh/ëm (i), -me (e)** *mb* shih **arritsh/ëm (i), -me (e)**

mbështét (mbështés) *k/* lean; rest; *fg* support; prop up; back up; underpin; rely on: **~ shkallën pas murit** lean the ladder against the wall; **~ një mendim** uphold an opinion; **~ me fakte** sustain with facts; **~ shpresat te dikush** pin one's hopes on sb ♦ **~/em** *vtv, ps:* **u ~ në krah** he leaned on one side; recline; **~em për një sy gjumë** lie down for a nap; **~em te dikush** rely on sb; pin one's hopes on sb ♦ **~tës, -i** *m* supporter ♦ **~ës, -e** *mb* supporting; sustaining: **tra ~** *ndr* support(ing) beam ♦ **~ës/e -ja** *f* support; rest ♦ **~j/e, -a** *f* support; reliance: **~je e sigurt** reliable support; **në ~je të ligjit** on the basis of the ♦ **~ur (i, e)** *mb* reclined; reclining *(position);* based; well-based; grounded *(argument)* ♦ **~ur** *nd* in a reclining position

mbësht/íllem *vtv v iii* coil/ wind round; wrap oneself up; cringe *(with fear, etc.); ps:* **~em me shall** wrap oneself up in a shawl; **m'u ~oll diçka në grykë i** had a lump in my throat; **sillem e ~em** twist and turn ♦ **~/jéll** *k/* -**ólla, -jéllë** wind up; roll up *(a carpet, etc.)*; reel in *(the thread);* take in *(a film, a fishing line, etc.);* wrap up; *bs* pack; *fg* gather, call in *(troops);* round up *(animals);* crouch *(oneself up);* coat *(wire, etc.):* **~ me letër** wrap up with paper; **~i plaçkat!** pack up!; **~ mendtë!** come to your senses! ♦ **~jéll/ë (i, e)** *mb* wound up; rolled up; enveloped; wrapped up; coated: **tel i ~** coated wire ♦ **~jéllës, -i** *m* bobbin; take-up spool; *shih* **~jéllës/e, -ja:** **~ i filmit** film bobbin ♦ **~jéllës/e, -ja** *f* envelope; wrap; cover; coat(ing); jacket ♦ **~jéllj/e, -a** *f* wrapping; *kq* conference

mbi *prf* on; upon; above; upwards of; over; on the basis of; after: **rrëshqas ~ akull** skate on ice; **~ lumë** over the river; **~ ujë** above water; **~ pesëdhjetë** upwards of fifty; **~ të gjitha** above everything; **~ të gjithë** above all

mbiém/ër, -ri *m gjh* adjective; second name: **~ vajzërie** maiden name

mbijet:és/ë, -a *f* survival: **~ e më të mirit** survival of the fittest ♦ **~lój** *jk/* survive

mbikëqýr *k/* oversee; supervise ♦ **~lem** *ps* ♦ **~ës, -i** *m* overseer ♦ **~ës, -e** *mb* overseeing; supervising *(committee, etc.)* ♦ **~j/e, -a** *f* overseeing; surveillance; watch

mbi/j *jk/ bs* spring; turn/ pop up: **~j në derë** appear (suddenly) at the door ♦ **~/n** *jk/* -**u, -rë** grow; germinate *(of seeds):* **po i ~jnë dhëmbët** the child is cutting its teeth; **nga na ~ve kështu?** where did you spring from?

mbinatýrsh/ëm (i), -me (e) *mb*

mbingark:és/ë, -a *f dhe* **~ím, -i** overload ♦ **~óhem** *vtv, ps* ♦ **~ lój** *k/* overload; overburden

mbinjer:ëzor, -e *mb* superhuman ♦ **~í, -u** *m* superman

mbiprodhím, -i *m ek* overproduction

mbír/ë (i, e) *mb* germinated *(seed);* grown ♦ **~j/e, -a** *f* germination; growth

mbishkrím, -i *m* inscription; superscription; superscript

mbitokësór, -e *mb:* **ujëra ~** surface waters

mbivlér/ë, -a *f ek* surplus value ♦ **~ësím, -i** *m* overrating; overestimation; overpricing ♦ **~ës/óhem** *ps* ♦ **~verës/ój** *k/* overrate; overestimate; overprice

mbizotër:ím, -i *m* prevalence; predomination; supremacy ♦ **~lój** *jk/* prevail; predominate; *v iii* command ♦ **~úes, -e** *mb* prevailing; predominant; commanding *(position)*

mbjell *k/* **mbólla, mbjéllë** sow; plant *(a tree); fg* scatter; litter: **~ farën e sherrit** sow the seed of discord ♦ **~a, -t (të)** *f sh* sown land; sown field; sowing season ♦ **~/ë (i, e)** *mb* sown *(seed);* planted *(tree)* ♦ **~ës, -i** *m* sower; planter ♦ **~ës, -e** *mb* sowing *(mb)* ♦ **~ës/e, -ja** *f* drill; sowing machine ♦ **~j/e, -a** *f* sowing; planting; seed-time; sowing season

mblat *k/ fet* consecrate *(bread)* ♦ **~/ë, -a** *f ft* consecrated bread ♦ **~ës, -i** *m ft* consecration seal

mbledh *k/* **mblódha, mblédhur** gather/ put together; rally; collect, levy, raise *(taxes);* round up *(the sheep, etc.);* pick *(fruit, flowers); fg* muster, mobilise, call forth *(one's forces, one's strength);* wind *(a bobbin);* fold up *(the bedding);* pull in, draw back *(one's feet);* wrap up *(in a blanket, etc.); mt* add, sum up, totalise: **~ vullnetarë** call in volunteers; **~ pulla póstë** collect postage stamps; **~ buzët/ hundët** purse up one's lips; turn up one's nose *(at sth);* **ia ~ rripat dikujt** have the whip-hand over sb; **e ~ mendjen** make up one's mind; **~ supet** shrug; **~ veten** recover oneself ♦ *jk/ v iii* gather; come to a head, suppurate *(of a wound)* ♦ **~ës, -i** *m* collector; gatherer; gleaner; picker; *mat* term *(of an addition)* ♦ **~ës/e, -ja** *f* adding machine ♦ **~j/e, -a** *f* collection *(of taxes, etc.);* gathering, picking *(of fruit, of the harvest);* gathering; meeting; *mat* addition: **sallë ~esh** conference room ♦ **~sh/ëm, -mi (i)** *m mt* term *(of an addition)* ♦ **~ur (i, e)** wrapped up; *fg* folded up *(with pain);* *fg* obedient; stay-at-home *(husband):* **me mendje të ~** with one's mind at rest ♦ **~ur** *nd* in a crouched position; folded up *(with pain)*.

mbles, -i *m* go-between; match-maker ♦ **~ërí, -a** *f* match-making ♦ **~ëtár, -i** *m* go-between

mblídhem *vtv* **mblódha (u), mblédhur** gather together; rally; *v iii* meet, be convened *(of a conference);* crouch; fold up *(with pain);* *v iii* shrink *(of material);* wrap oneself up; *fg* settle down; steady *(in life);* *ps:* **~i në shesh** come together at the square; **s'kam me kë të ~em** have no one to stay with; **m'u mblodh diçka në grykë i** had a lump in my throat; **më ~et litari** be at the end of one's shifts

mbllaçít *k/* chew; munch; masticate; *fg* mumble; stammer; ruminate ♦ **~em** *vtv e* **mbllaçit: mos u ~!** do not mince your words ♦ **~j/e, -a** *f* chewing; munching; mastication; crunch

mbólla *kr thj e* **mbj/ell**

mbrapsht *nd* inside out; back side up; face down; back(wards); amiss; wrong: **i vesh ~ çorapet** put the socks on inside out; **shkoj ~** move backwards; **e marr ~ diçka** take sth amiss; **mbarë e ~** without rhyme or reason ♦ **~/ë (i, e)** *mb* self-willed; wayward; mischievous *(child);* perverse: **zakon i ~ë** a bad habit ♦ **~í, -a** *f* wrong; misdeed; mischief: **bëj ~** make mischief ♦ **~ím, -i** *m* repulsion; push-back; wrong-doing; mischief ♦ **~lóhem** *vtv* withdraw; retreat; go wrong; *ps* ♦ **~lój** *k/* repulse; repel

mbreh *k/* harness *(a horse);* yoke ♦ **~lem** *vtv, ps e* **mbreh**

mbrés/ë, -a *f* scar; trace; imprint; *fg* impression: **~at e gishtërinjve** fingerprints

mbret (mbres) *k/* hurt; bruise ♦ **~lem** *vtv* hurt oneself/ bruise oneself; *v iii* suppurate; gather *(of a wound)*

mbret, -i *m* king: **~i i kafshëve** the king of animals; **përralla me ~** cock-and-bull story ♦ **~ërésh/ë, -a** *f* queen ♦ **~ërí, -a** *f* kingdom; realm; *fg* realm; domain: **~a shtazore** the animal kingdom ♦ **~ërím, -i** *m* reign; kingship ♦ **~ër/ój** *k/* reign ♦ **~erór, -e** *mb* royal; regal

mbrëm:a *nd:* **dje ~** last evening/ night; **nesër ~** tomorrow evening/ night ♦ **~ë** *nd:* **~ nuk fjeta i** could not sleep last night ♦ **~j/e, -a** *f* evening; even-

tide; evening party: **shkollë e ~es** evening school; **ylli i ~es** *ast bs* Venus ♦ **~sh/ëm (i), -me (e)** *mb* last night's; of the night before

mbró/hem *vtv, ps* **~hu!** on your guard!; **~em nga të ftohtët** shelter from the cold ♦ **~j** *k/* defend; protect; vindicate: **~j me trup dikë** shield sb with one's body; **~j dikë në gjyq** plead for sb in court ♦ **~tës, -i** *m* defender; champion; advocate; supporter; *sp* defence, back ♦ **~jtës, -e** *mb:* **luftë ~e** defensive warfare; **avokat ~** council for the defence ♦ **~jtës/e, -ja** *f* shield; shelter ♦ **~jtj/e, -a** *f* defence; protection; safety; vindication *(of a theory, etc.);* *dr* (council for the) defence: **i dal në ~e dikujt** stand in sb's defence, side with sb ♦ **~jtsh/ëm (i), -me (e)** *mb* defensible; tenable *(theory)* ♦ **~jtur (i, e)** *mb* protected; shielded; sheltered; defended

mbroth *nd:* **punët venë ~** things are going smoothly ♦ **~ësí, -a** *f bs* progress; prosperity

mbrú/hem *vtv, ps* ♦ **~j** *k/* knead, mix *(dough, etc.);* *fg* form, shape *(sb's character):* **kështu është ~jtur ai** that's the stuff he is made of ♦ **~jtj/e, -a** *f* kneading; mixing *(pasta, dough);* *fg* shaping; formation *(of one's character)* ♦ **~jtur (i, e)** *mb* mixed; kneaded *(dough, etc.);* *fg* moulding; shaping; formation *(of character)*

mbrus *k/:* **e ~ me të mira dikë** shower favours on sb ♦ **~lem** *vtv v iii* be filled; cram/ ply oneself with *(food, etc.);* *ps*

mbrydh *k/* soften; squash *(fruit)* ♦ **~et** *vtv, ps* ♦ **~ët (i, e)** *mb* softened; squashed *(fruit)*

mbudh *k/* meet; come across; show the way; put on the right road; initiate *(a novice)* ♦ **~lem** *vtv, ps*

mbufát (mbufás) *k/ bs* puff up; bloat; swell; inflate: **~ faqet** puff up one's cheeks; **~ barkun** have a belly full ♦ **~lem** *vtv e* **mbufat: u ~ buka** bread rose ♦ **~j/e, -a** *f* swell(ing); bloat ♦ **~ur (i, e)** *mb* swollen *(eyes)*

mbul:és/ë, -a *f* cover; (bed)spread; roof(ing); jacket *(of a book fg* disguise; *fn* cover(age) *(for a currency):* **~ë e tavolinës** table cloth; **shtresë e ~ë** bedding and cover ♦ **~ím, -i** *m* cover(ing); cover-up; coverage ♦ **~lóhem** *vtv, ps:* **qielli u ~ua me re** the sky was overcast ♦ **~lój** *k/* cover; coat *(with paint);* overwhelm; shower with; shield: **~oj fytyrën me duar** cover one's face with one's hands; **~oj një skandal** cover up a scandal ♦ **~úar (i, e)** *mb* covered; sheltered; roofed *(building);* overcast *(sky):* **thëngjill i ~** slyboots; tricky person

mburój/ë, -a *f* shield; *ush* breast-work *(of a trench);* shell *(of a turtle)*

mburr *k/* praise; talk up ♦ **~acák, -u** *m* boaster; bravado ♦ **~acák, -e** *mb* boastful ♦ **~avéc, -i** *m kq* boaster; braggart; blow-hard ♦ **~em** *vtv, ps* ♦ **~ësí, -a** *f* boasting; bragging; self-importance;

vainglory ♦ **~j/e, -a** *f* boasting; bragging; pride: **~a e kombit** the pride of the nation

mbush *kl* fill; stock; store *(a cellar, etc.);* stuff, pad *(a jacket);* **gjell** farce; stop, plug *(a tooth cavity, etc.);* caulk *(a crack);* charge, load, prime *(a firearm);* crowd *(a room, etc.);* silt up; earth up *(an embankment, etc.);* fill in *(a form);* **fg** fulfil, satisfy; achieve; *fg* imbue: **~ barkun** fill one's tummy; **~ buzë më buzë** fill to the brim; **~ dëshirën** satisfy one's desire; **~ kokën** cram one's head *(with fact, etc.);* **~ me shpresë** fill with hope; **~ një gotë ujë** pour a glass of water; **e ~ kupën** fill the cup *(to overflow*ing*);* **e ~ me rrena dikë** tell sb a pack of lies; **ia ~ mendjen dikujt** convince sb ♦ *jkl bs* run; hasten: **ia ~ për në shtëpia** hasten home ♦ **~lem** *vtv v iii* fill up; be stuffed/ loaded/ crammed; *v iii* be completed; be/ fall due; have had enough; *v iii bs* be fulfilled *(of a desire, of a wish);* wax *(of the moon):* **nesër ~et afati i pagesës** payment is due tomorrow; **jam ~ur gjer në fyt** be fed up; **nuk i ~et koka** he is hard to convince; **~u!** get stuffed! ♦ **~ës, -i** *m tk* filler *(of a bottling plant);* ush loader *(of a gun)* ♦ **~ës, -e** *mb* filling; loading *(mach*in*e)* ♦ **~ës/e, -ja** *f* filling machine; filler ♦ **~j/ e, -a** *f* filling; stuffing; stopping; *ush* charge *(of a shell, etc.);* gjll stuffing *(of turkey, etc.);* filling, plug *(of a tooth):* **~e bërthamore** nuclear warhead ♦ **~ur (i, e)** *mb* filled; full; stuffed; padded; caulked; stopped *(crack);* loaded *(weapon);* fulsome *(cheeks, lips, etc.);* dumpy; crammed

mbut/óhet *ps* ♦ **~lój** *kl* stop; stopper; bottle: **~ shishet** cork bottles

mbyll *kl* shut; close; block; switch/ turn off *(a machine);* **fg** end; bring up; terminate, conclude: **~ derën/ shtëpinë** close down the house; **~ kufirin** seal the border; **~ mbledhjen** wind down the conference; **~ me çelës** lock *(a door, a drawer, etc.);* **~ një sy** turn a blind eye to; **~ rrugët** block the roads *(to traffic);* **~e gojën!** shut up!; **e ~ brenda dikë** lock sb in; **sa çel e ~ sytë** in a wink; in a bat of the eye ♦ **~as** *dhe* **~azi** *nd shih* **~ur** ♦ **~asýzash** *nd* with blindfolded eyes: **luaj ~** play hide-and-seek ♦ **~ lem** *vtv, ps:* **~em brenda të katër mureve** confine oneself within the four walls *(of the house);* **më ~en sytë për gjumë** my eyes are heavy with sleep; **nuk i ~et goja** he will not shut up ♦ **~ët (i, e)** *mb shih* **myllur: vend i ~** isolated country; remote place; **njeri i ~** stand-offish person ♦ **~j/e, -a** *f* closing; shutting; locking; barring *(of a door, etc.);* conclusion *(of a conference);* restraint *(of a criminal, etc.);* reclusion ♦ **~ur (i, e)** *mb* closed; shut; locked up; shut isolated *(country);* blocked *(road);* turned/ switched off *(light, etc.);* closed *(circle);* secluded *(life);* dark *(colours);* overcast *(sky):* **derë e ~** closed door; **zarf i ~** sealed envelope; **me dyer të ~a** behind closed doors ♦ **~ur** *nd:* **e mbaj ~ gojën** keep one's mouth shut; **me sy ~** blindly; blindfolded

mbyt (mbys) *kl* strangle; suffocate; smother; stifle; drown; sink, send down *(a ship);* saturate; soak, drench; *v iii* flood; overgrow; shout down *(a speaker);* drown *(a protest, etc.);* muffle *(a sound);* suppress, stamp down *(a rebellion):* **më ~i vapa** suffocate with heat; **e ~i bari kopshtin** the garden is overgrown with weeds; **~ me të mira dikë** shower favours on sb ♦ **~lem** *vtv e* **mbyt: e ~ën hallet** he is eaten with worry; **s'kam ku të ~em** have nowhere to turn to for help; **~em në një pikë ujë** drown in a teacup ♦ **~ës, -i** *m* strangulator; suppresser ♦ **~ës, -e** *mb* suffocating; asphyxiating *(gas);* suppressing; oppressive; stifling; muggy *(heat)* ♦ **~j/e, -a** *f* suffocation; asphyxiation; strangulation; drowning; ship- ♦ **~ur, -i (i)** *m:* **i ~i kapet pas flokëve të vet** a drowning man will catch at a straw ♦ **~ur (i, e)** *mb* drowned; sunk; wrecked *(ship);* soaked, dripping with; muffled *(sound);* suffocated; smothered *(laugh, etc.):* **njeri i ~** a drowned person; **i ~ në djersë** dripping with sweat ♦ **~ur** *nd* up to the ears *(in debt, etc.);* very busy; *(to speak)* in a muffled voice ♦ **~urazi** *nd:* **qesh ~** snigger; **e sjell fjalën ~ për diçka** hint vaguely to sth

me *prfj* with; on; by; of; and; through; to; as far as; because of; in: **~ anën e** by means of; **~ dyshim** with doubt; doubtfully; **~ gjithë mend** seriously; **~ kalë** on horseback; **~ kusht që** on the condition that; **~ nga dy** in twos; **~ sa më kujtohet** as far as I can remember; **~ shpresë se** in the hope that; **bukë ~ gjalpë** bread and butter; **dita ~ ditë** day by day; from day to day; **paguhem ~ orë** be paid by the hour; **shoh ~ një sy** see with one eye; **si sillet ~ ty?** how does he treat you?; **trup ~ trup** hand to hand *(combat)* ♦ *pj* once; immediately after: **~ t'u ndarë nga ne** once he left us, he ♦ *(në paskajoren e gegërishtes)* to: **~ qenë** to be; **~ pasë** to have; **~ jetue** to live; **~ folë** to speak

meazalláh *nd, fjalë e ndërmjetme* certainly: **jo, ~ se vij** I will never come

medálj/e, -a *f* medal: **ana tjetër e ~es** the other side of the medal; the reverse of the medal ♦ **~ón, -i** *m* locket

medét *psth* alas: **~ sa turp!** what a shame!

mediók/ër, -re *mb* mediocre; poor; second-rate ♦ **~ritét, -i** *m* mediocrity

mediúm, -i *m psk* medium

medoemós *nd* without fail: **të vish ~** make sure to come; do come

medresé, -ja *f fet* medresse; madrassa *(Moslem school)*

medúz/ë, -a *f zl* jelly-fish; *mit* medusa

méfshtë (i, e) *mb* dull; lackadaisical; ♦ *em* dullard;

dolt ♦ **~sí, -a** f dullness

mega:bájt, -i em tk megabyte ♦ **~fón, -i** m megaphone ♦ **~hérc, -i** m fz megahertz ♦ **~lomán, -i** m psk megalomaniac ♦ **~lomán, -e** mb psk megalomaniac(al) ♦ **~lomaní, -a** m psk megalomania ♦ **~ ~vát, -i** m fz megawatt ♦ **~vólt, -i** m fz megavolt

megjíth:atë ldh nevertheless; notwithstanding; in spite of that; and yet; still: **tha se s'kishte gjumë, ~ fjeti mirë** he said he had no sleep, yet he slept well ♦ **~këtë** ldh nevertheless; notwithstanding; in spite of this; and yet; still: **~ mbetet shumë për të bërë** nevertheless, much remains to be done ♦ **~që** ldh although; though ♦ **~se** ldh although; despite; in spite of

méhe/t vtv; ps

meít, -i m body; corpse: **i zbehetë si ~** deathly pale

me/j kl **-ha, -hur** dry up (the well); turn off (the tap); slow down (the speed) ♦ jkl v iii stop; run dry (of a water course, a water well, etc.); hush

mejdán, -i m vj square; maidan; field of battle; arena (of a tournament)

méje prm: **prej ~** from me; by me; **midis ~ e teje** between me and you

mejhán/e, -ja f saloon; grog-house **~exhí, -u** m vj saloon-keeper/ -owner; pub-hopper

mek[1] kl tire out; lower (one's voice)

mek[2] wet, sprinkle (clothes for ironing)

mekan:ík, -u m mechanic; mechanician ♦ **~ík, -e** mb mechanical; machine-building: **në mënyrë ~e** mechanically ♦ **~ík/ë, -a** f mechanics (me folje në njëjës); machinery; machines ♦ **~ikísht** nd by machinery; fg mechanically: **përsërit ~repeat** mechanically; parrot ♦ **~íz/ëm, -mi** m mechanism; works; cogs and wheels: **~mi i orës** the works of the watch ♦ **~izím, -i** m mechanisation ♦ **~izóhet** ps ♦ **~iz/ój** kl mechanise (a process, a production unit, etc.) ♦ **~úar (i, e)** mb mechanised

mék/em vtv tire out; swoon, faint; faint; flicker (of the light); be wet/moist: **~ së qeshuri** be breathless with laughter

mekëri:m/ë, -a f bleat (of a goat, etc.) ♦ **~/n** jkl **-u, -rë** bleat (of a goat, etc.)

mékës, -i m arch; sole (of the foot): **këmbë pa ~** flat foot

mék:ët (i, e) mb humid, moist; meek (voice); dim (light) ♦ **~ët/óhet** ps ♦ **~ët/ój** kl wet; moisten; dampen ♦ **~j/e, -a** f weakening; abatement; decrease; breaking: **~e e zërit** breaking of the voice ♦ **~ur (i, e)** mb tired out; weakened; thin (voice); dim (light); muffled (noise); wet; humid; damp: **me zë të ~** with a spent voice

meksikán, -e mb Mexican ♦ **~án, -i** m Mexican ♦ **M~/ë, -a** f gjg Mexico

mel, -i m bt millet

melankolí, -a f melancholy; sadness ♦ **~k, -e** mb melancholic; sad

melás/ë, -a f molasses; treacle

melhém, -i m bs balm; ointment; fg balm; remedy

melo:dí, -a f melody; tune ♦ **~dík, -e** mb melodic; melodious ♦ **~dram:atík, -e** mb melodramatic; overemotional ♦ **~/ë, -a** f opera; serious opera; music drama; fg melodrama

membrán/ë, -a f an, bl membrane; fiz, tk diaphragm ♦ **~ór, -e** mb an, bl membrane (mb)

meméc, -i m dumb: **shurdh e ~** deaf and dumb ♦ **~, -e** mb dumb; mute; speechless

memorandúm, -i m memorandum (sh -s, -da)

ménç/ur (i, e) mb wise; clever; sharp; intelligent: **qenke i ~ti!** how cute!; **fjalë të ~a** wisecracks ♦ **~ur, -i (i)** em wise ♦ **~urí, -a** f wisdom

mend, -të f sh mind; sense; judgement; advice; intention; plan; memory; wit: **a je ndër ~?** are you in your senses?; **s'më shkoi ndër ~** it never crosses my mind; **e kam me gjithë ~**be serious; be in earnest; **e lë pa ~ dikë** strike sb dumb; **e mora me ~** I guessed so; **është afër ~sh** it goes without saying; **i jap ~ dikujt** give sb a piece of one's mind; **mbaj ~**remember; **mbetem pa ~**remain flabbergasted; be struck all of a heap; **më bie ndër ~**recall; remember; **më merren ~të** be/ feel dizzy; **s'do ~** certainly; **bëj ~**make up one's mind; consult sb; **shes ~**put on airs; brag; **vë/ zë ~**get wise(r); **vij ndër ~**come to

mend pj: **~ u rrëzua** he nearly fell

ménd/ër, -ra f bt (pepper)mint

mend:ërísht nd mentally; in imagination ♦ **~ësí, -a** f mentality; frame of mind ♦ **~ím, -i** m thought; mind; opinion: **sipas ~it tim** according to my opinion; in my opinion ♦ **~imtár, -i** m thinker; think-tank ♦ **~j/e, -a** f mind; brain; wit; imagination; fancy; bs opinion; idea; thought; bs advice; attention; care; memory; recollection; bs intention; (common) sense: **~ femër** fertile imagination; **~e e hollë** sharp wit; **bluaj në ~e** chew the cud; **i bie ~es prapa** think twice; **jam i ~es që** I am of the opinion that; **ki ~en!** be careful!; look out!; **mbledh ~en** make up one's mind; **me ~e të fjetur** with one's mind at rest; **me ~e të keqe** with evil intent; **më prishet ~a/ ndërroj ~e** change one's mind; have a change of heart; **më shkon ~a për diçka** fancy sth; **sjell në ~e** remember; recall; bring back to mind; **ta merr/ pret ~a** certainly; it goes without saying; **thirri ~es!** collect your thoughts; **vras ~en** put on the thinking cap ♦ **~jefémër** mb fertile (imagination) ♦ **~jehóllë** mb, em ingenious; sagacious; sharp-witted (person) ♦ **~jelártë** mb, em noble-minded; kq self-conceited; haughty ♦ **~jeléhtë** mb, em light-minded; feather-brained ♦ **~jelehtësí, -a** mb light-mindedness ♦ **~jemádh, -e** mb, em self-

opinionated; self-conceited; assumptive; haughty; presumptuous ♦ **~jemadhësí, -a** *f* self-importance; self-conceitedness; haughtiness; assumption; loftiness; self-righteousness ♦ **~jempréhtë** *mb, em* ingenuous; sharp-witted; perspicacious ♦ **~jemprehtësí, -a** *f* ingenuity; perspicacity; acumen ♦ **~jengúshtë** *mb, em* narrow-minded; hidebound ♦ **~lóhem** *vtv* think; intend; plan; contemplate *(to do sth):* **~ohem mirë** think hard; **do të ~ohem** I'll think about it ♦ *pvt* : **~het se** it is thought/ believed that; **as që mund të ~het** it is unthinkable/ unimaginable ♦ **~lój** *jk/* think; ponder; judge; consider: **~je mirë!** think hard; **për se po ~n?** what are you thinking about?; **kam ~uar unë për të gjitha** I've looked after everything ♦ *k/* think (of); bear in mind; remember; plan; contemplate: **~j kohët e shkuara** remember old times; **~va se e dija** I thought I knew it ♦ **~ór, -e** *mb* mental: **lodhje ~e** mental stress; **punë ~e** mental work; white-collar work; **me të meta ~e** mentally handicapped ♦ **~sh/ëm (i), -me (e)** *mb* clever; wise; intelligent; brainy ♦ **~úar, -lt (të)** *as* thinking; cogitation ♦ **~úar (i, e)** *mb* thoughtful; pensive *(look);* well-considered *(plan)* ♦ **~úesh/ëm (i), -me (e)** *mb* thoughtful; pensive ♦ **~úeshëm** *nd* thoughtfully; in a pensive mood
menéksh/e, -ja *f bt bs* pansy
meningjít, -i *m mk* meningitis; *bs* brain fever
mentalitét, -i *m* mentality; mind-set; frame of mind
mént/ë, -a *f* mint sugar-drop; mint candy
mentésh/ë, -a *f* hinge
menjëhér:ë *nd* immediately; at once; instantly; forthwith; simultaneously; together: **~ pas** immediately after; **të gjithë ~** all at once ♦ **~sh/ëm (i), -me (e)** *mb* immediate; instant; simultaneous
meqéné:që *dhe* **~se** *ldh* because; since; as: **~ nuk erdhe ti, shkova unë** since you did not come, I went instead ♦
méqë *ldh shih* **meqenëqë**
merák, -u *m bs* anxiety; worry; care, love: **e bëj me ~** do sth with great care; **e bëj për ~ diçka** do sth to perfection/ brown; **kam ~ për dikëbe** worried about sb; **mos ki ~!** don't worry!; **zë ~ me dikë** fall in love with sb ♦ **~lí, -e** *mb bs* (over-)careful; meticulous; worried; painstaking ♦ **~ós** *k/ bs* worry; preoccupy ♦ **~ósem** *vtv* ♦ **~ósur (i, e)** *mb bs* worried; fussy
merce:nár, -i *m* mercenary ♦ *mb* mercenary; venal ♦ **~í, -a** *f prmb* mercenaries
meremet:ím, -i *m* repair; mending ♦ **~lóhet** *ps* ♦ **~lój** *k/* repair; mend: ♦ **~úar (i, -e)** *mb* repaired; mended: **punë e ~ keq** patch-up ♦ **~úes, -i** *m* repair-man; mender
mér/ë, -a *f* perfume; scent
meridián, -i *m gjg* meridian
merimáng/ë, -a *f z/* spider: **pëlhurë e ~ës** spider's

web; cobweb
merít/ë, -a *f* merit; desert; credit: **sipas ~ave** according to merit/ deserts ♦ **~lój** *k/* óva, **-úar** deserve; merit; *v iii* be worth(y) of: **e ~oj diçka** deserve sth ♦ **~úar (i, e)** *mb* deserved; earned; emeritus *(artist, etc.):* : **fitore e ~** deserved victory ♦ **~úesh/ëm (i), -me (e), –ar (i, e)** *mb:* **mori dënimin e ~** he got the punishment he deserved
merkúr, -i *m km* mercury; *bs* quicksilver
merlúc, -i *m z/* cod(-fish)
mermér, -i *m* marble ♦ *mb fg :* **i ftohtë ~** as cold as marble ♦ *nd* coldly ♦ **~të (i, e)** *mb* marble *(statue);* *fg* cold
mér/më (i), -me (e) *mb* sweet-smelling; fragrant; scented
mérr/em *vtv* be occupied/ busy *(with);* go in for *(music);* *v iii* treat; deal with *(a subject, a topic):* **~em me punë të vogla** tinker about ♦ *pvt:* **më ~et fryma** gasp for breath; **më ~et goja** stammer; **më ~en mendtë** be/ feel dizzy
mes, -i *m* middle; centre; midst; waist: **gishti i ~it** middle finger; **~ për ~** down the middle; **në ~ të** in middle of; **nga ~ i e sipër** from the waist up; **në ~ të tjerave/ tjerash** among other things; **ç'hyn ti në këtë ~?** how do you come into the picture? ♦ *prfj:* **~ fushave** across the fields; **~ erës dhe shiut** in wind and rain; **~ nesh** among/ between us ♦ **~atár, -e** *mb* medium; middle; mean; average; middling: **trup ~** medium height; **cilësi ~e** middling quality ♦ **~atár/e, -ja** *f* average; *(arithmetical)* mean ♦ **~atarísht** *nd* on the/ at an average of
mesázh, -i *m* message
mes:dít/ë, -a *f* noon; midday; lunch; lunch-time ♦ **~dítës, -i** *m gjg* meridian **~** ♦ **~drédhur** *mb, em* slender-waisted *(woman)* ♦ **M~dhe, -u** *m gjg* Mediterranean (Sea) ♦ **~dhetár, -e** *mb, em* Mediterranean
meselé, -ja *f bs* story; affair; (funny) thing/ business: **tregoj një ~** tell a story
més:m/e, -ja (e) *f* medium; secondary/ high school: **e ~ja e artë** the golden mean ♦ **~ëm (i), -me (e)** *mb* middle; central: **rruga e ~me** the middle course; **gishti i ~ëm** the middle finger; **Shqipëria e M~me** Central Albania
meshóllë */mes-hóllë/ mb, em f* slim/ slender/ narrow-waisted
mesjet:ár, -e *mb* Medi(a)eval ♦ **~ë, -a** *f* Middle Ages
meskín, -e *mb* mean *(heart)*
mesnát/ë, -a *f* midnight
meso:búrr/ë, -i *m* middle-aged man ♦ **~/grúa, -grúaja** *f* middle-aged woman *(sh* **-women***)*
mesór/e, -ja *f gjm* median
mespërmés *prfj* right through the middle
mesh:ár, -i *m ft* missal; book of prayers and devotions ♦ **~/ë, -a** *f ft* mass; consecrated bread: **~ë e**

madhe high mass ◆ **~lój** *jkl fet* celebrate mass ◆ **~tár, -i** *m ft* officiating priest; server

meta:bolík, -e *mb bl* metabolic ◆ **~bolíz/ëm, -mi** *m bl* metabolism ◆ **~fizík, -e** *mb fil* metaphysical ◆ **~fizík/ë, -a** *f fil* metaphysics *(me folje në njëjës)*; metaphysic ◆ **~fizikán, -i** *m* metaphysician ◆ **~fór/ë, -a** *f gjuh, lt* metaphor ◆ **~forík, -e** *mb gjuh, lt* metaphoric(al)

metál, -i *m km* metal ◆ **~ík, -e** *mb* metallic: **veshje ~e** metal plating/ casing/ sheathe ◆ **~ór, -e** *mb* metallic; metal-bearing ◆ **~të (i, e)** *mb* metallic ◆ **~úrg, -u** *m* metallurgist ◆ **~urgjí, -a** *f* metallurgy; metal-working ◆ **~urgjík, -e** *mb* metallurgic(al) ◆ **~, -u** *em* metallurgical mill

metamorfóz/ë, -a *f* metamorphosis *(sh -es)*

metán *mb: gaz* ~ methane

metastáz/ë, -a *f mk* metastasis *(sh -ses)*

meteór, -i *m astr* meteor ◆ **~ík, -e** *mb ast* meteoric ◆ **~ít, -i** *m ast* meteorite

meteoroló:g, -u *m* meteorologist; weatherman ◆ **~gjí, -a** *f* meteorology; weather forecast ◆ **~gjík, -e** *mb* meteorological; weather *(report)*

mét/ë, -a (e) *f* **(të)** fault; flaw; imperfection; shortcoming; defect; blemish: **pa të ~ë** flawless; **e ~ë trupore/ mendore** physical/ mental defect ◆ **~/ë (i, e)** *mb* incomplete; wanting; inadequate: **punë e ~ë** incomplete work; **i ~ë nga trutë** weak-headed; deficient ◆ **~ë** *nd* incompletely; wanting: **jap peshën ~** give short weight; **nuk i lë gjë ~ diçkaje** do sth to perfection

mét/ër, -ri *m* metre ◆ **~ërsh, -i** *em:* **100 ~** one hundred meter race

metód/ë, -a *f* method; system; tutor book: **~ë praktike** rule of the thumb; ◆ **~ík, -e** *mb:* **jam ~ në pune** have method in work ◆ **~ík/ë, -a** *f* method; teacher's book; *bs* guidebook ◆ **~íst, -i** *m* methodologist; *ft* Methodist ◆ **~íst, -e** *mb* methodological; *ft* Methodist

metr:ázh, -i *m* footage *(of a film);* textiles; fabrics *(sold by the metre):* **film me ~ të gjatë** full length film ◆ **~ík, -e** *mb* metric *(system)*

metró, -ja *f* underground; tube; *am* subway

metropól, -i *m* metropolis

méz/e, -ja *f,* **~é, -ja** *f* appetiser; snack

mezí *nd* hardly; scarcely; just; only: **~ eci** walk with difficulty; **~ duket** it can just/ hardly be seen; **~ pres** be waiting impatiently

më *nd* more; again; longer: **ka ~?** is there any more (left)?; **do të vish ~?** will you come again?; **kurrë ~** never more ◆ *pj* more, most; -er, -est; **~ i bukuri** the most beautiful; **~ e bukur se** more beautiful than; **~ të shumtët e tyre** most of them; **~ së fundi** at long last ◆ *prfj:* **~ të djathtë** to the right; **~ pesë** at five (o'clock); **~ këmbë** on foot; **~ katërsh** *(to fold)* in four; **derë ~ derë** from door to door ◆ *prm* me: **~ duket se** it seems to me

that, I have the impression that; **~ bëj një nder!** can you do me a favour?; **nuk ~ pa** he did not see me

mëdít/ës, -i *m* day-labourer ◆ **~j/e, -a** *f:* **punëtor me ~e** journey-man; day-labourer

mëdýshas *nd:* **jam ~** be in two minds ◆ **~shj/e, -a** *f* hesitation: **jam/e kam me ~je** be hesitating; **pa ~je** without hesitating

mëgójëz, -a *f* bit *(of a horse)*

mëháll/ë, -a *f bs* neighbourhood; crowd: **një ~ë e tërë** a whole crowd

mëk *onomat:* **s'bëj as gëk as ~** keep mum; not to breathe a word

mëkát, -i *m ft* sin; *bs* pity; shame; *bs* fault: **bëj ~** sin; **fal ~et** pardon (sb's) sins; **ç'~!** what a shame! ◆ **~ár, -i** *m ft* sinner ◆ **~ím, -i** *m* sinning; sin ◆ **~lój** *jkl fet* sin; transgress; err

mëkëmb *kl* restore *(sb's health):* **~ shtëpinë** put the house in good order again ◆ **~lem** *vtv, ps*

mëkëmbës, -i *m:* **~ i mbretit** viceroy; vice-regent

mëkëmb:j/e, -a *f* recovery; revival ◆ **~ur (i, e)** *mb* recovered

mëk:ím, -i *m* feeding *(of an infant, of a patient)* ◆ **~lóhem** *vtv, ps* ◆ **~lój** *kl* (spoon)feed; *fg* inculcate; nourish *(sb with an idea)*

mëlçí, -a *f an* liver; *bs* lung: **~të e bardha** lights *(of a slaughtered animal)*

mëllág/ë, -a *f bt* common mallow

mëllénj/ë, -a *f zl* blackbird; *zl* ouzel

mém/ë, -a *f* mother; queen-bee ◆ *mb:* **toka ~ë** mother-earth

mëmëdhé, -u *m* motherland ◆ **~tár, -i** *m* patriot

mënd *kl* suckle *(the baby);* breast-feed; *v iii* suck *(of the baby)*

mëndáfsh, -i *m* silk ◆ *mb* silken; silky ◆ **~t/ë (i, e)** *mb* silky; silken

mëng/ë, -a *f* sleeve; shirt; meander *(of the river);* inlet *(of the sea):* **pa ~ë** sleeveless; **përvesh ~ët** roll up one's sleeves

mënglój *jkl* rise early ◆ *kl* put to early pasture *(the animals)*

mëngjërásh, -e *mb, em* left-handed; *fg* awkward; clumsy; heavy-handed *(person)*

mëngjés, -i *m* morning; breakfast: **mirë ~!** good morning!; **ylli i ~it** morning star ◆ **~ór, -e** *mb* morning *(sun)* ◆ **~ór/e, -ja** *f* breakfast bar

mën/ój *jkl bs* be late ◆ *kl* delay; make late

mënýr/ë, -a *f* manner; way; mode; fashion; approach; *gjh* mood: **~ë e përdorimit** usage; **~ë e jetesës** way of life; mode of living; **~ me çdo ~ë** by all manner of means; **në asnjë ~ë** by no means; **në ~ë që** in order that; so that

mënján/em *vtv* **-a (u), -ur** step/ jump aside ◆ **~ë** *nd* aside; apart; aloof; sideways: **rri ~** stand aside; remain aloof; **heq ~** put aside; set apart ◆ *prfj* next; beside: **~shtëpisë** beside the house ◆ **~ím, -i** *m*

avoidance ♦ **~lóhem** *vtv* avoid *(sb's company);* stand aloof; *ps* ♦ **~lój** *kl* turn aside (away); set aside; isolate *(the sick);* avoid *(a mistake, an obstacle, etc.);* side-track *(a difficulty):* **~oj kokën**turn one's head away from ♦ **~úar (i, e)** *mb* aloof; isolated; remote *(place);* out-of-the-way *(house, etc.)*

mëpársh/ëm (i), m -me (e) *mb* former; previous; anterior; preceding; old: **numër i ~ëm i gazetës** the previous issue of the newspaper; **kohërat e ~me** the old times; the former times

mëqík, -u *m* shuttle *(of the handloom);* spool *(of the sewing machine)*

mërdh:ác, -e *mb:* **jam ~**feel the cold very much ♦ **~lás** *jkl***-íta, -ítur** feel/ be cold: **më ~asin këmbët** my feet are cold ♦ **~líj** *jkl shih* **~ás**

mërg:át/ë, -a *f prmb* emigrants ♦ **~ím, -i** *m* emigration ♦ **~imtár, -i** *m* emigrant; exile; expatriate ♦ **~lóhem** *vtv* emigrate ♦ **~lój** *kl* banish; expatriate; *fg* dispel *(doubts, etc.)* ♦ *jkl;* emigrate *v iii* migrate *(of birds)* ♦ **~úar (i, e)** *mb* emigrant

mërí, -a *f* grudge; spite; resentment; rancour; ire: **i mbaj ~ dikujt** bear sb a grudge ♦ **~/hem** *vtv, ps* ♦ **~lj** *kl* **-ta, -tur** hate; resent; excite hatred *(between)* ♦ **~sh/ëm (i), -me (e)** *mb* resentful *(look);* hated; hateful ♦ **~shëm** *nd* resentfully; spitefully

Mërkúr, -i *m ast, mit* Mercury

mërkúr/ë, -a *f* Wednesday

mërz/éj *jkl* stay in the shade *(of animals)* ♦ *kl* put in the shade *(animals); fg* loaf about; idle around

mërzí, -a *f* bore(dom); weariness; botheration; spleen; nuisance: **vdes/ bëhem derr nga ~a** be bored to death/ stiff ♦ **~t** *kl* **-ta, -tur** bore; annoy; bother; upset: **na ~i shpirtin** he's a great bore; **kush të paska ~ur?** who's upset you? ♦ **~/em** *vtv, ps* **mos u ~!** don't worry! ♦ **~le, -a** *f* annoyance ♦ **~sh/ëm (i), -me (e)** *mb* boring; tiresome; humdrum ♦ **~shëm** *nd* boringly; annoyingly ♦ **~ur (i, e)** *mb* bored; tired; upset; boring; tiresome; annoying

mësáll/ë, -a *f* apron; tablecloth: **~ë me dy faqe** double-dealer

mësím, -i *m* learning; study; lesson; subject; *sh* teachings; experience: **~i përmendësh** learning by heart; **~ tregues** object lesson; **pas ~it** after classes; **~i i historisë** the subject of history; **le të të bëhet ~** let this be a lesson to you ♦ **~ór, -e** *mb:* **program ~** curriculum; syllabus; **tekst ~** school textbook; **aeroplan ~** training machine/ trainer; **anije ~e** training ship

mësípërm (i), -e (e) *mb* upper *(storey);* above(-mentioned); foregoing: **në paragrafin e ~** in the foregoing paragraph

mës/óhem *vtv* get used to; be accustomed to; *pvt:* **~ohem me punën e re** get used to the new job ♦ **~lój** *kl* teach; train; learn; study; instruct; hear; find out; acquire *(a habit):* **~oj nxënësit** teach pupils; **~oj një kafshë** train an animal; **u bë veza të ~ojë pulën** *tall* teach one's grandmother to suck eggs ♦ *jkl* study: **sa të rrosh, do të ~osh** *fj u* live and learn ♦ **~úar (i, e)** *mb* schooled; lettered; acquired *(habit, etc.);* trained *(horse, etc.);* accustomed *(to sth, to doing sth)* ♦ **~úes, -i** *m* teacher; instructor ♦ **~uesí, -a** *f* teaching (profession)

mësý/hem *ps* ♦ **~lj** *kl usht* assail ♦ **~mës, -e** *mb ush* offensive *(strategy);* attacking ♦ *em* assailant

mësýsh *nd::* **e marr ~ dikë** cast an evil eye on sb

mëshír/ë, -a *f* mercy; pity; compassion; clemency; forbearance: **kam ~ë për dikë** have pity on sb; **kërkoj ~ë** cry for mercy; **ki ~ë!** for pity's sake! ♦ **~lóhem** *ps* ♦ **~lój** *kl* **-óva, -úar** pity; have pity/ mercy on *(sb)* ♦ **~sh/ëm (i), -me (e)** *mb* pitiful; merciful; forbearing; compassionate ♦ **~úes, -e** *mb* pitying *(look)*

mësh/óhet *ps* ♦ **~lój** *kl bs* press; emphasise; stress; work hard: **u ~oj fjalëve** stress one's words; **~oji vendit!** *kq* mind your own business! ♦ *jkl* weigh down on; rankle; hit hard; punch; pound; *bs* eat heartily: **~oj nga njëra anë e barkës** weigh down on one side of the boat

mëshqérr/ë, -a *f* heifer

mështék/ën, -na *f bt* birch(-tree): **~ën e bardhë** silver birch

mëtéj:m/ë (i), -e (e) *mb* further; *vj* yonder ♦ **~sh/ëm (i), -me (e)** *mb:* **përpjekjet e ~me** further attempts

mët/óhet *ps* ♦ **~lój**[1] *kl* pretend; claim *(a woman's hand)* ♦ **~úes, -i** *m* pretender; claimant; candidate *(for marriage)*

mëvésh:ët (i, e) *mb* apathetic; listless; indifferent ♦ **~tí, -a** *f* apathy; listlessness; indifference

mëvetësí, -a *f vj* independence; autonomy ♦ **~sh/ëm (i), -me (e)** *mb* independent; autonomous

mëvónsh/ëm (i), -me (e) *mb* subsequent; later *(event)*

mëz, -i *m zl* colt; filly ♦ **~lát, -i** *m* bullock; bull-calf ♦ **~atór/e, -ja** *f* heifer ♦ **~le, -ja** *f* heifer; colt

mi (e) *prn* my: **djemtë e ~** my sons ♦ **~të (të)** *em:* **të ~ e të tutë** mine and yours; my folk and your folk

mi, -a *f mz* e; mi

mi, -u *m* mouse *(sh* mice*);* rat: **bëhem si ~ i lagur** be crestfallen; **zog ~u** *zl* titmouse

mía (e) *prn* my: **vajzat e ~** my daughters ♦ **~t (të)** *em* mine; my own; **për të ~t kujdesem vetë** I'll look after my own

micër/ój *kl* nibble *(the food)* ♦ *jkl fg* trifle with

midé, -ja, míd/e, -ja *f bs* stomach; appetite; *fg* liking: **ia prish ~në dikujt** spoil sb's appetite

midís, -i *m* middle; centre-piece *(of lacework):* **i bie rrugës për ~**cut across the road; **në ~ të ballit** right between the eyes ♦ *prfj* between; in the middle/ centre/ the heart of/ midst/ thick of; at the height of: **~ detit e tokës** half way between the see and the dry land; **~ dimrit** in the heart of winter; **~ të tjerash** among other things

mídhj/e, -a *f zl* clam; *gjll* mussel

míell, -i *m* flour; meal; *(coal, etc.)* dust; powder: **~ gruri** wheat(en) flour; **~ patatesh** potato meal ♦ **~ës, -e** *mb* mealy: **dardhë ~e** mealy pear

migrén/ë, -a *f mk* migraine

mih *k/* dig: **~ në ujë** write on ice ♦ **~/et** *ps* ♦ **~ës, -i** *m* digger; hoer ♦ **~j/e, -a** *f* digging; hoeing

míj/ë, -a *f* thousand: **një ~ë lekë** one thousand leks; **me ~ëra** by the thousand; **me ~ë për qind** dead sure; as sure as death

mijë:fish *nd* thousand-fold ♦ **~fishóhet** *vtv* increase a thousand fold; *ps* ♦ **~fish/ój** *k/* increase thousand fold; multiply ♦ **~këmbësh, -e** *mb zl* chilopod

míjësh/e, -ja *f mt* thousand; thousand lek bill

míjtë (i, e) *nm rrsht* thousandth ♦ **~/ë, -a (e)** *f* thousandth part of

mik, -e *mb* friendly ♦ **~/e, -ja** *f* (girl) friend ♦ **~/k, -u** *m* friend; guest; *bs* chap; fellow; pal; *bs* boyfriend: **~ i ngushtë** close friend; **zë ~ dikë** make friends with sb; **pres miq** receive guests ♦ **~ésh/ë, -a** *f fm e* **mik, -u: ~ë e vjetër** old flame; **erdhi si ~ë** she came to stay as a guest

mikl:ím, -i *m* fondling; petting; caressing; *sh* flattery ♦ **~lóhem** *ps* ♦ **~lój** *k/* fondle; pet; caress; flatter ♦ **~úes, -e** *mb* fondling; petting *(mb)*; attractive; enticing; coaxing; flattering

mikprít:ës, -i *m* host: **~i dhe miqtë** the host and the guests ♦ **~ës, -e** *mb* hospitable ♦ **~j/e, -a** *f* hospitality

mikrób, -i *m bl, mk* microbe; germ

mikro:bióg, -u *m* microbiologist ♦ **~biologjí, -a** *f* microbiology ♦ **~biologjík, -e** *mb* microbiologic(al) ♦ **~borgjéz, -i** *m* petty-bourgeois ♦ **~borgjéz, -e** *mb* petty-bourgeois; lower-middle class ♦ **~borgjezí, -a** *f* petty-bourgeoisie; lower-middle classes ♦ **~fílm, -i** *m* microfilm ♦ **~fón, -i** *m* microphone; mouthpiece *(of the telephone):* **i vë ~fon përgjimi dikujt** bug sb's telephone

mikrón, -i *m tk* micron

mikro:organíz/ëm, -mi *m* micro-organism ♦ **~skóp, -i** *m* microscope: **me ~** under a microscope ♦ **~skopík, -e** *mb* microscopic(al) ♦ **~vál/ë, -a** *f* microwave

miliárd, -i *m* a thousand million; milliard; *am* billion ♦ **~ér, -i** *m* multimillionaire ♦ **~ér, -e** *mb* multimillionaire

milíc, -i *m* militiaman ♦ **~í, -a** *f* militia

mili:grám, -i *m* milligram(me) ♦ **~lít/ër, -ri** *m* millilitre ♦ **~mét/ër, -ri** *m* millimetre ♦ **~metrúar (i, e)** *mb* **: letër e ~** graph/ scale/ profile paper

milingón/ë, -a *f zl* ant: **fole ~ash** ant-hill

milión, -i *m* million ♦ **~ér, -i** *m* millionaire ♦ **~ésh, -e** *mb* million-strong

milit:ánt, -i *m* militant; fighter *(for a cause)* ♦ **~ánt, -e** *mb* militant; fighting *(spirit)* ♦ **~antíz/ëm, -mi** *m* militancy; fighting spirit ♦ **~aríst, -i** *m* militarist; war-lord ♦ **~aríst, -e** *mb* militaristic ♦ **~aríz/ëm, -mi** *m* militarism ♦ **~arizóhet** *ps e* **ariz/ój** ♦ **~ariz/ój** *k/* militarise ♦ **~lój** *jk/* actively support *(a cause);* *v iii* fight for; struggle for ♦ **~úes, -e** *mb* militant; fighting *(spirit)*

mílj/e, -a *f* mile: **~je detare** nautical mile

mill, -i *m* sheath; scabbard: **e fut shpatën në ~** sheathe a sword

mimetíz/ëm, -mi *bi* mimetism; protective colouring

mimík/ë, -a *f* mimic; mimicry

mimóz/ë, -a *f bt* mimosa

minár/e, -ja *f* minaret *(of a mosque)*

minatór, -i *m* miner; *ush* mine-layer: **~ qymyrguri** collier; coal miner

mindér, -i *m* straw mattress; settee; sofa: **njeri i ~it** soft-jobber

miner:ál, -i *m* mineral; ore ♦ **~ál, -e** *mb:* **ujë ~** mineral water; **industri ~e** mining industry ♦ **~ár, -e** *mb:* **zonë ~e** mining zone

mín/ë, -a *f ush* mine; dynamite-hole: **~a kundër trupave** mines against personnel; **~ë me sahat** time bomb; **fushë me ~a** minefield; **i vë ~at diçkaje**(under)mine sth

miniatúr/ë, -a *f art* illumination *(of a manuscript);* miniature: **në ~** in miniature; on a small scale ♦ **~íst, -i** *m art* illuminator *(of a manuscript);* miniaturist

minier/ë, -a *f* mine; *fg* source *(of information, etc.).* **~ë qymyrguri** colliery; coal mine

minifúnd, -i *m* miniskirt

minim:ál, -e *mb* minimum; lowest; least; smallest ♦ **~e, -ja** *f* minimum ♦ **~izím, -i** *m* minimisation ♦ **~izóhet** *ps* ♦ **~iz/ój** *k/* minimise; understate; play down ♦ **~úm, -i** *m nj* minimum; *bs* minimum penalty ♦ **~nd** at least; as a minimum

miníst/ër, -ri *m* (government) minister: **këshilli i ~rave** the council of ministers; the cabinet ♦ **~rí, -a** *f* ministry; state department *(in the USA)*

min/óhem *ps* ♦ **~lój** *k/* mine; undermine; sap

minorit:ár, -i *m* minority; member of an ethnic group ♦ **~ár, -e** *mb* minority *(mb)* ♦ **~ét, -i** *m* minority; ethnic group

minotáur, -i *m mit lt* minotaur

min:úar (i, e) *mb* mined; *fg* undermined; sapped ♦ **~úes, -e** *mb* mining *(mb); fg* undermining; sapping *(activity)*

minúk, -u *m* little mouse; *bs* urchin

minuét, -i *m mz* minuet

minús, -i *m* minus/ negative sign; below zero: **ka një ~ të madh** it has a great disadvantage ♦ *ldh:*

~ shpenzimet expenses not included

minút/ë, -a *f* minute; *bs* moment: **dy e pesë ~a** five past two; **prit një ~ë** wait a little; wait a mo'; wait a bit; **në këtë ~ë** right away

mióp, -i *m* myopic; short-sighted person ♦ **~, -e** *mb* myopic; short-sighted ♦ **~í, -a** *f* myopia; short-sightedness

miqës:í, -a *f* friendship; *prmb* friends; *prmb* relatives, kith and kin; *prmb* in-laws: **~ e ngushtë** close friendship; **zë ~ me dikë** make friends with sb ♦ **~ím, -i** *m* befriending ♦ **~ísht** *ndf* in a friendly manner ♦ **~lóhem** *vtv* befriend ♦ **~lój** *kl* reconcile *(two persons)*; befriend ♦ **~ór, -e** *mb* friendly; amicable: **vizitë ~e** friendly visit

mirat:ím, -i *m* approval; endorsement ♦ **~lóhet** *ps* ♦ **~lój** *kl* approve; endorse; give the go-ahead to

mirázh, -i *m* mirage

mír/ë (e) *f* (të) good(ness); weal; favour; boon; *mit* fairy: **e ~a e të ~ave do të qe të** the best thing would be to; **më vjen e ~a në derë** it is a godsend; **kam gjithë të ~at** have everything one could wish for; **i bëj një të ~ dikujt** do sb a good turn; **jam me të ~at** be in a good mood; **i bie së ~s me këmbë** throw away a good chance ♦ **~ë, -t (të)** *as*: **me të ~** gently; softly; **marr me të ~** sweet-talk sb; **me të ~, a me të keq** willy-nilly; by persuasion or by force ♦ **~lë (i, e)** *mb* good; fine; nice; large *(quantity)*; long *(while)*; fit, suitable; valid *(ticket)*; kind; thorough; *bs* right: **bëhu djalë i ~ë!** be a good boy!; **dhoma e ~ë** the best/ guest/ front room; **ditën e ~ë!** good-bye!; **kolla e ~ë** whooping cough; **mot i ~ë** fine weather; **natën e ~ë!** good night!; **për fat të ~ë** luckily; fortunately! ♦ **~ë** *ndf* well; right; at ease; thoroughly; completely; favourably: **mjaft ~** fairly/ quite well; **~ e më ~** better and better; **as ~, as keq** neither good, nor bad; middling; **bën ~ të nxltosh** you'd better hurry; **sillu ~!** behave yourself!; **shkojmë ~** be on good terms; **më ~ të mos kisha ardhur** it would as well have not come; **jam ~ nga gjendja** be well off; be well-to-do; **e njoh ~ dikë** know sb well; **u laga ~ i** was thoroughly drenched; **~ të të bëhet!** serves you right!; **~ që...** it's a good thing that...; **sa ~!** wonderful!; **~ thua/ e ke!** that's a good idea!; **~ e ~** thoroughly; **një herë e ~** once and for good/ ever; **e kam ~ me dikë** be on good terms with sb ♦ *psth* well: **~, le të vijë!** OK, let him come!; **~, thuaje!** come on, spit it!; **~ se erdhe!** welcome! ♦ **~ë** *em* good; welfare; weal: **për ~** with good intentions

mirë:besím, -i *m* good faith; confidence: **me ~** in good faith ♦ **~bërës, -i** *m* benefactor ♦ **~bërës, -e** *mb*: **shoqëri ~e** charity society ♦ **~díta** *psth* good-day ♦ **~fílltë (i, e)** *mb* true; reliable; sure: **burim i ~** reliable source; **në kuptimin e ~ të fjalës** in the true meaning of the word ♦ **~kuptím,**

-i *m* understanding ♦ **~mbáhet** *ps* ♦ **~mbáj** *kl*-**ta, -tur** maintain; upkeep; keep in good repair (in good order) ♦ **~mbájtj/e, -a** *f* maintenance; upkeep ♦ **~mbréma** *psth, em* good-evening ♦ **~mëngjési** *past, em* good-morning ♦ **~njóhës, -e** *mb, em* grateful; thankful: **i jam ~ dikujt për diçka**t hank/ be obliged to sb for sth ♦ **~njóhj/e, -a** *f* gratitude; thankfulness; acknowledgement ♦ **~njóhur (i, e)** *mb* well-known; renowned; famous

mirëpó *ldh* but; however: **u nis për mirë, ~ s'i doli ashtu** he meant well, but it did not turn out like that

mirë:pr/és *kl*-**íta, -ítur** welcome ♦ **~prítem** *ps* ♦ **~prítës, -e** *mb* hospitable ♦ *em* hospitable person ♦ **~prítj/e, -a** *f* hospitality ♦ **~prítur (i, e)** *mb* welcome ♦ **~qénë (i, e)** *mb* valid; authentic ♦ **~qéni/e, -a** *f* well-being; welfare: **shoqëria e ~es** welfare society ♦ **~seárdhj/e, -a** *f* welcome: **i uroj ~en dikujt** welcome sb; bid sb welcome

mirësí, -a *f* goodness; kindness; favour: **kini ~ në të** have the kindness to

mirësjéllj/e, -a *f* good behaviour; civility; urbanity

mirós[1] *fet* anoint

mirós[2] *kl*/ *kl bs* better; improve: **~ vendin** help one's country to flourish ♦ **~em**[1] *vtv bs* better; improve; recover; flourish

mirósem[2] *ft ps e* **miros**[1]

mirósj/e, -a[1] *f bs* bettering; improvement; flourishing

mirósj/e, -a[2] *f ft* anointing; unction

miru:páfshim, ~pjékshim *psth* good-bye; bye-bye; so long; see you; farewell

mís/ër, -ri *m bt* maize; Indian corn; *am* corn: **bukë ~ri** corn bread ♦ **~ník/e, -ja** *f* maize/corn bread ♦ **~ërt (i, e)** *mb*: **miell i ~** corn meal

misión, -i *m* mission; assignment ♦ **~ár, -i** *m ft* missionary; envoy

mistér, -i *m* mystery ♦ **~ióz, -e** *mb* mysterious ♦ **~iozísht** *ndf* mysteriously ♦ **~sh/ëm (i), -me (e)** *mb* mysterious; eerie; uncanny; weird

misticíz/ëm, -mi *m* mysticism

mistifik:ím, -i *m* mystification; hoax; deception ♦ **~lóhet** *ps* ♦ **~lój** *kl* mystify; hoax; deceive

mistík, -e *mb* mystic(al); other-world *(mb)*

mistréc, -i *m* undersized/ stunted person; mischievous person ♦ *mb* **-, -e** undersized; stunted

mistrí, -a *f* trowel

mish, -i *m* flesh; meat: **~i i dhëmbëve** *an* gums; **~ i huaj** growth; **~ kutie** canned/ tinned meat; **këput ~** tear a muscle; **as ~, as peshk** neither fish nor fowl; **~ për top** cannon fodder; **me ~ e me shpirt** body and soul; **vë ~** put on flesh/ weight ♦ **~, -të** *as shih* **mish, -i: më ngjethet ~të** have the goose-flesh/ creeps ♦ **~aták, -e** *mb* fleshy ♦ **~lël, -la** *f an* vocal cords

mishërím, -i *m* embodiment; incarnation ♦ **~lóhet**

vtv be embodied; be incarnated; *ps* ♦ **~lój** *k/* embody; incarnate; personify

míshje *mb* clingstone *(fruit)*

mishmásh *nd* pell-mell; mish-mash ♦ **~, -i** *m* mess; hotchpotch; jumble

mishngrënës, -i *m zl* carnivore; cannibal; flesh-eater ♦ **~, -e** *mb* carnivorous; flesh-eating; cannibal

mish:ták, -e *mb* fleshy *(face)*; pulpy ♦ **~t/ë (i, e)** *mb* fleshy; pulpy; meaty ♦ **~tór, -e** *mb* pulpy; fleshy ♦ **~tórm/ë (i), -e (e)** *mb* fleshy; fulsome; plump

mit, -i *m* myth: **e bëj ~ diçka** raise sth to a myth

mít/ë, -a *f* bribe; graft; gratuity; palm-grease

mít/ër, -ra[1] *f an* womb; uterus *(sh -ri)*

mít/ër, -ra[2] *f ft* mitre

mitík, -e *mb* mythic(al)

mitín/g, -gu *m* rally

mito:logjí, -a *f* mythology ♦ **~logjík, -e** *mb* mythological ♦ **~mán, -i** *m mk* mythomaniac ♦ **~maní, -a** *f mk* mythomania

mitós *k/* bribe ♦ **~em** *ps*

mitral:ím, -i *m ush* machine-gun fire ♦ **~jér, -i** *m ush* machine-gunner ♦ **~lóhem** *ush ps* ♦ **~lój** *k/ usht* machine-gun ♦ **~óz, -i** *m ush* machine-gun

mitropolí, -a *f ft* metropolis ♦ **~t, -i** *m* metropolitan

mítur (i, e) *mb dr* juvenile; under-aged; childish; infantile ♦ **~, -i (i)** *m* minor; juvenile: **krim i të ~ve** juvenile delinquency ♦ **~í, -a** *f* childhood; legal infancy; minority ♦ **~ísht** *nd* childishly

miúsh, -i *m* little mouse

mizantróp, -i *m* misanthrope; man-hater ♦ **~í, -a** *f* misanthropy ♦ **~ík, -e** *mb* misanthropic

míz/ë, -a *f* fly; (garden) pest; *bs* midget; *bs* weakling: **~a e shtëpisë** housefly; **~ë përdhese/ dheu/ toke** ant; **më djeg ~a** smart *(under a remark)*; **i fut ~at dikujt** put sb's monkey up; **e kam ~ën nën kësulë** (with) a chip on one's shoulder ♦ *nd bs* in crowds/ multitudes: **~ë lisi** like locusts ♦ **~érí, -a** *f prmb* multitude; host; hordes ♦ *nd* in multitudes/ hordes/ droves ♦ **~ër/ón** *jk/* **-ói, -úar** have a tingling sensation; throng: **~on sheshi** the square is thronged

mizór, -e *mb* cruel; ruthless; atrocious: **krim ~** heinous crime ♦ **~í, -a** *f* cruelty; ruthlessness; atrocity

mjaft *nd* enough; *bs* quite; rather: **~ me kaq!** that's enough!; **~ i ri** quite young; **~ i vështirë** rather difficult ♦ *k//z* suffice: **~ që të vijë** suffice that he comes ♦ *pkf* many: **~ prej tyre** many of them ♦ **~lë (i, e)** *mb* sufficient; enough ♦ **~lóhem** *vtv* be satisfied; be content ♦ **~lój** *jk/ v iii* suffice; be enough: **~on me kaq** that is enough ♦ *pvt* suffice: **~on, tani pushojmë pak!** that's enough, let's take a rest! ♦ **~úesh/ëm (i), -me (e)** *mb* sufficient; enough; fair: **ushqim i ~ëm** sufficient food ♦ **~úeshëm** *nd* quite; rather; passably, fair *(of attainment)*

mjált/ë -i *m* honey; *fg* -fruit juice: **muaj i ~it** honeymoon; **më bie sëpata në ~ë** have pot luck ♦ *mb* very sweet; honey-sweet ♦ *nd:* **~ë i ëmbël** very sweet ♦ **~ës, -e** *mb* honey-bearing; nectar-bearing *(flower)*: **bletë ~ëse** honey-bee

mjaull:ím/ë, -a *f* mew; miaow ♦ **~í/n** *jk/* **-u, -rë** mew; miaow; *fg* caterwaul ♦ **~ít** *jk/* **-a, -rë** *shih* **~í/n** ♦ **~ítj/e, -a** *f* mew; miaow

mjedís, -i *m* environment; milieu; atmosphere; *sh* premises *(of a hotel, etc.)*

mjéd/ër, -ra *f bt* raspberry

mjégull, -a *f* fog; mist: **mot me ~** misty weather; **si nëpër ~** foggily ♦ **~ím, -i** *m* fogginess; fogging up ♦ **~ín/ë, -a** *f* haze; hazy weather ♦ **~náj/ë, -a** *f astr* nebula ♦ **~lóhet** *vtv* fog; be dimmed *(of the sight)*; become dull *(of the mind)* ♦ **~lój** *k/* fog; mist over; *fg* dim *(the sight)*; dull *(the mind)* ♦ **~ór, -e** *mb* nebulous ♦ **~t (i, e)** *mb* foggy; misty; hazy; *fg* dimmed *(sight)*; dull *(mind)* ♦ **~úar (i, e)** *mb* fogged over; *fg* dim(med); dull

mjek, -u *m* doctor; physician

mjék/ër, -ra *f an* chin; beard: **lëshoj ~r** grow a beard

mjék:ës, -i *m vj* healer ♦ **~ësí, -a** *f* medicine: **student i ~së** medical student ♦ **~ësór, -e** *mb* medical; health *(mb)*; medicinal: **shërbim ~** health service; **bimë ~e** medicinal plant(s) ♦ **~ím, -i** *m* treatment; medication ♦ **~lóhem** *vtv, ps* ♦ **~lój** *k/* treat; dress; medicate

mjekrósh, -i *m* bearded person ♦ *mb* bearded

mjek:úes, -i *m* healer ♦ **~úes, -e** *mb* curing; healing *(property)* ♦ **~úesh/ëm (i), -me (e)** *mb* curable; medicable

mjel *k/* móla, **mjéle** milk; *fg* fleece ♦ **~ës, -e** *mb f* milking *(machine)*: **lopë ~e** milker ♦ **~ës/e, -ja** *f* milk woman *(sh* **-women***)*; milking machine ♦ **~j/ e, -a** *f* milking ♦ **~m, -i** *m* udder; teat

mjellbárdh/ë, -a *f zl* vulture

mjéllm/ë, -a *f zl* swan: **~ë mashkull** cob; **zog i ~ës** cygnet

mjér:ë (i, e) *mb* poor; miserable; indigent; wretched ♦ **~ë** *pj:* **~ë kush** woe on him who ♦ **~ím, -i** *m* misery; poverty; indigence; grief; woe ♦ **~ísht** *nd* unfortunately ♦ **~úar (i, e)** *mb* miserable; pitiful; desolate ♦ **~úesh/ëm (i), -me (e)** *mb* lamentable; deplorable

mjésht/ër, -ri *m* master: **~ër i mbaruar** past/ consummate master; old hand ♦ **~érí, -a** *f* mastery; skill; great ability; profession; trade ♦ **~ërór, -e** *mb* masterly; skilful

mjet, -i *m* tool; implement; means; expediency: **~e mësimore** teaching objects; **~e jetese** means of subsistence; **me çdo ~** by all manner of means

mlysh, -i *m zl* pike; *bs* dumb customer

mllef, -i *m* anger: **ia shfryj/ nxjerr ~in dikujt** vent one's anger on sb

mobíl:i/e, -a *f* furniture ♦ **~iér, -i** *m* furniture/cabinet maker ♦ **~ierí, -a** *f prmb* furniture; furniture shop ♦ **~ím, -i** *m* furnishing

mobiliz:ím, -i *m* mobilisation ♦ **~lóhem** *vtv, ps* ♦ **~lój** *kl usht* mobilise; arouse *(sb to action)*; muster *(one's forces)*; call forth *(one's strength)*: **~oj një ushtri** levy an army ♦ **~úar (i, e)** *mb ush* mobilised ♦ **em -, -i (i)** *m* levy ♦ **~úes, -e** *mb* mobilising

mobil/óhet *ps* ♦ **~lój** *kl*-**óva, -úar** furnish *(a house, etc.)* ♦ **~úar (i, e)** *mb:* **apartament i ~** furnished flat

moçál, -i *m* marsh; morass; quagmire; swamp; bog; *fg* mire: **fusha u bë ~** the pitch was waterlogged; **~ i vesit** mire of vice ♦ **~ík, -è** *mb* marshy; swampy; boggy ♦ **~ísht/e,-ja** *f*–**ísh/ë, -a** *f* marshland ♦ **~ór, -e** *mb* swampy; boggy; marshy

móç/ëm (i), -me (e) *mb* old; aged

modél, -i *m* model; pattern; *tk* mould; *fg* example: **automobil i ~it të vjetër** a vintage car; an old model car; **(ajo) punon si ~** she is sitting for an artist; **~ durimi** an example of forbearance ♦ **~ím, -i** *m* modelling ♦ **~íst, -i** *m* model-maker/ designer ♦ **~lóhet** *ps* ♦ **~lój** *kl* model; mould; shape; build a model of; fashion

modérn, -e *mb* modern; up-to-date: **ide ~e** modern/ new-fangled ideas ♦ **~íst, -e** *mb, em* modernist ♦ **~iz/ëm, -i** *m* modernism; modernity ♦ **~izím, -i** *m* modernisation; up-dating ♦ **~iz/óhem** *vtv, ps* ♦ **~iz/ój** *kl* modernise; update

modést, -e *mb* modest; unpretentious; humble ♦ **~í, -a** *f* modesty; humbleness: **~ e shtirë** mock modesty

mód/ë, -a *f* fashion; style: **i ~ës/ në ~ë** fashionable; trendy; **~a e lartë** haute couture; **paradë e ~ës** fashion show; **sallon ~e** fashion house

modifik:ím, -i *m* modification; alteration; change ♦ **~lóhet** *ps* ♦ **~lój** *kl* modify; alter; change

modíst/e, -ja *f* milliner

modúl, -i *m tk* module ♦ **~ím, -i** *m* modulation ♦ **~lój** *kl*-**óva, -úar** modulate

moh, -u *m* denial ♦ **~ím, -i** *m* negation; repudiation; gainsay; negative; denial; disavowal: **në shenjë ~i** as a sign of denial ♦ **~lóhet** *ps* ♦ **~lój** *kl* negate; gainsay; repudiate; deny; disown; disavow: **~oj një fakt** repudiate a fact; **ia ~oj diçka dikujt** deny sth to sb ♦ **~ór, -e** *mb gjh* negative ♦ **~úes, -e** *mb* negative; repudiatory

moj *psth bs :* **dëgjo, ~ bijë!** listen, my daughter!

mók/ër, -ra *f* millstone

mol, -i *m* pier; quay

Moldaví, -a *f gjg* Moldova; Moldavia ♦ **m~án, -e** *mb* Moldovian ♦ **m~án, -i** *m* Moldovian

molekul:ár, -e *mb km* molecular ♦ **~lë, -a** *f km* molecule

moléps *kl* infect; contaminate; pollute; *fg* taint ♦ **~l**

em *vtv* ♦ **~ës, -e** *mb* infectious; contagious ♦ **~j/e, -a** *f* infection; contamination ♦ **~ur (i, e)** *mb* infected; contaminated; *fg* tainted; foul

mól/ë, -a *f zl* moth; *fg* stickler: **i ngrënë nga ~a** moth-eaten

molís *kl* exhaust; wear out; *fg* depress: **më ~i gjumi** i was overcome with sleep ♦ **~em** *vtv* be exhausted; be prostrated; drop with fatigue ♦ **~j/e, -a** *f* exhaustion; prostration; *fg* dejection

molít *kl* moth-eat ♦ **~et** *ps* e **molit**

molús/k, -ku *m zl* mollusc

molláq/e, -t *f sh* buttocks; bum

móll/ë, -a *f* apple: **~ë e faqes** cheekbone: **si kokërr ~e** bustling with health; **~ë e ndaluar** forbidden fruit; **~ë sherri** apple (bone) of discord; **s'ka ku të hedhësh ~ën** there is no room to drop a needle

mólléz, -a *f* cheekbone; ball *(of the thumb, etc.)*; pommel *(of the sword):* **~a e fytit** Adam's apple

momént, -i *m* moment; instant; *fz* momentum

monárk, -u *m* monarch ♦ **~í, -a** *f* monarchy ♦ **~ík, -e** *mb* monarchical ♦ **~íst, -i** *m* monarchist ♦ **~íst, -e** *mb* monarchic(al)

mondán, -e *mb* social *(life)*; fashionable: **rrethe ~e** fashionable circles

moné:dh/ë, -a *f* coin; money; currency: **~ë këmbimi** coin of barter; *bs* chattel; **me të njëjtën ~ë** in kind; tit for tat ♦ **~tár, -e** *mb* monetary

mongól, -e *mb* Mongolian ♦ **~, -i** *m* Mongolian; Mogul ♦ **M~í, -a** *f gjg* Mongolia ♦ **~ísht, -e** *em gjh* (the) Mongolian (language) ♦ **~ísht** *nd* in (the) Mongolian (language) ♦ **~oíd, -e** *mb, em* Mongolian; *mk* mongoloid

mono:gám, -e *mb* monogamous ♦ **~gamí, -a** *f* monogamy ♦ **~grafí, -a** *f* monograph ♦ **~lóg, -u** *m* monologue; soliloquy ♦ **~pát, -i** *m* footpath; narrow path ♦ **~pól, -i** *m* monopoly ♦ **~políst, -i** *m* monopolist; monopoly-holder ♦ **~polizím, -i** *m* monopolisation; control *(of the market)* ♦ **~polizóhet** *ps* ♦ **~polizój** *kl* monopolise; control ♦ **~tón, -e** *mb* monotonous; sing-song; flat **me zë ~ton** in a flat voice ♦ **~toní, -a** *f* monotony

mont:atór, -i *m* fitter; assembly worker ♦ **~ázh, -i** *m kn* editing, *am* cutting *(of a film)* ♦ **~ím, -i** *m* **mek** assemblage; assembling: **repart i ~it** assembly bay ♦ **~lóhet** *ps* ♦ **~lój** *kl mek* assemble; fit; mount; *kin* edit, *am* cut *(a film)* ♦ **~úes, -i** *m* **mek** assembly worker; fitter; *kn* editor; *am* cutter *(of a film)* ♦ **~úesh/ëm (i), -me (e)** *mb:* **bibliotekë e ~** unit library

monumént, -i *m* monument ♦ **~ál, -e** *mb* monumental

móra *kr thj* e **marr**

morál, -i *m* morals; morale: **i bëj ~ dikujt** moralise sb; **~i i ushtrisë** the morale of the army ♦ **~, -e** *mb:* **detyrim ~** moral obligation ♦ **~íst, -i** *m* moralist ♦ **~íz/ój** *kl* moralise ♦ **~izúes, -e** *mb* moralising; moralistic ✦ **~izúes, -i** *m* moralist ✦ **~sh/ëm (i), -me (e)** *m:* **qëndrim i ~ëm** attitude in conformity with morals

moré *psth bs :* **jo/ ik ~!** my foot!; **eja, ~ djalë!** come here, my lad!

morfín/ë, -a *f frm* morphine

morfologjí, -a *f gjuh, tk* morphology ✦ **~k, -e** *mb gjuh, tk* morphologic(al)

morí, -a *f* host; multitude

morníca, -t *f sh* rigor; shudders; gooseflesh, creeps

mors, -i *m, mb* Morse: **alfabeti ~** Morse code/ alphabet

mort, -i *m bs* death; wear and tear: **kjo xhaketë s'ka ~** this coat is a good wear; **e kam ~ diçka** hate sth like poison

mortadél/ë, -a *f gjell* mortadella

mortáj/ë, -a *f ush* mortar ✦ **~íst, -i** *m ush* mortarman *(pl,* **-men***)*

mort:alitét, -i *m* mortality; death-rate ✦ **~ár, -e** *mb shih ~ór, -e* ✦ **~j/e, -a** *f* death; end: **i erdhi ~a** he met his death; **e kam ~e dikë** hate sb like death ✦ **~ór, -e** *mb:* **dhomë ~e** mortuary

morth, -i *m* chilblain; frost-bite

morr, -i *m zl* louse *(sh* lice): **i bëhem ~ dikujt** stick like a limpet/bur to sb ✦ **~acák, -e** *mb* lousy; infested with lice; *fg* mean ✦ **~acák, -u** *m* : **një tufë ~ë** a lousy lot

mos *pj* don't; do not; stop; lest; not: **~ flisni!** do not talk!; **~ni** careful; **nga frika se ~** out of fear lest; **në ~ sot, nesër** if not today, tomorrow; **~ more!** you don't say so!

mos:besím, -i *m* mistrust; distrust; disbelief; incredulity; non-confidence: **shoh me ~** regard with incredulity ✦ **~kokëçárj/e, -a** *f* carelessness; indifference; negligence: **nga ~** out of negligence ✦ **~kokëçárës, -e** *mb* careless; carefree; free-and-easy; neglectful ✦ **~marrëvéshj/e, -a** *f* disagreement; divergence; variance ✦ **~mirënjóhës, -e** *mb* ungrateful; unthankful; thankless ✦ **~mirënjóhj/e, -a** *f* ingratitude; ungratefulness; thanklessness ✦ **~përfíllës, -e** *mb* impolite; irreverent; disrespectful; disdainful ✦ **~përfíllj/e, -a** *f* irreverence; disdain; disregard ✦ **~përpúthj/e, -a** *f* incompatibility; discrepancy

móst/ër, -ra *f* sample; specimen; model; pattern

mosh:átar, -i *m* contemporary; peer: **jemi ~ë** we are of the same age ✦ **~/ë, -a** *f* age; generation; age; period: **~ë madhore** full legal age; adulthood; **~ë e pjekurisë** manhood; womanhood; **burrë në ~ë** man in the prime of life; **jam në ~ë be/** come of age; ✦ **~/óhem** *vtv -óva (u), -úar* come of age; grow old ✦ **~úar (i, e)** *mb* aged; old; elderly: **burrë i ~** old man; **grua e ~** woman of a certain age ✦ **~úar (i)** *m sh* **-it (të): vende për të ~it** seats for the elderly

mot, -i *m* weather; year: **~ i bukur/ mirë** fine weather; **~ e jetë** all along; for ever and ever ✦ **~nd** next year ✦ **~ák, -e** *mb, em* yearling *(child, etc.)*

mót/ër, -ra *f* sister ✦ *mb:* **gjuhë ~ra** related languages

motív, -i¹ *m* motive; ground; cause; reason

motív, -i² *m mz* motif; theme: **~ kryesor** leitmotif

motiv:ación, -i *m* motivation ✦ **~ím, -i** *m* motive; justification *(for a proposition)* ✦ **~/óhet** *ps* ✦ **~/ój kl* motivate; cause; justify ✦ **~úar (i, e)** *mb* motivated; caused (by)

móto, -ja *f* ✦ motto *(sh* **mottoes***)*; saying; slogan

moto:bárk/ë, -a *f* motorboat; launch ✦ **~çiklét/ë, -a** *f* motorbicycle; motorcycle; *bs* bike: **kosh i ~ës** sidecar ✦ **~çiklíst, -i** *m* motorcyclist ✦ **~çiklíz/ëm, -mi** *m* motorcycling

mot/óhem *vtv -óva (u), -úar* become old; *v iii* become obsolete/ stale

moto:kárro, -ja *f* buggy ✦ **~kompresór, -i** *m tk* motor-air compressor ✦ **~krós, -i** *m sp* motocross ✦ **~pómp/ë, -a** *f tk* motor-pump ✦ **~r, -i** *m* engine; motor; *bs* motorcycle; motorbike: **~ reaktiv** jet engine ✦ **~ík, -e** *mb* motor; motive; propellant: **fuqi ~e** motive power; propellant power ✦ **~íst, -i** *m* engineer ✦ **~izím, -i** *m* motorisation ✦ **~izóhem** *vtv -óva (u), -úar* become motorised; *bs* get oneself a motorcycle/ car; *ps* ✦ **~iz/ój kl* motorise ✦ **~izúar (i, e)** *mb* motorised: **skuadër e ~** flying squad ✦ **~skáf, -i** *m* motorboat ✦ **~shárr/ë, -a** *f tk* motor saw ✦

motúar (i, e) *mb* overdue; aged; old: **borxh i ~** overdue debt; **vdiq i ~** he died full of years; **bukë e ~** stale bread

mozaík, -u *m* mosaic

mpí/hem *vtv* become numb/ dead/ stiff *(of a limb)*; *v iii* become dull *(of a cutting edge)*; *ps:* **m'u ~ këmba** my foot is asleep ✦ **~/j kl -va, -rë** numb, stiffen *(of a limb);* dull *(a cutting edge)*

mpiks *kl* clot; coagulate; curdle *(milk)* ✦ **~et** *vtv, ps* ✦ **~ës, -e** *mb* coagulant ✦ **~ës, -i** *m* coagulant ✦ **~j/e, -a** *f* coagulation; clotting ✦ **~ur (i, e)** *mb* coagulated; clotted; curdled *(milk)*

mpír/ë (i, e) *mb* numb, dead *(limb);* torpid; dull; nicked *(cutting edge):* **i kam duart të ~a** my fingers are thumbs ✦ **~rj/e, -a** *f* numbness; stiffness; torpor

mposht *kl* overcome *(an opponent);* repress *(a rebellion);* overcome; surmount *(a difficulty):* **~ zemërimin** control one's anger ✦ **~/em** *vtv, ps* ✦ **~/e, -a** *f* repression; suppression; control

mpr:eh *kl* whet; sharpen; grind *(a knife, etc.);* hone; *fg bs* incite; egg on *(sb against another):* **~ dhëmbët** whet one's appetite; *tall* hope against hope ✦ **~éhës, -e** *mb* sharpening, whetting *(tool)* ✦ **~éhës/e, -ja** *f* sharpener ✦ **~éhtë (i, e)** *mb* sharp; pointed; thin *(features, face);* *fg* shrill; strident *(voice); fg* acute; keen; sharp-witted; *fg* intense *(pain)* ♦ **~ehtësí, -a** *f* sharpness; pointedness; acuteness; acumen ♦ **~éhur (i, e)** *mb* whetted; sharpened *(tool, pencil);* spoiling *(for a fg ht); fg* angered ♦ **~íhem** *vtv v iii* become exacerbated/ acute/ tense; *bs* brace oneself; *ps* **mpreh**

mrekull:í, -a *f* miracle; wonder: **shpëtoj për ~** have a miraculous escape ♦ **~** *nd:* **po shkon ~** it's working like a bomb ♦ **~lóhem** *vtv* marvel; be amazed; wonder ♦ **~lój** *k/* amaze; strike with wonder ♦ **~úar (i, e)** *mb* amazed; wonder-struck ♦ **~úesh/ëm (i), -me (e)** *mb* wonderful; marvellous

mriz, -i *m* shade

mrrol *k/* frown: **~ sytë** squint ♦ **~em** *vtv* frown; be overcast *(of the sky)* ♦ **~shëm** *nd* with a frown; glum ♦ **~ur (i, e)** *mb* frowning; glum

mrrudh *k/* knit *(one's brow);* purse *(one's lips)* ♦ **~l em** *vtv* frown; cower down; *v iii, ps*

mu¹ *pj* just; exactly: **~ këtu** just here; **~ në mes** plum on the centre

mu² *onomat* moo: **bën ~** *bs* it is as plain as a pike/ staff

múa *prm vet* me: **ma tha ~** he said it to me

múaj, -i *m* month: **~in e tjétër/ tjetër** next/ last month; **~i i mjaltit** honey-moon ♦ **~sh, -e** *mb:* **nëntë~** nine-months old

muf, e *mb* unripe *(fg -fruit)* ♦ **~kë** *mb:* **fik ~** unripe fig ♦ **~k/ë, -a** *f* unripe fig: **këput ~a** *bs* talk piffle

mug, -u *m* dusk; twilight ♦ **~/et** *pvt-* **(u), -ur** become dark ♦ **~/ë -a** *f* dusk; twilight; semidarkness ♦ **~ëll/ón** *jk/* **-ói, -úar** *pvt* become/get dark; dawn ♦ **~ët (i, e)** *mb* dusky; crepuscular; *fg* dark; unclear ♦ **~ët, -it (të)** *as* dusk; twilight; dawn ♦ **~ëtír/ë, -a** *f* dusk; dawn; *fg* dimness

múgu/ll, -lli *m* bud ♦ **~ím, -i** *m* budding *(of the trees);* **~lón** *jk/* **-ói, -úar** bud *(of trees)*

muhabét, -i *m bs* talk; chat(ter): **~ groshi** small talk; **~ pa bukë** idle talk; **bëj ~** talk; chat; **mos na e prish ~in** don't spoil the fun ♦ **~çí, -e, ~qár, -e** *mb, em bs* chatty; talkative

muhámedán, -i *m* Mohammedan ♦ **~, -e** *mb* Mohammedan

muhaxhír, -i *m bs* refugee ♦ *mb* refugee *(mb)*

mujór *mb* monthly: **pagë ~e** monthly pay

mujsh:ár, -e *mb* overbearing; bully ♦ **~í, -a** *m* overbearing ♦ **~ím, -i** *m* bullying ♦ **~lój** *k/* bully

mukóz/ë, -a *f an* mucous membrane

mulát, -i *m* mulatto ♦ **~/e, -ja** *f* mulattress

muliné, -ja *f* silk twist *(for embroidery)*

mullár, -i *m* (hay) stack, rick: **kërkoj gjilpërën në ~ të kashtës** look for the needle in a haystack

múll/ë, -a *f bs* stomach; belly; tummy; maw; gullet *(of birds, etc.)* ♦ **~z, -a** *f* fourth stomach; rennet

mullí, -ri *m* mill; press; grinder; cylinder *(of a revolver):* **~ me erë** windmill; **gur i ~rit** millstone; **~ vaji** oil press; **~ kafeje** coffee grinder

mullibárdh/ë, -a *f z/* song thrush

mullís, -i *m* miller

múmi/e, -a *f* mummy

mund, -i *m* effort; toil; labour: **më shkon ~i kot** labour in vain

mund¹ *jk/* can; be able; *(me* **s', nuk***)* feel unwell; be poorly off: **do të bëj sa të ~** I'll do what I can; **s'~ më** I am finished; **sot s'~** I am not feeling well today ♦ *folje gjysmëndihmëse modale* may; might: **a ~ ta them?** may I say so?; **~ të kishte ardhur** he could have come

mund² *k/* defeat; beat; vanquish: **~ me pikë** defeat on points; **e ~ gjumi** he was overcome with sleep

mund:ác, -i *m* fag; plodder; grub; swop; slogger

múnd/em¹ *vtv* can; be able: **po të ~em do të vij** I'll come if I can ♦ *pvt* be possible ♦ *pj:* **~et që vjen** perhaps he'll come

múnd/em² *vtv* wrestle; *fg* contest; compete: **nuk ~em dot me dikë** not to be a match for sb; *ps e* **mund²** ♦ **~ës, -i** *m* conqueror; victor; *sp* wrestler

mundës:í, -a *f* possibility; feasibility; means; opportunity; chance: **përjashtoj një ~** rule out a possibility; **jepi edhe një ~ísht** give him another chance ♦ *nd* possibly; if possible

mundím, -i *m* effort; exertion; *sh* affliction: **me ~ të madh** with great difficulty; **bëj ~ të vish** do try to come; **~ i kotë** wasted effort ♦ **~sh/ëm (i), -me (e)** *mb* trying; toilsome; difficult

múndj/e -a *f sp* wrestling; conquering; defeat: **~e klasike** classical wrestling

mund/óhem *vtv* try; strive: **~ohem shumë** try hard; **mos u ~ kot!** don't waste your effort! ♦ **~lój** *k/* tire out; fatigue; badger; try; *v iii* be eaten up *(with worry, etc.)*

múndsh/ëm (i), -me (e) *mb* probable; feasible; possible: **bëj gjithçka të ~me** do one's level best

mundúar (i, e) *mb* tired; worn out *(with fatigue);* suffering

múndur (i, e) *mb* defeated; conquered; possible: **dal i ~** *bs* go to the wall; **s'është e ~!** (it's) impossible!; **bëj ç'është e ~** do one's level best; **sa më parë që të jetë e ~** as soon as possible ♦ **~ (i)** *m* defeated; vanquished

mung:és/ë, -a *f* absence; *dr* default; lack; want; shortage; scarcity: **~ë e paarsyeshme** absenteeism; **~ë me raport** sick-leave; **gjykim në ~ë** judgement by default; **~ë takti** tactlessness; **ndiej ~ën e dikujt** miss sb ♦ **~esór, -e** *mb gjh* elliptical ♦ **~estár, -i** *m* absentee ♦ **~lój** *k/* absent oneself from; be absent; *v iii* be lacking/ short of/ wanting: **~on rregulli** there is no order; **më ~on dëshira** have no desire; be unwilling; **nuk më ~on asgjë** want for nothing ♦ *k/* omit; avoid ♦ **~úes, -i** *m* absentee

munición, -i *m ush* munitions; ammunition: **~ luftarak** live munitions

múnx/ë, -a *f bs* snook: **i jap ~ët dikujt** cook/ cut a snook at sb

mur, -i *m* wall; *an* partition: **~ tulle** brick wall; **i bie ~it me kokë** run one's head against the wall; **me shpatulla pas ~it** with one's back to the wall ♦ **~án/ë, -a** *f* mound; ruin ♦ **~atór, -i** *m* stone-mason; bricklayer ♦ **~atorí, -a** *f* stone-masonry; brick-laying

mur/g, -u *m* monk; friar ♦ **~gésh/ë, -a** *f* nun

múrg/ë, -a *f ft* nun

múrgët (i, e) *mb* dark-grey; overcast *(sky); fg* gloomy; frowning

mur:ím, -i *m* walling-in; immurement ♦ **~ísht/ë, a** *f* ruins

murkull/ój *kl* cover up; dissimulate

murmurí/j *jkl* **-va, -rë** murmur ♦ **~ím, -i** *m* murmur ♦ **~ím/ë, -a** *f* murmur; gurgle *(of a stream)* ♦ **~ít** *jkl* murmur; mutter; mumble; *v iii* gurgle *(of a stream):* **~ nëpër dhëmbë** mutter through one's teeth ♦ **~ítj/e, -a** *f* murmur; muttering; babble; gurgle *(of the stream)*

murós *kl* wall up/ in: **~ me tulla** brick in *(a window)* ♦ **~ós/em** *vtv* shut oneself up; *ps* ♦ **~ósj/e, -a** *f* walling (in); immurement ♦ **~ósur (i, e)** *mb* walled (in); immured

murtáj/ë, -a *f mk* pest; pestilence; plague: **~a e zezë** the black death

múrrët (i, e) *mb* dark grey; overcast *(sky); fg* dark, gloomy *(face)* ♦ **~/éhem** *vtv, ps* ♦ **~éj** *kl* darken; *v iii* overcast; make livid *(with cold)* ♦ **~lój** *kl shih* **~éj** ♦ **~úar (i, e)** *mb shih* **~yer (i, e)** ♦ **~ýer (i, e)** *mb* darkened; livid *(with cold); fg* dark; gloomy

murríz, -i *m bt* hawthorn

murrlán, -i *m* north wind

murr:m/ë (i), -e (e) *mb* grey; *am* gray; dark/ umber-grey ♦ **~o, -ja** *m* dark-grey *(animal)*

musaká, -ja *f gjll* mous(s)aka

musënd/ër, -ra *f* built-in cupboard

muskát, -i *m* muscatel *(wine, grapes)*

músku/l, -li *m* muscle ♦ **~latúr/ë, -a** *f* musculature; muscles ♦ **~lór, -e** *mb* muscular: **krahë ~ë** brawny arms

muslín/ë, -a *f tks* muslin

musllúk, -u *m* (water) tap

mustá:k, -u *m* m(o)ustache; *zl* barbell fish ♦ **~kóç** *mb, em* m(o)ustached ♦ **~q/e, -ja** *f* m(o)ustache; whiskers *(of a cat):* **mbaj ~qe** wear a moustache; **qesh nën ~qe** laugh in one's sleeve; snigger

mustárd/ë, -a *f gjell* mustard

mushamá, -ja *f* tarpaulin; raincoat; mackintosh

mush/k, -ku *m* male (he) mule ♦ **~ár, -i** *m* mule-driver; muleteer ♦ **~k/ë, -a** *f* mule: **ngul këmbë si ~a** be as stubborn as a mule

mushkër:í, -a *f* lung ♦ **~ór, -e** *mb* pulmonary

mushkónj/ë, -a *f* mosquito: **rrjetë ~ash** mosquito net

mushmóll/ë, -a *f bt* medlar: **~ë vere** Japanese plum; loquat

musht, -i *m* must

mut, -i *m vl* shit; crap: **(ç')punë ~i!** oh, shit!; bullshit!

muzé, -u *m* museum ♦ **~ór, -e** *mb* museum *(object)*

múz/ë, -a *f lt, mit* muse

muz/g, -gu *m* dusk; twilight; nightfall ♦ **~án, -e** *mb* gloomy; frowning ♦ *em* dead-pan ♦ **~/et** *vtv-* **(u), -ur** *pvt* get dark; be overcast *(of the sky)*

múzg/ë, -a *f* mire; slime; thin mud ♦ *mb* muddy

múzgët (i, e) *mb* darkish; *fg* gloomy; glum; obscure ♦ **~ír/ë, -a** *f* dusk; twilight; nightfall

muzik:ál, -e *mb* musical ♦ **~alitét, -i** *m* musicality ♦ **~ánt, -i** *m* musician ♦ **~/ë, -a** *f* music; *bs* orchestra: **shkollë e ~ës** music school; **s'kam vesh për ~ë** be tone-deaf ♦ **~ór, -e** *mb* musical: **mbrëmje ~e** music party

muzhík, -u *m* mujik

myftí, -u *m vj* mufti

my/k, -u *m sh* **~qe, ~qet** *bt* mould; mildew **zë ~go** mouldy; *fg* run to seed; run idle; vegetate ♦ **~/em** *vtv* moulder; go mouldy; *ps:* **j/e, -a** *f* mouldering ♦ **~ur (i, e)** *mb* mouldy; fusty; *fg* backward

mynxýr/ë, -a *f* calamity; disgrace: **i jap ~ën dikujt** bring news of disaster to sb ♦ **~ós** *kl bs* ruin ♦ **~ós/em** *vtv bs* be ruined; turn green *(with anger)* ♦ **~ósur (i, e)** *mb* ruined; green with anger ♦ **~sh/ëm (i), -me (e)** *mb* calamitous; disastrous

mys, -i *m* back; dome: **~ i dorës** the back of the hand ♦ *mb* convex

mysafír, -i *m* guest: **dhoma e ~ëve** the guest-room

mýsët (i, e) *mb* convex ♦ **~í, -a** *f* convexity

myslimán, -i *m* Moslem; Muslim; Mussulman ♦ **~, -e** *mb* Moslem *(mb)*

mysh/k, -ku[1] *m* moss

myshk, -u[2] *m* musk; scent ♦ *mb* musky; scented

mýshkët (i, e) *mb* mossy; moss-grown

myshterí, -u *m bs* customer; client

N

na *tr shk prm* us: **~ e dha vetë** he gave it to us; **~ ishte ç' ~ ishte** (once upon a time) there was ♦ *psth bs* here you are; take *(it, this);* look: **~ këtu** look here ♦ *pj:* **e ka kokën ~!** he has a head as big as this

nacionál, -e *mb* national ♦ **~íst, -i** *m* nationalist ♦ **~íst, -e** *mb* nationalist(ic) ♦ **~íz/ëm, -mi** *m* nationalism ♦ **~izím, -i** *m* nationalisation ♦ **~izóhet** *ps* ♦ **~iz/ój** *kl* nationalise ♦ **~izúar (i, e)** *mb* nationalised

nafór/ë, -a *f ft* communion bread

naftalín/ë, -a *f* naphthalene

náft/ë, -a *f* naphtha; fuel/ diesel oil: **i bëj ~ën shkollës** play truant ♦ **~ëtár, -i** *m* oil worker

naív, -e *mb, em* naïve; naïf ♦ **~itét, -i** *m* naïveness; naivety

najlón, -i *m* nylon: **çorape ~i** nylon stockings; nylons

nakatós *kl* mix; meddle ♦ **~ósem** *vtv v iii* mix; meddle with ♦ *pvt* feel sick: **më ~et** feel like throwing up ♦ **~ósur (i, e)** *mb* mixed ♦ **~ósur (të)** *em as* sickness

nallán/e, -ia *f* clogs; wooden sandals

nall:bán, -i *m* farrier; *kq* cobbler ♦ **~ç/ë, -a** *f* flat horseshoe

nam, -i *m bs* name; repute; *fg* havoc: **me ~** arrant *(rogue);* **bëj ~in** wreak havoc; **lë ~ bs** cut a sorry *fg* ure

namatís *kl* conjure; charm ♦ **~j/e, -a** *f* conjuring; incantation

Namibí, -a *f gjg* Namibia ♦ **n~án, -e** *mb* Namibian ♦ **n~án, -i** *m* Namibian

nanurís *kl* lull to sleep ♦ **~/em** *ps* ♦ **~j/e, -a** *f* lulling

napálm, -i *m* napalm; petroleum jelly

náp/ë, -a *f* gauze

narçíz, -i *m psk* narcissist ♦ **~íz/ëm, -mi** *m psk* narcissism

narko:mán, -e *mb* drug addict ♦ **~maní, -a** *f* drug addiction ♦ **~tík, -u** *m frm* narcotic ♦ **~tík, -e** *mb*

narcotic ♦ **~z/ë, -a** *f mk* narcosis *(sh -ses)*

nát/ë, -a *f sh* net, nétët night; night-time; eve: **mesi i ~ës** midnight; **që me ~ë** before daybreak; **u bë ~ë** night fell; **~ën e mirë** good night; **~ë e Vitit të Ri/ Krishtlindjeve** New Year's/ Christmas Eve ♦ **~ë, -e** *mb* night *(shift, gown);* dark; pitch black; balk: **rojë ~e** night watch; **zog ~e** nigh fowl ♦ **~ën** *nd* at night; by night: **~ vonë** late at night

natriúm, -i *m km* sodium, natrium: **klorur i ~it** sodium chloride

natyr:ál, -e *mb shih* **natyror, -e, ~sh/ëm (i), -me (e)** ♦ **~alíst, -i** *m* naturalist ♦ **~alíst, -e** *mb lt, art* naturalist; naturist ♦ **~alíz/ëm, -mi** *m lt, art, fil* naturalism ♦ **~/ë, -a** *f* nature; scenery; character; order: **shkencat e ~ës** natural sciences; **~ë e qetë** *art* still life; **paguaj në ~ë** pay in kind ♦ **~ísht** *nd* naturally; of course ♦ **~ór, -e** *mb* natural *(gas, etc.):* **madhësi ~e** life size ♦ **~sh/ëm (i), -me (e)** *mb* natural; spontaneous; artless *(behaviour)* ♦ **~shëm** *nd* spontaneously; artlessly; unaffectedly ♦ **~shmërí, -a** *f* naturalness; artlessness

náze, -t *f sh* squeamishness; grimace; coquetry: **bëj ~ në të ngrënë** be fussy/ choosy about one's food ♦ **~lí, -e, ~qár, - e** *mb* fastidious; fussy *(about one's food)*

nazifashíst, -e *mb* nazi-fascist

nazík, -e *mb bs* small and graceful; sweet; pretty; choos(e)y

naz:íst, -i *m* nazi ♦ **~íst, -e** *mb* nazi ♦ **~íz/ëm, -mi** *m* nazi(i)sm

ndá/hem *vtv* split; part; depart; be separated/ *bs* divorced; *v iii* be divided; branch off; *ps:* **u ~ nga i shoqi** she divorced/ left her husband; **s'më ~het një mendim** be obsessed with an idea; **~hem mírë** get away with (sth); **u ~ më dysh** it split into two; **çahem e ~hem** try hard ♦ **~lj** *kl* **ndáva, ndárë** separate; select; sort; divide; *bs* divorce; apportion, distribute; share; wean: **~j sipas llojeve** select according to type; **na ~n një hap**

nga we are one step away from; **~j përgjysmë** halve; **~j gjellën** serve the food; **~j rolet** distribute the parts; **~jmë barabar** go shares; **~jmë bashkë** share; **~j ca para mënjanë** put some money aside; **~j qengjin** wean a lamb; **~j orën e** fix the time for; **e ~j me mend të bëj diçka** make up one's mind to do sth; **nuk ia ~j sytë dikujt** keep one's eyes glued on sb; **e ~j qimen katërsh** cut it fine ♦ jkl veta: **s'e ~j dot kaq larg** I can't see it from such a distance

ndaj prfj: **~j të gëdhirë** at daybreak; **~j zjarrit** by the fire; **mirënjohje ~j dikujt** gratitude for sb; **jam kërkues ~j vetes** have high demands on oneself ♦ ldh: **të dua ~j të qortoj** I love you that's why I criticise you; **ti këqyr ~j ne punojmë** you keep watch while we are working

ndaj:fólj/e, -a f gjh adverb ♦ **~foljór, -e** mb gjh adverbial (phrase) ♦ **~nát/ë, -a** f nightfall; dusk; twilight; eventide ♦ **~nátë, ~natëhérë** nd at nightfall; at dusk; at twilight

ndal¹ kl stop; halt; interrupt; withhold; stay (sb's hand); turn off: **e ~ dikë për drekë** keep sb for lunch; **ia ~ diçka dikujt** withhold sth from sb; **~ zjarrin** hold fire; **e ~ vrapin në...** run up to...; stop one's career at... ♦ jkl stop; cease: **pritëm të ~ej shiu** we waited for the rain to stop ♦ psth halt: **~, mos qëllo!** hold your fire! ♦ **~em** vtv stop; halt; cease; v iii be interrupted; put up (at); fg dwell; concentrate; control oneself; ps: **pa u ~ur** nonstop; **~u pak!** hold on!; **u ~ motori** the engine stopped/ died; **~em në një hotel** put up at a hotel; **nuk ~em para asgjëje** stop before nothing ♦ **~és/ë, -a** f stop; break; interruption: **bëj një ~ë** have a break; **~ë e autobusit** bus stop ♦ **~/ë, -a** f short break; stop ♦ **~ím, -i** m cease; stoppage; ban; ush am off limits; dr detainment; detention: **~ i punës** work stoppage; **~ kalimi** no trespassers ♦ **~imqarkullím, -i** m curfew ♦ **~j/e, -a** f stop(page); halt; break ♦ **~lóhem** vtv, ps: **u ~ua në vend** he stopped short ♦ pvt be prohibited: **~ohet hyrja** no entry ♦ **~lój** kl stop; cease; stay (the hand); prohibit; forbid; ban; withhold; dr detain: **~oj makinën** stop the car; **~oj punën** interrupt work; **~oj zjarrin** cease fire; **~oj një botim** ban a publication ♦ jkl stop: **aty ~o!** stop there! ♦ **~úar (i, e)** mb prohibited; interdicted; banned

ndáne nd: **fusha me lumin ~** the plain and the river nearby ♦ prfj: **~rrugës** by the road; on the roadside; **tej e ~** all over; through and through

ndá:ras, ~razi nd separately ♦ **~rë (e)** f(të) room; division: **shtëpi me katër të ~a** house with four rooms ♦ **~rë (i, e)** mb separate(d); divided; divorced; weaned (lamb): **i kemi të ~a punët** we have separate duties ♦ **~rës, -i** m tk separator; distributor ♦ **~rës, -e** mb dividing; partition (wall):

vizë ~e dash ♦ **~rj/e, -a** f division; separation; divorce; distribution; sharing out: **~e e tregjeve** division of markets; **~e nga burri** divorce from husband ♦ **~sí, -a** m division; split ♦ **~sh/ëm (i), -me (e)** mb divisible; separable

ndé/hem vtv stretch oneself; v iii become tense/ taut; ps: **~hem pranë zjarrit** lie by the fire ♦ kl: **i ~hem prapa dikujt** stalk sb ♦ **~lj** kl **-éva, -érë** spread; hang; stretch (out); hold out; taut; tighten; fg strain; stretch: **~ rrobat** hang the washing; **~ dorën** hold out one's hand; **~ forcat** strain one's forces

ndéj/ë, -a f sitting position; seat; home; place of abode ♦ **~sh/ëm (i), -me (e)** mb sedate; composed; calm ♦ **~shëm** nd sedately; composedly; calmly: **flas ~** talk calmly

ndénj:ës/e, -ja f seat; stool: **~e e shoferit** driver's seat; **~e e karriges** the seat of the chair ♦ **~ur, -it (të)** as: **më mpihet trupi nga të ~it** be numb with sitting ♦ **~ur (i, e)** mb: **ujë i ~** stagnant water ♦ **~ur** nd: **rri ~** remain seated ♦ **~ura, -t (të)** f sh behinds

nder, -i m honour; reputation; credit; service, good turn; thankfulness; respects; honours: **jap fjalën e ~it** give one's word of honour; **ai është ~i i vendit** he is a credit to his country; **më bën dot një ~** can you do me a service?; **titull ~i** honorific **me ~ jush** excuse the expression; **ia di për ~ dikujt** be thankful to sb

ndér/e (i, e) mb flat; fg tense; taut, stretched (nerves): **pjatë e ~ë** shallow dish; **gjendje e ~ë** tense situation

nderím, -i m respect; salute; sh homage

ndérj/e, -a f hanging; strain; stretch (of one's forces)

nder/óhem vtv feel highly honoured; be proud of; ps ♦ **~lój** kl honour; respect; salute: **kjo të ~on** it is to your credit ♦ **~sh/ëm (i), -me (e)** mb honest; honourable; decent; fair; virtuous: **burrë i ~ëm** a decent fellow; **grua e ~me** a chaste woman ♦ **~shmëri, -a** f honesty; decency; integrity ♦ **~shmërisht** nd: **ndahem ~ në një punë** acquit oneself honourably in sth ♦ **~úar (i, e)** mb honoured; revered; honourable: **at i ~** ft reverend father; **miq të ~** honoured guests

ndesh¹ nd: **bie ~ me** clash with; **i bie ~ dikujt** contradict sb

ndesh² kl encounter; meet; come across: **e ~ rrugës dikë** come across sb on the street; **më ~ sharra në gozhdë** hit a snag ♦ jkl come up against; hit: **~ në mina** hit mines; **~ në vështirësi** come up against difficulties ♦ **~/em** vtv encounter; come across; collide; bump into; butt (of rams); clash: **u ~ëm ballë për ballë** we met face to face; **~em kokë më kokë** collide headlong ♦ **~j/e, -a** f clash; collision; confrontation; sp match: **~e miqësore/ jashtë** a friendly/ away match

ndez kl light; kindle; fire; turn on; start; ignite, spark off; *bs* smack; *fg* enflame; fire (up); *bs* (make) hot: **~ zjarr** make/ start a fire; **~ një shkrepëse** strike a match; **nuk e ~** I don't smoke; **~ dritat** turn on the lights; **~ sherrin** start a row; **~ zemrat** enflame the hearts ♦ *jk/ v iii bs* get away with; *v iii bs* be in trouble; *v iii* fire: **nuk më ~i pushka** the rifle misfired: **nuk më ~** it's no go ♦ **~ës, -i** *m* detonator *(of a shell, etc.)* ♦ **~ës, -e** *mb* incendiary; flammable; *fg* inflammatory *(speech)* ♦ **~j/e, -a** *f* firing; start(in) *(of an engine);* incitement; *bs* slap in the face: **~a e furrës** firing of a kiln; **~e e turmës** incitement the ♦ **~sh/ëm (i), -me (e)** *mb* flammable ♦ **~ur (i, e)** *mb* burning *(fire);* running *(engine); fg* heated; *fg* inflamed; rancid *(cheese, butter):* **Hamba është e ~** the lamp is burning; the light is on; **bisedë e ~** a heated discussion; **fantazi e ~** lively imagination; **me ngjyra të ~a** in strong colours; **me gjak të ~** in hot blood ♦ *nd* burning; ablaze; in flames; lit; (turned) on: **fle me dritë ~** sleep with the light on; **e lë motorin ~** let the engine run

ndër *prfj:* **~ të parët** among the first; **jam me shpirt ~ dhëmbë** be in one's last gasp; **kam ~ mend** have a mind to

ndërdýshas *nd* hesitatingly; with hesitation; in doubt

ndërgjégj/e, -ja *f* conscience; conscientiousness; awareness: **brejtje e ~es** remorse; **e kam ~en të pastër** have a clear conscience ♦ **~sh/ëm (i), -me (e)** *mb* conscientious; scrupulous; aware: **jam i ~ëm për diçka** be aware of sth

ndërhý/j *jk/* **-ra, -rë** interfere; meddle; intervene; mediate; intercede; *sp* tackle: **mos ~j** don't meddle; **~j për pajtim** mediate a reconciliation ♦ **~rës, -i** *m* meddler ♦ mediator ♦ **~rës, -e** *mb* interfering; meddling ♦ **~rj/e, -a** *f* interference; meddling; intervention; mediation; *sp* tackle

ndër:káq *nd* then; meanwhile ♦ **~kóhë** *nd* upon this; meanwhile; in the meantime

ndërkombëtár, -e *mb* international **e drejta ~e** international law

ndërlídh *kl* connect with; put through to; *fg* interconnect ♦ **~em** *vtv* be connected with (to); *v iii fg* be interconnected; be closely connected ♦ **~ës, -i** *m* courier; operator; interconnector ♦ **~s, -e** *mb* communicating; connecting: **mjetet ~e** means of communication ♦ **~j/e, -a** *f* communication: **~e telefonike** telephone communication; connection; interconnection: **~a është e dobët** connections are poor ♦ **~ur (i, e)** *mb* connected; *fg* interconnected; closely connected

ndërlik:ím, -i *m mk* complication ♦ **~lik/óhem** *vtv* ♦ **~lik/ój** *kl* complicate; confuse; muddle up: **~oj gjendjen** complicate the situation ♦ **~likúar (i, e)** *mb* complex; complicated

ndërmárr *kl* **-móra, -márrë** undertake; start: **~marr**

një studim undertake a study ♦ **~j/e, -a** *f* undertaking; enterprise

ndërmjét *nd* in between; in the middle: **ulem ~** sit between ♦ *prfj* between; among(st); of: **~ nesh** between us; **le të mbetet ~ nesh** let it remain between us; **~ të tjerash** among other things ♦ **~ /ëm (i), -me (e)** *mb* middle; intermediate; *gjh* intercalated *(phrase):* **hallkë e ~me** intermediate link ♦ **~ës, -i** *m* mediator; go-between; matchmaker; *trg* broker; middleman; carrier, bearer *(of germs)* ♦ **~ës, -e** *mb* intermediate; mediating: **zonë ~se** intermediate zone ♦ **~ësí, -a** *f* mediation; intercession; *trg* brokerage ♦ **~ësím, -i** *m* mediation; intercession ♦ **~ës/ój** *jk/* intervene; intercede; mediate; broker *(peace):* **~oj për dikë** mediate in favour of sb ♦ **~sh/ëm (i), -me (e)** *mb* intermediate

ndërprérë (i, e) *mb* interrupted; intermittent; discontinued; broken: **vijë e ~** interrupted (dotted) line ♦ **~rës, -i** *m tk* switch ♦ **~rj/e, -a** *f* interruption; discontinuation; break; severance; *mat* intersection: **~e e luftimeve** cease-fire; cessation of hostilities ♦ **~/s** *kl* **-éva, -érë** cross; intersect; interrupt; discontinue; break; cut; stop; bar: **~s punën** stop work; **~s zhvillimin** stop the growth; **~s ujin** cut the water (supply) ♦ **~pr/ítem** *vtv* **-éva, -érë** *ps e* **ndërpres**

ndërsá *ldh:* **po zbardhte dita** as day was breaking; **ai punonte, ~ ata shhinin** he was working, while watched

ndërs/éhem *vtv, ps* ♦ **~/ej** *k/* incite; instigate; *fg* arouse; instigate *(enmities, etc.):* **i ~j qenin dikujt** set the dog on sb ♦ **~ím, -i** *m* instigation; incitement

ndërsjéllë (i, e) *mb* mutual; reciprocal: **ndihmë e ~** mutual assistance

ndërsýer (i, e) *mb* incited; egged on

ndërt:és/ë, -a *f* building: **~ë shkollore** school building ♦ **~ím, -i** *m sh* building; construction: **lëndë ~i** constructions material; **~i i makinave** machine building ♦ **~imór, -e** *mb* constructive ♦ **~imtár, -e** *mb* construction, building *(work)* ♦ **~/ óhet** *vtv, ps* ♦ **~/ój** *k/* build; construct; develop *(an area);* set up; structure; make; *bs* make up; tidy *(a room); gjm* draw *(a figure):* **~j një plan** conceive a plan; **~j sallatën** prepare a salad ♦ **~úar (i, e)** *mb* built ♦ **~ues, -i** *m* builder; constructor ♦ **~ues, -e** *mb* constructive *(work)*

ndërthúr *kl* interconnect; combine ♦ **~et** *vtv, ps* ♦ **~thúrj/e, -a** *f* interconnection; combination ♦ **~thúrur (i, e)** *mb* interconnected; combined

ndërz/éhet *vtv* be mated *(of animals); ps* ♦ **~/éj** *k/* mate; *v iii* mate; mount ♦ **~ím, -i** *m* mating; mounting

ndërr:és/a, -t *f sh* linen; underwear; underclothing; undergarment; a change of clothes: **~a të lara**

washed linen ♦ **~és/ë, -a** f shift; *ush* relay, watch; replacement: **~ë e natës** nigh shift ♦ **~ím, -i** m change; exchange; replacement *(of a watch);* alteration: **~i i adresës** change of address; **~ i stinëve** mutation of seasons; **pjesë ~i** replacement parts; **~ i parasë** money exchange ♦ **~/ óhem** vtv, ps : **lahem dhe ~ohem** wash and change ♦ **~lój** kl change, transform, alter; dress *(a wound);* cast *(the skin);* relieve *(the watch);* exchange, swap; convert: **~j rrobat** change (one's clothes); **~j marshin** change gear; **~j dy fjalë me dikë** give sb the time of the day; **~j jetë** pass away; **ia ~j mendjen dikujt** make sb change his mind ♦ jkl be different; change; alter: **nuk ~j nga të tjerët** be like the rest; **~j dy gisht më dy gisht** chop and change ♦ **~úar (i, e)** mb changed: **i larë e i ~** washed and changed ♦ **~úesh/ëm (i), -me (e)** mb interchangeable; *gjh* changeable; variable

ndëshk:ím, -i m punishment; castigation; *sp* penalisation, penalty ♦ **~imór, -e** mb punitive *(expedition, etc.)* ♦ **~lóhem** ps ♦ **~lój** kl punish; castigate; chastise; *sp* penalise ♦ **~ues, -e** mb punitive

ndíe/j kl **ndjéva, ndíer** feel; have a sensation of; be aware of; have a premonition of: **~j të ftohtët** feel/ be cold; **~j një erë të mirë** smell a good perfume; **nuk ia ~j shijen diçkaje** have no taste for sth; **~j një zhurmë** hear a noise; **e ndjeva që po rrëzohesha** I knew I was falling; **s'do ta ~esh fare** you'll not notice it; it won't hurt

ndíer (i, e) mb renowned; celebrated; felt: **poezi e ~** poem written with feeling

ndíh kl, jkl help; v iii help; be favourable; be amenable: **e ~ dikë të ngrihet** help sb up; **na ~u era** we had a favourable wind

ndí/hem vtv v iii be felt/ heard/ perceived; feel; be present; ps: **pa μ ~er** noiselessly; **~hem mirë** feel well; **~hem ngushtë** be in a fix

ndihm:és/ë, -a f contribution ♦ **~/ë, -a** f help; aid; assistance; rescue; bs support: **~ë e shpejtë** first/ emergency aid; **me ~ën e** with the help of; **erdhi ~a** rescue arrived ♦ **~ës, -i** m helper; helpmate; assistant ♦ **~ës, -e** mb auxiliary; reserve *(mb);* accessory; ancillary; subsidiary; secondary: **folje ~e** gjh auxiliary verb ♦ **~ësminíst/ër, -ri** m deputy/ vice-minister ♦ **~ësmjék, -u** m paramedic ♦ **~/ óhem** ps ♦ **~lój** kl help; assist; aid; be favourable to: **~oj pa u kursyer** give unsparing help ♦ **~úes, -e** mb helping; assisting

ndíj:ím, -i m psk sensation; perception ♦ **~lój** kl sense; perceive ♦ **~ór, -e** mb sensory

ndik:ím, -i m influence: **nën ~in e** under the influence of ♦ **~lóhem** ps ♦ **~lój** jkl influence: **~oj për të mirë** have a good influence ♦ kl influence; induce ♦ **~úes, -e** mb influencing *(mb)*

ndíze/m vtv **ndez (u), ndézur** v iii take/ catch fire, burn; become rancid *(of butter, etc.);* v iii start *(of an engine);* be (turned) on; feel hot; rankle *(of a wound);* fg flare up; ps: **m'u ndezën faqet** my cheeks were burning; **u ndezën llambat** the lamps were lit; **u ndez motori** the engine started

ndjé/hem vtv, ps ♦ **~lj** kl pardon: **më ~ni** (beg your) pardon

ndjek kl **ndóqa, ndjékur** follow; chase; fg proceed; pursue; watch; attend *(studies);* persecute; bs drive out, expel *(from school);* sack, fire *(sb from work):* **qeni ~ të zotin** the dog follows its master; **~ rrugën time** proceed on one's way; **~ këmba-këmbës** follow in hot pursuit; **~ një shembull** follow sb's example; **~ një shfaqje** watch a spectacle ♦ jkl v iii follow; continue; ensue: **në kapitujt që ~in** in the following chapters ♦ **~ës, -i** m pursuer; follower; disciple; stalker ♦ **~ës, -e** mb following; consecutive; pursuing ♦ **~j/e, -a** f follow-up *(of a problem);* pursuit; attendance *(of a course);* prosecution *(in court)* ♦ **~ur (i, e)** mb followed (by); chased; persecuted

ndjell kl **ndólla, ndjéllë** call *(a dog);* cluck *(chicken);* fg forebode; have a premonition of; augur; v iii draw; remind of; evoke *(memories);* fg attract; lure; coax: **~ zi** cry evil; **fjala ~ fjalën** one word draws on another; **~ me premtime** lure with promises; **ma ndillte** I expected it

ndjénj/ë, -a f feeling; sentiment; sense; consciousness: **mbyt ~at** suppress one's feelings; **humb ~at** lose consciousness; **pa ~a** senseless; **~a e detyrës** sense of duty; **kam një ~ë se** have a gut feeling that

ndjérë (i, e) mb, em dead; late; defunct; deceased

ndjés/ë, -a f pardon; ft indulgence

ndje:sí, -a f sensation; sense ♦ **~sh/ëm (i), -me (e)** mb sensitive; sharp, keen *(sight, etc.);* touchy; sensitive; fg considerable *(change):* **pikë e ~me** a sore point; **vesh i ~ëm** keen ear ♦ **~mërí, -a** f sensitivity; sensitiveness

ndo ldh bs : **~ kështu, ~ ashtu** either this way, or that way ♦ **~cá** bs nd some; a little ♦ pkf some; a few

ndodh jkl v iii happen; occur; take place: **çfarë po ~?** what's happening? ♦ **~em** vtv be; v iii lie; be situated; happen; bs support: **~et në veri** it lies in the north; **u ~a aty** I happened to be there; **i ~em dikujt në fatkeqësi** stand by sb in a misfortune ♦ **~í, -a** f ♦ happening; event; occurrence; story ♦ **~j/e, -a** f happening; event; occurrence

ndo:kúnd nd somewhere; some place ♦ **~kúsh** pkf someone; somebody

ndónëse ldh: **~ ishte vonë ai vijoi udhën** although it was late, he went on his way

ndo:një pkf some; any; one of: **~ njeri** someone; somebody; **~ ditë** some day (or other); **~ prej**

tyre one of them ♦ *pj:* ~ **orë** nearly one hour ♦ **~njëhérë** *nd* sometime; some time: **dilni ~ nga ne** pop in to see us some time; **s'e kam parë ~** I've never seen him ♦ **~njěr/i, -a** *pkf* someone; anyone; one of: **~i prej nesh** one of us ♦ **~pák** *nd:* **a fjeti ~?** did he have any sleep?

ndóresh *nd:* **më vjen ~ për...:** get the hang of...; be skilled in

ndóshta *pj:* ~ **jo** probably not

ndot, -i *m* disgust; repulsion; loathing: **kam ~ nga** be disgusted of ♦ *k/* soil; dirty; foul; pollute: ~ **duart me baltë** make one's hands dirty with mud; ~ **mjedisin** pollute the environment ♦ *jk/* water, piss; mess ♦ **~/em** *vtv, ps:* **m'u ~ën rrobat** my clothes got dirty ♦ **~ë (i, e)** *mb* dirty; soiled; foul; *fg* repulsive: **hile të ~a** mean tricks ♦ **~ësí, -a** *f* dirtiness; *fg* meanness; disgust; loath; repulsion ♦ **~j/e, -a** *f* pollution: **shkallë e ~es** degree of pollution ♦ **~ur (i, e)** *mb* dirty; soiled, messed; polluted

ndrag *k/* dirty; mud; grime ♦ **~/em** *vtv, ps* ♦ **~ët (i, e)** *mb shih* **ndragur (i, e)** ♦ **~i/e, -a** *f* dirt; soil(ing); mess(ing) ♦ **~ur (i, e)** *mb* dirty; soiled ♦ **~ura, -t (të)** *as sh* mess

ndreq *k/* repair; mend; fix; tidy up; improve; redress *(a wrong)*; *fg* settle *(a quarrel)*; season *(a meal)*; pay off: ~ **orën** fix a watch; ~ **veten** correct oneself; mend one's ways; ~ **fëmijët për gjumë** put the children to sleep; ~ **gojën!** put a civil tongue into your mouth; **i ~ hesapet me dikë** settle accounts with sb ♦ **~/em** *vtv* deck oneself out; *fg* mend/ improve oneself; come to terms; be reconciled; *v iii* clear up; *ps:* **u ~ moti** the weather improved ♦ **~ës, -i** *m* mender; repairer ♦ **~j/e, -a** *f* repair; fixing; correction; adjustment: **~e e gabimeve** correction of errors ♦ **~ur (i, e)** *mb* mended; repaired; fixed; corrected; adjusted

ndriç:ím, -i *m* illumination; light; glow ♦ **~/óhem** *ps* ♦ **~/ój** *k/* light; illuminate; *fg* shed light into; *fg* enlighten: **~oj rrugët** illuminate the streets; **~oj një mister** shed light into a mystery ♦ *jk/ v iii* shine; beam *(with joy)*; *v iii fg* shine; be bright *(of a light, etc.)* ♦ **-úar (i, e)** *mb* illuminated; lighted; enlightened *(mind)* ♦ **~úes, -e** *mb* lighting; illuminating; enlightening

ndríkull, -a *f vj* godmother; *bs* gossip

ndri/n *jk/* **-u, -rë** shine; gleam; *fg* excel; *shih* **ndrit: i ~nin sytë nga gëzimi** his eyes shone with joy ♦ **~t (~s)** *jk/ v iii* shine; glitter; gleam; *v iii* be spotless; *v iii* radiate; *fg* excel: **nuk më ~i** I couldn't get away with it; **i ~ë shpirti** may his soul rest in peace ♦ *k/* light; illuminate; *fg* enlighten: **i ~ dhëmbët dikujt** scowl at sb; **i ~ sytë dikujt** glare at sb ♦ **~tsh/ëm (i), -me (e)** *mb* shining; flaming ♦ **~tur (i, e)** *mb* shining; bright; *fg* excellent, brilliant: **sy të ~** bright eyes

ndrydh *k/* (com)press; sprain, twist; *fg* suppress *(a*

feeling): ~ **një gaz** compress a gas ♦ **~/em** *vtv v iii* be sprained; *fg* restrain oneself; be reserved; *ps* ♦ **~j/e, -a** *f* sprain; twist; *fg* suppression; restraint ♦ **~ur (i, e)** *mb* sprain *(ankle)*; compressed *(gas)*; *fg* suppressed, restrained: **e mbaj të ~ diçka** keep the lid on sth; **me zemër të ~** with a heavy heart

ndrý/hem *vtv* lock/ shut oneself in ♦ **~/j** *k/* lock; *fg* withhold

ndrýsh:e *nd* otherwise; differently; the other way round: **është ~** it's the other way round; **do të flas ~ me ty** I'll use a different language with you ♦ **~e** *ldh* otherwise; or (else): **thuaj të drejtën, ~...** tell the truth, or...; ~ **nga ne** unlike us ♦ **~/ëm (i), -me (e)** *mb* different; various; sundry: **shije të ~me** different tastes; **të ~me** miscellaneous *(items)* ♦ **~ím, -i** *m* change; alteration; difference; distinction: **~e të shpeshta** frequent changes; **çfarë ~i ka?** what's the difference?

ndryshk, -u *m* rust: **zë ~** rust; become foggy/ muddled *(in the head)* ♦ ~ *k/* – (u), **-ur** rust ♦ **~/em** *vtv, ps* ♦ **~ët (i, e), ~ur (i, e)** *mb* rusted; rusty; oxidised ♦ **~j/e, -a** *f* rusting; oxidising

ndrysh/óhem *vtv, ps* ♦ **~/ój** *k/* change; alter: **~oj trajtën** change shape; ~ **mendje** have second thoughts; **paske ~uar!** you have changed! ♦ *jk/* change; be different: **~on puna** it's another pair of shoes/ kettle of fish ♦ **~úar (i, e)** *mb* changed; altered ♦ **~úesh/ëm (i), -me (e)** *mb* changeable; variable *(weather):* **rrymë e ~me** *e/* alternate current

nduk *k/* twitch; pinch; pluck; pull; nibble *(the food):* ~ **për mënge dikë** pull at sb's sleeve ♦ **~/em** *vtv* pull one's hair; tear one's cheeks; pinch one another; *ps* ♦ **~j/e, -a** *f* twitch; pinch; pull

ndy/hem *vtv* get dirty; dirty oneself; *ps* ♦ *njëvetore* be sickened/ disgusted/ shocked/ fed up: **m'u ~e ai burrë** that fellow disgusted me ♦ **~/j** *k/* dirty; foul; disgust; sicken; mess: **~j duart** dirty/ smear one's hands ♦ *jk/* empty one's bowels ♦ **~racák, -e, ~ramán, -e** *mb* messy; untidy; foul; dirty ♦ **~ras, ~razi** *nd* grossly; in loathsome (foul, obscene) language; scurrilously; meanly; indecently: **e shaj ~ dikë** abuse sb grossly; **ia punoj ~ dikujt** play a low trick on sb ♦ **~r/ë (i, e)** *mb* dirty; foul; filthy; obscene; scabrous; *fg* mean, shabby; sordid: **rroba të ~a** dirty clothes; **fjalë të ~a** obscene words ♦ **~ë** *nd shih* **ndyrazi** ♦ **~rësí, -a** *f* dirtiness; uncleanness; garbage; refuse; litter; smut; filth; mess; *fg* scurrility; obscenity ♦ **~rësír/ ë, -a** *f* dirt; garbage; *fg* trash; scum; low-class people; *fg* scurrility ♦ **~rësísht** *nd shih* **ndyrazi** ♦ **r~j/e, -a** *f* dirt(ying); soil(ing); mess ♦ **~t/ë (të)** *as* disgust; nausea; disgust ♦ **~të (i, e)** *mb shih* **ndyrë**

ne *vetor* we; us: ~ **jemi këtu** we are here; **varet**

prej ~sh it depends on us; **midis ~sh** between us

nebulóz/ë, -a *f ast* nebula

negatív, -i *m* negative (pole) ♦ **~, -e** *mb* negative; adverse; unfavourable: **marr përgjigje ~e** receive a negative reply ♦ **~ísht** *nd* in the negative

nég/ër, -ri *m* Negro *(sh* **-oes)**

negociát/ë, -a *f* negotiation ♦ **~ór, -i** *m* negotiator

nekro:logjí, -a *f* obituary ♦ **~logjík, -e** *mb* necrological

nektár, -i *m* nectar; honey-dew

nemítem *vtv*-**a (u), -ur** be dumbfounded; die down/ away: **zërat u ~ën** voices died down ♦ **~ur (i, e)** *mb* dumbfounded; tight-lipped

nen, -i *m* article *(of the law)*

nenexhík, -ku *m bt* mint

neo:fashíst, -i *m pl* neo-fascist ♦ **~fashíst, -e** *mb pl* neo-fascist ♦ **~fashíz/ëm, -mi** *m pl* neo-fascism ♦ **~klasicíz/ëm, -mi** *m art* neo-classicism ♦ **~klasík, -e** *m* neo-classic(al) ♦ **~koloniál, -e** *mb* neo-colonialist ♦ **~kolonialíz/ëm, -mi** *m* neo-colonialism ♦ **~logjíz/ëm, -mi** *m gjh* neologism

neón, -i *m km* neon; neon tube (lamp): **drita ~i** neon lights

neo:nazíst, -i *m pl* neo-nazi ♦ **~nazíst, -e** *mb pl* ~-nazi *(mb)* ♦ **~nazíz/ëm, -mi** *m pl* neo-nazism

Nepál, -i *m gjg* Nepal ♦ **n~éz, -e** *mb* Nepalese ♦ **n~éz, -i** *m* Nepali

nepërk/ë, -a *f zl* viper; adder

neps, -i *m* greed(iness); lust; craving *(for food)* ♦ **~qár, -e** *mb bs* greedy

neqéz, -e *mb bs* misery; stingy

nerv, -i *m an* nerve; *fg* temper; *sh fg* energy; *nj fg* vein: **krizë ~ash** nervous breakdown; **prek në ~touch** a nerve; *fg* cut in the raw; **ia ngre ~at dikujt** get on sb's nerves; **jam me ~a** be nervy ♦ **~ór, -e** *mb an* nervous ♦ **~óz, -e** *mb* nervous; nervy ♦ **~ozíz/ëm, -mi** *m* nervousness ♦ **~oz/óhem** *vtv* get/ become nervous; lose one's temper ♦ **~oz/ój** *kl* get on *(sb's)* nerves

nésër *nd* tomorrow: **~ në mëngjes** tomorrow morning; **në mos sot, ~** before long; soon ♦ **~m (i), -me (e)** *mb:* **ditën ~e** next day ♦ **~m/e, -ja (e)** *f* the next day; the day after; the following day; future

néto *mb* net: **peshë ~** net weight

neuro:kirúrg, -u *m* neurosurgeon ♦ **~kirurgjí, -a** *f mk* neurosurgery ♦ **~kirurgjík, -e** *mb* neurosurgical ♦ **~lóg, -u** *m* neurologist ♦ **~logjí, -a** *f mk* neurology ♦ **~logjík, -e** *mb mk* neurological

neurón, -i *m an* neuron(e)

neuro:psikiát/ër, -ri *m* neuropsychiatrist ♦ **~psikiatrí, -a** *f mk* neuropsychiatry

neuro:tík, -e *mb mk* neurotic ♦ **~z/ë, -a** *f mk* neurosis *(sh* **-es)**

neutrál, -e *mb* neutral: **ngarkesë ~e** *fz* neutral charge ♦ **~itét, -i** *m* neutrality ♦ **~iz/óhet** *vtv* become neutralised ♦ **~iz/ój** *kl* **-óva, -úar** neutralise

neutrón, -i *m fz* neutron: **bombë me ~** neutron bomb

neverí, -a *f* disgust; loathing; *fg* contempt; scorn: **hedh poshtë me ~ diçka** turn sth down with contempt; **marr ~** be loath (of sth) ♦ **~t (~s)** *kl* disgust ♦ **~tem** *vtv v iii* be disgusted; feel sick; be sickened; *ps* **~tës, -e** *mb* disgusting; sickening ♦ **~tj/e, -a** *f* disgust; repulsion; loathing ♦ **~tsh/ëm (i), -me (e)** *mb* disgusting, loathsome; sickening

nevój/ë, -a *f* need; necessity; difficulty; *nj* want: **~ë e ngutshme** urgent need; **pa qenë ~a** uncalled for; **nga ~a** out of necessity; **po të jetë ~a/ në rast ~e** if need be; **~a e madhe** shit; stool; **~a e vogël** piss; pee ♦ **~ít/em** *vtv* be needed/ necessary/ useful; *v iii* take *(time, etc.):* **ti ~esh këtu** you are needed here; **~en dhjetë ditë** it will take ten days ♦ **~sh/ëm (i), -me (e)** *mb* necessary; required ♦ **~tár, -e** *mb* needy; destitute ♦ **~tár, -i** *m* (the) needy/ poor/ destitute ♦ **~tór/e, -ja** *f* toilet; lavatory; loo

nevra:lgjí, -a *f mk* neuralgia ♦ **~lgjík, -e** *mb mk* neuralgic; *fg* crucial; sensitive: **pikë ~e** sensitive/ crucial point ♦ **~stení, -a** *f mk* neurasthenia ♦ **~steník, -e** *mb, em* neurasthenic

nevrík, -e *mb* nervy; hot-tempered; testy ♦ **~ós** *kl* irritate: **mos u ~os!** be cool/ your shirt! ♦ **~ósem** *vtv* become nervous; *ps* **~ósj/e, -a** *f* irritation ♦ **~ósur (i, e)** *mb* irritated; edgy

në[1] *prfj:* **~ ballë të** in the forefront of; **~ dimër/ verë** in winter/ summer; **~ drejtim të** n the direction of; **~ fillim/ fund** in the beginning/ end; **~ këmishë** in shirt sleeves; **~ mes të ditës** in the middle of the day; **~ një ditë** in one day; **~ orën dy** at two o'clock; **~ rrugë** on the street; **~ saje të** due/ thanks to; **~ shkollë/ shtëpi** at school/ home; **deri ~** up to/ till; **ndaj ~ tri pjesë** divide into three parts; **nga... ~ ...** from... to...; **që** since; from

në[2] *ldh* if; whether: **~ e di, ma thuaj** if you know it, tell met; **~ s'gabohem** if I am not wrong (mistaken); **~ rast se** in case; **~ qoftë se** if; **~ mënyrë që** so that

nëm *kl, jkl* curse; imprecate; curse; damn ♦ **~/ë, -a** *f* curse; malediction; damnation ♦ **~ur (i, e)** *mb, em* cursed; damned

nën *prfj:* **~ ujë** under the water; **~ moshë** underaged; **~ 40 vjeç** on the right side of 40; **thërres ~ armë** call to arms

nën: çmím, -i *m* underestimation ♦ **~çmóhem** *ps* ♦ **~çm/ój** *kl* **-óva, -úar** underestimate; underrate; play down ♦ **~dét, -i** *m* submarine ♦ **~détës/e, -ja** *f* submarine ♦ **~dhésh/ëm (i), -me (e)** *mb* underground; subterranean: **kalim i ~ëm** subway

nën/ë, -a *f* mother: **gjuha e ~ës** mother tongue; **s'e bën ~a** he is second to none

nënë:gjýsh/e, -ja *f* grandmother; great-grandmother ✦ **~lók/e, -ja** *f* mother; mom ✦ **~mádh/e, -ja** *f shih* **~gjýsh/e, -ja**

nën:físh, -i *m* submultiple; *mat* divisor ✦ **~këmbëz, -a** *f* footrest: **i vë ~ën dikujt** trip sb over ✦ **~kolonél, -i** *m ush* lieutenant colonel ✦ **~kryetár, -i** *m* vice-/ deputy chairman ✦ **~kuptím, -i** *m* implication; hint; implicit meaning ✦ **~kuptó/het** *pvt:* **lë të ~het** imply sth ✦ **~kupt/ój** *kl, v iii* imply; infer: **çfarë ~on ti me këtë?** what do you imply by this? ✦ **~kuptúar (i, e)** *mb* implicit; understood; implied;

nënó, -ja, nëno- *f bs* granny; mom

nënó:k/e, -ja *f bs* mom ✦ **~l/e, -ja** *f* mummy

nën:presidént, -i *m* vice-president ✦ **~prodhím, -i** *m* by-product

nënqésh *jkl* smile; grin ✦ **~j/e, -a** *f* smile; grin **~e tailëse** quizzical smile

nënshkrím, -i *m* signature ✦ **~shkr/úaj** *kl* -óva, -úar (under)sign: **~uaj një çek** sign a cheque ✦ **~shkrúar, -i (i)** *m* undersigned; subscriber; underwriter: **unë, i ~i** I the undersigned ✦ **~shkrúes, -i** *m* signatory party ✦ **~shkrúhet** *ps* ✦ **~shtétas, -i** *m* subject; citizen ✦ **~shtetësí, -a** *f* nationality; citizenship ✦ **~shtrím, -i** *m* subjugation; subordination; submission; submissiveness ✦ **~shtróhem** *vtv, ps* ✦ **~shtr/ój** *kl* -óva, -úar subdue; subjugate; reduce to obedience; submit *(a plan for examination):* **~oj një vend** overrun a country ✦ **~shtrúar (i, e)** *mb* subdued; submissive

nëntat (të) *f sh ft* ninth day *(after death)*

nëntékst, -i *m* implied meaning; meaning between lines

nënt:ë *nm thm* nine; *prmb* **~lë, -a (të)** all nine: **~ ditë** nine days ✦ *em* nine ✦ *nm rrsht* ninth; nine: **dhoma ~** room (number) nine ✦ **~lë, -a** *f* nine; figure of nine: **~a spathi** nine of spades ✦ **~/ë (i, e)** *nm rrsht* ninth ✦ **em f (në thyesa)** ninth (part): **një e ~a** one ninth ✦ *em* ninth

nëntë *nd* underneath: **e vë ~** put underneath

nëntë:dhjetenënta, -t (të) *f sh bs:* **njeri i të ~ve** a thorough rascal; gallows-bird ✦ **~dhjétë** *nm thm* ninety ✦ *nm rrsht* ninety; ninetieth: **dhoma ~** room ninety; **vitet ~** the nineties/ '90s ✦ **~dhjétë (i, e)** *nm rrsht* ninetieth ✦ *em f* ninetieth; *f sh* ninety: **një e ~a** one ninetieth (part); **i mbush të ~at** become ninety (years old) ✦ **~mbëdhjétë** *nm thm* nineteen ✦ *nm rrsht* nineteenth; nineteen ✦ **~mbëdhjét/ë (i, e)** *nm rrsht* nineteen(th) ✦ *em f* nineteenth *(part)* ✦ **~qínd** *nm thm* nine hundred ✦ *nm rrsht* nine hundredth; nine hundred ✦ **~qíndtë (i, e)** *nm rrsht* nine hundredth ✦ *em f* nine hundredth part (of)

nëntësh, -i *m* nine-piece; nine men's morris ✦ **~sh/**

e, -ja *f* group of nine

nën:títu/ll, -lli *m kn* subtitle ✦ **~tóger, -i** *m ush* sub-lieutenant; second lieutenant ✦ **~tók/ë, -a** *f* subsoil; underground ✦ **~tokësór, -e** *mb* subsoil, underground *(mb):* subterranean

nëntór, -i *m* November

nën:tropikál, -e *mb* subtropical ✦ **~újës, -e** *mb* submarine ✦ **~ujór, -e** *mb* underwater *(rock)* ✦ **~újsh/ëm (i), -me (e)** *mb* underwater *(mb):* submerged ✦ **~vizím, -i** *m* underlining; stressing; highlighting ✦ **~vizóhet** *ps* ✦ **~viz/ój** *kl* -óva, -úar underline; underscore; highlight ✦ **~vizúar (i, e)** *mb* underlined; underscored ✦ **~vlerësím, -i** *m* underestimation; undervaluation ✦ **~vlerësóhet** *ps* ✦ **~vlerës/ój** *kl* -óva, -úar underestimate; undervalue

nëpër *prfj:* **sillem ~ shtëpi** hang about in the house; **~ vende!** take your places!; **~ tym** haphazardly; at random; **flas ~ dhëmbë** mutter through one's teeth

nëpër:këmb *kl* trample on ✦ **~këmbem** *ps* ✦ **~këmbur (i, e)** *mb* downtrodden ✦ **~més** *nd:* **pres ~** cut across ✦ *prfj:* **~ turmës** through the crowd ✦ **~mjét** *nd* through; by (means of)

nëpúnës, -i *m* employee: **~ i shtetit** civil servant; **~ i gjendjes civile** registrar ✦ **~í, -a** *f* (employment in) civil service

nësé *ldh:* **më njofto ~ nuk vjen** let me know if you're not coming ✦ *pj:* **s'e di ~** I do not know whether

nga *nd:* **~... deri...** from... to...; **~ u nise?** where did you start from?; **nuk e di se ~** I don't know from where/ the origin; **~ je?** which place are you from? ✦ *prfj:* **shkuan ~ lumi** they went towards the river; **sulmoj ~ krahët** attack from the flanks; **larg ~ bregu** away from the shore; **~ fundi i korrikut** by the end of July; **~ frika** out of fear; **~ e keqja** out of necessity; **i pakët ~ trupi** slight of built; **më i mirë ~ të gjithë** the best of all; **dy ~ dy** in twos; **~ poshtë lart** from below up; **pak e ~ pak** little by little ✦ *ldh:* **shkoj ~ të më shpjerë** drift with the current

ngacm:ím, -i *m* nagging; teasing; meddling; harassment; *fzo* stimulation; incitement; excitement ✦ **~/óhem** *vtv sh* nag/ tease one another; banter; *ps* ✦ **~/ój** *kl* -óva, -úar touch; poke; *fzo* stimulate; *fz* sensitise; excite; *fg* incite; egg on; nag; tease; banter; *v iii bs* be plagued by *(an illness):* **~oj zjarrin** poke the fire; **~oj plagën** scratch the wound; **~oj fantazinë** arouse the imagination; **~oj urët** fan the fire ✦ **~úes, -i** *m* tease; nag(ger); *fzo* stimulant; excitant ✦ **~úes, -e** *mb* teasing; nagging *(mb):* exciting; arousing; stimulating ✦ **~úesh/ëm (i), -me (e)** *mb* excitable

ngadál:ë *nd* slowly; easy; in a low voice: **me ~** slowly; by easy stages ✦ *psth:* **~!** go slow!; steady!;

hold on! ♦ **~ësí, -a** f slowness ♦ **~ësím, -i** m slowing down; slow motion ♦ **~ësóhet** vtv, ps ♦ **~ësí ój** kl **-óva, -úar** slow down; decelerate; retard: **~oj hapin** slow down one's pace ♦ **~ësúar (i, e)** mb slowed down; decelerated: **rritje e ~** retarded growth ♦ **~ësúes, -e** mb decelerating; retarding (mb) ♦ **~lsh/ëm (i), -me (e)** mb slow; unhurried; sluggish; slow-witted; delayed; retarded: **me hap të ~ëm** at a slow pace; **veprim i ~** delayed action ♦ **~të (i, e)** mb slow; unhurried; leisurely

ngadítë nd each (every) day **~ e më shpesh** more often each (passing) day

ngadó nd everywhere; all over ♦ ldh wherever **~ që të shoh** wherever I look

ngadhënj/éj jkl triumph ♦ kl conquer ♦ **~ím, -i** m triumph ♦ **~imtár, -e** mb triumphant; triumphal; victorious

ngahér:ë nd: **si ~** as ever before

ngal:akáq, -e, ~ët (i, e) mb kq hobbledehoy; stickin-the-mud; sluggish

ngallm/ój kl **-óva, -úar** join; nail; inlay (a diamond in a ring)

ngaqë ldh: **nuk dukej, ~ ishte larg** it couldn't be seen, because it was far

ngark:és/ë, -a f load; burden; cargo (of a ship); freight; el charge; **provë pa ~ë** test on the void; **kafshë ~e** pack animal; **~ë e baterive** battery charge ♦ **~ím, -i** m loading; el charging (of batteries); saddling (with responsibility); charge: **marr në ~** take charge of; **kam në ~** be in charge of; be responsible for (one's family) ♦ **~lóhem** vtv be loaded; loaded; v iii be laden; be heavy with; v iii bs be pregnant; ps ♦ **~lój** kl **-óva, -úar** assign (sb to do sth); burden; load; fg overload; tax; fg impute; el charge (a battery, a condenser): **~oj anijen** load a ship; **ia ~oj fajin dikujt** lay the blame on sb; **~oj plaçkat** pack one's things ♦ **~úar, -i (i)** m person in charge: **i ~ me punë** dipl chargé-d'affaires (sh **chargés-d'affaires)** ♦ **~úar (i, e)** mb loaded; laden; fg overloaded; taxed; bs heavy with child (woman); heavy with young (animal): **qiell i ~** overcast sky

ngarrít jkl dawdle; idle; loaf about; tarry

nga/s kl touch; molest; v iii bs suffer from; drive (a car); ride (a horse, etc.); bs engage in; pursue; bs touch on (a subject); bs hurry: **mos më ~** don't push me; **nuk e ~u gjellën** he did not touch the food; **më nget kolla** have a fit of cough; **~s kalin** ride a horse; **lëre mos e ~** let it be; **që ta ~s fjalën** by the way ♦ jkl run; hurry; drive; ride: **~s në shtëpi** run home; hurry home; **~s shpejt** drive fast ♦ **~ës, -e** mb tempting; provoking ♦ **~j/e, -a** f temptation; lure: **shtie në ~je** lead into temptation

ngást/ër, -ra f plot, parcel (of land); piece, chunk (of pie)

ngashënj/éhem vtv, ps ♦ **~léj** kl lure; attract; coax; charm ♦ **~ím, -i** m lure; allurement; attraction; charm ♦ **~ýes, -e** mb alluring; attractive; charming

ngashër/éhem vtv be touched/ deeply moved; sob ♦ **~léj** kl move; touch deeply ♦ **~ím, -i** m emotion; agitation; sobbing ♦ **~ýer (i, e)** mb touched; moved

ngatërr:és/ë, -a f confusion; muddle; complication: **i qit ~a dikujt** raise difficulties for sb; **këtu ka një ~ë** something is wrong here ♦ **~estár, -i** m meddler; busybody; scheming person ♦ **~estár, -e** mb vixenish; intriguing; scheming (person) ♦ **~ím, -i** m confusion; complication ♦ **~lóhem** vtv v iii get tangled; v iii be confused/ muddled up; fg get mixed up; quarrel; v iii become complex/ intricate: **u ~ua peri** the thread was tangled; **mos u ~o me ta** keep clear of them; **ajo qe ~uar me një burrë** she was involved with a man ♦ **~lój** kl **-óva, -úar** (en)tangle; ravel; fg confuse; muddle (ideas, etc.); throw into disorder; confound; embroil; mix (up); shuffle (cards); mess; mistake (sb for sb else): **~oj fijet** tangle the threads; **~oj hapin** miss one's step; **ia ~oj letrat dikujt** confuse sb's plans ♦ **~úar (i, e)** mb tangled; entangled; fg intricate ♦ confused (ideas) ♦ **~úesh/ ëm (i), -me (e)** nd confusedly

ngathët (i, e) mb slow; sluggish; awkward; clumsy: **me duar të ~a** with a clumsy hand ♦ **~ët** nd clumsily; awkwardly ♦ **~tësí, -a** f sluggishness; awkwardness; clumsiness

ngazëll:ím, -i m exultation; exultancy; transport (with joy); rapture ♦ **~lóhem** vtv exult; rejoice ♦ **~lój** kl **-óva, -úar** enthuse; delight ♦ jkl exult; rejoice ♦ **~úar (i, e)** mb enthused; delighted; overjoyed

nge, -ja f ease; free time; leisure: **kam ~** have time to spare; **s'ia kam ~në në diçkaje** be unable to afford sth

ngec jkl get stuck/ caught; be stranded; v iii stop; hang: **~ në mes të rrugës** be stuck in the middle of the road; **~ në baltë** get stuck in the mud; **~ në vend** mark time; **anija ~i në breg** the ship ran aground; **më ~ xhaketa në një gozhdë** my coat got caught in a nail; **ora ka ~ur** the watch has stopped ♦ kl bs saddle with; catch; sp drop (the ball behind the net): **ia ~ fajin dikujt** saddle sb with the blame; **ia ~ dikujt** cheat sb ♦ **~/em** vtv seize on: **~em pas diçkaje** find fault with sth; **kërkoj të ~em me dikë** be itching for a fg ht with sb ♦ **~j/e, -a** f stoppage; deadlock

ngel jkl stop; remain; get stuck; fail; v iii be left: **~em pa darkë** go supperless; **~ vetëm** be left alone; **më ~ën ca para** have some money left; **~ prapa** remain/ lag behind; **~ në provim** fail an exam; **më ~et mendja në një gjë** be obsessed with/

fancy sth **~i ora** the clock has stopped ♦ *kl bs* fail; plough *(a student)* **~/em** *vtv* remain behind ♦ **~ur (i, e)** *mb* left over: **gjellë e ~** left-over food

ngésh/ëm (i), -me (e) *mb* easy, leisurely *(walk);* free: **kohë e ~me** free time ♦ **~ëm** *nd* easily; unhurriedly

ngërç, -i *m* cramp; twinge; twitch; crick: **~ i qafës** crick in the neck

ngërdhésh/em *vtv* **-a (u), -ur** grimace: **~em në fytyrë** make a wry face (mouth) ♦ **~/e, -a** *f* grin; grimace; twitch ♦ **~ur (i, e)** *mb* twitched *(face);* wry

ngí/hem *vtv* eat one's fill; have had enough *(of sb's promises);* ps: **ha sa ~hem** eat one's fill ♦ **~lj** *kl* **va -rë** satiate; satisfy; fill ♦ **~mj/e, -a** *f* satiation; satisfaction ♦ **~njem** *vtv shih* **ngihem** ♦ **~njur (i, e)** *mb* satiated; surfeited; satisfied; full: **treg i ~** surfeited market

ngóje *nd:* **zë ~** mention; **mos e zër ~** don't mention/ breathe a word about it

ngop *kl* fill (up); stuff; gorge *(with food, etc.);* bs saddle *(sb with the blame);* saturate *(a solution):* **~ me të ngrëna e të pira** ply with food and drink; **~ me premtime dikë** give sb plenty of ♦ **~/em** *vtv* stuff/ fill up/ gorge/ cloy oneself *(with food, drink);* v iii be surfeited/ saturated; have enough of; *ps.:* **ha sa ~em** eat one's fill; **~em me...** have a belly-full of...; **s'u ~ me para** he would never have enough money ♦ **~j/e, -a** *f* satiation; saturation ♦ **~ur (i, e)** *mb* full up; satiated; satisfied; gorged; glutted; full to repletion; *fg* tired; sick and tired; fed up *(with);* weary; saturated *(solution)*

ngordh *jkl v iii* die *(of an animal);* kq crock up; bs dote *(on sb):* **~ për bukë** starve; **~ për gjumë** be dropping with sleep ♦ **~aláq, -e** *mb* weakling; dastardly ♦ *em* weakling; cad; dastard ♦ **~ësír/ë, -a** *f* carrion; skeleton; starveling; *kq* good-for-nothing fellow; human wreck ♦ **~ët (i, e)** *mb shih* **~ur (i, e)** ♦ **~j/e, -a** *f* death *(of animals);* disease; epidemic: **është ~je** it's freezing cold ♦ **~ur (i, e)** *mb* dead *(animal);* kq sluggish; faint; lackadaisical

ngrátë (i, e) *mb* poor; wretched; miserable: **plaku i ~** wretched old man; old wretch

ngr/e *kl* **-íta, -ítur** lift (up); raise *(a load, prices);* hoist; heave; pick up; hold up; put up(right); set up; wake up, awaken; clear *(the table);* fg enhance; put forward *(a question);* fzo rouse, hot up; bs levy *(an army);* rally; muster: **~ bishtin** *kq* put on airs; lead a loose life *(of women);* **~ dorë kundër dikujt** raise a hand against sb; **~ dorezën e telefonit** pick up the (telephone) receiver; **~ duart përpjetë** put up one's hands; **~ hundën përpjetë** turn up one's nose at; **~ kokë/ krye** rebel; revolt; mutiny; **~ leckat** pack up and leave; **~ në këmbë dikë** lift sb to his feet; set sb up in

life; **~ në përgjegjësi** promote; **~ peshë** lift up in the air; transport (with joy); carry away; **~ supet** shrug; **~ zërin** raise one's voice; **nuk ~ kandar** carry no weight

ngrefós/em *vtv v iii* puff/ blow up *(its feathers);* swank ♦ **~ur (i, e)** *mb* haughty; arrogant; cocky; perky; swanky

ngreh *kl* draw *(a bow);* taut *(a rope);* cock *(a firearm);* wind *(the watch);* pitch *(a tent);* build, found *(a business);* erect *(the male organ);* make horny: **~ telat** draw the strings *(of an instrument);* **~ veshët** prick up one's ears ♦ **~em** *vtv* swagger; swank; *ps* ♦ **~/ë, -a** *f* frame *(of a building);* an skeleton; ♦ **~ín/ë, -a** *f* building; *fg* structure ♦ **~j/e, -a** *f* drawing *(of a string);* pitching *(of a tent);* fzo erection *(of the male organ)* ♦ **~ur (i, e)** *mb* drawn *(wire, string);* stretched out; cocked up *(fire-arm);* set up; pitched *(tent);* fg cocky; swanky; perky; fzo erected *(male organ)* ♦ **~ur** *nd* cocked *(of a fire arm);* fg haughtily: **me veshët ~** with one's ears pricked up

ngrën/ë, -a (e) *f* *(të)* eating; *sh* food; hollow; cavity ♦ **~ë, -t (të)** *as* eating: **bëj naze në të ~** be fussy about one's food ♦ **~ë (i, e)** *mb* fed; *(worm)* eaten; eroded; worn thin: **jam i ~ e i pirë** I've had food and drink; I've dined and wined; **hënë e ~** moon on the wane ♦ **~ës, -e** *mb* gluttonous ♦ *em* glutton; hearty eater ♦ **~i/e, -a** *f* eating: **dhoma e ~es** dining room

ngríc/ë, -a *f* frost; chill

ngrí/hem[1] *vtv* **-ta (u), -tur** rise; be raised; stand up; wake up; begin to walk *(of a child);* v iii be lifted; take off; v iii increase; v iii be set up; be founded; *ps:* **~hem më këmbë** stand up; **~hem nga tryeza** leave the table; **~hem herët** rise early; **~hem nga shtrati** get out of bed; **dielli po ~het** the sun is rising; **~ hem e iki** get up to leave; **~hu të të shohim!** stand up and be counted!

ngrí/hem[2] *vtv shih* **~lj; u ~ uji** the water froze ♦ **~lj** *jkl v iii* freeze, ice; v iii set, harden; be/ feel cold; chill; be dead/ numb *(with cold, etc.);* be stiff; v iii be stunned/ transfixed *(with fear, etc.);* **ka ~rë lumi** the river is frozen; **më ~n këmba** my foot is stiff/ dead/ numb; **më ~u qafa** I have a stiff neck; **~j në vend nga frika** be scared stiff; **më ~u gjaku** blood froze in my veins ♦ *kl* paint over; (sugar) frost *(fruits):* **e ~j në ar** gild ♦ **~j/ë, -a** *f* frost; chill ♦ **~rë (i, e)** *mb* frozen; frosty; frosted; chilled; numb; stiff; dead *(limb);* impassive; rigid; *(gold, etc.)* -plated: **mish i ~** frosted meat; **fytyrë e ~** dead-pan; **jakë e ~** stiff collar ♦ **~rj/e, -a** *f* freezing; hardening; setting: **pikë e ~es** freezing point

ngrít:ës, -i *m* lift; lever: **~ peshash** *sp* weight-lifter ♦ **~ës, -e** *mb* lifting *(device)* ♦ **~j/e, -a** *f* raising; lifting; enhancement; rise *(of the terrain):* **~e e çmimeve** price rise ♦ **~ur, -a (e)** *f* rise; prominence ♦ **~ur (i, e)** *mb* elevated; raised; upright, standing on end; upturned *(collar)*: **me mendje të ~** with an unsettled mind; on tenterhooks; **me veshë të ~** full of ears ♦ **~ur** *nd* up; high; sitting up; awake: **rri gjithë natën ~** sit up all night

ngroh *kl* warm up; heat *(the house);* clutch, hatch *(eggs); ps:* **kjo s'më ~ fare** it's cold comfort to me; **~ vezë** hatch eggs; *fg* sit idle ♦ **~/em** *vtv* **~a (u), ~ur** *v iii* warm up; get warm; warm oneself: **~ et moti** the weather is getting warmer ♦ **~ës, -i** *m*: **~elektrik** electric heater ♦ **~j/e, -a** *f* warming up; heating: **~e qendrore** central heating (system) ♦ **~ta (të)** *as sh* fomentation ♦ **~të, -t (të)** *as* warmth; heat ♦ **~të (i, e)** *mb* warm; heated; hearty; pleasant; glowing: **ditë e ~** a warm day; **me fjalë të ~** in glowing terms; **e kam zemrën të ~** feel reassured ♦ **~të** *nd* warm; *fg* warmly: **bën ~** it is warm *(weather);* **e pres ~ dikë** give sb a hearty reception ♦ **~tësí, -a** *f* warmth: **~a e trupit** the warmth of the body ♦ **~tësísht** *nd* warmly ♦ **~ur (i, e)** *mb* warmed; heated; *fg* reassured

ngrykë *nd:* **marr ~** hug; embrace

ngrys *kl* frown; knit *(one's brows);* *bs* delay; take a long time *(to do sth);* live through: **e ~ një ditë** while away one day; **~ jetën** reach the end of one's days; **na ~ e!** you're taking ages ♦ **~/em** *vtv* **~a (u), ~ur** frown; spend the whole day *(doing sth);* *fg* frown: **u ~ edhe një ditë** one more day is over; **si u ~e?** good evening?; **u ~ e nuk u gëdhi** he did not live to see the new day ♦ *pvt* grow dark: **prit sa të ~et** wait till it is dark ♦ **~ët (i, e)** *mb* shih **~ur (i, e)** ♦ **~j/e, -a** *f* nightfall; dusk; twilight ♦ **~ur, -it (të)** *as* nightfall; dusk; twilight ♦ **~ur (i, e)** *mb* gloomy; frowning; *fg* dark; overcast: **qiell i ~** overcast sky ♦ **~ur** *nd* frowning, sullenly

nguc *kl* prod; jolt; jiggle; *fg* tease; heckle; *fg* egg on; incite; provoke; crowd, squeeze in ♦ **~/em** *vtv, ps:* **~emi pas njëri-tjetrit** huddle close together ♦ **~ur** *nd* crowded; squeezed

nguj:ím, -i *m* siege; shutting in ♦ **~ó/hem** *vtv* shut oneself up *(in a castle, etc.);* entrench/ dig oneself *(in a position); ps* ♦ **~lój** *kl* **-óva, -úar** close; shut in; fasten; nail down *(troops):* **na ~oi bora** we were shut in by the snow ♦ **~úar (i, e)** *mb* shut-in; nailed down

ngul *kl* dig / drive/ ram in(to); pitch up *(a tent);* *fg* fix *(one's eyes on);* concentrate: **~ dhëmbët** dig one's teeth in; **~ në dhe** dig in the ground; **~e në kokë!** stick it into your head!; **ia ~ sytë dikujt** s tare at sb fixedly ♦ *jkl* stay, settle down *(in a new place):* **~ këmbë** dig one's heels; insist ♦ **~as** *nd:* **vështroj ~** eye fixedly ♦ **~/em** *vtv v iii* stick in; *fg* settle *(in a new place);* *v iii fg* be obsessed *(with an idea)* ♦ **~ët (i, e)** *mb* fixed; deeply-rooted *(ideas):* **vështrim i ~** fixed look; stare; **mendim i ~** fixed idea; obsession ♦ **~ím, -i** *m* settlement;

colony ♦ **~ít** *kl:* **~ në kujtesë diçka** imprint sth into one's memory ♦ **~ít/em** *vtv* e **ngulit: m'u ~ në mendje** it was imprinted in my mind ♦ **~ítës, -i** *m km* fixer; fixing agent/ lotion ♦ **~ítj/e, -a** *f* fixing; establishment *(of a rule)* ♦ **~ítur (i, e)** *mb* fixed; established *(rule):* **mendim i ~** fixed idea; obsession ♦ **~j/e, -a** *f* driving in; nailing in ♦ **~m, -i, ~mím, -i** *m* insistence; persistence: **i vihem punës me ~** go steadily with one's work ♦ **~m/ój** *kl* **-óva, -úar** insist *(in);* persevere *(with):* **~oj në mendimin tim** stick to one's idea ♦ **~tas** *nd* fixedly; insistently; persistently: **vështroj ~** stare; glare ♦ **~ur (i, e)** *mb* dug in; driven in(to); *tk* fixed *(axle);* settled *(way of life);* fixed *(glance);* *fg* steady; continuous; constant: **punë e ~** steady work

ngur: ós *kl* turn into stone; petrify; harden ♦ **~ós/em** *vtv, ps* ♦ **~ósj/e, -a** *f* petrifaction; hardening ♦ **~ósur (i, e)** *mb* petrified; stony *(expression);* set; hardened: **shprehje e ~** *gjh* set phrase ♦ **~të (i, e)** *mb* solid; rigid; stiff: **qëndrim i ~** rigid stand; **trup i ~** solid body ♦ **~tësí, -a** *f* solidity; rigidity; rigidness; stiffness ♦ **~tësím, -i** *m* solidification; hardening; setting *(of cement, etc.)* ♦ **~tësóhet** *vtv* solidify; become solid; harden; set ♦ **~tës/ój** *kl* **-óva, -úar** solidify; *v iii* harden *(one's heart)* ♦ **~tësúar (i, e)** *mb* solidified; hardened; set; rigid

ngurr *kl* stiffen; *fg* stop, check *(sb's career)* ♦ *jkl* stop; halt: **~ në vend** stop short ♦ **~ím, -i** *m* hesitation; wavering: **pa ~** without hesitation ♦ **~lój** *jkl* **-óva, -úar** hesitate; waver; falter ♦ **~úes, -e** *mb* hesitant, hesitating; wavering

ngush *kl* hug; embrace ♦ **~em** *vtv* embrace

ngushëll:ím, -i *m* consolation; comfort; *sh* condolences: **gjej ~ në diçka** find consolation in sth; **~ i madh** *t/l* cold comfort ♦ **~lóhem** *vtv, ps* ♦ **~lój** *kl* **-óva, -úar** condole with; sympathise with; comfort; solace ♦ **~úes, -e** *mb* consoling

ngúsht/ë (i, e) *mb* narrow; tight *(shoes);* close, intimate *(friend);* confined, restricted *(space);* parochial *(interest);* slim *(margin);* *fg* petty, mean *(heart):* **rrugicë e ~** narrow lane; **rreth i ~ miqsh** restricted circle of friends; **interesa të ~a** sectional interests; **tregohem i ~** be mean; **vështrim i ~** tunnel view ♦ **~ë** *nd* tight(ly); in a fix; *fg* short; *fg* closely; intimately: **më bien ~ rrobat** my clothes are tight; **jam ~** be squeezed for space; be hard up *(for money);* **e zë ~ dikë** take sb at a disadvantage ♦ **~ësí, -a** *f* narrowness; exiguity; (economic) straits: **~ e mendimit** narrow-mindedness; lack of breadth in thinking ♦ **~ësísht** *nd* closely; intimately; strictly ♦ **~íc/ë, -a** *f* straits; want; need: **N~a e Gjibraltarit** *gjg* the Straits of Gibraltar; **dal nga ~a** pull oneself out of a difficult position ♦ **~ím, -i** *m* narrowing; economic difficulty: **~ i dallimeve** narrowing down distinctions ♦ **~lóhem** *vtv, ps* : **rruga ~ohet** the road gets

narrow ♦ **~lój** *k/* **-óva, -úar** narrow; make tighter;
squeeze; tighten *(the grip on sth)*; restrict *(the
scope of activity)*; *fg* put in a fix; embarrass: **mos
u ~** don't be embarrassed ♦ **~úar (i, e)** *mb* nar-
rowed; restricted; *fg* in a fix; hard up *(for money)*

ngut, -i *m* haste; hurry; dispatch: **jam për/ me ~** be
in a hurry ♦ **~ (ngus)** *k/* hurry; rush; hasten; push:
~ një vendim rush a decision ♦ **~as** *nd* hastily;
in a hurry ♦ **~/em** *vtv* hurry; hasten: **mos u ~** don't
hurry; go slow; steady on ♦ **~j/e, -a** *f* hurry; haste;
rashness ♦ **~sh/ëm (i), -me (e)** *mb* urgent;
(over)hasty; rash; precipitous; reckless: **punë e
~me** urgent matter ♦ **~ur (i, e)** *mb* hasty; hur-
ried; hasty; rash *(decision)*

ngja/j *jk/* resemble; look/ be like; *v iii* appear; look
(as if, as though); *v iii bs* fit; befit: **ata ~jnë shumë**
they look very much alike; **ashtu më ~n** it ap-
pears so; **nuk të ~n ty të** it's beneath you to *(do
such things)* ♦ *k/ bs* imitate; mimic: **ia ~j zërit të
dikujt** imitate sb's voice

ngjál/ë, -a *f z/* eel

ngjall *k/* revive, resuscitate; fatten *(animals for
slaughter)*; *fg* arouse *(memories)*; *fg* inspire; cause;
raise *(hopes)*; *bs* heal *(a wound)*: **~ besim** inspire
confidence; **~ pakënaqësi** cause discontent; **~
shpresa** raise hopes; **~ të vdekurin** raise the
dead ♦ **~em** *vtv* be revived; come back to life;
become fat; put on weight/ flesh; *v iii fg* arise *(of
hopes, memories)*; *bs* heal: **m'u ~ dora** my hand
healed; **u ~ prej së vdekuri** he rose from the
dead ♦ **~j/e, -a** *f* resuscitation; fattening; healing
♦ **~ur (i, e)** *mb* revived; fat, obese; *bs* healed

ngja/n *jk/* **-u, -rë** happen; take place: **ç'po ~n këtu?**
what's happening here? ♦ **~rë, -t (të)** *as:* **ka të ~**
it's probable/ likely; **s'ka të ~rë** it's as likely as
not ♦ **~rj/e, -a** *f* event; *dr* incident: **~e tragjike**
tragic event; **vendi i ~es** scene *(of the crime)*

ngjas *jk/* resemble; look/ be alike ♦ **~sí, -a** *f,* **~sím,
-i** *m* likeness; similarity; resemblance ♦ **~s/ój** *jk/*
-óva, -úar look like; resemble: **~on si e motra**
she looks like her sister ♦ **~sh/ëm (i), -me (e)** *mb*
similar; like: **në rrethana të ~me** in like circum-
stances ♦ **~shmërí, -a** *f* similarity; likeness; re-
semblance: **ka ~** bear resemblance

ngjat *nd bs* next; besides; nearby: **banon këtu ~**
he lives next door ♦ *prfj:* **~ lumit** by the river; **është
lule ~ asaj që kishim** it is far better than what
we had

ngjatjét:a *psth bs* hello; hi ♦ **~lóhem** *vtv* greet; sa-
lute ♦ **~lój** *k/* **-óva, -úar** greet; salute; hail; con-
gratulate

ngjesh¹ *k/* wear; put on: **~ armët** wear arms; **~
brezin** girdle one's loins

ngjesh² *k/* (com)press; condense; jam, cram; stick
against: **~ ~ kokën në jastëk** bury one's head
into the pillow; **~ dikë pas murit** stick sb against

the wall; **~ barkun** fill one's tummy; **ia ~ fajin
dikujt** saddle the blame on to sb; **qesh e ~** half
in jest, half in earnest ♦ **~ës, -i** *m* compressor ♦
~ës, -e *mb* compressing ♦ **~ët (i, e)** *mb* dense;
compressed ♦ **~j/e, -a** *f* condensation; compres-
sion; mixing ♦ **~ur, -it (të)** *as:* **me të qeshur, me
të ~** half in jest, half in earnest ♦ **~ur (i, e)** *mb*
dense; compact; condensed; compressed; well-
built: **karton i ~** compressed cardboard; **stil i ~**
condensed style; **radhë të ~a** serried ranks ♦ **~ur**
nd closely; squeezed; crammed; jammed

ngj/et *jk/* **-áu, -árë** *v iii* happen; take place: **~au e
kundërta** the opposite happened

ngjeth *k/:* **ia ~ mishtë dikujt** make sb shudder/
shiver ♦ **~/em** *vtv* shiver; shudder; have the creeps:
~em kur e mendoj shudder at thinking ♦ **~ës, -
e** *mb* weird; eerie; freakish ♦ **~j/e, -a** *f* shivers;
creeps; horripilation ♦ **~ura, -t (të)** *f sh* shiver;
shudder; creeps: **më shkojnë të ~** have goose-
flesh

ngjir *k/* make *(sb)* hoarse ♦ **~/em** *vtv v iii fg* be
hoarse: **~em së bërtituri** be hoarse shouting ♦
~ur (i, e) *mb* hoarse; raucous *(voice)*

ngjíshem¹ *vtv v iii* become compact/ compressed/
condensed; press/ huddle against; *bs* gorge one-
self; glut; *ps:* **~ pas murit** hug the wall

ngjíshem² *vtv* wear arms; brace oneself (**for** për):
vishem e ~ put on one's best clothes

ngjit (ngjis)¹ *k/* raise; lift; climb: **i ~ shkallët dy e
nga dy** climb upstairs two steps at a time

ngjit (ngjis)² *k/* stick; paste; glue; affix *(a stamp)*; fix
(a broken limb); weld, solder; infect *(sb)*, give *(sb
a disease)*; *fg* attribute, ascribe: **~ afishe** post a
bills; **i ~ një nofkë dikujt** give sb a nickname; **ia
~ një shpullë dikujt** slap sb ♦ *jk/ v iii* stick; get
stuck; hold; *v iii jk/* taste; feel good: **më ~ me
dikë** be congenial with sb; click with sb; **bora nuk
~i** the snow did not hold; **më ~ buka** eat with
relish; **më ~ fjala** what I say goes ♦ **~/em¹** *vtv v iii*
stick; get stuck; *v iii* catch/ contract a disease; *v iii
tk* be welded/ soldered; huddle together; *fg* follow
closely; cling to: **më ~et në gishta** stick to one's
fingers; **gjella u ~ në tigan** the food caught in
the pan; **i ~em si rrodhe dikujt** cling to sb like a
bur; **~et me barrë** become pregnant; conceive

ngjít/em² *vtv* climb; go up; ascend; *v iii* rise: **u ~em
shkallëve** go upstairs; climb a ladder; **dielli po
~et** the sun is rising

ngjítës, -i *m* glue; paste; adhesive; *bt* ivy

ngjítës, -e¹ *mb* gluey; sticky; adhesive *(substance)*;
tacky; *mk* contagious *(disease)*

ngjítës, -e² *mb* rising; ascending *(scale)*; *bt* climb-
ing *(plant)*

ngjítës/e, -ja *f* welder; solder; glue; adhesive

ngjítj/e, -a¹ *f* gluing; pasting; adhesion; contagion
(of a disease); joint

ngjítj/e, -a² f rise; climb(ing); rise; ascension; upturn

ngjítsh/ëm (i), -me (e) mb sticky; gluey; adhesive ♦ **~ur (i, e)** mb close; next (door); immediate; fg attached; devoted; loving: **rrimë të ~sit** close together; **është e ~ pas së ëmës** she is attached to her mother ♦ **~ur** nd close; next; tight: **dhoma ~** the next room; **rroba të ~a pas trupit** tight-fitting clothes

ngjiz k/ cut; coagulate; curdle (cheese); fg conceive ♦ **~et** vtv be curdled; be conceived (of an embryo); fg take shape (of plans) ♦ **~j/e, -a** f curdling (of cheese); conception (of a child) ♦ **~ur (i, e)** mb curdled; fg concocted

ngjý:ej k/ **ngjéva, ngjyrë** dip; soak; dye; colour; paint: **~ bukën në qumësht** dip a piece of bread in milk; **~ flokët** dye one's hair ♦ jkl bs get away with: **s'~ dot aq lart** I can't reach that high ♦ **~er (i, e)** mb dyed (wool); tinted; painted (face) ♦ **~erj/e, -a** f dying; smearing; tinting ♦ **~hem** vtv paint one's face; v iii be dyed; ps ♦ **~rés/ë, -a** f colouring ♦ **~r/ë, -a** f colour; paint; ink; complexion; fg colouring: **~a e kuqe** the red (colour/dye); **~at e ylberit** the colours of the rainbow; **film me ~a** colour film/ picture; **~ë e shëndetshme** healthy complexion; **pa ~ë** colourless; **të çdo ~e** of every description ♦ **~rím, -i** m dying; tinting; colouring; shade; connotation: **~ kuptimor i hollë** subtle nuance of meaning ♦ **~r/óhet** vtv, ps ♦ **~r/ój** k/ **-óva, -úar** dye (fabrics, etc.); colour; tint; paint ♦ **~rós** k/ shih **~lój, ~éj** ♦ **~róset** vtv dye (well, badly); ps e r/ós ♦ **~rósj/e, -a** f dying; colouring ♦ **~rósur (i, e)** mb dyed; coloured

Nigerí, -a f gjg Nigeria ♦ **n~án, -e** mb Nigerian ♦ **n~án, -i** m Nigerian

nihil:íst, -i m nihilist ♦ **~íst, -e** mb nihilist(ic) ♦ **~íz/ëm, -mi** m nihilism

nikél, -i m km nickel ♦ **~ím, -i** m nickel-plating; nickelling ♦ **~lóhet** ps ♦ **~lój** k/ **-óva, -úar** nickel-plate; nickel ♦ **~úar (i, e)** mb nickel-plated; nickelled

nikoqír, -i m host; thrifty housekeeper ♦ mb: **grua ~e** thrifty housewife

nikotín/ë, -a f nicotine

nim, -i m settee

nímf/ë, -a f mit nymph; zl pupa (sh -ae)

ninanán/ë, -a f lullaby; cradle-song

ninúll/ë, -a f lullaby; cradle-song

nip, -i m grandchild; grandson; nephew

nis k/ begin; commence; initiate; launch; open; send, dispatch (the mail); deck out, ornate, decorate; attire; trim; bs drive (a car): **~ punën** begin work; **~ një fushatë** launch a campaign; **~ makinën** start the car; **si ta ~ësh, do ta grisësh** as you begin, so you will end ♦ jkl v iii begin; start; commence: **~i të bjerë shi** it began to rain ♦ **~/em** vtv begin; set out; v iii depart; deck oneself out; fg

start; proceed: **~em për udhë** set out on a journey; **treni ~et më shtatë** the train departs at seven; **u ~a për mirë** I meant well

niseshté, -ja f starch; corn-flour

nís:j/e, -a f beginning; start; commencement; departure; onset: **~e e vështirë** a difficult take-off; **çast i ~es** moment of departure; **vijë e ~es** sp starting-line; **që në ~e** from the beginning ♦ **~m/ë, -a** f initiative: **me ~ën e vet** at his own initiative ♦ **~mëtár, -i** m initiator ♦ **~ur (i, e)** mb begun; commenced; decked out; touched (food): **e ~ dhe e stolisur për bukuri** dressed to kill

nishán, -i m bs target; aim; beauty-spot; token of betrothal; sign (of distinction); sh omen, augur; joint, cut (of meat): **marr ~** aim; **qëlloj në ~** hit the target; **me ~** outstanding; remarkable

nitr:át, -i m km nitrate; bs nitrogenous fertiliser

nitro:celulóz/ë, -a f km nitrocellulose ♦ **~glicerín/ë, -a** f nitro-glycerine(e)

nivél, -i m level; line; mark; standard; rank; gauge: **mbi ~in e detit** above sea level; **~ arsimor** standard of education; **takim i ~it të lartë** summit meeting; **~ me ujë** water gauge ♦ **~ím, -i** m levelling; flushing (a surface); levelling out ♦ **~/óhet** vtv, ps ♦ **~lój** k/ **-óva, -úar** level; flush (a surface); level out; bulldoze; grade ♦ **~úar (i, e)** mb levelled out; flushed

njutón, -i /n-jutón/ m fz Newton

noción, -i m notion

nóçk/ë, -a f an joint; knuckle; snout; muzzle: **~a e këmbës** ankle; **~a e dorës** wrist; **shtrembëroj ~at** make a wry face

nófk/ë, -a f nickname; diminutive

nófull, -a f an jaw; jawbone

nokáut, -i m sp knockout; KO: **~ teknik** technical knockout; **nxjerr ~KO**

noksán, -i m bs flaw; sh nuisance; bore ♦ **~, -e** mb bs flawed; vicious: **kalë ~** vicious horse

noktúrn, -i m mz nocturne

nomád, -i m nomad ♦ **~, -e** mb nomadic; itinerant

nomenklatúr/ë, -a f nomenclature; range; gamut

nominál, -e mb nominal: **vlerë ~e** nominal/ face value

noprán, -e mb bs shrewish: **grua ~e** shrew; vixen; hag ♦ em shrew

nordík, -e mb Nordic

normál, -e mb normal; regular; mat perpendicular (line): **kthej në gjendje ~e** bring back to normal; **shkollë ~e** teachers' training school ♦ **~/e, -ja** f normal; normality; perpendicular; teachers' training school ♦ **~íst, -i** m student of a teachers' training school ♦ **~isht** nd normally ♦ **~izím, -i** m normalisation ♦ **~izóhet** vtv normalise; ps ♦ **~iz/ój** k/ **-óva, -úar** normalise

norm:/ë, -a f norm; rule; standard; rate; quota: **~ë morale** moral standard; **~ë e konsumit** consumption rate; **plotësoj ~ën ditore** do one's daily quota (of work); **~ë drejtshkrimore** standard spelling ♦ **~/ój** kl**-óva, -úar** fix work quotas ♦ **-úar (i, e)** mb fixed (work quota); gjh standard(ised)

norvegj:éz, -e mb, em Norwegian ♦ **N~í, -a** f gjg Norway ♦ **~ísht** nd (in the) Norse/ Norwegian (language) ♦ **~ísht/e, -ja** f (the) Norse/ Norwegian (language)

nosít, -i m zl pelican

nostalgjí, -a f homesickness; nostalgia ♦ **~k, -e** mb homesick; nostalgic

nostróm, -i m dt coxswain; boatswain

not, -i m swim(ming); stroke: **dal me ~** swim across; **i bie më ~** shk ply through (a dish) ♦ **~ár, -i** m swimmer

notér, -i m notary (public) ♦ **~í, -a** f office of a notary (public) ♦ **~izím, -i** m notarisation ♦ **~iz/ój** kl **-óva, -úar** notarise ♦ **~izúar (i, e)** mb notarised

nót/ë, -a f note; grade, mark (at school); fg sound; tone: **me ~a lirike** in a lyrical tone; **luaj me/ pa ~a** mz play from parts/ memory

not:ím, -i m swim(ming); stroke ♦ **~/ój** jkl **-óva, -úar** swim; v iii float: **~j në shpinë** swim on one's back; **~j në para** be rolling in money ♦ **~úes, -e** mb floating (ice, mine); swimming (web of water fowl, etc.)

nova:ción, -i m innovation ♦ **~tór, -i** m innovator ♦ **~tór, -e** mb innovatory; innovative; innovating ♦ **~tór/e, -ja** f novelty ♦ **~toríz/ëm, -mi** m innovativeness; novelty

novél/ë, -a f short story ♦ **~íst, -i** m short-story writer

nuánc/ë, -a f nuance: **~a kuptimore** shades of meaning

nud:íst, -i m nudist ♦ **~íz/ëm, -mi** m nudism; art naturism

nuhát (nuhás) kl smell; sniff; scent: **~ gjurmën**s niff the trail ♦ **~/em** vtv, ps ♦ **~ës, -e** mb olfactory ♦ **~j/e, -a** f smell(ing); sniff(ing) ♦ **~ur, -it (të)** as olfaction; smell: **shqisa e të ~it** the sense of smell

nuk pj: **~ shkoj, jo!** I'll not go; **~ ka rëndësi** it does not matter; **sa ~ ia thashë** I was just going to tell him

núll/ë, -a f, **~z, -a** f an gum (of the teeth)

num:erík, -e mb numerical: **epërsi ~e** superiority of numbers ♦ **~/ër, -ri** m number; figure; digit; size (of clothes); issue (of a newspaper); bs trick: **~ër tek/ çift** odd/ even number; **~ra humoristikë** gags; **bëj ~ra** play tricks; **pa ~ër** innumerable; **ai është sa për ~ër** he is a figure-head; **s'e vë në ~ër** count sb out ♦ **~erátor, -i** m metre; (telephone) exchange board; (telephone) directory ♦ **~erátór/e, -ja** f numbering machine; abacus; counting-frame ♦ **~ërím, -i** m count(ing); numbering; numeration: **janë me ~** they are few and counted ♦ **~eróh/em** vtv, ps: **~en me gisht** they can be counted on the fingers of one hand ♦ **~ër/ój** kl **-óva, -úar** count; number; enumerate; fg con-

sider; count; list: **nuk e ~oj për mik dikë** not to count sb among one's friends; **ia ~oj ndër sy** tell sb sth squarely; **~oj ditët** count the days; fg wait impatiently; **~oj në vend** mark time ♦ **~ërór, -i** m gjh numeral; mat numerator (of fractional numbers): ♦ **~ërúar (i, e)** mb: **i ka ditët të ~a** his days are numbered ♦ **~ërúes, -i** m mt numerator; teller (of votes)

numizmat:ík, -e mb: **koleksion ~** numismatic/ coin collection ♦ **~ík/ë, -a** f numismatics (me folje në njëjës) ♦ **~íst, -i** m numismatist

nun, -i m godfather ♦ **~/ë, -a** f godmother

nur, -i m bs face; look; complexion; grace; good looks: **më qesh ~i** be all smiles ♦ **~, -e** mb bs graceful; charming; beautiful

nús/e, -ja f bride; daughter-in-law; maid: **~ja me vjehrrën** daughter-in-law and mother-in-law; **~ja e detit** siren; **e bëj ~e dikë** teach sb a good lesson; **kjo është ~ja, ky është dhëndri** what you see is what you get; **~ja e lalës** zl weasel; **~e pashke** zl ladybird ♦ **~ërí, -a** f: **fustan i ~isë** wedding dress ♦ **~ërím, -i** m standing bride ♦ **~ër/ój** kl **-óva, -úar** stand bride; fg sit idle ♦ **~ërór, -e** mb bridal

núsk/ë, -a f talisman; amulet; charm; bs cut, piece (of baklava)

nxeh kl heat; warm up; fg hot up, anger; nettle: **mos e ~!** don't irritate hi; **i ~ gjakrat** raise passions ♦ jkl be hot/ warm: **zjarri nuk po ~** the fire is not warm enough ♦ **~/em** vtv v iii be/ feel hot; get heated; warm oneself; fg get heated/ excited/ angry; ps: **u ~ uji** the water is hot; **më ~et gjaku** my blood is boiling; **mos u ~!** keep your head/ shirt on; **po ~et loja** things are hotting up ♦ **~ës, -i** m heater; warmer ♦ **~j/e, -a** f warming up; heating ♦ **~të, -t (të)** as heat; fever; high temperature: **i ra të ~** his temperature is down ♦ **~të (i, e)** mb hot; heated; fg hearty; fervent, ardent; passionate; hot-tempered: **hekur i ~** (red) hot iron; **ditë e ~** a hot day; **e ~ ávull** steaming / piping hot; **me gjak të ~** in hot blood ♦ **~të** nd hot: **bën shumë ~** it is very hot ♦ **~tësí, -a** f heat; fever, high temperature; bs hot-headedness ♦ **~tësísht** nd warmly; fervently; ardently; passionately ♦ **~ur (i, e)** mb hot; heated; bs angry; nettled

nxë[1] kl **nxúri, nxënë** contain; hold; receive; accommodate; carry; seat: **sallë që ~ qindra vetë** hall that can seat hundreds of people; **këtë dollap nuk e ~ dhoma** this wardrobe cannot go into the room; **s'ma ~ goja ta them atë gjë** I cannot bring myself to say such a thing; **s'më ~ vendi** get restless

nxë[2] kl **nxúra, nxënë** learn: **~ shkrim e këndim** learn writing and reading ♦ **~nës, -i** m pupil; school-boy; apprentice; trainee

nxí/hem vtv, ps **më ~het balli/ faqja** be put to shame; **m'u ~ jeta** my life was hell ♦ pvt get dark:

po ~het it is getting dark ✦ **~/j** *kl* darken; blacken; *v iii* sun-tan; sully: **tymi i ka ~rë muret** the walls are black with smoke; **e ~j realitetin** paint the reality in dark colours/ with the tar-brush; **ia ~j faqen dikujt** put sb to shame; **ia ~j jetën dikujt** make life impossible for sb ✦ *jkl* look dark/ black; swarm/ throng with; *fg* be dark (in the face): **~n deti nga anijet** the sea is teaming with ships ✦ **~r/ë (i, e)** *mb* black(ened); dark(ened); sun-tanned; *fg* luckless; wretched: **mur i ~rë** blackened wall ✦ **~rj/e, -a** *f* blackening; darkening; dark patch; sunburn, suntan ✦ **~r/ój** *kl* -**óva, -úar** make (life) impossible for (sb) ✦ *jkl bs* die: **u ~ofsh!** bust you! ✦ **~rós** *kl* blacken; smear with black; besmirch; *fg* spoil *(a piece of work)*: **ia ~ jetën dikujt** make life hell for sb

nxit *kl* encourage; urge; push; drive; *v iii fzo* stimulate: **~ fëmijët të mësojnë** urge children to study; **~ një kryengritje** instigate an uprising; **më ~ kureshtjen** excite one's curiosity; **~ kalin** spur a horse ✦ **~/em** *ps* ✦ **~ës, -i** *m* instigator; *fzo* stimulant ✦ **~ím, -i** *m* hurry; haste; rush; *fz* acceleration: **eci me ~** walk hurriedly; **mos i bëj punët me ~** don't rush things ✦ **~ímthi** *nd* hurriedly; hastily; in a hurry ✦ **~j/e, -a** *f* encouragement; urge; push; instigation; stimulation; emolument; *fzo* stimulus: **~e e investimeve** promotion of investment; **me ~n e** at the instigation of ✦ **~/óhem** *vtv* hasten; hurry; rush: **ç'ke që ~ohesh?** what's the hurry? ✦ **~/ój** *kl* -**óva, -úar** hasten; urge; spur; drive; rush: **~j hapat** step up one's pace ✦ *jkl* hurry; rush: **~j si i marrë** be in a tearing hurry ✦ **~úar (i, e)** *mb* hurried; hasty; *fg* rash; hasty; *fz* accelerated: **hapa të ~** hurried footsteps

nxjerr *kl* **nxóra, nxjerrë** take/ put/ pull/ draw/ push/ throw/ let out; produce; extract *(minerals);* expel *(the air, sb from work);* take to/ out/ for *(a walk);* tear off; bring to; issue; publish; yield *(profit);* earn *(a living);* work out *(a sum);* put forward; cast up; throw up, vomit; regurgitate *(the food);* reveal *(a secret);* put out/ up; serve *(the food); bs* set up; *bs* send off; cut off/ out: **~ djersë** sweat; **~ dufin/ inatin** vent one's anger; **~ kokën në dritare** put one's head out at the window; **~ krahun** dislodge

an arm; **~ mësues** train teachers; **~ në breg** wash up *(a body, etc.);* **~ në shesh** bring out into the open; **~ në vitrinë** display on a shop window; **~ një gozhdë** pull out a nail; **~ sy** peep; begin to appear; **~ të paaftë** declare (sb) unfit; **~ tym** emit smoke; **~ ujë nga pusi** draw water from the well; **~ bukën e përditshme** earn one's daily bread; **~ jashtë luftimit** put out of action; **~ leje** get a permit; **~ në gjyq** take to court; **~ përfundimin** reach a conclusion; **~ pijet** serve the drinks; **~ rrënjën katrore** work out the square root; **i ~ bojën dikujt** take the sheen out of sb; **i sëmuri s'e nxori dimrin** the patient did not live through the winter; **ku të ~ kjo rrugë?** where does this street lead to?; **e ~ në anë një punë** bring sth to a successful end; **i ~ djersë dikujt** make sb sweat hard; **ia ~ sytë dikujt** tear sb's eyes out; **ia ~ fjalën me darë/ grep dikujt** hook a confession out of sb; **ia ~ frikën dikujt** dispel sb's fears; **ia ~ fundin** get to the bottom of sth; **ia ~ gjumin dikujt** wake sb up; **ia ~ mendtë dikujt** drive sb crazy; **ia ~ për hundësh/ nga hunda dikujt diçka** make sb pay through his nose for sth; **ia ~ pijen dikujt** sober sb up; **mos nxirr zë!** don't breathe a word!; **nxirri paratë!** out with the money! ✦ **~ës, -i** *m tk* extractor ✦ **~ës, -e** *mb* extracting: **industria ~e** extraction industry ✦ **~j/e, -a** *f* extraction; expulsion; regurgitation *(of food)*: **~a e naftës** oil extraction

nýe/ll, -lli *m* knot; *an* ankle: **dërrasë me ~j** knotty plank; **hyj në ujë deri në ~ll të këmbës** wade ankle-deep in water

nýj/ë, -a *f* knot; *fg* tie; bond; *fg* crux; *bt* node; nodule; *an* articulation; *an* ganglion; *(rail)* junction, crossing; facility, plant; *gjh* article; *lt* plot; *dt* knot: **bëj/ lidh ~ë** make a knot; **~ë e miqësisë** bond of friendship; **~a e çështjes** the crux of the matter; **~at e gishtave** knuckles; **~a e këmbës** the ankle; **~ë shquese/ joshquese** definite/ indefinite article; **e lidh paranë ~ë** hate to part with one's money; **më lidhet një ~ë në fyt** have a lump in one's throat ✦ **~ëz, -a** *f* nodule ✦ **~sh/ëm (i), -me (e)** *mb gjh* articled *(part of speech)*

Nj

nja *pj bs* around: **~ dy a tre vetë** a couple or three people

njashtú *nd:* **ishte ~ si thashë** it turned out **be** as I said ♦ **~tý** *nd:* **mu ~** precisely there

njeh *kl* count ♦ **~sím, -i** *m* calculation; reckoning ♦ **~s/óhet** *ps* ♦ **~s/ój** *kl* **-óva, -úar**calculate; reckon ♦ **~sór, -i** *m* counter; *(water)* metre

njelm:ësí, -a *f* saltiness; salinity *(of water)* ♦ **~ësír/ë, -a** *f* saltiness; salted food ♦ **~ët (i, e)** *mb* salty: **shije e ~** salty taste; **tokë e ~** saline soil

njer:ëzí, -a *f prmb* mankind, people, relatives; politeness, kindness: **flas me ~**speak politely ♦ **~ëzím, -i** *m prmb:* mankind; humankind: **~i mbarë** the whole mankind ♦ **~ëzíshëm (i), -me (e)** *mb* polite ♦ **~ëzíshëm, ~ëzisht** *nd* politely; kindly ♦ **~ëzór, -e** *mb* human(e): **gjinia/ fara ~e** human race; **qenie ~e** human being ♦ **~í, -u** *m sh* **njérëz, njérëzit** man *(sh* **men***);* person; fellow; *sh* folk(s); relatives; supporter: **~u i shpellave** cave man; **~ i marrë** a madman; **~ i punës** a hard worker; **~ëzit e mi** my folks ♦ *pkf* someone, somebody: **mos i trego gjë ~u** don't tell anyone anything; **erdhi ~?** did anyone come?

njerk, -u *m nj* stepfather; foster father ♦ **~/ë, -a** *f* stepmother; foster mother: **i biri i ~s** pampered son

një *nm thm* one: **numri ~**number one; **njëzet e ~** twenty-one; **deri më ~** to the letter; to the nail; to the end; thoroughly; **~ për ~** in great detail; **numër ~** number one; topmost ♦ *mb* same; one (and the same); unique: **rri në ~ vend**stay in the same place; **me ~ gojë/ zë** unanimously ♦ *prm* one: **~ për të gjithë, të gjithë për ~** one for all and all for one ♦ *nm rrsht* one; first: **dhoma ~** room one ♦ *nyjë joshquese*a; an; a certain: **~ plak** an old man; **~ libër** a book ♦ *pkf*someone; somebody; something; a kind of; a sort of: **të vijë ~ tjetër** let another one in; **dëgjohej ~ si rënkim** a kind of a moan could be heard; **nuk mbetet as ~** not a single one was left ♦ *pj:* **ka ~ kalë ai që...** he has a horse that... ♦ *nd bs* equal: **jemi ~** we are equal; **~ me urën** level with the bridge ♦ *shpr nd:* **pa ~, pa dy** without fail; **si ~ e ~ që bëjnë dy** as sure as sure as eggs is eggs

një:ánsh/ëm (i), -me (e) *mb* one-sided; lopsided; partial; biased; unilateral: **zhvillim i ~** one-sided/ lopsided development ♦ **~anshmërí, -a** *f* one-sidedness; partiality; bias ♦ **~dítësh, -e** *mb* one-day *(event)* ♦ **~ditór, -e** *mb* one-day: **shëtitje ~**day trip ♦ **~fárë** *pkf* some; a kind of; a certain: **për ~ kohe** for some time; **deri në ~ vendi** up to a certain place; **erdhi ~ Astriti** a certain Astrit came ♦ *pj* of a sort ♦ **~farëllój, ~farësój** *nd*somehow; middling; so-so: **do ta bëjmë** we'll manage somehow ♦ **~físh, -i** *m* one-fold quantity; just as much ♦ **~físh, -e** *mb* single; one-strand *(rope, cable)* ♦ **~físh** *nd* one-fold ♦ **~físhtë (i, e)** *mb* single; one-strand *(cable, etc.)* ♦ **~hérë** *nd* once *(in the past);* at one time; once upon a time; some time *(in the future);* first(ly); for the time being: **kjo punë ka qenë kështu ~** that's how it used to be once in the past; **do ta pësosh ~** some time or other you'll suffer for it ♦ *pj:* **po vete edhe unë ~** let me go and see; **~ e një kohë** once upon a time ♦ **~hérësh** *nd*all together; all at once; at one go; at the same time; simultaneously: **të gjithë ~** all at once; **e gëlltit ~**gulp down at one go ♦ **~hérsh/ëm(i), -me (e)** *mb* old; erstwhile; onetime; instant; simultaneous: **lavdia e ~me** the glory of old; **pagesë e ~me** down payment; one lump sum; **ndihmë e ~me** immediate assistance

një:jës, -i *m gjh* singular ♦ *mb gjh* singular ♦ **~jt/ë (i, e)** *mb* same; one and the same; identical; like; equal: **i ~i njeri** the same person; **e ~a gjë** the same thing; **mendime të ~a** identical thoughts ♦ **~jtësím, -i** *m* identification ♦ **~jtës/óhet** *vetv*become identified with; *ps* ♦ **~jtës/ój** *kl* **-óva, -úar**equalise; identify

një:kátësh, -e *mb* one-storey *(house)* ♦ **~kohë-sísht** *nd* at the same time; simultaneously ♦ **~kóhsh/ëm (i), -me (e)** *mb* contemporaneous; simultaneous ♦ **~llój** *nd* same; all the same; in the same manner; alike; equally: **trajtoj ~**treat equally: **për mua është ~** it's the same to me; **vishemi ~** to dress alike ♦ **~llójtë (i, e)** *mb* equal; same; identical

njëmbëdhjétë *nm thm* eleven ♦ *nm rrsht* eleven(th): **dhoma ~** room eleven ♦ **~ (i, e)** *nm rrsht* eleventh ♦ *em f* eleventh *(part of)*: **një e ~a** one eleventh ♦ *em* eleventh; **dal i ~i** arrive in the eleventh place ♦ **~ësh, -i** *em* football team

njëménd *nd bs* now; at this moment; in earnest; seriously: **vjen ~** he's coming right now; **~ e ke?** are you serious? ♦ **~ës/í, -a** *f* truth; reality ♦ **~të (i, e)** *mb* real **shkak i ~** real cause

një:míjë *nm thm* (one, a) thousand ♦ **~míjtë (i, e)** *nm rrsht* (one) thousandth; *bs* umpteenth; thousandth ♦ *em f* (one) thousandth *(part of)* ♦ **~moták, -e** *mb, em* one-year old ♦ **~múajsh, -e** *mb* one-month (old) ♦ **~mujór, -e** *mb* one-month (long): **kurs ~** one-month course ♦ **~njësh/ëm (i), -me (e)** *mb* identical; same ♦ **~pasnjësh/ëm (i), -me (e)** *mb* consecutive; repeated: **përpjekje të ~pasnjëshme** repeated efforts ♦ **~qelizór, -e** *mb bl* unicelular ♦ **~qínd** *nm thm* (one, a) hundred: **~ vjet** one hundred years; **~ e njëzet** one hundred and twenty ♦ *nm rrsht* (one) hundredth ♦ *mb* a hundred: **i jam lutur ~ herë** I've begged him a hundred times ♦ **~métërsh, -i** *m sp* (one) hundred meter race ♦ **~míjësh, -i** *m* hundred thousand mark ♦ **~míjtë (i, e)** *mb* (one) hundred thousandth ♦ *em f* (one) hundred thousandth *(part of)* ♦ **~qíndtë (i, e)** *nm rrsht* (one) hundredth; (one) hundred ♦ *em f* (one) hundredth *(part of)* ♦ **~at (të)** *f sh* one hundred year period: **i mbush të ~at** live to be a hundred ♦ **~qindvjeçár, -i** *m* century ♦ **~qindvjeçár, -e** *mb* centenary ♦ **~qindvjetór, -i** *m* përkujtim i **~it të** commemoration of the centenary of

njëri, njëra *pkf* one; *bs* someone; somebody: **o ~i, o tjetri** either one or the other; **~i pas tjetrit** one after the other; **bëj ~ën** go the whole length (to achieve sth) ♦ **~-tjétri** *m*, **njëra-tjétra** *f pkf* one another; each other: **mësojmë nga ~i-tjetri** learn from one another; **varemi nga ~i-tjetri** depend on one another

njërrókësh, -e *mb gjh* monosyllabic ♦ **~seksór, -e** *mb* unisex(ual)

njësí, -a *f* unit; *ush* detachment; shop; (retail, etc.) store; unity: **~ matjeje** unit of measure ♦ **~m, -i** *m* unification; standardisation ♦ **~sh/ëm (i), -me (e)** *mb* unified; standardised; single ♦ **~t, -i** *m ush* unit; detachment

njës:ím, -i *m* equalising; making identical ♦ **~/óhet** *vetv* become equal; become identical; *ps* ♦ **~/ój** *kl* **-óva, -úar** unify; standardise ♦ **~ój** *nd* in the same manner (way); identically; alike; equally: **për mua ~oj është** it's all the same to me; **paguhemi ~oj** get equal pay ♦ **~úar (i, e)** *mb* unified; standardised; single: **çmime të ~a** unified prices

njësh, -i *m* (number) one; *nj* figure of one; ace: **rrënja katrore e ~it** the square root of one; **hedh ~in spathi** play the ace of spades ♦ **~** *nd* as one; together; *bs* at the same time; singly: **e bëj ~ me tokën** raze/ level to the ground ♦ **~e, -t** *f sh mt* single numbers; odd figures ♦ **~/e, -ja** *f*: **~et janë zënë** single rooms are occupied ♦ **~e** *mb* single: **dhomë ~e** single room

një:tónësh, -e *mb* one-tonne: **vinç ~** one-tonne crane ♦ **~trajtësísht** *nd* uniformly: **lëvizje ~ e nxituar** uniform acceleration ♦ **~trájtsh/ëm (i), -me (e)** *mb* uniform; regular ♦ **~trajtshmërí, -a** *f* uniformity; regularity ♦ **~vetór, -e** *mb gjh* one-person; unimpersonal *(verb)* ♦ **~vjeçár, -e** *mb* one-year long/ old; *bt* annual: **periudhë ~e** one-year period; **kurs ~** one-year course ♦ *em* one-year old child; yearling; annual plant ♦ **~vjetór, -i** *m* anniversary; first anniversary ♦ **~vlérsh/ëm (i), -me (e)** *mb* equivalent

njëzét *nm thm* twenty: **~ vetë** twenty persons ♦ *nm rrsht* twentieth; twenty: **dhoma ~** room twenty; **në vitet ~** in the twenties ♦ **~a, -at** *f* twenty years of age **i mbush të ~at** be twenty years of age ♦ **~ë (i, e)** *nm rrsht* twentieth; twenty: **shekulli i ~** the twentieth century ♦ *em* (one) twentieth part (of ♦ **~ësh, -i** *m* group of twenty ♦ *mb*: **sistem numërimi ~** vigesimal system

njëzë:ri *nd* unanimously: **miratoj ~** approve with unanimity ♦ **~sh/ëm (i), -me (e)** *mb* unanimous ♦ **~shmërí, -a** *f* unanimity

njíhe/m *vtv* **njóha (u), njóhur** introduce oneself; acquaint oneself (with); know; *v iii* be known; be recognised; *ps:* **jemi njohur prej kohësh** we are old acquaintances

njoft:ím, -i *m* notice; information; report; identification: **sa për ~** for your information; **~et e fundit** latest reports; **letër ~i** identity card ♦ **~/óhem** *ps* ♦ **~/ój** *kl* **-óva, -úar** inform; give notice; notify: **do të të ~oj kur të nisem** I'll let you know when I leave ♦ *jokal* report: **agjencitë e lajmeve ~ojnë se** the news agencies report that ♦ **~úes, -i** *m* reporter

njoh *kl* know; have knowledge of; recognise; be acquainted/ familiar with; realise; introduce, acquaint with; inform; acknowledge: **~ të drejtat e dikujt** acknowledge sb's rights; **a më njeh?** do you know me?; **e ~u me shokët** he introduced him to his friends; **kur të më shohësh të më ~ësh** catch me if you can ♦ **~ës, -i** *m* expert; good judge; connoisseur: **~ i motit** weather-wise ♦ **~ës,**

-e *mb* cognitive; reconnoitring *(mb)* ♦ **~j/e, -a** *f* recognition; knowledge; cognition; acquaintance: **~a e një qeverie** recognition of a government; **~e e atësisë** acknowledgement of fatherhood; **~e e thellë** thorough knowledge; **kemi ~e të vjetër** we are old ♦ **~ur, -i (i)** *m* acquaintance: **një i ~i im** an acquaintance of mine ♦ **~ur, -a (e)** *f fm e* **njohur, -i (i);** the known; *mat* known quantity ♦ **~ur, -it (të)** *as shih* **~j/e, -a: kam të ~ me dikë** be acquainted with sb ♦ **~ur (i, e)** *mb* known; notorious; well-known; famous: **fytyrë e ~** a known face; **fakt i ~** well-known fact ♦ **~urí, -a** *f* knowledge; learning; information

njóll/ë, -a *f* blot; blotch; spot; *fg* tarnish, stigma; macula: **~at e diellit** spots in the sun; **fytyrë me ~a** blotted face; **emër me ~ë** tarnished reputation; **i vë ~ë dikujt** put the stigma on sb ♦ **~ós** *kl* **-ósa, -ósur** blot; blotch *(one's clothes, etc.);* smear *(one's face, etc.); fg* tarnish; stigmatise: **~ emrin/ nderin** smear one's reputation ♦ **~/ósem** *vtv, ps* ♦ **~ósj/e, -a** *f* blotting; smearing; tarnishing ♦ **~ósur (i, e)** *mb* blotted; smeared; *fg* tarnished; stigmatised

njom *kl* soak; wet; moisten; dip; sprinkle; water: **~**

lulet water the flowers; **~ bukën në qumësht** dip bread into milk; **ia ~ dorën dikújt** grease sb's palm ♦ **~/em** *vtv, ps:* **~ në shi** be drenched in rain; **m'u ~ën sytë** my eyes welled with tears ♦ **~/ë (i, e)** *mb* wet; moist; green; fresh; *fg* tender; unsalted *(butter, cheese, etc.):* **duar të ~a** wet hands; **bar i ~ë** green grass; **qepë të ~a** spring onions; **misër i ~** baby/ sweet corn; **në moshë të ~ë** at a tender age; **pastrim i ~ë** wet laundry ♦ **~ës, -i** *m* moistener ♦ **~ësí, -a** *f* greenness; *fg* tenderness ♦ **~ësíra, -t** *f sh* greens; vegetables ♦ **~ësír/ë, -a** *f* humidity; moisture; damp place ♦ **~ësht (i, e)** *mb* tender; soft ♦ **~ështí, -a** *f* greenness; freshness; dampness; wetness; *sh* soggy (water-logged) place; tender age ♦ **~ështír/ë, -a** *f* greens; vegetables; dampness; wetness; damp (water-logged) place ♦ **~ështóhem** *vtv v iii* be full of sap ♦ **~ështój** *kl* give sap to; *fg* revive; *fg* make tender (gentle) ♦ **~ështúar (i, e)** *mb* full of sap; juicy; *fg* tender ♦ **~ëz, -a** *f* young shoot (branch); youngster; kid ♦ **~ëzák, -e** *mb* green; tender; fresh ♦ **~j/e, -a** *f* watering; irrigation; sprinkling ♦ **~ur (i, e)** *mb* wet; soaked; moist; damp: **rroba të ~a** wet clothes

o

o *ldh* either or: **~ ti, ~ unë** either you or I; **~ sot, ~ kurrë** today or never ♦ *psth* ou; ough: **~, më vrave!** ou, you're hurting me!

oáz/ë, -a *f* oasis *(sh -es)*

obelísk, -u *m* obelisk; needle

objékt, -i *m* object; building; aim, goal, target; scope: **~ arti** objet d'art; **~ ushtarak** military building; **~ i historisë** object of history ♦ **~ív, -i** *m* lens, objective, object glass; object; *ush* target: **godas ~in** hit the target ♦ **~ív, -e** *mb* objective; impartial ♦ **~ivitét, -i** *m* objectivity; impartiality ♦ **~ivíz/ëm, -i** *m* objectivism; objectiveness

obligación, -i *m fn* bond: **~e shtetërore** state bonds

obó/e *f mz* oboe ♦ **~ist, -i** *m mz* oboist

obórr, -i *m* court(yard) ♦ **~ësí, -a** *f* courteousness; courtesy ♦ **~tár, -e** *mb* courtly; courteous; polite ♦ **~tár, -i** *m* courtier

observatór, -i *m* observatory

obskurant:íst, -i *m* obscurantist ♦ **~íst, -e** *mb* obscurantist(ic) ♦ **~íz/ëm, -mi** *m* obscurantism

obstruksioníst, -i *m* obstructionist; *am* filibuster ♦ **~z/ëm, -mi** *m* obstructionism; stone-walling; *am* filibustering

ód/e, -ja *f lt* ode

ód/ë, -a *f bs* room: **~a e mirë** guest room

odisé, -ja *f lt, fg* Odyssey

ofend:ím, -i *m* offence ♦ **~óhem** *vtv* be offended; take offence ♦ **~ój** *kl* offend ♦ **~úar (i, e)** *mb* offended

ofensív/ë, -a *f ush* offensive; *fg* onslaught

ofért/ë, -a *f ek* offer; offering; tender

oficér, -i *m ush* officer; bishop *(in chess)*: **~ madhor** senior officer

oficín/ë, -a *f* mechanical workshop

ofsét, -i *m sht* offset: **letër ~i** offset paper

ofsh, -i *m* sigh ♦ **~á/j** *jkl* sigh ♦ **~ám/ë, -a** *f* sigh

ogíç, -i *m* pet lamb ♦ *mb* mild-natured; obedient

ogúr, -i *m (good, bad)* sign; augury; omen

ojn:atár, -e *mb* skittish; coquettish; frivolous; playful ♦ **~/ë, -a**[1] *f* fad; coquetry: **i bëj ~a gjellës** be picky about one's food; **~at e fëmijës** child play

ójn/ë, -a[2] *f* lacework; *fg* ornament

ok: /ë, -a *f* okka *(=2. 80 lb)*: **me ~ë** immoderately; **për pesë para ~a** dirt cheap; **~ë e dhjetë, ~ë pa dhjetë** six of one and half a dozen of another

ók/ër, -ra[1] *f bt* spelt

ók/ër, -ra[2] *f* ochre *(colour)*

okllaí, -a *f* rolling-pin *(for pasta sheets)*

oksíd, -i *m km* oxide ♦ **~ím, -i** *m km* oxidisation ♦ **~óhet** *vtv km* oxidise; *bs* rust ♦ **~ój** *kl km* oxidize; *bs* (cause to) rust

oksigjén, -i *m km* oxygen ♦ **~ím, -i** *m* oxygenation ♦ **~óhet** *vtv* ♦ **~ój** *kl* oxygenate; treat with oxygen water

okt:apód, -i *m zl* octopus ♦ **~áv/ë, -a** *f mz* octave ♦ **~ét, -i** *m* octet; group of eight

okulíst, -i *m* oculist

okúlt, -e *mb* occult

okupa:ción, -i *m* occupation: **zonë e ~it** occupation zone ♦ **~tór, -i** *m shih* **pushtues, -i** ♦ **~tór, -e** *mb shih* **pushtues, -e** ♦ **~im, -i** *m* occupation ♦ **~ój** *kl* occupy

oligarkí, -a *f hst* oligarchy ♦ **~ík, -e** *mb* oligarchic

olimp:iád/ë, -a *f hst* Olympiad; Olympic days ♦ **~ík, -e** *mb* hist, fg Olympic: **Lojërat O~e** Olympic Games

ombréll/ë, -a *f* umbrella: **nën ~ën e dikujt** under sb's wing

omëlét/ë, -a *f gjll* omelette

opera:ción, -i *m* operation; surgery; *(banking)* transaction: **sallë e ~it** operation theatre; **~ ndëshkimi** punitive operation ♦ **~tív, -i** *m bs* investigator ♦ **~tív, -e** *mb ush* operational ♦ **~ór, -i** *m* operator; *kn* cameraman; surgeon

oper:ét/ë, -a *f mz* operetta ♦ **~ë, -a** *f mz* opera: **teatër i ~as** opera-house

operím, -i *m* operation; surgery

operistík, -e *mb mz:* **muzikë ~e** opera music

oper/óhem *ps, pvt* ♦ **~lój** *kl mk* operate on ♦ *jkl* act; make use of; process

oping:ár, -i *m* green-hide shoemaker ♦ **~/ë, -a** *f* green-hide shoe: **me gjithë ~a** the whole lot; **~at!** my foòt!

opinión, -i *m* : **~i publik** public opinion

oportun:íst, -i *m* opportunist ♦ **~íst, -e** *mb* opportunist(ic); time-serving ♦ **~íz/ëm, -mi** *m* opportunism

opozit:ár, -e *mb* opposition *(party)* ♦ **~/ë, -a** *f* opposition: **qeveri e ~ës** shadow government

optík, -e *mb fiz* optical ♦ **~/ë, -a** *f* optics *(me folje në njëjës)*

optimál, -e *mb:* **në kushte ~e** on the best terms

optim:íst, -e *mb* optimistic; buoyant; upbeat ♦ **~íst, -i** *m* optimist ♦ **~íz/ëm, -mi** *m* optimism; buoyancy

oqeán, -i *m* ocean ♦ **~ík, -u** *m* ocean-liner ♦ **~ík, -e** *mb* ocean *(mb);* oceanic: **anije ~e** ocean-liner

or *pj bs ed:* **rri urtë, ~ djalë!** stay put, my lad! ♦ *psth bs* : **~ po nuk e besoj!** no, I cannot believe it!

oráku/ll, -lli *m* oracle

orangutáng, -u *m zl* orangutan

orár, -i *m* time-table; schedule; hours: **~i i punës** working hours; **~i i trenave** train time-table; **në ~** on time; **punoj jashtë ~it** to work extra hours

oratór, -i *m* orator; speaker ♦ **~í, -a** *f* oratory ♦ **~ík, -e** *mb* oratorical

orbít/ë, -a *f* orbit; track

ordinánc/ë, -a *m ush* batman; orderly

oré *pj, psth shih* **or**

oréks, -i *m* appetite: **ha me ~** eat with relish; **i vete pas ~it** toe sb's line

orendí, -a *f* furniture; tools: **~ të kuzhinës** kitchen utensils ♦ **~s** *kl* furnish *(a house, etc.)*

ór/ë, -a[1] *f mit* fairy; patron; *fg vj* luck: **~a e bardhë** good luck; **jam me ~ë të këqija** be in a bad temper; **më ligështohet ~a** lose heart

ór/ë, -a[2] *f* hour; time; moment; clock, watch; *(history, etc.)* class: **çerek ~e** a quarter of an hour; **paguaj me ~ë** to pay by the hour; **erdhi ~a** it is high time (to); **~ë verore** daylight saving time; **sa është ~a?** what time is it?; **~ë me zile** alarm clock; **~ë e çast** time and again; **një ~ë e më parë** as soon as possible ♦ **~ëndréqës, -i** *m* watchmender; horologer

orgán, -i *m* organ; body; institution: **~et e shqisave** the organs of senses; **~ i drejtësisë** judiciary body; **~et e përditshme** the daily press

organík, -e[1] *mb* organic; living: **kimi ~e** organic chemistry

organík, -e[2] *mb* organic; inborn; *fg* intrinsic; close: **sëmundje ~e** inborn disease

organík/ë, -a *f* staff list

organíst, -i *m* organist; organ-player

organiz:át/ë, -a *f* organisation; association: **~ë tregtare** trade association ♦ **~atív, -e** *mb* organisational ♦ **~atívsht** *nd* organisationally ♦ **~atór, -i** *m* organiser

organíz/ëm, -mi *m* organism; body, constitution; *(state)* institution

organizím, -i *m* organisation; building: **~i i shtetit** the building of the state ♦ **~lóhem** *vtv* organise; become organised; join an organisation; *ps* **~lój** *kl* **óva, -úar** organise; hold *(a meeting, a conference);* fix *(an appointment);* engineer *(a plot, etc.)* ♦ **~úar (i, e)** *mb* organised; co-ordinated: **sulm i ~** well-organised/ concerted attack ♦ **~úes, -i** *m* organiser ♦ **~úes, -e** *mb* organising *(mb)*

órgano, -ja *f mz* organ; **~ dore** *bs* hurdy-gurdy; barrel-organ

orgázm/ë, -a *f fzo* orgasm

orgjí, -a *f* orgy: **bëj ~** go on a spree

orientál, -e *mb* oriental ♦ **~íz/ëm, -mi** *m* orientalism

orientím, -i *m* orientation; bearing; direction: **humb ~in** lose one's bearings; **sipas ~eve** according to directions ♦ **~lóhem** *vtv* guide/ orient oneself; *v iii* be directed to(wards); *fg* orientate; align; direct; *ps:* **~ohem mirë** be able to find one's way about; **busulla ~ohet nga veriu** the compass indicates the north ♦ **~lój** *kl* orientate; align; direct; give directions; *fg* channel *(one's efforts, etc.).* **~oj teleskopin** point/ set the telescope ♦ **~úes, -e** *mb* orienting; directing *(mb)* ♦ **~úes, -i** *m ush* direction finder

origjinál, -i *m* original; hard copy *(of a letter, etc.):* **botohet sipas ~it** published from the original ♦ **~ál, -e** *mb* original; new *(idea, project):* **vepër ~e** original work queer; **njeri ~** peculiar character ♦ **~itét, -i** *m* originality ♦ **~ár, -e** *mb* original; source *(information)* ♦ **~/ë, -a** *f* origin; source; descent

oríz, -i *m bt* rice; paddy: **~ i zhveshur** husked rice; **nuk mban më ujë ~i** that's more than one can bear ♦ **~/e, -ja** *f* paddy-field

orkést/ër, -ra *f mz* orchestra ♦ **~rál, -e** *mb mz* orchestral ♦ **~lój** *kl* orchestrate

órk/ë, -a *f zl* grampus; killer whale

orkíde, -ja *f bt* orchid

orták, -u *m* partner; *bs* side-kick: **punoj si ~ë** work in partnership (with so) ♦ **~ërí, -a** *f* partnership; joint ownership ♦ *prmb* partners

orték, -u *m* avalanche; *fg* flood; torrent

ortodóks, -i *m fet, fg* Orthodox ♦ **~, -e** *mb ft* Orthodox; *fg* Orthodox; sound; correct *(doctrine); fg* conventional ♦ **~í, -a** *f* orthodoxy; Orthodox faith

ortopéd, -i *m* orthop(a)edist ♦ **~í, -a** *f mk* orthop(a)edy; othopedics *(me folje në njëjës)* ♦ **~ík, -e** *mb* orthop(a)edic

orvát/em *vtv* try; attempt: **~em pa sukses** try in vain ♦ **~j/e, -a** *f* effort; *bs* go; shot; try: **bëj edhe**

një ~je to try again; to have another go *(at sth)*

óse *ldh* or; either: **~ kështu ~ ashtu** in this or that manner; **~ unë ~ ti** either I or you; **~ sot ~ kurrë** today or never

óst/e, -ja *f ft* host; wafer

osh *nd:* **e heq ~ dikë** to drag so

osh *kl, jkl bs* to stop; to calm; to fondle; to caress: **e ~ zhurmën** to stop the noise; **~ fëmijën** to calm down a child

oshil:atór, -i *m fiz, el* oscillator ♦ **~ográf, -i** *m fz* oscillograph ♦ **~oskóp, -i** *m fz* oscilloscope

osht:ím/ë, -a *f* echo; resound; reverberation: **~a e detit** the roar of the sea ♦ **~lín** *jkl* **-u, -rë** to echo; to resound; to roar

otomán, -i *m* Ottoman Turk ♦ **~, -e** *mb* Ottoman *(empire)*

oturák, -u *m* (chamber-)pot

oxhá/k, -ku *m* chimney; mantelpiece; funnel *(of a steam-boat); bs* family; kith and kin ♦ *nd:* **e nxjerr tymin ~** to smoke like a chimney

ozón, -i *m km* ozone

P

pa *nd bs* then: **mendohu, ~ flit** first think, then speak ♦ *prfj* without; -less; un-; minus; excluding; free; to; short of; detracting; im; un-: **këmishë ~ mëngë** sleeveless shirt; **do ta bëj ~ ty** I'll do it without you; **~ kushte** unconditionally; **det ~ anë** unbounded sea; **~ taksë** tax free; **tetë ~ dhjetë** ten minutes/ to eight; **një metër ~ pak** a little short of one metre ♦ *ldh bs :* **kishte punë, ~ shkoi** he had sth to do, so he left; **paguaj, ~ të ikësh** you must pay before you can go ♦ *em-, -ja f mt* minus sign ♦ *pj:* **~ ta mendojmë pak!** let's think a little!; **~ eja këtu, djalo!** come here, young man!; **~ u larë** without washing; **~ gëdhirë** before daybreak ♦ *psth.* **~, ç'harrova!** ou, I forgot it!

paaft/ë (i, e) *mb* incapable; unable: **i ~ për të paguar** insolvent; **i ~ për shërbim ushtarak** unfit for service ♦ **~ësí, -a** *f* incapacity; disability; inaptitude: **~ e përkohshme** temporary disablement

paán/ë (i, e) *mb* endless; unlimited; boundless ♦ **~ësí, -a** *f* endlessness; infinity; *fg* impartiality; fairness ♦ **~sh/ëm (i), -me (e)** *mb* impartial; unbiased; even-handed ♦ **~shmërí, -a** *f* impartiality; equanimity

paárdhur (i, e) *mb* unleavened *(bread)*

paarsýesh/ëm (i), -me (e) *mb* unreasonable

paarrír/ë (i, e) *mb* unripe ♦ **~tsh/ëm (i), -me (e)** *mb* unattainable *(goal)*; unbeatable *(record)*; inaccessible *(place)*

pabanú:ar (i, e) *mb* uninhabited *(place house)* ♦ **~esh/ëm (i), -me (e)** *mb* uninhabitable: **ndërtesë e ~me** building unfit for habitation

pabara:bárt/ë (i, e) *mb* unequal: **ndeshje e ~** unequal contest ♦ **~zí, -a** *f* inequality

pabáz/ë (i, e), ~bazúar (i, e) *mb* ungrounded; baseless *(theory)*

pabés/ë (i, e) *mb* unfaithful, faithless; untrustworthy ♦ **~í, -a** *f nj* faithlessness; perfidy; breach of faith ♦ **~isht** *nd* faithlessly; perfidiously ♦ **~úesh/**

ëm (i), -me (e) *mb* unbelievable

pabër/ë (i, e) *mb* undone; raw *(meat)*; unripe *(fruit)* ♦ **~ /ë, -a (e)** *f (të) bs* mischief; misdeed: **bëj të ~a** to make mischief

pabíndur (i, e) *mb* disobedient; wilful: **fëmijë i ~ a** wilful child

pacák (i, e) *mb* endless; unlimited; unbounded; *kq* unsettled: **njeri i ~** tramp ♦ **~túar (i, e)** *mb* indefinite; indeterminate; *gjh* indefinite *(article)* ♦ **~túesh/ëm (i), -me (e)** *mb* indefinable; unquantifiable

pacif:íst, -i *m* pacifist ♦ **~íst, -e** *mb* pacifistic ♦ **~z/ ëm, -mi** *m* pacifism

pacíp/e (i, e) *mb* shameless; unblushing; impudent: **vajzë e ~** a saucy girl

paçavúr/e, -ja *f* rag; dishcloth

páç/e, -ja *f gjll* tripe; soggy bread: **këmbë për ~e gjll** trotters

paçká *ldh bs :* **~ se ai nuk vjen, ne do të vazhdojmë** we shall carry on although he's not coming

paçmú:ar (i, e), ~çmúesh/ëm (i), -me (e) *mb* invaluable; priceless; inestimable

padáshur *nd* unintentionally; involuntarily

padénj/ë (i, e) *mb* unworthy; undeserving ♦ **~ësísht** *nd:* **sillem ~** to behave in an unworthy manner

padëgjú:ar (i, e) *mb* unheard of; unprecedented; disobedient; heedless ♦ **~esh/ëm (i), -me (e)** *mb* disobedient

padëm:sh/ëm (i), -me (e) *mb* harmless; innocuous; inoffensive ♦ **~túar (i, e)** *mb* unharmed; unscathed; unimpaired

padëshirúesh/ëm (i), -me (e) *mb* undesirable; unwanted; unwelcome; non grata: **person i ~ëm** persona non grata

padí, -a *f dr* suit; action: **~ për shpifje** slander action; **bëj/ ngre ~ kundër dikujt** sue sb

padíj/e, -a *f* ignorance; lack of knowledge: **bëj diçka nga ~a** do sth out of ignorance ♦ **~ení, -a**

f ignorance; unawareness ♦ **~sh/ëm (i), -me (e)** *mb* ignorant; uninformed

padiskutúesh/ëm (i), -me (e) *mb* indisputable; beyond doubt

padít *k/* sue: **~ për fyerje dikë** bring slander action against sb ♦ **~/em** *ps* ♦ **~ës, -i** *m dr* suitor; suing party: **palë ~e** complainant ♦ **~ës, -e** *mb dr* suing; litigant ♦ **~j/e, -a** *f dr* suit; accusation ♦ **~ur, -i (i)** *m dr* defendant

padítur (i, e)[1] *mb* illiterate; unknown; *bs* ignorant: **drejtim i ~** unknown address/ direction

padítur (i, e)[2] *mb, em dr* defendant

paditurí, -a *f* ignorance; illiteracy

padjallëz:í, -a *f* innocence; ingeniousness ♦ **~úar (i, e)** *mb* innocent; uncanny: **shtirem si i ~** feign innocence

padobísh/ëm (i), -me (e) *mb* useless; worthless; vain, useless *(effort)*

padréjt/ë (i, e) *mb* unjust: **akuzë e ~** unjust charge ♦ **~ /ë, -a (e)** *f* injustice; wrong: **me të ~** unjustly ♦ **~ësí, -a** *f nj* injustice; miscarriage of justice; wrong(doing): **i bëj një ~ dikujt** wrong sb ♦ **~ësísht** *nd* unjustly; wrongfully

padrón, -i *m* owner; proprietor; master; *fg* boss

padur:ím, -i *m* impatience; eagerness ♦ **~úar (i, e)** *mb* impatient; eager: **jam shumë i ~** have a short patience ♦ **~úesh/ëm (i), -me (e)** *mb* impatient: **dhembje e ~me** intolerable pain

padyshímt/ë (i, e) *mb* indubitable; doubtless; undoubted

paépur (i, e) *mb* unyielding; relentless; inexorable

pafáj/ësí, -a *f* innocence: **kërkoj ~në** *dr* plead not guilty ♦ **~sh/ëm (i), -me (e)** *mb dr* innocent; blameless: **nxjerr të ~ëm dikë** declare sb not guilty

pafálsh/ëm (i), -me (e) *mb* unpardonable; unforgivable; inexcusable *(error)*

pafát (i, e) *mb* unlucky; luckless; unfortunate; illfated; unhappy

pafé (i, e) *mb* impious; irreligious; *bs* perfidious ♦ *em* impious

pafrýt (i, e) *mb* fruitless; sterile ♦ **~sh/ëm (i), -me (e)** *mb* fruitless; sterile: **përpjekje të ~me** vain efforts

páft/e, -ja *f* plate *(of metal)*; slab *(of stone)*; *sh* hinges; *krh* button: **~e hekuri** iron plate

pafúnd (i, e) *mb* endless; infinite; interminable; bottomless *(sea, depth)*; *fg* boundless; unbounded *(love)*; *mt* non-finite *(value)*; infinitesimal *(quantity)* ♦ **~ësí, -a** *f* infinity; endlessness; boundlessness ♦ **~ësísht** *nd* infinitely; endlessly; boundlessly

pafuqísh/ëm (i), -me (e) *mb* powerless

pafytýr/ë (i, e) *mb* impudent; cheeky ♦ **~ësí, -a** *f* impudence; cheekiness

pagán, -i *m* pagan; heathen ♦ **~, -e** *mb* pagan; heathen ♦ **~/e, -ia** *f shih* **pagan, -i** ♦ **~íz/ëm, -mi** *m* paganism

pag:atór, -i *m* payer; paymaster ♦ **~és/ë, -a** *f* pay(ment): **~ë e prapambetur** arrears in payment; **~ë me para në dorë** cash down ♦ **~/ë, -a** *f* pay; salary; wages

pagëz:ím, -i *m* baptism: **emër i ~it** christen ♦ **~imtár, -i** *m ft* Baptist: **Gjon P~i** John the Baptist ♦ **~lóhem** *vtv* be baptised; *fg* receive baptism *(in fighting)*; *ps* ♦ **~lój** *k/* baptise; christen; *fg* name *(a street, etc.)*; *bs* water, adulterate *(wine, etc.)* ♦ **~ór, -i** *m ft* Baptist; baptising priest ♦ **~ór/e, -ja** *f ft* baptistery ♦ **~úar (i, e)** *mb* baptised; christened

pagím, -i *m* payment; re-imbursement *(of a debt)*; pay-out

pagód/ë, -a *f* pagoda

pag/úaj *k/* pay; pay off; *fg* avenge *(sb)*: **~uaj qiranë** pay the rent; **~uaj dëmin** *bs* stand the racket; **do të ma ~uash** I'll make you pay for it ♦ **~úar, -it (të)** *as* payment: **s'ka të ~** it's inestimable ♦ **~úar (i, e)** *mb* paid: **vrasës i ~ nga** assassin in the pay of ♦ **~úes, -i** *m* payer; paymaster ♦ **~úes, -e** *mb:* **aftësi ~e** solvency; **paaftësi ~e** insolvency ♦ **~úesh/ëm (i), -me (e)** *mb* payable: paid: **leje e ~me** paid leave ♦ **~ú/hem** *vtv, ps:* **nuk ~hem kurrë me të** I can never repay him

pagúr, -i *m* tin bottle; wooden bottle/ flask

pagják (i, e) *mb* bloodless; an(a)emic; *fg* spiritless; lackadaisical

pagjumësí, -a *f* sleeplessness; insomnia

pah, -u[1] *m* powder *(of flour)*; sawdust; pollen; powdery snow

pah, u[2] *m* appearance; salience: **del në ~** to become apparent

paháir (i, e) *mb* mischievous; wasteful ♦ *em* mischief-maker; wastrel

paharrú:ar (i, e) *mb* unforgettable; memorable ♦ **~esh/ëm (i), -me (e)** *mb* unforgettable; memorable

pahí, -a *f bs* wooden fence; hurdle; wooden harrow; wad *(of dry tobacco leaves)*

pahíjsh/ëm (i), -me (e) *mb* indecorous; indecent; ungainly, plain *(face)*: **sjellje e ~me** indecent behaviour

pahír *m p/k* reluctance; unwillingness: **qesh me ~** force a smile; **me hir a me ~** willy-nilly; **i jap dikujt të hajë me ~** force-feed sb

pajág/ë, -a *f bjq* blight; warm wind *(that blights plants)*

páj/ë, -a *f* dowry; dot; *fg* burden: **~a e nuses** trousseau; **ia bëj ~ë diçka dikujt** load sth on to sb; saddle sb with sth

pají:m, -i *m shih* **~sj/e, -a:** **~et e ushtarit** a soldier's outfit ♦ **~ís** *k/* furnish; supply; *v iii fg* endow with; *dt* arm *(a ship)* ♦ **~s/em** *vtv, ps* ♦ **~sj/e,**

-a *f* supply; furnishing; equipment; outfit

pajtím, -i[1] *m* reconciliation; agreement; conformity: **në ~ me** in keeping with

pajtím, -i[2] *m* subscription; hire *(of labour)* ♦ **~tár, -i** *m* subscriber *(to a newspaper)*

pajtóh/em[1] *vtv, ps:* **a do të ~emi?** shall we make friends again?; **nuk ~emi në këto pika** on these points we do not agree

pajtóhem[2] *vtv, ps e* **pajtoj**[2]

pajt/ój[1] *k/* reconcile; conciliate; *bs* calm down ♦ *jk/ v iii* reconcile; match; *bs* be reconciled: **ngjyra që ~ohen** colours that match

pajt/ój[2] *k/* hire *(workers, etc.);* enrol; enlist *(sb's support* subscribe to *(a newspaper, etc.)*

pajtúes, -e *mb* conciliatory ♦ **~sh/ëm (i), -me (e)** *mb* reconcilable; conciliatory ♦ **~mërí, -a** *f* reconcilability

pak *pkf* (a) few; (a) little; some; some (of); a little of: **~ njerëz** few people; **~ kohë** a short time; **~ ujë** a little water ♦ *nd* little; a bit; not enough: **prit ~** wait a little; **fare ~** just a little; a tiny little bit; **për ~ sa nuk rashë** I almost fell; **~ e nga ~** little by little; piecemeal ♦ *pj:* **~ i egër** slightly rough; **~ i zbehtë** a little pale; **hape ~ derën** open the door please

pák/em *vtv* quail *(with age);* faint *(with laughter);* fail

pakét/ë, -a *f* package; packet ♦ **~ím, -i** *m* packing; packaging; wrapping ♦ **~/óhet** *ps* ♦ **~/ój** *k/* pack(age); wrap ♦ **~úar (i, e)** *mb* packed(aged); wrapped ♦ **~úes, -i** *m* packer; packing-man

pakënaq:esí, -a *f-*, **-të** *nj* displeasure; discontent; dissatisfaction ♦ **~sh/ëm (i), -me (e)** *mb* unsatisfactory ♦ **~ur (i, e)** *mb* displeased; discontented; unsatisfied

pakëndsh/ëm (i), -me (e) *mb* unpleasant; unwelcome; unpalatable *(truth)*

pakës:ím, -i *m* decrease ♦ **~/óhem** *vtv, ps:* **~ohet ndikimi i** the influence of… is falling; **është ~uar uji** there is less and less water ♦ **~/ój** *k/* lessen; decrease; cut down; ease; abate: **~oj shpenzimet** cut down overheads; **~oj ngarkesën** lighten the burden ♦ **~úar (i, e)** *mb* less(ened); decreased; eased off

pákët, -it (të) *as* faint; swoon: **më bie të ~it** faint; swoon

pakíc/ë, -a *f* scarcity; minority: **~at kombëtare/ etnike** national/ ethnic minorities/ groups; **shitje/ tregti me ~ë** retail sale/ trade

Pakistán, -i *m gjg* Pakistan ♦ **~ez, -e** *mb* Pakistani ♦ **~ez, -i** *m* Pakistani

pak:kúsh *pkf* scarcely any: **~ e di këtë gjë** scarcely any knows about this ♦ **~mós** *nd* more or less; about; at least: **i shin ~ njëqind vetë** there were about one hundred; **~ jam vetë e rehat** I am alone and in peace, at least

páko, -ja *f* pack; package; parcel; bundle: **~ e Vitit të Ri** New Year presents; **~ postare** post package; **e nis si ~ postare dikë** bundle s. o. off

pakóh/ë (i, e) *mb* untimely: **vdekje e ~** untimely death

pakontrollú:ar (i, e) *mb* uncontrolled; uncontrollable: **lëvizje e ~** uncontrolled movement; involuntary gesture ♦ **~esh/ëm (i), -me (e)** *mb* uncontrollable

pakrýer, -a (e) *f gjh* imperfect tense ♦ **~ (i, e)** *mb* incomplete; unfinished

paksá *nd* very little; scarcely; barely; hardly: **dallohet ~** it is scarcely visible ♦ **~sëpáku** *nd:* **nevojiten ~ dy orë** it will take two hours at least

pakt, -i *m* pact; agreement: **~ mossulmimi** non-aggression pact

pákt:a (e) *f* the least; the smallest *(part of)* ♦ *nd* at least: **e ~ dhjetë më shumë** at least ten more ♦ **~/ë (i, e)** *mb* few; little; scarce; slight *(of built);* slim: **raste të ~a** a few cases; **uji është i ~ë** there is little water; **vajzë e ~ë** a slim girl; **nuk është i ~ë ai** he is one to reckon with; **e mbaj si ujët e ~ë dikë** cherish sb dearly ♦ **~ën (të)** *nd* at least: **duhen të ~ dy muaj për** it will take at least two months to

páku (së) *nd shih* **patkën (të)**

pakufí (i, e) *mb* unlimited; unbounded: **det i ~** boundless sea ♦ **~sh/ëm (i), -me (e)** *mb shih* **pakufi (i, e);** *gjh* indefinite ♦ **~zúar (i, e)** *mb* unlimited; indefinite; unrestricted: **kredi e ~** unlimited credit ♦ **~zúesh/ëm (i), -me (e)** *mb* illimitable

pakujdes:í, -a *f* carelessness; oversight; neglect *(of duty);* inadvertence: **nga ~a** out of carelessness; **me ~** inadvertently ♦ **~sh/ëm (i), -me (e)** *mb* careless; neglectful; negligent; inadvertent: **punë e ~me** slipshod work

pakursýer (i, e) *mb* unsparing; unstinted: **lëvdata të ~a** lavish praise

paláço, -ja *m* jester; (court) fool; clown ♦ **~llë/k, -ku** *m bs* clownishness; buffoonery

palafík/e, -ja *f* dry fig loaf

palár:a, -t (të) *f sh* dirty linen; *fg* foul deeds: **i nxjerr të ~t në shesh** wash one's dirty linen in public ♦ **~ /ë (i, e)** *mb* unwashed; dirty *(dishes, etc.);* undeveloped *(film); fg* unsettled *(debt, account)*

palav:í, -a *f* dirt; mess; thick puss; *sh fg* foul language; ribaldry: **plaga zë ~** the wound is gathering puss ♦ *nd:* **flas ~** talk rot ♦ **~/óhem** *vtv* get dirty; *v iii* gather puss; *ps* ♦ **~/ój** *k/* dirty; sully; soil ♦ *jk/* sully; use foul language ♦ **~ós, -e** *mb, em* slovenly; messy (person)

pálc/ë, -a *f* an marrow; *bt* medulla; pith *(of the plant); fg* middle; heart; *fg* middle; peak: **~a e kurrizit** marrow of the backbone; **i kalbur deri në ~ë** rotten to the core; **i ka hyrë frika në ~ë** he is scared to death

palé *pj bs ed:* **merr vesh ~ vjen** make sure whether he's coming

palést/ër, -ra *f* gymnasium; training ground; pal(a)estrum *(sh* **-a** *)*

palestin:éz, -e *mb* Palestinian ♦ **~éz, -i** *m* Palestinian ♦ **P~/ë, -a** *f gjg* Palestine

palezét (i, e) *mb,* **~sh/ëm (i), -me (e)** *mb* unpleasant; disagreeable *(smell, etc.);* ungainly; uncomely, graceless *(face):* **më mbetet një shije e ~me** have an unpleasant aftertaste

pál/ë, -a¹ *f* pleat; crease *(of a skirt, etc.);* fat chin; *sh* wave; ripple *(of a surface):* **i bëj ~a fundit** pleat a skirt ♦ **~ë** *nd:* **mbledh ~** fold up; **e bëj ~** lay sb low

pál/ë, a² *f* pair *(of gloves, trousers, etc.);* set *(of tools);* couple *(of people);* group; party; side; (a) bout *(of fever):* **një ~ë shkallë** a flight of steps; **një ~ë ndërresa** a change of clothes; **një ~ë letra** a pack/ deck of cards; **~a e akuzuar** the defendant; **me pëlqimin e të dyja ~ëve** with the consent of both parties

pálë-pálë *nd* in a pile; piled up; *(to arrive)* in groups; wave upon wave: **i kam paratë ~** have stacks of money ♦ *mb* pleated *(dress);* double *(chin)*

palígjsh/ëm (i), -me (e) *mb* illegitimate; unlawful; natural: **fëmijë i ~ëm** natural child; child born out of wedlock

pálm/ë, -a *f bt* palm(-tree)

palmúç *nd* in a huddled up (in a crouched) position: **mblidhem ~** huddle up; **hedh ~** strike all of a heap

palombár, -i *m* frogman; diver

palós *kl* fold up; pleat; *bs* bring down, run over; *bs* bump off; *ps:* **~ më dysh** fold in two; **~ çadrën** fold up the tent; **e ~i makina** he was run over by a car ♦ **~/em** *vtv* bend; fold up *(with pain)* ♦ **~j/e, -a** *f* folding (up); lapping ♦ **~sh/ëm (i), -me (e)** *mb* folding *(chair)*

palúz/e, -ja, ~é, -ja *f gjll* pap *(for children);* wishy-washy *(food)*

pall *jk/* low; moo *(of cattle);* bray *(of donkey)*

pallamár, -i *dt* hawser; belly-band *(of a horse's harness)*

pallásk/ë, -a *f* slate; slab *(of wood);* (fly)-swat; *sh* blinders *(of a horse);* bar; chunk *(of bread);* shoulder strap

pallát, -i *m* palace; court; *prmb* courtiers; block of flats ♦ *prmb* emperor; royalties

pallavésh, -i *m kq* flap-eared person; *fg* stupid/ naughty person

pallávra, -t *f sh bs* empty talk; chit-chat; tittle-tattle; nonsense: **shes ~** tell tall stories; brag

palldëm, -i *m* belly-band; girth *(of the harness)*

páll/ë, -a *f* broad-sword; battledore; beater; paddle; blade; plough-share; *bs* hand; *vl* dick: **~a e rremit**

the blade of the oar; **qe ~a!** shakes!; **bishti i ~ës** the smallest cog of the wheel

pállë *plk :* **bëj ~** have a high old time

páll:j/e, -a *f* bray *(of the donkey)* ♦ **~m/ë, -a** *f* bray *(of the donkey);* bawl; uproar

pall/óhem *vtv, ps* ♦ **~lój** *kl* thrash; whack; *fg* give a dressing down *(sb); fg* gorge, ply, cram *(with food); vl* roger; shack up: **e ~oj me gënjeshtra dikë** tell sb a pack of lies

pallósh, -i *m bs kq* thick-head; *vl* dick; cock

pállto, -ja *f* coat; jacket: **~ dimri/ e madhe** overcoat

pall/úa, -ói *m zl* peacock

pambar:ím (i, e) *mb* endless; infinite; interminable; never-ending ♦ **~úar (i, e)** *mb* unfinished; incomplete; inexhaustible *(reserves, deposits, energy)*

pambúk, -u *m* cotton; cotton-wool: **fije ~u** cotton yarn/ thread; **vras me ~** reprimand gently; **fëmijë i rritur në ~** child brought up in cotton-wool ♦ *mb* soft; gentle: **~ i butë** very soft ♦ **~ór/e, -ja** *f* cotton-field; cotton-padded coat ♦ **~t/ë (i, e)** *mb:* **stofra të ~a** cotton textiles ♦ **~ta, -t (të)** *em sh* cotton

paméndúar (i, e) *mb* thoughtless; reckless; unthinking; unconsidered; ill-considered: **hap i ~** indiscreet step; **punë e ~** ill-considered work

pamflét, -i *m* pamphlet

pámj/e, -a *f* look; sight; appearance; frontage, front view *(of a house);* aspect; image; *tt* scene; visibility: **me ~e të qeshur** with a smiling face; **me ~e të rëndë** with a grave look; **e njoh dikë nga ~a** know sb by sight **~e nga sipër** view from above; **më errësohet ~a** my sight was dimmed; **fushë ~eje** field of visibility; **~a të gënjen** appearances are deceptive

pamór, -e *mb* visual *(memory);* ocular *(witness):* **dëshmitar ~** eye witness

pamund:esí, -a *f* impossibility; non-feasibility ♦ **~sh/ëm (i), -me (e)** *mb* impossible; improbable; not feasible ♦ **~ur, -a (e)** *f:* **kërkoj të ~ën** ask for the impossible ♦ **~ur (i, e)** *mb* impossible; improbable; unlikely; *bs* unwell; unconquered; *sp* unbeaten: **fort e ~** very unlikely

panáir, -i *m* fair; *bs* hullabaloo

Panamá, -ja *f gjg* Panama ♦ **p~méz, -e** *mb* Panamanian ♦ **p~méz, -i** *m* Panamanian

pancír, -i *m hst ush* coat of mail

pandéh *kl* imagine; surmise; *(me mohim)* expect: **e ~ën për të humbur** they put him as lost; **s'e ~ja prej tij** I did not expect this from him ♦ *jk/* believe ♦ **~ur, -i (i)** *m dr* defendant: **në bankën e të ~ve** on the dock

pánd/ë, -a *f zl* panda

panegjirí:k, -u *m* panegyric; eulogy: **i bëj ~e dikujt** eulogise sb ♦ **~st, -i** *m* panegyrist; eulogiser

panevójsh/ëm (i), -me (e) *mb* unnecessary; un-called-for: **hollësi të ~me** useless details

pangrën/ë (i, e) *mb* unfed; underfed; undernourished; ill-fed: **fle i ~** go to bed supperless ♦ **~ ë, -t (të)** *as* undernourishment

paník, -u *m* panic: **më zë ~u** panic

pankárt/ë, -a *f* placard; *am* hanger

pankreás, -i *m an* pancreas

panorám/ë, -a *f* panorama; view; overview: **bëj një ~ë të gjendjes** outline the situation ♦ **~ík, -e** *mb* panoramic; scenic *(view);* general *(outline)*

pantallóna, -t *f sh* trousers: **~ grash** slacks; **~ të shkurtra** shorts; **një palë ~** a pair of trousers

pante:íst, -i *m* pantheist ♦ **~íst, -e** *mb* pantheistic ♦ **~íz/ëm, -mi** *m* pantheism ♦ **~ón, -i** *m* Pantheon

pantér/ë, -a *f zl* panther

pantóf/ël, -la *f* slippers

pantomím/ë, -a *f tt* pantomime; mime

panúmër:t (i, e) *mb* numberless; countless; uncountable; innumerable ♦ **~úesh/ëm (i), -me (e)** *mb* uncountable; innumerable

panxhár, -i *m bt* beet(root)

panxharsheqéri *m bt* sugar-beet

pánxh/ë, -a *f* paw; *bs* paw; fin; door-bolt

panjerëzíshëm (i), -me (e) *mb* impolite; indecorous *(conduct)* ♦ **~sht** *nd* impolitely; indecorously

pánj/ë, -a *f bt* maple-tree/ wood

panjóhur, -i (i) *m* stranger: **erdhën dy të ~** two strangers came in ♦ **~, -a (e)** *f* (të) *fm* e ~ (i) *mt* unknown *(quantity)* ♦ **~ (i, e)** *mb* strange; unknown; unexplored *(country);* little-known; obscure *(artist, etc.):* **njeri i ~** an unknown person

papagá/ll, -i *m zl* parrot: **bëj si ~ pas dikujt** parrot sb; **çelës ~** *tk* spanner

papandéhur *nd* unexpectedly: **ndalem ~** stop short; **më erdhi ~** it came as a surprise ♦ **~ (i, e)** *mb:* **sulm i ~** surprise attack

paparashikú:ar (i, e) *mb* unforeseen; unpredictable ♦ **~esh/ëm (i), -me (e)** *mb* unforeseeable; unpredictable

páp/ë, -a *m ft* Pope

papëlqýer (i, e) *mb* unpleasant; disagreeable; displeasing ♦ **~sh/ëm (i), -me (e)** *mb* unpleasant; disagreeable *(smell, etc.)*

papërfíll:sh/ëm (i), -me (e) *mb* negligible *(quantity);* inconsequential *(action)* ♦ **~ur (i, e)** *mb* neglected; disregarded

papërkúl:sh/ëm (i), -me (e) *mb* unbending: **qëndresë e ~me** stiff resistance ♦ **~shmëri, -a** *f* stiffness; *fg* inflexibility ♦ **~ur (i, e)** *mb* unbent; *fg* unyielding; inflexible

papërshtatsh/ëm (i), -me (e) unsuitable; improper; inappropriate: **mbërrij në një kohë të ~me** arrive at an inopportune moment

papjékur (i, e) *mb* unripe; green; immature; undone; uncooked, unbaked; *fg* immature *(youth);* *fg* ill-considered; : **rrush i ~** green grapes; **djalë i ~** a greenhorn ♦ **~í, -a** *f* immaturity: **moshë e ~së** age of indiscretion

papnór, -e *mb ft* papal

papranúesh/ëm (i), -me (e) *mb* unacceptable; inadmissible; exceptionable

paprék:sh/ëm (i), -me *mb* inviolable *(right)* ♦ **~shmërí, -a** *f* inviolability; immunity *(to)* ♦ **~ur (i, e)** *mb* intact; whole *(dish, loaf of bread, etc.)*

paprít:mas *nd* unexpectedly; all of a sudden; abruptly ♦ **~ur (i, e)** *mb* unexpected; unlooked-for; sudden: **e mirë e ~** godsend ♦ **~ur** *nd* unexpectedly; suddenly: **mbërrij ~** arrive unexpectedly

papúç/e, -ja *f* soft slippers; booties

papún/ë, -i (i) *m* unemployed; jobless ♦ **~ësí, -a** *f* unemployment; joblessness; idleness ♦ **~úar (i, e)** *mb* untilled *(land);* raw *(silk);* *fg* rough *(style)*

paq *nd bs* neatly; tidily; in good order; quite; very; *shk* deservedly; quietly; soundly: **e mbaj shtëpinë ~** keep a neat house; **u ngopa ~** I am quite full

paqárt/ë (i, e) *mb* unclear; vague; equivocal; ambiguous *(ideas):* **mbetem ~ për diçka** remain in the dark about sth ♦ **~ësí, -a** *f* unclarity; dimness; ambiguity

páq/e, -ja *f* peace: **~e pa kushte** unconditional peace; **prehem në ~e** rest in peace

paqedáshës, -e *mb* peace-loving; peaceful

paqén/ë, -a (e) *f*(të): **them të ~a** invent things; tell tall stories ♦ **~ /ë (i, e)** *mb* inexistent; non-existent; shiftless, useless *(person)* ♦ **~ësísh/ëm (i), -me (e)** *mb, em* inessential; trivial

paqës:ím, -i *m* pacification; appeasement; *bs* calming down; abatement ♦ **~lóhem** *vtv* be pacified/ appeased; calm down; *v iii* abate; subside *(of the storm, etc.);* *ps* ♦ **~lój** *kl* pacify; make peace between; appease; calm down; tranquillise *(pain);* assuage ♦ **~ór, -e** *mb* peaceful; peace-loving; peaceable; *gjg* pacific: **Oqeani P~** the Pacific Ocean

páq:m/ë, -e (e) *mb* tidy; cleanly *(person)* ♦ **~lój** *kl bs* tidy up; clean: **~oj dhomën** tidy up the room

pará, -ja *f* money; currency: **~ prej letre** paper money; **~ të holla** small change/ change; **me ~ në dorë** cash in hand; **sa ~ bën?** how much is it?; *bs* what's the use?; **e bëj për dy ~ dikë** treat sb like dirt

pára (e) *f*(të) first course, starter; *nj* beginning: **filloj nga e ~** begin from the beginning; **e ~ e punës** first of all

pára *nd:* **ec ~!** go ahead! **dy orë ~** two hours early; **~-marsh!** forward march!; **e vë punën ~** break the back of the work; **bëj ~** make headway; **~ se** before; previous to ♦ *prfj:* **mos rri ~ meje** do not stand before me; **~ shtëpisë** in front of the house;

~ afatit ahead of schedule; **nuk vlen gjë ~ të vëllait** he is worthless compared to his brother; **~ së gjithash** above all; first and foremost ♦ *pj:* **s'~ bën** it is not quite proper

paraárdhës, -i *m* predecessor; forerunner; ancestor ♦ **~, -e** *mb* preceding; previous: **muaji ~** the previous month

parаból/ë, -a *f fet, lt* parable; *gjm* parabola ♦ **~ík, -e** *mb fet, lt, gjm* parabolic

para:burgím, -i *m dr* detainment; detention: **qendër ~i** detention/ detainee centre ♦ **~burgós** *kl dr* detain ♦ **~lósem** *vtv ps* ♦ **~ósur (i, e)** *mb, em* detained ♦ **~cakt:ím, -i** *m* predetermination; predestination ♦ **~cakt/ój** *kl* predetermine; forecast; predestine ♦ **~caktúar (i, e)** *mb* preordained: **përfundim i ~** foregone conclusion

parád/ë, -a *f* parade; review *(of the troops);* *fg* show: **~ë ajrore** fly-over; **~ë e sukseseve** hit parade; **~ë mode** fashion parade

paradít/e, -ja *f* morning; forenoon; fore-day: **shfaqje e ~es** morning show ♦ **~e** *nd* in the morning; before noon

paradóks, -i *m* paradox ♦ **~ál, -e** *mb* paradoxical

para:drék/e, -ja *f* forenoon; morning: **~en e kam të lirë** I am free in the morning ♦ **~dréke** *nd* in the morning; before lunch; before noon ♦ *mb* morning *(mb);* preprandial ♦ **~dhëni/e, -a** *f* advance payment (money): **jap një ~e** pay in advance/ up front ♦ **~dhóm/ë, -a** *f* vestibule; antechamber; waiting-room

parafángo, -ja *f au* mudguard

parafín/ë, -a *f km* paraffin; paraffin wax

para:fjál/ë, -a *f gjh* preposition ♦ **~ór, -e** *mb gjh* prepositional ♦ **~fráz/ë, -a** *f* paraphrases ♦ **~fúndit (i, e)** *mb* penultimate; last but one ♦ **~fytyrím, -i** *m* imagination ♦ **~fytyr/óhet** *vtv shih* **~fytyr/ój: as që mund të ~ohet** it is beyond imagination ♦ **~fytyr/ój** *kl* imagine ♦ **~fytyrúar (i, e)** *mb* imagined; imaginable

paragráf, -i *m* paragraph

Paraguái *m* Paraguay ♦ **p~án, -e** *mb* Paraguayan ♦ **p~án, -i** *m* Paraguayan

paragjyk:ím, -i *m* prejudice; bias

parájs/ë, -a *f* paradise

para:kalím, -i *m* parade; march-past *(of troops);* overtaking *(of a car):* **ndalim ~i** no overtaking ♦ **~kal/óhet** *vtv, pvt, ps* ♦ **~kal/ój** *jk/* parade; march past ♦ *kl* overtake *(a car)* ♦ **~lajmërím, -i** *m* (early) warning; premonition; admonishment; *sp* caution: **pa ~** without warning ♦ **~lajmëróhem** *ps* ♦ **~lajmër/ój** *kl* warn; premonition; admonish; *sp* caution *(a player):* **~oj për rrezikun dikë** warn sb of a danger ♦ **~lajmërúes, -e** *mb* premonitory; warning *(shot);* cautionary

paralél, -i *m* parallel: **~et dhe mesditësit** *gjg* the parallels and the meridians ♦ **~, -e** *mb* parallel:

drejtëza ~e parallel lines; **lidhje ~e** *el* parallel connection ♦ **~ nd:** **shkojmë ~** go hand in hand; advance abreast; **lidh ~** *el* parallel ♦ **~le, -ja** *f gjm* parallel (line); *sp* parallel bars; *fg* analogy ♦ **~ísht** *nd:* **ecim ~isht me kohën** we are marching abreast of the time ♦ **~íz/ëm, -mi** *m* parallelism; *fg* overlapping; *fg* similarity; analogy

parali:tík, -u *m* paralytic; palsied (person) ♦ **~z/ë, -a** *f mk* paralysis *(sh -es);* palsy; stoppage, standstill ♦ **~zím, -i** *m* paralysis *(sh -es)* ♦ **~z/óhem** *vtv, ps:* **jeta e vendit ~ohet** the life of the country comes to a stand-still ♦ **~z/ój** *kl v iii mk* paralyse; bring to a standstill: **~oj kundërshtarin** neutralise an opponent ♦ **~zúar (i, e)** *mb, em* paralysed; palsied ♦ **~zúes, -e** *mb* paralysing *(effect)*

paramán/ë, -a *f* safety-pin; brooch

paramend:ím, -i *m* forethought; premeditation: **e bëj diçka me ~** do sth deliberately ♦ **~/ój** *kl* premeditate; consider in advance ♦ **~úar (i, e)** *mb* premeditated; deliberate

paramét/ër, -ri *m mat, tk, fz* parameter; size

para:ndalím, -i *m* prevention; preclusion; deterrent: **~ i krimit** crime prevention ♦ **~ndal/óhet** *ps* ♦ **~ndal/ój** *kl* prevent; forestall; preclude; deter: **~oj krimin** prevent crime ♦ **~ndalúes, -e** *mb* preventive *(measure);* preclusive; deterrent *(force)* ♦ **~ndíej** *kl* **-ndjéva, -ndíer** forebode; portend; have a premonition of: **~ndiej rrezikun** sense danger ♦ **~ndjénj/ë, -a** *f* premonition; presage; foreboding; portent: **kam një ~ë se** have an inkling/ a gut feeling that

paranój/ë, -a *f psk* paranoia ♦ **~ák, -u** *m psk* paranoiac

para:pagés/ë, -a *f* **~pagím, -i** *m* advance payment: **kërkoj ~** demand payment up front ♦ **~pagúaj** *kl* prepay; make an advance payment ♦ **~pagúar (i, e)** *mb* prepaid; paid in advance ♦ **~pagúhem** *ps* ♦ **~pëlq/éhem** *ps* ♦ **~pëlq/éj** *kl* prefer; *v iii* thrive ♦ **~pëlqím, -i** *m* preferment; predilection; preference; prepossession ♦ **~përcaktím, -i** *m* predetermination; predestination ♦ **~përcaktóhet** *ps* ♦ **~përcakt/ój** *kl* predetermine; predestine ♦ **~përcaktúar (i, e)** *mb* predetermined; predestined ♦ **~përgatít** *kl* prepare; prearrange ♦ **~përgatítem** *vtv* be prepared; prepare oneself; brace oneself; be prearranged; *ps* ♦ **~përgatítj/e, -a** *f* preparation; pre-arrangement; *sh* preliminaries ♦ **~përgatitór, -e** *mb* preparatory *(stage);* preliminary ♦ **~përgatítur (i, e)** *mb* prepared; prearranged ♦ **~prák, -e** *mb* preliminary; preparatory ♦ **~pr/és** *kl* forestall; anticipate; intercept ♦ **~príhem** *ps* ♦ **~prí/j** *kl* lead; guide; *v iii* precede; be ahead of; antedate; *v iii* be preceded; *fg* lead; have precedence; have priority **(over): i ~j grupit** lead the group; **ngjarjet që i ~në luftës** events that came before the war ♦ **~príjës, -e** *mb* preceding; anterior ♦ **~qés** *kl shih* **paraqit** ♦ **~qít** *kl* present; show; *v iii* have; introduce oneself; *v iii* appear: **~ dokumentet** show one's papers; **~ provat në gjyq** present evidence in court; **~ një kërkesë** submit an application; **~ një film** show/ present a film **i ~ dikë dikujt** introduce sb to sb ♦ **~qít/em** *vtv, ps:* **~em në repart** report to the regiment ♦ **~qítës, -i** *m* presenter; tv caster; compère *(of a program);* showman ♦ **~qítj/e, -a** *f* presentation; description; reporting *(to the superiors); ush* presenting of arms; appearance; look: **vajzë me ~je** a girl of good looks ♦ **~réndës, -i** *m* forerunner; predecessor; ancestor; precursor; outrider ♦ **~réndës, -e** *mb;* forerunning *(mb)* ♦ **~arój/ë, -a** *f ush* vanguard; advance party; *fg* vanguard ♦ **~sýsh** *nd* in mind; in consideration; into account: **marr/ mbaj ~** take into account/ consideration ♦ **~shíhet** *ps* ♦ **~shikím, -i** *m* forecast; prediction: **~i i motit** weather forecast; **sipas ~it** according to predictions; **~ i tregut** market forecast ♦ **~shikóhet** *pvt, ps* ♦ **~shik/ój** *kl* forecast; predict; foretell; envisage *(a change);* provide for: **~oj motin** make a weather forecast ♦ **~shikúar (i, e)** *mb* forecast; expected; foreseen; predicted ♦ **~shikúes, -e** *mb* farsighted; farseeing ♦ *em* forecaster; foreteller; predictor ♦ **~shikúesh/ëm (i), -me (e)** *mb* foreseeable; predictable; **në një të ardhme të ~me** within a foreseeable future; **përfundim i ~** a predictable result ♦ **~shkollór, -e** *mb* pre-school ♦ **~/shóh** *kl* **-páshë, -párë** *shih* **~shik/ój** ♦ **~shtés/ë, -a** *f gjh* prefix

parashút/ë, -a *f* parachute: **hedh me ~ë** drop by parachute ♦ **~íst, -i** *m* parachutist; paratrooper

para:thënie, -a *f* foreword; preface; *vj* prophecy ♦ **~ushtarák, -u** *m* paramilitary ♦ **~ushtarák, -e** *mb* paramilitary: **organizatë ~e** paramilitary organisation

parazít, -i *m bl* parasite; vermin; *fg* sponger; freeloader ♦ *mb* parasitic(al) ♦ **~, -e** *mb* parasitic ♦ **~ár, -e** *mb* parasitic(al) ♦ **~íz/ëm, -mi** *m* parasitism

parcél/ë, -a *f* plot *(of land)* ♦ **~ím, -i** *m* plotting, division into plots *(of land)* ♦ **~/óhet** *ps* ♦ **~/ój** *kl* plot; divide into plots

pardesý, -ja *f* trench coat

pardjé *nd* the day before yesterday ♦ **~sh/ëm (i), -me (e)** *mb* of the day before yesterday; *fg* stale

paréshtur (i, e) *mb* uninterrupted; ceaseless; unceasing; non-stop: **shi i ~** continuous rain; **përpjekje të ~a** relentless efforts ♦ **~** *nd* uninterruptedly; ceaselessly; unceasingly; without a break; non-stop

párë *pjs e* **shoh**

pár/ë (i) *m* first; head; leader; **(të)** ancestors, forefathers; **(të)** *vj* nobility; gentry; peers: **i ~ë i klasës**

top of the class; dux; **zakonet e të ~ëve tanë** the customs of our forefathers; **kush është i ~ë këtu?** who is in charge here?; **i ~i i katundit** *bs* top-dog; cock of the walk

párë, -t (të) *as* sight; eyesight; view; vision

pár/ë (i, e) *f* **(të)** *mb, nm rrsht* first; primary; foremost; early; old; top(-notch); superior *(quality);* once-removed, germane *(cousin);* initial *(step);* preliminary *(stage);* raw *(material);* elementary, basic; erstwhile; previous, former; older, senior: **kati i ~ë** first/ ground floor; **gjella e ~ë** first dish; starter; **rinia e ~ë** early youth; **qëllimi i ~ë** the foremost aim; prime objective; **ai s'është më lojtari i ~ë** he is not the former player he was; **në radhë të ~ë** first of all; first and foremost; **e pres me këmbët e ~a dikë** give sb a hot reception

párë *nd bs* a little while ago; shortly before: **më ~** before; ago; earlier; **sa më / një orë e më ~** as soon as possible

parës:í, -a *f prmb vj* nobility; primacy; priority; ascendancy: **i jap ~ diçkaje** give priority to sth ♦ **~ór, -e** *mb* primary; overriding; prime: **interesa ~e** overriding interests

parfúm, -i *m* perfume; scent ♦ **~erí, -a** *f sh-, -të* perfume-shop ♦ **~ím, -i** *m* perfuming; scenting ♦ **~/óhem** *vtv* be perfumed; *ps* ♦ **~/ój** *kl* perfume; scent ♦ **~úar (i, e)** *mb* perfumed; scented

parí, -a *f prmb* nobility; nobles; peers; peerage

pári *nd* **:aty ~** near/ close/ hard by; **këndej ~** hereby; hereabouts

pári (së) *nd si fj ndërmj* first(ly); in the first instance; for the first time; at first: **së ~, së dyti** firstly, secondly; **pikë së ~** first of all

parím, -i *m* principle; rule: **e kam si ~** make it a point of principle ♦ **~ísht** *nd* in principle ♦ **~ór, -e** *mb* principled; based on principles

par/k, -ku *m* park; garden; park; fleet *(of cars, of tractors, etc.)*

parkét, -i *m* parquet; flooring; parquetry

park:ím, -i *m* parking: **vend ~i** parking area/ space; **ndalim ~** no parking ♦ **~/ój** *kl* park *(a car)*

parlamént, -i *m* parliament: **~ me një dhomë/ dy dhoma** unicameral/ bicameral parliament ♦ **~ár, -i** *m* parliamentarian; Member of Parliament *(shkrt* **MP** *)* ♦ **~ár, -e** *mb* parliamentary; parliamentarian ♦ **~íz/ëm, -mi** *m* parliamentarianism

parmák, -u *m* (hand-)rail; railing; banisters; windowsill

parmbrëm:ë *nd* the night before last; the other night ♦ **~sh/ëm (i), -me (e)** *mb* of the night before last

parménd/ë, -a *f* plough, *am* plow

pár/më (i), -me (e) *mb* first; anterior; front; *gjh* simple: **ana e ~e e** the front side of; **këmbët e ~e** front legs; forelegs; **gjymtyrë e ~e** simple part of speech

parodí, -a *f lt* parody; *fg* travesty ♦ **~z/óhet** *ps* ♦

~z/ój *kl* parody; *fg* travesty

partáll/e, -ja *f bs* rubbish; junk: **i jap ~et dikujt** give sb the sack

partí, -a¹ *f* party: **~të politike** political parties

partí, -a² *f* consignment; shipment; batch *(of shipped goods)*

partiák, -e *mb:* **qëndrim** ~ partisan attitude

partitúr/ë, -a *f mz* score: **luaj me ~ë** play from the score;

partizán, -i *m* partisan; supporter; champion: **bëhem ~ i një teorie** champion a theory ♦ ~, -e *mb* partisan *(mb)* ♦ ~í, -a *f* partisanship

partnér, -i *m* partner: **bëhem ~ me dikë** go into partnership/ team up with sb ♦ **~itét, -i** *m* partnership

parúk/ë, -a *f* wig; periwig ♦ **~íer, -i** *m* hairdresser

parúll/ë, -a *f* slogan; password: **~a politike** shibboleths

parváz, -i *m* case; sill *(of the window etc.)*

parvjét *nd* year before last ♦ **~sh/ëm (i), -me (e),** ~/më (i), -me (e) *mb* of the year before last

párz/ëm, -ma *f* chest; breast ♦ **~mór/e, -ja** *f hist, ush* breast-plate

parregull:sí, -a *f* irregularity ♦ **~t (i, e)** *mb* irregular; disorderly; untidy: **jetë e** ~ disorderly life

parrezíksh/ëm (i), -me (e) *mb* safe; not dangerous; risk-free; harmless; innocuous: **qenie e ~me** harmless creature ♦ **~shmërí, -a** *f* harmlessness; innocuity

pas, -i *m :* **jap një** ~ *sp* pass the ball

pas *nd* behind; back(wards); slow; late: **mbetem** ~ remain behind; **më** ~ later; **i bie ~ dikujt** follow sb; look after sb ♦ *prfj:* **~ shtëpisë** behind/ at the back of the house; ~ **dreke** after lunch; ~ **krahëve** behind the back; ~ **një viti** one year after/ later; **i dhënë** ~ **muzikës** devoted to music; **bëj shumë** ~ **here** from time to time

pasagjér, -i *m* passenger: **vagon ~ësh** passenger coach

pasákt/ë (i, e) *mb* inaccurate; imprecise; inexact; incorrect: **përgjigje e** ~ incorrect answer ♦ **~í, -a** *f* inexactitude; inaccuracy; unpunctuality

pasaník, -u *m* wealthy; rich: **~ët dhe të varfrit** the rich and the poor

pasapórt/ë, -a *f* passport ♦ **~izím, -i** *m* residence permit ♦ **~iz/óhem** *vtv* register as a resident of; *ps* ♦ **~iz/ój** *kl* register as a resident of; obtain residence permit

pas:árdhës, -i *m* posterity; descendant; offspring; heir; successor: ~ **meshkuj** male issue *(of a family);* **~i im në zyrë** the successor to my office ♦ **~árdhës, -e** *mb* successive; next *(month)* ♦ **~dít/ e, -ja** *f* afternoon: **~e muzikore** musical evening ♦ **~díte** *nd* in the afternoon; in the evening

pasí *ldh* after; when; since; seeing that: ~ **erdhën**

të gjithë after everyone arrived; ~ **ai nuk po vjen...** since he is not coming...

pasigur:í, -a *f* insecurity; uncertainty; unreliability ♦ **~t (i, e)** *mb* insecure; uncertain; doubtful; unreliable; insecure; unsafe; untrustworthy: **e ardhme e** ~ uncertain future ♦ **~úar (i, e)** *mb* unsecured; unfastened *(door, etc.);* uninsured *(property)*

pasím, -i *m sp* pass *(of the ball)*

pasión, -i *m* passion; strong emotion ♦ **~úar (i, e)** *mb* impassioned; full of passion

pasítur (i, e) *mb* wholemeal *(flour)*

pasív, -i *m fn* passive account; debit ♦ ~, -e *mb* passive; inactive; extinct *(volcano); fn* debit *(mb):* **qëndresë ~e** passive resistance (stand); **llogari ~e** debit account ♦ **~ísht** *nd* passively ♦ **~itét, -i** *m* passivity; passiveness; inactivity ♦ **~íz/ëm, -mi** *m* passivity

pásj/e, -a *f* property; possession

paskajór, -e *mb gjh* infinitive *(mod)* ♦ **~ór/e, -ja** *f gjuh* infinitive mood ♦ *mb* infinitive ♦ **~sh/ëm (i), -me (e)** *mb* infinite; boundless; endless

pásm/ë (i), -e (e) *mb* back; hind; rear; posterior; postern *(door);* subsequent; next; later *(years):* **këmbë e ~e** hind leg; **ndenjëse e ~e** rear seat;

pasnésér *nd* the day after tomorrow: **flas si për** ~ talk through one's hat ♦ **~m (i), -e (e)** *mb* of the day after tomorrow ♦ **~m/e, -ja (e)** *f* the day after tomorrow

pas/óhem *ps e* pasoj¹

pasóhet *ps e* pasoj²

pas/ój¹ *kl, jk/* follow; take up *(as an accompaniment):* **të tjerët ~ojnë** the rest will come later/ behind; **~oi një heshtje e rëndë** a grave silence followed

pas/ój² *kl* pass *(the ball, a word, etc.);* forward

pasój/ë, -a *f* consequence; outcome; effect: **do të kesh ~a** there will be consequences

pasósur (i, e) *mb* interminable

pasqýr/ë, -a *f* mirror; looking-glass; *fg* reflection; table *(of contents);* reflector *(of the telescope, etc.):* **~ë muri** wall mirror; **~ë anësore** wing-mirror *(of a car);* **~ë e shtypit** press review ♦ *mb* spotless; shining: **i bëj këpucët ~ë** shine the shoes ♦ *nd:* **i pastër ~ë** very clean; as clean as a whistle ♦ **~ím, -i** *m* reflection; mirror(ing); image: ~ **i hënës në ujë** reflection of the moon on the water ♦ **~/óhet** *vtv, ps* ♦ **~/ój** *kl v iii* reflect/ mirror

pastáj *nd:* **do të vij** ~ I'll come later; ~ **ai tha** then he said; next ♦ **~më (i), -me (e)** *mb* latter; later; latter-day; next; last; subsequent; **ditët e ~me** the latter days

pastél, -i *m art* pastel

pást/ë, -a¹ *f* pastry; cake; desert pastry; gâteau

pást/ë, -a² *f* paste: **~ë dhëmbësh** toothpaste

pást/ër (i, e) *mb* clean; neat; fresh; clear *(sky):* **rroba të ~ra** clean clothes; **këmishë e ~ër** a fresh shirt; **ar i ~ër** pure gold; **me zemër të ~ër** with a pure

heart; **lojë e ~ër** fair play ♦ **~/ër, -ra (e)** fair copy
♦ **~ër** *nd:* **i mbaj ~ër rrobat** keep one's clothes
clean; **flas shqipe të ~ër** speak pure Albanian
pastëriz:ím, -i *m* pasteurisation ♦ **~/óhet** *ps* ♦ **~/**
ój *k/* pasteurise ♦ **~úar (i, e)** *mb* pasteurised;
pastërmá, -ja *f gjell:* **~ derri** bacon
pastërt:í, -a *f* cleanliness; neatness; purity; *bs* laun-
dry: **ajo e ka merak ~në** she has a thing about
cleanliness ♦ **~ór, -e** *mb, em* clean(ly) *(person)*
pastiç:iér, -i *m* pastry-cook ♦ **~erí, -a** *f* pastry/
confectioner's shop; confectionery
pastíço, -ja *f gjll* pattie *(with pasta, meat and eggs)*
pastorál, -e *f fet* pastoral
pastréh/ë (i, e), ~úar (i, e) *mb* unsheltered; home-
less
pastr:ím, -i *m* cleaning; purification; cleansing;
weeding out: **~ i thatë** dry cleaning ♦ **~/óhem**
vtv, ps: **qielli u ~ua** the sky cleared up ♦ **~/ój** *k/*
clean; purify; cleanse; *v iii* clear away (off): **~oj**
rrugët sweep the streets; **~oj tryezën** clear the
table ♦ **~úes, -i** *m* sweeper; detergent; purifier ♦
~úes, -e *mb* cleaning; purifying *(device)* ♦ **~úes/**
e, -ja *f fm e* **pastrues, -i;** cleaning woman; eraser;
cleaning device
pas:thëni/e, -a *f* afterword ♦ **~thírrm/ë, -a** *f* excla-
mation; interjection
pasúes, -i *m* follower; supporter: **~ i një ideje** dis-
ciple of an idea
pasuniversitár, -i *m* post-graduate (student) ♦ **~,**
-e *mb* post-graduate: **kurs ~** post-graduate (con-
tinuation) course
pásur *pjs e* **kam**
pásur, -i (i) *m* rich; wealthy; affluent: **të ~it** the well-
to-do ♦ **~ (i, e)** *mb* rich; wealthy; opulent; exuber-
ant; lush *(vegetation);* fertile *(soil):* **tokë e ~** rich
soil; **bëhem i ~** become rich; rich ♦ **~í, -a** *f* wealth;
riches; affluence; opulence; wealth; asset(s): **vë**
~ accumulate wealth; **~ e patundshme** real es-
tate; fortune ♦ **~ím, -i** *m* enrichment; upgrading
(of minerals) ♦ **~/óhem** *vtv, ps* ♦ **~/ój** *k/* enrich;
make rich; upgrade *(minerals); fg* enrich; diversify
♦ **~úar (i, e)** *mb* enriched; upgraded *(mineral);*
fertilised *(soil)*
pash, -i *m* fathom *(=188 cm):* **e ke lejen me ~** you
have all the freedom you want ♦ *mb:* **not ~** breast
stroke; overarm stroke
pashémbullt (i, e) *mb* unexampled; unsurpassed
páshë *kr thj e* **shoh**
pásh/ëm (i), -me (e) *mb* handsome; goodly; bonnie;
comely: **djalë i ~ëm** handsome young man
Páshk/ë, -a *f ft:* **P~a e Madhe/ P~ët e Mëdha**
Easter; **P~a e Vogël/ P~ët e Vogla** Christmas;
dita e P~ëve Easter Day; **qengji i P~ës** Easter
lamb
pashlýer (i, e) *mb* unpaid *(bill); fg* indelible
(memory) ♦ **~sh/ëm (i), -me (e)** *mb* unpayable

(bill, debt); fg indelible *(memory):* **gjurmë të ~me**
indelible impressions
pashmángsh/ëm (i), -me (e) *mb* unavoidable; in-
evitable; ineluctable
pashóq (i), -e (e) *mb* unprecedented; unmatched;
unrivalled; unequalled; unparalleled
pashpírt (i, e) *mb* inanimate; lifeless; soulless; *fg*
merciless; uncharitable; *fg* mean: **trup i ~** inani-
mate body
pashprés/ë (i, e) *mb* hopeless: **gjëndje e ~** hope-
less situation
pashqúar (i, e) *mb gjh* indefinite *(form of the noun)*
pashtër:sh/ëm (i), -me (e) *mb* inexhaustible *(en-
ergy)* ♦ **~úar (i, e)** *mb* inexhaustive ♦ **~úesh/ëm**
(i), -me (e) *mb* inexhaustible; *fg* unabating *(en-
thusiasm)*
pashtét, -i *mb gjell :~ mëlçie** liverwurst
pashúar (i, e) *mb* inextinguished *(fire); fg*
unquenched; unquenchable
páta *kr thj e* **kam**
patát/e, -ja *f bt* potato *(sh -s, -es)*
patént/ë, -a *f* patent; licence: **ia heq ~ën dikujt**
revoke sb's licence
pateríc/ë, -a *f* crutch: **me ~a** on crutches
patetík, -e *mb* pathetic; moving; touching
pát/ë, -a *f zl* goose *(sh* **geese***):* **~ë e egër** wild
goose; **tufë ~ash** gaggle *(of geese)*
patëkéq, -e *mb* naïve; uncanny; artless; ingenuous
patëllxhán, -i *m bt* aubergine; egg-plant
patin:atór, -i *m* (ice) skater ♦ **~ázh, -i** *m* skating:
bëj ~ skate; **~ artistik** figure skating ♦ **~/ë, -a** *f*
skates
patjétër *nd* without fail; sure(ly); sure; without doubt:
të vish ~ you must absolutely come ♦ *fjalë e*
ndërmjetme: **ti, ~, e di** sure, you know it
patk/úa, -ói *m* horseshoe: **ia mbath ~onjtë dikujt**
bs chuck s. o. out
patók, -u *zl* gander; drop-net
pateló:g, -u *m* pathologist ♦ **~gjí, -a** *f mk* pathol-
ogy ♦ **~gjík, -e** *mb mk,* pathologic(al): **kujtesë**
~e pathological memory
patriárk, -u *m hist, ft* patriarch ♦ **~ál, -e** *mb* patriar-
chal ♦ **~alíz/ëm, -mi** *m hst* patriarchalism; patri-
archy ♦ **~át, -i** *m hst* patriarchate
patrík, -u *m ft* patriarch ♦ **~án/ë, -a** *f ft* patriarchane;
patriarch's sea/ jurisdiction
patriót, -i *m* patriot; fellow-countryman ♦ **~, -e** *mb*
patriotic ♦ **~ík, -e** *mb* patriotic; *bs* jingoistic ♦ **~íz/**
ëm, -mi *m* patriotism: **~ëm ekstrem** *bs* jingoism
patronázh, -i *m* patronage: **marr/ kam nën ~ dikë**
take sb under one's wing
patrúll/ë, -a *f* patrol: **grup i ~ës** patrol detail ♦ **~ím,**
-i *m* : **anije ~i** patrol boat ♦ **~/óhet** *ps* ♦ **~/ój** *k/,*
jk/ patrol: **~oj rrugët** patrol the streets
patúndsh/ëm (i), -me (e) *mb* unshakeable; firm;
unwavering *(stand);* irremovable; *dr* real *(assets)*

♦ **~ur (i, e)** *mb* unshaken *(faith, etc.);* impassive

patúrp (i, e) *mb* shameless; impudent; unashamed: **gënjeshtar i ~** shameless liar ♦ **~ësí, -a** *f* shamelessness; impudence ♦ **~ësísht** *nd* shamelessly; impudently ♦ **~sh/ëm (i), -me (e)** *mb* shameless; impudent; audacious; wanton *(thought)*

pathýesh/ëm (i), -me (e) *mb* unbreakable; shatter-proof *(glass):* fg invincible ♦

paúdh:a, -t (të) *f sh bs* devilry; mischief; rascality ♦ **~ë, -i (i)** *m euf* devil; dickens; mischief-maker ♦ **~ l/ë (i, e)** *mb* devilish; mischievous; mischief-making ♦ **~ësí, -a** *f* devilry; mischief

páuz/ë, -a *f* pause; break

pavarësí, -a *f* independence: **~ e fluturimit** *av* independence of flight ♦ **~ësísht** *nd* independently; regardless: **~ nga gjinia e raca** regardless of sex, race ♦ **~ur (i, e)** *mb* independent; individual *(work)*

pavdek:ësí, -a *f* immortality ♦ **~sh/ëm (i), -me (e)** *mb* immortal; undying: **bëj të ~ëm dikë** immortalise sb ♦ **~shmërí, -a** *f* immortality

pavetór, -e *mb gjh* impersonal *(verb)*

pavëméndsh/ëm (i), -me (e) *mb* inattentive; inadvertent

pavijón, -i *m* hospital ward; pavilion: **~et e panairit** pavilions of the fair

pavléfsh/ëm (i), -me (e) *mb* useless; *dr* invalid *(papers)* ♦ **~ërí, -a** *f* uselessness; *dr* invalidity *(of papers)* ♦ **~vlér/ë (i, e)** *mb* useless; valueless

pavód/ë, -a *f zl* peacock

pavullnétsh/ëm (i), -me (e) *mb* involuntary; : **dështim i ~ëm** *mk* unprovoked abortion

pazakón:sh/ëm (i), -me (e) *mb* uncommon; out-of-the-common

pazár, -i *m* bazaar; market-place; bargain: **nxjerr në ~ diçka** put sth for sale; **~ me leverdi** a good deal; **hahem në ~** drive a hard bargain; **ka dalë fjala në ~** it is public knowledge; **u bë ~** there was great confusion ♦ **~llë/k, -ku** *m* bargain(ing); haggling *(over the price):* **hyj në ~ me dikë** wheel and deal with sb

pazën/ë (i, e) *mb* unoccupied *(rooms);* free; disengaged; open; *bs* unattached *(young girl);* unrooted; dead *(plant)*

pazësh/ëm (i), -me (e) *mb* noiseless; silent; still; hushed; *gjh* voiceless *(consonant)*

pazëvendësúesh/ëm (i), -me (e) *mb* irreplaceable: **humbje e ~me** irreplaceable loss

pazí, -a *f bt* corn salad

pazót (i, e) *mb:* **mall i ~** unclaimed property ♦ **~ësí, -a** *f* inability; incapacity; disability ♦ **~i (i), ~zónja (e)** *mb, em* unable; inapt; incapable

pazhvillúar (i, e) *mb* undeveloped; underdeveloped: **vendet e ~a** the undeveloped countries

pe, -ri *m* thread; yarn; *sh* fibre *(of leguminous plants);* string: **~ mëndafshi** silk thread; **fill e për**

~ in great detail; lëshoj ~ yield ground

péc/e, -ja *f* piece of cloth; *(hygienic)* slip; foot wrap; frazzle ♦ **~ét/ë, -a** *f* napkin; *bs* towel

pedagó:g, -u *m* teacher; pedagogue ♦ **~gjí, -a** *f* pedagogy ♦ **~gjík, -e** *mb* pedagogic(al): **shkollë ~e** teachers' training school/ college

pedánt, -i *m* pedant; pedantic person ♦ **~, -e** *mb* pedantic; dry-as-dust ♦ **~íz/ëm, -mi** *m* pedantism

pederást, -i *m* p(a)ederast ♦ **~í, -a** *f* p(a)ederasty

pediat:rí, -a *f mk* p(a)ediatry: **repart i ~risë** children's ward ♦ **~/ër, -ri** *m* p(a)ediatrician ♦ **~rí, -a** *m mk* p(a)ediatrics *(me folje në njëjës)* ♦ **~rík, -e** *mb* p(a)ediatric(al)

pedofíl, -i *m* p(a)edophile; p(a)edophiliac ♦ **~í, -a** *f* p(a)edophylia;

pehliván, -i *m bs* tightrope-walker; *kq* juggler ♦ **~llë/k, -ku** *m kq* cunning; juggling: **~qe politike** political juggling

pehríz, -i *m bs* diet; fasting: **mbaj ~** be on a diet

peizázh, -i *m* view; scenery; *art* landscape painting: **~ detar** seascape

peksimét, -i *m* toast; hard toasted bread

pekúl, -i *m vj* paraphernalia; *bs* present; *sh fg* care, attentions; *fg* plenty: **rritem me ~e** be brought up in the lap of plenty

péla, -t *f sh* white horses; comber; foaming crest *(of the waves)*

pelegrín, -i *m* pilgrim ♦ **~ázh, -i** *m* pilgrimage

pelén/ë, -a *f* nappy: **jam në ~a** be green; be wet behind the ears

pelerín/ë, -a *f* coat; mantle

pél/ë, -a *f* mare: **një vrap ~e** a stone's throw; **zë me ~ë për dore dikë** catch sb red-handed/ in the act

pelikán, -i *m zl* pelican

pelín, -i, ~n/ë, -a *f bt* wormwood; *fg* bitterness ♦ *mb* very/ extremely bitter ♦ **~ nd: ~ i hidhur** as bitter as gall/ wormwood

pélt/e, -ja *f* jelly: **~e frutash** fruit jelly; **e bëj ~e dikë** beat sb into pulp

pelúsh, -i *m tks* plush

pelláz/g, -u *m hst* Pelasgian(s) ♦ **~g, -e** *mb* Pelasgian; Pelasgic *(population, region)* ♦ **~gjísht** *nd* in (the) Pelasgian (language) ♦ **~gjísht/e, -ja** *f* Pelasgian (language)

péll/g, -gu *m* puddle; pond; pool; *gjeog* basin: **rrugë me ~e** road full of puddles; **~g për rritjen e peshkut** fish-pond; **~g qymyrguror** coal basin

pém/ë, -a *f* (fruit-)tree; *fg* result: **~ë pa kokrra** good-for-nothing person; **~ë gjenealogjike** genealogical tree; **~a e Krishtlindjes** Christmas tree ♦ **~/ël, -la** *f* berry

pemëshítës, -i *m* fruit vendor; fruiterer

pem:ëtár, -i *m* fruit-grower ♦ **~ëtarí, -a** *f* fruit-growing; *prmb* fruit-trees ♦ **~ëtór/e, -ja** *f* fruit-shop ♦

~ísht/e, -ja *f,* **pemísht/ë, -a** *f* fruit plantation; orchard

penál, -e *mb dr* penal: **kodi ~** penal code ♦ **~íst, -i** *m dr* criminal jurist

penalltí, -a *m sp* penalty (kick, spot)

pendés/ë, -a *f* repentance; regret; *ft* penance; penitence; contrition

pendespánj/ë, -a *f gjll* sponge cake

pendestár, -i *m* penitent ♦ *mb* contrite

pénd/ë, -a¹ *f* feather; pen, quill; fin: **~ët e krahut** wing feathers **shkruaj me ~ë** write with a quill; **më bien ~ët** *fg* be crestfallen; sing small ♦ *mb* very light ♦ **~ë** *nd:* **~ë i lehtë** very light

pénd/ë, -a² *f* team, pair *(of oxen)*

pénd/ë, -a³ *f* dam; dike; embankment

pend:ím, -i *m* repentance; contrition; penitence ♦ **~/óhem** *vtv* regret; *ft* repent: **do të ~ohesh** you'll regret it ♦ **~úar (i, e)** *mb, em* repentant

penél, -i *m art* brush ♦ **~át/ë, -a** *f art* brushwork

pén/ë, -a *f* pen: **bisht ~e/ i ~ës** penholder; **mjeshtëri e ~ës** penmanship; **i mëshoj ~ës** push the pen; **~ë e njohur** a renowned writer; **me një të rënë të ~ës** with one stroke of the pen

pen/g, -gu *m* pawn; pledge; regret, compunction; hostage, ransom: **lë ~g** pawn; pop; **dyqani i ~gjeve** pawnshop; **mbaj ~g dikë** hold sb to ransom; **mbaj diçka për ~g** hold sth as surety

peng:és/ë, -a *f* obstacle; barrier; hindrance, impediment; handicap; *sp* hurdle: **~ë natyrore** natural barrier; **~ë doganore** custom's tariff wall; **110 m me ~a** the 110 m hurdles; **3000 m me ~a** 3000 m steeplechase ♦ **~/ë, -a** *f* fetter; trammel ♦ **~ím, -i** *m* impeding; obstruction *(of justice)* ♦ **~/óhem** *vtv* stumble; trip over *(an obstacle);* falter; lag behind; *ps:* **~ohem e bie** stumble and fall ♦ **~/ój** *kl* obstruct; trip; get on the way of; tether *(a horse in pasture); fg* impede; obstruct ♦ **~ójc/ë, -a** *f* tether; hobble; fetter ♦ **~ój/ë, -a** *f* fence; hurdle; barrier; fetter; hobble; fetter ♦ **~úes, -e** *mb* obstructive; inhibitive *(measures, policy)*

penicilín/ë, -a *f* penicillin

pensión, -i *m* (retirement on a) pension; boarding house: **dal në ~** retire on a pension ♦ **~íst, -i** *m* pensioner ♦ *mb* retired on a pension

penxhér/e, -ja *f bs* window; slot *(in one's diary)*

pénjëz, -a *f* thin thread; *an* cord

Pépsi, -t *m bs* Pepsi

péqe *pj:* **me lepe e me ~** bowing and scraping

perandór, -i *m* emperor ♦ **~ák, -e** *mb* imperial ♦ **~ésh/ë, -a** *f* empress ♦ **~í, -a** *f* empire

percept:ím, -i *m psk* perception; perceiving ♦ **~/óhet** *ps* ♦ **~/ój** *kl psk* perceive

pérç/e, -ja¹ *f* shock; quiff *(of hair);* horse's mane

pérç/e, -ja² *f* face-veil *(Moslem women)*

pérd/e, -ja *f* curtain; *an* veil, cataract *(of the eye); kn* screen; *bs* face-veil: **~e të trasha** drapes; **ngre**

~en *tt* raise the curtain; **~e tymi** smokescreen; **i ka plasur ~ja** he has lost all sense of shame; **~e zjarri** *ush* barrage of fire

perënd:ésh/ë, -a *f* goddess: **~ë e bukurisë** beauty queen ♦ **~í, -a** *f* god; deity; lord; **o ~i!** my Lord!; goodness gracious!

perënd:ím, -i *m* sunset; west; *fg* end: **bota e ~it** the western world; **~i i një bote** the end of a world ♦ **~imór, -e** *mb* western; westerly ♦ **~/ój** *kl v iii* set; *v iii* end; come to an end; be frustrated: **~oi dielli** the sun se; **~uan shpresat** hope have faded ♦ **~/ój** *bs* throw away/ off, up ♦ **~úar (i, e)** *mb* bygone: **kohë të ~uara** bygone times; **me sy të ~uar** with ogling eyes

pergamén/ë, -a *f* parchment; vellum

peri:ferí, -a *f* periphery; outskirts *(of a city);* edge *(of the forest)* ♦ **~ferík, -u** *m* peripheral unit (device) *(in a computer system)* ♦ **~ferík, -e** *mb* peripheral; outlying: **çështje ~e** marginal issue; **lagje ~e** suburb *(of a city);* suburbia ♦ **~fráz/ë, -a** *f* circumlocution; periphrasis *(sh* **-ses)**

períme, -t *f sh* vegetables

perimét/ër, -ri *m gjm* perimeter

períod/ë, -a *f shih* **periudh/ë, -a** ♦ **~ík, -e** *mb* periodical; recurring; recurrent ♦ **~ík, -u** *m nj bs* periodical press ♦ **~ikísht** *nd* periodically

peripecí, -të *f sh* tribulations; trials

periskóp, -i *m dt* periscope

perishtúp *mb* : **vit ~** leap year

periúdh/ë, -a *f* period; *sh fzo* menses; *gjeol* age; *mat* repetend; *gjh* compound clause: **~a e pushimeve** holiday period; **~a e akullit** ice age; **me ~a** irregularly; at irregular intervals

perkusión, -i *m mz:* **vegla me ~** percussion instruments

pérl/ë, -a *f* pearl; *tl* blunder, bloomer: **peshkatarët e ~ave** pearl-fisher/ -diver; **nxjerr ~a nga goja** drop a bloomer

pers, -e *mb, em* Persian ♦ **P~í, -a** *f gjg* Persia ♦ **~ián, -i** *m* Persian ♦ **~ián, -e** *mb* Persian ♦ **~ík, -e** *mb* Persic; Persian: **Gjiri P~ik** *gjg* Persian Gulf ♦ **~ísht** *nd* (in the) Persian (language) ♦ **~ísht/e, -ja** *f* Persic; (the) Persian (language)

persón, -i *m* person; individual; *tt* character: **gatuaj për një ~** cook for one; **~ juridik** *dr* body corporate, legal person; **~at e dramës** characters in the play ♦ **~ál, -e** *mb* personal; individual: **qëndrim ~** *ndaj* personal approach to ♦ **~alísht** *nd* personally; in person ♦ **~alitét, -i** *m* personality; personage: **~e të lartë** top/ senior personalities; *bs* VIPs ♦ **~ázh, -i** *m lt* character: **~ negativ** the villain of the piece ♦ **~él, -i** *m* personnel; staff; hands: **~ mësimor** teaching staff ♦ **~ifikím, -i** *m* personification; incarnation; embodiment ♦ **~ifikóhet** *ps* ♦ **~ifik/ój** *kl* personify; embody

perspektív, -e *mb* prospective; to-be: **plan ~** prospective plan ♦ **~/ë, -a** *f* perspective; vista; outlook; prospect: **vizatim në ~ë** perspective drawing

perrí, -a *f mit* fairy; *fg* belle; beauty

pés:ë *nm thm* five; *prmb* **~ë (të), ~a (të)** all five (of them); five; group of five: **në orën ~** at five o'clock; **~ me hiç** *bs* a flash in the pan; small potatoes; **~ para gjë** a mere trifle; **nuk kam as ~ para mend** not to have a grain of wisdom ♦ **~/ë, -a** *f* five; grade (mark) five *(at school)*: **~a spathi** five of spades ♦ **~ëdhjétë** *nm thm, rrsht* fifty: **e një** fifty-one; **dhoma ~** room fifty; **vitet ~** (in the) fifties ♦ **~ëdhjét/ë (i, e)** *nm rrsht* fiftieth ♦ *em f* fiftieth: **një e ~a** one fiftieth *(part of)* ♦ **~ëdhjétat (të)** *em f sh* fifty years *(of age)* ♦ **~ëdhjetëvjeçár, -e** *mb* fifty-year old (long) ♦ *em* fifty-years old *(person)* ♦ **~ëdhjetëvjetór, -i** *m* fiftieth anniversary ♦ **~ëfísh, -i** *m* five fold; quintuple ♦ **~ëfish** *nd* fivefold; quintuple; five times *(as great/ much/ many)* ♦ **~ëfísh, -e** *mb shih* **~ëfisht/ë (i, e)** ♦ **~ëfishím, -i** *m* five-fold increase (growth) ♦ **~ëfishóhet** *vtv, ps* ♦ **~ëfishój** *kl* increase fivefold; quintuplicate ♦ **~físht/ë (i, e)** *mb* fivefold; five-; quintuple: **tel i ~** five-strand cable ♦ **~ëfishúar (i, e)** *mb* five times as great ♦ **~ëmbëdhjétë** *nm thm, rrsht* fifteen: **dhoma ~** room fifteen ♦ **~ëmbëdhjet/ë (i, e)** *nm rrsht* fifteenth: **ditën e ~** on the fifteenth day ♦ *em f* fifteenth part: **një e ~a e** one fifteenth part of ♦ **~** *em* fifteenth *(in a list, in a contest)* ♦ **~ëqínd** *nm thm, rrsht* five hundred; five-hundred: **~ veta** five hundred persons ♦ **~ëqíndt/ë (i, e)** *nm rrsht* five hundredth ♦ *em* five hundredth part ♦ **~ësh, -i** *m vj* fiver *(coin)*: **s'vlen/ s'bën një ~** it is not worth a farthing ♦ **~, -e** *mb* five-: **strofë ~** five-line stanza ♦ **~/e, -ja** *f* quintuplet; group of five; pentad; *bs* five-lek coin/ bill: **i heq/ këput një ~e dikujt** slap sb in the face

pesim:íst, -i *m* pessimist ♦ **~íst, -e** *mb* pessimistic; downbeat ♦ **~íz/ëm, -mi** *m* pessimism

pést/ë (i, e) *nm rrsht* fifth: **muaji i ~ë** the fifth month ♦ *em f* fifth *(part of)*: **një e ~a e** one fifth of; the fifth part of ♦ *em* fifth; in the fifth place: **kolona e ~ë** *hst* the fifth column

pestíl, -i *m* dried plum sauce ♦ *mb fg* thin; haggard ♦ *nd bs :* **e bëj ~ dikë** give sb a good dressing down; **bëhem ~** be as sick as a cat

pésh/ë, -a *f* weight; load, burden; *fg* importance; bob *(of the stonemason)*; *bs sh* weights: **~ë neto/ bruto** net/ gross weight; **ngritje ~ash** *sp* weightlifting; **bie në ~ë** lose weight; **ha në ~ë** *bs* cheat on weight; give short weight; **mbaj ~ën kryesore të** bear the brunt of; **fjala e tij ka ~ë** his word carries weight ♦ **~ë** *nd:* **ngre ~ë diçka** raise sth high up; **ngre ~ë dikë** enthuse sb; carry sb away with enthusiasm ♦ **~ëngrít:ës, -i** *m sp* weightlifter ♦ **~j/e, -a** *f sp* weightlifting ♦ **~ím, -i** *m* weighing;

bs great attention: **platformë ~i** weighbridge

pesh/k, -ku *m zl* fish; *bs* backbone; *ast sh* the Fishes; Pisces: **halë ~u** fishbone; **as mish, as ~** neither fish nor fowl; **e bëj ~ dikë** *bs* beat sb senseless; **mbetem si ~u në zall** be like fish out of water; remain shiftless; **~ elektrik** *zl* lamprey ♦ **~kaqén, -i** *m zl* shark; dogfish; sea-dog ♦ **~atár, -i** *m* fisherman; fisher ♦ **~atarí, -a** *f* fishing ♦ **~atór/e, -ja** *f* fishing-boat ♦ **~ím, -i** *m* fishing: **anije ~i** fishing-boat ♦ **~/óhet** *vtv, pvt, ps* ♦ **~/ój** *kl* fish (out): **nga e ~ove?** where did you get it?; **~oj në ujë të turbullt** fish in troubled waters

peshkóp, -i *m ft* bishop; *bs* fag; grub; hard-working student ♦ **~át/ë, -a** *f ft* bishopric

pesh/óhem *vtv, ps* ♦ **~/ój** *kl* weigh; *fg* consider *(the chances of success, etc.)*; ponder: **~oj x kilogram** tip the scales at x kilos ♦ *jkl* weigh; *fg* carry weight; be influential; plumb *(a wall)*: **i ~on fjala** his word carries weight ♦ **~ór/e, -ja** *f* balance; scales; steel-yard; *ast* Libra: **vë në ~e** put on the scales

peshqésh, -i *m bs* gif: **i bëj një ~ dikujt** give sb a gift; **ia lë ~ në derë diçka dikujt** lay sth at sb's door

peshqír, -i *m* towel; *an* fat(-tissue) membrane: **~ duarsh** hand towel; **~ banje** bath towel; **tund ~in** *bs* mill around/ hang about

peshtáf, -i *m* jewellery case (box, chest); pyxis *(sh -des)*

peshtamáll, -i *m* bath towel

pesh:úar (i, e) *mb* weighed *(goods)*; *fg* weighed up; well-considered; pondered: **mos fol fjalë pa ~** think before you speak

pet:aník, -u *m gjll* butter pie; meat-and-rice pie ♦ **~arísht/e, -ja** *f* pasta flake ♦ **~ashúq, -e** *mb* flat; flat-top: **shishe ~e** flat bottle; flask ♦ **~/ë, -a** *f* pasta sheet; *(metal)* foil: **bëj ~a në ujë** throw drakes; play ducks and drakes; **i ka plasur ~a** he has no sense of shame; **ia heq ~ët lakrorit** unravel a secret ♦ *mb* flat: **bark ~ë** flat stomach; **i sëmurë ~ë** as sick as a cat/ dog; **bëhem ~ë përdhe** lie flat on the ground

pét/ël, -la *m bt* petal

pétës, -i *m* rolling-pin; *an* third stomach *(of the ruminants)*

pétëz, -a *f zvog e* **pet/ë, -a** ♦ **~ím, -i** *m tk* rolling *(of metal sheet)*; lamination; **uzinë e ~it** (steel) rolling plant ♦ **~/óhet** *vtv tk* be rolled *(of metal)*; *ps* ♦ **~/ój** *kl* roll; laminate *(metal)* ♦ **~ues, -i** *m* rolling machine ♦ **~ues, -e** *mb* rolling *(mb)*

petición, -i *m* petition

petk, -u *m* clothes; dress; habit; *fg* appearance; disguise; vest *(of a priest)*; *sh* linen: **~u i borës** the mantle of snow; **nën ~un e** under the disguise of

petrahíl, -i *m ft* stole *(of the orthodox priest)*

petrít, -i *m zl* goshawk; *fg* strapping young

pétull, -a *f* pancake; flapdoodle; doughnut: **i bëj ~at me ujë** make it look naively easy; make unrealistic plans ♦ *mb bs* flat round *(face)*

péz/ëm, -mi *m* inflammation *(of a wound); fg* vexation; *fg* discord: **marr ~ëm** be exasperated ♦ **~matím, -i** *m* inflammation; irritation *(of a wound); fg* exasperation; vexation ♦ **~mat/óhem** *vtv*: **iu ~ua plaga** his wound was sore; **mos u ~o** don't be upset ♦ **~mat/ój** *kl* inflame; irritate; make sore *(a wound); fg* upset; vex ♦ **~matúar (i, e)** *mb* inflamed; irritated; sore *(wound); fg* fretful; vexatious; disgruntling

pezúl, -i *m bs* sill; top *(of the wall);* shelf, mantelpiece *(of the fireplace)*

pézull *nd* in mid-air; suspended; in abeyance: **rri ~** hang in mid-air; **me frymën ~** holding one's breath; with bated breath ♦ **~ím, -i** *m* suspension *(of work);* hiatus ♦ **~/óhem** *vtv v iii* be suspended; remain in abeyance; *ps* ♦ **~/ój** *kl* suspend; arrest *(judgement);* hold in abeyance ♦ **~úar (i, e)** *mb* suspended; abeyant

pëg/éhem *vtv, ps* ♦ **~/éj** *kl* **-éva, -érë** (be)foul; mess ♦ **~ér/ë, -a (e)** *f* **(të)** mess; dirt: **të ~at e qenit** dog mess/ dirt ♦ **~érë, -t (të)** *as* mess; excrement; excreta ♦ **~ér/ë (i, e)** *mb* foul; messy ♦ **~érj/e, -a** *f* fouling; messing ♦ **~ëtí, -a** *f* mess

pëlc:ás ~íta, plásur *ose* **~ítur** explode; detonate; go off; *v iii* burst; explode; *fg* try hard; be desperate: **~iti bomba** the bomb went off; **plasi kamerdarja** the inner tube burst; **plasi lufta** war broke out; **po ~et të vijë dhe ai** *bs* he wants desperately to come; **~ nga zilia** be green with envy; **më vjen të ~ nga inati** kick oneself with anger; **~ së ngrëni** eat fit to burst ♦ *kl* crack; split; break up; *bs* dump; throw down: **~as gurin** try the patience of a saint; **e plasi përdhe** he dumped it down

pëlhúr/ë, -a *f* fabric; cloth; material; drapery; (ship's) sail; cobweb; *fg* curtain; screen: **~ë pambuku/ mëndafshi** cotton/ silk fabric

pëlq/éhem *vtv, pvt, ps:* **ata u ~yen** they liked one another ♦ **~/éj** *kl* like; relish; thrive; approve; *v iii* cherish; be fond of; be liked by; be agreeable: **a të ~eu?** how did you like it; **ia ~ej mendimin dikujt** approve of sb's idea ♦ **~ím, -i** *m* liking; assent; consent; agreement: **jap ~imin për** give one's consent to ♦ **~yer (i, e)** *mb* likeable; pleasant: **punë e ~** an agreeable job; soft, smooth *(drink)* ♦ **~esh/ëm (i), -me (e)** *mb* likeable; pleasant; proper; enjoyable; congenial

pëlq/yer, -éri *m sh* **-érë, -érët** thumb; a thimbleful of; a pinch of: **një ~yer kripë** a pinch of salt

pëll:ás *jkl v iii* bellow; low *(of cattle);* bray *(of an ass); kq* shout; blare

pëllëmb/ë, -a *f* palm *(of the hand);* slap, smack; span *(~20 cm long):* **i jap/ heq një ~ë dikujt** slap sb;

luftoj ~ë për ~ë fight for every inch *(of territory);* **e njoh me ~ë një vend** know a place like the back of one's hand; **si në ~ë të dorës** in full view; **rri me një ~ë hundë** pull a long face; **e kam gjuhën një ~ë** have a long tongue

pëllítj/e, -a *f* bellow; low; bray(ing); *kq* blare; shout

pëllúmb, -i *m zl* dove; pigeon; darling; dear: **fli, ~ i nënës!** sleep, my dear!; **ku ishe, mor ~?;** where were you, my lad?; **vend ~ash** cushy job; plum ♦ **~ésh/ë, -a** *f fm e* **pëllumb, -i**

pëqí, -ri *m* hem *(of the coat);* lap: **rri në ~ të nënës** sit on one's mother's lap

për *prfj:* **~ dore** by the hand; **nisem ~ Durrës** leave for Durrës; **~ dy** in twos; two-deep; **~ mendimin tim** in my opinion; **~ qejf** for fun; **~ shaka** in jest; **~ të parën herë** for the first time; **dal ~ dritare** go out the window; **dhëmb ~ dhëmb** an eye for an eye; **dhjetë lekë ~ njeri** ten leks each; **ditë ~ ditë** from day to day; day by day; **ditën ~ diell** in the light of the sun; **e bëj ~ inat** do sth out of spite; **e lë ~ nesër** put off till tomorrow; **e marr ~ grua dikë** take sb as one's wife; **e marr dikë ~ të vëllain** take sb for his brother; **(~) së largu** from a distance; **vjen (~) së shpejti** he'll come soon; **flas ~ dikë** speak on behalf of sb; **gëzohem ~ diçka** rejoice over sth; **i dyti ~ madhësi** second in size; **i zoti ~ sport** good in sports; **jap dy ~ një** give one in return for two; **krah ~ krah** side by side; **kujdesem ~ dikë** look after sb; **mbështetur ~ muri** leaning against the wall; **ndaj ~ tre** divide by/ into three; **radhitemi ~ katër** line up four deep; **sot ~ sot** for the time being; **studioj ~ mjekësi** study medicine; **të ardhurat ~ frymë** income per capita ♦ *nd:* **votuan ~ 60%** 60% voted in favour ♦ *pj:* **mbahej ~ i ditur** he passed himself off as a man of learning; **~ të punuar** in order work

përaf:ërsí, -a *f* approximation: **me ~** approximately ♦ **~ërsísht** *nd* approximately; roughly: **llogarit ~** make a rough calculation ♦ *pj* more or less; about ♦ **~ërt (i, e)** *mb* approximate; approximate: **të dhëna të ~a** approximate data; similar

përbált *kl* bespatter; bedraggle ♦ **~em** *vtv* spatter oneself with mud; *ps*

përbáll:ë *nd* opposite; in front; **shtëpia ~** the house in front ♦ *prfj:* **~ meje** in front of me; **~ rrezikut** in the face of danger ♦ **~ím, -i** *m* confrontation; comparison: **~i i vështirësive** coping with difficulties ♦ **~óhem** *vtv, ps* ♦ **~/ój** *kl* face (up to); confront; withstand; brave; cope with; afford; meet: **~oj vështirësitë** confront the difficulties; **~oj shpenzimet** meet the expenses

përbáshkët (i, e) *mb* common; public; shared: **pronë e ~** common property; **emërues i ~** *mat* common denominator; **kuzhina e kémi të ~** we share the kitchen; **çështje e ~** common cause; **gjejmë gjuhën e ~** find the common language ♦ **~úar (i, e)** *mb* united; rallied around

përbet:ím, -i *m* oath; vowing; conspiracy; plot ♦ **~/óhem** *vtv* swear; vow; entreat; threaten; menace: **betohem e ~hem** swear solemnly ♦ **~úar, -i (i)** *m* conspirator; plotter ♦ **~úar (i, e)** *mb* sworn; avowed: **armik i ~ i** a sworn enemy of

përbě/het *vtv* e **përbëj:familja ~het nga pesë vetë** the family consists of five persons; **~n rrezik** pose a threat ♦ **~/j** *kl* **-ra, -rë** *v iii* constitute; make up; form; *v iii* constitute ♦ **~r/ë (i, e)** *mb* composite; compound *(word, nmber)* ♦ **~bërës, -i** *m* component; constituent; ingredient ♦ **~rës, -e** *mb* component; constituent: **pjesë ~ e** part and parcel of ♦ **~rj/e, -a** *f* component; make-up: **~a e popullsisë** the composition of the population

përbínd:ësh, -i *m* mit *kq* monster; *mk* monster; freak ♦ **~sh/ëm (i), -me (e)** *mb* monstrous; freakish *(creature)*

përbótsh/ëm (i), -me (e) *mb* universal; world-wide

përbrénd:a *nd* inside; within: **kyçem ~** lock oneself in; **më zien inati ~** have a pent-up anger ♦ *prfj:* **~ shtëpisë** inside (of) the house ♦ **~shme, -t** *f sh* internal organs; entrails; bowls

përbrí *nd* by; beside; next: **në dhomën ~** in the next room ♦ *prfj:* **~ dhomës sime** next to my room

përbúz *kl* dislike; despise; scorn; disdain: **ia ~ punën dikujt** scoff at sb's work; **s'ka asgjë për t'u ~ur** there is nothing to scoff at ♦ **~/em** *ps* ♦ **~ës, -e** *mb* scornful; disdainful; supercilious; contemptuous ♦ **~j/e, -a** *f* dislike; disdain; scorn; contempt ♦ **~ur (i, e)** *mb* scorned; disdained

përcakt:ím, -i *m* definition; delimitation ♦ **~/óhem** *vtv v iii* be determined; *ps*: **~ohet nga rrethanat** it is determined by the circumstances ♦ **~/ój** *kl* determine; lay down; calculate; measure; define *(the meaning of a word)* ♦ **~ór, -i** *m mt* determinant; *gjh* qualifier; *gjh* determinative ♦ **~ór, -e** *mb gjh* qualifying *(adjective)* ♦ **~úar (i, e)** *mb* definite *(place, moment);* definitive; clear-cut; well-defined *(goal)* ♦ **~úes, -e** *mb* determining; decisive *(factor role)*

përcëll/óhem *vtv* be singed/ scorched; be overdone *(of meat); v iii* wither; *v iii* be hot; *v iii* be parched *(in the heat); ps*: **iu ~uan vetullat** his eyebrows were scorched; **speci të ~on** this pepper is very hot ♦ **~/ój** *kl* singe *(in the fire);* toast; brown; singe *(the food);* scald *(in hot water);* burn down; wither *(the plants);* burn: **ia ~oi gojën piperi** he burned his mouth with hot pepper ♦ *jkl fg* smart at (under): **i ~oi ajo fjalë** he was smarting under the remark ♦ **~úar (i, e)** *mb* scorched; burned *(hair);* browned; singed *(food)* ♦ **~úes, -e** *mb* hot; scorching hot; piping hot

përc/íllem[1] *vtv* gulp; swallow: **~illem para se të**

flas gulp before starting to speak; *ps*

përcípt:as, -azi *nd* superficially: **e kaloj çështjen ~** skim over the question ♦ **~/ë (i, e)** *mb* superficial

përc/jéll *kl* **-ólla, -jéllë** swallow, gulp down; accompany; escort; see off/ out/ to; pass, forward *(a message, etc.); v iii fiz, el* conduct; *bs* send away/ off: **~jell bukën me ujë** chase the meal with water; **e ~jell mikun deri te dera** see a guest to the door; **~jell porosinë** forward an order; **~jell topin** pass the ball; **pres e ~jell** keep open house ♦ **~jéll/ë, -a** *f prmb* escort; retinue ♦ **~jéllës, -i** *m* escort; conductor *(of electricity, of heat);* messenger ♦ **~jéllës, -e** *mb* escort *(group);* conveying *(medium); fiz, el* conductive *(metal);* covering *(letter)* ♦ **~jéllës/e, -ja** *f fm* e **~jéllës, -i;** refrain *(of a song)* ♦ **~jéllj/e, -a** *f* accompaniment; escort ♦ **~jellóre** *mb gjuh* gerund ♦ **~jellór/e, -ja** *f gjh* gerund

përçá/hem *vtv* be divided/ split; *ps* ♦ **~/j** *kl* divide; split: **~j e sundo** divide and rule ♦ **~r/ë (i, e)** *mb* divided; split ♦ **~rës, -i** *m* splitter ♦ **~rës, -e** *mb* divisive; splitting; schismatic ♦ **~rj/e, -a** *f* division; split; discord; *ft* schism

përçáp *kl* munch: **mos i ~ fjalët** do not mince your words ♦ **~/em** *vtv* munch; crunch; *kq* mumble; disgruntle; *fg* try: **~em më kot** try in vain ♦ **~j/e, -a** *f* munching; crunching; effort; try: **bëj një ~e tjetër** try again

përçárt *nd* in a delirium: **flas ~** rave; speak in a delirium ♦ **~, -i** *em* delirium ♦ **~j/e, -a** *f* delirium; raving; aberration; *fg* wild fantasy

përç:ím *m* conduction *(of electricity, of heat)*

përçm:ím, -i *m* disparagement; disdain ♦ **~/óhem** *ps* ♦ **~/ój** *kl* disparage; disdain; scorn ♦ **~úar (i, e)** *mb* disdained; scornful; *bs* defaced; marred: **fytyrë e ~** ungainly face ♦ **~úes** *mb* disparaging; scornful; disdainful: **me pamje ~** with a disdainful look ♦ *em* scornful person ♦ **~úesh/ëm (i), -me (e)** *mb* scornful; disdainful

përç/óhet *ps* ♦ **~ç/ój** *kl* lead; show *(the way); v iii fiz, el* conduct *(heat, etc.);* convey; transmit: **~oj një ide** convey/ put through an idea

përçór, -i *m* bellwether; *fg* leader; leading figure; conductor

përçudn:ím, -i *m* disfigurement; defacement ♦ **~/óhem** *vtv, ps* ♦ **~/ój** *kl* disfigure; deface; mar; distort; corrupt ♦ **~úar (i, e)** *mb* defaced; disfigured; corrupt(ed) ♦ **~úes** *mb* defacing; corrupting *(effect)*

përçúe:s, -i *m* leader; guide; *fiz, el* conductor *(of electricity)* ♦ **~s, -e** *mb* conductive: **tel ~** conduction wire ♦ **~shmërí, -a** *f fiz, el* conductivity

përdál/ë (i, e) *mb kq* loose; depraved; licentious *(woman)*

përdát *kl* frighten; overawe ♦ **~dátem** *vtv* be frightened; be overawed; *ps e* **përdat**

përdérës, -i *m* beggar; mendicant

përderisá *ldh* as; because; since; as long as; while

përdëll/éhem *vtv, ps* ♦ **~/éj** *kl* commiserate; have pity on ♦ **~és/ë, -a** *f shih* **~im, -i** ♦ **~estár, -e** *mb* compassionate; merciful ♦ **~ím, -i** *m* compassion; commiseration ♦ **~ýer (i, e)** *mb* touched; moved

përdít/ë *nd* every day; daily ♦ **~sh/ëm (i), -me (e)** *mb* daily; ordinary *(clothes):* **shtypi i ~ëm** the daily press ♦ **~shm/e, -ja (e)** *f* **(të)** daily paper

përdór *kl* **-a, -ur** use; utilise; consume; resort to; treat: **~ me kursim** use sparingly; **~ forcën** resort to force; **e ~ keq dikë** treat sb badly ♦ **~em** *vtv, ps* ♦ **~ës/e, -ja** *f* tool; implement; instrument ♦ **~ím, -i** *m* use; usage; employment; usefulness: **~ i drejtë** correct usage; **jashtë ~it** out of use ♦ **~sh/ëm (i), -me (e)** *mb* useful; workable; handy *(tool)* ♦ **~úes, -i** *m* user; consumer; **~ i fundit** end user ♦ **~ur (i, e)** *mb* used; second-hand *(clothes):* **term i ~ gjerësisht** term in common use

përdr/édh *kl* **-ódha, -édhur** twist; strand *(a rope);* curl *(one's hair);* sprain *(an ankle);* screw *(one's face);* sway *(one's hips);* bs finish: **pse i ~edh buzët?** what are you scoffing at?; **~ ia ~edh qafën dikujt** wring sb's neck ♦ **~édhj/e, -a** *f* twist; sprain *(of the ankle);* swing; twist(ing); *fz* moment of torsion ♦ **~/ídhem** *vtv* twist; sway; writhe, wriggle *(with pain):* ps: **~idhen flokët** the hair curl up; *fg* waver; hesitate

përdhé *nd* down; on the ground: **shtrihem ~** lie on the ground; **fle ~** sleep on the ground/ floor **ul sytë ~** look down

përdhés, -i *m mk* gout

përdhés, -e *mb:* **shtëpi ~e** low (single-storey) house; **mizë ~** ant

përdhós *kl* dirty; muck up; *fg* defile, desecrate *(a holy place);* *fg* corrupt ♦ **~/em** *vtv, ps* ♦ **~j/e, -a** *f* profanation; desecration *(of a holy place);* corruption ♦ **~ur (i, e)** *mb* dirtied; mucked-up; *fg* defiled; desecrated

përdhún/ë, -a *f* violence; coercion: **me ~ë** violently; by force ♦ **~ët (i, e)** *mb* violent; coercive ♦ **~í, -a** *f* violence; compulsion; duress: **ia nxjerr me ~ pohimin dikujt** force a confession out of sb ♦ **~ím, -i** *m* violence; violation; rape ♦ **~isht** *nd* by force: **e çoj dikë ~ në shkollë** force sb to go to school ♦ **~/óhem** *ps* ♦ **~/ój** *kl* rape; violate *(a right)* ♦ **~úar (i, e)** *mb* raped; *fg* violated *(rights)* ♦ **~úes, -i** *m* rapist; violator

përém/ër, -ri *m gjh* pronoun

përfaqës:í, -a *f prmb (trade, etc.)* representation ♦ **~ím, -i** *m* representation ♦ **~/óhem** *vtv, ps* ♦ **~/ój** *kl* represent; stand for: **~oj vendin** represent the country ♦ **~úes, -i** *m* representative: **~ ligjor** legal representative ♦ **~úes, -e** *mb* representative:

komitet ~ representative committee ♦ **~úes/e, -ja** *f fm e* **përfaqësues, -i;** *sp* selected/ national team

përfáq:sh/ëm (i), -me (e), ~t/ë (i, e) *mb* superficial; skin-deep

përfíll *kl* take into account/ consideration; treat with regard: **~ vullnetin e shumicës** respect the will of the majority ♦ **~em** *ps* ♦ **~/e, -a** *f* consideration; regard; deference ♦ **~sh/ëm (i), -me (e)** *mb* relevant *(quantity)*

përfit:ím, -i *m* gain; advantage; profit: **çfarë ~i ke ti?** what will you gain from it?; **kam ~ nga diçka** stand to gain from sth ♦ **~óhet** *vtv, ps* ♦ **~/ój** *kl, jkl* profit; benefit; gain an advantage; avail oneself of; qualify for; obtain; get: **~oj nga errësira** take advantage of darkness; **~oj nga miqësia e dikujt** trespass on sb's friendship; **~oj nga rasti që të** avail oneself of... in order to...; **~oj pension** be entitled to a pension ♦ **~úes, -i** *m* beneficent; recipient *(of aid, etc.)*

përflák *kl* enflame; scorch *(over the fire);* *fg* inflame; *fg* redden *(the sky)* ♦ **~/et** *vtv* be inflamed; be ablaze; *fg* be enflamed; be impassioned; *fg* glow red; *ps* ♦ **~j/e, -a** *f* inflaming; reddening; glowing ♦ **~sh/ëm (i), -me (e)** *mb* inflammable *(substance)* ♦ **~t/ë (i, e)** *mb* flaming hot; blazing: **rreze të ~a të diellit** blazing sunshine

për/flás *kl* **-fóla, -fólur** slander; mouth: **mos e ~fol** do not say a word about it ♦ **~flítem** *vtv* litigate; quarrel; bandy words with; *ps:* **~ keq me dikë** exchange angry words with sb

përforc:ím, -i *m* reinforcement; support; *fiz, el* amplification *(of the current);* confirmation; emphasis; *sh ush* reinforcements: **i vë ~ urës** buttress the bridge; **dërgoj ~e** send in reinforcements ♦ **~ /óhem** *vtv, ps* : **u ~forcua sinjali** the signal was amplified/ became stronger ♦ **~ /ój** *kl* strengthen; reinforce; support; buttress; *fg* add credibility *(to a thesis);* consolidate *(knowledge);* *fg* confirm; *fiz, el* amplify *(a signal, etc.):* **~oj dyshimet** confirm one's suspicions ♦ **~úar (i, e)** *mb* strengthened; reinforced; fortified; *ush* reinforced *(garrison);* *fiz, el* intensified; amplified *(signal);* *gjh* emphasised ♦ **~úes, -i** *m fiz, el* amplified *(of the signal)* ♦ **~úes, -e** *mb* reinforcing; support *(mb);* *fg* consolidating *(mb);* *fiz, el* amplifying *(device);* *gjh* emphatic

përfrikës:ím, -i *m pl* determent; bullying: **mjet ~i** deterrent ♦ **~/ój** *kl pl* deter; bully

përfshí/hem *vtv, ps:* **u ~ nga zjarri** it was engulfed by the flames ♦ **~/j** *kl* embrace; grab; sweep away/ off; eat up; *v iii* include; consist of; engulf; *v iii* spread; sweep; *fg* reach: **~j për mesi** sweep by the waist; **e ~në valët** the waves washed it overboard; **~j në program** include in the program; **sa të ~n syri** as far as the eye can reach ♦ **~rj/e,**

-a *f* inclusion

përft:ím, -i *m* generation *(of energy, etc.);* conception, procreation *(of life)* ♦ **~lóhet** *vtv, ps* : **që kur jeta u ~ua mbi tokë** since live was conceived on earth ♦ **~lój** *k/* conceive; procreate; beget; generate; obtain *(energy, heat)* ♦ **~úes, -i** *m* generator: **~ i energjisë** energy generator ♦ **~úes, -e** *mb* generating

përfúnd (~fúndi) *nd* at the bottom; beneath; under: **bie ~** fall / sink to the bottom; **e vë ~i dikë** lay sb under; *bs* beat sb hands down ♦ *prfj:* **~ rrugës** at the end/ bottom of the road; **~ tavolinës** under the table ♦ **~ím, -i** *m* completion; conclusion; end; close; winding-up; inference; deduction: **është në ~ e sipër** it is nearing completion; **nxjerr një ~ të nxituar** jump to a conclusion; **ky është ~i** *bs* this is the upshot ♦ **~imísht** *nd* conclusively; decisively; finally: **vendos ~** make a final decision ♦ *fjalë e ndërmjetme:* **~ e ndamë mendjen për jo** finally we decided to say no ♦ **~imtár, -e** *mb* final; conclusive; closing; final: **prodhimi ~** finished product ♦ **~óhet** *ps* ♦ **~ lój** *k/* complete; accomplish; conclude; carry through to the end: **~oj një marrëveshje** conclude an agreement ♦ *jk/ v iii* end; close; wind up; conclude; reach a conclusion; end up; land: **~oj në burg** end up/ land in jail; **do të ~osh keq** you'll end up badly ♦ **~úar (i, e)** *mb* completed; accomplished: **quaje të ~ këtë punë** call it as good as finished/ done

përfýt/em *vtv* **-a (u), -ur** scuffle; scrimmage; tussle

përfytyr:ím, -i *m* imagination; *psk* prefigurement: **~e poetike** poetical imagery ♦ **~lóhet** *vtv, ps* : **më ~ohet si tani** I can see it as if it were now ♦ **~lój** *k/* imagine; refigure; visualise: **as që mund ta ~osh** you cannot imagine it; ♦ **~úesh/ëm (i), -me (e)** *mb* imaginable

përgat:és/ë, -a *f* product; preparation: **~ë ~ mikroskop** microscope specimen; **~ë kimike** chemical compound ♦ **~ít** *k/* prepare; ready; make; cook *(a meal);* mix *(the drinks);* draft; write; train; groom; plan; scheme; lay out *(plans):* **~ dhomën** make the room; **~ tryezën** lay the table; **~ mësues** train teachers; **~ dikë ~ një post** groom sb for a position ♦ **~ít/em** *vtv, ps:* **~em për udhë** prepare for a trip; **~em për rastin më të keq** prepare oneself for the worst; **po ~esha të dilja** I was about to go out ♦ **~ítës, -i** *m* preparer ♦ **~ítës, -e** *mb* preparatory ♦ **~ítj/e, -a** *f sh***-e, -et** preparation; training; grooming; *sh* preparations ♦ **~itór/e, -ja** *f* preparatory school ♦ **~itór, -e** *mb* preparatory; preparative; preliminary: **shkollë ~e** preparatory school; **fazë ~e** preliminary stage ♦ **~ítur (i, e)** *mb* prepared; trained: **sulm i ~** carefully prepared attack

përgënjeshtr:ím, -i *m* denial; disproof; confutation

♦ **~óhet** *vtv, ps* ♦ **~lój** *k/* deny; confute; give the lie to

përgëz:ím, -i *m* congratulations; compliments ♦ **~l óhem** *vtv, ps* : **~ohem me miqtë** greet the guests ♦ **~lój** *k/* congratulate; compliment *(sb on sth);* fondle; pet

përgojím, -i *m* mouthing; slander; vilification; aspersion ♦ **~óhem** *ps* ♦ **~lój** *k/, jk/* mouth; slander; calumniate; vilify; asperse ♦ **~úar (i, e)** *mb* mouthed; slandered; vilified

përgják *k/* bleed; smear with blood ♦ **~lem** *vtv* bleed; be smeared with blood; *ps:* **u ~ nga hundët** he had a bloody nose ♦ **~kj/e, -a** *f* bleeding; bloodshed; bloodbath ♦ **~sh/ëm (i), -me (e)** *mb* bloody; **betejë e ~gjakshme** a bloody battle ♦ **~ur (i, e)** *mb* blood-stained; *fg* bleeding; bloody: **me duar të ~a** with blood-stained hands

përgjátë *prfj:* **~ lumit** along/ by the river

përgjégj:ës, -i *m* head; chief; boss; person accountable for: **~ i hotelit** hotel manager; **~ i skuadrës** team leader; **ti je ~** you're blame ♦ **~ës, -e** *mb* accountable; answerable; responsible; *gjm* correspondent *(angle):* **quaj dikë ~ për diçka** hold sb responsible for sth ♦ **~ësí, -a** *f* responsibility; post; position; duty; obligation; risk: **ndjenjë e ~së në punë** sense of duty; **ngritje në ~** promotion; preferment; **~ morale** moral obligation; **ti mban ~ për këtë** you are responsible/ to blame for this; **me ~në time** at my own risk ♦ **~sh/ëm (i), -me (e)** *mb* answerable; accountable

përgjër:át/ë, -a *f* tenderness; fondness ♦ **~ím, -i** *m* love; fondness; adoration; supplication; *t/l* empty promises: **dashuri deri në ~** love bordering on adoration ♦ **~l óhem** *vtv* adore; be devoted to; *fg* yearn for; supplicate, entreat: **~ohen për njëri-tjetrin** they love each other devoutly ♦ **~lój** *k/* entreat; supplicate; beg *(on one's knees)* ♦ *jk/* swear ♦ **~úar (i, e)** *mb* adoring; fond; devout; desired; yearned for: **nënë e ~** an adoring mother ♦ **~úes, -e** *mb* moving; touching *(words)*

përgjígj/e, -ja *f* answer, response, reply; result *(of a test);* solution *(to a problem):* **~e e menduar** a well thought-out answer; **jap ~e** answer; respond; **e kam ~en gati** have the reply pat ♦ **~lem** *vtv* answer; respond; reply; be responsible for; retaliate; requite; *v iii fg* meet; satisfy; *v iii* correspond to: **~em me shkrim** answer in writing; **i ~em dashurisë së dikujt** requite sb's love; **u ~et kërkesave tona** it meets our demands; **~em për veprimet e mia** be answerable for one's actions

përgjím, -i *m* overhearing; eavesdropping; watch, vigil *(of the sick in his death-bed):* **mikrofon ~i** wiring microphone; bug; **post ~i** observation post

përgjithës:í *p/k* : **në ~** in general; roughly; overall: **flas në ~** speak in general (terms)/ vaguely ♦ **~ím, -i** *m* generalisation ♦ **~ísht** *nd* generally; in general; on the whole ♦ ~ **lóhet** *vtv, ps* : **mos i ~o gjërat** do not draw general conclusions ♦ ~ **lój** *kl* generalise; make universal ♦ **~úar (i, e)** *mb* generalised; widespread; universalised ♦ **~úes, -e** *mb* generalising

përgjith:mónë *nd* for ever; forever; for keeps: **një herë e** ~ once and for good/ for all times; **mbaje** ~ you may keep it ♦ **~një** *nd* for ever; forever ♦ **~sh/ëm (i), -me (e)** *mb* general; universal *(law)*; all-inclusive; total; unspecified; vague; *(commander)* in-chief: **parime të ~me** universal principles; **grevë e ~me** general strike; **shthurje e ~me** widespread confusion; **shuma e ~me** grand/ aggregate sum; **për të mirën e ~me** for the common weal; **në vija të ~me** in general outlines; **me fjalë të ~me** in vague words; **mjek i ~ëm** general practitioner

përgj/óhem *ps* ♦ **~lój** *kl* watch; spy on; overhear; eavesdrop; keep vigil of *(the dead)*; wait *(for a chance)*; *bs* wire *(sb)*: **~oj me bisht të syrit** watch from the corner of the eye; **~oj telefonin e dikujt** bug sb's telephone ♦ **~úes, -i** *m* watch; spy; eavesdropper; bugging device ♦ **~úes, -e** *mb* eavesdropping; bugging; wiring: **aparat ~** bugging device

përgjúm *kl* lull into sleep; *fg* numb ♦ **~lem** *vtv* drowse; doze; slumber; *ps* ♦ **~ësí, -a** *f* drowsiness ♦ **~ësh** *nd*: **jam ~** feel drowsy ♦ **~j/e, -a** *f* drowsiness ♦ **~sh/ëm (i), -me (e)** *mb* sleepy; drowsy: **hap gojën ~** yawn with sleep ♦ **~ur (i, e)** *mb* sleepily; drowsily: **ul kokën i ~** loll one's head with sleep

përgjúnj *kl* subdue; subordinate; bring to his knees ♦ **~lem** *vtv* kneel; genuflect; fall on one's knees ♦ **~j/e, -a** *f* kneeling; submission; *ft* genuflection

përgjýsm:ë *nd* in /by half; half-way; incomplete; in the middle: **ndaj ~** divide into two; halve; **lë ~** abandon half-way; **lë derën të hapur ~** leave the door ajar ♦ **~ím, -i** *m* halving ♦ **~lóhem** *vtv, ps* ♦ **~lój** *kl* halve; divide into two; *gjm* bisect; *fg* halve; decimate: **~oj shpenzimet** reduce expenditure by half ♦ **~ór/e, -ja** *f gjm* bisectrix ♦ **~úar (i, e)** *mb* halved

përháp *kl* spread; scatter; communicate *(a disease)*; propagate; diffuse; circulate *(rumours)*: **era i ~i retë** the wind scattered the clouds; **~ fjalë** spread rumours; **~ një lajm** divulge news ♦ **~lem** *vtv, ps*: **që të mos ~et lúfta** so that the war does not spill over ♦ **~ës, -i** *m* disseminator; propagator; bearer; carrier *(of gossip, of rumours)* ♦ **~j/e -a** *f* spread; circulation *(of rumours, etc.)*; spill-over *(of the fighting)*; propagation; dissemination; diffusion ♦ **~ur (i, e)** *mb* scattered; fanned out; widespread *(belief)*; diffused *(disease)*

përhér:ë *nd* always: **~ e më shumë** ever more ♦ **~sh/ëm (i), -me (e)** *mb* constant; permanent;

standing *(committee)*; all-time: **kam një punë të ~me** have a permanent job; **lidhje e ~shme** lasting bond

përhěnur (i, e) *mb* moonstruck

përhí:m/ë (i), -me (e) *mb* ashy; ash-grey ♦ **~mët (i, e)** *mb* grey; ash-grey ♦ **~t/em** *vtv* be powdered with ashes; *v iii* become ashy; turn ash-grey ♦ **~tur, -a (e)** *f folk* Cinderella ♦ **~tur (i, e)** *mb* powdered with ashes; ash-grey

përhúmbur (i, e) *mb* absorbed *(in thought)*; distraught; absent-minded; distracted; remote; godforsaken *(place)*

përjárg *kl* drivel; slaver *(with saliva)* ♦ **~lem** *vtv* dribble; slobber; get slobbery; get maudlin; *ps* ♦ **~ur (i, e)** *mb* slobbered; slobbery

përjásht:a *nd* outside; out: **rri ~** stay out; **nxjerr ~** put out; expel ♦ *psth* out ~, **të thashë!** get out! ♦ *prfj:* **~ shkollës** out of school ♦ **~lëm (i), -me (e)** *mb* outside; external ♦ **~ím, -i** *m* expulsion; exception; exemption *(from taxes)*: **~ nga shkolla** expulsion from school; **~ nga rregulla** exception to the rule; **me ~ të** with the exception of ♦ **~l óhem** *vtv, ps* ♦ **~lój** *kl* expel; discard; dismiss; exempt *(from service)*; *v iii* rule out; preclude: **~oj nga shkolla dikë** expel sb from school ♦ **~úar (i, e)** *mb* expelled *(from school, etc.)*; exempt *(from service)*; *dr* foreclosed

përjávsh/ëm (i), -me (e) *mb* weekly *(paper)* ♦ **~m/e, -ja (e)** *f(të):* **e ~e letrare** literary weekly

përjétë *nd* eternally; for ever: **i jam mirënjohës ~ dikujt** be grateful forever to sb ♦ **~sí, -a** *f* eternity; perpetuity ♦ **~sím, -i** *m* perpetuation *(of the memory of)* ♦ **~sóhet** *vtv, ps* ♦ **~s/ój** *kl* immortalise *(the memory of)*; perpetuate

përjet:ím, -i *m*: **~ i hidhur** a bitter experience; **~e të fëmijërisë** childhood reminiscences ♦ **~lój** *kl* experience; go through

përjétsh/ëm (i), -me (e) *mb fil* endless; eternal; immortal *(glory)*; life(-long): **burgim i ~ëm** life imprisonment ♦ **~mërí, -a** *f shih* **përjetësi, -a**

përkarshí *bs nd, prfj shih* **karshi**

përk/ás *kl* touch; *v iii* belong to; be connected with; *v iii* be up to; tamper with: **~as me dorë** touch with the hand; be part of; **të ~et ty të flasësh** it is up to you to speak; **mos e ~it!** do not tamper with it!; **për sa i ~et** regarding; in connection with ♦ **~átës, -e** *mb* necessary; proper; due: **kam arsimin ~** have the proper qualifications *(for a job)* ♦ **~atësí, -a** *f* belonging: **~ etnike** ethnic belonging; **sipas ~së** according to right ♦ **~atësísht** *nd* respectively

përkëdhél *kl* caress; fondle; pet; stroke *(one's hair)*; *fg* spoil, pamper; (molly)coddle; the cherish *(a dream, a secret plan)* ♦ **~lem** *vtv, ps* ♦ **~ës, -e** *mb* caressing; fondling; endearing *(word)* ♦ **~í, -a** *f* caress; fondling; tenderness; *kq* spoiling; endearment: **~të e nënës** mother's tenderness ♦ **~j/e, -a** caress; coddling; pampering ♦ **~ur (i, e)** mb spoilt; pampered (child)

ëmb k/ bring up, rear (children); put through his paces (a child); fg restore; help to recover ♦ **~em** vtv grow up; fg restore; recover: **s'është ~ur ende fëmija** the child is still learning to walk; **~em pas sëmundjes** recover after an illness; **vendi po ~et** the country is picking up ♦ **~j/e, -a** f recovery; restoration (to health) ♦ **~ur (i, e)** mb tottering (child); recovered; restored (economy, health): **i ka fëmijët të ~** her children have grown up

përkëtéj nd, prfj shih **këtej**

përkím, -i m coincidence; similarity

përkít:et ps ♦ **~j/e, -a** f touch; act of touching

përkoh:ësísht nd temporarily; provisionally; for the time being ♦ **~sh/ëm (i), -me (e)** mb temporary; provisional; seasonal: **qeveri e ~me** provisional government; **punëtor i ~ëm** temp ♦ **~shm/e, -ja (e)** f (të) periodical: **e ~me letrare** literary periodical

/ój jk/ v iii coincide; v iii meet; overlap; v iii gjh concord, agree (in gender, etc.): **thëniet e tyre ~ojnë** their statements coincide; **~ojmë në mendime** our opinions agree

përkór/e, -ja f temperance: **ha me ~e** eat frugally ♦ **~/ë (i, e)** mb temperate; frugal; continent; fg sparing; **i ~ë në fjalë** sparing of words

përkráh k/ support; back up; uphold (a thesis); side with: **~ me të gjitha fuqitë** give all out support to ♦ nd alongside; side by side; next; fg in support: **shtëpia që ndodhet ~** the house situated alongside; **~ më ke mua ~** I am on your side; you have my support ♦ prfj: **~ saj** beside her ♦ **~/em** vtv, ps: **shtëpia ~ej me kopshtin e fqinjit** the house bordered on the neighbour's garden ♦ **~ës, -i** m supporter: **~it e skuadrës sonë** the supporters of our team ♦ **~j/e, -a** f support; backing-up; upholding: **gjej ~e** find support ♦ **~ur (i, e)** mb supported

përkrenár/e, -ja f helmet

për/krýej k/ **-kréva, -krýer** accomplish; complete; perfect ♦ **~krýer (i, e)** mb accomplished; complete; perfect ♦ **~krýerj/e, -a** f perfection; perfecting ♦ **~krýhet** vtv, ps

përkth/éhem vtv toss and turn; v iii be translated/interpreted; ps: **kthehem e ~ehem në shtrat** toss and turn in bed ♦ **~/éj** k/ translate; turn around; bend: **~ej me gojë** interpret ♦ **~ím, -i** m translation: **~ me gojë** interpreting ♦ **~ýer (i, e)** mb turned about; bent; translated, interpreted ♦ **~ýes, -i** m translator; interpreter

përkufiz:ím, -i m definition: **~ i saktë** accurate definition ♦ **~lóhet** ps ♦ **~lój** k/ define (a term, a notion, etc.)

përkujdés/em vtv shih **kujdesem: ~em për të**

sëmurët look after the sick ♦ **~j/e, -a** f care; attendance; preoccupation; devotion

përkujt:ím, -i m commemoration ♦ **~imór, -e** mb commemorative; memorial: **pllakë ~e** commemorative plate ♦ **~imór/e, -ja** f commemoration ♦ **~óhem** ps ♦ **~lój** k/ commemorate

përkúl k/ bend; flex (one's arms); hang down (one's head); fg break down; reduce submission; fg yield; submit ♦ **~/em** vtv v iii bend; be bent; hang down; bow; ps: **~em nën peshën e** bend under the burden of; **~em thellë** make a deep bow; **~em para presioneve** yield to pressure ♦ **~ës** mb bending (force, weight) ♦ **~j/e, -a** f bending; flexion: **~e në gjunjë** bending on one's knees; genuflexion ♦ **~sh/ëm (i), -me (e)** mb pliable (metal); elastic; fg yielding; soft: **karakter i ~ëm** malleable character ♦ **~shmërí, -a** f pliability; flexibility; elasticity; ductility ♦ **~ur (i, e)** mb curved (furniture); arched; stooped; bent: **eci i ~** walk with a stoop ♦ **~ur** nd bent; with a bend; with a stoop

përkúnd k/ rock (a child in the cradle); shake; sway gently ♦ **~/em** vtv, ps: **~em me shpresa të kota** cherish vain hopes

përkúndërt (i, e) mb opposite; facing; inverse (side of); opposed: **bregu i ~** the opposite shore

përkúndj/e, -a f rocking; swaying

përkúndrazi pj on the contrary: **~, e dija** on the contrary, I knew it

përkundréjt nd opposite; against: **në bregun ~** on the opposite shore ♦ prfj: **u ul ~ saj** he sat down facing her; **~ pagesës** against payment

përkusht:ím, -i m devotion ♦ **~óhem** vtv: **i ~ohem një çështjeje** devote oneself to a cause

përlá/hem vtv grab; ps: **u ~në për beli** they grabbed one another by the middle (in wrestling) ♦ **~/j** k/ **-áva, -árë** bs sweep; grab; scoop; wash away/ off/ overboard; sweep off/ away; fg whisk/ spirit away; polish off; gobble down (a whole dish); fg overrun (a territory): **e ~aj për mesi dikë** sweep sb by the middle; **e ~në dallgët nga anija** he was washed overboard

përlésh/em vtv fight; come to fisticuffs; skirmish; scuffle; grapple with (difficulties, etc.): **u ~ën në betejë** they were locked in battle ♦ **~j/e, -a** f fight; skirmish; scuffle; fray: **~e trup me trup** hand-to-hand fighting

përlígj k/ justify; excuse; warrant; vindicate: **askush nuk e ~ vrasjen** murder has no excuse; **~ besimin e dikujt** vindicate sb's trust ♦ **~/em** vtv, ps ♦ **~ë, -a** f justification; excuse; warranty ♦ **~j/e, -a** f justification; excuse; warranty ♦ **~sh/ëm (i), -me (e)** mb justifiable; warranted ♦ **~ur (i, e)** mb justified; warranted

përlosh:án, -i m sniveller; cry-baby ♦ **~án, -e** mb maudlin; snivelling ♦ **~ /em** vtv snivel; whimper;

whine; pule

përlót *kl* move to tears; bring tears to *(sb's eyes)* ♦ **~/em** *vtv* be moved to tears; start to cry ♦ **~lóur (i, e)** *mb* tearful; moved to tears

për/lýej *kl* **-léva, -lýer** soil; smear; stain; dirty; *fg* tarnish; sully; mar *(sb's name, etc.)* ♦ **~lýer (i, e)** *mb* soiled; dirtied; smeared; stained; *fg* tarnished *(reputation)*: **i ~lyer me gjak** smeared with blood ♦ **~lýrj/e, -a** *f* soiling; tarnishing; sleaze ♦ **~lý/ hem** *vtv* soil oneself; be spotted *(with grease)*; be smeared; *fg* be tarnished/ sullied; *ps e* **përlyej**

përllogarít *kl* calculate; estimate ♦ **~et** *ps* ♦ **~j/e, -a** *f* calculation; estimate ♦ **~ur (i, e)** *mb* calculated; estimated

përmáll *kl shih* **~malloj** ♦ **~/em** *vtv shih* **~óhem** ♦ **~ím, -i** *m* longing; nostalgia ♦ **~/óhem** *vtv* be moved; be touched deeply; long for; have a nostalgia for; miss greatly ♦ **~/ój** *kl* move; touch deeply ♦ **~sh/ëm (i), -me (e)** *mb* nostalgic; wistful *(look)* ♦ **~shëm** *nd* with longing; wistfully ♦ **~úar (i, e)** *mb:* **i ~ për atdhe** homesick ♦ **~úes, -e** *mb* nostalgic; moving; touching

përmás/ë, -a *f* size; dimension; scale; proportion: **në ~a të mëdha** on a large scale; **me tri ~a** three-dimensional

përmatánë *nd, prfj shih* **matanë**

përmbá:h/em *vtv* control/ restrain oneself; adhere/ stick; *v iii* be included/ contained in; *ps:* **i them dikujt të ~et** tell sb to show restraint; **u ~em kushteve** observe the terms *(of the contract)* ♦ **~/j** *kl* contain *(an attack)*; withstand; control, restrain, suppress *(one's feelings)*; keep from; *v iii* include; *v iii* have: **nuk e ~jta gazin** I could not help laughing; **e ~j veten** control oneself; have self-control; **uji i detit ~n kripë** sea water contains salt ♦ **~tj/ e, -a** *f* (self-)control, restraint; substance; composition *(of a substance)*; table of contents ♦ **~tur (i, e)** *mb* controlled; restrained; suppressed *(laughter)*: **tregohem i ~** show self-restraint

përmbar:ím, -i *m dr* execution *(of a contract, etc.)*; executor's office; *fg* finishing touch ♦ **~óhet** *ps* ♦ **~/ój** *kl* execute *(a decision)*; finish; give the finishing touches to ♦ **~úes, -i** *m dr* executor *(of an order to seize, etc.)*; bailiff

përmbás *prfj shih* **mbas**

përmbí *prfj shih* **mbi**

përmbi:pardjé *nd* two days before yesterday; the other day ♦ **~pasnésër** *nd* two days after tomorrow

përmbl/édh *kl* **-ódha, -édhur** summarise, sum up; condense *(a text)*; *v iii* include; muster *(one's forces)*; control *(one's feelings)*; *bs* hit out at; whack: **~edh shkrimet në një vëllim** collect writings in one volume; **~edh shkurtas** make a short summary of; **~edh në pikat kryesore** recap the main points; **nuk e ~odhi dot djalin** he was un-

able to control his son; **ia ~edh me pëllëmbë dikujt** slap sb on the face ♦ **~édhës, -i** *m* collector *(of writings)*; writer of a summary ♦ **~édhës, -e** *mb* summarising; summing-up; concise; *gjh* collective *(noun)* ♦ **~édhj/e, -a** *f* summary; collection *(of writings)*; compendium: **~a e lajmeve sportive** sports round-up ♦ **~édhtas** *nd* summarily; in a concise manner; in a nutshell ♦ **~édhur (i, e)** *mb* concise; succinct *(description)*; huddled; *fg* restrained; sparing: **në mënyrë të ~** in a concise manner; in a nutshell; **histori e ~ e Evropës** compendious history of Europe; **jam ~ në shpenzime** be careful with one's money ♦ **~/ ídhem** *vtv* crouch; cower down; regain control of oneself; brace oneself for; set down to; *v iii* be part of; be included in *ps:* **u ~odh nga frika** he ducked down with fear; **~idhju punës!** put your mind to the work; **nuk ~idhem në jetë** be hard to settle down in life

përmbrápa *nd* behind; immediately after; next: **sot e ~** from today on

përmbúsh *kl* accomplish, discharge *(one's duty)*; carry out *(a mission)*; live up to *(a promise)*; observe *(a contract)*; fulfil *(a wish)*; meet *(requirements)*: **ia ~ dëshirën dikujt** satisfy sb's desire; **ia ~ ëndërrat dikujt** make sb's dreams come true ♦ **~et** *ps* ♦ **~j/e, -a** *f* fulfilment; satisfaction *(of a wish)*; accomplishment *(of a mission)*; discharge *(of duty)*

përmbýll *kl* conclude, wind up *(a conference)* ♦ *jkl* wind up: **e ~ duke thënë se** wind up saying that ♦ **~et** *ps* ♦ **~j/e, -a** *f* conclusion; winding-up

përmbýs *kl* overturn *(a car)*; capsize *(a boat)*; overthrow, topple *(a government)*; turn upside down; turn *(the soil)*; *fg* throw into confusion; invert *(the word order)*; *fg* put under *(an opponent)*: **~ gjendjen** turn the tables *(on sb)*; **ha bukën e ~ kupën** pay sb with a bad coin ♦ **~** *nd:* **i shtrirë ~** lying on one's face (on one's stomach); **bie ~** fall on one's face; upside down; **barka u kthye ~** the boat was capsized; the boat turned over; **rri ~ mbi libra** pour over the books; **bie ~ pas dikujt** dote on sb; **e kthej ~** throw sth into confusion; **rri me sy ~** sulk ♦ **~/em** *vtv* fall on one's face/ stomach; lie face down; be overturned; be capsized; *v iii* be overthrown/ toppled *(from power)*; *v iii* be inverted *(of word order)*; *ps* ♦ **~j/e, -a** *f* overthrow; capsize; turnover; **~e e gjendjes** turnabout

përmbýt (~s) *kl v iii* overflow; flood; inundate: **lumi ~i fushën** the river flooded the plain ♦ **~/em** *vtv, ps* ♦ **~j/e, -a** *f* flood; inundation; deluge: **~a e përbotshme** the universal deluge; the great flood ♦ **~ur** *pjs e ~* ♦ **~ur (i, e)** *mb* flooded; inundated; floated *(fields)*

përménd *kl* mention; bring to: **mos e ~** don't mention it; **më ~i zilja e telefonit** the telephone ring brought me to ♦ **~/em** *vtv* wake up; be awakened; come to; be mentioned; be outstanding; *ps:* **u ~ pas një ore** he came to an hour after; **~et në histori** it has gone down in history ♦ **~j/e, -a** *f* mention ♦ **~ór/e, -ja** *f* memorial; monument ♦ **~ësh** *nd:* **e di ~ diçka** know sth off pat/ by heart ♦ **~ur (i, e)** *mb* renowned; outstanding

përmés *nd* across; through; in the middle; half-way: **i bie ~** cut across ♦ *prfj:* **~ turmës** through the crowd; **~ vështirësish** against difficulties

përmirës:ím, -i *m* improvement; amelioration; up-turn; betterment: **jam në ~** be on the uptake ♦ **~/óhem** *vtv, ps* ♦ **~/ój** *kl* improve; ameliorate; better: **~oj kushtet e punës** improve the working conditions ♦ **~úar (i, e)** *mb* improved; ameliorated; bettered ♦ **~úes, -e** *mb* ameliorative

përm/írrem *vtv bs* piss; pass water: **~irrem në shtrat** wet in bed ♦ **~/jérr** *jkl, kl* **-órra, -jérrë** piss; pee; piddle

përmórtsh/ëm (i), -me (e) *mb* mourning *(dress, look);* funeral: **vargan i ~** funeral procession ♦ **~ëm** *mournfully*

përmúajsh/ëm (i), -me (e) *mb* monthly *(magazine)* ♦ **~m/e, -ja** *f:* **e ~e shkencore** scientific monthly

përnát:ë *nd* every/ each night; night after night

përnd:íqem *ps* ♦ **~/jék** *kl* **-óqa, -jékur** persecute; harass; victimise ♦ **~jékj/e, -a** *f* persecution; harassment; victimisation ♦ **~jékur** *pjs e* **~ndj/ék ~jékur (i, e)** *mb* persecuted ♦ **~ndóqa** *kr thj e* **~/jék**

përndrítshëm (i) *mb ft* very reverend

përndrýshe *nd shih* **ndryshe: eja tani, ~ mos eja fare** either come now, or do not come at all

përngahérë *nd shih* **ngaherë: largohem ~** leave for good

përngjá/j *jkl,* **~/s** resemble; look like; *v iii* be likened to ♦ **~sím, -i** *m* resemblance; likeness ♦ **~sh/ëm (i), -me (e)** *mb* similar ♦

përngjít *kl* stick together; paste; *gjh* compound ♦ **~/et** *vtv* stick together; be stuck; *ps* ♦ **~ur (i, e)** *mb gjh* compound *(word)*

përnjëhérë *nd* instantly; on the spot; immediately; simultaneously; hurriedly: **u nisëm ~** we set out immediately; **ta bësh ~** you should do it right now ♦ **~ësh** *nd shih* **përnjëhérë**; at one go/ stroke

përnjëménd *nd:* **e kam ~** be in earnest *(about sth):* **~ e ke?** are you serious?

përpára *nd* forwards; forth; in front; ahead; before; earlier; in advance: **dal ~** come/ step forward; **mos i dil ~** don't face him; **mos më dil ~** do not stand in front of me; get out of my sight!; **bluza mbërthehet ~** the blouse buttons up in front; **koha që kemi ~** the time ahead of us; **e dija që më ~** I knew it earlier; **më shkon ora ~** my watch is fast; **~ puna, pastaj dëfrimi** work comes be-

fore fun; **pagaj ~** pay in advance; **çaj ~** make headway ♦ **mb** front: **në radhën ~** in the front row; *psth* forward ♦ **prfj** in front; ahead of; before: **i rri ~ dikujt** stand in front of sb; **~ afatit** ahead of schedule; **~ hyrjes** in front of the entrance; **~ teje** before you; **nuk është gjë ~ teje** he cannot compare with you ♦ *ldh:* **~ se të shkosh** before you go

përpárës/e, -ja *f* apron; pinafore; pinner *(for babies);* blouse; front *(of the shirt):* **~ja e mjekut** doctor's blouse

përparësí, -a *f* precedence; priority

përparím, -i *m* advance; headway; progress ♦ **~tár, -e** *mb* progressive; forward-thinking; forward-look-ing

përpárm/ë (i), -me (e) *mb* front; fore: **rrota e ~e** front wheel; **këmbët e ~e** fore legs

përpar/ój *jkl, v iii* advance; progress; make head-way; *v iii* reach an advanced stage *(of a disease)*

përpársh/ëm (i), -me (e) *mb* former; previous: **në kohët e ~me** in the times past

përparúar (i, e) *mb* advanced; highly-evolved/ de-veloped; forward-thinking/ looking

përpëlít (~s) *kl* flutter *(the wings);* bat *(the eye-lids)* ♦ **~/em** *vtv* toss; squirm; *fg* wriggle; writhe: **~em në shtrat nga dhembjet** toss in bed with pain ♦ **~ës, -e** *mb* flickering *(light)* ♦ **~j/e, -a** *f* tossing and turning *(with pain);* agony: **~t e fundit** the last agony

përpí/hem *vtv, ps* ♦ **~lj** *kl* gobble up; devour *(one's food);* *v iii* swallow; engulf; *v iii fg* drain; exhaust; absorb; consume: **e ~në dallgët barkën** the boat was engulfed by the waves

përpik:erí, -a *f* punctuality; accuracy *(of a calcula-tion):* **me ~ matematike** with mathematical pre-cision ♦ **~t/ë (i, e)** *mb* punctual; accurate; pre-cise: **i ~ si sahat** as regular as clockwork; **orë e ~** watch that keeps exact time

përpilím, -i *m* compilation ♦ **~/óhet** *ps* ♦ **~/ój** *ka* compile; draft: **~oj një letër** draft a letter ♦ **~úes, -i** *m* compiler; drafter

përp/íqem *vtv* clash, collide; *bs* meet, come across; *v iii* toss and turn *(with pain);* try; strive: **u ~oqën kokë më kokë** they went headlong into one an-other; **~iqem me të gjitha forcat** try hard

për/pjék *kl* **-póqa, -pjékur** strike; smack: **~pjek duart** clap one's hands; **~pjek buzët** smack one's lips ♦ *jkl bs:* **s'~pjek aq lart** be unable to reach as high as that ♦ **~pjékj/e, -a** *f* collision *(of cars, of ships, etc.);* clash *(of ideas, etc.);* clap *(of hands);* effort; try; skirmish; fight; engagement: **bëje edhe një ~je** have another go/ try; try again; **~je e armatosur** armed clash

përpjesët:ím, -i *m* proportion; ratio; *sh fg* scale: **në ~ me** in proportion to; **në ~ botëror** on a world scale ♦ **~/ój** *kl* proportion; apportion ♦ **~úar**

(i, e) *mb* proportional; proportionate; apportioned ♦ **~úesh/ëm (i), -me (e)** *mb* proportionable; proportionate

përpjét/ë, -a *f* climb; uphill; steep climb (bank): **~ë e fortë** a steep climb ♦ **~/ë, -a (e)** *f* (të) steep mountainside/ bank: **marr të ~ën** go uphill; **si e ~ë më duket** that's a bit steep for me ♦ **~/ë (i, e)** *mb* uphill; ascending: **rrugë e ~ë** uphill road ♦ **~nd** up(wards); uphill; high: **ngre sytë ~** raise one's eyes; look up; **bëj ~** grow well; go up; be on the uptake; **hidhem ~** jump (for joy); **poshtë e ~** high and low; up and down; **e kthej me këmbë ~** throw head over heals; **shkoj ~** go uphill ♦ *prfj* up: **~ malit** up hill; **~ lumit** up stream; against the current

përplás *kl* hit; strike; stamp *(one's foot)*; smash; dump *(a load)*; saddle *(sth on to sb)*; *fg* throw into/ down: **~ derën** slam the door; **~ buzët** smack one's lips; **~ grushtin** smash one's fist *(on the table)*; **e ~ në burg** throw into jail; **ia ~ diçka në fytyrë dikujt** throw sth into sb's teeth; **~ këmbët** dig one's heels ♦ **~/em** *vtv v iii* clash; collide; crash; fall with a thump; thud; sink into; *bs* turn; *v iii fg* clash; be confronted: **~em kokë më kokë me dikë** clash head on with sb; **~em te dikush për ndihmë** turn to sb for help ♦ **~j/e, -a** *f* clash; crash; slam; bang; confrontation; collision *(of cars)*: **~ e duarve** clapping of hands; **~e mendimesh** clash of opinions ♦ **~ur (i, e)** *mb* crashed; collided *(ship, car)*

përplót *nd* chockfull: **salla ishte mbushur plot e ~** the hall was filled to capacity

përpósh *nd* down; down(hill): **shtegu aty ~** the path down there; **zbres ~** climb down ♦ *prfj:* **~ tryezës** under the table

përpun:ím, -i *m* processing *(of raw materials)*; manufacturing; elaboration *(of a plan)* ♦ **~óhet** *vtv, ps* ♦ **~lój** *kl* process; manufacture; work out, elaborate *(a plan)*; manipulate *(public opinion)* ♦ **~úar (i, e)** *mb* processed; manufactured *(material)*; elaborated *(plan)* ♦ **~úes, -i** *m* processor; manufacturer ♦ **~úes, -e** *mb* processing; manufacturing *(industry)*

përpúq *kl* fit in; mesh in; agree ♦ **~/em** *vtv, v iii* meet; agree *(of different ideas)*: **nuk ~emi kurkundi** we have no point in common whatsoever; *ps* ♦ **~j/e, -a** *f* fitting; agreement

përpúsh *kl* poke *(the fire)*; *v iii* dig; rummage; scrounge *(for food)*; dishevel, tousle *(the hair)* ♦ **~/em** *vtv v iii* scrap *(in the dust)*; rummage *(for food)*; toss; wriggle; have one's haggle up; *ps* ♦ **~j/e, -a** *f* scraping; scratching *(in the dust)*; rummaging *(for food)*

përpúth *kl* fit; attach; match; agree: **~ fjalët me vepra** match words with deeds ♦ **~/em** *vtv v iii* fit together; overlap exactly; *v iii* suit; fit; be suitable;

fg match; respond; coincide: **këmisha i ~et për trupi** the shirt fits tightly to the body; **nuk ~et me të vërtetën** it does not respond to the truth ♦ **~j/e, -a** *f* matching *(of words with actions)*; conformity; concord; agreement: **në ~e të plotë me** in complete conformity with; **~e të rastit** coincidences ♦ **~ur (i, e)** *mb* fitting tightly

përqáf:ím, -i *m* embrace; hug; cuddle: **~i i një ideje** full acceptance of an idea ♦ **~lóhem** *vtv* embrace; hug; *v iii* be embraced; be accepted *(of an idea)*; *ps* : **u ~uan me mall** they embraced each other with love ♦ **~lój** *kl* embrace; hug; cuddle; *fg* embrace *(an idea)*

përqáll/em *vtv* wheedle; *fg* fawn on

përqárk *nd* around: **rreth e ~** all around; round and round; **i bie ~** go roundabout; **ia sjell mendjen ~ dikujt** make sb dizzy ♦ *prfj:* **~ shtëpisë** around the house

përqás *kl* compare; confront ♦ **~/em** *vtv* compare; *ps* ♦ **~j/e, -a** *f* comparison; approximation

përqendr:ím, -i *m* concentration; *kim* strength *(of a solution)*: **kamp ~i** concentration camp ♦ **~l óhem** *vtv, ps* ♦ **~lój** *kl* concentrate; mass *(troops)*; focus on; *km* strengthen *(a solution)* ♦ **~uar (i, e)** *mb* concentrated; focused; attentive

përqésh *kl* mock; jeer; mimic; ape ♦ **~/em** *ps* ♦ **~ës, -e** *mb* mocking; jeering ♦ *em* mocker ♦ **~j/ e, -a** *f* mockery; jeer(ing)

përqéth *kl* make *(sb)* shiver; give the creeps; barely touch, graze: **topi ~i shtyllën** the ball shaved the post *(of the goal)* ♦ **~em** *vtv* shiver; have the creeps; shudder ♦ **~j/e, -a** *f* shiver; creeps; shudder; grazing, light touch ♦ **~ur, -a (e)** *f* creeps: **kam të ~a** have the creeps; shiver *(with fever)*

përqíndj/e, -a *f* percentage; rate: **~e bankare** bank interest rate

përréth *nd (to look)* around; about ♦ *prfj:* **~ zjarrit** round the fire

përsé *nd* why; wherefore: **~ u vonove?** why are you late? **~ qan?** what are you crying for? ♦ *ldh:* **nuk e di ~** I don't know why; **ata kishin ~ të ankoheshin** they had a reason to complain ♦ **~e, -ja** *f* why *(sh whys)*: **nuk e di ~në e diçkaje** not to know the why (and wherefore) of sth; **faleminderit - s'ka ~!** thank you - you're welcome!

përsërí *nd* again; once again; **filloj ~ nga e para** begin anew/ from scratch ♦ **~t (~s)** *kl* repeat; go over; review; reiterate; recapitulate: **~ mësimet** review one's lessons ♦ **~t/et** *vtv* recur; repeat itself; *ps* **ngjarje që ~et** recurrent event ♦ **~tës, -i** *m* repeater; *dr* recidivist ♦ **~tës, -e** *mb* repetitive; recurrent ♦ **~tj/e, -a** *f* repetition; repeating; recurrence; recapitulation; *dr* recidivism; revision *(of lessons)* ♦ **~tur (i, e)** *mb* repeated: **përpjekje të ~a** repeated efforts

përsiát/em *vtv* reflect; contemplate ♦ ~**j/e, -a** *f* reflection; contemplation

përsípër *nd, prfj shih* **sípër: marr ~ një punë** undertake to do sth

përskúq *kl shih* **skuq**

përsós *kl* perfect; polish, refine *(one's style)* ♦ ~**l em** *vtv, ps* ♦ ~**j/e, -a** *f* perfection; perfecting ♦ ~**ur (i, e)** *mb* perfect ♦ ~**urí, -a** *f* perfection

përshésh, -i *m* pap; disorder: **gjej shesh e bëj ~** fish in troubled waters ♦ *kl* smash; maul: **ia ~ turinjtë dikujt** smash sb's mug ♦ ~**/em** *vtv v iii* crumble *(of bread, etc.); fg* be hurt/ mauled; *ps e* **përshesh**

përshëndét (~s) *kl* greet; hail; salute: ~ **me dorë dikë** wave one's hand at sb; ~ **me kokë dikë** bow a greeting to sb ♦ ~**/em** *vtv, ps:* ~**em me dikë** have the time of day with sb; say good-buy to sb ♦ ~**ës, -e** *mb* greeting; saluting *(mb)* ♦ ~**j/e, -a** *f* greeting; salute; salutation

përshk/óhem *vtv, ps:* **nuk ~ohet nga uji/ plumbi** be water/ bullet proof ♦ ~**/ój** *kl* thread *(the needle);* penetrate; travel *(a distance);* go through; *fg* permeate: **e ~oi plumbi tejmatanë** the bullet went through him; **ia ~oi kurrizin një dríthmë** a shiver ran down his back

përshkr:ím, -i *m* description; descriptive narrative ♦ ~**imór, e** *mb* descriptive ♦ ~**/úaj** *kl* describe: ~**uaj me hollësi** make a detailed description ♦ ~**úes, -i** *m* describer ♦ ~**úes, -e** *mb* descriptive

përshtát *kl* adapt; adjust: ~ **një dhomë për zyrë** adapt a room for office use ♦ ~**/em** *vtv* adapt (oneself) to; be accustomed to; *v iii* fit; be suitable for; *v iii gjh* accord *(in case, etc.); ps:* **u ~em rrethanave** adapt oneself to the circumstances ♦ ~**ës, -i** *m tk* adapter ♦ ~**ës, -e** *mb* adaptive ♦ ~**j/e, -a** *f* adaptation; *gjh* accord *(of number, of gender, etc.):* **në ~je me** in conformity with ♦ ~**sh/ ëm (i), -me (e)** *mb* suitable; appropriate: **ndërtesë e ~me për banim** building fit for habitation

përshtýpj/e, -a *f* impression: **nuk i bëri ~e** he was not impressed; **i lë ~e të mirë dikujt** make a good impression on sb

përtác, -e *mb* lazy; idle; slothful; indolent ♦ ~, **-i** *m* lazy person; lazy bones ♦ ~**í, -a** *f* laziness; indolence

përtéj *nd* on the other side; across; over; above; more than: **kaloj ~** go over; **njëqind vetë e ~** over and above one hundred ♦ *prfj:* ~ **lumit** across the river; ~ **varrit** beyond the veil; ~ **mase** beyond measure; immensely

përtéjm/ë (i), -e (e) *mb* other; further *(side of the river etc.):* **bota e ~e** the hereafter

përtés/ë, -a *f* laziness; indolence; sluggishness: **pa ~ë** tirelessly

përtërí/hem *vtv, ps* ♦ ~**lj** *kl* renew *(one's forces);* recover *(one's health);* restore; rejuvenate ♦ ~**tës,**

-e *mb* rejuvenating; refreshing *(atmosphere)* ♦ ~**tj/ e, -a** *f* renewal; rejuvenation; restoration *(to health)* ♦ ~**tur (i, e)** *mb* renewed; refreshed; rejuvenated

përtím, -i *m shih* **përtes/ë, -a** ♦ ~**lój** *kl* laze; hang back: ~**oj të ngrihem** I do not feel like getting out of bed; **s'ia ~oj sherrit** be spoiling for a fight

përtókë *nd* on the ground; *fg* rock-bottom: **shtrihem ~** lie on the ground; down; **morali ka rënë ~** morale has reached its lowest

përt:úar (i, e) *mb* lazy ♦ ~**úesh/ëm (i), -me (e)** *mb* lazy; indolent; *fg* slow-going; slow; sluggish ♦ ~**úeshëm** *nd:* **e kam ~ diçká** not to feel like doing sth

përtýp *kl* chew; munch; masticate; ruminate; *fg* ponder: **e ~ mirë ushqimin** chew the food thoroughly; ~ **fjalët** mince one's words; **e ~ mendimin** chew the cud; mull over ♦ ~**/em** *vtv* chew; munch; *v iii* ruminate; *fg* mumble; mince one's words; mutter; *ps:* ~**em ngadalë** much slowly ♦ ~**pës, -i** *m zl* ruminant ♦ ~**ës, -e** *mb zl* ruminating ♦ ~**j/e, -a** *f* chewing; munching; ruminating

përthá/hem *vtv iii* dry up; *v iii* crust over; cicatrise; *ps:* **plaga po ~het** the wound is crusting over ♦ ~**lj** *kl* dry; parch; desiccate: ~**j rrobat në diell** dry the washing in the sun ♦ ~**r/ë (i, e)** *mb* dry; dried up; parched; crusted over; scarred; wizened *(skin)* ♦ ~**rj/e, -a** *f* drying

përthíth *kl v iii* absorb; suck in ♦ ~**/et** *ps* ♦ ~**ës, -e** *mb* absorbent; absorbing *(mb)* ♦ ~**j/e, -a** *f* absorption

përth/ýej *kl* fold up/ over; turn down *(the edge);* bend; flex *(one's knees); v iii fz* deflect *(a beam)* ♦ ~**ýer (i, e)** *mb* folded over; *fz* deflected *(beam);* uneven; broken *(relief)* ♦ ~**ýerj/e, -a** *f* folding over; *fz* deflection *(of a beam);* reflection ♦ ~**ýesh/ëm (i), -me (e)** *mb* refrangible ♦ ~**ý/het** *vtv* flex; bend; *fz* deflect; be refracted; *ps:* **krahu ~het në bërryl** the arm bends at the elbow

përúl *kl* humiliate; humble; *fg* bring to his knees: ~**ul veten** humiliate oneself ♦ ~**/em** *vtv* humble/ abase oneself; *fg* be subdued; kneel down; bow *(with reverence); ps* ♦ ~**ës, -e** *mb* humiliating; humbling; submissive ♦ ~**ësí, -a** *f* humbleness; humility: **flas me ~** speak humbly ♦ ~**ësísht** *nd* humbly; with humility ♦ ~**j/e, -a** *f* humility ♦ ~**tas** *nd* humbly; with humility ♦ ~**ur (i, e)** *mb* humbled; humiliated

përur:ím, -i *m* inauguration; opening ♦ ~**óhet** *ps* ♦ ~**lój** *kl* inaugurate; open *(a foundation, etc.)*

përvájsh/ëm (i), -me (e) *mb* mournful; lamentable; deplorable *(situation)* ♦ ~**ëm** *nd* mournfully; dolefully

përvéç *prfj* besides; except (for); apart from: **erdhën të gjithë, ~ saj** everyone came, except she; ~ **guximit duhet edhe mençuri** it takes some brain as well as courage ♦ **~ /ëm (i), -me (e)** *mb* exceptional; unique; *gjh* proper *(noun):* **ai është i ~ëm** he is exceptional

përvésh *kl* roll up *(one's sleeves); bs* hit hard; roll *(one's sleeves);* turn up *(the eyelids):* **ia ~ me pëllëmbë dikujt** slap sb hard; **~ buzët** purse up one's lips ♦ **~j/e, -a** *f* rolling up *(of sleeves);* pursing up *(of lips);* turning up *(of eyelids)* ♦ **~ur (i, e)** *mb* rolled up *(sleeves);* pursed up *(lips);* turned up *(eyelids)*

përvetës:ím, -i *m bl* assimilation; digestion; appropriation; arrogation *(of a title);* misappropriation; embezzlement ♦ **~/óhet** *ps* ♦ **~lój** *kl bl* assimilate; digest *(the food);* master thoroughly *(a subject);* arrogate *(a title);* misappropriate; embezzle *(public funds)* ♦ **~úes, -i** *m* embezzler; peculator

përvël:ák, -u *m* corn bread ♦ **~ím, -i** *m* scalding *(with water);* burn ♦ **~lóhem** *vtv* be scalded *(with water);* be burned *(in the sun);* be scorched; burn *(with a desire)* ♦ *ps* : **m'u ~ua gjuha** I scorched my tongue *(with hot food);* **u ~ova!** I'm in hot water ♦ **~lój** *kl* scald *(with water);* burn; parboil *(a chicken before cooking);* boil; sprinkle with hot fat *(a dish);* steep in hot sorbet *(a sweet):* **e ~uan ethet** he is burning with fever ♦ *jkl v iii* burn; sting; smart; undo; wipe out; do away with; *fg* scourge: **më ~ojnë sytë** my eyes are smarting ♦ **~úar (i, e)** *mb* scalded *(with water);* scorched: **dashnor i ~** love-sick; love-lorn ♦ **~úes, -e** *mb* scalding; scorching; torrid *(heat);* burning *(fever, desire)*

për/vídhem *vtv* **-vódha, -vjédhur** steal; sneak *(in, out, off, away)*

përvij:ím, -i *m* outlining; sketching out *(a plan);* rough sketch; profile ♦ **~óhet** *vtv, ps,* ♦ **~lój** *kl* outline; shape; *fg* outline; sketch out: **~oj kufijtë** delimitate the borderline

përv/íshem *vtv* roll up *(shirt sleeves, etc.);* set down to *(a task); bs* be hard on *(sb for sth):* **i ~ishem keq dikujt** scold sb severely; give sb a sound thrashing: **m'u ~eshën mua** they took it out on me

përvítsh/ëm (i), -me (e) *mb* yearly; annual

përvjetór, -i *m* anniversary

përvój/ë, -a *f* experience: **njeri me ~ë** experienced person; **pa ~ë** inexperienced; **kam ~ë të hidhur** have been through sth unpleasant

përvú:ajtj/e, -a *f* humbleness; humility ♦ **~ajtur (i, e)** *mb* humble; humiliated; humble; modest ♦ **~jtërí, -a** *f* humbleness; humility

përzemërsí, -a *f* heartiness; cordiality ♦ **~t (i, e)** *mb* hearty; cordial; sociable: **pritje e ~** a cordial welcome

për/zë *kl* **-zúra, -zénë** drive out; turn out; sack, lay off *(staff); fg* dispel *(fears, etc.):* **e ~ë me fishkëllima dikë** whistle sb out *(of the stage)* ♦ **~zëni/e, -a** *f* dismissal; lay-off

përzgj:édh *kl* **-ódha, -édhur** *shih* **zgjedh** ♦ **~édhës, -i** *m* selector ♦ **~édhj/e, -a** *f* selection; vetting *(of candidates);* sampling: **~e natyrore** natural selection ♦ **~ídhet** *ps*

për/zíej *kl* **-zjéva, -zíer** mix; mingle; blend; shuffle *(cards);* stir *(a liquid); fg* implicate; embroil *(sb in sth):* **~ziej ngjyrat** mix colours; **~ziej duhanet** blend tobaccos ♦ **~zíer (i, e)** *mb* mixed; blended *(tobacco)* ♦ **~zíer, -a (e)** *f* (të), **~zíer, -ët (të)** *as* nausea: **më vjen të ~** feel sick ♦ **~ziérës, -i** *m (cement etc.)* mixer ♦ **~ziérës, -e** *mb* mixing *(device)* ♦ **~ziérj/e, -a** *f* mixing; mixture; blend(ing); nausea; interference *(in sb's affairs)* ♦ **~zí/hem** *vtv v iii* mix *(well, badly);* blend; interfere; be implicated *(in sth);* meddle; mix up with; *v iii* be sick/nauseated; *ps:* **ngjyra që nuk ~hen** paints that do not mix; **po ~het moti** the weather is changing ♦ **~zíhem²** *ps*

përzí:sh/ëm (i), -me (e) *mb* mournful; mourning *(clothes):* **marsh i ~ëm** funeral march; **veshje e ~me** mourning clothes; weeds ♦ **~shëm** *nd* in mourning

përzhít *kl* scorch; sear; brown *(the food)* ♦ **~lem** *vtv, ps* ♦ **~tj/e, -a** *f* scorching; searing *(the food);* toasting ♦ **~ítur (i, e)** *mb* scorched; seared *(food)*

përráll/em *vtv* loaf; dawdle; loiter; idle; play: **~em me fëmijët** play with the children ♦ **~ë, -a** *f* fairy/folk tale; story; *bs* tall stories: **~a me kafshë** animal stories; **~ë me mbret** cock-and-bull story ♦ **~ëtár, -i** *m* story-teller; fairy-tale writer ♦ **~ís** *kl, jkl* spin a long yarn; talk nonsense ♦ **~ísem** *vtv* talk nonsense ♦ **~ór, -e** *mb* fabulous; fantastic; legendary ♦ **~ós** *kl, jkl* tell stories; chat

përr:úa, -ói *m* torrent: **një ~ua fjalë** a torrent of words

pës:ím, -i *m* lesson: **~i të të bëhet mësim** let it be a lesson to you ♦ **~lój** *kl, jkl* suffer; incur; sustain: **~oj një humbje** suffer/ sustain a defeat; incur a loss; **do ta ~osh!** you'll suffer for it! ♦ **~ór, -e** *mb gjh* passive *(form of the verb)* ♦ **~ór/e, -ja** *f gjh* passive (voice)

pëshpërí:m/ë, -a *f* whisper; murmur ♦ **~t** *kl, jkl* whisper; rumour: **i ~ në vesh dikujt** whisper into sb's ear ♦ **~tet** *vtv, ps:* **~et se** the rumour has it that ♦ **~tj/e, -a** *f* whisper(ing); rumour

pështír:ë, -t (të) *as* loathing; disgust: **më vjen të ~** be disgusted ♦ **~ós** *kl* disgust; loath: **ma ~e** you're disgusting ♦ **~lósem** *vtv* become loathsome to; become disgusted ♦ **~ósj/e, -a** *f* loathing; disgust

pështjell:ím, -i *m* confusion; disorder; *el* winding *(of a bobbin)* ♦ **~lóhem** *vtv, v iii* get confused; be muddled; *ps* ♦ **~lój** *kl* confuse; throw into confusion; muddle up

pështý/hem *ps* ♦ **~lj** *kl, jkl* spit; sputter; *v iii* blow: **mish i ~rë nga mizat** fly-blown meat; **lëpij atë**

që/ atje ku ~j eat humble pie ♦ **~m/ë, -a** *f* spit; spittle: **gjëndrat e ~ës** salivary glands ♦ **~mór/ e, -ja** *f* spittoon, *am* cuspidor

pi *kl* drink; suck; smoke *(a cigarette);* mop: **~ çaj** drink tea; **e ~ me një gllënjkë** drink up at one gulp; **~ një aspirinë** take an aspirin; **kishte ~rë** he was drunk; **~ ujin me leckë** mop the water; **ia ~ gjakun dikujt** suck sb's blood; **kjo histori s'~ ujë** this story won't wash; I won't buy this story; **më ~ e zeza** go down the drain ♦ *jkl fg* get; suffer: **do ta ~sh keq** you'll suffer for it; **nuk ~ ujë** it does not hold water; **~ për shëndetin e dikujt** drink sb's health

pian:íst, -i *m* pianist ♦ **~o, -ja** *f mz* piano: **mësues i ~s** piano teacher ♦ **~ofórt/ë, -a** *f mz* pianoforte

pic:erí, -a *f* pizzeria; pizza-house ♦ **~/ë, -a** *f* pizza

pícërr, -e *mb* tiny: **sy ~** tiny little eyes ♦ **~ák, -u** *m* midget; little child; tot ♦ **~/óhem** *vtv* cower down; shrink; *ps:* **~ohet thela e mishit kur piqet** the meat cut shrinks when roasted ♦ **~lój** *kl* blink *(in the sun)* ♦ *jkl* pilfer

pici:ngúl, ~ngúlthi *nd* headlong; headfirst ♦ **~irrúk, -e** *mb bs* tiny; wee ♦ *em* smallish child ♦ **~rrúk, -u** *m bs folk* (Tom) Thumb; *sh* the tiny folks

pick:át/ë, -a *f* pinch; nip ♦ **~ím, -i** *m* sting(ing); itch; pinch; nip; bite *(of the wasp)* ♦ **~/óhem** *vtv, ps* ♦ **~lój** *kl* pinch; nip; sting *(with a needle, etc.);* bite; *mz* pluck *(a string):* **~oj në krah dikë** pinch sb in the arm; **e ~oi gjarpri** the serpent bit him

piedestál, -i *m* pedestal

pigmé, -u *m* pigmy; pygmy

pigmént, -i *m bl, km* pigment

pí/hem *vtv* drink; be drunk; *ps:* **u ~** he was drunk ♦ *pvt* be thirsty; thirst: **s'më ~het** I do not feel like drinking ♦ **~janéc, -i** *m* drunkard; topper; sot; boozer ♦ *mb* drunkard ♦ **~j/e, -a** *f* drink; beverage; *bs* drinking; drunkenness; **~e e fortë** strong spirit; **më zë ~a** be in / the worse for drink ♦ **~jetór/ e, -ja** *f* pub; saloon; grog-shop; *bs* pot-house ♦ **~sh/ëm (i), -me (e)** *mb* drinkable; potable *(water, etc.)* ♦ **~jshëm** *nd* in drink; drunkenly; like a drunkard

pik *kl* solder with tin; stop the leaks *(of a roof):* **~ murin me gëlqere** whitewash the wall ♦ *jkl v iii* leak; *v iii* fall; drop: **~ çatia** the roof is leaking; **~en mollët** the apples are falling

pika:lárm/ë (i), -e (e), ~lór, -e *mb* spotted; speckled ♦ **~lósh, -e** *mb* speckled; freckled: **pulë ~e** speckled hen ♦ **~-~** *nd* in drops; dripping ♦ *em* spotted *(cloth);* speckled; peppery: **~ bëhet lumi** *fj u* little wind beats great rain; every little helps

pikás *kl* detect; spot ♦ *jkl* stand out; be outstanding ♦ **~/em** *ps*

pikatór/e, -ja *f* dropper: **shishe me ~e** drop(ing)-bottle

pík/em *vtv* **pik (u), píkur** *v iii* fall; drop; fall (dead);

ps: **u ~ një mollë** an apple dropped *(from the tree)*

pikét/ë, -a *f* picket(ing) *(of demonstrators); fg* goal; target: **i vë ~at** set one's target ♦ **~ím, -i** *m* picketing; picket ♦ **~lój** *kl* picket; *fg* target; set a goal for; set landmarks; trace out *(a plan)* ♦ **~úes, -i** *m* marker *(of a building lot);* picket

pík/ë, -a *f* drop; shred, trace; spot; leak *(of the roof); gjh* dot, full stop, period; *mat* point; pip *(of the dominoes);* station, post; score; issue; item; *bs* credit; height *(of the heat); nj fg* flower, pick, choice; *nj mk* stroke; *sht* pica: **~ë uji** a drop of water; **pi bar me ~a** take drops; **gjer në ~ën e fundit** the last drop; **pa ~ë dyshimi** without the trace/ shred of a doubt; **fytyrë me ~a** spotted face; **~ë furnizimi** fuelling station; **~ë vrojtimi** observation post; **~ë e vlimit** boiling point; **tabelë e ~ëve** scoreboard; **i humb të gjitha ~ët** lose all the credit; **~at e programit** items in the program; **në ~ë të hallit** in a desperate plight; **në ~ë të vapës** in the hottest *(of the day);* **i ra ~a** he had a stroke; **~ë për ~ë** textually; virtually; in great detail; **~ë së pari** first of all; first and foremost; **~ë e dobët** a weak spot; **~ë e vdekur** stalemate; dead end; **i bie ~ës** hit the bull's eye; **më bie ~a** get the shock of one's life; **s'dua dhe ~ë** I don't want, period; **heq ~ën e zezë** suffer hell on earth; **i vë ~ë diçkaje** call it a day; **~a e diellit** *mk* sunstroke ♦ *nd bs* very well; perfectly; in fine shape; **vishem ~ë** dress smartly; **ia çoj ~ë** be having a nice time; **i kam punët ~ë** have everything running smoothly

pikë: çudítj/e, -a *f gjh* exclamation mark

pík/ël, -la *f* drop(let); drip; spot ♦ **~/óhem** *vtv, ps* ♦ **~lój** *kl* sprinkle; spatter *(with paint, etc.)* ♦ *jkl v iii* drip *(with rain)* fall; drop *(of fruit)* ♦ **~/e, -ja** *f zl* salamander

pikëll:ím, -i *m* grief; affliction; sadness ♦ **~/óhem** *vtv, ps* ♦ **~lój** *kl* aggrieve; afflict; sadden ♦ **~úar (i, e)** *mb* aggrieved; afflicted; sad: **me pamje të ~** with a sad look ♦ **~úesh/ëm (i), -me (e)** *mb shih* **pikëlluar (i, e)**

pikë:mbërrítj/e, -a *f* destination; arrival ♦ **~mbështétj/e, -a** *f* fulcrum; prize; *ush* support base: **~e e levës** fulcrum of a lever ♦ **~nísje, -a** *f* starting point; start ♦ **~pámj/e, -a** *f* viewpoint; point of view; opinion ♦ **~pjékj/e, -a** *f* rendezvous; venue; appointment: **nuk shkoj në ~e** miss an appointment ♦ **~présj/e, -a** *f gjh* semi-colon ♦ **~pýetj/e, -a** *f gjh* question mark

pikërísht *pj:* **~ kështu** just like this

pikësím, -i *m gjh* punctuation

pikë:syním, -i *m* aim; goal; objective: **pa ~m** aimlessly; **kam një ~ në jetë** pursue a goal in life ♦ **~takím, -i** *m* meeting point; contact ♦ **~vrojtím, -i** *m ush* observation point/ post

píkëz, -a *f* droplet; sprinkle ♦ **~/óhet** *ps* ♦ **~lój** *kl* dot; trace out with dots/ with a dotted line; draw; describe ♦ **~zúar (i, e)** *mb* dotted *(line)*

pikját/ë, -a *f av* nose-dive; vertical dive

pikím, -i *m* spattering; sprinkling; blotting; dotting; *tk* soldering ♦ **píkj/e, -a** *f tk* soldering

pikník, -u *m* picnic(k): **dal për ~** picnic

pik/óhem *vtv* be soiled; be blotted *(with ink, etc.)*; *ps* ♦ **~lój** *kl* soil; blot; sprinkle ♦ *jkl v iii* drip; leak; fall; drop: **~on çatia** the roof is leaky; **~ojnë mollët** the apples are dropping; **më ~on në zemër** it cuts me to the heart

pikt: ór, -i *m* artist; painter ♦ **~orésk, -e** *mb* : **rrugë ~e** scenic road ♦ **~úr/ë, -a** *f* painting; picture ♦ **~urím, -i** *m* painting ♦ **~ur/óhet** *ps* ♦ **~ur/ój** *kl* paint; *fg* picture; describe ♦ *jkl* paint; go in for painting: **~oj në natyrë** paint live

pikúar (i, e) *mb*: **i ~ nga qielli** impeccable

piláf, -i *m gjll* pilau; pilaf: **pas ~it** a bit late in the day; **nuk mban ujë ~i** it's the end of the line

píl/ë, -a[1] *f* pier; pylon: **kokë a ~ë** head of tails

píl/ë, -a[2] *f fiz, el* pile; cell: **~ë atomike** atomic pile/ cell

pilivés/ë, -a *f zl* dragon-fly; *fg* skittish *(woman)*

pilót, -i *m* pilot; navigator; flier: **~ i dytë** second/ co-pilot ♦ **~ázh, -i** *m* navigation; *dt* conning ♦ **~ím, -i** *m* piloting; flying *(an aircraft)*; conning *(a ship)* ♦ **~/óhet** *ps* ♦ **~lój** *kl* pilot; fly *(an aircraft)*; navigate *(a ship)*; control

pilúl/ë, -a *f* pill

pínc/ë, -a *f* pliers; *mk* forceps

píng/ël, -la *f*: **i veshur ~ël** smartly dressed

pingër:ím, -i *m* chirp(ing); twitter ♦ **~/ón** *jkl* **-ói, -úar** chirp; twitter *(of birds)*; ring: **më ~jnë veshët** my ears are ringing

pingpóng, -u *m* pingpong; table-tennis ♦ **~íst, -i** *m* table-tennis player

pinguín, -i *m zl* penguin

pingúl, -e *mb* vertical; perpendicular: **vijë ~e** a vertical line ♦ **~** *nd* vertically; perpendicularly: **bie ~** sheer down ♦ **~/e, -ja** *f* vertical (line): **lëshoj një ~e** draw a vertical line ♦ **~t/ë (i, e)** *mb* vertical; perpendicular; sheer *(face of the hill)* ♦ **~thi** *nd* vertically; perpendicularly

pinjá/ll, -lli *m* poniard

pinjó/ll, -lli *m* new shoot *(of a tree)*; *fg* offspring; direct descendant

pioniér, -i *m* pioneer

pipér, -i *m bt, gjell* pepper; *fg* peppy person: **~ i zi** black pepper; **~ djegës** hot pepper; **kokërr ~i** pepper corn; **bëhem ~** be nettled

píp/ë, -a *f* pipe; cigarette-holder

pipëtí/j *jkl v iii*: **nuk ~u njeri** no-one breathed a word ♦ **~m/ë, -a** *f* whisper: **~at e natës** the whispers of the night

pípëz, -a *f* reed-pipe; *km* pipette: **i bëj veshët ~** cock up one's ears

pipirúq, -i *m* dandy; fop ♦ **~, -e** *mb* dandyish; foppish

pipth, -i *m* graft; wick-holder *(of the oil lamp)*; air valve *(of the inner tube of the bicycle, etc.)*

píqem[1] **póqa (u), pjékur** *vtv v iii* be baked/ roasted; *v iii* be fired *(of tiles and bricks)*; *v iii* ripen; be ripe; *fg* be/ feel very hot; *v iii* come to a head *(of a cyst)*; *fg* mature *(of fruit)*; *ps*: **u poq buka** the bread is baked; **u poq rrushi** the grapes are ripe; **u poqa në diell** swelter in the sun

píqem[2] *vtv bs* meet; *v iii* converge: **u poqëm rrugës** we met in the street; **dy vija që piqen** two lines that converge;

piramíd/ë, -a *f* pyramid; border-mark; *trg* pyramid-selling scheme ♦ **~ál, -e** *mb* pyramidal

piránj/ë, -a *f zl* piranha

pirát, -i *m* pirate; buccaneer ♦ **~, -e** *mb*: **anije ~e** pirate ship ♦ **~erí, -a** *f* piracy; *prmb* pirates

pír/ë (i, e) *mb* drunk; drunken ♦ **~/ë (e), -a, -at (të)** drinking bout ♦ **~ës, -i** *m* drinker; drunkard; suckling lamb/ goat-kid ♦ **~s, -e** *mb*: **qengj ~** sucking lamb

pir/g, -gu *m* heap; bank; mound; stack: **~g rëre** sandbank; **i kam punët ~g** have stacks of work

pírj/e, -a *f* drink(ing)

pirún, -i *m* fork: **thikë e ~** knife and fork

pis, -e *mb bs* dirty; mucky; foul: **djalë pis** a dirty boy ♦ **~** *nd*: **bëhem ~** become dirty

pisk, -u *m* knot; pinch *(of salt, etc.)*; *fg* heat: **nuk e zgjidh dot ~un** be unable to undo a knot; **në ~ të vapës** in the heat of the day

pisk *nd* in difficulty; pinch: **e kam punën ~** be in deep water(s); **më zure ~** you've got me in a tight corner; **e kap ~ dikë** nip/ pinch sb

piská:m/ë, -a *f* shriek; screech; squawk ♦ **~t (~s)** *jkl* shriek; scream; screech

piskatór/e, -ja *f* clips; tweezers

pisllë/k, -ku *m* dirtiness; filthiness: **jetoj në ~k** live in filth; **~qe të prapaskenave** dirty deals behind the scenes

pispill: ós *kl kq* spruce up; smarten ♦ **~ós/em** *vtv kq* spruce up; daub one's face ♦ **~ósur (i, e)** *mb kq* spruced up; decked out

pisqóll/ë, -a *f* pistol; trigger-happy; *bs* jerk

píst/ë, -a *f sp* lane; racecourse; track; path; *av* runway, strip; traffic-lane; rink *(of skaters)*: **dal nga ~a** get out of the lane; **~ë e zbritjes** landing strip

píst/ë (i, e) *mb* dirty; filthy; foul

pistolét/ë, -a *f ush* pistol; hand-gun; *tk* (spray-)gun; *min* perforating gun

pistón, -i *m tk* piston: **~ hidraulik** hydraulic ram

pish/ë, -a -a, -at *bt* pine(-tree); pine torch; *bs* heat, height, midst *(of the work)*; *fg* firebrand: **hala ~e** pine needles; **në ~ë të djalërisë** in the flower of youth; **e kam syrin ~ë** have a keen sight; be vigi-

lant; **i vë ~ën diçkaje** put sth to the torch
pishín/ë, -a *f* swimming-pool
pishmán *nd bs :* **do të bëhesh ~** you'll regret it
pishtár, -i *m* pine-torch; firebrand; torchlight; torch-bearer
pít/e, -ja *f* pita bread; *krh* pie; honeycomb ♦ **~erí, -a** *f* pie shop
pitón, -i *m zl* python
pizivéng, -u *m shr* crook; jerk; cheat
pízg/ë, -a *f* straw pipe; trickle *(of blood, etc.);* the shits; trots ♦ **~ë** *nd* : **derdhet ~** shoot up *(of blood)*
pizháme, -t *f sh* pyjamas
pjác/ë, -a *f* square; piazza: **ka rënë ~a** the market is low
pjalm, -i *m* powdery snow; *bt* pollen; pure flour; fine dust
pjatalárës, -i *m* dishwasher ♦ **~/e, -ja** *f fm* **e ~, -i;** dishwasher; dishwashing machine
pját/ë, -a *f* plate; dish; *mz bs* cymbals: **~ë e parë** starter; first course; **~a e gramafonit** gramophone turn-table
pjek¹ *k/* **póqa, pjékur** bake *(bread);* roast *(coffee, etc.);* fire *(bricks. etc.);* distil *(liquor);* v *iii* ripen, mature; v *iii* bring to a head *(a cyst);* v *iii fg* season; temper: **~ në skarë** grill; **ia ~ buzën dikujt** give sb a hell of a time; **na poqi vapa** we're sweltering with heat ♦ *jkl* v *iii* scorch; smoulder: **djeg e ~** put to the torch
pjek² *k/* **póqa, pjékur** meet; encounter; touch lightly: **piqe këtu!** let's shake hands!
pjék:ës, -i *m* baker ♦ **~j/e, -a¹** *f* baking; firing *(of bricks, etc.)* ♦ ripening, maturing *(of fruit)*
pjékj/e, -a² *f bs* meeting; appointment
pjékur *pjs e* pjek ♦ **~ (i, e)** *mb* roasted *(meat, etc.);* ripe *(fruit);* baked *(apples); fg* mature; *fg* well-considered *(plans, etc.)* ♦ **~í, -a** *f* maturity: **moshë e ~së** age of discretion; **dëftesë e ~së** school-leaving certificate
pjéll *k/, jk/* **pólla, pjéllë** give birth; beget: **~ para kohe** cast; throw *(of animals);* **polli djalë** *bs* she gave birth to a boy; **më ~ belaja** *bs* have a bad patch; **më ~ mendja** be very resourceful ♦ **~/ë, -a** *f* progeny; offspring; *fg* product; result; *kq* spawn: **~ë e mendjes së tij** his brain-child; **~ë dështake** a miscast ♦ **~ës, -e** *mb* productive; fertile; laying *(hen)* ♦ **~j/e, -a** *f* birth; litter ♦ **~ór, -e** *mb* fertile; productive *(imagination);* **penë ~ore** prolific writer ♦ **~orí, -a** *f* fertility; fecundity
pjép/ër, -ri *m bt* melon
pjerdh *jk/* **pórdha, pjérdhur** fart: **ik, or, pírdhu!** fuck off! ♦ **~ur (i, e)** *mb:* **i ~ nga trutë** gone gaga
pjergúll, -a *f* vine arbour; pergola
pjerr:ësí, -a *f* inclination; declivity; slant; tilt; slope; gradient *(of the road):* **~ e butë/ ëmbël** a gentle

slope ♦ **~ësír/ë, -a** *f* slope ♦ **~ët (i, e)** *mb* sloping; slanting; inclined *(plane);* oblique *(line)* ♦ **~j/e, -a** *f* slant; inclination; gradient ♦ **~tas** *nd* aslant; in a slanting position
pjés/ë, -a *f* piece; bit; part, portion; fragment; section; share; extract, excerpt; role, cast; *bs* party, side: **~ë përbërëse e** constituent part of; **~a e dytë e lojës** half time; **~a e sipërme e lumit** the upper course of the river; **~ë ndërrimi** replacement parts; **tri ~ë ujë e një ~ë sheqer** three portions water, one portion sugar; **kam ~ë në diçka** have a share in sth; **luaj ~ën kryesore** play a leading role; **~a e luanit** the lion's share; **bëj ~ë në** be part of; be a member of; **luaj ~ën** play one's part
pjesë:márr/ës, -i *m* participant ♦ **~márrës, -e** *mb* participating; member *(sates)* ♦ **~j/e, -a** *f* participation; turn-out *(to the polls)* ♦ **~-~** *nd* into pieces; in parts; piecemeal
pjes:ërísht *nd* partly; in part ♦ **~ëtár, -i** *m* member *(of a family);* sharer ♦ **~ëtím, -i** *m* apportion; sharing out *(of profits); mt* division: **~ me/ për dy** division by/ into two ♦ **~ët/óhet** *vtv, ps* ♦ **~ët/ój** *k/* divide; share out; apportion; *fg* share: **~oj me katër** divide by four ♦ **~ëtúes, -i** *m mt* divisor ♦ **~ëtúesh/ëm (i), -me (e)** *mb mat* divisible ♦ **~ëz, -a** *f zvog e* pjes/ë, -a; particle: **~z me ngarkesë pozitive** *fz* positively charged particle ♦ **~ór, -e** *mb* partial; share *(mb); gjh* partitive *(adjective)* ♦ **~ór/e, -ja** *f gjh* participle ♦ **~sh/ëm (i), -me (e)** *mb* partial
pjéshk/ë, -a *f* peach *(tree, fruit)*
pláck/ë, -a *f prmb* belongings; *sh* clothes; effects; *nj bs* cloth, stuff; prize, booty; *bs* stuff; thing: **~at e shtëpisë** household fixtures; **mbledh ~at** pack up one's belongings; **bëj ~ë** loot; ransack; **~ë e mirë** good stuff; **kam një ~ë në sy** have a speck in the eye; **~ë tregu** chattel of barter; **me laçkë me ~ë** rag-tag-and-bob-tail ♦ **~ít** *k/* loot; pillage ♦ **~ít/em** *ps* ♦ **~ítës, -i** *m* looter; plunderer ♦ **~ítj/e, -a** *f* looting; plunder ♦ **~urína, -t** *f sh* traps; frippery; worthless junk; second-hand clothes
plág/ë, -a *f* wound; injury; *fg* sore point: **~ë e gjallë/ hapur** a tender wound; **lidh ~ët** dress the wounds ♦ *mb:* **i kam këmbët ~ë** have sore feet ♦ **~ós** *k/* wound; injure; *fg* hurt ♦ **~lósem** *vtv, ps* ♦ **~ósur, -i (i)** *m* wounded; injured ♦ **~ósur (i, e)** *mb* wounded; injured
plagjíat, -i *m* plagiarist ♦ **~úr/ë, -a** *f* plagiarism
plak, -u *m sh* **pleq, pléqtë** old man *(sh* men); king *(in card games):* **~u dhe i biri** the old man and his son; **~u im** my old man; my father ♦ **~, -ë** *mb* old; ancient; obsolete: **burrë ~** an old man; **dhelpër ~ë** old fox; **fjalë ~a** old/ obsolete words ♦ *k/:* **e kanë ~ur hallet** he has aged with care; **na ~e!** you're taking ages ♦ **~em** *vtv* grow old;

age; *fg* gain experience ♦ **~/ë, -a** *f fm* e **plak, -u** ♦ **~j/e, -a** *f* ageing ♦ **~ur (i, e)** *mb* aged; old; ancient ♦ **~úsh, -i** *m :* **~i im** my dear old man

plan, -i *m* plan; map; method; system; plane (surface); scheme, plot; aspect; view: **~i i qytetit** town plan; **punoj me ~** work with method; **kurdis ~e** hatch up plots; **pamje në ~ të parë** close-up view; **kam në ~** have a plan

plandós *k/ bs* throw down; dump ♦ *jkl v iii fg* arrive unexpectedly; *v iii* come unexpectedly ♦ **~/em** *vtv bs* fall with a thud; sink; *ps:* **~em përdhe** throw oneself down

planét, -i *m ast* planet ♦ **~ár, -e** *mb* planetary: **sistem ~** planetarium

plan:ifikím, -i *m* planning; plan ♦ **~ifikóhem** *ps* ♦ **~ifik/ój** *k/* plan; schedule ♦ **~ifikúar (i, e)** *mb* planned; **ekonomi e ~** planned economy ♦ **~imetrí, -a** *f gjm* plane geometry; plan *(of a building)*

planktón, -i *m bt* plankton

plantación, -i *m* plantation

plas *jokal, k/* burst; explode; crack; throw down: **~i mina** the mine went off; **~i lufta** war broke out; **ia ~ vajit** burst into tears; **~ përdhe** dump down; **plaç në vend!** drop dead!; **më ~e shpirtin** you're a pain in the back ♦ **~arít** *k/* crack; chap *(the skin, etc.)* ♦ **~arít/et** *vtv* crack; chap ♦ **~arítj/e, -a** *f* crack(ing) ♦ **~arítur (i, e)** *mb* cracked; chapped ♦ **~/ë, -a** *f* crack; chap: **duar tërë ~a** chapped hands ♦ **~ës, -e** *mb* explosive: **lëndë ~e** explosive ♦ **~j/e, -a** *f* explosion; burst; outbreak *(of a conflict etc.);* crack; chap *(of the skin);* split *(of the wood);* *vtr* anthrax; cracking: **i rëntë ~a!** a plague on him!; **më erdhi ~a** I was kicking myself with anger

plast:elín/ë, -a *f* plasteline ♦ **~icitét, -i** *m* plasticity ♦ **~ík, -e** *mb* plastic: **material ~** plastics; **kirurgji ~e** plastic surgery ♦ **~ík/ë, -a** *f* plastics *(me folje në njëjës);* plasticity *(of movement)* ♦ **~más/ë, -a** *f* plastics: **qese ~i (për pazar)** plastic/ carrier bag

plásur *pjs shk* e **plas** ♦ **~ (i, e)** *mb* cracked; split; open *(cyst):* **me zemër të ~** with a broken heart

platé, -ja *f* parterre *(of a theatre)*

platfórm/ë, -a *f* platform *(of a railway station);* ramp *(between two levels);* *ast* launching pad/ stand: **~ë shpimi** oil-rig

platín, -i *m* platinum

platít (~s) *k/* smother *(a fire)* ♦ *jkl v iii* die down; abate; subside; *fg* calm; relieve *(pain):* **~i era** the wind subsided ♦ **~/em** *vtv v iii* die down; *v iii fg* die away; be placated *(of pain);* lie flat; cower down: **u ~ tufani** the storm died down; **~em përdhe** lie flat on the ground

platon:ík, -e *mb fil* Platonic ♦ **~íst, -i** *m* Platonist ♦ **~íz/ëm, -mi** *m fil* Platonism

plázm/ë, -a *f bl* plasma

plazh, -i *m* beach; sandy beach

plebé, -u *m hst* plebeian

plebishít, -i *m* plebiscite ♦ **~ár, -e** *mb* plebiscitary

pleh, -u *m* manure; fertiliser; *sh* sweepings; garbage ♦ **~** *nd:* **e bëj ~ dikë** beat sb into pulp; **me zemrën ~** down-hearted ♦ **~ërím, -i** *m* manuring; fertilisation *(of the soil)* ♦ **~ëróhet** *vtv, ps* ♦ **~ër/ój** *k/* fertilise; manure ♦ **~érúes, -e** *mb* fertilising *(mb)*

plejád/ë, -a *f ast* Pleiad(e)s

pleks *k/* strand; twine *(rope);* plaid *(the hair);* *kq* ravel *(a plot)* ♦ **~/em** *vtv v iii* be stranded *(of rope, etc.);* entangle oneself; *fg* be involved in; *fg* mix up: **mos u ~ me të!** don't mix up with him! stay away from him!; *ps* e **pleks**

plen:ár, -e *mb* plenary; full *(session of a committee)* ♦ **~úm, -i** *m* plenum; plenary/ full session *(of a conference)*

plep, -i *m bt* poplar; *am* cottonwood ♦ *mb* very tall and slender

pleq *m sh* e **plak, -u** ♦ **~ërí, -a** *f* old age; senility; *prmb* old folk; *hst* council of elders: **~ e shkuar** advanced old age ♦ **~ërím, -i** *m* judgement ♦ **~erísht** *nd* like old folk; in the old manner: **vishem ~** dress old/ like an old man ♦ **~ëríshte** *mb* oldstyle; old fashion: **veshje ~** old-style dress ♦ **~ër/óhet** *vtv, pvt, ps* ♦ **~ër/ój** *k/* support old folk; think over, consider carefully: **~oj prindërit** support one's parents in their old age ♦ *jkl* pass one's old age *(with sb)* ♦ **~esí, -a** *f prmb hst* council of elders; *vj* judgement; consideration ♦ **~es/óhem** *vtv, ps* ♦ **~es/ój** *k/* think over; consider carefully ♦ *jkl vj* judge; give judgement

plesht, -i *m* flea: **e bëj pleshin buall** make a mountain of a molehill

pléur/ë, -a *f an* pleura ♦ **~ít, -i** *m mk* pleurisy

plevíc/ë, -a *f* hayloft; stable; animal shed

plevít, -i *m mk bs* cold; pleurisy ♦ **~ós** *k/* chill; freeze ♦ **~ós/em** *vtv* get pleurisy; catch a cold; freeze; be cold ♦ **~ósur (i, e)** *mb* chilled; cold

plëndës, -i *m an* stomach *(of the ruminants);* *bs* paunch ♦ *nd bs:* **bie ~ përdhe** flop on the ground

plën/g, -gu *m bs* belongings; property; family; home

plëngprísh:ës, -i *m* squanderer ♦ **~ës, -e** *mb* prodigal; spendthrift; wasteful; **djali ~** the prodigal son

plis, -i *m* sod; clod; turf *(of earth)*

plóg:ësht (i, e) *mb shih* **plogët (i, e)** ♦ **~ështí, -a** *f* sloth; indolence; laziness; apathy ♦ **~ështím, -i** *m* sloth ♦ **~ësht/óhem** *vtv* laze; become slothful/ indolent; *ps* ♦ **~ësht/ój** *k/* make *(sb)* lazy/ indolent ♦ **~ët (i, e)** *mb* slothful; indolent; lazy; apathetic; *fg* feckless; dispirited; slow; inactive: **jam i ~ në punë** be slow to work; **gaz i ~** *km* inert gas ♦ **~ët** *nd* lazily; sluggishly

plój/ë, -a *f bs* bloodbath; carnage

plor, -i *m* ploughshare; *dt* prow *(of a boat)*

plot *nd* full; plenty; loaded *(fire arm):* **flas me gojën ~** speak with a full mouth/ with conviction; **një gotë ~ me ujë** a glass full of water; **~ e për~** chockfull; crammed full; **qëlloj ~** hit the target; **me barkun ~** with a full stomach; **me ~ kuptimin e fjalës** in the full meaning of the word ♦ *pkf* full of: **~ gjallëri** full of go ♦ *pj:* **~ dy orë** full two hours; **~ më nëntë** at nine o'clock sharp ♦ **~/ë (i, e)** *mb* full; filled; complete; perfect *(tense);* utter sturdy; in good health; generous: **një gotë e ~ë** a glassful; **buzë të ~ë** fulsome lips; **me trup të ~ë** stockily built ♦ **~ës, -i** *m gjh* complement ♦ **~sím, -i** *m* fulfilment; filling; filling-in *(of a form, etc.):* **~ i dëshirës** fulfilment of a wish ♦ **~sísht** *nd* fully; completely; in full; utterly: **bindem ~** be fully convinced ♦ **~s/óhet** *vtv, ps* ♦ **~s/ój** *kl* fill (in); complete *(one's duty);* fulfil; discharge *(a task);* satisfy *(a desire):* **~oj radhët** fill the lines ♦ **~súes, -e** *mb* complementary; additional

plotfuqísh/ëm, -mi (i) *m* the almighty ♦ **~sh/ëm (i), -me (e)** *mb* omnipotent; almighty; all-powerful

plu/g, -gu *m* plough; *bs* ploughing ♦ **~ím, -i** *m* ploughing ♦ **~lóhet** *ps* ♦ **~lój** *kl* plough

plúhur, -i *m* dust; powder: **~ e hi** dust and ashes; **~ sharre** sawdust; **fshij ~at** dust *(the furniture, etc.);* **~ zbardhës** *tks* whitener; bleaching powder; **pi një ~ në ditë** take one powder a day ♦ *mb* powdered: **sheqer ~** powdered sugar ♦ **~lój** *kl* dust; powder; sprinkle: **~oj kekun me sheqer** powder a cake with sugar ♦ *jkl* raise dust ♦ **~ós** *kl* dust; pulverise; powder; sprinkle *(with sugar, etc.)* ♦ **~lósem** *vtv* get dusty; be powdered; *ps* ♦ **~ósur (i, e)** *mb* dusty; powdered; sprinkled *(with sugar, etc.)*

pluhurthíthës, -e *mb* vacuum-cleaning ♦ **~/e, -ja** *f* vacuum-cleaner

plumb, -i *nj km* lead; plumb; bob *(of the mason);* bullet, lead-core, slug: **plagë ~i** bullet/ fire-arm wound; **më ra si ~** it came as a blow to me ♦ *mb:* **ngjyrë ~i** lead-grey coloured; **i kam qepallat ~** my lids are heavy with sleep ♦ **~** *nd:* **gjumë i rëndë ~** heavy sleep; **shkoj ~** fly like a shell ♦ **~ç, -i** *m* lead *(of the fishing line);* plumb; plummet; bob *(of the stone mason);* *bs* lead *(of the pencil)* ♦ **~ç/e, -ja** *f shih* **~ç, -i** ♦ **~t/ë (i, e)** *mb* leaden; lead-grey; dark-grey; *fg* leaden, heavy *(legs)*

plural:íst, -e *mb* pluralistic ♦ **~íz/ëm, -i** *m* pluralism

plus, -i *m* plus; *bs* advantage: **dy ~ dy** two plus two; two and two; **lidh me ~in** connect to the positive pole; **~ i madh** a great advantage ♦ *mb* extra; additional *(charges)* ♦ *ldh* in addition to; and

plusk:ím, -i *m* floating; buoyancy ♦ **~ój** *kl v iii* float; be buoyant; *v iii* flit ♦ **~úes, -e** *mb* floating; buoyant

pluto:krací, -a *f* plutocracy ♦ **~krát, -i** *m* plutocrat

Plutón, -i *m ast* Pluto ♦ **~ík, -e** *mb gjeol, mit* Plutonic

plláj/ë, -a *f gjg* high plateau/ tableland

pllakát, -i *m* placard

pllák/ë, -a *f* slab; paving tile; plate; plaque; record *(of a phonograph);* memorial table: **~ë guri** stone slab; **vesh me ~a** tile *(a wall);* **e kthej ~ën** change the tune; shift allegiance ♦ *mb:* **xham ~ë** sheet glass

pllakós *kl* bury under: **e ~i muri përposh** he was buried/ trapped under the wall ♦ *jkl v iii* arrive unexpectedly; pop in; be overwhelmed: **~i nata** night fell suddenly; **e ~i dëshpërimi** he was overwhelmed with despair ♦ **~let** *ps e* **pllakos**

plláng/ë, -a *f* spot; patch; blot: **~ë gjaku** a blot of blood; blood stain

pllaqurít/em *vtv* splash; paddle; *v iii* wash; lap ♦ **~j/e** *f* plash; wash *(of the waves)*

pllen:ím, -i *m bl* fecundating; insemination; impregnation ♦ **~lóhet** *ps* ♦ **~lój** *kl bl* fecundate; inseminate

plloç/ë, -a *f krh* slab; flagstone ♦ *mb* flat; level; empty: **e kam barkun ~** my stomach is empty

pneum:atík, -e *mb* pneumatic ♦ **~oní, -a** *f mk* pneumonia

po¹ *ldh* but; though; if; only if: **dua të fle, ~ s'mundem** I want to sleep, but I can't; **jo vetëm, ~ edhe** not only… but also…; **~ të kem kohë** if I have time; **~ të pëlqeu** if you like it; **~ nesër?** what about tomorrow?; **~ qe se** if; in case; provided that

po² *pj* yes; certainly; sure; precisely; just; self-same: **do të shkosh? - ~** are you going? - yes, I am; **them ~** say yes; **~ kush ta tha?** who told you so?; **~ ajo gjë** just the same; the self-same thing ♦ *pj (vazhdim i veprimit):* **~ shkruaja një letër** I was writing a letter; **~ bie shi** it is raining ♦ **~, -ja** *f* yes: **bëj ~ me kokë** nod agreement

pocaqí, -a *f bs* suffering; misery; filth ♦ **~s/em** *vtv bs* suffer; be/ feel miserable; be worn out ♦ **~sur (i, e)** *mb bs* suffering; miserable; worn out

poç, -i *m* pot; *bs* lamp, bubble: **~ vere** wine pot; **hapi ~at** *bs* open your (dam) eyes ♦ *mb* chubby; roundish; rotund: **jam ~ nga koka** be empty-headed ♦ **~ár, -i** *m* potter ♦ **~arí, -a** *f* pottery; potter's craft ♦ **~/e, -ja** *f* pot: **një ~e me fasule** a pot of beans ♦ **~erí, -a** *f prmb* pottery; crockery ♦ **~na, -t** *f sh* crockery; pottery; earth pots

podiúm, -i *m* podium; platform; dais

poé:m/ë, -a *f lt, mz* poem ♦ **~t, -i** *m* poet ♦ **~tésh/ë, -a** *f* poetess ♦ **~tík, -e** *mb* poetic(al): **liri ~e** poetical licence ♦ **~zí, -a** *f* poetry; poem

pófk/ë, -a *f* popcorn: **sy si ~a** goggle-eyed

poh:ím, -i *m* affirmation; confession; admission: **~ i fajit** confession of guilt ♦ **~lóhet** *pvt, pjs* ♦ **~lój** *kl* confess; nod; *fg* acknowledge; admit: **e ~oj se**

e kam gabim I accept I am wrong; **~oj me kokë** nod ♦ **~úes, -e** *mb:* **përgjigje ~e** affirmative reply

pokér, -i *m* poker ♦ **~íst, -i** *m em* poker-player

pol, -i *m gjeog, fz* pole: **~i i veriut** the north pole; **jemi në ~e të kundërt** *fg* we're poles apart/ asunder ♦ **~ár, -e** *mb* polar: **ylli ~** pole-star; **dhelpër ~e** polar fox ♦ **~arizím, -i** *m fiz, el* polarisation: **~i i shoqërisë** the polarisation of society ♦ **~izóhet** *vtv, ps* ♦ **~ariz/ój** *kl fiz, el* polarise

polák, -e *mb* Polish ♦ **~, -u** *m* Pole

polemí:k, -e *mb* polemic(al); controversial ♦ **~k/ë, -a** *f* polemics *(me folje në njëjës);* controversy ♦ **~zó/j** *kl* engage in polemics/ controversy

polén, -i *m bt* pollen

poliambulánc/ë, -a *f* polyclinic, surgery

políc, -i *m* policeman; police officer

políc/ë, -a *f trg* policy; bill: **~ë e përgjithshme** blanket policy; **~ë ngarkese** bill of lading

polic:í, -a *f* police: **rajon i ~së** police station ♦ **~ór, -e** *mb* police *(force);* detective *(story)*

poli:ést/ër, -ri *m km* polyester ♦ **~foní, -a** *f mz* polyphony ♦ **~foník, -e** *mb mz* polyphonic *(music, song)* ♦ **~gamí, -a** *f* polygamy ♦ **~gamík, -e** *mb* polygamous ♦ **~glót, -i** *mb* **-ë, -ët** polyglot ♦ **~kliník/ë, -a** *f* polyclinic: **~ë e lagjes** local surgery ♦ **~tekník, -e** *mb* polytechnic *(school)* ♦ **~teknikúm, -i** *m* polytechnic (school)

polit:ík, -e *mb* political: **shkencë ~e** political science ♦ **~ikán, -i** *m* politician; *bs* politico ♦ **~ík/ë, -a** *f* policy; politics *(me folje në njëjës); bs* stratagem: **merem me ~ë** engage/ *kq* dabble in politics ♦ **~ikísht** *nd* politically

poli:uretán, -i *m ind* polyurethane ♦ **~viníl, -i** *m km, ind* polyvinyl

pólk/ë, -a *f mz* polka

Poloní, -a *f gjg* Poland ♦ **~sht** *nd* (in the) Polish (language) ♦ **~sht/e, -ja** *f* (the) Polish (language)

poltrón/ë, -a *f* sofa; armchair

pomád/ë, -a *f* cream; ointment; salve

pómp/ë, -a *f tk* pump; *dt* well; *bs* push-up: **~ë vakuumi** air suction pump; **~ë e benzinës** petrol pump ♦ **~ím, -i** *m* pumping ♦ **~ój** *kl* pump out (up) ♦ *jkl v iii* pump; *bs* egg on; pit against

pompóz, -e *mb* pompous; affected ♦ **~itét, -i** *m* pompousness; affectedness

ponç, -i *m* punch *(drink)*

pop, -i *m* Orthodox priest

póp/ël, -la *f* boulder

popul:íst, -e *mb, em* populist ♦ **~íz/ëm, -mi** *m pl* populism

pópu/ll, -lli *m* people; nation; folk: **~ i thjeshtë** ordinary folks ♦ **~llaritét, -i** *m* popularity ♦ **~llarizím, -i** *m* popularisation ♦ **~llariz/óhem** *vtv, ps* ♦ **~arizój** *kl* **-llóva, -llúar** make popular; popularise ♦ **~arizúar (i, e)** *mb* popularised *(edi-*

tion) ♦ **~llát/ë, -a** *f* population ♦ **~ím, -i** *m* population; populating; peopling *(of a region)* ♦ **~ll/óhet** *vtv, ps* ♦ **~ój** *kl* people; populate; *bi v iii* inhabit ♦ **~ór, -e** *mb* popular; people's; lower; vulgar *(publication):* **qeveri ~e** people's government; **asamble ~e** people's assembly; **këngë ~e** folk song; **bëhem ~** become popular; **lagje ~e** low-class neighbourhood ♦ **~llórçe** *nd bs* in the manner of common people ♦ **~sí, -a** *f* population: **regjistrimi i ~së** population census ♦ **~llúar (i, e)** *mb* populated; peopled

póqa *kr thj e* **pjek**

póqë *ldh bs* immediately after; since

por, -i *m* pore; *fg* cell: **~et e lëkurës** the pores of the skin

por *ldh shih* **po¹**

porcelán, -i *m* porcelain; china; chinaware: **dyqan ~esh** china shop

pórdh:a *pjs e* **pjerdh** ♦ **~ác, -i** *m kq* blow-hard; braggart; big/ loud-mouth ♦ *mb* blow-hard; squirt ♦ **~/ë, -a** *f* gas; fart; empty talk: **shes ~ë** brag; boast

pornografí, -a *f* pornography ♦ **~k, -e** *mb* pornographic

porosí, -a *f* order; instruction; errand; wish, behest: **punë e bërë me ~** work done to order; **e bëre ~në?** have you ordered (your food)?; **me ~në e** on the instructions of; **~ e fundit** last wish ♦ **~t (~s)** *kl* order *(lunch, etc.);* have *(sth)* made to order; enjoin *(sb to do sth);* instruct ♦ **~t/em** *ps* ♦ **~tës, -i** *m* orderer *(of goods)* ♦ **~tj/e, -a** *f* order(ing) ♦ **~tur (i, e)** *mb* ordered; instructed; registered: **letër e ~** registered letter

poróz, -e *mb* porous ♦ **~ítet, -i** *m* porosity

porsá *nd* just: **dielli ~ kishte dalë** the sun had just appeared ♦ *ldh:* **~ të arrish na njofto** let us know immediately after you arrive

porsé *ldh* but: **jo vetëm që, ~** not only…, but also…

porsí *ldh* like: **~ pasqyrë** like a mirror

port, -i *m* port; harbour: **~ i lirë** free port

portatív, -e *mb* portable *(instruments)*

pórt/ë, -a *f* gate/ door-way; entrance; passageway; *sp* goal, wicket; *tk* port: **~ë e pasme** back door; **~ë ajrimi** air lock; **mbroj ~ën** keep the goal; **~ paralele** *tk* parallel port ♦ **~iér, -i** *m* doorman; doorkeeper; *sp* (goal)keeper

portofól, -i *m* wallet; portfolio: **ministër pa ~** minister without portfolio

portoká/ll, -lli *m bt* orange (tree, fruit): **lëkurë ~i** orange skin/ zest/ peel; **lëng ~lli** orange juice ♦ **~llí, -e** *mb* orange *(colour)*

portollámb/ë, -a *f* lamp-holder/ socket

portorik:án, -e *mb* Puerto Rican ♦ **~án, -i** *m* Puerto Rican ♦ **P~o, -ja** *f gjg* Puerto Rico

portrét, -i *m* portrait ♦ **~íst, -i** *m* portrait-painter ♦ **~izím, -i** *m* portraying; representation; depiction

♦ **~izóhem** *ps* ♦ **~iz/ój** *kl lt* portray; represent; depict

portug:éz, -e *mb* Portuguese ♦ **~, -i** *m* Portuguese ♦ **P~alí, -a** *f gjg* Portugal ♦ **~alísht** *nd* in Portuguese ♦ **~alísht/e, -ja** *f* Portuguese

posá *nd* just: **~ doli** he just left ♦ *ldh:* **më thuaj ~ ta shohësh** tell me immediately after you see him; **~ nuk e dashke** since you do not want it

posáç/ëm (i), -me (e) *mb* specific *(order, etc.);* special: **e drejtë e ~me** prerogative; **gjyq i ~ëm** special tribunal; **i dërguar i ~ëm** special envoy ♦ **~ërísht** *nd:* **jam ~ i kënaqur që** I am especially pleased that

posí *pj:* **të kujtohet? - ~!** do you remember it? - yes, certainly; of course I do; **~i, me gjithë mend e ke?** are you really serious? ♦ *ldh:* **ishin ~ motra** they were like sisters

post, -i *m* position; post: **~ i kryetarit** the position of the chairman

post:ár, -e *mb* postal: **vulë ~e** post-mark ♦ **~/ë, -a¹** *f* post(-office); mail; **~ë ajrore** air mail; **~ë e paguar** postage paid; **pullë ~e** postage stamp; **i ngjitem si pullë ~e dikujt** stick to sb like a burr/ like mud

póst/ë, -a² *f ush* post; stand: **~ë vëzhgimi** observation post

postë:bllő/k, -u *m* check-point; turnpike *(on a motorway)* ♦ **~rój/ë, -a** *f ush* watch point; guard duty

postë-telegráf, -i *m* post and telegraph service ♦ **~-telekomunikación, -i** *m* post and telecommunications

post:iér, -i *m* postman *(sh–men)* ♦ **~ím, -i** *m* posting; mailing

postimpresion:íst, -e *mb, em art* post-impressionist ♦ **~íz/ëm, -mi** *m art* post-impressionism;

postíq/e, -ja *f* (dried sheep)skin: **ia bëj lëkurën ~e** dust sb's coat

postmodern:íst, -e *mb art* post-modernist ♦ **~íz/ëm, -mi** *m art* post-modernism;

post/óhet *ps* ♦ **~ój** *kl* post; mail

pósht:ë *nd* low; down; (here)under; below; in the following; beneath; underneath: **zbrit ~** come down(tairs); **pak më ~** further down; a little lower; **kthej me kokë ~** turn head down; **bie ~** fall down; get worse; lie low; lie down to sleep; **~ e më ~** from bad to worse; **e hedh ~ diçka** turn sth down; reject sth; **me kokë ~** headfirst; humiliated; chapfallen ♦ *prfj (vend):* **~ tryezës** under the table; *(drejtim)* down; **zbres ~ lumit** go downstream ♦ *kllz:* **~ fashizmi!** down with fascism! ♦ **~/ëm (i), -me (e)** *mb* lower; nether *(region);* mean; wicked; inferior: **nofull e ~me** lower jaw; **rrjedha e ~me** the lower course (of the river) ♦ **~tër (i, e)** *mb* mean; ignoble; infamous; vile; evil; nefarious: **mos u bëj i ~!** don't be mean! ♦ **~ërím, -i** *m*

humiliation; snub(bing); vilification; opprobrium ♦ **~ër/óhem** *vtv, ps* ♦ **~erój** *kl* humiliate; snub; vilify: **~oj veten** debase oneself ♦ **~ërsí, -a** *f* meanness; viciousness; ignobleness; infamy: **kjo është ~** this is a mean trick ♦ **~ërsísht** *nd* meanly; viciously ♦ **~ërúar (i, e)** *mb* humiliated; snubbed ♦ **~ërúes, -e** *mb* humiliating; opprobrious

poshtë:shëním, -i *m* footnote ♦ **~shënúar (i, e)** *mb* hereunder ♦ **~shkrím, -i** *m* postscript

potás, -i *m km* potassium

potenciál, -i *m fz* potential; capacity; strength ♦ **~, -e** *mb:* **energji ~e** potential energy

potér/e, -ja *f bs* noise; din; row; ado ♦ **~exhí, -u** *m bs* rough (noisy) person ♦ **~sh/ëm (i), -me (e)** *mb* noisy; rowdy; roistering

potk/úa, -ói *m* horse-shoe: **lë ~onjtë** *bs* kick the bucket

potpurí, -a *f mz* pot-pourri *(of songs and dances)*

pothúaj *nd, pj* almost; nearly: **~ të gjithë** almost everyone ♦ **~sé** *nd* nearly; almost; just about: **~ arritëm** we're almost there ♦ *pj:* **është ~ si kjo/ ky** it is more or less like this

póz/ë, -a *f* pose; exposure; *fg* posture: **marr/ nxjerr një ~ë** take a snapshot; **film me 36 ~a** 36 exposure film

pozi:ción, -i *m* position; stand; *fg* post: **mbaj një ~ të prerë** adopt a clear-cut stand ♦ **~t/ë, -a** *f* position; post; rank; stand; standing; attitude, stance: **~ë gjeografike** geographical position; **~ë shoqërore** social standing; **ngre në ~ë dikë** promote sb to a high post

pozitív/e, -ja *f* positive; good aspect ♦ **~, -i** *m el* positive/ plus pole ♦ **~, -e** *mb* affirmative *(answer);* positive; favourable *(influence);* plus *(sign)* ♦ **~íst, -i** *m fil* positivist ♦ **~ivíst, -e** *mb fil* positivist(ic) ♦ **~ísht** *nd* positively; in the positive; *fz* with a positive charge ♦ **~íz/ëm, -mi** *m fil* positivism

pozitrón, -i *m fz* positron

pozój *jkl* pose *(for sb)*

pra *nd* so; then: **~, u morëm vesh** so we're agreed ♦ *pj:* **mjaft, ~!** stop it!

pra/g, -gu *m* (door)step; threshold; bank *(of snow);* bridge *(of the violin, etc.);* *fg* barrier; window-sill; *fg* eve, threshold: **në ~ të Vitit të Ri** on New Year's eve; **në ~ të luftës** on the verge of war

pragmat:ík, -e *mb* pragmatic ♦ **~íst, -i** *m* pragmatist; follower of pragmatism ♦ **~íst, -e** *mb* pragmatic(al); pragmatist ♦ **~íz/ëm, -mi** *m fil* pragmatism

praj *jkl, kl* stop; cease: **~ti era** the wind died down ♦ **~/ë, -a** *f* rest; break; lull

prakticíz/ëm, -mi *m* practicality; practicalness

praktík, -e *mb* practical; handy; useful; concrete: **mjet ~** a handy tool; **dobi ~e** expediency; **kurs ~** practice course ♦ **~ánt, -i** *m* apprentice; trainee ♦ **~/ë, -a** *f* practice; experience; habit; method;

practice course; file, dossier: **anë ~e** practicality; **~ë zyrtare** red-tape; **kam ~ë** be experienced; **~ë e punës** work habits; **e di nga ~a** know sth from experience ♦ **~ísht** *nd*/in practice ♦ *p*/in fact; actually ♦ **~lóhem** *vtv, ps* ♦ **~lój** *k*/train; practice; *am* practise: **~oj veshin** train one's ear; **~oj sportin** go in for sports

pramatár, -i *m* peddler; huckster

prandáj *nd:* **~ s'dashke ti!** I see why you are not willing ♦ *ldh* that is why

pránë *nd* near; close(ly): **aty ~** nearby; **fare ~/ ~ e ~** quite close/ close; **afrohu më ~** come closer; **e ndiej ~ dikë** feel close to sb; be closely attached to sb ♦ *prfj:* **~ shtëpise** close to the house

pránga, -t *f sh* shackles; irons; fetters; *fg* bonds: **i vë/ hedh ~t dikujt** shackle sb; snap the shackles on sb`

praní, -a *f* presence: **në ~në e tij** in his presence

pran:ím, -i *m* admission *(to hospital, to a party, to a school, etc.);* acceptance *(of an invitation, etc.);* acknowledgement *(of defeat, etc.):* **biletë ~i** admission ticket; ♦ **~ísh/ëm, -mi (i)** *m* present: **të gjithë të ~mit** all those present *(in an event)* ♦ **~ísh/ëm (i), -me (e)** *mb* present: **jam i ~ëm** be present *(at, in)* ♦ **~lóhem** *ps* ♦ **~lój** *kl* accept, take *(an invitation, etc.);* acknowledge *(a fault);* confess *(a crime);* admit *(to hospital, etc.);* v iii tolerate: **~oj me kënaqësi** accept with pleasure; have the pleasure to accept; **ai nuk ~oi të vinte** he declined to come; **e ~oj se ke të drejtë** I admit you are right ♦ *jkl* accept; be willing: **~oj për partner** take (in) as partner; **~on, s'~on, do të vish** willy-nilly, you should come ♦ **~úar (i, e)** *mb* accepted; admitted; acknowledged *(fact):* **e vërtetë e ~** *(generally)* accepted truth ♦ **~úesh/ ëm (i), -me (e)** *mb* acceptable; admissible; fair

pranvér/ë, -a *f* springtime/ -tide; *fg* prime *(of life); fg* dawn; beginning: **~ë e vonuar** belated spring; **me një lule s'vjen ~a** *fj u* one swallow does not make a summer; **lule ~e** *bt* primrose ♦ **~ór, -e** *mb* spring *(mb);* vernal

prápa *nd* behind; back; backwards; at/ on the back; after(wards); *(to go)* slow; later: **bëj ~** draw back; back down; **i bie ~ dikujt** look after sb; follow sb's example; **ç'í bie ~ atij!** do not heed him!; **më shkon ~ ora** my watch is slow; **jam ~ me pagesën** be behind with one's payments; **nesër e ~** from tomorrow thereafter; **i bie mendjes ~** think twice; **rri ~** stay behind ♦ *mb* back; rear *(mb)* : **në pjesën ~ të shtëpise** at the back(part) of the house ♦ *prfj* behind; beyond; after: **~ meje** behind me; after me; **~ kokës** at the back of the head; **~ malit** beyond the mountain; **~ perdes** behind the scenes

prapa:kthéhu *psth* about turn ♦ *em* about-turn; U-turn: **bëj një ~** perform an about-turn ♦ **~kthím,**

-i *m* about-turn; withdrawal; retreat ♦ **~mbétës, -i** *m* laggard; backward ♦ **~mbétj/e, -a** *f* backwardness; lagging behind ♦ **~mbétur, -i (i)** *m* laggard; backward ♦ **~mbétur, -a (e)** *f* (të) arrears; backlog ♦ **~mbétur (i, e)** *mb* backward; behind the time; outstanding *(liabilities);* overdue *(payment);* undeveloped *(region)* ♦ **~mendím, -i** *m* hindsight; bias against

prapa:níc/ë, -a *f bs* behind; seat; hunkers; bum ♦ **~ník, -u** *m* laggard; *bs* old fogy; square toes ♦ **~ník, -e** *mb* backward; outdated ♦ **~ník/e, -ja** *f* backwardness; *bs* behind; buttocks

práparój/ë, -a *f ush* rearguard; rear: **vij me ~ën** bring up the rear ♦ **~skén/ë, -a** *f tt* backstage; *fg* behind the scenes ♦ **~shtés/ë, -a** *f gjh* suffix ♦ **~veprím, -i** *m* retroaction; after-effect: **ligj me ~** retroactive law ♦ **~veprúes, -e** *mb dr* retroactive *(power of a law)* ♦ **~víj/ë, -a** *f ush* rearguard; back-area

práp/ë, -a (e) *f* (të) back; verso; mischief; misfortune: **e ~a e thikës** the back of the knife; **e ~a e librit** the back-cover of the book ♦ **~lë (i, e)** *mb bs* back; vicious *(animal);* rough *(going, sea, country);* adverse; unfavourable; mischievous; untoward; bad *(wind);* rough; unpleasant *(words):* **ana e ~ e** the back of; the backside of; **njeri i ~** an ugly customer; tough guy ♦ **~ë[1]** *nd* backwards; inside out: **e kthej ~** turn inside out; order sb back; **i marr fjalët ~** take back one's words; **i bie vendit mbarë e ~** criss-cross a country

prápë[2] *nd bs* (once) again; nevertheless; yet; still: **vij ~** come again! **~ ti!** you again!

prapërseprápë *nd* still; yet; nevertheless: **~ ti do ta bësh** you'll do it, regardless

prapësí, -a *f* mischief; naughtiness; misfortune; bad luck: **~të e fëmijës** the mischievous tricks of a child; **~të e fatit** the reverses of fortune

prapës:ím, -i *m* repulsion; rejection; turning down; back-tracking; *dr* countermand: **~ i vendimit** reversal of a decision ♦ **~lóhem** *vtv* withdraw; back out/ down/ off; make mischief; negate; backtrack; deny *(a statement); ps* : **~ohem disa hapa** take a few steps back ♦ **~lój** *kl* repel *(an attack);* force back *(an assailant);* cancel *(a trip, etc.);* withdraw *(a word);* override, countermand *(an order)* ♦ *jkl fg* fall behind; lag behind; backtrack

práp:i (së) *nd* inside out: **i vesh rrobat së ~** put the clothes on inside out ♦ **~m/ë (i), -me (e)** *mb* back; reverse; rear; hind: **ana e ~e e medaljes** the reverse of the medal; **dera e ~e** the back door; **këmbë e ~e** hind leg *(of an animal)* ♦ **~lóhem** *vtv bs* capsize; turn back; *ps* ♦ **~lój** *kl bs* turn over; turn inside out; drive back; pull back ♦ **~s** *kl* repel; push back; drive back *(an attack)* ♦ **~sem** *vtv* step back; be driven back; *ps* ♦ **~/ëm (i), -me (e)** *mb* back; reverse; last: **në çastin e ~ëm** at the last moment ♦ **~tas** *nd* back; backwards; on the reverse: **eci ~** walk backwards; **bie ~** fall on one's back ♦ **~thi (së)** *nd* back; back to front: **kthej së ~** turn inside out; turn backside up

prar:ím, -i *m* gilding; gold-plating ♦ **~lóhet** *vtv, ps* : **iu ~ua fytyra** his face was beaming ♦ **~lój** *kl* gild; gold-plate ♦ *jkl v iii fg* shine; beam; glitter; *fg* elevate; exalt

pras, -i *m bt* leek

prashít *kl* hoe; earth up *(a plant)* ♦ *jkl bs* chatter away; rattle on: **~ mbarë e prapë** talk through one's head; talk without rhyme or reason ♦ **~ít/et** *vtv, pvt, ps* ♦ **~ítës, -i** *m* hoer ♦ **~ítës, -e** *mb* hoeing *(machine)*

pre, -ja *f* prey; victim: **bie ~** be captured; fall a victim; **~ e një zakoni** slave to a custom

precedént, -i *m* precedent: **ngjarje pa ~** unprecedented event

precipit:át, -i *m km* precipitate ♦ **~ím, -i** *m km* precipitation; precipitate ♦ **~lón** *jkl, kl* **-ói, -úar** *km* precipitate

predik:ím, -i *m* preaching; preachment; sermon ♦ **predikóhet** *vtv, ps* ♦ **~lój** *kl, jkl* preach; *kq* moralise ♦ **~úes, -i** *m* preacher ♦ **~úes, -e** *mb* preaching *(mb)*

prédh/ë, -a *f ush* projectile; missile; shell; shot: **~ë artilerie** artillery shell; **nisem si ~ë** go off like a shot

prefékt, -i *m* prefect ♦ **~úr/ë, -a** *f* prefecture; prefectureship

prefer/ój *kl* prefer ♦ **~úar (i, e)** *mb* favourite; favoured ♦ **~úesh/ëm (i), -me (e)** *mb* prefer(r)able

préfës/e, -ja *f (pencil)* sharpener

préh/em *vtv* rest; *v iii tll* lie about; *v iii fg* lie; rest *(of sb's remains)*: **këtu ~et** here rests/ lies; **~em mbi dafina** rest on one's laurels

préh/ër, -ri *m* lap; lapful (of); *fg* bosom; hearth: **në ~ër të familjes** in the midst of one's family; **ia lë kopilin në ~hër dikujt** lay the blame at sb's door

préhj/e, -a *f* rest: **s'gjej ~e** find no peace; feel restless

prej *prfj* from; out of; of; by; for; since; on; with: **~ fillimit në mbarim** from beginning to end; **~ kohësh** for a long time; **~ sot e tutje** from today on; beginning from today; **çantë (~) lëkure** leather bag; **disa ~ tyre** some of them; **~ frikës** out of fear; **kushëri ~ nëne** cousin related on mother's side; **me shpejtësi ~ 50 km në orë** at a speed of 50 km per hour; **nënshkruar ~** singed by; **nuk e kam parë ~ vitesh** I haven't seen him for ages; **zë ~ fyti dikë** catch sb by the throat; **zgjohem ~ gjumit** wake from sleep ♦ *ldh* from which

prej:árdhj/e, -a *f* origin; descent; lineage; *gjh* derivation: **~a e njeriut** the origin of man ♦ **~árdhur (i, e)** *mb* derivative; derived: **trajtë e ~ nga** form derived from

prek *kl* touch (up) *(a writing)*; *fg* move; stir *(sb's feelings)*; *v iii* affect; *v iii fg* be connected with/ affected by/ infected by; *fg* dwell lightly on *(a question)*; mention; *fg* encroach; violate: **mos e ~!** do not touch it; **s'dua ta ~ as me mashë** I would not touch it with a barge pole; **i ~ pulsin dikujt** feel sb's pulse; **~ të drejtat e dikujt** encroach on sb's right; **histori që të ~** a moving story; **e ~ në tela dikë** touch a cord in sb ♦ *jkl* touch; graze; reach *(up, down)*: **dega ~ përdhe** the branch reaches down to the ground ♦ **~atár, -e** *mb* tactful; moving; soul-stirring ♦ **~em** *vtv* be touched; be moved; be stirred *(by sth)*; be offended; take offence; take umbrage at; be infected *(by a disease)*; *ps* e **prek**

prék/ël, -la *f zl* feeler; antenna; *mz* key *(of a piano, etc.)* ♦ **~ës, -e** *mb* tactile; *fg* touching, moving, soul-stirring ♦ **~j/e, -a** *f* touch(ing); contact ♦ **~sh/ëm (i), -me (e)** *mb* tangible; palpable; vulnerable; *fg* touchy, sensitive, umbrageous; *fg* moving; soul-stirring; *fg* substantial *(change)*: **ka një pikë të ~shme** he has a vulnerable spot; **jam shumë i ~shëm për diçka** be very touchy about sth; **me fjalë të ~shme** with soul-stirring words ♦ **~shmërí, -a** *f* tangibility; vulnerability ♦ **~ur, -it (të)** *as* touch; tactility: **shqisa e të p~it** the sense of touch ♦ **~ur (i, e)** *mb* affected *(by tuberculosis)*; *fg* touched; moved; *fg* offended: **i ~ në sedër** piqued

prelat, -i *m ft* prelate

prelúd, -i *m mz* prelude

premiér/ë, -a *f* premiere; first night

premís/ë, -a *f* premise

prémt/e, -ja (e) *f* Friday: **e P~ja e Madhe/ Zezë** *ft* Good/ Easter Friday

premt:ím, -i *m* promise: **~e në erë** vain promises; **mbaj ~in** keep/ live up one's promise; deliver according to promise; **shkel ~in** go back on one's promise ♦ **~lój** *kl* promise; pledge ♦ *jkl* promise: **ai djalë ~on shumë** he is a very promising young man; **a na ~on koha të...?** do we have enough time to...? ♦ **~úes, -e** *mb* promising *(start)*

prepotén:c/ë, -a *f* arrogance; prepotency; haughtiness; domineering conduct ♦ **~t, -e** *mb* arrogant; haughty ♦ *em* arrogant person; bully

prér/ë, -a (e) *f (të)* cut; notch; throes, travail, labour *(of woman in childbirth)*; pain, stab, twinge, gripe(s); *sp* spin: **i jap të ~ë topit** give spin to the ball ♦ **~rë, -t (të)** *as* short-cut ♦ **~r/ë (i, e)** *mb* cut; sliced; chopped *(wood)*; felled *(timber)*; mown *(lawn)*; amputated *(limb)*; truncated *(cone, etc.)*; thin; sharp, haggard *(look)*; terse, stern *(tone)*; categorical, flat *(refusal)*; final *(decision)*; cut-and-dry *(answer)*; foursquare *(attitude)*; *sp* spinning *(ball)*; curdled, (turned) sour *(milk)*; adulterated *(wine);* weak, feeble, disheartened: **bukë e ~ hollë** thin-sliced bread; **flokë të ~ shkurt** close-cropped hair; **me fytyrë të ~** with a haggard face; **tregohem i ~** be stern ♦ **~rë** *nd* curtly; clearly; in a clear-cut manner; **flas ~** speak curtly; **dallohet ~** be distinguished clearly; across ♦ **~rës, -i** *m* cutter; *tk* cutting machine; *an* cutting tooth, incisor: **~ xhami** glass cutter ♦ **~rës, -e** *mb* cutting *(mb); gjm* intersecting *(line):* **teh ~** cutting edge; sharp; **dhëmbët ~** *ant* incisors; cutting teeth ♦ **~rës/e, -ja** *f fm* e ~**rës, -i;** *tk* cutting machine; cutter ♦ **~rj/e, -a** *f* cut(ting); tailoring; break; interruption; gash; pain, stab; felling *(of wood):* **~e e ushqimit** *el* a break in the mains; **~e e rrogës** suspension of pay; **qep ~et** stitch the cuts; **~e të forta të barkut** gripes; **~et e lindjes** travail; labours of childbirth; **~e ballore/ horizontale** front/ top view ♦ **~/s¹** *kl* cut; chop; amputate *(a limb);* gash *(one's chin, etc.); bs* slaughter *(an animal); v iii* cut into; tailor *(a dress);* separate, intercept; mint *(coins, money);* issue, give *(a ticket, a receipt);* head off *(a horse); fg* backchat; answer back; interrupt rudely; *fg* stop, give up *(a habit);* curdle, turn *(milk); fg* go back on *(one's word);* betray; *v iii fg* lash; freeze; *bs* fix; decide: **~s anët e** crop the edges of; **~s shkurt flokët** close-crop one's hair; cut one's hair short; **i ~ gjobë dikujt?** give sb a fine?; **ia ~s fjalën në mes dikujt** interrupt sb in the middle of his speech; **mos, - ia ~u ai** don't, - he snapped; **~s ditën e takimit** fix a day for an appointment; **më priste era fytyrën** the wind was lashing my face; **ia ~s rrogën dikujt** discontinue sb's pay; **ia ~s oreksin dikujt** put sb off his food; **më ~u për të ngrënë** I am very hungry; **nuk na ~u për ty** we did not miss you much; **e ~s gojën** remain tongue-tied; lose one's speech; **~s gozhdë/ thumba** be stiff with cold; **e ~s kokën!** I bet my life *(on it)!;* **ia ka ~rë kokën së ëmës** she is the spitting image of her mother; **~s para të madhe** make big money ♦ *jkl v iii* cut; *bs* cut across; *bs* turn *(right, left); bs* grasp, understand; *bs* need badly; miss very much; be itching for *v iii fg* feel a stabbing pain: **~s shkurt** take the short cut; **kjo thikë nuk ~t mirë** this knife is a bad cutter; **më ~t në shpatull** have a lancing pain in the shoulder; **~s thela-thela** slice; **nuk ma priste mendja se** I could not imagine that; I did not expect that; **ta ~t mendja** sure; certainly; it is close to reason; it goes without saying; **më ~t gjuha brisk** have a sharp tongue; **vras e ~s** kill wholesale

pr/es² *kl* wait (for); *v iii* be ready; catch *(the ball);* receive; meet; welcome; *v iii* require: **më ~it!** wait for me!; **çështja ~et zgjidhje** the question requires a solution; **~es rastin** wait for a good opportunity; **ajo ~et fëmijë** she is expecting a child;

e ~isja këtë *bs* I saw it coming; **e ~iti penalltinë** he saved the penalty; **~es miq** receive guests ♦ *jkl* wait; be patient; forbear: **~it, mos u ngut!** be patient, don't hurry! **~es me padurim** wait impatiently; **e lë dikë të ~esë** keep sb waiting; **nuk ~et** it brooks no delay; **ç'~et prej tij?** what can you expect of him?; **~es e përcjell** keep open house ♦ *pj:* **~it ta shoh pak** let me see it

prés/ë, -a¹ *f* cutting edge: **thikë me dy ~a** a double-edged knife

prés/ë, -a² *f tk* press(ing machine)

presid:énc/ë, -a *f* chairmanship; cabinet of the president ♦ **~enciál, -e** *mb* presidential ♦ **~ént, -i** *m* president; chairman; head of state ♦ **~iúm, -i** *m* chairmanship; presidency

pres:ím, -i *m tk:* **makinë ~i** pressing machine ♦ **~ión, -i** *m* pressure: **~i i gjakut** blood pressure; **bëj ~** bring pressure to bear on

présj/e, -a *f gjh* comma

pres: óhet *ps* ♦ **~/ój** *kl tk* press: **~oj kashtën në dengje** bail straw

prestár, -i *m* tailor ♦ **~í, -a** *f* tailoring

prestidigjitatór, -i *m* conjuror

prestígj, -i *m* prestige

presh, -i *m bt* leak: **e kap me ~ në duar dikë** catch sb red-handed ♦ **~t/ë (i, e)** *mb* thistle-green

pretékst, -i *m* excuse; pretext

preténc/ë, -a *f dr* public prosecutor's speech

pretend:ént, -i *m shih* **pretendues, -i** ♦ **~ím, -i** *m* pretence; pretext; claim ♦ **~/óhet** *ps, pvt* ♦ **~/ój** *kl* pretend; claim ♦ **~úes, -i** *m* pretender; claimant; suitor: **~ i fronit** the claimant to the throne ♦ **~úes, -e** *mb* claimant; pretending *(mb)*

pret:ím, -i *m* depredation; looting ♦ **~/óhem** *ps* ♦ **~/ój** *kl* depredate; loot

prevedé, -ja *f gjell* fruit-jelly

preventív, -i *m fn* estimate; quotation

preventív, -e *mb mk* preventive *(therapy, measure)*

preventiv/ój *kl fn* estimate; quote; make an estimate; make a quotation

prift, -i *m* priest; king *(in playing card):* **shurugoj ~ dikë** ordain sb a priest ♦ **~ërésh/ë, -a** *f* priest's wife; *ft* priestess ♦ **~ërí, -a** *f prmb* clergy; priesthood ♦ **~ërór, -e** *mb* priestly; sacerdotal

prí/hem *vtv, ps* ♦ **~/j** *kl, jkl* lead; show the way; give leadership; *v iii* be preceded/ opened by; guide; *v iii fg* do good; be beneficial; have luck: **më ~j** show me the way; **i ~n klima e detit** the sea climate is good for him ♦ **~ës, -i** *m* guide; leader

prík/ë, -a *f* dowry

prill, -i *m* April

primát, -i *m ft* primate

príme, -t *m sh* popular medicines; healing; *vj* charm; amulet

primitív, -e *mb* primitive: **vegël ~e** rough tool ♦ **~íz/ëm, -mi** *m* primitivism

princ, -i *m* prince: ~ **trashëgimtar** crown prince ♦ **~ésh/ë, -a** *f* princess ♦ **~ërór, -e** *mb* princely: **jetë ~e** fabulous/ princely life ♦ **~ipát/ë, -a** *f* principality; princedom ♦ **~ór, -e** *mb shih* **princëror**

prind, -i *m* parent(s); *sh* ancestors ♦ **~ërór, -e** *mb* parental; parent-like *(care, love):* **vatër ~e** ancestral home

print:ér/i, -ë, -ët printer: ~ **me lazer** laser printer ♦ **~ím, -i** *m* printing ♦ **~lóhet** *ps* ♦ **~lój** *kl* print *(a document)*

prír/em *vtv* lean; *fg* be inclined/ disposed/ prone *(to); fg* side with: **~em në dritare** lean out of the window; **~em nga e mira** be well-disposed; be kindly inclined ♦ **~ët (i, e)** *mb* steep; inclined; tilted; leaning *(to a side)* ♦ **~j/e, -a** *f* siding *(with sb);* tilt; inclination; calling, vocation; tendency: **~a e tregut sot** the run of the market today

prish *kl* destroy; demolish; undo *(one's hair, etc.);* damage, harm; *fg* upset; thwart *(sb's plans);* do, card *(wool);* erase, cross out, delete *(a word);* consume; waste; *fg* mar, corrupt, vitiate; *fg* pamper, spoil *(a child);* distort *(one's face);* spend *(money); bs* change *(a banknote);* undo; *fg* break *(an engagement);* annul; repeal *(a decision);* break *(a rule);* disturb *(peace);* upset *(the balance); fg* annoy; *bs* deflower *(a virgin):* ~ **shtëpinë nga themelet** raze a house to the ground; ~ **orën** break a clock; ~ **bukurinë** mar the beauty; ~ **gjuhën** corrupt one's language; ~ **fytyrën** make a wry face; **më ~ planet** it upsets my plans; **i ~ fjalët me dikë** bandy words with sb; fall out with sb; **ia ~ gjakun dikujt** curdle sb's blood; **ia ~ nervat dikujt** shatter sb's nerves; **s'~ punë** it doesn't matter; it's no trouble ♦ **~/em** *vtv, ps:* **u ~ çatia** the roof fell in; **u ~ makina** the car broke down; **u ~ gjithë vendi** the whole country is lying in ruins; **m'u ~ën dhëmbët** my teeth are rotten; **u ~ mishi** the meat has gone bad; **~em në fytyrë** pull a wry face; make an acrid face; **më ~et qejfi** be displeased/ upset; **nuk u ~ bota** *bs* it is not the end of the world; **më ~et gjaku** be scared; **më ~et mendja** be confused; change one's mind; **~em nga mendtë** become mad; **m'u ~ puna!** I don't care ♦ **~ës, -i** *m* demolisher; waster; wastrel; spendthrift; law-breaker ♦ **~ës, -e** *mb* wasteful; thriftless; prodigal ♦ **~j/e, -a** *f* ruin(ation); destruction; rot; damage; *bs* thriftless spending: **i erdhi ~ja botës** it's the end of the world ♦ **~ur (i, e)** *mb* ruined; destroyed; sour, wry *(face);* rotten *(tooth);* bad *(meat);* turned *(milk);* rancid *(butter);* deranged, distraught *(mind);* broken down *(engine); bs* carded *(wool); fg* disfigured; defaced *(scenery):* **i ~ mendsh** deranged *(person);* **me fytyrë të ~** with a churlish look; **gramafon i ~** *bs* chatterbox ♦ **~ura, -t (të)** *f sh* expenditure; expense; small change: **s'kam të ~**

I have no small change

príta *kr thj e* **pres²**

príte/m¹ préva (u), prérë *vtv* cut/ gash oneself; be wounded/ injured; *v iii bs* cease; *v iii* turn *(of milk); v iii bs* fail; be discouraged/ downhearted; *ps:* **~m me brisk** cut oneself with the razor; **u pre uji i çezmës** the tap-water was cut; **më ~t zëri** my voice failed; **~m në fytyrë** change colour; turn pale

prít/em² *pvt, ps:* **siç ~ej** as was expected

prít/ë, -a¹ *f* dam; hurdle; barrage; barrier

prít/ë, -a² *f* ambush; trap; ambush party

prít:ës, -e *mb* hospitable *(person);* recipient; reception; receiving *(end); trg* consignee; host: **pala ~e** the host; the receiving party; **vendi ~ës** the host country ♦ **~j/e, -a** *f* expectation; waiting; reception; welcome; *sp* save: **listë e ~es** waiting list; **sallë e ~es** waiting room; **~e zyrtare** official reception

prítje-përcjéllj/e, -a *f* visitors

prít:m/e, -ja (e) *f* future; to-be; expected ♦ **~mërí, -a** *f shih* **pritshmëri, -a** ♦ **~sh/ëm (i), -me (e)** *mb* expected; future; hospitable *(person):* **përfundimet e ~e** expected results; exit polls *(of an election)* ♦ **~shmërí, -a** *f* expectancy; passiveness; abeyance *(of a law)*

privát, -i *m* private owner ♦ **~, -e** *mb ek* private; privately-owned; unofficial; off-the-record *(comment);* privy *(council);* secret *(life, affair):* **vizitë ~e** private/ unofficial visit; **person ~** *dr* private person/ entity ♦ **~ísht** *nd* privately; individually; in private: **~ e në mirëbesim** private and confidential ♦ **~izím, -i** *m* privatisation ♦ **~iz/óhet** *ps* ♦ **~iz/ój** *kl* privatise ♦ **~izúar (i, e)** *mb* privatised

privilégj, -i *m* privilege ♦ **~lóhem** *ps* ♦ **~lój** *kl* privilege; grant a privilege ♦ **~úar (i, e)** *mb* privileged: **status i vendit më të ~** the most favoured nation status

príz/ë, -a *f* plug; *el* socket: **~ë e ushqimit** the mains (socket); **~a e telefonit** (telephone) jack; **vë në ~ë** plug in; connect to the mains

príz/ëm, -mi *m* prism: **nën ~in e** from the angle of

pro *nd* pro; in favour: **votoj ~** vote in favour *(of a bill)* ♦ *prfj:* ~ **nesh** for us; in our favour

probabilitét, -i *m* probability; *bs* chance

problém, -i *m mt* problem; difficulty; question; matter: **zgjidh një ~** solve a problem; **~ anësor** side issue; **e bëj ~ diçka** make an issue/ a problem of sth ♦ **~atík, -e** *mb* problematic(al); difficult: **çështje ~e** a problem issue ♦ **~atík/ë, -a** *f* problems; themes; issues; items ♦ **~/ë, -a** *f mt* problem ♦ **~ór, -e** *mb:* **artikull ~** problem (topical) article

proced:ím, -i *m* procedure ♦ **~lóhem** *ps* ♦ **~lój** *kl* proceed; carry on: **~oj me kujdes** proceed carefully ♦ *kl dr* proceed against *(sb);* take proceedings against *(sb)* ♦ **~úr/ë, -a** *f* procedure; system: **kodi i ~ës civile** code of civil procedure

procés, -i *m* process; course; *dr* trial; (court) proceedings

procesverbál, -i *m* minutes *(of a meeting);* transactions *(of an association)*

próçk/ë, -a *f kq* blunder; bloomer

prodúkt, -i *m* product; produce; *fg* product; endresult; outcome ♦ **~ív, -e** *mb* productive; fruitful; fertile ♦ **~ivitét, -i** *m* productivity; fertility

prodh:ím, -i *m* production; manufacture; product: **~e të konsumit** consumer products; **~ i vitit 1940** 1940 vintage *(car etc.)* ♦ **~imtár, -e** *mb* productive; fertile; high-yielding *(tree);* prolific *(writer)* ♦ **~imtarí, -a** *f* productivity; yield ♦ **~lóhet** *ps* ♦ **~lój** *kl* produce; manufacture; yield; give; create *(a work of art)* ♦ **~úes, -i** *m* producer; manufacturer ♦ **~úes, -e** *mb* productive; fertile; prolific *(writer):* **vende ~e të naftës** oil producing countries

profán, -e *mb* profane; secular *(literature)*

profecí, -a *f* prophesy; prediction

profesión, -i *m* profession; trade: **mësoj një ~** acquire a profession; **ushtroj një ~** exercise a profession; plough one's trade ♦ **~ál, -e** *mb* professional; vocational: **sëmundje ~e** professional disease; **shkollë ~e** vocational school; **bashkime ~e** trade-unions ♦ **~íst, -i** *m* professional ♦ **~íst, -e** *mb* professional: **teatër ~** professional theatre

profesór, -i *m* professor; *bs* teacher: **titulli i ~it** professorship; **~ kujdestar** form tutor ♦ **~ésh/ë, -a** *f bs fm* e **profesor, -i**

profét, -i *m* prophet ♦ **~ík, -e** *mb* prophetic; vatic ♦ **~iz/ój** *kl* prophecy; predict; forecast

profíl, -i *m* profile; contour: **fotografi në ~** profile photograph

profilak:sí, -a *f mk, vtr* prophylaxis *(sh -es)* ♦ **~tík, -e** *mb* prophylactic; preventive

profiliz:ím, -i *m* specialisation ♦ **~lóhem** *vtv* become specialised in ♦ **~lój** *kl* specialise

profk:atár, -i *m* blabber-mouth ♦ **~lë, -a** *f* pop-gun; *sh* gibberish; nonsense; balderdash

pro/g, -u *m sh* **prógje, prógjet** hobnail; tag

prognó:z/ë, -a *f* prognosis *(sh -es); (weather, etc.)* forecast ♦ **~stikím, -i** *m* prognostication; prognosis ♦ **~stik/ój** *kl* prognosticate; foretell

prográm, -i *m* program(me); platform; agenda *(of the meeting);* syllabus *(of the school);* bill *(of the show);* ticket *(of the party):* **~ i punës** work schedule; **~ i kompjuterit** computer program ♦ **~atík, -e** *mb* programmatic ♦ **~ím, -i** *m* programming; scheduling; planning ♦ **~lóhet** *ps* ♦ **~lój** *kl* program(me); schedule; plan: **~oj ditën e punës** plan the day's work ♦ **~úar (i, e)** *mb* programmed; scheduled; planned *(trip, etc.)*

progrés, -i *m* progress; advance ♦ **~ión, -i** *m (ar-*

ithmetical, geometrical) progression ♦ **~íst, -e** *mb* progressive; forward-looking ♦ **~ív, -e** *mb* progressive: **gjendje ~ e e sëmundjes** advanced stage of the disease

prohibición, -i *m* prohibition ♦ **~íst, -i** *m* prohibitionist; *bs* pussy-foot ♦ **~íst, -e** *mb* prohibitionist *(mb)*

projeksión, -i *m,* projection: **aparat i ~it** motion-picture projector; **~ me diapozitiv** slide projection

projékt, -i *m* project; plan; design; blue-print; draft *(of a document, of a law):* **~ i ndërtesës** the plan of a building; **~ bazë** bench-mark plan; **~ kryesor** master plan; **është në ~** it is on the pipeline ♦ **~tím, -i** *m* projection *(of a film, of an image);* design(ing); planning; **institut i ~it** design institute ♦ **~lóhet** *ps* ♦ **~lój** *kl gjm* project *(a point on a plane);* screen *(an image);* design *(a building, etc.);* plan ♦ **~ór, -i** *m* projector; floodlight; *ush* searchlight; cinema/ film projector ♦ **~úes, -i** *m* planner *(of a building);* designer ♦ **~, -e** *mb* designing *(institute);* projecting *(set)*

proklamát/ë, -a *f* proclamation

prokopí, -a *f bs* belonging(s); chattel; prosperity: **bëj ~** prosper, thrive

prokúr/ë, -a *f* power/ warrant of attorney: **~ë e përgjithshme** general power of attorney ♦ **~rór, -i** *m dr* attorney; public prosecutor: **~ i përgjithshëm** attorney general ♦ **~orí, -a** *f* attorneyship; public prosecutor's office

proletár, -i *m* proletarian ♦ **~, -e** *mb* proletarian: **kulturë ~e** proletarian/ working-class culture ♦ **~iát, -i** *m* proletariat

prológ, -u *m lt* prologue

promemóri/e, -a *f* memorandum *(sh -da)*

promotór, -i *m* promoter; organiser ♦ **~, -e** *mb* promoting

pronár, -i *m* owner; proprietor: **~ i shtëpisë** landlord ♦ **~ë, -a** *f* property; ownership; heritage; patrimony: **~ë private** private property; **~ë shtetërore** state/ public ownership; state-owned property ♦ **~ësí, -a** *f* ownership ♦ **~ór, -i** *m gjh* possessive pronoun ♦ **~ór, -e** *mb gjh* possessive *(pronoun)*

propagánd/ë, -a *f* propaganda; advertisement; promotion ♦ **~ím, -i** *m* propagation; promotion: **~i i librit** book promotion/ advertisement ♦ **~íst, -i** *m* propagandist; propagator ♦ **~istík, -e** *mb:* **veprimtari ~e** propaganda/ promotional activity ♦ **~lóhet** *ps* ♦ **~lój** *kl* propagate; advertise; promote: **~oj një prodhim të ri** advertise a new product

proporción, -i *m* proportion; scale; ratio: **në ~e të gjera** on a large scale ♦ **~ál, -e** *mb* proportional; proportionate

propoz:ím, -i *m* proposal; offer; bid; *sh bs* advances *(to a woman);* suggestion: **i bëj një ~ dikújt** *bs* to pop the question ♦ **~/óhem** *ps* ♦ **~/ój** *kl* propose; offer; recommend; put forward *(a candidate); bs* make advances *(to sb):* **~oj një zgjidhje** propose a solution; **~oj një çmim** quote/ offer a price ♦ **~úar (i, e)** *mb* proposed *(candidate):* **i ~ për çmimin Nobel** Nobel-prize candidate ♦ **~úes, -i** *m* proposer; bidder

prostát/ë, -a *f mk* prostate

prostitu:ción, -i *m* prostitution ♦ **~t/ë, -a** *f* prostitute

proshút/ë, -a *f gjll* ham: **~ë me vezë** ham and eggs

protagoníst, -i *m* protagonist *(of a play); fg* main character; leading figure

proteín/ë, -a *f* protein

protek:sioníst, -e *mb* protectionist ♦ **~sioníz/ëm, -mi** *m ek* protectionism ♦ **~torát, -i** *m* protectorate

protestánt, -i *m ft* Protestant ♦ **~, -e** *mb* Protestant ♦ **~ízm/ëm, -mi** *m* Protestantism

protést/ë, -a *f* protest(ation); remonstrance: **notë ~e** note of protest; **bëj një ~ë** lodge a protest; protest ♦ **~ím, -i** *m* protestation ♦ **~/ój** *kl* protest; raise an objection; remonstrate ♦ **~úes, -i** *m* protester ♦ **~úes, -e** *mb* protest *(mb);* protesting

protéz/ë, -a *f mk* prosthesis *(sh -es)*

protokóll, -i *m* protocol; ceremonial; register ♦ **~ár, -e** *mb* protocol *(mb);* formal: **pritje ~are** formal reception ♦ **~ím, -i** *m* recording; registering *(of documents)* ♦ **~íst, -i** *m* keeper of records; filing clerk ♦ **~/óhet** *ps* ♦ **~/ój** *kl* register; record; file *(a document);* protocol

protón, -i *m fz* proton

proto:plázm/ë, -a *f bl* protoplasm; cell-body ♦ **~típ, -i** *m* prototype ♦ **~tipík, -e** *mb* prototypical; prototypal

provérb, -i *m* proverb ♦ **~iál, -e** *mb* proverbial ♦ **~ór, -e** *mb* proverbial; of proverbs

próv/ë, -a *f* evidence; proof; sample; trial-piece; test, trial, experiment; try-out; *tt* rehearsal; ordeal, tribulation; *mat* proof, demonstration: **~ë lëndore** *dr* material evidence; **~ë laboratorike** laboratory test; **blej me ~ë** try and buy; **jam në ~ë** be on trial; **~ë me kostume** *tt* dress rehearsal; **bëj një ~ë** take a shot; have a try; **vë në ~ë dikë** test sb's mettle ♦ **~ëz, -a** *f km* test-tube ♦ **~ím, -i** *m* testing; trial; exam(ination): **~ pranimi** entrance examination; **jap një ~** sit an examination; **rrëzohem në ~** fail/ come a cropper in an examination; **rrëzoj në ~ dikë** flunk sb in an exam

provínc/ë, -a *f* province ♦ **~iál, -e** *mb* provincial ♦ **~iál, -i** *m* provincial; *bs* upcountry/ fresh-water man

provizór, -e *mb* provisional; make-shift: **qeveri ~e** provisional government; **zgjidhje ~e** make-shift arrangement

prov/óhem *vtv* match *(one's strength, etc. with sb);* put oneself to the test; *ps* ♦ **~/ój** *kl* prove; show; demonstrate; try, sample, taste *(food);* try on *(a suit);* try; test; examine *(a candidate);* attempt; experience: **~oj të kundërtën** show the opposite; **~oje pak** taste it; **~oje edhe një herë** make another attempt; give it another chance; **~oj mbi supe diçka** have personal experience of sth *(of sth unpleasant)*

provok:ación, -i *m* provocation ♦ **~atór, -i** *m* provocateur ♦ *mb* provoking ♦ **~ím, -i** *m* provocation; provoking ♦ **~/óhem** *ps* ♦ **~/ój** *kl* provoke; instigate; incite ♦ **~úes, -i** *m* provoker ♦ **~úes, -e** *mb* provoking; provocative: **vështrim ~** a provoking glance

prov:úar (i, e) *mb* tested *(friendship);* reliable; trustworthy; demonstrated, proved, proven *(thesis)* ♦ **~úes, -e** *mb* test *(flight)*

proz:aík, -e *mb* prosaic; *fg* matter-of-fact; commonplace; dull ♦ **~aíz/ëm, -mi** *m lt* prosaism; *sh lt* prose writing; prosiness ♦ **~atór, -i** *m* prose writer ♦ **~/ë, -a** *f* prose: **~ë poetike/ tregimtare** poetical/ narrative prose

prúra *kr thj e* **bie**[2]

prúrës, -i *m* bearer *(of a letter); mk* carrier *(of microbes)* ♦ *tk* feed-in mechanism ♦ **~j/e, -a** *f* bringing; bearing; carrying; *sh* flow *(of a river); sh* flotsam and jetsam

Prusí, -a *vj gjg* Prussia ♦ **p~án, -e** *mb* Prussian ♦ **p~án, -i** *m* Prussian

prush, -i *m* live/ hot coal; braze, ember; heat pimples: **nxjerr ~ me këmbët e maces** use sb as cat's paw ♦ *nd:* **~ i nxehtë** burning hot; **qielli ishte ~ me yje** the sky was full of stars; **~ me rrënjë** rooty *(plant);* **bëhem ~ në fytyrë** flush red; **më digjet zemra ~ për dikë** be burning with desire for sb ♦ **~án/ë, -a** *f* brazier ♦ **~ít** *kl* poke *(the fire);* grind; cut *(tobacco)*

psal *jkl ft* psalm; *fg* chant; intone ♦ **~m, -i** *m ft* psalm ♦ **~t, -i** *m ft* psalmist ♦ **~tës, -i** *m ft shih* **psalt, -i** ♦ **~tír, -i** *m fet* book of psalms; pulpit

pse *nd shih* **përse**: **~ të vijë?** why should he come?; **nuk e di ~ e si** I don't know why and how; **edhe ~** even though ♦ *pj:* **~, merr vesh ai!** he wouldn't listen, though ♦ **~, -ja** *f* reason; motive; why; wherefore: **nuk dihet ~ja** the reason is not known

pseudo:atdhetár, -i *m* pseudo- /mock-patriotic ♦ **~demokrací, -a** *f* pseudo- /mock-democracy ♦ **~demokrát, -i** *m* pseudo- /mock-democrat ♦ **~demokrát, -e** *mb, em* pseudo- /mock-democratic ♦ **~ním, -i** *m* pseudonym ♦ **~patriót, -i** *m* pseudo- /mock-patriot ♦ **~patriotík, -e** *mb* pseudo- /mock-patriotic ♦ **~patriotíz/ëm, -mi** *m* pseudo- /mock-patriotism ♦ **~revolucionár, -i** *m* pseudo- /mock- revolutionary; pseudo- /mockrevolutionist ✦ **~revolucionár, -e** *mb* pseudo- / mock-revolutionary ✦ **~socialíst, -e** *mb* pseudo- /mock-socialist(ic) ✦ **~socialíz/ëm, -mi** *m* pseudo- /mock-socialism ✦ **~shkénc/ë, -a** *f* pseudo science; mock science ✦ **~shkencëtár, -i** *m* pseudo- /mock-scientist ✦ **~shkencór, -e** *mb* pseudo- /mock-scientific

psik:analíst, -i *m* psychoanalyst ✦ **~analíz/ë, -a** *f* psychoanalysis *(sh-es);* depth psychology ✦ **~iát/ër, -ri** *m* psychiatrist; *bs* shrink ✦ **~iatrí, -a** *f mk* psychiatry; *bs* mental home (institution) ✦ **~iatrík, -e** *mb* psychiatric(al): **spital ~** psychiatric hospital; mental home (institution)

psik:ík, -e *mb* psychic(al) ✦ **~ík/ë, -a** *f* psyche ✦ **~o, -ua** *m bs shr* psycho; psychopath

psiko:lóg, -u *m* psychologist ✦ **~ologjí, -a** *f* psychology: **~ fëmijërore** child psychology ✦ **~logjík, -e** *mb* psychologic(al); **analizë ~e** psychoanalysis; **luftë ~e** psychlogical warfare ✦ **~logjís** *jkl, kl-,* **-a** *bs* understand; have an insight into: **ia ~ mendjen dikujt** read sb's mind ✦ **~pát, -i** *m* psychopath: **bëhem ~** become psychopathic ✦ **~patí, -a** *f mk* psychopathy

psikóz/ë, -a *f mk* psychosis *(sh -es):* **~ë e luftës** war psychosis;

psonís *kl, jkl* shop; *bs* find, come by: **dal për të ~ur** go shopping; **ku e paske ~ur?** where did you get it? ✦ **~j/e, -a** *f bs* shopping

psherëtí/j *jkl* (heave a) sigh; suspire ✦ **~m/ë, -a** *f* sigh; suspiration: **lëshoj një ~ë** heave a sigh

pshurr *jkl* piss ✦ *kl* wet *(one's bed); fg* botch; mess *(one's work)* ✦ **~lem** *vtv ps e* **pshurr**

pubertét, -i *m* puberty

public:íst, -i *m* contributor to a newspaper; freelance journalist; political writer ✦ **~istík, -e** *mb* journalistic ✦ **~istík/ë, -a** *f* political writing ✦ **~citét, -i** *m* publicity

publík, -u *m* public; audience; readership ✦ **~, -e** *mb* public; open: **qetësia ~e** public law and order; **shtëpi ~e** brothel ✦ **~ísht** *nd* publicly

pucarák, -e *mb* (high-)mettled; mettlesome; hardy

puç, -i[1] *m* putsch: **~ ushtarak** military putsch

puç, -i[2] *m* top of the head; tip *(of the egg)*

púç/ërr, -rra *f* pimple; pustule ✦ **~ó/hem** *vtv* **-óva, (u), -úar** *shih* **~lósem** ✦ **~ós/em** *vtv* have pimples (pustules)

puçíst, -i *m* putschist

puçít *kl* pout *(one's lips)*

puçrríza, -t *f sh* pimples; papules; pustules

púd/ër, -ra *f* powder; dust: **kuti ~re** powder compact/ box ✦ **~lóhem** *vtv ps* ✦ **~lój** *kl shih* **~rós** ✦ **~rós** *kl* powder *(one's face);* sprinkle *(with sugar, etc.); fg* face-lift ✦ **~lósem** *vtv, ps* ✦ **~ósur (i, e)** *mb* powdered *(face);* sprinkled; dusted over

puf *jkl* **-a, -ur** *bs* puff; smoke *(a cigarette); v iii* pop: **~i gështenja në zjarr** the chestnut popped in

the fire

púf/e, -ja *f* soft-top stool; puff; tuffet; dumpsty; *bs* cigarette: **~ja e pudrës** powder puff

púfk/ë, -a *f bs* blister; bump *(on the head);* popcorn; puff *(of smoke, of dust);* stool: **më bëhet një ~ë** grow a blister

puhí, -a *f* light breeze; puff; whiff *(of air):* **~a e detit** the sea breeze ✦ **puhíz/ë, -a** *f* light breeze; a puff of wind; waff; waft

pularí, -a *f nj* poultry/ chicken-farm; hen-run/ court ✦ **~strén, -i** *m* cockerel; poult

puléxh/ë, -a *f tk* sheave

púl/ë, -a *f* hen; chicken: **vezë ~e** hen egg; **zog ~e** chick; **~ë e pjekur** *gjll* roasted chicken; **bëhem ~ë** sing small; **fle me ~at** keep early hours; **si ~ë e lagur** crestfallen/ chapfallen; **u bë veza të mësojë ~ën** teach one's grandmother how to suck eggs; **kur s'ke ~ën, ha dhe sorrën** beggars can't be choosers; **më mirë një vezë sot, se një ~ë mot** *fj u a* a bird in hand is better than two in the bush; **~ë deti** *z/* turkey-hen; **~ë e egër** *z/* wood-hen

pulë:bárdh/ë, -a *f z/* sea-mew; seagull ✦ **~déti** *z/* turkey-hen ✦ **~dúshk/e, -ja** *f z/* judock

pulísht, -i *m* foal

pulít *k/* blink; wink ✦ **~/em** *vtv v iii* blink; wink; lie flat against (on); *v iii* fade; fail: **~em pas trungut të pemës** hug a tree-trunk; **~em përdhe** lie flat on the ground; **zjarri u ~** the fire died down ✦ **~j/e, -a** *f* blink(ing); wink(ing); twitch; fading

pulóv/ër, -ri *m* pullover

púlp/ë, -a *f* calf *(of the leg);* ball *(of the thumb);* an gum *(of the teeth);*

pulqér, -i *m* thumb; pinch: **një ~ (me)** a pinch of

puls, -i *m* pulse; pulsation; throb: **mat ~in** feel the pulse

pult, -i *m* book-ledger; *tk* panel: **~ i kontrollit** control panel

pullalí, -e *mb, em* roan; dapple

pullánd/ër, -ra *f* footbath; steam-bath

pulláz, -i *m* roof

púll/ë, -a *f* spot; mottle; dapple; mark; patch; button *(of the bell, etc.);* head *(of the nail);* (postage) stamp: **~a fildishi** ivory buttons; **mbledh ~a** collect stamps

púm/ë, -a *f z/* puma

pun/ë, -a *f* work; labour; job; business; employ; duty; task; workplace; *bs* affair, problem, worry; thing; function, operation, run *(of an engine);* stitch; *bs* state of affairs: **~a e mbarë!** god speed your work!; **~a është se** the question is that; **~ë boshe** nonsense; idle talk; **~ë fëmijësh** child play; **~ë me copë** piece work; **~ë pa ~ë** uncalled-for problems; **ajo ~ë; ~a e herës/ hënës/ tokës** *euf* epilepsy; **bën ~ë** be handy/ useful; **ditë ~e** work day; **e kam pisk ~ën** be in a fix; **flet ~a vetë** it needs no comment; **hajde ~ë, hajde!** what e mess!; it's a rum business!; **hap ~ë** create problems; **hyj në ~ë** begin work; get a job; **jam i zënë me ~ë** be busy; **i bëj bisht ~ës** dodge one's duty; **i ngarkuar me ~ë** chargé-d'affaires; **i ra si një ~ë damllaje** he had a kind of/ something like a stroke; **i vë kapak një ~e** put the lid on sth; **ja si është ~a** this is how things stand; **krahë ~e** work hands; **ndryshon ~a** it's another pair of shoes/ kettle of fish; **s' është ~ë që bëhet** it's no go; **nuk pret ~a** it can't wait; it brooks no delay; **pa ~ë** jobless; **për ç'~ë e bëre?** why did you do it?; **s' prish ~ë** it doesn't matter; **s'është ~a aty** that's not the question; **shoh ~ën time** mind one's own business; **shokët e ~ës** work-mates; **si është ~a?** what's the matter?; **s'kam gisht në një ~ë** have no part in sth; **veglat e ~ës** work tools; **zyrë e ~ës/ ~e** employment/ recruitment/ job-seekers' office

punë:dór/e, -ja f needle-work; handwork; handiwork ♦ **~dhënës, -i** m employer ♦ mb employment (agency)

pun:ësí, -a f employment ♦ **~ësím, -i** m employment ♦ **~ës/óhem** vtv employ oneself; ps ♦ **~ës/ój** k/ employ ♦ **~ësúar (i, e)** mb employed ♦ **~ëtór, -i** m worker; workman; labourer; (helping)-hand; activist; assistant: **~ët dhe punëdhënësit** employers and employees; **~ me mëditje** hired labourer; day-labourer ♦ **~ëtór, -e** mb working (mb); working-class (mb); hard-working; industrious; diligent; assiduous: **bletë ~e** worker bee; **djalë ~** hard-working young man; **ditë ~e** work(ing) day ♦ **~ëtorí, -a** f workers; labourers; working class; workshop, workroom ♦ **~ím, -i** m work(ing); sh proceedings, works (of a conference); tillage (of the land); workmanship; operation, functioning, running (of an engine); manufacture: **~ i pastër** neat workmanship; **~ i motorit** running of the engine; **~i i leshit** wool manufacture ♦ **~ísht/e, -ja** f workshop; workroom; factory ♦ **~/óhet** pvt, ps :**kjo rrugë ~ohet shumë** this road has heavy traffic ♦ **~/ój** jk/ work; exercise (a profession); function, operate, run (of an engine); v iii be at work; be open (of an office); v iii be in use; v iii come a head; throb; beat; v iii bs be useful: **~oj me mish e me shpirt** put one's all into the work; **~oj shkel e shko** do slipshod work; **zyra nuk ~on të dielën** the office is not open on Sunday; **telefoni nuk ~on** the telephone is out of order; **atij i ~on mendja për...** he has imagination for...; **~on plaga** the wound is throbbing; **kjo rrugë nuk ~on më** this road is no longer in use; **~on si sahat** go like clock work; **~oj sot, ha sot** live from hand mouth; **ma ~uan** I was set up ♦ k/ process; manufacture, make, produce; bs handle; bs work on; bs engage in; improve; re-

fine; perfect; bs beat; set up, practice deceit on; bs have relations with: **~oj lëkurët** tan hides; **~oj metalin** manufacture metal; **~oj lopatat** pull/ ply the oars; **~oj një tezë** work on a thesis; **~oj tregtinë** engage in commerce; **~oj rrugën e Durrësit me autobus** run a busline and from Durrës; **i ~oj qindin dikujt** lead a dance to sb ♦ **~ónjës, -i** m worker; employee: **~ të administratës** administration staff; **~ shkencor** scientific researcher ♦ **~jónjës, e** mb: **populli ~** the working people ♦ **~úar (i, e)** mb tilled; cultivated (land); finished (product); bs used (tool); second-hand; busy (road): **blej një makinë të ~** buy a second-hand car ♦ **~úes, -e** mb working; operating (capacity); working (people) ♦ **~úesh/ ëm (i), -me (e)** mb workable; arable (land); malleable (clay)

pupagjél, -i m popcorn

púp/ë, -a¹ f bs tuft (of grass); bunch (of grapes)

púp/ë, -a² f bootees (for babies)

púp/ë, -a³ f dt stern; coach-box

púp/ël, -la f feather; plume; plumage: **dyshek me ~la** feather-bed; **më bien ~lat** be crestfallen; **më dalin ~lat** grow one's feathers; recover oneself; **ia lë ~lat dikujt** fling sb off; run out on sb; **i rritur në ~la** raised in plenty; **zog pa ~la** fledgling; **pesha e ~lës** sp feather weight ♦ **~ël** mb: **~ nga mendja** feather-brained; **e kam gjumin ~** have a very light sleep ♦ **~ël** nd: **i lehtë ~** very light

puplín, -i m tks poplin

puprr:íqe, -t f sh bs gooseflesh; creeps

púpthi nd hoppingly; with a hop: **kërcej ~** hop

puq k/ join; fit tightly; fg reconcile: **i ~ fjalët me dikë** reach an understanding with sb ♦ nd: **~ me murin** hugging to the wall ♦ **~/em** vtv meet; join; v iii fg agree; ps: **edhe sikur qielli të ~et me tokën** even if heaven meets earth; **këtu s'~emi** we can't agree on this ♦ **~j/e, -a** f joinin/ fitting together; agreement ♦ **~ur** nd: **rrinin ~** they stood close together

puré, -ja f gj/l pure

purgatór, -i m fet, fg purgatory

puritán, -i m fet, hist Puritan ♦ mb puritanical ♦ **~íz/ ëm, -mi** m fet, hst Puritanism

pur:íst, -i m purist ♦ **~íst, e** mb purist ♦ **~íz/ëm, - mi** m purism

púro, -ja f cigar

pur/óhem vtv keep at a distance/ at large (from sb, sth); ps ♦ **~/ój** k/ dive away (out): **~oj qentë** drive the dogs away

púrpur, -i m purple; fg royal/ princely robe; cardinal's dignity ♦ **~t (i, e)** mb purple: **pelerinë e ~** purple mantle

purték/ë, -a f perch; pole; bar; bs lash

pus, -i m well; min pit; shaft; bs hole: **ujë ~i** water from the well; **~ nafte** oil well; **hyj në ~** get into a fix ♦ *m:* **errësirë ~** pitch dark; **qielli ishte ~** the sky was pitch dark ♦ *nd:* **është i ditur ~** he is a well of knowledge; **më bëhet ~ diçka** sth goes wrong; **jam ~** be very secretive; **i kam punët ~** be in a pickle

pusí, -a *f* trap; ambush; ambuscade

pusúll/ë, -a *f* short note

push, -i *m* fluff; fuzz; bloom *(of the peach, etc.)* ♦ **~aták, -e, ~atór, -e** *mb* furry; fuzzy; plushy *(fabric)* ♦ **~ëzím, -i** *m* napping; teasing *(of fabric)* ♦ **~ëz/óhet** *vtv, ps* ♦ **~ëz/ój** *kl* nap; tease *(fabric)*

pushím, -i *m* break; rest; time-out; interval; lull *(in the fighting, etc.);* stoppage *(of an activity);* interruption; recess; *mz* pause; *sh* holidays, vacation; leave: **pa ~** uninterruptedly; **~ nga puna** dismissal from one's job; **bëjmë një ~!** let's have a break; **~ vjetor** annual leave; **~et e verës** summer vacations

pushk:atár, -i *m ush* rifleman ♦ **~atár, -e** *mb ush* rifle *(detachment)* ♦ **~atím, -i** *m* firing; shooting: **togë ~timi** firing squad ♦ **~at/óhem** *ps e at/ój* ♦ **~at/ój** *kl* execute by the firing squad ♦ **~túar (i, e)** *mb* executed by the firing squad ♦ **~/ë, -a** *f* rifle; shot; range *(of a rifle fire):* **e shtënë me ~** rifle shot; **sa ha ~a** within gun-shot; **del ~** misfire *(of a mine);* draw (a) blank

push/óhem *ps* ♦ **~/ój** *jkl* rest holiday; *v iii* stop; cease; be silent; **~oni pak!** have a little rest!; **~oj në plazh** spend one's holidays at the beach; **këtu ~on** here rests/ lies; **~oi shiu** the rain stopped; **~o!** stop talking!; be quiet! ♦ *kl* discharge, dismiss *(sb from work);* stop; cease *(doing sth):* **~oje fëmijën!** calm the child! **e ~oj të qarët** stop crying

pusht, -i *m kq* old goat; buck; womaniser

pushtét, -i *m* (state) power; authority; control ♦ **~sh/ëm (i), -me (e)** *mb* powerful; empowered: **person i ~ëm** person vested with authority

pusht:ím, -i *m* invasion; occupation; conquest ♦ **~/óhem** *vtv* hug; embrace; *fg* be overwhelmed; *ps:* **u ~uan me njëri-tjetrin** they hugged one another; they were locked in an embrace ♦ **~/ój** *kl* occupy; *fg* capture *(sb's heart);* hug, embrace; *fg* sweep; *v iii* engulf *(in flames, etc.);* *v iii fg* be overcome with; be overwhelmed by: **~oj një vend** occupy a country; **~oj me dy krahët** take in both arms; **më ~on gjumi** be overcome with sleep ♦ **~ues, -i** *m* invader; occupier; conqueror ♦ **~ues,**

-e *mb* invading; invasive; occupation *(mb):* **forcat ~e** the occupation forces ♦ **~úar (i, e)** *mb* conquered; invaded; occupied: **zonë e ~** occupied zone

pután/ë, -a *f bs shr* whore; prostitute; slut; hooker

putárg/ë, -a *f gjll* roe

pút/ër, -ra *f* paw; *bs* hand; sole *(of the socks):* **~ra e ariut** bear's paw

puth *kl* kiss; *v iii fg* touch lightly, skim; fit closely: **s'~ dot gjë këtu** *bs* nothing goes here; **i ~ këmbët dikujt** lick sb's boots

puthadór, -i *m* sycophant; lickspittle; foot-licker

púth/em *vtv* kiss: **u ~ën e u ndanë** they kissed good-bye

puthít *kl* fit tightly; seal; *fg* match; agree ♦ **~/em** *vtv* *v iii* fit in; match; agree: **i ~et fustani për trupi** the dress fits her tightly ♦ **~j/e, -a** *f* fitting in; agreement *(of ideas)* ♦ **~ur (i, e)** *mb* closely fitting

púth:j/e, -a *f* kiss(ing) ♦ **~ur, -a (e)** *f* (të) kiss(ing)

pye/s *kl* ta, -tur ask; demand; question; ask permission: **~ për orën** ask the time; **~ për dikë** enquire about sb; **~ fije për fije dikë** cross-examine sb ♦ *jkl* disregard: **nuk ~ për rrezikun** make light of danger; **ky ~t ai!** he is reckless ♦ **~t/em** *vtv* have a say in; *ps:* **këtu ~em unë** what I say goes here ♦ **~tës, -e** *mb* interrogative; questioning: **përemër ~** *gjh* interrogative pronoun; **vështrim ~** a questioning look ♦ **~tësór, -i** *m* questionnaire ♦ **~tj/e, -a** *f* question; query; *dr* interrogation, questioning, examination *(of a witness);* issue: **marr në ~e dikë** interrogate sb; **~tje provimi** examination paper; **shtrohet ~a** the question is asked/ raised

pyjór, -e *mb:* **drurë ~ë** forest trees; **shkollë ~e** school of forestry

pýk/ë, -a *f* peg; wedge; *fg* division, split; *bs* lug, crass person: **fus ~a** drive a wedge *(between);* **~ë në diell** dog-poor; penniless; **bie/ mbetem ~ë** be high and dry; get into a fix; **futem si ~ë** barge in; **jam ~ë nga veshët** be stone deaf

py/ll, -lli *m* forest; woods: **i hyj ~llit** get into a tangle; be in the woods ♦ *nd:* **shtati ~ll e mendja fyll** an empty head on fine shoulders ♦ **~llëzím, -i** *m* afforestation ♦ **~llëzóhet** *ps* ♦ **~llëz/ój** *kl* afforest ♦ **~llëzúar (i, e)** *mb* afforested ♦ **~lltár, -i** *m* forester; forest guard; forest ranger; silviculturist ♦ **~lltarí, -a** *f* forestry; silviculture

Q

qáf/ë, -a f neck; collar *(of a shirt, etc.);* shank *(of a sock);* (mountain) pass: **gropa e/ zverku i ~ës** the pit/ scruff of the neck; **i hipi në ~ë dikujt** ride on sb's shoulders; *fg* ride roughshod on sb; **zë keq ~ën** crick one's neck; **zë për ~e** hug sb; grab sb by the neck; **i bie më ~ë dikujt** bait/ harass sb; **heq ~e dikë** get rid of sb; **paç veten më ~ë!** you'll have yourself to blame; **thyejë ~ën** break one's neck ♦ **~/óhem** *vtv* hug; embrace ♦ **~/ój** *kl* hug; embrace ♦ **~ók, -e** *mb, em* wry-neck(ed); featherless-necked *(bird, chicken);* long-neck(ed) ♦ **~ór/e, -ja** f loose collar; collar band *(of the harness);* ruff *(of a pigeon, etc.);* neck *(of the sock)* ♦ **~/ósem** *vtv* hug; embrace *(one another); ps*

qá/hem *vtv bs* complain; whimper; snivel; pule; *ps* **~hem nga zemra** have a heart problem ♦ **~/j** *jkl* **-áva, -árë** cry; weep; water; *v iii* drip; leak; *v iii* fog/ mist over *(of window glass, etc.);* v iii screech; creak *(of hinges);* veta i *fg* mourn *(sb):* **~j me lot** shed tears; **~j me ngashërim** sob; **~j sa plas** weep one's eyes/ heart out; **më vjen për të ~rë** feel like crying; **më ~jnë sytë** my eyes are watering; **~n fuçia** the barrel is leaking ♦ *kl* weep; mourn over *(sb, sth); bs* do to perfection; do brown; make a clean sweep of *(sth):* **e ~u i madh e i vogël** he was mourned by old and young; **~je atë kohë!** forget about the good old days!; **e ~j një gotë birrë** drain a glass of beer; **i ~j hallin dikujt** open one's heart to sb; sympathise with sb; **e ~j punën** make a good job of sth; **më ~n syri për diçka** long/ yearn for sth

qar, -i *m bs* gain; win

qar:amán, -e *mb* whimpering *(child);* plaintive; snivelling ♦ **~man, -i** *m em* sniveller; puler; cry-baby ♦ **~/ë, -a (e)** f **(të)** cry; weep(ing); *bs* complaint; wail(ing): **e ~ë me dënesë** sobbing ♦ **~ë, -ët (të)** *as* cry(ing): **nis të ~** start crying ♦ **~i (së)** *em* weep-ing; crying: **pushoj së ~** stop crying ♦ **~j/e, -a** f cry(ing); weep(ing); cry; *bs* complaint

qar/k, -ku *m* circle; *fz* circuit; district: **~ i shkurtër** e/ short circuit; **në ~qet qeveritare** among government circles ♦ **~k** *nd bs* (a)round; in a circle; in circles: **i bie ~ e ~** go round and round ♦ **~k** *prfj:* **~ oborrit** around the courtyard ♦ **~kje, -t** f circle entrails *(of a slaughtered animal)* ♦ **~k/óhem** *ps* ♦ **~k/ój** *kl* **-óva, úar** *bs* circle *(round sth, sb);* encircle ♦ **~kór, -e** *mb* circular ♦ **~kór/e, -ja** f: **~ e papës** bulla *(sh -ae)* ♦ **~kullím, -i** *m* circulation *(of blood, etc.)* traffic; turn-over *(of capital);* bjq rotation *(of crops);* release *(of a film, etc.):* **rregullat e ~it rrugor** road traffic rules; **nxjerr në ~** release *(a film)* ♦ **~kull/ój** *jkl* circulate; *v iii* pass from hand to hand/ from mouth to mouth; *v iii* be in circulation *(of a currency);* turn-over *(of capital, etc.);* veta i *fg* spread *(of rumours); v iii* circle; move around: **~ojnë zëra /fjalë se** there are rumours around that ♦ *kl* circulate; pass from hand to hand *(a book, etc.)* ♦ **~kullúar (i, e)** *mb* transferred ♦ **~kullúes, -e** *mb tk* circulating; circulatory *(blood)* ♦ **~kullúesh/ëm (i), -me (e)** *mb* recyclable

qártë (i, e) *mb* clear; limpid; distinct *(speech, sound); fg* explicit; lucid *(mind);* clear-cut; *fg* evident, plain: **e bëj që ~ë diçka** make sth clear; **e kam të ~ë** be clear *(about sth)* ♦ **~ë** *nd* clearly; distinctly; explicitly; obviously: **shoh ~** see clearly; **shihet ~** be clearly visible ♦ **~sí, -a** f clarity; clearness; limpidity *(of a liquid);* visibility; lucidity *(of an idea, etc.);* explicitness *(of a statement);* vividness *(of the image)* ♦ **~sóhem** *vtv, ps* ♦ **~s/ój** *kl* brighten up *(an image);* filter *(a solution); fg* clarify *(an idea);* explain

qas *kl* approach, bring closer; admit; let in: **mos e ~ brenda!** do not let him in! **s'më ~ mideja asgjë** be off one's food

qás/e, -ja f vj bag; *bs* stomach: **më shkojnë shtatë në ~e** have the blue funks

qás/em *vtv bs* approach, draw near/ close; *v iii* approach; *krh* move away; *ps:* **~u këtu!** come here!; **~u prapa!** move back! ♦ **~j/e, -a** *f* nearing; approach; drawing close(r): **~e e re** a new approach *(to a subject)*

qe *pj bs* here (you are): **~ ku po vjen!** there he comes!

qe, -të *sh i* **ka, -u**

qebáp, -i *m* kebab; coffee-roaster ♦ **~tór/e, -ja** *f* kebab shop

qedér, -i *m bs* harm; risk; *fg* worry: **bëj ~** cause damage; **mos ki ~!** don't worry! ♦ **~ós** *kl* harm; *fg* worry ♦ **~ós/em** *vtv, ps*

qefín, -i *m* winding-sheet; shroud

qéfu/ll, -lli *m zl* mullet ♦ **~ull** *mb fg* slim; gracious ♦ **~ull** *nd fg* healthy: **jam ~** be as fit as a fiddle/ as sound as a bell

qéh/ën, -ni *m* baker's shovel; rolling table *(for pasta sheets)*

qejf, -i *m bs* fun; amusement; pleasure; fancy; mood; sake: **bëj ~** have fun; **me ~ të madh** with great pleasure; **si ta kesh ~in** as you like it; **s'ma do ~** I do not fancy it; **nuk jam në ~** be out of sorts/ trim; **bëje për ~in tim** do it for my sake; **për ~** perfection; splendidly; **më bëhet ~i** be pleased/ glad; **më hyn vetja në ~** fancy oneself; **më mbetet ~i** be upset/ *bs* pissed; **ia tregoj ~in dikujt** settle sb's hash ♦ **~lésh/ë, -a** *f* fast-living woman ♦ **~l/í, -íe** *mb* fast living; self-indulgent; loving: **ajo është ~ie për rroba** she loves a good dress ♦ **~lí, -u** *m* fast-living person; amateur: **~ filmash** great film-lover/ -goer

qelb, -i *m* pus; matter: **zë ~** gather pus ♦ **~** *kl* stink; *kq* spoil; screw *(a job)*: **lëre se e ~e!** you've screwed it!; **~ gojën** use foul language ♦ *jkl v iii* stink; stench; reek: **~et birrë** his breath stinks of beer ♦ **~ác, -e, ~aník, -e** *mb shr* foul; nasty; mucky ♦ **~lem** *vtv v iii* pus, fester *(of a wound, etc.)*; stench, stink, reek; *bs* be screwed; get dirty; go bad *(of food)*; *ps:* **po ~et hesapi** things are looking nasty/ ugly ♦ **~ës, -i** *m zl* skunk; polecat; *bt* buckbean ♦ **~ës, -e** *mb* stinking; fetid ♦ **~ësír/ ë, -a** *f* stench, fetor; dirty person; *bs* scumbag: **mos i prek ato ~a** don't touch that dirt ♦ **~ët (i, e)** *mb* dirty; filthy; foul ♦ **~ëzím, -i** *m* gathering; festering *(of a wound)* ♦ **~ëz/óhet** *vtv* gather pus/ matter; fester *(of a wound)* ♦ **~ëzúar (i, e)** *mb* festered *(wound)* ♦ **~ur (i, e)** *mb* bad; rotten *(food)*; stinking *(odour)*; foul; dirty; festering *(wound)*; *fg* foul *(deal)*: **për pesë para të ~a** for a measly sum

qelepír, -i *m bs* freeload; gratuity ♦ *nd* free: **e kam ~ diçka** have sth for nothing ♦ **~xhí, -u** *m bs* sponger; scrounger; freeloader

qelesh/e, -ja *f* brimless/ scull cap

qel/ë, -a *f* parish-house; cell ♦ **~í, -a** *f* prison cell; cellar

qelibár, -i *m* amber ♦ *mb* clear; pure: **qielli ishte ~** the sky was as clear as amber

qelíz/ë, -a *f bl* cell ♦ **~ór, -e** *mb bl* cellular

qelq, -i *m* glass; glass; *bs* lamp/ chimney-top; *bs* window panes ♦ **~/e, -ja** *f* glass; broken glass; *vj* pot: **~e vere** wine glass ♦ **~ëzím, -i** *m tk* vitrification ♦ **~ëz/óhet** *vtv* ♦ **~ëz/ój** *kl tk* vitrify ♦ **~ór, -e** *mb* vitreous ♦ **~të (i, e)** *mb* glassy; vitreous; *fg* clear; limpid; *fg* blank *(look):* **kupë e ~** glass cup ♦ **~urína, -t** *f sh* glass-ware

qemán/e, -ja *f bs* fiddle ♦ **~xhí, -u** *m bs* fiddler; scraper

qemér, -i *m* vault; arch; lintel; waist-band; girth *(of one's middle);* waist-band *(of the skirt, etc.):* **~ët e urës** the arches of the bridge; **~i i këmbës** instep

qen, -i *m zl* dog: **~ gjahu** sporting dog; **~ rrugësh** stray dog; **jetë ~i** a dog's life; **~ i ~it; ~ bir ~i** son of a bitch; **~ i punës** a dog's-body; **s'ma ha ~i shkopin** know a trick worth two; **~i që leh nuk të ha/ kafshon** *fj u* a barking dog does not bite; his bark is worse than his bite; **dhëmbë ~i** *an* canine teeth

qenár, -i *m* rim; border; selvege *(of a cloth)*

qénçe *nd bs:* **punoj ~** work doggedly; work like a horse

qénd/ër, -ra *f* centre; middle; downtown: **~ër tregtare** trade/ shopping centre; **parti e ~rës** centre party ♦ **~mbrójtës, -i** *m sp* centreback ♦ **~sulmúes, -i** *m sp* centreforward ♦ **~synúes, -e** *mb tk* centripetal ♦ **~rór, -e** *mb* central; middle; main: **Evropa Q~e** Central Europe; **figurë ~e** centre-piece ♦ **~rór, -i** *m bs* head office

qéné *pjs e* **jam ~, -t (të)** *as* existence; being; -ity: **të ~t i qartë** clarity

qenërísht *nd* like a dog; doggedly; tenaciously; relentlessly

qenë:sí, -a *f* essence ♦ **~sísh/ëm (i), -me (e)** *mb, em* essential: **ndryshim i ~ëm** substantial change ♦ **~ór, -e** *mb* essential

qengj, -i *m* lamb: **~ manar** cade; **fle si ~** sleep like a lamb ♦ *mb fg* gentle; mild

qéni/e, -a *f nj* being; existence; *nj fil* entity: **~ie shoqërore** social being

qep *kl* sew *(a patch on a dress);* suture *(a wound, etc.);* staple *(papers):* **~ buzët** seal one's lips; **ia ~ sytë dikujt** have one's eyes glued on sb

qepáll/ë, -a *f kryes* eye(-)lid

qép/em *vtv, ps:* **më ~en sytë për gjumë** my eyes are heavy with sleep; **i ~em dikujt** cling close to sb; button-hole sb; hound sb; **u ~ën fytas** they were at each other's throat; **i ~em dikujt për diçka** press sb hard for sth

qepén, -i *m* trap; trap-door; shutter *(of a shop front)*

qép/ë, -a *f bt* onion: **~ë të njoma/ thata** spring/ dried onions

qepgjír, -i *m* strainer

qépj/e, -a *f* sewing; stitch(ing)

qépsh/e, -ja *f* ladle; dipper

qepújk/ë, -a *f bt* shallot; bulb *(of a tuberous plant)*

qépur, -a (e) *f***(të)** seam; sewing; stitch; *mk* suture: **kap me katër të ~a** put four stitches *(to a wound)*

qeramík/ë, -a *f* ceramic; *prmb* ceramics *(me folje në njëjës)*

qerás *kl* treat: **~ të ftuarit** treat the guests ♦ **~s/ em** *vtv, ps*

qér/ë, -a *f mk* ringworm; tinea; bald patch

qerm, -i *m* rim; bank of earth *(round the edges of the field)*

qerós, -i *m* bald-head; bald patch: **hem ~, hem fodull** a proud beggar ♦ **~, -e** *mb, m* bald *(head)* ♦ **~/ë, -a** *f* ringworm; tinea

qerpíç, -i *m* adobe; sun-dried brick

qerpík, -u *m kryes* eyelash: **nuk më dridhet ~u** not to bat an eye

qershí, -a *f bt* cherry

qershór, -i *m* June

qérthu/ll, -lli *m* spinning wheel; toddler's pen/ box; circle ♦ **~ím, -i** *m* circling ♦ **~lój** *kl* circle; fence off/ in; hoop *(a barrel)*

qerrat/ë, -i *m bs* smart/ cute person; jackanapes ♦ **~allë/k, -ku** *m bs* smartness; cuteness

qérr/e, -ja *f* cart; dray; wag(g)on: **kam një ~e punë** have a loads of work to do; **shkoj pas ~es së dikujt** jump on sb's band wagon ♦ **~tár, -i** *m* cart-driver; *ast* the Wagoner

qés/e, -ja *f* bag; sack; pouch; satchet; *an* bladder: **~ letre** paper bag; **~ të hollash** money-bag; purse; **~ja e herdheve** scrotum

qesëndí, -a *f nj* raillery; teasing ♦ **~s** *kl, jkl* bland; banter; mock; jeer *(at sb)* ♦ **~s/em** *vtv shih* **~s**; *ps* ♦ **~sës, -e** *mb* mocking; teasing; jeering *(mb)* ♦ **~sj/e, -a** *f* raillery; teasing; jeering

qesím, -i *vj* all-purpose agreement; flat rate ♦ *nd vj* in a lump sum; *fg (to talk)* thoughtlessly; at random

qésk/ë, -a *f* satchet; *an, bl* bladder

qesh *jkl* laugh; *v iii* smile; radiate with joy; joke: **~ e bot** *bs* laugh one's head off; **bëj për të ~ur** make (sb) laugh; **s'ka gjë për të ~ur** there is nothing laugh about; **i ~ fytyra** his face is radiating with joy; **~ nën hundë** laugh up one's sleeve ♦ *kl* mock; *veta i fg* smile at: **e ~in të gjithë** he has become a laughing stock ♦ **~arák, -e** *mb* funny; ridiculous; insignificant; pitiful *(sum)* ♦ **~/em** *vtv shih* **~**

qéshë *kr e thj e* **jam**

qésh:j/e, -a *f* laugh(ter); ♦ **~ur, -a (e)** *f***(të)** laugh(ter); *sh* jeers; sneer: **e ~ gazmore** merry laughter ♦ **~, -it (të)** *as* laugh(ter); jest; joke: **ia kris të ~it** break into laughter; **me të ~, me të ngjeshur** half in jest, half in earnest ♦ **~ (i, e)** *mb* smiling *(face, etc.)*; pleasant

qét:as, ~azi *nd* calmly; quietly; slyly: **dal ~** sneak out ♦ **~/ë (i, e)** *mb* calm; quiet; noiseless: **ditë e ~ë** a calm day; **rri i ~ë** keep quiet; **e kam ndërgjegjen të ë~** have a clear conscience; **fli i ~ë!** rest assured!; **rrjedhë e ~ë** gentle flow; **natyrë e ~ë** *art* still life ♦ **~ë** *nd:* **fle ~ë** have a calm sleep; **eci ~ë** walk slowly; **e marr ~ë** take it easy ♦ **~ësí, -a** *f* calm(ness); tranquillity; quiet; silence; rest; stillness: **mbani ~!** keep quiet!; **ia prish ~në dikujt** disturb sb's rest ♦ **~ësím, -i** *m* appeasement *(of pain, of fear, etc.)*; tranquillisation ♦ **~ësísht** *nd* calmly; quietly ♦ **~ës/óhem** *vtv kryes v iii* abate; be appeased; calm down; rest **~ësohu pak!** rest a little!; *ps:* **~ësóhu!** *psth ush* at ease! ♦ **~ës/ój** *kl* calm down; appease; assuage *(the pain)*; silence *(a noisy class)*; cool down *(tempers)* ♦ **~ësúar (i, e)** *mb* calmed down; still; appeased ♦ **~ësúes, -i** *m* sedative ♦ **~ësúes, -e** *mb* calming; soothing *(words)*; sedative

qeth *kl* cut *(one's hair, etc.)*; shear *(sheep)*; trim *(a hedge)*; *bs* mow down *(with gun-fire)*; *bs* fleece; *bs* cut down *(expenses)*; cull *(a passage in a book)*: **je bërë për t'u ~ur** you need a hair-cut ♦ **~/em** *vtv* have one's hair cut; *ps* ♦ **~ës, -i** *m* cutter; shearer ♦ **~ës, -e** *mb* shearing *(scissors)*; cutting; mowing *(machine)* ♦ **~j/e, -a** *f* cutting; cropping *(of one's hair)*; trimming *(of a hedge)*; mowing *(of the lawn)*; *ft* tonsure ♦ **~ur (i, e)** *mb* cut *(hair)*; close-cropped; shorn *(sheep)*; trimmed *(hedge)*; mown *(lawn)*

qeverí, -a *f* government; *bs* house-keeping ♦ **~s** *kl* govern; manage, run *(a household)* ♦ **~s/em** *ps* ♦ **~sj/e, -a** *f* government; governing: **arti i ~es** the art of government ♦ **~tár, -i** *m* statesman; member of government ♦ **~tár, -e** *mb* government *(residence, etc.)*

që *prm ldh* who; which; that; *bs* where; when: **ai ~ erdhi me mua** the who came with me; **mbaji mend fjalët ~ më the** remember what you told me; **ai ~ punon, ha** *fj u* he who works shall eat; **ditën ~ iku** the day (when) he left ♦ *ldh* that; since; for; because; in order to; so that; which; where; when: **e di ~ thua të vërtetën** I know (that) you are telling the truth; **erdha ~ të të them se** I've come to tell you; **~ nga** from where; wherefrom; **~ kur** since when; **kudo ~** wherever; **veç/ me kusht ~** except that; on the condition that; **sa herë ~** whenever ♦ *nd* since; from: **~ në fëmijëri** from a child; since childhood ♦ *prfj* from: **~ të martën deri të shtunën** from Tuesday to Saturday ♦ *pj* from: **~ nga ajo ditë** from that day; **erdhën ~ të tre** the three of them came; **ishin mbledhur ~ të gjithë** everyone had arrived; **jo ~ jo** certainly not; **~ ta kam fjalën** *bs* I mean

që:kúr, ~kúri, ~kúrthi *ndaj: f.* **ka ardhur ~** he came long ago ♦ **~kúrse** *ldh:* **~ u nis s'e kemi parë më** we haven't seen him since he left ♦

~kúrsh/ëm (i), -me (e) *mb:* **ngjarje të ~me** by-gone events

qëllím, -i¹ *m* shot; shooting; firing *(a weapon)*

qëllím, -i² *m* aim; purpose; goal; object; end; intent(ion): **~i i jetës** the aim of life; **për këtë ~** this end; for this purpose; **me ~** on purpose; **me ~ që** so that; in order to ♦ **~isht** *nd* intentionally; on purpose; deliberately ♦ **~ór, -e** *mb* intentional; deliberate; *gjuh:* **fjali ~e** purpose clause

qëll/óhem *vtv* shoot *(at one another); ps* ♦ **~lój** *kl* strike *(a blow at sb)*; fire; hit: **~oj një pozicion** pound a position; **~oi rrufeja drurin** the lightening struck the tree; **e ~ove!** you've hit it!; **~oj në shenjë** hit the bull's eye ♦ *jkl* hit; *fg* drive *(at sth);* **be/** happen to be *(in a place); v iii* come to pass; coincide: **~oj me grusht** punch; **më ~oi rruga nga ti** I happened to be passing by your place; **festa ~on në fund të javës** the celebration coincides with the week-end ♦ *pvt* happen: **~on nganjëherë** sometimes it happens ♦ **~úar, -a (e)** *f* **(të): rrëzoj me një të ~uar** fell at one blow ♦ **~úar, -it (të)** *as* strike; hit; blow; occasion; opportunity: **është me të ~** it is a toss-up affair ♦ **~úar (i, e)** *mb* happy; well-turned *(phrase)*

që:menátë *nd* before dawn: **zgjohem ~** wake before dawn ♦ **~móç/ëm (i), -me (e)** *mb* old(en); ancient; old; elderly: **traditë e ~me** ancient tradition; **miqësi e ~me** long-standing friendship; **plak i ~ëm** an elderly man ♦ **~móti** *nd* in the old times (days); long ago/ before: **si ~** like in the (good) old days ♦ **em** *m* old (ancient) times: **këngët e ~** ancient songs

qëmt/óhet *ps* ♦ **~lój** *kl* pick; glean; scrap for *(food)* ♦ *jkl v iii* sift *(of snow, etc.)*

qëndís *kl, jkl* embroider; *fg* adorn; *fg* do perfection ♦ **~et** *ps* ♦ **~j/e, -a** *f* embroidering; (piece of) embroidery ♦ **~m/ë, -a** *f* (piece of) embroidery ♦ **~tár, -i** *m* embroiderer ♦ **~tarí, -a** *f nj* art of embroidery; embroidery shop ♦ **~ur (i, e)** *mb* embroidered; *fg* adorned; embellished *(style)*

qëndrés/ë, -a *f* stop(-over); *fz, el, etc.* resistance; strength: **udhëtoj pa ~a** travel direct/ non-stop **~ë paqësore** peaceful resistance ♦ **~ím, -i** *m* stay; sojourn; lingering; attitude; bearing *(of the body); fg* stand; resistance; *(bus)* stop: **ndalim ~i** no lingering; **~ miqësor** friendly attitude ♦ **~l ój** *jkl* stand; stop; halt; stay; remain; *fg* dwell/ delve on *(a question);* remain; lie; stick *(one's word); v iii* consist; *v iii fg* be valid: **~oj drejt** stand upright; **~oj befas në vend** stop short; **~oj brenda** remain inside; **~oj pa punë** be idle; **~oj besnik** remain loyal; **~oj mënjanë** keep aloof/ to one side; **~oj në pozitat e mia/ në timen** stick to one's positions/ guns; **e vërteta ~on kështu** the truth is like this; **këto arsye nuk ~ojnë** these reasons are not valid; **~oj gatitu** stand to attention ♦

k/ stop; halt; pull up: **i ~oj afër dikujt** remain close to sb; stand by sb; **i ~oj mbi kokë dikujt** watch over sb; breathe down sb's neck; **i ~oj besnik dikujt** be loyal to sb; **i ~on zjarrit** be fire-proof/ -resistant ♦ **~úesh/ëm (i), -me (e)** *mb* resistant; -proof; firm; *fg* stable; constant; firm; steadfast; steady *(friend);* settled *(weather):* **material i ~ëm ndaj zjarrit** fire-proof material; **ngjyrë e ~me** fast colour; **urë e ~me** steady bridge ♦ **~ueshmërí, -a** *f fiz, tk* resistance; endurance; stability; steadfastness

qëpárë *nd:* **~ ishte këtu** he was here just a moment before

qër:ésë, -a *f* trimming(s) ♦ **~ím, -i** *m* shelling *(of nuts, etc.);* peeling *(of potatoes, etc.); fg* settling *(of accounts)* ♦ **~lóhem** *vtv, ps :* **portokallit i ~ohet lëkura lehtë** orange peels easily; **m'u ~ua zëri** my throat cleared; **~ohu që këtej!** get out of here!; scat!; get lost! ♦ **~lój** *kl* shell; skin; peel; pluck *(a chicken);* trim; weed; clear *(the sky); v iii* be cleaned/ cleansed/ purged; dredge *(a river, etc.); bs* liquidate, bump off, scupper; *kq* pinch, steal, pilfer; eat up *(a dish):* **~oj patate** peel potatoes; **~oj bizele** shell peas; **~oj barishtet e kopshtit** weed the garden; **~oj grykën** clear one's throat; **i ~oj hesapet me dikë** settle accounts with sb ♦ **~úar (i, e)** *mb* shelled *(nuts, etc.);* peeled *(fruit);* plucked *(chicken);* dredged *(canal);* clean *(face);* clear *(sky); bs* free *(passage); fg* purified *(language); bs* clean *(deal):* **shpirt i ~** a candid soul; **vezë e ~** shelled egg; *bs* oven-ready

qi *kl* **~va, -rë** *kl vulg* fuck; screw

qib:ár, -e *mb bs* fussy; haughty ♦ **~lër, -ra** *f bs* fastidiousness; haughtiness

qíe/ll, -lli *m* sky; heaven; paradise: **bojë ~lli** sky blue; **e ngre në ~ll dikë** praise sb to the skies; praise sb sky-high; **as në ~ll, as në tokë/ dhe** between the horns of dilemma ♦ **~llór, -e** *mb* sky *(mb);* heavenly *(bodies);* celestial; *fg* divine

qíellz/ë, -a *f an* palate

qift, -i *m zl* kite

qilár, -i *m* cellar; store-room ♦ **~xhésh/ë, -a** *f vj fm e* qilarxhi, -u ♦ **~xhí, -u** *m vj* cellarer; pantryman

qilím, -i *m* carpet; rug; floor-mat

qím/e, -ja *f* hair; fur *(of an animal):* **~et e kokës** the hair of the head; **asnjë ~e** not a shred; **e bëj ~en tra** make a mountain of a molehill; **m'u ngritën ~et e kokës** my hear stood on end; **s'e nxjerr ~en nga qulli** be unable to say boo to a goose; **shpëtoj për një ~e** have a narrow/ hairbreadth escape

qind, -i *m* hundred; hundreds: **dhjetë për ~** ten per cent; **~ për ~ i sigurt** a hundred percent/ dead sure ♦ **~ësh/e, -ja** *f mt* hundred; hundred-lek bill ♦ **~físh, -i** *m* hundred-fold ♦ **~fishím, -i** *m* centuplication ♦ **~fishóhet** *vtv, ps* ♦ **~físhtë (i,**

e) *mb* centuple; centuplicate ♦ **~lékësh/e, -ja** *f bs* hundred-lek bill ♦ **~ravjeçár, -e** *mb* centennial; centuries-long; centuries-old ♦ **~t/ë (i, e)** *mb, em f* (a, one) hundredth *(part of)* ♦ **~vjeçár, -i** *m* centenary: **në ~in e parë** on the first centenary ♦ **~vjeçár, -e** *mb* one-hundred years old ♦ **~vjetór, -i** *m* century; centenary; hundredth anniversary

qiparís, -i *f bt* cypress ♦ **~të (i, e)** *mb* cypress

qipr:iót, -e *mb* Cypriot ♦ **~iót, -i** *m* Cypriot(e) ♦ **Q~o, -ja** *f gjg* Cyprus

qípu/ll, -lli *m mit* jin; jinnee; ginni; genie *(sh* **-jinn***)*

qíq/ër, -ra *f bt* chick-pea: **kërkoj ~ra në hell** ask for the moon ♦ *mb bs :* **e kam mendjen ~** have all the marbles there ♦ *nd bs* ship-shape; in very good health

qirá, -ja *f* hire; rent; tenement: **zë me ~** hire; rent; **me ~** on hire; **shtëpi pa ~** *bs* prison; **s'ia vlen barra ~në** it is not worth while ♦ **~dhénës, -i** *m* lessor ♦ **~dhéni/e, -a** *f* lease; leasing; hiring out ♦ **~márrës, -i** *m* hirer; lessee; tenant *(of a house)* ♦ **~márrj/e, -a** *f* hiring; leasing; tenancy ♦ **~xhésh/ë, -a** *f fm* e **qiraxhi, -u** ♦ **~í, -u** *m* tentant; *vj* caravan-driver

qirí, -u, qirí, -ri *m* candle; *fz* candela, candle-power; *tk* spark(ing)-plug: **i mbaj ~rin dikujt** keep tabs on sb; **i rri ~ më këmbë dikujt** serve sb hand and foot

qiríç, -i *m* glue; paste: **ngjit me ~** glue

qiríthi *nd* rearing *(on its hinds; of a horse, a bear, etc.); fg* high up

qit (qis) *k* take/ pull/ put/ get/bring/ draw/ drive out; dislodge *(an arm, etc.);* issue *(a newspaper); bs* send off; pour; fire/ discharge *(a gun):* **~ duart nga xhepat** take one's hands out of one's pockets; **~ dikë nga shtëpia** throw sb out of his house; **ku të ~ kjo rrugë?** where does this street lead to?; **~ në dritë** bring to light; **i ~ pengesa dikujt** raise difficulties for sb; **e ~ të pafajshëm dikë** declare sb not guilty; **nuk ~ asnjë fjalë** not breathe a word; **~ në krye** complete with success; **~ për të ngrënë** serve food; **e ~ jetën me të keq** scrap a living; **e ~ dimrin** last the winter; **i ~ ujë verës** add water to the wine; **~ me top** fire a gun; **~ nga balta dikë** get sb out of a fix ♦ **~/em** *ps, pvt e* **qit: nuk ~et kështu** it is impossible to go on like this ♦ **~ës, -i** *m* shooter; marksman; shot ♦ **~j/e, -a** *f* shooting; shot

qítro, -ja *f bt* lime *(tree, fruit)*

qítur (i, e) *mb* high; prominent: **mollëza të ~a** high cheekbones

qívur, -i *m* coffin tombstone; mound; raised tomb

qóft/e, -ja *f gjll* rissole; meat-ball; *kq* easy-meat

qóftë *ldh:* **~ ditën, ~ natën** by day and by night ♦ *pj:* **~ edhe pak** ever so little: **në ~ se** if, in case

qóftëlárg, -u *m euf* old Nick; dickens

qok *k* touch; graze; clink *(glasses);* shake *(hands):* **~e!** let's shake hands!

qók/ë, -a *f* notch *(on a yardstick, etc.);* boundary stone *(between fields);* target *(in some children's games); fg* moderation: **i vë ~ë fjalës** measure one's words; **me ~ë** moderately; **i ndjek ~at** attend to all social musts

qort:ím, -i *m* correction; reprimand; reproach: **~ i gabimeve** correction of errors ♦ **~lóhem** *vtv, ps* ♦ **~lój** *k* reproach; rebuke; talk to; correct *(errors)* ♦ **~úes, -e** *mb* reproachful *(look, etc.)* ♦ **~úesh/ëm (i, e)** *mb* reprehensible; corrigible *(error)*

qorr, -i *m bs* blind man: **~ me një sy** blind of one eye; **ha si ~i** walk into one's food ♦ **~, -e** *mb:* **plak ~** a blind old man; **rrugë ~e** blind alley; **fishek ~** blank cartridge ♦ **~as, ~azi** *nd* blindly; on the blind; blindfold: **qëlloj ~** strike out at random; take pot-shot; **besoj ~ në diçka** have blind faith in sth ♦ **~ím, -i** *m* blinding ♦ **~lóhem** *vtv, ps :* **~ohem nga një sy** go blind in one eye ♦ **~lój** *k/ bs* blind; dazzle: **e ~oi drita e diellit** he was dazzled by sunlight ♦ **~ollísj/e, -ja** *f bs* stumbling

qorrsoká/k, -ku *m vj* blind-alley; *fg* impasse; dead end

qós/e, -ja *m* hairless/ bare-faced person; smart character *(in stories)*

qósh/e, -ja *f bs* corner; angle; nook; edge: **~ja e murit** the angle of the wall; **~e e ngrohtë** comfortable/ cushy job ♦ **~/k, -u** *m* corner; angle; loft *(in a verandah);* kiosk: **~ku i gazetave** newspaper kiosk

qúaj *k* call; name; consider; count; allow: **si të ~në?** what is your name?; **e ~ të humbur** count (sb) among the lost; **nuk e ~ një gol** disallow a goal

qúar, -i *m* barn; cellar; *fg* shelter

qúhe/m *vtv* be called; *v iii* be counted; be good; be allowed *(of a goal); ps:* **si ~sh?** what is your name?

qúk *k/ v iii* peck; prick *(with a needle);* sting; *fg* tease: **e ~u bleta** he was stung by a bee ♦ **~alí, -e** *mb* **~alósh, -e** *mb bs* freckled *(face)* ♦ **~apík, -u** *zl* woodpecker ♦ **~lem** *vtv, ps* ♦ **~/ë, -a** *f* freckle; pockmark: **fytyrë me ~a** pockmarked face

qull, -i *m* mush; pap; meal: **futem si qimja në ~i** meddle foolishly with sth; **s'e nxjerr qimen nga ~i** be unable to say boo to a goose; **digjem nga ~i, e i fryj kosit** *fj u* a burnt child dreads the fire ♦ *mb* mealy; pappy; mushy; soaking wet: **jam ~ në djersë** be wet with sweat ♦ *k/* wet; soak; *fg* botch *(a piece of work)* ♦ **~ásh, -e** *mb, em kq* soft; softpate; stick-in-the-mud ♦ **~em** *vtv* get wet; be soaked; be overripe *(of fruit); ps* ♦ **~ët (i, e)** *mb* mushy *(food);* doughy *(bread);* overripe, squashy *(fruit);* soggy *(soil);* flabby *(flesh); fg* soppy; soft: **burrë i ~** gutless fellow ♦ **~j/e, -a** *f* wetting; soaking; drenching ♦ **~ós** *k/ bs shih* **qull**

fg muck; botch: **e ~ punën** muck up a job; **s'~ gjë** draw (a) blank ♦ **~/ósem** *vtv bs shih* **~em;** *bs* be overripe/ squashy *(of fruit);* *fg* botched *(of a job);* go soft ♦ **~ósj/e, -a** *f bs* wetting; drenching; soaking ♦ **~ur (i, e)** *mb* wet; soaked; drenched; soggy

qúmësht, -i *m* milk: **~ pluhur** powder milk; **~ dallëndysheje** *bs* pie in the sky; **më del ~i i nënës** *bs* be at the end of one's tether; **i kam buzët me ~** be wet behind the ears; **dhëmbët e ~it** milk (first) teeth; **Udha e Q~it** *ast* the Milky Way ♦ *mb* milky: **i bardhë** as white as milk ♦ **~ór, -i** *m gjll* milk loaf; milk pie ♦ **~ór, -e** *mb f* milky; unripe/ baby/ sweet *(corn):* **qengj ~** suckling lamb; **duar ~e** milky-white hands ♦ **~ór/e, -ja** *f bt* milkwort

qupl/óhet *vtv* -úa (u), -úar become dull *(of a cutting edge)*

qúrra, -t *f sh* mucus *(of the nose);* snot: **shfryj/ fshij ~t** blow/ wipe one's nose ♦ **~ásh, -e, ~véc, -e** *mb kq* snotty; mean

qyfýr, -i *m bs* joke ♦ **~exhí, -u** *m bs* jester

qyl, -i *m kq* freebie, freebee; sponger; scrounge: **i bie ~it** have sth for free ♦ *nd bs :* **ha ~një drekë** have a dinner for free ♦ **~axhí, -u** *m bs kq* scrounger; free-loader; flunky

qyméz, -i *m* hencoop; henhouse

qymýr, -i *m* charcoal; coal: **më zë ~i** fall in love ♦ *mb* black ♦ **~gúr, -i** *m* coal ♦ **~gurór, -e** *mb:* **fushë ~e** coal field

qyn/g, -u *m* pipe; shaft

qyp, -i *m* large earth pot; *bs* pate; *kq* dumb fish: **~ vaji** oil pot; **nuk më mbushet ~i** *bs* be hard to convince; **i kam paratë me ~** have pots of money ♦ *nd:* **më mbushet mendja ~** be thoroughly convinced

qyq, -i *m* bereft/ lonesome person; lone wolf; wretch: **mbetem ~** remain lonely ♦ **~ár, -e** *mb* bereft; lonesome; wretched; unlucky; unfortunate ♦ **~/e, -ja** *f zl* cuckoo; *fg* widow; wretched woman: **bëhem ~e** get drunk/ soused; **kali i ~es** *zl* white vulture

qyr/k, -u *m* fur-coat; fur-lined coat; *fg* cloak; mantle

qysqí, -a *f* crowbar

qysh *nd:* **~ je?** how are you?; **e di ~ bëhet** I know how to do it; **~ në vogëli** since his childhood ♦ *pj:* **~ atëherë** since then; **~ jo!** why not ♦ **~kúr** *nd* long since

qyté:t, -i *m* city; town; *prmb* townspeople: **sheshi i ~it** town square; **muret e ~it** city walls; **~i i studentëve** university campus ♦ **~tár, -i** *m* citizen; subject; town/ city-dweller ♦ **~tár, -e** *mb* city, town *(mb);* urban; civilised: **vajzë ~e** townsgirl; **sjellje ~e** civilised conduct ♦ **~tarí, -a** *f* citizenship; civility; courtesy: **~a e nderit** freemanship of a city ♦ **~tas, -i** *m shih* **qytetar, -i** ♦ **~tas, -e** *mb* town; city *(mb)* ♦ **~tërím, -i** *m* civilisation ♦ **~tëróhem** *vtv, ps* ♦ **~ër/ój** *kl* civilise ♦ **~tërúar (i, e)** *mb* civilised ♦ **~tës, -e** *mb:* **shkollë ~e** intermediate school; **transporti ~** urban transport ♦ **~tës/e, -ja** *f vj* intermediate school ♦ **~t-shtét, ~i** *m hst* city-state ♦ **~tézë, -a** *f* town

qýt/ë, -a *f* shoulder rest; butt *(of a rifle)*

R

rac:atór, **-e** *mb* mounting stock ♦ **~/ë, -a** *f* race; *zl* stock; breed: **~a njerëzore** human race ♦ **~iál, -e** *mb* racial

ración, -i *m* ration: **i vë ~ dikujt** put sb on rations

racionál, -e *m* rational *(being, nmber)* ♦ **~/e, -ja** *f fil, mt* rationale ♦

racion:ím, -i *m* rationing ♦ **~/ój** *k/* ration ♦ **~úar (i, e)** *mb* rationed

rací:st, -i *m* racist; racialist ♦ **~st, -e** *mb*: **sulm ~** racially motivated attack ♦ **~z/ëm, -mi** *m* racism

racór, -e *mb* racial; pedigree: **kalë ~** pedigree horse

radár, -i *m* radar

radiatór, -i *m* radiator

radikál, -e *mb* radical ♦ **~, -i** *m* radical ♦ **~íz/ëm, -mi** *m* radicalism

rádio, -ja *f* radio; wireless: **vë ~n** turn on the radio; **valë të ~s** radio waves

radio:aktív, -e *mb fz* radioactive: **shi ~** fall-out ♦ **~aktivitét, -i** *m fz* radioactivity ♦ **~amatór, -i** *m* radio amateur; *bs* ham ♦ **~dhénës, -i** *m* radiotransmitter ♦ **~grafí, -a** *f* radiography; x-ray photograph ♦ **~grafík, -e** *mb* radiographic; x-ray *(examination)* ♦ **~gramafón, -i** *m* radio-gramophone ♦ **~márrës, -e** *mb* radio receiver/station ♦ **~lóg, -u** *m* radiologist ♦ **~logjí, -a** *f* radiology ♦ **~skopí, -a** *f* radioscopy; x-ray ♦ **~stación, -i** *m* radio station ♦ **~televizíon, -i** *m* radio and television ♦ **~televizív, -e** *mb* radio and television *(broadcasting station)*

radís *k/* prepare

radíst, -i *m* radio (wireless) operator

rádh:as, ~azi *nd/* in turn; by turns; in a row: **dy herë ~** twice in a row ♦ **~/ë, -a** *f* row; line *(of a text)*; file; *nj* queue; *bs* rank; sequence; turn; time: **~ët e para** front seats *(in a theatre)*; **~ë për një** single file; **~ë për pesë** five-deep line; **~ë e bukës** bread line; **nuk është i ~ës sonë** he is not one of our rank; **kush e ka ~ën?** whose turn is next?; **këtë ~ë** this time/ once; **në ~ë të parë** in the first place;

e kështu me ~ë and so on ♦ *nd/* in a row; in succession; by turns ♦ **~ím, -i** *m* alignment; lining-up; *sht* type-setting

radhíq/e, -ja *f bt* chicory

radhít *k/* line up; *sht* type-set; *fg* rank: **~ sipas alfabetit** sort in alphabetical order ♦ **~/om** *vtv* line up; *ps:* **u ~ën trupat** the troops fell into line; **~emi për katër** form four-deep; **~em me më të mirët** rank with the best ♦ **~ës, -i** *m sht* type-setter ♦ **~j/e, -a** *f* alignment; line-up; *sht* type-setting: **punëtor i ~jes** type-setter

rafin:erí, -a *f* (oil, etc.) refinery ♦ **~/óhet** *ps, vtv* ♦ **~/ój** *k/* refine *(oil, sugar)* ♦ **~úar (i, e)** *mb* refined; *fg* polished; *kq* artful

raft, -i *m* shelf *(sh* **shelves**); rack: **~ i rrobave** wardrobe; **~ i velgave** tool rack

ragbí, -ja *f sp* rugby

ragú, -ja *f gjll* ragout; meat sauce

rajón, -i *m* region; (police) station ♦ **~ál, -e** *mb* regional

rakét/ë, -a[1] *f ush* missile; rocket

rakét/ë, -a[2] *f sp* racket; bat: **~ë tenisi** tennis racket

rakí, -a *f* raki *(liquor distilled from fruit)*

rakit:ík, -e *mb mk* rachitic ♦ **~íz/ëm, -mi** *m mk* rachitis

Ramazán, -i *m ft* Ramadan

ran/g, -u *m* rank; stature; standing: **i ~gut botëror** of world stature

ran:ísht/ë, -a *f* sandy beach; sand-bank; sand-pit ♦ **~ór, -e** *mb* sandy

rapórt, -i[1] *m* rapport; relation(ship); ratio: **~ i forcave** balance of power; **në ~ me** in relation to

rapórt, -i[2] *m* report; account: **pagesë me ~** sick-pay/ allowance ♦ **~ím, -i** *m* reporting ♦ **~/óhet** *ps* ♦ **~/ój** *k/* report; *bs* report on

raprezálj/e, -et reprisal; victimisation

rapsód, -i *m* rhapsodist ♦ **~í, -a** *f lt, mz* rhapsody

rás/ë, -a[1] *f gjh* case: **~a emërore** nominative case

rás/ë, -a[2] *f ft* cassock

rast, -i *m* case; opportunity; chance; occasion: **në asnjë ~** never; not in any case; **për çdo ~** in any case/ event; **punë të ~it** odd jobs; **humb ~in** miss a chance; **në ~ se** if; in case ♦ **~ësí, -a** *f* accident; chance; fluke; fortuitousness ♦ **~ësísh/ ëm (i), -me (e)** *mb* accidental; chance *(meeting)* ♦ **~ësísht** *nd (to meet)* by chance; accidentally ♦ **~ís** *jk/*happen; *v iii, pvt*happen; chance: **~a edhe unë aty** I·happened to be there, too ♦ *kl bs* meet; encounter ♦ **~ísj/e, -a** *f* accident; chance ♦ **~it (i, e)** *mb* accidental; chance *(encounter);* fortuitous: **përputhje të ~** coincidences

ráshë *kr thj e bie*[1]

rashqél, -i *m* rake: **mbledh me ~** rake up

ratifikím, -i *m zyrt* ratification ♦ **~/óhet** *ps* ♦ **~lój** *kl* ratify *(a treaty)*

re *em plk:* **vë ~** notice; **pa u vënë ~** unnoticed; unobserved; **vini ~!** attention!

re, -ja[1] *f* cloud; swarm *(of flies, etc.);* **qiell me ~** clouded sky

re, -ja[2] *f mz* d; re: **~ diezis/ bemol** d sharp/ flat

re, -ja (e)[1] *f* young girl/ woman; daughter-in-law

re, -ja (e)[2] *f sh* news; *sh* breakthrough *(in science);* novelty

reag:ím, -i *m* reaction ♦ **~lój** *jk/* react

reaksión, -i *m km, fz* reaction

reaksionár, -i *m* reactionary ♦ **~ár, -e** *mb:* **politikë ~e** reactionary policy

reakt:ív, -i *m bs* jet plane ♦ **~, -e** *mb:* **motor ~** jet engine ♦ **~ór, -i** *m (nuclear)* reactor

reál, -e *mb* real(istic): **parashikim ~** realistic forecast ♦ **~íst, -e** *mb* realistic; *art* true-to-life ♦ **~ísht** *nd* really; actually ♦ **~itét, -i** *m* reality ♦ **~íz/ëm, -mi** *m lt, art* realism

realiz:ím, -i *m* fulfilment; *sh* achievement ♦ **~/óhet** *vtv* come true; materialise; *ps* ♦ **~lój** *kl* fulfil *(a desire);* execute

reanimación, -i *m:* **repart i ~it** intensive care unit

rebél, -i *m* rebel; mutineer ♦ **~, -e** *mb* rebelling; rebellious; mutinous; seditious *(spirit)* ♦ **~ím, -i** *m* rebellion; sedition; mutiny ♦ **~íz/ëm, -mi** *m* rebelliousness ♦ **~/óhem** *vtv* rebel; mutiny

recensión, -i *m* (book, etc.) review; report *(of a reviewer)* ♦ **~/óhet** *ps* ♦ **~lój** *kl* review *(a book, etc.)* ♦ **~úes, -i** *m* (book, etc.) reviewer

receptór, -i *m* receiver; handset *(of the telephone)*

recét/ë, -a *f mk* prescription; *gjl* recipe

reciprok, -e *mb* reciprocal; mutual ♦ **~isht** *nd* mutually

recit:ál, -i *m mz* recital ♦ **~ím, -i** *m* recital, recitation; declamation ♦ **~/óhet** *ps* ♦ **~lój** *kl* recite *(a poem)* ♦ **~úes, -i** *m* reciter

reçél, -i *m* jam

redak:sí, -a *f* editorial office/ staff ♦ **~sionál, -e** *mb* editorial *(article)* ♦ **~tím, -i** *m* editing; *kn* cutting ♦ **~t/óhet** *ps* ♦ **~t/ój** *kl* edit; write out *(an article,*

etc.) ♦ **~tór, -i** *m* editor ♦ **~toriál, -e** *mb* editorial

referát, -i *m* report

referendúm, -i *m* referendum *(sh* -a, -ums*)*

refer:ént, -i *m* desk officer ♦ **~ím, -i** *m* reference; report; cross-reference: **pikë ~i** reference point ♦ **~/óhem** *vtv* refer oneself to; make references to; *ps* ♦ **~lój** *jk/* report; account: **~oj në një mbledhje** report to a meeting ♦ *kl* forward/ report *(a question to sb);* refer to ♦ **~úes, -i** *m* reporter

refkëtí:m/ë, -a *f* beat; throb *(of the heart)* ♦ **~ln** *jk/-* u, -rë beat; throb

refléks, -i *m* reflection; reflex: **~ i dritës** reflection of the light; **~ i pakushtëzuar** *fzo* unconditional reflex ♦ **~tím, -i** *m* reflection; consideration ♦ **~t/ óhet** *ps* ♦ **~t/ój** *kl fz* reflect; mirror *(an image)* ♦ *jkl* reflect; consider; ponder ♦ **~tór, -i** *m* reflector; electric heater ♦ **~túes, -e** *mb* reflecting *(surface)*

reform:atór, -i *m* reformer ♦ **~/ë, -a** *f* reform: **bëj ~ë** enact a reform ♦ **~ím, -i** *m* reform(ing); reformation ♦ **~íst, -i** *m* reformer; reformist ♦ **~íz/ëm, -mi** *m pl* reformism ♦ **~/óhet** *vtv, ps* ♦ **~lój** *kl* reform ♦ **~úar (i, e)** *mb* reformed

refraktár, -e *mb tk* fire-proof *(lining)*

refrén, -i *m lt, mz* refrain

refugját, -i *m* refugee: **~ë të luftës** war refugees

refuz:ím, -i *m* refusal ♦ **~/óhet** *ps* ♦ **~lój** *kl* refuse; reject ♦ *jk/* refuse; decline

regët:ím/ë, -a *f* throb; beat; *(death)* throes; twinkle' *(of the stars)* ♦ **~í/j** *jkl v iii* throb *(of the heart); v iii* flicker; blink

regrés, -i *m* regress(ion); retrogression ♦ **~ív, -e** *mb* re(tro)gressive

regj *kl* tan *(hides);* pickle ♦ **~lem** *vtv, ps* e **regj**

regjén:c/ë, -a *f* regency ♦ **~t, -i** *m* regent *(prince)*

régjës, -e *mb* tanning *(substance)* ♦ **~, -i** *m* tanner; pickler

regjí, -a *f tt, kn* production; direction *(of a play, of a film)*

regjím, -i *m* regime; government; diet; *tk* flow *(of a river)*

regjimént, -i *m ush* regiment

regjisór, -i *m* stage-manager *(of a play);* director *(of a film)*

regjíst/ër, -ri[1] *m mz* register *(of the voice); mz* stop *(of an organ)*

regjíst/ër, -ri[2] *m* register; logbook *(of a ship);* record: **~ër i arkës** cash register ♦ **~rím, -i** *m* recording; registration; *tk* setting *(of an instrument):* **~ i popullsisë** census; **~ i zërit** sound recording ♦ **~r/óhem** *vtv, ps:* **~rohem ushtar** be enlisted in the army ♦ **~r/ój** *kl* register; record; enter, book *(an item of expenditure, etc.);* file *(a document);* adjust, set *(an instrument):* **~roj një lindje** register a birth; **~roj me/ në magnetofon** tape-record ♦ **~rúes, -i** *m* recorder; register

régj:j/e, -a *f* tanning; pickling ♦ **~ur (i, e)** *mb* tanned *(hide); pickled (olives, etc.); fg* hardened; inured *(to hardships); kq* hard-boiled: ♦ **~úra, -t (të)** *as* pickles

rehabilit:ím, -i *m* rehabilitation ♦ **~lóhem** *vtv, ps* ♦ **~lój** *kl* rehabilitate

rehát, -i *m bs* rest; peace; calm; ease: **s'kam ~** be uneasy/ restless; have no peace ♦ *nd bs* in peace; at ease; comfortably: **lëre ~!** leave him alone; **s'rri dot ~** I can't sit still; **fli ~** put your mind at rest ♦ **~í, -a** *f bs* comfort; ease: **jetoj në ~** live in comfort ♦ **~lóhem** *vtv* settle down; calm down: **u ~uan fëmijët** children have calmed down ♦ **~lój** *kl* (put to) rest; settle *(one's affairs);* look after; fix up: **~oj miqtë** fix up the guests *(for the night)* ♦ **~sh/ëm (i), -me (e)** *mb* comfortable; snug; easy *(life);* cosy *(position);* smooth

reklám/ë, -a *f* advertisement; publicity; (tv) spot ♦ **~ím, -i¹** *m* advertising

reklamím, -i² *m* claim; formal complaint

reklam/óhet¹ *ps e* **reklamoj¹**

reklam/óhet² *ps e* **reklamoj²**

reklam/ój¹ *kl* advertise; publicise; blazon

reklam/ój² *kl* claim; protest

rekomandé *mb* registered *(letter)*

rekomand:ím, -i *m* recommendation; reference ♦ **~lóhem** *ps* ♦ **~lój** *kl* recommend; advise ♦ **~úes, -i** *m* referee *(of a student, etc.)*

rekórd, -i *m* record: **~ botëror** world record/ best

rekord:mén, -i *m sp* record-holder

rekrút, -i *m* recruit; conscript ♦ **~ím, -i** *m* recruitment; recruiting; conscription ♦ **~lóhem** *ps* ♦ **~lój** *kl* recruit; conscript

rektór, -i *m ft* rector ♦ **~át, -i** *m ft* rectorate

rekuizít/ë, -a *f tt* props

rekuiz/ój *kl* requisition; commandeer

relación, -i *m* report; account

relatív, -e *mb* relative ♦ **~íst, -i** *m fil* relativist ♦ **~íst, -e** *mb fil* relativist(ic) ♦ **~ísht** *nd* relatively; comparatively: **~ i ri** relatively young ♦ **~itét, -i** *m* relativity: **teoria e ~it** the theory of relativity ♦ **~íz/ëm, -mi** *m fil* relativism

reliév, -i *m art, gjg* relief: **hartë me ~** relief map

relíkt, -i *m* relic

remí, -a *f* draw *(in chess)* ♦ *nd:* **nxjerr ~** draw *(a chess match)*

remónt, -i *m* repair; overhaul *(of an engine)*

rend, -i¹ *m* order, sequence; turn: **~ i fjalëve (në fjali)** word order; **~i i ditës** order of the day; agenda; **me ~** in (good) order

rend, -i² *m* order; system: **~ publik** public order

rend, -i³ *m* run ♦ *jk/* run; *fg* hanker after *(profit)*

rend/e, -a *f* grater; rasp: **~e e djathit** cheese-grater; **grij në ~e** grate

rëndës, -i *m sp* runner

rendimént, -i *m* output: **me ~ të lartë** heavy-duty *(equipment)*

rendít *kl* arrange; line up, array *(troops, etc.):* **~ mendimet** arrange one's thoughts; **~ midis më të mirëve** put sb with the best ♦ **~/em** *vtv, ps* ♦ **~j/e, -a** *f* order; arrangement; line-up; rank(ing)

réndj/e, -a *f* run(ning)

rendór, -e *mb* ordinal *(nmeral)*

renegát, -i *m* renegade; turn-coat; *bs am* rat

rentáb:ël *mb ek* profitable; paying ♦ **~ilitét, -i** *mk* profitability

rént/ë, -a *f ek* revenue; income; private means

repárt, -i *m* department; section; shop *(of a store, etc.);* ward *(of a hospital); ush* detachment: **~i i veshjeve për burra** men's clothing department; **~i i montimit** fitting/ assembly shop; **~ i urgjencës** emergency ward

repertór, -i *m* repertory; repertoire

replík/ë, -a *f* retort; objection; *tt* reply; replication; rejoinder

report:ázh, -i *m* report(age) ♦ **~ér, -i** *m* reporter

repres:ión, -i *m* repression ♦ **~ív, -e** *mb* repressive

republik:án, -i *m* republican ♦ **~án, -e** *mb* republican ♦ **~ë, -a** *f* republic

rés/ë, -a *f* envy ♦ **~ëtár, -e** *mb* envious; spiteful

respékt, -i *m* respect; regard: **me ~ për veten** with self-respect ♦ **~úar (i, e)** *mb* respected ♦ **~ím, -i** *m* respect *(for sb);* observance *(of the law)* ♦ **~óhem** *ps* ♦ **~lój** *kl* respect; observe *(rules):* **~oj detyrimet** honour one's obligations ♦ **~úesh/ëm (i), -me (e)** *mb:* **burrë i ~ëm** a man that commands respect

respiratór, -i *m* respirator

restaur:ím, -i *m* restoration ♦ **~lóhet** *vtv, ps* ♦ **~lój** *kl* restore *(a work of art)* ♦ **~úar (i, e)** *mb* restored ♦ **~úes, -i** *m* restorer

restoránt, -i *m* restaurant

resh *jk/-i, -ur:* **po ~in ca pika shi** a few rain-drops are falling ♦ *kl:* **e ~ me të mira dikë** shower favours on sb ♦ **~/em** *vtv* ♦ **~j/e, -t** *f:* **~e shiu** rainfall

réshp/e, -ja *f sh;* **-e, -et** snow-ball; avalanche

resht *kl* drive away; call off; pacify ♦ *jk/* abate; calm down; stop; cease: **~i fëmijët!** calm the children!; **~ së foluri** stop talking ♦ **~/em** *vtv* step aside; *v iii* abate: **~et zhurma** the noise is subsiding; *ps*

retín/ë, -a *f an* retina

retorík, -e *mb* rhetorical *(question)* ♦ **~lë, -a** *f* rhetoric(s)

retrospektív, -e *mb* retrospective: **pamje ~e** flashback ♦ **~lë, -a** *f* retrospect

retúsh, -i, ~ím, -i *m* retouch(ing); touching-up ♦ **~lóhet** *ps* ♦ **~lój** *kl* retouch; touch up

reuma:tíz/ëm, -mi *m mk* rheumatism

reván, -i *m* gallop ♦ *nd:* **ngas ~** gallop

revaní, -a *f gjll* sponge cake

revansh:íst, -i *m* revanchist; revenge-seeker ♦ **~íst,**

-e *mb* revanchist *(mb);* revenge-seeking ♦ **~íz/ëm, -mi** *mb* revanchism; revenge

revíst/ë, -a[1] *f* magazine; review: **~ë e përmuajshme** monthly review

revíst/e, -a[2] *f* review; parade: **kaloj në ~ë** (pass in) review *(the troops)*

reviz:ión, -i *m* revision; audit(ing); *tk* overhaul(ing) ♦ **~ioním, -i** *m* revision(ing); review(ing); audit(ing): **komision i ~it** audit commission ♦ **~ioníst, -i** *m pl* revisionist ♦ **~ioníst, -e** *mb pl* revisionistic *(policy)* ♦ **~ioníz/ëm, -mi** *m* revisionism ♦ **~ion/óhet** *ps* ♦ **~ion/ój** *kl* review; audit; revise; *tk* overhaul ♦ **~ór, -i** *m* reviser; revisor; auditor; visitor

revok:ím, -i *m dr* revocation; reversal *(of a court ruling)* ♦ **~óhet** *dr ps* ♦ **~ój** *kl dr* revoke; reverse *(a court ruling)*

revól/e, -ja *f bs* revolver: **me ~e kokës** at gun point

revólt/ë, -a *f* revolt; mutiny *(of the troops)* ♦ **~ím, -i** *m* revolt(ing) ♦ **~óhem** *vtv* revolt ♦ **~ój** *kl* (cause to) revolt ♦ **~úar (i, e)** *mb* revolted ♦ **~úes, -e** *mb* revolting

revolución, -i *m* revolution ♦ **~ár, -i** *m* revolutionary ♦ **~ár, -e** *mb* revolutionary

revolvér, -i *m* revolver

réz/e, -ja *f* (door) latch

rezerv:át, -i *m* reservation; reserve; chase *(of game, etc.)* ♦ **~/ë, -a** *f* reserve; *fg* reservation: **~ë ari** gold reserve; **pa ~a** without reserve; unsparingly; **e marr me ~ë diçka** take sth with a grain of salt ♦ **~ím, -i** *m* reserving; keeping (setting) aside; booking *(places in a restaurant, etc.);* reserve; discretion; self-restraint ♦ **~íst, -i** *m ush* reservist ♦ **~/óhem** *vtv* reserve oneself; restrain oneself; be discreet; *ps* ♦ **~/ój** *kl* reserve; keep/ set aside; store *(food);* reserve; book *(a table, etc.)* ♦ **~uár, -i** *m tk* reservoir; *(oil, etc.)* tanker ♦ **~úar (i, e)** *mb* reserved; discreet; self-restrained; classified *(document)*

rezidénc/ë, -a *f* residence; residency; seat: **~a e qeverisë** seat of the government

rezist:énc/ë, -a *f nj fiz, tk* resistance; *el* reluctance; *tk* electric (immersion) heater: **provë e ~ës** endurance test ♦ **~/ój** *kl v iii* resist; (with)stand; *v iii* weather *(difficulties, a storm, etc.):* **u ~oj tundimeve** resist temptations

rezolu:ción, -i *m tk* resolution ♦ **~t/ë, -a** *f pl* resolution

rezon:ánc/ë, -a *f fz* resonance; sonority

rezult:ánt/e, -ja *f tk* resultant ♦ **~át, -i** *m* result; outcome; issue: **~ logjik** logical outcome; **pa ~** without result; ineffectual ♦ **~/ón** *kl* **-ói, -úar** result: **~on se** it follows that

rézus, -i *m mk:* **faktori ~** rhesus factor

rënd/em *vtv* be a burden *(on sb); v iii* become tedious: **më ~et ta bëj** I don't feel like I can do it ♦

~és/ë, -a *f fz* gravity: **forca e ~ës** gravity pull ♦ **~~/ë, -t (të)** *mb* burden; load; *bs* faint ♦ **~/ë (i, e)** *mb* heavy; weighty; *tk, ush* large-calibre; heavy-duty *(machinery);* stodgy *(food);* strong *(tea, coffee);* stocky *(body);* foul, close, stuffy, frowsty *(air);* difficult, unwieldy; belaboured; *(woman)* heavy with child; *fg* grave, serious *(illness);* shattering, telling *(blow);* heavy-handed *(person);* grave-looking *(person)*; deep *(sleep);* harsh *(words);* gruff *(behaviour);* *sp* rough *(play);* *bs* important, major: **peshë e ~ë** *sp* heavy weight; **dorë e ~ë** heavy hand; **stil i ~ë** belaboured style; **i kam këmbët të ~a** plumb my feet are as heavy as lead; **plagë e ~ë** serious wound; **gjendje e ~ë** trying situation; **i ~ë nga veshët** heavy of hearing ♦ **~ë** *nd:* **ngarkoj ~** load heavily; **eci ~** shamble; slug along; **më bie ~ në stomak** sit heavy in one's stomach; **ndëshkoj ~** punish severely; **i plagosur ~** seriously wounded; **flas ~** be rude *(of speech);* **ndërhyj** *sp* tackle roughly; **më vjen ~** feel awkward ♦ **~ësí, -a** *f* weight; heaviness; *fg* importance; significance; moment; *fg* attention; heed; *fg* authority; s*hih* **rëndes/ë, -a, rëndësir/ë, -a**: **me ~ jetike** of vital importance; **nuk i jap diçkaje** pay no attention to sth; **i jap ~ësi vetes** throw one's weight about ♦ **~ësírë, -a** *f* heaviness; *fg* burden ♦ **~ësísh/ëm (i), -me (e)** *mb* important; significant; momentous ♦ **~ím, -i** *m* burdening; aggravation: **~ i gjendjes** aggravation of the situation ♦ **~/óhem** *vtv* be burdened/ loaded/ laden (with); grow stout; *v iii* become worse/ serious; be aggravated/ overburdened; *fg* be a burden *(on sb);* offend; *v iii bs* be heavy with child; *ps:* **u ~ua gjendja** the situation was aggravated ♦ **~/ój** *kl* make heavy; increase the weight of; *fg* burden; overload; encumber; *fg* worsen, aggravate: **~oj gjendjen** aggravate the situation; **m'i ~on gjumi qepallët** my eyelids are heavy with sleep; **e ~oj dorën mbi dikë** lay hands on sb; **i ~oj dheut** be a dead weight ♦ *jk/be/* lie heavy; weigh; press; *v iii be/* feel heavy; *fg* be a burden on; *fg* fall on; weigh down; *fg* carry weight; *fg* stress; emphasise; *fg* drudge; *v iii* become worse: **nuk ~on shumë** it is not too heavy; **më ~ojnë këmbët** my feet are heavy; **përgjegjësia ~on mbi të** the responsibility lies with him

rëndóm *nd* ordinarily ♦ **~t/ë (i, e)** *mb* ordinary: **gjëra të ~a** trivialities; **njeri i ~ë** ordinary person

rëndúes, -e *mb dr* aggravating *(circumstance, evidence)*

rën:ë *pjs* **e bie** ♦ **~/ë, -a (e)** *f* (të) blow; hit; toot *(of the siren):* **me një të ~ë** at one go; **me një të ~ë të penës** with one strike of the pen

rën/ë (i, e) *mb* drooping; hanging down; fallen: **veshë të ~ë** drooping ears; **fruta të ~a** windfall ♦ **~t (të)** *m sh* (the) fallen; martyrs

rënë *nd* (in a) lying (position): **e gjeta ~ në shtrat** I found him lying in bed

rëni/e, -a *f* fall(ing); drop; downfall; collapse: **~e e lirë** *fz* free fall; **shkoj drejt ~es** head for a fall

rënk:ím, -i *m* groan; moan ♦ **~/ój** *jk/* groan; moan: **~oj nga dhembja** groan with pain

rëntgén, -i *m* *fz* röntgen ♦ **~** *mb:* **rrezet ~** röntgen rays

rër/ë, -a *f* sand; grit *(of some fruit):* **orë me ~ë** sand glass ♦ **~ët (i, e)** *mb* sandy

ri, -u (i) *m* young man; youth; junior (Jr) **të ~nj e të reja** the young men and the young women ♦ **~, -të (të)** *as* youth: **shkoi të ~të** youth is gone ♦ **~ (i), re (e)** *mb* young; new; latest *(news);* fresh; novel: **djalë i/ vajzë e re** young man/ woman; **ide të reja** new ideas; **kërk i ~** brand new; **bukë e re** fresh bread; fresh harvest; **verë e re** young wine; **jam i ~ në zanat** be new to the trade; **historia e re** the modern history; **para erës së re** before our/ the new era; **me forca të reja** with renewed forces; **Viti i ~** the New Year

riaktiviz:ím, -i *m* reactivation ♦ **~/óhem** *vtv, ps* ♦ **~/ój** *k/* reactivate; put into service again

riatdhes:ím, -i *m* repatriation ♦ **~/óhem** *vtv, ps* ♦ **~/ój** *k/* repatriate ♦ **~úar (i, e)** *mb* repatriated

ribot:ím, -i *m* reprint; new edition ♦ **~/óhet** *ps* ♦ **~bot/ój** *k/* reprint *(a book);* make a new edition of *(a book)*

ricín, -i *m* *bt* castor; castor-oil plant

rieduk:ím, -i *m* re-education; reform: **shkollë ~i** reform/ rehabilitation school ♦ **~/óhem** *vtv, ps* ♦ **~/ój** *k/* re-educate

rifill:ím, -i *m* recommencement; resumption ♦ **~/óhet** *ps* ♦ **~/ój** *k/, jk/* recommence; begin/ start again; resume: **~oj lojën** resume the game

ríg/ë, -a¹ *f* trickle; dribble; *nj/* drizzle: **një ~ë shi** a light drizzle

ríg/ë, -a² *f* ruler

rigón, -i *m* *bt* (sweet) marjoram

rig/ón *jk/ -ói, -úar* trickle down; drizzle

ríh/em *vtv* be rejuvenated; *v iii* grow again *(of grass, etc.);* wax *(of the moon)*

ríhet *vtv* become wet (dewy): be humid ♦ **ri/j** *k/* wet; humectate; sprinkle *(clothes for ironing)*

rikonstruk:sión, -i *m* rebuilding; reconstruction

rikoshét, -i *em* ricochet; rebound

rikth:éh/em *vtv* **~éva (u), ~ýer** return; go/ come back again; *v iii* be restituted; be remitted; *v iii* be restored; *ps:* **~ehem në punë** return one's job ♦ **~ /éj** *k/* ♦ return; bring back; stage a come-back of; remit; return; send back again ♦ **~ím, -i** *m* return; come-back;

rilev:ím, -i *m* *tk* survey; plotting ♦ **~/óhet** *tk ps* ♦ **~/ój** *k/* survey; plot ♦ **~úes, -i** *m* surveyor

rilínd *jk/ v iii* be reborn/ born again: **më ~ besimi** my confidence rose again ♦ **~/em** *vtv* be born

again ♦ **~ës, -i** *m* Renaissance figure ♦ **~j/e, -a** *f* revival; rebirth; *hst* Renaissance ♦ **~ur (i, e)** *mb* revived; reborn

rim/árr *k/ -óra, -árrë* retake; take back; recapture; recover: **e ~arr veten** pick oneself up again ♦ **~márrj/e, -a** *f* retaking; recapture

rimél, -i *m* mascara

rimeso, -ja *f* veneer: **vesh me ~** veneer

rim/ë, -a *f* *lt* rhyme

rimëkémb *k/* rebuild; reconstruct: **~ vendin** rebuild the country ♦ **~/em** *vtv, ps* ♦ **~j/e, -a** *f* recovery

rim/ón *jk/ -ói, -úar* *lt* rhyme

rimorki:atór, -i *m* *dt* towboat; tugboat; tug ♦ **~m, -i** *m* towing; tugging; taking in a tow ♦ **~o, -ja** *f* trailer ♦ **~/óhem** *ps* ♦ **~/ój** *k/* tow, take in a tow; *dt* tug

rindërt:ím, -i *m* rebuilding; reconstruction ♦ **~ /óhem** *ps* ♦ **~ë/ój** *k/* rebuild; reconstruct

rin/g, -u *m* *sp* ring; boxing

ringjáll *k/* bring back/ restore to life; resuscitate; revive; reanimate; revive *(memories, hopes)* ♦ **~ /em** *vtv* come back to life; be born again; *v iii* revive; *ps:* **u ~ën shpresat** hopes revived ♦ **~j/e, -a** *f* revival; rebirth; resuscitation ♦ **~ur (i, e)** *mb* revived; reborn; resuscitated

rin:í, -a *f* youth; *prmb* (the) young; youths *bs* young man/ woman: **mosha e ~së** young age; **në lulen e ~së** in the prime of youth; **në ~inë** time in my young days ♦ **~ím, -i** *m* rejuvenation ♦ **~/óhem** *vtv* become young again; look younger; *fg* revive; thrive; *ps* ♦ **~/ój** *k/* rejuvenate: **këto rroba të ~ojnë** you look younger in these clothes

rinoqerónt, -i *m* *zl* rhinoceros

rinór, -e *mb* youthful; juvenile: **pamje ~e** youthful look

riósh, -e *mb* young; youthful; juvenile; youngish ♦ *em* youngster

ripar:ím, -i *m* repair; mending; fixing *(a broken tool, etc.):* **~e të çastit** repairs as/ while you wait; **dyqan ~esh** *(shoes, clothes)* repair-shop ♦ **~/óhet** *ps:* **nuk ~ohet më** be past/ beyond repair ♦ **~/ój** *k/* repair; mend; fix: **~oj biçikletën** fix the bicycle; **~oj motorin** repair the engine ♦ **~úar (i, e)** *mb* repaired; mended; fixed ♦ **~úes, -i** *m* repairer; mender

ripërtýp:ës, -i ruminant ♦ **~ës, -e** *mb* *zl:* **kafshë ~e** a ruminant

riprodh:ím, -i *m* *she* **-e, -et** reproduction; reproducing; reproduction; copy; replica *(of a work of art):* **~ besnik** faithful replica/ copy; **~prodhim natyror** natural reproduction ♦ **~/óhet** *vtv, ps* ♦ **~/ój** *k/* reproduce; produce a copy of ♦ **~úar (i, e)** *mb* reproduced ♦ **~úes, -e** *mb* reproductive: **qelizë ~e** *bi* reproductive cell ♦ **~úes, -i** *m* mounting stock

ripun:ím, -i *m* revision *(of a text, program, etc.);*

reworking; rehash *(of a book)* ♦ **~lóhet** *ps* ♦ **~lój** *kl* revise; rework; overhaul; rehash *(a book):* **~oj artikullin** revise the article ♦ **~úar (i, e)** *mb* revised: **botim i ~** revised edition

risí, -a *f* youth; novelty; newness: **~ e përjetshme** eternal youth

risk, -u *m bs* lot; luck; fortune: **e kam për ~** it is my lot

rishfáq *kl* show again *(a film, a play, etc.)* ♦ **~/em** *vtv* reappear; re-emerge; *ps* ♦ **~j/e, -a** *f* reappearance; re-emergence; repeat *(of a show)*

rishik:ím, -i *m* review; revision; revisal ♦ **~ /óhet** *ps* ♦ **~ lój** *kl* review; revise; reconsider: **~oj çështjen** re-examine the case

rishkr/úaj *kl* **-óva, -úar** rewrite; write again ♦ **~úhet** *ps*

rishqyrt:ím, -i *m* re-examination; reconsideration; *dr (judicial)* review ♦ **~/óhet** *ps* ♦ **~ lój** *kl* re-examine; reconsider: **~oj një çështje** review a case

risht:ár, -i *m* novice; *ft* neophyte ♦ **~as, ~azi** *nd* newly; freshly; a little while ago; again: **i martuar ~** newly wed ♦ **~/ój** *kl* renew; regenerate

rit, -i *m ft* rite; rituals: **~et e varrimit** burial rites; **është bërë ~** it has become a common practice

rít/ëm, -mi *m* rhythm; cadence *(of the poem);* rate ♦ **~mík, -e** *mb* rhythmic(al); cadenced; measured: **prozë ~e** rhythmical prose

ritransmet:ím, -i *m rd, tv* delayed/ relayed broadcast ♦ **~ /óhet** *rd, tv ps* ♦ **~ lój** *kl rd, tv* rebroadcast; relay ♦ **~, -i** *m rd, tv* relay station ♦ **~, -e** *mb rd, tv* relay *(mb);* relaying *(station)*

rituál, -i *m* ritual ♦ **~, -e** *mb* ritual; ceremonial

rivál, -i *m* rival ♦ **~, -e** *mb* rival: **skuadra ~e** the rival (the competing) team ♦ **~itét, -i** *m* rivalry; rivalship; competition ♦ **~iz/ój** *kl* be in rivalry with; vie with; compete with/ against; be the rival of

rivendik:ím, -i *m dr* revindication; claim ♦ **~ /óhet** *ps* ♦ **~ lój** *kl dr* (re)vindicate; claim *(a right)*

rivendós *kl* re-establish; reinstate: **~ rregullin** re-establish order; **~ ekuilibrin** restore the balance; bring back ♦ **~ /em** *vtv, ps* ♦ **~j/e, -a** *f* re-establishment; reinstatement; restoration

rivë *kl* **~vënë, ~vúra** put back; restage *(a play):* **~vë atje ku ishte** put back where it belongs ♦ **~ni/e, -a** *f* putting back; restaging *(of a play); sp* throw in/ goal kick

riviér/ë, -a *f* riviera; coast resort area

rivlerës:ím, -i *m* re-assessment: **~ i gjendjes** reassessment of the situation; **~ i monedhës** revaluation of the currency ♦ **~ lój** *kl* re-assess; reappraise; revaluate

rizgj/édh *kl* **-ódha, -édhur** re-elect; elect again ♦ **~j/e, -a** *f* re-election ♦ **~ur (i, e)** *mb* re-elected ♦ **~zgjídhem** *ps*

rob, -i *m* slave; *hst* serf; *fg* slave; prisoner; *bs* folk, people: **~ërit e luftës** prisoners of war; **zë ~** make

a prisoner; **~ i pasioneve** a slave of one's; **~ zoti** an ordinary mortal ♦ **~ërésh/ë, -a** *f fm e* **rob, -i** ♦ **~ërí, -a** *f* slavery; servitude; bondage; thraldom ♦ **~ërím, -i** *m* enslavement; *fg* enthralment; captivation ♦ **~ër/óhem** *ps* ♦ **~ër/ój** *kl* enslave; *fg* enthral; capture; captivate; win: **ia ~oj zemrën dikujt** capture sb's heart ♦ *jkl bs* slave: **~oj për një copë bukë** slave for a mere living ♦ **~ërúar (i, e)** *mb* enslaved; *fg* enthralled; captivated ♦ **~érúes, -e** *mb* enslaving; *fg* enthralling; captivating *(look, charm)*

robót, -i *m* robot

robt/óhem *vtv* slave; drudge; toil; labour; fag ♦ **~úar (i, e)** *mb* belaboured; driven hard

rogl/áç, -i *m* carnival

roít *jkl* swarm; throw *(of bees); fg* teem/ crawl with; **veta i** *fg* go ga-ga ♦ **~j/e, -a** *f* swarming; throw *(of the bees)*

roj, -i *m* swarm; throw

roj/ë, -a *f* watch; guard; sentry, sentinel: **jam ~ë** be on watch duty; **~ë burgu** guardian; **~ë kufiri** border guard; **~ë nate** night-watch; **~ë personale/ trupore** bodyguard

rójk/ë, -a *f* swarm; stray sheep; *fg* gaggle; *bs* chatterbox

rojtár, -i *m* watchman

rokokó, -ja *f ark* rococo *(style)*

rol, -i *m* role; part; cast: **~ kryesor** leading role/ part; **ndarja e ~eve** casting; **luaj një ~** play a part; have an influence

rom, -i *m* Romany

romák, -u *m hst* Roman ♦ **~, -e** *mb hst* Roman; *sht* Roman type: **shifrat ~e** Roman numerals

román, -i *m lt* novel ♦ **~c/ë, -a** *f mz* song; ballad; romanza ♦ **~ciér, -i** *m* novelist

romant:ík, -u *m* romantic; romanticist ♦ **~, -e** *mb* romantic; sentimental; romantic; emotional ♦ **~íz/ëm, -mi** *m* romanticism; romantic movement

romb, -i *m gjm* rhombus ♦ **~oíd, -i** *m gjm* rhomboid

romúz, -i *m bs* jibe; taunt; jeer: **i hedh ~e dikujt** jeer at sb

rondél/ë, -a *f,* **~/e, -ja** *f tk* washer; ring: **~e llastiku** elastic ring

ronít (~s) *kl* frazzle; shred; wear out; *fg* weaken; break ♦ **~/em** *vtv v iii* crumble; fall to pieces; *fg* be weak/ become dotty *(with age)* ♦ **~j/e, -a** *f* shredding; wearing out; *fg* weakening ♦ **~ur (i, e)** *mb* worn out; frazzled; dilapidated; *fg* weak; enfeebled

ros:ák, -u *m zl* drake ♦ **~/ë, -a** *f zl* duck; urinary: **~ë shtëpiake** domestic duck; **zog ~e** duckling

rost:icerí, -a *f* rotisserie; roast-meat shop ♦ **~o, -ja** *f gjll* roast meat

rotatív/ë, -a *f sht* rotary/ web printing

rotór, -i *m el* rotary *(engine)*

rozmarín/ë, -a *f bt* rosemary

rúaj *kl* protect against/ from; guard; watch; preserve; wait off; save; keep; reserve *(a place);* fg cherish *(a memory);* follow *(a suspect);* await *(an opportunity);* wake *(the dead):* ~ **fëmijët** guard the children; ~ **nga era** shield against the wind; ~**i xhepat!** watch your pockets!; ~ **nga gabimet** warn sb against errors; ~ **qetësinë/ gjakftohtësinë** maintain one's calm/ aplomb; ~ **forcat** spare one's forces; ~ **për dimër** save/ store for winter; **e ~ si sytë e ballit** cherish sth like the apple of the eye ♦ ~**tës, -i** *m* guardian; keeper: ~ **i rendit** guardian of law and order ♦ ~**tj/e, -a** *f* protection; defence; safe-keeping; watch ♦ ~**tur (i, e)** *mb* protected; defended; guarded; watched; (well) preserved; in safe-keeping

rubeól/ë, -a *f mk* German measles

rubín, -i *m* ruby

rubinét, -i *m* tap; cock: **mbyll ~in** turn off the tap

rubrík/ë, -a *f* column; feature: ~**a sportive** sports column

rud/ ë, -a *f* soft-fleece sheep ♦ ~**ë** *mb* soft *(fleece):* **lesh ~** soft wool

rudimént, -e *m* rudiment; vestige ♦ ~**ár, -e** *mb* rudimentary; vestigial

rudín/ë, -a *f* meadow

rú/hem *vtv* guard (against); look out, watch; *v iii* be preserved; *v iii* be cherished; *ps:* ~**aju ku shkel**

watch your step; **u ~hem telasheve** keep out of trouble; ~**hu!** on your guard!; look out!

rúk:ë *mb* shelled walnut; bare *(ground)*

rul, -i *m tk* roller: ~ **letre** roll of paper; *sht* web of news-print ♦ *nd:* **mbledh ~** roll up

Rum:aní, -a *f gjg* Romania ♦ ~**anísht** *nd* (in the) Romanian (language) ♦ ~**ísht/e, -ja** *f* (the) Romanian (language) ♦ ~**ún, -e** *mb, em* Romanian

rund, -i *m sp* round: ~**i i parë i ndeshjes** the first round of the match

rus, -e *mb, em* Russian: **gjuha ~e** (the) Russian (language)

rús/em *vtv* climb down; descend

rusgjér, -i *m* drench; downpour: **bie shi ~** it is not raining, it's pouring

Rusí, -a *f gjg* Russia ♦ ~**sht** *nd* (in the) Russian (language) ♦ ~**sht/e, -ja** *f* (the) Russian (language)

rutín/ë, -a *f* routine; red tape; treadmill: ~**a e përditshme** daily grind

rys *kl* train; harden; temper ♦ ~**/em** *vtv* gain experience; be hardened to; be convinced ♦ ~**ní, -a** *f* experience ♦ ~**ur (i, e)** *mb* experienced; hardened; tempered

ryshfét, -i *m* bribe; graft; sop: **ai merr/ ha ~** this man has a price; **i jap ~ dikujt** bribe sb ♦ ~**çí, -u** *m* corrupt person; grafter

Rr

rradák/e, -ja *f bs s*cull; ball of the head; pate
rrafsh, -i *m gjm* plane; flatland; level; surface *(of the sea):* **në ~in teorik** on the theoretical level ◆ *nd* flat; level; grazing; on the ground; full to the brim: **~ me tokën** *(to lie)* flat on the ground; **e bëj ~** level down/out ◆ *p/* full: **~ një orë** one full hour ◆ **~ët (i, e)** *mb* flat; even; level *(surface)* ◆ **~ín/ë, -a** *f* flatland ◆ **~óhem** *vtv v iii* be levelled/ razed to the ground; *bs* gorge oneself *(with food);* eat one's fill ◆ **~lój** *kl* level; even *(a road, etc.);* fill to the brim; raze to the ground; *fg* level out *(difficulties)*
rrah *kl* beat; clap *(hands);* shell *(with artillery);* flap *(the wings);* skim *(milk);* break *(flax);* *v iii* be exposed *(the wind, etc.);* rap at *(the door);* *fg* thrash *(an issue):* **i ~ krahët dikujt** slap sb on the back; **~ qepallat** flap one's eyelids; **këtë udhë e ~in shumë** this is a well-beaten track; **~ ujë në havan** beat the air; flog a dead horse; **~ dheun** travel widely ◆ *jkl v iii* throb; pulsate; try hard; *fg* aim; drive at; *v iii* spawn *(of fish).* **më rreh zemra fort** my heart is pounding; **e di se ku po rreh** I know what you are up to; **~ lart** be aiming too high; **~ me mend** squeeze one's brain ◆ **~ës, -i** *m* beetle; beater ◆ **~ës, -e** *mb* striking; beating *(tool)* ◆ **~ësl e, -ja** *f* rifle rod; mixer *(of pasta, etc.)* ◆ **~j/e, -a** *f* beat(ing); thrash(ing); pounding; spawning *(of fish):* **~e e mendimeve** thrashing out of ideas: **~e e zemrës** heart beat ◆ **~ur, -a (e)** *f* beating ◆ **~ur (i, e)** *mb* beaten; thrashed; *fg* trodden, known *(path);* *fg* experienced; versed: **si qen i ~** like a beaten dog; **i ~ me jetën** world(ly)-wise; **i ~ me vaj e me uthull** hard-boiled; **qumësht i ~** skimmed milk; **vezë e ~** whipped egg
rrak:át *kl* rattle *(the bell)* ◆ **~le, -ja, ~eták/e, -ja** *f* rattle(er)
rráll:as *nd* sparsely; thinly; wide apart ◆ **~ë (i, e)** *mb* sparse; thin; rare; infrequent; unusual; occasional; *fg* exceptional; singular: **flokë të ~ë** thin/ straggling hair; **gaz i ~ë** rarefied gas; **gjë e ~ë**

rarity; curiosity; curio; **mik i ~ë** unusual guest; **më të ~ë** seldom; rarely; **i kam shokët të ~ë** be unrivalled/ unmatched ◆ **~ë** *nd:* **~ë e tek** far and wide; **~ë e për mall** once in a blue moon ◆ **~ë:hérë** *nd* rarely; seldom; scarcely ◆ **~kúnd** *nd* in few places ◆ **~kúsh** *pkf* few (people): **si ~** unlike many ◆ **~ësí, -a** *f* rarity, scarcity; thinness ◆ **~ím, -i** *m* weeding/ thinning-out *(of plants, of hair, etc.);* rarefaction ◆ **~lóhet** *vtv* ◆ **~lój** *kl* weed out; thin out *(plants);* rarefy *(gas);* reduce; lessen; cut down ◆ **~úar (i, e)** weeded/ thinned-out *(forest);* rarified *(gas)*
rrang:áll/ë, -a *f,* **~ulla, -t, ~ullína, -t** *f sh* junk; rubbish
rrap, -i *m sh* **rrépë, rrépët** *bt* plane tree; *am* button-wood; great maple
rrapashýt *mb* stocky; thick; squat; dumpy; stumpy *(person)*
rrapëllí:m/ë, -a *f* clang; bang; jangle ◆ **~lj** *jkl* clang; bang; *v iii* rumble; clatter; rattle
rrapísht/ë, -a *f* grove of plane trees
rráqe, -t *f sh* junk; frippery: **ngre ~t** pack and leave
rras *kl* press; ram; squeeze in; gorge; *bs* throw *(a punch):* **~ e plas** shove; **e ~ në burg dikë** send sb up; run sb in *(jail);* **~ kapelën** pull down the hat; **~ kokën në jastëk** bury one's head into the pillow; **ia ~ një shuplakë dikujt** slap sb in the face ◆ **~allít** *kl* press; ram ◆ **~allítet** *vtv* be pressed; be crammed; be jammed ◆ **~allítj/e, -a** *f* pressing; cramming ◆ **~lem** *vtv to* force one's way into; barge into; *bs* cram oneself
rrás/ë, -a *f* stone slab
rrásët (i, e) *mb* dense; thick-woven *(cloth)* ◆ *nd* full; cram-full
rrasík, -e *mb* flat
rraskapít (~s) *kl* tire/ wear out; exhaust ◆ **~lem** *vtv* be tired out/ exhausted ◆ **~ës, -e** *mb:* **luftë ~e** war of attrition; **punë ~e** back-breaking labour ◆ **~j/e, -a** *f* fatigue; exhaustion ◆ **~ur (i, e)** *mb*

tired out; exhausted; dead beat

rrásht/ë, -a *f krh* bone; scull; broken pot: **~ë e breshkës** turtle shell

rravg:ím, -i *m* deviation; straying *(from the subject); fz* drift ♦ **~lój** *jk/* drift; deviate; stray

rre, -ja *f z/* hookworm

rreb:án, -e *mb* whimsical; fanciful; fussy ♦ **~/e, -ja** *f* moodiness

rrebésh, -i *m* heavy shower; downpour; drencher; *fg* storm; stress: **një ~ plumbash** a burst/ spray of bullets; **~et e kohërave** the storm and stress of the ages

rreck:amán, -i, ~anár, -i *m* tatterdemalion; ragamuffin ♦ **~/ë, -a** *f* rag; frazzle; tatter ♦ **~ós** *k/* tear to pieces; shred; fray *(one's clothes)* ♦ **~ósem** *vtv* ♦ **~ósur (i, e)** *mb* tattered; frayed

rrégull, -i *m* order; rule: **vendos ~in** establish order; **~ praktik** rule of the thumb ♦ **~, -a** *f* rule; regulation(s): **~at e lojës** rules of the game; **përjashtim nga ~a** exception to the rule ♦ **~ím, -i** *m* arrangement; fixing; repair: **~ i hesapeve** settling (squaring) of accounts ♦ **~isht** *nd* regularly; as a rule; habitually ♦ **~lóhem** *vtv* make oneself up; dress up; *bs* recover; *bs* look better; come to an arrangement *(with sb);* settle *(a debt, etc.); v iii* improve *(of the weather):* **~ohem me punë** settle down with a job ♦ **~lój** *k/* tidy (uŠp), put in order *(the house);* arrange *(one's hair);* fix *(a broken tool);* adjust *(the volume of the rd);* control *(the flow of water);* set *(one's watch);* settle, resolve *(a dispute); bs* manage; *bs* come to an agreement; have a bargain/ deal *(with sb):* **~oj llogarinë me dikë** settle scores with sb; **ia ~oj qejfin/ samarin dikujt** dust sb's jacket ♦ **~ór/e, -ja** *f* rule; ♦ **~sí, -a** *f* regularity; punctuality ♦ **~t (i, e)** *mb* regular; in order; good; valid; punctual: **tipare të ~a** regular features; **gol i ~** valid goal ♦ **~tár, -i** *m ft* ordained/ regular clergy ♦ **~úes, -e** *mb* regulating; regulatory: **plan ~ (i qytetit)** town-planning/ regulatory scheme

rré/hem *vtv* be cheated/ framed ♦ **~j** *k/* cheat; lie; trick; deceive: **~ sy ndër sy** lie in one's throat/ teeth; **më ~në sytë** see things

rrek *k/* torment; tire ♦ **~/em** *vtv* try hard: **~em të kap diçka** try to reach for sth; **mos u ~ kot!** there is no point in trying ♦ *pvt:* **po ~et të bjerë shi** it looks like raining

rrék/ë, -a *f* ripe fig ♦ **~ mb** very thin/ weak; sickly

rrem, -i *m dt* oar; paddle: **barkë me ~a** row(ing) boat

rremb, -i *m an* vein; stripe: **me ~a** striped; veined

rrém/ë (i), -e (e) *mb* false; forged *(papers);* counterfeit; imitation *(mb):* **alarm i ~ë** false alarm; **mik i ~ë** deceitful friend; **mjekër e ~e** false beard

rremtár, -i *m* oarsman; rower

rren:acák, -u *m* liar ♦ **~acák, -e** *mb bs* lying; deceitful ♦ **~/ë, -a** *f bs* lie; taraddidle: **~ë me bisht/ tra** a lie with a latchet; **~ë e trashë** whopping lie; **~ë pa dëm** fib; **e mbush me ~a dikë** tell sb a pack o flies ♦ **~ës, -e** *mb bs* lying; deceitful; false surrogate: **kafe ~e** surrogate of/ for coffee

rren/g, -u *m* trick; flam; practical joke

rrep/ë, -a *f bt* turnip

rrépt:as *nd shih* **rreptë** ♦ **~lë (i, e)** *mb* stern; severe; cutting *(remark);* violent *(wind):* **vështrim i ~** stern look; **prindër të ~** severe parents; **urdhër i ~** strict order ♦ **~ë** *nd* severely; sternly: **vështroj ~** cast a stern look ♦ **~ësí, -a** *f* severity; strictness: **zonë e ~së** *sp* penalty area; *bs* box ♦ **~ësísht** *nd shih* **rreptë: ~ e ndaluar** strictly forbidden

rreshk, -u *m* brown *(of burned food)* ♦ *k/* brown *(the food);* crisp, toast *(bread); v iii* wrinkle; wizen *(the skin)* ♦ **~lem** *vtv* ♦ **~/ë, -a** *f* toast *(bread);* dry fig ♦ **~ur (i, e)** *mb* toasted; browned *(food);* crisp, withered; dry; wrinkled; wizened *(skin)*

rresht, -i *m* line; row; *sh fg* ranks; file: **hyj në ~** fall into line; **në ~ për një** in Indian file; **~ për katër** four abreast; **prish një ~** delete a line ♦ *nd:* **katër herë ~** four times in a row ♦ **~ér, -i** *m ush* corporal ♦ **~ím, -i** *m* line-up; alignment; array; order ♦ **~lóhem** *vtv to* line up; fall into line; *fg* rank *(with the best):* **u ~ua skuadra** the team lined up ♦ **~lój** *k/* line up; bring into line; align; array *(troops);* string together ♦ **~ór, -e** *mb gjh* ordinal *(nmeral)* ♦ **~ór/e, -ja** *f ush bs* drill; exercise

rreth, -i *m sh* **rráthë, rráthët** circle; ring; hoop; district; *nj fg* sphere *(of activity); fg* group, club, coterie; *nj fg* relatives; neighbourhood; *nj sp* lap, tour; round: **rreze e~it** *gjm* radius of the circle; **rrathët e syzeve** rim of the glasses; **~ dore** bracelet; **këshilli i ~it** district council; **~ letrar** literary club; **~i i fundit (i garës)** the last lap *(of the race);* **kam një ~ fëmijë** *bs* have a whole string of children ♦ *nd:* **~ e rrotull/ qark/ përqark/ ~** all around; round and round; right round; **sillem ~** turn/ circle round ♦ *prfj:* **~ shtëpisë** around the house; **aty ~ mesnatës** sometime about midnight ♦ *pj:* **~ e ~** roundabout; **e sjell ~ e ~ fjalën** beat round/ about the bush ♦ **~án/ë, -a** *f* circumstance: **~ në këto ~a** under the circumstances ♦ **~anór, -e** *mb* circumstantial; makeshift *(material)* ♦ **~as** *nd:* **vështroj ~** look around; **ndajmë ~** go cahoots ♦ **~ím, -i** *m* encirclement; siege; enclosure; fence; fencing ♦ **~ín/ë, -a** *f* vicinities; suburbs ♦ **~lóhem** *vtv* ♦ **~lój** *k/* encircle; fence off/ in; surround; *v iii* be surrounded/ enshrouded *(in mystery)* ♦ **~ór, -e** *mb* circular; round ♦ **~ór/e, -ja** *f* play-pen *(for children)* ♦ **~úar, -it (të)** *m sh* (the) surrounded; (the) besieged ♦ **~úar (i, e)** *mb* encircled; fenced in/ off; surrounded; besieged ♦ **~úes, -it** *m sh* besiegers ♦ **~úes, -e** *mb* encircling *(wall, etc.);* encircling; besieging *(army)*

rrez:atím, -i *m* radiation; iridescence: **~ bërthamor** nuclear radiation ♦ **~atóhet** *vtv* ♦ **~at/ój** *kl* v *iii* radiate; subject radiation *(seeds, etc.)* ♦ *jkl* be bright; shine; *v iii fg* irradiate: **fytyra i ~one gëzim** his face beamed with joy ♦ **~atúes, -e** *mb* radiant; *fg* bright; beaming *(with joy)* ♦ **~le, -ja** *f* ray; beam; spoke *(of the wheel);* radius *(of the circle);* range; field; *fg* ray; gleam: **~e e diellit** ray of the sun; sunbeam; shaft of sunshine; **një ~e shprese** a ray of hope; **~e x** x rays; **~e e veprimit** range of action

rrézga-bjézga *nd* helter-skelter

rrezí/k, -u *m* danger; peril; hazard; jeopardy; risk: **jashtë ~kut** out of danger; **plot ~qe** full of hazards/ pitfalls; **puna është në ~k** the whole thing is at stake; **~qet e detit** risks at sea ♦ **~ím, -i** *m* risk; jeopardy ♦ **~/óhem** *vtv* endanger oneself ♦ **~/ój** *kl* risk; hazard; endanger; jeopardise: **~oj kokën/ jetën** risk one's neck/ life; stick out one's neck *(for sb)* ♦ *jkl* venture: **mos ~o kot!** don't risk it ♦ **~sh/ëm (i), -me (e)** *mb* dangerous; perilous; hazardous; risky; unsafe: **ujëra të ~me** treacherous waters ♦

rrez:ít/em *vtv* bask in the sun ♦ **~ítj/e, -a** *f* basking in the sun; sun-bath

rrëf/éhem *vtv* **-éva (u), -ýer** *ft* confess *(one's sins);* v *iii* be told: **s'~ehet me gojë** beat description ♦ **~léj** *kl* tell, narrate; confess *(one's sins);* reveal *(a. secret);* bare *(a part of the body);* display; point to: **m'i ~e të gjitha** tell me everything about it; **i ~ej rrugën dikujt** show sb the way; **~ej me gisht** point with a finger; *fg* point a finger of scorn to sb; **~ej kush jam** show one's mettle; **ia ~ej qejfin dikujt** put sb in his place ♦ *jkl* look: **~ej i ri** look young ♦ **~énj/e, -a** *f* story; tale ♦ **~ím, -i** *m* -e, -et *ft* confession; narrative ♦ **~ýes, -i** *m ft* confessor; narrator

rrëgj:ím, -i *m* withering; shrinking ♦ **~/óhem** *vtv* wither; shrink; stunt; shrivel *(with age);* v *iii* be shortened *(of the day);* wane *(of the moon);* become dotty *(with age)* ♦ **~/ój** *kl* wither; stunt; wizen; shrivel ♦ **~úar (i, e)** *mb* withered; stunted; wizened; shrivelled

rrëké, -ja *f* stream; run, runnel *(of rainwater);* brook; rivulet; torrent; flow: **derdhet si ~** flow in torrents ♦ **~** *nd* streaming; gushing: **i shkuan lotët ~** her eyes were streaming with tears

rrëkëll/éhem *vtv* roll down *(from, into);* toss, turn *(in bed)* ♦ **~léj** *kl* roll; swill; gulp down *(a glass of):* **~ej në greminë** pitch into the abyss ♦ **~ím, -i** *m* rolling (down); overthrow

rrëmb/éhem *vtv* hasten; be hasty/ impetuous/ rash; be absorbed *(in, by);* be obsessed *(with);* v *iii* be scorched *(of the food):* **mos u ~e!** don't hurry! ♦ **~léj** *kl* grab; snatch, seize; abduct, abscond, kid-

nap; *v iii* be engulfed/ swallowed; *v iii fg* be swept/ carried away; be enthused; be obsessed *(by):* **ia ~ej nga dora diçka dikujt** snatch sth from sb's hand; **ia ~ej fitoren dikujt** rob sb of his victory; **e ~yen dallgët** *(the ship)* was swallowed by the wave ♦ *jkl fg* be quick on the uptake; *v iii* be singed/ browned/ scorched *(of the food);* v *iii bs* be slightly more/ larger/ taller, etc. than: **~en nja dy gisht nga i vëllai** he is a couple of inches taller than his brother; **po ~ente nga të pesëdhjetat** he was on the other side of his fifties ♦ **~és/ë, -a** *f* rapid; shoots *(in a river)* ♦ **~ím, -i** *m* hurry, haste; bustle; enthusiasm; abduction, kidnapping ♦ **~ímthi** *nd:* **iki ~** leave in a hurry ♦ **~ýer (i, e)** *mb* hasty; impetuous; heady *(river);* absconded, abducted, kidnapped ♦ **~** *nd:* **hyj ~** burst into; **mos e merr ~!** don't hurry! ♦ **~ýes, -i** *m* abductor; kidnapper; grabber; snatcher ♦ **~ýesh/ëm (i), -me (e)** *mb* torrential; impetuous *(river, etc.);* *fg* passionate; violent; uncontrolled ♦ **~ýeshëm** *nd shih* **rrëmbyer**

rrëmét, -i *m* heavy rain; downpour; *nj prmb* multitude; *fg* confusion; tumult ♦ *nd* in hordes; in multitudes

rrëm:íh *kl shih* **mih** ♦ **~ës, -i** *m* digger ♦ **~/ój** *kl* dig; search: **~oj tokën** dig the earth; **~oj kujtesën** search one's memory ♦ *jkl fg* dig; search; burrow: **~oj nëpër xhepa** dig into one's pockets

rrëmuj/ë, -a *f* confusion; chaos; tumult; disarray ♦ **~ë** *nd* in confusion; in a jumble/ mess: **e bëj ~** throw into confusion; **i lë gjërat ~** leave everything in a mess ♦ **~sh/ëm (i), -me (e)** *mb* hotchpotch; topsy-turvy

rrëním, -i *m* ruination; devastation; *sh* ruins: **~et e luftës** the ruins of war ♦ **~/óhem** *vtv* e **rrënoj:** **~ohem me gjithçka** be ruined completely ♦ **~/ój** *kl* ruin; devastate; wreck ♦ **~ój/ë, -a** *f* ruin(s); wreck ♦ **~úar (i, e)** *mb* ruined; devastated; wrecked ♦ **~úes, -e** *mb* ruinous; destructive

rrënx:ím, -i *m* rupture; hernia ♦ **~/óhem** *vtv* have a rupture ♦ **~úar (i)** *mb m* ruptured

rrënj/ë, -a *f* root; fang *(of a tooth):* **lëshon/ zë ~ë** to (take/ strike) root; **dhjetë ~ë ullinj** ten olive-trees; **~a e flokut** root of the hair; **~ë katrore/ kubike** square (cubic) ♦ **~ës, -i** *m* native; indigenous ♦ **~ës, -e** *mb* native; indigenous *(population)* ♦ **~ësísht** *nd* radically; completely; wholly ♦ **~ësór, -e** *mb* radical; thorough(going) ♦ **~ós** *kl* root; implant; inculcate: **~ një ndjenjë te dikush** imbue sb with a feeling ♦ **~óset** *vtv bjq* root; *fg* be rooted in ♦ **~ósur (i, e)** *mb* rooted; implanted; inculcated

rrëpír/ë, -a *f* steep; scarp ♦ **~ët (i, e)** *mb* steep; sheer *(cliff)*

rrëqébu/ll, -lli *m zl* lynx

rrëqéth *kl* v *iii* give the creeps to *(sb);* graze *(the ground):* **më ~ui gjumi** I was just about falling asleep ♦ **~/em** *vtv* shudder; shiver *(with cold)*; creep ♦ **~ës, -e** *mb* gruesome; ghastly; dreadful ♦ **-j/e, -a** *f* shiver; creeps: **më shkojnë ~e** have the creeps ♦ **~ura, -t** *f sh* shivers

rrëshájë, -t *f sh ft* Pentecost

rrëshír/ë, -a *f* resin; rosin ♦ **~të (i, e)** *mb* resin-like; resinous;

rrëshqán:ë *nd:* **heq ~** drag; lug; **heq këmbët ~** shuffle/ *fg* drag one's feet ♦ **~ór, -e** *mb zl* reptilian; *bt* creeping *(plant)* ♦ **~ór, -i** *m zl* reptile

rrëshq/ás *jk/* slide, slip, skid; run smoothly; *v iii* glide; *fg* evade, dodge *(a question):* **~et pena** the pen writes smoothly; **~as nga dhoma** slip out of the room ♦ **~ít** *nd:* **për ~** *(to touch)* lightly; *(to look)* briefly, furtively; *fg* in passing; **hyj për ~** creep in stealthily ♦ **~ítas** *nd* with a slide; *fg* slyly; stealthily; furtively; in passing: **kaloj ~** go by stealthily; scrape along; **e zuri plumbi ~** the bullet just grazed him ♦ **~ít/ë, -a** *f* slip; slippery ground; slide ♦ **~ítës, -i** *m* skater; *tk* carriage ♦ **~ítës, -e** *mb* slippery; slick; slithery ♦ **~ítës/e, -ja** *f* sledge; slide ♦ **~ítj/e, -a** *f* slide; gliding; *fg* slip, error ♦ **~ítsh/ëm (i), -me (e)** *mb* slippery; slimy

rrëz/ë, -a *f* foot, bottom *(of a hill)*; edge, fringe *(of a forest)*; crook *(of the arm)*; pit *(of the neck)*; corner, nook, hole: **pres deri në ~ë** cut (a tree) level with the ground ♦ **~ë** *prfj:* **~ malit** at the foot of the hill; **e ke ~ë veshit** it's round the corner

rrëzëll/én *jk/* **-éu, -yer** shine; *fg* beam *(with joy)* ♦ **~ím/ë, -a** *f* shine; brightness; radiance ♦ **~úes, -e** *mb* bright; beaming *(with joy)*

rrëz:ím, -i *m* (down)fall; collapse; downing *(of an aircraft)*; overthrow *(of a government):* **~ nga pushteti** fall from power ♦ **~/óhem** *vtv* fall/ drop/ tumble down; collapse; *v iii* succumb; go/ come down; *bs* fail, be ploughed/ floored *(in an exam):* **~ohem përdhe** fall to the ground; **~ohem në peshë** lose weight ♦ **~/ój** *k/* pull/ bring/ throw/ cut down; bring/ shoot down *(an aircraft, etc.)*; *fg* overthrow *(a government)*; *fg* overrule, repeal *(a decision)*; *v iii* drop; *bs* plough *(sb in an exam):* **~oj një mur** bring down a wall; **~oj kundërshtarin** throw down the opponent ♦ *jk/ dt* drift ♦ **~úar (i, e)** *mb* fallen; ruined; felled *(tree):* **më të ~** on the brink of collapse

rri *jk/* **ndénja, ndénjur** sit; stay; *fg* go *(without)*; *v iii* hang; fit; *bs* stick to: **~ përdhe** sit/ squat down; **~ni nëpër vende!** take your seats!; **~ këtu!** stay here!; **~ për darkë** stay for dinner; **~ te vëllai** stay with one's brother; **~ më këmbë** stand on one's feet; **~ urtë** keep quiet; **~ zgjuar** stay awake; **ky fustan të ~ mirë** this dress fits you well; **s'më ~në duart** be itching (for work) ♦ **~het** *pvt:* **s'më ~het pa qeshur** I cannot help laughing

rríb/ë, -a *f* blast; gust *(of wind)*; stiff wind

rríc/ë, -a *f* frizzle; *sh* curl(s); *fg* fix; pinch ♦ *nd* in a fix; in need: **ia bëj ~ë dikujt** have sb in a tight spot

rríhem *vtv* **rráha (u), rráhur** fight; *v iii* beat *(of metal)*; *fg* be hardened/ experienced: **~ me grushte** fight with fists; fisticuff

rrip, -i *m* belt; strap; leash; strip; *bs* jerk: **~ i mesit** waist-band; **~ i orës** watch-strap; **~ sigurimi** safety belt; **shtrëngoj ~in** tighten one's belt; **~ daulleje** *bs* hide-bound; **ia mbledh ~at dikujt** have sb on a short leash ♦ **~ák, -e** *mb fg* lean; tough *(meat)*

rríp/em *vtv* **rrópa (u), rrjépur** peel/ come off/ strip *(of paint)*; be scratched;

rríp/ë, -a *f* steep; scarp; **çati me ~ë** lean-to (pent) roof ♦ *mb* steep; **përpara ~ë e prapa thikë** between the devil and the deep sea

rríq/ër, -ra *f zl* tick

rrísk/ë, -a *f* slice ♦ **~ím, -i** *m* slicing; cropping *(of the edges of a book)* ♦ **~lój** *k/* slice; *sht* crop *(the edges of a book)*

rrit *k/* raise, rear, bring up *(a child)*; increase; *fg* boost; *fg* promote: **~ foshnjen me gji** breast-feed an infant; **~ kuaj** breed horses; **~ mjekrën** grow a beard; **~ çmimet** raise prices; **~ në përgjegjësi** promote to a higher position ♦ **~/em** *vtv* grow (up); mature; *v iii* grow long(er); *v iii* rise *(of prices, etc.)*; increase; *v iii* be promoted *(to a higher position):* **~et fëmija** the child grows; **u ~sh!** (God) bless you!; **u ~ e u bë burrë** he grew into manhood; **po ~et dita** the days are growing longer; **i është ~ur mendja** his head has turned *(with success)* ♦ **~ës, -i** *m (flower, etc.)* grower; *(horse)* breeder ♦ **~j/e, -a** *f* growth; increase; breeding ♦ **~ur (i)** *m* adult; grown-up *(sh* **-ups)** ♦ **~ur (i, e)** *mb* adult; grown-up; *fg* increased

rrjedh *jk/ v iii* **rródhi, rrjédhur** flow; stream; have the source *(of a water-course)*; leak *(of a vessel)*; elapse *(of time)*; descend, draw one's origin *(from)*; *fg* result, ensue; *bs* dodder, go ga-ga: **biseda ~ shtruar** the conversation runs smoothly; **që këtej ~ se** hence it follows that; **si rrodhi?** how did it come to pass?; **rrodhën qiejt** it was pouring with rain ♦ **~/ë, -a** *f* flow; course *(of river)*; *fg* origin; source: **~a e sipërme e lumit** the upper course/ reaches of the river ♦ **~ës, -e** *mb:* **llogari ~** current account ♦ **~ím, -i** *m* consequence; outcome: **si/ për ~** as a consequence ♦ **~j/e, -a** *f* flow; flux; course; reach(es) *(of a river)*; leakage: **~e e lumit** flow of the river; **ndaloj ~en e gjakut** stop the bleeding ♦ **~ój/ë, -a** *f* consequence; outcome; end result ♦ **~óre** *mb gjh* ablative *(case)* ♦ **~sh/ëm (i), -me (e)** *mb* running; flowing; *fg* fluent; smooth *(style, etc.):* **ujë i ~ëm** running water ♦ **~shëm** *nd:* **flas ~ëm një gjuhë** be fluent in a language ♦ **~shmëri, -a** *f* fluency *(of speech)*; smoothness *(of style)* ♦ **~ur (i, e)** *mb bs* doddery

rrjep *kl* **rrópa, rrjépur** skin, flay *(a slaughtered animal)*; strip; bark *(a tree)*; pluck *(a chicken)*; *fg* fleece; mulct: **e ~ të gjallë e dikë** fleece sb mercilessly ♦ **~acák, -e** *mb* dog-poor ♦ **~/ë, -a** *f* bare/ bald patch ♦ **~ës, -i** *m* skinner; extortionist ♦ **~ur (i, e)** *mb* skinned; flayed *(animal)*; plucked *(chicken)*; barked *(tree)*; bare; stripped *(area)*

rrjet, -i *m* network; grid; circle: **~i rrugor** road network ♦ **~/ë, -a** *f* net; (wire, etc.) basket; web ♦ **~ëz, -a** *f* opt retina; reticule; *tk* grid *(of the valve)*

rrob:alárës, -e *mb* washing *(machine)* ♦ **~alárës/ e, -ja** *f* washerwoman *(sh* **-women***)*; washing machine ♦ **~aqépës, -i** *m* tailor: **~ për gra** dressmaker ♦ **~aqépës/e, -ja** *f* dressmaker; seamstress ♦ **~aqepësí, -a** *f* tailoring; tailor's workshop ♦ **~/ ë, -a** *f* cloth; *sh* clothes; clothing; *sh* washing; *sh bs* bedding: **~ë e shtrenjtë** expensive cloth; **~a dimri** winter clothes; **~ë nate** night gown

rródh/e, -ja *f* bt burdock; *bs* bur; sticker

rrof:sh *dëshirore e* **rroj: më ~, o bir!** thank you, my lad! **ashtu, më ~!** there's a good boy/ girl! ♦ **~të** *dëshirore e* **rroj;** *psth* long live: **~ e qoftë!** a long life to him

rróg/ë, -a *f* salary; pay; wage(s): **~ë bazë** basic pay; **shtesë ~e** raise ♦ **~ëtár, -i** *m* salaried employee ♦ **~ëtár, -e** salaried; mercenary *(troops)*

rrogóz, -i *m* mat: **nën ~** on the sly; **fsheh nën ~** sweep under the carpet

rró/het *pvt e* **rroj: s'~ kështu** one can't live like this ♦ **~/j** *jkl* live; lead an… existence; live (on); *v iii* last; stay: **kam me se të ~** have enough to live on; **~ me sot për nesër** live from hand to mouth

rrój/ë, -a *f* shave, shaving *(foam, etc.)*; razor (mb): **brisk ~e** razor blade

rrój:ës, -e *mb* hard-wearing; durable; lasting ♦ **~tj/ e, -a** *f* living; livelihood; existence

rrojtór/e, -ja *f* barber's shop

rrok *kl* seize; catch; grab; *v iii* be exposed *(the wind)*; understand; touch, hit *(the mark)*: **~ për qafe dikë** embrace; **sa ~ syri** as far as the eye can see; **s'ma ~te mendja** I could not imagine it ♦ **~/em** *vtv* to hug; wrestle; *v iii* reach to; touch ♦ **~j/e, -a¹** *f:* **~e për beli** wrestling

rrókj/e, -a² *f gjh* syllable

rrokópújë *nd* rolling down; *fg* in confusion; in great disorder

rrókull *nd* around; about; in circles ♦ **~ím/ë, -a** *f* rolling down; collapse; downfall: **marr ~ën** take a downhill course ♦ **~ímthi** *nd:* **hedh ~** throw all of a heap ♦ **~ís** *kl* roll up/ down/ in; trundle (along); turn; overthrow *(a car):* **~ ditët** lead a drab existence ♦ **~ís/em** *vtv* roll down/ on/ over; be overthrown; *v iii fg* roll by; pass: **~em në gropë** roll into a ditch; **u ~ën vitet** years rolled by ♦ **~ísj/e, -a** *f* rolling down (on, over); collapse

rropám/ë, -a *f* clang; clatter; shatter; clash

rropát/em *vtv v iii* clash; clang; toss over; twist, wriggle *(in bed)*; *fg* toil; grub ♦ **~j/e, -a** *f* toiling; slaving

rropós *kl* bring down *(a building)*; destroy ♦ **~et** *vtv* fall; tumble down; collapse

rropullí, -të *f sh* entrails; tripes *(of an animal)*; bowels *(of the earth)*

rrót/ë, -a *f* wheel; *bs* tyre; bobbin, spool *(of thread)*; round *(of cheese, etc.)*; *bs* clot, booby, easy meat: **~ë rezervë** spare tyre; **~a e fatit** the wheel of fortune; **ia lyej ~ën dikujt** grease the wheels for sb; **jam ~ë më ~ë me dikë** be neck to neck with sb; **i vë shkopinj në ~a dikujt** put a spoke in sb's wheel; **mos u bëj ~ë!** don't be an idiot! ♦ **~ull, -a** *f* round; *tk* wheel; cake *(of dried figs, etc.)*; coil *(of wire, etc.)*; roll *(of paper, etc.)*; bobbin; spool ♦ **~ull** *nd:* **rreth e ~** all around; **vij/ sillem ~** mill around; run round in circles; turn round; revolve; **i bie ~** make a wide circle *(around sth)*; **po vjen ~ për stuhi** a storm is brewing; **e sjell fjalën ~** beat about the bush; **i vij ~ dikujt** court sb ♦ **~ull** *prfj:* **~ shtëpisë** round the house ♦ **~ullám/e, -ja** *f* round; roll; merry-go-round; roundabout: **një ~e djathë** a round loaf of cheese; **~e tymi** smoke circle; a curl of smoke ♦ **~ullím, -i** *m* revolution, rotation; spin ♦ **~ull/óhem** *vtv* **~ull/ój** *kl* turn round/ around/ about; spin; roll up *(a piece of paper, etc.)*; spin: **~oj çelësin** turn the key; **~oj sytë përqark** look around ♦ *jkl v iii* turn round; change: **~oj në/ nëpër mend** turn over in one's mind ♦ **~ullúes, -e** *mb* revolving *(door)*

rrozg/ë, -a *f* drift; wash *(of tree roots, etc. on the shore)*; old hag

rrúaj *kl* **rrróva, rrúar** shave; *bs* eat up, clean *(a dish)*; *bs* fleece; plunder; grab; rip; flay *(a client):* **~ mustaqet** shave off one's moustache ♦ **rrúar, -it (të)** *as* shaving; shave ♦ **rrúar (i, e)** *mb* shaven

rruáz/ë, -a *f* bead; *sh* string of beads; *fzo* globule; *anat* vertebra *(sh –ae):* **zë ~ën** break one's neck ♦ **~ë** *mb:* **dhëmbë ~a** a fine set of teeth

rrudh *kl* wrinkle; crumple; ripple; *v iii* catch *(one's mouth)*; wizen: **~ rrobat** crease the clothes; **~ fytyrën** pucker up one's face; **~ sytë** squint; **~ dorën** scrimp; **~ buzët/ hundët/ turinjtë** make a wry face; twitch one's lips; **~ supet/ krahët** shrug (off); **~ vetullat/ ballin** frown ♦ **~/em** *vtv* wrinkle; shrivel; wizen; *v iii* be creased/ crumpled; be contracted *(of the tongue)*; shrink, cringe *(with fear):* **iu ~ balli** he knit his brow; **u ~ në fytyrë** his face wrinkled ♦ **~/ë, -a** *f* crease; wrinkle; pucker; crow's foot *(round the eyes)*; fold, pleat *(of a dress)*; *sh* ripple *(of the surface of water)*; corrugation: **rroba gjithë ~a** crumpled clothes ♦ **~ës, -e** *mb* astringent ♦ **~ët (i, e)** *mb* wrinkled; wizened *(face)* ♦ **~j/e, -a** *f sh, -e, -et* wrinkling; shrivelling; creasing; folding; contraction ♦ **~ur (i, e)** *mb* wrinkled;

shrivelled; puckered; wizened *(skin, face);* creased, crumpled *(clothes, etc.)*

rrufé, -ja *f* (thunder-)bolt: **më bie si ~** come as a bolt from the blue ♦ *mb:* **luftë ~** blitzkrieg ♦ *nd* lightning-like; with lightning speed ♦ **~prítës, -i** *m* lightning-rod ♦ **~sh/ëm (i), -me (e)** *mb* lightning *(speed, action);* fulminous ♦ **~ëm** *nd* with lightning speed

rrúf/ë, -a *f* catarrh; cold in the head; sniffle(s): **~a e barit** hay fever

rrufít *kl* sip *(coffee, etc.);* sniff; *v iii* suck in ♦ **~/em** *vtv v iii* be sucked in *(of cheeks)* ♦ **~ur (i, e)** *mb* sucked in *(cheeks)*

rrufján, -i *m kq* panderer, pimp; cheat, swindler

rrúfk/ë, -a *f* soft-boiled egg; *sh gjll* sweet pancakes; *fg* plump; full; buxom *(woman)* ♦ **~ë** *mb* soft-boiled *(egg)*

rrug:áç, -i *m* tramp; hobo; bum; street-urchin ♦ **~áç, -e** *mb* stray/ street *(child, animal);* rowdy ♦ **~áç/e, -ja** *f keq* trot; street-walker ♦ **~açërí, -a** *f* rowdyism ♦ **~/ë, -a** *f* way; street; road; distance; journey, trip; *sh an* tract: **~ë këmbësore** footpath; **~ë pa krye** blind alley; *fg* dead end; **~ës për në** on the way to; **~a e mbarë!** have a safe journey!; **~ë e drejtë** fair means; **me tri ~ë** in three trips; **~ët e tretjes** the tract of digestion; **e bëj ~ë diçka** make a habit of sth; **dal ~e/ nga ~a** stray from the right path; **marr ~ët** hit the streets; **R~a e Qumështit** *ast* the Milky Way ♦ *mb* street *(mb):* **fëmijë ~ësh** street-urchin ♦ **~ëdálj/e, -a** *f* exit; solution *(to a problem)* ♦ **~zgjídhj/e, -a** *f* solution ♦ **~íc/ë, -a** *f* by-way; lane *(of a garden, etc.);* carpet strip/ runner ♦ **~ín/ë, -a** *f* corridor; passage; aisle

(between rows); lane *(in a garden)* ♦ **~ór, -e** *mb:* **rrjet ~** road network; **polici ~e** traffic police

rrú/hem *vtv* shave

rrúmbull/ák, -e *mb* round; in round figures; podgy, plump *(child, etc.)* ♦ **~ák** *nd* (a)round; in a circle; full; *fg* squarely; straight; openly: **sillem ~** turn round and round/ in circles; **~ pesëdhjetë** full ♦ **~akësí, -a** *f* rotundity; roundness ♦ **~ákët (i, e)** *mb* round; spherical; rotund: **bota është e ~** *fj u* the tables might turn ♦ **~ak/óhem** *vtv v iii* become round ♦ **~ak/ój** *kl* (make) round; round off/ out ♦ **~akós** *kl bs* round off; soften *(the edges); bs* complete: **~ të pesëdhjetat** be full fifty years old ♦ **~óhem** *vtv, ps* ♦ **~lój** *kl* round off/ out; take off *(the edges);* turn round: **~oj sytë** look around

rrungáj/ë, -a *f* avalanche; *fg* crowd; rubble ♦ **~ë** *nd* pell-mell

rrush, -i *m* grapes: **~ i thatë** currant; raisin; **një vesh ~** a bunch of grapes

rrush/k, -ku *m bt* berry

rruvíj/ë, -a *f* line

rruzár/e, -ja *f fet* rosary: **them ~en** say one's rosary; tell the beads

rúzu/ll, -lli *f* ball; sphere; glob(ul)e: **~ lli i tokës** the (terrestrial) globe ♦ **~llím, -i** *m* universe ♦ **~ór, -e** *mb* spherical

rrýgj/e, -ja *f* hunk *(of bread)*

rryl, -i *m an bs* windpipe; *sh* veins of the neck: **ia zë ~in dikujt** block sb's windpipe

rrým/ë, -a *f* stream; current; draught *(of air); fg* trend; tendency; wing; *fg* stream; flow; throng *(of people):* **~ë e vazhdueshme** direct current; **~ë letrare** literary current; **kundër ~ës** against the stream

S

s' *pj* no; not: **~'e njoh** I do not know him; **~'ka kohë** there is no time
sa *pyet:* **~ është ora?** what time is it?; **~ kushton?** how much does it cost? ♦ *pkf, lidhor:* **gjithë ~ kam** everything I have; **~ herë të vish** whenever you come ♦ *nd:* **~ i kërkove?** how much did you ask for it?; **~ i mirë!** how nice!; **~ më parë** as soon as you can; **~ erdha** I just came; **~ keq!** oh, dear! ♦ *ldh:* **i gjatë ~ unë** as tall as I am; **prit ~ të** wait till; **~ herë vinte, ai** whenever he came, he ♦ *pj:* **~ për mua** as far as I am concerned; **~ s'po qante** he was almost in tears
sabot:atór, -i *m* saboteur ♦ **~ím, -i** *m* sabotage ♦ **~lóhet** *ps* ♦ **~lój** *kl* sabotage ♦ **~ues, -i** *m* saboteur ♦ **~ues, -e** *mb:* **veprim ~** act of sabotage
saç, -i *m* baking cover
sáçm/e, -ja *f* pellet; ball *(of shot)*; small shot
sáde *mb bs* pure; unmixed: **kafe ~** coffee without sugar or milk
sadí:st, -i *m* sadist ♦ **~st, -e** *mb* sadistic ♦ **~z/ëm, -mi** *m* sadism
sadó *ldh:* **~ të përpiqesh** try as hard as you can... *(you cannot...)*
safí *mb, nd bs* pure: **~ lesh** pure wool
safir, -i *m min* sapphire
ság/e, -a² *f lt* saga
sahán, -i *m* copper dish/ bowl ♦ **~lëpírës, -i** *m kq* lickspittle
sahát, -i *m bs* clock; watch; *tk (water, etc.)* metre; *bs* time: **punon si ~** go like clockwork ♦ **~çí, -u** *m bs* clock-mender
saj (i, e) *prn sh* **saj (e)** her; hers: **babai i/ nëna e ~** her father/ mother ♦ **~la (e)** *f sh* **~at (të): nguli këmbë në të ~ën** she insisted on her point
sajdí, -a *f bs* respect ♦ **~ís** *kl* respect; esteem ♦ **~sj/e, -a** *f* respect ♦ **~sur (i, e)** *mb* respectful
sáje *prfj:* **në ~ të** thanks/ owing/ due to; by virtue of
sáj/ë, -a *f* sledge; sleigh
saj:ím, -i *m* contraption; concoction ♦ **~lóhet** *vtv,*

ps ♦ **~lój** *kl* invent; coin *(a new word):* **~oj një arsye** make up an excuse ♦ **~úar (i, e)** *mb* coined; concocted; contrived; unreal
sakáq *nd:* **e njoha ~** I recognised him immediately
sakát, -i *m bs* cripple ♦ **~ím, -i** *m* crippling; butchering *(of a text)* ♦ **~lóhem** *vtv, ps* ♦ **~lój** *kl bs* cripple; butcher: **më ~uan këpucët** these shoes are killing my feet
sakrifí:c/ë, -a *f* sacrifice; offering ♦ **~kím, -i** *m:* **~ i vetes** self-sacrifice ♦ **~k/óhem** *vtv, ps* ♦ **~k/ój** *kl* sacrifice; forfeit; relinquish; forego ♦ **~kúes, -e** *mb* sacrificing; selfless *(spirit)*
sakrilégj, -i *m* sacrilege
saks, -i *m mz bs* sax
saksí, -a *f* flower-pot
saksofón, -i *m mz* saxophone ♦ **~íst, -i** *m* saxophonist;
sákt/ë (i, e) *mb* whole; exact; faithful *(report);* punctual: **s'mbeti njeri i ~ë** no one escaped whole; **kopje e ~ë** true copy ♦ **~ësí, -a** *f* exactitude; precision; accuracy: **me ~** accurately ♦ **~ës/óhet** *ps* ♦ **~ës/ój** *kl* **-óva -úar** specify
salamánd/ër, -ra *f zl* salamander
sálc/ë, -a *f gjll* sauce
sald:atór, -i *m* welder ♦ **~ím, -i** *m tk* weld; solder ♦ **~lóhet** *ps* ♦ **~lój** *kl tk* weld; solder
salép, -i *m bt* orchis; salep *(hot drink made of powdered orchis roots)*
salmón, -i *m zl, gjll* salmon
salsíç/e, -ja *f gjll* sausage
sallám, -i *m gjll* salami ♦ **~erí, -a** *f* delicatessen shop
sallát/e, -a *f* salad
sáll/ë, -a *f* hall; room; house; *prmb* audience; *(operating)* theatre
sállo, -ja *f gjll* lard
sallón, -i *m* vestibule; saloon; salon; parlour: **~ letrar** literary salon
salltanét, -i *m bs* pomp; flourish

samár, -i *m* pack saddle; shell *(of the tortoise)*; ridge *(of the nose)*; bridge *(of the violin)*: **kërcu përmbi ~** a round peg in a square hole

sanatadíta *f* equinox

sanatoriúm, -i *m* sanatorium *(sh* **-iums, -ia***)*

sandál/e, -ja *f* sandal(s)

sanduíç, -i *m gjll* sandwich

sán/ë, -a *f* hay: **mullar ~e** hay-stack

sanguín, -e *mb psk* sanguine *(temperament)*

sanitár, -i *m* hospital orderly ♦ **~, -e** *mb:* **kushte ~e** hygienic conditions; **njësit** ~ *ush* stretcher-party

sanksión, -i *m* sanction ♦ **~lóhet** *dr ps* ♦ **~lój** *kl dr* sanction; ratify

sapllák, -u *m* tin-cup/ mug

sapó *nd:* **~ erdha** I've just arrived ♦ *ldh* immediately after

sapún, -i *m* soap ♦ *mb bs* fat *(meat)* ♦ **~ís** *kl* soap; lather *(one's beard)* ♦ **~ísem** *vtv, ps* ♦ **~ísj/e, -a** *f* soaping; lathering

saqë *ldh:* **bënte aq ftohtë, ~...** it was so cold, that...

saráj, -i *m vj* seraglio; harem; women's quarters

sardél/e, -ja *f zl* sardine

sargí, -a *f* burlap; canvas

sarka:stík, -e *mb* sarcastic(al); caustic *(remark)* ♦ **~z/ëm, -mi** *m* sarcasm

sarkofág, -u *m* sarcophagus *(sh* **-gi***)*

sasí, -a *f nj* quantity ♦ **~ór, -e** *mb* quantitative *(analysis)*

satán, -i *m* Satan ♦ **~ík, -e** *mb* satanic(al); infernal

satelít, -i *m ast* satellite ♦ **~, -e** *mb:* **shtet ~** satellite state

satén, -i *m tks* satin

satěr, -i, sát/ër, -ra *m f* butcher's knife; meat axe

sát/i (i), ~a (e) *pyet:* **i ~i dole?** what place did you get in the race?

satír, -i *m mit* Satyr ♦ **~lë, -a** *f* satire; lampoon ♦ **~ík, -e** *mb* satiriçal; tongue-in-cheek ♦ **~izóhet** *ps* ♦ **~iz/ój** *kl* satirise

satráp, -i *m hst* satrap; petty despot

Satúrn, -i *m ast, mit* Saturn

sáz/e, -ja *f sh* **-e, -et** *bs* musical instruments ♦ **~exhí, -u** *m* musician

se *pj pyet:* **për ~ flitet?** what is the talk about? ♦ *ldh:* **dihet ~ kush është ai** it is clear who he is; **më i lartë ~ higher than; në qoftë ~** if ♦ *pj:* **~ nga u zhduk** he disappeared somewhere; **jo ~ jo** absolutely not

seánc/ë, -a *f* sitting; session: **~ë plenare** full session

sebép, -i *m bs:* **gjej ~** find an excuse

secíl/i, -a *pkf:* **~i prej nesh** each one of us

seç *pkf:* **~ po thoshte** he was saying something

sedéf, -i *m* mother-of-pearl

séd/ër, -ra *f* self-respect; pride: **prek në ~ër dikë** hurt sb 's pride

segmént, -i *m* segment; section

sehír, -i *m bs :* **bëj ~** look on; **dal për ~** go sightseeing ♦ **~xhí, -u** *m bs* onlooker; by-stander

sekónd/ë, -a *f* second; moment: **prit një ~ë** wait a sec(ond); wait a little

sekreción, -i *m fzo, bl* secretion

sekrét, -i *m* secret; secrecy: **nxjerr ~in** let out a secret ♦ **~, -e** *mb* secret; classified *(document)*: **tepër ~** top secret

sekretár, -i *m* secretary; clerk ♦ **~í, -a** *f* secretary's office: **~ telefonike** answering machine ♦ **~iát, -i** *m* secretariat

sekret:ím, -i *m fzo, bl* secretion ♦ **~lón** *kl* **-ói, -úar** *fzo, bl* secrete

seks, -i *m* sex: **pa dallim ~i** without distinction of sex

seksér, -i *m* agent; broker; money-changer ♦ **~í, -a** *f* brokerage

seksión, -i *m* (cross) section

seksuál, -e *mb:* **marrëdhënie ~e** sexual intercourse

sekt, -i *m (religious)* sect ♦ **~ár, -e** *mb* sectarian ♦ **~íz/ëm, -mi** *m* sectarianism

sektór, -i *m* sector; division

sekú *nd:* **vajti e humbi** he got lost somewhere

sekuestr:ím, -i *m dr* sequestration; seizure ♦ **~lóhet** *ps* ♦ **~lój** *kl* sequestrate; seize

seleksion:ím, -i *m* selection; seeding *(of players)* ♦ **~lóhet** *ps* ♦ **~lój** *kl* select; sort ♦ **~úes, -i** *m* selector ♦ **~úes, -e** *mb* selecting *(mb)*

selí, -a *f* seat; headquarters; head office

selví, -a *f bt* cypress(-tree)

semafór, -i *m* traffic lights; signal

semést/ër, -ri *m* semester; half-year term; six-month period

seminár, -i *m* seminar; *ft* seminary ♦ **~íst, -i** *m* seminarist;

senát, -i *m* senate(-house) ♦ **~ór, -i** *m* senator

send, -i *m* thing; object; item: **~e të konsumit** consumables; **thuaj ndonjë ~** say something

Senegál, -i *m gjg* Senegal ♦ **s~éz, -e** *mb* Senegalese ♦ **s~éz, -i** *m* Senegalese

sensación, -i *m* sensation; stir; excitement ♦ **~ál, -e** *mb* sensational

sensuál, -e *mb* sensual ♦ **~íz/ëm, -mi** *m* sensualism

sentimentál, -e *mb* sentimental; maudlin ♦ **~íz/ëm, -mi** *m* sentimentality

separat:íst, -i *m pl, ft* separatist ♦ **~íst, -e** *mb pl, ft* separatist; schismatic ♦ **~íz/ëm, -mi** *m pl, ft* separatism; schism

sépj/e, -a *f zl* squid

sepsé *nd:* **nuk e di ~** I don't know why ♦ *ldh* because

serb, -e *mb* Serbian ♦ **~, -i** *m* Serb

serbés *nd bs* fearlessly; boldly: **hyj ~** barge in ♦ *mb* fearless; overbold

Serbí, -a *f* Serbia ♦ **s~sht** *nd* (in the) Serbian (language) ♦ **s~sht/e, -ja** *f* Serbian (language)

serdén, -i *m bt* geranium

serenád/ë, -a *f mz* serenade

sér/ë, -a *f* natural bitumen

serí, -a *f* series *(of events, etc.);* part *(of a film);* spate *(of murders):* **film me ~** serialised film ♦ **~ál, -e** *m tv* serial

serióz, -e *mb* serious; earnest; grave *(look)* ♦ **~ísht** *nd* seriously; earnestly; gravely: **e kam ~** I mean it ♦ **~itét, -i** *m* seriousness; earnestness; gravity *(of the situation, etc.)*

sértë (i, e) *mb bs* stiff *(wire);* rigid, inflexible *(character);* harsh *(tobacco)*

serúm, -i *m bl, mk* serum *(sh* -ums, -a*)*

servíl, -i *m* servile; sycophant ♦ **~, -e** *mb* servile; slavish ♦ **~íz/ëm, -mi** *m* servility ♦ **~ósem** *vtv:* **i ~ dikújt** grovel to sb

sérr/ë, -a *f* greenhouse: **efekti ~ë** green-house effect

se:sá *ldh:* **më i gjatë ~ i vëllai** taller than his brother ♦ **~sí** *nd:* **nuk e di ~** I don't know how

sesión, -i *m* session

set, -i *m sp* set: **pikë e ~it** set point

sét/ër, -ra *f* jacket

seváp, -i *m vj* hand-out; alms: **bëj ~!** (can you) spare something!

sevdá, -ja *f vj* love ♦ **~llí, -u** *m vj (music, etc.)* lover

së *pj:* **i klasës ~ dytë** second class; **~ fundi** lastly; **~ paku** at least

sëkëlldí, -a *f bs* unease ♦ **~s** *kl bs* annoy; bother

sëmb:ím, -i *m* twitch; stab ♦ **~lón** *jk/* **-ói, -úar** feel a sharp pain

sëmú:ndj/e, -a *f* illness; disease; *fg* morbidity: **~e ngjitëse** contagious disease; **e ka ~** he has a thing *(about it)* ♦ **~r** *kl* affect with a disease; *fg* sicken; disgust ♦ **~r/em** *vtv* be/ fall/ be taken ill ♦ **~r/ë, -i (i)** *m* sick person; patient: **shtrat i të ~it** sick bed ♦ **~rë (i, e)** *mb* ill; sick: **kureshtje e ~ë** morbid curiosity ♦ **~rë** *nd:* **bie ~ë** take sick

sëndís *kl bs* annoy; gall ♦ **~s/em** *vtv* ♦ **~j/e, -a** *f bs* annoyance

sëndúk, -u *m* wooden chest *(of clothes)*

sëpat/ë, -a *f* axe; hatchet: **i bie/ e pres me ~ë** cut abruptly

sёr/ë, -a *f bs* row; line; turn; *bs* opportunity; *bs* social rank: **~ë librash** a row of books; **të erdhi ~a** it's your turn; **kur t'ia gjej ~ën** when I get the opportunity; **i ~ës sonë** of our own rank

sërí:sh, ~shmi *nd* (once) again

sfér/ë, -a *f gjm* sphere; ball *(bearing);* circle: **~ë e ndikimit** sphere of influence; **në ~at e larta** in the higher circles ♦ **~ík, -e** *mb* spherical

sfíd/ë, -a *f* challenge; defiance ♦ **~lój** *kl/* challenge;

defy

sfilít *kl/* exhaust; *fg* torment; badger ♦ **~/em** *vtv* ♦ **~j/e, -a** *f* exhaustion; *fg* torment ♦ **~ur (i, e)** *mb* exhausted

sfinks, -i *m mit* sphinx *(sh* -es, -nges*)*

sfond, -i *m* background; primer *(of a painting); fg* backdrop; setting

sfrat, -i *m* dike; barrier; embankment

sfungjér, -i *m* sponge; *tks* sponge-cloth

sfur/k, -ku *m* (hay) fork; *zl* scorpion

si, -ja *mz* si; b

si *nd:* **~ je?** how are you?; **~ duket?** what does it look like?; **~ të duket?** how do you like it?; **~ të quajnë?** what is your name? *ldh:* **~ i tёrbuar** like mad; **~ në gjemba** on pins and needles; **~ unë, ~ ti** both I and you; **~ e mendoi mirë** after thinking better; **~ duket do të kemi shi** it looks like rain; **bëj ~ bёj dhe** manage somehow; **~ asnjëherë tjetër** as/ like never before ♦ *pj:* **~ kёshtu!** how's that; **~ jo!** why not; **~ urdhëron!** yes, Sir!

siaméz, -e *mb* Siamese: **vёllezёr ~ë** Siamese twins

siç *ldh:* **~ dihet** as is known

Siçilí, -a *f gjg* Sicily ♦ **s~án, -e** *mb* Sicilian ♦ **~án, -i** *m* Sicilian

siderurgjí, -a *f* iron metallurgy ♦ **~k, -e** *mb* iron and steel *(industry)*

sidó *nd:* **i veshur ~** dressed improperly; **~ që** although ♦ **~kudó** *nd:* **punё e bёrё ~** slipshod work ♦ **~mós** *pj:* **ka ~ rёndёsi qё** it is of special importance that ♦ **~qóftё** *fjalё e ndёrmjetme:* **~, ti eja një herё** in any case, do come around

sifili:tík, -e *mb mk* syphilitic ♦ **~z, -i** *m mk* syphilis

sifón, -i *m* siphon

sigur:és/ë, -a *f* safety-pin/catch; *el* fuse: **u dogj ~a** the fuse is out ♦ **~í, -a** *f* safety; safeguard; certainty; assurance: **~a në punё** safety at work; **me ~** certainly ♦ **~ím, -i** *m* insurance; security: **~i i jetёs** life insurance; **Kёshilli i S~it** the Security Council ♦ **~ísht** *nd:* **~ që e dini se** you certainly know that ♦ **~/óhem** *vtv, ps:* **~ohem pёr diçka** make sure of sth ♦ **~lój** *kl/* secure; make safe; insure; underwrite: **~oj tёrheqjen** secure the retreat; **~oj derёn** make the door safe; **s'ta ~oj dot** I cannot vouchsafe for it ♦ **~t (i, e)** *mb* safe; secure; reliable *(source);* sure; confident; steady: **kёtu jam i ~** I am safe here; **me dorё tё ~** with a steady hand; **i ~ në vetvete** self-confident ♦ **~úar (i, e)** *mb* insured; safe; secured; fastened *(door):* **pasuri e ~** insured property

siharíq, -i *m bs* good news/ tidings

siklét, -i *m bs* uneasiness: **jam në ~** be ill at ease; feel awkward ♦ **~ós** *kl bs* make (sb) feel uneasy/ uncomfortable, ill at ease, awkward ♦ **~ósem** *vtv* feel uneasy/ ill at ease

si:kúndёr *ldh:* **~ thamё** as we said ♦ **~kúr** *ldh:*

bëj ~ make as if *(one doesn't want);* **m'u bë** ~ **dëgjova një zë** I thought I heard a voice; ~ **të vish edhe ti** if you could come, too; **po ~?** what if? ♦ **~kursé** *ldh:* **~se është njoftuar** as has been reported ♦ **~kúsh** *pkf:* ~ **e di punën e vet** each knows his own job

silázh, -i *m bjq* silage

sili:c, -i *m km* silicon; silex ♦ **~kát, -i** *m* silicate; soluble glass

sílos, -i *m* silo; storage bin

siluét/ë, -a *f* silhouette; silhouette; outline

silúr, -i *m ush* torpedo ♦ **~ím, -i** *m* torpedoing ♦ **~/óhet** *ps* ♦ **~/ój** *kl* torpedo ♦ **~úes, -i** *m* torpedo-boat ♦ **~úes, -e** *mb:* **anije** ~**e** torpedo-boat

síll/em *vtv* behave; turn; loiter; behave; comport oneself; *ps:* **~u këtej!** turn this way!; **s'di kujt t'i** **~em** not know where turn to *(for help);* **~em kot** loaf about; **mos u** ~ **si fëmijë** stop behaving like a child; **më ~et rrotull diçka** feel sth coming

simbioz/ë, -a *f bl* symbiosis *(sh* -es*)*

simból, -i *m* symbol; token ♦ ~**ík, -e** *mb* symbolic(al) ♦ **~ík/ë, -a** *f* symbol; *prmb* symbols; symbolism ♦ **~ikísht** *nd* symbolically ♦ **~íst, -i** *m art, lt* symbolist ♦ **~íst, -e** *mb art, lt* symbolist ♦ **~íz/ëm, -mi** *m art* symbolism ♦ **~izím, -i** *m* symbolic representation ♦ **~iz/ój** *kl* symbolise; be a symbol of

síme *prn:* **ia dhashë motrës** ~ I gave it to my sister

simetrí, -a *f* symmetry ♦ **~k, -e** *mb* symmetrical

simfoní, -a *f* symphony ♦ **~k, -e** *mb* symphonic *(concert, poem)*

simit/e, -ja *f gjll* roll

simót/ër, -ra *f:* **gazetat ~ra** sister newspapers; **anijet ~ra** twin ships

simpatí, -a *f* liking; attraction: **kam ~ për dikë** have a liking for sb ♦ **~k, -e** *mb* pleasant; good-looking; *fzo* sympathetic: **bojë ~e** invisible ink ♦ **~zánt, -i** *m shih* **~zues, -i** ♦ **~z/ój** *kl* take a liking/ fancy to; support *(sb's ideas, etc.)* ♦ **~zúes, -i** *m* sympathiser; supporter

simpoziúm, -i *m* symposium *(sh* -ums, -ia*)*

simptom/ë, -a *f mk* symptom

simulánt, -i *m* malingerer; simulator ♦ **~ím, -i** *m* simulation; malingering ♦ **~lój** *kl* simulate; pretend; malinger

sinagóg/ë, -a *f* synagogue

sináp, -i *m bt* mustard

sindiká:l, -e *mb* trade-union *(movement)* ♦ **~íst, -i** *m* trade-unionist; *pl* syndicalist ♦ **~líst, -e** *mb* trade-union *(organisation)* ♦ **~líz/ëm, -mi** *m* trade-unionism; *pl* syndicalism ♦ **~t/ë, -a** *f* trade-union

sindróm, -i *m mk* syndrome

sinkroní, -a *f* synchrony ♦ **~k, -e** *mb* synchronous ♦ **~zím, -i** *m* synchronisation ♦ **~z/óhet** *ps* ♦ **~z/ój** *kl* synchronise ♦ **~zúar (i, e)** *mb* synchronised:

not i ~ *sp* synchronised swimming

sinoním, -i *m gjh* synonym ♦ **~, -e** *mb* synonymous: **fjalë ~e** synonym ♦ **~í, -a** *f gjh* synonymy ♦ **~ík, -e** *mb gjh* synonymic(al)

sinóp:s, -i *m* synopsis *(sh* -ses*);* summary ♦ **~tík, -e** *mb* synoptic(al); **hartë ~e** weather map

sinqer:ísht *nd* sincerely ♦ **~itét, -i** *m* sincerity; frankness ♦ **~të (i, e)** *mb* sincere; true

sintáks/ë, -a *f gjuh* syntax ♦ **~ór, -e** *mb gjh* syntactic(al);

sin:tetík, -e *mb* synthetic(al) *(rubber)* ♦ **~tetizatór, -i** *m mz* synthesiser ♦ **~tetizím, -i** *m km* synthesising; synthesisation ♦ **~tetizóhet** *vtv, ps* ♦ **~tetiz/ój** *kl* synthesise ♦ **~téz/ë, -a** *f* synthesis *(sh* -es*)* ♦ **~toní, -a** *m fz* syntony: **brez i ~së** tuning-band ♦ **~toník, -e** *mb fz* syntonic; syntonous ♦ **~tonizím, -i** *m fz* syntonisation ♦ **~toniz/ój** *kl fz* syntonise

sinusít, -i *m mk* sinusitis *(sh* -es*)*

sinjál, -i *m* signal; tone: ~ **i alarmit** warning signal; ~ **i zënë i linjës** engaged tone ♦ **~izím, -i** *m* signal(ling) ♦ **~iz/ój** *kl, jkl* signal(ise) ♦ **~izúes, -i** *m* signalman; signal operator

sipás *prfj:* ~ **ligjit** according to the law; ~ **dëshirës** at will; ~ **meje** in my opinion

sípër *nd:* **nga** ~ from above; **ngjitem** ~ climb up; **si thashë më** ~ as I said earlier; **njëzet vjeç e** ~ above twenty years of age; **në bisedë e** ~ in the course of conversation; ~ **e** ~ superficially ♦ *prfj:* ~ **tryezës** on the table; ~ **mesatares** above average

sipërfáq/e, -ja *f* surface; space; area: **~ja e tokës** the surface of the earth; **del në ~e** surface *(of a submarine, etc.)* ♦ **~ësór, -e** *mb* superficial; *fg* skin-deep: **ujëra ~e** surface waters ♦ **~sh/ëm (i), -me (e)** *mb* superficial; skin-deep

sípërm (i), -e (e) *mb* upper: **buza e ~e** the upper lip

sipërmárr:ës, -i *m* entrepreneur; contractor; undertaker: ~ **ndërtimi** building contractor; ~ **varrimi** undertaker; mortician ♦ **~j/e, -a** *f* enterprise; undertaking; venture; **~e e guximshme** bold venture

sipërór, -e *mb gjuh* superlative *(degree)* ♦ **~le, -ja** *em* superlative degree

sirén/ë, -a *f* siren: **~ë e alarmit** alarm siren; **e rënë e ~ës** horn-blow

sirtár, -i *m* drawer: **mbyll në** ~ lock in a drawer; pigeonhole

sís/ë, -a *f* udder, dug *(of a cow, etc.);* breast ♦ **~ór, -i** *m zl* mammal ♦ **~ór, -e** *mb* mammalian

sistém, -i *m* system; method: ~ **i metrik/ dhjetor** the metric/ decimal system; **punoj me** ~ work with method ♦ **~atík, -e** *mb* systematic(al) ♦ **~atikísht** *nd* systematically ♦ **~atizím, -i** *m* system(at)isation ♦ **~atizóhet** *ps* ♦ **~atiz/ój** *kl* systematise; put in order ♦ **~ím, -i** *m* systematisation; arrangement ♦ **~/óhem** *vtv, ps:* **~ohem me punë** settle with a job ♦ **~/ój** *k/* systematise; put in order; settle: **~oj orenditë** arrange the furniture; **~oj dikë** fix sb up *(with a job)*

sit (sis) *k/* sift; *fg* sort out ♦ **~et** *ps* ♦ **~/ë, -a** *f* sieve ♦ **~j/e, -a** *f* sifting

situát/ë, -a *f* situation; state: **~ë e vështirë** an awkward situation

sítur (i, e) *mb* sifted ♦ **~a, -at (të)** *f sh* siftings

sivëll/á, -ai *m:* **~ezërit avokatë** my lawyer colleagues

sivjét *nd/* this year ♦ **~më (i), -me (e), ~sh/ëm (i), -me (e)** *mb* of this year

sixhadé, -ja *f* (wall) rug

sixhím, -i *m* rope; latch/ pull-string *(of the door)*

sizm:ík, -e *mb* seismic(al): **hartë ~e** seismic map

sjell¹ *k/* **sólla, sjéllë** carry; bring along/ about/ forward/ in/ to; put forward; cause; lead to; turn *(one's head);* revolve; *bs* put off: **më sill/ sillmë pak ujë** bring me some water; **sille këtu** bring it here; **~ një ndryshim** bring about a change; **~ rrotën** turn the wheel; **ia ~ në majë të hundës dikujt** get on sb's nerves

sjell² *jk/* **sólla, sjéllë** hit; strike: **i ~ me shuplakë dikujt** slap sb

sjéllj/e, -a¹ *f* bringing; fetching; carrying; *sh* silt *(of the river)*

sjéllj/e, -a² behaviour, conduct, manner: **~e e hijshme** graceful manner ♦ **~sh/ëm (i), -me (e)** *mb* well-behaved/ mannered

skaf, -i *m dt* hull *(of a boat);* speedboat ♦ **~ist, -i** *m* speedboat owner/ pilot

skafánd/ër, -ri *m* diving dress/ suit; space suit

skaj, -i *m* end; extreme; edge; fringe: **me një ~ të buzës** from the corner of the mouth ♦ **~ór, -e** *mb* remote; *fg* extreme ♦ **~sh/ëm (i), -me (e)** *mb* remote; distant; *fg* extremist *(views)*

skalít *k/* dress *(stones);* engrave; carve; sculpture ♦ **~/et** *vtv, ps* ♦ **~tës, -i** *m* (stone-)dresser; carver; sculptor ♦ **~j/e, -a** *f* engraving ♦ **~ur (i, e)** *mb* engraved; carved; impressed *(in one's mind)*

skallóp, -i *m gjll* scallop

skam:ës, -i *m* have-not; pauper ♦ **~j/e, -a** *f* dire poverty; indigence ♦ **~nór, -i** *m shih* **skamës** ♦ **~ur (i, e)** *mb* impoverished; pauperised

skandál, -i *m* scandal ♦ **~iz/óhem** *vtv* be scandalised/ shocked *(at sth)* ♦ **~ój** *k/* shock ♦ **~óz, -e** *mb* scandalous; shocking

skandináv, -e *mb* Scandinavian; **vendet ~e** Scandinavian countries ♦ **~, -i** *m* Scandinavian ♦ **S~í, -a** *f gjg* Scandinávia

skár/ë, -a *f* grill; grate *(of the fireplace);* grid; rack *(of a bicycle):* **mish i ~ës** meat on the grill

skarlatín/ë, -a *f mk* scarlet fever

skarpát, -i *m ndr* gradient; scarp; escarpment

skeç, -i *m* humorous sketch; gag

sked:ár, -i *m* file; card-index; card-holder; filing cabinet ♦ **~/ë, -a** *f* file-card ♦ **~ím, -i** *m* filing; cataloguing ♦ **~/óhet** *ps* ♦ **~/ój** *k/* file; catalogue ♦ **~úes, -i** *m* filing clerk

skelarí, -a *f ndr* scaffolding

skelét, -i *m an* skeleton; carcass *(of a building);* rough/ sketchy outline: ♦ **~ór, -e** *mb an* skeletal

skél/ë, -a *f dt* wharf; quay; harbour; *ndr* scaffold

skem:atík, -e *mb* schematic; rough; sketchy *(representation, etc.)* ♦ **~atíz/ëm, -mi** *m* schematism ♦ **~/ë, -a** *f* scheme; outline; draft; *fz etj* diagram

sken:ár, -i *m* scenario; script ♦ **~íst, -i** *m* scenariowriter; scenarist ♦ **~/ë, -a** *f tt* scene; stage; theatre: **prapa ~ës** behind the scene; **vë në ~ë** stage *(a play)* ♦ **~ík, -e** *mb* scenic: **efekte ~e** stage effects; **materiale ~e** props ♦ **~ográf, -i** *m tt* scene-painter; *kn* art-director; set-designer ♦ **~ografí, -a** *f* scene-painting; *kn* setting; set-designing

sképt/ër, -ri *m* sceptre; staff

skepti:cíz/ëm, -mi *m* scepticism ♦ **~k, -u** *m* sceptic ♦ **~k, -e** *mb* sceptical

skérm/ë, -a *f sp* fencing ♦ **~íst, -i** *m* fencer

skërfít *k/* scratch; chip *(a dish)* ♦ **~/em** *vtv* ♦ **~j/e, -a** *f* scratch(ing)

skërfýe/ll, -lli *m an bs* wind-pipe; *bs* lanky person

skërmít *k/* scowl: **i ~ dhëmbët dikujt** show one's teeth to sb ♦ **~/em** *vtv* snarl ♦ **~j/e, -a** *f* snarl

skëtérr/ë, -a *f ft* hell ♦ *mb:* **i zi ~ë** pitch black ♦ **~sh/ëm (i), -me (e)** *mb* infernal

ski, -të *f* ski(ing): **këpucë ~sh** skiing boots ♦ **~atór, -i** *m shih* **skitar, -i**

skíc/ë, -a *f art* sketch; outline; scheme; draft ♦ **~ím, -i** *m* sketch(ing) **~/óhet** *vtv, ps* ♦ **~/ój** *k/* sketch; outline

skiç, -i *m* edge ♦ *nd* on the slant: **rri ~** tilt

skiftér, -i *m zl* hawk

skíl/e, -ja *f zl* vixen; *fg* foxy/ canny/ sly person

skilifác/ë, -a *f* scowl; smirk; mow

skitár, -i *m sp* skier

skizo:frén, -i *m mk* schizophrenic; *bs* schizo ♦ **~frení, -a** *f mk* schizophrenia ♦ **~freník, -e** *mb mk* schizophrenic

sklép/ë, -a *f* eye-rheum; gum ♦ **~ët (i, e)** *mb* gummy *(eyes)*

sklero:tík, -e *mb mk* sclerotic ♦ **~z/ë, -a** *f* sclerosis *(sh* **-es)**

skll/av, -i *m sh* **-évër, -évërit** slave; *fg* slavish person ♦ **~avërí, -a** *f* slavery; captivity; bondage: **bie në ~ëri** fall into captivity ♦ **~avërím, -i** *m* enslavement ♦ **~avër/óhem** *ps* ♦ **~avër/ój** *k/* enslave; *fg* enthral; captivate ♦ **~avërúes, -e** *mb* enslaving *(mb)*

skoc:éz, -e *mb, em* Scottish; Scotch; Scot ♦ **~éz, -e** *mb* Scottish; Scotch ♦ **S~í, -a** *f gjg* Scotland

skoç *plk:* **pi një** ~ have a (glass of) Scotch
skofí, -a *f* delicacy; refinement; tact ♦ **~ár, -e** *mb* delicate; refined; tactful
skolastík, -e *mb fil* scholastic ♦ **~/ë, -a** *f* scholasticism
skorbút, -i *m mk* scurvy: **i sëmurë nga ~i** scorbutic
skóri/e, -a *f metal* scoria; slag; dross; cinder
skót/ë, -a *f* breed; sort: **ç'~ë jeni?** what kind of people are you?
skrímtë (i, e) *mb* temperate; moderate
skrivaní, -a *f* writing desk
skrúpu/ll, -lli *m* scruple; qualm; care ♦ **~llt (i, e)** *mb* scrupulous; queasy
skuád/ër, -ra *f* squad; team; gang *(of workers):* **~ër e motorizuar** flying squad; **~ër futbolli** football team ♦ **~ërkomandánt, -i** *m* squad/ team leader; foreman
skuadr:ílj/e, -a *f,* **~ón, -i** *f ush -dt, av* squadron
skúfj/e, -a *f* hood; cap
skulpt:ór, -i *m* sculptor ♦ **~urál, -e** *mb* sculptural ♦ **~úr/ë, -a** *f* sculpture ♦ **~urór, -e** *mb* sculptural
skumbrí, -a *f zl* mackerel
skuq *kl* redden; dye/ paint/ make red; fry; heat *(iron);* *fg* make *(sb)* blush; *bs* trounce: **~ patate** fry potatoes; **ia ~ mirë dikujt** give sb what for ♦ *jkl v iii* redden; be/ look/ glow red ♦ **~/em** *vtv, ps:* **u ~ qielli** the sky turned red; **~em nga turpi** blush for shame ♦ **~j/e, -a** *f* reddening; frying; blush(ing) ♦ **~ur (i, e)** *mb* reddened; painted/ tinted red; fried; red-hot; blood-shot *(eyes);* *fg* flushed ♦ **~ura, -t (të)** *m sh* fries; fried foods
skuríq, -e *mb* scapegrace; *fg* good-for-nothing
skúter, -i *m* (motor-)scooter
skút/ë, -a *f* corner; nook; *fg* recess
skuth, -i *m kq* sneak
slogán, -i *m kq* slogan; catch-phrase
sllallóm, -i *m sp* slalom: **~ i gjigand** giant slalom
sllav, -i *m* Slav ♦ **~, -e** *mb* Slav(ic) ♦ **~ísht** *nd* in (the) Slavonic (language) ♦ **~ísht/e, -ja** *f* Slavonic (language)
sllovák, -e *mb* Slovak(ian) ♦ **~, -u** *m* Slovak ♦ **S~í, -a** *f gjg* Slovakia
sllovén, -e *mb* Slovene ♦ **~, -i** *m* Slovene ♦ **S~í, -a** *f* Slovenia ♦ **~ísht** *nd* (in the) Slovenian (language) ♦ **~ísht/e, -ja** *f* Slovenian (language)
smalt, -i *m* enamel; glaze ♦ **~/óhet** *ps* ♦ **~/ój** *kl* enamel; glaze ♦ **~ím, -i** *m* enamelling; glazing ♦ **~úar (i, e)** *mb* enamelled; glazed
smeráld, -i *m* emerald
smeríl, -i *m* emery; grindstone: **letër ~i** sandpaper ♦ **~/óhet** *tk ps* ♦ **~/ój** *kl tk* sandpaper; polish
smir/ë, -a *f* envy; jaundice: **nga ~a** out of envy
snajpér, -i *m* sniper
snob, -i *m* snob ♦ **~íz/ëm, -i** *m* snobbery; snobbishness

sob/ë, -a *f* stove; sitting/ drawing-room: **~ë gatimi** oven
sociál, -e *mb* social: **mjedisi ~** social habitat; **assistencë ~e** social assistance ♦ **~íst, -e** *mb* socialist(ic) ♦ **~íst, -i** *m* socialist ♦ **~íz/ëm, -mi** *m* socialism
socioló:g, -u *m* sociologist ♦ **~gjí, -a** *f* sociology ♦ **~gjík, -e** *mb* sociological
sód/ë, -a *f* soda; washing soda: **~ë buke** sodium bicarbonate
sodít *kl* gaze; contemplate; look on: **~ yjet** gaze at the stars ♦ **~ës, -i** *m* gazer; onlooker; spectator ♦ **~ës, -e** *mb* contemplative *(mood)* ♦ **~j/e, -a** *f* contemplation
sodomí, -a *f* sodomy ♦ **~t, -i** *m* sodomite
sóf/ër, -ra *f* low round dining-table
sofí:st, -i *m* sophist; quibbler ♦ **~stík, -e** *mb* sophistic; captious; hair-splitting ♦ **~z/ëm, -mi** *m* sophism; sophistry
sofrabéz, -i *m* table-cloth
sohí, -a *f* shady place
soj, -i *m* sort; kind: **nga soj i mirë** of a good family; **nga të gjitha ~et** of all kinds
sój/ë, -a *f bt* soy (bean)
sokák, -u *m bs* street: **fjalë ~u** street gossip; **qen ~u** stray dog
sokëllí/j *jkl* shout; scream; yell ♦ **~m/ë, -a** *f* shout; scream; yell
sokól, -i *m zl* falcon; *fg* dashing/ daring young man
sol, -i *m mz* sol; g; **çelës i ~it** treble clef
solár, -i *m* solar oil
solémn, -e *mb* solemn; grave: **betim ~** solemn oath ♦ **~ísht** *nd* solemnly; with solemnity ♦ **~itét, -i** *m* solemnity; gravity
solét/ë, -a *f ndr* slab; insole *(of the shoe)*
solfézh, -i *m mz* solfeggio *(sh –i):* **bëj ~** sol-fa
solidár, -e *mb:* **grevë ~e** solidarity strike ♦ **~ësí, -a** *f* solidarity ♦ **~itét, -i** *m* **solidarësi, -a** ♦ **~izím, -i** *m* solidarity ♦ **~iz/óhem** *vtv:* **~ohem me grevën** support/ join the strike
sol:íst, -i *m mz* soloist ♦ **~o, -ja** *f mz* solo ♦ *nd* solo
solución, -i *m km* solution
Somalí, -a *f* Somalia ♦ **s~éz, -e** *f* Somalian ♦ **s~éz, -i** *m* Somalian; Somali ♦ **s~ísht** *nd* (in) Somali ♦ **s~ísht/e, -ja** *f* Somali
somnámbul, -i *m mk* somnambulist; sleep-walker ♦ **~íz/ëm, -mi** *m* somnambulism; sleep-walking
sonát/ë, -a *f mz* sonata
sond:ázh, -i *m* sounding; probing; *tk* drilling; (opinion) poll ♦ **~/ë, -a** *f mk* sound; probe; *tk* drill; *dt* sounding line; *ast* space probe ♦ **~ím, -i** *m shih* **sondazh, -i** ♦ **~íst, -i** *m* drill-rig operator ♦ **~/ój** *kl* drill; sound out *(a depth);* *fg* probe
sonét, -i *m lt* sonnet ♦ **~íst, -i** *m lt* sonneteer
sónë *shih* **jonë**
sónte *nd* tonight; this night

sop, -i *m* mound; hump; rise

sopráno, -ja *f mz* soprano

sorkádh/e, -ja *f shih* **kaproll/e, -ja**; *fg* graceful/ limber young girl

sorollát (~s) *kl bs* turn round; *fg* drive from pillar to post ♦ **~/em** *vtv bs* lounge; loaf about; fool around ♦ **~j/e, -a** *f bs* procrastination; holding off; loafing

sorollóp, -i *m keq:* **soj e ~** rag-tag and bob-tail

sorr/ë, -a *f zl* rook; jackdaw: **kur s'ke pulën do të hash ~ën** beggars can't be choosers

sos *kl* finish; use up *(supplies);* satisfy *(a desire):* **lëre ta ~ë fjalën** let him finish what he's saying ♦ *jkl* arrive; *v iii* suffice: **~ shëndoshë e mirë** arrive safe and sound ♦ **~/em** *vtv bs v iii* end; be used up; run out of; *v iii fg* be fulfilled *(of a wish);* arrive: **na u ~ uji** we ran out of water; **m'u ~ fryma** I'm out of breath; **u ~ën** they arrived ♦ **~j/e, -a** *f bs* end; exhaustion; end; death ♦ **~ur, -it (të)** *as:* **s'ka të ~** there is no end to it

sot *nd* today; this day: **~ një javë** this day week; **që ~ e tutje** from today on; **~ për ~** for the time being ♦ **~/ëm (i), -me (e)** *mb* today's *(news);* modern ♦ **~m/e, -ja (e)** *f* the present day ♦ **~sh/ëm (i), -me (e)** *mb* today's; present

sovájk/ë, -a *f* shuttle *(of the weaving machine)*

sovál, -i *m zl* grass snake

sovjét, -i *m* Soviet; council ♦ **~ík, -e** *mb* Soviet *(Russia)*

sovrán, -i *m* sovereign ♦ **~, -e** *mb* sovereign *(country);* paramount ♦ **~itét, -i** *m* sovereignty

spagéti *m gjll* spaghetti

spángo, -ja *f* string; line *(of the sounding lead)*

Spánj/ë, -a *f gjg* Spain ♦ **~ísht** *nd* (in the) Spanish (language) ♦ **~ísht/e, -ja** *f* (the) Spanish (language) ♦ **~óll, -e** *mb, em* Spanish

spartakiád/ë, -a *f* spartakiad

spartán, -i *m hst* Spartan ♦ **~, -e** *mb* Spartan(-like)

spastr:ím, -i *m* purification; purge; cleansing: **~ etnik** ethnic cleansing; **operacion ~i** mopping-up operation ♦ **~/óhem** *vtv, ps* ♦ **~/ój** *kl* purge; clean up; *ush* flush out ♦ **~ues, -i** *m;* cleaner; *sp* sweeper ♦ **~ues, -e** *mb* cleansing; purifying; mopping-up

spathí *mb* spade: **çupa ~** queen of spades

spázm/ë, -a *f mk* spasm; twitch ♦ **~atík, -e** *mb mk* spastic

spec, -i *m bt* pepper; paprika: **~ djegës** chilly; **punë me ~** thorny business; hot potato; **bëhem ~** be nettled

speci:ál, -e *mb* special; specific ♦ **~alíst, -i** *m* specialist; expert ♦ **~alitét, -i** *m* speciality ♦ **~alizím, -i** *m* specialisation; qualification: **kurs ~i** training course ♦ **~aliz/óhem** *vtv, ps* ♦ **~aliz/ój** *kl* specialise; train ♦ **~alizúar (i, e)** *mb* specialised; skilled ♦ **~fík, -e** *mb* specific *(weight);* particular *(case)* ♦ **~fík/ë, -a** *f* specific feature ♦ **~fikím, -i**

m specifying; specification; detailed list ♦ **~fikóhet** *ps* ♦ **~fik/ój** *kl* mention explicitly; specify; particularise

spedición, -i *m* consignment; shipment: **agjenci e ~it** forwarding/ shipping agency ♦ **~ér, -i** *m* forwarding/ shipping agent

spekt:ák/ël, -li *m* performance; show: **industria e ~lit** show business ♦ **~atór, -i** *m* spectator; audience ♦ **~ër, -ri** *m fz* spectrum *(sh* -ums, -a) ♦ **~rál, -e** *mb shih* **spektror, -e** ♦ **~rór, -e** *mb fz* spectral *(analysis)*

spekul:atór, -i *m* speculator; gambler ♦ **~ím, -i** *m* speculation ♦ **~/ój** *kl* speculate; *fin* trade on; *fg* misuse ♦ **~úes, -e** *mb* speculating; speculative

spérm/ë, -a *f fzo* semen; sperm

spër/drédh *kl* **-dródha, -drédhur** twist; curl; purse up *(one's lips)* ♦ **~drédhj/e, -a** *f* twist; curl ♦ **~drídhem** *vtv* wriggle; writhe; squirm; *v iii* twist; curl

spërkát (spërkás) *kl* sprinkle; spray; splash; spatter ♦ **~/em** *vtv, ps* ♦ **~átës, -i** *m* sprinkler ♦ **~átës, -e** *mb* spraying; sprinkling *(device)* ♦ **~átës/e, -ja** *f* spraying pump; *ft* aspergillium ♦ **~átj/e, -a** *f* spraying; sprinkling

spërk/ë, -a *f* spray; sprinkle *(of water, etc.);* spatter *(of mud);* spot; speck

spic *nd* spick-and-span: **vishem ~** be smartly dressed ♦ *mb* brand new *(clothes);* elegant ♦ **~/ë, -a** *f* splinter *(of wood);* shiver; chip *(of stone); sh fg* jibe; quibble; quip: **i hedh ~a dikujt** jibe at sb ♦ **~ë** *mb* preened: **ustaqe ~ë** well-groomed moustache ♦ **~ë** *nd shih* **spic**

spiká:m/ë, -a *f* prominence; limelight ♦ **~t (~s)** *jkl v iii* stand out; catch the eye; be prominent/ outstanding

spíker, -i *m* announcer *(of rd, tv programs)*

spináq, -i *m bt* spinach

spín/ë, -a *f el* plug: **~ë dyshe** two-pin plug; **vë/ heq ~ën** plug in/ off

spirál/e, -ja *f* spiral; curl; twist *(of smoke)* ♦ *mb:* **sustë ~e** spiral spring

spiránc/ë, -a *f dt* anchor: **hedh/ ngre ~ën** cast/ weigh anchor

spirití:st, -i *m* spiritist ♦ **~z/ëm, -mi** *m* spiritism

spitál, -i *m* hospital: **shtrim në ~** admission into hospital ♦ **~ór, -e** *mb* hospital *(service)*

spitull:áq, -e *mb keq* foppish; dandy ♦ **~ím, -i** *m* sprucing up; preening ♦ **~/óhem** *vtv* spruce/ preen oneself

spiún, -i *m* spy; *bs* sneak ♦ **~, -e** *mb:* **satelit ~** spy satellite ♦ **~ázh, -i** *m* espionage ♦ **~ím, -i** *m* spying ♦ **~llë/k, -u** *m bs kq* spying ♦ **~/óhem** *ps* ♦ **~/ój** *kl* spy on; inform on; *bs* snitch ♦ *jkl* spy

spond, -i *m* cushion *(of the billiard table);* tail gate *(of a lorry)*

spontán, -e *mb* spontaneous; unprovoked *(abor-*

tion); unaffected ♦ **~ísht** *nd* spontaneously; of one's own accord ♦ **~itét, -i** *m* spontaneity

sport, -i *m* sport: **fushë e ~it** sports ground; **komentator i ~it** sportscaster; **sa për ~** for fun

sportél, -i *m* window, till *(of a bank, etc.); (hotel)* reception ♦ **~íst, -i** *m* counter-clerk; teller *(of a bank);* receptionist

sportíst, -i *m* sportsman *(sh* **—men**) ♦ **~ív, -ë** *mb* sports *(club);* sportsmanlike; sporty: **automobil ~** sports car; **veshje ~** sport/ casual wear

spraps *kl* repel; repulse; drive back *(an attack)* ♦ **~/em** *vtv* withdraw; draw/ step back; *fg* retreat; shy *(of a difficulty); ps* ♦ **~j/e, -a** *f* repulsion

sprint, -i *m sp* sprint ♦ **~ér, -i** *m sp* sprinter

spróv/ë, -a *f* difficulty; hardship; trial; essay ♦ **~úar (i, e)** *mb* tested; experienced

spurdhják, -u *m zl* sparrow; *bs* inexperienced person; *kq* whipper-snapper

sputník, -u *m ast rus* sputnik

sqap, -i *m sh* **sqep, sqéptë** he/ billy-goat

sqaq *kl* squash; to squelch ♦ **~/em** *vtv, ps* ♦ **~ur (i, e)** *mb* squashed; pulpy

sqar:ím, -i *m* explanation; clarification ♦ **~lóhem** *vtv :* **u ~ua qielli** the sky cleared up; **prit sa të ~ohet puna** wait till the dust settles ♦ **~lój** *kl v iii* clear up; clarify; explain ♦ **~úes, -e** *mb* explanatory *(notes);* explicative

sqep, -i *m* beak; bill; corner, edge; extremity; tip

sqepár, -i *m* combined hoe and fork; adze

sqétull, -a *f* armpit: **marr nën ~ dikë** take sb under one's wing

sqim:atár, -e *mb* nifty; smart ♦ **~/ë, -a** *f* niftiness; smartness *(of dress);* vainglory

sqoll, -i *m* sink; wash-basin

sqót/ë, -a *f* flurry; blustery rain

squfur, -i *m km* sulphur; brimstone

squk *jkl* **-u, -ur** clutch, brood *(of a hen)* ♦ **~/ë, -a** *f* brooding/ sitting-hen ♦ *mb* bad *(egg)* ♦ **~ë** *nd:* **bie ~** clutch/ brood *(of a hen); fg* shut up; fall silent

squll *kl* squash; squelch; *fg* weaken ♦ **~/em** *vtv* ♦ **~ët (i, e)** *mb* squashed; *fg* flagging; enfeebled

stabilimént, -i *m* factory; plant; works

stabili:tét, -i *m* stability; firmness; steadiness ♦ **~zatór, -i** *m* stabiliser; *av* tail-plane ♦ **~zím, -i** *m* stabilisation ♦ **~z/óhem** *vtv:* **u ~ua gjendja** the situation was stabilised; **u ~ua me punë** he settled with a job ♦ **~z/ój** *kl* stabilise; steady ♦ **~zúar (i, e)** *mb* stabilised; steady *(market)*

stación, -i *m (bus, railway)* station; *(health)* resort

stadiúm, -i *m* stadium *(sh* **-ia, -iums)*: **~ i hapur/ mbyllur** open-air/ in-door stadium

stafét/ë, -a *f sp* relay race; baton *(in a relay-race); fg* experience

stafídh/e, -ja *f gjell* sultana

stáll/ë, -a *f (horse)* stable; *(cow)* shed: **~iér, -i** *m*

stableman; stable-boy/ -hand

stámp/ë, -a *f tk* die; matrix; mould; printing plate ♦ **~ím, -i** *m* moulding; forging; printing ♦ **~lóhet** *ps* ♦ **~lój** *kl tk* drop-forge; mould; stamp; print *(a film)*

stan, -i *m* dairy farm; flock *(of sheep); fg* cabal: **qen ~i** sheep dog

standárd, -i *m* standard; level: **~ i jetesës** standard of living ♦ **~, -e** *mb:* **prodhim ~** serial production ♦ **~izím, i** *m* standardisation ♦ **~izóhet** *ps* ♦ **~iz/ój** *kl* standardise; mass-produce

stap, -i *m* stick; staff; hook ♦ **~ít** *kl* hit with a stick; *bs* stun ♦ **~ítem** *vtv* be stunned/ shocked ♦ **~ítur (i, e)** *mb* stunned; shocked; transfixed

start, -i *m sp* start; *fg* beginning: **vijë e ~it** starting-line

statík, -e *mb fz* static(al) *(electricity)* ♦ **~lë, -a** *f fz* statics *(me folje në njëjës)*

statisti:k/ë, -a *f nj* statistics *(me folje në njëjës):* **mbledhës ~ash** pollster ♦ **~kór, -e** *mb* statistical

statúj/ë, -a *f* statue: **~ë kalorësi** equestrian statue

statút, -i *m* statute; charter: **~ themeltar** constitution

stáv/ë, -a *f* pile; stave *(of firewood, etc.)*

staxhion:ím, -i *m* seasoning; weathering *(of timber);* ageing, ripening *(of wines, etc.)* ♦ **~lóhet** *vtv* ♦ **~lój** *kl* season, weather *(timber)*; ripen, age *(wines)*

stazh, -i *m* seniority *(at work);* apprenticeship ♦ **~iér, -i** *m* trainee; pupil

sték/ë, -a *f* (billiard) cue; *sp* bar; *mk* splint

stél/ë, -a *f* dog-kennel

stém/ë, -a *f* coat of arms; armorial bearings

sténd/ë, -a *f* bill-board

stenográf, -i *m* stenographer; shorthand ♦ **~í, -a** *f* shorthand; stenography ♦ **~grafík, -e** *mb* shorthand *(mb);* stenographic

stép/em *vtv* step aside; make way; *fg* hesitate; waver

stép/ë, -a *f gjg* steppe

steré, -ja *f* dry land; shore: **dal në ~** go down on shore

stereo:metrí, -a *f* stereometry; solid geometry ♦ **~foní, -a** *f fz* stereophony ♦ **~foník, -e** *mb fz* stereophonic ♦ **~típ, -i** *m* stereotype; *sht* printing plate ♦ **~típ, -e** *mb* stereotyped ♦ **~tipí, -a** *f sht* stereotypy; stereotype

steríl, -e *mb mk* sterile; *bi* barren ♦ **~izím, -i** *m mk, bi* sterilisation ♦ **~iz/óhet** *ps* ♦ **~iz/ój** *kl mk* sterilise; *bi* sterilise; make barren ♦ **~izúes, -i** *m* steriliser

sterlín/ë, -a *f:* **lirë ~** pound sterling

stérn/ë, -a *f* (water) tank; cistern

stérrë *mb* black; very/ pitch dark: **bëhem ~** be dark/ livid *(in the face)* ♦ *nd:* **i zi ~** pitch black ♦ **~lóhem** *vtv v iii* darken: **po ~ohet qielli** the sky is darkening ♦ **~lój** *k/* blacken; darken; *bs* botch ♦ *jk/* be dark/ black; *fg* look ominous

stetoskóp, -i *m mk* stethoscope ♦ **~ík, -e** *mb mk* stethoscopic

stër:dhëmb, -i *m* bucktooth

stërgjýsh, -i *m* great-grandfather; *sh* forefathers, ancestors ♦ **~gjýsh/e, -ja** *m* great-grandmother

stërhollím, -i *m* over-elaboration/refinement; *sh* preciosities ♦ **~holl/óhet** *vtv, ps* ♦ **~holl/ój** *k/* over-elaborate/refine; belabour *(a point)* ♦ **~hollúar (i, e)** *mb* over-elaborate; belaboured *(argument)*; sophisticated *(design, etc.)*

stërkál/ë, -a *f* spray *(of the waves);* spatter; *fg* spark(le)

stërkémbës, -i *m.* **i vë ~in dikujt** catch sb's foot

stërkít *k/* spray; spatter/ splash with ♦ **~lë, -a** *f* splash; spurt; spray *(of water, mud, etc.);* brine

stër:mbés/ë, -a *f* great-grandaughter; great-grandniece ♦ **~níp, -i** *m* great-grandson; great-grandnephew; *fg* posterity

stërvít *k/* train; drill *(soldiers);* coach *(an athlete);* break in *(a horse)* ♦ **~/em** *vtv* train; *ps* ♦ **~j/e, -a** *f* training *(an animal);* *sp* coaching; *ush* drilling ♦ **~ór, -e** *mb sp, ush* training; exercise *(mb):* **ndeshje ~e boksi** spar ♦ **~ur (i, e)** *mb* trained: **vesh i ~** (well-)trained ear

stil, -i *m* style: **në ~ të gjerë** on a large scale ♦ **~íst, -i** *m* stylist ♦ **~istík, -e** *mb* stylistic ♦ **~istík/ë, -a** *f* stylistics *(me folje në njëjës)* ♦ **~istikísht** *nd:* **~ i përsosur** in/ of perfect style ♦ **~istikór** *mb* stylistic ♦ **~izím, -i** *m* stylisation ♦ **~iz/ój** *k/* stylise

stilo:gráf, -i *m* fountain pen ♦ **~kalém, -i, ~láps, -i** *m* ball-point pen: **rezervë ~i** ball-point pen refill

stímu/l, -i *m fzo* stimulus; drive; urge; incentive ♦ **~ím, -i** *m* stimulation; incitement ♦ **~lóhem** *ps* ♦ **~l/ój** *k/ fzo* stimulate; incite; urge

stín/ë, -a *f* season ♦ **~ím, -i** *m* seasoning; weathering *(of timber)* ♦ **~lóhet** *ps* ♦ **~lój** *k/* **-óva, -úar** season; weather; ripen; age ♦ **~ór, -e** *mb* seasonal

stis *k/* create; devise: **~ ca vargje** dash a few lines; **~ një plan** hatch a plan ♦ **~/em** *vtv bs* adorn/ deck oneself out; *v iii* be created; *ps:* **që kurse është ~ur** from the inception

stív/ë, -a *f* pile; stack *(of wood, etc.)* ♦ **~ím, -i** *m* piling; stacking; stowage ♦ **~lój** *k/* pile; stack

stof, -i *m* stuff; cloth; material

stoi:cíz/ëm, -mi *m fil* stoicism: **me ~ëm** stoically ♦ **~k, -e** *mb fil* stoic ♦ **~k, -u** *m fil* stoic

sto/k, -ku *m* stock *(of unsold goods);* supply; store

stol, -i *m* stool; bench: **~ i parkut** park bench

stól/ë, -a *f ft* stole

stolí, -a *f* ornament; trimming(s); adornment ♦ **~s** *k/* decorate; ornament; trim ♦ **~s/em** *vtv, ps* ♦ **~sj/ e, -a** *f* decoration; ornament(ation) ♦ **~sur (i, e)**

mb decorated; ornamented

stomá:k, -u *m an* stomach: **me ~un plot/ bosh** on a full/ on an empty stomach; **ia prish ~un dikujt** upset sb 's stomach ♦ **~tít, -i** *m mk* stomatitis ♦ **~tológ, -u** *m mk* stomatologist; dentist ♦ **~tologjí, -a** *f mk* stomatology; dentistry ♦ **~tologjík, -e** *mb mk* stomatologic(al)

stop *psth* stop: **bëj ~ në vend** stop short; mark time

stóre, -t *f sh bs* story: **bëj ~** have great fun

strájc/e, -a *f* bag; tote: **me kokë në ~ë** at the risk of life

stra/ll, -i *m* flintstone ♦ *mb* flint-hard

straté:g, -u *m* strategist ♦ **~gjí, -a** *f ush* strategy; generalship ♦ **~gjík, -e** *mb* strategic(al)

stratosfér/ë, -a *f* stratosphere ♦ **~ík, -e** *mb* stratospheric(al)

stréh/ë, -a *f* shed; shelter; eaves *(of the roof);* *fg* refuge, asylum; brim, visor *(of the hat):* **~ë vorfënore** poor house ♦ **~ím, -i** *m* housing: **~ kundërajrore** air-raid shelter ♦ **~lóhem** *vtv, ps* ♦ **~lój** *k/* house; shelter ♦ **~úes, -i** *m* shelterer; *mk* carrier *(of germs)*

strepto:kók, -u *m mk* streptococcus *(sh* **-ci** *)*

strídh/e, -ja *f z/* oyster

stríng/ël, -la *f* trinket; fal-dal

stróf/ë, -a *f lt* stanza

stróf:k/ë, -a *f* lair; den; burrow; *fg* retreat; hideout: **~ë kusarësh** a den of thieves ♦ **~u/ll, -lli** *m* den; burrow

struc, -i *m z/* ostrich

strúdel, -i *m gjll* strudel

strúk/em *vtv* crouch; cower *(with fear, etc.);* snuggle *(against sb)* ♦ **~/ë, -a** *f* shelter; hideout

struktúr/ë, -a *f* structure ♦ **~ór, -e** *mb* structural

strúmbullár, -i *m* pivot; pole *(of the hayrick, etc.);* *fg* centre-piece; hub: **~ i i çështjes** the hub of the matter

strúm/ë, -a *f mk* goiter

stud:ént, -i *m* student; undergraduate: **qytet i ~ëve** university campus ♦ **~entór, -e** *mb:* **jetë ~e** student's life ♦ **~ím, -i** *m* study: **programi i ~eve** syllabus; curriculum ♦ **~imór, -e** *mb* study *(institute)*

stúdio, -ja *f* study; studio: **drejtpërdrejt nga ~ja** *rd, tv* live from the studio

studi/óhet *ps* ♦ **~lój** *k/* study, read *(law, etc.);* examine; consider ♦ **~úes, -i** *m* scholar ♦ **~úes, -e** *mb* studious; diligent

stúf/ë, -a *f* stove; oven: **~ë gatimi** cooker

stuhí, -a *f* storm; tempest ♦ **~sh/ëm (i), -me (e)** *mb* stormy; tempestuous

stuk:ím, -i *m* stuccoing; puttying ♦ **~o, -ja** *f* stucco; putty ♦ **~lóhet** *ps* ♦ **~lój** *k/* stucco: **~oj me allçi** stopper

súaj *shih* **juaj**

suáz/ë, -a *f* frame *(of a picture);* rim *(of spectacles);* *fg* framework

subjékt, -i *m fil,* g*juh* subject; ego; subject(-matter); topic; theme ♦ **~ív, -e** *mb* subjective ♦ **~ivíst, -e** *mb art, fil* subjectivist ♦ **~ivísht** *nd* subjectively ♦ **~ivíz/ëm, -mi** *m fil* subjectivism; *art* subjectivity; subjectiveness

sublím, -e *mb* sublime

substánc/ë, -a *f* substance; matter; gist; essence

subvención, -i *m* subvention; subsidy ♦ **~ím, -i** *m* subsidisation ♦ **~lóhet** *ps* ♦ **~lój** *kl* subsidise; finance

subversív, -e *mb* subversive

Sudán, -i *m gjg* Sudan ♦ **s~éz, -e** *mb* Sudanese ♦ **s~éz, -i** *m* Sudanese

suferín/ë, -a *f* bluster; gale; blustering cold wind

sufícít, -i *m fn* surplus ♦ **~ár, -e** *mb fn* surplus *(budget)*

suflér, -i *m tt* prompter

sugjer:ím, -i *m* suggestion; hint: **bëj një ~** offer/ make a suggestion ♦ **~lóhet** *ps* ♦ **~lój** *kl* suggest; hint; advise: **~oj një zgjidhje** propose/ offer a solution

sugjest:ioním, -i *m psk* suggestion: **shëroj me ~** heal by suggestion ♦ **~ionóhem** *vtv, ps* ♦ **~ion/ój** *kl psk* influence by suggestion ♦ **~ív, -e** *mb* suggestive; evocative

suít/ë, -a *f* following; escort; *mz* suite

súk/ë, -a *f* hillock; barrow

suksés, -i *m* success ♦ **~sh/ëm (i), -me (e)** *mb* successful

súku/ll, -lli *m* rag; gag: **e bëj ~ dikë** treat sb like dirt

súl/e, -ja *f dt* skiff

súl/em *vtv* run; rush; dash; charge

sulf:át, -i *m km* sulphate ♦ **~urík, -e** *mb km* sulphuric; **acid ~** sulphuric/ vitriolic acid

sulm, -i *m ush* attack; assault; charge; *(air)* raid; *sp* forward line; forwards ♦ **~lóhem** *ps* ♦ **~lój** *kl* attack; assail; charge; *fg* set to *(one's work); sp* come forward; *bs* fall on/ upon ♦ **~úes, -i** *m* attacker; assailant; aggressor; *sp* forward ♦ **~úes, -e** *mb: sp* forward *(player):* **trupa ~e** shock-troops

sulltán, -i *m* Sultan ♦ **~át, -i** *m* Sultanate

súmbull, -a *f (shirt, etc.)* button; bud *(of a plant);* bead *(of sweat)*

sund:ím, -i *m nj* rule; domination; sway; control: **~ i vetvetes** self-control ♦ **~imtár, -i** *m* ruler ♦ **~/óhem** *ps* ♦ **~lój** *kl* rule; control; command ♦ *jokal v iii* dominate; hold sway; *v iii fg* reign: **~on rregulli i plotë** order reigns supreme ♦ **~úes, -i** *m* ruler; dominator ♦ **~úes, -e** *mb* ruling; predominating *(position):* **qarqe ~e** ruling circles

sup, -i *m* shoulder: **~ më ~** shoulder to shoulder; **e provoj mbi ~e diçka** have personal experience of sth

super:fuqí, -a *f* superpower ♦ **~prodhím, -i** *m ek* overproduction ♦ **~soník, -e** *mb* supersonic; faster-than-sound *(mb)* ♦ **~stición, -i** *m* superstition ♦ **~sticióz, -e** *mb* superstitious ♦ **~struktúr/ë, -a** *f* superstructure; upper structure ♦ **~strukturór, -e** *mb* superstructural

súp/ë, -a *f gjll* soup

suplementár, -e *mb* supplementary; extra *(work)*

supoz:ím, -i *m* supposition; guess ♦ **~lóhet** *vtv, ps* ♦ **~lój** *kl* suppose; presume; imagine: **~oj se po** I suppose so

suprém, -e *mb* supreme *(command);* ultimate: **dëshira ~e** the last wish ♦ **~ací, -a** *f* supremacy; superiority

surb *kl* sip; slurp

súrbull *mb* soft-boiled *(egg)*

surpríz/ë, -a *f* surprise; astonishment; surprise

surrát, -i *m bs* face; *kq* mug, scarecrow; s*h* **~étër, -it** *vj* carnival mask

surrealí:st, -i *m art, lt* surrealist ♦ **~st, -e** *mb art, lt* surrealistic ♦ **~z/ëm, -mi** *m art, lt* surrealism;

surrogát, -i *m* substitute; ersatz: **~ i kafes** erstaz coffee

sus *nd:* **rri ~** stay put ♦ *psth:* stay put

susák, -u *m bt* bottle-gourd; calabash(-bottle)

susám, -i *m bt* sesame: **vaj ~i** sesame oil

súst/ë, -a *f* spring; stud; release button *(of a camera); sh sp* expanders: **dyshek me ~a** spring mattress

sút/ë, -a *f zl* deer; hind; *fg* graceful girl

suvá, -ja *f* plaster: **dora e parë e ~së** *ndr* rough cast

suvál/ë, -a *f* breaker; billow surge

suvat:ím, -i *m* plastering *(of a wall with mortar)* ♦ **~/óhet** *ps* ♦ **~lój** *kl* plaster *(the wall with mortar)* ♦ **~úes, -i** *m* plasterer ♦ **~úes, -e** *mb* plastering *(mb)*

suxhúk, -u *m gjll* sausage; Turkish delight stuffed with walnuts

sy, -ri *m* eye; eye-sight; look, glance; eye-loop: **~ri i lig** evel eye; **~ ndër ~** under sb 's very eyes; **~ për/ më ~** eye to eye; eyeball to eyeball; **~ të skuqur** blood-shot eyes; **bëj një ~ gjumë** have a wink of sleep; **bie në ~** catch the eye; **e kam halë në ~ dikë** hate the sight of sb; **e kam si ~të e ballit dikë** cherish sb like the apple of the eye; **gjithë ~ e veshë** all eyes and ears; **i hedh hi ~ve dikujt** pull the wool over sb 's eyes; **i hedh një ~ diçkaje** glimpse at sth; **i lidh ~të dikujt** blindfold sb; **ia bëj me ~ dikujt** make eyes at sb; **ia përvesh ~ve dikujt** slap sb in the face; **marr me ~ të mirë** take kindly sb; **me ~ mbyllur** blindfolded; **më bëjnë ~të** see things; **më lënë ~të** lose one's sight; **më plaçin ~të!** bless my eyes!; **në ~ të botës** in the eyes of the world; in the public eye; **për ~të e botës** for the sake of appearances; **hap ~të!** look out! **sa çel e mbyll ~të** in the twinkling of an eye/ in a jiffy; **zgurdulloj ~të** open one's eyes wide

sy: çákër(r), -e *mb kq* squint-eyed ♦ **~çélë** *nd* watchfully; vigilantly ♦ *mb fg* watchful; open-eyed; vigilant

syfýr, -i *m ft* after-midnight meal *(in the holy month of Ramadan)*

syll, -e *mb, em* squint-eyed ♦ **~ít** *kl* squint; look askance at

symbýllas, ~mbyllázi *nd* blindly: **luaj ~** play hide and seek

synét, -i *m* circumcision

syn:ím, -i *m* aim; purpose; goal ♦ **~/óhet** *ps* ♦ **~/ój** *kl* aim at; intend

syrgjýnós *kl bs vj* banish ♦ **~ós/em** *ps* ♦ **~ósj/e, -a** *f bs vj* banishment ♦ **~ósur (i, e)** *mb bs vj* banished

sytliáç, -i *m gjll* rice-and-milk pudding

syth, -i *m bt* bud; mesh; stitch *(in knitwork);* shelf *(of a book-case):* **~ i ikur** ladder

sýze, -t *f sh* (eye-)glasses; spectacles: **~ dielli** sunglasses; *bs* shades: **gjarpër me ~** *zl* cobra

sýze *mb* poached: **vezë ~** poached eggs

syz/ë, -a *f* drawer; cell *(of the honeycomb);* mesh

Sh

shabllón, -i *m tk* die; mould; *tk* gauge; *fg* hackneyed-phrase; platitude ♦ *nd* unimaginatively ♦ **~, -e** *mb* hackneyed, trite; rubber-stamp *(speech):* **frazë ~** platitude; hackneyed phrase ♦ **~íst, -i** *m tk* die-maker; *fg* platitudinarian ♦ **~íz/ëm, -mi** *m* triteness

shafrán, -i *m bt* saffron ♦ *mb* yellow; very bitter

shah, -u¹ *m* chess; check: **fusha e ~ut** chessboard; **~ mat** checkmate

shah, -u² *m* shah: **~u i Persisë** the Shah of Persia

shá/hem *vtv* curse; swear; bandy words with

shahíst, -i *m* chess-player

sháhthi *nd* rearing on its hind legs *(of a horse)*

sha/j *kl* swear at; curse; abuse; reproach; scold; reprimand ♦ *jkl* swear

shaják, -u *m* felt cloth; rough wool(l)en stuff

shaká, -ja *f* joke; jest; play(fulness): **~ pa kripë** horseplay; **e marr me ~** take sth as a joke; pooh-pooh sth; **bëj ~** joke ♦ **~tár, -i** *m* jester; joker ♦ **~tár, -e** *mb* joking; playful ♦ **~xhí, -u** *m shih* **shakatar, -i**

sháku/ll, -lli *m* skin *(of wine, etc.);* bellows *(of the forge);* eddy; whirlwind ♦ ♦ **~ll** *nd:* **bie ~** fall all of a heap ♦ **~llín/ë, -a** *f* whirlwind; windstorm

shal/ë, -a¹ *f* leg; thigh: **me bisht ndër ~ë** with the tail between one's legs

shál/ë, -a² *f* saddle; (motorcycle) seat ♦ **~ím, -i** *m* saddling *(of a horse)* ♦ **~lóhet** *ps* ♦ **~lój** *kl* saddle *(a horse):* **ia ~oj kalit** mount a horse

shalqí, -ri *m bt* water-melon

shall, -i *m* scarf; shawl; neck kerchief: **jakë ~** cowl collar

shallváre, -t *f sh* slacks; bloomers

shamat:ár, -i *m* noisy/ rowdy person ♦ *mb* noisy; rowdy ♦ **~axhí, -u** *m shih* **~ár, -i** ♦ **~/ë, -a** *f* squabble; noise; row; hullabaloo: **bëj ~ë për diçka** kick a row about sth ♦ **~lóhem** *vtv* squabble; quibble

shamí, -a *f:* **~ hundësh** nose-rag/ hanky; **~ gushe** neck kerchief; scarf

shampánj/ë, -a *f* champagne

shandán, -i *m* chandelier

shantázh, -i *m* blackmail ♦ **~íst, -i** *m* blackmailer

shap, -i *m km* alum: **ndaj ~in nga sheqeri** tell alum from sugar

shápk/ë,.-a¹ *f* cap

shápk/ë, -a² *f* slippers; old shoes

shápk/ë, -a³, shaptór/e, -ja *f zl* common snipe

sharabájk/ë, -a *f* charabanc; four-wheel wagon

shár/ë, -a (e) *f* (të) swearword; oath; blasphemy ♦ **~ë, -t (të)** *as* swear; oath: **këput një të ~** bounce out an oath; **s'ka të ~** it's beyond reproach/ not half as bad ♦ **~j/e, -a** *f* swearword; oath

shark, -u *m* green shell *(of walnuts, etc.);* pulp *(of some fruits);* skin *(of a serpent)*

sharlatán, -i *m* charlatan; con-man *(sh* **men)***;* mountebank; ♦ **~íz/ëm, -mi** *m* charlatanism; mountebankism, mountebankery

shárp/ë, -a *f* scarf *(sh* **scarfs, scarves***)*

shartés/ë, -a *f* graft ♦ **~ím, -i** *m* graft(ing) ♦ **~lóhet** *ps* ♦ **~lój** *kl bjq* graft; ♦ **~úar (i, e)** *mb* grafted; *fg* cross-bred

shárr/ë, -a *f* saw; **gjeog, dt** reef; *mk* epilepsy; saw-mill: **~ë disk** circular/ buzz saw; **~ë dore** hand saw; **pluhur ~e** sawdust; **më has ~a në gozhdë** hit a snag ♦ *mb:* **i kam dhëmbët ~ë** have sharp teeth ♦ **~ëtár, -i, ~ëxhí, -u** *m* sawyer

shárrëz, -a *f mk, vtr* tetanus; epilepsy

sharr:ím, -i *m* sawing ♦ **~lóhet** *ps* ♦ **~lój¹** *kl* saw

sharr/ój² *jkl* sink; plunge; be famished; vanish: **~oj në mendime** be deep in thoughts; **~oj në terr** vanish in the dark

shasí, -a *f tk* body; carriage *(of a car)*

shastís *kl* confuse; confound; baffle ♦ *jkl* be confused ♦ **~/em** *vtv* be confused/ baffled/ perplexed/ nonplussed ♦ **~j/e, -a** *f* confusion; bafflement; non-plus ♦ **~ur (i, e)** *mb* confused; baffled; nonplussed; muddled

shat, -i *m, ~/ë, -a* *f* hoe

shát/ër, -ri *m hst* page(-boy)

shatërván, -i *m* fountain; sprout; jet *(of water, etc.)*

shatëtár, -i *m* hoer

shatórr/e, -ja *f* tent; marquee

shebój/ë, -a *f bt* violet

shef, -i *m* chief; boss: **~ i shtabit** *ush* chief of staff; **~ i kuzhinës** the chef

sheftelí, -a *f bt krh* peach *(tree and fruit)*

shegért, -i *m* apprentice; shop-assistant

shég/ë, -a *f bt* pomegranate

sheh, -u *m,* **sheík, -u** *m ft* sheik(h)

shejtán, -i *m fet, mit* shaitan; evil spirit; *kq* wiseacre; sly-boots ♦ **~ëzí, -a** *f,* **~llë/k, -ku** *m bs* devilry; slyness; pranks ♦ **-k/ë, -a** *f:* **qenka e bukur ~a** she's dam pretty

shéku/ll, -lli *m* century

shekullár, -i *m fet* secular clergy ♦ **~, -e** *mb* secular *(arm of the church)*

shekullór, -e *mb* centennial; a hundred-years old/ long

shelég, -u *m* hogget; shearling

shel/g, -gu *m bt* willow: **~ vajtues** weeping willow ♦ **~gjísht/ë, -a** *f* willow grove; *bt* osier

shemb *kl* pull down; demolish; destroy; contuse, bruise; *fg* overthrow, depose; *fg* dash *(sb's hopes, etc.); bs* cram, ply *(sb with food, etc.):* **~ murin** bring down the wall; **~ një regjim** depose a regime; **e ~ kundërshtarin** defeat the opponent (team) roundly; trounce the opponent ♦ **~em** *vtv, ps:* **u ~ muri** the wall collapsed; **çatia u ~ nga bora** the roof gave way under the snow; **nuk u ~ dynjaja!** it's not the end of the world; **u ~ qielli** the heavens came down ♦ **~ë, -a** *f* landslide; sunken ground; *fg* ruin; wholesale destruction ♦ **~ëtír/ë, -a** *f* sinking ground; slippery slope ♦ **~j/e, -a** *f* fall; demolition; collapse; downfall; landslide; contusion, bruise

shémbu/ll, -lli *m* example; role model: **bëhem ~ll** set an example; **s'ka ~ll** it is unexampled; **për ~ll** for instance ♦ **~llór, -e** *mb* exemplary; model *(farm)*

shémbur (i, e) *mb* fallen; collapsed; demolished; contused, bruised; sunken *(ground); fg* ruined; finished *(hopes); mk bs* ruptured

shém/ër, -ra *f* second wife

shend, -i *m* high spirits; rejoicing: **~ e verë** as happy as a sand-boy

shénj/ë, -a *f* mark; (im)print; impression; sign; *(book)* marker; signal; target; *sh* cuts *(of meat);* token: **~at e gishtave** finger prints; **~a astronomike** zodiacal signs; **~at e pikësimit** *gjh* punctuation marks; **~ë e mirë** good augur; **ia bëj me ~ë dikujt** beckon sb *(to do sth);* **qëlloj në ~ë** hit the target; be right on the mark; **marr ~ë** aim; **ka ~a se** there are indications that ♦ **~ëtár, -i** *m* marksman; sharpshooter ♦ **~ëz, -a** *f sh ast:* Taurus; the Bull

shenjt, -i *m fg* saint ♦ **~lë (i, e)** *mb ft* holy; saintly; sacred: **Ati i S~** the Holy Father; **vend i ~** sacred place; hallowed ground; sanctuary ♦ **~ërí, -a** *f ft* holiness; sanctity; saintliness: **~ e shtirur** sanctimony; sanctimoniousness; **S~a e Tij** His Holiness ♦ **~ërím, -i** *m* sanctification; canonisation ♦ **~ëróhem** *vtv, ps* ♦ **~ër/ój** *kl* sanctify; hallow; canonise ♦ **~ëror, -e** *mb ft* holy; saintly ♦ **~ëror/e, -ja** *f ft* sanctuary; reliquary ♦ **~ërúar (i, e)** *mb ft* sanctified; hallowed; *fg* sacred ♦ **~ór, -i** *m ft* saint: **dita e dyzet ~ëve** All Saints' Day

sheqér, -i *m* sugar: **është top ~i** she is the picture of health; **e marr shapin për ~** take alum for sugar; **kallam/ panxhar ~i** *bt* sugar cane/ beet; **sëmundje e ~it** *mk* diabetes ♦ *nd:* **i ëmbël ~** very sweet ♦ **~/e, -ja** *f* candy; *fg* sweetie; darling ♦ **~k/ë, -a** *f* sweetmeat; candy ♦ **~ós** *kl* (sweeten/ powder with) sugar; candy; *fg* soften; mollify *(disagreements)* ♦ **~óset** *vtv* saccharify; be crystallised *(of fruit jams); ps* ♦ **~ósur (i, e)** *mb* sweetened; sugared; saccharified

sherbél/ë, -a *f bt* sage

sherbét, -i *m* sherbet, sorbet; whitewash: **lyej me ~ murin** whitewash the wall ♦ **~ím, -i** *m* sweetening with sorbet; whitewashing ♦ **~lóhet** *ps* ♦ **~lój** *kl* dip in sorbet; whitewash *(the wall)*

sheriát, -i *m* Sheria(t); Sharia(t)

sheríf, -i *m* sheriff

sherménd, -i *m* vine shoot

sherr, -i *m* quarrel; row; wrangle; *bs* harm: **hap ~ me dikë** pick up a quarrel with sb; **shtie në ~** set by the ears ♦ **~, -e** *mb* quarrelsome ♦ **~ét, -e** *mb, em* quarrelsome; scrappy ♦ **~xhí, -u** *m* quarreller; trickster

shes *kl/* **shíta, shítur** sell; *kq* sell off; *kq* flaunt, show off: **~ dokrra** swagger about; **~ dije** trot out one's knowledge; **~ lirë** sell cheap/ short

shest:ím, -i *m* planning; plotting; scheming ♦ **~lóhet** *ps* ♦ **~lój** *kl* plan; plot; scheme

shesh, -i *m* flat ground; *(town)* square, plaza; theatre *(of war); (battle)* field: **~ i lojërave** playground; **~ sportiv** sports ground; **për ~** openly; above board; **nxjerr në ~** bring out into the open; **e bëj ~ me lule** paint a rosy picture; **gjej ~ e bëj përshesh ~** use and abuse ♦ *nd* on the ground: **ulem ~** sit down on the ground; **bisedoj ~ me dikë** sit down to talk with sb ♦ **~as, ~azi** *nd shih* **sheshit** ♦ **~e** *mb* low-heel *(shoes)* ♦ **~ím, -i** *m* levelling (out) ♦ **~it** *nd* in the open; in public: **nxjerr ~** bring out into the open; **duket ~** it is obvious ♦ **~lóhem** *vtv* sit down; sit cross legged; *v iii* be levelled out/ smoothed *(of disagreements); ps* ♦ **~lój** *kl* level; smooth over/ out; trim *(the cargo); fg* raze to the ground; *fg* level out *(differences);* settle *(one's affairs):* **i ~oj udhën dikujt** pave the way for sb ♦ **~t/ë (i, e)** *mb* flat; even; level; low-heel *(shoes); fg* smooth: **truall i ~** flat ground ♦ **~úar (i, e)** *mb* levelled *(ground);* razed to the ground

shëlb:és/ë, -a *f ft shih* **shëlbim, -i** ♦ **~ím, -i** *m ft* redemption; *vj*liberation; salvation; relief ♦ **~lóhem** *vtv* ♦ **~lój** *kl ft* redeem; *vj* liberate; salvage; free ♦ **~úes, -i** *m ft* redeemer; *vj* liberator

shëllír/ë, -a *f* brine; pickle; salt water

shëmbëll/éj *jkl* resemble; look like: **i ~en t'et** he looks like his father ♦ *kl* recognise ♦ **~és/ë, -a** *f* likeness: **s~ë e gjallë e dikujt** the spitting image of sb ♦ **~ím, -i** *m* : **~i i hënës në ujë** the reflection of the moon on the water ♦ **~týr/ë, -a** *f* image;; reflection; *lt* parable

shëmt:ák, -e *mb* ugly; unsightly ♦ **~í, -a** *f* ugliness; hideousness ♦ **~ím, -i** *m* ugliness; defacement ♦ **~ír/ë, -a** *f* ugly; ugliness ♦ **~lóhem** *vtv, ps* ♦ **~lój** *kl* make ugly; distort; disfigure; deface ♦ **~úar, -a (e)** *f* ugly; ugliness ♦ **~úar (i, e)** *mb* ugly; ungainly; unsightly; *fg* hideous; offensive ♦ **~úar** *nd:* **qesh ~** laugh hideously

shënd:ét, -i *m* health; *bs* greetings, regards; toast: **plot ~** very healthy; **i lë ~in dikujt** part with sb; **ai na la ~in** *bs* he cashed in ♦ **~etësí, -a** *f:* **sistem i ~së** health system ♦ **~etësór, -e** *mb:* **librezë ~e** health certificate ♦ **~etlíg, -ë** *mb* sick(ly); valetudinarian; weak *(with age, with sickness)* ♦ **~étsh/ëm (i), -me (e)** *mb* healthy; wholesome *(food);* salutary: **fëmijë i ~ëm** healthy child ♦ **~ósh** *kl* heal; restore; fatten *(animals for slaughter); v iii* enrich *(the soil); fg* strengthen *(the economy):* **sheqeri të ~** sugar is a fattener ♦ **~ósh/em** *vtv:* **~em plotësisht** be fully recovered ♦ **~óshë (i, e)** *mb* healthy, sound; sane; fat, obese; *fg* strong *(construction); fg* well-grounded *(principles, etc.):* **dhëmbë të ~** healthy teeth; **i heq një dru të ~ dikujt** *bs* give sb a sound beating ♦ **~óshë** *nd:* **jam ~** be in good health; **shpëtoj ~** escape with life and limb ♦ **~óshj/e, -a** *f* growing fat; invigoration *(of the economy, etc.)*

shën:ím, -i *m* note; score *(of a point, of a goal);* annotation; aim, mark; *mk* implantation *(of smallpox):* **bllok ~esh** note pad; **mbaj ~e** take down notes; **marr ~** take aim ♦ **~lóhem** *ps* ♦ **~lój** *kl* mark; notch *(a tree for felling, etc.);* note/ write down; mark out *(borders);* achieve, attain *(success);* score *(a point, a goal);* (take) aim at; *mk* implant *(a vaccine):* **~oj një epokë të re** usher in a new epoch; **~oje në mes** aim in the middle ♦ *jkl v iii* begin to ripen *(of fruit)* ♦ **~úar (i, e)** *mb* marked; notched; *fg* remarkable; memorable: **ditë e ~** memorable day ♦ **~úes, -i** *m sp* scorer; marker ♦ **~úesh/ëm (i), -me (e)** *mb* notable; remarkable *(change)*

shënj:ést/ër, -ra *f ush* (rear) sight: **e vë në ~ër dikë** make sb a target *(of attacks,, etc.)* ♦ **~im, -i**

m ush aim(ing); sighting *(of a gun on)* ♦ **~lój** *kl* aim; sight *(a gun)* on ♦ **~úes, -i** *m ush* sighter *(of a gun)*

shërb/éhem *vtv* help oneself; *ps* ♦ **~léj** *jkl* serve; be employed as; act as; be subservient to; *v iii* be of service: **~ej si mjek** work as a doctor; **~ej në banak** serve behind the counter; **për se ~en?** what use is it? ♦ *kl* serve; be of service; look after; wait on, attend (up)on: **u ~ej klientëve** wait on the customers; **u ~ej të sëmurëve** look after the patients ♦ **~és/ë, -a** *f ft* ceremony; offices: **~ë e ~ë varrimi** burial service; last offices ♦ **~ëtór, -i** *m* servant; *kq* flunkey ♦ **~ëtór/e, -ja** *f* woman-servant ♦ **~ím, -i** *m* service; duty; work-time; business trip; seniority (in service); favour, good turn; *s*port serve: **~ 24-orësh** twenty-four hour service/ duty; **jam në/ me ~** be on duty; **~ nën armë** active service; **më bëj një ~** do me a favour; **ia thyej/ marr ~in dikujt** *sp* break sb's serve ♦ **~ýes, -i** *m* (man-)servant; orderly ♦ **~ýes, -e** *mb:* **personel ~** auxiliary (support) staff

shër:ím, -i *m* remedy; cure; healing: **~i i plagës** the healing of the wound; **s'ka/ është pa ~** it is beyond/ past remedy ♦ **~lóhem** *vtv, ps* : **~ohet dorëmenjë** heal by the first intention ♦ **~lój** *kl* heal *(a wound);* cure ♦ **~úar (i, e)** *mb, em* cured; healed ♦ **~úes, -e** *mb* healing *(properties)* ♦ **~úes, -i** *m* healer ♦ **~úesh/ëm (i), -me (e)** *mb* curable; remediable

shëtít *jkl* stroll; (go for a) walk/ drive: **~ lule më lule** sow one's wild oats ♦ *kl* show *(sb the sights of a place);* take *(sb)* out for a walk/ drive/ a trip, etc.; travel ♦ **~ës, -e** *mb* mobile; roving, at large: **bibliotekë ~e** mobile library; **ambasador ~** roving ambassador; ambassador-at-large ♦ **~ës, -i** *m* tripper; excursionist; stroller ♦ **~j/e, -a** *f* promenade; walk; stroll ♦ **~ór/e, -ja** *f* promenade ♦ **~ur (i, e)** *mb* (well-, much-)travelled

shfajës:ím, -i *m* excuse; justification ♦ **~lóhem** *vtv* ♦ **~lój** *kl* excuse; exonerate

shfaq *kl* reveal; disclose; display *(a quality);* express; show, put on *(a film, etc.):* **~ një mendim** express an opinion ♦ **~em** *vtv* appear; rise; come into view; *v iii* display oneself; express oneself; reveal/ manifest oneself; *ps:* **u ~ hëna** the moon appeared; **~et papritmas** burst into view ♦ **~j/e, -a** *f* appearance; manifestation; expression; show; performance; appearance: **përgatit një ~je** make arrangements for a show ♦ **~ur (i, e)** *mb* manifested; expressed; open; declared

shfar:ós *kl* exterminate; wipe out ♦ **~ósem** *vtv, ps* ♦ **~ósës, -e** *mb* exterminating ♦ *em* exterminator ♦ **~ósj/e, -a** *f* extermination: **kamp ~eje** extermination camp ♦ **~ósur (i, e)** *mb* exterminated; extinguished

shflet:ím, -i *m* turning over (the pages of a book);

thumbing ♦ **~lóhet** *ps* ♦ **~lój** *kl* leaf through; browse *(a book)*

shform:ím, -i *f* deformation ♦ **~lóhem** *vtv, ps* ♦ **~lój** *kl* deform; twist out of shape

shfrej *jk/* **shfréva, shfrýer** blow over; bluster; snap *(at sb):* **lëre të ~ë** let him blow over ♦ *kl:* **~ dufin** vent one's anger *(on sb)*

shfren:ím, -i *m* unleashing ♦ **~lóhem** *vtv* lose control; fly off the handle; get wild; abandon oneself; *ps* ♦ **~úar (i, e)** *mb* unbridled; unleashed; uncontrolled; debauched

shfrim, -i *m* venting; wreaking *(of anger, etc.);* blowing over

shfrý/hem *vtv v iii* be deflated; *fg* vent one's anger *(on sb);* bluster; scold severely; *v iii* **pë: na u ~ një gomë** we had a flat tyre ♦ **~lj** *jkl* **~va, ~rë** snort; blow; *v iii* bluster *(of the wind);* rage *(of the storm); v iii* pant; gasp; chuff *(of an engine):* **~j e turfulloj** blow and bluster; **fryn e ~n** it is blowing big guns ♦ *kl* blow *(one's nose);* deflate *(a tyre, etc.); fg* vent *(one's anger): fg* scold; upbraid ♦ **~r/ë, -a (e)** *f* (të) scold(ing); upbraiding ♦ **~rë (i, e)** *mb* deflated; flat *(tyre, etc.)* ♦ **~rj/e, -a** *f* deflation; blowing over; scolding

shfrytëz:ím, -i *m* exploitation: **vë në ~ një uzinë** commission a plant for production ♦ **~lóhem** *ps* ♦ **~lój** *kl* exploit; make use of: **~zoj deri në fund** exhaust *(a resource);* **~zoj kohën** make good use of one's time ♦ **~úar (i, e)** *mb* exploited; exhausted *(resources):* **të paskan ~!** you've been used ♦ **~úes, -i** *m* exploiter ♦ **~úes, -e** *mb* exploiting ♦ **~zúesh/ëm (i), -me (e)** *mb* exploitable; utilisable; usable *(resources, assets)*

shfuqiz:ím, -i *m dr* repeal; abrogation *(of a law, etc.)* ♦ **~lóhet** *dr ps* ♦ **~lój** *kl dr* repeal; abrogate *(a law, etc.)*

shfytyr:ím, -i *m* defacement ♦ **~lój** *kl* deface; deform ♦ **~úar (i, e)** *mb* defaced

shi, -u *m* rain; rainfall: **~ i rrëmbyér** torrential rain; downpour; **një vesë ~** a light drizzle; **ditë me ~** a rainy day; **bie ~** rain; **iki nga ~u e bie në breshër** jump out of the frying pan into the fire

shiatík *mb an* sciatic (nerve) ♦ **~, -u** *m ant* sciatic nerve; sciatica

shíf/ër, -ra *f* digit; numeral; *nj* cipher; combination: **me dy ~ra** in two digits; **bravë me ~ër** combination lock ♦ **~ránt, -i** *m* operator of a decoding machine ♦ **~ím, -i** *m* coding ♦ **~lóhet** *ps* ♦ **~lój** *kl* cipher; code *(a message)* ♦ **~ór, -e** *mb:* **sistem ~** digital system

shigjet:ár, -i *m ush* archer: **yjësia e Sh~arit** the Archer; Sagittarius ♦ **~ë, -a** *f* arrow; dart, needle *(of a compass, etc.):* **lëshohem si ~ë** dart off ♦ **~ë** *nd* quickly like a dart

shíhe/m *vtv* **páshë (u), párë** *vtv, ps:* **~mi vëngër** look askance at one another; **s'jemi parë ka mot** it's ages we haven't seen each other; **~m te mjeku** see the doctor; **~t fundi** the end is obvious; **më ~sh i mërzitur** you look upset

shí/het *vtv, ps* ♦ **~lj** *kl* thresh, thrash *(wheat, etc.);* crumble ♦ *jokal:* **~ si kali në lëmë** mull around; have a long leash

shíj/e, -a *f* taste; flavour; savour; gusto; relish: **pa ~e** tasteless, unsavoury *(dish);* **ha me ~e** eat with relish; **~e artistike** artistic taste ♦ **~ím, -i** *m* tase; try; sample *(of a dish, etc.)* ♦ **~lóhet** *ps* ♦ **~lój** *kl* taste; relish; sample; try *(a dish, etc.)* ♦ *jkl v iii* enjoy; rejoice in: **më ~on kafeja** enjoy coffee; **~oj frytet e fitores** enjoy the fruit of victory ♦ **~sh/ëm (i), -me (e)** *mb* tasteful; tasty; savoury ♦ **~úar, -it (të)** *as* taste; gustatory sense

shik *nd bs* chic; elegantly; smartly; swish; stylishly

shik:ím, -i *m* view; regard; look; glance; sight; consideration: **pengoj ~in** block the view; **~ i egër** glare; **~ i shpejtë** a quick glance; **në ~ të parë** at first sight; **~ i gjerë** ample view ♦ **~lóhem** *vtv* see oneself *(in the mirror);* look at each other; *ps* ♦ **~lój** *kl* look at/ up/ down/ into; see; behold; regard; consider; view: **~oj orën** look at the watch; **e ~oj nga koka në këmbë** look sb up and down; **~oj sahátin e ujit** read the water meter; **~o veten!** look after yourself!; mind your own business; **~oj një film** watch a film ♦ *jkl* look; overlook; look upon; face *(in a certain direction);* look after; be careful: **~o kush po na vjen!** look who's coming; **~oj larg** be farsighted; **~oj me dylbi** look through field-glasses; **~o mos e përsërit** be careful, you don't repeat it; **dritare që ~ojnë nga deti** windows facing the sea; **~oj me bisht të syrit** look from the corner of the eye; **~o këtu!** look here! ♦ **~úes, -i** *m* viewer; onlooker; spectator

shilár/em *vtv* swing; go up in a swing ♦ **~ës, -i** *m* swing: **hipi në ~** go up in a swing

shilíng/ë, -a *f vj* shilling; bob; schilling *(Austrian coin)*

shílt/e, -ja *f* cushion; pad

shimpanzé, -ja *f zl* chimpanzee

shín/ë, -a *f hk* rail

shír:ë (i, e) *mb* threshed; mealy *(fruit, etc.)* ♦ **~ës, -e** *mb* threshing; thrashing *(machine)*

shiríng/ë, -a *f mk* syringe

shirít, -i *m* band; tape; ribbon; belt; *zoo/* tape-worm: **~ i zi** crepe band; mourning (arm) band; **~ magnetik** magnetic tape; **i heq ~at dikujt** demote an officer ♦ **~** *mb:* **metër ~** tape measure

shírj/e, -a *f* thrashing; threshing

shish, -i *m* spit; skewer; poniard; dagger: **mish në ~** meat on the skewer

shísh/e, -ja *f* bottle: **~e qumështi** milk bottle; **~e e kripës/ piperit** salt/ pepper castor; **~e peniciline** penicillin phial

shishqebáp, -i *m gjll* shish kebab

shít/em *vtv, ps:* **ky mall ~et mirë** this article is selling well ♦ **~ës, -i** *m* salesman; vendor; shop-assistant ♦ **~j/e, -a** *f* sale: **~e me pakicë/ shumicë** retail/ wholesale; **në ~e** on/ for sale ♦ **~ur (i, e)** *mb* sold; *kq* sold out

shkáb/ë, -a *f zl* vulture; eagle

shkadhít *kl bjq* prune *(a hedge, a tree)* ♦ **~j/e, -a** *f bjq* pruning

shkak, -u *m* cause; motive; reason; ground; excuse; pretext: **pa ~** without good cause; **gjej një ~** find an excuse; **nga ~ku që (se)** because; in as much as; **për ~ se** because; as ♦ **~tár, -i** *m* cause: **~ i sëmundjes** the cause of the disease ♦ **~t/óhet** *ps* ♦ **~t/ój** *kl* cause; bring about; give rise *(sth);* inflict: **~oj përçarje** cause a division; **~oj humbje** inflict a loss

shkalafít (~fís) *kl bs* tear off/ away; exhaust; tire out ♦ **~ lem** *ps* ♦ **~ur (i, e)** *bs* torn off/ away; tired out; exhausted; dead beat

shkall:ár/e, -ja *f* step *(of the stairs)*; tier *(of an amphitheatre)* ♦ **~lë, -a** *f* (step)ladder; *sh* staircase; stairway; stair(s); tier; step *(of a stadium, etc.); fg* degree; level; *fg* point; *fg* rank; *mz* scale: **këmbëza e ~ës** rung of the ladder; **bie nga ~a** fall of a ladder; **një palë ~ë** a flight of stairs; **~ë elektrike** escalator; **~ë hierarkike** pecking order; **~ë shoqërore** social rank; **~ë 1: 500 000** of the scale 1 to 500 000; **~ë krahasore** *g juh* comparative degree ♦ **~ëz, -a** *fz vog e* **shkall/ë, -a** ♦ **~ëzím, -i** *m* gradation; grading; escalation: **~ i vizores** gradation of a ruler; **~ i luftimeve** escalation of fighting ♦ **~ëzóhet** *ps* ♦ **~ëz/ój** *kl* graduate; grade up; promote; escalate ♦ **~ëzúar (i, e)** *mb* graded; graduated; step-wise/ -like; gradual

shkallm:ím, -i *m* destruction ♦ **~l/óhem** *vtv, ps* ♦ **~l/ój** *kl fg* destroy; ruin; break; *fg* exhaust; tire out: **~oj derën** break open the door; **~oj shëndetin;** ruin one's health ♦ **~úar (i, e)** *mb* destroyed; wrecked; broken down

shkall/ój *jkl* go mad/ crazy ♦ *kl* madden; drive crazy ♦ **~úar (i, e)** *mb, em* mad; crazy

shkapét (~s) *kl* knock; slam; throw down: **~ derën** slam the door ♦ **~/em** *vtv* knock about

shkapër:dáhem *vtv v iii* scatter; disperse; *ps* ♦ **~dá/ j** *kl* -**áva, -árë** scatter; disperse; broadcast ♦ **~dár, -e** *mb* wasteful; liberal *(with one's money)* ♦ **~dérdh** *kl* broadcast; waste *(one's money);* be liberal with; disperse; scatter far and wide ♦ **~dérdhem** *vtv, ps* ♦ **~dérdhj/e, -a** *f* scattering; dispersal ♦ **~dérdhur (i, e)** *mb* scattered; dispersed; scatter-brain

shkára:s, ~zi *nd* lightly; in passing: **përmend ~** mention in passing

shkarëz/éhem *vtv, ps* ♦ **~/éj** *kl* drag in dust *(in mud); fg* scorn; disdain; disregard ♦ **~ím, -i** *m* dragging

in dust ♦ **~ím/ë, -a** *f* landslide ♦ **~ítem** *vtv* slide down

shkárj/e, -a *f* slide; *(of the soil);* slip *(of the tongue)*

shkark:ím, -i *m* discharge; unloading; dismissal *(from a position):* **tunel i ~it** outlet tunnel ♦ **~l/ óhem** *vtv* let off steam; *el* be discharged *(of batteries); ps* : **s'kam kujt t'i ~ohem** have no one to blame ♦ **~l/ój** *kl* unload; unburden; discharge; empty; *fg* dismiss; demote *(sb from a position); fg* exonerate: **përpiqem të ~oj veten** try to excuse oneself ♦ *jkl vj* disembark; land; strike ♦ **~úes, -i** *m* escape; *tk* outlet; exhaust ♦ **~úes, -e** *mb* unloading; discharging; docking *(capacity)*

shkárp/ë, -a[1] *f* stick(s); twig(s); brushwood

shkárp/ë, -a[2] *f* old shoes

shkart:ís *kl* mix; stir ♦ **~/em** *vtv, ps* ♦ **~j/e, -a** *f* mixing; combining

shkarra:vín/ë, -a *f* scrawl; daub ♦ **~vít (~vís)** *kl* scribble; scrawl; daub ♦ **~vítj/e, -a** *f* scrawl(ing)

shkas, -i *m* : **gjej ~** find an excuse

shkas *jkl* slip; skid; slide; skate *(on ice); v iii* glide; slip/ out; sneak out; *fg* avoid *(a question, etc.); fg* lapse *(morally):* **~ në baltë** slip in the mud; **~u makina** the car skidded; **më shket goja/ gjuha** have a slip of the tongue; **më shket nga duart diçka** let sth slip off one's hand; lose control of sth; **më shket këmba** lose one's footing

shkat:arráq, -e *mb keq* untidy; scruffy; frumpy; out of order: **fëmijë ~** untidy child

shkatërr:ím, -i *m* destruction; demolition; ruin; devastation; ravage: **~et e kohës** ravages of the time; **shkoj drejt ~it** go to wreck and ruin ♦ **~imtár, - e** *mb* destructive; disastrous; ruinous: **luftë ~e** war of destruction ♦ **~ín/ë, -a** *f* hovel; ramshackle house; shebang ♦ **~l/óhem** *vtv v iii, ps* : **u ~ova** I'm ruined ♦ **~l/ój** *kl* destroy; ruin; wreck; ravage; demolish; unravel *(a knot, a mystery)* ♦ **~úar (i, e)** *mb* destroyed; ravaged; ruined ♦ **~úes, -e** *mb* destructive; ruinous; demolishing: **armë ~e** destructive weapon(s)

shkath *kl fg* stretch *(one's legs, etc.);* limber; make lively; sharpen *(one's wits)* ♦ **~/em** *vtv, ps* ♦ **~ët (i, e)** *mb* lively; lithe; nimble; supple *(of limbs, of body);* resourceful; alert; sharp: **lojtar i ~** an agile player; **djalë i ~** a resourceful young man; **mendje e ~** alert mind ♦ **~ët** *nd* lithely; nimbly; skilfully; with agility ♦ **~tësí, -a** *f* nimbleness; agility; cleverness; dexterity; resiliency: **fitoj ~ në punë** become skillful in a job ♦ **~tësím, -i** *m* making/ becoming agile/ nimble, supple ♦ **~tësóhem** *vtv* ♦ **~tës/ój** *kl* make lively; enliven; limber

shkel *kl* step on; trample; *bs* put one's foot on; tread on/ under; crush; *bs* massage; press *(olives); v iii* run over; *fg* overrun; *fg* commit an error; violate *(the rules of the game, etc.); fg* reach *(a certain age);* arrive; set in; *bs* hasten; *v iii* mate *(of fowls);*

go back on; break *(one's word);* **e ~i makina** he was run over by a car; **~ sustën** press the button; **~ gazin** step on the gas; **~ këmbëzën** pull/ squeeze the trigger; **~ një vend të panjohur** explore an unknown country; **e ~e** *bs* you've overstepped the line; **mos ia ~ punës!** go slow with your work!; **~ të njëzetat** be nearing twenty (years of age); **~ të drejtat e dikujt** encroach on sb's rights; **e ~ në kallo dikë** tread on sb's corns; **~ kurorën** commit adultery; **i ~ syrin dikujt** wink at sb ♦ *jkl* step; tread; walk; explore; visit: **~ me kujdes** tread lightly; **~ rëndë** tromp; **~i vjeshta** autumn set in; **~ në dërrasë të kalbur** put one's foot in; **~ e shko** slapdash; rough-and-ready ♦ **~em** *vtv* tread on; *v iii* mate *(of birds);* ps ♦ **~ës, -i** *m* trespasser; transgressor; offender; invader; crusher *(of grapes, etc.)* ♦ **~ës/e, -ja** *f* step *(of the stair);* rung *(of the ladder);* tread; sole *(of the socks)* ♦ **~j/e, -a** *f* error; slip; trespassing; violation; offence; mating *(of birds):* **~e e kurorës** adultery

shkelm, -i *m* kick: **gjuaj me ~** (throw a) kick; **i vë ~in diçkaje** ruin sth; **i bie së mirës me ~** throw away a good chance ♦ **~ím, -i** *m* kick(ing) ♦ **~/ óhet** *ps* ♦ **~/ój** *kl* kick; *fg* upset *(a plan);* overthrow; trample under ♦ *jkl* kick; throw a kick *(of a horse)*

shkélur (i, e) *mb* trampled under; trodden *(path);* explored *(region);* invaded *(country)*

shkénc/ë, -a *f* science; knowledge ♦ **~ërísht** *nd* scientifically ♦ **~ëtár, -i** *m* scientist ♦ **~ór, -e** *mb* scientific

shkes, -i *m shih* **shkues, -i** ♦ **~ë, -a** *f* middlewoman *(sh-women)* mediation; go-between

shkëlfít *kl* bark *(a tree);* peel off; scratch *(a sore)* ♦ **~/em** *vtv* ♦ **~ur (i, e)** *mb* scaly; scratched

shkëlq/éhet *ps* ♦ **~/éj** *jkl* v *iii* shine; be bright; *v iii* be spotless; *fg* beam *(with joy); fg* excel in: **~en dielli** the sun is shining; the sun shines; **i ~ejnë rrobat** his/ her clothes are spotless ♦ *kl shih* polish; rub clean; shine *(shoes)* ♦ **~ës/ë, -a** *f* vj *shih* **shkëlqesi, -a** ♦ **~esí, -a** *f*: **Shkëlqesia e Tij** His Excellency *(shkrt* HE) ♦ **~ím, -i** *m* polish(ing); shine; brightness; brilliance; gleam: **~ i diellit** the gleam of the sun; **letër me ~** glossy paper ♦ **~ýer (i, e)** *mb* bright; brilliant; excellent; splendid: **nxënës i ~** a bright pupil; **ide e ~** an excellent idea ♦ **~ýesh/ëm (i), -me (e)** *mb shih* **shkëlýer (i, e)** ♦ **~ýeshëm** *nd* brilliantly; excellently

shkëmb, -i *m* rock; cliff; stool; stem; shank *(of a glass):* **~ i nënujshëm** reef ♦ *mb:* **është vendi ~ i gjallë** the whole place is full of rocks; **qëndroj ~** stand rockfast

shkëmb/éhem *vtv* v *iii* be exchanged; change places with *(sb);* cross *(sb's path); ps:* **trenat ~ehen në** trains exchange at; **leku ~ehet me** the exchange rate of the lek is ♦ **~/éj** *kl* exchange;

change; swap; replace *(parts of a machine);* mistake: **~ej paratë** change money; **~ejmë robërit e luftës** swap prisoners of war; **e ~ej dikë me një të njohur** mistake sb for an acquaintance ♦ **~ím, -i** *m* exchange; change; swap; barter; reciprocation: **kurs i ~it** *fn* exchange rate; **tregti me ~** barter trade

shkëmbór, -e *mb* rocky

shkëmbýer (i, e) *mb* exchanged; bartered; swapped ♦ **~azi** *nd* in turn; by turns; alternately ♦ **~sh/ëm (i), -me (e)** *mb* exchangeable; convertible *(currency)*

shkëndí:j/ë, -a *f fg* spark(le): **~ë elektrike** electric spark; **~ë shprese** *fg* a ray of hope; **ndez ~ën** spark off; kindle ♦ **~jëz, -a** *f z/* fire-fly; *z vog* sparkle

shkëpút (shkëpús) *kl* tear off/ away; wrench; snatch; disconnect *(a line);* detach; cut off: **i ~ një premtim dikujt** snatch a promise from sb; **mos ia ~ sytë** don't take your eyes off him ♦ **~/ em** *vtv, ps:* **nuk ~ej nga e ëma** he could not tear himself off his mother; **~em nga kundërshtari** walk away from a competitor ♦ **~j/e, -a** *f* detachment; separation; *fg* disconnection; incoherence; cutting-off; *sport* snatch *(in weightlifting); sp* advantage, lead; *pl* secession: **kam ~je në nisje** *sp* be quick off the block ♦ **~ur (i, e)** *mb* detached; separated; loose; unconnected; aloof; isolated *(case);* disconnected; incoherent; weaned *(lambs);* break-away *(republic, etc.)*

shkërb/éj *kl* imitate; mimic ♦ **~ím, -i** *m* imitation; mimicry

shkërmóq *kl* crush; shell *(maize);* crumble ♦ **~et** *vtv, ps* ♦ **~j/e, -a** *f* crumbling; breaking into pieces

shkishër:ím, -i *m ft* excommunication ♦ **~/óhem** *ps* ♦ **~/ój** *kl ft* excommunicate

shklése *mb* f freestone *(peach)*

shkóhet *pvt, ps* ♦ **shkoj** *jkl* go/ away/ in/ into/ out/ back/ off/ to/ with; *v iii* reach *(up to the knee);* last; *v iii* be allotted to; *v iii* outdo, excel; *bs* have an affair with; *fg* follow; get on *(well with sb); v iii* match, suit; *v iii bs* pass away: **~ çalë** limp along; **~ ditën me lexim** pass the time of the day reading; **~ më këmbë** go on foot; foot it; **~ me dikë** have an affair with sb; **~ nga shtëpia** leave home; **~ pas dikujt** go after/ follow sb; **~ pas rregullave** observe the rules; **~ si qeni në vreshtë** sell one's life cheaply; waste one's life for nothing; **më shkon fjala/ vula** what I say goes; **më shkon gjak (për) hundësh** bleed in the nose; **diçka nuk shkon** something is wrong; **më ~në shtatë** have the blue funks; **më ~në të prera** feel a stab; **më shkoi koka** my headache is over; **më shkon keq** swallow the wrong way; **më shkon mendja për diçka** fancy sth; **më shkon për shtat** befit; suite perfectly; **ngjyra që ~në** colours that match; **nuk më shkon buka** be off one's food; **shkoi gjatë** it lasted a long time; **nuk të shkon me mua** it won't go down with me; **ora shkon prapa** the watch is slow?; **sa s'ka ku të ~ë** the extreme; extremely; **shkoi plak** he died at an old age; **shkoi një orë** one hour went by; **shkon dëm** be wasted; **shtëpia u shkoi djemve** the house fell/ went to the sons; **si shkon?** how do you do?; **s'ia shkon askush** he is second to none; **vitin që shkoi** last year ♦ *kl bs* cross *(the river)*; string *(beads)*; trace *(a line)*; go down; gulp down, swallow; *v iii* reach; fetch *(a price)*; *bs* cast, abort; *bs* go through; get over; recover *(from an illness)*; pass; while away: **~ fillin në gjilpërë** thread a needle; **~ jetë** lead a good life; **~ lumin** cross the river; **~ në hell** impale; **~ një brisk** (have a) shave; **~ ushtrinë matanë lumit** put the army across the river; **i ~ dorën flokëve** pass a hand over the hair; **i ~ një dorë bojë** give a coat of painting; **i ~ një fshesë shtëpisë** sweep the house; **sa për të shkuar radhën** perfunctorily

shkoklavít *kl* unravel; undo *(a knot)*; *fg* clarify ♦ **~em** *vtv, ps*

shkolít *kl* detach; *fg* explain away *(a question):* **s'ia ~ sytë dikujt** be unable to take one's eyes off sb ♦ **~em** *vtv* ♦ **~ur (i, e)** *mb* unglued; detached

shkollár, -i *m* pupil; *bs* scholar ♦ **~ár, -e** *mb shih* **shkollor, -e** ♦ **~aríst, -e** *mb* scholastic ♦ **~aríz/ëm, -mi** *m* scholasticism ♦ **~/ë, -a** *f* school(ing); education; learning; trend *(in arts, etc.):* **~ë fillore** primary school; **shok ~e** school-mate; **lë ~ën** drop out from school; **njeri me ~ë** man of learning ♦ **~ím, -i** *m* schooling; education ♦ **~óhem** *vtv* ♦ **~ój** *kl* school; educate ♦ **~ór, -e** *mb:* **vit ~** school/ academic year: **moshë ~e** school age ♦ **~úar (i, e)** *mb* schooled; well-read; learned; educated

shkop, -i *m* stick; staff; cane; *sh* chop-sticks: **~i magjik** the magic wand; **s'ma ha qeni ~in** know a trick worth two; **i vë ~inj në rrota dikujt** put a spoke in sb's wheel ♦ **mb: i hollë shkop** as thin as a matchstick ♦ **~ít** *kl* cane; trounce

shkopsít *kl* unbutton ♦ **~em** *vtv* unbutton oneself; *v iii* be unbuttoned ♦ **~j/e, -a** *f* unbuttoning ♦ **~ur (i, e)** *mb* unbuttoned

shkoq *kl* shell *(peas, etc.)*; scatter; separate *(two fighters)*; *bs* explain; *bs* change *(money):* **s'e ~ dot një punë** be unable to explain sth ♦ **~/em** *vtv v iii* shell *v iii* crumble; be/ break loose; *sh* scatter about; come unstuck; be detached; *v iii bs* be explained; be settled; *ps:* **~et lehtë** shell easily *(of maize, etc.)*; **u ~ kjo punë** the matter is settled ♦ **~ës, -e** *mb* shelling *(machine)* ♦ **~ít** *kl* explain; spell out; *bs* perceive; distinguish *(sth from a distance):* **ia ~ fill e për pe diçka dikujt** explain sth in great detail to sb ♦ **~ít/em** *vtv* settle *(a dispute)*; *ps* ♦ **~ës, -e** *mb* explanatory; explicative ♦

~ítj/e, -a *f* explanation; clarification ♦ **~ítur (i, e)** *mb* explained in great detail; clarified; clear: **fjalë të ~a** clearly articulated words ♦ **~j/e, -a** *f* shelling *(of peas, etc.)* ♦ **~ur (i, e)** *mb* shelled *(peas, etc.)*; loose; crumbled; scattered; dispersed; *bs* clear, distinct; *bs* small *(change):* **dhëmbë të ~** loose teeth ♦ **~ura, -at (të)** *f sh* small change ♦ **~ur** *nd* explicitly; distinctly; clearly; in great detail; minutely: **flas ~** speak clearly

shkorrét, -i *m* shrub-land; brush-wood

shkoz/ë, -a *f bt* hornbeam

shkráb/ë, -a *f* scrawl; scribble

shkreh *kl* fire, discharge *(a gun)*; *fg* dismiss *(a plan)*; release *(a spring, etc.)*; break off *(a party)*; take down *(a tent):* **a e ~im për sot?** let's call it a day; **~e atë punë** dismiss the idea ♦ *jkl* shoot, fire: **~ në erë** fire in the air ♦ **~em** *vtv v iii* be fired/ discharged *(of a gun)*; *v iii* snap, go off *(of a trap)*; *v iii* go soft; *fg* come to an end; *fg* burst into *(tears, laughter)*; gasp *(with fatigue)*; *ps:* **u ~ muhabeti** the conversation died down; **m'u ~ën nervat** my nerves broke down; **pse më ~esh mua?** why do you snap at me? ♦ **~j/e, -a** *f sh,* **-e, -et** discharge, firing *(of a gun)* ♦ **~ur, -a (e)** *f (të)* discharge; firing ♦ **~ur (i, e)** *mb* fired, discharged *(fire arm)*; *bs* soft *(muscle):* **me nerva të ~a** with one's nerves in pieces

shkrep, -i *m* crag; rock

shkrep *kl* strike *(a match)*; stamp *(one's feet)*; hit; release *(the catch)*; fire *(a shot)*; burst into *(laughter, tears):* **~ sustën e aparatit** press the button *(of the camera)*; **ia ~ në fytyrë dikujt** throw sth to sb's teeth ♦ *jkl v iii* go off *(of a gun)*; *v iii* sparkle; *v iii* strike; hit; discharge *(of the lightning)*; fancy; *fg* dawn, occur: **~i dielli përmes reve** the sun burst through the clouds; **i ~i ta bënte vetë** he fancied he could do it on his own; **më ~ një mendim në kokë** have a brain-wave; **s'ia ~ fare** have no clue *(about how sth is done)* ♦ **~/em** *vtv v iii* go off, explode; *v iii* fancy; feel like; be capable; *v iii* burst into: **si t'i ~et** as the humour/ the fancy takes him; **iu ~ për kafe** he fancied a coffee; **iu ~ të qeshurit** he burst out into laughter ♦ **~ës, -e** *mb:* **gur ~** flintstone ♦ **~ës/e, -ja** *f* match(box); match(stick) ♦ **~j/e, -a** *f* firing, discharge *(of a fire-arm)*; release *(of a spring, etc.)*; fancy, whim: **një ~e e çastit** a passing whim ♦ **~tí: m/ë, -a** *f* lightning; flash: **~ë zemërimi** a flash of anger ♦ **~/n** *jkl* **-u, -rë** *dhe pvt* flash *(of lightning, etc.)* ♦ **~ur, -a (e)** *f (të)* striking *(of the match, etc.)*; *fg* whim; fancy: **u ndez me një të ~** it took fire at the first go; *sh* tinder and flint; **e ka me të ~** as the whim takes him

shkres/ë, -a *f* office paper: **punë me ~a** paper work ♦ **~orí, -a** *f* stationery ♦ **~urín/ë, -a** *f kq* useless paper work

shkret/ë (i, e) *mb, em* desert(ed); desolate; waste *(land);* bereaved, widowed, orphaned; miserable, wretched, poor; defunct, late; damn; dreary *(sight):* **ishull i ~ë** a desert island; **burri im i ~ë** my late husband; **kjo kollë e ~ë** this damned cough ♦ *em bs* damned; the late one: **mbylle të ~ën!** shut your bloody mouth! ♦ **~ë** *nd:* **mbetet ~** remain deserted/ desolate, uncultivated ♦ **~ëtír/ë, -a** *f gjg* desert; wasteland ♦ **~í, -a** *f* desert; waste; god-forsaken place ♦ **~ím, -i** *m* desolation; desertification ♦ **~/óhem** *vtv, ps:* **u ~ua vendi** the country was laid waste ♦ **~/ój** *kl* desolate; (lay) waste; devastate; bereave; orphan *(a child);* widow ♦ **~úar (i, e)** *mb* desolated; laid waste; bereaved; forlorn ♦ **~úes, -e** *mb* destructive; devastating

shkrënd *kl* milk dry *(an animal);* dry up; *fg* impoverish ♦ **~/em** *vtv, ps* ♦ **~ur (i, e)** *mb* milked/ sucked dry; empty *(stomach);* *fg* impoverished: **i ~ nga trutë** scatter-brained

shkrif *kl* loosen *(earth);* card *(wool);* stretch *(one's legs for exercise);* *fg* clear *(one's throat):* **më ~i zemrën** it cheered my heart ♦ **~em** *vtv, ps* ♦ **~ërím, -i** *m* loosening *(of the soil before sowing);* carding *(of wool)* ♦ **~ër/óhem** *vtv, ps:* **u ~ova nga ato fjalë** I felt relieved by those words ♦ **~ër/ój** *kl* loosen *(the soil, etc.);* fluff *(wool);* cheer up; relieve; relax ♦ **~ërúar (i, e)** *mb* loosened up; relieved; relaxed ♦ **~ët (i, e)** *mb* loose *(soil, etc.);* friable; soft; spongy *(bread, etc.);* relaxed ♦ **~j/e, -a** *f* loosening; relaxation ♦ **~t/óhem** *vtv, ps* ♦ **~t/ój** *kl* loosen *(the soil);* card *(wool)* ♦ **~túar (i, e)** *mb* carded *(wool);* lose *(soil)* ♦ **~ur (i, e)** *mb* carded *(wool);* *fg* relaxed

shkrí/hem *vtv, ps* **~hem e bëhem një me** merge into one with; **~hem pas dikujt** be spoony on sb; **~hem si kripa në ujë** melt like salt in water ♦ **~lj** *kl, jkl v iii* melt; fuse; smelt *(metals);* dissolve *(salt, etc.);* defrost, thaw *(frozen food);* *fg* merge *(banks, etc.);* abolish *(an office);* *bs* warm *(one's heart);* *bs* entertain, amuse; *fg* exhaust; use up; extenuate *(oneself);* put everything into: **akulli po ~n** the ice is thawing; **lëre se e ~ve fare!** *tll* you've made a mess of it; **~j jetën për diçka** sacrifice one's life for sth; **na ~u gazit** he made us faint with laughter ♦ *jkl fg* melt; solve; dissolve: **~j nga vapa** melt in the heat

shkrim, -i *m* writing; script: **~ dore** handwriting; long hand; **~e të pabotuara** unpublished writings; **~et e shenjta** *ft* the Scriptures

shkrimb *kl* disinfect; to scrub *(the house)* ♦ **~lem** *vtv, ps*

shkrimtár, -i *m* writer

shkrír/ë (i, e) *mb* melted; thawed; smelted *(metal);* soft: **djathë i ~** melted cheese ♦ **~rës, -i** *m* smelter; foundry-man ♦ **~rëz, -a** *f tk* fuse; safety-plug ♦ **~rj/e, -a** *f* melting; thaw; smelting; solution; defrosting; merger ♦ **~sh/ëm (i), -me (e)** *mb* fusible ♦ **~tór/e, -ja** *f* foundry

shkrofëtí/j *jkl* **-a, -rë** snort *(of a horse);* pant; chuff *(of a steam engine):* **~j me inat** snort in anger ♦ **~m/ë, -a** *f* snort *(of horses)*

shkr:ónj/ë, -a *f* letter; character; *sht* type ♦ **~lúaj** *kl* write; *bs* embroider; *bs* mark *(the small-pox):* **mësoj të ~uaj** learn how to write; **e ~uaj në shkóllë dikë** register sb with a school; **shih e ~uaj** you can see for yourself; **s'e ~uaj në defter dikë** write sb off ♦ **~úar, -it (të)** *as* writing: **art i të ~it** penmanship; **me të ~** in writing ♦ **~úar (i, e)** *mb* written; embroidered; clear; *vj* preordained ♦ **~úar, -a (e)** *f vj* destiny ♦ **~úes, -i** *m* writer; author; *vj* scribe; public writer: **~ gjyqi** recorder ♦ **~ú/hem** *vtv bs* sign up; enrol; *ps:* **~hem ushtar** sign up as a soldier

shkrumb, -i *m* ash ♦ **~** *nd:* **e bëj ~ e hi diçka** reduce sth to dust and ashes; **më bëhet goja ~** have a parched mouth; **bëhet ~** be charred; be burned/ scorched *(of food)* ♦ **~/óhem** *vtv, ps* ♦ **~/ój** *kl* char; singe; scorch *(the food);* burn down

shkrydh *kl* loosen up *(the muscles);* *fg* waste *(money)* ♦ **~/em** *vtv* ♦ **~ët (i, e)** *mb* loose *(soil);* soft, spongy *(bread);* *fg* lithe; elastic ♦ **~j/e, -a** *f* loosening *(of the soil)*

shkualifik:ím, -i *m sp* disqualification ♦ **~/óhem** *vtv, ps* ♦ **~/ój** *kl* disqualify ♦ **~úar (i, e)** *mb* disqualified

shkúar *nd* more than: **vëlla e ~ vëllait** more than a brother ♦ **~, -a (e)** *f* (të) past; g*juh* past tense; *bs* common disease; bygones: **kohët e ~a** times gone by; **të ~a të harruara** let bygones be bygones; **të ~a!** get well soon!; **në të ~ën** in the past (tense) ♦ **~ (i, e)** *mb* last; past; old; bygone; *bs* sociable: **javën e ~** last week; **në kohën e ~** in the past; **tre vjet të ~** three years ago; **i ~ në moshë** of an advanced age

shkúar, -it (të) *as:* **me një të ~ të dorës** with one stroke of the hand; **kemi të ~** we see a lot of one another

shkúes, -i *m* go-between; match-maker

shkúesh/ëm (i), -me (e) *mb* sociable; amiable

shkujdés/em *vtv* be careless/ neglectful *(of sth);* slacken *(one's efforts)* ♦ **~j/e, -a** *f* carelessness ♦ **~ur (i, e)** *mb* careless; neglectful; care-free

shkul *kl* pull out *(a nail);* extirpate; wrench; tear *(one's hair);* *fg* uproot; *fg* dislodge; *fg* hook out, pry *(information of sb);* *bs* make *(sb)* split/ rock *(with laughter):* **ia ~ nga duart diçka dikujt** wrench sth of sb's hands; **erë që të ~** a rattling wind; **ia ~ veshët dikujt** pull/ warm sb's ears ♦ **~/em** *vtv, ps:* **u ~ gjithë qyteti për ta parë** the whole town rushed out to see him ♦ **~ës, -e** *mb* eradicating *(tool)* ♦ **~j/e, -a** *f* eradication

shkul, -i *m* swash; gush *(of blood, etc.)* ♦ *mb* warm;

steaming hot ♦ *nd:* **e mbaj ~ dikë** keep sb warm and snug

shkulm, -i *m* billow; surf; swash; rapid *(of a river);* draught, gust, blast *(of wind);* burst, spurt *(of water);* boil

shkum:ák, -e *mb* foamy; frothy ♦ **~/ë, -a** *f* foam; froth; spume; *(soap)* suds; *bs* epilepsy: **~a e birrës** beer froth; **më nget ~a** have a fit *(of epilepsy);* **më zë ~a** foam at the mouth

shkúmës, -i *m* chalk rock; chalk

shkúm:ëzím, -i *m* foam(ing); froth ♦ **~ëzóhem** *vtv v iii* foam; froth; fume *(with rage);* lather *(one's beard);* wash with soap; *v iii* sparkle *(of wine)* ♦ **~l óhem** *vtv* lather *(oneself, one's face)* ♦ **~lój** *jokal, kl* foam; lather *(one's beard)* ♦ **~úar (i, e)** *mb* foamy; frothy; fizzing ♦ **~úes, -e** *mb* effervescent

shkund *kl* shake down/ off; dust *(a carpet);* drain *(a glass, a bottle);* bs exhaust: **e ~ kuletën** *bs* empty the purse; **~ zgjedhën** shake off the yoke *(of slavery)* ♦ **~/em** *vtv:* **mos u ~ këtu** don't dust yourself here; **u ~ dheu** the earth quaked; **tundem e ~em** swagger/ strut about ♦ **~ës, -i** *m* shaker; pole *(to shake olive-trees)* ♦ **~ur (i, e)** *mb* shaken; *fg* dog-poor: **jam i ~** be down at (the) heel

shkurt, -i¹ *m* February

shkurt, -i² *m* short/ smallish person ♦ **~** *nd* short; close(-cropped) *(hair);* bs briefly; in short: **i bie ~** take the short-cut; be brief; **~ hesapi** the long and short of it is that ♦ *fjalë e ndërmjetme:* **~, nuk bëhet kjo punë** be short, this can't be done ♦ **~abíq, -i** *m* shortie; dwarf; runt ♦ **~abíq, -e** *mb kq* shortish; dwarfish ♦ **~aláq, -e** *mb kq shih* **shkurtabiq, -e** ♦ **~áq/e, -ja** *f:* **sa është ~ja?** what is the bottom price? ♦ **~as** *nd:* **tregoj ~** tell sth in a few words ♦ **~és/ë, -a** *f gjh* abbreviation

shkúrt/ë, -a *f zl* quail

shkúrt/ër (i, e) *mb* short; small *(of body);* brief: **afat i ~ër** short notice; **qark i ~ër** *el* short circuit; **gënjeshtra i ka këmbët e ~ra** *fj u* the lie will out ♦ **~ësí, -a** *f* shortness; brevity ♦ **~ím, -i** *m* shortening; abridgement; curtailment; reduction *(of staff, etc.);* gjh abbreviation: **~ i dítës** shortening of the day; **botim me ~e** abridged edition ♦ **~imísht** *nd* in short; in brief; briefly ♦ **~j/e, -a** *f bs* end: **i erdhi ~a** his end came ♦ **~/óhem** *vtv, ps :* **iu ~ua jeta** his life was cut short ♦ **~/ój** *kl* cut (short); shorten; *sp* reduce *(the gap);* curtail; make redundant: **~oj organikën** cut down on staff; **~oje gjuhën!** cut the clap! ♦ *jkl* take a short-cut; mow down ♦ **~ór/e, -ja** *f* short-cut ♦ **~úar (i, e)** *mb* shortened; abbreviated

shkurr/e, -ja *f bt* bush; brush; scrub

shlý/ej *kl* erase; wipe out; delete *(a word, etc.);* pay off *(a debt);* atone for *(wrongdoing);* exonerate: **e ~ej nga defteri dikë** write sb off one's (good) books ♦ **~er (i, e)** *mb* paid off; liquidated; settled

(account); expiated; atoned for ♦ **~erj/e, -a** *f* erasure; pay-off; settlement *(of an account);* expiation; atonement; acquittal ♦ **~/hem** *vtv, ps:* **nuk ~hem dot me të** I cannot repay him/ his kindness

shllapurít *jkl* splash; splutter; wallow *(in mud)* ♦ **~em** *vtv* wade in/ into; wallow ♦ **~j/e, -a** *f* splashing; spluttering

shmang *kl* avoid *(a question);* dodge; evade: **~ udhën kryesore** avoid the main road ♦ **~/em** *vtv* step aside; avoid; evade; side-step; *fg* swerve from; *ps:* **i ~em goditjes** avoid a blow; **i ~em detyrës** shirk one's duty ♦ **~i/e, -a** *f* avoidance; aberration *(of the compass);* fg evasion: **~e nga detyra** evasion of duty ♦ **~sh/ëm (i), -me (e)** *mb* avoidable

shndërr:ím, -i *m* transformation; change ♦ **~/óhem** *vtv, ps :* **uji u ~ua në avull** water turned into steam ♦ **~/ój** *kl* transform; change; turn into: **~oj një gaz në lëng** liquefy a gas ♦ **~úar (i, e)** *mb* transformed; changed ♦ **~úeshëm (i, e)** *mb* transformable; transmutable

shndri/j *jkl* shine; be bright ♦ **~t (~s)** *jkl v iii* shine; be bright; be radiant: **i ~ fytyra** his face is shining/ is beaming *(with joy);* **~ si ar** glitter like gold ♦ *kl* polish ♦ **~tës, -e** *mb* shining; bright ♦ **~tj/e, -a** *f* shine; brightness ♦ **~tsh/ëm (i), -me (e)** *mb* shining; bright; brilliant

shofér, -i *m* driver; chauffeur: **~ kamioni** trucker

shog/ë, -a *f* bald patch ♦ **~ët (i, e)** *mb* bald *(head)*

shoh *kl* **páshë, párë** see; look; regard; look at/ into/ up; consider; *fg* experience; look after; solve *(problems):* **~ botë me sy** see the world; **~ fëmijët** look after the children; **~ me sy të mirë** eye favourably; **~ veten** take care of oneself; **do të më ~ësh** *bs* you haven't seen the last of me; **nuk e ~ dot me sy dikë** hate the sight of sb; **sheh dritën** come into light; be printed *(of a book);* **shih mos gabosh** be careful you don't make a mistake ♦ *jkl* see; notice; perceive; detect; imagine; fancy; *v iii* face *(east, west, etc.);* look on/ upon: **~ mirë** see well; **hyj pa u parë** enter unnoticed; **~ në ëndërr** see (sb) in a dream; **shtëpia sheh nga deti** the house looks on the sea; **pa shih kush po vjen!** look who is coming!; **ke parë kështu!** have you seen the like of this!; **~im e bëjmë** wait and see

shójz/ë, -a *f zl* flounder

shok, -u *m* friend; companion; fellow; (work, school) mate; comrade; *bs* associate; partner; man: **~ i ngushtë** a close friend; **~ i jetës** life companion; **zë ~ë** make friends; **~ loje** play-mate; **~ armësh** comrade-in-arms; **~ ai me ~ë** he and his likes; **ajo me ~un e vet** she and her boy-friend; **nuk i gjendet ~u/ nuk e ka ~un** he is unrivalled; he is second none ♦ *mb* **~, shóqe** associate: **anëtar**

~ associate member ♦ *prm* one; the other: ~ **me**
~ one another
shóll/ë, -a *f* sole *(of the shoe, of the foot)*
shoq, -i *m* husband; mate; buddy; guy: **im/ yt ~**
my/ your husband ♦ *prm* each: **nga dy për ~** two
each
shoqát/ë, -a *f* society; association: **~ë bamirëse**
charity
shóq/e, -ja *f fm e* **shok, -u, shoq, -i:** wife; female;
woman: **~e shkolle** school mate; **ai ka një ~e**
he has a girl-friend; **ime ~e** my wife
shoqër:í, -a *f* society; friendship; association; com-
pany; guild: **~a e re** modern society; **~i e keqe**
bad company; **kam shumë ~i me dikë** be great
friends with sb; **~i sportive** sports association;
~ia e lartë high life ♦ **~ím, -i** *m* accompaniment;
psk association: **~ në piano** piano accompani-
ment; **~ i ideve** association of ideas; **~ nga
policia** police escort ♦ **~ísht** *nd* in a comradely/
friendly manner; jointly; together: **paguajmë ~**
share the expense; **e zgjidhim diçka ~** settle sth
amicably ♦ **~lóhem** *vtv* accompany; keep com-
pany with; *v iii* be accompanied by/ with; be asso-
ciated with; *ps* ♦ **~lój** *kl* accompany; see *(sb)* off;
follow; escort: **~oje deri te dera** see him off to
the door; **~oj dikë me ushtarë** give sb an escort
of soldiers; **~oj në piano** accompany on the pi-
ano ♦ **~ór, -e** *mb* social *(gathering);* amicable;
friendly *(settlement)* ♦ **~úar (i, e)** *mb* sociable;
amicable; accompanied; escorted: **i ~ me policë**
under police escort ♦ **~úes, -i** *m* guide; escort;
attendant; *mz* accompanist; conductor *(of a bus)*
♦ **~úes, -e** *mb* escort; accompanying *(mb):* **anije
~e** escort ship ♦ **~úesh/ëm (i), -me (e)** *mb* so-
ciable; companionable; amiable
short, -i *m* lots; destiny: **shtie ~** draw/ cast lots ♦
~ár, -i *m* fortune-teller
shosh *kl* riddle; sift; *fg* scrutinise ♦ **~let** *vtv* be
riddled/ sieved; sift down; *ps* ♦ **~lë, -a** *f* riddle; *fg*
screen; scrutiny ♦ **~ë** *mb* riddled; full of holes ♦
~ít *kl shih* **shosh: e ~ mirë punën** examine sth
very carefully ♦ **~ítet** *ps* ♦ **~ítj/e, -a** *f* sifting; *fg*
screening; scrutiny ♦ **~ur (i, e)** *mb* riddled; sifted
♦ **~a, -at (të)** *f sh* riddlings; chaff
shovin:íst, -i *m* chauvinist ♦ **~íst, -e** *mb*
chauvinist(ic) ♦ **~íz/ëm, -mi** *m* chauvinism
shpag/ë, -a *f* vengeance ♦ **~ím, -i** *m* avenge; ven-
geance; revenge; satisfaction: **jap ~** pay dam-
ages; **kërkoj ~** demand satisfaction *(in a duel)* ♦
~lúaj *kl vj* pay damages; compensate; *fg* avenge;
revenge; requite
shpalós *kl* unfurl; unfold; *fg* display: **~ hartën** un-
furl the map; **~ mendimet** air one's views ♦ **~et**
vtv, ps ♦ **~j/e, -a** *f* unfurling; unfolding
shpall *kl* declare; proclaim; announce *(a candidate);*
publish; promulgate *(a law, decree, etc.);* go pub-

lic; *bs* appal, overawe: **~ botërisht** declare pub-
licly; **~ jashtë ligjit** outlaw; **ia ~ dikujt** appal sb
♦ **~lem** *vtv, ps:* **më ~et** have a scare ♦ **~j/e, -a** *f*
declaration; proclamation; announcement; publi-
cation; promulgation *(of a law, etc.)*
shpárc/ë, -a *f* swap; sponge
shpárg/ër, -ri *m sh* **shpërgënj, shpërgénjtë** nap-
kin; swaddling clothes
shpartáll:ím, -i *m* defeat; debacle; routing *(of an
army)* ♦ **~ín/ë, -a** *f* hovel; wreck; hulk ♦ **~lóhem**
vtv, ps ♦ **~lój** *kl* defeat; rout *(an army);* beat;
trounce: **ia ~oj planet dikujt** wreck sb's plans ♦
~úar (i, e) *mb* defeated; routed *(army, etc.);* bro-
ken-down *(car)*
shpat, -i *m* side; slope *(of a hill)*
shpat:ár, -i *m* swordsman ♦ **~lë, -a** *f* sword:
vringëlloj ~ën brandish/ rattle the sabre; **~a e
Damokleut** Damocles' sword
shpátull, -a *f an* shoulder(-blade); *sh fg* back; splint
(for fixing a broken leg): **~a të gjera** broad shoul-
ders; **i fërkoj ~at dikujt** pat sb on the shoulder;
encourage sb; **marr mbi ~a** accept a responsi-
bility; **i vë ~at punës** put one's shoulder to the
wheel; **vë me ~a pas murit** put sb with his back
to the wall
shpejt *nd* quickly; fast; rapidly; swiftly; soon, be-
fore long; early; *bs* long ago/ before: **eci ~** walk
quickly/ briskly; **do të mbarojë shumë ~** it will
be over in no time; **më ~ se** sooner than; **do të
nisemi ~** we'll leave early; **tani ~** a little while
ago; **~ a vonë** sooner or later ♦ **~lë (i, e)** *mb*
quick; fast; rapid; swift; brisk; soon; near: **hap i
~ë** quick pace; **shërim të ~ë!** get well soon; **me
të ~ë** quickly; in a hurry; **ndihmë e ~ë** emergency
aid ♦ **~ësí, -a** *f* speed; velocity: **~ supersonike**
faster-than-sound speed; **kuti e ~së** gear box ♦
~i (së) *nd:* **do të vijë së ~** he will be coming
soon ♦ **~ím, -i** *m* acceleration ♦ **~lóhem** *vtv v iii*
quicken; become fast(er); hurry; *ps :* **mos u ~o!**
don't hurry! ♦ **~lój** *kl* hasten; hurry; speed up;
accelerate; precipitate: **~oj këmbët** quicken one's
pace; **~oj fundin e dikujt** hasten sb's end ♦ *jokal:*
~oj për në shtëpi hurry home ♦ **~úar (i, e)** *mb*
fast; hastened; rapid; hasty
shpéll/ë, -a *f* cave; cavern ♦ **~ë** *mb:* **e kam zërin
~ë** have a deap throaty voice; **m'u bë zemra ~ë**
have a hole in one's heart
shpend, -i *m zl* bird; fowl: **~ë të egër** wild fowl; **~ë
shtegtarë** migratory birds ♦ **~arí, -a** *f* poultry
shpénd/er, -ra *f bt* hellebore
shpeng:ím, -i *m* ransom (money); release; ease ♦
~lóhem *vtv v iii* be unfettered *(of a horse);* *fg* be
retrieved *(of a pawned object)* *ps* ♦ **~lój** *kl* recover;
retrieve; redeem *(a pawned object)* ♦ **~úar (i, e)**
mb unfettered; free-and-easy; relaxed: **bisedë e
~** relaxed conversation ♦ **~úar** *nd:* **rri ~** relax;

feel at ease

shpenz:ím, -i *m* spending; *sh* expenditure; expenses; cost; charge: **~e gjyqi** court costs; **~e udhëtimi** travel(l)ing expenses/ fare ♦ **~/óhem** *vtv, ps* ♦ **~/ój** *kl, jkl* spend; expend; consume; use up: **~oj (shumë) për veshje** spend too much on clothes ♦ **~úes, -i** *m* spender

shpés/ë, -a *f shih* **shpend, -i** ♦ **~ërí, -a** *f prmb* fowls; birds ♦ **~urína, -t** *f sh* fowls; birds

shpesh *nd* often; frequently; densely: **përdoret ~** be in frequent use; **~ e më ~** more and more often ♦ **~t/ë (i, e)** *mb* frequent; quick *(pulse);* dense; thick(-set): **vizita të ~a** frequent visits; **pyll i ~ë** thicket ♦ **~tësí, -a** *f* frequency; density ♦ **~tím, -i** *m* quickening *(of the pulse, of breathing, etc.)* ♦ **~t/óhet** *vtv* ♦ **~t/ój** *kl* make more frequent; quicken

shpëlá/hem *vtv, ps* ♦ **~lj** *kl* **-áva, -árë** rinse *(the washing);* wash down/ off; scour off/ out; flush *(the toilet);* clean *(a dish, etc.):* **~j gojën** wash one's mouth; **shiu e ~u rrugën** the rain washed out the street; **ia ~j kokën dikujt** brainwash sb ♦ **~rë (i, e)** *mb* rinsed *(dishes, etc.);* faded *(colour);* kq wishy-washy; washed off/ out/ down; scoured: **i larë e i ~** washed clean; **bukuroshe e ~** pretty-pretty ♦ **~rj/e, -a** *f* rinse; washing out/ off/ down

shpënë *pjs e* **shpie** ♦ **~ës, -i** *m* carrier; bearer *(of a message, etc.)*

shpër:bëhet *vtv, ps* ♦ **~bë/j** *kl* **-ra, -rë** disintegrate; break up *(a substance);* km decompose ♦ **~bërë (i, e)** *mb* disintegrated; decomposed ♦ **~bërj/e, -a** *f* disintegration; break-up

shpërbl:éhem *ps* ♦ **~léj** *kl* compensate; reward; remunerate: **ia ~ej dikujt një të mirë** return sb's favour ♦ **~és/ë, -a** *f vj* ransom (money); reward ♦ **~ím** *m* compensation; reward; recompense ♦ **~ýer (i, e)** *mb* compensated for; recompensed; rewarded

shpërdór *kl shih* **~dor/ój** ♦ **~let** *ps shih* **shpërdorohet** ♦ **~ím, -i** *m* misuse; ill-use; abuse: **~ i fondeve publike** fraudulent misuse of public funds; **~ i pushtetit** abuse of power ♦ **~/óhet** *ps* ♦ **~/ój** *kl* misuse; abuse: **~oj besimin e dikujt** abuse sb's confidence

shpërfíll *kl* disdain; slight; scoff at: **~ rrezikun** make light of danger; **~ rregullat** flout the rules ♦ **~em** *ps* ♦ **~ës** *mb* disdainful; scornful ♦ **~j/e, -a** *f:* **i kthej shpinën me ~e dikujt** turn a scornful back on sb

shpërfytyr:ím, -i *m* disfigurement ♦ **~/óhem** *vtv, ps* ♦ **~/ój** *kl* disfigure; deform ♦ **~úar (i, e)** *mb* disfigured; deformed

shpërgëtí, -a *f mk* herpes

shpërndá/hem *vtv, ps* ♦ **~lj** *kl* distribute; allot; share/ deal/ hand out; spread; dispel *(the fog, etc.);* disperse; break up *(a demonstration, etc.);* dismiss *(the parliament, etc.):* **~j ushqimet** deal out food; **~j lajmin** spread the news ♦ **~ r/ë (i, e)** *mb* scattered; dispersed *(forces);* scatter-brained; distracted: **fshat me shtëpi të ~a** village with scattered houses ♦ **~ës, -i** *m* delivery-man; distributor ♦ **~rj/e, -a** *f* distribution; delivery *(of the mail, etc.);* ek allocation *(of funds, etc.);* fz diffusion *(of the light, etc.);* lay-out *(of troops);* dismissal *(of parliament);* break-up

shpërngúl *kl* displace; move; transfer: **~ me dhunë** force (sb) move *(from a place);* deport ♦ **~/em** *vtv, ps* ♦ **~j/e, -a** *f* displacement; removal; transfer; translocation ♦ **~ur (i, e)** *mb* displaced; removed; transferred ♦ **~ur (i)** *m* displaced person; transferee

shpërpjesët:ím, - i *m* disproportion; disparity ♦ **~úar (i, e)** *mb* disproportional; uneven

shpërqendr:ím, -i *m* lack of concentration; distraction *(of one's attention)* ♦ **~/óhem** *vtv, ps* ♦ **~ lój** *kl* scatter *(the forces);* distract *(sb's attention)* ♦ **~úar (i, e)** *mb* scattered *(forces);* distraught; distracted; wandering *(attention)*

shpërth/éhet *ps* ♦ **~léj** *kl* break open/ into/ through/ from/ out of; launch, unleash *(a campaign):* **~ej një bravë** break (open) a lock ♦ *jkl v iii* grow vigorously *(of plants);* v iii burst out; break into *(tears, etc.);* v iii fg come a head *(of a crisis);* fg have an outburst of *(anger, etc.);* v iii explode, detonate, go off *(of a bomb, etc.);* erupt *(of a volcano, etc.):* **~eu shatërvani i naftës** the oil fount shot up; **~yen retë** the clouds burst into rain; **~ej në lot** burst into tears ♦ **~ím, -i** *m* outbreak; outburst; eruption; explosion; detonation *(of a mine, etc.):* **~ bërthamor** nuclear explosion ♦ **~ýes, -e** *mb* explosive; eruptive; gjh implosive *(sound)*

shpërv:ílem *vtv v iii* purse *(of the lips)* ♦ **~ljél** *kl* **-óla, -jélë** roll up *(one's sleeves);* purse *(one's lips)* ♦ **~jélë (i, e)** *mb* rolled up *(sleeves);* turned up; pursed up *(lips)* ♦ **~jélj/e, -a** *f* rolling up *(of sleeves);* turning up pursing *(of the lips)*

shpët:ím, -i *m* salvation; salvage; rescue; remedy; redemption: **s'ka ~** there is no remedy; **operacion ~i** rescue operation ♦ **~imtár, -e** *mb* salvatory; saving; rescue *(mb);* redemptory ♦ **~imtár, -i** *m* rescue; redeemer; ft saviour ♦ **~/óhem** *ps* ♦ **~/ój** *kl* save; salvage *(from shipwreck);* deliver; rescue; retrieve **i ~oj jetën dikujt** save sb's life; **~oj nderin** save one's face/ blushes; **~oj nga vuajtjet dikë** deliver sb from suffering; put an end to sb's suffering; **të ~ojë kush të mundet** every man for himself; **~oj shpirtin** save one's soul; **~oj gjendjen** save the situation/ the day ♦ *jkl* escape; get away *(with);* escape; avoid; eschew; flee; run away; v iii escape notice; miss *(an opportunity);* v iii do (sth) inadvertently: **~oj për një qime/ për të zezë thonjsh** have a narrow escape; escape by the skin of one's teeth; have a close call; **~oj paq/ pa gjemb në këmbë** get away unscathed/ scot-free; **i ~oj përgjegjësisë** avoid responsibility; **më ~oi nëpër gishta** it slipped through my fingers; **s'lë rastin të më ~ojë** not to miss an opportunity; **më ~on një fjalë** say sth inadvertently; have a slip of the tongue; **më ~on zogu nga dora** miss a good chance ♦ **~úar (i, e)** *mb* safe: **jemi të ~** we're safe ♦ *em* saved; salvaged; survivor: **~imtarët dhe të ~it** the saviours and the saved (ones) ♦ **~úes, -e** *mb* rescue ♦ *em* rescuer

shpíe *k/* **shpúra, shpënë** send; take; carry; fetch; *v iii* conduct; *v iii* lead: **~ në shkollë** send to school *(the children);* **i ~ kafenë dikujt** take a coffee to sb; **~ me makinë** give sb a lift; **i ~ të fala dikujt** send/ give/ convey one's regards to sb; **gypi e ~ lëngun në enë** the pipe carries the water into the vessel; **ku të ~ kjo rrugë?** where does this street lead to?; **e ~ dëm diçka** waste sth; **e ~ fjalën për dikë** make a hint about sb; **~ buzën më gaz** smile ♦ *jk/* be doing; *bs* prolong: **si ia ~?** how are you doing?

shpif *k/, jk/* slander; calumniate; líbel; *bs* terrify, overawe, appal; *bs* invent, make up: **~ lart e poshtë për dikë** cast aspersions about sb; **mos na ~ punë më** don't create more trouble ♦ **~acák, -u** *m* slanderer; traducer ♦ **~arák, -u** *m shih* **shpifës**

shpífem *vtv v iii* emerge, appear (suddenly); come up; pop up; be terrified; be overawed; be appalled; *ps:* **se nga u ~ një njeri** a man appeared from nowhere; **u ~ën minjtë në shtëpi** rats infested the house

shpífës, -i *m* slanderer; calumniator; libeller ♦ **~ës, -e** *mb* slanderous; calumnious; libellous: **fushatë ~e** a campaign of calumnies ♦ **~j/e, -a** *f* slander; calumny; aspersion; defamation; libel: **~e e poshtër** heinous slander; **hedh në gjyq për ~e** sue sb for libel ♦ **~ur (i, e)** *mb* trumped-up; *bs* unnatural; disgusting *(food);* *kq* ungainly; ugly; uncouth *(person):* **akuza të ~a** trumped-up charges

shpí/hem *vtv* be stretched; be revived *(of a dead limb);* *fg* come; relax ♦ **~het** *ps* ♦ **~j** *k/* stretch *(a dead limb);* relax

shpik¹ *k/* swill; drain *(a cup, a glass)*

shpik² *k/* invent; devise *(a tool, a method, etc.);* *bs* lie; *bs* cause; create: **~ ngatërresa** cause confusion ♦ **~et** *vtv bs* be caused; arise; be invented; *ps:* **nga t'u ~ kjo kollë?** how did you get this cough? ♦ **~ës, -i** *m* inventor ♦ **~j/e, -a** *f* invention; *bs* lie, untruth ♦ **~ur (i, e)** *mb bs* invented; contrived; untrue

shpim, -i *m* drilling; boring: **sondë ~i** drilling rig

shpín/ë, -a *f* back; spine; back-rest *(of a chair);* back-cover *(of a book);* rear *(of a building);* (hill) side:

~ë më ~ë back to back; **çantë ~e** knapsack; **në ~ë të** at the back of; **flas prapa ~ës së dikujt** backbite sb; **të hëngri ~a vetë** you were asking for it; **i hipi në ~ë dikujt** ride roughshod on sb; **ia ndreq/ zbut ~ën dikujt** dust sb's coat; **i ngul thikën pas ~e dikujt** stab sb on the back

shpírj/e, -a *f* relaxation *(of the muscles)*

shpirt, -i *m* soul; spirit; *fg* dear, darling; *fg* essence; ghost; *bs* person: **~i i shenjtë** the Holy Spirit/ Ghost; **jap ~** give up one's ghost; **me gjithë ~** heart and soul; **flas me ~** speak passionately; **ç'ke, o ~?** what's wrong, darling?; **bëhemi dhjetë ~** we are ten (persons); **bir për ~** adoptive son; **me mish e me ~** heart and soul; **me ~ ndër dhëmbë** by the skin of one's teeth; **i jap ~ diçkaje** animate sth; **për ~ të babait** *t//* free; gratuitously; **më vjen ~i** recover one's wits/ composure ♦ **~le, -ja** *f* darling; dear; honey ♦ **~ërísht** *nd:* **ngre ~** raise the morale ♦ **~ërór, -e** *mb* spiritual ♦ **~kéq, -e, ~líg** *mb* evil-hearted/ minded; malicious; wicked ♦ **~ligësí, -a** *f* evil-mindedness; maliciousness; wickedness ♦ **~mádh, -e** *mb* big-hearted; magnanimous ♦ **~madhësí, -a** *f* magnanimity ♦ **~mírë** *mb* good/ kind-hearted; kindly; generous ♦ **~mirësí, -a** *f* good/ kind-heartedness; generosity ♦ **~vógël** *mb, em* petty-hearted; paltry; mean; illiberal ♦ **~vogëlsí, -a** *f* paltriness; meanness ♦ **~vrárë** *mb, em* broken-hearted ♦ **~l zí, -zézë** *mb, em* evil-hearted

shpirr:áq, -e *mb* wheezing; rusty *(horse)* ♦ **~l/ë, -a** *f bs* wheezing; asthma

shpjeg:ím, -i *m* explanation ♦ **~l/óhem** *vtv, ps* ♦ **~l ój** *k/* explain; define: **~oj një rregull** explain a rule; **~oj fill e për pe** give a detailed account ♦ **~úesh/ëm (i), -me (e)** *mb* explicable

shpleks *k/* undo *(a plait, a braid);* unravel; unwind; untwist; unknit ♦ **~lem** *vtv;* disentangle oneself *(from sb)* ♦ **~j/e, -a** *f* unravelling; unknitting ♦ **~ur (i, e)** *mb* undone; unravelled; loose *(hair)*

shpluhur/ój *k/* dust *(clothes, etc.)*

shp/óhem *vtv, ps :* **më është ~uar xhepi** *shk* money burns holes in my pocket ♦ **~lój** *k/* (make/ dig/ punch a) hole in *(sth);* drill; goad; *v iii* sting; *v iii* pierce; throb *(of the wound);* *fg* tease; lance *(an abscess):* **më ~oi hundën një erë** a smell assailed my nose ♦ *jk/ v iii* drill; *fg* pierce; *fg* urge; goad on: **kjo turjelë nuk ~on** this gimlet does not cut; **vështrim që të ~on** a piercing look

shpor, -i¹ *m* wish-bone

shpor, -i² *m* spur; *ndr* breakwater *(of a bridge);* *dt* ram *(of a boat);* *dt* rostrum

shporét, -i *m* cooking oven

shporíz, -i *m bt* verbena

shport:ár, -i *m* basket-maker ♦ **~arí, -a** *f* basket-making; basketry ♦ **~l/ë, -a** *f* basket; muzzle *(for an animal)*

shporr *k/* throw/ drive out; oust: **mirë që u ~** good riddance ♦ **~em** *vtv, ps:* **~uni!** scram!; beat it! ♦ **~j/e, -a** *f* ousting

shpot:ár, -e *mb* joker; jester; tease ♦ **~í, -a** *f* gibe; tease ♦ **~ít** *k/* jibe; quip ♦ **~ít/em** *vtv:* **~em me dikë** pull sb's leg

shpreh *k/* express; manifest; reveal; show: **~ besimin** express confidence; **nuk e ~ dot me fjalë diçka** be unable to put sth in words ♦ **~/em** *vtv, ps:* **~em haptas** air one's views ♦ **~ës, -e** *mb* expressive; significant *(gesture)* ♦ **~ës, -i** *m* mouthpiece

shprehí, -a *f* habit; custom: **~të e punës** work habits; **më bëhet ~** become a habit

shpreh:imísht *nd* textually; explicitly ♦ **~j/e, -a** *f* expression; utterance: **~ kam ~e** have a gifted tongue

shprés/ë, -a *f* hope; expectation; promise: **me/ plot ~ë** hopeful; **gjendje pa ~ë** a hopeless/ desperate situation; **~a e familjes** the young hopeful of the family ♦ **~ëtár, -e** *mb* hopeful; optimistic ♦ **~/ óhet** *pvt* ♦ **~/ój** *k/* hope; expect: **~oj se ashtu është** I hope so; **mos ~o gjë prej tij** do not expect anything of him ♦ *jk/* hope for/ in: **~oj kot** hope against hope

shprétk/ë, -a *f an* spleen

shpriftër/ój *k/ ft* unfrock; defrock *(a priest)*

shprish *k/* tease, do *(wool, hemp);* ruffle, dishevel *(sb's hair)* ♦ *jk/ krh* break fast ♦ **~em** *vtv, ps* ♦ **~/ë, -a** *f* breakfast ♦ **~ur (i, e)** *mb* combed; teased *(wool, etc.);* dishevelled *(hair);* dispersed; scattered; distorted: **me fytyrë të ~** with a distorted face

shpronës:ím, -i *m* expropriation; dispossession ♦ **~/óhem** *ps* ♦ **~/ój** *k/* expropriate; dispossess ♦ **~úar (i, e)** *mb* expropriated; dispossessed ♦ **~úes, -i** *m* expropriator

shpúar, -a (e) *f* (të) hole *(of a vessel);* sting, prick, stab: **ndiej të ~a të forta** feel some stabbing pain ♦ **~ (i, e)** *mb* holed; punctured *(tyre);* leaky *(vessel):* **daulle e ~** a blabbermouth; **e kam dorën të ~** be a spendthrift

shpúes, -i *m min* driller; *tk* bore(-point); fg piercing *(look);* fg stabbing; lancing *(pain)*

shpúll/ë, -a *f* palm *(of the hand);* slap; spank; cuff; smack

shpupl/óhet *vtv* shed its feathers *(of a bird)* ♦ **~/ój** *k/* pluck *(a bird)*

shpupurísh *k/* poke *(the fire);* v iii scratch; dishevel *(the hair)* ♦ **~lem** *vtv, ps* ♦ **~j/e, -a** *f* dishevelling; flutter *(of wings)*

shpúr/ë, -a *f* escort; suite; retinue; train *(of a prince, etc.)*

shpút/ë, -a *f* sole *(of the foot);* tread *(of the sock);* slap; paw

shpuz/ë, -a *f* hot coal; braze; ash *(of the cigarette)* ♦ **~ë** *mb* hot; burning; red hot; peppy; full of, crawling with; ♦ **~ór/e, -ja** *f* fire-rake; ash-tray

shqarth, -i *m zl* weasel; marten

shqep *k/* undo *(a seam, a stitch);* v iii tear pieces; *bs* wallop; *bs* ply *(sb with food, etc.):* **e ~ në dru dikë** beat sb all to sticks; **~ dërrasat e dyshemesë** pull up the floor-boards; **e ~ me gënjeshtra** tell sb a pack of lies ♦ **~lem** *vtv* ♦ **~j/ e, -a** *f* unstitching; unknitting; burst seam

shqep/ój *jk/* stump; limp

shqérr/ë, -a *f* lamb: **fle si ~ë** sleep like a lamb; **lule ~e** *bt* daisy

shqetës:ím, -i *m* concern; worry; problem; preoccupation ♦ **~/óhem** *vtv, ps* : **mos u ~o!** don't worry! ♦ **~/ój** *k/* disturb; trouble; worry; importunate; preoccupy: **mos e ~o!** don't disturb him!; leave him alone ♦ **~úar (i, e)** *mb* worried; concerned; preoccupied ♦ **~úes, -e** *mb* worrying; disturbing *(news)*

shqéto *mb bs* neat; unmixed; pure ♦ *nd:* **ia them ~** tell sth bluntly (to sb)

shqip, -e *mb* Albanian *(language):* **gjuha ~e** (the) Albanian (language) ♦ **~** *nd* in (the) Albanian (language); clearly; bluntly: **ia them ~ diçka** tell sb sth openly; **fol ~!** be clear! ♦ **~/e, - ja¹** *f* (the) Albanian (language)

shqíp/e, -ja² *f zl* eagle

Shqip:érí, -a *f gjg* Albania ♦ **~ërím, -i** *m* translation into Albanian ♦ **~ër/óhet** *ps* ♦ **~ër/ój** *k/* **óva, -úar** translate/ render into Albanian ♦ **~ërúes, -i** *m* translator into Albanian ♦ **~ípo, -ja** *m bs* Albanian

shqipónj/ë, -a *f zl* eagle; *bt* monstera

shqiptár, -i *m* Albanian ♦ **~, -e** *mb* Albanian ♦ **~çe** *nd* Albanian-wise; in the Albanian fashion ♦ **~ësí, -a** *f* ♦ Albanianism ♦ **~í, -a** *f prmb* Albanians; Albanianism ♦ **~ísht** *nd* Albanian-wise; Albanian-like ♦ **~k/ë, -a** *f shih* **shqiptar/e, -ja**

shqipt:ím, -i *m* pronunciation ♦ **~/óhem** *vtv, ps* ♦ **~/ój** *k/* pronounce: **~oj me hundë** nasalise a sound

shqís/ë, -a *f* sense: **~a e gjashtë** the sixth sense ♦ **~ór, -e** *mb* sensory

shqit (shqis) *k/* detach; separate; tear off *(a page from the calendar, etc.);* snatch, whisk *(sth from sb):* **s'ia~ sytë dikujt** keep one's eyes glued on sb ♦ **~em** *vtv* ♦ **~j/e, -a** *f* detachment; coming off ♦ **~ur (i, e)** *mb* detached; loose; torn (off)

shqóp/ë, -a *f bt* heath(er)

shqót/ë, -a *f* sleet; squall; *fg* storm; tempest

shqúaj *k/* **shqóva, shqúar** discern; distinguish; notice; g*juh* put in the definite form *(a noun, etc.):* **nuk e ~ dot** be unable to see; **s'e ~ dot nga i vëllai** I cannot tell him from his brother ♦ *jk/* be visible; catch the eye ♦ **~úar (i, e)** *mb* distinguished; outstanding; g*juh* definite *(form of a noun, etc.):* **figura të ~a** celebrities ♦ **~úes, -e** *mb gjh* definite *(article);* distinguishing; distinctive *(feature)* ♦ **~ú/hem** *vtv v iii* be perceived/ noticed/ seen/ distinguished; stand out/ for; *gjh* have a definite form: **larg ~heshin ca shtëpi** some houses could be seen from a distance

shqy:ej *k/* **shqéva, shqýer** tear; quarter, limb; lacerate; rip; open wide *(one's mouth);* peel *(one's eyes);* break down *(a door)* ♦ **~er (i, e)** *mb* torn; shredded; *fg* yawning; wide-open; *fg* hoarse *(voice):* **me rrobat të ~a** with torn clothes ♦ **~erj/ e, -a** *f* laceration; tear ♦ **~/hem** *vtv, ps:* **~hem gazit** split with laughter; **~hem së thirruri** shout oneself hoarse

shqyrt:ím, -i *m* examination; review; scrutiny ♦ **~/ óhet** *ps* ♦ **~/ój** *k/* examine; review; scrutinise; consider ♦ **~úes, -e** *mb* scrutinising; investigative

shqyt, -i *m vj ush* shield; escutcheon ♦ **~ár, -i** *m hst* squire; esquire; equerry *(title)*

shrapnél, -i *m ush* shrapnel

shtab, -i *m* staff; headquarters: **shef i ~it** chief of staff

shtág/ë, -a *f* stick; staff; *(flag, barge)* pole

shtamb:ár, -i *m* potter ♦ **~/ë, -a** *f* ewer; pitcher: **bie shi me ~a** it is pouring with rain

shtang *jk/* be stunned/ shocked ♦ *nd:* **mbetëm ~** we had the shock of our life ♦ **~/em** *vtv e* **shtang**

shtáng/ë, -a *f tk* drilling pipe; s*port* barbell(s)

shtang:ët (i, e) *mb* stunned; shocked; rigid ♦ **~i/e, -a** *f* consternation; bewilderment

shtangíst, -i *m sort* weightlifter

shtángur (i, e) *mb* stunned; shocked; dumbfounded

shtat, -i *m* (human) body; stature: **më bie për ~** fit perfectly; **hedh ~** grow up

shtat:aník, -e *mb* born in the seventh month of pregnancy ♦ **~/ë, -a** *f* seven; *prmb* **~ (të), ~a (të)** (group of) seven: **~a spathi** seven of spades ♦ *nm thm* seven: **në orën ~ë** at seven (o'clock); **~ palë ethe** a strong fever ♦ *em* seven; group of seven; set of seven ♦ *nm rrsht* seven: **dhoma ~** room seven; **më shkojnë** have the wind up ♦ **~/ë (i, e)** *nm rrsht* seventh ♦ *em f* seventh (part of)

shtatë:dhjétë *nm thm* seventy: **~ vjeç** seventy years old ♦ *nm rrsht* seventieth; *(nmber)* seventy: **dhoma ~** room seventy; **vitet ~** the seventies ♦ **~dhjét/ë (i, e)** *nm rrsht* seventieth ♦ *em f* seventieth (part of) ♦ *em* seventieth ♦ **~dhjéta, -t (të)** *f sh* seventy years *(of age)* ♦ **~físh** *nd* sevenfold ♦ **~físh, -i** *m* sevenfold ♦ **~físhtë (i, e)** *mb* sevenfold ♦ **~mbëdhjétë** *nm thm* seventeen: **~ vjet** seventeen years ♦ *nm rrsht* seventeenth; seventeen: **dhoma ~** room seventeen ♦ **~/ë (i, e)** *nm rrsht* seventeenth ♦ *em f* seventeenth (part of): **një e ~a e** one seventeenth of ♦ *em* seventeenth; **dal**

i ~i arrive seventeenth

shtatmadhorí, -a *f* headquarters (HQ)

shtatór, -i *m* September

shtatór/e, -ja *f* statue

shtatzën:ë *mb, em f* pregnant; with child; big ♦ **~í, -a** *f* pregnancy; gestation

shtaz:arák, -e *mb* beastly; bestial ♦ **~/ë, -a** *f* beast; animal: **jetoj si ~ë** live like a beast ♦ **~ërí, -a** *f prmb* animals; beasts ♦ **~érísht** *nd* beastly; beastlike; brutally ♦ **~eróhem** *vtv* become beastly; be bestialised ♦ **~ër/ój** *k/* bestialise ♦ **~ërúar (i, e)** *mb* bestialised ♦ **~ór, -e** *mb* animal *(world); fg* beastly

shteg, -u *m sh* **shtígje, shtígjet** path; passage; trail *(through a forest, etc.);* footpath; parting (line) *(of the hair):* **~ i parrahur** untrodden path; **lë ~ për diçka** leave the way open for sth ♦ **~tár, -i** *m* travel(l)er; tripper ♦ **~tár, -e** *mb* nomadic *(tribe);* migrant: **zogj ~ë** birds of passage ♦ **~tím, -i** *m* migration; passage *(of birds, etc.)* ♦ **~t/ój** *jk/* travel; migrate *(of birds, etc.)* ♦ **~túes, -e** *mb* nomadic; migratory

shtémët (i, e) *mb* deaf and dumb; *fg* secretive; silent

shtendós *k/* release *(a coil, a spring); fg* relax *(oneself)* ♦ **~/em** *vtv, ps* ♦ **~j/e, -a** *f* release; *fg* relaxation ♦ **~ur (i, e)** *mb* released *(coil); fg* relaxed

shter *jk/ v iii* dry; be drained: **~i pusi** the well dried up; **iu ~ën forcat** his strength was drained ♦ *k/* dry; drain; *fg* exhaust; weaken: **~ ujin** dry the water ♦ **~/et** *vtv* dry up; evaporate; *fg* be exhausted/ drained; *ps:* **nuk ~et kurrë pusi** the well never dries up ♦ **~ím, -i** *m* drying up; exhaustion ♦ **~j/ e, -a** *f* drying up ♦ **~/óhet** *vtv shih* **shteret;** *ps* ♦ **~/ój** *jk/ shih* **shter;** *v iii* dry up; be exhausted/ used up *(of supplies); fg* exhaust; examine thoroughly *(a question)* ♦ *kl fg* exhaust; use up *(resources)*

shterp, -ë *mb f* dry *(cow);* barren; infertile; arid *(soil);* unproductive; fruitless; futile *(attempt)* ♦ **~ërí, -a** *f prmb* dry animals; dryness; barrenness; sterility ♦ **~ërím, -i** *m* drying up; impoverishment ♦ **~ër/ój** *jk/ v iii* dry up; become barren *(of a milk animal)* ♦ *k/* dry up; exhaust *(a resource)* ♦ **~ësí, -a** *f fg* barrenness; sterility ♦ **~ët (i, e)** *mb fg* barren; sterile ♦ **~ëzím, -i** *m* impoverishment *(of the soil)* ♦ **~ëzóhet** *vtv, ps* ♦ **~ez/ój** *k/* sterilise *(a woman);* spay *(a ewe); fg* impoverish

shter:úar (i, e) *mb* dried up; drained; *fg* exhausted *(question)* ♦ **~úes, -e** *mb* exhaustive ♦ **~úeshëm** *nd* exhaustively

shtés/ë, -a *f* increase; augmentation; *(pay)* rise; insert(ion) *(in an article);* addition (to); supplement *(of a book); sp* overtime: **~ë natyrore e popullsisë** natural increase of the population; **~ë e lojës** stoppage/ extra time

shtet, -i *m* state: **kryetarët e ~eve** heads of state;

grusht ~i coup d'état; **Sh~et e Bashkuara të Amerikës** *gjg* United States of America ♦ **~ár, -i** *m* statesman ♦ **~as** *m* citizen ♦ **~ërór, -e** *mb:* **sekret ~** state secret ♦ **~ësí, -a** *f* citizenship ♦ **~ëzím, -i** *m* nationalisation ♦ **~ëzóhet** *ps* ♦ **~ëz/ój** *k/* nationalise *(industries)* ♦ **~rrethím, -i** *m* curfew: **vë ~in** impose the curfew

shtëllúng/ë, -a *f* hank, flake *(of wool);* wreath; curl; ring *(of smoke)*

shtën/ë, -a (e) *f* (të) shot, shooting *(of fire-arms):* **e ~ë në tym** pot-shot

shtënë (i, e) *mb* fond (of); devoted (to): **i ~ pas fëmijëve** devoted one's children

shtëpí, -a *f* house; home; family; institution: **~ botuese** publishing house; **~ fshati** country house; **~ pa qira** *bs* prison; **~a e fëmijës** orphanage; **~a e pleqve** old people's home; **detyrë ~e** home-work; **kam ~ për të mbajtur** have a family to support ♦ **~ák, -e** *mb* domestic; house(-); indoor; stay-at-home *(husband):* **grua ~e** housewife; **kafshë ~e** domestic animals ♦ **~ák/ e, -ja** *f* housewife

shtër/g, -u *m zl* stork

shtërz:ím, -i *m* labour, birth pain; strain *(due to constipation)* ♦ **~lój** *jk/* labour *(in childbirth);* strain *(in constipation)*

shtíe *k/* **shtíva, shtënë** put in/ into/ through/ aside; pour *(water);* add; serve *(the food);* let in(); store; cast *(its young):* **~ dashuri** fall in love *(with sb);* **~ dorën në xhep** put one's hand into one's pocket; **~ fasule** cook beans; **~ fëmijët në shkollë** send children to school; **~ në burg** put into jail; **~ në dhe** bury; **~ në ngasje dikë** lead sb into temptation; **~ një gotë verë** pour a glass of wine; **~m paratë bashkë** pool the money; **i ~ ethet dikujt** make sb shiver; **i ~ veshët në lesh** turn a deaf ear (to sth); **nuk ~ gjumë në sy** not to have a wink of sleep; **s'e ~ në defter dikë** count sb out ♦ *jk/* throw; cast; fire; *v iii* strike; hit; *v iii* cast; miscarry; *v iii* drop; let fall *(leaves, fruit from the tree);* *v iii* put out *(an offshoot, a scion);* cast *(lots);* tell *(fortunes);* draw *(straws):* **~ me shkelma** kick; **~ me pëllëmbë** slap; **~ me pushkë** fire a rifle; shoot with a rifle; **~ kokë a pilë** toss the coin; toss head or tail

shtí/hem *vtv* be devoted/ attached to ♦ *pvt* fancy; crave for; appear: *ps:* **më ~het për një kafe** fancy a coffee; **më ~het në ëndërr** appear in one's dream

shtíllet *vtv* unwind; uncoil *(of a serpent, etc.);* whirl; eddy; curl up *(of smoke);* *fg* develop *(of the plot of a story);* ps

shtim, -i *m* increase; augmentation; addition: **~ i popullsisë** increase of population

shti:nják, -e, ~racák, -e *mb* artful; factitious; unctuous; malingering ♦ **~r/em** *vtv* feign; pretend;

make believe; simulate: **~em si i marrë;** play the fool; **~em si i sëmurë** malinger ♦ **~r/ë (i, e)** *mb* artful; factitious; false: **buzëqeshje e ~ë** false smile ♦ **~rj/e, -a** *f* artfulness; simulation

shtiz/ë, -a *f* ush lance, spear; *sp* javelin; arm *(of the steelyard); (knitting)* pins/ needles; **hedhja e ~ës** javelin throwing; **~a e flamurit** flagstaff

shtjell *k/* **shtólla, shtjéllë** throw; pitch; fling *(a stone);* unravel; unfurl; unwind *(a bobbin);* *fg* expound; develop *(an issue):* **~ flamurin** unfurl the banner

shtjéll/ë, -a *f* eddy; maelstrom; whirlwind; whirlpool

shtjell:ím, -i *m* development; amplification *(of a thesis);* expounding ♦ **~lóhet** *vtv, ps:* **ja si ~ohet ngjarja** this is how the story runs ♦ **~lój** *k/* develop; expound; unwind, uncoil: **~oj një mendim** develop an idea ♦ **~úar (i, e)** *mb* developed; expounded; g*juh* inflective *(form of a part of speech)*

shtjérr/ë *f* lamb: **fle gjumin e ~ave** sleep like a lamb ♦ *mb* very gentle

shto/g, -gu *m bt* common elder

sht/óhem *vtv, ps;* **~het popullsia** the population increases; **~het radhët e** the ranks of are swelling ♦ **~lój** *k/* increase; augment; enlarge; extend; add; exaggerate; build up: **~j numrin e** increase the numbers of; **s'kam gjë për të ~uar** I have nothing to add ♦ *jokal:* **kam shtuar tre kile** I've put on three kilos ♦ **~ójc/ë, -a** *f* appendage; rider *(of a contract);* supplement, insert *(of an article)*

shtojzováll/e, -ja *f* mit nymph; *fg* beautiful maiden

shtrat, -i *m sh* **shtrétër, shtrétërit** bed; frame; support; platform; *tk* mount *(of a gun);* pad *(of a missile launch site);* floor *(of the sea);* *fg* ground, foundation; *an* placenta: **~ njësh/ dysh** single/ double bed; **gjej ~ për** find a breeding ground for; **fle në një ~ me dikë** be bedfellows with sb

shtremb:alúq, -e, ~aník, -e *mb keq* deformed; out of shape; shapeless; misshapen: **këmbë ~e** bandy/ bent/ misshapen legs ♦ **~as** *nd shih* **shtrembër** ♦ **~/ër, -ra (e)** *f* wrong: **e drejta dhe e ~ra** right and wrong; **me të ~ër** deviously ♦ **~ër (i, e)** *mb* deformed, misshapen; crooked; bent; biased; *fg* wrong; dishonest; double-dealing ♦ **~ër** *nd:* **e bëj vijën ~** draw a crooked line; **më vete kafshata ~** swallow the wrong way; **shikoj ~** look askance; **e shoh ~ dikë/ diçka** look unfavourably at sb/ sth; be biased against sb ♦ **~ërím, -i** *m* deformation; deformity; distortion *(of the facts):* **~ i lindur** inborn malformation ♦ **~ër/óhem** *vtv, ps:* **u ~ua gozhda** the nail bent ♦ **~ër/ój** *k/* distort; bend; misshape; twist/ pull out of shape; disfigure; *fg* pervert: **~oj një shufër hekuri** bend an iron bar; **~oj buzët** make a wry mouth; **~oj faktet** garble the facts; **ia ~oj fjalët dikujt** put a slant on sb's words; **~oj ligjin** bend the law ♦ **~ërúar (i, e)** *mb* bent; misshapen;

crooked; slant; tipped over; awry *(face);* deformed; distorted; twisted; perverted

shtrénjt/ë (i, e) *mb* expensive, costly; dear; beloved, cherished: **jetesë e ~ë** high cost of living; **e ruaj diçka si gjënë më të ~ë** cherish sth dearly ♦ **~ë** *nd* expensively; dearly; at a high price: **do të ma paguash ~** you'll pay dearly for it ♦ **~ësí, -a** *f* high cost ♦ **~ím, -i** *m:* **~ i kostos së jetesës** rise in the cost of living ♦ **~/óhet** *vtv* rise/ go up in price ♦ **~/ój** *k/* raise the price of; make (more) expensive

shtrep, -i *m z/* cheese-hopper/ worm

shtrés/ë, -a *f* bedding; litter *(in a stable);* layer; coat; stratum *(sh -a);* bed; class: **~ë e mbulesë** bedding and cover; **një ~ë boje** one coat of paint; **~a e lartë e shoqërisë** the upper crust of society

shtrëngát/ë, -a *f* storm; tempest: **~ë me breshër** hailstorm; **~ë me shkreptima e bubullima** thunderstorm

shtrëng:és/ë, -a *f bs* want; straits; scrape; squeeze, lack of space: **jetoj në ~ë** live in great straits ♦ **~ím, -i** *m* hold; clasp; fastening; *dr* coercion, duress; straits, scrape, want; exertion: **~ i fortë i dorës** a powerful clasp of the hand; **masa ~i** coercive measures ♦ **~/óhem** *vtv, ps* : **~ohem pas dikujt** clutch to sb; hold fast to sb; **~ohuni edhe pak** squeeze a little more; **~ohem të bëj diçka** be forced into doing sth; **u ~ua puna** it is getting tough ♦ **~/ój** *k/* clutch; hold tight/ fast; clasp *(sb's hand);* clench *(one's teeth);* press *(sb to oneself);* tighten *(one's belt);* strain at; exert *(oneself);* *v iii fg* become sharp *(of pain, etc.);* be too tight *(of shoes);* compel, force, constrain, coerce; squeeze in, crowd: **i ~oj dorën dikujt** clasp sb's hand; **~oj një vidhë** tighten a screw; **e ~oj dikë të ikë** force sb to flee; **ia ~oj burgjitë/ vidhat dikujt** tighten the screws on sb; **~ojmë radhët** close ranks ♦ *jk/* intensify; become unbearable *(of heat, etc.)* ♦ **~úar (i, e)** *mb* tight; clenched; fastened; closed tightly; *fg* heavy *(schedule);* *fg* tight-fisted; stingy; grudging; *fg* close; narrow *(result)*: **me nofulla të ~a** with clenched jaws; **me radhë të ~a** in serried ranks ♦ **~úar** *nd:* **mbaj ~** hold tightly; **lidh ~** make fast; **ishim shumë ~** we were very crowded ♦ **~úes, -e** *mb* tightening *(screw);* coercive *(measures)*

shtri/g, -u *m,* **~gán, -i** *m* wizard ♦ **~g/ë, -a** *f* witch: **gjueti e ~ave** witch hunt ♦ **~gërí, -a** *f* wizardry; witchcraft

shtrí/hem *vtv* lie down; *v iii* be located/ situated; *v iii fg* extend; spread; *v iii* reach; *ps:* **~hem sa gjerë gjatë** lie down full length; **~hem në bar** lie on the grass ♦ **~/j** *k/* spread; stretch *(one's limbs);* lay *(sb in bed, a cable, a rail);* extend *(metal)*: **~j një copë letër** smooth down a piece of paper;

~j dorën stretch out one's hand; **~j forcat** spread the forces; **i ~j dorën dikujt** extend a helping hand to sb; seek sb's help ♦ **~m, -i** *m* laying *(of a cable, a rail);* flooring; surfacing *(of a road);* hospitalisation; hatching *(of a hen)*

shtriq *k/* stretch *(one's limbs)* ♦ **~em** *vtv* stretch oneself

shtrírë (i, e) *mb* lying; extended; widespread *(influence, etc.);* *bs* flat *(dish)*: **i ~ përmbys/ në shpinë** lying face-down/ on one's back ♦ **~rë** *nd:* **rri ~** remain lying (in bed) ♦ **~rj/e, -a** *f* spread; extension; expansion; extent; stretching *(of skins)*: **~e e tregtisë** extension of trade

shtr:óhem *vtv* lie (down); sit down to *(work);* be admitted in hospital; *v iii* be smoothed down *(of hair);* be levelled; *v iii* hatch *(of the hen);* *v iii* be raised/ put forward *(of a question);* resign (oneself); settle down *(in life);* *v iii* be tamed *(of a horse);* *v iii* be paved *(of a road, etc.);* be floored/ boarded *(of a floor)*; become accustomed/ used to: **do të ~ohet** he'll settle down; **~ohem në bisedë** sit down to talk; **problemi ~ohet kështu** the problem is posed like this; **i ~ohem fatit** resign oneself to one's fate; **nuk i ~ohem askujt** refuse submission to anyone; **~ohen gjakrat** passions are cooling; **~ohem këmbëkryq** make oneself at home; settle comfortably ♦ **~/ój** *k/* lay *(the table);* spread *(butter);* make *(the bed);* settle; *v iii* admit *(sb in hospital);* smooth down *(the hair);* level out *(a surface);* surface *(a road);* *v iii* hatch *(of a hen);* raise *(a problem);* take up; put forward *(a proposal);* reduce *(resistance);* curb; subdue *(a rebellion);* tame; break, train *(a horse)*: **~oj shtëpinë** carpet/ floor the house; **~oj shinat** lay the rails; **~oj në dhomën e mirë** make the bed of the best room; **~oj verën** serve the wine; **~oj një darkë** throw a party; **e ~oi gripi** he was down with flue; **ia ~oj me lule dikujt** strew the road with flowers for sb ♦ *jk/ v iii* rain/ snow in earnest: **ia ~oi shiu** it is raining steadily ♦ **~j/ë, -a** *f* bedding; litter *(of a stall, of an animal box);* napkin; inner sole *(of the shoe)* ♦ **~úar, -i (i)** *m* in-patient ♦ **~úar, -a (e)** *f* **(të)** bedding ♦ **~úar (i, e)** *mb* carpeted; floored, boarded *(room);* laid *(table);* surfaced *(road);* *fg* calm; steady; *fg* even-paced; *fg* settled; hatching *(hen)*: **vend i ~** flat country; **punë e ~** steady work ♦ **~úar** *nd* in a seated/ sitting position; laid; ready; calmly; steadily; evenly; without a hitch; smoothly; mildly; easy: **e gjej tryezën ~** find the table ready; **bie shi ~** rain steadily; **puna po shkon ~** things are going smoothly; **merre ~** take it easy

shtrydh *k/* squeeze *(lemon);* press *(olives, grapes);* wring; *fg* hug; *fg* fleece; drain: **~ rrobat** wring (wet) clothes; (dry) spin clothes; **ngadalë se më ~e** easy, you're stifling me; **~ trutë** rack one's brains

♦ **~/em** *vtv bs* hesitate; falter; *ps:* **pse ~esh ashtu?** what are you hesitating for? ♦ **~ës/e, -ja** *f (lemon)* squeezer ♦ **~j/e, -a** *f* squeeze; wringing *(of wet clothes)*; crushing *(of grapes)*; pressing *(of olives)* ♦ **~ur (i, e)** *mb* squeezed (dry): **limon i ~** a squeezed lemon

sht:úar, -a (e) *f (të)* addition; supplement ♦ **~úesh/ ëm (i), -me (e)** *mb* prolific *(race)*

shtuf, -i *m* pumice-stone/ -rock

shtún/ë, -a (e) *f (të)* Saturday

shtúp/ë, -a *f* plug; caulk; swab; stopper; rag; cloth: **zë me ~ë** caulk; **~a e dyshemesë** floor-cloth; **i vë ~n gojës** gag one's mouth ♦ **~ë** *mb:* **ia lë punët ~ dikujt** leave things in a mess to sb; **më del puna ~** bungle a deal ♦ **~ím, -i** *m* caulking; stopping *(a leak)* ♦ **~lóhet** *ps* ♦ **~lój** *kl* stop-gap; plug; caulk; wad *(a hole, etc.)*; gag; gag *(sb's mouth)*

shturmán, -i *m bjq, av* navigator

shtý/hem *vtv* push; shove; move off/ aside/ away; *fg* advance; venture; *v iii* pass slowly *(of time)*; *ps:* **mos u ~ni!** don't push!; **~hu pak!** move off a little! ♦ **~/j** *kl* push; shove; thrust; propel; jolt; repel, drive back *(the enemy)*; incite, urge; put off, postpone *(an appointment)*; defer *(a payment)*; adjourn *(a meeting)*; while away *(one's time)*; beguile; manage with difficulty: **~j derën** push the door *(open)*; **~j përpara** push forward; **~j gjylen** *sp* put the shot; **e ~në shokët** he was urged by his friends; **~j dikë kundër shokut** egg sb on against his own friend; **e ~j edhe një dimër** survive another winter

shtýll/ë, -a *f* column; pillar; pilaster; pole; pylon; s*port* post; *fg* mainstay; prop: **~ë kurrizore** *an* backbone; *fg* mainstay; **godit ~ën** hit the (goal) post

shtyp, -i *m* press; print(ing): **gabim ~i** misprint; **agjenci e ~it** press agency ♦ **~ kl** press (down); crush; squeeze; pound; trample underfoot; run over; flatten; rub, massage; *fg* suppress, quell, put down *(a rebellion)*; print *(a book)*; type *(on the typewriter)*; *vl* bang: **~ sustën** press the the button; **~ bajame** crush almonds; **e ~i makina** he was run over by a; **më ~in ethet** have a touch of fever; **ia ~ kokën dikujt** crush sb; bump sb off ♦ **~/em** *vtv, ps:* **u ~ëm në autobus** we were packed in the buss ♦ **~ës, -i** *m* pestle; beetle; mortar; pounder; *fg* oppressor ♦ **~ës, -e** *mb* pressing *(weight)*; crushing *(machine)*; oppressive ♦ **~j/e, -a** *f* pressure; printing; oppression; suppression; crushing; run-over *(with a car)*; stamping out *(of a revolt, etc.)*: **~a atmosferike** atmospheric pressure; **~a e librave** book printing

shtypshkrónj/ë, -a *f* typography; printing office; press

shtýpur (i, e) *mb* flat(tened); crushed; ground; powdered; pressed; oppressed; suppressed; printed *(book)*; typed *(letter)*; squashed *(fruit)*: **hundë e ~** flat nose; **sheqer i ~** fine-powdered/ granulated sugar

shtýr/ë, -a (e) *f (të)* push; shove; thrust; *fg* urge: **dal me të ~a** push one's way out; **i jap një të ~ë** give a push; **e ka me të ~ë** he needs some pushing *(to do sth)* ♦ **~rë (i, e)** *mb* pushed; instigated *(into doing sth)*; put off; postponed; delayed; deferred *(appointment)*; advanced *(in age)* ♦ **~rës, - i** *m shih* **shtytës, -i** ♦ **~rj/e, -a** *f* pushing; shoving; thrusting; s*hih* **shtyr/ë, -a** ♦ **~s/ë, -a** *f* push; shove; thrust; *fg* instigation; urge; *fg* impulse ♦ **~tës, -i** *m* pusher; instigator; *tk* propeller; pushing device; s*hih* **shtys/ë, -a:** **~ i krimit** instigator to the crime ♦ **~tj/e, -a** *f shih* **shtyrj/e, -a:** *sp* put: **~e e gjyles** shot-put

shthur *kl* undo *(the hair, etc.)*; unknit; ruin *(discipline)*; cause to decline *(the economy)*; *fg* corrupt; deprave: **~ gojën** let one's tongue loose ♦ **~/em** *vtv, ps:* **fronti u ~** the front collapsed ♦ **~ës, -e** *mb* corrupting; depraving *(influence)* ♦ **~j/e, -a** *f* decline; collapse *(of a system)*; unruliness; depravity; degradation ♦ **~ur (i, e)** *mb* undone; unknitted; *fg* corrupt; depraved; debauched; *fg* declining *(system)*; *fg* dissolute: **goje e ~** foul mouth

shúaj *kl* **shóva, shúar** extinguish; snuff; blow out/ off; put out/ off; turn off *(the engine, etc.)*; *fg* crush *(an uprising)*; *fg* cool down *(tempers)*; *fg* smother; *fg* quench, fulfil *(a desire)*; *bs* wipe out; erase; obliterate: **~ dritën** turn off the light; **~ etjen** quench one's thirst; **~ kureshtjen** satisfy one's curiosity; **~ nga lista dikë** write sb off a list; **~ një kryengritje** crush a rebellion; **~ një sherr** calm down a quarrel; **~ zjarrin** put out the fire; **e ~ në punë dikë** drive sb hard/ mercilessly; **na shoi me gënjeshtra** he gave us a pack of lies ♦ *jkl bs :* **të ~ për të ngrënë** eat enough for two

shúa/ll, -lli *m* sole *(of the foot)*

shúar (i, e) *mb* spent; extinguished; put out; off *(position of a machine)*; turned off; extinct *(volcano)*; meek, low *(voice)*; lifeless *(eyes)*; *fg* wiped out; erased: **shkrepëse e ~** spent match; **thëngjij të ~** dead ashes ♦ **~ës, -i** *m tk* extinguisher; eraser ♦ **~j/e, -a** *f* extinction

shúf/ër, -ra *f* rod; (iron) bar; immersion heater

shugát (shugás) *kl* put out; *fg* calm; cool down *(tempers)* ♦ **~em** *vtv v iii* die down *(of flames)*; *v iii* *fg* die down; cool off *(of enthusiasm, etc.)*; *ps* ♦ **~ur (i, e)** *mb* dying *(embers)*

shugur:ím, -i *m ft* investiture *(of a priest)*; dedication *(of a church)* ♦ **~lóhem** *ft ps* ♦ **~lój** *kl* ordain; invest *(a priest)*; dedicate *(a church)*

shú/hem *vtv, ps:* **u ~a qiriu** the candle went out; **~het një qytetërim** a civilisation becomes extinct; **u ~a gjithë familja** the whole family perished; **~hem në punë** work oneself to death; **u**

~a nga kujtesa it was obliterated from memory; **iu ~an sytë** his eyes grew dim

shuk, -u, lump; ball; wad; fistful *(of money)* ♦ **~** *nd:* **i hedh rrobat ~** throw one's clothes carelessly; **bie ~** fall all of a heap ♦ **~** *kl* crumple *(clothes);* throw, pitch, hurl ♦ **~át** *kl shih* **shuk** ♦ **~átem** *vtv shih* **shukem**

shul, -i *m* pole; perch; bar; bolt; breech-block *(of a gun); bs* mast, tree *(of a boat); fg* tall man: **~ i kotecit** roost/ perch of the hencoop; **i vë ~in derës** bar dhe door; **~ gardhi** *bs* dolt; stupid person

shul *nd:* **ulem ~ në karrige** sit sideways on the chair; **më shkon buka ~** swallow the wrong way; **eci ~** walk sideways/ edgeways; **këtej ka një copë rrugë që shkon ~** there is a stretch of flat road here; **kthehem ~** turn back; **e lë punën ~** abandon work half-way; **ia zë ~ dikujt** bar sb's way; oppose sb stubbornly; gatecrash

shulák, -e *mb* stout; hefty; sturdy; strongly-built ♦ *em* stout person

shúl:as *nd shih* **shul** ♦ **~/em** *vtv* lean sideways; tilt

shul/óhem *vtv, ps* ♦ **~lój** *kl* slant; put obliquely/ across; bolt; bar *(the door)* ♦ **~ór/e, -ja** *f* bend; curve *(of the road)*

shullê, -ri *m* suntrap: **nepërkë ~ri** poisonous viper; very lively, sharp tongued woman; **ngrohem në ~** bask in the sun ♦ **~/hem** *vtv* bask in the sun

shúm/ë, -a *f* sum; total; amount: **~a e përgjithshme** the sum total; summation; addition; **nxjerr ~ën** make an addition; **një ~ë të hollash** a certain amount of money ♦ **~ë** *pkf* many; much; a great deal; a lot; many of; a great many/ deal: **~ë njerëz** many people; **~ë kohë** much time; a long time; **ke ~ë të drejtë** you're quite right ♦ **~ë** *nd* very; very much/ many; more, much; too many/ much; extremely; rather: **~ë/ gjithnjë e më ~ë** more and more; ever more; increasingly more; **pak a ~ë** more or less; **punoj ~ë** work hard; **të falënderoj ~ë** thank you very much; **aq më ~ë** the more so; moreover ♦ **~ë** *pj* very; much; very much: **~ë i gjatë** very tall/ long; **~ë i rëndë** very heavy; **~ë i dashur** very dear; dearest; **i bukur ~ë** very beautiful; **~ë më mirë** much better ♦ **~ëfísh, -i** *m mt* multiple: **~i i përbashkët** the common multiple ♦ **~ëfísh, -e** *mb* multiple ♦ **~ëfísh** *nd* manifold ♦ **~ëfishím, -i** *m* multiplication ♦ **~ëfishóhet** *vtv, ps* ♦ **~ëfish/ój** *kl* multiply; reproduce: **~oj përpjekjet** multiply one's efforts; **~ një tekst** reproduce a text ♦ **~ëfíshtë (i, e)** *mb* multiple; manifold ♦ **~ëfishúar (i, e)** *mb* multiplied ♦ **~ëfishúes, -e** *mb* multiplying: **makinë ~e** multiplex ♦ **~ëkúsh** *pkf:* **~ prej tyre** many of them ♦ **~ës, -i** *mb gjh* plural *(nmber)* ♦ **~ës, -i** *m* plural (number, form) ♦ **~ë-~ë** *nd* at most/ best; in the worst case: **~ e bëj për dy orë** I could take

two hours, at most, to do it ♦ **~ëzím, -i** *m mt* multiplication; reproduction: **tabelë e ~it** multiplication table ♦ **~ëz/óhet** *vtv, ps* ♦ **~ëz/ój** *kl* reproduce; intensify; *mat* multiply ♦ **~ëzúes, -i** *m mt* multiplier ♦ **~ëzúesh/ëm, -mi (i)** *m mt* multiplicand ♦ **~íc/ë, -a** *f* multitude; *pl* majority: **~a dërrmuese** the overwhelming majority; **tregti me ~ë** wholesale trade ♦ **~ím, -i** *m* multiplication; summation ♦ **~/óhet** *vtv, ps* ♦ **~/ój** *kl* multiply; reproduce ♦ **~ór, -e** *mb* overall *(expenditure)* ♦ **~t/ë, -a (e)** *f* majority; most: **të ~ën e herëve** most of the time; on many occasions ♦ **~a (e)** *nd:* **e ~ deri në orën dhjetë** up till ten o'clock at the latest ♦ **~/ë (i, e)** *mb* numerous; many: **jemi më të ~ë në numër se ata** we outnumber them

shungull:ím/ë, -a *f* rumble; (up)roar; clatter: **shembem me ~ë** fall with a clatter; **~a e dallgëve** the roar of the pounding waves ♦ **~/ój** *kl* -óva, -úar *v iii* rumble; resound; tremble violently; clatter ♦ **~úes, -e** *mb* rumbling: **bubullimë ~e** rumbling peals of thunder

shuplák/ë, -a *f* palm *(of the hand);* hand's breadth, *fg* slap, smack: **rrah ~at** clap one's hands

shurdh, -i *m* deaf: **~ nga të dy veshët** deaf of both ears; stone-deaf; **flas në vesh të ~it** speak to a deaf ear ♦ **~, -e** *mb* deaf ♦ *nd shih* **shurdhër: bëj veshin ~** turn a deaf ear ♦ **~ër (i, e)** *mb* deaf; *fg* muffled; deadened *(sound);* quiet; secretive *(place)* ♦ *em shih* **shurdh, -i:** **bëj një vesh të ~** turn a deaf ear (to) ♦ **~ër** *nd:* **dëgjohet ~** it could be barely heard ♦ **~ësí, -a** *f* deafness ♦ **~ët (i, e)** *mb* dull; indistinct *(noise, etc.); gjh* mute *(consonant)* ♦ **~ët** *nd shih* **shurdhër** ♦ **~ím, -i** *m* deafening

shurdhmemëc, -i *m* deaf-mute

shurdh/óhem *vtv, ps* ♦ **~/ój** *kl fg kq* deafen; deaden *(noises)* ♦ **~úar (i, e)** *mb* deaf; deafened; slackened; deadened *(cement, lime)* ♦ **~úes, -e** *mb* deafening; ear-splitting *(explosion, etc.)*

shurúp, -i *m* syrup

shurr *jkl* pass water; piss; pee ♦ **~ák, -e** *mb* **~áq, -e** brat; chit ♦ **~/ë, -a** *f* piss; urine: **bëj ~ën** pass water; piss; **më shpëton ~a** wet one's pants (with fear) ♦ **~tór/e, -ja** *f vj* (public) urinal ♦ **~/óhem** *vtv* wet oneself; wet one's bed ♦ **~/ój** *jkl* piss; pass water

shush:áq, -i *mb* absent-minded; dumbfounded ♦ **~át (~ás)** *kl* dumbfound; stagger ♦ **~átem** *vtv, ps* ♦ **~átj/e, -a** *f* stunning ♦ **~átur (i, e)** *mb* stunned; dumbfounded; absent-minded ♦ **~avél, -e** *mb kq shih* **shushk, -ë** ♦ **~~em** *vtv shih* **shushatem** ♦ **~k, -ë** *mb kq* scatter-brain(ed); silly

shushúnj/ë, -a *f z/* leech; *fg kq* stickler; *fg kq* soaker

shushur:ím/ë, -a *f* rustle *(of leaves in the wind);* ripple; splutter; gurgle *(of a fount)* ♦ **~í/n** *jkl* -u, -rë rustle; ripple; splutter; gurgle ♦ **~ít** *jkl shih* **~ín** ♦

~**ítës, -e** *mb* rustling *(leaves);* rippling, gurgling *(water)* ♦ ~**ítj/e, -a** *f shih* **shushurim/ë, -a**

shútr:a, -t *f sh* card *(for combing·wool, etc.)*

shyqýr *psth bs* thank God

shyt, -ë *mb* hornless *(animal);* broken, useless *(pot)* ♦ ~ *nd:* **e lë punën** ~ abandon sth half-way; **ja** ~**, ja fyt** take the risk; **del** ~ flop

shýta, -t *f sh mk* mumps

shyt:ím, -i *m* breaking; chopping; heavy pruning ♦ ~**lój** *kl* break; chip; make useless *(a cruet, etc.);* prune heavily; cut short *(sb's hair)*

T

ta *tr shkrt prm vt*: **~ thashë një herë** I told you so
once; **~ gjejë ai** let him find it ♦ **~** *prm* **(=ata)**
'em: **fola me ~** I spoke with them
tabaká, -ja *f* tray; tobacco-box
tabán, -i *m* sole *(of the foot, of the shoe);* hard soil;
top; *fg* ground: **këmbë me ~ të sheshtë** flat-foot;
njeri me ~ reliable/ steadfast person
tabél/ë, -a *f* table *(of contents);* (sign)board; sight;
target *(of a shooting range);* bill-board; backboard
(in basketball): **~ë e shumëzimit** multiplication
table; **~ë elektronike** electronic signboard; **~ë
rrugore** road signs
tablét/ë, -a *f mk* tablet; pill
tabló, -ja *f* painting; picture; view; scene *(of an act);*
scenery; aspect
tabú, -ja *f* taboo; *fg* interdiction; ban
tabulatór, -i *m* tab *(of a keyboard))*
taftá, -ja *f tks* taffeta
tagár, -i *m* brassier
tagjí, -a *f* feed *(for horses);* *bt* oat; provender
tahmín *plk bs ed:* **me ~** by guess(work): **kërkoj
me ~** fumble/ grope for sth
tailand:éz, -e *mb* Thai ♦ **~éz, -i** *m* Thai ♦ **T~/ë, -a**
f gjg Thailand ♦ **~isht** *nd* (in the) Thai (language)
♦ **~isht/e, -ja** *f* (the) Thai (language)
Taiván, -i *m gjg* Taiwan ♦ **t~éz, -e** *mb* Taiwanese ♦
t~éz, -i *m* Taiwanese
táj/ë, -a *f* wet nurse
tajfún, -i *m gjg* typhoon
tájg/ë, -a *f gjg* taiga
tajít *k/* breast-feed; suckle *(an infant)* ♦ *jk/ v iii* sweat;
weep *(of a water bottle, etc.)*
takát, -i *m bs* strength; power
taketúk/e, -ja *f* ash-tray
ták/ë, -a *f* heel; wedge; chock; *sht* interlay
takém, -i *m bs* set; tackle; gear; circle *(of people)*:
~ porcelani china set
takikardí, -a *f mk* tachycardia
takím, -i *m* appointment; rendezvous; date; *sp*

match; meeting: **lë ~ me dikë** fix an appointment
with/ date sb; **~ pune** working meeting ♦ **~/óhem**
vtv, ps : **kur do të ~ohemi?** when shall we meet?;
~ohemi në fushë asnjanëse meet on neutral
ground ♦ **~/ój** *k/* meet; come across; touch; join:
e ~oj me dorë touch sth with the hand; **~oj
fundin** touch bottom *(of the sea)* ♦ *jk/ v iii* touch;
reach; hit; *v iii* happen; occur; find out *(by acci-
dent);* encounter; come up against *(a difficulty,
etc.);* *v iii* belong to; be up to: **i ~on koka në tavan**
his head reaches up to the ceiling; **i ~on me ligj**
it belongs to him by law; **të ~on ty të vendosësh**
it is up to you to decide; **~on edhe kështu** things
will happen
taks *k/ bs* promise; bespeak; make up one's mind:
i ~ dikujt diçka promise/ bespeak sth to sb; **e
kam ~ur** I've made up my mind
táks/ë, -a *f* tax; duty; fee: **~ë doganore** customs
duty; **pa ~ë** tax-free; duty-free
taksí, -a *f* taxi; cab
taksirát, -i *m bs* : **~ e ke** you can't help it; **ia fal
~et** pardon sb his sins
taks/óhem *ps* ♦ **~/ój** *k/* tax
takt, -i¹ *m* tact; savoir-faire: **me ~** tactfully; **pa ~**
tactlessly
takt, -i² *m mz* bar; *tk* time; stage *(of a piston)*: **luaj
disa ~e** play a few bars
taktík, -e *mb ush* tactical ♦ **~/ë, -a** *f ush* tactics *(me
folje në njëjës);* tactic ♦ **~isht** *nd* tactically
takúes, -e *mb* contact *(area)* ♦ **~, -i** *m el* switch
talént, -i *m* talent; gift; talented/ gifted/ person: **kam
~ për** be gifted for ♦ **~úar (i, e)** *mb* talented; gifted
talk, -u *m* talc: **pluhur ~u** talcum powder
tall *k/* make fun of; trifle: **~ dikë** pull sb's leg; **mos
u ~!** are you serious?; don't be silly
tallandít *k/* toss, rock *(a boat)* ♦ **~ur (i, e)** *mb* storm-
tossed *(ship)*
tallásh, -i *m* saw-dust (powder)
talláz, -i *m* wave; billow; *sh fg* stress; iridescence

(of silk): **u qëndroj ~eve** weather the storms

táll/em *vtv* make fun *(of sb)*; scoff; jeer *(at sb)*; jest; kid; trifle with; loaf about; *ps:* **~esh?** are you kidding?; **~em rrugëve** loaf about in the streets ♦ **~ës, -e** *mb* jeering; jesting; quizzical ♦ **~j/e, -a** *f* fun; jeering; kidding ♦ **~ur, -a (e)** *f(të)* joke; play; fun: **me të ~** tongue cheek

tamáh, -u *m bs* greed; avidity ♦ **~qár, -i** *m bs* greedy person

tamám *nd* just; precisely; perfectly: **më rri ~** it fits me perfectly; **është ~ i ati** he is a chip of the old block ♦ *pj:* **~ ashtu është** that's precisely so; **~ aty** just there

tambúr, -i *m mz, tk* drum: **grilë me ~** roll-shutter

tamburá, -ja *f mz* three-stringed instrument: **i bie ~së** talk gibberish

tánë *prn (sh i ýnë)* our; ours: **djemtë ~** our sons; **fituan ~** ours have won

tángo, -ja *f mz* tango

tangjént *nd bs :* **kaloj ~** skip; glance off ♦ **~/e, -ja** *f gjm* tangent

taní *nd* now; this moment; just (now): **o ~, o kurrë!** now or never!; **~ e tutje** from this moment on; **~ sapo doli** he just left; in a moment; **do ta bëj ~** I'll do it right away; **~ për ~** for the time being ♦ *pj bs :* **~, më thuaj si ishte puna?** come on, tell me what's it all about?♦ **~më** *nd:* **është bërë ~ i njohur** he's already famous

tanín, -i *m* tannin

tani:sh/ëm (i), -me (e) *mb* present; today's: **detyra e ~me** the present duty; **të rinjtë e ~ëm** the youth of today; **koha e ~me** *gjh* present tense ♦ **~shm/ e, -ja (e)** *f:* **~a dhe e ardhmja** the present and the future

tank, -u *m ush* tank ♦ **~íst, -i** *m* tanker

Tanzaní, -a *f gjg* Tanzania ♦ **t~án, -e** *mb* Tanzanian ♦ **t~án, -i** *m* Tanzanian

táp/ë, -a *f* cork(-wood); stopper ♦ *mb, nd bs* sozzled; dead drunk: **~ë topi** *tl*/ totally ignorant

tapí, -a *f* (title) deed

tapic:erí, -a *f* tapestry; wall-paper; upholstery; paper-hanging ♦ **~iér, -i** *m* paper-hanger; upholsterer

tapós *kl* cork *(a bottle)*; stopper; top; staunch *(a cask, etc.)* ♦ **~/et** *vtv ps* ♦ **~j/e, -a** *f* corking

taráf, -i *m bs* coterie; cabal ♦ **~llëk, -u** *m bs* nepotism

tárg/ë, -a *f* plate *(of a car):* **numri i ~ës** plate number

taríf/ë, -a *f* tariff; rate; pay-rate; charge; fee: **~a e avokatit** lawyer's fee

tarím, - i *m* adjustment; setting; calibration *(of an instrument)* ♦ **~lóhet** *ps* ♦ **~lój** *kl* adjust; set; calibrate *(an instrument)*

tartabíq/e, -ja *f zl* (bed) bug; tick

tartakút, -i *m bs :* **ç'~in ke?** what the hell is the

matter with you?

tarrác/ë, -a *f* terrace: **~at e shtëpive** flat roof-tops of houses

tas, -i *m* bowl; cup

tasqebáp, -i *m gjll* taskebab

tast, -i *m mz, tk* key *(of a piano, etc.)* ♦ **~iér/ë, -a** *f* keyboard

tash *nd shih* **tani: ~ ka herë** a long while ♦ **~/ëm (i), -me (e)** *mb:* **koha e ~me** *gjh* present tense; the present time (moment) ♦ **~m/e, -ja (e)** *f:* **e ~ja dhe e kaluara** the present and the past ♦ **~më** *nd shih* **tanimë** ♦ **~tí** *nd* now

tát/ë, -a *f bs* dad

tatëpjét/ë, -a *f* slope; slant; bank; declivity; downhill *(course)*; downfall: **~a dhe përpjeta** downhill and uphill (slope); **marr ~ën** go downhill ♦ **~/ë, - a (e)** *f(të) shih* ♦ **~lë (i, e)** *mb* downhill *(course)* ♦ **~ë** *nd* down: **rrjedh ~** flow down; **e shkoj ~ diçka** gulp sth down ♦ **~ë** *prfj:* **~ lumit** down river; in the lower course of the river

tat:ím, -i *m* tax; impost; duty ♦ **~imór, -e** *mb:* **politikë ~e** tax policy ♦ **~lóhem** *ps* ♦ **~lój** *kl* tax; levy a tax on

tatuázh, -i *m* tattoo; tattooing

taván, -i *m* ceiling; headroom; vault *(of a kiln, etc.):* **më ra ~i mbi kokë** the ceiling fell about my ears

tavérn/ë, -a *f* tavern

táv/ë, -a *f* (baking) pan

távll/ë, -a *f* ash-tray; backgammon

tavolín/ë, -a *f* table: **~ë buke** dining table; **~ë shkrimi** writing desk

táze *mb bs :* **bukë ~** fresh bread ♦ *nd:* **i rruar ~** freshly shaved; **ky qenka ~!** he's a jerk!

te, tek *nd:* **ja tek është** here it is; **si e tek ta bëjmë** how shall we handle it ♦ *prfj:* **deri ~ dera** up to the door; **shkoi tek i ati** he went to his father; **nga njëri te tjetri** from one to the other ♦ *pj:* **tek po shkonte në** on his way to; **tek buron lumi** where the river has its source; **tek e fundit** in the last analysis; in the long last

teát/ër, -ri *m* theatre: **bëj ~ër** stage-play; act ♦ **~rál, -e, ~rór, -e** *mb* theatrical; histrionic; artificial *(manner of speech, etc.):* **trupë ~e** theatre troupe

tebdíl *nd bs* in disguise: **vishem ~** disguise oneself

tegél, -i *m tk, an* seam *(of the scull, etc.);* welt; suture;

teh, -u *m* edge: **~u i briskut** razor's edge; **jam në ~ të thikës** be hanging on the balance

tej *nd* far; away; across; beyond: **~ e më tej** further on; **~ nga fusha** far into the fields; **s'bëj dot më ~** be unable to move further; **çfarë do të bëjmë më ~?** what will we do next?; **hedh ~** reject; discard ♦ *prfj:* **lumit** across the river; **~ e përketej rrugës** on either side of the road; **~ mase** beyond the limit

tej: çím, -i *m* transmission; conductivity ✦ **~çóhet** *vtv, ps* ✦ **~ç/ój** *k/* transmit; conduct *(heat, etc.)* ✦ **~çúes, -e** *mb* transmitting; conductive *(medium)* ✦ **~dúksh/ëm (i), -me (e)** *mb* transparent; see-through ✦ **~dukshmërí, -a** *f* transparency

téje *shih* **ti: prej ~** because of you

téjet *nd* extremely; very: **~ i lartë** extremely high

tejetéj *nd* through: **shpoj ~** pierce through

tej:kalím, -i *m* overtaking; excelling: **~ i shpejtësisë** excess of speed ✦ **~kalóhet** *ps* ✦ **~kal/ój** *k/* excel; do better than; overtake: **~oj çdo parashikim** beat all expectations ✦ **~matánë** *nd* across: **i bie lumit ~ (me not)** swim across the river

téjm/ë (i), -me (e) *mb:* **skaji më i ~ë** the extreme end (point); **ana e ~e e lumit** the other bank of the river

tejpërtéj *nd* through; through and through; through; thoroughly; completely: **shpoj ~** pierce through ✦ *prfj* throughout; across; all over: **~ vendit** throughout the country

téjz/ë, -a *f* an tendon; string *(of a musical instrument)*

tek *prfj shih* **te** ✦ *nd* alone: **shkoj ~** go alone; **shkojmë ~ e ~** come in one at a time ✦ **~, -e** *mb* single; solo *(dance); mt* odd *(number):* **krevat ~** single bed; **dhomë ~e** single bed room ✦ **~, -u** *m nj* odd; odd number: **shtiem ~ a çift** draw at odd or even; **ha ~un** be framed; get the wrong end of the stick

tekanjóz, -e *mb* whimsical; capricious

ték/e, -ja *f* single-loader shot gun; small measure *(of a drink)*

teke:fúndit *nd* at long last; in the final account/ analysis: **~, u zgjidh** at long last, it was solved ✦ **~mbrámja** *nd* at last; at long last; in the final account

ték/et *jk/* **-(u), -ur** fancy; like: **si t'i ~et atij** as the humour takes him; **më ~et për një kafe** fancy a coffee ✦ **~/ë, -a** *f* fancy; whim; crochet; caprice; *fg* vagary; freak *(of nature):* **fëmijë me ~a** whimsical child

teklíf, -i *m bs ed:* **pa ~** without ceremony; off-handedly

tekník, -u *m* technician; engineer: **~ i zërit** sound mixer/ engineer ✦ **~, -e** *mb* technical: **shkollë ~e** technical/ vocational school; **nokaut ~** *sp* technical KO ✦ **~/e, -ja** *f fm* **e teknik, -u;** technical school ✦ **~/ë, -a** *f* technique; art: **maniak i ~ës** technomaniac ✦ **~ísht** *nd* technically ✦ **~úm, -i** *m* technical college/ school ✦ **~as, -i** *m* tech student

tekno:krací, -a *f* technocracy; *prmb* technocrats ✦ **~krát, -i** *m* technocrat ✦ **~kratík, -e** *mb* technocratic ✦ **~lóg, -u** *m* technologist ✦ *mb* technological ✦ **~logjí, -a** *f* technology ✦ **~logjík, -e** *mb* technological

tekst, -i *m* text(-book); *sht* print; lyrics *(of a song):* **sipas ~it** according to the book; **~i dhe fotografitë** the print and the photos ✦ **~ualísht** *nd* literally

tekstíl, -i *m* textile(s) ✦ **~, -e** *mb* textile *(industry)* ✦ **~íst, -i** *m* textile worker

tektoník, -e *mb gj/* tectonic(al) *(fault)* ✦ **~/ë, -a** *f gj/* tectonics

tek-túk *nd* here and there; sparsely; seldom

tékur, -a (e) *f*(**të**) whim; fancy: **të ~a fëmije** a child's caprices ✦ **~, -it (të)** *as* fancy: **e ka me të ~** as the fancy takes him

tel, -i *m* wire; *vj* cable; *bs* phone call; *bs* tv; string, chord *(of a musical instrument);* (egg)whip; whisk: **~ me gjemba** barbed wire; **rrjetë ~i** wire mesh; **ia gjej/ prek ~at dikujt** strike a chord with sb; **e prek në ~a dikë** touch sb to the quick; **vë ~at** deck oneself out; **~at e zemrës** the strings of the heart

telásh, -i *m* trouble; care: **i hap ~e dikujt** create problems for sb; **shtie në ~ dikë** involve sb in trouble

teledrám/ë, -a *f* teleplay

teléf *p/k bs ed:* **bëj ~** exhaust; tire out

tele:ferík, -u *m* cable-car/ -way ✦ **~fílm, -i** *m* telefilm ✦ **~fón, -i** *m* telephone (call): **~ celular** cellular phone; **kabinë e ~it** telephone booth/ cabin; **numërator i ~ave** telephone directory; **marr në ~ dikë** call sb; give sb a call; **më bëj një ~** give me a call ✦ **~foní, -a** *f* telephony ✦ **~foník, -e** *mb* telephone *(line);* telephonic: **central ~** telephone exchange; **kabinë ~e** telephone booth (kiosk); call-box ✦ **~foním, -i** *m* telephone-call ✦ **~foníst, -i** *m* (telephone) operator; telephonist ✦ **~fon/ój** *k/* telephone; phone; call; ring up ✦ **~gráf, -i** *m* telegraph; *bs* cable ✦ **~grafí, -a** *f* telegraphy ✦ **~grafík, -e** *mb* telegraphic; telegraph *(mb):* **njoftim ~** telegraphic message; **stil ~** telegraphese; **agjenci ~** telegraphic agency ✦ **~grafíst, -i** *m* telegraph operator ✦ **~graf/ój** *k/* telegraph; wire; cable ✦ **~grám, -i** *m* telegram(me); wire; cable: **~ me përgjigje të paguar** reply-paid/ prepaid telegram ✦ **~kámer/ë, a** *f* telecamera ✦ **~komand/ë, -a** *f* remote control (set) ✦ **~komandóhet** *ps* ✦ **~komand/ój** *k/* remote-control ✦ **~komandúar (i, e)** *mb* remote-controlled: **raketë e ~** guided missile ✦ **~komunikación, -i** *m* telecommunication ✦ **~kroník/ë, -a** *f* telecast; newsreel ✦ **~kroníst, -i** *m* tv commentator; telecaster ✦ **~ks, -i** *m* telex: **transmetoj/ jap me ~** telex

telendí, -a *f bs* slur; smear; disrepute ✦ **~s** *k/ bs* smear; discredit ✦ **~sem** *vtv, ps* ✦ **~sj/e, -a** *f bs* slur; discrediting ✦ **~sur (i, e)** *mb* slurred; discredited

tele:objektív, -i *m tk* telephoto lens ♦ **~patí, -a** *f* telepathy; thought transference ♦ **~patík, -e** *mb* telepathic ♦ **~román, -i** *m* televised novel; tv serial ♦ **~skóp, -i** *m* telescope ♦ **~skopí, -a** *f* telescopy ♦ **~skopík, -e** *mb* telescopic ♦ **~spektatór, -i** *m* (tele)viewer ♦ **~tájp, -i** *m* teleprinter ♦ **~tekst, -i** *m tv* teletext ♦ **~vizión, -i** *m* television; *bs* tv set; telly: **program i ~it** tv program ♦ **~vizív, -e** *mb* television *(mb):* **film ~** telefilm ♦ **~vizór, -i** *m* television/ tv set; telly **~ me ngjyra** colour tv set

telëz:ím, -i *m tk* wire-drawing ♦ **~lóhet** *tk ps* ♦ **~l ój** *k/* draw out *(a metal)* ♦ **~úes, -e** *mb* (wire) drawing *(machine, etc.)*

telikós *k/ bs* exhaust; drain ♦ **~lem** *vtv bs* exhaust oneself; be worn out ♦ **~ur (i, e)** *mb bs* exhausted; drained

telláll, -i *m* town-crier; *kq* mouthpiece: **vë ~in** cry over the roof-tops ♦ **~ís** *k/ bs* proclaim; trumpet abroad

tematík, -e *mb* thematic; theme *(mb)* ♦ **~lë, -a** *f* themes

temená, -ja *f bs* reverence; bow; *kq* servility: **rri me ~** bow and scrape

tém/ë, -a *f* theme; topic: **~ë diplome** diploma thesis; **hyj në ~ë** get down to the nitty-gritty

temín, -i *m* sequin

temján, -i *m* incense: **ruhem si djalli nga ~i** fear sth like the devil fears holy water ♦ **~íc/ë, -a** *f ft* incense-burner ♦ **~ís** *jk/* **-a, -ur** *ft* burn incense

temp, -i *m mz* tempo; pace *(of a running race):* **mbaj ~in** beat time

temperamént, -i *m* temperament: **~ kolerik/ sanguin** choleric/ sanguine temperament; **këndoj me ~** sing with feeling

temperatúr/ë, -a *f* temperature

temper:ím, -i *m* tempering *(of metal)* ♦ **~lój** *k/* harden *(metal)*

témpu/ll, -lli *m* temple; shrine

tendénc/ë, -a *f* tendency; trend; tendentiousness; bias ♦ **~ióz, -e** *mb* tendentious; biased ♦ **~iozitét, -i** *m* tendentiousness; bias

ténd/ë, -a *f* tent; canopy; awning

tendós *k/* stretch; extend; tighten; taut(en); *fg* exert *(oneself); fg* make tense; exacerbate; *ps* ♦ **~lem** *vtv v iii* be tense/ taut/ tight; stretch oneself: **~em i tëri** be fully stretched ♦ **~j/e, -a** *f* stretch; exertion; tenseness ♦ **~ur (i, e)** *mb* stretched; taut; tense: **i ~ deri në fund** stretched to the limit; outstretched; **muskuj të ~** fully stretched/ flexed muscles; **gjendje e ~** tense situation

teneqé, -ja *f* iron/ tin-sheet; *bs* tin *(can, case, etc.):* **~ e shpuar** chatterbox; leaky vessel; **i bie ~s** prattle about; **mbetem ~e** be penniless

tenís, -i *m sp* tennis: **fushë ~i** tennis court ♦ **~t, -i** *m sp* tennis player

tenór, -i *m mz* tenor

tensión, -i *m* tension; *el* voltage; *fg* stress; strain: **~i i gjakut** blood pressure; **~ mendor/ nervor** mental strain; **ul ~in** ease/ defuse tension

tentatív/ë, -a *f* attempt: **~ë për vrasje** *dr* attempted murder

tenxhér/e, -ja *f* (stew-)pot; cooker: **~e me presion** pressure cooker

ténj/ë, -a *f z/* moth; clothes-moth; tape-worm; taenia; grub: **bar ~e** mothball; **i ngrënë nga ~a** moth-eaten *(cloth)*

teo:lóg, -u *m* theologian ♦ **~logjí, -a** *f* theology: **doktor në ~** doctor of divinity ♦ **~logjík, -e** *mb* theologic(al)

teorém/ë, -a *f mt* theorem: **vërtetoj një ~ë** demonstrate a theorem

teorí, -a *f* theory; speculation: **në ~** in theory; theoretically; **bëj ~** *bs* speculate ♦ **~cién, -i** *m* theorist; theoretician ♦ **~k, -e** *mb* theoretic(al); speculative

tép/e, -ja *f bs* hillock; top/ crown of the head: **ia luaj ~en e kokës dikujt** blow sb's mind

tép/ë, -a *f bt* spelt

tépër *nd* too much/ many; in excess: **ha ~** eat too much; overeat; **kam dy ~** have two to spare; **~ e më ~** more and more ♦ *k/lz* enough; quite rather: **~ edhe kaq** that's quite enough; **~ që jam gjallë** thank God to be alive; **dal ~** overreach oneself; *bs* be the third man out ♦ *pj:* **~ i lartë/ madh** very tall/ big ♦ **~m (i), -e (e)** *mb* excessive; in excess; too much: **fjalë e ~e** superfluous word ♦ **~mi (së)** *nd* excessively; in excess; very: **kënaqem së ~** be very pleased ♦ **~t (i, e)** *mb* excessive; redundant; superfluous; over-: **ngrënie e ~** overeating; **harxhim i ~** excessive spending; **forca punëtore të ~a** redundant work force ♦ **~t, -it (të)** *as:* **me të ~** in excess

tepósht/ë, -a *f* downhill slope: **marr ~ën** go downhill ♦ **~ë** *nd:* **shkoj/ zbres ~** climb down/ downwards ♦ *prfj:* **~ rrugës** down the road

tepr:í, -a *f* excess; exaggeration ♦ **~íc/ë, -a** *f* surplus; remainder; excess: **kam me ~ë** have too much ♦ **~ím, -i** *m* exaggeration; intemperance; overindulgence: **pa ~in më të vogël** without the slightest exaggeration ♦ **~óhet** *vtv, pvt* overindulge ♦ **~lój** *k/* exaggerate; overdo: **mos e ~o!** don't exaggerate!; **e ~ove!** you're overreacting! ♦ *jk/ v iii* remain: **del dhe ~on** there is enough and to spare

tepsí, -a *f* baking-pan

teptís *jk/ bs v iii* spurt out; jet; gush; *v iii* arrive/ appear unexpectedly; pop/ burst in; *v iii fg* be overwhelmed: **~i uji** water gushed out/ shot up; **se nga na ~i** he just popped in from nowhere ♦ **~l em** *vtv bs* go off the handle; jump *(with rage, etc.)* ♦ **~j/e, -a** *f bs* outburst; gush *(of tears, etc.)*

teqé, -ja *f ft* tekke

ter *kl* dry; wipe: **~ në diell** dry in the sun; **~ lotët** wipe the tears

terapí, -a *f mk* therapy

tér/em *vtv* dry (up); *fg* evaporate; vanish; *ps:* **u ~ pusi** the well has dried up; **u ~ rruga** the street is deserted

terezí, -a *f bs* balance; *fg* thriftiness; bubble level: **me ~** carefully; sparingly; thriftily; **s'e prish ~në** keep one's calm ♦ **~t (~s)** *kl bs* balance *(one's movements, etc.);* be careful in/ with ♦ **~tem** *vtv, ps*

tér/ë, -a *f* dry land; shore; continent

teritál, -i *m* terylene *(fibre, cloth)*

terjaqí, -u *m bs* connoisseur; good judge *(of food, drink)*

term, -i *m* term; jargon: **~a shkencore** scientific terms

term:ál, -e *mb* thermal; therm: **burime ~e** thermal springs ♦ **~ík, -e** *mb* thermal; heat *(mb):* **energji ~e** heat energy

terminál, -i *m* terminal *(of an airport)*

terminologjí, -a *f gjh* terminology; terms ♦ **~k, -e** *mb gjh* terminological

termo:bërthamór, -e *mb* thermonuclear ♦ **~centrál, -i** *m* thermal-power plant ♦ **~mét/ër, -ri** *m* thermometer ♦ **~reaktór, -i** *m* thermal reactor

térmos, -i *m* thermos; thermos flask

ters, -e *mb bs* unlucky; froward; self-willed: **numër ~** unlucky number ♦ *em* wrong-headed person ♦ **~** *nd* wrong; amiss: **e nis ~** begin the wrong way; **mos ma ~ për ters** don't take it amiss ♦ **~llé/k, -ku** *m bs* bad luck

terzí, -u *m krh* tailor

terr, -i *m* dark(ness): **në ~in e natës** in the dark of night ♦ **~atís** *kl* darken; black-out ♦ **~atíset** *vtv v iii* become dark; dim: **m'u ~ën sytë** my eyes grew dim

terrén, -i *m* terrain; ground; grass-root(s)

territór, -i *m* territory ♦ **~iál, -e** *mb* territorial: **ujërat ~e** territorial waters

terrór, -i *m* terror ♦ **~íst, -i** *m* terrorist ♦ **~íst, -e** *mb* terrorist(ic) ♦ **~íz/ëm, -mi** *m* terror(ism) ♦ **~izóhem** *ps* ♦ **~iz/ój** *kl* terrorise; terrify ♦ **~izúar (i, e)** *mb* terrorised; terrified

téser/ë, -a *f* card: **~ë e partisë** party card

teslím *nd bs* in safekeeping; in a bad shape: **e kam ~** have sth in safekeeping/ under protection/ guarantee

tespíhe, -t *f sh* beads: **heq ~t** count the beads

testamént, -i *m dr* will; **dhe** *ft* testament: **T~i i Ri** the New Testament

tést/e, -ja *f* ten; group of ten; set of ten *(item)*

tesh:atór/e, -ja *f* wardrobe; change room *(in a theatre)* ♦ **~l/ë, -a** *f* clothes; linen; *sh* chattel: **laj ~at**

wash clothes; **~at e shtatit** linen; **me ~a e kotesha** lock, stock and barrel

teshtí/j *jkl* sneeze ♦ **~m/ë, -a** *f* sneeze ♦ **~tj/e, -a** *f* sneezing

tetanós, -i *m mk* tetanus

tetár, -i *m ush* corporal

tét/ë, -a *f* eight: **~a spathi** eight of spades ♦ **~ë** *nm thm* eight: **~ herë** eight times ♦ **~ë** *nm rrsht* eight; eighth: **dhoma ~** room (number) eight ♦ **~/ë (i, e)** *nm rrsht* eighth; eight; eighth *(part of):* **radha e ~ë** eighth row ♦ **~ë (i), -a (e)** *f* eighth: **dal i ~i** arrive eighth *(in a running race);* **është në të ~in** she is in the eighth month (of pregnancy) ♦ **~ëdhjétë** *nm thm* eighty: **~ vjeç** eighty years old; **~ vjet** eighty years ♦ *nm rrsht* eighty; eightieth: **dhoma ~** room (number) eighty; **vitet ~** the eighties (80's) ♦ **~ëdhjét/ë (i, e)** *nm rrsht* eighty; eightieth: **radha e ~ë** row eighty ♦ **~ëdhjétat (të)** *f sh* eighty *(age):* **shkoj te të ~at** live to be eighty ♦ **~ëfísh** *nd* eightfold ♦ **~ëfísh, -i** *em* eightfold ♦ **~ëfishtë (i, e)** *mb* eightfold; eight times *(as great, as much)* ♦ **~ëkëmbësh, -i** *m zl* octopus ♦ **~ëmbëdhjétë** *nm thm* eighteen: **~ vjeç** eighteen years old ♦ *nm rrsht* eighteenth; eighteen ♦ **~ëmbëdhjétë/ë (i, e)** *nm rrsht* eighteen; eighteenth ♦ *em f* eighteenth *(part of)* ♦ **~ëqínd** *nm thm* eight hundred ♦ *nm rrsht* eight-hundredth *(part of)* ♦ **~ëqíndësh, -i** *m sp* eight-hundred meter race ♦ **~ëqíndt/ë (i, e)** *mb nm rrsht* eight-hundredth ♦ *em f* eight-hundredth *(part of)* ♦ **~ësh, -e** *mb bs* eight-: **strofë ~e** octonary, octastich; **notë ~e** *mz* octave ♦ **~ëshe, -ja** *f sh, -e, -et* *mz* octet(te); group/ set of eight

tetór, -i *m* October

tetraciklín/ë, -a *f mk* tetracycline

teveqél, -e *mb bs* keq; stupid; doltish

téz/ë, -a *f* thesis *(sh -es);* theme

tézg/ë, -a *f* stall, bench, table, stand *(for the sale of goods):* **pazar i ~ave** open-air/ flea-market

tezgjáh, -u *m* loom: **makinë ~u** weaving machine; automatic loom ♦ **~íst, -i** *m* weaver; loom-operator

të *tr shk prm vt* (to) you/ him/ her: **~ pashë** I saw you; **~ fola** I spoke to you; **fola për ~** I spoke about him/ her; **të pashë me ~** I saw you with him; **i bie në ~** get it right; **nuk është në ~** he is not in his right mind ♦ *nyjë e përparme* of: **djemve ~ tij** to/ for his sons; **njerëz ~ tillë** such people; **i flas me ~ butë** speak gently to; **ia ktheu ~ zotit** he returned it to its owner ♦ *nyjë e pasme, mbaresë shquese:* **miq~, kala~** ♦ *pj:* **më mirë ~ vete** I'd rather go; **~ vijë edhe ai** let him come; **~ kishe ardhur më parë** you ought to have come earlier

tëhárr *kl* weed (out) *(the garden, etc.);* *fg* cull *(parts of a text)* ♦ **~et** *ps* ♦ **~rj/e, -a** *f* weeding out

tëhóll *kl* roll *(sheets of pasta); fg* spin a long yarn ♦ **~let** *ps* ♦ **~ës, -i** *m* rolling pin ♦ **~lóhem** *vtv* grow thin; thin out ♦ **~lój** *kl* thin out; make thin(ner) ♦ **~úar (i, e)** *mb* thinned

tëhú *nd bs :* **eja ~** come this way; **shkoj tutje e ~** go to and fro; **që sot e ~** from now on

tëhúaj *kl* estrange; alienate: **e ~ nga shokët** estrange sb from his friends

tëmb/ël, -li *m an* gall-bladder; gall

tëmb/ël, -la *f* sweets

tëmth, -i *m an* temple

tënd *prn m* your: **librin ~** your book; **bëje detyrën ~** do your duty; **për të mirën ~** for your good; for your sake ♦ **~e** *prn f* your: **për motrën ~** for your sister

tërb:ím, -i *m* rage; *veter, mk* rabies: **fryn me ~** it is blowing great guns ♦ **~lóhem** *vtv* contract rabies *(of an animal); fg* be furious/ in a rage/ infuriated/ in a frenzy; go berserk: **~ohem nga inati** be raging with fury ♦ **~lój** *kl, jkl* affect with rabies; *fg* enrage; infuriate; annoy; vex; *fg* spoil *(a child)* ♦ **~úar (i, e)** *mb* rabid; affected by rabies; furious; frantic; enraged; infuriated; *fg* raging *(sea, etc.)*

tërcivërci *plk bs :* **bëj ~** hem and haw; **s'ka më ~** no more shilly-shallies

tër:ë *pkf* all; whole; entire: **me ~ fuqinë** with all one's might; **~ bota** the whole world ♦ *nd* full of: **erdhi ~ gëzim** he came full of joy ♦ *pj:* **ishte ~ e ëma** she was the carbon copy of her mother; **e kam me ~ mend** be in dead earnest ♦ **~/ë, -a (e)** *f* whole: **pjesa dhe e ~a** the part and the whole ♦ **~ë(i, e)** *mb* whole; entire: **një ditë të ~ë** a whole day; **erdhën të ~ë** everyone came ♦ *em:* **përqendrohem i ~i në punë** be wholly concentrated on one's work ♦ **~ësí, -a** *f* totality; integrity: **~ tokësore** territorial integrity; **në ~** in general; as a/ on the whole ♦ **~ësísht** *nd* entirely; wholly; fully; completely; totally

tërfíl, -i *m bt* clover; trefoil

tër/héq *kl* -hóqa, -héqur pull; tow; tug; drag; haul; draw; attract; suck; withdraw; *fg* win over; *fg* take back; recant *(one's promise);* draw *(a line, etc.):* **~heq pas vetes** pull along; **~heq këmbët zvarrë** shuffle one's feet; *fg* dig one's heels; **~heq hundët** sniff; **~heq dorën** withdraw one's hand; **~heq një shumë nga banka** draw a sum from the bank; **~heq të plagosurit** evacuate the wounded; **~heq nga qarkullimi** withdraw from circulation; **i ~heq vëmendjen dikujt** draw/ call sb's attention; reprimand sb over sth; **s'më ~** it does not appeal to me ♦ **~héqës, -i** *m* armoured means of traction; *tk* puller; draftee ♦ **~héqës, -e** *mb* draught *(animal); fg* attractive, prepossessing, winning *(look);* appealing ♦ **~héqj/e, -a** *f* pull; tow; tug; drag; draw; attraction; appeal; *(bank)* draft; withdrawal; *ush* retreat: **~e fizike/ seksuale** sex-

appeal; **~e e lotarisë** lottery draw; **~e mbi depozitë** overdraft ♦ **~héqur (i, e)** *mb* withdrawn; aloof; reclusive ♦ **~híqem** *vtv* draw; withdraw; pull out; crawl; *fg* step back; shy at *(a difficulty); ush* withdraw; retreat; retire; *fg* be attracted *(by); ps:* **~ nga loja** pull out of the game; **~ prapa** draw/ step/ fall back; **~ këmbadoras** crawl on all fours

tërhúz *kl* frighten *(a horse)* ♦ **~em** *vtv v iii* balk; shy *(of a horse before a barrier); fg* rage; fume ♦ **~ur (i, e)** *mb* shy; frightened; balking *(horse); fg* enraged; furious

tërkuz/ë, -a *f* rope; twine: **e bëj ~ë** spin a long yarn

tërmál *nd* upwards; uphill ♦ **~/e, -ja** *f* slope

tërmét, -i *m* earthquake

tërsëllëm, -i *m bs* slam; bang; anger: **përplas derën me ~** slam the door

tërshër/ë, -a *f bt* oat

tërthór, -e *mb* cross *(line);* slant; indirect; roundabout: **vijë ~e** oblique line; **rrugë ~e** roundabout way ♦ *nd* obliquely; across; sideways; sidewise; roundabout; askance; askew: **pres ~** cut across; **i bie ~** go roundabout ♦ **~azi** *nd* indirectly; in a roundabout way ♦ **~/e, -ja** *f* diagonal line ♦ **~ës/ e, -ja** *f hk* sleeper ♦ **~t/ë (i, e)** *mb* diagonal; cross *(line);* roundabout; indirect: **njoftime të ~a** indirect information

tët *prn:* **fola me ~ shoq** I spoke with your husband

ti *vetor* you: **~ dhe unë** you and I/ me; **~ e di vetë** you know better

t'i *tr shkrt prm vt :* **~ dhashë dje** I gave them to you yesterday

Tibét, -i *m gjg* Tibet ♦ **t~ián, -e** *mb* Tibetan ♦ **t~ián, -i** *m* Tibetan

tíbj/e, -a *f an* tibia; shin-bone

tífo, -ja *f mk* typhus

tifóz, -i *m* fan; supporter: **~ët e skuadrës sime** the supporters of my team ♦ **~llë/k, -u** *m bs* support: **bëj ~ për një skuadër** support a team

tigán, -i *m* frying/ sauce-pan: **djalë ~i** a spoilt/ pampered child ♦ **~ís** *kl* fry ♦ **~ísem** *ps* ♦ **~ísur (i, e)** *mb* fried

tíg/ër, -ri *m zl* tiger ♦ **~resh/ë, -a** *f* tigress

tij (i, e) *prn* his; his own: **shtëpia e ~** his house; **vendi i ~** his country; **erdhi dita e ~** his day has come ♦ **~, -i (i)** *m* ~, **-a (e)** *f sh* ~, **-të (të)** *m* ~a, **-t(të)** *f* relative(s); kith and kin: **erdhën të ~të** his relatives are coming ♦ **~a (e)** *f sh* **~at (të)** his way; his wish: **ngul këmbë në të ~ën** he is insisting on his position

tik:ták, -u *m* tick-tock *(of the clock)*

tíll/ë (i, e) *mb dft;* such; like; similar: **një shtëpi të ~ë dua të kem** I'd like to have a similar house; **burrë të ~ë s'ke ku gjen** you'll never find his match

tim, -e *prn* my: **vëllait ~** to/ for my brother; **me**

vëllain ~ with my brother; ~ **atë** (to, for) my father

tímb/ër, -ri *m* timbre *(of a voice, of a musical instrument)*

timón, -i *m* steering wheel; helm, rudder *(of a ship)*; beam *(of a carriage)*; *fg* direction; lead: **ulem në** ~ sit behind the wheel; **kam ~in në dorë** be in the driving seat ♦ **~iér, -i** *m* steersman, helmsman; cockswain

timpán, -i *m an* ear-drum; *mz* kettledrum ♦ **~íst, -i** *m mz* kettle-drummer

tínëz *nd* slyly; stealthily: **iki** ~ sneak out ♦ **~ák, -e, ~ár, -e** *mb kq* sly; surreptitious; stealthy ♦ *em* slyboots; sneak ♦ **~í, -a** *f keq;* slyness; stealth; gimmicks; gimmickry ♦ **~ísht** *nd*

tingëll:ím, -i *m* clang; twang ♦ **~ím/ë, -a** *f* clang; chink; jingle; ring *(of a bell)*; chime; *lt* sonnet ♦ **~/ón** *jk/* **-ói, -úar** ring; sound; chime: **~on kambana** the bell chimes; **më ~ojnë veshët** my ears are ringing ♦ **~úes, -e** *mb* sonorous; ringing: **e qeshur ~e** a ringing laughter

tíngëz, -a *f* castanets

tíngu/ll, -lli *m* sound: **~ll metalik** twang; clang; **~ll hundor** nasal sound ♦ **~ór, -e** *mb gjh* sound; voice *(mb)*; sonorous

tip, -i *m* type; make; kind; *bs* guy, chap, fellow: ~ **aeroplani** make of aircraft; ~ **i çuditshëm** queer chap ♦ *mb* typical ♦ **~ár, -i** *m* feature; trait: ~ **dallues** distinctive feature ♦ **~ík, -e** *mb* typical; true to type; characteristic: **shembull** ~ an example to the point

tipográf, -i *m* typographer; printer ♦ **~í, -a** *f* typography; printing house ♦ **~ík, -e** *mb* typographic(al); printing *(press)*

tipós *kl bs* stamp; imprint: ~ **në kujtesë diçka** imprint sth in one's memory ♦ **~et** *vtv bs* be stamped; be imprinted *(in one's memory)*

tirán, -i *m* tyrant ♦ **~í, -a** *f* tyranny ♦ **~ík, -e** *mb* tyrannical ♦ **~iz/ój** *kl* tyrannise

tirázh, -i *m sht* circulation *(of a newspaper)*; run, copies *(of a book)*

tir/k, -ku *m tks* wool(l)en (worsted) cloth; *sh* tight wool(l)en trousers

tiroíd, -i *m an* thyroid *(gland)* ♦ **~ík, -e** *mb an* thyroid *(mb)*

tis, -i *m* veil; haze; thin mist; *mk* cataract *(of the eye)*: ~ **i zi** black veil

titán, -i[1] *m km* titanium

Titán, -i[2] *m mit* Titan; *fg* giant ♦ **t~ík, -e** *mb* titanic

títu/ll, -lli *m (academic)* title; qualification; heading *(of a paper)*; headline ♦ **~llár, -i** *m* head *(of an office)*; title-holder ♦ **~/óhet** *ps* ♦ **~lój** *kl* title

tjégull, -a *f* (roof-)tile; **çati me ~a** tiled roof; **ngjyrë ~e** dark/ brown red

tjerr *kl* **tóra, tjérrë** spin *(yarn)*; *fg* invent *(stories)*; lie: **e** ~ **gjatë** *bs* spin a long yarn ♦ **~ës, -i** *m*

spinner ♦ **~ës, -e** *mb* spinning *(machine)* ♦ **~j/e, -a** *f* spinning: **makinë e ~es** spinning machine

tjétër *pkf sh* **tjérë (të), tjéra (të)** (an)other; different; else: **në një vend** ~ in another place; next; **herën** ~ next time; **është punë** ~ it's another pair of shoes; **bregu** ~ the opposite bank; **ndërmjet të tjerave ai tha** among other things he said; **me fjalë të tjera** in other words; **e marr** ~ **për** ~ **diçka** miss the whole point

tjetër:kúnd *nd* elsewhere ♦ **~kúsh** *pkf* someone/ somebody else: **mos ia trego ~kujt** don't tell it to anyone else

tjetërs:ím, -i *m* alienation *(of a right, etc.)* ♦ **~lóhet** *vtv* be alienated *(of a right, etc.)* ♦ **~ój** *nd bs* otherwise; differently: **sillem** ~ change one's conduct; **është** ~ **puna** it's a different question ♦ **~/ój** *kl* alienate; alter ♦ **~úar (i, e)** *mb* alienated ♦ **~úesh/ëm (i), -me (e)** *mb* alienable

tkurr *kl* **-a, -ur** contract; shrink ♦ **~em** *vtv v iii* be contracted; shrink ♦ **~ës, -e** *mb* shrinking ♦ **~j/e, -a** *f* contraction; shrinkage

tmerr, -i *m* horror; dread; terror: **i kall ~in dikujt** strike terror into sb; **~et e luftës** the horrors of the war ♦ **~ësisht** *nd* extremely; terribly; awfully: ~ **i mërzitshëm** awfully boring ♦ **~lóhem** *vtv, ps* ♦ **~lój** *kl* terrify; horrify; overawe; appal ♦ **~sh/ëm (i), -me (e)** *mb* terrifying; horrid; horrible; overawing; appalling; terrible; awful; dreadful: **krim i ~ëm** horrid crime; **gabim i ~ëm** a dreadful mistake ♦ **~úar (i, e)** *mb* terrified; horrified; appalled: **me pamje të** ~ with a terrified look ♦ **~úes, -e** *mb* terrifying; awful; dreadful

to *vet* them: **me** ~ with them

toç, -i *m* top of the head; bald patch ♦ *nd* closecropped *(of hair)*

toçít (~s) *kl* decant *(wine)* ♦ **~et** *ps* ♦ **~j/e, -a** *f* decanting *(of wine)*

to/g, -gu *m* heap; pile; mass; bank; *gjh* group: ~ **librash** a pile of books; ~ **i ngurtë** set phrase

tog:ér, -i *m ush* lieutenant ♦ **~lë**[1]**, -a** *f ush* platoon

tóg/ë[2]**, -a** *f hst* toga *(of the Romans)*; gown; robe *(of the magistrate)*

tój/ë, -a *f* string; fishing-line

tok[1] *nd* together: **bëhemi** ~ come/ gather together

tok[2] *kl* hash *(meat)*; chop; rap at *(the door)*; shake hands with ♦ **~a** *f sh*: **bëjmë** ~ shake hands

tók/ë, -a[1] *f nj* earth, soil; land; ground; field; homeland: **korja e ~ës** the crust of the earth; **prek ~ë** touch bottom *(of a ship)*; **kam një copë ~ë** have a plot of land; **~a mëmë** motherland; **jam për ~ë** reach rock bottom; **s'e ka ~a** have no parallel; **zbres në ~ë** come down to earth; **as në qiell, as në ~ë** in the horns of dilemma; **ajo e ~ës** *bs* epilepsy; **krimb ~e** *zl* earthworm; **mana ~e** *bt* strawberry; **mizë ~e** *zl* ant

tókë, -a[2] *f* gong; strike of the gong; chime *(of the* *bell)*

tók/ël, -la *f* lump; pellet: **~ël ari** nugget of gold; **~ël sheqeri** sugar cube

tokësór, -e *mb* terrestrial; earthly; earthbound; territorial; overland *(transport)*: **lëmshi ~** terrestrial globe; **forca ~e** ground forces/ troops

tókëz, -a *f* buckle *(of a belt)*; clasp; fastener

tokëz:ím, -i *m fiz, el* grounding; earth connection ♦ **~lóhet** *ps* ♦ **~lój** *kl fiz, el* earth; ground *(an aerial, etc.)*

tokmák, -u *m* ram; pounder; mallet; door-knocker: **rrah me ~** ram

toksík, -e *mb mk* toxic *(matter)*

toku *nd:* **së ~** together

tolloví, -a *f bs* hullabaloo; din; tumult ♦ **~t (~s)** *kl bs* mess up; throw into disorder/ confusion ♦ **~tem** *vtv bs* be agitated; be at a loss; be confused; hang around; loiter about; *ps*

tómbol, -a *f* tombola

ton, -i[1] *m* tonne; metric ton *(=1000 kg)*

ton, -i[2] *m z/* tuna(-fish)

ton, -i[3] *m* tone; tune; pitch *(of a sound);* shade *(of colour):* **me ~ të ashpër** in a harsh tone; **ul/ zbut ~in** tone down

tóna *prn (sh i* **jonë)** our; ours: **motrat ~** our sisters; **fituan ~t** ours won

ton:ázh, -i *m* tonnage *(carrying capacity in tons)* ♦ **~elát/ë, -a** *f shih* **ton, -i**

tónë *prn* our: **në vendin ~** in our country; **prej shokut ~** from our friend; **me motrën ~** with our sister

toník, -u *m* tonic (water) ♦ **~, -e** *mb* tonic; *gjh* tonal *(language)*

top, -i *m ush* cannon; gun; ball; bale *(of cotton, etc.);* ream *(of paper); sh bs* ballocks: **~ kundërajror** anti-aircraft gun; **mish për ~** cannon fodder; **~ bore** snowball; **i bie me ~ diçkaje** do short work of sth; **jam tapë ~i** be completely ignorant; **s'e luan as ~i** it's as sure as a gun ♦ *nd* together; in a lump; *bs* fully: **~ e trumbë** all together; **mbledh ~** wrap up like a ball; **e mbledh mendjen ~** make up one's mind definitely; **bie ~ në gjumë** fall fast asleep

topáll, -e *mb bs* lame

tópçe *mb bs* chubby; fulsome

topçí, -u *m vj ush* gunner

topít (~s) *kl* dull *(the cutting edge of a tool);* stun; dampen *(sb's enthusiasm); v iii* overcome: **më ~ gjumi** be overcome with sleep ♦ **~em** *vtv v iii* become dull *(of a cutting edge);* stop short; be down *(with fatigue, etc.)* ♦ **~j/e, -a** *f* fatigue ♦ **~ur (i, e)** *mb* stunned; tired; exhausted; overcome *(with sleep, etc.):* **mbetem i ~** be stunned

topográf, -i *m* topographer ♦ **~í, -a** *f* topography ♦ **~ík, -e** *mb* topographic(al)

topolák, -e *mb* podgy; plump; chubby; fulsome ♦

em plump person

toponím, -i *m gjh* toponym; place-name ♦ **~í, -a** *f* toponymy

toptán *nd bs* wholesale

topúz, -i *m hst* mace; drum-stick; bun, chignon *(of hairstyle)*

tórb/ë, -a *f* bag: **me kokë në ~ë** at the risk of one's life; **s' ia var ~ën dikujt** pay no attention to sb

tórk/ë, -a *f* hank; skein *(of wool)*

torn:ím, -i *m tk* turning *(on a lathe)* ♦ **~itór, -i** *m* turner; lathe operator ♦ **~o, -ja** *f tk* lathe; turning-lathe ♦ **~lóhet** *ps* ♦ **~lój** *kl* turn

toro:llák, -e *mb bs* blockhead; bloke; tomfool

torpediniér/ë, -a *f ush* torpedo-boat

tórt/ë, -a *f* cake: **~ë me akullore** ice-cream cake; **ndaj ~ën** divide the cake

tortúr/ë, -a *f* torture; torment ♦ **~lóhem** *vtv, ps* ♦ **~lój** *kl* torture; torment: **më ~on dyshimi** be tormented by doubts

torúa *m* imprint; trace; hidden path; care: **e humb ~n** lose one's bearings

tósk/ë, -a *f* Tosk ♦ **~ë, -e** *mb* Tosk ♦ **~ërísht** *nd* in the Tosk dialect ♦ **~ërísht/e, -ja** *f gjh* (the) Tosk (dialect)

totál, -i *m* total; sum total: **nxjerr ~in** work out the total ♦ **~, -e** *mb* total; general; complete

totolésh, -e *mb* gullible; credulous ♦ *em* dullard; gull

toz, -i *m* : **~ limoni** powder citric acid

tra, -ri, tra, -u *m* beam: **ushtrime në ~** *sp* beam exercises; **rrenë me ~** *bs* a gross lie; **e bëj qimen ~** exaggerate grossly

tradi:cionál, -e *mb* traditional ♦ **~t/ë, -a** *f* tradition; heritage

tradht:ár, -i *m* traitor ♦ **~ár, -e** *mb* treacherous; traitorous ♦ **~í, -a** *f* treachery; betrayal; unfaithfulness; *dr* treason: **me ~** treacherously; by treachery; **~ e lartë** high treason ♦ **~ísht** *nd* treacherously; traitorously; by treachery ♦ **~lóhem** *ps* ♦ **~lój** *kl* betray; be unfaithful: **~oj besimin e dikujt** betray sb's trust; **në se s'më ~on kujtesa** if my memory serves me right ♦ **~úar (i, e)** *mb* betrayed

trafík, -u *m* traffic; circulation; *(drugs, etc.)* trade: **~ rrugor** road traffic; **bllokim i ~ut** traffic jam ♦ **~ánt, -i** *m* trafficker *(in drugs, etc.)*

tragét, -i *m dt* ferry(-boat)

trág/ë, -a *f* track, trace; trail; path

tragj:edí, -a *f lt* tragedy: **ç'~!** how sad! ♦ **~ík, -e** *mb lt* tragic; sad: **aktor ~** a tragic actor; tragedian **vdekje ~e** sad death ♦ **~ikísht** *nd* tragically ♦ **~komedí, -a** *f lt* tragicomedy ♦ **~komík, -e** *mb lt* tragicomic(al)

trajektór/e, -ja *f fz* trajectory *(of a shell, etc.)*

trajnér, -i *m sp* coach; manager; trainer

trájt/ë, -a *f* form; shape ♦ **~ím, -i** *m* treatment; handling ♦ **~lóhem** *ps* ♦ **~lój** *kl* treat; handle *(a ques-*

tion); dwell on; deal with: **e ~oj dikë si vëlla** treat sb like a brother; **~oj gjerësisht një temë** dwell at length on a subject

traké, -a *f an* trachea

trakt, -i *m* leaflet; tract

traktát, -i *m* treatise; treaty

traktór, -i *m* tractor ♦ **~íst, -i** *m* tractor driver

trak:ull/íj *jk/* knock *(at a door);* rap ♦ **~ullím/ë, -a** *f* knock ♦ **~ullór/e, -ja** *f* door-knocker

trallís *k/* daze; confuse ♦ **~/em** *vtv* be dazed; be confused; *ps* ♦ **~ur (i, e)** *mb* dazed; confused; muddled

trámb/ë, -a *f* exchange; barter

trampolín/ë, -a *f sp* spring/ diving-board

trand *k/* shake; shock ♦ **~/em** *vtv e* **trand: u ~ shtëpia** the house shook

trángu/ll, -lli *m bt* cucumber

trans:atlantík, -e *mb* transatlantic ♦ **~ferím, -i** *m* transfer; removal ♦ **~feróhem** *vtv* be transferred; be removed *(from a posting); ps* ♦ **~fer/ój** *k/* transfer; remove ♦ **~formatór, -i** *m fiz, el* transformer **~ i radios** radio transformer ♦ **~fuzión, -i** *m mk (blood)* transfusion ♦ **~kontinentál, -e** *mb* transcontinental ♦ **~metím, -i** *m* transmission; passing on; broadcast(ing) ♦ **~metóhet** *ps* ♦ **~met/ój** *k/* transmit; pass on; convey; broadcast *(a rd, tv program);* transmit; transfer *(movement, energy):* **i ~oj urimet e dikuj** convey sb's greetings ♦ **~misión, -i** *m tk* transmission; drive: **rrip ~i** transmission belt ♦ **~pórt, -i** *m* ~port(ation); conveyance; carriage: **~ hekurudhor/ automobilistik** rail/ motor-road transport; **~ i mallrave** haulage; **mjete ~i** means of transport; **shpenzime ~i** transport/ freight charges; carriage ♦ **~portím, -i** *m* transportation ♦ **~portóhet** *ps* ♦ **~port/ój** *k/* transport; carry; convey ♦ **~portúes, -i** *m* conveyer, conveyor; carrier: **~ i rëndë** heavy-duty carrier

transhé, -ja *f ush* trench; silage bin: **luftë e ~ve** trench warfare

tranzición, -i *m* transition: **periudhë ~i** period of transition

tranzistór, -i *m fiz, el* transistor; *bs* tranny

tranzít, -i *m* transit: **port ~i** transit port ♦ *nd/* in transit ♦ **~ór, -e** *mb* transient; transitory

trap, -i *m* furrow; narrow gorge; deep hole (ditch); embankment; bank *(of earth);* path; ditch

trap, -i *m* raft; ferry

trap, -i *m bs kq* dick; asshole

trapéz, -i *m gjm* trapezium

trapít *jk/* hasten; take the short cut; loiter about ♦ *k/* search/ look for

trapít *k/* model; shape

trasé, -ja *f* trackway

trást/ë, -a *f* bag: **~ë shpine** knapsack; **me kokë në ~ë** at the risk of one's life; **marr ~ën** go beg-

ging; **nuk ia var ~ën dikujt** take no heed of sb

trash *k/* thicken; make thick(er); fatten; *bs* exaggerate; *bs* worsen: **~ salcën** thicken the sauce; **i ~ gjërat** exaggerate things; pile it on thick; **e ~ gabimin** make a mistake worse; **ata e kanë ~ur miqësinë** they are very thick together ♦ **~alúq, -e, ~amán, -e** *mb kq* dumpy; fulsome; stout; fat; buxom; thick; stupid; dense ♦ **~aník, -e** *mb kq* vulgar; coarse; ribald; rude; stupid: **e qeshur ~e** vulgar laugh; **gabim ~** a stupid mistake ♦ **~/em** *vtv* grow fat/ obese; *v iii* thicken *(of sauce, etc.);* v iii become dull *(of a cutting edge);* become serious *(of mistakes, etc.); ps:* **~em nga trupi** grow fat; **po ~en gabimet** mistakes are piling up; **më ~et gjuha** have a thick tongue *(with drink);* **i është ~ur koka** he has become stupid ♦ **~ë (i, e)** *mb* thick(-set); fat; fulsome; thick-grained; coarse *(shape);* coarsely-made; *fg* stupid, dense, crass; *fg* rough, unrefined, uncouth; crude; *bs* heavy; fertile *(soil):* **shkop i ~ë** a thick stick; **buzë të ~a** fulsome lips; **njeri i ~ë** a stupid person; **shaka e ~ë** a coarse joke; **bagëti e ~ë** cattle; **në vija të ~a** in rough outlines; **ujët e ~ë** *euf* dregs; excrement; **zorra e ~ë** *an* large intestine ♦ **em** vulgar person; lout; dunderhead ♦ **~ë (e) em -a (e)** *f* (të): **e ~a e kofshës** drumstick; **flas të ~a** talk big; **vras/ shes të ~a** pull/ draw a long bow ♦ **~ë** *nd* thickly; warmly; coarsely *(ground, cut);* coarsely; roughly: **vishem ~ë** be warmly clothed; **punoj ~ë** be rough at work; lack workmanship; **flas ~ë** speak with a broad accent

trashëg:ím, -i *m* inheritance; heritage; legacy; patrimony: **lë ~** bequeath; **marr ~** inherit ♦ **~imí, -a** *f dr* inheritance; birthright; *bi* heredity ♦ **~imtár, -i** *m* heir; inheritor; *bs* posterity: **~ i ligjshëm** the rightful heir: **~ i fronit** heir/ successor to the throne ♦ **~óhem** *vtv* live happily together *(of a couple);* v iii be inherited ♦ **~ój** *k/* inherit *(property);* succeed *(to the throne)* ♦ *jk/ bs* lead a happy married life ♦ **~úar (i, e)** *mb* inherited; hereditary; congenital *(disease)* ♦ **~úesh/ëm (i), -me (e)** *mb* hereditable

trashëkófsh/ë, -a *f* thigh *(of a chicken)*

trash:ësí, -a *f* thickness; denseness; consistency; *fg* stupidity; coarseness ♦ **~j/e, -a** *f* thickening: **~e e zërit** breaking of the voice *(in puberty)* ♦ **~/óhem** *vtv* ♦ **~ój** *kl shih ~* ♦ **~tín/ë, -a** *f* coarse grass; *fg* stupid person; dullard

traum:atizóhem *vtv* be traumatised ♦ **~atiz/ój** *k/* traumatise; shock ♦ **~atizúar (i, e)** *mb mk* traumatised; shocked ♦ **~/ë, -a** *f mk* trauma; *fg* trauma; shock: **pësoj një ~ë** be traumatised

travérs/ë, -a *f hk* sleeper; cross-bar

traz:ím, -i *m* mix(ing); confusion ♦ **~ír/ë, -a** *f* riot; commotion; tumult; unrest ♦ **~/óhem** *vtv* meddle *(into, with);* intrude; *v iii* be agitated/ mixed/ stirred;

ps : **~ohem në punët e tjetrit** meddle with sb's affairs; **më ~ohet** feel sick/ like throwing up ♦ *~/ój* *k/*-**óva, -úar** stir; agitate; meddle with; tamper; tease; nag; *fg* importunate: **kush m'i ~oi letrat?** who's tampered with my papers?; **mos e ~o** leave him alone ♦ *jk/ v iii* feel sick ♦ **~ováç, -e** *mb* busybody; meddler ♦ **~úar (i, e)** *mb* mixed; stirred

tre *m*, **tri** *f nm thm* three: **~ vjet** three years; **tri gra** three women; **erdhën ~ e nga ~** they came in threes ♦ **~ (të)** *f* **tríja (të)** three; all three *(of them)* ♦ *nm rrsht* three; third: **dhoma ~** room (number) three; **~ në degë, dy në majë** neither here nor there; **më bëjnë sytë ~ e ~** see triple ♦ **~çerék, -u** *m* three-quarters: **~u i orës** three quarters of an hour ♦ **~çerékësh/e,** *mb* three-quarter: **hënë ~e** three-quarter moon

tredh *k/* **tródha, trédhur** geld; castrate; spay *(an animal)*

tre:físh, -i *m* triple; threefold; treble: **~ i** the triple of ♦ **~físh** *nd* triple; threefold; treble ♦ **~fishím, -i** *m* tripling; trebling; threefold increase ♦ **~fishóhet** *vtv* triple; treble; increase threefold; *ps* ♦ **~fish/ój** *k/* triple; treble; increase threefold ♦ **~físhtë (i, e)** *mb* triple; treble; threefold

tre/g, -gu *m* market; market-place; emporium: **ditë ~gu** market day; **~gu i zi** black market; **plaçkë ~gu** chattel; **~gje të reja** new markets

tregárësh, -i *m sp* triathlon

treg:ím, -i *m* story; narration; narrative ♦ **~imtár, -i** *m* story-teller; narrator ♦ **~/óhem** *vtv, ps* : **~ohem i qetë** show composure; **~ohem i vëmendshëm** pay attention; **nuk ~ohet me gojë** it bears no description ♦ **~/ój** *k/* show; indicate; point to; reveal; tell; *bs* prompt; *v iii* demonstrate: **i ~oj rrugën dikujt** show sb the way; **~oj diçka në hartë** indicate sth on the map; **~oj dhëmbët** bare one's teeth; scowl; **~oj një përrallë** tell a story; **kush ta ~oi?** who put you on it?; **kjo ~on qartë se** this shows clearly that; **ia ~oj qejfin dikujt** deal roundly with sb ♦ *jk/* look; indicate; *v iii* be said: **~oj më i madh nga ç'jam** look older; **~oj bukur** be a gifted story-teller

tregt:ár, -i *m* merchant; trader; tradesman ♦ **~ár, -e** *mb* commercial; trading; mercantile: **agjenci ~e** trade agency ♦ **~í, -a** *f* commerce; trade: **~ e lirë** free trade; **dhomë e ~së** chamber of commerce; **~ me shumicë/ pakicë** wholesale/ retail trade ♦ **~ím, -i** *m* trading; marketing; commercialisation ♦ **~/óhet** *ps* ♦ **~/ój** *k/, jk/* trade; deal in ♦ **~ór/e, -ja** *f* shop; emporium; store ♦ **~úes, -i** *m* trader; dealer ♦ **~úes, -e** *mb* trading; commercial

tregúes, -i *m* index *(sh* **indices***)*; indicator; sign; table: **~ financiar** financial index; **~ i nivelit të vajit** oil level ♦ **~, -e** *mb*: **gishti ~** the index (finger)

tre:hápësh, -i *m sp* triple jump ♦ **~hápësh** *mb sp*:

kërcim ~ triple jump ♦ **~këmbësh, -i** *m* gallows(-tree); tripod; gibbet ♦ **~këndësh, -i** *m gjm* triangle; angle *(of the goal);* pilch *(of baby clothes):* **e vë në ~ dikë** drive sb into a corner ♦ **~këndësh, -e** *mb* triangular; three-cornered *(hat, etc.)*

tremb *k/* frighten; scare; startle ♦ **~/em** *vtv, ps:* **mos u ~!** don't be afraid; **më ~et gjaku** curdle one's blood; **nuk më ~et syri** not to bat an eye

trembëdhjét:ë *nm thm* thirteen ♦ *nm rrsht* thirteen; thirteenth: **dhoma ~** room (number) thirteen ♦ **~/ë (i, e)** *nm rrsht* thirteen(th) ♦ *em f* thirteenth *(part of)* ♦ *em* thirteenth: **dal i ~i** arrive thirteenth

tren, -i *m* train: **me ~** by train; **më lë ~i** miss the train

tre:pálësh, -e *mb* tripartite; trilateral ♦ **~qínd** *nm thm* three hundred ♦ *nm rrsht* three hundred(th): **dhoma ~** room (number) three hundred ♦ **~të (i, e)** *nm rrsht* three hundredth ♦ *em f* three hundredth *(part of)* ♦ *em* three hundredth) ♦ **~, -e** *mb* three; triple: **lojë ~e** threesome ♦ *nd* in three: **ndaj (më) ~** divide into three (parts) ♦ **~sh, -i** *m* three; trey *(in cards);* three-piece *(game* ♦ **~le, -ja** *f* tern; set of three

tret (tres) *k/* melt; dissolve; smelt *(metal);* digest *(the food);* lose; banish: **~ sheqerin** melt sugar; **~ gjalpin** run butter; **më ~ sëmundja** be consumed with a disease; **i ~i të gjitha paratë** he wasted all his money; **s'di ku i kam ~ur syzet** I don't know where I have put my glasses; **e ~ në dhe të largët** banish to a distant land ♦ *jk/* lose; mislay; banish; *fg* dispel *(one's fears, etc.)* ♦ **~/em** *vtv:* **sheqeri ~et në ujë** sugar melts in water; **u ~ gjithë pasuria** the whole fortune was consumed; **u ~ në errësirë** he vanished into the darkness; **~em në mendime** be absorbed in thought

trét/ë (i, e) *nm rrsht* third: **radha e ~ë** third row ♦ *em f* third *(part of):* **një e ~a e** one third of ♦ *em* third: **dal i ~i** arrive/ come in third

trét:ës, -e *mb, em* solvent ♦ **~ësír/ë, -a** *f km* solution; solute ♦ **~j/e, -a** *f* melting; dissolution; digest; *km* solution; solute: **organet e ~es** digestive organs ♦ **~sh/ëm (i), -me (e)** *mb* soluble; ♦ **~ur (i, e)** *mb* melted *(butter, etc.);* dissolved *(sugar, etc.);* wasted; consumed *(with illness);* drawn *(features)*

trév/ë, -a *f* region; area; pasture ground

trëndafíl, -i *m bt* rose(-bush) ♦ *mb* rose *(mb);* pink; red; rosy ♦ **~të (i, e)** *mb* rosy; rose-coloured: **faqe të ~a** rosy cheeks

trëndelín/ë, -a *f bt* trigonella: **~ë nga mendja** light-minded

tri *nm thm, rrsht shih* **tre**

triád/ë, -a *f* triad

triádh/ë, -a *f nj ft* trinity

tribún, -i *m* tribune; champion: **~ i vegjëlisë** champion of the common people

tribún/ë, -a *f* tribune; platform/ stand: **~a e folësit** speaker's tribune; **~ë letrare** literary tribune

triçík/ël, -li *m* tricycle: **koshi i ~lit** sidecar

tridhjét/ë *nm thm* thirty ♦ *nm rrsht* thirty; thirtieth: **dhoma ~** room (number) thirty; **vitet ~** the thirties ♦ **~/ë (i, e)** *nm rrsht* thirtieth ♦ **em** *f* thirtieth *(part of)* ♦ **em ~at (të)** *f sh* memorial service thirty days after death

trigonometrí, -a *f mt* trigonometry ♦ **~k, -e** *mb:* **pikë ~e** trigonometrical point

tríko, -ja *f* knitted jersey; cardigan; knitwear ♦ **~tázh, -i** *m* knitting; knitwear

trill, -i *m* whim; fancy; freak; *fg* vagary ♦ **~án, -e** *mb* freakish; whimsical; fanciful; capricious; wayward

trill:ím, -i *m* fabrication; figment ♦ **~lóhet** *ps* ♦ **~l ój** *k/* invent *(stories)*; fabricate *(lies)* ♦ **~úar (i, e)** *mb* invented; fabricated; trumped up *(charges);* fictitious *(character)* ♦ **~úes, -i** *m* fabricator *(of slanders, etc.)*

trim, -i *m* brave/ courageous person; *bs* young man; bodyguard; *bs* gorilla ♦ **~, -e** *mb* brave; valorous, valiant; courageous; gallant ♦ **~áç, -i** *m kq* swashbuckler; bully ♦ **~érésh/ë, -a** *f ffm e ~*, **-i** ♦ **~érí, -a** *f* bravery; valour; prowess ♦ **~érísht** *nd* bravely; valorously; valiantly ♦ **~ër/óhem** *vtv* be emboldened; swagger; bluster; bully ♦ **~ër/ój** *k/* embolden ♦ *jk/* become bold; be emboldened ♦ **~ósh, -i** *m* gallant young man

trín/ë, -a *f* latticework; fence gate; harrow; back *(of the hand, of the foot)*

tringëll:í/j *jk/ v iii* tinkle; clink; jangle ♦ *k/* knock at *(the door)*; clink *(glasses)* ♦ **~ím/ë, -a** *f* tinkle; clink; jangle; knock; rap *(at the door)*

triní, -a *f fet:* **~a e shenjtë** the Holy Trinity; *fg* triad

trinóm, -i *m mt* trinomial

trinják, -u *m* triplet ♦ **~, -e** *mb* triple *(birth)*

trío, -ja *f mz* trio; threesome; set of three

trísk/ë, -a *f* card; tessera: **~a e ushqimeve** food-ration card; **~a e partisë** party (membership) card ♦ **~ëtím, -i** *m* (ration) card system

trishtíl, -i *m zl* green finch

trisht:ím, -i *m* sadness; melancholy ♦ **~lóhem** *vtv* be sad (melancholy); be depressed/ dejected/ despondent ♦ **~lój** *k/* sadden; deject ♦ **~úar (i, e)** *mb* sad(dened); dejected; melancholy ♦ **~úesh/ ëm (i), -me (e)** *mb* saddening; melancholy

triúmf, -i *f* triumph: **me ~** in triumph/ with flying colours ♦ **~ál, -e** *mb* triumphal ♦ **~alísht** *nd* triumphantly; in triumph ♦ **~lój** *jk/* triumph (over) ♦ **~úes, -e** *mb* triumphant

troç *nd bs* bluntly; forthright; squarely: **flas ~** not to mince one's words; **përgjigjem ~** give a direct answer

trofé, -u *m* trophy

tróft/ë, -a *f z/* trout

troj:án, -i *m hst* Trojan ♦ **~án, -e** *mb* Trojan ♦ **T~/ë, -a** *f gjeog, hst* Troy: **kali i T~ës** the Trojan horse

trójk/ë, -a *f* three-horse sleigh; *fg kq* trio; threesome *(in government)*

trok, -u *m* trot; trotting *(of a horse);* jog; footsteps; tread

trok/ás *jk/* knock *(at the door)*; rap; tap *(on the table)*; click *(glasses);* *v iii* tap; clang; jingle; *v iii* beat; pound; throb; *v iii fg* approach *(of winter, etc.):* **më ~et fort zemra** my heart is pounding ♦ *k/:* **i ~as në derë dikujt** call on sb's hospitality

trók/ë, -a *f* ground; dirt; earth; mud-floor ♦ *mb* poor; destitute; dirty, soiled: **bëhem ~ë** be soiled; **~ë nga mendja** not in one's right mind

trok:ëllí/j *jk/, k/* knock *(at the door);* clink; *v iii* rap; clatter; jingle ♦ **~ëllím/ë, -a** *f* knock, rap *(at the door)*; clatter, jingle, tinkle: **~a e potkonjve** clatter of hooves ♦ **~ëllít** *jk/, k/* knock; *v iii* clink; tinkle ♦ **~ítj/e, -a** *f* knocking; rapping

trokth, -i *m* trot *(of a horse)* ♦ **~i** *nd* trotting; at a trot; running

tromáks *k/ bs* shock; frighten; overawe ♦ **~/em** *vtv* ♦ **~ur (i, e)** *mb bs* shocked; frightened

trombón, -i *m mz* trombone ♦ **~íst, -i** *m* trombonist

trondít *k/* shake (up); quake; jolt; *fg* shock ♦ **~/em** *vtv* be jolted/ tossed; *fg* be shocked/ upset/ shaken; *ps* ♦ **~ës, -e** *mb* shocking; upsetting: **lajm ~** shocking news ♦ **~j/e, -a** *f* shaking; jostle; *fg* shock; *fg* instability; shake-up; upheaval: **rruga ka ~e** the road is bumpy; **periudhë ~esh** period of upheaval ♦ **~ur (i, e)** *mb* unstable; shaken; *fg* shocked; distressed; *fg* shaken; agitated *(voice, etc.):* **jam i ~** be under shock

tropík, -u *m gjg* tropic: **~u i Gaforres** the Tropic of Cancer ♦ **~ál, -e** *mb* tropical

trotuár, -i *m* pavement; sidewalk

tru, -ri *m* brain; *fg* mind; head; intellect; intelligence: **pa ~** brainless; scatter-brained; **më pjell ~ri** be very resourceful; **vras/ shtrydh ~të** squeeze one's brain; **më bie në ~** go to one's head *(of drink);* **rrjedh nga ~të** become doltish

trúaj *k/* **tróva, trúar** curse; damn; dedicate *(a book to sb)*

trúall, -i *m sh* **tróje, trójet** land; site; ground; *fg* terrain: **~ ndërtimi** building site; **ulem në ~** sit down on the ground; **~ i përshtatshëm për** suitable ground for

trullós *k/* daze; muddle; addle; confuse *(sb's head):* **~ me pije** stupefy with drink ♦ **~/em** *vtv, ps* ♦ **~j/ e, -a** *f* stupefaction; confusion ♦ **~ur (i, e)** *mb* dazed; stupefied; confused; muddled

trumbet:ár, -i *m* trumpeter ♦ **~/ë, -a** *f* trumpet ♦ **~l óhet** *ps* ♦ **~lój** *k/* trumpet; sound the trumpet; *fg* extol

trúmb/ë, -a f pump *(to draw water from the well)*

trumcák, -u m zl sparrow

trúm/ë, -a f bunch; bundle *(of flowers, etc.);* crowd: **kam një ~ë fëmijë** have a crowd of children ♦ **~ë** nd in a crowd

trumhás kl shoo away/ off; scatter ♦ **~/em** vtv be shooed away (off); scatter about; fg be dumbfounded; lose one's head *(with anger, etc.)* ♦ **~ur (i, e)** mb scattered; fg dumbfounded

trun/g, -u m trunk; stock *(of a felled tree);* log; butcher's stock; an torso; ark shaft *(of a column);* kq dummy; dumb-bell: **~gu i familjes** family stock; **bëhem ~** become stiff *(with cold, with drink)*

trunór, -e mb cerebral: **korja ~e** cerebral cortex; cortex of the brain

trup, -i m body; substance; matter; constitution; timber, log *(of wood);* bodice *(of the dress);* fuselage *(of an aircraft);* frame *(of a car, etc.);* gjm solid; prmb corps; staff: **~ i huaj** foreign body/ matter; **~ i lëngët/ ngurtë** liquid/ solid body; **~at qiellorë** heavenly bodies; **i bëshëm nga ~i** stoutly built; **lëshoj/ marr ~** grow tall; **~i diplomatik** diplomatic corps; **~i mësimor** teaching staff ♦ **~** nd: **ngrihemi ~ për** rise as one in order to ♦ **~armát/ë, -a** fush army corps ♦ **~/ë, -a** f ush corps; troops; forces; nj troupe: **~a të këmbësorisë** infantry force; **~a e teatrit** theatre troupe ♦ **~ëz:ím, -i** m solidification; embodiment; incarnation ♦ **~/óhet** vtv, ps ♦ **~/ój** kl truncate *(a tree);* km solidify *(a liquid);* fg embody; incarnate ♦ **~ór** mb bodily; corporal; physical *(beauty):* **nevoja ~e** the needs of the flesh ♦ **~/e, -ja** f statue ♦ **~rój/ë, -a** f ush guard; guardhouse: **~ë nderi** guard of honour

trúst, -i m trust: **~ i naftës** oil trust

tryéz/ë, -a f table; desk: **~ë e bukës** dining table; **~a e lëndës** table of contents ♦ mb: **verë ~e** table wine

trys kl mix thoroughly; knead *(the dough);* massage, rub

trýsa, -t f sh gums *(of the teeth)*

trýset vtv be compressed; ps ♦ **~ní, -a** f pressure: **ushtroj ~** bring pressure to bear (on)

tu (e) prn sh i **yt** si em **-të (të)** m sh yours; your people/ relatives: **janë të ~të** they are yours ♦ **~a (e)** prn sh i **jote** ♦ **~aj** prn sh i **juaj** your: **djemtë ~** your sons ♦ **em -t** m sh your; your people (relatives) ♦ **~aja** prn sh i **juaj** your: **vajzat ~a** your daughters ♦ **~ajat** f sh yours; your people (relatives)

t'u tr shkrt prm : **ka për t'u shëruar** it will heal

tualét, -i f make-up; dresser; dressing table

tub, -i m pipe; tube; an duct: **~ i shkarkimit të gazrave** exhaust-pipe

tuberkul:ár, -e mb, mk tubercular ♦ **~óz, -i** m mk, vtr tuberculosis; phthisis: **~ i mushkërive** consumption ♦ **~óz, -e** mb mk, vtr consumptive

tubét, -i m tube; thin pipe

túb/ë, -a f flock *(of sheep);* drove *(of birds);* group, crowd *(of people);* bunch *(of flowers)*

tub/ë, -a f mz tuba

tub:ím, -i m gathering ♦ **~/óhem** vtv gather; come together; rally; v iii collect; ps ♦ **~/ój** kl gather; rally; bring together *(a crowd)* ♦ jkl gather/ come together

tuç, -e mb stodgy; pasty *(bread;* sad *(dough)*

tufán, -i m (wind)storm; tempest: **bëhem ~** storm about; be furiously drunk

túf/ë, -a f flock, herd *(of animals);* bevy, brood, covey, drove, flight *(of birds);* stack, bunch *(of papers, etc.);* bouquet, nosegay *(of flowers);* bundle; fascicle *(of grass, etc.);* crowd; gathering; beam *(of rays):* **një ~ë me vizitorë** a large party of visitors ♦ nd in a cluster; in droves; in groups ♦ **~ëzím, -i** m herding together ♦ **~ëz/óhet** ps ♦ **~ëz/ój** kl tie in a bunch; herd together

tuháf, -e mb bs odd; strange; rum(my); droll ♦ em rum; odd, strange person

tuhát (tuhás) kl bs shoo off/ away; stave off ♦ jkl smoke *(a cigarette)* ♦ jkl v iii boil over ♦ **~/em** vtv bs be lifted *(of the mist, etc.);* be scattered; loiter about

tul, -i m flesh; pulp; sh bs buttocks: **~i i këmbës** the calf of the leg ♦ mb: **e bëj ~ dikë** beat sb into pulp

tulát/em vtv cower; keep a low profile; tuck into/ under/ against; duck; v iii sink; subside *(of the soil);* v iii abate, die down *(of the storm);* be dampened *(of joy);* v iii fg lie down; cover under: **u ~ën fëmija** the children fell silent

tulipán, -i m bt tulip

tultë (i, e) mb fleshy *(face, etc.);* plump; stodgy *(bread);* pulpy, fleshy *(fruit, etc.);* loamy; fertile *(soil);* kq soft-head

tullác, -e mb bald *(head);* egg-head

tull/ë, -a f brick; bs bald head; skinhead; bs whack: **ngjyrë ~e** brick-red; **mur me ~a** brick wall ♦ mb: **e bëj kokën ~ë** close-crop one's hair; raze one's head

tullúmb, -i m pump *(to draw water from a well)*

tullumbác/e, -ja f balloon

túm/ë, -a f ark/ tomb, tumulus *(sh –li)*

tumór, -i m mk tumour

tun, -i m thick edge *(of a cutting tool, etc.);* stock *(of the rifle):* **~ i çekiçit** the peen of the hammer

tund kl rock; swing; jolt; shake; wave; wag; churn *(milk);* agitate; arouse *(sb from sleep, etc.);* bs be great; make a great noise *(about sth);* bs have a great time: **~ kokën** shake one's head; **~ krahët** flap its wings *(of the bird);* swing one's arms around; **asgjë s'e ~ nga e tija** he won't budge from his position; **e ~e!** tll you've done great; **~ dynjanë** raise hell; **~ bishtin** be flippant *(of a woman);* **~ paratë** fork out the money; **s'e ~ as**

topi it is dead sure ♦ **~/em** *vtv* swing; go up in a swing; shake; quake; *v iii* wave; be tossed/ jostled *(in a car); fg* strut about; swagger; *ps:* **u ~ shtëpia nga tërmeti** the earthquake shook the house; **~ej si i pirë** he swayed along like a drunk; **~u vendit!** get moving! ♦ **~ës, -i** *m* churn(-staff)

tundím, -i *m* temptation: **shtyj në ~** lead into temptation

túndj/e, -a *f* rocking; sway; jolting; quake; sway

tund/ój *kl* tempt to entice

túndsh/ëm (i), -me (e) *mb dr* mov(e)able *(property)*

tundúes, -e *mb* tempting; enticing; appealing; disturbing

tunél, -i *m* tunnel

tun:g *psth krh* bye; bye-bye ♦ **~gjatjéta** *psth* how do you do; hullo, hallo(a); hello; hi

Tunizí, -a *f gjg* Tunisia ♦ **t~án, -e** *mb* Tunisian ♦ **t~án, -i** *m* Tunisian

tunxh, -i *m min* brass ♦ **~të (i, e)** *mb* brass *(mb)*

turbín/ë, -a *f tk* turbine

túrbull *nd* turbulently; dimly; unclearly: **shoh ~** see dimly ♦ **~ím, -i** *m* turbulence; fogginess; fuzziness *(of the mind);* dimness *(of the sight)* ♦ **~ír/ë, -a** *f* turbulence; turbulent matter *(in a liquid);* impurity; *fg* fogginess; mistiness *(of the sight); sh fg* disturbance; tumult ♦ **~/óhem** *vtv, ps* : **nuk ~ohem fare** keep one's head ♦ **~/ój** *kl* trouble; muddy *(water, etc.); fg* disturb *(a gathering, etc.);* daze; confuse: **~oj ujërat** trouble the waters; **as ~oj, as kthjelloj** remain hands out/ uninvolved ♦ **~t (i, e)** *mb* troubled; muddy *(water, etc.);* turbulent; dim, foggy, misty *(sight);* indistinct *(voice); fg* confused *(thoughts);* dazed, dizzy; *fg* dark, gloomy *(look):* **peshkoj në ujë të ~** fish in troubled waters ♦ **~úar (i, e)** *mb* troubled; muddy *(water, etc.); fg* troubled; confused: **mendje e ~** warped mind ♦ **~úes, -e** *mb* turbulent; *fg* troubling; disturbing; *fg* troublesome

turfull:ím, -i *m,* **~ím/ë, -a** *f* snorting *(of a horse, etc.)* ♦ **~/ój** *jkl* snort *(of a horse, etc.); v iii* snort; pant

turí, -ri *m* muzzle; snout; *kq* beak, mug; nose *(of a car, etc.); sh bs* sulks: **var ~njtë** pull a long face

turíst, -i *m* tourist ♦ **~ík, -e** *mb* tourist *(agency)*

turíz/ë, -a *f* muzzle *(for a dog, etc.)*

turíz/ëm, -mi *m* tourism: **agjensi e ~it** tourism/ travel agency

turjél/ë, -a *f* auger; borer; drill; gimlet; corkscrew

tur/k, -ku *m* Turk: **kokë ~u** whipping boy; scapegoat ♦ **~, -e** *mb* Turkish: **banjë ~e** Turkish bath ♦ **~ésh/ë, -a** *f* Turkess ♦ **~oshák, -e** *mb kq* Turkish; murky

turlí, -a *f gjll* mixed dish ♦ *mb* hotchpotch; motley *(crowd)*

túrm/ë, -a *f* herd *(of horses, etc.);* crowd; mob; *kq* populace; rabble

turn, -i *m* shift: **~ i natës/ tretë** night shift

turné, -u *m* tour: **bëj një ~ në një vend** tour a country

turp, -i *m nj* shame; turpitude; timidity; shyness; disgrace: **njeri pa ~** an impudent person; **bëhem me ~** be ashamed; **bëj me ~ dikë** put sb to shame; **pa pikë ~i** shamelessly; **të kesh ~!** shame on you!; **njollë ~i** stigma; **gënjej pa pikë ~i** lie in one's teeth ♦ **~ërí, -a** *f* indecency; disgrace; stigma ♦ **~ërím, -i** *f* defamation ♦ **~ër/óhem** *vtv, ps* ♦ **~ër/ój** *kl* -va, -úar disgrace; dishonour; stigmatise ♦ **~ërúar (i, e)** *mb* ashamed; abashed; shame-faced; disgraced ♦ **~sh/ëm (i), -me (e)** *mb* bashful; shy; blushing; timid; disgraceful *(attitude);* shameful; infamous; obscene, indecent *(language, etc.)*

Turqí, -a *f gjg* Turkey ♦ **t~sht** *nd* in (the) Turkish (language) ♦ **t~sht/e, -ja** *f* (the) Turkish (language)

turshí, -a *f gjll* pickle; souse: **lakër ~** sauerkraut; **shtie ~** pickle

túrtu/ll, -lli *m zl* turtle(-dove)

turr, -i *m* impetus; push; drive; rush; hurry

túrr/ë, -a *f* pile; stave; stack; hank *(of wool)*

túrr/em *vtv* run; *fg* turn to/ on/ against; *v iii fg* loom large; be threatening: **~em të shpëtoj dikë** run to sb's rescue; **i ~em me zemërin dikujt** turn in anger to sb; **na ~et një rrezik** danger is looming large

tush, -i *m art* touche

túsh/ë, -a *f zl* missel-thrush

tut (tus) *kl* intimidate; daunt; frighten; scare

túta, -t *f sh* overalls; suite *(of sportsmen);* **bluzë ~ash** jumper

tutél/ë, -a *f* tutelage; custody; guardianship

tút/em *vtv* be afraid; back down; fear ♦ **~/ë, -a** *em* fear

tút/ël, -la *f* fold; pleat; crease *(of a dress)* ♦ **~ël/óhet** *vtv, ps* ♦ **~/ój** *kl* fold; pleat; entangle *(threads);* cover *(the fire, the ashes)*

tútës, -e *mb* fearful; timorous; timid; coy; frightened ♦ **em** coward

tútje i *nd* far; away; somewhere *(in the distance);* further; off: **hidhe ~** throw it away; **bëhu ~!** make room!; move off!; **më ~ ai tha** he went on to say; next/ then he said; **tashti e ~** from now on ♦ **kllz: ~ nga ngasjet** beware of temptation ♦ *prfj:* **~ lumit** beyond the river

tútje-tëhú *nd* to and fro; up and down: : **çapitem ~** pace up and down

tutkáll, -i *m* glue: **ngjit me ~** glue

tútk/ë, -a *f kq* nut; pate; head ♦ **~ún, -e** *mb* dumbbell; nitwit; twit; dummy

tutór, -i *m dr* tutor; ward; guardian; *bis* pimp ♦ **~í, -a** *f dr* tutorship; guardianship

ty *vetor* you: **ta thashë ~** I told you; **po flas për ~**

I am speaking about you

tyl, -i *m* tulle: **perde ~i** tulle curtains

tym, -i *m* smoke; fume; *bs* mizzle: **si nëpër ~** through a mist; mistily; dimly; **bëhem ~** vanish; go up into smoke; fume; steam over; **flas në ~** talk through one's hat; **jam ~** be at a loss ♦ **~/ój** *kl* smoke; fumigate ♦ *jkl v iii* smoke; emit smoke ♦ **~ós** *kl* smoke; fill with smoke; fumigate; smoke; cure in smoke: **~ proshutën** gammon ♦ *jkl* smoke *(a cigarette)* ♦ **~óset** *vtv, ps* ♦ **~ósj/e, -a** *f* smoking; fumigating; smoking; curing with smoke *(of fish, etc.)* ♦ **~ósur (i, e)** *mb* smoked; filled with smoke; smoked *(meat)*

týrb/e, -ja *f ft* shrine *(dedicated to a Muslim saint)*

týr/e (i, e) *prn* their: **kopshti i ~e** their garden; **nëna e ~e** their mother ♦ **~/i (i),** *f* **~ja (e),** *sh* **~t (të)** theirs; their folks; their kith and kin: **një nga të ~et** one of their people; **do ta bëjnë të ~en** they will do what they have in mind

tyt *psth* tut; toot; tut-tut; don't

týt/ë, -a *f* barrel *(of a rifle, etc.)*; stack, pipe *(of a chimney)*; shaft; *bs* numskull; blockhead: **qenka ~ë ky** what a dickhead; **mbylle ~ën!** shut your trap! ♦ *nd:* **e kam barkun ~ë** have a hole in the stomach

Th

thá/hem *vtv, ps:* **~hem në diell** to dry (oneself) in the sun; **lumi u ~** the river dried up; **më ~het goja** have a dry mouth; **i janë ~rë trutë** he has become doltish ♦ **~/j** *kl/-**áva, -rë** to dry (up); drain; smoke *(fish, etc.); bs* be very good at *(a subject):* **~j në diell** sun-dry; **~j mishin në** to smoke-cure meat; **e ~j gotën** drain a glass; **ia ~j barkun dikujt** starve sb; **më ~ve sytë** I haven't seen you for ages ♦ *jokal:* **u ~ pema** the tree is dead; **~j së ftohti** be freezing

thán/ë, -a *f bt* wild cornelian cherry; dogwood: **ia vë kufijtë te ~a dikujt** to put sb to his proper place

tharb, -i *m* yeast; leaven

thár/ë (i, e) *mb* dry; dried up; drained; desiccated; wasted *(body):* **rroba të ~a** dry clothes; **fiq të ~ë** dry figs ♦ **~ës, -e** *mb* drying; draining ♦ **~ës/e, -ja** *f* dryer: **~e flokësh** hair-dryer ♦ **~j/e, -a** *f* drying; draining; drainage

thar/k, -ku *m:* **~ derrash** pigsty

thar:m, -i *m* yeast ♦ **~të (i, e)** *mb* sour; tangy; biting, cutting *(remark, etc.)* ♦ **~të** *nd:* **më vjen ~ kur më thonë se** it rubs to be told that ♦ **~tësír/ë, -a** *f* sourness; acidity ♦ **~tím, -i** *m* acidulation *(of wine);* curdling *(of milk);* sourness; tanginess *(of taste)* ♦ **~tír/ë, -a** *f* sour taste; sour fruit; heartburn ♦ **~t/óhem** *vtv, ps* ♦ **~t/ój** *kl* sour; curdle *(milk); km* acidify; *fg* be embittered with *(sb, sth):* **~oj turinjtë** *bs* screw up one's face; **ia ~j trutë dikujt** to muddle sb's brain ♦ **~túar (i, e)** *mb* gone sour *(food);* turned *(milk); km* acidified: **me fytyrë të ~** with a churlish look

thashethém:e, -t *f sh* gossip; rumour: **ka ~ se** there is a rumour that ♦ **~exhí, -u** *m bs* gossip; tattler

that:aník, -e *mb* thin; skinny; emaciated ♦ **~/ë (i, e)** *mb* dry; dried up; smoked *(fish, etc.);* parched *(soil);* arid *(ground); fg* cut-and-dry *(answer);* desiccated: **rroba të ~a** dry clothes; **peshk i ~ë** gjethe të ~a** dead/ dry leaves; **me trup të ~ë**

with a lean/ an emaciated body; **e qeshur e ~ë** a dry laugh; **para të ~a** cash ♦ **~ë** *nd:* **e mbaj ~ diçka** to keep sth dry; **me duar ~** empty-handed

thát/ë -i (i) *m* boil; furuncle

thátë, -t (të) *as* drought; dry ground: **ngec në të ~** be stranded *(of a ship);* **bluaj në të ~** to talk without rhyme or reason ♦ **~ësí, -a** *f* dryness; drought ♦ **~sír/ë, -a** *f* drought

thatím, -e *m* thin; lean; skinny

thek, -u *m* fringe; frazzle; *bt* stamen *(sh* **-mina***):* **në ~un e zemrës** in the depth of one's heart

thek¹ *kl* stab *(with a sword, etc.);* hit hard; *fg* move; touch: **ia ~ vrapit** to run fast; **ia ~ një këngë** sing heartily ♦ *jokal:* be good: **s'ia ~ për** be no good at *(sth)*

thek² *kl* toast *(bread);* to warm; to bask: **~ duart pranë zjarrit** to warm one's hands by the fire ♦ **~em¹** *vtv, ps*

thékem² *vtv* be moved; be touched; *ps*

thék/ër, -ra *f bt* rye

thek:ërríc/ë, -a *f* crisp/ toasted bread ♦ **~ërr/óhem** *vtv* ♦ **~ërr/ój** *kl* toast; brown; crisp ♦ **~ës, -i** *m* toaster

theks, -i *m* stress; accent; *fg* emphasis ♦ **~ím, -i** *m gjh* stress(ing); accentuation; *fg* emphasis ♦ **~/óhet** *ps* ♦ **~/ój** *kl gjh* stress; accentuate; *fg* emphasise ♦ **~úar (i, e)** *mb gjh* stressed; accentuated *(syllable, etc.); fg* emphasised, emphatic; *fg* strong; marked; noticeable: **dallime të ~a** marked distinctions

théksh/ëm (i), -me (e) *mb* piercing *(cry, etc.);* touching; moving

thékur (i, e) *mb* toasted; toast *(bread); bs* keen: **ajo është e ~ për muhabet** she loves gossip

thel/b, -bi *m sh* **-pinj, -pinjtë** kernel *(of walnuts, etc.);* clove *(of garlic, etc.); bt* cotyledon; *fg* middle, heart; essence, gist, core: **~i i dimrit** the heart of the winter; **nga ~i i zemrës** from the bottom of the heart; **~ i çështjes** gist/ crux of the matter ♦

~ësór, -e *mb* essential *(distinction)*

thél/ë, -a *f* slice; cut *(of bread, of meat, etc.); fg* share: **pres në ~a** to slice; **marr ~ën e madhe** get the lion's share; **hyj drejt e në ~a** *bs* get to the nitty-gritty

théll/ë (i, e) *mb* deep; profound; dark *(colour); low-pitched, deep-toned (voice); fg* deeply-felt; deeply-rooted: **det i ~ë** a deep sea; **blu e ~ë** dark blue; **njeri i ~ë** a wise man; a deeply-read person; **bëj një analizë te ~ë** make an in-depth analysis; **e kam shpirtin ~ë** die hard ♦ **~a, -at (të)** *f sh bs :* **bie në të ~** put on one's thinking cap ♦ **~ë** *nd* deep(ly); in depth; in the interior *(of a country); fg* profoundly, thoroughly, completely: **~ në det** deep into the sea; **marr frymë ~** draw a deep breath; **përkulem ~** bow deeply ♦ **~ësí, -a** *f* depth; profundity; interior, hinterland, heartland; intensity *(of a colour); fg* thoroughness *(of a study):* **~ e pamatur** unfathomed depth; **në ~ të shpirtit** from the depths of one's soul ♦ **~ësír/ë, -a** *f* deep; depth; hole; abyss ♦ **~ësísht** *nd:* **je ~ i gabuar** you are completely wrong ♦ **~ím, -i** *m* deepening; worsening; hole; profound consideration: **~ i kanalit** dredging of the canal; **~i i krizës** the worsening of the crisis ♦ **~/óhem** *vtv v iii* deepen; become deeper; sink *(of one's eyes, etc.); v iii* become darker/ more intensive *(of colours); v iii fg* delve deep(er) into: **këtu lumi ~ohet** the river is deeper here; **~ohet kriza** the crisis grows worse ♦ **~/ój** *kl* deepen; emphasise *(a colour);* to worsen: **~oj portin** dredge the port; **~oj gabimin** to make a mistake worse ♦ **~úar, -a (e)** *f* deepening; hole; cavity

them *kl, jkl* say; tell; *bs* think; *bs* take up *(a song);* mean; *bs* be good at/ a past master of: **~ të vërtetën** tell the truth; **nuk ~ asnjë gjysmë fjale** not to breathe a word; **çfarë tha?** what did he say?; **i thanë të rrinte** they asked him to stay; **më thuaj një përrallë** tell me a story; **ç'thua ti?** what do you say/ think?; **thonë se** it is said/ rumoured/ reported that; **ç'ta thonë emrin?** what is your name?; **s'do të thotë gjë** it means nothing; **thua të jetë aí?** do you think it's him?; **të pëlqen? - edhe thua!** do you like it? - I like it, and how!; **ashtu qe thënë** it was preordained to be; **ma thotë zemra se** I have a feeling that; **ta ~ unë!** I'll tell you what!

thémb/ër, -ra *f* heel *(of the sock, etc.);* corner *(of the bread loaf):* **~ra e Akilit** Achilles' heel; **më shkoi zemra te ~ra** my heart went to my boots

themél, -i *m* foundation, groundwork; support *(of a machine, etc.)* ♦ **~ím, -i** *m* founding *(of a city, etc.)* ♦ **~/óhet** *ps* ♦ **~/ój** *kl* found; establish *(a school, etc.)* ♦ **~ór, -e** *mb* fundamental; cardinal *(numeral):* **gur ~** foundation stone; **parim ~** basic principle ♦ **~tár, -e** *mb shih* **~ór, e: regjistër ~** master register; **ligj ~** constitutional law ♦ **~úes, -i** *m* founder ♦ **~úes, -e** *mb:* **komitet ~** founding committee

thep, -i *m* sharp edge; tip *(of a stick, etc.); ush* bead *(of a gun)* ♦ **~, -e** *mb* sharp-tongued; biting; snapping ♦ **~ët (i, e)** *mb* edged; sharp ♦ **~ís** *kl* point; to sharpen; sheer; tip *(from a height); fg* topple ♦ **~ís/em** *vtv* sheer; fall; drop *(from a precipice); v iii fg* teeter; fall; *ps* ♦ **~ísur (i, e)** *mb* edgy; sharp; pointed *(rock);* sheer *(precipice)* ♦ **~j/e, -a** *f* chip; piece; fragment; sheer fall

ther *kl* slaughter, butcher *(animals);* stab *(with a knife, etc.);* gore; sting; stitch *(a mattress); v iii* cut; bite *(of the wind);* hasten: **u ~ këmbëve** make haste; **e ~ në grykë dikë** *fg* do sb great harm; ruin sb ♦ *jkl bs* hasten; hurry; *fg* cut to the quick; make cutting remarks; *v iii* feel a stab/ lancing pain: **më ~ veshi** have a sharp pain in the ear; **më ~ zemra për dikë** be in great pain for sb ♦ **~/em** *vtv* be massacred; be stabbed/ pierced; *fg* fall out with; *ps* ♦ **~ës, -i** *m* butcher; *vj* executioner; cut-throat ♦ **~ës, -e** *mb* painful; stabbing; poignant *(pain);* biting *(wind);* piercing *(cry);* vitriolic, caustic, cutting *(words):* **përgjigje ~e** scathing retort ♦ **~j/e, -a** *f* butchering; slaughter *(of animals);* stab; thrust

therór, -i *m* martyr; offering; sacrifice; immolation ♦ **~í, -a** *f* martyrdom ♦ **~izím, -i** *m* sacrificing; immolation ♦ **~izóhem** *vtv* sacrifice oneself; *ps* ♦ **~iz/ój** *kl* martyr; sacrifice

ther:tór/e, -ja *f* slaughter-house; butchery ♦ **~ur (i, e)** *mb* slaughtered; butchered *(animal)*

thes, -i *m sh* **thásë, thásët** sack; bag: **një ~ me** a sackful of; *fg* a hatful of *(problems);* **fitoj para me ~** make bagfuls of money; **derr në ~** pig in a poke; **i fut të gjithë në një ~** lump all together; **e lë ~ në vend dikë** dumb sb

thesár, -i *m* treasure; treasury: **ai është ~** he is a real asset

thëllëz/ë, -a *f zl* partridge; grouse

thëllím, -i *m* ice-cold wind; chill breeze; nip, bite *(of the morning air);* frost

thën:ë *pjs e* them ♦ **~/ë, -a (e)** *f* (të) saying; word; hearsay: **sipas të ~ave** from hearsay; **s'qe e ~ë** it was not to be

thëngjí/ll, -lli *m* hot/ live coal; ember; (char)coal: **~ll i mbuluar** sly-boots; **rri mbi ~j** sit on hot coals

thëni/e, -a *f* saying; utterance

thërr/és (thërrás) *kl dhe* **thírra, thírrur** call; scold; send for; call on; appeal; name; invite: **i ~es që larg dikujt** call sb from a distance; **~es në gjyq dikë** summon sb to court; send a summons to sb; **thirr mjekun** fetch the doctor; **thirri mendjes!** come to your senses! ♦ *jkl* shout; cheer *(for a team);* cry *(with pain)*

thërrím/e, -ja *f* crumb *(of bread, etc.);* bit, piece *(of cheese, etc.);* pellet *(of butter, etc.);* grit; speck *(of dust, etc.); fg* trace, shade: **asnjë ~e** not a shade of; none at all; **s'ka asnjë ~e të vërtetë** there is not a shred of truth in it; **fle një ~e** sleep a little bit; **e bëj copë e ~e** break to smithereens

thërrm:íj/ë, -a *f* particle; grain; granule; splinter; speck *(of dust);* fraction: **~a rërë** grains of sand; **~ë negative** *fz* negative particle ♦ **~ím, -i** *m* crumbling *(of bread, etc.);* gritting ♦ **~lóhet** *vtv, ps* ♦ **~lój** *kl* crumble *(bread, etc.);* fritter ♦ **~úes, -e** *mb* crushing *(machine);* fragmentation *(bomb)* ♦ **~úesh/ëm (i), -me (e)** *mb* friable

thi, -u *m* pig: **mish ~u** pork

thik/ë, -a *f* knife *(sh* **knives);** cutting bit *(of a lathe); fg* stab; twinge; sharp pain: **~ë buke** bread knife; **goditje me ~ë** stab; **kam një ~ë në shpatull** feel a sharp pain in the shoulder; **~ë pas shpine** a stab behind the back; **është ~ë me dy presa** it cuts both ways; **jam ~ë e në pikë me dikë** look daggers at sb ♦ *mb* very sharp; sheer; steep: **faqe ~ë** sheer face *(of the rock)* ♦ *nd* vertically ♦ **~të (i, e)** *mb* steep; sheer *(precipice)*

thilé, -ja *f* button-hole; mesh *(of the net)*

thímth, -i *m* sting *(of the bee, etc.);* nipple *(of the breast)*

thinj *kl* turn grey/ white *(the hair)* ♦ **~em** *vtv* turn grey/ white ♦ **~/ë, -a** *f* grey *(hair):* **më dalin ~at duke pritur** cool/ kick one's heels waiting ♦ **~ósh, -e** *mb* grey-haired *(person)* ♦ **~ur (i, e)** *mb* grey *(hair)*

thírr/em (thërrít/em) *ps* ♦ **~j/e, -a** *f* call; cry; summons *(appear in court);* outcry; appeal: **~e gëzimi** joyful exclamation ♦ **~ur (i, e)** *mb* summoned; called in ♦ **~ur, -a (e)** *f* **(të)** (out)cry

thith, -i *m* nipple; teat *(of the breast);* sh bl sucker ♦ *kl* suck; draw in; sip *(coffee);* absorb; *fg* engulf; *fg* assimilate *(information, etc.); fg* be absorbed in; *sp* kill/ cushion *(the ball):* **foshnja ~ gjirin** the baby sucks the breast; **i ~ djersët** mop sweat ♦ *jkl v iii* draw; suck ♦ **~/ë, -a** *f* nipple; teat *(of the breast);* dummy; soother *(of a baby)* ♦ **~ës, -i** *m* absorbent; absorber ♦ **~ës, -e** *mb* absorbent: **gropë thithëse** sink hole ♦ **~ës/e, -ja** *f* blotting paper; aspirator ♦ **~j/e, -a** *f* suction; mopping up; *sp* kill(ing) *(of the ball)* ♦ **~ur (i, e)** *mb* drawn in *(cheeks);* lean *(face)*

thjérr/ë, -a, ~ëz, -a *f bt* lentil; *fz* lens

thjesht *nd* purely; just; only; simply; merely; modestly; plainly: **shkruaj ~** write simply; **jetoj ~** live modestly ♦ **~/ë (i, e)** *mb* simple; easy; unassuming; modest; plain; ingenuous *(person);* rank-and-file *(soldier);* common; ordinary *(people):* **verë e ~ë** unadulterated wine; **ar i ~ë** pure gold; **darkë e ~ë** plain dinner

thjésht/ër, -ri *m* step-son; foundling ♦ **~/ër, -ra** *f* step-daughter ♦ **~ërí, -a** *f prmb* foundlings

thjesht:ësí, -a *f* simplicity; modesty; unpretentiousness ♦ **~ësím, -i** *m* simplification ♦ **~ëzóhet** *ps* ♦ **~ëz/ój** *kl* simplify ♦ **~ëzúes, -i** *m sh,* **-it** simplifier ♦ **~ím, -i** *m* reduction *(of a fraction to a lower denomination)* ♦ **~lóhet** *vtv, ps* ♦ **~lój** *kl* simplify; make simple; reduce to lower terms *(a fraction, etc.)*

thnég/ël, -la *f zl* ant

thónjëza, -t *f sh gjh* inverted commas: **hap/ mbyll ~at** quote/ unquote

thúa, thói *m sh* **thonj, thónjtë** nail; claw *(of some animals); fg* clutch; grip; hold: **pres thonjtë** pair one's nails; **me thonj e me dhëmbë** tooth and nail; by the skin of one's teeth; **jemi si mishi me thoin** be very close with sb; **i jap thonjtë dikujt** give sb the sack; send sb packing; **shpëtoj për të zezë të thoit** have a narrow escape

thúajse *pj:* **~ mbërritëm** we're almost there

thukët (i, e) *mb* heavy; well-built; solid *(of body)*

thumb, -i *m* sting *(of some insects);* rivet; shoe-nail; spike *(of the shoe);* nipple, teat *(of the breasts);* tongue *(of the bell); fg* gibe, quip: **mbërthej me ~a** rivet; **i hedh ~a dikujt** gibe/ take a shot at sb; **bëhem ~** be dead drunk; **pres ~a** freeze, be very cold ♦ **~ím, -i** *m* sting(ing); gibes; Jeering ♦ **~lóhem** *vtv* gibe one another; quip; *ps* ♦ **~lój** *kl* sting; bite: **më ~oi bleta** be stung by a bee ♦ *jkl fg* gibe at

thúnd/ër, -ra *f* hoof *(sh* **hooves);** *fg* heel; yoke: **~ra e kalit** horse's hoof; **nën ~rën e** under the heel of ♦ **~/rák, -e** *mb zl* ungulate *(animal)*

thúp/ër, -ra *f* rod; twig; cleaning rod *(of a rifle):* **i heq ca ~ra dikujt** give sb a few lashes

thur *kl* strand *(a rope);* splice, plait, braid *(the hair);* fence in/ out/ off *(a piece of land);* knit *(socks, etc.); fg* compose *(lyrics, etc.); fg* invent *(stories);* hatch up *(a plot, etc.);* devise *(a plan):* **i ~ lavde dikujt** sing the praises of sb/ sb's praises ♦ **~et** *vtv, ps* ♦ **~ím/ë, -a** *f* lattice; grid; fence; trellis *(to protect young trees)* ♦ **~j/e, -a** *f* knitting; wickerwork; concoction; hatching up *(of plans, of plots, etc.)*

thuthúq, -e *mb, em* lisp(ing)

thý:ej *kl/* **théva, thýer** break; smash; shatter; bend *(the arm);* arch *(the back);* crack(le); *fz* diffract *(a beam);* change *(a bill); fg* breach *(discipline);* destroy *(a myth, etc.); fg* go back on *(one's word);* defeat *(an opponent); fg* corrupt, graft; overcome, overpower; stay *(the hunger):* **~ gjuhën** wag one's tongue; **~ një çek** cash (in) a cheque; **~ turinjtë** get hurt; go bust; **e ~ dikë me para** graft sb; **e ~ dysh** break in two; *t/l* idle about; **ia ~ dhëmbët/ nofullat dikujt** give sb a sound beating; **ia ~ hundën dikujt** take sb down a peg or two; **ia ~ zemrën dikujt** break sb's heart ♦ *jkl v iii:* **po ~n nata** the night is wearing out; the night is well advanced ♦ **~r (i, e)** *mb* broken; smashed; bent *(arm); fg* defeated; *fg* advanced *(in age, in years);* uneven, rough *(terrain):* **gotë e ~** broken glass; **me zemër të ~** with a broken heart ♦ **~r, -a (e)** *f* **(të)** fracture; *sh* small change ♦ **~rës, -i** *m* breaker *(of a rule, etc.);* transgressor ♦ **~rës, -e** *mb* breaking *(power, device, etc.); fz* deflecting *(surface)* ♦ **~rës/e, -ja** *f* breaker: **~e arrash** nutcracker ♦ **~rj/e, -a** *f* break(ing); breakage; smashing; fracture;

defeat ♦ **~s/ë, -a** *f mt* fraction; stitch *(in knitting)* ♦ **~sór, -e** *mb mt* fractional ♦ **~sh/ëm (i), -me (e)** *mb* breakable; brittle; fragile ♦ **~/hem** *vtv, ps:* **u ~e gota** glass broke; **u ~e vapa** the worst of the heat is over; **më ~hen gjunjët** be weak/ wobbly about one's knees; **më ~het qerrja te dera** have an unexpected good fortune; have a windfall; **~hem më dysh** bend backwards *(to do sth)* ♦ **~r (i, e)** *mb* broken; smashed; advanced *(in age)*

U

u *trajtë e shkurtër e prm vetor:* ~ **thashë të vinin** I asked them to come; ~ **nisën** they set out; ~ **derdh** it overflowed; ~ **lava** I washed myself; **pa** ~ **lodhur** without an effort ♦ **~a** *trajtë e shkurtër e shkrirë e prm vetor* them: ~ **dhashë të gjitha** I gave them everything

údh/ë, -a *f* road; way; path; trip, journey; carpet rug/ strip; *fg* way out: **~a e mbarë!** have a safe journey!; *tll* good riddance!; **~ë e madhe** highway; **~ë e pashtruar** dust road; **~ë pa krye** impasse; dead end; **bëj një copë ~ë** travel some distance; **dal ~e** leave the beaten track; **e bëj ~ë** make it a habit *(of doing sth):* **e shoh të ~ës** find sth necessary; **i heq ~ën dikujt** lead the way; **marr ~ët** hit the streets; **në ~ë e sipër** on the way (to, from); **sa mban ~a?** what is the distance to?; **U~a e Qumështit** *ast* the Milky Way ♦ **~/héq** *k/* **-hóqa, -héqur** guide; lead ♦ *jk/* lead *(in a match);* direct *(a theatre troupe, etc.):* **~heq dy me zero** have a two nil lead ♦ **~ës, -i** *m* guide *(of tourists, etc.);* leader; *(art, etc.)* director ♦ **~ës, -e** *mb* leading; guiding: **parime ~e** guiding principles ♦ **~héqj/ e, -a** *f* guidance; leadership; *prmb* leaders ♦ **~/ híqem** *vtv, ps:* ~ **nga një parim** be guided by a principle ♦ **~krýq, -i** *m* crossing; cross-roads; *fg* quandary ♦ **~rréfýes, -i** *m* guide; pathfinder; guide-book ♦ **~tár, -i** *m* travel(l)er; voyager; journeyman; passenger ♦ **~tím, -i** *m* travel; journey; voyage; ride: ~ **me tren** journey by train; ~ **vajtjeardhje** return journey ♦ **~t/ój** *jk/* travel; journey; voyage; *v iii* run: **~oj me det** voyage; travel by sea; **autobusi ~on tri herë në ditë** there is a bus service three times a day; **~oj me mjete të rastit** hitchhike ♦ **~z, -a** *f zvog* small (narrow) street; carpet ♦ **~zím, -i** *m* instruction; direction; guidance: **~e përdorimi** user's guide ♦ **~z/óhem** *ps* ♦ **~z/ój** *k/* instruct; guide; direct *(sb how to do sth)* ♦ **~úes, -i** *m* guide; instructor; guide(book); instruction book; *tk* runner ♦ **~úes, -e** *mb* guide,

guiding *(line);* directional *(signs)*

Uélls, -i *m gjg* Wales ♦ **u~ián, -e** *mb* Welsh ♦ **u~ián, -i** *m* Welsh ♦ **u~sh** *m gj* Welsh

úf/ëm, -ma *f* swelter; oppressive (muggy) weather

ufo, -t *m* UFO

ugár, -i *m* fallow; first ploughing ♦ *mb* fallow *(land)*

uíski *m* whisk(e)y

uj:ár, -i *m* water-carrier (-bearer); *ast* Aquarius ♦ **~cák, -e** *mb* waterish; wishy-washy *(drink)*

ujdí, -a *f sh,* **-të** *bs* deal; cahoots; collusion: **lidh një** ~ tie up/ clinch a deal; **në** ~ **me dikë** in collusion with sb ♦ **~s** *k/* repair; fix; tidy up *(the house, etc.);* set up; make up *(one's face):* **ia** ~ **qejfin dikujt** *bs* give sb a sound thrashing ♦ *jk/* fit; match; agree: **ngjyra që nuk ~in** colours that do not match ♦ **~s/em** *vtv bs* dress oneself *(for a special occasion);* make oneself up; put on the best clothes; *fg* agree with; *ps* ♦ **~sj/e, -a** *f bs* repair; arrangement ♦ **~sur (i, e)** *mb* well-matched; repaired; fixed

új/ë, -i *m* water; liquid; *bs* urine; iridescence *(of a precious stone);* waterway: **~ë i çezmes** water from the tap; **~ëra të lundrueshme** navigable waterways; **~ërat e zeza** sewage water; **bëj një vrimë në ~ë** cut no ice; **bojëra ~i** water-colours; **buzë ~it** by the waterside; **fshikëza e ~it** *an* urinary bladder; **fut ~ë** leak *(of a roof, etc.);* spring a leak *(of a boat);* **mbush ~ë** fetch water; **më del ~i i zi** be utterly ruined; **ngjajnë si dy pika ~ë** they are as like as two peas; **një pikë ~ë në det** a drop in the bucket; **nuk e vë ~in në zjarr** not bother/ worry about sth; **nuk pi ~ë** it does not hold water; it won't wash; **peshkoj në ~ë të turbullt** *kq* fish in troubled waters; **s'bëhet gjaku ~ë** *fj u* blood is thicker than water ♦ *mb* watery; wet; soaked; drenched: **bëhem ~ë në djersë** be drenched in sweat ♦ *nd* fluently; very well: **e flas ~ë anglishten** speak English fluently ♦ **~ët** *as* water: **bëj/ derdh** ~ pass water; **i nxjerr ~ dikujt**

squeeze sb dry; ~ **e bekuar** *ft* holy water ♦ ~**ës, -e** *mb* water; aquatic *(plant, etc.)*; watery *(fruit, etc.)* ♦ ~**ësír/ë, -a** *f* waterlogged ground ♦ ~**sjéllës, -i** *m* waterworks *(of a town)*; water supply (system) ♦ ~**s/óhet** *vtv* liquefy *(of gas, etc.)*; sap *(of plants)*; *ps* ♦ ~**lój** *k/* liquefy *(gas, etc.)* ♦ *jkl v iii* ooze *(of the ground)*; drip with water; weep *(of a wound)* ♦ ~**úar (i, e)** *mb* liquefied; water-logged; streaming with water ♦ ~**ëvár/ë, -a** *f* waterfall; cascade; cataract ♦ ~**ít (ujís)** *k/* water; sprinkle; irrigate ♦ ~**et** *ps* ♦ ~**ës, -e** *mb*: **sistem** ~ irrigation system ♦ ~**ës/e, -ja** *f* watering/ sprinkling can ♦ ~**j/e, -a** *f* watering; sprinkling; irrigation ♦ ~**ur (i, e)** *mb* irrigated

ujk, -u *m sh* **ujq, újqit** *z/* wolf *(sh* **wolves***): **kope ujqish** a pack of wolves; ~ **deti** sea-wolf; ~. **i vjetër** an old hand ♦ ~**ésh/ë, -a** *dhe* ~**onj/ë, -a** *f* she-wolf

uj/ór, -e *mb* aquatic; watery; water *(plant)*: **rrugë** ~**e** water-way ♦ ~**ór/e, -ja** *f* water-trough ♦ ~**sh/ëm (i), -me (e)** *mb* watery *(taste, soup)*; water-logged

ujtí, -a *f krh* flat iron ♦ ~**s** *k/* iron *(clothes)*

ujth, -i *m* water; matter *(of a wound)*; sap *(of a plant)*

ul *k/* lower; put down; sit *(sb down)*; land *(an aircraft)*; reduce; turn down *(the volume of the rd)*; dim *(the lights)*; demote: ~ **flamurin** lower/ take down a flag; ~ **dorezën e telefonit** hang up; put down the receiver; ~ **sytë** look down; ~ **shpejtësinë** reduce speed; ~ **në përgjegjësi** demote from a position; demote; ~ **armët** lower one's weapons; **s'e** ~ **hundën** put a stiff neck

úlcer/ë, -a *f mk* ulcer

úl/em *vtv* sit, be seated; come/ climb down; descend; perch *(of birds)*; land *(of an aeroplane)*; drop *(by parachute)*; touch down; *v iii* fall *(of the night)*; *v iii* settle *(of the dust)*; *v iii* sink; subside; *v iii* set *(of the sun)*; *v iii* fall *(of the flood water)*; decrease; come down; be reduced; *v iii* calm down; demean oneself; *ps* ~**em poshtë** come down(stairs); ~**em në tryezë** sit at the table; ~**em në hënë** land on the moon; ~**em në punë** set to work; **po** ~**en çmimet** prices are coming down; **u** ~ **dhembja** the pain has subsided

ulërí/j *jk/ v iii* howl; yell; roar *(of a lion)*; scream *(with pain, etc.)*; shriek; shout ♦ ~**ím/ë, -a** *f* howl; yell; roar; scream; shout; shriek ♦ ~**ítës, -e** *mb* howling; roaring; uproarious

úl:ët (i, e) *mb* low; dim *(light)*; bottom *(rank, division, etc.)*; lowly(-born); base; humble; *fg* abject; servile; ignoble *(behaviour, etc.)*: **kodra të** ~**a** low hills; **çmimi më i** ~ rock-bottom price; **Vendet e U** ~**a** *gjg* the Netherlands; **qëndrim i** ~ mean conduct ♦ ~**ët** *nd* low; softly; gently; *fg* lowly; abjectly; ignobly; **fluturoj** ~ fly low; **fol më** ~! lower your voice ♦ ~**j/e, -a** *f* lowering *(of the flag, etc.)*; landing *(of an aircraft)*; reduction *(of prices, of costs,*

etc.); fall *(of production, etc.)*: ~**a në hënë** landing on the moon; **pistë e** ~**es** landing strip

ulók, -u *m bs* cripple; paralysed person ♦ ~, -e *mb. bs* crippled; paralysed

últ:as, ~azi *nd (to fly)* low; *(to speak)* in a low voice ♦ ~**ësí, -a** *f* lowliness ♦ ~**ësír/ë, -a** *f gjg* depression; lowland

ultimatúm, -i *m dipl* ultimatum

ultra:tíngu/ll, -lli *m fz* ultrasound ♦ ~**violét, ~vjóllcë** *mb fz* ultraviolet

úlur *nd* seated; sitting; bent; down: **rri** ~ remain seated; **me kokë** ~ humbly

ullí, -ri *m bt;* olive(-tree); olive fruit: **degë** ~**ri** olive branch; **heq të zitë e** ~**rit** lead a miserable life ♦ ~**sht/ë, -a** *f* olive-grove; olive-yard

ullú/k,. -u *m* spout *(of a fount)*; groove

unaním, -e *mb* unanimous ♦ ~**isht** *nd* unanimously; as one

unáz/ë, -a *f* ring; loop; *sh sp* rings; curl *(of smoke, etc.)*; circle; ringroad: ~**ë floriri** gold ring; **gishti i** ~**ës** the ring finger

únë *vet* I; *bs* me: ~ **vetë** I, myself; ~ **dhe ti** I and you; *bs* me and you; **shih nga** ~ look at me; **ta tregoj** ~ I'll show you

ungj, -i *m* uncle

ungjí/ll, -lli *m ft* Gospel ♦ ~**llór, -i** *m* Evangelist; gospeller ♦ ~**llór, -e** *mb* Evangelical

úni *m* ego; self; self-interest

uni:fikím, -i *m* unification ♦ ~**fikóhet** *ps* ♦ ~**fik/ój** *k/* unify; unite ♦ ~**fikúar (i, e)** *mb* unified; single **monedhë e** ~ single currency; united ♦ ~**fórm, -e** *mb* uniform; alike ♦ ~**fórm/ë, -a** *f* uniform: **paradë me** ~**ë** full-dress parade ♦ ~**k, -e** *mb* unique; singular; united; unified: **rast** ~ a unique case ♦ ~**tét, -i** *m* unity; oneness; harmony

univérs, -i *m* universe ♦ ~**ál, -e** *mb* universal; comprehensive; all-inclusive; general; general-purpose *(device)*: **tërheqje** ~**e** gravitational pull

univers:iád/ë, -a *f sp* university games ♦ ~**itár, -i** *m* university student ♦ ~**itár, -e** *mb*: **qytet** ~ campus ♦ ~**itét, -i** *m* university: ~ **i hapur** open university

únsh/ëm (i), -me (e) *mb* hungry

uragán, -i *m* hurricane; *fg* storm; tempest

urán, -i *m shih* ~**iúm, -i** ♦ **U**~, -i *ast, mit* Uran ♦ ~**iúm, -i** *m km* uranium

urat/ë, -a *f ft* ministration; *bs* blessing; *bs* priest; *sh* rosary; beads: **e merr ferra** ~**ën** go down the drain

urbán, -e *mb* urban: **transporti** ~ urban (city) transport ♦ ~**istík, -e** *mb* town-planning; urbanistic ♦ ~**íz/ëm, -mi** *m* urbanisation ♦ ~**izím, -i** *m* urbanisation ♦ ~**iz/óhet** *ps* ♦ ~**iz/ój** *k/* urbanise

úrdh/ër, -ri[1] *m* order; command; injunction; *dr* writ, warrant: **me** ~**ër të** by command of; **jam nën** ~**rat e dikujt** be under sb's orders; *bs* be at sb's beck and call

úrdh/ër, -ri² *m* religious order; **hyj në ~ër** receive the orders

úrdh/ër, -ri³ *m* order: **dekoroj me një ~ër dikë** award sb an order

urdhër:és/ë, -a *f* ordinance; bye-law ♦ **~ó, -ni** *psth* pardon; yes, please; here is; here you are: **~ librin** here is your book ♦ **~lóhem** *ps* ♦ **~lój** *kl* order; command; enjoin; *bs* control: **s'e ~oj dot kémbën** I cannot control my leg ♦ *jkl* invite; *bs* wish; desire: **sonte do të ~oni nga ne** tonight you are our guests; **si të ~oni** as you wish ♦ *pj:* **si ~on!** yes, sir! ♦ **~ór, -e** *mb* imperative: **me ton ~** in an imperative tone ♦ **~ór/e, -ja** *f gjh* imperative mood ♦ **~úes, -e** *mb* imperative; peremptory ♦ **~xhirím, -i** *m fn* bank gyro

uré, -ja *f km* urea

úr/ë, -a¹ *f* bridge; *dt* deck; instep *(of the foot);* fire-dog, andiron: **~ë ajrore** *ush* air-lift; **~ë me hark** arch bridge; **jam ende tek ~a** *tll* be at the tail-end

úr/ë, -a² *f* fire-brand; torch: **~ë e pashuar** smouldering fire; lurking danger; **shtyj ~ët** stir animosities

úrët (i, e) *mb* hungry; starving; *fg* thirsty *(for knowledge)*

urgjén:c/ë, -a *f* urgency; *bs* emergency ward/ unit ♦ **~t, -e** *mb* urgent; pressing: **kërkesë ~e** pressing demand; **masa ~e** emergency measures

urí, -a *f* hunger; famine; starvation; *fg* greed: **kam ~/ më merr ~a** be/ feel hungry

urím, -i *m* wish; congratulation: **~e!** well done!

urín/ë, -a *f* urine ♦ **~ár, -e** *mb* urinary ♦ **~ím, -i** *m* urination ♦ **~lój** *kl, jkl* urinate

urítur (i, e) *mb* hungry; starving; famished; *fg* thirsty *(for knowledge)*

uríth, -i *m zl* mole; *kq* imp; impish person: **me sytë e ~it** blindly

ur/ój *kl* wish; *bs* bless; congratulate *(sb on sth)*: **i ~oj udhë të mbarë dikujt** wish sb a safe trip; **i ~oj mirëseardhjen dikujt** welcome sb

úrt/ë (i, e) *mb* quiet; pacific; mild; obedient; gentle *(look);* wise: **bëhuni fëmijë të ~ë!** be quiet, children!; **fjalë e ~** saying; maxim ♦ **~ë** *nd* quietly; gently; softly; obediently: **rri ~** be quiet; **~ e butë** gently; quietly; softly; without haste ♦ **~ësí, -a** *f* quietness; wisdom ♦ **~ës/óhem** *vtv* be quiet; be calm; calm down *(of children);* become wise; mature ♦ **~í, -a** *f* caution; wariness

urth, -i¹ *m bt* ivy

urth, -i² *m mk* heart-burn

ur:úar (i, e) *mb* god-bless; blessed: **qofsh i ~!** God bless you!

urrá *psth, m* f hurrah; hooray: **thërres ~** hurrah

urr:é/hem *vtv, ps* ♦ **~éj** *kl* hate; detest; dislike; abhor; abominate ♦ **~éjtj/e, -a** *f* hatred; detestation; dislike; abhorrence: **~e e fortë** violent dislike ♦ **~ýer (i, e)** *mb* hated; hateful; detested

ustá, -i *m* master; mason; *bs* old hand: **~ i vjetër** an old master **~ i mbaruar** past master; **e bëj ~ dikë** teach sb a lesson ♦ **~llék, -u** *m bs* mastery; skill; trade; *bs* trick

ush *psth* gee; gee-up

ushkúr, -i *m* lace; tie; string *(for underpants, etc.)*

ushq/éhem *vtv, ps:* **~hem me punën time** live from one's own work; **~hem me ëndrra** cherish a dream ♦ **~éj** *kl* feed; nurture; stoke *(a boiler); fg* foster *(an idea); fg* encourage; *fg* cherish *(a feeling for sb);* bear *(sb a grudge):* **~j foshnjën me gji** breast-feed a baby; **ia ~j planet dikujt** encourage sb in his plans; **ia ~j mendimin dikujt** support sb's idea ♦ **~ím, -i** *m nj* food *(for humans);* feed, fodder *(for animals); bs* grub; comestibles; nutrition; *fg* source: **mungesë ~i** lack of food; malnutrition; **~ që të mban** food that satisfies/ sustains; **dyqan ~esh** foodstore; **kablloja e ~it** *el* the mains ♦ **~imór, -e** *mb* food *(mb);* nutritive; alimentary: **artikuj ~ë** food articles/ items; victuals; **industria ~e** food industry ♦ **~imór/e, -ja** *f* foodstore; grocery ♦ **~ýer (i, e)** *mb* fed; fattened *(animal)* ♦ **~ýerit (të)** *as* feeding; nutrition ♦ **~ýes, -e** *mb* nutritive; feeding: **vlerë ~e** nutritive value ♦ **~ýes, -i** *m* feeder: **takoj ~in** switch on the feeder ♦ **~ýesh/ëm (i), -me (e)** *mb* nutritious; nutritive

usht:ár, -i *m* soldier; pawn *(in chess):* **~ i thjeshtë** rank-and-file soldier; **thërres ~** call to the army ♦ **~rák, -u** *m* military: **~ë të lartë** senior army officers ♦ **~arák, -e** *mb* military; fighter *(plane):* **shërbim ~** military service; service in the army; **gjyq ~** military tribunal ♦ **~arakísht** *nd:* **përshëndet ~** give the military salute ♦ **~/ë, -a** *f* lance; spear

usht:ím/ë, -a *f* rumble; roar; din: **~a e topave** the rumble of the guns ♦ **~/ón** *jkl/-ói, -úar* roar; rumble; thunder; detonate; *fg* echo; resound; ring: **~on stuhia** the storm is raging; **~ më ~ojnë veshët** my ears are ringing (with)

ushtrí, -a *f* army: **~ e rregullt** regular army; **bëj ~në** do military service

ushtr:ím, -i *m* exercise; practice; drill: **~i i trupit** bodily exercise; **~e me pistoletë** *sp* pistol event; **~ fletore e ~eve** exercise-book ♦ **~imór, -e** *mb* drilling *(grounds);* teacher training *(school)* ♦ **~imór/e, -ja** *f* teacher training school ♦ **~/óhem** *vtv* (take) exercise; practise; drill; *v iii* be in practice; *ps* ♦ **~/ój** *kl* exercise; train to drill; exercise; practise; use: **~oj veshin** train one's ear; **~oj presion** bring pressure to bear (on sb) ♦ **~úar (i, e)** *mb* seasoned; tough; hardened; experienced

ushúj, -i *m* lard

ushúnjëz -a *f zl* leech

utop:í, -a *f lt* utopia; *shih* **utopiz/ëm, -i** ♦ **~ík, -e** *mb* utopian

uturí:m/ë, -a *f* rumble; din; buzz *(of insects, etc.);* ring; resound *(of the ears)*: **~a e tankeve** the rumble of tanks; **~a e detit** the roar of the sea ♦ **~/n** *jk/* **-u, -rë** rumble; resound; roar; ring: **~n deti** the sea is roaring; **më ~jnë veshët** my ears are ringing

úthull, -a *f* vinegar: **bëhem ~** get nettled; **ai është rrahur me vaj e me ~** he has been on the cross all his life ♦ **~ník, -u** *m* vinegar-bottle

uvertúr/ë, -a *f mz* overture

uzín/ë, -a *f* plant; works: **~ë e automobilave** car plant

úzo, -ja *f* ouzo

uzurp:atór, -i *m shih* **uzurpues, -i** ♦ **~ím, -i** *m* usurpation ♦ **~/óhet** *ps* ♦ **~/ój** *k/* usurp ♦ **~úes, -i** *m* usurper

V

va, -u *m* ford; *fg* way out: **kaloj/ dal në ~** ford/ wade *(a river);* **e hedh ~un** get over a difficulty

vádít *k/* irrigate; water ♦ **~ítem** *vtv* ♦ **~ítës, -e** *mb* irrigation *(mb)* ♦ **~ítës/e, -ja** *f* sprinkler ♦ **~ítj/e, -a** *f* irrigation

váfer, -i *m gjll* wafer

vagabónd, -i *m keq;* vagabond; bum; tramp

vagë:llím, -i *m* blink *(of the eyes); shih* **~llím/ë, -a** ♦ **~llím/ë, -a** *f* dimness; *fg* vagueness ♦ **~llímthi** *nd:* **më kujtohet ~** remember vaguely ♦ **~llóhet** *vtv* ♦ **~ll/ój** *jk/ v iii* be dim; fog over ♦ *k/ v iii* befog; muddle *(sb's ideas);* blink *(one's eyes)* ♦ **~llúar (i, e)** *mb* dim; fading *(light), fg* vague *(recollection)* ♦ **~t (i, e)** *mb* dimly-lit *(room);* vague

vagón, -i *m* (railway-)carriage/ coach; wag(g)on

vaís *jk/ v iii bs* slant; tip ♦ *k/* lean *(one's head)* ♦ **~let** *vtv* list *(of a boat);* tip aside; *ps* ♦ **~j/e, -a** *f* listing; slanting; inclination ♦ **~ur (i, e)** *mb* listed; slanted

vaj, -i¹ *m* oil; *prmb art* oil painting: **~ gatimi** cooking oil; **bojë ~ i** *art* oil colour; **është rrahur me ~ e me uthull** he has been on the cross; **i nxjerr ~ dikujt** drive sb hard ♦ *nd:* **puna ecën ~** it is going smoothly/ without a hitch

vaj, -i² *m* cry; lament; weeping: **kёngë ~i** dirge; **ia plas ~it** burst into tears

vájës, -e *mb* oily; rich in oil content *(of olive-fruit)*

vajgúr, -i *m* kerosene; oil: **llambë me ~i** oil- ♦ **~ór, -e** *mb* oil-bearing *(field)*

vajím, -i *m* oiling; lubrication; *ft* unction: **~i i fundit** the extreme unction

vaj:ník, -u *m* oil cruet/ -can; oiler ♦ **~lóhet** *ps* ♦ **~l ój** *k/* oil; lubricate ♦ **~ór, -e** *mb* oleaginous *(plant)*

vajt:ím, -i *m* lamentation; wailing *(of the dead);* weeping

vájtj/e, -a *f:* **kemi ~e e ardhje** we see/ visit one another

vájtje-árdhj/e, -a *f* movement to and fro; shuttle movement/ service; visit: **biletë ~** return ticket

vajt/óhet *ps* ♦ **~lój** *k/, jk/* cry; weep; lament; (be)wail

over *(the dead)* ♦ **~úes, -e** *mb* sad; melancholy: **shelg ~** *bt* weeping willow ♦ **~úesh/ëm (i), -me (e)** *mb* sad; melancholy *(song, etc.);* deplorable; lamentable *(end of sth)*

vájz/ë, -a *f* girl; daughter: **~ë shkolle** school girl; **~ë e vetme** only daughter; **~ë për/ në shpirt** adoptive daughter ♦ *mb:* **është ~ë** she is a virgin ♦ **~ёrí, -a** *f* girlhood; maidenhood; virginity ♦ **~ërísht** *nd* girl-like ♦ **~ёrór, -e** *mb* maidenly; girlish

vak *k/* warm; *fg* dampen *(sb's enthusiasm)* ♦ **~let** *vtv, ps* ♦ **~ësí, -a** *f fg* tepidity ♦ **~ët (i, e)** *mb* lukewarm; tepid *(water, etc.)*

vakí, -a *f bs :* **bën ~ s'është kёshtu** perhaps it is not so

vákj/e, -a *f* warming

vaksín/ë, -a *f mk* vaccine ♦ **~ím, -i** *m mk* vaccination; inoculation ♦ **~lóhem** *vtv, ps* ♦ **~lój** *k/ mk* vaccinate; inoculate

vakt, -i *m bs* (high) time; season; meal; economic situation: **në ~in e martesës** in the right time for marriage; **tre ~e në ditë** three meals a day; **jam mirë nga ~i** be well-off; **s'ta kam ~in** I have no time for you

vak:tësí, -a *f* tepidity; *fg* lack of enthusiasm ♦ **~ur (i, e)** *mb* lukewarm; tepid

vál/ë, -a *f* wave; undulation *(of the hair, etc.);* boil; bubbles *(of boiling water); bs* rush; surge: **det me ~ë** wavy sea; **~ë të mesme** *rd* medium waves; **merr ~ë** (come to the) boil *(of water);* **në ~ë të** in the high-tide of; **~a e shpirtit** the last gasp ♦ *mb:* **ujë ~ë** hot water; **shtrati është ~ë** the bed is pleasantly warm ♦ *nd* very hot ♦ **~ë (i, e)** *mb* boiling/ scorching hot ♦ **~vít (~vís)** *k/* wave *(a banner, etc.)* ♦ **~vítet** *vtv* wave; stream *(in the air); ps* ♦ **~vítj/e, -a** *f* wave, waving *(of the hair, etc.);* streaming *(of banners, etc.)* ♦ **~zím, -i** *m* wave, waving; rolling *(of the sea);* undulation ♦ **~z/óhet** *vtv* wave; undulate ♦ **~z/ój** *k/ v iii* wave; billow *(of* *the sea)* ♦ *k/*wave; undulate ♦ **~ím, -i** *m* boil(ing): **pikë e ~it** boiling point

valíxh/e, -ja *f* suitcase; briefcase

val/óhet *vtv, ps* ♦ **~/ój** *jk/ v iii* boil; come to the boil *(of liquids); v iii* wave; stream *(of banners); v iii fg* be brisk *(of business, etc.)* ♦ *k/* boil; bring the boil *(a liquid)*

vals, -i *m mz* waltz

valúar (i, e) *mb* boiled; boiling: **ujë i ~** boiling water

valút/ë, -a *f fin, ek* currency; money ♦ **~ór, -e** *mb* monetary; money *(mb)*

válvul, -a *f tk* valve: **~ sigurimi** release valve; safety valve

váll/e, -ja *f* dance: **hedh këmbën sipas ~es** dance to the tune

vállë *pj:* **~ vjen sot ai?** will he come today?; **~ i pëlqeu?** I wonder if he liked it?

vallëz:ím, -i *m* dance; ball: **sallë ~i** dancing-hall ♦ **~/óhet** *pj* ♦ **~/ój** *jk/* dance; *v iii fg* glide: **~oj mbi dallgë** glide on the waves ♦ *k/* dance: **~oj një vals** waltz ♦ **~úes, -i** *m* dancer

vampír, -i *m mit* vampire; *z/* vampire bat

vandák, -u *m* bundle, stack *(of fire-wood);* wad *(of paper);* heaps *(of sth)*

vandál, -i *m hst* Vandal ♦ **~íz/ëm, -mi** *m* vandalism ♦ **~izím, -i** *m* wanton destruction ♦ **~iz/ój** *k/* vandalise

vanílj/e, -a *f bt* vanilla-tree: **akullore me ~e** vanilla ice-cream

váp/ë, -a *f* heat: **pisku i ~ës** the worst of the heat; **kam ~ë** be hot

vapór, -i *m* steamer; steam-ship

var *k/* hang (up); suspend; bend *(one's head); bs* neglect; shirk *(one's duties); fg* pin *(one's hopes on):* **~ një tablo** hang up a picture; **~ nuk ia ~ dikujt** snub sb; show disrespect for sb; **do të të ~in** you'll hang *(for it);* **~ buzët** pull a long face; **nuk ia ~ dikujt** make little of sb

varák, -u *m* tin/ aluminium foil

vardís/em *vtv* set down to *(work);* harass, harry: **i ~em dikujt** harass sb; stalk sb ♦ **~j/e, -a** *f* harassment; annoyance

varé, -ja *f* sledge-hammer ♦ *mb:* **e kam dorën ~** have a heavy hand

vár/em *vtv* hang oneself; suspend; hang/ down from/ on/ upon; climb/ come/ slide/ down; *fg v iii* depend on; be subservient to; *bs* hang on to; be a burden on; *v iii* be up to; *fg* place one's hope/ confidence. etc. on; *ps:* **~ em nga një degë** hang from a branch; **u ~ dielli** the sun set; **gjithçka ~ et nga ai** it hinges on/ it's up to him ♦ **~ës, -e** *mb* suspending *(lamp, etc.)* ♦ **~ës/e, -ja** *f* hanger *(for clothes);* peg *(for hats);* chain; pendant ♦ **~ësí, -a** *f* dependence: **kam në ~** be in charge; **në ~ nga/ të** depending on

varf:anják, -e *mb* poor; destitute ♦ **~ër (i, e)** *mb* poor; destitute; lean *(soil etc.):* **shpirt i ~** poor in spirit ♦ **~/ër, -ri (i)** *m* (the) poor; destitute; penurious ♦ **~ërí, -a** *f* poverty; destitution ♦ **~ërím, -i** *m* impoverishment ♦ **~ërísht** *nd:* **jetoj ~** live in poverty ♦ **~ër/óhem** *vtv, ps* ♦ **~ër/ój** *k/* impoverish; pauperise ♦ **~ërúar (i, e)** *mb* impoverished; pauperised

var/g, -gu *m* string *(of onions, etc.);* pot-hook/ chain; row, line *(of trees);* procession, file *(of people);* tailback *(of cars);* range *(of mountains);* series; a great number; verse: **~g fitoresh** a series of wins; **roman në ~gje** a novel in verse ♦ *nd* in a string; in a file; in great numbers: **~g e vijë/ vistër** in single file ♦ **~án, -i** *m* file; procession; motorcade ♦ *nd* in a file ♦ **~ëzím, -i** *m* versification ♦ **~ëz/óhet** *vtv, ps* ♦ **~ëz/ój** *k/* line up; connect in a chain; string together ♦ *jk/ v iii* range *(of mountains);* versify ♦ **~ëzúar (i, e)** *mb* lined up; in rows; stringed together ♦ *k/ kq* procrastinate; delay *(a decision)* ♦ **~ëzúes, -i** *m kq* poetaster; versifier

vargmál, -i *m gjg* mountain range/ chain

varg/úa, -ói *m* trammel *(of the fireplace); sh* chains, fetters

varia:ción, -i *m* variation: **sa për ~** just for a change ♦ **~nt, -i** *m* variation; variant; version

varíc/e, -ja *f mk* varix *(sh-ces);* varicose vein ♦ **~él/ë, -a** *f mk* varicella; chicken-pox

varieté, -ja *f* variety theatre/ show ♦ **~t, -i** *m* variety; strain *(of a plant, etc.)*

variól/ë, -a *f mk* variola; smallpox; sheep-pox

várj/e, -a *f* hanging; suspension *(of a lamp, etc.):* **i dënuar me ~e** condemned be hanged

vark/ë, -a *f* boat ♦ **~ëtár, -i** *m* boatman *(sh-men)*

vár:tës, -e *mb* subordinate; subaltern ♦ **~tësí, -a** *f* subordination; dependence ♦ **~ur (i, e)** *mb* hanging; hanged; suspended; drooping; lolling out; dependent *(territory); gjh* subordinate *(clause):* **rri me buzë të ~a/ turinj të ~** pull a long face ♦ **~ur, -i (i)** *m em* hanged man ♦ **~ur** *nd:* **mbetem ~** remain suspended in mid-air

varr, -i *m* grave; tomb; sepulchre: **gur i ~ it** tombstone; **me një këmbë në ~** with one foot in the grave; **shtie në ~** lower into the grave; bury ♦ *mb:* **ia bëj jetën ~ dikujt** make life hell for sb

varrakát (~s) *k/ bs* pass over; postpone indefinitely; procrastinate

varr:éz/ë, -a *f* cemetery; grave-yard; burial ground ♦ **~ím, -i** *m* burial

varrmíhës, -i *m* grave-digger

varr/ós *k/* bury; inter ♦ **~ós/em** *ps* ♦ **~ósj/e, -a** *f* burial; interment; entombment ♦ **~ósur (i, e)** *mb* buried; interred; entombed: **i ~ e i shtënë** dead and gone; under the sod ♦ **~ósh, -i** burial-ground

vasál, -i *m hst* vassal; *fg* bondman; slave ♦ **~, -e** *mb* vassal; subordinate; servile ♦ **~itét, -i** *m* vassalage; fealty

vásk/ë, -a *f* (bath)tub; tank; wash tank; *ft* washer

vásh/ë, -a *f* lass; maid ♦ **~ërí, -a** *f* maidenhood ♦ **~ërór, -e** *mb* maidenly

vat, -i *m fz* watt

vaterpólo, -ja *f sp* water polo

vát/ër, -ra *f* fireplace; hearth; plot, bed *(of flowers); fg* home; *fg* hotbed; centre, seat, cradle; *fz* focus: **~ra atërore** parental home; **~ra e tërmetit** the focal point of the earthquake ♦ *nd:* **kam një ~ër kalamaj** have a string of children

vath, -i *m* ear-ring/ drop; wattle, gill *(of a goat):* **e vë ~ në vesh diçka** keep sth in mind

váth/ë, -a *f* pen; fold *(of sheep)*

vazelín/ë, -a *f* Vaseline

vázo, -ja *f* vase; pot; jar

vázhd/ë, -a *f* track; trail *(of wheels, etc.); fg* trace; imprint; *fg* course: **~ë e ngjarjeve** the course of events ♦ **~ím, -i** *m* continuation; continuity; sequel: **muaji në ~** the current month ♦ **~imësí, -a** *f* continuity ♦ **~imísht** *nd* continuously; continually ♦ **~/óhet** *pvt, ps:* **kështu nuk mund të ~ohet** it is impossible to continue like this ♦ **~/ój** *kl* continue; carry on; keep *(doing sth)*; go ahead; proceed; attend: **~oj punën** go on with/ resume one's work; **~oj një kurs** attend a course ♦ *jkl v iii* continue; persist: **~on shiu** the rain is persisting ♦ **~úar (i, e)** *mb* continuous; persistent: **kujdes i ~** persistent care ♦ **~úes, -i** *m* continuator; next month/ year ♦ **~úes, -e** *mb:* **në numrin ~** in the next issue ♦ **~úesh/ëm (i), -me (e)** *mb* continuous; continued; continual; on-going: **shi i ~ëm** persisting rain; **përpjekje e ~me** sustained effort

vdek:atár, -i *m* mortal ♦ **~j/e, -a** *f* death; decease; departure; end; sworn (enemy); fatal (disease): **grahmat e ~es** death-rattle; **kambana e ~es** death/ passing-bell; toll; knell; **shtrati i ~es** deadbed; **dënim me ~e** capital punishment; **kampet e ~es** death camps; **deri në ~e** to the dying day; until death; **për ~e** deadly; **si ~a** dead sure; **e kam ~e dikë** hate sb heartily; hate sb's guts

vdekjeprúrës, -e *mb* fatal; deadly; mortal; lethal: **goditje ~e** mortal blow; **sëmundje ~e** fatal/ killer disease

vdékur *pjs e* **vdes** ♦ **~, -i** *m* dead; deceased ♦ **~ (i, e)** *mb* dead; deceased; *fg* lifeless: **bie i ~** fall dead; **gjethe e ~** dead leaf; **qytet i ~** lifeless town; **pikë e ~** stalemate; deadlock; *fz* dead point; **punë e ~** a sure thing ♦ *nd:* **bie ~ përdhe** fall dead on the ground; **gjallë a ~** dead or alive

vdes *jkl/* **vdíqa, vdékur** die; *bs* be exhausted: **~ i ri** die young; **vdiqa nga vapa** I'm exhausted by the heat; **~ nga frika** be scared to death; **~ për gjumë** be dropping with sleep; **o rashë o vdiqa** do or die ♦ *kl/* murder; kill: **i ka vdekur mendja**

he is not in his right mind

ve, -ja (e) *f* widow ♦ **~, -u (i)** *m* widower; widowman ♦ **~ (i, e)** *mb:* **grua e ~** a widow; **burrë i ~** a widower

veç *nd* separately; apart; aside: **heq ~ ca para** put some money aside; **ai është ~ nga të tjerët** he is a different kind of person; he is special; **hap shtëpi ~** set up house on one's own ♦ *prfj:* **~ kësaj** on top of this; in addition to this; except for this; **asgjë tjetër ~ kësaj** nothing but this ♦ *ldh:* **mirë e ke, ~ mos** you're right, except that you should not ♦ *pj:* **~ sa e preka** I barely touched it; **~ të vijë** if only he should come ♦ **~án** *nd* separately; apart; aside; to one side: **e ndaj ~** set apart; **e dua ~ nga të tjerët** I love him more than any one else ♦ **~anërísht** *nd:* **kujdesem ~ për dikë** take special care of sb ♦ **~ánt/ë (i, e)** *mb* special; exceptional; particular; specific; peculiar, odd: **trajtim i ~ë** preferential treatment; **numër i ~ë i revistës** a special issue of the magazine; **shërbim i ~ë** distinguished service ♦ **~antí, -a** *f* particularity; peculiarity; distinctiveness: **në ~** in particular ♦ **~as** *nd* separately; aside: **ndaj ~** set aside ♦ **~ím, -i** *m* separation; isolation: **~ i të sëmurëve** the isolation of the sick ♦ **~mas** *nd* *shih* **~as** ♦ **~/óhem** *vtv, ps* ♦ **~/ój** *kl* separate; isolate: **~oj një element kimik** isolate a chemical element ♦ **~orí, -a** *f* distinction; distinctiveness: **~ dalluese** distinctive quality

véç:që *ldh* except that ♦ **~sé** *ldh:* **ngjanin shumë, ~ ai vinte pak më i gjatë** they looked alike, except that he was slightly taller ♦ *pj:* **s'bëj gjë tjetër, ~...** do nothing except...

veç:úar (i, e) *mb* separated; detached; isolated; *el, tk* insulated: **shtëpi e ~** a detached house; **rast i ~** an isolated case ♦ **~úes, -i** *m fiz, el* insulator ♦ **~úes, -e** *mb* dividing *(wall, etc.)*; distinctive *(sign, etc.); el, tk* insulating *(material)*

vég/ël, -la *f* tool; instrument; apparatus; *bs* (sex) organ: **~ la gjimnastikore** gym apparatuses; **~ lat e punës** work tools; **trasta/ çanta e ~ lave** tool-bag/ kit; **i bie një ~ le** play an instrument

vegím, -i *m* dawn; peep *(of the day);* vision; hallucination ♦ **~tár, -e** *mb* visionary; dreamy ♦ **~tár, -i** *m* visionary; dreamer ♦ **~/ój** *jkl v iii* dawn; break *(of the day)*

vegsh, -i *m* pot; crock

veg:úes, -e *mb* dim; faint *(light)* ♦ **~ullí, -a** *f* glint; vision ♦ **~ull/ój** *jkl* **-ói, -úar** *v iii* glint

vegjet:ál, -e *mb shih* **bimor, -e** ♦ **~arián, -i** *m* vegetarian ♦ **~arián, -e** *mb* vegetarian ♦ **~atív, -e** *mb bl* vegetative: **organet ~e** vegetative organs

végj/ë, -a *f* weaving loom; handle; lug *(of a pot)*

vegjëlí, -a *f prmb* common people; plebeians; lowborn; the humble classes; childhood, *prmb* children: **që në ~** since a child

vegj:ëtár, -i *m* weaver

vej:án, -i *m* widower ♦ **~án/e, -ja** *f* widow ♦ **~ërí, -a** *f* widowhood ♦ **~úsh, -i** *m shih* **vejan, -i**

vel, -i *m* veil; sail; cloth; mist; cover: **anije me ~a** sailing craft

vel *kl* cloy; glut; surfeit; satiate

veladón, -i *m feet* soutane

vélem *vtv* be glutted/ satiated/ surfeited; feel cloyed with

velénx/ë, -a *f* wool(l)en cover

vél:ët (i, e) *mb* mawkish; cloying; nauseating ♦ **~ít/em** *vtv shih* **velem** ♦ **~ur (i, e)** *mb* cloyed; glutted; sated

véllo, -ja *f* veil; cover *(of bride's face)*

vemés/ë, -a *f* film; filmy cover; thin coating; membrane

vend, -i *m* place; country; spot; space; bed, accommodation *(in hotel);* seat; passage, fragment *(of a book, etc.);* position; place(ment); ranking; *fg* reason: **~ malor** mountainous/ hilly country; **~ në klasifikim** poll position; seeding; **~ pune** job; work place; **~ ~e ndenjur** seating-room *(in a bus);* **~e pa ~** improperly; groundlessly; **~i butë** soft spot; **~i im** my country; **~i ngjarjes** the venue; **e çoj në ~** carry out; execute *(an order, etc.);* **i bëj ~ dikujt** make room for sb; **i tregoj ~in dikujt** put sb in his place; tell sb off; **ia çoj dëshirën në ~ dikujt** fulfil sb's wish; **ka ~** there is room (for); **më vjen shpirti në ~** regain one's calm; **mëshoi ~it!** mind your business!; **në ~** on the spot; at once; immediately; **në ~ që** instead of *(+ing);* **në ~ të** instead of; in place of; **s'është ~i për** this is not the right place for; **nëpër ~e!** take your seats!; **V~et e Ulëta** *m sh gjg* (the) Low Countries; the Netherlands; **vërejtje me ~** proper remark

vend:baním, -i *m* dwelling place; residence; domicile; abode: **~ i përkohshëm** temporary domicile ♦ **~burím, -i** *m* resource; deposit; source; origin; head *(of a river)*

véndçe *nd* locally; like the natives; calmly; regardless of expense: **vishem ~** dress like the natives; **punoj ~** work hard/ in earnest

vénde-~ *nd:* **shira ~** local rains

véndës, -i *m* native; indigenous population; local: **gjuha e ~ve** the language of the natives; **fituan ~it** the local team won ♦ **~, -e** *mb* native; indigenous; local; home *(produce);* home-grown

vendím, -i *m* decision; resolution; verdict, ruling *(of a court of justice):* **marr një ~** make a decision ♦ **~tár, -e** *mb* decisive; crucial

vend:líndj/e, -a *f* birth-place; native place; native land ♦ **~ndódhj/e, -a** *f* location; whereabouts

vend: ór, -e *mb* local ♦ **~ós** *kl* put; place; lay; set; arrange; accommodate; establish *(order, etc.);* fix, set *(a price, etc.);* determine; decide: **~ os dikë**

me punë find a job for sb; **e ~ os në hotel dikë** put sb up in a hotel; **~ os lidhje me dikë** get in touch with/ contact sb; **~ os një rekord të ri** establish a new record; **~ os fatin e dikujt** determine sb's destiny ♦ **jkl** decide; resolve; *v iii* be decisive: **ende s'kemi ~ osur** we have not reached a decision yet ♦ **~/em** *vtv* settle; establish oneself *(with residence); ps:* **u ~ ëm në fshat** we settled in the country ♦ **~j/e, -a** *f* placing; laying; setting; establishment; *bs* resolve; arrangement: **~a e rregullit** establishment of order ♦ **~mërí, -a** *f* determination; resolve; firmness ♦ **~mërísht** *nd* resolutely; firmly; with resolve ♦ **~ur (i, e)** *mb* resolute; resolved; firm ♦ **~ósj/e, -a** *f* location

venerián, -e *mb mk* venereal *(disease)*

Venezuél/ë, -a *f gjg* Venezuela ♦ **v~ián, -e** *mb* Venezuelian ♦ **v~ián, -i** *m* Venezuelian

vén/ë, -a *f an* vein

venít *kl* wither; cause to fade: **vapa i ~i lulet** the flowers withered in the heat; **ia ~ shpresat dikujt** cut sb's hopes ♦ **~/em** *vtv v iii* wither *(of plants);* grow haggard; *v iii* vanish; *v iii fg* fail; grow less *(of hopes, etc.):* **u ~ drita** the light faded; **u ~ zjarri** the fire is out ♦ **~j/e, -a** *f* withering *(of plants);* fading out; failing *(of the light, etc.)* ♦ **~ur (i, e)** *mb* withered; dead *(plant);* faded; vanishing *(beauty, etc.);* fg dying *(hope, etc.);* failing; dim *(light, etc.)*

ventilatór, -i *m* fan; ventilator

ventúz/ë, -a *f mk* cupping glass *(to cure a cold);* tk suction cap

vép/ër, -ra *f* action; act; literary work; *prmb* works: **gjykoj dikë nga ~rat** judge sb by what he does; **~ër e denjë** a worthy act; **~ër arti** work of art ♦ **~rím, -i** *m* activity; action; effect; work; function *(of an engine, etc.):* **fushë ~ i** scope of activity; **hyn në ~** become operational *(of a law, etc.);* **~e bankare** banking transactions ♦ **~rimtár, -i** *m* activist *(of a party)* ♦ **~rimtarí, -a** *f* activity; operation; transaction: **~ financiare** financial transactions ♦ **~r/óhet** *pvt, ps* ♦ **~r/ój** *jkl* act; be operational; operate; *v iii* act on; take effect *(of a medicine):* **~ojnë shumë faktorë** many factors come into play; **~oj pa u ngutur** proceed without haste ♦ **~ór, -e** *mb gjh* active *(voice of the verb)* ♦ **~rór/e, -ja** *f* active voice ♦ **~rúes, -i** *m* acting ♦ **~rúes, -e** *mb* acting; *ush* operational *(unit);* active *(volcano, etc.)*

veránd/ë, -a *f* verandah

verb/ër, -ri (i) *m* blind; blindman *:* **alfabet për të ~it** braille alphabet ♦ **~ër (i, e)** *mb* blind; purblind; blindfold; reckless: **i ~ nga të dy sytë** blind of both eyes; stone-blind; **bindje e ~** blind obedience; **rrugë e ~** blind alley; dead end; **bëj një sy të ~** turn a blind eye *(to sth)* ♦ **~ërí, -a** *f* blindness ♦ **~ërím, -i** *m* blinding ♦ **~ërísht** *nd:* **besoj ~ në diçka** trust sth blindly ♦ **~ím, -i** *m* blinding; dazzling ♦ **~lóhem** *vtv, ps* ♦ **~lój** *kl* (make) blind; dazzle; *fg* make (sb) blind to: **e ~oi zemërimi** he was blind with rage ♦ **~úar (i, e)** *mb* blinded; purblind; blindfold; dazzled ♦ **~úes, -e** *mb* blinding; dazzling *(light, etc.)*

verdh *kl* (make/ turn) yellow ♦ **~ác, -e, ~acák, -e, ~acúk, -e** *mb* yellowish; pallid ♦ *em* sallow-face; pale-face; tallow-face ♦ **~em** *vtv v iii* tun yellow *(of wheat-fields, etc.);* turn pale; become pallid ♦ **~ém/ ë (i), -e (e)** *mb* yellowish; tawny; sallow: **fytyrë e ~e** sallow face ♦ **~lë, -a (e)** *f* **(të)** yellow; yolk *(of the egg):* **lyej në të ~** paint yellow ♦ **~lë (i, e)** *mb* yellow; pallid *(complexion, face)* ♦ **~ëllém/ë (i), - e (e)** *mb* yellowish ♦ **~ësí, -a** *f* yellowness; paleness ♦ **~ë, -t (të)** *as mk* jaundice; faint; swoon ♦ **~ëz, -a** *f mk bs* jaundice ♦ **~j/e, -a** *f* turning yellow ♦ **~lóhem** *vtv* turn yellow ♦ **~lój** *kl* (make/ turn) yellow ♦ *jkl v iii* (be) yellow: **~onin grunjërat** the wheat-fields were yellow ♦ **~ósh, -e** *mb* yellow(ish); faint: **dritë ~e** dim light ♦ **~ur (i, e)** *mb:* **me fytyrë të ~** with a pale face ♦ **~úshk/ë, -a** *f bs* gold coin/ piece

verém, -i *m mk bs* phthisis; consumption ♦ **~ós** *kl* cause consumption; *fg* sadden; aggrieve ♦ **~ur (i, e)** *mb* consumptive; *fg* eaten *(with worry)*

veresí/e, -ja *f bs* credit; tally ♦ **~e** *nd:* **blej ~** buy on credit

vér/ë, -a¹ *f* summer: **pushimet e ~ës** summer holidays; **rroba ~e** summer clothes; **shend e ~ë** full of joy; in the seventh heaven; **lule ~e** *bt* daisy

vér/ë, -a² *f* wine: **~ë e bardhë/ kuqe** white/ red wine; **pres ~ën** water the wine

verí, -u *m* north; north(erly) wind; *bs* fanning: **ylli i ~ut** the north star; **fryn ~** it is blowing north; **bëj ~** fan oneself; **shkoj ~** fly past/ out/ off

verifik:ím, -i *m* checking-up; verification ♦ **~lóhet** *ps* ♦ **~lój** *kl* verify; check up

veríg/ë, -a *f* link *(of a chain);* fetter; linchpin; handle *(of a pot);* ring

verilínd:j/e, -a *f* northeast ♦ **~ór, -e** *mb* north-eastern; north-easterly

verím, -i *m:* **shkoj për ~ në det** go to the sea for the summer

veriór, -e *mb* northern; northerly

veriperëndím, -i *m* northwest ♦ **~ór, -e** *mb* northwestern; north-westerly

vermút, -i *m* vermouth

verník, -u *m* varnish

ver/ój *jkl* summer: **~oj në fshat** pass the summer (holidays) in the country ♦ **~ór, -e** *mb:* **orë ~e** summer time; **shkollë ~e** summer school

versión, -i *m* version

vertéb/ër, -ra *f an* vertebra *(sh -ae, -as)* ♦ **~rór, -e** *mb:* **kafshë vertebrore** *zl* vertebrate ♦ **~rórë, -t** *m sh zl* vertebrate

vertikál, -e *mb* vertical: **vijë ~e** a vertical ♦ **~/e, -ja** *f* vertical; perpendicular; *sp* handstand ♦ **~ísht** *nd* vertically

vérz/ë, -a *f zl* gill *(of fish)*

ves, -i *m* vice; flaw; imperfection: **më bëhet ~** grow into a (bad) habit; become addicted *(to sth.);* **kam një ~ në zemër** have a heart condition

vés/ë, -a *f* dew; drizzle: **~a e mëngjesit** morning dew; **një ~ë shi** drizzle ♦ **~lóhet** *vtv, ps* ♦ **~lój** *jkl v iii* form dew-drops; *v iii* drizzle ♦ *kl* dew; moisten; sprinkle ♦ **~úar (i, e)** *mb* dewy; moistened

vesh, -i *m an* ear; hearing; ear-flap *(of a hat);* handle *(of a cup, etc.);* bunch *(of grapes):* **bulë e ~ it** ear lobe; **e var vath në ~ diçka** bear sth in mind; **gjithë sy e ~ ë** all eyes and ears; **i shkul ~ ët dikujt** pull sb's ears; **kam ~ë të rëndë;** be hard of hearing; **kam ~ për muzikë** have a good musical ear; **llapa e ~ it** ear flap; **marr ~** understand; **mbaj ~** listen; **më bëjnë ~ ët** hear things; **më vret ~in** hurt one's ear; **merrem ~ me dikë** agree with sb

vesh *kl* dress, clothe *(sb);* put on *(a coat, shoes); bs* frock *(a priest);* wear *(a mask, etc.);* line *(a jacket, a kiln, etc.);* upholster *(an armchair);* coat, sheathe *(a cable);* plate *(metal); fg* invest *(sb with power, etc.);* cover up; *kq* saddle; impute; ascribe *(sth to sb); bs* hurry through *(one's job); bs* hit out at: **e ~ me fjalë të bukura** coach sth in fine words; **ia ~ përgjegjësinë dikujt** saddle sb with a responsibility; **ia ~ syve dikujt** hit sb in the face

veshgját/ë, -i *m* ass

véshj/e, -a *f* clothes, garment, (articles of) clothing, wear; lining *(of a coat, a wall);* coating *(of wires and cables);* upholstery; sheathing; plating: **~ e për burra/ burrash** men's wear; **~ e për gra/ grash** ladies' wear; **~ e të brendshme** underwear; **~ e sportive** sports wear

véshk/ë, -a *f an* kidney: **jam si ~a në mes të dhjamit** live on the fat of the land

veshmbáthj/e, -a *f prmb* clothes and footwear

veshó:k/e, -t *f* (horse's) blinds; blinders ♦ **~r/e, -ja** *f* ear-flap (cap); two-handled cauldron; *sh* blinders *(of a horse)*

vesht/ë (i, e) *mb* attentive; intent; sharp; watchful

veshtullí, -a *f* viscosity ♦ **~ór, -e** *mb* viscous; gummy; gluey; stringy *(liquid);*

véshur (i, e) *mb* clothed; dressed; coated *(wire);* unhusked *(rice, etc.);* leafed *(tree);* wooded *(hill);* clouded *(sky);* dim; veiled *(eyes);* second-hand *(clothes);* misty *(glass):* **i ~ e i mbathur për bukuri** well clothed and shoed

vet (i, e) *prn, vtv sh* **-(të), -a(të)** his/ her own: **shtëpia e ~** his/ her own house; **vepron me kokë të ~** act on one's own ♦ *em* his/ her own (folks); relation

vét/e, -ja *vtv* oneself: **jam zot i ~es** be one's own master; **flas me ~e** talk to oneself; **punoj për**

~e work for oneself; **më ~e** on one's own; separately ♦ *em* self; underbelly: **mendo për ~en** think of yourself; **marr ~en** recover (oneself); feel upbeat

véte *jk/* **vájta, vájtur** go; *v iii* spread; *v iii* be; last; *v iii bs* proceed; *v iii bs* work; *v iii fg* suit; *v iii bs* cost; sell; *bs* pass away: **~ në shkollë** go to school; **~ më këmbë** go on foot; **~ shëndoshë** arrive safely; **atij i ~ fjala** what he says goes; **më ~ gjak nga hundët** have a bleeding nose; **si ~ me punë?** how is your work?; **~ mirë me dikë** be on good terms with sb; **nuk të ~ kjo ngjyrë** this colour does not suit you; **më ~ mendja për diçka** fancy sth; **sa të vajti?** how much did it cost? **s'ka ku të vejë më mirë** it can't be better; **vafsh shëndoshë!** well done!; you lucky dog!; **vajti ora** it is high time

veterán, -i *m* veteran; old-timer ♦ *mb* veteran

veterin:ár, -e *mb* veterinary: **mjek ~** veterinary surgeon ♦ **~arí, -a** *f* veterinary medicine/ science ♦ **~ér, -i** *m* veterinary (surgeon); *bs* vet

vét/ë, -a *f* person: **pesë ~a** five persons; **~a e parë** *gjh* first person

vétë *vtv (në të gjitha vetat)* self; selves: **e pashë ~** I saw it myself/ with my own eyes; **e kanë bërë ~** they built it themselves; **ti e di ~** you know better ♦ *nd:* **gatuaj ~** be able to cook; **ia dal mbanë ~** I am able to do it myself

vetë:besím, -i *m* self-assurance/ confidence/ reliance ♦ **~dáshj/e, -a** *f* own accord; free will; volition ♦ **~díj/e, -a** *f* awareness; consciousness ♦ **~díjsh/ëm (i), -me (e)** *mb* aware; conscious ♦ **~kupt/óhet** *vtv-* **úa (u), -úar** be self-understood: **~ se** it goes without saying that

vét/ëm (i), -me (e) *mb* only; single; solitary; sole; unique: **fëmijë i ~ëm** only child; **udhëtar i ~ëm** solitary travel(l)er ♦ *em:* **jam i ~mi për** be unrivalled in ♦ **~ëm** *nd* alone; single-handedly: **mbetem ~** remain alone; **~ për ~** all alone; single-handedly ♦ *pj:* **~ të vijë** that only he should come ♦ *ldh:* **~ se** but; **jo ~ që, por edhe** not only, but also

vetë:mbrójtj/e, -a *f* self-defence ♦ **~mohím, -i** *m* self-sacrifice; self-denial ♦ **~mohúes, -e** *mb* self-sacrificing; self-denying ♦ **~shërbím, -i** *m* self-service

vetëtí:m/ë, -a *f* lightning; flash of lightning ♦ *mb* lightning *(speed)* ♦ **~më** *nd* with lightning speed; like a flash ♦ **~mthi** *nd* with lightning speed; like lightning ♦ **~/n** *jk/* **-u, -rë** *pvt* flash *(of lightning);* be bright; *fg* be spotless: **i ~jnë sytë** his eyes were shining ♦ *k/* polish *(brass, etc.)* ♦ **~t** *jk/ shih* **~n** ♦ **~tës, -e** *mb* shining; bright; dazzling ♦ **~tj/e, -a** *f* shine; polish ♦

vetë:vendós *jk/* make one's own decision; *dr* exercise self-determination ♦ **~vendósj/e, -a** *f dr* self-determination ♦ **~vrásj/e, -a** *f* suicide

vetí, -a *f* property; attribute; quality: **~të fizike/ kimike** physical/ chemical properties; **~ shëruese** healing virtues

vetíu *nd* spontaneously; by itself: **digjet ~** burn spontaneously; **kuptohet ~** it is self-understood; it goes without saying

vetják, -e *mb* personal; private: **pronë ~e** personal property; **higjienë ~e** personal hygiene; **çështje ~e** private matter

vétm:as *nd, pj* alone; aloof ♦ **~í, -a** *f* loneliness; solitude ♦ **~itár, -e** *mb* lonely; lonesome; solitary; single; alone: **njeri ~** loner; lone wolf/ bird ♦ **~úar (i, e)** *mb* lonely; alone; lonesome; single: **mbetem i ~** remain alone

véto, -ja *f* veto: **vë ~on** veto

vetór, -e *mb gjuh:* **përemër ~** personal pronoun

vétull, -a *f* (eye-)brow; arch *(of the bridge, etc.);* edge; side *(of the hill):* **mbledh/ rrudh ~at** knit one's brow; frown; **shoh nën ~a** look daggers *(at sb)*

vetúr/ë, -a *f* car; motor car; automobile

vetvét/e, -ja *vtv* oneself

vetvetí:sh/ëm (i), -me (e) *mb* spontaneous ♦ **~u** *nd* of/ itself; spontaneously

vetvetór, -e *mb gjh* reflexive *(verb, pronoun)* ♦ **~l e, -ja** *f gjh* reflexive voice

vez:ák, -e *mb* oval; egg-shaped ♦ **~lë, -a** *f* egg; *bl* ovum *(sh* **-i***);* *bt* ovule; berry, roe *(of fish):* **~ë e freskët** fresh egg; **~ë e kuqe** red/ Easter egg; **~ë e prishur/ llukë** bad egg; **e verdha/ kuqja e ~ës** the yolk of the egg; **që në ~ë** from inception; in embryo; **~ë e qëruar** an easy morsel; a piece of cake

vézm/e, -ja *f* cartridge-box/ pouch

vezór, -e *mb shih* **vezák** ♦ **~/e, -ja** *f* an ovary; *bt* ovule

vezull:ím, -i *m,* **~ím/ë, -a** twinkle; glint; glimmer ♦ **~lón** *jk/* **-ói, -úar** twinkle; glint; glimmer: **~ojnë yjet** the stars are twinkling; **~oi një shpresë** a ray of hope appeared ♦ **~úes, -e** *mb* twinkling; glimmering *(light)*

vë *k/* **vúra, vënë** put in/ into/ on; place; set; lay; *v iii* form: **~ afër e afër** put closely together; **~ çmimin** fix a price; **~ në gjumë** put/ lull sb to sleep; **~ kapelën** put on the hat; **~ kokëposhtë** put sth head down; **~ kushtet** lay down the conditions; **~ mend** learn from a mistake; **~ misër** plant maize; **~ në dijeni** inform; **~ në lëvizje** set in motion; **~ orën** set the clock; **~ para/ pasuri** make money/ a fortune; **~ pula** raise chickens; **~ syze** wear glasses; **e ~ në majë të gishtit dikë** turn sb round one's little finger; **i ~ bërrylat dikujt** elbow sb out; **i ~ duart dikujt** throw sb out; **i ~ faj dikujt** blame sb; **i ~ kryq diçkaje** cross sth out; **i ~ kyçin diçkaje** keep sth under lock and key; **mos ia ~r re** never mind him; do not take him seriously

vëllá, -i *m sh* **vëllézër, vëllézërit** brother; brother *(sh* **brethren***);* fellow: **~i im i madh/ vogël** my elder/ younger brother; **~ prej një barku** whole brother; **si ~** brotherly ♦ *mb* fraternal; brotherly ♦ **~çko, -ja** *m bs* little/ younger/ kid brother; *bs* chap ♦ **~m, -i** blood-brother; best man ♦ **~vrásës, -e** *mb* fratricidal *(war)* ♦ **~vrásj/e, -a** *f* fratricide ♦ **~zërí, -a** *f prmb* brotherhood; brothers; fellowship; *vj* fraternity; association; *ft* confraternity ♦ **~zërím, -i** *m* fraternisation ♦ **~zërísht** *nd* fraternally; brotherly ♦ **~zër/óhem** *vtv* fraternise; become blood-brothers ♦ **~zër/ój** *k/* fraternise; associate with ♦ **~zërór, -e** *mb* brotherly; fraternal ♦ **~zërúar (i, e)** *mb* fraternised

vëllésh/ë, -a *f* sister-in-law

vëllím, -i *m* volume; amount: **~i i kubit** the volume of a cube; **i botuar në dy ~e** printed in two volumes ♦ **~ór, -e** *mb* volumetric(al) ♦ **~sh/ëm (i), -me (e)** *mb* voluminous; ample

vëménd:j/e, -a *f* attention; heed; care: **me ~e** attentively; **i tërheq ~en dikujt** draw/ call sb's attention ♦ **~sh/ëm (i), -me (e)** *mb* attentive; mindful; watchful

vënë *pjs shk e* vë ♦ **~ (i, e)** *mb:* **dhëmbë të ~** a set of artificial teeth; **para të ~ mënjanë** money saved

vëngër (i, e) *mb* squint/ cross-eyed ♦ *nd* askance; awry; askew: **shoh ~** look awry ♦ **~ásh, -e** *mb* squint-eyed; cross-eyed (person) ♦ **~í, -a** *f* squint *(of the eyes)* ♦ **~ósh, -e** *mb shih* **~ásh**

vëni/e, -a *f:* **~e në punë** commissioning *(of a plant);* **~e në zbatim** execution *(of a plan)*

vërdállë *nd* about; around; up and down: **sillem ~** walk about/ around aimlessly; **e sjell ~ dikë** drive sb from pillar to post

vëré/hem *vtv, ps:* **~het një përmirësim** an improvement can be noticed ♦ **~j** *k/* look into; scrutinise; observe; regard; notice; watch; remark: **~ me kujdes** observe carefully ♦ **~jtj/e, -a** *f* observation; attention; remark, admonishment; custody: **i tërheq ~en dikujt** draw sb's attention *(to sth);* **bëj një ~e** make a remark; **i heq ~en dikujt** reprimand sb; **nën ~e** under custody

vërs/ë, -a *f krh* age: **i ~ës sime** of my age ♦ **~ník, -e** *mb, em bs* contemporary; of the same age

vërsúl/em *vtv* rush; dash; charge, attack: **i ~em dikujt** make a rush for sb ♦ **~j/e, -a** *f* rush; charge; attack

vërshëll/éj *jk/* **-éva, -yer** whistle; hiss ♦ **~ím, -i** *m* whistle; hiss ♦ **~ím/ë, -a** *f* whistling; hissing: **e zë me ~a dikë** whistle sb *(out of the stage, etc.)* ♦ **~ýes, -e** *mb* whistling; hissing

vërsh:ím, -i *m* overflow; flood; deluge; sweep ♦ **~/ój** *jk/ v iii* overflow; flood; *v iii* gush; stream; flow; swarm *(into, out of);* *v iii sh fg* pour in: **~oi lumi**

the river overflowed *(its banks);* **~uan kërkesat** requests poured in

vërtét *nd* indeed; truly; really: **~, ashtu është** indeed, it is like that; **~ e ke?** you are not joking, are you? ♦ *fjalë e ndërmjetme* true: **~ nuk erdhi, por** (it is) true he did not come, but ♦ **~/ë, -a (e)** *f* **(të)** truth; verity; truthfulness; veracity: **me të ~ ë** in truth; truly; **ç'është e ~ a** tell you the truth ♦ **~/ ë (i, e)** *mb* true; real; genuine; authentic *(document);* truthful *(account):* **ar i ~** genuine gold; **mik i ~** a true friend ♦ **~ësí, -a** *f* truthfulness; veracity ♦ **~ím, -i** *m* verification *(of a document);* confirmation; *mat* demonstration *(of a theorem)* ♦ **~/ óhet** *vtv, ps:* **u ~uan fjalët e tij** his words came true ♦ **~/ój** *k/* verify; certify; authenticate; *mat* prove ♦ **~úar (i, e)** *mb* verified; certified

vërtík, -u *m* force; strength; vigour

vërtít *k/* turn round; revolve; *bs* get around; *ps:* **~ rrotën** revolve the wheel; **e ~ në mendje** turn sth round in one's mind; **e ~ ligjin** stretch the law; **çmimi ~et te** the price fluctuates in the region of; **biseda ~ej rreth** the conversation centred on; **i ~ një gur dikujt** sock a stone at sb ♦ **~j/e, -a** *f* turning round; revolving; revolution

vërvít *k/* fling; hurl; pitch; sling ♦ **~/em** *vtv* fling oneself ♦ **~j/e, -a** *f* flinging; hurling; pitching; slinging

vështír *k/* nauseate; sicken; disgust ♦ **~/et** *vtv* **-(u), -ur** be nauseated/ sickened/ disgusted *(with sth):* **më ~et dikush** be disgusted with sb

vështír/ë (i, e) *mb* difficult; hard; arduous; *fg* sickening: **punë e ~ë** a difficult job; a hard task ♦ **~, -t (të)** *as* disgust; nausea; loath: **më vjen të ~ kur e shoh** loath the sight of (sth, sb) ♦ **~ë** *nd* hard: **do ta kesh ~ me të** he'll be hard on you ♦ *k/lz:* **~ se kthehem sonte** I can hardly be back tonight ♦ **~ësí, -a** *f* difficulty; hardship; rigour: **jam në ~** be in a fix/ hard up; **nxjerr ~** raise difficulties ♦ **~ësím, -i** *m* worsening; making/ becoming difficult ♦ **~ës/óhet** *vtv* become difficult/ laboured; worsen ♦ **~ës/ój** *k/* make difficult; worsen ♦ **~ós** *k/* nauseate; disgust ♦ **~ós/et** *vtv* **- (u), -ur** be loath; become disgusted ♦ **~ósj/e, -a** *f* loathing; disgust

vështr:ím, -i *m* look; glance; *fg* angle, point of view: **i hedh një ~ dikujt** cast a glance at sb; **~ i ri** a new look/ viewpoint; **me ~ in e parë** at the first glance ♦ **~/óhem** *vtv, ps:* **~ohem në pasqyrë** look oneself in the mirror ♦ **~/ój** *k/* look; glance; see; look after *(sb, sth):* **~oj orën** look at the watch; **pa e ~uar** without looking ♦ *jk/* look; be attentive; face: **~oj me dylbi** look through the field-glasses; **~oj nga rruga** look in the direction of the street; **~o këtu!** look here!; **dritarja ~on nga lumi** the window overlooks the river

vëzhg:ím, -i *m* observation: **pikë ~i** *ush* observation point/ post ♦ **~/óhem** *vtv, ps* ♦ **~/ój** *k/* observe; watch *(sb's movements)* ♦ **~úes, -i** *m* observer ♦ **~úes, -e** *mb* observation *(post)*

víck/ë, ~/ël, -la *f* kick: **hedh ~a** kick *(of an animal)*

viç, -i *m* calf *(sh* **calves***);* gjll veal; *keq* lout; silly; stupid (person)

video:dís/k, -ku *m* videodisc ♦ **~fón, -i** *m* videophone ♦ **~kasetofón, -i** *m* videocassetophone ♦ **~regjistrúes, -i** *m* video recorder

vidh, -i *m bt* elm(-tree)

vídhem *vtv* steal away; sneak in/ off/ out; *fg* shirk *(one's duties);* ps e **vjedh**

vídh/ë, -a *f* screw: **kam një ~ë mangët** *bs* have a screw loose ♦ **~ós** *k/* screw ♦ **~/óset** *ps* ♦ **~ósj/ e, -a** *f* screwing ♦ **~ósur (i, e)** *mb* screwed; fastened with screw(s)

Vietnám, -i *m gjg* Vietnam ♦ **~éz, -e** *mb* Vietnamese ♦ **~éz, -i** *m* Vietnamese ♦ **~ísht** *nd* in Vietnamese ♦ **~ísht/e, -ja** *f* Vietnamese

vi/g, -u *m* stretcher; litter

vigán, -i *m* giant ♦ **~, -e** *mb fg* gigantic; giant

vigjilén:c/ë, -a *f* vigilance; watchfulness ♦ **~t, -e** *mb* vigilant; watchful

vigjílj/e, -a *f* eve: **në ~en e Krishtlindjeve** on Christmas Eve

vigjil/ój *k/* be vigilant of; watch over; keep an eye on

víhem *vtv, pvt, ps* **~ em në radhë** queue up; **~ em në krye** take the lead *(of a runner);* **i ~ em prapa dikujt** chase after sb; **~ em për udhë** start a journey

vij */k/* **érdha, árdhur** come; arrive; *v iii* pass; rank *(first, etc.);* v iii lie; extend; come from; come round *(to a point of view);* v iii happen to; v iii have; feel/ be/ look like; v iii fit; v iii rise *(of dough); bs* weigh; v iii rise, work *(of dough);* v iii *fg* begin to: **~ herët** arrive early; **~ i hajthëm** be slightly built; **~ më këmbë** come on foot; **~ në jetë** come into life; **~ në të/ vete** collect oneself; come to; **~ poshtë dikujt** rank next to sb; **~ shtatëdhjetë kile** weight seventy kilos (on the balance); **uji më vinte gjer në gju** I was knee-deep in water; **~ në moshë** come of age; **eja këtu!** come here!; **erdhi koha** time is up; **fjala vjen** by the way; **i vinte djersa çurg** he was pouring with sweat; **këpucët s'më ~në** these shoes do not fit me; **kjo sëmundje vjen nga...** this disease is caused by...; **më vjen fryma** recover one's breath; **më vjen gjumë** feel sleepy; **më vjen keq** be sorry; **më vjen ndoresh** be good at sth; have a gift for sth; **më vjen sikur e kam parë** I have the impression I've seen him; **më vjen turp** be ashamed; **~ te të pesëdhjetat** be nearing the fifties; **po vjen shiu** the rain is approaching; **vjen si i ati** he resembles his father

víj/ë, -a */* line; crease *(of the trousers);* stripe; streak; ridge *(of a material, a hide, etc.);* ditch; furrow *(in the fields);* wrinkle; route; *fg* course *(of action).* **~ë**

e drejtë straight line; **heq një ~ë** draw a line; **~ë fundore** bottom/ base line; **~ë lundrimi** navigation route; **hiqi ~ë asaj pune** you can wash that right out; **s'kemi gjë në ~ë** the odds are against us; **vë në ~ë punën** get things square; get sth underway ♦ *nd:* **varg e ~ë** in a file; **e bëj ~ë diçka** make a habit of sth ♦ **~ërójtës, -i** *m sp* linesman ♦ **~ëz, -a** *f* thin line ♦ **~ím, -i** *m* lining; line; wrinkle ♦ **~/óhet** *vtv* be lined/ wrinkled *(of the forehead); fg* outline; be sketched out ♦ **~/ój** *k/*—**ój, -úar** line; outline ♦ **~úar (i, e)** *mb* lined; scarred *(face)*

vij:ím, -i *m* attendance *(of school);* continuation *(of an effort);* sequel *(of a serial):* **në ~ të** in continuation of; pursuant to ♦ **~/óhet** *pvt, ps* ♦ **~/ój** *k/* continue; follow; attend *(a course of studies);* keep *(doing sth.):* **~oj punën** continue with one's work; **~oj rrugën** keep going ♦ *jkl v iii* continue; go on; follow: **kënga ~oi pa pushim** the singing went on without interruption; **rruga ~on matanë lumit** the road continues across the river ♦ **~úes, -e** *mb* current *(month, year);* next; coming *(chapter, etc.)* ♦ **~úesh/ëm (i), -me (e)** *mb* continual; continuous

vikám/ë, -a *f* scream; shriek; outcry; yell

vikár, -i *m ft* vicar

vikát (vikás) *jkl, k/* scream; shriek; yell

viktím/ë, -a *f* casualty; victim; underdog

vilan:í, -a *f* faint; swoon ♦ **~ós/em** *vtv* faint; swoon ♦ **~ósur (i, e)** *mb* fainted; swooned

vilár, -i *m* strip(e); strip; narrow tract *(of land);* rill *(of water on sand);* trickle *(of blood, etc.):* **~ letre** paper strip ♦ *nd* in a roll: **mbledh ~** roll up

víl/e, -ja *f* bunch *(of grapes); bt* catkin

vílet *ps e* **vjel**

víl/ë, -a *f* villa; mansion; cottage

vinç, -i *m tk* crane: **~ lundrues** crane-ship ♦ **~iér, -i** *m* crane operator

vinç-kúll/ë, -a *f tk* pillar crane ♦ **~-ur/ë, -a** *f tk* bridge crane; overhead travel(l)ing crane

viníl, -i *m km* vinyl

viól/ë, -a *f mz* viola ♦ **~ín/ë, -a** *f* violin; fiddle: **i bie ~ës** play the violin; **~ë e parë** first violin ♦ **~iníst** *m sh-ë, -ët* violinist; violin; *bs* fiddler ♦ **~onçél, -i** *m* violoncello; 'cello ♦ **~onçelíst, -i** *m* violoncellist; 'cellist

vírgjër (i, e) *mb* virgin; unexplored; untrodden *(lands, forests):* **shpirt i ~** a chaste soul ♦ *em* virgin; *ft* virgin Mary ♦ **~ésh/ë, -a** *f* virgin; *ast, mit* Virgo ♦ **~í, -a** *f* virginity ♦ **~ór, -e** *mb* poet; virginal; unexplored; untrodden

virtuóz, -e *mb* virtuous ♦ *em* virtuous person; *mz* virtuoso

virtýt, -i *m* virtue ♦ **~sh/ëm (i), -me (e)** *mb* virtuous

virulén:c/ë, -a *f mk* virulence *(of a microbe)* ♦ **~t, - e** *mb* virulent

vírus, -i *m mk, tk* virus; bug

vis, -i *m* country; land; region: **~e të egra** wild country

visár, -i *m* treasury; thesaurus

víst/ër, -ra *f* string *(of fruit, etc.)* ♦ **~ër** *nd:* **varg e ~ër** in single file

vísh/em *vtv, ps:* **~ em trashë** dress warmly; **~ em prift** take the frock; **u veshën xhamat** the window glasses were clouded *(with steam)*; **m'u veshën sytë** my eyes were dim; **i ~ em me shkop dikujt** go with a stick at sb

víshnj/ë, -a *f bt* sour-cherry ♦ *mb bs* dark cherry-red *(colour)*

vit, -i *m sh dhe* **vjet, vjétët** year; (school) grade/ form; age: **~ akademik** school year; **~ i brishtë** leap year; **~in e shkuar** last year; **për shumë vjet gëzuar!** many happy returns (of the day)!; **V~i i Ri** the New Year

vitamín/ë, -a *f* vitamin

vitrín/ë, -a *f* shop-window; show-case: **teknik ~ash** window-dresser

vithe, -t *f sh* behinds, buttocks; coup, rump, crupper *(of a horse)*;

vithís *k/* sink; subside ♦ **~/em** *vtv v iii* slide; sink; subside: **u ~ toka** there was a landslide ♦ **~j/e, -a** *f* landslide; subsidence; slip

vivár, -i *m* fry-pond *(in a fish-farm)*

viz:atím, -i *m* drawing; design *(on fabrics)*: **~ me laps** pencil drawing; **letër ~i** drawing paper ♦ **~at/óhet** *vtv, ps* ♦ **~at/ój** *k/* draw; design; *fg* depict; outline: **~oj me laps** do a pencil drawing ♦ **~atúes, -i** *m* drawer; designer ♦ **~/ë, -a¹** *f* line; furrow; wrinkle: **~ë lidhëse/ ndarëse** dash/ hyphen; **hiqi ~ë** you may wash that right out; forget it

víz/ë, -a² *f* visa: **~ë e hyrjes/ daljes** entry/ exit visa

vizím, -i *m* lining *(of the pitch)*; ruling *(of a sheet of paper)*

vizión, -i *m* vision ♦ **~ím, -i** *m* preview; pre-release; viewing *(of a film)* ♦ **~/ój** *k/* preview *(a film)*

vizít/ë, -a *f* visit; call; sightseeing; (doctor's) checkup: **bëj një/ shkoj për ~ ë** pay a visit to; go on a visit to; call on *(sb)* ♦ **~/óhem** *ps* ♦ **~/ój** *k/* visit; go sightseeing; examine *(a patient)* ♦ **~ór, -i** *m* visitor

vizóhet¹ *vtv* be outlined *(of a smile)*; be depicted; *ps e* **vizoj¹**

vizóhet² *ps e* **vizoj²**

viz/ój¹ *k/* line *(a games' pitch, etc.)*; *fg* outline; depict

viz/ój² *k/* visa *(a passport)*

vizór/e, -ja *f* ruler; rule

vjásk/ë, -a *f* rifling *(of a gun-barrel)*: **grykë me ~ë** rifle bore

vjeç, -e *mb:* **dhjetë ~** ten years old; **sa ~ i jep atij?** how old do you take him to be?

vjédull, -a *f z/* badger

vjedh *k/* **vódha, vjédhur** steal; thieve; cheat; *fg* rob *(sb of sth)*: **~ në peshë** give short weight ♦ **~acák, -e** *mb* stealing; thieving; thievish: **laraska ~e** the thieving magpie ♦ **~as** *nd shih* **~úrazi** ♦ **~ës, -i** *m* thief: **xhepash** pickpocket ♦ **~j/e, -a** *f* stealing; stealth; theft ♦ **~ur (i, e)** *mb* stolen ♦ **~urazi** *nd* stealthily; furtively: **shikoj ~** steal a glance

vjég/ë, -a *f* handle *(of a pot)*: **ia gjej ~ën** ge the hang of sth

vjéh/err, -rra *f* mother-in-law ♦ **~/ërr, -rri** *m* father-in-law

vjel *k/* **vóla, vjélur** pick *(fruit)*; levy, collect *(taxes)* ♦ **~a, -t** *f sh* harvest; crop: **si kofini pas të ~ve** a bit late in the day ♦ **~ë, -t (të)** *as* harvesting; gathering, picking *(of fruit, etc.)* ♦ **~ë (i, e)** *mb* picked *(fruit, etc.)* ♦ **~ës, -i** *m* picker *(of fruit)*; gatherer; collector *(of taxes, levies, etc.)* ♦ **~j/e, -a** *f* picking *(of fruit)*; gathering; harvesting; collection *(of taxes, etc.)*

vjell *k/* **vólla, vjéllë** vomit; cast up; throw up; *bs* puke; *v iii* spew *(smoke, fire, etc.)*; spit out; disgorge: **~ helm e vrer** vitriolise ♦ **~/ë, -a (e)** *f* (të) vomit(ing): **të ~a të mëngjesit** morning sickness *(of a pregnant woman)* ♦ **~ë, -t (të)** *as* nausea; vomit: **më vjen të ~t nga diçka** be disgusted with sth ♦ **~j/e, -a** *f* vomiting; throwing up

vjérsh/ë, -a *f* poetry; verse ♦ **~ërím, -i** *m* versification ♦ **~ëróhet** *ps* ♦ **~ër/ój** *k/* versify; put into verse *(a narrative)* ♦ **~ëtár, -i, ~ëtór, -i** *m* versifier

vjesht:ák, -e *mb* autumnal ♦ **~/ë, -a** *f* autumn; *am* fall: **~ë e parë/ dytë/ tretë** September/ October/ November ♦ **~ór, -e** *mb* autumnal ♦ **~úk, -e** *mb* autumn *(fruit)*

vjet *nd* last year ♦ **~ár, -i** *m* year-book; annual ♦ **~/ ëm (i), -me (e)** *mb* of the last year

vjét:ër (i, e) *mb* old; elderly *(person)*; aged; long-standing *(tradition)*; outdated, antiquated; worn, threadbare *(clothes, etc.)*; senior *(employee)*; die-hard; hardened, seasoned; obsolete *(word, technology)*; inveterate: **burrë i ~** an elderly man; **kalendari i ~** the old(-style) calendar; **fjalë të ~ra** obsolete/ archaic words; **bukë e ~** *bs* an old friend; old chap; **ujk i ~** an old hand ♦ **~/ër, -ra (e)** *f* (të) (the) old: **e ~ra dhe e reja** the old and the new ♦ **~/ër, -ri (i)** *m* (the) old; (the) elderly; ancestor: **të ~rit tanë** our elders ♦ **~ërsí, -a** *f* age antiquity; seniority *(of service)*: **~a e tokës** the age of the earth ♦ **~ërsím, -i** *m* ag(e)ing; maturing *(of wine)* ♦ **~ërsinár, -i** *m* junk-dealer ♦ **~ërsír/ë, -a** *f sh* junk; refuse: **dyqan ~ash** slop-shop

vjetór, -e *mb* yearly; annual; one year old

vjetrím, -i *m* ag(e)ing; becoming outdated ♦ **~/ óhem** *vtv* age; grow old; *v iii* be worn out *(of clothes, etc.)*; *v iii* mature *(of wine)*; *v iii* become outdated *(of rules, etc.)* ♦ **~/ój** *k/* age; wear out *(clothes, etc.)* ♦ **~úar (i, e)** *mb* old worn out; out-dated; obsolete: **fjalë të ~a** obsolete words

vjétsh/ëm (i), -me (e) *mb:* **dimri i ~ëm** last winter

vjóllc/ë, -a *f bt;* violet

vlág/ë, -a *f* humidity; moisture *(of the soil)*

vlé:fsh/ëm (i), -me (e) *mb* valuable; useful; valid *(document):* **punë e ~me** useful work ♦ **~ft/ë, -a** *f shih* **vler/ë, -a** ♦ **~j** *jk/ v iii* be worth; *v iii* be good/ valid; be of service: **sa ~n?** how much worth is it? ♦ *k/ v iii* be worthwhile; *v iii* be useful; do good ♦ *pvt* should; ought to: **~n të thuhet se** it should be said that; **s'ia ~n barra qiranë** it is not worth-while ♦ **~r/ë, -a** *f* value; usefulness; worth; *fin* se-curities; importance; weight: **sende me ~ë** valu-ables; **pa ~ë** worthless; valueless ♦ **~rësím, -i** *m* valuation; estimation; appraisal ♦ **~rës/óhem** *ps* ♦ **~rës/ój** *k/* value; estimate; appraise; *fn* valorise *(currency):* **e ~oj lart dikë** value sb highly ♦ **~rësúes, -i** *m* assessor ♦ **~rësúes, -e** *mb* valu-ing; estimating; appraising *(mb)* ♦ **~rsh/ëm (i), -me (e)** *mb* valuable

vlim, -i *m* boiling; ebullience: **pikë e ~it** *fz* boiling point

vl/oj *jk/* (come to the) boil; *fg* rage; *fg* be at its height/ in full swing; *v iii* swarm/ team/ crawl with; *v iii fg* be bubbling with: **~n uji** water boils; **~n puna** work is in full swing; **~n qyteti** the town is full of activity; **më ~jnë mendimet** be bubbling with ideas ♦ *k/* boil *(water, etc.)*

vlug, -u *m* moisture; humidity *(of the soil); fg* height, thick: **në ~un e punës** in the midst of work

vllah, -u *m sh* **vlleh, vlléhtë** Vlach ♦ **~, -e** *mb* Vlach ♦ **~isht** *nd* (in the) Vlach (language) ♦ **~ísht/e, -ja** *f* Vlach (language)

vobek:ësí, -a *f shih* **vobektësi, -a** ♦ **~t/ë (i, e)** *mb* poor; indigent; destitute ♦ **~t/ë, -i (i),** *m* (the) poor ♦ **~tësí, -a** *f* poverty; indigence; destitution

voc, -i *m krh* boy; lad ♦ **~/e, -ja** *f* girl; lassie

vóc:ërr (i, e) *mb* tiny; puny; wee: **një djalë i ~** a tiny little boy ♦ **~ërrák, -u** *m* child; kid; puny little boy ♦ **~ërrák, -e** *mb shih* **vocërr (i, e)** ♦ **~ërrák/ e, -ja** *f* puny little girl ♦ **~ërr/óhem** *vtv* be stunted ♦ **~ërr/ój** *k/* stunt; diminish ♦ **~kël (i, e)** *mb zvog* tiny; wee; diminutive: **duar të ~a** tiny little hands

vódk/ë, -a *f* vodka

vóg/ël (i, e) *mb* small; little; short *(of body);* young(er); *bs* minor; petty; small-scale/ -time; *bs* trifling *(matter);* mean *(character):* **gishti i ~ël** the little finger; **vëlla i ~ël** little/ younger/ kid brother; **poetët e vegjël** the minor poets; **nëpunës i ~ël** petty clerk; **para të ~la** small change; **Qerrja e V~ël** *ast* the Lesser Bear ♦ **~/ël, -li (i)** *m sh* **végjël, végjlit (të)** child; kid; little; cub; litter: **rroba për të vegjlit** children's clothes; **pse bëhesh i ~ël?** don't be a kid!; don't be mean ♦ **~ëlí, -a** *f* child-hood: **që në ~** from childhood; since a child ♦

~ëlím/ë, -a *f* trifle; triviality; knick-knacks; gim-crack; **ai ta ha shpirtin me ~a** he is a stickler for trifles ♦ **~ël/óhem** *vtv* be stunted; diminish *(in size); v iii* be shortened; grow short(er) ♦ **~ël/ój** *k/* shorten *(a dress, etc.)*; lessen; diminish; decrease; play down *(a mistake, etc.)* ♦ **~elósh, -i** *m* little boy ♦ **~elósh, -e** *mb* piccaninny; little; diminutive ♦ **~elsí, -a** *f* pettiness; meanness *(of the heart); sh* details ♦ **~elúsh, -i** *m* little boy; little child; kid; little darling

vokál, -e *mb mz* vocal ♦ **~íz/ëm, -ma** *f mz* vocal-ism

volejbóll, -i *m sp* volley-ball ♦ **~íst, -i** *m* volley-ball player

volfrám, -i *m km* wolfram

volí, -a *f* convenience; leisure ♦ **~t** *jk/ v iii* be conve-nient; come handy: **s'më ~** it is not convenient for me ♦ **~tsh/ëm (i), -me (e)** *mb* convenient; op-portune; handy: **mjet i ~ëm** handy tool

volt, -i *m fz* volt ♦ **~ázh, -i** *m fiz, el* voltage

vón:a, -t (të) *f sh* late crop ♦ **~és/ë, -a** *f* delay; tardi-ness: **vij me ~ë** arrive late; **pa ~ë** without delay ♦ **~estár, -i** *m* late-comer ♦ **~lë (i, e)** *mb* late; tardy; belated; recent; backward *(child):* **pranverë e ~ë** late spring; **në orët e ~a të natës** in the late hours of the night ♦ **~ë** *nd:* **fle/ çohem ~** keep late hours; **është ~** it is (too) late; **m'u bë/ jam ~** be late; **s'më bëhet ~** care less; **më mirë ~ se kurrë** *fj u* better late than never ♦ **~i (së)** *nd* lately; of late ♦ **~ím, -i** *m* delay; retardation: **pa ~** without delay ♦ **~/óhem** *vtv* be late; be delayed; *v iii* be late ripen *(of fruit):* **u ~ova një orë** I was one hour late; **mos u ~o!** don't be late! ♦ **~/ój** *k/* delay; keep off; re-tard: **mos më ~o!** don't keep me waiting! ♦ *jk/* be late/ delayed: **~oi treni** the train is late ♦ **~sh/ëm (i), -me (e)** *mb* late; tardy; slow; retarded *(growth);* late; recent: **ngjarjet më të ~me** the latest events ♦ **~úar (i, e)** *mb* late; tardy *(guest, etc.);* belated; delayed; overdue; retarded: **pagesë e ~** overdue payment

vorb:ár, -i *m* potter ♦ **~/ë, -a** *f* pot; crock

vórbull, -a *f* whirlpool; whirlwind; vortex; swirl

vót:ë, -a *f* vote; ballot; voting; *bs* lot: **vë/ hedh në ~ë** put to the vote; **numëroj ~at** count/ tell over the votes ♦ **~ëbesím, -i** *m* vote of confidence ♦ **~ím, -i** *m* vote; ballot; voting; polls; suffrage: **~ i fshehtë** secret ballot; **kutia e ~it** ballot-box ♦ **~/ óhet** *pvt* e **votoj** ♦ **~/ój** *jk/* vote ♦ **~ues, -i** *m* voter

vóz/ë, -a *f* barrel; cask; tun ♦ **~ëtár, -i** *m* cooper ♦ **~ëtarí, -a** *f* coopery

vozít *jk/ bs* row; paddle: **~ barkën** row a boat; roam about ♦ *k/* ride; *krh* drive *(a car)* ♦ **~ës, -i** *m* rower; oarsman ♦ **~j/e, -a** *f* rowing *(boat)*

vrág/ë, -a *f* path; track; trek; rut *(of cartwheels);* scar *(of a wound); fg* impression; imprint

vráj/ë, -a *f* bunghole; socket *(of the barrel, of the* *cask);* scar

vranë:sí, -a *f*cloudiness *(of the sky); fg* sullenness; darkness *(of the face)* ◆ **~sír/ë, -a** *f*cloudiness *(of the sky)* ◆ **~t (i, e)** *mb shih* **vrenjtur (i, e)**

vrap, -i *m* run; haste: **shkoj/ nisem me ~** go off at a run; **ia jap ~it** break into a run; **kaq e ka ~in** that's the long and short of him ◆ *nd* running; at a run; quickly: **shkoj ~** go running ◆ *kllz*: **gati, ~!** ready, go! ◆ **~ím, -i** *m* running; *sp* race: **kalë ~i** race horse; **garë ~i** running race ◆ **~lój** *jk/* run; *fg* hasten; speed; rush ◆ **~ór/e, -ja** *f* splane ◆ **~úes, -i** *m* runner ◆ **~úes, -e** *mb* running; race *(horse)*

vrá:r/ë, -a (e) *f* (të) wound; scar ◆ **~r/ë, -i (i)** *m* (the) killed; *sh* casualtiesd ◆ **~r/ë (i, e)** *mb* killed, dead; wounded, injured; hurt; damaged *(fruit); fg* sad; dejected; *fg* worn out; fatigued; weary: **një i ~ e dy të plagosur** one killed and two wounded; **e kam këmbën të ~** have an injured leg; **me shpirt të ~** dispirited; dejected ◆ **~/s** *k/* kill; shoot/ strike dead; murder; hurt, injure; bruise; *fg* break *(sb's heart);* overwork; exhaust; *bs* soften *(green salad);* break *(the soil);* break *(a colour):* **~s krahun** hurt/ bruise one's arm; **~s veten** commit suicide; **më ~sin shumë këpucët** the shoes are killing my feet; **më vret veshin** hurt/ offend one's ear; **më vret ndërgjegjja për diçka** have a bad conscience about sth; **pa e ~rë veten** without exerting oneself; **~s kohën** kill one's time; **~s lart/ rëndë** hitch one's wagon to the stars; **~s mendjen** take thought how to do sth; **~s e pres** take the law into one's hands; lord it; **i ~s të trasha** to carry it off with a high hand ◆ **~sës, -i** *m* murderer; killer; assassin: **~ i paguar** hit man; hired killer ◆ **~sí, -a** *f* murder; massacre ◆ **~sj/e, -a** *f* murder; killing; assassination; *bs* pushing; shoving; thrust; crush *(of the crowd):* **~e e madhe/ në masë** wholesale murder; **bëj ~e** commit murder ◆ **~stár, -e** *mb* murderous *(weapon)*

vrázhd/ë (i, e) *mb* coarse; rough *(texture);* hardbitten; *fg* surly; harsh; unpleasant: **fjalë të ~a** rough/ impolite words; **shikim i ~ë** a surly look ◆ **~ë** *nd* roughly; coarsely; sourly ◆ **~ësí, -a** *f* roughness; coarseness

vrenjt *kl v iii* cloud; *fg* frown: **~ qiellin** overcast the sky; **i ~i vetullat** his brow was clouded ◆ **~lem** *vtv v iii* be clouded; be overcast *(of the sky); fg* frown; be gloomy ◆ **~ësír/ë, -a** *f* overcast; cloudiness ◆ **~ur (i, e)** *mb* clouded; overcast *(sky); fg* frowning; dark; gloomy: **ditë e ~ a** cloudy day

vrer, -i *m* gall; spleen; *fg* bitterness: **penë me ~** pen dipped in poison; **mbush me ~** embitter ◆ *mb:* **bëhem ~** be embittered; rankle ◆ **~ós** *k/* embitter; rankle; poison *(sb's life);* sadden ◆ **~ós/em** *vtv* be galled/ irked/ embittered/ envenomed ◆ **~ósur (i, e)** *mb* splenetic; irksome; *fg* poisonous

(remarks, etc.) ◆ **~të (i, e)** *mb* poisoned; vitriolic *(tongue)*

vresht, -i *m* vineyard; vinery ◆ **~ár, -i** *m* vine-grower ◆ **~arí, -a** *f* vine-growing

vrígu/ll, -lli *m* lobe *(of the ear)*

vrím/ë, -a *f* hole; button-hole; gap; crack; *bs* burrow; cave; stop *(of a wind instrument):* **~a e çelësit** key-hole; **~a e gjilpërës** eye of the needle; **~ë në ujë** a drop in the bucket; **i bie fyellit në një ~ë** keep harping on the same string

vring *nd:* **çohem ~ në këmbë** jump up/ spring to one's feet

vringëllí/j *kl, jkl shih* **~ój** ◆ **~ím, -i** *m* rattle; brandishing *(of swords, etc.)* ◆ **~ím/ë, -a** *f* clang; rattle *(of metal):* **~a e zinxhirëve** the rattle of chains ◆ **~lój** *kl* clang; rattle; swing ◆ *jkl v iii* clang; clatter; rattle *(of metal); fg* brandish; flourish

vrítem *vtv* kill oneself, get killed; hurt/ injure oneself; *fg* be hurt/ offended; *fg* break one's back *(doing sth); ps:* **~ me thikë** be stabbed with a knife; **~ në luftë** fall in action; **ku rafsha mos u vrafsha** happy-go-lucky

vrojt:ím, -i *m:* **pikë ~i** observation post; **aeroplan ~i** reconnaissance plane ◆ **~lóhem** *ps* ◆ **~lój** *kl* observe; reconnoitre *(enemy movements);* observe; watch ◆ **~ór/e, -ja** *f* observation post; outlook ◆ **~úes, -i** *m* observer; reconnoitrer ◆ **~úes, -e** *mb* observing; reconnoitring *(party):* **post ~** observation post

vrug, -u *m bjq* blight; smut; soil; dirt: **zë ~** get dirty ◆ **~** *k/* blight; smut ◆ **~/em** *vtv v iii* be blighted; be smutted *(of plants)* ◆ **~lóhem** *vtv v iii* be blighted; be smutted *(of plants); fg* be dark; look gloomy; frown; *fg* be smeared/ tainted ◆ **~lój** *kl v iii* blight; smut *(plants); fg* darken, make gloomy; *fg* smear; taint *(one's reputation)* ◆ **~úar (i, e)** *mb* blighted; smutted *(plants);* overcast; clouded; cloudy *(sky); fg* dark; gloomy; frowning ◆ **~ur (i, e)** *mb shih* **vruguar (i, e)**

vruj:ím, -i *m* spring *(of water)* ◆ **~ín/ë, -a** *f* humidity; moisture; damp; wet; wetland ◆ **~lón** *jkl* **-ói, -úar** stream/ flow forth *(of water)*

vrull, -i *m* spring; leap; dash; take-off; run-up *(for a jump);* vigour; *fg* zest; surge; impetus; impulse: **marr ~** take a run; **ia pres ~in dikujt** check sb's career ◆ **~ém** *vtv* rush forward; dash ◆ **~sh/ëm (i), -me (e)** *mb* rushing; dashing; vigorous: **shi i ~ëm** lashing rain; **erë e ~me** gusty/ heady wind; **sulm i ~ëm** headlong attack ◆ **~shëm** *nd* impetuously; headlong; vigorously

vrumbull:ím/ë, -a *f* roar *(of a lion);* buzz; hum *(of bees);* booming *(of waves, etc.)* ◆ **~ít** *jkl* roar *(of a lion);* buzz; hum *(of insects);* boom *(of waves)* ◆ **~ítj/e, -a** *f shih* **vrumbullím/ë, -a**

vúaj *jkl* suffer from *(a disease);* languish *(in bed);* be in anguish *(for sb):* **~ nga zemra** have a heart condition; **~ për gjumë** suffer from sleeplessness; **~ për bukë** suffer hunger ♦ *kl* suffer; endure; *v iii bs* put up with: **nuk vuhet ky soj njeriu** one cannot put up with this kind of man ♦ **~t/e, -a** *f* suffering; tribulation; cross ♦ **~tur (i, e)** *mb:* **njerëz të ~** long-suffering people

vúl/ë, -a *f* stamp, seal; spot *(of the skin of some animals);* notch; mark *(on trees for felling); fg* stamp, imprint, hallmark; brand; *fg* stigma: **~ë dylli/ plumbi** wax/ lead seal; **i njeri me ~ë** person with a stigma; **më bie ~a** lose one's reputation; **e humb ~ën** lose one's bearings

vúlg, -u *m* rabble; populace; mob ♦ **~ár, -e** *mb* vulgar; coarse *(manners, etc.);* vulgarised, popularised *(edition):* **sjellje ~e** loud manner ♦ **~arizím, -i** *m* vulgarisation; popularisation *(of an edition)* ♦ **~arizóhet** *vtv, ps* ♦ **~ariz/ój** *kl* vulgarise; popularise *(an edition)*

vulós *kl* seal; stamp; mark; *bs* finalise *(an agreement, etc.); fg* stigmatise; blot *(sb's reputation):* **~ me dyll** seal with wax; **vetë shkruaj, vetë ~** take the law into one's hands ♦ **~j/e, -a** *f* sealing; stamping *(of a document, etc.)* ♦ **~ur (i, e)** *mb* sealed; stamped; marked *(tree for felling);* gagged *(mouth);* stopped *(ears, etc.)*

vullá, -ni *m* bed; plot *(of flowers, etc.)*

vullkán, -i *m* volcano ♦ **~ík, -e, ~ór, -e** *mb* volcanic

vullnét, -i *m* will; volition; wish: **forcë e ~it** will power; **~i i popullit** the will of the people; **~i i fundit** last wish; **me ~ të lirë** of one's own free will ♦ **~ár, -i** *m* volunteer: **dal ~** volunteer ♦ **~ár, -e** *mb* voluntary: **shërbim ~** voluntary service ♦ **~arísht** *nd* voluntarily: **bëj ~ diçka** do sth of one's own free will ♦ **~sh/ëm (i), -me (e)** *mb* voluntary; strong-willed: **veprime të ~me** voluntary action;

vúra *kr thj e* **vë**

vurrát/ë, -a *f* scar; smudge ♦ **~ur (i, e)** *mb* scarred; smudgy

výe:j *kl* be of value: **s'më ~en gjë** it's no use to me ♦ **~r (i, e)** *mb* valuable; precious: **mësim i ~** valuable lesson ♦ **~sh/ëm (i), -me (e)** *mb shih* **vyer (i, e)**

výshk *kl v iii* wither *(flowers, etc.);* shrivel; wrinkle ♦ **~/em** *vtv* wither away/ down/ off; shrivel; be wrinkled; fade *(of beauty)* ♦ **~ët (i, e)** *mb* withered; shrivelled; wrinkled; faded *(beauty)* ♦ **~j/e, -a** *f* withering; shrivelling ♦ **~ur (i, e)** *mb* withered; shrivelled; wrinkled: **lule e ~** withered flower; **bukuri e ~** a faded beauty

xanx:ár, -e *mb bs* vicious *(horse, etc.);* unruly; self-willed *(person)* ♦ **~l/ë, -a** *f* vice; flaw; addiction: **njeri me ~ë në pije** a vicious drinker

xéh/e, -ja *f* mine; quarry ♦ **~erór, -i** *m* mineral; ore ♦ **~etár, -i** *m* miner ♦ **~etarí, -a** *f* mining

xërlís *jk/ bs* prattle; prate; jabber ♦ **~j/e, -a** *f bs* prattling; jabber

xip, -i *m,* **~l/ë, -a** *f* needle; barb; *fg* sting; jab

xix/ë, -a *f* spark(le); *fg* glint; glimmer: **gur ~ash** flintstone; **i shtie ~at dikujt** *bs* unsettle sb's mind ♦ **~ë** *mb* sparkling; bright; spotless: **me syrin ~ë**

with peeled/ sharp ♦ **~ëllím, -i, ~ëllím/ë, -a** *f* sparkle; glitter; gleam *(of the eyes)*; twinkle; *(of the stars)*; scintillation; *z/* fire-fly ♦ **~ëll/ón** *jk/* **-ói, -úar** sparkle; gleam; twinkle; scintillate; *fg* flash ♦ **~ëllónj/ë, -a** *f z/* fire-fly ♦ **~ëllúes, -e** *mb* sparkling; gleaming; glittering; scintillating; twinkling: **yje ~** twinkling stars

xunkth, -i *m bt* rush ♦ **~ërí, -a, ~ëtár, -i** *m* basket-maker ♦ **~ëtarí, -a** *f* rush-work ♦ **~ór/e, -ja** *f bt* juncus; rush-grown area

xúrxull *mb bs* soaked; wet; drunk *(with drink)*

Xh

xha *m* *plk* uncle *(used respectfully)*
xhadé, -ja *f bs* highway
xhakét/ë, -a *f* jacket
xhakón, -i *m ft* deacon
xham, -i *m* glass; windowpane; glaze; *sh bs* spectacles; *bs* deep bowl: **një fletë ~i** a sheet of glass ♦ *nd:* **~ i kthjellët** as clear as glass; very clear
xhamadán, -i *m* vest *(for men)*; doublet *(for women)*
xhambáz, -i *m* horse-dealer ♦ **~llë/k, -ku** *m* horse-dealing; *fg* double-dealing
xhamí, -a *f ft* mosque
xham:llë/k, -ku *m* glass partition/ door/ window ♦ **~tár, -i** *m* glass-cutter; glazier ♦ **~tín/ë, -a** *f* glass partition; glass-work
xhan, -i *m bs* soul; heart; darling; dear: **më digjet ~i për dikë** pine for sb; **~ i nënës** mother's darling
xhandár, -i *m* gendarme ♦ **~mërí, -a** *f prmb* gendarmerie
xhául, -i *m fz* joul
xhaxh:á, -i *m* uncle ♦ **~i** *m* uncle ♦ **~o, -ja** *m bs* uncle; old man
xhaz, -i *m mz* jazz
xhazbandíst, -i *m* member of a jazz band
xheç *pkf bs:* **~ kërkon** he is looking for something
xhehením, -i *m ft* hell: **dajaku ka dalë nga ~i** any stick is good beat the dogs
xhéku *nd bs* somewhere; some place
xhelá, -ja *f* shoe polish
xhelát, -i *m* executioner; hangman; headsman
xhelatín/ë, -a *f* jelly
xhelóz, -e *mb* jealous (person) ♦ **~í, -a** *f* jealousy; spite; envy
xhenáz/e, -ja *f bs* dead; body; burial
xhenét, -i *m ft* paradise; *fg* heaven; bliss
xhen: iér, -i *m ush* sapper; engineer ♦ **~, -e** *mb ush* engineering *(troops, works)* ♦ **~io, -ja** *f ush* engineering: **repart i ~s** engineering detachment
xhenxhefíl, -i *m bt* ginger

xhep, -i *m* pocket; compartment; bag *(of gas, of puss, etc.):* **format ~i** pocket-size; **orë ~i** pocket watch; **para ~i** pocket money ♦ **~ásh, -i** *m* pickpocket
xheráh, -u *m* quack
xhevahír, -i *m* jewel; *fg* pearl; *tll* bloomer, stupid mistake: **~ i natyrës** a pearl of nature ♦ **~, -e** *mb* splendid: **ajo është ~e vajzë** that girl is a daisy
xhézv/e, -ja *f* coffee-pot
xhíbër *mb bs* lively; sharp; witty
xhin, -i *m* gin: **~ me ujë tonik** gin and tonic
xhind, -i *m mit* jinn; genie; jinnee: **më hipin ~et** get one's dander up; **jam me ~e** be in a wax ♦ **~ós** *kl bs* enrage; put into a wax ♦ **~ós/em** *vtv bs* be enraged; get into a wax ♦ **~ur (i, e)** *bs* enraged
xhíng/ël, -la *f* trinket; bauble ♦ **~ërríma, -t** *f sh shih* **xhing/ël, -la** ♦ **~la-míngla, -t** *f sh shih* **xhing/ël, -la**
xhins, -i *m bs* sort; race; pedigree
xhir:ím, -i *m* shooting *(of a film);* revolving, revolution, gyration: **~ në studio** filming in the studio ♦ **~o, -ja** *f* revolution *(of the engine, etc.);* turn *(of the handle);* fin, ek circulation; turn-over *(of capital);* bs stroll; walk; sp lap: **~ja e mbrëmjes** evening stroll/ promenade; **~ja e fundit** last lap ♦ **~lóhet** *ps* ♦ **~lój** *kl jkl v iii* turn; rotate, gyrate; fin, ek transfer *(money, capital, etc.);* endorse *(a cheque);* film *(a scene);* shoot *(a film)* ♦ **~úes, -i** *m fin, ek* transferor; transferee *(of money, etc.);* cameraman
xhók/ë, -a *f* sleeveless (short-sleeved) worsted coat
xhol, -i *m* jack; hit-ball *(in some games);* jolly, joker *(in card games):* **hyj si ~** intrude; butt in
xhublét/ë, -a *f* sleeveless wool(l)en dress
xhúfk/ë, -a *f* tassel; crest *(of a helmet);* fringe *(of a banner);* bt pappus; lock *(of hair);* tuft; cluster *(of grass)*
xhúmb/ë, -a *f shih* **xhung/ë, -a:** lump; ball *(of mud)*

më bëhet ~ë në grykë have a lump in one's throat

xhúng/ë, -a *f* hump; hunch *(of the back);* rise, swelling; knot *(of the handkerchief):* **~ë rrënjësh** rootery ♦ **~/ël, -la¹** *f* small hump

xhúng/ël, -la² *f* jungle; *fg* maze

xhup, -i *m* vest *(for women);* padded (warm) jacket; leather jacket; windcheater; wool(l)en sweater (jumper)

xhuvét/ë, -a *f* pappus *(of the maize plant)*

xhuxh, -i *m* dwarf; *sh* wee folk ♦ **~, -e** *mb* dwarfish

xhuxh:maxhúxh, -i *m shih* **xhuxh, -i** ♦ **~umák, -e** *mb* dwarfish

xhýb/e, -ja *f* gown; robe *(of a Moslem priest)*

Y

ýçk/ël, -la *f* excuse, pretext; hitch, snag; trick(ery); jigger; *sh bs* secrets; complications; flaw; shortcoming: **ka një ~ël në këtë mes** there is a snag here

yhá *psth* ou; boo ♦ *em:* **e zë me ~ dikë** boo/ whistle sb (*out of the stage, etc.*)

yj:ësí, -a *f* constellation ♦ **~ëzúar (i, e)** *mb* star-studded; star-spangled ♦ **~ór, -e** *mb* stellar

ylbér, -i *m* rainbow ♦ **~t/ë (i, e)** *mb* rainbow-coloured

yll, -i *m sh* **yje, ýjet** *dhe* **yj, ýjtë** *ast* star; heavenly body; *fg* destiny; *bs* name; reputation; *fg* (super)star, vedette, celebrity; *sht* asterisk; blaze (*of a horse*): **~i polar** the north (pole) star; **~i i mëngjesit/ dritës** the morning star; **natë me yje** starry night; **~ i këputur** shooting/ falling star; **luftë e yjeve** star wars; **~ deti** *zl* starfish **~ me bisht** *ast* comet ♦ **~** *mb* very beautiful; extremely pretty ♦ **~ëz, -i** *m tk* sprocket wheel (*of the bicycle*) ♦ **~k/ë, -a** *f* tenderfoot; little child ♦ **~th, -i**

m starlet; asterisk

yndýr/ë, -a *f* fat: **pa ~ë** fat-free; *bs* unpleasant (*person*) ♦ **~sh/ëm (i), -me (e)** *mb* fat; greasy

ýnë *prn sh* **tánë** our: **vendi ~** our country; **në vendin tonë** in our country; **fqinjët tanë** our neighbours ♦ *em* **yni** *sh* **tánët** ours: **fituan tanët** ours won

ýsht *kl vj* call up; invoke; conjure; raise (*the spirits*); urge; push (*sb to do sth*)) ♦ **~/em** *vj ps* ♦ **~ës, -i** *m vj* conjurer (*of the spirits*) ♦ **~j/e, -a** *f vj* conjuring; invoking ♦ **~ur (i, e)** *mb vj* conjured

yt *prn sh* **tu (e)** your: **fqinji ~** your neighbour; **fqinjët e tu** your neighbours; **~ atë** your father; **tët vëllai** your brother ♦ **~i** *m sh* **tútë (të)** yours: **është ~** it is yours; **erdhën të tutë** yours (your people) came

yzengjí, -a *f* stirrup; stapes: **rripi i ~së** stirrup leather; **humb ~në** take the bit between one's teeth; **jam me këmbë në ~** be about to leave

Z

zabél, -i *m* thicket; stand *(of young trees)*
zabërhán, -i *m kq* scoundrel; cad; loafer ♦ **~ís** *jk/ kq* loaf about
zabull:ím/ë, -a *f* sultriness; mugginess
zagál, -i *m zl* gadfly; bot-fly; warble-fly
zagár, -i *m* hound; hunting dog; *keq* underling, scoundrel
zagushí, -a *f* swelter; oppressive heat; muggy weather
zahiré, -ja, zahír/e, -ja *f* stock of provisions/ food supplies
zahmét, -i *m bs* difficulty: **ka ~** it is difficult ♦ **~sh/ ëm (i), -me (e)** *mb* difficult; tedious
zaíf, -e *mb bs* sick; unwell; indisposed
Zair/e, -ja *f gjg* Zaire ♦ **z~ián, -e** *mb* Zairean ♦ **z~ián, -i** *m* Zairean
zakón, -i *m* custom; habit; practice; *sh fzo* menses: **e bëhej ~** grow into a habit ♦ **~ísht** *nd* customarily; habitually ♦ **~ór, -e** *mb* consuetudinary: **e drejtë ~e** canon law ♦ **~sh/ëm (i), -me (e)** *mb* ordinary; common; usual; habitual; customary; everyday *(clothes):* **njeri i ~ëm** an ordinary person ♦ **~t/ë (i, e)** *mb* habitual
zalí, -a *f* swoon; faint: **më vjen ~** feel faint ♦ **~s** *k/* make *(sb)* swoon *(with laughter, etc.)* ♦ **~s/em** *vtv* swoon; faint: **u ~ëm së qeshuri** we were fainting with laughter ♦ **~sj/e, -a** *f* faint(ing); swoon(ing) ♦ **~sur (i, e)** *mb* fainted; swooned
za/ll, -lli *m* pebble; shore; gravel; *sh* **-lle, -llet** *vj* bank *(of the river):* **breg me zaje** pebbly beach; **mbetem në ~** be high and dry
zallahí, -a, ~mahí, -a *f* hullabaloo; din; racket
zall:ín/ë, -a *f* gravel/ pebbly soil ♦ **~ísht/ë, -a** *f* pebble beach
zamár/e, -ja *f mz* flageolet
zambák, -u *m bt* lily
Zámbi/e, -a *f gjg* Zambia ♦ **z~ián, -e** *mb* Zambian ♦ **z~ián, -i** *m* Zambian
zámk/ë, -a *f* glue

zanafíll/ë, -a *f* origin; inception; beginning: **që në ~ë** from the beginning; **libri i Z~ës** *fet* Genesis ♦ **~ës, -e** *mb* original
zanát, -i *m* craft; trade; profession; skill: **mësoj një ~ të ri** learn a new skill; **jam i ~it** be in the trade; be past master ♦ **~çí, -u** *m* craftsman; master
zán/ë, -a *f mit* (good) fairy
zanór, -e *mb* vocal; sound *(mb):* **valë ~e** sound wave; **pistë ~e e filmit** sound track of the film ♦ **~/e, -ja** *f gjh* vowel
Zanzibár, -i *m gjg* Zanzibar ♦ **z~as, -e** *mb* Zanzibari ♦ **z~as, -i** *m* Zanzibari
zap *p/k bs ed:* **e bëj ~ dikë** bring sb to heel; **bëje ~ gjuhën!** hold your tongue!
zapt:ím, -i *m bs* occupation; invasion ♦ **~óhem** *bs ps* ♦ **~ój** *k/ bs* occupy; invade; conquer; grab; clasp: **~oj për mesi** grab sb by the waist ♦ **~úar (i, e)** *mb* occupied; invaded; conquered ♦ **~úes, -i** *m* invader ♦ **~úes, -e** *mb* invading *(army)*
zar, -i *m* die *(sh* **dice***);* marbles; *bs* luck: **~et u hodhën** the die is cast; **e kam për ~ diçka** keep sth for luck
zarár, -i *m* harm; damage; loss: **shaka me ~** a bad/ practical joke
zarb/ë, -a *f bs* rag; stray dog; scamp
zarf, -i *m* envelope; cup-holder
zarzavát/e, -ja *f* vegetables: **kopsht i ~eve** kitchen garden; **shitës ~esh** greengrocer
zatén *pj bs :* **~ ky është qëllimi** that's, precisely, the aim
zatét (zatés) *k/, jk/ bs* come across; bump into; hold; grasp; clasp ♦ **~/em** *vtv bs* meet by chance; come across; hit; fight; *ps:* **~em në një shtyllë** hit a post; **u ~ëm fyt për fyt** we were at one another's throat
zaváll, -i *m bs* problem; care; worry; headache; care-worn person
zbardh *k/* white(n); whitewash *(a wall);* bleach *(textiles);* turn white/ grey *(sb's hair);* *fg* be a credit;

make a clean copy of *(a manuscript)*: **~ sytë** turn up one's eyes; **~ dhëmbët** grin widely; **ia ~ fáqen dikujt** be a credit sb ♦ *jk/ v iii* be/ look/ turn white; scour *(silver, etc.)*; *v iii* dawn: **me të ~ur** at daybreak ♦ **~em** *vtv* turn white *(of hair)*; dawn *(of the day)*; *ps* ♦ **~ëllém/ë (i, e)** *mb* whitish; off-white; pale; light, fair ♦ **~ëllím, -i** *m* whiteness; pallor; daybreak ♦ **~ëll/ón** *jk/*-ói, -úar be/ turn/ become white; dawn: **~on fusha me borë** the plain is white with snow ♦ **~ës, -e** *mb* bleaching *(powder)* ♦ **~ím, -i** *m* daybreak; bleaching *(of textiles)* ♦ **~j/e, -a** *f* whitening; greying *(of the hair)*; whitewash; bleaching *(of textiles)* ♦ **~/óhem** *vtv, ps* ♦ **~/ój** *k/* shih **zbardh** *jk/* be/ look white ♦ *jk/* dawn; be bright/ shining with lights: **po nis të ~ojë** it is beginning to dawn ♦ **~úar (i, e)** *mb* bleached *(textiles)* ♦ **~úes, -e** *mb* bleaching *(powder)* ♦ **~ur (i, e)** *mb* whitened; bleached *(textiles)*; whitewashed *(wall)*; polished *(metal)*; shelled; husked *(rice, etc.)*; white, grey *(hair)*; pale *(colours)*

zbár:ët (i, e) *mb* tasteless; insipid; bland

zbark:ím, -i *m ush* landing *(by sea, by air)*: **anijet e ~it** landing craft ♦ **~/óhet** *ush ps* ♦ **~/ój** *jokal, k/ ush* land; disembark: **~oj nga deti** land by sea ♦ **~úar (i, e)** *mb* landed; disembarked *(troops)* ♦ **~úes, -e** *mb ush*; landing *(mb)*

zbatíc/ë, -a *f* ebb; low tide; backwash; *fg* fall; regression; decline

zbat:ím, -i *m* execution *(of an order)*; implementation; application: **vë në ~** put into practice; execute ♦ **~/óhet** *ps* ♦ **~/ój** *k/* execute; implement; carry out; put into practice: **~oj kontratën** execute a contract ♦ **~úar (i, e)** *mb* executed; implemented ♦ **~úes, -i** *m* executor *(of a contract, of an order, etc.)* ♦ **~úes, -e** *mb* executive *(powers)*; applicative *(methods)* ♦ **~úesh/ëm (i), -me (e)** *mb* executable; applicable; practicable; workable

zbath *k/* take off *(one's shoes)* ♦ **~aník, -u, ~arák, -u** *m* barefoot person ♦ *mb* barefoot(ed); unshod ♦ **~em** *vtv* take off one's shoes/stockings; *v iii* shed its shoe *(of a horse)*; *ps* ♦ **~j/e, -a** *f* taking off *(of one's shoes, etc.)* ♦ **~ur (i, e)** *mb* barefoot(ed); unshod *(horse)*: **fëmijë të ~** barefoot children ♦ **~ur** *nd:* **eci ~** walk barefoot

zbavít *k/ bs* amuse; entertain; divert ♦ **~/em** *vtv bs* amuse oneself; *ps* ♦ **~ës, -e** *mb bs* amusing ♦ **~j/ e, -a** *f* amusement; divertissement; entertainment ♦ **~ur (i, e)** *mb* amused

zbeh *k/ v iii* make pale/ wan; dim *(the lights)*; *fg* weaken; lessen; take the sting off *(sth)*; cool off *(sb's enthusiasm, etc.)*; play down; outshine *(the glory of)* ♦ **~/em** *vtv* turn/ become pale; lose colour *(of the cheeks)*; *v iii* dim; wane *(of the light, etc.)*; *v iii fg* weaken; lessen, grow less *(of glory)* ♦ **~j/e, -a** *f* paling; waning; paleness; pallor ♦ **~tas** *nd* dimly ♦ **~të, -t (të)** *as;* paleness; pallor; *mk* jaundice ♦

~t/ë (i, e) *mb* pale; pallid; livid; ashen *(face)*; dim *(light)*; wan *(moon)*; *fg* spiritless *(play)*; colourless; lacklustre *(speech)*; faded *(colour)* ♦ **~të** *nd* dimly; *fg* colourlessly: **ndriçon ~** shed a dim light ♦ **~tësí, -a** *f* paleness; pallor ♦ **~ur (i, e)** *mb* pale; livid; colourless; faded *(colours)*; dim *(light)*; lacklustre

zbërdhúl *k/* fade *(colours)* ♦ **~/et** *ps* ♦ **~ët (i, e)** *mb* faded *(colours)*; ashen *(complexion)*

zbërth/éhem *vtv, ps:* **u ~yen dërrasat** the planks came off; **u ~ye në hetuesi** he broke down under interrogation ♦ **~/éj** *k/* take apart; strip; take to pieces; unbutton *(one's shirt, etc.)*; unbuckle *(one's belt)*; disintegrate; decompose; break down *(into separate items)*; force *(the truth out of sb)*: : **~ej dërrasat** pull up the planks; **~ej jakën** unbutton/ undo the collar; **ia ~ej brinjët dikujt** break sb's ribs ♦ **~ím, -i** *m* disintegration; resolution; breaking-up *(of a substance)*; unbuttoning; unfastening; unbuckling; analysis ♦ **~ýer (i, e)** *mb* stripped; taken pieces; unbuttoned; unfastened; unbuckled; disintegrated; decomposed; *fg* analysed ♦ **~ýesh/ëm (i), -me (e)** *mb* decomposable *(substance)*; fit-easy *(furniture)*

zbokth, -i *m* dandruff, scurf

zbórt/lë (i, e) *mb* snow *(mb)*: **njeri i ~ë** snow-man

zbraz *k/* empty; discharge; serve *(the soup etc.)*; pour *(a drink)*; let out *(one's anger)*; fire *(a gun, etc.)*; evacuate *(a town)*; *fg* tell, snitch, squeal: **~ shishen** empty a bottle; **~ thesin** *bs* spill the beans; **i ~ të gjithë fishekët** use all one's cards ♦ *jk/ v iii* fire: **nuk ~i pushka** the rifle misfired ♦ **~/ em** *vtv, ps:* **po ~et qielli** it's pouring with rain; **lumi ~et në det** the river flows into the sea; **gjej kujt t'i ~em** have sb to take it on to ♦ **~ës, -i** *m* discharge pipe/ channel/ gate ♦ **~ët (i, e)** *mb* empty; blank *(look)*; *fg* empty; hollow *(words, promise)*; void; vacant *(post)*: **me bark të ~** on an empty stomach ♦ **~ët** *nd:* **mbetet ~** fall empty/ vacant ♦ **~ëtí, -a** *f* emptiness; vacuity; void; *fz* vacuum; void; *fg* gap: **vdekja e tij la një ~** his death left a gap ♦ **~ëtír/ë, -a** *f shih* **zbrazëti, -a** ♦ **~j/e, -a** *-f* pouring out; discharge; outflow ♦ **~ur (i, e)** *mb* emptied; discharged *(fire-arm)*; evacuated; *fg* blank, vacant *(look)*: **nxjerr me duar ~ dikë** send sb off empty-handed

zbres *jk/* **zbríta, zbritur** descend; go/ come/ get/ climb down; dismount *(from a horse)*; slope down; sink; land *(of an aircraft)*; *v iii* reach down; be demoted; *v iii* recede; originate: **~ poshtë** come downstairs; **rruga zbret thikë** the road descends steeply; **dielli zbriti në det** the sun sank into the sea; **~ nga fiku** come down in the world ♦ *k/* lower; take down/ put down; alight; *mat* subtract: **~ librat nga rafti** take the books down from the shelf; **e ~ dikë nga kali** help sb down from the horse

zbrít:ës, -i *m mt* subtrahend: **~i dhe i zbritshmi** the subtrahend and the minuend ♦ **~, -e** *mb* descending *(scale, gradient)* ♦ **~j/e, -a** *f* descent; landing; discount; reduction; fall; *mat* subtraction: **~e e rrezikshme** a dangerous descent; **dyqan me ~je** reject shop; **~e e çmimeve** fall in prices

zbrú/hem *vtv, ps* ♦ **~lj** *kl* macerate; steep; soften *(hides, etc.);* soak; *fg* enervate; **e ~j në dru dikë** beat sb into pulp ♦ **~tj/e, -a** *f* softening; moistening; soaking ♦ **~tur (i, e)** *mb* soft(ened); squashed *(fruit);* soaked; macerated

zbrum *kl* pulp; squash

zbukurím, -i *m* ornament(ation); decoration; embellishment; dressing; trimming: **~ i vitrinave** window-dressing ♦ **~lóhem** *vtv, ps*: **po ~ohet vajza** she is growing into a beautiful girl ♦ **~lój** *kl* decorate; adorn; embellish; ornament; garnish; trim ♦ **~úar (i, e)** *mb* decorated; adorned; embellished; ornamented

zbul:ím, -i *m* unveiling *(of a plaque, etc.);* discovery; exploration *(of a new land);* prospecting *(for oil, etc.);* intelligence, reconnaissance: **skuadër ~i** scouting party ♦ **~lóhem** *vtv, ps* ♦ **~lój** *kl* uncover; unveil *(one's face);* show, bare *(parts of the body);* expose *(sb to danger);* discover; find *(a treasure);* detect *(a fault); fg* reveal *(one's intentions);* reconnoitre, scout: **~oj letrat** show one's cards ♦ **~úar (i, e)** *mb* uncovered; unveiled *(face);* bare *(parts of the body); fg* exposed; *sp* unmarked *(player):* **pozicion i ~uar** vulnerable position; **llogari e ~** overdraft ♦ **~úes, -i** *m* explorer; scout ♦ **~úes, -e** *mb* explorative; reconnaissance *(mission);* scouting

zbun:ím, -i *m* cuddling; fondling ♦ **~lój** *kl* cuddle; fondle

zburrít *kl* rear *(a child)* ♦ **~lem** *vtv* grow up; come into manhood

zbut (zbus) *kl* soften; dim *(the light);* tone down *(one's words); fg* slacken *(one's efforts);* mitigate; *fg* soothe *(pain);* tame *(a beast);* water down *(a drink):* **shiu e ~i ca ditë motin** the rain brought a spell of mild weather; **i ~ gjakrat** cool tempers; **i ~ fjalët** oil one's words; tone down ♦ **~lem** *vtv, ps:* **iu ~ zemra** his heart melted ♦ **~ës, -i** *m* tamer *(of a beast); spec* softener ♦ **~ës, -e** *mb* softening; taming *(effect); fg* mitigating; attenuating *(circumstances)* ♦ **~j/e, -a** *f* softening; taming *(of a beast);* watering down *(of a drink);* cooling down *(of tempers)* ♦ **~sh/ëm (i), -me (e)** *mb* pliable; tameable *(beast);* malleable *(person)* ♦ **~ur (i, e)** *mb* softened; dim(med) *(light);* tamed *(beast); fg* soft; gentle *(look, etc.);* watered down *(drink)*

zbyth *kl* repel; push back *(the enemy);* drive backwards *(a horse)* ♦ **~lem** *vtv* walk backwards; step back; back in/ out; *ps* ♦ **~j/e, -a** *f* retreat; backfire; recoil; bounce back *(of an artillery piece)*

zdërháll/em *vtv* spree; booze; go on a spree ♦ **~j/ e, -a** *f* spree; booze

zdrál/ë, -a *f* soil; dirt: **vë ~ë** get soiled

zdrëm/ë, -a *f* sore *(on a horse's back);* scaling; peel *(of paint);* soil; dirt

zdróm/ë, -a *f bs* soil; dirt

zdrukth, -i *m* plane: **thikë ~i** plane iron/ cutter ♦ **~ëtár, -i** *m* joiner; carpenter ♦ **~ëtarí, -a** *f* joinery; carpentry ♦ **~ím, -i** *m* planing ♦ **~ lóhet** *ps* ♦ **~ lój** *kl* plane *(a plank)* ♦ **~úar (i, e)** *mb* planed *(plank)*

zeb:ë *mb* dark-haired *(animal)* ♦ **~lë, -a** *f* blackie; darkie

zéb/ër, -ra *f zl* zebra

zefír, -i *m* zephyr: **fryn ~i** there is a gentle breeze

zehér, -i *m bs* poison

zéj/e, -a *f* craft; skill: **mësoj një ~e** learn a skill ♦ **~tár, -i** *m* craftsman ♦ **~tár, -e** *mb* artisan *(mb)* ♦ **~tarí, -a** *f* craftsmanship

zekth, -i *m zl* gadfly; *bs* craving: **më hyn ~i** get restless

Zeländ/ë, -a *f gjg*: **~ e Re** New Zealand

zell, -i *m* zeal; industry; assiduity; zest: **me ~ të tepruar** overzealously ♦ **~sh/ëm (i), -me (e)** *mb* zealous; industrious; assiduous; zestful ♦ **~sh/ëm (i), -me (e)** *em* zealot

zembrék, -u *m* spring *(of a watch); bs* cock *(of the gun)*

zém/ër, -ra *f* heart; core *(of some fruit); fg* hub, crux; pit *(of the stomach):* **~ër e madhe** big heart; **~ër e thjeshtë** a simple soul; **~ra e industrisë së vendit** the industrial heartland of the country; **~ra e mollës** the core of the apple; **~ra e tokës** the centre of the earth; **~ra ime!** my love!; **i jap ~ër dikujt** hearten/ encourage/ embolden sb; **ia thyej ~rën dikujt** break sb's heart; **kam ~ër (të fortë)** be stout-hearted; **ma ndjell ~ra se** have a gut feeling that; **me ~ër të mirë!** cheers!; **me ~ër të ngrirë** with one's heart in one's mouth; **me dorë në ~ër** charitably; **me gjithë ~ër** with all one's heart; **më gufon ~ra** my heart swells *(with joy);* **më ngroh ~rën** warm the cockles of one's heart; **mik i ~rës** bosom friend; **rrahje e ~rës** heartbeat; **s'kam ~ër** have no heart; be pitiless; be soft-hearted; **vuaj nga ~ra** have a heart condition ♦ **~ërák, -e** *mb* short-tempered; testy; churlish; angered; irate; *fg* angry; raging *(sea); fg* severe *(cold, winter)*

zemër:bárdhë *mb, em* generous ♦ **~bardhësí, -a** *f* generosity ♦ **~gjërë** *mb, em* big-heart(ed); magnanimous ♦ **~gjerësí, -a** *f* big-heartedness; magnanimity ♦ **~hápur** *mb, em* open-heart(ed); heart-whole; frank

zemërím, -i *m* anger; wrath; indignation; annoyance

zemër:kéq, -kéqe *mb, em* evil-hearted; wicked ♦ **~lëshúar** *mb, em* down-hearted; low-spirited ♦ **~lmádh, -mádhe** *mb, em* big-hearted; kind-hearted; magnanimous; generous ♦ **~madhësí, -a** *f* big-heartedness; magnanimity; generosity ♦ **~mírë** *mb, em* good-hearted; kind-hearted; gentle ♦ **~mirësí, -a** *f* good-heartedness; gentleness ♦ *nd* anxiously; tremulously

zemër/óhem *vtv* get angry; be nettled; fret; be annoyed: **ç'ke që ~ohesh me të?** why are you angry with him?; **~ohem me një shok** fall out with a friend ♦ **~/ój** *kl* anger; nettle; annoy

zemërthýer *mb* broken-hearted ♦ *nd* brokenheartedly

zemërúar (i, e) *mb* angered; nettled; indignant *(crowd);* annoyed

zemër:vógël *mb, em* mean-hearted ♦ **~vogëlsí, -a** *f* mean-heartedness; meanness ♦ **~vrárë** *mb* heavy-hearted ♦ *nd* with a heavy heart ♦ **~/zí, -zézë** *mb, em* hell-hound

zengjín, -i *m bs* wealthy; rich ♦ **~, -e** *mb vj* wealthy; rich; prosperous

zenít, -i *m ast fg* zenith; vertex

zerdelí, -a *f bt* nectarine

zéro, -ja *f mat, fz* zero; nought; nil; love: **15 me ~** fifteen love *(in tennis);* **2 me ~** two nil; **nxjerr me ~ bs** whitewash; **shumëzoj me ~** set to nought

zeshk *kl* tan ♦ **~án, -e** *mb* dark-skinned; swarthy ♦ **~/em** *ps* ♦ **~ët (i, e)** *mb* darkish; swarthy *(complexion)*

zevzék, -e *mb, em* busybody; meddlesome; forward *(person);* restless; fretful

zezák, -u *m* black (coloured) man *(sh* **men)** ♦ **~, -e** *mb:* **lagje ~e** black neighbourhood

zéz/ë, -a (e) *f* (të) black; *sh* mourning dress; *fg* calamity; disaster; : **lyej me të ~ë** paint black; **me të ~a** in mourning (dress); **ia bëj të ~ën vetes** ruin oneself; **për të ~ë të thoit** *(to escape)* by a whisker ♦ **~ón/ë, -a** *f* disaster; calamity; crusher

zë, -ri *m* voice; call, cry *(of birds);* rumour; *fg* renown; fame; entry *(in a list):* **film me ~** sound film; **flas nën ~** speak under one's breath; **i mbaj ~rin dikujt** *fg* sing in tune with so; **ka ~ra se** there are rumours that; **me ~** by word of mouth; **me gjysmë ~ri** in a soft voice; **me një ~** unanimously; **mos bëj ~** don't make a sound; don't breathe a word; **nuk kam ~** be out of voice; **s'bëj ~** keep mum (quiet); be silent; **tejzat e ~rit** *an* vocal cords

zë *kl* **zúra, zénë** take; catch; seize; overtake; last, live through; occupy; reach for; book *(a room);* hire *(a cab, etc.);* plug *(a hole);* catch *(a leak);* gag *(sb's mouth);* blindfold *(sb's eyes);* block *(the road, sb's view, etc.);* close, bar *(a passage);* *v iii* be exposed; *v iii* come under *(the law):* **~ besë** believe; **~ flokët** tie one's hair; **~ gishtin në derë** get one's finger caught in the door; **~ me/ në gojë** mention; **~ për dore** hold by the hand; **~ rob dikë** take sb prisoner; **~ vend** take a seat; settle; **~ vendin e parë** occupy the first place; **~ veshët**

stop one's ears; **e ~ në gabim dikë** catch sb tripping; **e ~ nga bishti** get the wrong end *(of sth);* **shtëpinë e ~ dielli** the house is exposed to the sun; **e ~ shok dikë** make friends with sb; **e zuri paniku** he was seized with panic; **i ~ vendin dikujt** take sb's place; replace sb; **ma ~ syri** catch one's eye; **më ~ dora çdo gjë** turn one's hand to everything; **më ~ shiu** be caught in the rain; **plumbi e zuri në shpatull** the bullet hit his shoulder; **s'më ~ vendi** become restless ♦ *jkl* fasten; tie; catch; hit; strike; *v iii* get caught; start; *v iii* be full of: **~ me gozhdë** nail; **nuk zuri zamka** the glue did not stick; **barka zuri në rërë** the boat struck the sandbank; **~ shumë vend** take too much space; **zuri shiu** it started raining; **~ fill** start; begin; sample; **~ qelb** fester; **le ta ~më se** let's suppose that ♦ *folje gjysmëndihmëse:* begin; start: **~ e qesh** start laughing; **zuri të zbardhte** it was dawning

zëdhënës, -i *m* spokesman; mouthpiece

zëm/ër, -ra *f* refection; afternoon snack

zën:ë *pj e shkuar e* **zë** ♦ **~/ë (i, e)** *mb* captured; occupied; busy; booked; engaged; *v bs* engaged; betrothed *(girl);* *bs* well-heeled; *bs* closed; barred *(door):* **i ~ë rob** taken prisoner; **jam i ~ë (me punë)** be busy; **linja është e ~ë** the line is busy; **i kam duart e ~a** have one's hands full ♦ *nd* busily; busy ♦ **~i/e¹, -a** *f* catch *(of fish);* capture *(of prisoners);* occupation *(of one's spare time)*

zëni/e², f quarrel; row; fight

zësh/ëm (i), -me (e) *mb* high-sounding; sonorous; *gjh* voiced *(consonant)*

zët, -i *m bs :* **e kam ~ diçka** hate sth

zëvéndës, -i *m sh,* **-it** deputy; substitute; acting *(director)* ♦ **~ím, -i** *m* substitution; replacement ♦ **~lóhem** *ps* ♦ **~lój** *kl* replace; substitute; replace; make up for; recover; set off *(a loss);* *v iii* alternate; relieve *(a guard on duty):* **~oj gomat** replace tires; **dita e nata ~ojnë njëra-tjetrën** day and night alternate ♦ **~úes, -i** *m* replacement ♦ **~úesh/ëm (i), -me (e)** *mb* replaceable; recoverable

zëzëll:ím/ë, -a *f* buzz; hum *(of insects)* ♦ **~lój** *jkl* **óva, -úar** buzz; hum *(of insects)*

zgafull/óhem *vtv* unbutton oneself; *v iii* goggle; be wide-open *(of the eyes);* *v iii* be torn; be rent apart ♦ **~lój** *kl* **óva, -úar** unbutton; bare *(one's chest);* dig a hole in; peel *(one's eyes)*

zgalém, -i *m zl* petrel; storm-bird

zgaq, -i *m* dregs; trash

zgáv/ër, -ra *f* cave, cavern; hole, hollow; *an* cavity: **~ra e syrit** eye-socket ♦ **~ërt (i, e)** *mb* hollow; caved

zgëq, -i *m* hole; hovel: **banoj në një ~** live in a (rat-)hole

zgërbónj/ë, -a *f* large hole; cavern *(in a tree-trunk)*

zgërdhésh/em, zgërdhí/hem *vtv* **-va (u), -rë** smirk;

sneer; leer ♦ ~/**j** *kl* -**va, -rë: ~j dhëmbët** smirk; sneer

zgërláq *kl* crush; squash ♦ ~/**em** *vtv, ps* ♦ ~**ur (i, e)** *mb* mashed; squashed; crushed *(fruit)*; *fg* flagging; failing; slackened

zgrap *kl v iii* crunch; chew *(of animals)*; snap open *(chestnuts)*; *bs* snap; grab; pilfer

zgrip, -i *m* edge; brink; rim; end; straits; poverty: **mbush deri në ~** fill to the brim; **jetoj me ~** live from hand to mouth; **e çoj punën në ~** bring matters to a head ♦ *nd:* **e zë ~** graze; skim over ♦ ~**ët (i, e)** *mb* shallow *(hole)*; frugal, sparing ♦ ~**tas** *nd:* **e çoj ~** be frugal; live from hand to mouth

zgrof, -i *m sh*-**a, -at** *bs* tummy ♦ *mb:* **me barkun ~** on an empty stomach

zgrop, -i *m bs shih* **zgrof, -i** ♦ ~/**em** *vtv bs* starve; be starving; be famished: **m'u ~ barku** have a hole in the stomach

zgurdull:ím, -i *m* goggling; opening wide *(of the eyes)* ♦ ~/**óhet** *vtv* ♦ ~/**ój** *kl* goggle; open wide *(one's eyes)*

zgjat (zgjas) *kl* lengthen; let down *(a dress)*; prolong *(a line)*; stretch *(the pace)*; put out *(the hand)*; reach out for *(sth)*; drag out *(negotiations)*: ~ **dorën** reach out one's hand; **i ~ jetën dikujt** give a new lease of life to sb; **mos e ~!** cut it short! don't take so long!; **pa e ~ur** in brief ♦ *jkl v iii* continue; last; *v iii* grow long(er): **udhëtimi ~i dy ditë** the trip lasted two days ♦ ~/**em** *vtv* grow tall(er)/ long(er); reach out *(for sth)*; lean out *(of the window)*; *v iii* continue; lie; be/ take long *(doing sth)*; *v iii* grow long(er) *(of days)*; *ps:* **u ~ djali** the boy has grown tall; **kjo punë u ~ shumë** this is taking such a long time ♦ ~**ím, -i** *m* prolongation; extension; duration ♦ ~**j/e, -a** *f* lengthening; drawing out; stretching out; reaching out; extension; duration ♦ ~/**óhem** *vtv* grow tall(er); *ps* ♦ ~/**ój** *kl* lengthen ♦ *jkl v iii* continue; last ♦ ~**ur (i, e)** *mb* lengthy; elongated; prolonged; stretched out

zgjeb/aník, -e, ~arák, -e *mb* scabby; scabbed: **një tufë ~ë** a scruffy lot ♦ ~/**e, -ja** *f mk* scabies; itch; *veter* mange ♦ ~/**em** *vtv shih* ~**ósem** ♦ ~**ós/em** *vtv* be have scabies ♦ ~**ósur (i, e)** *mb mk* scabbed; *veter* mangy; *kq* scabby; scruffy

zgjedh *kl* **zgjódha, zgjédhur** select; choose; make a choice; elect: ~ **e merr** make your choice; ~ **me votë** elect by ballot; **s'di ç'të ~ më parë** be spoilt for choices

zgjédh/ë, -a *f* yoke; *fg* bond(age)

zgjédhës, -i *m* elector

zgjedhím, -i *m gjh* conjugation

zgjédhj/e, -a *f* choice; *sh* elections

zgjedh/óhet *ps* ♦ ~/**ój** *kl gjh* conjugate *(a verb)*

zgjédhur (i, e) *mb* selected; elect; choice; elected: **ushqim i ~** choice food

zgjer:ím, -i *m* extension; expansion; dilation *(of the eyes)*; widening ♦ ~/**óhem** *vtv, ps* ♦ ~/**ój** *kl* widen; broaden; extend; expand

zgjidh *kl* undo *(a knot)*; untie; unleash, let loose *(a dog)*; *mat* resolve *(a problem)*; annul *(a contract)*: ~ **martesën** dissolve a marriage; ~ **kreshmët** break fast; **i ~ duart dikujt** untie sb's hands; **ia ~ gjuhën dikujt** loosen sb's tongue

zgjídhem[1] *ps e* **zgjedh**

zgjídh:em[2] *vtv, ps* ♦ ~**j/e, -a** fundoing *(of a knot, a tie)*; dissolution *(of marriage)*; annulment *(of a contract)*; *mt* solution *(of a problem)*; settlement *(of a dispute)*; *fg* resolution: **pret ~e** await solution; **i jap ~e diçkaje** give solution to sth ♦ ~**sh/ëm (i), -me (e)** *mb* extricable *(knot)*; resolvable *(problem)* ♦ ~**ur (i, e)** *mb* untied; undone *(knot)*; unfastened; *fg* dissolved *(marriage)*; annulled *(contract)*; *mt* solved: **qen i ~** unleashed dog ♦ ~**ur** *nd:* **e lë qenin ~** let the dog free

zgjim, -i *m* waking; awakening; wake-up call

zgjó:hem *vtv* **zgjóva (u), zgjúar** wake up; get up; *ps:* ~ **herët** rise early; **zgjohu!** wake up! ♦ **zgjoj** *kl* **zgjóva, zgjúar** awake; wake up; rouse; *fg* awaken; stir, bring back *(memories)*; *fg* make aware of: **më zgjo herët** wake me early; **zgjoj me të shkundura** shake sb awake

zgjúa, zgjói *m sh* **zgjóje, zgjójet** (bee)hive; swarm; throw *(of a beehive)*

zgjúar *nd:* **rri ~** stay awake; stay up *(all night)* ♦ ~ **(i, e)** *mb* awake; awakened; *fg* intelligent; clever; wakeful: **djalë i ~** an intelligent boy; **veprim i ~** a clever move ♦ ~**sí, -a** *f* intelligence; cleverness; cuteness

zgjýr/ë, -a *f* slag *(of a furnace)*; soot; black *(of the oil-lamp)*; grime; dirt ♦ ~**ë** *mb* dirty; grimy ♦ ~**ë** *nd* badly; poorly *(done)*; very: **i zi ~** pitch black ♦ ~**ós** *kl* soil; (be)grime; *bs* muddle, bungle *(a piece of work)* ♦ ~**ósem** *vtv, ps* ♦ ~**ósur (i, e)** *mb* grimy; begrimed; *bs* muddled; bungled *(work)*

zi, -a *f* mourning; silence; *fg* calamity; scarcity; avidity; greed: **zi kombëtare** national mourning; **rroba ~e** mourning dress; weeds; **mbaj ~ për dikë** mourn (for) sb; ~ **e bukës** famine ♦ ~, **-të (të)** *as;* black colour; mourning; *fg* gloom; *fg* hardship: **veshur në të ~** dressed in black; **heq të ~të e ullirit** be through hell ♦ ~ *nd:* **fotografi bardhë e ~** black-and-white photograph ~ **e më ~** from bad worse; **mendoj ~** brew evil thoughts ♦ ~ **(i), zézë (e)** *mb* black; dark; coloured *(people)*; dismal *(news)*; bad *(luck)*; *fg* sinister ominous; dire; *fg* evil: **bukë e zezë** brown bread; **dërrasë e zezë** blackboard; **mëlçia e zezë** *an* liver; **syze të zeza** dark glasses; **listë e zezë** black list; **murtaja e zezë** *mk* black death; **faqja e zezë** shame; infamy; stigma; **për faqe të zezë** in bad taste; **treg i ~** black market; **heq pikën e zezë** suffer hell ♦ ~, **-u (i)** *m* black person; poor wretch; black(s) *(in* *chess)*: **kishte frikë, i ~u** he was afraid, the poor wretch

zíej *k/* **zjéva, zíer** boil; distil ~ **një vezë** boil an egg ♦ *jk/ v iii*(come to the) boil; *v iii*ferment; bubble; work *(of wine, etc.); v iii* tingle; sting; smart; *v iii* ring; buzz *(of the ears); v iii* swim; swirl *(of the head); v iii fg* swarm; be brisk *(with activity)*; rage: ~ **ngadalë** simmer; ~ **shumë** boil hard; **zien sheshi** the square is swarming; **më zien gjaku** my blood is boiling ♦ **zíer (i, e)** *mb*boiled: **vezë e ~ fort** hard-boiled egg ♦ **zíerj/e, -a** *f*boiling; boil; distillation *(of raki)*: **pikë e ~es** boiling point

zift, -i *m* pitch; tar; bitumen ♦ ~ *mb bs :* ~ **i zi** pitch black; very black

zigzág, -u *m* zigzag ♦ ~ *nd:* **shkoj** ~ zigzag ♦ ~, -e *mb* zigzag *(line)*

zíhem *vtv* **zúra (u), zë́në** quarrel; squabble; hold, take *(sb's hand); fg* be committed to *(sb)*; be bonded with; *v iii* begin; *v iii* be conceived, become pregnant; *v iii* ferment; rise *(of the dough); bs* better one's lot; *v iii* be clogged/ blocked/ gagged/ caulked; *v iii* be overcast *(of the sky)*; be counted/ valid; be covered/ eclipsed *(of the sun); ps* ~ **me dikë** fall out with sb; **ç'kanë që zihen?** what's their quarrel?; ~ **pas degës** hold to a branch; **u zunë shokë** they became friends **u zu me barrë** she became pregnant; **kjo lojë nuk zihet** this game does not count; **iu zu fryma** he was choking; **iu zu gjuha** he was tongue-tied

zíhet *vtv* boil; be cooked; *ps e* **ziej**

zijós *k/* starve; famish ♦ **~em** *vtv, ps* ♦ **~ur (i, e)** *mb* starved; famished: **ha si i** ~ eat ravenously

zijósh, -e *mb, em* dark(-coloured) *(person, animal)*; swarthy

zíl/e, -ja *f*bell; *sh mz*castanets: ~ **elektrike** buzzer; **sahat me** ~ alarm-clock; **gjarpër me** ~ *z/*rattle-snake

zilí, -a *f* envy; jealousy; spite; **i shtie ~në dikujt** make sb envious; **plas nga ~a** be green with envy ♦ **~qár, -e** *mb, em*envious; jealous; covetous *(person)* ♦ **~s** *k/* envy; covet; lust for ♦ **~t/em** *vtv* be envious/ covetous/ jealous

zink, -u *m km* zinc

zinxhír, -i *m* chain; zipper; *sh fg* fetters; sequence *(of events)*: ~ **floriri** gold chain; ~ **i tankut** track of the tank; **si qen i lëshuar nga ~i** like a dog off the leash ♦ *mb:* **punë** ~ chain stitch; **reaksion** ~ *km, fz* chain reaction ♦ *nd*in a chain

zion:íst, -i *m* Zionist ♦ **~íz/ëm, -mi** *m pl* Zionism

zjarr, -i *m* fire; *dr* arson; household; *nj fg* heat; *nj* fever; *fg*ardour, fervour, passion; *nj*rut *(of animals)*: ~ **bubulak** bonfire; **armë ~i** fire-arm; **bie në mes dy ~esh** be caught between two fires; **i fryj ~it** fan the fire; **marr ~ menjëherë** be swift to anger; **me** ~ passionately; **merr** ~ catch fire; **ndez ~in** make the fire; **në ~in e betejës** in the heat of the

battle; **nuk e vë ujin në** ~ care less; **oda/ dhoma e ~it** fire room; kitchen; **shuaj ~in** put out the fire; **s'ka tym pa** ~ there is no smoke without a fire ♦ *mb:* **e kam zemrën** ~ have a fiery heart ♦ *nd:* **i kuq** ~ flaming red; **bëhem** ~ fly into a passion; get excited ♦ **~fíkës, -i** *m*fireman *:* **makina e ~ve** the fire engine ♦ ~ /e, -ja fire extinguisher ♦ ~, -e *mb:* **skuadër ~e** fire brigade ♦ ~ /e, -ja *f* fire engine; fire extinguisher ♦ **~mí, -a** *f*fever; heat; *fg* fervour; ardour ♦ **~t/ë (i, e)** *mb* fiery; blazing; burning; *fg*ardent; fervent; passionate; *fg*heated; spirited *(discussion)*; feverish: **lëmsh i** ~ a ball of fire; **lavë e** ~ burning lava; **dëshirë e** ~ fervent wish; burning/ consuming desire ♦ **~tís/et** *vtv -* **(u), -ur** become rancid *(of butter)* ♦ **~th, -i** *m mk* papule ♦ **~vë́në:s, -e** *mb*incendiary: **bombë ~e** incendiary bomb ♦ **~nës, -i** *m*arsonist ♦ **~i/e, -ia** *f*arson

zmadh:ím, -i *m* enlargement; magnification; aggrandisement; overstatement; exaggeration ♦ **~lóhem** *vtv, ps* ♦ **~lój** *k/*enlarge; magnify; *fg*exaggerate; overstate ♦ **~úar (i, e)** *mb* enlarged; magnified; overstated; exaggerated ♦ **~úes, -e** *mb* magnifying *(glass)*; increasing

zmbraps *k/* push/ drive/ throw/ back; repel *(an attack); fg* repeal; withdraw *(an order)* ♦ **~/em** *vtv* retreat; draw back; withdraw; *fg* flinch; wince; recoil; shy at *(a difficulty)*; desist from *(doing sth); ps:* **~em me neveri nga diçka** recoil from sth in disgust

zodiák, -u *m ast* zodiac: **shenjat e ~ut** zodiacal signs

zo/g, -u *m*bird; chick; offspring; *bs* calf *(of the leg)*: **~g pa pupla** fledg(e)ling; **çel ~gj** hatch; **më ikën/ më shpëton ~gu nga dora** let an opportunity slip ♦ **~/ë, -a** *f*chicken; pullet; pretty young woman ♦ **~ëz, -a** *f zvog e* **zog/ë, -a** little chuck

zogorí, -a *f*pack *(of dogs); kq* mob

zon/ë, -a *f*zone: **~ë e ndaluar** off-limit zone (area); **~ë e rreptësisë** *sp* penalty area; *bs* box

zónj:a (e) *f (vetëm në trajtë të shquar)* landlady; owner ♦ **~ë, -a (e)** *mb* able; capable *(woman)* ♦ **~/ë, -a** *f*mistress; housewife; lady; gentlewoman *(sh-*women*);* misses *(shkrt*Mrs*):* **~a e shtëpisë** the hostess; **grua ~ë** a respectable woman ♦ **~ë** *mb* ladylike ♦ **~úsh/ë, -ja** *f*miss; young lady; *bs* missy

zooló:g, -u *m*zoologist ♦ **~gjí, -a** *f*zoology ♦ **~gjík, -e** *mb* zoological: **kopsht** ~ zoological gardens; zoo

zor, -i *m bs*force; constraint, compulsion; difficulty, pinch; embarrassment: **me** ~ by force; **hyj me** ~ force oneself in; **ngrihem me** ~ stand up with difficulty; **jam në** ~ be hard up *(for money)*; **më vjen** ~ **për diçka** feel awkward about sth ♦ *nd:* ~ **se e gjen** you can hardly find it ♦ **~sh/ëm (i), -**

me (e) *mb bs* difficult; hard *(task);* difficult; fastidious *(person):* **fëmijë i ~ëm** a problem child

zorr/ë, -a *f an* intestine; *sh* entrails; guts; bowels; *(garden etc.)* hose: **~ë e hollë/ trashë** small/ large intestine (colon); **nxjerr ~ët e barkut** shoot the cat; **më thahet ~a** be starved; **tregoj ~ët e barkut** spill the beans ♦ **~ëthárë, ~thátë** *mb* starved; famished

zot, -i¹ *m* God; Lord; providence: **Z~i të bekoftë!** (God) bless you!; **prite Z~!** God defend!

zot, -i² *m* master; sir; mister *(shkrt* **Mr***);* bs master; boss: **~ shtëpie** landlord; **~i i shtëpisë** host; **~i kryetar** Mr President; **kush është ~ këtu?** who is boss here?; **i dal (për) ~ dikujt** stick up for sb ♦ **~ërí, -a** *m* master; mister; gentleman *:* **punë për ~nj** a soft/ cushy job ♦ **~** *mb* gentlemanly; gallant: **burrë ~** a noble person

zotër:ím, -i *m* possession; control; mastery: **~ i vetvetes** self-control; self-possession ♦ **~lóhet** *vtv, ps* ♦ **~lój** *kl* possess; master; control *(the situation);* learn *(a skill);* have command of *(a foreign language, etc.);* v *iii* dominate, overlook *(the scenery)* ♦ *jkl* v *iii* predominate; prevail ♦ **~úes, -e** *mb* owning *(party, class);* commanding, dominant *(position);* prevailing; predominating *(characteristics)* ♦ **~, -i** *m* owner; proprietor; possessor

zot:ësí, -a *f* skill; ability: **me ~** skilfully; ably

zót/i (i) *m* owner; proprietor; master; lord; host; person in charge; boss: **i ~i i dyqanit** shop-owner; **i ~i i tokës** landowner; **i ~i i shtëpisë** landlord; **s'e njeh qeni të ~in** it's bedlam

zóti (i), zónja (e) *mb* skilful; skilled; capable

zot:ím, -i *m* pledge; commitment: **mbaj ~in** deliver one's promise; live up to one's pledge ♦ **~lóhem** *vtv* pledge/ engage oneself to *(sth, doing sth);* guarantee

zuk:ám/ë, -a *f* zoom; buzz; hum(ming) *(of insects, etc.)* ♦ **~át (~ás)** *jkl* v *iii* zoom; hum; buzz; drone

zúlm/ë, -a *f* fame; glory; notoriety

zulláp, -i *m kq* crass person; *kq* bum

zullúm, -i *m bs* damage; harm ♦ **~qár, -e** *mb bs* ruinous; violent *(person)*

zúra *kr thj e* **zë**

zúsk/ë, -a *f kq* bitch

zuz:ár, -i *m kq* rapscallion; rascal ♦ **~ërí, -a** *f* knavery

zvarg *kl* drawl *(one's voice);* drag; prolong ♦ **~let** *vtv* ♦ **~ur (i, e)** *mb* drawling; dragging *(voice)* ♦ **~ur** *nd:* **i lë punët ~** let things drag

zvarraník, -u *m zl* reptile; *fg* creeping thing; servile; *fg* laggard ♦ **~, -e** *mb* reptilian; *fg* creeping; crawling *(pace)* ♦ **~le, -ja** *f* harrow; *bt* creeper

zvárr:ë *nd:* **(tër)hiqem ~** creep; crawl; drag (along); **i heq këmbët ~** drag one's feet ♦ **~ës, -e** *mb*

dragging; crawling; creeping ♦ **~ít** *kl* drag; crawl; drawl *(one's voice):* **~ në baltë** draggle; **~ këmbët** scuff; *fg* procrastinate; delay ♦ **~ít/em (~ís/em)** *vtv* crawl; creep; *fg* grovel *(in sb's presence);* v *iii* trail along; *ps:* **~em këmbadoras** crawl on all fours ♦ **~ítës, -e** *mb* creeping *(plant);* dragging; trailing; *fg* drawling *(voice);* *fg* procrastinating; delaying *(tactics)* ♦ **~ítj/e, -a** *f* creeping; crawl(ing); procrastination

zverdh *kl, jkl* v *iii* (make, turn) yellow ♦ **~/em** *vtv, ps:* **u ~ nga frika** he turned pale with fear ♦ **~j/e, -a** *f* yellowing; turning pale ♦ **~lój** *kl, jkl* v *iii* (turn) yellow; turn pale ♦ **~ur (i, e)** *mb* yellow; pale: **me fytyrë të ~** with a pale face

zver/k, -ku *m* scruff; back of the neck; nape: **i hipi në ~ dikujt** ride roughshod on sb; **thyej ~un** break one's neck

zvetën:ím, -i *m* corruption *(of the language);* degeneration; decadence; decline ♦ **~lóhem** *vtv* ♦ **~lój** *kl* degenerate; corrupt; vitiate; unman ♦ **~úar (i, e)** *mb* degenerate; corrupt

zvic:erán, -e *mb, em* Swiss ♦ **Z~ïer, -ra** *f gjg* Switzerland

zvírdhem *vtv, ps* ♦ **zvjerdh** *kl* **zvórdha, zvjérdhur** wean *(a child, etc.);* estrange; disaffect: **~ miqtë** cool off with one's friends ♦ **~j/e, -a** *f* weaning ♦ **~ur (i, e)** *mb* weaned *(child, etc.);* estranged; cooled off; disaffected; disinterested; pruned *(tree)*

zvogël:ím, -i *m* lessening; decrease; reduction ♦ **~lóhem** *vtv, ps* ♦ **~lój** *kl* shorten; diminish; lessen; decrease; *fg* play down: **~oj hapin** shorten one's pace; **~oj moshën** understate one's age ♦ **~úar (i, e)** *mb* shortened; reduced; diminished ♦ **~úes, -e** *mb gjh* diminutive *(suffix);* *mt* decreasing *(progression);* descending *(order)*

zymbýl, -i *m bt* jacinth; hyacinth

zymbýl/e, -ja *f* basket; wicker-basket; shopping-basket

zýmt/ë (i, e) *mb* dark; dismal; desolate; dreary *(sight);* gloomy; frowning *(face):* **perspektivë e ~ë** dreary prospect ♦ *nd* ruefully ♦ **~ësí, -a** *f* darkness; obscurity; darkness; glumness: **në ~ë e natës** in the darkness of the night ♦ **~í, -a** *f shih* **zymtësi, -a** ♦ **~ím, -i** *m* darkening *(of one's face)* ♦ **~lóhem** *vtv* v *iii* darken; be overcast *(of the sky);* be sullen; v *iii fg* be dismal; be dreary ♦ **~lój** *kl* darken; cloud *(the sky);* frown ♦ **~úar (i, e)** *mb* darkened; clouded; overcast; frowning

zýr/ë, -a *f* office; bureau: **punë ~e** office work; white-collar work ♦ **~tár, -i** *m* civil servant; official: **~ i lartë** senior functionary ♦ **~tár, -e** *mb:* **kanale ~e** official channels; **orar ~** office hours ♦ **~tarísht** *nd* officially

Zh

zháb/ë, -a *f* z*l* toad
zhabín/ë, -a *f,* **~ók, -u** *m bt* buttercup; crowfoot
zhák/ë, -a *f* burlap; floor-cloth; door-mat
zhalón, -i *m* surveyor' staff; pole; stake
zhán/ër, -ri *m art, lt* genre
zhangëll:ím/ë, -a *f* screech; squeal; jangle ♦ **~lón** *jkl* **-ói, -úar** screech; squeal; jangle *(of a violin out of tune)*
zhap *kl bs* cram; press; ply *(sb with food)* ♦ **~lem** *vtv bs* cram oneself with; *ps*
zháp/ë, -a *f* skin; peels *(of fruits);* green shell *(of walnuts, etc.);* skinny (tought) piece of meat; skin-bag; *sh* green-hide shoes; dried fig
zhapëll:ím/ë, -a *f* crunch *(of gravel);* rustle *(of dry leaves)* ♦ **~lój** *jkl* rustle *(of dry leaves);* crunch *(of crushing glass)*
zhapí, -u *m,* **zhapík, -u** *m* z*l* lizard
zhardhók, -u *m bt* bulb, tuber, tubercle *(of some plants)*
zhargaví:n/ë, -a *f kq* jalopy; *fg* good-for-nothing fellow ♦ **~t/et** *vtv* **- (u), -ur** *kq* be run down; fall to pieces
zhargón, -i *m gjh* jargon; slang; technical language; cant
zhaurí:m/ë, -a *f* roar; din ♦ **~ln** *jkl* **-u, -rë** roar; howl *(of the wind)*
zhavórr, -i *m* gravel; grit; *fg* dead-weight: **rruginë e shtruar me ~** gravel drive
zhballanc:ím, -i *m* loss of balance ♦ **~lóhet** *ps* ♦ **~lój** *kl* throw off balance
zhbí/het *ps* ♦ **~lj** *kl* uproot; *fg* eradicate: **e ~j dikë me gjithçka** destroy sb root and branch
zhibr: ój *kl* hole; pierce; bore; *fg* pry into; search doggedly ♦ **~úes, -e** *mb* boring *(bit);* piercing; *fg* prying; searching *(look)*
zhbllok:ím, -i *m* unblocking; unfreezing *(of payments)* ♦ **~lóhem** *vtv, ps* ♦ **~lój** *kl* óva, -úar unblock; release *(funds);* raise the blockade of; free; reopen; clear *(a passage)* ♦ **~úar (i, e)** *mb* un-

blocked; released; relieved *(blockade);* clear *(passage, way)*
zhburrn/óhem *vtv, ps* ♦ **~lój** *kl* emasculate; effeminate; unman ♦ **~úar (i, e)** *mb* emasculated; effeminate; unmanned
zhdëmt:ím, -i *m* indemnity; damages: **paguaj ~in** pay damages; indemnify ♦ **~lóhet** *ps* ♦ **~lój** *kl* indemnify; pay damages
zhdëp *jkl bs* ply; gorge; fill up *(sb with food, etc.);* whack; bash ♦ **~lem** *vtv, ps:* **~em në dru** take a good licking
zhdërv:íllem *vtv, ps* ♦ **~j/éll** *kl* **-ólla, -éllë** unravel; untangle *(a knot, etc.);* limber; make lively/ agile/ nimble/ supple ♦ **~jéllët (i, e)** *mb* lively; agile, supple *(movement, step);* *fg* animated; alert; *fg* supple; winding *(line);* *fg* rich; vigorous *(narrative)* ♦ **~jelltësí, -a** *f* liveliness; agility; *fg* agility; flexibility *(of action)*
zhdogan:ím, -i *m* (customs) clearance ♦ **~lóhet** *ps* ♦ **~lój** *kl* óva, -úar clear (through the customs)
zhdréjt/ë (i, e) *mb* indirect: **ligjëratë e ~ë** *gjh* indirect speech
zhduk *kl* wipe out; strike/ cross out: **~ një pyll të tërë** wipe out a whole forest; **~ fizikisht** liquidate sb ♦ **~lem** *vtv v iii* be wiped out; be obliterated; disappear; fade away/ off/ out; vanish; *v iii* be missing; become extinct *(of a species);* *ps:* **u ~ e s'u pa nga vajti** he vanished into thin air; **pesë vetë ishin të ~ur** five persons were missing/ unaccounted for ♦ **~j/e, -a** *f* obliteration; liquidation; disappearance; wiping out: **në ~e e sipër** in the process of extinction ♦ **~ur (i, e)** *mb* wiped out; obliterated; extinct *(species):* **listë e personave të ~** missing persons' list
zheg, -u *m* heat; dog-days; scorcher: **~u i verës** the summer heat; **gjumi i ~ut** siesta; midday nap ♦ **~ít/em** *vtv* have an afternoon nap; feel hot; *v iii* be scorched *(by heat)* ♦ **~lóhem** *vtv shih* **~ítem;** *ps* ♦ **~lój** *kl* heat; make hot ♦ *jkl* (put in the) shade

(animals from heat)

zhegulí, -a f crowd; drove (of children): **kam një ~ me fëmijë** have a crowd of children

zhel:amán, -e mb ragged; tattered; frayed (clothes) ♦ **~i** m tatterdemalion; ragamuffin ♦ **~án, -e** mb scruffy ♦ em ragamuffin ♦ **~/e, -ja** f tatter; rag; sh old clothes: **e bëj ~e dikë** mop the floor with sb ♦ **~e** mb tattered; ragged; frayed (clothes)

zhgënj/éhem vtv ♦ **~/éj** kl delude; disillusion; disappoint ♦ **~ýer (i, e)** mb deluded; disillusioned; disappointed

zhgërr/ýej kl scratch; scrape ♦ **~ý/hem** vtv roll (in the dust, etc.); wallow, welter (in the mud); garble; bedraggle oneself; fg sink (in misery, in the depths of despair); ps

zhgrad:ím, -i m demotion (of an army officer); cashiering ♦ **~lóhem** ps ♦ **~lój** kl demote (an army officer); cashier

zhgrap kl, jkl bs scribble; fg be helpless: **~ firmën** scribble one's signature; **s'ia ~ për ásgjë** be a good-for-nothing

zhgun, -i m worsted cloth; wool(l)en gown; frock; cassock; sackcloth

zhgurít k/ rummage; scavenge (for food; of animals and chicken) ♦ **~lem** vtv, ps

zhív/ë, -a f km mercury; quicksilver ♦ **~ë** mb very salty; extremely bitter (taste); bs peppy; dapper; extremely lively (person) ♦ nd: **puna po na shkon ~ë** it is going with a swing

zhonglér, -i m juggler; jongleur; mountebank; kq juggler; trickster

zhúb/ër, -ra f wrinkle; crease; crumple; pucker; wrinkle (of the face); ripple (of the water surface) ♦ **~rós** kl wrinkle; crease; crumple (the clothes); wrinkle; pucker (one's face) ♦ **~rósem** vtv, ps ♦ **~rósj/e, -a** f wrinkling; creasing; crumpling ♦ **~rósur (i, e)** mb wrinkled; creased; crumpled; puckered (face)

zhúk/ë, -a f bt rush

zhul, -i m soil; dirt; muck ♦ **~anjós, -e** mb, em kq dirty; mucky; soiled (person)

zhulát (zhulás) kl moisten; dip; plunge (sb into water, etc.); bs cram; cloy (sb with food, etc.); bs thrash ♦ **~átem** vtv, ps ♦ **~átur (i, e)** mb crushed; moistened; bs crammed; full

zhur, -i m coarse sand; gravel; grit; fg passion; longing: **~i i lumit** river sand; **digjet bëhet ~** be burned ashes/ charred ♦ **~** mb scorched; charred; singed: ♦ **~ísht/ë, -a** f gravelly soil ♦ **~ít** kl scorch; singe; char ♦ jkl v iii be very hot/ spicy (of food); fg devastate ♦ **~ít/em** vtv ♦ **~ës, -e** mb scorching (flame); torrid (sun); fg moving (words); consuming (love) ♦ **~ítj/e, -a** f scorching; burning down; heat; fever; fg yearning; longing ♦ **~ur (i, e)** mb scorched; singed (food); scorched; parched; dry; dead (plants, etc.); fg longing (heart)

zhúrm/ë, -a f noise; sound; ado; din; bustle; rumour: **~a e hapave** the sound of steps; **me ~ë** noisily; **pa ~ë** noiselessly; silently ♦ **~ër/ón** jkl -ói, -úar murmur; hum; drone (in the distance); be noisy; make a noise ♦ **~úes, -e** mb noisy; humming (crowd) ♦ **~ët (i, e)** mb noisy; full of noise; gjh voiced (consonant): **qytet i ~** noisy ♦ **~ím, -i** m rumbling; droning; murmuring ♦ **~lój** jkl rumble; drone; murmur; shout; make a noise; be noisy: **më ~ojnë veshët** have a noise in one's ears ♦ **~sh/ëm (i), -me (e)** mb noisy; clattering; noisy; rowdy; noisy; boisterous; reverberating ♦ **~úes, - e** mb shih **~sh/ëm (i), -me (e)** ♦ **~úes, -i** m jamming station (device)

zhuzh:ák, -u m, **~íng/ë, -a** f zl scarab; tumble-bug

zhvarr:ím, -i m exhumation ♦ **~ós** kl exhume; dig out ♦ **~ós/et** ps ♦ **~/e, -a** f nj exhuming; unearthing

zhvat k/ tear; rip; snatch, grab; fg fleece; con; swindle (sb of his money, etc.): **e ~ën qentë** the dogs mauled him ♦ **~/em** vtv, ps ♦ **~ës, -e** mb grabbing ♦ **~ës, -i** m sh, -it grabber; hustler; grab-all; con ♦ **~j/e, -a** f grabbing; despoiling ♦ **~ur (i, e)** mb torn; scratched; ripped; grabbed; despoiled

zhvendós kl displace; shift; dislocate (troops) ♦ **~l em** vtv, ps ♦ **~j/e, -a** f displacement; shift; dislocation; translocation: **~je e popullsisë** population displacement

zhvesh kl take off (one's clothes); undress (sb); strip; gin (cotton); husk; unsheathe (a sword); fg strip (an officer of the insignia); defrock (a priest); bs rob; despoil; fleece: **~ telin** strip coated wire; **më rropën e më ~ën** I was robbed and stripped (of everything) ♦ **~ës, -e** mb husking; ginning (machine) ♦ **~j/e, -a** f undressing; striptease; ginning (of cotton); husking (of rice) ♦ **~ur (i, e)** mb undressed; stripped; defoliated (tree); bare; unsheathed (wire, cable); defrocked (priest): **dhomë e ~** unfurnished room; **me sy të ~** with naked eye ♦ **~ur** nd nakedly

zhvidhós k/ unscrew ♦ **~/et** ps ♦ **~/e, -a** f unscrewing ♦ **~ur (i, e)** mb unscrewed; fg tll nutty; having a screw loose

zhvill:ím, -i m development; growth; advance(ment): **~ i njëanshëm** lop-sided development ♦ **~lóhem** vtv, ps: **djali u ~ua menjëherë** the boy grew up all of a sudden; **ngjarjet ~ohen në** events take place in ♦ **~lój** kl develop; strengthen (one's body, etc.); flex (one's muscles); expand (resources); elaborate; work out (a thesis); hold (a conference) ♦ **~úar (i, e)** mb developed; grown; strong; advanced (stage of disease): **me trup të ~** with a well-developed body; **vend i ~** developed country

zhvirgjër:ím, -i m defloration; ravishment ♦ **~lóhem** ps ♦ **~lój** kl **óva, -úar** deflower (a virgin); ravish

zhvíshem *vtv, ps e* **zhvesh**

zhvlerës:ím, -i *m* devaluation *(of currency)*; depreciation; annulment *(of decision)* ♦ **~lóhet** *vtv, ps* ♦ **~lój** *kl* devalue, devaluate; depreciate *(a currency)*; annul *(a decision)*; put to naught ♦ **~úar (i, e)** *mb* devalued; depreciated

zhvoshk *kl* bark *(a tree)*; husk *(rice, etc.)*; strip; scratch; peel off ♦ **~lem** *vtv, ps* ♦ **~j/e, -a** *f* barking; skinning; peeling off ♦ **~ur (i, e)** *mb* barked *(tree)*; husked *(rice, etc..)*; scrapped; scaled; peeled off *(skin, paint, etc..)*

zhý:ej *kl* **zhéva, zhýer** soil; dirty; *fg* stain; tarnish *(one's reputation)* ♦ **~er (i, e)** *mb* soiled; fouled ♦ **~lhem** *vtv* get dirty; welter *(in mud)*; *fg* get involved *(in an affair)*; *ps*

zhyt, -i *m* dip; plunge; *fg* sink: **bie në ~** plunge; take a dip ♦ **~** *nd:* **kaloj lumin ~** cross the river (swimming) underwater; **i lë punët ~** let things adrift; **~ e mbyt** in a mess; all adrift ♦ **~ (zhys)** *kl* dip; dive; immerse; *fg* sink; *sp* smash *(the ball)*. **~ kokën në ujë** dip one's head into water; **i ~ur në borxhe** deep in debt ♦ **~ár, -i** *m* diver; frogman ♦ **~arák, -u** *m zl* diver ♦ **~as** *nd shih* **zhyt** ♦ **~em** *vtv* ♦ **~lër, -ra** *f zl* diver; grebe ♦ **~ës, -i** *m* diver; frogman : **veshje e ~it** diver's suit ♦ **~ës, -e** *mb* diving; submerging *(mb)* ♦ **~j/e, -a** *f* dip(ping); plung(ing); immersion; *sp* volley: **vija e ~s** waterline *(of a ship)* ♦ **~ur (i, e)** *mb* dipped; submerged; immersed: **i ~ në mendime** deep/ lost in thought

ENGLISH - ALBANIAN
DICTIONARY

A

a /ei/ *em mz* la ♦ /ə, ei/ *(para një zanoreje* **an** /ən/) *nyjë joshquese* një: **I am ~ lawyer** jam avokat; **~ horse is an animal** kali është kafshë; **~ Mr Brown called** njëfarë z Braun të kërkoi (në telefon); **£10 ~ kilo/~ head** dhjetë sterlina kilogrami/ secili ♦ **~A-road** /-roud/ *em* rrugë kombëtare/ e kategorisë së parë

aback /ə'bæk/ *nd:* **be taken ~** zihem befas

abandon /ə'bændən/ *kl* braktis; lë; heq dorë ♦ *em* braktisje; lëshim ♦ **~ed** *mb* i braktisur

abashed /ə'bæʃt/ *mb* i turpëruar

abate /ə'beit/ *jkl (stuhia, dhembja)* qetësohet, bie, fashitet

abattoir /'æbətwa:(r)/ *em* thertore

abb:acy /'æbəsi/ *em ft* abaci ♦ **~ot** /'æbət/ *em ft* abat ♦ **~ey** /'æbi/ *em ft* abaci

abbreviat:e /ə'brivieit/ *kl* shkurtoj ♦ **~ion** /əbrivi'eiʃn/ *em* shkurtim; shkurtesë

abdomen /æb'domen/ *em* bark ♦ **~inal** /-'dominəl/ *mb* abdominal, i barkut

abduct /æb'dʌkt/ *kl* rrëmbej ♦ **~ion** /-kʃn/ *em* rrëmbim

aberration /æbə'reiʃən/ *em* rravgim, gabim

abet /ə'bet/ *kl:* **aid and ~** jam bashëpunëtor me

abeyance /ə'beiəns/ *em:* **in ~** i pezulluar; **fall into ~** del jashtë përdorimit, *(ligji)* nuk vepron

abhor /əb'ho:(r)/ *kl* kam neveri ♦ **~ance** /-'horəns/ *em* neveri

ability /ə'biliti/ *em* aftësi, zotësi

abject /'æbdʒekt/ *mb (varfëri)* poshtëruese; i përvuajtur; *(frikacak)* i ulët, i poshtër

ablaze /ə'bleiz/ *mb* i përflakur, i ndezur: **be ~ with light** flakërin me dritë, llamburit

abl:e /'eibl/ *mb* i aftë, i zoti: **be ~ to do sth** mund të bëj diçka; **are you ~ to?** je i zoti të? ♦ **~-bod-ied** /-'bodid/ *mb* i shëndetshëm; *ush* i aftë ♦ **~y** *nd* me zotësi

abnormal /æb'no:(r)məl/ *mb* anormal ♦ **~ity** /-'mæləti/ *em* anomali ♦ **~ly** *nd* në mënyrë anormale

aboard /ə'bo:(r)d/ *nd, prfj* në anije/ aeroplan

aboli:sh /ə'boliʃ/ *kl* suprimoj; zhduk ♦ **~tion** /-'liʃn/ *em* suprimim; zhdukje

abominable /ə'bominəbl/ *mb* i neveritshëm

abort /ə'bo:(r)t/ *kl dhe fg* dështoj ♦ **~ion** /-'o:ʃn/ *em* dështim; prishje e barrës ♦ **~ive** *mb* dështak; i dështuar; shtijak

abound /ə'baund/ *jkl* ka me shumicë; *(lumi)* gëlon *(me peshk)*

about /ə'baut/ *nd* andej, këtej; rreth, nja: **be up and ~** jam ngritur/ zgjuar; **leave things lying ~** lë gjithandej gjërat ♦ *prfj:* **what is he taking ~?** për se flet ai?; **~ 5 o'clock** rreth orës pesë; **I was ~ to do it** isha gati për ta bërë; **how ~ a drink?** si thua, a pijmë gjë?; **it's ~ time to...** erdhi koha për... ♦ **~:-face, ~-turn** *em* prapakthim

above /ə'bʌv/ *nd, prfj* mbi; sipër: **~ all** mbi të gjitha; **as ~** si më sipër ♦ **~board** /-bo:(r)d/ *mb* i ndershëm ♦ **~-mentioned** /-'menʃənd/ *mb* i lartpërmendur

abrasive /ə'breisiv/ *mb* abraziv; *(vërejtje, fjalë)* e thartë

abreast /ə'brest/ *nd* përbri; krah për krah: **come ~ of** dal/ bëhem baras me

abridged /ə'bridʒd/ *mb* i shkurtuar

abroad /ə'bro:d/ *nd* jashtë shtetit

abrupt /ə'brʌpt/ *mb* i papritur; *(përgjigje)* e prerë ♦ **~ly** *nd* papritur; *(flas)* prerë

abscess /'æbsis/ *em* absces

abscond /æb'skond/ *jkl* rrëmbej

absen:ce /'æbsəns/ *em* mungesë ♦ **~t** *mb* mungues ♦ **~t-minded** /-'maindid/ *mb* i hutuar, hutaq; harraq

absolute /'æbsəlu:t/ *mb* absolut; i tërë, i plotë: **an ~ idiot** idiot i tërë ♦ **~ly** *nd* plotësisht; absolutisht: **you're ~ right** ke plotësisht të drejtë

absolution /æbsə'lu:ʃən/ *em* falje, larje *(e mëkateve)*

absolve /əb'zolv/ *kl* fal *(mëkatet)*

absor:b /əb'zo:(r)b/ *kl* përthith; amortizoj *(goditjen)*

♦ **~ed** *mb:* ~ **in reading** i kredhur në lexim ♦
~er *em* amortizator; amortizues *(i goditjes)* ♦
~ption /-pʃn/ *em* përthithje; përqendrim *(në
mendime)*

abst:ain /əb'stein/ *jkl* grasoj; nuk ha/ pi *(diçka); pl*
abstenoj *(në votime)* ♦ **~ention** /-'stenʃən/ *em*
grasim; *pl* abstenim ♦ **~inence** /'æbstinəns/ *em*
përkore

abstract /'æbstrækt/ *mb* abstrakt ♦ *em* përmbledhje

absurd /əb'sə:(r)d/ *mb* absurd: **this is** ~ ky është
budallallëk ♦ **~ity** *em* absurditet

abundan:ce /ə'bʌndəns/ *em* bollëk ♦ **~t** *mb* i
bollshëm

abus:e /ə'bju:z/ *kl* abuzoj, shpërdoroj *(pushtetin
etj.);* fyej; keqtrajtoj ♦ /ə'bjus/ *em* abuzim;
shpërdorim; *sh* fyerje; keqtrajtim ♦ **~ive** *mb* fyes:
~ **language** fjalë të këqija; të shara

abyss /ə'bis/ *em* humnerë, abis ♦ **~mal** *mb*
humneror; *fg* l lemerishëm

academ:ic /ækə'demik/ *mb, em* akademik ♦ **~y** /
ə'kædəmi/ *em* akademi; konservator muzike: **A~
Award** *kn* Çmim i Akademisë (Oskar)

acced /æk'si:d/ *jkl:* ~ **to the throne** hipi në fron

accelerat:e /æk'seləreit/ *kl, jkl* përshpejtoj ♦ **~ion** /
-'reiʃən/ *em* përshpejtim ♦ **~or** *em tk* përshpejtues

accent /'æksənt/ *em* theks ♦ /æk'sent/ *kl* theksoj ♦
~uate /æk'sentjueit/ *kl* theksoj

accept /æk'sept/ *kl* pranoj ♦ **~able** *mb* i pranueshëm
♦ **~ance** *em* pranim

access /'ækses/ *em* hyrje: **have free** ~ **to sb** hyj e
dal te dikush *(si në shtëpinë time)* ♦ **~ion** /æk'seʃn/
em hipje në fron/ në pushtet

accessory /æk'sesəri/ *em* pajisje; agregat ♦ *mb*
ndihmës; plotësues; aksesor

accident /'æksidənt/ *em* aksident; rast: **by** ~
rastësisht; pa qëllim/ dashje: **it was an** ~ (e bëra)
pa dashje; **~s will happen** *bs* gjëra që ndodhin
♦ **~al** /-'dentl/ *mb (takim)* i rastit; *(vdekje)* në
aksident; i bërë pa dashje ♦ **~ally** *nd* pa dashje/
hir

acclaim /ə'kleim/ *em* brohoritje, përshëndetje ♦ *kl*
përshëndet **(as** si)

acclimatise /ə'klimətaiz/ *kl:* **become** ~**d**
aklimatizohem

accommodat:e /ə'komədeit/ *kl* rregulloj, sistemoj;
strehoj; i bëj nder *(dikujt)* ♦ **~ing** *mb* që bën nder,
që nuk prish qejf *(me dikë)* ♦ **~tion** /-'deiʃn/ *em*
vend për të ndenjur, banesë

accompany /ə'kʌmpəni/ *kl* shoqëroj

accomplice /ə'kʌmplis/ *em* bashkëfajtor *(në krim)*

accomplish /ə'kʌmpliʃ/ *kl* arrij, realizoj *(qëllimin);*
përsos ♦ **~ed** *mb* i përsosur; *(fakt)* i kryer ♦ **~ment**
em arritje, rezultat; talent

accord /ə'ko:(r)d/ *em* marrëveshje: **of his own** ~
me dëshirën e vet ♦ *kl* jap; akordoj ♦ **~ance** *em:*
in ~ **with** në përputhje me ♦ **~ing** *nd:* ~ **to/** as

sipas; në përputhje me ♦ **~ingly** *nd* si pasojë

accordion /ə'ko:(r)diən/ *em* fizarmonikë

accost /ə'kost/ *kl* abordoj, i afrohem *(anijes)*

account /ə'kaunt/ *em* llogari; përshkrim, raport *(i
dëshmitarit);* tregim, rrëfim; **~s** *pl trg* llogari; **on** ~
of për shkak të; **on no** ~ në asnjë mënyrë,
kurrësesi; **on this** ~ për këtë arsye; **on my** ~ për
shkakun tim; **of no** ~ pa pikë rëndësie: **take into**
~ marr parasysh ♦ ~ **for** *jkl* shpjegoj; përbën ♦
~ability /-'biliti/ *em* përgjegjësi ♦ **~able** *mb*
përgjegjës (për) ♦ **~ant** /-ənt/ *em* llogaritar

accredited /ə'kreditid/ *mb* i akredituar

accrue /ə'kru:/ *jkl (interesi)* maturohet

accumulat:e /ə'kju:mjuleit/ *kl* grumbulloj; vë *(pasuri)*
♦ *jkl* grumbullohet ♦ **~ion** /-'leiʃən/ *em* akumulim
♦ **~or** *em* akumulator

accura:cy /'ækjurəsi/ *em* saktësi ♦ **~te** /-rit/ *mb* i
saktë ♦ **~tely** *nd* me saktësi; saktë

accus:ation /ækju'zeiʃn/ *em* akuzë ♦ **~e** /ə'kju:z/
kl akuzoj; fajësoj: ~ **sb of sth** akuzoj dikë për
diçka ♦ **~ed** *mb, em:* **the** ~**ed** i akuzuari; të
akuzuarit

accustom /ə'kʌstəm/ *kl* mësoj, përshtat: **get** ~**ed
to** mësohem me

ace /eis/ *em* as *(në letra);* lojtar as *(në tennis);* pilot
as *(në aviacion)*

ache /eik/ *em* dhimbje ♦ *jkl* (më) dhemb/ vret: ~ **all
over** kam dhimbje në të gjithë trupin; **tooth~**
dhembje e dhëmbit; **head~** dhembje e kokës ♦
~ing *mb* dhembje etj.) që dhemb

achieve /ə'tʃi:v/ *kl* arrij *(sukses);* realizoj *(qëllimin);*
plotësoj *(dëshirën)* ♦ **~ment** *em* sukses, arritje

acid /'æsid/ *mb, em* acid ♦ **~ity** /ə'siditi/ *em* aciditet
♦ **~proof** *mb* antiacid ♦ **~rain** *em* shi acid

acknowledge /ək'nolidʒ/ *kl* njoh; i përgjigjem, kthej
(përshëndetjen); pranoj; bëj me shenjë se e di: ~
defeat pranoj humbjen ♦ **~ment** *em* (mirë)njohje

acoustic /ə'kustik/ *mb* akustik ♦ **~s** *em sh* akustikë

acquaint /ə'kweint/ *kl:* ~ **sb with** i bëj të ditur dikujt;
be ~**ed with** njihem me *(dikë);* kam dijeni për
(diçka) ♦ **~ance** *em* njohje: **make sb's** ~ njihem
me dikë

acqui:re /ə'kwaiə(r)/ *kl* blej; fitoj *(njohuri)* ♦ **~sition**
/əkwi'ziʃn/ *em* blerje ♦ **~sitive** /ə'kwizətiv/ *mb* i
pangopur, lakmitar

acquit /ə'kwit/ *kl* nxjerr të pafajshëm *(dikë):* ~ **one-
self well** ndahem mirë ♦ **~al** *em* pafajësi

acrid /'ækrid/ *mb* i thartë

acrimon:ious /ækri'mouniəs/ *mb* i ashpër; i keq; i
thartë ♦ **~y** /'ækriməni/ *mb* ashpërsi

acrobat /'ækrəbæt/ *em* akrobat ♦ **~ic** /-'bætik/ *mb*
akrobatik

across /ə'kros/ *nd* matanë; për së gjeri; përmes;
(në fjalëkryq) horizontalisht: **come** ~ **sth** has
diçka; **come** ~ **well** ndahem/ dal mirë; **go** ~ kaloj
hidhem matanë ♦ *prfj:* ~ **the street** matanë rrugës

act /ækt/ *em* veprim; akt: **put on an ~** *bs* bëj numra; **catch sb in the ~** e zë me presh në duar dikë ♦ *jk/* veproj; sillem; *tt* luaj rolin; shtirem: **~ as** bëj ♦ *k/* luaj *(rolin):* **he's only ~ing** ai po bën teatër/ komedi *(me ne)* ♦ **~ing** *mb* zëvendës, i përkohshëm ♦ *em tt* lojë e aktorit, teatër ♦ **~ion** / 'ækʃn/ *em* veprim, aksion: **out of ~** *(makinë)* jashtë përdorimit; **take** ~ veproj, marr masë ♦ **~ive** *mb* aktiv, veprues ♦ **~ively** *nd* aktivisht ♦ **~ivity** /- 'tivəti/ *em* veprimtari ♦ **~or** *em* aktor ♦ **~ress** /- ris/ *em f* aktore

actual /'æktʃuəl/ *mb* i vërtetë, real ♦ **~ly** *nd* vërtet: **I don't ~ know him** të them të drejtën, s'e njoh

acumen /'ækjumən/ *mb* mendjemprehtësi

acupuncture /'ækju,pʌŋktʃə/ *em* akupunkturë

acute /ə'kju:t/ *mb* i madh; i fortë; akut: **~ shortage** mungesë e madhe

AD /'ei'di:/ *shkrt i* **Anno Domini** pas Krishtit

ad /æd/ *em bs* reklamë

adamant /'ædəmənt/ *mb* i prerë **(that** për)

adapt /ə'dæpt/ *k/* përshtat *(një dramë)* ♦ *jk/* përshtatem ♦ **~able** *mb* i përshtatshëm, që mund të përshtatet ♦ **~ation** /ædəp'teiʃn/ *em tt* përshtatje ♦ **~er, ~or** *em* përshtatës

add /æd/ *k/, jk/* shtoj; mbledh ♦ **~to** *fg* rëndoj, keqësoj ♦ **~ up** *k/* bëj mbledhjen e *(shifrave)* ♦ *jk/* mbledh: **~ up to** shtoj: **it doesn't up** *fg (llogaria)* nuk del ♦ **~ing** *mb:* **~ machine** makinë llogaritëse

adder /'ædə(r)/ *em zl* nepërkë

addict /'ædikt/ *em* narkoman ♦ **~ed** /ə'diktid/ *mb* i dhënë **(to** pas): **~ed to drugs** narkoman; **he's ~ed to tv** ai vdes pas televizorit ♦ **~ion** /-'dikʃn/ *em* toksikomani; narkomani

additi:on /ə'diʃn/ *em* mbledhje, shumë: **in ~ to** përveç ♦ **~onal** *mb* shtesë, tjetër ♦ **~ve** /'æditiv/ *em* lëndë/ gjë e shtuar

address /ə'dres, 'ædres/ *em* adresë; fjalim: **form of** ~ formulë mirësjelljeje ♦ *k/* adresoj; i drejtohem *(dikujt);* mbaj fjalim në *(mbledhje);* trajtoj *(një çështje)* ♦ **~ee** /ædrə'si:/ *em* marrës *(i letrës);* i adresuar

adept /'ædept/ *mb, em* ekspert

adequate /'ædikwit/ *mb* i mjaftueshëm ♦ **~ly** *nd* mjaftueshëm

adhe:re /əd'hiə(r)/ *jk/* ngjit; **~to** ngjitet *(me)* ♦ **~sion** /əd'hi:ʒn/ *em* ngjitje; aderencë; besnikëri ♦ **~sive** /-'hi:siv/ *mb (letër)* ngjitëse

adjacent /ə'dʒeisənt/ *mb* fqinj, i afërt; *(kënde)* pranëndenjës

adjoin /ə'dʒoin/ *k/* ndodhet pranë me ♦ **~ing** *mb* fqinj, ngjitur

adjectiv:e /'ædʒiktiv/ *em* mbiemër ♦ **~al** *mb* mbiemëror

adjourn /ə'dʒə:(r)n/ *k/* shtyj; pezulloj; lë për më vonë ♦ *jk/ (seanca etj.)* shtyhet ♦ **~ment** *em* shtyrje *(e seancës);* pezullim

adjust /ə'dʒʌst/ *k/* rregulloj *(fokusin etj.)* ♦ *jk/* rregullohet ♦ **~able** /-əbl/ *mb* i rregullueshëm ♦ **~ment** *em* rregullim; *tk* tarim

adjudicat:e /ə'dʒu:dikeit/ *jk/* vendos, gjykoj ♦ **~or** *em* gjykatës i magjistraturës

administ:er /əd'ministə(r)/ *k/* administroj; jap *(ilaç)* ♦ **~ration** /ədmini'streiʃən/ *em* administratë; *pl* qeveri ♦ **~rator** *em* /-'treitəl/ *em* administrator

admirabl:e /'ædmərəbl/ *mb* i admirueshëm ♦ **~y** *nd* admirueshëm

admiral /'ædmərəl/ *em* admiral ♦ **~ty** *em* admiraliat

admir:ation /ædmə'reiʃən/ *em* admirim: **in/ with** ~ me admirim ♦ **~e** /əd'maiə/ *k/* admiroj ♦ **~er** *em* admirues

admi:ssion /əd'miʃn/ *em* shtrim *(në spital);* hyrje *(në parti etj.);* pëlqim; pohim ♦ **~t** /əd'mit/ *k/* shtroj *(në spital);* pranoj, pohoj ♦ *jk/:* **~ to sth** pranoj *(se kam bërë)* diçka ♦ **~tedly** /-'mitidli/ *nd* siç pranohet/ thuhet

admonish /əd'moniʃ/ *k/* qortoj ♦ **~ment** *em* qortime ♦ **~ing** *mb* qortues

ado /ə'du:/ *em:* **without more** ~ pa bërë zhurmë, pa e zgjatur më

adolescen:ce /ædə'lesns/ *em* adoleshencë ♦ **~t** *mb, em* adoleshent

adopt /ə'dopt/ *k/* përshtat; birësoj; *pl* zgjedh *(një kandidat);* miratoj *(një propozim)* ♦ **~ion** /-ʃən/ *em* adoptim, birësim ♦ **~ive** *mb:* ~ **father** thjeshtër

ador:able /ə'do:rəbl/ *mb* i adhurueshëm; i admirueshëm ♦ **~ation** /ædə'reiʃn/ *em* adhurim; admirim ♦ **~e** /ə'do:/ *k/* adhuroj, admiroj

adrenalin /ə'drenəlin/ *em* adrenalinë

Adriatic /eidri'ætik/ *mb, em* Adriatik: **the ~ (Sea)** (Deti) Adriatik

adrift /ə'drift/ *mb:* **be ~** më merr rryma; **come ~** shkëputem

adroit /ə'droit/ *mb* i shkathët

adulat:ion /ædju'lejʃn/ *em* lajka ♦ **~or** *em* lajkatar

adult /'ædʌlt/ *em* i rritur: ~ **education** arsim për të rritur

adultery /ə'dʌltəri/ *em* shkelje e kurorës bashkshortore

advance /əd'va:ns/ *em* përparim; afrim; parapagim, kapar: **in** ~ më parë ♦ *k/* afroj; përparoj, bëj përparim ♦ *k/* parashtroj *(një teori);* përkrah *(një çështje);* parapaguaj ♦ **~ment** *em* përparim; mbarëvajtje

advantage /əd'va:ntidʒ/ *em* fitim, dobi; epërsi: **take ~ of** përfitoj nga ♦ **~ous** /ædvən'teidʒəs/ *mb* i volitshëm

adventur:e /əd'ventʃə/ *em* aventurë ♦ **~ous** *mb* aventurier

adverb /'ædvə:(r)b/ *em* ndajfolje ♦ **~ial** /-iəl/ *mb* ndajfoljor ♦ **~ially** /əd'və:biəli/ *nd (përdor)* si ndajfolje

advers:ary /'ædvə(r)səri/ *em* kundërshtar ♦ **~e** *mb* i mbrapshtë: **~ effect** ndikim i keq ♦ **~ity** /'vəːsəti/ em mbrapshti; prapësi

advert /'ædvəː(r)t/ em bs reklamë ♦ **~ise** /-aiz/ k/, jk/reklamoj, bëj reklamë; nxjerr njoftim ♦ **~isment** /əd'vəː(r)tismənt/ em reklamë; noftim (në sht)

advi:ce /əd'vais/ em këshilla: **piece of ~** këshillë ♦ **~sable** /-'vaizəbl/ mb i këshillueshëm ♦ **~se** /-'vaiz/ k/ këshilloj ♦ **~ser, ~sor** em këshilltar

advocate /'ædvəkət/ em avokat; përkrahës ♦ /-keit/ k/ mbroj; përkrah (një teori)

aerial /'ɛəriəl/ mb ajror ♦ em antenë (e televizorit etj.)

aero:bics /ɛə'robiks/ em aerobikë ♦ **~drome** /'ɛərədroum/ em aerodrom ♦ **~nautics** /ɛərə'noːtiks/ em sh (me folje në njëjës) aeronautikë ♦ **~plane** /'ɛərəplein/ em aeroplan: **on board the ~** në aeroplan

aesthetic /iːs'θetik/ mb estetik

afar /ə'faː(r)/ nd: **from ~** nga larg

affable /'æfəbl/ mb i dashur, i afruar

affair /ə'fɛə(r)/ em punë; skandal; histori; marrëdhënie (dashurie, seksuale): **~s of the state** punët e shtetit

affect /ə'fekt/ k/ndikoj; prek; (një çështje) lidhet/ ka lidhje me ♦ **~ation** /æfek'teiʃn/ em shtirje ♦ **~ed** mb i prekur, i ndikuar

affection /ə'fekʃn/ em afeksion, dashuri ♦ **~ate** /-ət/ mb i dashur, i afruar

affiliated /ə'filieitid/ mb filial

affinity /ə'finəti/ em afëri

affirm /ə'fəː(r)m/ k/ pohoj; afirmoj; them; shpall ♦ **~ative** /ə'fəːmətiv/ mb pohor; pohues ♦ em: **in the ~** (përgjigjem) me pohim

afflict /ə'flikt/ k/ mundoj; mërzit; hidhëroj ♦ **~ed** /-id/ mb i vuajtur; i munduar ♦ **~ion** /-kʃən/ em mundim; mërzi; pikëllim; hidhërim

affluen:ce /'æfluəns/ em mirëni; bollëk ♦ **~t** mb në gjendje të mirë; i kamur; i pasur

afford /ə'foː(r)d/ k/: **I cannot ~ it** s'ma mban kuleta ♦ **~able** /əbl/ mb i mundshëm, që mund të blihet

affray /ə'frei/ em kacafytje, përleshje

affront /ə'front/ em turpërim

afield /ə'fiːld/ nd: **further ~** më tutje

afloat /ə'flout/ mb pluskues: **be ~** qëndroj mbi ujë; (trupi) pluskon

afoot /ə'fut/ mb: **there's something ~** diçka po përgatitet/ po zien/ po kurdiset

aforesaid /ə'foː(r)sed/ mb i sipërpërmendur, i përmendur më parë

aflame /ə'fleim/ mb i përflakur

afraid /ə'freid/ mb: **be ~** kam frikë; **I'm ~ not** më duket se jo; **I'm ~ I can't help you** më vjen keq, por s'të ndihmoj dot

Africa /'æfrikə/ em Afrikë ♦ **~n** mb, em afrikan

after /'aːftə(r)/ nd/pastaj, më vonë, më pas: **he came ~** ai erdhi më vonë ♦ prf/ pas: **~ all** fundja; **the** i mbrapshtë: ... day **~ tomorrow** pasnesër ♦ **~math** /-mæθ/ em pasojë: **~ of the war** pasojat e luftës ♦ **~noon** /-nuːn/ em pasdite ♦ **~thought** /-θoːt/ em mend pas kuvendit ♦ **~wards** /-wə(r)dz/ nd/ pastaj

again /ə'gen/ nd/ përsëri, prapë: **do it ~** përsërit; (**then**) **~** përveç: nga ana tjetër; **~ and ~** vazhdimisht

against /ə'genst/ prf/ kundër: **for and ~** pro dhe kundër; **~ the grain** kundër fijes; fg kundër dëshirës; **~ the current** kundër rrymës

age /eidʒ/ em moshë; erë, periudhë; **~s** shekuj: **ice ~** periudhë e akullnajave; **come of ~** madhohem; jam në moshë madhore; **take ~s to do sth** vohohem shumë për të bërë diçka; më plaket puna në dorë ♦ k/, jk/ (**ageing**) plakem, moshohem; (vera, pija) vjetrohet ♦ **~ed** /eidʒd/ mb: **~ two** me moshë dy vjeç ♦ /'eidʒid/ mb i moshuar ♦ em: **the ~ sh** pleqtë ♦ **~group** /-grup/ em grupmoshë

agency /'eidʒənsi/ em agenci; veprim: **through the ~ of** me anë të

agenda /ə'dʒendə/ em rendi/ program i ditës: **on the ~** në rendin e ditës; fg në plan

agent /'eidʒənt/ em agjent; km reagjent: **news~** shitës gazetash

aggravat:e /'ægrəveit/ k/ rëndoj (gjendjen e të sëmurit) ♦ **~ion** /-'veiʃn/ em rëndim (i gendjes) ♦ **~ing** mb (rrethanë) rënduese

aggregate /'ægrəgət/ mb i përgjithshëm: **on ~** gjithësej

aggress:ion /ə'greʃn/ em agresion ♦ **~ive** /-siv/ mb agresiv ♦ **~or** em agresor

aghast /ə'gaːst/ mb i lemeritur

agil:e /'ædʒail/ mb i shkathët ♦ **~ity** /ə'dʒiliti/ em shkathtësi

agitat:e /'ædʒiteit/ k/ trazoj; tund ♦ jk/: **~ for** bëj agjitacion për ♦ **~ed** mb i tronditur ♦ **~ion** /-'teiʃn/ em agjitacion ♦ **~or** em agjitator

ago /ə'gou/ nd/ më parë: **a long ~** shumë kohë; **a while ~** një çikë më parë

agog /ə'gog/ mb (sy) të çakërritur; gjithë sy e veshë

agon:ise /'ægənaiz/ jk/ jam në ankth (**over** për) ♦ **~ising** mb në ankth ♦ **~y** /'ægəni/ em ankth, agoni: **be in ~** kam dhembje të tmerrshme

agrarian /ə'grɛəriən/ mb bujqësor; agrar

agree /ə'griː/ k/ pranoj: **~ to do sth** pranoj të bëj diçka; **we're ~d** u morëm vesh; ramë me një mendje ♦ jk/ jam i një mendimi; arrij marrëveshje: **this food doesn't ~ with me** ky ushqim s'më bën mirë ♦ **~able** mb i këndshëm; i gatshëm; **~ment** em marrëveshje: **in ~** me një mendim

agricultur:al /ægri'kʌltʃərəl/ mb bujqësor ♦ **~e** /'ægri-/ em bujqësi

aground /ə'graund/ nd: **run ~** (anija)ngec në stere

ahead /ə'hed/ nd/ para, përpara: **be ~ of** jam përpara (dikujt); **draw ~** kaloj përpara (**of**); **get ~** dal mirë, kam sukses; **go ~!** jepi, vazhdo!; **look**

~ hap sytë; **plan** ~ bëj plane për të ardhmen

aid /eid/ *em* ndihmë; ndihmës: **first** ~ ndihmë e shpejtë; **in** ~ **of** për të ndihmuar *(dikë)* ♦ *k/* ndihmoj ♦ *k/* ndihmoj: ~ **and abet**

aide /eid/ *em ush* ordinancë

AIDS /eidz/ *em mk* sidë: ~**s case** i sëmurë nga sida

ail:ing /'eiliŋ/ *mb* i sëmurë ♦ ~**ment** *em* lëngatë; sëmundje

aim /eim/ *em* qëllim; synim; nishan, shenjë: **take** ~ marr në shenjë ♦ *k/* shenjoj; vë në shënjestër (**at**) ♦ *jk/* shenjoj; kam qëllim *(të bëj diçka):* ~ **a gun at sb** ia drejtoj armën dikujt; ~ **to do sth** kam qëllim të bëj diçka; ~ **high** shënoj lart; *fg* e vras lart ♦ ~**less** *mb* i paqëllim

air /eə(r)/ *em* ajër; pamje: **by** ~ me aeroplan; me anë të ajrit; **be on the** ~ *(programi)* fillon; **put on** ~**s** mbahem me të madh ♦ *k/* ajroj, ndërroj ajrin; *fg* shpreh *(pikëpamjet)* ♦ ~**base** /-beiz/ *em* bazë aviacioni ♦ ~-**bed** /-bed/ *em* dyshek me ajër, dyshek gome ♦ ~-**conditioned** /-kən'diʃənd/ *mb* me ajër të kondicionuar ♦ ~**conditioner** /-kən'di-ʃənə(r)/ *em* kondicioner i ajrit; aklimatizues ♦ ~**craft** /-kra:ft/ *em* aeroplan: **two** ~ dy aeroplanë ♦ ~**craft carrier** /-kra:ft'kæriə(r)/ *em* aeroplan-mbajtëse ♦ ~**fare** /-feə(r)/ *em* tarifë (e linjës) ajrore ♦ ~**field** /-'fi:ld/ *em* fushë e aeroplanave ♦ ~ **force** /-fo:(r)s/ *em* forcë ajrore ♦ ~**hostess** /-hostis/ *em* hostesë ♦ ~**letter** /-letə(r)/ *em* aerogram ♦ ~**line** /-lain/ *em* kompani (linjë) ajrore ♦ ~**mail** /-meil/ *em* postë ajrore ♦ ~**man** /-mən/ *em* aviator ♦ ~**plane** /-plein/ *em am* aeroplan ♦ ~ **pocket** /-pokit/ *em* gropë ajrore ♦ ~**port** /-po:(r)t/ *em* aeroport ♦ ~**raid** /-reid/ *em* sulm ajror ♦ ~**raid shelter** /-reidʃeltə(r)/ *em* strehim kundërajror ♦ ~**ship** /-ʃip/ *em* dirizhibël ♦ ~**tight** /-tait/ hermetik ♦ ~**traffic** /-træfik/ *em* trafik ajror ♦ ~**traffic controller** /-træfikkən'troulə(r)/ *em* kontroll i trafikut ajror ♦ ~**worthy** /-'wə:(r)ði/ *mb (aeroplan)* në gjendje për fluturim ♦ ~**y** /'eəri/ *mb* i ajrosur

aisle /eil/ *em ark* korridor; anijatë *(e kishës)*

ajar /ə'dʒa:(r)/ *mb* i hapur përgjysmë: **leave the door** ~ e lë derën pak të hapur

akin /ə'kin/ *mb:* ~ **to** i ngjashëm me

alacrity /ə'lækriti/ *em* shkathtësi

alarm /əla:(r)m/ *em* alarm: **set the** ~ vë zilen *(e orës për zgjim);* **sound the** ~ jap alarmin ♦ *k/* alarmoj ♦ ~-**clock** /-klok/ *em* orë me zile ♦ ~-**radio** /-reidiou/ *em* radio me zile

alas /ə'la:s/ *psth* sa keq; medet

Albania /əl'beiniə/ *em gjg* Shqipëri ♦ ~**n** *em, mb* shqiptar ♦ *em* (gjuhë) shqipe ♦ *nd* shqip

albeit /o:l'bi:it/ *ldh* ndonëse; megjithëse; edhe pse

album /'ælbəm/ *em* album: **photo~** album me fotografi

alcohol /'ælkəhol/ *em* alkool ♦ ~**ic** /-'holik/ *mb*

alkoolik ♦ *em* i alkoolizuar ♦ ~**ism** *em* alkoolizëm

alcove /'ælkouv/ *em* kthinë

alderman /'o:ldəmæn/ *em* kryeplak; gjykatës krahinor

ale /eil/ *em* birrë ♦ ~-**house** birrari

alert /ə'lə:(r)t/ *em* kushtrim; alarm: **be on the** ~ jam në beft/ vigjilent ♦ *mb* i zgjuar; tërë sy e veshë

algae /'ældʒi:/ *em sh* alge

algebra /'ældʒibrə/ *em* algjebër

Algeria /æl'dʒiəriə/ *em gjg* Algjeri ♦ ~**n** *mb, em* algjerian

alias /'eiliəs/ *em* pseudonim ♦ *nd* ndryshe *(i njohur me emër tjetër)*

alibi /'ælibai/ *em* alibi: **have an ironcast** ~ kam alibi të fortë

alien /'eiliən/ *mb* i huaj ♦ *em* i huaj; alien *(qenie jashtëtokësore)* ♦ ~**ate** /'eiliəneit/ *k/* tëhuaj, largoj, ftoh ♦ ~**ation** /-'neifn/ *em* tëhuajtje; largim; ftohje

align /ə'lain/ *k/* rendit; rreshtoj ♦ *jk/* renditem bëhem *(me dikë, kundër dikujt)* ♦ ~**ment** *em* renditje: **out of** ~**ment** i parenditur

alight[1] /ə'lait/ *jk/* zbres *(nga kali etj.);* ulem

alight[2] *mb* i ndezur; i ndriçuar

alike /ə'laik/ *mb* i ngjashëm: **be** ~ ngjajmë; janë të ngjashëm; **look** ~ ngjajmë; **summer and winter** ~ si në verë e në dimër

alimony /'æliməni/ *em* pension ushqimi

alive /ə'laiv/ *mb* i gjallë: ~ **with** plot me; ~ **to** i ndjeshëm ndaj; ~ **and kicking** shëndosh e mirë

alkali /'ælkəlai/ *em km* alkale

all /o:l/ *mb* (i) gjithë: ~ (**the**) **children** të gjithë fëmijët: **for** ~ **that** megjithatë; **be** ~ **for** jam plotësisht i gatshëm për; ~ **day** gjithë ditën; **he refused** ~ **help** s'pranoi asnjë ndihmë ♦ *prm* gjithë: ~ **of you/ them** të gjithë ju/ata; ~ **in** krejtësisht; **most of** ~ mbi të gjitha; **once and for** ~ një herë e përgjithmonë ♦ *nd* plotësisht, krejt: ~ **at once** njëherësh; ~ **of a sudden** befas; ~ **out** plotësisht, me të gjitha forcat; ~ **but** pothuajse; ~ **the same** megjithatë; ~ **the better** akoma më mirë; ~ **over** i mbaruar; gjithandej; **I'm** ~ **right** s'kam gjë, jam mirë; ~ **right!** mirë!; **he is not** ~ **that good** ai s'është aq i mirë

allay /ə'lei/ *k/* qetësoj, largoj *(dyshimin, frikën)*

alleg:ation /æli'geiʃən/ *em* akuzë; pretendim; thënie ♦ ~**e** /ə'ledʒ/ *k/* deklaroj; them ♦ ~**ed** /ə'ledʒd/ *mb* ashtuquajtur ♦ ~**edly** /ə'ledʒidli/ *nd* nga sa thuhet

allegiance /ə'li:dʒəns/ *em* besnikëri

allegor:ical /æli'gorikəl/ *mb* alegorik ♦ ~**y** /'æligəri/ *em* alegori

allerg:ic /ə'lə:(r)dʒik/ *mb* alergjik (to) ♦ ~**y** /'ælə(r)dʒi/ *em* alergji

alley /'æli/ *em* rrugicë; rruginë *(në kopsht)*

alli:ance /ə'laiəns/ *em* aleancë, lidhje ♦ ~**ed** /'ælaiəd/ *mb* i bashkuar; aleat: **the** ~ **forces** forcat aleate/ të aleatëve

alligator /'æligeitə(r)/ *em z*/ aligator

allocate /'æləkeit/ *k*/ ndaj; caktoj *(një detyrë);* jap *(një fond)*

allot /ə'lot/ *k*/ shpërdaj *(fondet, detyrat)* ♦ **~ment** *em* shpërdarje; pjesë; copë toke, parcelë *(e lëshuar me qira)*

allow /ə'lau/ *k*/ lejoj; pranoj: **~ for** mbaj parasysh, llogarit; **~sb to do sth** lejoj dikë të bëjë diçka; **you are not ~ed to...** nuk të lejohet të... ♦ **~ance** /-əns/ *em* kuotë *(për para xhepi);* ndihmë *(për ushqim);* tk tolerancë

alloy /'æloi/ *em* lidhje *(metalike);* aliazh

allu:de /ə'lu:d/ *jk*/ prek shkarazi *(një temë)* **(to)** ♦ **~sion** /-ʒn/ *em* aluzion

ally /'ælai/ *em* aleat ♦ /ə'lai/ *k*/ bëj aleancë me: **~ oneself with** lidhem me

almighty /o:l'maiti/ *mb bs* i madh ♦ *em:* **the A~** i Plotfuqishmi

almond /'a:mənd/ *em bt* bajame

almost /'o:lmoust/ *nd* pothuajse: **we're ~ there** ja/ zëre se mbërritëm

alms /a:mz/ *em* lëmoshë: **live on ~** jetoj me lëmosha

alone /ə'loun/ *mb* i vetëm: **leave me ~!** lërmë rehat!; **let ~** pa përmendur; jo më ♦ *nd* vetëm

along /ə'loŋ/ *prf* gjatë ♦ *nd:* **~ with** bashkë me; **all ~** gjithë kohën; **come ~!** eja këtu!; **I'll be ~ in a minute** ja, erdha; **move ~!** lëviz (vendit)!

alongside /ə'loŋsaid/ *nd* pranë ♦ *prf* gjatë *(bregut etj.):* **run ~ sb** vrapoj krah për krah me dikë

aloof /ə'lu:f/ *mb* i larguar; i ftohtë; i paafruar ♦ **~ness** /-nis/ *em* ftohtësi; qëndrim i ftohtë

aloud /ə'laud/ *nd* me zë të lartë

alphabet /'ælfəbet/ *em* alfabet ♦ **~ical** /-'betikl/ *mb* alfabetik

alpine /'ælpain/ *mb* alpin; i Alpeve

Alps (the) /(ði)æps/ *em sh gjg* Alpe(t)

already /o:l'redi/ *nd* tashmë: **it's done ~** u bë; mbaroi

also /'o:lsou/ *nd* edhe: **~, I need** më duhet edhe

altar /'o:ltə(r)/ *em* altar

alter /'o:ltə(r)/ *k*/ ndërroj, ndryshoj; ndreq *(rrobat sipas trupit)* ♦ *jk*/ ndryshoj: **he's ~ed** ai i ka ndryshuar ♦ **~ation** /-'reiʃn/ *em* ndryshim, modifikim ♦ **~nate¹** /'o:ltəneit/ *jk*/ këmbehet ♦ *k*/ këmbej, ndryshoj ♦ **~nate²** /o: l'tə:nit/ *mb* tjetër: **on ~ days** një ditë po, një ditë jo; **~nating current** *em* rrymë e alternuar ♦ **~native** /o:l'tə:nətiv/ *mb* tjetër ♦ *em* rrugëzgjidhje ♦ **~natively** /ə:l'tə:nətivli/ *nd* tjetërsoj; përndryshe

although /o:l'ðou/ *ldh* edhe pse, ndonëse

altitude /'æltitju:d/ *em* lartësi

altogether /o:ltə'geðə(r)/ *nd* gjithësej; krejtësisht: **I'm not ~ sure** s'jam fort i sigurt

altruistic /æltru'istik/ *mb* altruist

alumin:ium /ælju'minjəm/, *am* **~um** /ə'lu:minəm/ *em* alumin

always /'o:lwəz/ *nd* gjithmonë

am /æm/ *shih* **be**

a. m. /'ei'em/ *shkrt i* **ante meridiem** i paradites: **at 5 a. m.** më pesë të mëngjesit

amalgam /'æməlgəm/ *em* amalgam ♦ **~ate** /ə'mælgəmeit/ *k*/ shkrij, bashkoj ♦ *jk*/ *(kompanitë)* shkrihen ♦ **~ation** /əmælgə'meiʃən/ *em* shkrirje *(e kompanive)*

amateur /'æmətə/ *em* amator: **~ theatre** teatër amator ♦ **~ish** *mb* (si) amator

amaz:e /ə'meiz/ *jk*/ habit, lë pa mend ♦ **~ed** *mb* i habitur ♦ **~ment** *em* habi ♦ **~ing** /-iŋ/ *mb* i pabesueshëm

Amazon /'æməzn/ *em gjg* Amazonë

ambassador /æm'bæsədə(r)/ *em* ambasador

amber /'æmbə(r)/ *em* qelibar ♦ *mb* bojëqelibar; i qelibartë

ambience /'æmbjəns/ *em* ambjent *(shoqëror);* atmosferë

ambigu:ity /æmbə'gjuəti/ *em* dykuptimësi ♦ **~ous** /-'bigjuəs/ *mb* i dykuptimshëm

ambitio:n /æm'biʃn/ *em* ambicie; synim ♦ **~us** /-ʃəs/ *mb* ambicioz

amble /'æmbl/ *jk*/ endem, eci me nge

ambulance /'æmbjuləns/ *em* ambulancë

ambush /'æmbuʃ/ *em* pusi, kurth: **lie in an ~** zë pusí ♦ *k*/ i ngre pusí *(dikujt)*

amenable /ə'mi:nəbl/ *mb (qëndrim)* pajtues: **~ to** i butë me

amend /ə'mend/ *k*/ përmirësoj ♦ **~ment** *em* përmirësm; *pl* amendament ♦ **~s** *em sh:* **make ~s** ndreqem; ndreq **(for)** *(një gabim)*

amenities /ə'mi:nəti:z/ *em sh* komoditet; lehtësi; volí

America /ə'merikə/ *em* Amerikë ♦ **~n** *mb, em* amerikan ♦ *em* anglishte e Amerikës

amiabl:e /'eimjəbl/ *mb* i dashur ♦ **~y** *nd* me dashuri

amicabl:e /'æmikəbl/ *mb* miqësor ♦ **~y** *nd* miqësisht

amid /ə'mid/ *prf* midis; përmes; në mes ♦ **~st** *nd* në mes; midis

amiss /ə'mis/ *mb:* **there's something ~** diçka nuk shkon ♦ *nd:* **take sth ~** e marr për keq diçka; **it won't come ~** nuk prish punë

ammonia /ə'mouiə/ *em km* amoniak

ammunition /æmju'niʃn/ *em* municion

amnesia /æm'ni:ziə/ *em* amnezi

amnesty /'æmnəsti/ *em* amnisti

among(st) /ə'mʌŋ(st)/ *prf* ndër: **~ the best** ndër më të mirët

amoral /ei'mo:rəl/ *mb* amoral; i pamoralshëm

amorous /'æmərəs/ *mb* i dashuruar

amount /ə'maunt/ *em* sasi; shumë e përgjithshme ♦ *jk*/ **~ to** *(një shifër)* arrin në; është baras me

amp /æmp/ *em* fiz, *el* amper
amphibian /æm'fibiən/ *em zl* amfib ✦ **~ous** /-ïəs/ *mb* amfib
amphitheatre /æmfi'θiətə(r)/ *em* amfiteatër
ampl:e /'æmpl/ *mb* i madh; i gjerë; i mjaftueshëm ✦ **~ification** /æmplifi'keiʃn/ *em* përforcim; amplifikim ✦ **~ifier** /'æmplifaiə/ *em* amplifikator; përforcues ✦ **~ify** /'æmplifai/ *kl* amplifikoj; përforcoj *(zërin)*
amus:e /ə'mju:z/ *kl* dëfrej, zbavit ✦ **~ement** *em* dëfrim ✦ **~ing** /-iŋ/ *mb* zbavitës
an /ən/ *e theksuar* /æn/ *nyjë shih* **a**
anaconda šænə'kondəć *em zl* anakondë
anaemia /ə'ni:miə/ *em mk* anemi ✦ **~c** *mb* anemik; i pagjak
anaestheti:c /ænis'θetik/ *mb, em mk* anestetik ✦ **~st** /ə'nisθitist/ *em* anestezist
analog:(ue) /'ænəlog/ *mb* analog; analogjik ✦ **~y** /ə'nælədʒi/ *em* analogji
analy:se /'ænəlaiz/ *kl* analizoj ✦ **~sis** /ə'næləsis/ *em* analizë ✦ **~st** /'ænəlist/ *em* analist; psikanalist ✦ **~tical** /ænə'litikl/ *mb* analitik
anarch:ist /'ænəkist/ *em* anarkist ✦ **~y** /'ænəkì, æ'na:ki/ *em* anarki
anatom:ical /ænə'tomikl/ *mb* anatomik ✦ **~ically** *nd* anatomikisht ✦ **~y** /ə'nætəmi/ *em* anatomi
ancest:or /'ænsestə(r)/ *em* paraardhës ✦ **~ry** /-tri/ *em* të parë, paraardhës
anchor /'æŋkə(r)/ *em* spirancë ✦ *jkl* hedh spirancën, ankoroj ✦ *kl* ankoroj
ancient /'einʃnt/ *mb* i vjetër; i lashtë; antik
and /ənd/ *(e theksuar* /ænd/) *ldh* e, dhe, édhe: **two ~ two** dy edhe dy; **one hundred ~ two** një qind e dy; **more ~ more** gjithmonë e më shumë; **nice ~ warm** mirë e ngrohtë; **try ~ come** mundohu të vish
anecdot:e /'ænikdout/ *em* anekdotë ✦ **~ical** /-'dotikl/ *mb* anekdotik
anew /ə'nju:/ *nd* përsëri
angel /'eindʒl/ *em* engjëll ✦ **~ic** /æn'dʒelik/ *mb* engjëllor
anger /'æŋgə/ *em* zemërim ✦ *jkl, kl* zemëroj: **be ~ed** më hipën inati; inatosem
angle¹ /'æŋg/ *em* kënd; *fg* këndvështrim: **at an ~** i pjerrët; **from my ~** nga këndvështrimi im; **to put an ~ to sb's words** ia shtrembëroj fjalët dikujt
angle² *jkl* gjuaj me grep, gjuaj me tojë: **~ for** kërkoj të nxjerr/ të përfitoj ✦ **~r** *em* peshkatar
Angl:ican /'æŋglikan/ *mb, em ft* anglikan ✦ **~~o-Saxon** /æŋlou'sæksn/ *mb, em* anglo-sakson
angr:y /'æŋri/ *mb* i zemëruar: **get ~** zemërohem; **get (be) ~ with/ at sb** zemërohem me dikë; **~ at/ about sth** i zemëruar për diçka ✦ **~ily** *nd* me zemërim
anguish /'æŋgwiʃ/ *em* ankth: **in ~** me ankth ✦ *jkl* jam në ankth

angular /'æŋgjulə(r)/ *mb* këndor: **~ face** fytyrë me qoshe
animal /'æniml/ *mb, em* kafshë: **~ kingdom** botë e kafshëve
animat:e /'ænimit/ *mb* i gjallë ✦ /-eit/ *kl* ✦ **~ion** /-'meiʃn/ *em* gjallëri: **~ cartoon** film vizatimor
animosity /æni'mosəti/ *em* gjallëri
ankle /'æŋkl/ *em* kyç/ nyell i këmbës
annex /ə'neks/ *kl* aneksoj ✦ **~(e)** /'æneks/ *em* aneks; shtojcë *(e një dokumenti, e një libri)*
annihilat:e /ə'naiəleit/ *kl* shfaros ✦ **~ion** /-'leiʃn/ *em* shfarosje
anniversary /æni'və:səri/ *em* përvjetor: **on the ~ of...** në përvjetorin e...
announce /ə'nauns/ *kl* njoftoj, lajmëroj ✦ **~ment** *em* njoftim, lajmërim ✦ **~r** *em* njoftues, lexues i njoftimeve *(në rd, në tv)*
annoy /ə'noi/ *kl* mërzit ✦ **~ance** *em* mërzi, bezdi ✦ **~ing** *mb* i bezdisshëm
annual /'ænjuəl/ *mb* vjetor ✦ *em bt* bimë vjetore; almanak
annul /ə'nʌl/ *jkl* prapësoj, anuloj *(një vendim)*
anomaly /ə'numali/ *em* anomali
anonymous /ə'noniməs/ *mb* anonim
anorak /'ænəræk/ *em* xhub, xhakaventë
anorexi:a /ænə'reksia/ *em* anoreksi ✦ **~c** *mb* i paoreks
another /ə'nʌðə(r)/ *mb, prm* tjetër: **~ (one)** një tjetër; **~ time** tjetër herë; **in ~ way** ndryshe; **one ~** njëri-tjetri; **tell me ~** kujt ia thua ato!
answer /'a:nsə(r)/ *em* përgjigje; zgjidhje ✦ *kl* i përgjigjem; përmbush *(një lutje)* ✦ *jkl* përgjigjem: **~ back** kthej fjalë; **~ for** jam përgjegjës për; **~ the door** hap derën; **~ the telephone** i përgjigjem telefonit ✦ **~able** /-əbl/ *mb* përgjegjës, i përgjegjshëm: **be ~able to sb** përgjigjem/ jap llogari para dikujt ✦ **~ing: ~ machine** *em* sekretari telefonike
ant /ænt/ *em* milingonë, mizë dheu; dhemizë
antagonis:e /æn'tægənaiz/ *kl* kundërshtoj, egërsoj ✦ **~ism** *em* antagonizëm ✦ **~istic** /-'nistik/ *mb* antagonist ✦ **~**
Antarctic /æn'ta:(r)ktik/ *em* Antarktik ✦ *mb* i Antarktikut
antenna /æn'tenə/ *em zl* prekël, brirth; *rtv* antenë
anthem /'ænθəm/ *em* himn: **national ~** himn kombëtar
anthology /æn'θolədʒi/ *em* antologji
anthropology /ænθrə'polədʒi/ *em* antropologji
anti /ænti/ *mb* anti, kundër
anti-:aircraft /ænti'eə(r)kra:ft/ *em, mb* kundërajror ✦ **~biotic** /-bai'otik/ *em* antibiotik ✦ **~body** /-'bodi/ *em* antitrup
anticipat:e /æn'tisipeit/ *kl* parashikoj; i paraprij *(një veprimi)* ✦ **~ion** /æntisi'peiʃn/ *em* parashikim; pritje *(në ankth)*: **in ~ of** në pritje të

anti:climax /-'klaiməks/ *em* zhgënjim ♦ **~clock-wise** /-'klokwaiz/ *mb, nd* në drejtim të kundërt me lëvizjen e akrepëve të sahatit

antics /'æntiks/ *em sh* lojëra të klounit; *bs* numra

anti:cyclone /-'saikloun/ *em* anticiklon ♦ **~dote** /'æntidout/ *em* antidot ♦ **~freeze** /-'fri:z/ *em* kundërngrirës ♦ **~pathy** /ən'tipəθi/ *em* antipati

antiqu:arian /ænti'kwεəriən/ *em* antikuar ♦ **~e** /æn'ti:k/ *mb* antik, i lashtë ♦ **~ity** /æn'tikwəti/ *em* lashtësi

anti:-Semitic /-sə'mitik/ *mb* antisemit ♦ **~septic** /-'septik/ *mb, em* antiseptik ♦ **~social** /-'souʃəl/ *mb:* **~ behaviour** sjellje antisociale; *(njeri)* i pashoqërueshëm ♦ **~tank** /-'tæŋk/ *em ush* kundërtank ♦ **~virus** /-'vairəs/ *mb, em*. **~ program** *em tk* program kundër viruseve

antlers /'æntlə(r)z/ *em* brirë dreri; degë *(të bririt të drerit)*

anus /'einəs/ *em an* anus, pasdalje

anvil /'ænvl/ *em* kudhër

anxi:ety /æŋ'zaiəti/ *em* ankth ♦ **~ous** /'æŋkʃəs/ *mb* në ankth ♦ **~ously** /'æŋkʃəsli/ *nd* në/ me ankth

any /'eni/ *mb* çfarëdo, kushdo: **have we ~ milk?** kemi ndonjë çikë qumësht?; **~ colour you like** cilado ngjyrë që t'ju pëlqejë ♦ *prm* ndonjë, *(në mohore)* asnjë; kushdo qoftë: **there aren't ~** s'ka asnjë; **have we ~?** a kemi ndonjë? ♦ *nd:* **I can't go ~ further** nuk shkoj dot më tutje; **is it ~ better?** a shkon më mirë? ♦ **~body** /-bodi/ *prm* kushdo qoftë; *(në mohore)* asnjë ♦ **~how** /-hau/ *nd* sidoqoftë, në çfarëdo mënyre; s'ka rëndësi se si ♦ **~one** /-wʌn/ *shih* **anybody** ♦ **~thing** /-θiŋ/ *prm* çfarë, çfarëdo qoftë; *(me mohore)* asgjë: **~ you like** çfarë të duash; **I don't remember ~** s'më kujtohet asgjë; **he's ~ but stupid** veç budalla s'është ♦ **~way** /-wei/ *nd* sidoqoftë ♦ **~where** /-wεə(r)/ *nd* kudo, kudoqoftë; *(me mohore)* askund

apart /ə'pa:(r)t/ *nd* larg, veç, i ndarë: **~ from** përveç; **joking ~** pa shaka

apartment /ə'pa:(r)tmənt/ *em (am* **flat***)* apartament ♦ **~ block** /-blok/ *em* pallat banimi

apathy /'æpəθi/ *em* apati, mëveshëti

ape /eip/ *em z*/ majmun ♦ *k*/ majmunizoj, imitoj

append /ə'pend/ *k*/ ngjit; shtoj ♦ **~age** /-idʒ/ *em* shtojcë ♦ **~icitis** /-i'saitis/ *em mk* apendicit

aperitif /ə'periti:f/ *em* aperitiv

aperture /'æpə(r)tʃə(r)/ *em* hapje, e çarë

apex /'eipeks/ *em* kulm, majë

apiece /ə'pi:s/ *nd* copa; për copë; me copë: **a pound ~** një sterlinë copa

apolog:etic /əpolə'dʒetik/ *mb* shfajësues, që kërkon falje; **be ~** më vjen keq, kërkoj falje ♦ **~ise** /ə'polədʒaiz/ *k*/ kërkoj ndjesë; shfajësohem ♦ **~y** *em* shfajësim: **an ~ for a dinner** darkë i thënçin

apostle /ə'posl/ *em* apostull

apostrophe /ə'postrəfi/ *em* apostrof

appal /ə'po:l/ *k*/ lemerit *(dikë);* i shtie datën *(dikujt)* ♦ **~ling** *mb* i lemerishëm

apparatus /æpə'reitəs/ *em* aparat; *sp* vegël *(hekur, kaluç etj.)*

appar:ent /ə'pærənt/ *mb* i dukshëm; në dukje: **for no ~ reason** për asnjë arsye të kuptueshme ♦ **~ently** *nd* me sa duket ♦ **~ition** /æpə'riʃn/ *em* hije; fantazmë: **see an ~** me sterditet/ shpifet një hije

appeal /ə'pi:l/ *em* thirrje; joshje; *dr* apelim ♦ *jk*/ thërres, bëj thirrje; *dr* apeloj *(vendimin):* **~ to** më tërheq ♦ **~ing** *mb* tërheqës

appear /ə'piə(r)/ *jk*/ shfaqem, dukem; duket, ngjan; *(një botim)* del; *tt (drama)* shfaqet: **it ~s to me that...** më duket se ♦ **~ance** /-rəns/ *em* dukje; pamje; **to all ~s** me sa duket; **keep up ~s** bëj sa për sytë e botës

appease /ə'pi:z/ *k*/ qetësoj, paqesoj; shuaj *(urinë);* marr me të mirë *(dikë)* ♦ **~ment** *em* qetësim; paqesim

appendi:citis /əpendi'saitis/ *em mk* apendicit ♦ **~x** /ə'pendiks/ *em (sh* **-ices** /əsi:z/*)* shtojcë ♦ *(sh* **-es***) an* apendicit

appeti:ser /'æpitaizə(r)/ *em* meze ♦ **~sing** *mb* i shijshëm, që të hap oreksin ♦ **~te** /-tait/ *em* oreks: **lose one's ~** më ikën oreksi

applau:d /ə'plo:d/ *k*/, *jk*/ duartrokas ♦ **~se** /-'plo:z/ *em* duartrokitje

apple /'æpl/ *em* mollë: **upset the ~-cart** prish planet/ punë

appliance /ə'plaiəns/ *em* pajisje: **(electrical) ~** pajisje elektrike

applicable /'æplikəbl/ *mb:* **be ~ to** vlen/ zbatohet për; **not ~** i pazbatueshëm

applica:nt /'æplikənt/ *em* kandidat *(për një post, për një punë)* ♦ **~tion** /-'keiʃn/ *em* kërkesë; lutje; zell

appl:y /ə'plai/ *k*/ zbatoj; përdor; vë; hedh: **~ one-self** i hyj me zell; i kushtohem *(një pune)* ♦ *jk*/ zbatohet: **~ to** i drejtohem *(dikujt për një kërkesë)* ♦ **~ied** *mb* i zbatuar

appoint /ə'point/ *k*/ emëroj ♦ **~ment** *em* takim *(pune etj.);* post, vend pune: **fix/ make an ~** lë/ ckatoj takim; **miss an ~** nuk shkoj në takim

apprais:al /ə'preiz(ə)l/ *em* vlerësim ♦ **~e** *k*/ vlerësoj; çmoj *(mallin, një veprim)*

apprecia:ble /ə'pri:ʃəbl/ *mb* i dukshëm ♦ **~te** /-ʃieit/ *k*/ vlerësoj; kuptoj ♦ *jk*/ vlerësoj, shtoj vlerën ♦ **~tion** /əpri:ʃ'eiʃn/ *em* mirënjohje; vlerësim; kuptim ♦ **~ive** /ə'pri:ʃətiv/ *mb* mirënjohës

apprentice /ə'prentis/ *mb* nxënës, stazhier; çirak ♦ **~ship** *em* stazh, periudhë stazhi

approach /ə'proutʃ/ *em* afrim; metodë pune: **new ~** metodë e re ♦ *jk*/ afrohem ♦ *k*/ afrohem te; i drejtohem *(dikujt për ndihmë);* i përvishem *(një* pune)

appropriat:e /əˈprouprɪət/ *mb (çast)* i volitshëm; i përshtatshëm; i duhur ♦ /əˈprouprieit/ *kl* përvetësoj; mbaj për vete ♦ **~ion** /əproupriˈeiʃən/ *em* përvetësim *(i fondeve publike etj.)*

approv:al /əˈpruːvl/ *em* miratim ♦ **~e** /əˈpruːv/ *kl, jkl* miratoj ♦ **~ing** *mb (buzëqeshje)* miratimi ♦ **~ingly** *nd* me miratim: **nod ~** bëj po me kokë; tund kokën në shenjë pranimi/ miratimi

approximat:e /əˈproksimeit/ *mb* i përafërt ♦ **~ely** *nd* afërsisht, me përafërsi ♦ **~ion** /əproksiˈmeiʃn/ *em* llogaritje e përafërt

apricot /ˈeiprikot/ *em bt* kajsi

April /ˈeiprəl/ *em* prill: **~ Fool's Day** një prilli; dita e rrenave

apron /ˈeiprən/ *em* përparëse; futë; zone manovrimi *(e avionit në pistë)*

apt /æpt/ *mb* i prirur: **be ~ to do sth** më jepet për të bërë diçka ♦ **~itude** /-itjuːd/ *em* prirje: **~ test** provë e aftësisë

aqua:rium /əˈkwɛəriəm/ *em* akuarium ♦ **A~rius** /əˈkwɛəriəs/ *em ast* Ujar ♦ **~lung** /ˈækwəlʌŋ/ *em* pajisje për frymëmarrje nën ujë ♦ **~tic** /əˈkwætik/ *mb* ujor

Arab /ˈærəb/ *mb, em* arab ♦ **~ian** /əˈreibiən/ *mb* arab ♦ **~ic** /ˈærəbik/ *mb* arab: **~numerals** shifrat arabe ♦ *em* arabishte: **in ~** arabisht

arable /ˈærəbl/ *mb (tokë)* e punueshme

arbit:er /ˈaː(r)bitə(r)/ *em* arbitër; gjykatës ♦ **~rary** /-rəri/ *mb* arbitrar ♦ **~ration** /-ˈtreiʃn/ *em* arbitrim; arbitrazh

arc /aː(r)k/ *em* hark

arcade /aː(r)ˈkeid/ *em* portik; galeri, arkadë *(me dyqane)*

arch /aː(r)tʃ/ *em* hark; mekës *(i këmbës);* kupë *(e qiellit)* ♦ *jkl* harkohet; kukëzohet

archaeolog:ical /aː(r)kiəˈlodʒikəl/ *mb* arkeologjik ♦ **~ist** /-ˈolədʒist/ *em* arkeolog ♦ **~y** /-ˈolədʒi/ *em* arkeologji

arch:bishop /ˈaː(r)tʃbiʃəp/ *em* kryepeshkop; argjipeshkëv ♦ **~bishoprick** /-ˈbiʃoprik/ *em* agjipeshkvi; kryepeshkopatë ♦ **~enemy** /-ˈenemi/ *em* armik i madh

architect /ˈaː(r)kitekt/ *em* arkitekt ♦ **~ural** /aː(r)kiˈtektʃərəl/ *mb* arkitektonik ♦ **~ure** /-tektʃə/ *em* arkitekturë

archiv:es /ˈaː(r)kaivz/ *em sh* arkiva ♦ *kl* arkivoj ♦ **~ing** *inf* arkivim *(i dokumenteve)*

archway /ˈaː(r)tʃwei/ *em* harknajë

Arctic /ˈaː(r)ktik/ *mb* arktik: **the ~** Arktiku

ard:ent /ˈaː(r)dnt/ *mb* i flaktë; i zjarrtë ♦ **~ently** *nd* me zjarr/ afsh ♦ **~uous** /-djuəs/ *mb* i zjarrtë ♦ **~uously** *nd* plot afsh/ zjarr

are / aː(r)/ *shih* **be: who ~ you?** kush je ti/ jeni ju?; **what ~ you going to do?** çfarë do të bësh?

area /ˈɛəriə/ *em* hapësirë; sipërfaqe; shtrirje

arena /əˈriːnə/ *em* arenë *(e cirkut etj.):* **on the ~** në arenë

aren't /aː(r)nt/ *shih* **are not** *shih* **be**

Argentin:a /aː(r)dʒənˈtiːnə/ *em* Argjentinë ♦ **~ian** *mb, em* argjentinas

argu:e /ˈaː(r)gjuː/ *jkl* flas, bëj fjalë, grindem (**about** për); siskutoj, debatoj: **don't ~!** mos diskuto (kot)! ♦ *kl* bëj debat, polemizoj; arsyetoj, them: **~ that** them se; jam i mendimit se ♦ **~ment** *em* argument; arsye, arsyetim: **have an ~** zihem; grindem *(me fjalë)* ♦ **~mentative** /-ˈmentətiv/ *mb* polemik; *bs* grindës, grindavec

aria /ˈaːriə/ *em mz* arie

arid /ˈærid/ *mb* i thatë ♦ **~ity** /-ˈridəri/ *em* thatësi

Aries /ˈɛəriːz/ *em ast* Dash; yjësi e Dashit

arise /əˈraiz/ *jkl* (**arose** /əˈrouz/, **arisen** /əˈrizn/) ngrihem; *(një rast)* del, praqitet

aristocra:cy /æriˈstokrəsi/ *em* artistokraci ♦ **~t** /ˈæristəkræt/ *em* aristokrat ♦ **~tic** /-ˈkrætik/ *mb* aristokratik

arm¹ /aː(r)m/ *em* krah: **~ in ~** krah për krah; **take in one's ~s** marr në krahë; marr hopa *(fëmijën etj.);* përqafoj

arm²: **~s** *sh* armë: **fire ~s** armë zjarri; **side ~s** armë brezi; **coat of ~s** stemë heraldike ♦ *kl* armatos ♦ **~aments** /ˈaːməmənts/ *em sh* armatime

armchair /ˈaː(r)mtʃɛə/ *em* kolltuk: **~strategist** strateg zyre

armed /aː(r)md/ *mb* i armatosur: **~ forces** forca të armatosura; **~ robbery** grabitje me armë

armistice /ˈaː(r)mistis/ *em* armëpushim

armour /ˈaː(r)mə/ *em* koracë, armaturë ♦ **~ed** *mb* i koracuar: **~ed car/ vehicle** autoblindë

armpit /ˈaː(r)mpit/ *em* sqetull

army /ˈaː(r)mi/ *em* ushtri: **join the ~** hyj në ushtri

aroma /əˈroumə/ *em* aromë ♦ **~tic** /ærəˈmætik/ *mb* aromatik

arose /əˈrouz/ *shih* **arise**

around /əˈraund/ *nd* rreth, përqark: **all ~** rretheqark; **he's not ~** s'është këtu ♦ *prfj* rreth; përqark, nëpër *(rrugë etj.)*

arouse /əˈrauz/ *kl* zgjoj; ngreh *(seksualisht)*

arrange /əˈreindʒ/ *kl* sistemoj, rregulloj, ndreq; organizoj *(një takm etj.)* ♦ **~ment** *em* sistemim, vendosje *(e orendive); mz* arranzhim; marrëveshje: **make ~s for** marr masa/ përgatitem për

arrears /əˈriəz/ *em sh* të prapambetura: **in ~** në bisht, në fund *(të varganit)*

arrest /əˈrest/ *em* arrest: **house ~** arrest në shtëpi; **under ~** në gjendje arresti ♦ *kl* arrestoj; ndaloj *(rritjen)*

arriv:al /əˈraivl/ *em* mbërritje: **new ~s** *sh* të porsaardhur ♦ **~e** *jkl* mbërrij: **he will ~** *fg* ai do të çajë në jetë

arroganc:e /ˈærəgəns/ *em* arrogancë ♦ **~t** *mb* arrogant

arrow /'ærou/ *em* shigjetë: **bow and** ~ hark dhe shigjetë

arse /a:(r)s/ *em bs* bythë

art /a:(r)t/ *em* art: **~s and crafts** *sh* artizanat; ~ **and part** pjesëmarrje ♦ ~ **director** /-di'rektə/ *em* drejtor artistik *(i filmit)* ♦ ~ **gallery** /-gæləri/ *em* galeri e artit

artery /'a:(r)təri/ *em an* arter; rrugë kryesore

artful /'a:(r)tful/ *mb* i djallëzuar; hileqar

arthritis /a:(r)'θraitis/ *em* artrit

aritchoke /'a:(r)titʃouk/ *em bt* angjinar

article /'a:(r)tikl/ *em* artikull; statut: ~ **of clothing** veshje; **leading** ~ kryeartikull

articulate /a:(r)'tikjulit/ *mb* i nyjëtuar; i qartë; i shkoqur ♦ /-leit/ *k/* shqiptoj qartë ♦ **~ed lorry** *em* maune

artificial /a:(r)ti'fiʃl/ *mb* artificial: ~ **smile** buzëqeshje e shtirë ♦ **~ly** *nd* artifcialisht; *(buzëqeshje)* e shtirë

artillery /a:(r)'tiləri/ *em* artileri

artisan /'a:(r)tizæn/ *em* zejtar

artist /'a:(r)tist/ *em* artist, piktor; /a:(r)'tist/ *em tt* aktor ♦ **~ic** /a:(r)'tistik/ *mb* artistik

artless /'a:(r)tlis/ *mb* i padjallëzuar ♦ **~ly** *nd* pa djallëzi

as /æz, əz/ *ldh* si; që kur; ndërsa: **as we grow older** ndërsa plakemi; **as you get to know her** kur ta njohësh mirë; **young as she is** edhe pse është e re ♦ *prfj* si: **as a friend** si shok/mik; **as a child** që në fëmijëri; **as a foreigner** si i huaj; *(i veshur)* si ♦ *nd* sa; me të ♦ edhe: **as soon as I get home** me të vajtur në shtëpi; **as quick as you** i shpejtë sa ti te; **as quick as you can** sa më shpejt që të mundesh; **as far as** deri në *(një vend)*; **as far as I am concerned** sa për mua; **as long as** deri sa/ kur; me kusht që

asbestos /æz'bestəs/ *em* amiant, azbest

ascen:d /ə'send/ *jk/* ngjitem; ngrihem lart ♦ *k/* i hipi; i ngjitem *(malores)* ♦ **~t** *em* ngjitje; ngritje; përparim; e përpjetë

ascertain /æsə(r)'tein/ *k/* siguroj

ascribe /ə'skraib/ *k/* ia vesh *(diçka dikujt)*: ~ **sth to sb** ia vesh diçka dikujt

ash /æʃ/ *em* hi: **burn sth to ~s** e bëj shkrumb e hi diçka

ashamed /ə'ʃeimd/ *mb:* **be/ feel ~** kam turp

ashore /ə'ʃo:(r)/ *nd* në breg: **go ~** zbres në breg; zbarkoj

ash-tray /'æʃtrei/ *em* tavëll duhani; shpuzore

Asia /'eiʒə, -ʃə/ *em* Azi ♦ **~n** *mb, em* aziatik ♦ **~tic** /eiʒi'ætik/ *mb* aziatik

aside /ə'said/ *nd:* **take sb ~** heq mënjanë dikë: **put sth ~** lë mënjanë diçka; ~ **from you** *am* përveç teje

ask /a:sk/ *k/* pyes; ftoj; ~ **sb sth** i kërkoj dikujt diçka; ~ **sb to do sth** i them dikujt të bëjë diçka ♦ *jk/:* ~

about sth pyes për diçka ♦ ~ **after** pyes *(për shëndetin e dikujt)* ♦ ~ **for** kërkoj *(diçka, dikë):* ~ **for trouble** më ha kurrizi, më kruhet vetë ♦ ~ **in** *k/* i them të hyjë; **~sb in** e ftoj brenda dikë ♦ ~ **out** *k/* ftoj për shëtitje (etj.) dikë: ~ **sb out** i them dikujt të dalë *(për darkë etj.)*

askance /ə'ska:ns/ *nd:* **look ~ at sb** vështroj me bisht të syrit dikë

askew /ə'skju:/ *mb, nd* shtrembër, vëngër

asleep /ə'sli:p/ *mb:* **be ~** fle; **fall ~** më zë gjumi

asparagus /ə'spærəgəs/ *em bt* asparag

aspect /'æspekt/ *em* pamje, aspekt: **consider from every ~** shqyrtoj nga të gjitha anët

aspersion /əs'pə:(r)ʃn/ *em* shpifje; përgojim: **cast ~ on** shaj, shpif për

asphalt /'æsfælt/ *em* asfalt ♦ *k/* asfaltoj

asphyxia /əs'fiksiə/ *em* asfiksi ♦ **~te** /əs'fiksieit/ *k/* asfiksoj, mbyt, zë frymën ♦ **~tion** /-'eiʃn/ *em* asfiksim

aspir:ations /æspə'reiʃəns/ *em sh* aspirata ♦ **~e** /ə'spaiə(r)/ *jk/* dëshiroj; synoj; lakmoj

aspirin /'æspirin/ *em* aspirinë

ass[1] /æs/ *em* gomar

ass[2] *em am vl* bythë

assail /ə'seil/ *k/* sulmoj ♦ **~ant** *em* sulmues; agresor

assassin /ə'sæsin/ *em* vrasës, atentator ♦ **~ate** /-eit/ *k/* vras, i bëj atentat ♦ **~ation** /əsæsi'neiʃn/ *em* vrasje: ~ **attempt** atentat

assault /ə'so:lt/ *em ush* sulm, mësymje; agresion ♦ *k/* sulmoj

assembl:e /ə'sembl/ *k/* grumbulloj ♦ *jk/* grumbullohemi ♦ **~y** *em* asamble; grumbullim; *tk* montim: **National A~** Asamble Kombëtare; ~ **line** repart/ linjë montimi

assent /ə'sent/ *em* pëlqim; miratim ♦ *k/* jap pëlqimin; miratoj

assert /ə'sə:(r)t/ *k/* shpreh; kërkoj *(të drejtat)* ♦ **~ion** /-ʃn/ *em* kërkim *(i të drejtave)*

assess /ə'ses/ *k/* caktoj; llogarit *(dëmin etj.)* ♦ **~ment** *em* vlerësim *(i pasurisë, i të ardhurave për tatime);* llogaritje

asset /'æset/ *em* vlerë; gjë me vlerë; cilësi; **~s** *sh* pasuri

assign /ə'sain/ *k/* caktoj *(një detyrë)* ♦ **~ment** *em* detyrë; mision: **on** ~ me mision

assimilat:e /ə'simileit/ *k/* asimiloj, përthith ♦ **~ion** /-'leiʃn/ *em* asimilim; përthithje

assist /ə'sist/ *k/, jk/* ndihmoj ♦ **~ance** *em* ndihmë ♦ **~ant** *mb, em* ndihmës: ~ **manager** nëndrejtor

associat:e /ə'souʃieit/ *k/* bashkoj **(with** me) ♦ *jk/:* **with** shoqërohem me *(dikë)* ♦ /-ʃiit/ *mb* ndihmës ♦ *em* koleg, ortak ♦ **~ion** /əsouʃi'eiʃn/ *em* shoqatë: **A~ Football** futboll

assort /ə'so:(r)t/ *k/* përzgjedh ♦ **~ed** /-tid/ *mb* i përzgjedhur ♦ **~ment** *em* gamë; asortiment *(prodhimesh)*

assum:e /ə'sju:m/ *kl* marr me mend: ~ **power** marr pushtetin ♦ **~ed** *mb:* ~ **name** emër i rremë ♦ **~ing** *mb:* ~ **that you're right** ta zëmë se ke të drejtë ♦ **~ption** /-'sʌmpʃn/ *em* hamendje: **on the ~ that** duke kujtuar/ supozuar se

assur:ance /ə'ʃuərəns/ *em* siguri ♦ **~e** *kl* siguroj; bind

asterisk /'æstərisk/ *em* asterisk, yllth (*)

astern /ə'stə:(r)n/ *nd dt* në kiç; nga kiçi

asthma /'æsmə/ *em* astmë ♦ **~tic** /əs'mætik/ *mb* astmatik

astonish /ə'stoniʃ/ *kl* habit ♦ **~ing** *mb* i habitshëm ♦ **~ment** *em* habi

astound /ə'staund/ *kl* lë pa mend, shtang

astray /ə'strei/ *nd:* **go** ~ humb rrugën; dal nga udhë e drejtë; **lead** ~ shpërudh, shtie në udhë të ligë

astride /ə'straid/ *nd (rri)* kaluar *(në karrige etj.)* ♦ *prfj* nga të dyja anët

astro:loger /ə'strolədʒə(r)/ *em* astrolog ♦ **~logy** /-dʒi/ *em* astrologji ♦ **~naut** /'æstrəno:t/ *em* astronaut ♦ **~nomer** /-'stronəmə(r)/ *em* astronom ♦ **~nomy** /-'tronəmi/ *em* astronomi

astute /ə'stju:t/ *mb* mendjehollë; mendjemprehtë

asylum /ə'sailəm/ *em* strehim; azil; strehë: (**luna-tic**) ~ çmendinë; **political** ~ strehim politik ♦ **~-seeker** azilant; azilkërkues

at /æt/ *prfj* te(k), në: **at the station/ the market** në stacion/ treg; **at the office/ the bank** në zyrë/ bankë; **at the beginning** në fillim; **at John's** te Xhoni, te shtëpia e Xhonit; **at the hairdresser's** te flokëtorja; **at home** në shtëpi; **at work** në punë; **at school** në shkollë; **at a party/ wedding** në një gosti/ dasmë; **at 7 o'clock** më shtatë; **at 50 km an hour** me 50 në orë; **at Christmas/ Eas-ter** për Krishtlindje/ Pashkë; **at the age of twenty** në moshën njëzet vjeçare; **at times** nganjëherë; **two at a time** me nga dy; **good at languages** i zoti për gjuhë *(të huaja);* **at sb's request** me kërkesën e dikujt; **are you at all worried?** je i shqetësuar?

ate /et, eit/ *shih* **eat**

atheist /'eiθiist/ *em* ateist

athlet:e /'æθli:t/ *em* atlet ♦ **~ic** /-'letik/ *mb* atletik ♦ **~ics** /əθ'letiks/ *em* atletikë

Atlantic /ət'læntik/ *mb, em:* **the** ~ (**Ocean**) (Oqeani) Atlantik

atlas /'ætləs/ *em* atlas

atmospher:e /'ætməsfiə(r)/ *em* atmosferë ♦ **~ic** /-'ferik/ *mb* atmosferik

atom /'ætəm/ *em* atom ♦ **~ic** /ə'tomik/ *mb* atomik

atone /ə'toun/ *jkl:* ~ **for** paguaj për, shlyej ♦ **~ment** *em* shlyerje

atroci:ous /ə'troʃəs/ *mb* mizor: *bs* i keq, i ndyrë ♦ **~ty** /-əti/ *em* mizori

attach /ə'tætʃ/ *jkl* lidh; bashkëngjit: **be ~ed to** *fg* jam i lidhur/ i dhënë pas ♦ **~ment** *em* lidhje; lëndë e bashkëngjitur *(me një shkresë);* kushtim *(pas diçkaje);* pjesë ndihmëse

attaché /ə'tæʃei/ *em* atashé ♦ ~ **case** /-'keiz/ *em* çantë/ valixhe diplomatike

attack /ə'tæk/ *em* sulm; agresion; *mk* krizë ♦ *kl* sulmoj ♦ **~er** *em* sulmues

attain /ə'tein/ *kl* arrij; mbush *(një moshë)* ♦ *jkl* shtie në dorë; fitoj

attempt /ə'temt/ *em* përpjekje, përçapje; tentativë: **assassination** ~ atentat; tentativë për vrasje ♦ *kl* përpiqem, përçapem

attend /ə'tend/ *kl* marr pjesë në ♦ *jkl* jam i pranishëm; i kushtoj vëmendje ♦ **~ance** /-əns/ *em* prani, pjesëmarrje ♦ **~ant** /-ənt/ *em* ndihmës; shërbëtor; *sh* **~s** shpurë

attenti:on /ə'tenʃn/ *em* vëmendje: ~! *ush* gatitu!; **pay** ~ i kushtoj vëmendje; **need** ~ ka nevojë për mjekim/ për kujdes; **for the** ~ of në vëmendje të ♦ **~ve** *mb* i vëmendshëm ♦ **~ly** *nd* me vëmendje

attest /ə'test/ *kl, jkl* provoj; marr në provim; atestoj

attic /'ætik/ *em* papafingo

attitude /'ætitju:d/ *em* qëndrim; sjellje: **strike an** ~ marr pozë

attorney /ə'to:(r)ni/ *em* prokuror: **power of** ~ prokurë

attract /ə'trækt/ *kl* tërheq; bëj për vete ♦ **~ion** /ə'trækʃn/ *em* tërheqje; pamje tërheqëse; *sh* **~s** atraksione *(të qytetit)* ♦ **~ive** *mb* tërheqës

attribute /'ætribju:t/ *em* veti, atribut ♦ /ə'tribju:t/ *kl* vesh, atribuoj

attrition /ə'triʃn/ *em:* **war of** ~ luftë sfilitëse

aubergine /o:bə(r)'ʒi:n/ *em bt* patëllaxhan

auburn /'o:bə(r)n/ *mb (ngjyrë)* gështenjë e çelët

auction /'o:kʃn/ *em* ankand ♦ *kl* nxjerr në ankand ♦ **~eer** / okʃə'niə/ *em* shitës në ankand

audaci:ous /o:'deiʃəs/ *mb* i paturpshëm; i guximshëm ♦ **~ty** /o:'dæsiti/ *em* paturpësi; guxim

audible /'o:dəbl/ *mb* i dëgjueshëm

audience /'o:diəns/ *em tt* publik; (tele)spektatorë; dëgjues; pjesëmarrës *(në konferencë etj.).*

audio /'o:diou/ *em bs* audio ♦ **~tape** /-teip/ *em* audiokasetë ♦ **~typist** /-'taipist/ *em* daktilografist që punon me diktim ♦ **~visual** /-'viʒuəl/ *mb* audiovizual

audit /'o:dit/ *em* verifikim; kontroll; revizion ♦ *kl, jkl* verifikoj; bëj revizion ♦ **~or** *em* revizor i financës

auditorum /o:di'to:riəm/ *em* sallë

augment /o:g'ment/ *kl* shtoj ♦ **~ation** /-'teiʃən/ *em* shtim; shtesë; rritje

augur /'o:gə(r)/ *jkl:* ~ **well/ ill** është mbarësi/ prapësi

August /'o:gəst/ *em* gusht

aunt /a:nt/ *em* emtë, teze, hallë

au pair /ou'pεə(r)/ *em* kujdestare private për fëmijë

auspices /'o:spisiz/ *em pl:* **under the** ~ **of** nën kujdesin e

auspicious /o:'spiʃəs/ *mb* i mbarë, i volitshëm

auster:e /oːˈstiə(r)/ *mb* i rreptë ♦ **~ity** /-ˈterəti/ *em* rreptësi

Australia /oˈstreiliə/ *em* Australi ♦ **~n** *mb, em* australian ♦ *em* anglishte e Australisë

Austria /ˈoːstriə/ *em* Austri ♦ **~n** *mb, em* austriak ♦ *em* gjermanishte e Austrisë

authentic /oːˈθentik/ *mb* autentik; i verifikuar; i vërtetuar ♦ **~ate** /-keit/ *kl* vërtetoj *(një dokument)*

author /ˈoːθə(r)/ *em* autor

authori:sation /oːθərɑiˈzeiʃn/ *em* autorizim ♦ **~se** /ˈoːθəraiz/ *jkl* autorizoj ♦ **~tarian** /oːˌθoriˈtɛəriən/ *mb* autoritar, i atuoritetshëm ♦ **~tative** /oːˈθoritətiv/ *mb* autoritar; *(sjellje)* e rreptë ♦ **~ty** /oːˈθoriti/ *em* autoritet; autorizim: **be in ~ over** kam pushtet mbi

autobiography /oːtəbaiˈogrəfi/ *em* autobiografi

autocratic /oːtəˈkrætik/ *mb* autokratik

autograph /ˈoːtəgraːf/ *em* autograf

automat:e /ˈoːtəmeit/ *kl* automatizoj ♦ **~ic** /-ˈmætik/ *mb* automatik ♦ *em* automjet me marsh automatik; makinë rrobalarëse automatike ♦ **~ically** *nd* automatikisht ♦ **~on** /-ˈtomətn/ *em* automat; robot

automobile /ˈoːtəməbiːl, -bail/ *em* automobil

autonom:ous /oːˈtonəməs/ *mb* autonom, i mëvetsishëm ♦ **~y** *em* autonomi, mëvetësi

autopsy /ˈoːtəpsi/ *em* autopsi

autumn /ˈoːtəm/ *em* vjeshtë ♦ **~al** /oːˈtʌmnl/ *mb* vjeshtor

auxiliary /oːgˈziləri/ *mb, em* ndihmës

avail /əˈveil/ *em:* **to no ~** më kot ♦ *jkl:* **~oneself of** përfitoj nga ♦ **~able** /əˈveiləbl/ *mb* i gjendshëm: **~ book** libër në treg (në shitje)

avaric:e /ˈævəris/ *em* lakmi; makutëri ♦ **~ious** /-ˈriʃəs/ *mb* lakmitar; makut

avenge /əˈvendʒ/ *kl* marr hak për: **~ sb** ia marr hakun dikujt

avenue /ˈævənjuː/ *em dhe fg* rrugë

average /ˈævəridʒ/ *mb* i mesëm; mesatar ♦ *em* mesatare: **on ~** mesatarisht ♦ *jkl* arrin një mesatare ♦ **~ out** të mesatarisht

averse /əˈvəː(r)s/ *mb:* **not be ~ to sth** s'jam kundër diçkaje ♦ **~ion** /-ˈəːʃn/ *em* mospëlqim; ndot; neveri

avert /əˈvəː(r)t/ *kl* shmang: **~ crisis** shmang krizën;

largoj, heq *(sytë)*

aviat:ion /eiviˈeiʃən/ *em* aviacion ♦ **~or** *em* aviator

avid /ˈævid/ *mb* i etur **(for** për): **~ reader** lexues i etur/ i pangopur ♦ **~ity** /əˈvidəti/ *em* etje; ·pangopësi

avoid /əˈvoid/ *kl* shmang ♦ **~ance** *em* shmangie

await /əˈweit/ *kl* pres; gjuaj *(rastin)*

awake /əˈweik/ *mb* i zgjuar *(nga gjumi)*: **wide ~** plotësisht i zgjuar ♦ *jkl* **(awoke** /əˈwouk/, **awoken** /əˈwoukn/) zgjohem

awaken /əˈweikn/ *kl* zgjoj (nga gjumi) ♦ **~ing** *em* zgjim (nga gjumi)

award /əˈwoː(r)d/ *em* çmim; medalje; dekoratë: **Academy A~s** Çmime të Akademisë (Oskar) ♦ *kl* jap një çmim/ dekoratë

aware /əˈwɛə(r)/ *mb:* **be ~ of** ndiej; jam i ndërgjegjshëm për; **be ~ that** e di se, e kuptoj se ♦ **~ness** *em* ndjenjë; perceptim; vetëdije

awash /əˈwoʃ/ *mb* i mbytur: **eyes ~ with tears** sy të mbytur me lot

away /əˈwei/ *ndjaf* tutje: **far ~** shumë larg: **miles away** milje të tëra larg; **go/ stay ~** largohem/ rri larg; **he's ~ from home** ai s'është në shtëpi; **play ~** *sp* luaj jashtë/në fushën e kundërshtarit; **game** *em* ndeshje në fushën e kundërshtarit/ jashtë

aw:e /oː/ *em* frikë; lemeri ♦ **~ful** /ˈoːful/ *mb* i lemerishëm ♦ **~fully** /-fuli/ *nd* tmerrësisht; së tepërmi: **it's ~ cold** bën të ftohtë i keq

awhile /əˈwail/ *nd* një copë herë

awkward /ˈoːkwə(r)d/ *mb* i bezdisshëm; i pavolitshëm: **an ~moment** në kohë të pavolitshme ♦ **~ly** *nd (lëviz, eci)* me ngathtësi; me bezdi

awning /ˈoːniŋ/ *em* tendë

awoke(n) /əˈwaik(ən)/ *shih* **awake**

awry /əˈrai/ *nd* shtrembër; vëngër

axe /æks/ *em* sëpatë ♦ *kl* pres me sëpatë, shkurtoj ♦ **~ing** *em* prerje me sëpatë; shkurtim; suprimim *(i vendeve të punës, i buxhetit)*

axis /ˈæksis/ *em (sh* **axes** /ˈæksiːz/) bosht

axle /ˈæksl/ *em tk* bosht, aks

ay(e) /ei/ *nd* po ♦ *em* po

B

b /bi:/ *em mz* si

BA /'bi:'ei/ *shkrt i* **Bachelor of Arts** i diplomuar ne letërsi

babble /'bæbl/ *jk/* belbëzoj; *(përroi)* gurgullon

baby /'beibi/ *em* foshnjë; *bs* i dashur, shpirt ♦ **~carriage** /-'kæridʒ/ *em am* karrocë për fëmijë ♦ **~sitter** /-sitə(r)/ *em* kujdestar fëmijësh *(në familje)*

bachelor /'bætʃələ(r)/ *em* beqar: **B~ of Arts** i diplomuar në art/në letërsi

back /bæk/ *em* kurriz; mbështetëse *(e karriges);* pjesë e pasme *(e shtëpisë);* anë e pasme *(e fletës);* mbrojtje, mbrojtës *(në futboll etj.):* **at the ~** në fund; **in the ~** *aut* prapa; **~ to front** *(xhaketë etj. e veshur)* së prapthi; **at the ~ of beyond** prapa diellit, në vend të humbur; **fall on one's ~** bie në shpinë; bie praptas/ së prapthi ♦ *mb* i pasmë; *(pagesë)* e prapambetur ♦ *em* anë e pasme ♦ *nd* prapa; së prapthi; pas; kundër: **turn/ move ~** kthehem prapa; **put it ~ there** vëre prapë atje; **~ at home** prapë në shtëpi; i kthyer në shtëpi: **he was ~ in a minute** ai u kthye brenda minutës; **I'm just ~ from** sapo u ktheva nga; **when do you want the book ~?** kur do të ta kthej librin?; **pay ~** kthej paratë; paguaj borxhin; **~ in power** *(parti e kthyer)* prapë në pushtet ♦ *k/* mbështet, përkrah; financoj; vë bast për; mbroj tërheqjen, ruaj kurrizin; vesh shpinën *(e librit etj.)* ♦ *jk/ aut* vë marshin prapa ♦ **~ down** *jk/* prapësohe ♦ **~ in** *jk/ aut* hyj me marsh prapa; hyj praptas ♦ **~ out** *jk/ aut* dal me marsh prapa; dal praptas; *fig* tërhiqem nga *(një zotim)* ♦ **~ up** *k/* mbështet, vërtetoj *(një thënie); inf* ruaj një kopje rezervë *(të dokumentit):* **be ~ed up** *(trafiku)* është i rënduar ♦ *jk/ aut* ngas me marsh prapa ♦ **~bencher** /-'bentʃə(r)/ *em pl* anëtar i thjeshtë/ pa post *(në parlamentin britanik)* ♦ **~biting** /-baitiŋ/ *em* shpifje, përgojim ♦ **~bone** /-boun/ *em* shtyllë kurrizore ♦ **~chat** /-tʃæt/ *em* përgjigje e paturp ♦ **~er** /'bækə(r)/ *em* mbrojtës, përkrahës, financues ♦ **~date** /-deit/ *k/* prapadatoj

(çekun) ♦ **~door** /-do:(r)/ *em* derë e pasme ♦ **~fire** /-faiə(r)/ *jk/ aut (motori)* ka kthim të flakës në karburator; *fg (plani)* del huq ♦ **~ground** /-graund/ *em* sfond; mjedis ♦ **~hand** /-hænd/ *em* gjuajtje me shpinë *(në tenis)* ♦ **~handed** /-hændid/ *mb (kompliment)* i nënkuptuar ♦ **~hander** /-'hændə(r)/ *em bs* ryshfet ♦ **~ing** /'bækiŋ/ *em* mbështetje, përkrahje ♦ **~lash** /-læʃ/ *em fg* kundërveprim, reagim ♦ **~log** /-log/ *em:* **~log of work** punë e prapambetur ♦ **~ seat** /-si:t/ *em* ndenjëse e pasme *(e makinës)* ♦ **~side** /-said/ *em bs* prapanicë ♦ **~stage** /-steidʒ/ *mb, nd* në prapaskenë ♦ **~stroke** /-strouk/ *em* (not në) shpinë ♦ **~-up** /ʌp/ *em* përforcim(e); *tk* rezervë: **~-up copy** *em inf* kopje rezervë ♦ **~ward** /'bækwə(r)d/ *mb (hap)* prapa; *(fëmijë)* i vonuar; *(vend)* i prapambetur ♦ *nd:* **~wards** /-wə(r)dz/ së prapthi ♦ **~water** /'bækwotə(r)/ *em fg* vend i humbur ♦ **~yard** /-ja:(r)d/ *em* oborr prapa shtëpisë

bacon /'beikn/ *em* gjill proshutë

bacteria /bæk'tiəriə/ *em sh* bakterie

bad /bæd/ *mb* (**worse** /wə:(r)s, **worst** /wə:(r)st/) i keq; *(mot, zakon, lajm etj.)* i keq, i lig; *(ushqim)* i prishur: **the light is ~** ndriçimi është i keq; **use ~ language** them fjalë të ndyra; **feel ~** ndjehem keq; e kuptoj fajin; **have a ~ back** e kam keq shpinën, më dhemb shpina; **go ~** prishet; **not ~** s'është keq

bade /beid/ *shih* **bid**

badge /bædʒ/ *em* distinktiv; shenjë dalluese

badger /'bædʒə(r)/ *em z/* baldosë ♦ *k/* mundoj, torturoj

bad:ly /'bædli/ *nd* keq; fort; *(i plagosur)* rëndë: **~ off** i varfër; **~ behaved** i pasjellshëm; **need ~** kam shumë nevojë për ♦ **~-mannered** /-'mænə(r)d/ *mb* i pasjellshëm, i pëdukatë

badminton /'bædmintən/ *em sp* badminton

bad-tempered /-'tempə(r)d/ *mb* i mbrapshtë, i rrëmbyer, gjaknxehtë

baffle /'bæfl/ *kl* hutoj, çorodit

bag /bæg/ *em* qese *(letre)*, trastë, thes: **carrier ~** qese për psonisje; **old ~** *s/* shtrigë, grua xanxare; **~s under the eyes** sy me pufka; **there are ~s of** *bs* ka sa të duash/ me thes ♦ *kl* shtie në thes ♦ **~gage** /'bægidʒ/ *em* bagazh: **left ~ room** magazinë e bagazheve të humbur ♦ **~gy** /'bægi/ *mb (rroba)* të gjera, që rrinë si thes ♦ **~pipes /** 'bægpaips/ *em sh* gajde

Bahamas /bə'ha:məz/ *em sh:* **the ~s** Bahamat

bail /beil/ *em* kusht, garanci: **on ~** *(lirim)* me kusht ♦ *kl* nxjerr ujin nga *(barka):* **~ sb out** *dr* paguaj garanci/ dal dorëzanë për lirimin e dikujt ♦ *jkl* hidhem me parashutë

bait /beit/ *em* karrem; kurth ♦ *kl* shtie në kurth; *fig* mundoj

bake /beik/ *kl* pjek në furrë; bëj *(bukë etj.)* ♦ *jkl* piqet në furrë ♦ **~er** *em* (bukë)pjekës, furrtar; **~'s (shop)** furrë e/ dyqan i bukës ♦ **~ery** *em* furrë pjekjeje ♦ **~ing** *em* pjekje *(në furrë)* ♦ **~-powder** /-'paudə(r)/ *em* maja ♦ **~tin** /-tin/ *em* tavë e bukëpjekësit

balance /'bæləns/ *em* drejtpeshim; peshore; *trg* bilanc, saldo: **~ of power** bilanc i forcave; **(bank) ~** saldo bankare, **be/ hang in the ~** *fig* s'jam as në qiell as në tokë ♦ *kl* baraspeshoj; balancoj *(buxhetin); trg* bëj bilancin *(e llogarisë)* ♦ *jkl* mbaj drejtpeshimin; *trg (buxheti)* balancohet ♦ **~d** *mb* i baraspeshuar; i balancuar ♦ **~-sheet** /-ʃi:t/ *em* bilanc, fletë e bilancit

balcony /'bælkəni/ *em* ballkon

bald /bo:ld/ *mb* tullac; *(gomë)* pa lule, e bërë fushë; *(deklaratë)* pa zbukurime: **go ~** më bien flokët, bëhem tullac ♦ **~ing** *mb:* **be ~ing** më bien flokët ♦ **~ness** /-nis/ *em* shogëti

bale[1] /beil/ *em* deng *(leshi, pambuku etj.);* top, kukull *(spangoje, filli)*

bale[2] *em* Kob; mjerim. ♦ **~ful** *mb* i zymtë; i trishtë

balk /bo:lk/ *kl* pengoj, zë ♦ *jkl:* **~ at** *(kali)* tërhuzet para pengesës; *fg* sprapsem para *(vështirësisë)*

Balkan /'bo:lkn/ *mb* Ballkanik ♦ **~s** *em sh gjg* Ballkan

ball[1] /bo:l/ *em* top *(futbolli);* top, kukull *(spangoje etj.); sh sl* koqe, tope: **snow-~** top bore; **on the ~** *bs* i gatshëm; **play ~** *bs* bashkëpunoj

ball[2] *em* ballo, vallëzim

ballad /'bæləd/ *em mz, lt* baladë

ballast /'bæləst/ *em* zhavor

ball:-bearing /-'beəriŋ/ *em* kushinetë me sfera

ballerina /bælə'ri:nə/ *em* ballerinë *(e baletit klasik)*

ballet /'bælei/ *em* balet ♦ **~ dancer** /-'da:nsə(r)/ *em* balerin *(i baletit klasik)*

ballistic /bə'listik/ *mb* balistik: **~ missile** raketë balistike

balloon /bə'lu:n/ *em* tullumbac; balonë

ballot /'bælət/ *em* votë, votim; fletëvotim ♦ **~-box /** -boks/ *em* kuti votimi ♦ **~-paper** /-peipə(r)/ *em* fletë votimi

ball-point pen /-'pointpen/ *em* stilolaps (me majë sferike)

ballroom /'bo:lrum/ *em* sallë vallëzimi

balm /ba:m/ *em* balsam ♦ **~y** *mb* i balsamtë; i butë; *bs* i krisur

Baltic /'bo:ltik/ *mb, em gjeog:* **the ~ (Sea)** (Deti) Baltik

bamboo /bæm'bu:/ *em bt* bambu

bamboozle /bæm'bu:zl/ *kl bs* hutoj; ngatërroj

ban /bæn/ *em* ndalim, pezullim ♦ *kl* ndaloj, përjashtoj: **~ from** përjashtoj nga *(një shoqatë etj.);* **be ~ned from driving** ma heqin patentën

banana /bə'na:nə/ *em bt* banane: **go ~s** *bs* luaj mendsh

band /bænd/ *em* shirit; kordele; *mz* grup, kompleks: **brass ~** bandë e veglave frymore; *ush* fanfarë ♦ *kl* grupoj; bashkoj: **~ together** *jkl* grupohemi, bashkohemi

bandage /'bændidʒ/ *em* fashë ♦ *kl* fashoj *(dorën etj.)*

b. & b. *shkrt i* **bed and breakfast** hotel me mëngjes

bandit /'bændit/ *em* bandit ♦ **~ry** *em* banditizëm

band:~stand /-stænd/ *em* stendë e orkestrës ♦ **~wagon** /-wægn/ *em:* **jump on the ~** *fig* shkoj pas rrymës

bandy[1] /'bændi/ *kl* bëj fjalë; fjalëtohem me *(dikë):* **~ about** *kl* hap *(fjalë)*

bandy[2] *mb:* **be ~** i kam këmbët të shtrembta

bang /bæŋ/ *em* përplasje; shpërthim *(i armës së zjarrit);* goditje ♦ *nd:* **~ in the middle** *bs* mu në mes; **~ on** *bis* mu; saktë; **go ~** *(arma)* pas, kris; *(tullumbaja)* çahet, shpohet, plas ♦ *psth* bam ♦ *kl* përplas *(grushtin)* ♦ *jkl (arma)* shkrep; *(dera)* përplaset ♦ **~er** *em* fishekzjarr; *bs* salsiçe: **old ~** *bs* (makinë) shkatarrinë

bangle /'bæŋgl/ *em* bylyzyk

banish /'bæniʃ/ *kl* syrgjynos ♦ **~ment** *em* mërgim; syrgjynosje

banisters /'bænistə(r)z/ *em sh* parmakë

bank[1] /bæŋk/ *em* breg *(i lumit);* pjerrësirë; tatëpjetë; bregore ♦ *jkl (aeroplani)* anohet në kthesë

bank[2] *em* bankë ♦ *kl* depozitoj në bankë ♦ *jkl:* **~ with** kam llogari bankare te ♦ **~ on** *kl* kam besim te ♦ **~ account** /-ə'kaunt/ bankare ♦ **~ card** /-ka:(r)d/ *em* kartë e bankës ♦ **~er** *em* bankier ♦ **~ holiday** /-'holidei/ *em* ditë pushimi *(me që bankat mbyllen)* ♦ **~ing** *em* veprimtari bankare ♦ **~ing house** /-'haus/ *em* institucion bankar ♦ **~ manager** /-mænidʒə(r)/ *em* drejtor banke ♦ **~note** /-nout/ *em* bankënotë

bankrupt /'bæŋkrʌpt/ *mb* i falimentuar: **go ~** falimentoj ♦ *em* i falimentuar ♦ **~cy** *em* falimentim

banner /'bænə(r)/ *em* flamur; banderolë

banns /bænz/ *em sh* njoftim i martesës

banquet /'bæŋkwit/ *em* banket

baptis:e /bæp'taiz/ *kl* pagëzoj ♦ **~ism** /'bæptizm/ *em* pagëzim ♦ **B~t** /'bæptist/ *mb, em* pagëzor

bar /ba:(r)/ *em* shufër; lloz; *sp* hekur; *dr* avokatí; banak, bar *(i pijetores);* pengesë; *mz* masë: **a ~ of soap** një kallëp sapuni; **colour ~** dallim racial; **parallel ~s** *sp* paralele; **behind ~** në burg ♦ *prfj:* **~ none** pa përjashtim

barbar:ian /ba:(r)'bæriən/ *em* barbar ♦ **~ic** /-'bærik/ *mb* barbar; i pagdhendur ♦ **~ity** /-'bærəti/ *em* barbarí ♦ **~ous** *mb* barbar

barbecue /'ba:(r)bju:/ *em* skarë e madhe *(për të pjekur mishra);* gosti me mishra të pjekur

barbed /ba:(r)bd/ *mb:* **~ wire** tel me gjemba

barber /'ba:(r)bə(r)/ *em* berber; flokëtar: **at the ~'s** te berberi

barbiturate /ba:(r)'bitjurət/ *em* barbiturat

bare /bɛə(r)/ *mb* i zhveshur; lakuriq; i thjeshtë, pa zbukurime; i pamjaftueshëm ♦ *kl* zbuloj; zhvesh; nxjerr ♦ **~ ~back** /-bækt/ *nd (kalë)* pa shalë ♦ **~faced** /-feist/ *mb* i pafytyrë ♦ **~foot** /-fut/ *mb* këmbëzbathur ♦ **~headed** /-hedid/ *mb* pa kapelë në kokë

barely /bɛə(r)li/ *nd:* **he could ~ stand** ai mezi rrinte më këmbë

bargain /'ba:(r)gin/ *em* pazar me leverdi: **drive a hard ~** jam i angësht në pazar ♦ *jkl* bëj/ hahem në pazar; bëj kontratë ♦ **~ for** *kl:* **I didn't ~ for that** këtë s'e prisja

barge /ba:(r)dʒ/ *em dt* maune

baritone /'bæritoun/ *em mz* bariton

bark¹ /ba:(r)k/ *em* lëvozhgë *(e drurit)* ♦ *kl* zhvoshk *(drurin)*

bark² *em* lehje; e lehur *(e qenit):* **his ~ is worse than his bite** ai më shumë leh se sa kafshon ♦ *jkl (qeni)* leh

barley /'ba:(r)li/ *em bt* elb

bar:maid /ba:(r)'meid/ *em f* bariste ♦ **~man** /-mən/ *em* barist

barmy /'ba:mi/ *mb bs (njeri)* tuhaf; me huqe

barn /ba:(r)n/ *em* habar; grunar; ahur; kashtore

barometer /bə'romitə(r)/ *em* barometër

baron /'bærn/ *em* baron ♦ **~ess** *em f* baroneshë

baroque /ba:(r)'rok/ *mb, em* (stil) barok

barracks /'bæræks/ *em sh* kazermë

barrage /'bæridʒ; bæ'ra:ʒ/ *em* pritë; pendë; *fg* breshërí *(fjalësh)*

barrel /'bærəl/ *em* fuçi; grykë, tytë *(e pushkës):* **double-~ gun** çifte

barrel-organ /-'o:(r)gən/ *em mz* organo cilindrike

barren /'bærən/ *mb* shterp; *(vend)* i shkretuar

barricade /bæri'keid/ *em* barrikadë ♦ *kl* i bëj barrikadë; pengoj

barrier /'bæriə(r)/ *em* pengesë; barrierë; gardh

barring /'ba:(r)riŋ/ *prfj* pa; me përjashtim të: **~ accidents** në mos dalçin të papritura

barrister /'bæristə(r)/ *em* avokat (barrister)

barrow /'bærou/ *em* karrocë dore

barter /'ba:(r)tə(r)/ *jkl* bëj trambë **(for** me)

base /beis/ *em* bazë: **naval ~** bazë usharake detare ♦ *mb* i ulët, i poshtër ♦ *kl* mbështet: **be ~d on** mbështetem në

baseball /'beisbo:l/ *em sp* bejzboll

baseless /'beislis/ *mb* i pabazuar, i pambështetur

basement /'beismənt/ *em* bodrum: **~ment flat** apartament në bodrum

bash /bæʃ/ *em* goditje e fortë ♦ *jkl* godit fort; sëlloj: **~ed in** i shtypur, i prishur

bashful /'bæʃful/ *mb* i druajtur, i turpshëm

basic /'beizik/ *mb* i bazëz; themelor; *(rrogë)* bazë ♦ **~ally** *nd* me themel; kryesisht

basil /'bæzil/ *em bt* borzilok

basilica /bə'zilikə/ *em* bazilikë; katedrale

basin /'beisn/ *em* legen; lavaman; *gjeog* pellg

basis /'beisis/ *em (sh* **bases** /-si:z/) bazë

bask /ba:sk/ *jkl* shullëhem *(në diell)*

basket /'ba:skit/ *em* shportë, kanistër ♦ **~ball** /'bo:l/ *em sp* basketboll

bass /beis/ *mb, em* bas: **~ voice** zë basi

bastard /'ba:stə(r)d/ *em* doç, dobiç, fëmijë i jashtëligjshëm; *s/* bir bushtre

bastion /'bæstiən/ *em* kështjellë

bat¹ /bæt/ *em* shkop *(kriketi);* raketë *(pingpongu):* **off one's own ~** bs vetë ♦ *kl* rrah me pallë, shkund; **she didn't ~ an eyelid** *fig* nuk ia bëri syri tërr

bat² *em zl* lakuriqës

bated /'beitid/ *mb:* **with ~ breath** pa marrë frymë, me ankth

bath /ba:θ/ *em (sh* **~s** /ba:ðz/) banjë; vaskë ♦ **~e** /beið/ *em* banjë ♦ *jkl* bëj banjë *(në det)* ♦ **~ing:-cap** /'beiðiŋ'kæp/ kapuç banje/ plazhi ♦ **~-costume** /'beiðiŋ 'kostju:m/ *em* rrobë/ kostum banje ♦ **~robe** /'ba:θroub/ *em* peshtamall ♦ **~room** /'ba:θru:m/ *em* banjë ♦ **~-towel** /-'ba:θtauəl/ *em* peshqir banje

baton /'bætn/ *em mz* shkop i dirigjentit

battalion /bə'tæliən/ *em* batalion; *bs* (një) tufë *(me fëmijë)*

battery /'bætəri/ *em el* bateri; pilë

battle /'bætl/ *em* betejë; *fg* luftë ♦ *jkl fig* luftoj, përpiqem ♦ **~field** /-'fi:ld/ *em* fushë e betejës ♦ /-ʃip/ **~ship** koracatë, luftanije

bawdy /'bo:di/ *mb* i ndyrë; lapërdha

bawl /bo:l/ *kl, jkl* bërtas

bay¹ /bei/ *em gjeog* gji deti

bay² *em:* **keep at ~** mbaj larg

bay³ *em bt* dafinë; lar ♦ **~-leaf** /-li:f/ *em* gjethe dafine

bayonet /'bejənit/ *em* bajonetë

bay window /-'windou/ *em* dritare me ballkon

bazaar /bə'za:(r)/ *em* pazar

BC /'bi:'si:/ *shkrt i* **before Christ** B.C. (para Krishtit/ erës sonë)

be /bi:/ *jkl (tashme* **am, are, is, are; was, were; been)** jam: **she is pretty** ajo është e bukur; **I was at home** ndodhesha në shtëpi; **he is a vet** ai është veteriner; **what do you want to ~?**çfarë do të bëhesh?; **~ quiet!** rri urtë!; **I am cold/ hot** kam ftohët/ vapë; **it's cold/ hot** bën ftohtë/ vapë; **it's true, isn't it?** është e vërtetë, apo jo? **how are ou?** si je?; **I am here** jam këtu; **there is/ are** ka; **he has been to Oxford** ai ka bërë shkollë në Oksford; **has the postman been?** a ka ardhur posta?; **you're coming too, arent you?** do të vish, si thua?; **it's yours, is it?** yti është?; **is he back?- yes, he is** u kthye? - po, u kthye; **five and five are ten** pesë e pesë bëjnë dhjetë; **he is five** ai është pesë vjeç; **how much is it?** sa bën/ kushton?; **that will ~ £100, please** bën/kushton njëqind sterlina ♦ *folje ndihmëse* **I am cóming/ reading** po vij/ lexoj; **I'm staying** unë do të rri; **I was thinking of you** po mendoja për ty; **you are not to tell him** të mos ia thuash; **you are to do that immediately** ta bësh menjëherë ♦ *pësore* jam: **I have been robbed** më kanë grabitur

beach /bi:tʃ/ *em* plazh; breg deti ♦ **~boy** /boi/ *em* kujdestar plazhi

bead /bi:d/ *em* rruazë; bulë *(djerse)*

beak /bi:k/ *em* sqep *(i zogut);* lëfyt; çyç

beaker/'bi:kə(r)/ *em* kupë; kupshellë

beam /bi:m/ *em*tra; rreze *(drite)* ♦ *jkl* rrezit; rrezaton; *(fytyra)* ndrit; shkëlqen

bean /bi:n *em* fasule; kokërr *(kafeje)*

bear[1] /beə(r)/ *em zl* ari

bear[2] **(bore** /bo:(r)/, **borne** /bo:(r)n/) ♦ *kl* duroj; mbaj *(barrën):* **~ in mind** kam para sysh ♦ *jkl:* **~ left/ right** ia mbaj majtas/ djathtas ♦ **~ with** *kl* kam durim me; duroj *(dikë)*

bear[3] **(bore** /bo:(r)/, **born** /bo:(r)n/) *kl* lind; pjell; prodhoj

bearable /'beərəbl/ *mb* i durueshëm

beard /'biə(r)d/ *em* mjekër ♦ **~ed** *mb* mjekërosh

bearing /'beəriŋ/ *em* qëndrim; drejtim; *tk* kushinetë: **ball ~** *tk* kushinetë me sfera; **have a ~ on** ka lidhje me

beast /bi:st/ *em* bishë ♦ **~ly** *mb* kafshëror

beat /bi:t/ *em* rrahje ♦ **(beat, beaten** /'bi:tn/) *kl* rrah **(up): ~ it!** mbathja!; **it ~s me why...** *bs* s'e marr vesh pse ♦ **~en** /'bi:tn/ *mb:* **off the ~en track** jashtë kontrollit; i dalë dore ♦ **~ing** *em* rrahje; e rrahur: **get a ~ing** ha dru; mundem

beaut:ician /bju:'tiʃn/ *em* specialist në sallon bukurie ♦ **~iful** /'bju:tiful/ *mb* i bukur ♦ **~ifully** *nd* bukur; për bukuri/mrekulli ♦ **~ty** /'bju:ti/ *em* bukuri; grua e bukur ♦ **~ parlour** /-'pa:(r)lə(r)/ *em* sallon bukurie ♦ **~ spot** /-spot/ *em*nishan *(në faqe);* vend piktoresk

beaver /'bi:və(r)/ *em zl* kastor

became /bi'keim/ *shih* **become**

because /bi'koz/ *ldh* me që; sepse ♦ *nd:* **~ of** për shkak të; **~ of you** për fajin tënd

beck /bek/ *em:* **at the ~ and call of** nën urdhrat e

beckon /'bekn/ *kl, jkl:* **~ (to)** ia bëj me shenjë *(të vijë, të shkojë)*

becom:e /bi'kʌm/ **(became** /'bikeim/, **become)** *kl* bëj; shndërroj ♦ *jkl* bëhem: **what has ~ of her?** ç'u bë ajo? ♦ **~ing** *mb* i hijshëm

bed /bed/ *em* shtrat; krevat; shtresë; fund *(i detit);* lehe *(lulesh)* ♦ **~-and-breakfast** /-ən'brekfəst/ *em (shkrt* **B & B** /'bi:ən'bi:/ hotel me mëngjes ♦ **~-clothes** /-kouðz/ *em sh* tesha të shtratit ♦ **~ding** /'bediŋ/ *em* shtresë e mbulesë; tesha të shtratit

bedlam /'bedləm/ *em* çmendurí

bedraggled /bi'drægld/ *mb* i laturisur

bed:ridden /bed'ridn/ *mb* që ka zënë shtratin; i sëmurë në shtrat ♦ **~room** /-ru:m/ *em* dhomë gjumi ♦ **~side** /-said/ *em:* **at his ~** te koka e shtratit ♦ **~side lamp** /-'læmp/ *em* abazhur ♦ **~side table** /-'teibl/ *em* komodinë ♦ **~sit** /sit/ *em,* **~sitter** /-'sitə(r)/ *em,* **~-sitting-room** /-'sitiŋru:m/ *em* apartament me dhomë gjumi e ndenjjeje ♦ **~spread** /-spred/ *em* mbulesë e shtratit ♦ **~time** /-'taim/ *em* orë e gjumit

bee /bi: / *em zl* bletë: **honey/ worker-~** bletë mjaltëse/ punëtore

beech /bi:tʃ/ *em bt* ah

beef /bi:f/ *em* ka; *gjell* mish kau ♦ **~burger** /-'bə:(r)gə(r)/ *em* hamburger ♦ **~eater** /-i:tə(r)/ *em* rojë e Kullës së Londrës

bee-hive /'bi:haiv/ *em* koshere bletësh ♦ **~line** /-'lain/ *em:* **make a ~line for** *bs* ia mbaj drejt e në

been /bi:n/ *shih* **be**

beer /biə(r)/ *em* birrë ♦ **~-house** /'biə(r)haus/ *em* birrari

beetle /'bi:tl/ *em zl* brumbull

beetroot /'bi:tru:t/ *em bt* rrepë

before /bifo:(r)/ *prf* para: **the day ~ yesterday** pardje; **~ long** pas pak ♦ *nd* pára; më parë: **never ~** kurrë më parë; **~ that** pára kësaj; **long ~** pára shumë kohësh ♦ *ldh:* **~ you go** pára se të ikësh

beforehand /bifo:(r)'hænd/ *nd* më parë; paraprakisht

befriend /bi'frend/ *kl* zë mik; miqësohem me *(dikë)*

beg /beg/ ♦ *jkl* lyp ♦ *kl* lutem; kërkoj; lyp

began /bi'gæn/ *shih* **begin**

beg:gar /'begə(r)/ *em* lypës: **poor ~!** i shkreti! ♦ **~ging** *em* lypë; lypje: **go ~** mungon

begin /bi'gin/ *jkl* **(began** /'bigæn/, **begun** /'bigʌn/, **beginning)** filloj: **it is ~ning to rain** po nis shiu ♦ **~ner** *em* fillestar ♦ **~ning** *em* fillim: **it is the ~ of the end** po afrohet fundi

begonia /bi'goniə/ *em bt* begonjë

begrudge /bi'grʌdʒ/ *kl* kam zili; jap me pahir

begun /bi'gʌn/ *shih* **begin**

behalf /bi'ha:f/ *em:* **on ~ of** *mb* në emër të

behav:e /bi'heiv/ *jk/* sillem: **~ oneself!** sillu mirë! ♦ **~iour** /-'heiviə(r)/ *em* sjellje

bahead /bi'hed/ *k/* ia pres kokën

behind /bi'haind/ *prfj* prapa: **be ~ sth** *fig* rri prapa diçkaje; fshihem ♦ *nd* prapa; pas; me vonesë: **a long way ~** shumë prapa ♦ *em bs* prapanicë ♦ **~dhand** /-'hænd/ *nd* prapa; në prapambetje

beige /beiʒ/ *mb, em* bezhë

being /'bi:iŋ/ *em* qenie: **human ~** njeri; **come into ~** lind

belated /bi'leitid/ *mb* i vonuar; i vonë

belch /beltʃ/ *jk/* gromësij ♦ **~ (out)** *k/* nxjerr; vjell *(tym)*

belfry /'belfri/ *em* kambanore

Belgi:an /'beldʒən/ *mb, em* belg ♦ **~um** /-əm/ *em* Belgjikë

belie:f /bi'li: f/ *em* besim; bindje ♦ **~ve** *k/, jk/* besoj ♦ **~ver** *em* besimtar: **be a great ~ in** kam besim të madh te

belittle /bi'litl/ *k/* zvogëloj; minimizoj

bell /bel/ *em* kambanë; zile: **ring the ~** i bie ziles; **it doesn't ring a ~** s'më kujton gjë

belligeren:ce /bi'lidʒərənc/ *em* agresivitet ♦ **~t** *mb* ndërluftues; agresiv; luftarak

bellow /'belou/ *jk/* bërtas; pall; pëllas

bellows /'belouz/ *em sh* kacek *(i farkës)*

belly /'beli/ *em* bark: **pot-~** barkmadh

belong /bi'loŋ/ *jk/* (më) takon, përket

beloved /bi'lʌvd/ *mb* i dashur; i zgjedhur

below /bi'lou/ *prfj* nën; më pak se: **~ the surface** nën sipërfaqe ♦ *nd* nën: **see ~** shih më poshtë *(në tekst)*

belt /belt/ *em* rrip; brez; zonë; *tk* zinxhir: **seat-~** rrip i ndenjëses *(në makinë)* ♦ *jk/.* **~ along** *bs* iki me të katra; çaj e iki ♦ *k/ bs* rrah; godit

bemused /bi'mju:zd/ *mb* i hutuar; i shushatur

bench /bentʃ/ *em* bankë *(pune);* stol; **the B~** *dr* magjistratura

bend /bend/ *em* kthesë; lakore; bërryl *(i lumit)* ♦ **(bent)** *k/* përkul ♦ *jk/* përkulem; bëj lak; bërryl: **~ backwards to do sth** bëj çmos për diçka ♦ **~ down** *jk/* përkulem; varem poshtë ♦ **~ over** *jk/* përkulem *(sipër dikujt)*

beneath /bi'ni:θ/ *prfj* poshtë; nën: **it's ~ him to...** *fg* ai s'e ul veten të... ♦ *nd* poshtë: **the sea ~** deti (atje) poshtë

benedict /bene'dikt/ *k/* bekoj ♦ **~ion** /-'dikʃn/ *em ft* bekim

benef:actor /'benifæktə(r)/ *em* mirëbërës ♦ **~ficial** /beni'fiʃl/ *mb* i dobishëm; mirëbërës ♦ **~fit** /'benifit/ *em* dobi; përfitim ♦ *k/* gëzoj; përfitoj nga ♦ *jk/* përfitoj **(from** nga) ♦ **~volence** /bi'nevələns/ *em* dashamirësi ♦ **~volent** /bi'nevələnt/ *mb* dashamirë

benign /bi'nain/ *mb* i mirë; *mk (tumor)* i parrezikshëm

bent /bent/ *e* **bend** ♦ *mb* i kërrusur; i përkulur ♦ *em* prirje; predispozitë

beque:ath /bi'kwi:θ/ *k/* lë trashëgi ♦ **~est** /-'kwest/ *em* amanet; porosi

bereav:ed /bi'ri:vd/ *em:* **the ~** *sh* të afërmit e të vdekurit ♦ **~ment** *em* zi *(për vdekje)*

bereft /-bi'reft/ *mb:* **~ of** (i mbetur) pa

beret /'berei/ *em* berretë

berry /'beri/ *em* pemël

berserk /bə(r)'sə:(r)k/ *mb:* **go ~** bëhem si i tërbuar; marr kot

beseech /bi'si:tʃ/ **(besought** /bi'so:t/)/ *k/* i lutem *(dikujt për diçka)*

beside /bi'said/ *prfj* pranë: **~ oneself with fury** i bërë tym

besides /bi'saidz/ *prfj:* **~ this** përveç kësaj ♦ *nd* përveç kësaj

besiege /bi'si:dʒ/ *k/* rrethoj *(një qytet)* ♦ **~er** *em* rrethues

besought /bi'so:t/ *shih* **beseech**

best /best/ *mb (sipërore e* **good)** më i mirë/ miri: **the ~ part of a year** pjesa më e madhe e vitit; **~ before** *trg (të konsumohet)* para *(një date)* ♦ *em:* **the ~** më i miri; **at ~** shumë-shumë; tekeshumta; **all the ~!** shumë të fala!; **do one's ~** bëj gjithë sa mundem; **to the ~ of my knowledge** me sa di unë; **make the ~ of it** shoh anën e mirë të punës ♦ *nd* më mirë: **as ~ I could** me aq sa mundesha ♦ **~ man** /-mæn/ *em* kumbar *(i dhëndrit në martesë)*

bestow /bi'stou/ *k/* ia lë; besoj **(on)**

bestseller /best'selə/ *em* libër/autor më i shitur; bestsellër

bet /bet/ *em* bast ♦ *k/, jk/* **(bet, betted)** vë bast: **you want to ~?** me gjithë mend e ke?

betray /bi'trei/ *k/* tradhtoj: **~ fear** tregoj frikë ♦ **~al** *em* tradhti

better /'betə(r)/ *mb (krahasore e* **good)** më i mirë: **~ than** më mirë se; **ours is the ~ team** skuadra jonë është më e mirë ♦ *nd:* **~ off** mirë nga gjendja; i pasur; **the sooner the ~** sa më parë, aq më mirë; **get ~** përmirësohem; marr veten **I've thought ~ of it** e mendova prapë; **you'd ~ stay** bën mirë të rrish ♦ *k/* përmirësoj; **~ oneself** rregullohem; rregulloj gjendjen

between /bi'twi:n/ *prfj* midis; mes: **~ you and me** mes meje e teje; **~ us** së bashku ♦ *nd.* **(in) ~** në mes; ndërkohë, ndërkaq; **few and far ~** rrallë e tek

beverage /'bevəridʒ/ *em* pije joalkoolike

beware /bi'weə(r)/ *jk/* ruhem; kam mendjen/ kujdes: **~ of thieves!** ruhuni nga hajdutët!

bewilder /bi'wildə(r)/ *k/* hutoj; ngatërroj ♦ **~ment** *em* hutim

beyond /bi'jond/ *paraf* (për)tej: **~ doubt** pa dyshim; **~ reach** i paarritshëm; **it's ~ me** *bs* s'e kuptoj dot ♦ *nd* më tej; matanë; përtej

bias /'baiəs/ *em* hatër; anësi; *kq* paragjykim ♦ *kl*
ndikoj ♦ **~ed** *mb* pajambajtës; që mban anë/ me
hatër

bib /bib/ *em* selericë *(e fëmijës)*

Bibl:e /'baibl/ *em* Bibël ♦ **~ical** /'biblikl/ *mb* biblik

bicarbonate /bai'ka:(r)bəneit/ *em:* **~ of soda**
bikarbonat natriumi; sodë buke

bicker /'bikə(r)/ *jkl* grindem; hahem me fjalë

bicycle /'baisikl/ *em* biçikletë ♦ *jkl* shkoj me biçikletë;
ngas biçikletën

bid[1] /bid/ *kl* (**bade** /beid/, **bid, bidden** /'bidn/, **bid;
bidding**) porosit; urdhëroj *(dikë të bëjë diçka):* **~
sb welcome** i uroj mirëseardhjen *(dikujt)*

bid[2] *em* ofertë; orvatje ♦ *kl, jkl* (**bid, bidding**) ofroj;
jap; deklaroj *(në kumar)* ♦ **~der** *em* ofrues: **it went
to the highest ~** e fitoi kush bëri ofertën më të
lartë

bide /baid/ *kl.* **~ one's time** pres çastin

bi:ennial /bai'eniəl/ *mb* dyvjetor ♦ **~focals** /-'fauklz/
em sh syze dyvatrore

big /big/ *mb* i madh; *(vëlla)* më i madh; *bs*
zemërgjerë: **what's the ~ deal?** ç'është gjithë
kjo (zhurmë etj.)? ♦ *nd:* **talk ~** *bs* këput të trasha

bigamy /'bigəmi/ *em* bigami

big-head /'bighed/ *em bs* kokë e madhe ♦ **~-
headed** /-'hedid/ *mb* kokëmadh; mendjemadh

bigot /'bigət/ *em* fanatik ♦ **~ed** *mb* mendjengushtë
♦ **~ry** *em* fanatizëm

bigwig /'bigwig/ *em* kokë e madhe; njeri i
rëndësishëm

bike /baik/ *em bs* biçikletë

bikini /bi'ki:ni/ *em* bikini *(rroba banje të hngushta
për gra, mbathje banje)*

bile /bail/ *em* vrer

bi:lingual /bai'liŋgwəl/ *mb* dygjuhësh ♦ **~partisan**
/'pa:(r)tizæn/ *mb* dypartiak

bill[1] /bil/ *em* faturë; llogari *(në restorant);* afishe; pro-
gram; *pl* projektligj; bankënotë, kartëmonedhë:
pay (foot) the ~ paguaj faturën ♦ *kl* faturoj

bill[2] *em* sqep

billfold /'bilfould/ *em am* portofol

billiards /'biljədz/ *em* bilardo

billy-goat /'biligout/ *em* cjap

billion /'biljən/ *em* miliard

bin /bin/ *em* bidon; kazan *(plehrash)*

bind /baind/ *kl* (**bound** /baund/) lidh (**to** pas);
mbërthej; *dr* detyroj ♦ **~ing** *mb* (kontratë) e
detyrueshme ♦ *em* libërlidhje; lidhje, mbërthim *(i
skive etj.)*

binge /bindʒ/ *em bs:* **have a ~** bëj qejf sa tundem;
ha sa shqepem ♦ *jkl* shqepem së ngrëni

binoculars /bi'nokjuləz/ *em sh:* (**pair of**) **~** dylbi

bio:chemist /baiou'kemist/ *em* biokimist ♦
~chemistry /-'kemistri/ *em* biokimi ♦ **~degrad-
able** /-di'greidəbl/ *mb* i biodegradueshëm ♦

~grapher /-'ogrəfə(r)/ *em* biograf ♦ **~graphy** /-
'ogrəfi/ *em* biografi ♦ **~logical** /-'lodʒikl/ *mb*
biologjik ♦ **~logy** /-'olədʒi/ *em* biologji

birch /bə:(r)tʃ/ *em bt* mështekën; krahnjetë

bird /bə:(r)d/ *em* zog; *bis* vajzë

birth /bə:(r)θ/ *em* lindje: **date of ~** datëlindje; **by ~**
me prejardhje ♦ **~-certificate** /-sə:(r)'tifikeit/ *em*
certifikatë e lindjes ♦ **~-control** /-kən'troul/ *em*
planifikim familjar ♦ **~day** /-dei/ *em* ditëlindje ♦
~place /-pleis/ *em* vendlindje ♦ **~rate** /-reit/ *em*
lindshmëri

biscuit /'biskit/ *em* biskotë: **take the ~** fitoj; dal
mirë

bisect /bai'sekt/ *kl* përgjysmoj

bishop /'biʃop/ *em ft* peshkop; oficer *(në shah)* ♦
~rick *em ft* peshkopatë

bit[1] /bit/ *em* copë; *tk* majë: **a ~ of** një çikë/ thërrime
(djathë etj.); një copë *(herë);* **a little ~** pak~ **by ~**
pak e nga pak; **do one's ~** bëj timen

bit[2] *shih* **bite**

bitch /bitʃ/ *em* bushtër; gore; kuçë; lavire

bite /bait/ *em* kafshatë; kafshim; pickim *(i bletës etj.)*
♦ *kl* (**bit, bitten** /'bitn/) kafshoj; pickoj: **what's
~ing you?** ku e ke hallin? ♦ *jkl* kafshoj; *(bleta etj.)*
pickon

bitter /'bitə(r)/ *mb* i hidhur; i shtarë ♦ *em* hidhësirë
♦ **~ly** *nd* hidhur; me të keq: **it's ~ cold** të than të
ftohtit ♦ **~ness** *em* hidhësi

bitty /'biti/ *mb bs* i copëzuar; fragmentar

bizarre /bi'za:(r)/ *mb* tuhaf; i çuditshëm

blab /blæb/ *jkl* përrallis; kllapurit

black /blæk/ *mb* i zi: **be ~ and blue** jam plot me
vurrata *em* zezak ♦ *kl* maskoj *(dritat)* ♦ **~ out** *jkl*
më bie të fikët ♦ *kl* bllokoj; pezulloj ♦ **~berry** /-
beri/ *em bt* manaferrë ♦ **~bird** /-bə:(r)d/ *z* /mëllenjë
♦ **~board** /-bo:(r)d/ *em* dërrasë e zezë ♦ **~guard**
/-ga:(r)d/ *em* maskara ♦ **~leg** /-leg/ *em* grevëthyes
♦ **~list** /-list/ *kl* vë në listën e zezë ♦ **~mail** /-meil/
em shantazh ♦ *kl* i bëj shantazh *(dikujt)* ♦ **~mar-
ket** /-'ma:(r)kit/ *em* treg i zi ♦ **~marketeer** /-
'ma:(r)kitiə(r)/ *em* matrapaz ♦ **~-out** /-aut/ *em*
maskim i/ prerje e dritave; errësim; të fikët: **have
a ~** më bie të fikët ♦ **~smith** /-smiθ/ *em* farkëtar;
kovaç

bladder /'blædə(r)/ *em* fshikë; qeskë *(urinare etj.)*

blade /bleid/ *em* fije bari; fletë *(e helikës etj.);* faqe
(e thikës etj.)

blame /bleim/ *em* faj ♦ *kl* fajësoj; ia hedh fajin *(dikujt)*

bland /blænd/ *mb (ushqim)* i amshtë; i pashije;
(njeri) pa lezet

blank /blæŋk/ *mb* i bardhë; i pashkruar; bosh: **~
cheque** *em* çek i bardhë; **~ verse** varg i bardhë/
i lirë ♦ *em* pjesë e bardhë/ e pashkruar; *(fishek)*
mësimor

blanket /'blæŋkit/ *em* batanije; mbulesë

blare /bleə(r)/ *jkl (radioja)* gjëmon; çirret ♦ **~ out** *kl* i bie fort *(borisë)* ♦ *jk*/ *(muzika, radioja)* gjëmon

blasphem:e /blæs'fi:m/ *jk*/ blasfemoj; bëj blasfemi ♦ **~mous** /'blæsfəməs/ *mb* blasfemues ♦ **~y** /'blæsfəmi/ *em* blasfemi

blast /bla:st/ *em* gulç *(i erës);* shakullimë; shpërthim; plasje ♦ *k*/ shpërthej; hedh në erë *(me dinamit)* ♦ *jk*/ *(raketa)* niset **(off)** ♦ **~ furnace** /'-fə:(r)nis/ *em* furrnaltë ♦ **~-off** /-of/ *em* nisje *(e raketës)*

blatant /'bleitənt/ *mb* i paturp

blaze /bleiz/ *em* flakërim; përflakje ♦ *jk*/ përflaket

blazer /'bleizə(r)/ *em* xhaketë sportive; blejzër

bleach /bli:tʃ/ *em* (pluhur) zbardhës ♦ *k*/ zbardh; oksigjenoj *(flokët)*

bleed /bli:d/ **(bled** /bled/) *k*/ gjakos; përgjak ♦ *jk*/ humb/ më shkon gjak: **~ in the nose** më shkon gjak (për) hundësh

bleak /bli:k/ *mb* i shkretë; i shkretuar; *fg (e ardhme)* e errët

bleat /bli:t/ *jk*/ *(delja)* blegërin ♦ *em* blegërimë

bled /bled/ *shih* **bleed**

bleep /bli:p/ *em* pip *(tingull i ziles elektrike etj.)* ♦ *jk*/ *(zilja)* bie; tingëllon ♦ *k*/ i bie ziles *(për të thirrur mjekun etj.).*

blemish /'blemiʃ/ *em* njollë ♦ *k*/ njollos; i vë njollë *(emrit të dikújt)*

blend /blend/ *em* përzierje *(duhanesh etj)* ♦ *k*/ përziej *(ngjyrat)* ♦ *jk*/ *(ngjyrat, tingujt)* shkrihen, përzihem **(with** me)

bless /bles/ *k*/ bekoj ♦ **~ed** /-id/ *mb also s*/ i bekuar ♦ **~ing** *em* bekim

blew /blu:/ *shih* **blow**

blight /blait/ *em bt* vrug ♦ *k*/ vrugoj *(pemët)*

blind¹ /blaind/ *mb* i verbër: **the ~** *sh* të verbërit, qorrat: **~ man/ woman** i/ e verbër ♦ *k*/ verboj; qorroj

blind² *em* **(Venetian)** ~ grilë e dritares

blind:-alley /-'æli/ *em* rrugicë qorre ♦ **~fold** /-fould/ *mb:* be **~fold** m'i lidhin sytë me bende ♦ *k*/ ia lidh sytë ♦ **~ly** *nd* verbërisht; qorrazi ♦ **~ness** *em* verbëri

blink /bliŋk/ *jk*/ kapsallit sytë ♦ **~ered** /'bliŋkəd/ *mb fg :* be **~** jam dritëngushtë ♦ **~ers** *em sh* syze motoçiklisi; pallaska *(të kalit)*

bliss /blis/ *em ft* lumnim; lumturi ♦ **~ful** *mb* ì lumnuar; i lumtur

blister /'blistə(r)/ *em mk* fshikë, flluskë ♦ *jk*/ *(boja)* bën pufka

blitz /blits/ *em* bombardim ajror

blizzard /'blizə(r)d/ *em* stuhi bore; fërfllizë

bloated /'bloutid/ *mb* i ënjtur

blob /blob/ *em* pikë; njollë

bloc /blnk/ *em p*/ bllok

block /blok/ *em* bllok; kub *(konstruksionesh):* **~ of flats** pallat banimi ♦ *k*/ bllokoj **(up)** ♦ **~ade** /blo'keid/ *em* bllokadë ♦ *k*/ bllokoj; i bëj bllokadë ♦ **~age** /'blokidʒ/ *em* bllokim. ♦ **~buster** /-'bʌstə(r)/

em bombë e fuqishme; bujë; film që bën bujë ♦ **~-head** /-hed/ *em bs* kokëgdhe ♦ **~ letters** /-letə(r)z/ *em sh* shkronja shtypi pa relief

bloke /blouk/ *em bs* burrë; djalë; tip

blonde /blond/ *mb, em* bjond, leshraverdhë

blood /blʌd/ *em* gjak: **draw ~** nxjerr gjak; **shed ~** derdh gjak ♦ **~bath** /-ba:θ/ *em* plojë; gjakderdhje ♦ **~ donor** /-'dounə(r)/ *em* dhurues gjaku ♦ **~ feud** /-fju:d/ *em* gjakmarrje ♦ **~ group** /-'gru:p/ *em* grup i gjakut ♦ **~-poisoning** /-'poizəniŋ/ *em* septicemi; helmim i gjakut ♦ **~ pressure** /-'preʃə(r)/ *em* tension i gjakut ♦ **~shed** /-ʃed/ *em* gjakderdhje ♦ **~shot** /-ʃot/ *mb* i përgjakur; me rremba gjaku t ♦ **~test** /-test/ *em mk* analizë e gjakut ♦ **~thirsty** /-'θə:(r)sti/ *mb* gjakatar ♦ **~ transfusion** /trænz'fju:ʒn/ *em* ndërrim/ transfuzion i gjakut ♦ **~y** /'blʌdi/ *mb* i përgjakur; s/ i mallkuar: **~y-minded** mendjekeq; mendjezi ♦ *nd s*/ ~ **easy** kollaj fare

bloom /blu:m/ *em* lulëzim: **in ~** *(lule:)* e çelur; *(bimë)* me lule ♦ *jk*/ lulëzoj; *fig* jam në formë të shkëlqyer

bloomer /'blu:mə(r)/ *em bs* gafë; kumbull ♦ **~ing** *mb bs* i mallkuar; i dreqit ♦ **~ers** *em sh* mbathje të gjera; çitjane

blossom /'blosəm/ *em* gonxhe ♦ *jk*/ *(lulja)* çel; hap

blot /blot/ *em dhe fig* njollë ♦ *k*/: ~ **out** fshij; heq; mbuloj me bojë ♦ **~ting paper** /'blotiŋ'peipə(r)/ *em* letërthithëse

blouse /blauz/ *em* bluzë

blow /blou/ *em* goditje; e rënë: **at one ~** me një të rënë ♦ **(blew** /blu:/, **blown** /błoun/) *jk*/ *(era)* fryn; *(mina)* shpërthen, plas ♦ *k*/ fryj *(hundët)*; i fryj *(kandilit);* i bie *(në vegle frymore)*; *bs* prish pa mend, i bëj tym *(paratë):* ~ **one's nose** fryj hundët ♦ ~ **away** *k*/ *(era)* hedh tutje *(letrat)*; fryn ♦ *jk*/ *(gjethet etj.)* i merr era ♦ ~ **up** *k*/ fryj; zmadhoj *(fotografinë);* hedh në erë ♦ *jk*/ shpërthen, plas ♦ **~-dry** /-drai/ *k*/ thaj me ventilator ♦ **~hard** /'ha:(r)d/ *mb bs* mburravec; pordhac

blown /bloun/ *shih* **blow**

blowtorch /-'to:(r)tʃ/ *em* llambë me oksigjen

blowy /'bloui/ *mb (mot)* me erë

blue /blu:/ *mb (ngjyrë)* e kaltër; bojëqiellī; blu: ~ **with cold** *(bëhem)* mavi së ftohti ♦ *em* blu; e kaltër: **have the ~s** jam i mërzitur; **out of the ~** papritmas; nga s'e pres ♦ **~-bell** /-bel/ *em bt* zymbyl i egër ♦ **~bottle** /-'botl/ *em* mizë mishi; dhemizë

bluff /blʌf/ *em* bllof ♦ *jk*/ bëj bllof

blunder /'blʌndə(r)/ *em* proçkë ♦ *jk*/ bëj proçkë ♦ **~ing** *mb* proçkatar

blunt /blʌnt/ *mb* majështypur; *(njeri)* i patakt ♦ **~ly** *nd* copë; troç

blur /blə:(r)/ *em:* **it's all a** ~ *fig* është shumë e ngatërruar; s'është fare i qartë ♦ *k*/ turbulloj; mjegulloj ♦ **~red** /'blə:(r)d/ *mb (pamje)* e turbulluar; e mjegulluar

blurb /blə:(r)b/ *em* fletë reklame

blurt /blə:(r)t/ *kl:* ~ **out** tregoj pa dashje; më shpëton *(fjala)*

blush /blʌʃ/ *em* skuqje: **spare his ~s!** mos e bëj me turp! ◆ *jkl* skuqem *(nga turpi)*

bluster /'blʌstə(r)/ *em* kërcënime boshe ◆ **~y** *mb* *(erë)* e tërbuar; *(mot)* me erë

boar /bo:(r)/ *em* *zl* derr i egër

board /bo:(r)d/ *em* dërrasë; tabelë *(lajmërimesh etj.)*; pension; komitet; drejtorí; këshill drejtues: **full ~** pension me ushqim e fjetje *(në konvikt, në hotel pensioni etj.)*; bursë e plotë e konviktorit; **half ~** gjysmë pensioni; gjysmë burse e konviktorit; **~ and lodging** ushqim e fjetje; **go by the ~** *bs* bie në det; më merr lumi ◆ *kl em aut, av* hipi në *(makinë, aeroplan)* ◆ *jkl (udhëtarët)* hipin në makinë/ aeroplan ◆ **~ up** *kl* zë me dërrasa *(dritaret)* ◆ **~ with** *kl* rri në pension te ◆ *kl* hipi në *(makinë, aeroplan)* ◆ *jkl* jetoj në pension; hipi *(në tren etj.)* ◆ **~er**[1] /'bo:(r)də(r)/ *em* banor në hotel pensioni; konviktor

border[2] *em* kufi: **on the ~ with** në kufi me ◆ *jkl* kufizohem **(on** me) ◆ **~ crossing** /-'krosiŋ/ *em* pikë kufitare

boarding /'bo:(r)diŋ/ *em* banim në pension/ në konvikt ◆ **~ing-house** /-'haus/ *em* pension ◆ **~ing-school** /-sku:l/ *em* shkollë me konvikt; kolegj

boast /boust/ *jkl* mburrem **(about** me, për) ◆ **~ful** *mb* mburravec

boat /baut/ *em* barkë ◆ **~er** *em* barkëtar ◆ **~ing** *em* vozitje; *sp* kanotazh ◆ **~man** /-mən/ *em (sh-men)* barkëtar

bob /bob/ *em* flokë të prerë shkurt *(si djemtë)*; *bs* polic; *vj* shilingë ◆ *jkl:* ~ **up and down** ulet e ngrihet

body /'bodi/ *em* trup *(i njeriut)*; organ, ent, organizatë; vepër, prodhimtari *(e një autori)* ◆ **~building** /-bildiŋ/ *em* zhvillim i muskujve ◆ **~guard** /-ga:(r)d/ *em* rojë trupore/ vetjake ◆ **~work** /'wə:(r)k/ *em au* karroceri

bog /bog/ *em* moçal; kënetë ◆ *kl:* **get ~ged down** ngecem (në baltë)

boggle /bogl/ *jkl:* **the mind ~s** s'ma rrok mendja

bogus /'bougəs/ *mb* i rremë; i falsifikuar

boil[1] /boil/ *em mk* çiban; rrëgjyl

boil[2] *em* valim, valë: **bring/ come to the ~** valoj; çoj në pikën e vlimit ◆ *jkl* ziej: **the kettle is ~ing** ibriku po zien ◆ ~ **down to** *kl fg* katandiset; përmblidhet ◆ ~ **over** *jkl (uji)* derdhet në zjarr ◆ ~ **up** *kl* ziej; i jap valë ◆ **~er** *em* kaldajë; ngrohtore ◆ **~ing** *mb* i valë; i valuar ◆ ~ **point** /-'point/ *em* pikë e vlimit

boisterous /'boistərəs/ *mb* i zhurmshëm

bold /bould/ *mb* i guximshëm; i pafytyrë ◆ *em sht* (shkronjë) e zezë

bollard /'bola:(r)d/ *em* shtyllë e bllokimit të qarkullimit rrugor

bolster /'boulstə(r)/ *em* jastëk; mbështetëse ◆ *kl* mbështet; ngre me jastëk **(up)**

bolt /boult/ *em* shul, lloz *(i derës)*; *tk* bulon ◆ *kl* mbërthej me bulon; mbyll me shul

bomb /bom/ *em* bombë ◆ *kl* bombardoj ◆ **~bard** /-'ba:(r)d/ *kl also fg* bombardoj ◆ **~astic** /-'bæstik/ *mb* i fryrë; bombastik ◆ **~ber** *em av* bombardues ◆ **~-shell** /-'ʃel/ *em fg* (lajm që bie si) bombë

bond /bond/ *em* lidhje; *ek* obligacion ◆ *kl* ngjit; lidh; bashkoj ◆ **~age** /-idʒ/ *em* skllavëri

bone /boun/ *em* kockë; halë *(e peshkut)* ◆ *kl* qëroj kockat e *(mishit)*; i heq halat *(peshkut)* ◆ **~-dry** /-drai/ *mb* (i thatë si) eshkë

bonfire /'bonfaiə/ *em* zjarr bubulak: ~ **night** *em* festë e fishekzjarreve *(më 5 nëntor)*

bonnet /'bonit/ *em* skufe; *au* kapak *(i motorit)*

bonus /'bounəs/ *em* shpërblim; dividend

bony /'bouni/ *mb (mish)* me kocka; eshtak; *(peshk)* halës

boo /bu:/ *psth* bu; shu ◆ *kl, jkl* fishkëllej; zë me fishkëllima

boob /bu:b/ *em bs* gafë, proçkë; cicë, sisë ◆ *jkl bs* këput një gafë

book /buk/ *em* libër; bllok *(çeqesh)*; regjistër *(i llogarisë)* ◆ *kl* rezervoj; zë *(vend në hotel etj.)*; gjobit ◆ *jkl* rezervoj/ zë vend *(në hotel etj.)* ◆ **~-case** /-keiz/ *em* raft librash ◆ **~ing** *em* zënie; rezervim *(i dhomës në hotel etj.)* ◆ **~ing-office** /'ofis/ *em* biletarí; sportel i biletave ◆ **~-keeping** /-'ki:piŋ/ *em* llogari; kontabilitet ◆ **~mark** *em* shenjë e librit *(vendi ku është lënë leximi)* ◆ **~seller** *em* librar; librashitës ◆ **~-shelf** *(sh* **shelves)** /-ʃelf, -ʃelvz/ raft librash ◆ **~-shop** /-ʃop/, **~store** /-sto:(r)/ *em* librari ◆ **~worm** *em* krimb librash

boom /bu:m/ *em* ngritje, lulëzim *(i tregut)*; gjëmim *(i topave etj.)* ◆ *jkl (topi etj.)* gjëmon; *fig* lulëzoj; begatohem

boon /bu:n/ *em* e mirë; fatmirësi

boor /buə(r)/ *em* gdhe ◆ **~ish** *mb* i trashë; i pagdhendur

boost /bu:st/ *em* nxitje ◆ *kl* nxit; ushqej *(shpresat)* ◆ **~er** *em* nxitës; përforcues; *ast* raketë ndihmëse

boot /bu:t/ *em* çizme; këpucë *(të futbollistit)*; *aut* bagazh ◆ *kl* ngarkoj me disk *(kompjuterin)* **(up)**

booty /'bu:ti/ *em* plaçkë

booze /bu:z/ *bs em* pije alkoolike ◆ ~ **up** *em* e pirë ◆ **~er** *em* pijanec

booth /bu:θ/ *em* kabinë *(telefoni, votimi)*

border /'bo:(r)də(r)/ *em* buz(in)ë; kufi ◆ *jkl:* ~ **on** kufizohem me; *fig* jam në buzë të ◆ **~line** /'bo:(r)də(r)lain/ *em* vijë ndarjeje/ demarkacioni: **~line case** *em* rast i dyshimtë/ i pasigurt

bore[1] *shih* **bear**[3]

bore[2] /bo:(r)/ *em* vrimë ◆ *kl tk* shpoj; biroj ◆ ~ *em* kalibër *(ī armës)*

bor:e³ *em* njeri i mërzitshëm; gjë e mërzitshme ♦ *kl* mërzit: **~ sb to death** e bëj derr dikë ♦ **~dom** *em* mërzi ♦ **~ing** *mb* i mërzitshëm

born /bo:(r)n/ *shih* **bear: he was ~ in** 2000 ai lindi në vitin 2000 ♦ *mb* i lindur: **~ actor** aktor i lindur

borough /'bo:rə/ *em* lagje; komunë

borrow /'borou/ *kl* marr hua; huaj: **can I ~ your pen?** ma jep pak penën?

bosom /buzm/ *em* gji; kraharor

boss /bos/ *em* drejtor; pronar; shef ♦ *kl (edhe ~ about)* jap urdhra; komandoj; marr nëpër këmbë ♦ **~y** *mb* autoritar; arrogant

botan:ical /bə'tænikəl/ *mb* botanik ♦ **~ist** /'botənist/ *em* botanist ♦ **~y** /'botəni/ *em* botanikë

botch /botʃ/ *kl* e bëj çorap/ çorbë; e katranos *(punën)*

both /bouθ/ *mb, prm* të dy; edhe: **~ men and women** edhe burrat edhe gratë; **~ (of) the children** të dy fëmijët; **they are ~ lost** kanë humbur të dy; **~ of them** që të dy

bother /'boθə(r)/ *em* shqetësim; hall; mërzi; telash: **it's no ~** s'prish punë ♦ *kl* mërzit; shqetësoj ♦ *jkl* shqetësohem **(about** për); **dont ~** mos u mërzit; mos e prish gjakun ♦ **~ation** /-reiʃn/ *em* hall; bezdi e madhe

bottle /'botl/ *em* shishe ♦ *kl* vë në shishe *(verën etj.):* **~ up** *kl* shtyp; ndrydh *(ndjenjat)* ♦ **~-bank** /-bæŋk/ *em* kazan i shisheve boshe ♦ **~ neck** /-nek/ *em fg* ngushtim ♦ **~ opener** /-'oupənə(r)/ *em* kapatapë; çelës për hapjen e shisheve

bottom /'botm/ *mb* i fundit: **the ~ shelf** rafti i fundit/ i poshtëm ♦ *em* fund *(i valixhes);* rrëzë *(e malit);* **at the ~ of the page** në fund të faqes; **get to the ~ of** *fig* i hyj me rrënjë ♦ **~less** *mb* i pafund

bough /bau/ *em* degëz

bought /bo:t/ *shih* **buy**

boulder /'bouldə(r)/ *em* popël *(guri)*

bounce /bauns/ *jkl (topi)* bredhërin; *bs (çeku)* kthehet, nuk pranohet; *(predha)* bën rikoshet ♦ **~er** *em bs* gënjeshtër e trashë

bound¹ /baun/ *em* kërcim; hov ♦ *jkl* kërcej; hidhem; hov

bound² *mb:* **~ for** *(anije)* e drejtuar për në; **be ~ to do** jam i shtrënguar të bëj; **north/ south-bound** (tren) që shkon në veri/ jug; (linjë) e veriut/ jugut

bound:ary /'baundəri/ *em* kufi *(shtetëror);* cak ♦ **~less** *mb* i pakufi(zuar) ♦ **~s** /baundz/ *em sh fig* kufij: **out of ~** jashtë kufijve; i ndaluar; **our joy knew no ~** gëzimi ynë s'kishte kufi

bouquet /bu'kei/ *em* tufë lulesh; buké e verës

bourgeois /'bueʒwa:/ *mb kq* borgjez

bout /baut/ *em mk* krizë; *sp* ndeshje boksi

bow¹ /bou/ *em* hark *(i shigjetës, i violinës);* flutur *(e smokingut)*

bow² /bau/ *em* përkulje ♦ *jkl* përkulem ♦ *kl* përkul *(kokën)*

bow³ /bau/ *em* bash i anijes

bowels /'bauəlz/ *em sh* zorrë: **loose ~** dalje/ heqje bark

bowl¹ /baul/ *em* tas; çanak

bowl² /boul/ *em* doçe *(çok i lojës së doçave)* ♦ *kl* gjuaj ♦ *jkl sp* jam në shërbim *(në kriket)* ♦ **~ over** *kl* hedh; gjuaj; flak; *fg* lë pa mend

bow-legged /bou'legd/ *mb* këmbështembër

bowler¹ /'boulə(r)/ *em sp* gjuajtës *(në kriket)*

bowler-hat /-hæt/ *em* kapelë bombë

bowl:ing /'bouliŋ/ *em* lojë boulling

bow-tie /bou'tai/ *em* (kollare) flutur

box¹ /boks/ *em* kuti; *tt* loxhë: **strong ~** *am bs* kasafortë

box² /jkl sp/ bëj boks ♦ **~er** *em* boksier ♦ **~ing** *em* boks

Boxing Day /-dei/ *em ft* Ditë e Shën Shtjefnit

box-office /-'ofis/ *em tt* biletari; arkë.

boy /boi/ *em* djalë; çun: **school-~** nxënës; **old ~s** shokë të vjetër *(nga një shkollë)*

boycott /'boikot/ *em* bojkotim ♦ *kl* bojkotoj

boyfriend /'boifrend/ *em* shok *(i një vajze);* dashnor

bra /bra:/ *em* gjimbajtëse; korsé

brace /breis/ *em* lidhje; *mk* armaturë *(e dhëmbëve);* *sh* **-es** aski, llastika *(të pantallonave)* ♦ *kl:* **~ one-self for** *fg* mbledh forcat për *(një punë të vështirë)*

bracelet /'breislit/ *em* byzylyk; rreth dore

bracing /'breisiŋ/ *mb* përforcues; fuqidhënës; tonifikues

bracken /'brækn/ *em bt* fier i butë

bracket /'brækit/ *em sht* kllapë: **in ~s** në kllapa

braid /breid/ *em* gërshet

braille /breil/ *em* sistem brej *(i shkrimit për të verbër)*

brag /bræg/ *jkl* mburrem **(about** me, për) ♦ **~gard** /'brægə(r)d/ *em* mburravec

brain /brein/ *em* tru; *bs* kokë ♦ **~child** /-tʃaild/ *em* shpikje ♦ **~ dead** /-ded/ *mb mk* me trurin të vdekur; *fig bs* pa tru ♦ **~less** *mb* pa tru ♦ **~wash** /-woʃ/ *jkl* shpëlarje e mendjes ♦ **~wave** /-weiv/ *em* shkëndijë gjenialiteti ♦ **~y** /'breini/ *mb* i mençur, mendar

braise /breiz/ *kl* pjek në shpuzë *(mishin)* ♦ **~er** *em* tangar

brake /breik/ *em* fren ♦ *jkl* frenoj: **~ hard** frenoj pincë

bramble /'bræmbl/ *em* ferrë

bran /bræn/ *em* krunde

branch /bra:ntʃ/ *em* degë; *trg* filial; degëzim *(i rrugës, i kanalizimit)* ♦ *jkl (rrruga)* degëzohet ♦ **~ off** *jkl* degëzohet ♦ **~ out** *kl* shtrij në degë *(veprimtarinë)*

brand /brænd/ *em* markë *(e prodhimit);* damkë *(e kafshës)* ♦ *kl* damkos *(bagëtinë);* *fg* i vë damkë *(dikujt)* **(as si)**

brandish /'brændiʃ/ *kl* vringëlloj

brand-new /'brændnju/ *mb* flakë i ri

brandy /'brændi/ *em* brendi *(pije alkoolike)*

brash /bræʃ/ *mb* i paturp
brass /bra:s/ *em* tunxh: **the ~** *mz* vegla frymore
brass:-top /-top/ *bs* njerëz të mëdhenj/ të rëndësishëm ♦ **~ band** *em mz* bandë e veglave frymore
brassiere /ˈbræziə(r)/ *em* gjimbajtëse
brat /bræt/ *em keq* kalama; çilimi
bravado /brəˈva:dou/ *em* trimashëri
brave /breiv/ *mb* trim ♦ **~ry** *em* trimëri
brawl /bro:l/ *em* rrahje ♦ *jk/* rrihem
brawn /bro:n/ *em gjl* mish i kokës së derrit
brawny /ˈbro:ni/ *mb* muskuloz
brazen /ˈbreizn/ *mb* i paturp ♦ **~ly** *nd* pa turp
brazier /ˈbreiziə(r)/ *em* mangall
Brazil /brəˈzil/ *em* Brazil ♦ **~ian** *mb, em* brazilian
breach /bri:tʃ/ *em* thyerje, shkelje *(e ligjit);* e çarë *(në mure të kështjellës);* hendek; *pl* fraksion *(në parti):* **~ of contract** shkelje e kontratës; **~ of the peace** prishje e qetësisë publike ♦ *kl* thyej, shkel *(kontratën)*
bread /bred/ *em* bukë: **~ and butter** bukë e përditshme ♦ **~-crumbs** /-krʌmz/ *em sh* thërrime buke ♦ **~-line** /-lain/ *em:* **be on the ~line** jam i varfër/ i këputur
breadth /bredθ/ *em* gjerësi
bread-winner /-winə(r)/ *em* kryefamiljar
break /breik/ *em* këputje; thyerje; ndërprerje; pushim: **without a ~** pa pushim/ ndërprerje ♦ (**broke, broken**) *kl* këput; thyej; ndërpres: **~ one's neck** thyej qafën ♦ *jk/* thyhet; *(dita)* del; agon; *(stuhia)* shpërthen; *(lajmi)* përhapet, *(fjala)* del; *(djalit)* i ndryshon zëri *(në pubertet)* ♦ **~ away** *jk/* shkëputem; ndahem; *fig.* ndahem, prishem (**from** me) ♦ **~ down** *jk/ (makina)* prishet; këputem ♦ *kl* shpërthej *(derën);* analizoj *(një tabelë, një lëndë)* ♦ **~ into** *k/* hyj *(me dhunë);* hap me forcë ♦ **~off** *kl* prish *(fejesën)* ♦ *jk/* ndahet; copëtohet ♦ **~out** *jk/ (lufta)* shpërthen ♦ **~up** *kl* ndaj *(dy vetë që zihen);* shpërndaj *(turmën)* ♦ *jk/ (turma)* shpërndahet; *(çifti)* ndahet; filloj pushimet e verës ♦ **~able** /ˈbreikəbl/ *mb* i thyeshëm; i brishtë ♦ **~age** /-idʒ/ *em* thyerje; prishje ♦ **~down** /-daun/ *em* prishje; avari; zbërthim, analizë
breakfast /ˈbrekfast/ *em* mëngjes: **to have ~** ha mëngjes
breakthrough /ˈbreikθru/ *em:* **achieve a ~ in** bëj revolucion në *(një shkencë)* ♦ **~water** *em* dallgëpritëse
breast /brest/ *em* gji; kraharor ♦ **~feed** /-fi:d/ *kl* ushqej me gji *(foshnjën)* ♦ **~stroke** /-strouk/ *em* not pash
breath /breθ/ *em* frymë(marrje): **out of ~** pa frymë; **recover one's ~** më vjen fryma në vend ♦ **~e** / bri:ð/ *kl, jkl* marr frymë ♦ **~ in** *jk/* marr frymë ♦ *kl* marr frymë ♦ **~out** *kl, jkl* nxjerr frymën ♦ **~er** /ˈbri:ðə(r)/ *em* pushim ♦ **~ing** /ˈbri:ðiŋ/ *em*

frymëmarrje ♦ **~less** /ˈbreθlis/ *mb* pa frymë ♦ **~taking** /-teikiŋ/ *mb* i mahnitshëm
bred /bred/ *shih* **breed**
breed /bri:d/ *em* racë ♦ (**bred** /bred/) ♦ *k/* rrit *(kafshë);* shkaktoj *(përbuzje);* lind; pjell ♦ *jk/* pjell; lind; riprodhohet ♦ **~er** *em* rritës *(kafshësh)* ♦ **~ing** *em* rritje; *fig* edukatë
breez:e /bri:z/ *em* puhi ♦ **~y** *mb (ditë)* me erë; i flladitur
brew /bru:/ *em* çaj; përvëlese *(me bimë)* ♦ *kl* bëj, përvëloj *(çajin);* prodhoj *(birrë)* ♦ *jkl fig (stuhia etj.)* afrohet ♦ **~er** *em* prodhues birre ♦ **~ery** *em* fabrikë birre
bribe /braib/ *em* ryshfet ♦ *kl* prish/ thyej me para; korruptoj ♦ **~ry** *em* ryshfet; mitë
brick /brik/ *em* tulle; kallëp *(djathi);* *bs* njeri i besuar ♦ **~ up** *kl* muros; zë me tulla *(dritaren)* ♦ **~layer** /-leijə(r)/ *em* murator ♦ **~ red** /-red/ *em* bojë tulle ♦ **~wall** /-wo:l/ *em* mur tulle
bride /braid/ *em* nuse ♦ **~groom** /-gru:m/ *em* dhëndër ♦ **~s-maid** /ˈbraidzmeid/ *em* kumbarë e nuses
bridge[1] /bridʒ/ *em* urë; kurriz, samar *(i hundës)* ♦ *fig* mbush; kapërcej *(hendekun)*
bridge[2] *em* lojë brixh *(me letra)*
bridle /ˈbraidl/ *em* kapistër
brief /bri:f/ *mb* i shkurtër: **in ~** shkurt(imisht)
brief *em* udhëzim ♦ *kl* udhëzoj; instruktoj ♦ **~ing** *em* udhëzim; instruktim
briefcase /ˈbri:fkeiz/ *em* çantë dokumentesh
briefs /bri:fs/ *em sh* brekë; mbathje
briefly /ˈbri:fli/ *nd* shkurt(imisht) ♦ **~ness** *em* shkurtësi
brigade /briˈgeid/ *em* brigadë ♦ **~ier** /brigəˈdiə(r)/ *em ush* general brigade
bright /brait/ *mb* i shkëlqyer; *(ditë)* e kthjellët; *(dhomë)* e ndriçuar; *(nxënës etj.)* i zgjuar: **~ red** e kuqe e ndezur ♦ **~en** *k/* gjallëroj; gëzoj ♦ *jkl (moti)* hapet; kthjellohet; *(fytyra)* rrezëllin; qeshet; gjallërohet (**up**)
brillian:ce /ˈbriljəns/ *em* shkëlqim; zgjuarsi ♦ **~t** *mb* i shkëlqyer; shumë i mirë
brim /brim/ *em* buzë *(e gotës etj.):* **full to the ~** i mbushur deri në buzë/ buzë më buzë
brine /brain/ *em* shëllirë; ujë i kripur
bring /briŋ/ *kl* (**brought** /bro:t/) sjell; bie ♦ **~ about** *kl* shkaktoj ♦ **~ along** *kl* sjell *(me vete)* ♦ **~ back** *kl* kthej *(huanë);* sjell ndër mend ♦ **~ down** *kl* ul/ sjell poshtë; rrëzoj *(një qeveri);* ul *(çmimet)* ♦ **~ in** *kl* sjell në shtëpi/ brenda ♦ **~ off** *kl:* **~ sth off** e nxjerr në breg diçka; ia dal në krye ♦ **~ on** *kl* shkaktoj: **you brought it on yourself** vetë e ke fajin ♦ **~ out** *kl* nxjerr në pah; botoj *(një libër)* ♦ **~ over** *kl:* **~ her over with you** sille me vete ♦ **~ round** *kl* sjell; bind; kandis; sjell në vete ♦ **~ up** *kl* nxjerr *(ushqimin);* vjell; rrit *(fëmijët)*

brink /briŋk/ *em* buzë; zgrip: **on the ~ of** në buzë të *(greminës)*

brisk /brisk/ *mb* i gjallë; i shkathët; i hedhur; *(hap)* i shpejtë; *(tregti)* me leverdi

bristl:e /ˈbrisl/ *em* qime; grath ♦ *jkl:* **~ing with** plot me ♦ **~y** *mb (mjekër, qime)* e ashpër

Brit:ain /ˈbritn/ *em* Britani (e Madhe) ♦ **~ish** /ˈbritiʃ/ *mb* britanik: **~ English** anglishte britanike ♦ *em sh:* **the ~** britanikët ♦ **~on** /ˈbritn/ *em* qytetar britanik

brittle /ˈbritl/ *mb* i thyeshëm; i brishtë

broach /broutʃ/ *kl* prek *(një temë)*

broad /broːd/ *mb* i gjerë; *(theks)* i fortë: **two metres ~** dy metra i gjerë; **in ~ daylight** në mes të ditës; ditën nëpër diell ♦ *em bs* kurvë

broadcast /ˈboːdkaːst/ *em* transmetim ♦ *kl, jkl (-cast)* transmetoj ♦ **~ing** *em* radio/ telepërhapje: **be in ~ing** punoj në radio/ televizion

broad:en /ˈbroːdn/ *kl* zgjeroj ♦ *jkl* zgjerohet ♦ **~ly** *nd* gjerë(sisht): **~ (speaking)** në përgjithësi ♦ **~minded** /-ˈmaindid/ *mb* mendjegjerë; liberal *(në mendime)*

broccoli /ˈbrokəli/ *em bt* brokoli

brochure /ˈbroʃuə(r)/ *em* broshurë

broke /brouk/ *shih* **break** ♦ *mb bs* i shkundur; i mbetur kripë/ pa pará ♦ **~n** /ˈbroukn/ *shih* **break** ♦ *mb* i thyer; i këputur; *fg (martese)* e prishur: **~ English** anglishte e keqe; **~-hearted** zemërthyer

broker /ˈbroukə/ *em* agjent i bursës; senkser; ndërmjetës

brolly /ˈbroli/ *em bs* çadër shiu

bronchitis /bronˈkaitis/ *em mk* bronkit

bronze /brounz/ *em* bronz ♦ *mb* i bronztë; (prej) bronzi ♦ *kl* bronzoj

brooch /broutʃ/ *em* karficë me gur të çmuar

brood /bruːd/ *em* kllocitje; soj (e sorollop) ♦ *jkl (pula)* kllocit; *fg* vras mendjen

brook /bruk/ *em* krua; përrua

broom /bruːm/ *em* fshesë

broth /broθ/ *em* gjll (supë me) lëng mishi

brothel /ˈbroθl/ *em* bordell

brother /ˈbrʌðə(r)/ *em* vëlla: **younger/ elder ~** vëlla i vogël/ madh

brother-in-law /ˈbrʌðərinˈloː/ *em (sh* **~s-in-law)** kunat

brought /broːt/ *shih* **bring**

brow /brau/ *em* ballë; vetull *(mali):* **eye-~** vetull

browbeat /ˈbraubiːt/ *kl* **(~beat, ~beaten** /-biːtn/) tremb, frikësoj

brown /braun/ *mb* ngjyrëkafe; *(flokë)* (ngjyrë) gështenjë ♦ *em* ngjyrë kafe ♦ *kl* kuqërris *(mishin)* ♦ *jkl (mishi)* kuqërriset

Brownie /ˈbrauni/ *em* anëtare e Gërlskauteve

brown paper /-ˈpeipə(r)/ *em* letër ambalazhi

browse /brauz/ *jkl* lexoj; qëmtoj; shfetoj; rrëmoj *(nëpër libra);* shoh *(nëpër dyqane)* ♦ **~er** *em* lexues; *inf* shfletues *(në Web)*

bruise /bruːz/ *em* vrajë; mbresë *(nga plaga);* vurratë ♦ *kl* mbret; vras *(frytin):* **~ one's arm** dërmish krahun ♦ **~d** *mb* i mbretur; i dërmishur

brunette /bruːˈnet/ *em* brune; zeshkane

brunt /brʌnt/ *em* barrë: **bear the ~ of sth** mbaj barrën kryesore të diçkaje

brush /brʌʃ/ *em* furçë; penel; gëmushë; *fg* përleshje e shkurtër ♦ *kl* fshij me furçë; laj *(dhëmbët);* kreh me furçë *(flokët)* ♦ **~ against** *kl* prek lehtë ♦ **~ aside** *kl fg* shpërfill ♦ **~ off** *kl* fshij; nuk pyes *(për kritikat)* ♦ **~ up** *kl, jkl fg* përsërit; rifreskoj *(një lëndë për provim)*

brut:al /ˈbruːtl/ *mb* brutal; mizor; i vrazhdë ♦ **~e** /bruːt/ *em* kafshë; egërsirë; shëmtirë

BSc /ˈbiːˈesˈsiː/ *shkrt* i **Bachelor of Sciences** i diplomuar në shkenca

BSE *em shkrt* i **bovine spongiform encephalitis** *mk* encefalit sfungjeror i gjedhit; *bs* sëmundje e lopës së çmendur

bubble /ˈbʌbl/ *em* flluskë; shkumë; buburiskë ♦ *jkl (uji)* buburis; bën flluska ♦ **~gum** *em* çamçakëz që bën tullumbace

buck[1] /bʌk/ *em* mashkull *(i lepurit, i drerit)* ♦ *jkl (kali)* hidhet me të katër këmbët njëherësh ♦ **~ up** *jkl bs* marr veten; nxitoj

buck[2] *em am bs* dollar

buck[3] *em:* **pass the ~** shkarkoj përgjegjësinë; ia lë kopilin në derë

bucket /ˈbʌkit/ *em* kovë: **kick the ~** kthej këmbët nga dielli

buckle /ˈbʌkl/ *em* tokëz ♦ *kl* mbërthej me tokëz ♦ **~ down** *jkl* i përvishem një pune

bud /bʌd/ *em* gonxhe; burbuqe; puçërr

Buddh:ism /ˈbudizm/ *em* budizëm ♦ **~ist** *em* budist

buddy /ˈbʌdi/ *em bs* mik; shok

budge /bʌdʒ/ *kl, jkl* lëviz; tundem vendit

budget /ˈbʌdʒit/ *em* buxhet; bilanc

buff /bʌf/ *mb* i verdhemë; ngjyrë kamoshi ♦ *em bs (teatër)* -dashës

buffalo /ˈbʌfəlou/ *em* bizon i Amerikës

buffer /ˈbʌfə(r)/ *em hk* kundërpërplasës; repulsor: **old ~** *bs* plak pusht ♦ **~ zone** *em* zonë tampon

buffet[1] /ˈbʌfit/ *em* bufé

buffet[2] /ˈbʌfitt/ *kl* i bie shuplakë *(dikujt)*

buffoon /bəˈfuːn/ *em* lolo

bug[1] /bʌg/ *em* kandërr; insekt; çimkë; tratabiq; morr; njeri i shquar; përgjues telefonash; virus: **millenium ~** virusi i mijëvjeçarit ♦ *kl* i vë përgjues telefonit të *(dikujt);* kontrolloj *(bs edat telefonike);* *bs* mërzit; i bie havale

bug[2] *em* gogol

bug[3] *jkl (sytë)* dalin si gëlldoqe

bug[4] *bis* fanatik

buggy /'bʌgi/ *em* karrocë; motokarro: (**baby**) ~ karrocë fëmijësh

bugle /'bju:gl/ *em* trombë

build /bild/ *em* trup, shtat: **of strong** ~ trupfortë ♦ *kl, jkl* (**built**) ndërtoj ♦ ~ **on** *kl* shtoj *(një kat, një krah të ndërtesës)*; rrit; zhvilloj ♦ ~ **up** *kl:* ~ **up one's strength** forcohem ♦ *jkl (tensioni)* rritet; shtohet ♦ ~**er** *em* ndërtues; kompani ndërtimi; murator ♦ ~**ing** *em* ndërtesë; ndërtim ♦ ~**up** *em* shtim; rritje *(e tensionit); ush*përqendrim *(i forcave)*

built /bilt/ *shih* **build** ♦ ~**-in unit** *em* dollap (etj.) i montuar në mur; *fg* i përfshirë ♦ ~**-up area** *em* zonë e banuar

bulb /bʌlb/ *em* qepore; qepujkë; bulb; zhardhok; *el* llambë, llambushkë ♦ ~**ous** *mb bt* tuberoz; zhardhokor

Bulgaria /bʌl'gæriə/ *em gjg* Bullgari ♦ ~**n** *mb, em* bullgar

bulg:e /bʌldʒ/ *em*fryrje; ënjtje; gungë; bark *(i murit)* ♦ *jkl* fryhet; ënjtet; gungohet; *(muri)* barkësohet; gufmohet (**with** me, nga); *(stomaku)* bëhet si kacek; *(sytë)* dalin vendit ♦ ~**ing** *mb (sy)* të kërcyer; të dalë; *(mur)* i barkësuar

bulk /bʌlk/ *em* vëllim; pjesë kryesore/ më e madhe: **in** ~ *(mall)* i paambalazhuar ♦ ~**y** *mb* i vëllimshëm; i madh

bull /bul/ *em zl* dem

bull:dog /'buldog/ *em zl* bulldog ♦ ~**doze** /-douz/ *kl* i vë buldozerin *(një ndërtese)* ♦ ~**r** *em* buldozer

bullet /'bulit/ *em* plumb, fishek ♦ ~**-proof** /-pru:f/ *mb* i blinduar; kundër plumbave

bulletin /'bulitin/ *em* buletin: **news/ war** ~ buletin i lajmeve/ i luftës

bullfight /'bulfait/ *em* korridë; ndeshje me dema ♦ ~**er** *em* toreador

bullion /'buliən/ *em:* **gold** ~ kallëp ari

bullock /'bulək/ *em* mëzat

bull:ring *em* arenë për ndeshje me dema ♦ ~**s eye** *em* pikë e zezë *(e tabelës së qitjes):* **score a ~'s-eye** qëlloj në qendër ♦ ~**shit** /ʃit/ *em bis* budallallëk; marrëzi; broçkulla

bulwark /'bulwə:k/ *em* mur mbrojtës; digë, pritë; *fg* mbrojtje/ mbështetje e fuqishme

bully /'buli/ *em*mujshar; prepotent ♦ *kl*tremb; sillem me prepotencë me ♦ ~**ing** *em* frikësim

bum¹ /bʌm/ *em sl* bythë

bum² *em am bs* vagabond ♦ *jkl am* endem; bredh si vagabond (**around**)

bumble /bʌmbl/ *em* gumëzhimë *(e insekteve)* ♦ ~ *jkl* gumëzhin

bumbler /'bʌmblə(r)/ *em* gafaxhi

bummer /'bʌmə(r)/*me* endacak

bump /bʌmp/ *em*përplasje; ënjtje; gungë; troshitje *(e rrugës)* ♦ *kl*përplas: ~ **into** përplasem me; takoj, has ♦ ~ **off** *kl*qëroj; vras me gjakftohtësi ♦ ~ **out** *kl bs* flak jashtë

bumper¹ /'bʌmpə(r)/ *em* gotë e mbushur plot; send i stërmadh; goxha gjë; *(prodhim bujqësor)*shumë i mbarë

bumper² *em tk* parakolp i automobilit

bumpkin /'bʌmpkin/ *em keq*katundar *(nga mënyra e jetesës)*

bumpy /'bʌmpi/ *mb (rrugë)* plot me gropa; *fg* plot vështirësi

bun /bʌn/ *em* kulaç; flokë të mbledhur kulaç

bunch /bʌntʃ/ *em*tufë *(lulesh);*xhungë *(bananesh);* grup, tufë *(njerëzish):* ~ **of grapes** vile/ vesh rrushi; ~ **of thieves** një tufë hajdutë ♦ *jkl*ngrihet si xhungë ♦ *kl*mbledh tufë

bunco /'bʌŋkou/ *em* Hile; mashtrim; lojë me hile

bundle /'bʌndl/ *em* dorë *(gruri e korrur);* tufë *(parash);* ~ **of nerves** *bs* (një) grusht nerva ♦ *kl:* ~ (**up**) mbledh duaj *(grurin etj.)*

bung /bʌŋ/ *kl bs* hedh ♦ ~ **up** *kl* zë; bllokoj

bungalow /'bʌŋgəlou/ *em* shtëpi përdhese me verandë

bungle /'bʌŋgl/ *em* punë e katranosur ♦ *kl* nxiros; katranos; prish

bunion /'bʌnjən/ *em mk* rrëgjyl

bunk¹ /bʌŋk/ *em* shtrat marinari; shtrat në vagon fjetjeje; vend për të fjetur; koritë e ushqimit të bagëtisë ♦ ~ **beds** /-bedz/ *em sh* shtrat dykatësh

bunk² *em* ikje me nxitim; arrati: **do a** ~ ua mbath këmbëve

bunker¹ /'bʌŋkə(r)/ *em* qilar; *ush* pritë dheu; *ush* bunker: ~ **mentality** mendësi shoviniste intolerante ♦ *jkl*mbush qilarin

bunkum /'bʌŋkəm/ *em* budallallëk

bunny /'bʌni/ *em bs* lepurush

bunt /bʌnt/ *kl* godit; shtyj me kokë

buoy /boi/ *em dt* bovë ♦ ~**ancy** /-ənsi/ *em* pluskim ♦ ~**ant** *mb* pluskues; *fg* i qeshur, i gëzuar

bur /bə:(r)/ *em bt, fg* rrodhe; *gjh* "r" e fortë *(e anglishtes veriore dhe skocishtes)*

burble /'bə:(r)bl/ *jkl* dërdëllit

burden¹ /'bə:(r)dn/ *em* barrë; ngarkesë: ~ **of proof** barrë e provës ♦ *kl* ngarkoj; barros ♦ ~**some** *mb* i rëndë

burden² *em mz* kor; refren

bureau /'bjuərou/ *em (sh* -**x** /-ouz/ *ose* -**s**) tryezë shkrimi; zyrë ♦ ~**cracy** /-'rokrəsi/ *em* burokraci ♦ ~**crat** /-kræt/ *em* burokrat ♦ ~**tic** /-'kraetik/ *mb* burokratik

burg /bə:g/ *em*kështjellë mesjetare; qytet mesjetar i rrethuar me mure

burger /'bə:(r)gə(r)/ *em gjll* (ham)burger

burgl:ar /'bə:(r)glə(r)/ *em* vjedhës me thyerje *(i dyqanit)* ♦ **~arise** /'bə:glərəraiz/ *kl am* vjedh me thyerje *(shtëpi, dyqan)* ♦ **~ary** *em* vjedhje me thyerje ♦ **~e** /'bə:gl/ *kl* vjedh me thyerje; hyj për të vjedhur *(në shtëpi, në dyqan)*

burgomaster /'bə:(r)gouma:stə(r)/ *em* kryetar bashkie *(në Evropë)*

burial /'beriəl/ *em* varrim ♦ **~-ground** /-'graund/ *em* vendvarrim; varrezë

burin /'bjuərin/ *em tk* bulinë

burl /bə:(r)l/ *em* nyjë; lidhje nyjë *(e litarit)*

burlesque /bə:(r)'lesk/ *em* parodi

burly /'bə:(r)li/ *mb* i bëshëm; madhosh

Burma /'bə:(r)mə/ *em* Birmani ♦ **~ese** /-'mi:z/ *mb, em* birmanez

burn /bə:(r)n/ *em* djegie; djegësirë: **heart-~** *uth (i stomakut)* ♦ **(burnt** /bə:nt/, **burned)** ♦ *kl* djeg ♦ *jkl* digjem ♦ **~ out** *jkl fg* digjet deri në fund ♦ **~er** *em* furnelë ♦ **~ing** *mb* djegës; që digjet; *(dëshirë)* përvëluese; e zjarrtë

burnish /'bə:(r)niʃ/ *kl* lustroj; shkëlqej

burnt /bə:(r)nt/ *shih* **burn** ♦ **~-out** *mb* i dërrmuar; i gajasur nga lodhja

burp /bə:(r)p/ *em bs* gromësirë ♦ *jkl bs* gromësij

burro /'bʌrou/ *em* gomar

burrow /'bʌrou/ *em* strofull ♦ *kl* gërmoj *(një gropë, një llagëm)*

bursar /'bə:(r)sə(r)/ *em* ekonom ♦ **~y** *em* bursë studimi

burst /bə:(r)st/ *em* shpërthim *(i zjarrit, i të qeshurave);* plasje ♦ **(burst)** *kl* shpërthej; hedh në erë ♦ *jkl* shpërthen; hidhet në erë: **~ into tears** ia plas të qarit; **she ~ into the room** hyri me tërsëllëm në dhomë ♦ **~ out** *jkl:* **~ out laughing/ crying** ia plas gazit/të qarit

bur:y /'beri/ *kl* varros; fsheh; gropos ♦ **~ied** *mb* i varrosur

bus /bʌs/ *em* autobus; *inf* përcjellës paralelë *(në sistem kompjuterik):* **by ~** me autobus ♦ **~boy** *em* ndihmëskamarier ♦ **~ driver** /-draivə(r)/ *em* shofer autobusi

busby /'bʌsbi/ *em ush* kapelë e uniformës

bush[1] /buʃ/ *em* gëmushë; kaçube; shkorret ♦ **~y** *mb* i dendur; çufrak: **~ eyebrows** vetulla kaleshe

bush[2] *mb (cilësi)* e dobët

bushel[1] /'buʃl/ *em (masë vëllimi)* shinik: **make ~s of money** fitoj para me thes

bushel[2] *kl* ndreq; riparoj

bush:land /'buʃlænd/ *em* shkorret; grehull ♦ **~whack** /-hwæk/ *kl* i zë pritë *(dikuj)*

bushy /'buʃi/ *mb (vend)* me shkurre; *(flokë)* drizë, të dendur

busi:ly /'bizili/ *nd (i zënë)* me punë ♦ **~ness** /'biznis/ *em* punë; biznes: **on ~** me punë; **mind one's**

~own ~ shoh punën time; **that's none of your ~** s'ka ç'të duhet ty ♦ **~-like** /-laik/ *mb* i rregullt; praktik ♦ **~man** /-mən/ *em* tregtar; afarist ♦ **~ suit** /sju:t/ *em* kostum me jelek ♦ **~woman** /-wumən/ *em* tregtare; afariste

busker /bʌskə(r)/ *em* muzikant rrugësh

bus:station *em* stacion autobusi ♦ **~-stop** *em* vendqëndrim autobusi

bust[1] /bʌst/ *em* bust; gjoks

bust[2] *em* e pirë, gosti me pije; dështim; *sl* bastisje nga policia; arrestim

bust[3] *mb* i prishur: **go ~** prishet ♦ **(busted/ bust)** *bs* ♦ *kl* prish; plas ♦ *jkl* plas, prishet

bustle /'bʌsl/ *em* gjallëri; veprimtarí ♦ *jkl* merrem me punë **(about)**

busy /'bizi/ *mb* i zënë *(me punë); (rrugë)* me shumë lëvizje/e mbushur me *(njerëz, me makina);* **be ~ doing** jam i zënë me ♦ *kl:* **~ oneself** zë duart me punë

busybody /'bizibodi/ *em* furacak

busywork /'biziwə:(r)k/ *em* punë sa për të zënë duart

but /bʌt, e patheksuar bət/ *ldh* por; po ♦ *prfj:* **nobody ~ you** asnjë përveç teje; **~ for you** po të mos ishe ti; **the last ~ one** i parafundit ♦ *em* : **but me no ~s** mos më kundërshto ♦ *nd* vetëm: **there were ~ two** kishte vetëm dy

butch /butʃ/ *em* tip mashkullor; homoseksual aktiv

butcher /'butʃə(r)/ *em* kasap: **~'s (shop)** dyqan i mishit ♦ *kl* ther *(bagëti për mish); fg* masakroj ♦ **~ry** *em* thertore

butler /'bʌtlə(r)/ *em* kryeshërbëtor; maxhordom

butt[1] /bʌt/ *em* fuçi uji

butt[2] *em* prapanicë; bisht *(i cigares);* kondak *(i armës së zjarrit)*

but[3] *jkl:* **~ in** ndërhyj *(në bisedë)*

butter /'bʌtə(r)/ *em* gjalpë ♦ *kl* bëj; lyej me gjalpë ♦ **~ up** *kl bs* laj e lyej ♦ **~cup** /-kʌp/ *em bt* zhabinë ♦ **~-fingers** /-'fiŋgə(r)z/ *em sh bs* **be a ~-fingers** i kam duart të thara ♦ **~fly** /-flai/ *em* flutur ♦ **~milk** /-'milk/ *em* dhallë

buttery[1] /'bʌtəri/ *em* qilar i pijeve; depo ushqimesh

buttery[2] *mb* i gjalpit; si gjalpë; *fg* ljakatar

buttocks /'bʌtəks/ *em sh* prapanica; vithe; mollaqe

button /'bʌtn/ *em* kopsë ♦ *kl* kopsit **(up)** ♦ *jkl* kopsitem ♦ **~-hole** /-houl/ *em* vrimë e kopsës

buttress /'bʌtris/ *em* shtyllë; mbështetje ♦ *kl* mbështet; mbaj; forcoj me mbështetëse

buxom /'bʌksəm/ *mb (grua)* e kolme, me gjinj të plotë

buy /bai/ *em:* **good/ bad ~** pazar me leverdi/ humbje ♦ *kl* **(bought)** blej: **~ sb a drink** qiras me një pije dikë; **I'll ~ this one** këtë gotë e paguaj unë ♦ **~er** *em* blerës

buzz /bʌz/ *em* gumëzhimë; tingull i ziles elektrike: **give sb a ~** *bs* i bëj një telefon dikujt ♦ *jkl* gumëzhin ♦ *kl:* **~ sb** i bie ziles për të thirrur dikë ♦

~ **off** /k/ bs hiqem tutje

buzzer /'bʌzə(r)/ *em* gjinkallë

by /bai/ *prfj* afër; pranë; për; nga; me: ~ **Mozart** i Moxartit; **he was run over** ~ **a bus** atë e shtypi autobusi; ~ **hand** *(punë)* dore, e bërë me dorë; *(dërgoj)* dorazi; ~ **oneself** vetë; ~ **the sea** buzë detit; ~ **sea** me det; ~ **car/ bus** me makinë/ autobus; ~ **day and by night** ditë e natë; ~ **the hour/ metre** me orë/ metër; **six metres** ~ **four** gjashtë metra me katër; **he won** ~ **a fraction of a second** ai fitoi me me të dhjetën e sekondës; **I missed the train** ~ **a minute** më la treni për një mimutë; **I'll be home** ~ **six** do të vij në shtëpi aty nga ora gjashtë; ~ **this time next week** në këtë

kohë javën që vjen; **he rushed** ~ **me** ai më kaloi pranë me vrap ♦ *nd:* **pass** ~ kaloj pranë; **put** ~ vë mënjanë; **she'll be here** ~ **and** ~ jo vjen pas pak; ~ **and large** në përgjithësi

bye(-bye) /bai('bai)/ *psth bs* mirupafshim

byelection /-i'lekʃn/ *em* zgjedhje zëvendësimi *(për vend të mbetur bosh në parlament)* ♦ **-gone** / 'baigon/ *em* e shkuar (e harruar) ♦ ~**-pass** /-paːs/ *em* anëshkalim; *mk* bajpas ♦ */k/* shmang; anëshkaloj ♦ ~**-product** /-'prodʌkt/ *em* nënprodukt ♦ ~**stander** /-'stændə(r)/ *em* shikues; spektator ♦ ~**word** /-'wəː(r)d/ *em* fjalë e urtë; proverb: **it's a** ~**word for** është sinonim i

C

cab /kæb/ *em* taksi

cabaret /'kæbərei/ *em* kabare

cabbage /'kæbidʒ/ *em bt* lakër

cabin /'kæbin/ *em* kabinë; kasolle

cabinet /'kæbinit/ *em* dollap; bufe *(mobilie);* vitrinë; kabinet qerveritar ♦ **~-maker** /-'meikə(r)/ marangoz ♦ **~ reshuffle** /-'riʃʌfl/ *em* ndërrim i kabinetit qeveritar

cable /'keibl/ *em* kabllo; telegraf ♦ *jkl, kl* telegrafoj ♦ **~ (rail)way** /-'(reil)wei/ teleferik ♦ **~ television** /-teli'viʒn/ *em* televizor kabllor

cackle /'kækl/ *em* kakarisje, të qeshura ♦ *jkl* kakaris

cactus /'kæktəs/ *em (sh* **-ti** /-tai/) kaktus

caddy /'kædi/ *em* kuti çaji

cadet /kə'det/ *em* kadet *(i shkollës ushtarake)*

café /'kæfei/ *em* kafene

cage /keidʒ/ *em* kabinë *(e ashensorit etj.);* kosh

cagey /'keidʒi/ *mb* i druajtur; i matur

cahoot /cə'hu:t/ *em* : **in ~s** në bashkëpunim

caiman /'keimən/ *em zl* (krokodil) kaiman

cajole /kə'dʒoul/ *kl* marr me të mirë; kandis me lajka

cake /keik/ *em* kek; ëmbëlsirë: **icing on the ~** *bs* thelë përmbi bisht

calamity /kə'læməti/ *em* fatkeqësi, zezonë; mënxyrë

calcium /'kælsiam/ *em* kalcium

calculat:e /'kælkjuleit/ *kl* llogarit ♦ **~ing** *mb fg* njeri që shkon me llogari/ hesap/ kalem ♦ **~ion** /-'leiʃn/ *em* llogari(tje) ♦ **~or** *em* makinë llogaritëse

calendar /'kælində(r)/ *em* kalendar

calf¹ /ka:f/ *em (sh* **calves** /ka:vz/) viç; lëkurë viçi

claf² *em (sh* **calves**) *an* pulpë *(e këmbës)*

calibre /'kælibə(r)/ *em* kalibër

call /ko:l/ *em* thirrje (telefonike); vizitë ♦ *kl* i thërres *(dikujt);* quaj/ konsideroj; marr në telefon *(dikë);* bëj *(grevë):* **be ~ed** quhem, më quajnë; **~ names**

shaj; **~ the shots** komandoj ♦ *jkl* thërres; bëj thirrje: **~ (in/ round)** kaloj për një vizitë ♦ **~ for** *kl* kërkoj *(ndihmë)* ♦ **~ in/ into question** vë në dyshim ♦ **~ it a day** e mbyll me kaq ♦ **~ off** *kl* prapësoj; kthej fjalën ♦ **~on** *kl* i bëj thirrje; i bëj vizitë *(dikujt)* ♦ **~-box** /-boks/ *em* kabinë telefonike ♦ **~er** /'ko:lə(r)/ *em* vizitor, telefonues ♦ **~ up** *kl ush* thërres nën armë; marr në telefon ♦ **~ing** *em* prirje **(for** për)

calm /ka:m/ *mb* i qetë: **~ seas** det i qetë; *fg* punë e qetë/ e shtruar ♦ *em* qetësi ♦ *kl* qetësoj ♦ *jkl* qetësohem ♦ **~ down** *kl* qetësoj ♦ *jkl* qetësohem ♦ **~ly** *nd* qetë, me qetësi ♦ **~ness** *em* qetësi

calorie /'kæləri/ *em* kalori

calves /ka:vz/ *em sh shih* **calf**

camcorder /'kæmkə:də(r)/ *em* videokamerë

came /keim/ *shih* **come**

camel /'kæml/ *em zl* deve, gamile

camera /'kæmərə/ *em* aparat fotografik; telekamerë; *tk* dhomë ♦ **~man** /-mən/ *em* kameraman, operator televiziv

camouflage /'kæməfla:ʒ/ *em* maskim, kamuflazh ♦ *kl* maskoj, kamufloj

camp /kæmp/ *em* kamp ♦ *jkl* kampoj, ngreh kamp

campaign /kæm'pein/ *em* fushatë ♦ *jkl* bëj fushatë

camp:-bed /-bed/ *em* shtrat fushimi ♦ **~er** *em* kampist; *au* rulo ♦ **~ing** *em* kamp, vend kampimi; kampim ♦ **~-site** /-sait/ *em* kampim; fushim

campus /'kæmpəs/ *em (sh* **~ses)** qytet universitar

can¹ /kæn/ *em* bidon *(vajguri etj.);* kanaçe; *sl* burg, qeli burgu ♦ *kl* konservoj

can² /kæn/, *e patheksuar* /kən/ *folje ndihmëse* (**could** /kud, kəd/) mund; di *(të bëj diçka):* **I ~not/ ~ not go** nuk shkoj dot; **he could not/ couldn't do it** ai s'mund ta bënte; **I can smell something burning** më bie era djegësirë

Canada /'kænədə/ *em* Kanada ♦ **~ian** /kə'neidiən/

mb, em kanadez

canal /kəˈnæl/ *em* kanal

canary /kəˈnɛəri/ *em* z/ kanarinë

cancel /ˈkænsl/ *k/* prapësoj, anuloj *(një vendim etj.);* mbyll *(një gazetë);* prish *(një kontratë);* kthej, prapësoj *(një takim)* ♦ **~lation** /-əˈleiʃn/ *em* prapësim *(i një pajtimi në gazetë, i rezervimit të vendit në hotel);* prishje *(e kontratës)*

cancer /ˈkænsə(r)/ *em* kancer: **C~** *astr* Gaforrja, Tropiku i Gaforres ♦ **~ous** /-rəs/ kanceroz ♦ **~ward** /-wo:(r)d/ *em* repart i kancerozëve

candid /ˈkændid/ *mb* i çiltër

candidate /ˈkændidət/ *em* kandidat

candle /ˈkændl/ *em* qiri ♦ **~-light** /-lait/ *em* dritë qiriu/ e qiriut ♦ **~stick** /-stik/ *em* shandan për qiri

candy /ˈkændi/ *em am* karamele: **a piece of ~** një karamele ♦ **~-floss** /-flos/ *em* pambuksheqer

cane /kein/ *em* bastun, shkop; shufër *(për ndëshkimin e nxënësve)* ♦ *k/* shkopit

canister /ˈkænistə(r)/ *em* kuti metalike

cannabis /ˈkænəbis/ *em dhe bt* kanabis

canned meat /ˈkændˈmi:t/ *em* mish kutie

cannibal /ˈkænibl/ *em* kanibal ♦ **~ism** *em* kanibalizëm

cannon /ˈkænən/ *em (në shumës nuk ndryshon)* top; karambol *(në bilardo):* **loose ~** i marrë pa zinxhirë ♦ **~-ball** /-bo:l/ *em* predhë topi, gjyle

cannot /ˈkænot/ *shih* **can²**

canoe /kəˈnu:/ *em* kanoe/ ♦ *jk/* lundroj me kanoe

can-opener /-ˈoupnə(r)/ *em* çelës konservash

can't /ka:nt/ *shkrt i* **can not**

canteen /kænˈti:n/ *em* mensë e ushtarakëve

canvas /ˈkænvəs/ *em* kanavacë; tablo/ pikturë në kanavacë

canvass /ˈkænvəs/ *jk/ p/* bëj propagandë zgjedhore ♦ **~ing** *em* propagandë zgjedhore

canyon /ˈkænjən/ *em gjg* kanion

cap /kæp/ *em* kapë *(e ushtarakut);* kapak, tapë; kapiten *(i skuadrës përfaqësuese)* ♦ *fg* ia kaloj *(dikujt),* e bëj më mirë se: **~ it all** si për t'u vënë kapak të gjithave

capabl:e /ˈkeipəbl/ *mb* i aftë; i zoti: **he is ~ to do it** ai e bën atë *(punë)* ♦ **~y** *nd* me zotësi

capacity /kəˈpæsəti/ *em* kapacitet, nxënësi; funksion: **in his ~ as** në/ me cilësinë e *(kryetarit etj.);* **full to ~** *(sallë)* e mbushur plot e përplot

cape¹ /keip/ *em gjg* kep: **C~ of Good Hope** Kepi i Shpresës së Mirë

cape² *em* pelerinë; mantel

caper /ˈkeipə(r)/ *jk/* bëj kollotumba/ laradash ♦ *em bs* lodra, çapkëneri

capital /ˈkæpitl/ *em* kryeqytet; *fn* kapital; shkronjë e madhe ♦ *psth* bukuri, shumë mirë ♦ **~ism** *em*

kapitalizëm ♦ **~ist** *mb, em* kapitalist ♦ **~ city** /-ˈsiti/ *em* kryeqytet ♦ **~ crime** /-kraim/ *em* krim kapital/ që dënohet me vdekje

capitalis:m /ˈkæpitəlizm/ *em* kapitalizëm ♦ **~t** /-ist/ *mb, em* kapitalist

capital letter /-ˈletə(r)/ *em* shkronjë e madhe

capitulat:e /kəˈpitjuleit/ *jk/* kapituloj ♦ **~ion** /-ˈleiʃn/ *em* kapitullim

capricious /kəˈpriʃəs/ *mb* kapricioz, tekamadh

Capricorn /ˈkæpriko:(r)n/ *em astr* Bricjap; *gjg* Tropik i Bricjapit

capsize /kæpˈsaiz/ *jk/ (barka)* përmyset ♦ *k/* (vë) përmbys

capsule /ˈkæpsjul/ *em* kapsulë

captain /ˈkæptn/ *em* kapiten ♦ *k/* jam komandant i *(skuadrës)*

caption /ˈkæpʃn/ *em* legjendë *(e hartës);* diçiturë *(e ilustrimit)*

capt:ive /ˈkæptiv/ *mb* i zënë rob ♦ *em* i burgosur ♦ **~ivity** /-ˈtivəti/ *em* robëri ♦ **~ure** /-tʃə(r)/ *k/* tërheq, bëj për vete; kap, pushtoj, zë *(rob dikë)*

car /ka:(r)/ *em* makinë, automobil: **by ~** me makinë; **racing ~** makinë garash; **drive a ~** ngas makinën

caramel /ˈkærəmel/ *em gji/* karamel: **crème ~** krem karamel

caravan /ˈkærəvæn/ *em* rulo; bujtinë *(me kuaj)*

carbon /ˈka:(r)bən/ *em* karbon; qymyr ♦ **~ copy** /-kopi/ *em* kopje me letër kopjativ; *fg* kopje *(e së ëmës etj.)* ♦ **~ dioxide** /-daiˈoksaid/ *em* anhidrid karbonik ♦ **~ paper** /ˈpeipə/ *em* letër kopjativ

carcass /ˈka:kəs/ *em* kërmë; skelet

card /ka:(r)d/ *em* kartë; kartëvizitë; kartolinë; letër *(bixhozi);* teserë/ fletë anëtarësie; kartë krediti; *tk* skedë: **sound ~** *inf* kartë zanore/ e zërit ♦ **~board** /-ˈka:dbo:d/ *em* karton ♦ **~ box** /-boks/ *em* kuti kartoni ♦ **~-game** /-geim/ *em* lojë me letra *(bixhozi)*

cardigan /ˈka:(r)digən/ *em* triko leshi

cardinal /ˈka:(r)dinl/ *mb* themelor: **~ number** numëror themelor ♦ *em ft* kardinal

card index /-ˈindeks/ *em* skedar

care /kɛə(r)/ *em* kujdes; vëmendje; maturi; shqetësim; hall: **~ of** *(në letër, në zarf)* për/ në emër të; **take ~** hap sytë; ruhem; **bye, take ~** mirupafshim dhe kujdes *(rrugës);* **take ~ of** kujdesem për dikë; **be taken into ~** *(një i mitur etj.)* merret nën kujdestari/ në ruajtje *(nga një institucion)* ♦ *jk/:* **~ about** interesohem për; **~ for** e dua *(dikë),* kam kujdes për *(dikë);* **who ~s?** kush çan kokën!

career /kəˈriə(r)/ *em* karrierë; profesion ♦ **~ist** *em* karrierist

care:ful /'keəful/ *mb* i kujdesshëm; i vëmendshëm
 ♦ **~fully** *nd* me kujdes ; **~less** *mb* i shkujdesur
 ♦ **~lessly** *nd* pa kujdes ♦ **~lessness** *em*
 pakujdesi; moskokëçarje

carer /'keərə(r)/ *em* kujdestar

caress /kə'res/ *em* përkëdhelje ♦ *kl* përkëdhel

care:taker /'keə(r)teikə(r)/ *em* kujdestar *(i banesës);*
 mësues kudjestar ♦ **~-worker** /-wə:(r)kə(r)/ *em*
 kujdestar i shërbimeve sociale

cargo /'ka:(r)gou/ *em (sh-es)* ngarkesë *(e anijes, e
 aeroplanit etj.)* ♦ **~ ship** /-ʃip/ *em* anije mallrash

caricature /'kærikətjuə(r)/ *em* karikaturë ♦ *kl*
 karikaturizoj

caring /'keəriŋ/ *mb (prind)* i dhembshur; *(njeri)* i
 dhënë pas të tjerëve; altruist: **the ~ professions**
 veprimtari shoqërore humanitare

car key /-ki:/ *em* çelës i makinës

carnage /'ka:nidʒ/ *em* kasaphanë; vrasí

carnation /ka:(r)neiʃn/ *em bt* karafil

carnival /'ka:(r)nivl/ *em* karnavale

carnivorous /ka:'nivərəs/ *mb* mishngrënës

carol /'kærəl/ *em:* **Christmans ~** këngë e
 Kërshëndellave; kolendër

carp /ka:(r)p/ *em zl* (peshk) krap

car park /-pa:(r)k/ *em* vendparkim

carpent:er /'ka:(r)pintə(r)/ *em* zdrukthëtar ♦ **~ry** *em*
 zdrukthëtari

carpet /'ka:(r)pit/ *em* qilim: **wall ~** sixhade ♦ *kl* shtroj
 me qilim ♦ **~-bombing** /-'bomiŋ/ *em ush*
 bombardim masiv

car phone /-foun/ *em* telefon i makinës

carriage /'kæridʒ/ *em* karrocë; vagon; transport,
 qirá/ kosto e transportit; qëndrim, mbajtje *(e trupit)*
 ♦ **~way** /-wei/ *em* rrugë automobilistike

carrier /'kæriə(r)/ *em* kompani transporti; bartës *(i
 sëmundjes);* korrier: **aircraft ~** aeroplanmbajtëse

carrot /'kærət/ *em bt* karrotë; ngjyrë e kuqe karrote

carr:y /'kæri/ *kl* bart; mbaj; transportoj: **get ~ied
 away** *bs* rrëmbehem, entuziazmohem ♦ *jkl*
 (tingulli) bartet, tejçohet, transmetohet ♦ **~ off** *kl*
 marr; fitoj *(një çmim)* ♦ **~on** *jkl* vazhdoj; *bs* bëj
 gjëmën, bëj skena të papëlqyeshme: **~ on with
 sth** vazhdoj diçka; **~ on with sb** merrem vesh
 me dikë ♦ *kl* bëj *(një punë);* merrem me *(një
 veprimtari)* ♦ **~ out** *kl* bëj, zbatoj *(porosinë etj.);*
 vë në jetë; vë në praktikë.

cart /ka:(r)t/ *em* qerre ♦ *kl* bart me qerre

carton /'ka:(r)tn/ *em* kuti/ paketë kartoni

cartoon /ka:'tu:n/ *em* vinjetë; film vizatimor; bocet
 ♦ **~ist** *em* vinjetist; piktor i filmave vizatimorë

cartridge /'ka:(r)tridʒ/ *em* fishek; bobinë *(e filmit);*
 magazinë *(e fotokopjes etj.)*

carve /ka:(r)v/ *kl* gdhend *(drurin);* pres, ndaj *(pulën
 e pjekur)*

case[1] /keis/ *em* arkë; kuti; këllëf *(i syzeve etj.);*
 kornizë ♦ *kl* vë në këllëf/ kuti/ kornizë

case[2] *em* rast; çështje gjyqësore: **in any ~** në çdo
 rast, sidoqoftë; **in that ~** në atë rast, atëherë; **just
 in ~** sa për siguri/ të qenë brenda; **in ~ he comes**
 po të vijë, në rast se vjen

cash /kæʃ/ *em* para; arkë: **pay (in) ~** paguaj me
 para në dorë ♦ *kl* arkëtoj **(in): ~ in** *bs* cof; mbaroj;
 vdes ♦ **~ desk** /-desk/ *em* arkë *(e arkëtarit)* ♦ **~ier**
 /kæ'ʃiə(r)/ *em* arkëtar ♦ **~ register** /-'redʒistə(r)/
 em makinë e arkës

casino /kə'si:nou/ *em* kazino

cask /ka:sk/ *em* fuçi

casserole /'kæsəroul/ *em* tenxhere; *gjll* jani

cassette /kə'set/ *em* kasetë *(magnetofoni etj.)*

cast /ka:st/ *em* formë, kallëp *(i derdhjes);* trupë *(e
 teatrit):* **(plaster) ~** allçi ♦ *kl* **(cast)** hedh *(gurin,
 votën);* ndaj rolet e *(dramës etj.);* derdh *(metal);*
 hedh, flak: **~ an actor as** i jap një aktori rolin e; **~
 a glance at** hedh një vështrim nga ♦ **~ off** *jkl bjq*
 anija rrëzon nga era ♦ *kl* lëshoj *(një syth në thurje
 me shtiza)* ♦ **~ on** *kl* shtoj *(një syth në thurje me
 shtiza)* ♦ **~ iron** /-'ai(r)ən/ *em* gizë ♦ *mb* (prej) gize;
 (provë) e pakundërshtueshme

castle /'ka:sl/ *em* kala; kështjellë: **~s in Spain**
 kështjellë në erë

castor oil /'kæstə(r)'oil/ *em* vaj ricini ♦ **~ sugar** /-
 'ʃugə(r)/ *em* sheqer i rafinuar

castrat:e /kæ'streit/ *kl* tredh ♦ **~ion** /-eiʃn/ *em*
 tredhje

casual /'kæʒuəl/ *mb* i rastit; *(fjalë)* pa rëndësi;
 (veshje) e thjeshtë, joceremoniale; *(vështrim)* i
 shpejtë, i papërqendruar; *(qëndrim)* i çlirët; *(punë)*
 e rastit ♦ **~ly** *nd* rastësisht

casualty /'kæʒuəlti/ *em* i plagosur; viktimë

casualty ward /-wo:(r)d/ *em* pavijon/ repart i
 urgjencave

cat /kæt/ *em* mace, maçok; *kq* shtrigë; *(grua)*
 egërsirë; *bs* burrë; *bs* amator i xhezit: **let the ~
 out of the bag** nxjerr të fshehtën

catalogue /'kætəlog/ *em* katalog ♦ *kl* katalogoj

catapult /'kætəpʌlt/ *em* katapult; llastik *(lodër e
 fëmijëve)* ♦ *kl fg* katapultoj, hedh me katapult; çoj
 përpjetë ♦ *jkl* hidhem me katapult

cataract /'kætərækt/ *em mk* katarakt

catastroph:e /kə'tæstrəfi/ *em* katastrofë, gjëmë ♦
 ~ic /kætə'strofik/ *mb* katastrofik

catch /kætʃ/ *em* kapje; kapëse ♦ **(caught** /ko:t/) *kl*
 kap; mbërthej; arrij, zë *(trenin etj.):* **~ a cold** marr
 të ftohtë; **~ sight** më zë syri; **I caught him steal-
 ing** e zura duke vjedhur; **~ one's finger in the**

door më zë dera gishtin; **~ sb's eye/ attention** i tërheq vëmendjen dikujt ♦ *jk/ (zjarri)* merr; *(rroba)* ngec ♦ **~ on** *jk/ bs* kuptoj, marr vesh; bëhem i dëgjuar ♦ **~ up** *k/* arrij, mbërrij ♦ *jk/* afrohem: **~ up with** e mbërrij *(dikë);* plotësoj *(punën e mbetur)* ♦ **~er** *em* kurth; kapëse ♦ **~ing** *mb (sëmundje etj.)* ngjitëse ♦ **~word** /-wə:(r)d/ *em* parullë

category:ical /kæti'gorik/ *mb* kategorik, i prerë ♦ **~y** /'kætigəri/ *em* kategori

cater /'keitə(r)/ *jk/:* **~ for** furnizoj; plotësoj *(nevojat);* ia plotësoj *(tekat dikujt)* ♦ **~ing** *em* furnizim; ushqim e pije *(për banket etj.)*

cathedral /kə'θi:drəl/ *em ft* katedrale

Catholic /'kæθəlik/ *mb, em ft* katolik ♦ **~ism** /kə'θolisizm/ *em* katolicizëm

cattle /'kætl/ *em (shumës nuk ka)* bagëti e trashë, gjedh

caught /ko:t/ *shih* **catch**

cauliflower /'koliflauə(r)/ *em bt* lulelakër

cause /ko:z/ *em* shkak ♦ *k/* shkaktoj: **~ sb to do sth** e detyroj dikë të bëjë diçka

caution /'ko:ʃn/ *em* kujdes, vëmendje; paralajmërim ♦ *k/* paralajmëroj

cautious /'ko:ʃəs/ *mb* i vëmendshëm; i kujdesshëm ♦ **~ly** *nd* me kujdes, me vëmendje

cavalry /'kævəlri/ *em* kalorësi

cave /keiv/ *em* shpellë ♦ **~ in** *jk/ (çatia)* bie brenda, shembet; dorëzohem ♦ **~rn** /'kævə(r)n/ *em* shpellë; gufoskë

caviar /'kævia:(r)/ *em* haviar

cavity /'kævəti/ *em* vrimë; *mk* karie *(e dhëmbit)*

CD /'si:'di/ *em* CD ♦ **~ player** /-'pleijə(r)/ *em* lexues i CD-së ♦ **~-Rom** /'rom/ *em* CD-Rom: **~ drive** /-draiv/ *em* lexues i CD-Rom-it

cease /si:s/ *em:* **without ~** pa pushim *jk/, k/* pushoj; ndërpres ♦ **~fire** /-faiə(r)/ *em* armëpushim ♦ **~less** *mb* i pandërprerë ♦ **~ly** *nd* pa ndërprerje

ceiling /'si:liŋ/ *em* tavan; *fg* nivel maksimal *(i çimeve, i fluturimit të avionit)*

celebr:ate /'selibreit/ *k/, jk/* festoj ♦ **~ated** /-eitid/ *mb* i dëgjuar **(for për)** ♦ **~ation** /-'breiʃn/ *em* festim; *sh* **-s** festë ♦ **~ity** /si'lebrəti/ *em* figurë e shquar

celery /'seləri/ *em bt* selino

cell /sel/ *em bi* qelizë; *el* pilë; qeli *(e burgut)*

cellar /'selə(r)/ *em* qilar *(i verës)*

Cellophane /'seləfein/ *em* celofan

cellular /'selulə(r)/ *mb* qelizor: **~ phone** telefon celular

celluloid /'seljuloid/ *em* celuloid; film

Celsius /'selsiəs/ *mb* Celsius

Celt /kelt/ *em kelt* ♦ **~ic** *mb* keltik

cement /si'ment/ *em* çimento; mastiçë ♦ *k/* çimentoj; *fg* forcoj, konsolidoj *(pozitat)*

cemetery /'semətri/ *em* varrezë

cent /sent/ *em* sent *(1/100 e dollarit):* **per ~** për qind: **one hundred ~** qind për qind

centenary /sen'ti:nəri/ *em* (një) qindvjetor

centigrade /'sentigreid/ *mb* centigradë ♦ **~ metre** /-'mi:tə(r)/ *em* centimetër ♦ **~pede** /-pi:d/ *em* shumëkëmbësh

centr:al /'sentrəl/ *mb* qendror: **~heating** ngrohje qendrore; **his house is very ~** ai e ka shtëpinë mu në qendër të qytetit ♦ **~alise** *k/* centralizoj ♦ **~e** /'sentə(r)/ *em* qendër: **town ~** qendër e qytetit ♦ **~ back** /-'bæk/ *em sp* qendërmbrojtës ♦ **~ forward** /-'fo:wəd/ *em sp* qendërsulmues

century /'sentʃəri/ *em* shekull; *sp* njëqind pikë *(në kriket)*

ceramic /si'ræmik/ *mb* qeramikë; **~s** *em sh (me folje në njëjës)* prodhime qeramike

cereal /'siəriəl/ *em* drithë; ushqim me bazë drithi

cerebral /'seribrl/ *mb* trunor; cerebral

ceremony /'seriməni/ *em* ceremoni

certain /'sə:(r)tn/ *mb* i sigurt: **for ~** sigurisht, me siguri; **make ~** sigurohem; **he is ~ to win** ai është i sigurt se do të fitojë; **it's not ~ whether he'll come** s'dihet me siguri në vjen ♦ **~ly** *nd* sigurisht, me siguri: **~ly not!** aspak, kurrësesi! ♦ **~ty** *em* siguri, vetëbesim: **it's a ~ty** është punë e sigurt

certif:icate /sə(r)'tifikət/ *em* certifikatë; vërtetim; raport: **birth ~** certifikatë e lindjes; **medical ~** raport i mjekut ♦ **~y** /'sə:(r)tifai/ *k/* vërtetoj; provoj; nxjerr të çmendur *(dikë)*

chafe /tʃeif/ *k/* fërkoj; kruaj; gërvisht; *fg* acaroj; pezmatoj

chain /tʃein/ *em* zinxhir: **~ of events** varg i ngjarjeve ♦ *k/* vë në zinxhirë; lidh me hekura **(to pas)** ♦ **~ reaction** /-ri'ækʃən/ *em fz* reaksion zinxhir

chair /tʃeə(r)/ *em* karrige; kryesi ♦ *k/* kryesoj; jam në kryesinë e *(një komiteti etj.)* ♦ **~man** /'tʃeə(r)mən/ *em* kryetar ♦ **~person** /-'pə:(r)sn/ *em* kryetar ♦ **~woman** /-wumən/ *em f* kryetare

chalk /tʃo:k/ *em* gjips; shkumës ♦ *k/* shënoj me shkumës *(stofin, pikët)* ♦ **~y** *mb* gjipsor

challeng:e /'tʃælindʒ/ *em* sfidë ♦ *k/* sfidoj; *ush* thërres kush kalon *(një thënie)* ♦ **~er** *em* sfidues ♦ **~ing** *mb (punë)* që kërkon këmbëngulje

chamber /'tʃeimbə(r)/ *em* dhomë: **C~ of Commerce** Dhomë e Tregtisë ♦ **~-maid** /-meid/ *em* kameriere; shërbyese *(në hotel)* ♦ **~ music** /-'mjuzik/ *em* muzikë dhome

champ /tʃæmp/ *em bs* kampion

champagne /ʃæm'pein/ *em* shàmpanjë

champion /'tʃæmpiən/ *em* kampion; mbrojtës *(i një çështjeje)* ♦ **~ship**(s) kampionat

chanc:e /tʃa:ns/ *em* rast; mundësi: **by ~** rastësisht;

take a ~ provoj *(pa të dalë ku të dalë)*; **give sb a second ~** i jap edhe një mundësi dikujt ♦ *mb* i rastit ♦ *kl:* **I'll ~ it** *bs* do ta provoj ♦ **~y** *mb* i rrezikshëm; i pasigurt

chang:e /tʃeindʒ/ *em* ndryshim; ndërrim; kusur; para të vogla: **a ~ of clothes** një palë ndërresa ♦ *kl* ndërroj; këmbej **(for** me); thyej, bëj të holla/ të vogla *(paratë):* **~ one's clothes** ndërrohem ♦ *jkl* ndërrohem: **all ~!** zbrisni të gjithë! *(në stacionin e fundit)* ♦ **~ing** *em* ndryshim ♦ *mb* i ndryshuar ♦ **~ing-room** /-ru:m/ *em* dhomë e zhveshjes *(së sportistëve, së aktorëve)*

channel /'tʃænl/ *em dhe gjg* kanal: **the (English) C~** Kanali i Manshit; **the C~ Islands** Ishujt e Manshit ♦ *kl* kanalizoj

chao:s /'keiəs/ *em* kaos; rrëmujë ♦ **~tic** /kei'otik/ *mb* kaotik

chap /tʃæp/ *em bs* njeri; tip; plasaritje *(e duarve)*

chapel /'tʃæpl/ *em ft* kapelë; kishëz

chaplain /'tʃæplin/ *em ft* kapelan *(i ushtrisë)*

chapter /'tʃæptə(r)/ *em* kapitull; krye: **~ and verse** burim i saktë

character /'kæriktə(r)/ *em* karakter; personazh *(i tregimit, i dramës):* **quite a ~** *bs* soj i çuditshëm ♦ **~istic** /kærəktə'ristik/ *mb* karakterisik ♦ *em* karakteristikë

charcoal /'tʃa:(r)koul/ *em* qymyr druri

charge /tʃa:(r)dʒ/ *em* çmim; kosto; *e/* ngarkesë; *ush* sulm; *dr* akuzë: **free of ~** falas; **be in ~** jam në krye *(të punës);* **kam përgjegjësi (of** për); **take ~** vihem në krye *(të punëve);* **take ~ of** merrem me; kujdesem për ♦ *kl* ngarkoj; ia bëj *(shpenzimet dikujt); e/* ngarkoj *(akumulatorin); ush* sulmoj; *dr* akuzoj **(with** me, për): **~ sb for sth** i ngarkoj dikujt një shumë; **~ it to my account** vëre në llogarinë time ♦ *jkl* sulmoj; hidhem në sulm

charit:able /'tʃæritəbl/ *mb* mirëbërës; përdëllyes ♦ **~y** *em* lëmoshë; institucion mirëbërës: **live on ~** jetoj me lëmosha

charm /tʃa:(r)m/ *em* joshë; hir; bukuri; hajmali, nuskë ♦ *kl* magjeps; josh ♦ **~ing** *mb* joshës; magjepsës: **how ~!** sa mirë/ bukur!; **prince ~** i dashuri i ëndërruar *(i vajzës)*

chart /tʃa:(r)t/ *em* hartë detare; tabelë; grafik *(i temperaturës etj.)*

charter /'tʃa:(r)tə(r)/ *em:* **~ (flight)** *em* fluturim çartër/ me aeroplan me qira ♦ *kl* marr me qira; navlloj ♦ **~ed accountant** *em* llogaritar i diplomuar

charwoman /'tʃa:(r)womən/ *em f* pastruese; rrobalarëse

chase /tʃeis/ *em* ndjekje; gjurmim ♦ *kl* ndjek; gjurmoj ♦ *kl* dëboj; përzë **(away, off)**

chassis /'ʃæsi/ *em au* shasi

chast:e /tʃeist/ *mb (grua)* e dëlirë; e papërlyer ♦ **~ity** /'tʃæstəti/ *em* pastërti *(morale, shpirtërore)*

chat /tʃæt/ *em* muhabet; *bs* llogje ♦ *jkl* llafos; bëj muhabet/ llogje ♦ **~-show** /ʃou/ *em* bisedë në televizion/ radio ♦ **~ter** /'tʃætə(r)/ *em* muhabet; llafe ♦ *jkl* llafos; *(dhëmbët)* kërcasin *(nga të ftohtit)* ♦ **~terbox** /'tʃætə(r)boks/ *em bs* llafazan

chauffeur /'ʃoufə(r)/ *em* shofer

chauvinis:m /'ʃovinizm/ *em* shovinizëm: **male ~** *bs* shovinizëm mashkullor ♦ **~t** *em* shovinist

cheap /tʃi:p/ *mb* i lirë; *(cilësi)* e dobët; *bs (fjalë)* të rëndomta ♦ *nd* lirë ♦ **~ly** *nd (blej)* lirë: **get off ~** shpëtoj paq

cheat /tʃi:t/ *em* rrenacak; hileqar ♦ *kl, jkl* rrej; bëj hile: **~ sb out of sth** ia zhvat dikujt diçka ♦ *jkl* rrej; mashtroj; bëj hile ♦ **~ on** *kl bs* tradhtoj *(gruan)*

check /tʃek/ *em* verifikim; kontroll *(i biletave);* shenjë e kontrollit; shah *(në lojën e shahut);* çek: **keep in ~** mbaj në kontroll ♦ *kl* verifikoj; kontrolloj *(biletat);* frenoj; bllokoj ♦ *jkl* bëj kontroll ♦ **~ on sth** kontrolloj diçka ♦ **~ in** *jkl* regjistrohem *(në hotel etj.);* regjistroj bagazhin ♦ *kl* regjistroj *(klientin në hotel)* ♦ **~-in** *em* regjistrim *(në aeroport etj.)* ♦ **~ out** *jkl* paguaj *(hotelin);* dal nga hoteli; çregjistrohem ♦ *kl bs* kontrolloj ♦ **~-out** *em* arkë *(e shitores);* çregjistrim ♦ **~-up** *em mk* vizitë kontrolli ♦ **~ up** *jkl* sigurohem: **~ up on** marr të dhëna për

checkmate /-meit/ *em* shah mat

cheek /tʃi:k/ *em* faqe; paturpësi ♦ **~y** *mb* i paturp; i pafytyrë

cheer /tʃiə(r)/ *em* brohoritje: **three ~s** tre urra; **~s!** shëndet!; mirupafshim!; faleminderit! ♦ *kl, jkl* brohorit ♦ **~ up** *kl* i ngre moralin *(dikujt)* ♦ *jkl* më ngrihet morali ♦ **~ful** *mb* gazmor; i qeshur ♦ **~fulness** *em* gaz; hare ♦ **~ing** *em* brohoritje

cheerio /tʃiəriou/ *psth bs* mirupafshim

cheese /tʃi:z/ *em* djathë: **hard ~** *bs* fat i mbrapshtë

chef /ʃef/ *em* (krye)kuzhinier

chemi:cal /'kemikl/ *mb* kimik ♦ **~cals** *em sh* kimikate ♦ **~st** *em* farmacist; kimist: **~'s (shop)** farmaci ♦ **~stry** *em* kimi

cheque /tʃek/ *em* çek: **gyro ~** urdhërxhirim; **cash in a ~** thyej një çek; **your ~ has bounced** çekun tënd s'e pranuan ♦ **~-book** /-buk/ *em* bllok i çeqeve ♦ **~ card** /-ka:(r)d/ *em* kartë e çekut

cherish /'tʃeriʃ/ *kl* kam kujdes; dua shumë; ushqej *(shpresë)*

cherry /'tʃeri/ *em bt* qershi: **have two bites at the ~** provoj për së dyti

chess /tʃes/ *em* shah: **play ~** luaj shah ♦ **~-board** /-bo:d/ *em* kuti/ dërrasë e shahut ♦ **~ player** /-'pleiə(r)/ *em* shahist

chest[1] /tʃest/ *em* gjoks

chest[2] *em* arkë; kutí; baulle: **~ of drawers** komo

chestnut /'tʃesnʌt/ *em bt* gështenjë: **roast ~s** gështenja të pjekura

chew /tʃuː/ *kl* përtyp: **~ the cud** rrah mirë e mirë në mendje diçka ♦ **~ing-gum** /'tʃuːiŋ'gʌm/ *em* çamçakëz

chick /tʃik/ *em* zog pule; *bs* vajzë e njomë; zogëz ♦ **~en** *em* pulë; *gjl* mish pule, pulë ♦ *mb (supë)* pule ♦ *mb bs* frikash ♦ **~ out** *jkl* bëhem pulë nga frika ♦ **~en-pox** /-'poks/ *em* lijë e dhenve/ bardhë

chicory /'tʃikəri/ *em bt* rradhiqe; kore; çikore

chief /tʃiːf/ *mb* kryesor ♦ *em* shef; kryetar ♦ **~ly** *nd* kryesisht

chilblain /'tʃilblein/ *em* morth

child /tʃaild/ *em (sh* **children** /'tʃildrn/) fëmijë; bir, bijë; kalama, çilimi ♦ **~-birth** /-'bə(r)θ/ *em* lindje (e fëmijës) ♦ **~hood** /-hud/ *em* fëmijëri ♦ **~ish** *mb* fëmijëror ♦ **~like** /-laik/ *mb* i patëkeq; i pafajshëm; fëmijëror

Chile /'tʃili/ *em* Kili ♦ **~an** *mb, em* kilian

chill /tʃil/ *em* ftohtë; acar ♦ *kl* ftoh; ngrij; *fg* ia pres hovin (dikujt)

chilli /'tʃili/ *em (sh* **-es**) *gjl* spec djegës

chilly /'tʃili/ *mb* i ftohtë

chime /tʃaim/ *em* e rënë e kambanës/ ziles ♦ *jkl* (kambana) bie

chimney /'tʃimni/ *em* oxhak ♦ **~-pot** /-'pot/ *em* majë e kësulë e oxhakut ♦ **~-sweep(er)** /-'swiːpə(r)/ *em* oxhakfshirës

chimpanzee /tʃimpæn'ziː/ *em zl* shimpanze

chin /tʃin/ *em* mjekër; gushë: **double ~** gushë me pala

china /'tʃainə/ *em* porcelan: **fine ~** porcelan i hollë/ i cilësisë së lartë

China *em* Kinë ♦ **~ese** /-'niːz/ *mb, em* kinez: **the ~ese** *sh* kinezët ♦ *em gjh* kinezçe

chink /tʃiŋk/ *em* tringëllimë; plasaritje ♦ *jkl* tringëllon; plasaritet

chip /tʃip/ *em* cefël (guri); ashkël; *tk* tranzistor; fishë (në kumar); *sh gjl* patate të skuqura ♦ *kl* ashkëloj; plasarit; cefëloj ♦ **~ in** *jkl bs* them një fjalë; ndërhyj (në bs edë) ♦ **~ped** *mb* i ceflosur; i ashkëluar

chirp /tʃə(r)p/ *em* cicërimë; cingërimë, kellkishje ♦ *jkl (zogu)* cicërin; (bulkthi) kellkish ♦ **~y** *mb bs* cicëritës

chisel /tʃizl/ *em* daltë; skalpel ♦ *kl* gdhend me daltë/ skalpel

chloroform /'klorəfo:(r)m/ *em* kloroform

chock:-a-block /tʃokə'blok/ *mb* plot e përplot ♦ **~-full** /tʃok'ful/ *mb* i mbushur deng

chocolate /'tʃokələt/ *em* çokolatë

choice /tʃois/ *em* zgjedhje: **have no ~** s'kam nga t'ia mbaj ♦ *mb* i zgjedhur

choir /'kwaiə(r)/ *em* kor ♦ **~boy** /-'boi/ *em* korist (i kishës)

choke /tʃouk/ *kl* mbyt; zë frymën ♦ *jkl* më zihet fryma

cholera /'kolərə/ *em mk* kolerë

choose /tʃuːz/ *kl, jkl* (**chose** /tʃouz/, **chosen** /tʃouzn/) zgjedh: **as you ~** si të duash ♦ **~y** *mb bs* nazemadh; buzëhollë

chop /tʃop/ *em* e rënë; goditje, prerje (me sëpatë); *gjl* kotoletë ♦ *kl* pres; i bie (me sëpatë) (**down**): **~ wood** çaj dru ♦ **~per** *em* sëpatë; *bs* helikopter ♦ **~py** *mb (det)* i dallgëzuar

chore /tʃo:(r)/ *em* punë angari/ e rëndë

choreograph:er /kori'ogrəfə(r)/ *em* koreograf ♦ **~y** *em* koreografi

chorus /'ko:rəs/ *em* kor; refren

Christ /kraist/ *em* Krisht: **before ~** (periudhë) para Krishtit ♦ **~christen** /'krisn/ *kl* pagëzoj ♦ **~ing** *em* pagëzim ♦ **~ian** /'kristʃən/ *mb, em* i krishterë; kristian: **~ name** emër i pagëzimit ♦ **~ianity** /kristi'ænəti/ *em* krishterim ♦ **~mas** /'krisməs/ *em* Krishtlindje; Kërshëndellë ♦ **~mas: card** /-'ka:(r)d/ *em* kartolinë e Krishtlindjeve ♦ **~Day** /-'dei/ *em* Krishtlindje ♦ **~ Eve** /-'iːv/ *em* Natë e Krishtlindjeve ♦ **~ present** /-'preznt/ *em* dhuratë e Krishtlindjes ♦ **~ pudding** /-'pudiŋ/ *em* ëmbëlsirë e Krishtlindjes ♦ **~ tree** /-'tri:/ *em* bredh i/ pemë e Krishtlindjes

chromosome /'krouməsoum/ *em bi* kromozom

chron:ic /'kronik/ *mb* kronik ♦ **~ally** *nd:* **he's ~ ill** ai ka sëmundje kronike ♦ **~icle** /'kronikl/ *em* kronikë (e ngjarjeve) ♦ **~ology** /krə'nolədʒi/ *em* kronologji

chubby /'tʃʌbi/ *mb (faqe)* bufe; (fëmijë) kolopuç

chuck /tʃʌk/ *kl bs* flak; hedh: **~out** *kl bs* hedh tutje; dëboj (dikë)

chuckle /'tʃʌkl/ *jkl* qesh; kakaris

chug /tʃʌg/ *jkl (treni)* gulçon; bën çuf-çuf

chum /tʃʌm/ *em* mik; shok

church /tʃə:(r)tʃ/ *em* kishë ♦ **~yard** /-ja:(r)d/ *em* varrezë (pranë kishës)

churn /tʃə:n/ *kl:* **~ out** *fg* nxjerr; prodhoj; bëj, sajoj

cider /'saidə(r)/ *em* sidër (pije aloolike prej molle)

cigar /si'ga:(r)/ *em* puro ♦ **~ette** /sigə'ret/ *em* cigare

cinema /'sinimə/ *em* kinema

cinnamon /'sinəmən/ *em bt, gjl* kanellë

circle /sə:(r)kl/ *em* rreth; *tt* galeri: **in a ~** rrethas ♦ *kl* sillem qark e qark; rrethoj (një gabim në letër) ♦ *jkl* përshkruaj një rreth

circuit /'sə:(r)kit/ *em* rreth; qarku; cirkuit; xhiro (automobilistike) ♦ **~ board** /-bo:(r)d/ *em* qark i stampuar ♦ **~ous** /sə(r)'kju:itəs/ *mb (rrugë)* me dredha; (arsyetim) i tërthortë: **~ route** rrugë tërthore

circula:r /'sə:(r)kjulə(r)/ *mb* rrethor ♦ *em* qarkore ♦ **~te** /-kjuleit/ *kl* sjell qark e qark ♦ *jkl* sillem qark e qark ♦ **~tion** /-'leiʃn/ *em* qarkullim; tirazh (i gazetës)

circumcis:e /'sə:kəmsaiz/ *kl* rrethpres; bëj synet ♦ **~ion** /-'siʒn/ *em* rrethprerje; synet

circumstance /'sə:(r)kəmstəns/ *em* rrethanë; *sh* **~s** gjendje financiare: **with pomp and ~** gjithë pohte e bujë

circus /'sə:(r)kəs/ *em* cirk; shfaqje e cirkut: **the ~ is in town** u bë zallahi/ rrëmujë

cistern /'sistə(r)n/ *em* cisternë; rezervuar *(i banjës)*

citizen /'sitizn/ *em* qytetar; qytetës; shtetas ♦ **~ship** *em* qytetarí; shtetësí

citrus /'sitrəs/ *em:* ~ **(fruit)** *bt* agrum

city /'siti/ *em* qytet: **the C~** Siti *(i Londrës)*

civil /'sivəl/ *mb* civil; i qytetëruar ♦ **~ian** /si'viljən/ *mb* civil: **in ~ clothes** i veshur civil ♦ *em* civil ♦ **~ise** /-aiz/ *k/* qytetëroj ♦ **~isation** /sivilai'zeiʃn/ *em* qytetërim

claim /kleim/ *em* kërkesë; e drejtë; deklaratë; reklamë ♦ *k/*kërkoj; rivendikoj; pretendoj; reklamoj; ~ **that** them se; jam i mendimit se ♦ **~ant** *em* kërkues; palë ankuese

clam /klæm/ *em z/*midhje

clammy /'klæmi/ *mb* ngjitës

clamour /'klæmə(r)/ *em*kundërshtim; protestë ♦ *jk/:* ~ **for** kërkoj me zë të lartë; ngre zërin për

clamp /klæmp/ *em tk*morsë; kllapë ♦ *k/*vë në morsë *(detalin); au* i vë kllapat *(makinës në kundërvajtje)* ♦ ~ **down** *jk/ bs* sillem ashpër; shtyp **(on)**

clan /klæn/ *em* fis; tribu

clandestine /klæn'destin/ *mb* kladestin; i fshehtë

clang /klæŋ/ *em* kërcitje; tringëllimë ♦ **~er** *em bs* gafë

clank /klæŋk/ *em* rrapamë; zhurmë metalike

clap /klæp/ *em*duartrokitje: **give sb a ~** duartrokas/ përplas shuplakët për dikë; ~ **of thunder** bubullimë ♦ *k/, jk/*duartrokas: ~ **one's hands** rrah shuplakët ♦ **~ping** *em* duartrokitje

clari:fication /klærifi'keiʃn/ *em* sqarim ♦ **~fy** / 'klærifai/ *k/, jk/*sqaroj

clarinet /klæri'net/ *em* klarinetë

clarity /'klærəti/ *em* qartësi

clash /klæʃ/ *em* përplasje ♦ *jk/* përplasem; bëj zhurmë; *(dy punë)* bien në një kohë

clasp /kla:sp/ *em*mbërthesë; kapëse ♦ *k/*shtrëngoj; mbërthej; kap: ~ **sb's hand** i shtrëngoj dorën dikujt

class /kla:s/ *em* klasë; mësim: **history ~** mësim i historisë ♦ *k/*klasifikoj

classic /'klæsik/ *mb, em* klasik ♦ **~al** *mb* klasik ♦ **~s** *sh* studime klasike

classif:ication /klæsifi'keiʃn/ *em* klasifikim ♦ **~y** / 'klæsifai/ *k/* klasifikoj ♦ **~ied** /'klæsifaid/ *mb:* ~ **documents** dokumente sekrete

classroom /'kla:srum/ *em*klasë

clatter /'klætə(r)/ *em* zhurmë; rrapëllimë ♦ *jk/* bën zhurmë; rrapëllin

clause /klo:z/ *em* klauzolë *(e kontratës); gjh* fjali

claw /klo:/ *em*kthetër; darë *(e gaforres)*

clay /klei/ *em*argjil; baltë; *fg* brumë

clean /kli:n/ *mb* i pastër; i paqmë ♦ *nd* plotësisht; krejt(ësisht) ♦ *k/*pastroj; fshij ♦ **~er** *em* pastrues;

ilaç pastrimi: **send a suit to the ~'s** çoj kostumin në pastërti ♦ **~ing** *em* pastrim: **dry ~** pastrim i thatë *(i rrobave)* ♦ **~se** /klenz/ *k/*spastroj ♦ **~sing** *em* spastrim: **ethnic ~** spastrim etnik

clear /kliə(r)/ *mb* i qartë; *(qiell)* i kthjellët; i kulluar; *(ndërgjegje)* e pastër; *(rrugë)* e lirë; *(xham)* i tejdukshëm: **make sth ~** sqaroj diçka; **make oneself ~** sqarohem; shprehem qartë; **five ~ days** plot pesë ditë; pesë ditë të mira; ~ **major- ity** shumicë e sigurt ♦ *nd:* **stand ~ of** largohem; rri larg nga; **keep ~ of** i qëndroj larg ♦ *k/* liroj *(rrugën);* pastroj *(tryezën);* nxjerr të larë *(dikë);* autorizoj; kapërcej *(lartësinë);* kaloj *(doganën)* ♦ *jk/ (qielli)* kthjellohet; *(fytyra)* çelet; *(mjegulla)* shpërndahet ♦ ~ **away** *k/* heq; largoj ♦ ~ **off** *jk/ bs* iki; largohem ♦ **~out** *k/* spastroj; liroj ♦ *jk/ bs* largohem; iki ♦ ~ **up** *k/* pastroj; rregulloj; sqaroj *(një keqkuptim)* ♦ *jk/ (moti)* hapet; kthjellohet ♦ **~ance** *em* hapësirë e lirë; autorizim; zhdoganim ♦ **~ing** *em* spastrim; lirishtë; *trg* klering ♦ **~ly** *nd* qartë; pastër; kuptueshëm

cleft /kleft/ *em* çarje; plasë

clench /klentʃ/ *em* kapje; shtrëngim ♦ *k/*shtrëngoj

clergy /'klə:(r)dʒi/ *em sh* kler ♦ **~man** /-mən/ *em* klerik; kishar

cleric /'klerik/ *em* klerik ♦ **~al** *mb* i nëpunësisë; *ft* klerik

clerk /kla:(r)k, *am* klə:(r)k/ *em* nëpunës; sekretar; shkrues; *am* shitës

clever /'klevə(r)/ *mb* i zgjuar; i shkathët: **you're ~!** qenke i zgjuar ti!, ç'ditke ti!

cliché /'kli:ʃei/ *em* klishé

click /klik/ *em* kërcitje e lehtë ♦ *jk/* kërcet: **it didn't ~** *bs* s'më eci

client /'klaiənt/ *em* klient ♦ **~ele** /-'tel/ *em* klientelë

cliff /klif/ *em* shkëmb; karmë ♦ **~-hanger** /- hæŋgə(r)/ *em* film serial melodramatic; ngjarje/ garë plot ankth

climate /'klaimət/ *em* klimë

climax /'klaimæks/ *em* kulm; pikë kulmore

climb /klaim/ *em* e përpjetë; malore ♦ *k/* ngjitem; hipi; shkoj përpjetë ♦ *jk/* ngjitem; *(rruga)* vjen e përpjetë ♦ ~ **down** *jk/*zbrez; ulem poshtë; *fg* bëj prapakthehu; ha fjalën

clinch /klintʃ/ *k/ bs* mbyll; lidh *(një pazar me dikë)* ♦ *em* klinç; lidhje *(në boks)*

cling /kliŋ/ *jk/* **(clung** /klʌŋ/) kapem; kacavarem; ngjitem **(to pas)** ♦ **~film** /-film/*em* letërngjitëse e tejdukshme *(për ambalazhimin e ushqimit etj.)*

clinic /'klinik/ *em*klinikë; ambulancë ♦ **~al** *mb*klinik

clink /kliŋk/ *em* çokitje *(e qelqeve); bs* burg ♦ *jk/ (gotat)* çukiten

clip[1] /klip/ *em*karficë; kapëse *(e letrave)* ♦ *k/*zë me karficë/ kapëse

clip[2] *em* cópë *(e prerë nga gazetat etj.)* ♦ *k/* pres; qeth *(gardhin etj.)*

clip joint /-dʒoint/ *em* pijetore e shtrenjtë

clip:pers *em sh* makinë/gërshërë qethëse; prerëse thonjsh ♦ **~ping** *em* copë e prerë nga gazetat; qethje; prerje

clique /kli:k/ *em* klikë; taraf; krahanë

cloak /klouk/ *em* mantel; petk ♦ *kl* vesh; mbuloj *(fushën me borë etj.)* ♦ **~room** *em* gardërobë; banjë, nevojtore

clock /klok/ *em* orë; sahat: **alarm-~** orë me zile ♦ *kl* qëlloj; godas fort ♦ *sl* kthej prapa *(treguesin e kilometrazhit të makinës)* ♦ **~ in** *kl* regjistrohem *(në fillim të punës)* ♦ **~ out** *kl* çregjistrohem *(në mbarim të punës)* ♦ **~-tower** /-'tauə(r)/ *em* kullë e sahatit ♦ **~wise** /-waiz/ *mb, nd* në drejtim të akrepëve të sahatit ♦ **~work** /-wə:(r)k/ *em* mekanizëm: **go like ~** shkon sahat

clog /klog/ *em* pengë; pengojcë; qapë ♦ *kl:* **~ (up)** bllokoj; zë *(tubin);* ngec *(mekanizmin)* ♦ *jkl (tubi)* bllokohet; zihet; *(mekanizmi)* ngec

clon:e /kloun/ *em bi* klon ♦ *kl* klonoj *(një qelizë etj.)* ♦ **~ing** *em* klonim

close¹ /klous/ *mb* i afërt; fqinj; *(mik)* i ngushtë; *(mot)* mbytës: **~ relation** kushëri i afërm; **that was ~** *(shpëtova)* për pak; **get ~er to sb** i afrohem më shumë dikujt; **have a ~ shave** *bs* shpëtoj paq; **be ~ to sb** jam mik i ngushtë me dikë ♦ *nd* afër; pranë: **~ by** (këtu) pranë; **it's ~ on five o'clock** (ora) po shkon afër pesë

close² /klouz/ *em* mbyllje; mbarim ♦ *kl* mbyll ♦ *jkl* mbyllet; përfundon; mbaron ♦ **~ down** *kl* mbyll *(fabrikën)* ♦ *jkl (fabrika)* mbyllet; ndërpres transmetimin

closely /'klouzli/ *nd* (nga) afër; *(dëgjoj, ndjek)* me vëmendje

closet /'klozit/ *em am* dollap; dhomë e fshehtë; fshehtësi: **water~** nevojtore

clot /klot/ *em* droçkë, koagul *(gjaku);* tokël *(kripe, dheu); bs* rrotë; tytë; qole ♦ *jkl (gjaku)* koagulohet

cloth /kloθ/ *em* pëlhurë; stof; leckë ♦ **~e** /klouð/ *kl* vesh ♦ **~es** /klouðz/ *em sh* veshje; rroba; petka; tesha ♦ **~ing** /'klouðiŋ/ *em* veshje

cloud /klaud/ *em* re ♦ *jkl (qielli)* vrenjtjet **(over)** ♦ **~ed** /-id/, **-y** *mb (qiell)* i vrenjtur

clove /klouv/ *em* kokërr karafili; thelb *(hudhre)*

clover /'klouvə(r)/ *em bt* tërfil

clown /klaun/ *em* palaço *(i cirkut)* ♦ *jkl* bëj si palaço/ klloun **(about)**

club /klʌb/ *em* klub; çomagë; *sp* shkop *(i golfit); sh* **-s** spathi *(në letra bixhozi)* ♦ *kl* shkopit ♦ **~ together** *jkl* bashkohemi; bëhemi një dorë

cluck /klʌk/ *jkl (pula)* kakarit; kërcas gjuhën ♦ *kl* ndjell *(kalin)* ♦ *bs* rrip; qyp

clue /klu:/ *em:* **I haven't a ~** *bs* s'e di fare

clumsy /'klʌmzi/ *mb* mëngjërash; i ngathët; *(fjalë)* pa takt

clung /klʌŋ/ *shih* **cling**

cluster /'klʌstə(r)/ *em* grup *(banesash, yjesh etj.)* ♦ **~ bomb** /-bom/ *em ush* bombë thërrmuese

clutch /klʌtʃ/ *em au* friksion; shtrëngim: **be in sb's ~es** jam në kthetrat e dikujt

coach¹ /koutʃ/ *em* autobus; *hk* vagon; karrocë

coach² *em sp* trajner ♦ *kl* ushtroj; stërvit ♦ **~ing** *em* stërvitje; trajnim

coal /koul/ *em* qymyrgur ♦ **~dust** /-'dʌst/ *em* pluhur qymyri ♦ **~mine** /-main/ *em* minierë qymurguri

coarse /ko:(r)s/ *mb* i trashë; trashanik; *(shaka)* pa lezet ♦ **~ly** *nd* trashë; pa lezet

coast /koust/ *em* breg ♦ *jkl au* zbres me motor të shuar; zbres pa frena ♦ **~al** *mb* bregdetar; bregas ♦ **~er** *em* shtrojë *(për të vënë gotën)* ♦ **~guard** /-ga:(r)d/ *em* rojë bregdetare ♦ **~line** /-lain/ *em* vijë bregdetare

coat /kout/ *em* pallto; gëzof *(i kafshës);* (një) dorë *(bojë):* **~ of arms** stemë ♦ *kl* mbuloj; vesh ♦ **~ed** *mb* i veshur; i mbuluar: **~ wire** tel i veshur ♦ **~hanger** /-'hæŋə(r)/ *em* varëse e palltove ♦ **~-hook** /-hu:k/ *em* grep i varëses së rrobave ♦ **~ing** *em* veshje; mbulim *(me bojë etj.)*

cob /kob/ *em* koçan *(misri)*

cobble /'kobl/ *kl* kalldrëmoj ♦ **~r** *em* mballomatar; mballomaxhi ♦ **~stone** /-stoun/ *em* gur kalldrëmi

cobweb /'kobweb/ *em* cergë merimange

cocaine /kə'kein/ *em* kokainë

cock /kok/ *em* gjel; siguresë *(e armës);* njeri arrogant; *vl* kar ♦ *kl* ngreh *(armën)*

cockle /'kokl/ *em:* **warm the ~s of the heart** më ngrohet zemra

Cockney /'kokni/ *em* kokni *(dialekt, banor i Ist Endit të Londrës)*

cockpit /'kokpit/ *em av* kabinë *(e pilotit)*

cockroach /'kokroutʃ/ *em zl* brumbull

cockscomb /'kokskum/ *em* lafshë e gjelit

cocktail /'kokteil/ *em* koktej ♦ **~ party** /-'pa:(r)ti/ *em* (pritje) koktej

cocoa /'koukou/ *em* kakao

coconut /'koukənʌt/ *em bt* arrë kokosi

cod /kod/ *em zl* merluc ♦ **~-liver oil** /-livər'oil/ *em* vaj peshku

coexist /kouig'zist/ *jkl* bashkekzistoj ♦ **~ence** *em* bashkekzistencë

coffee /'kofi/ *em* kafe: **~ and milk** kafe me qumësht; **black ~** kafe pa qumësht ♦ **~-bar** /-ba:(r)/ *em* bar-kafe ♦ **~-grinder** /-'graində(r)/ *em* mulli kafeje ♦ **~-pot** /-pot/ *em* ibrik kafeje; makinë kafeje ♦ **~-table** /-'teibl/ *em* tryezë kafeje

coffer /'kofə(r)/ *em* arkë *(e shtetit);* kasafortë

coffin /'kofin/ *em* qefin; arkivol

cog /kog/ *em tk* dhëmb *(i rrotës së dhëmbëzuar)* ♦ **~wheel** /-wi:l/ *em* rrotë e dhëmbëzuar

coil /koil/ *em* spirale; shtëllungë/ dredhë *(e tymit);* kular *(litari);* përdredhje *(e gjarprit)* ♦ *kl* **(up)** mbështjell *(bobinën)*

coin /koin/ *em* monedhë ♦ *k/* krijoj *(një fjalë të re)*

coincide /kouin'said/ *jk/* përkon; *(një festë etj.)* bie *(bashkë me një tjetër);* koincidon ♦ **~nce** /kou'insidəns/ *em* përkim; koincidencë ♦ **~ntal** /-'dentl/ *mb* i rastit ♦ **~ntally** *nd* rastësisht

Coke® /kouk/ *em* kokakolë

coke *em* (qymyr) kok; *s/* kokainë

colander /'kʌləndə(r)/ *em* kullesë

cold /kould/ *mb* i ftohtë: **~ meat** sallame; **feel ~** kam ftohtë; mërdhij; **it's cold** bën ftohtë; **give sb the ~ shoulder** i rri ftohtë dikujt ♦ *em* ftohtësi; *mk* ftohje; e ftohur: **catch a ~** marr të ftohtë ♦ **~blooded** /-'blʌdid/ *mb* i pamëshirshëm ♦ **~-hearted** /-'ha:(r)tid/ *mb* zemërakull ♦ **~ly** *nd fg* ftohtë; me ftohtësi ♦ **~ness** *em* ftohtësi

colic /'kolik/ *em mk* kolit

collaborat:e /kə'læbəreit/ *jk/* bashkëpunoj ♦ **~ion** /-'reiʃn/ *em* bashkëpunim ♦ **~or** *em* bashkëpunëtor; kolaboracionist

collapse /kə'læps/ *em* shembje ♦ *jk/* shembem; humb ndjenjat ♦ **~ible** *mb (karrige etj.)* e palosshme

collar /'kolə(r)/ *em* jakë; qafore ♦ *k/* zë për jake *(dikë)*

colleague /'koli:g/ *em* koleg

collect /kə'lekt/ *k/* shkoj të marr *(dikë, diçka);* mbledh *(taksat, plehrat);* bëj koleksion *(pullash)* ♦ *nd:* **call ~** telefonoj në ngarkim të marrësit ♦ **~ed** /-id/ *mb* i përmbajtur ♦ **~ion** /-'lekʃn/ *em* mbledhje; grumbullim; vjelje *(e taksave);* koleksion *(pullash);* mbledhje ndihmash ♦ **~ive** *mb* i përbashkët; kolektiv ♦ **~or** *em* koleksionist *(pullash)*

colleg:e /'kolidʒ/ *em* kolegj ♦ **~iate** /kə'li:dʒiət/ *mb* i kolegjit

colli:de /kə'laid/ *jk/* përplasem ♦ **~sion** /-'liʒn/ *em* përplasje

colloquial /kə'loukwiəl/ *mb* bisedor ♦ **~ism** *em* shprehje bisedore

colon /'koulən/ *em* dypikësh; *an* zorrë e trashë

colonel /'kə:nl/ *em* kolonel: **lieutenant ~** nënkolonel

colon:ial /kə'louniəl/ *mb* kolonial ♦ **~isation** /kolənai'zeiʃn/ *em* kolonizim ♦ **~ise** /'kolənaiz/ *k/* kolonizoj ♦ **~y** /'koləni/ *em* koloní

colossal /kə'losl/ *mb* kolosal; vigan

colour /'kʌlə(r)/ *em* ngjyrë; bojë; çehre *(e fytyrës); sh* **~s** flamur: **with flying ~s** me fitore; **lose ~** më shkon boja; **off ~** *bs* pa qejf ♦ *k/* ngyroj **(in)** ♦ *jk/* skuqem ♦ **~-bar** /-ba:(r)/ *em* dallim racial ♦ **~-blind** /-blaind/ *mb* daltonik ♦ **~ed** *mb* i ngjyruar; *(njeri)* me ngjyrë, zezak ♦ **~fast** /-fa:st/ *mb (basmë)* që nuk lëshon bojë ♦ **~ film** /-film/ *em* film me ngjyra ♦ **~ful** /'kʌləful/ *mb* i ngjyrshëm; plot ngjyra ♦ **~ing** *em* ngjyrosje ♦ **~less** *mb* i pangjyrë ♦ **television** /-teli'viʒn/ *em* televizion me ngjyra

colt /koult/ *em z/* mëz

column /'koləm/ *em* shtyllë; rubrikë ♦ **~ist** /'koləmnist/ *em* gazetar i një rubrike

coma /'koumə/ *em mk* komë

comb /koum/ *em* krehër ♦ *k/* kreh; *fg* kërkoj me imtësi

combat /'kombæt/ *em* ndeshje; përleshje; luftim: **single ~** dyluftim

combination /kombi'neiʃn/ *em* bashkim; kombinim; këmishë nate

combine¹ /kəm'bain/ *k/* bashkoj ♦ *jk/ (elementet kimikë)* bashkohen

combine² /'kombain/ *em trg* shoqatë; kartel financiar ♦ **~ (harvester)** (auto)kombajnë

combustion /kəm'bʌstʃn/ *em* djegie: **internal ~** *em* djegie e brendshme

come /kʌm/ *jk/* **(came, come)** vij: **~ first** dal/mbërrij i pari; ka rëndësi të dorës së parë; **~ in dozens** shitet me duzina; **~ into money** bëhem me/ bie në para; **~ open** hapet; **~ true** ndodh; **~ true** ndodh; **how ~?** *bs* si kështu?; **that will ~ to £10** do të kushtojë dhjetë sterlina; **the years to ~** vitet e ardhshëm; **where do you ~ from?** nga vjen? ♦ **~ about** *jk/* ndodh ♦ **~ across** *k/* gjej; has në: **~ across as being** *bs* të lë përshtypje sikur ♦ **~ along** *jk/* vij; më del *(rasti në shteg); (puna)* shkon mirë ♦ **~ apart** *jk/* ndahet; shkëputet; veçohet; del vendit ♦ **~ back** *jk/* kthehem ♦ **~-back** /-bæk/ *em* kthim; restaurim ♦ **~ by** *jk/* kaloj; dal ♦ *k/* kam; siguroj; marr ♦ **~ down** *jk/* zbres: **~ down to** mbërrij në ♦ **~ in** *jk/* vij; hyj; mbërrij *(i pari etj. në garë)* ♦ **~ in for** *k/:* **~ in for criticism** kritikohem ♦ **~ off** *jk/* ndahet; këputet; ndodh; del mirë ♦ **~ on** *jk/* përmirësohem; bëj përpara: **~ on!** nxito!; mos more!; deh! ♦ **~ out** *jk/* dal; *(njolla)* del, hiqet ♦ **~ over** *jk/* vij: **when will you ~?** kur do të na vish? ♦ **~ round** *jk/* vij; vij në vete; ndërroj mendje ♦ **~ to** *jk/* vij në vete *(pas të fikëtit)* ♦ **~ up** *jk/* vij lart; dal në pah; ndodh: **something came up** ndodhi një e papritur ♦ **~ up with** *k/* nxjerr *(paratë);* jap *(një shpjegim)*

comed:ian /kə'mi:diən/ *em* (aktor) komik ♦ **~y** /'komədi/ *em* komedi

come:-down /-daun/ *em* ulje; rënie; rrëzim ♦ **~-on** /-on/ *em* batakçillëk

comer /'kʌmə(r)/ *em* ardhës; *fg* njeri me të ardhme *(të mirë):* **new-~** i ardhur rishtas

comet /'komit/ *em* kometë

comfort /'kʌmfə(r)t/ *em* mirëqenie; ngushëllim ♦ *k/* ngushëlloj ♦ **~able** *mb* i rehatshëm: **be ~** jam rehat; *fg* kam me se të jetoj ♦ **~ably** *nd* rehat; në rehatí; me gjithë të mirat

comic /'komik/ *mb, em* komik: **~ strip** vizatim humoristik ♦ *em* revistë humoristike ♦ **~al** *mb* komik

coming /'kʌmiŋ/ *em* ardhje; afrim: **~s and goings** vajtjeardhje ♦ *mb* i ardhshëm; i pritshëm: **up and ~** i mbarë; i suksesshëm

comma /'komə/ *em* presje: **in inverted ~s** në

thonjëza; gjoja

command /kə'maːnd/ *em* komandë; urdhër; zotërim ♦ *k*/komandoj; urdhëroj ♦ **~ant** /komən'dænt/ *em* komandant ♦ **~er** *em* komandant ♦ **~ing** *mb (post)* komandues; *(pozicion)* mbizotërues; **~ officer** *em* komandant ♦ **~ment** *em ft* urdhërim; urdhëresë

commando /kə'maːndou/ *em ush* komando; njësi e posaçme

commemorat:e /kə'meməreit/ *k*/përkujtoj ♦ **~ion** /-'reiʃn/ *em* përkujtimore ♦ **~ive** /-ətiv/ *mb* përkujtimor

commence /kə'mens/ *k, jk*/filloj; nis ♦ **~ment** *em* fillim; nisje

commend /kə'mend/ *k*/lavdëroj; miratoj **(on** për) ♦ **~able** *mb* i lavdërueshëm

comment /'koment/ *em* koment ♦ *jk*/komentoj **(on)** ♦ **~ary** /'koməntri/ *em* koment: **(running) ~** kronikë e drejtpërdrejtë *(në rd, në televizion)* ♦ **~ate** /'komənteit/ *k*/bëj koment: **~e on** bëj kronikën e drejtpërdrejtë *(në rd, në televizion)* ♦ **~or** *em* (tele-/ radio-) kronist

commerc:e /'komə:(r)s/ *em* tregti ♦ **~ial** /kə'mə:ʃl/ *mb* tregtar: **~ break** reklamë në mes të programit ♦ *em* reklamë televizive

commiserate /kə'mizəreit/ *jk*/ shpreh keqardhje **(with** për)

commission /kə'miʃn/ *em* komision: **charge 3% ~** mbaj 3% komision; **out of ~** jashtë përdorimit; *(oficer)* në lirim ♦ *k*/ emëroj *(dikë në një post);* gradoj oficer *(dikë);* vë në prodhim *(një uzinë)* ♦ **~aire** /kəmiʃə'neə(r)/ *em* komisionar ♦ **~er** /kə'miʃənə(r)/ *em* komisar; komisioner

commit /kə'mit/ *k*/ bëj; kryej *(një veprim);* fut *(dikë në burg);* ia besoj *(dikujt diçka):* **~ oneself** zotohem ♦ **~ment** *em* zotim ♦ **~ted** /-tid/ *mb* i lidhur; i zotuar

committee /kə'miti/ *em* komitet

commodity /kə'modəti/ *em* mall

common /'komən/ *mb* i zakonshëm; i rëndomtë; i përbashkët: **~ law** e drejtë zakonore; **C~ Market** *em* Treg i Përbashkët; **~ place** *mb* i rëndomtë; banal; **~ room** dhomë/ sallë e profesorëve; **~ sense** gjykim i shëndoshë ♦ *em:* **House of C~s** Dhomë e Komuneve

commotion /kə'mouʃn/ *em* rrëmujë; trazirë

communal /'komjunl/ *mb* komunal; i përbashkët

communicat:e /kə'mjuːnikeit/ *k, jk*/komunikoj; kam lidhje ♦ **~ion** /-'keiʃn/ *em* komunikacion; ngjitje *(e sëmundjes)* **~s** *sh* telekomunikacion: **be in ~ with sb** kam lidhje me dikë; **~cord** *em* hek shenjë e ndaljes në rast alarmi ♦ **~ive** *mb* komunikues

Communion /kə'mjuːniən/ *em:* **(Holy) ~ ft** kungim

communiqué /kə'mjuːnikei/ *em* komunikatë; njoftim i shtypit

Communism, communism /'komjunizm/ *em*

komunizm ♦ **~t** *mb, em* komunist

community /kə'mjuːnəti/ *em* bashkësi

commute /kə'mjuːt/ *jk*/ shkoj e vij me tren ♦ *k*/ *dr* ndryshoj *(masën e dënimit)* ♦ **~r** *em* udhëtar që shkon e vjen me tren

compact¹ /'kompækt/ *em* kuti pudre; *au* veturë ekonomike

compact² /kəm'pækt/ *mb* i ngjeshur ♦ **~ disc** /- disk/ *em (shkrt* **CD)** *tk* kompakt disk

companion /kəm'pæniən/ *em* shok, shoqe ♦ **~ship** *em* shoqëri

company /'kʌmpəni/ *em* shoqëri; kompani; të ftuar

comparable /'kompərəbl/ *mb* i krahasueshëm

compar:ative /kəm'pærətiv/ *mb* krahasor; relativ ♦ *em gjuh* shkallë krahasore ♦ **~atively** *nd* krahasimisht; në krahasim ♦ **~e** /kəm'peə(r)/ *k*/ krahasoj **(with/ to** me*)* ♦ *jk*/ krahasohem; matem ♦ **~ison** /-'pærisn/ *em* krahasim

compartment /kəm'paː(r)tmənt/ *em* ndarje; *hk* kabinë *(e vagonit të udhëtarëve)*

compass /'kʌmpəs/ *em* busull ♦ **~es** *em sh:* **pair of ~es** *tk* kompas

compassion /kəm'pæʃn/ *em* keqardhje; dhembshuri ♦ **~ate** /-nət/ *mb* keqardhës; i dhembshur

compatible /kəm'pætəbl/ *mb* i pajtueshëm; i përputhshëm

compatriot /kəm'pætriət/ *em* bashkatdhetar

compel /kəm'pel/ *k*/ shtrëngoj; detyroj ♦ **~ling** *mb (argument)* bindës

compensat:e /'kompənseit/ *k*/ shpërblej; kompensoj: **~ for** plotësoj me ♦ **~ion** /-'seiʃn/ *em* shpërblim; kompensim; *fg* ngushëllim

compere /'kompeə(r)/ *em* paraqitës i programit

compete /kəm'piːt/ *jk*/marr pjesë në garë; konkurroj

competen:ce /'kompitəns/ *em* kompetencë; aftësi ♦ **~t** *mb* kompetent

competit:ion /kompə'tiʃn/ *em* garë; konkurrencë ♦ **~ive** /kəm'petitiv/ *mb* i garës; i konkurrencës; **~ prices** çmime konkurruese ♦ **~or** /kəm'petitə(r)/ *em* pjesëmarrës në garë; konkurrues

complacen:cy /kəm'pleisənsi/ *em* (vetë)kënaqësi ♦ **~t** *mb* i (vetë)kënaqur

complain /kəm'plein/ *jk*/ankohem **(about, of** për); reklamoj ♦ **~t** *em* ankim; reklamim; *mk* shqetësim

complement /'komplimənt/ *k*/ plotësoj; mbush: **~ each ether** plotësojmë njëri-tjetrin ♦ **~ary** /-'mentəri/ *mb* përplotësues

complet:e /kəm'pliːt/ *mb* i plotë; i tërë; i mbaruar/ kryer/ përfunduar ♦ *k*/plotësoj; mbaroj *(një punë);* mbush, plotësoj *(një formular)* ♦ **~ely** *nd* krejt(ësisht); plotësisht ♦ **~ion** /kəm'pliːʃn/ *em* përmbushje; plotësim; mbarim

complex /'kompleks/ *mb* i ngatërruar; i komplikuar ♦ *em* tërësi; kompleks

complexion /kəm'plekʃn/ *em* ngjyrë, çehre *(e fytyrës)*

complexity /kəm'pleksəti/ *em* ndërlikim; gjendje komplekse

complian:ce /kəm'plaiəns/ *em* përputhje; bindje; pajtim; respektim *(i ligjit):* **in ~ with** në përputhje /në zbatim të *(ligjit);* sipas *(kërkesës)* ♦ **~t** *mb* i bindur

complicat:e /'komplikeit/ *kl* ndërlikoj; ngatërroj ♦ **~ed** *mb* i ndërlikuar; i ngatërruar ♦ **~ion** /-'kei∫n/ *em* ndërlikim; ngatërrim

compliment /'komplimənt/ *em* katikul; kompliment; **~s** *sh* nderime ♦ *kl* i bëj katikule; uroj, përgëzoj ♦ **~ary** /-'mentəri/ *mb* nderues; që bëhet për nderim: **~ ticket** *em* biletë falas

comply /kəm'plai/ *jkl* bindem; marr parasysh; respektoj *(rregullat)* **(with)**

component /kəm'pounənt/ *mb, em* përbërës

compos:e /kəm'pouz/ *kl* hartoj; kompozoj: **~ one-self** rehatohem; **be ~d of** përbëhet nga ♦ **~ed** *mb* i qetë; i rehatuar ♦ **~er** *em* kompozitor ♦ **~ition** /kompə'zi∫n/ *em* hartim; kompozim; përbërje

compost /'kompost/ *em* komposto; dherishte

composure /kəm'pouzə(r)/ *em* qetësi; vetëpërmbajtje

compot /'kompət/ *em gjh* komposto

compound /'kompaund/ *mb* i përbërë; kompleks: **~ fracture** *mk* thyerje komplekse; **~ interest** *fn* interes i përbërë ♦ *em km* trup i përbërë; përzierje; *gjh* fjalë e përbërë; rrethojë, vend i rrethuar

comprehen:d /kompri'hend/ *kl* kuptoj ♦ **~sible** /-'hensəbl/ *mb* i kuptueshëm ♦ **~sion** /-'hen∫n/ *em* kuptim; të kuptuarit ♦ **~sive** /-'hensiv/ *mb* i përgjithshëm: **~ school** shkollë e mesme e përgjithshme ♦ **~sively** *nd* plotësisht

compress¹ /'kompres/ *em* kompresë

campress² /kəm'pres/ *kl* ndrydh; shtyp; ngjesh: **~ed air** ajër i ngjeshur ♦ **~ion** /-'pre∫n/ *em* ndrydhje; shtypje; ngjeshje

compromis:e /'komprəmaiz/ *em* kompromis ♦ *kl* komprometoj ♦ *jkl* bëj kompromis; komprometohem ♦ **~ing** *mb* komprometues

compuls:ion /kəm'pʌl∫n/ *em* dëshirë e fortë/ papërmbajtur; detyrim, shtrëngim ♦ **~ive** /-siv/ *mb psk* patologjik ♦ **~ory** /-səri/ *mb* i detyrueshëm

compute /kəm'pju:t/ *kl* llogarit ♦ **~r** *em* kompjuter: **desktop ~** kompjuter tryeze; **laptop ~** kompjuter portativ ♦ **~ing** *em* informatikë; kompjuterizim ♦ **~erise** *kl* kompjuterizoj

comrade /'komreid/ *em* shok ♦ **~ship** *em* shoqëri; miqësi midis shokësh

con¹ /kon/ *nd* kundër

con² *em bs* mashtrim; mashtrues ♦ *kl bs* mashtroj

concave /'konkeiv/ *mb* i lugët; konkav

conceal /kən'si:l/ *kl* fsheh ♦ **~ment** *em* fshehje; mbajtje fshehur

conceit /kən'si:t/ *em* mendjemadhësi ♦ **~ed** /-id/ mendjemadh

conceiv:able /kən'si:vəbl/ *mb* i konceptueshëm ♦ **~e** *kl bi* ngjiz; *fig* konceptoj **(of)** ♦ *jkl (nj ide)* lind; *(gruaja)* ngjitet me barrë

concentrat:e /'konsəntreit/ *kl* përqendroj ♦ *jkl* përqendrohem ♦ **~ion** /-'trei∫n/ *em* përqendrim ♦ **~ camp** /-kæmp/ *em* kamp përqendrimi

concept /'konsept/ *em* koncept ♦ **~ion** /kən'sep∫n/ *em* konceptim; ide

concern /kən'sə:(r)n/ *em* shqetësim; *trg* veprimtari ♦ *kl* ka lidhje me; shqetësoj; **be ~ed about** jam i shqetësuar për; **as far as I am ~ed** për sa më takon mua ♦ **~ing** *prep* për; lidhur me; në lidhje me

concert /'konsə(r)t/ *em* koncert ♦ **~ed** /kə'nsə:tid/ *mb* i përbashkët; kolektiv

concession /kən'se∫n/ *em* lejim; koncesion

conciliat:e /kən'silieit/ *kl* pajtoj; ndërmjetësoj për pajtim ♦ **~ion** /-'eiʃən/ *em* pajtim ♦ **~ory** /-'eitəri/ *mb (qëndrim)* pajtues

conclu:de /kən'klu:d/ *kl* nxjerr si përfundim ♦ **~sion** /-'klu:ʒən/ *em* përfundim ♦ **~sive** /-'klu:siv/ *mb* përfundimtar; *(vërejtje)* përmbyllëse

concord /'konko:(r)d/ *em* marrëveshje; përkim

concrete¹ /kən'kri:t/ *mb* konkret; lëndësor

concrete² *em* beton

concur /kon'kə:(r)/ *jkl* përkon **(with** me) ♦ **~rent** /kən'kʌrənt/ *mb* barshkërendës; *dr* i përbashkët ♦ **~rently** *nd* njëkohësisht

concussion /kə'kʌ∫n/ *em* përplasje; *mk* tronditje nga përplasja

condemn /kən'demn/ *kl* dënoj ♦ **~ation** /kondəm'nei∫n/ *em* dënim

condens:e /kən'dens/ *kl* kondensoj; ngjesh, përmbledh *(një shkrim)* ♦ *jkl (avulli)* kondensohet ♦ **~ation** /kondən'sei∫n/ *em* kondensim; përmbledhje

condescend /kondi'send/ *jkl* përfill; begenis ♦ **~ing** *mb* përfillës; begenisës

condition /kən'di∫n/ *em* kusht ♦ **~al** *mb* i kushtëzuar ♦ **~ed** *mb:* **air-~** me ajër të kondicionuar ♦ **~er** *em* zbutës *(i ujit të fortë etj.);* kondicioner *(i ajrit)*

condolences /kən'doulənsis/ *em sh* ngushëllime

condom /'kondəm/ *em* prezervativ

condone /kən'doun/ *kl* fal; shlyej *(një faj)*

conduct /'kondʌkt/ *em* qëndrim; sjellje; drejtim ♦ / kən'dʌkt/ *kl* drejtoj *(orkestrën etj.)* ♦ **~or** / kən'dʌktə(r)/ drejtor i orkestrës; konduktor, shoqërues *(i autobusit); fz* përcjellës ♦ **~ress** *em* shoqëruese e autobusit

cone /koun/ *em* kon; *bt* boçe e pishës; kaush *(i akullores)*

confectioner /kə'nfek∫ənə(r)/ *em* ëmbëltor; pastiçier ♦ **~y** *em* ëmbëltore; pastiçerí

confederation /kənfedə'rei∫n/ *em* konfederatë

confer /kə'nfə:(r)/ *kl* jap **(on)** *(një titull)* ♦ *jkl* bisedoj; diskutoj ♦ **~ence** /'konfərəns/ *em* konferencë ♦

~ room /-ru:m/ *em* sallë e mbledhjeve

confess /kən'fes/ *k*/ pranoj; pohoj *(gabimin); ft* rrëfej *(mëkatin)* ♦ *jk*/ *ft* rrefehem ♦ **~ion** /-eʃn/ *em* pohim; *ft* rrëfim ♦ **~or** *em* prift rrëfyes

confide /kən'faid/ *k*/ i besoj; i tregoj *(dikujt diçka):* **~ in sb** i rrëfehem dikujt ♦ **~nce** /'konfidəns/ *em* besim; siguri; vetësbesim: **vote of ~** *p*/ votëbesim; **full of ~** plot besim *(në vetvete)* ♦ **~nt** /'konfidənt/ *mb* besëplotë; i sigurt ♦ **~ntial** /konfi'denʃl/ *mb* i bërë me mirëbesim

confine /kən'fain/ *k*/ mbyll; kufizoj: **be ~d to bed** zë shtratin ♦ **~s** *em* kufij

confirm /kən'fə:(r)m/ *k*/ përforcoj; konfirmoj; *ft* krezmoj ♦ **~ation** /konfə'meiʃn/ *em* përforcim; konfirmim; *ft* krezmim

confiscat:e /'konfiskeit/ *k*/ konfiskoj ♦ **~ion** /-'keiʃn/ *em* konfiskim

conflict /'konflikt/ *em* konflikt; përplasje *(interesash)* ♦ /kən'flikt/ *jk*/ është në kundërshtim ♦ **~ing** *mb:* **~ reports** të dhëna që kundërshtojnë njëra-tjetrën

conform /kən'fo:(r)m/ *jk*/ përshtatet; përputhet ♦ **~ist** *em* konformist

confound /kən'faund/ *k*/ hutoj; ngatërroj ♦ **~ed** *mb bs* i mallkuar; i nëmur

confront /kən'frʌnt/ *k*/ ballafaqoj: **~ sb with the facts** e vë përballë fakteve dikë ♦ **~ation** / konfrʌn'teiʃn/ *em* ballafaqim

confus:e /kən'fju:z/ *k*/ hutoj; shkëmbej; ngatërroj *(dikë me një tjetër)* ♦ **~ing** *mb (pyetje)* që të huton ♦ **~ion** /-'fju:ʒn/ *em* hutim; rrëmujë; pështjellim

congeal /kən'dʒi:l/ *jk*/ *(gjaku)* mpikset ♦ *k*/ mpiks

congenial /kən'dʒi:niəl/ *mb* i ngjashëm; i afërt; *fg* i këndshëm; i dashur

congenital /kə'ndʒenitl/ *mb* i bashkëlindur

congest /kən'dʒest/ *k*/ rëndoj, bllokoj *(qarkullimin rrugor); mk* mbush me gjak *(një organ)* ♦ **~ed** *mb* i kongjestionuar; i bllokuar; *(organ)* i mbushur me gjak ♦ **~ion** /-'dʒestʃn/ *em* kongjestion; mbingarkim *(i trafikut)*

congratulat:e /kən'grətjuleit/ *k*/ përgëzoj; uroj **(on** per) ♦ **~ions** /-'leiʃnz/ *em sh dhe psth* përgëzime; urime

congre:gate /'koŋgrəgeit/ *jk*/ grumbullohemi; mblidhemi ♦ **~gation** /-'geiʃn/ *em ft* grigjë; kongregacion ♦ **~ss** /'koŋgres/ *em* kongres ♦ **~ssman** *em am p*/ kongresist; anëtar i kongresit

conical /'konikl/ *mb* konik

conifer /'konifə(r)/ *em bt* halor

conjecture /kən'dʒektʃə(r)/ *em* hamendje

conju:gal /'kondʒugl/ *mb* bashkëshortor ♦ **~gate** /'kondʒugeit/ *k*/ çitoj; bashkoj; *gjh* zgjedhoj ♦ **~gation** /kondʒu'geiʃn/ *em* çiftim; *gjh* zgjedhim ♦ **~nction** /kən'dʒʌŋkʃn/ *em* bashkim; bashkëlidhje; *gjh* lidhëse: **in ~ with** bashkë me ♦ **~unctivitis** /kəndʒʌŋkti'vaitis/ *em mk* koniunktivit

conjur:e /'kʌndʒə(r)/ *jk*/ ysht; ndjell; thërres: **~ up**

k/ zgjoj; ngjall *(kujtime);* sajoj me marifet ♦ **~ing tricks** *em sh* numra shpejtësie *(të prestidigjitatorit)* ♦ **~or** *em* prestidigjitator

conk /koŋk/ *jk:* **~ out** *bs (makina)* prishet; cof; ngordh

con-man /'konmən/ *em bs* mashtrues

connect /kə'nekt/ *k*/ lidh: **be well ~ed** kam miq të fortë ♦ *jk*/ kam lidhje **(with** me); *(treni)* lidhet, takohet *(me trenin tjetër, me tragetin etj.)* ♦ **~ion** / -'nekʃn/ *em* lidhje; pikëbashkim; **~s** *sh* lidhje; farefisni; miqësi: **in ~ with** lidhur me

connoisseur /konə'sə:(r)/ *em* njohës

conque:r /'koŋkə(r)/ *k*/ pushtoj; *fg* kapërcej, mposht, mund *(frikën)* ♦ **~ror** *em* pushtues ♦ **~st** /'koŋkwest/ *em* mposhtje; pushtim

consc:ience /'konʃəns/ *em* ndërgjegje ♦ **~ientious** /konʃi'enʃəs/ *mb* i ndërgjegjshëm *(në kryerjen e detyrës)* ♦ **~ious** /'konʃəs/ *mb* i vetëdijshëm; *(veprim)* i bërë me ndërgjegje, me dashje: **become ~** përmendem; vij në vete ♦ **~ly** *nd* në mënyrë të ndërgjegjshme ♦ **~ness** *em* ndërgjegje; vetëdije: **regain ~** vij prapë në vete

conscript /'konskript/ *em* rekrut ♦ /kən'skript/ *k*/ *ush* rekrutoj; thërres nën armë ♦ **~ion** /-ipʃn/ *em* rekrutim; thirrje nën armë

consecrat:e /'konsəkreit/ *k*/ shenjtëroj ♦ **~ion** /-'kreiʃn/ *em* shenjtërim

consecutive /kən'sekjutiv/ *mb* vijues; i vazhueshëm

consensus /kən'sensəs/ *em* njëzëshmëri; konsensus

consent /kən'sent/ *em* miratim: **age of ~** moshë madhore ♦ *jk*/ miratoj; pranoj

consequen:ce /'konsikwəns/ *em* pasojë; rëndësi: **of no ~** pa rëndësi ♦ **~t** *mb* vijues ♦ **~tly** *nd* si/ për pasojë

conserv:ation /konsə(r)'veiʃn/ *em* konservim; mbrojtje *(e mjedisit)* ♦ **~ist** *em* aktivist i mbrojtjes së mjedisit ♦ **~ative** /kən'sə:(r)vətiv/ *mb* konservativ; *(vlerësim)* i matur: **C~** *mb, em p*/ konservator ♦ **~atory** /kən'sə:vətri/ *em* serrë ♦ **~e** /kən'sə:(r)v/ *k*/ koservoj; ruaj *(energjitë)*

consider /kən'sidə(r)/ *k*/ shqyrtoj: **~ doing sth** shoh mundësinë për të bërë diçka ♦ **~able** *mb* i konsiderueshëm; i rëndësishëm ♦ **~ate** *mb* i sjellshëm; i respektueshëm ♦ **~ation** /-'reiʃn/ *em* shqyrtim; marrje parasysh; vëmendje; kujdes; respekt: **under ~** në shqyrtim; **take sth into ~ation** marr parasysh diçka; **out of ~ for** për hir të respektit për

consign /kən'sain/ *k*/ lë; besoj; depozitoj *(diçka në dorë të dikujt)* ♦ **~ment** *em* dërgesë; depozitim

consist /kən'sist/ *jk:* **~ of** përbëhet nga

consisten:cy /kən'sistənsi/ *em* përbërje; trup *(i lëndës);* vijueshmëri; palëkundshmëri; besnikëri ♦ **~t** *mb (lëndë)* e ngjeshur; *(besnikëri)* i palëkundshme ♦ **~tly** *nd* në mënyrë të vijueshme/

të palëkundshme

consol:ation /konsə'leiʃn/ *em* ngushëllim: **~ prize** *em* çmim inkurajues ✦ **~e** /kən'soul/ *kl* ngushëlloj

consort /'konsoː(r)t/ *em* bashkëshort

consortium /kə'nsoː(r)tiəm/ *em* konsorcium

conspicuous /kən'spikjuəs/ *mb* i dukshëm; i dalluar: **be ~ by one's absence** bie në sy mungesa

conspir:acy /kən'spirəsi/ *em* konspiracion; përbetim; komplot ✦ **~e** *jkl* bëj komplot (*kúndër dikujt*)

constable /'kʌnstəbl/ *em* polic

constant /'konstənt/ *mb* i pandryshueshëm ✦ **~ly** *nd* vazhdimisht; pa ndryshim

constellation /konstə'leiʃn/ *em* yjësí

constipat:ed /'konstipeitid/ *mb* i bërë kaps ✦ **~ion** /-'peiʃn/ *em* kapsllëk

constitu:ency /kən'stitjuənsi/ *em* zonë elektorale/ zgjedhore ✦ **~ent** *em* pjesë përbërëse; *pl* zgjedhës ✦ **~te** /'konstitju:t/ *kl* themeloj; krijoj; (*një veprim*) përbën (*shkelje etj.*) ✦ **~tion** /-'tju:ʃn/ *em* përbërje; ndërtim trupor; kushtetutë ✦ **~tional** /-'tju:ʃənl/ *mb* kushtetues

constrain /kən'strein/ *kl* shtrëngoj ✦ **~t** *em* shtrëngim; detyrim; kufizim; burgosje

construct /kən'strʌkt/ *kl* ndërtoj ✦ **~ion** /-'strʌkʃn/ *em* ndërtim: **under ~ion** në ndërtim e sipër ✦ **~ive** /-tiv/ *mb* ndërtimor; konstruktiv

construe /kən'stru:/ *kl* kuptoj; interpretoj; marr

consul /'konsl/ *em* konsull ✦ **~ar** /'konsjulə(r)/ *mb* konsullor ✦ **~ate** /'konsjulət/ *em* konsullatë

consult /kən'sʌlt/ *kl* këshillohem me ✦ **~ation** /konsəl'teiʃn/ *em* këshillim

consum:e /kən'sju:m/ *kl* konsumoj; prish; tret ✦ **~er** *em* konsumator; konsumues ✦ **~ption** /kən'sʌmpʃn/ *em* konsum; *mk* tuberkuloz

contact /'kontækt/ *em* lidhje; kontakt ✦ *kl* lidhem/ vihem në lidhje me ✦ **~ lenses** /-'lensi:z/ *em sh* lente kontakti

contagio:n /kən'teidʒn/ *em* sëmundje ngjitëse ✦ **~us** /-dʒəsi/ *mb* ngjitës; infektues

contain /kən'tein/ *kl* përmbaj: **~ oneself** përmbahem ✦ **~er** *em* enë; kontejner

contaminat:e /kən'tæmineit/ *kl* ndot ✦ **~ion** /-'neiʃn/ *em* ndotje

contemplat:e /'kontəmpleit/ *kl* vështroj; kundroj; synoj; kam si qëllim: **~ doing sth** e kam në plan të bëj diçka ✦ **~ion** /-'pleiʃn/ *em* vështrim; kundrim; synim; plan

contemporary /kən'tempərəri/ *mb, em* bashkëkohës; njëmoshës

contempt /kən'tempt/ *em* përçmim; nënçmim: **~ of court** fyerje e trypit gjykues; mosparaqitje në gjyq ✦ **~ible, ~uous** /-juəs/ *mb* i përbuzshëm; i përçmuar

contend /kən'tend/ *jkl:* **~ with** luftoj; ndeshem/

matem me ✦ *kl* jam i mendimit se ✦ **~er** *em* konkurrent

content¹ /'kontent/ *em* përbërje; përmbajtje: **table of ~s** pasqyrë e lëndës

content² /kən'tent/ *mb* i kënaqur ✦ *kl:* **~ oneself** kënaqem (**with** me) ✦ **~ed** /-id/ *mb* i kënaqur ✦ **~edly** /-idli/ *nd* me pamje të kënaqur ✦ **~ment** *em* kënaqësi

contest /'kontest/ *em* garë ✦ /kən'test/ *kl* kundërshtoj (*një thënie*); marr pjesë në garë për ✦ **~ant** *em* kundërshtues; pjesëmarrës në garë

context /'kontekst/ *em* kontekst

continent /'kontinənt/ *em* kontinent: **the C~** Evropa kontinentale ✦ **~al** /-'nentl/ *mb* kontinental ✦ **~al breakfast** /-'brekfəst/ *em* mëngjez evropian (*me bukë, gjalpë, reçel etj.*) ✦ **~al quilt** *em* jorgan me pupla

contingency /kə'ntindʒənsi/ *em* plan për të papritura; eventualitet

continu:al /kən'tinjuəl/ *mb* i vijueshëm; i vazhdueshëm ✦ **~ally** *nd* vazhdimisht ✦ **~ation** /kəntinju'eiʃn/ *em* vijim; vazhdim ✦ **~e** /kən'tinju:/ *kl, jkl* vazhdoj: **~ doing/ to do sth** vazhdoj të bëj diçka ✦ **~ity** /konti'nju:əti/ *em* vazhdimësi ✦ **~ous** /-'tinjuəs/ *mb* i vazhdueshëm

contort /kə'ntoː(r)t/ *kl* shtrembëroj; përdredh ✦ **~ion** /'toː(r)ʃn/ *em* shtrembërim; përdredhje

contour /'kontuə(r)/ *em* përvijë; kontur

contraband /'kontrəbænd/ *em* kontrabandë

contracepti:on /kontrə'septiv/ *mb, em* kontraceptiv ✦ **~ve** *mb* kontraceptiv

contract¹ /'kontrækt/ *em* kontratë ✦ *kl* kontraktoj; bëj kontratë me/ për

contract² /kən'trækt/ *jkl* rrëgjohem ✦ *kl* marr, më ngjitet (*një sëmundje*) ✦ **~ion** /-'trækʃn/ *em* rrëgjim; tkurrje

contradict /kontrə'dikt/ *kl* kundërshtoj ✦ **~ion** /-'dikʃn/ *em* kundërshtim; kundërthënie ✦ **~ory** /-'diktəri/ *mb* kontradiktor; kundërshtues

contraption /kə'ntræpʃn/ *em bs* mjet; marifet

contrary /'kontrəri/ *mb* i kundërt; i pabindur: **~ wind** erë e kundërt, skundër ✦ *nd:* **~ to** në kundërshtim me ✦ *em* e kundërta: **on the ~** në të kundërt; përkundrazi

contrast /'kontra:st/ *em* kundërshti (*pikëpamjesh*); kontrast (*ngjyrash*) ✦ /kən'tra:st/ *kl* vë në kundërshti ✦ *jkl* bëj kontrast ✦ **~ing** *mb* i kundërt

contraven:e /kontrə'vi:n/ *kl* vëj shkelje/kundërvajtje ✦ **~tion** /-'venʃn/ *em* trashkelje; kundërvajtje

contribut:e /kən'tribju:t/ *kl, jkl* ndihmoj; kontribuoj ✦ **~ion** /kontri'bju:ʃn/ *em* ndihmesë; kontribut ✦ **~or** /kən'tribju:tə(r)/ *em* kontribues

contrive /kən'traiv/ *kl* shpik; sajoj; ia dal mbanë: **~ to do sth** ia dal të bëj diçka

control /kən'troul/ *em* kontroll; **~s** *sh* komandim; pajisje kontrolli: **get out of ~** del nga kontrolli;

del dore ♦ *k*/kontrolloj; kam nën kontroll: ~ one-self përmbahem

convalesce /konvə'les/ *jk*/shërohem; përkëmbem ♦ ~nt /konvə'lesənt/ *mb* shërim; konvaleshencë ♦ ~nt home /-'houm/ *em* konvaleshencë; shtëpi pushimi

convector /kən'vektə(r)/ *em:* ~ heater reflektor për ngrohje

convene /kən'vi:n/ *k*/ thërres (një mbledhje) ♦ *jk*/ mblidhemi

convenien:ce /kən'vi:niəns/ *em*/volí; nge; mundësí: (public) ~ banjo publike; with all modern ~s me të gjitha lehtësitë moderne ♦ ~t /kən'vi:niənt/ *mb* i volitshëm; i rehatshëm: if it is ~ (for you) në se të volit ♦ ~ly *nd*/në mënyrë të volitshme: ~ located në vend të volitshëm

convent /'konvənt/ *em* kuvend (murgeshash)

convention /kən'venʃn/ *em* konvencion; kuvend ♦ ~al *mb* konvencional

converge /kən'və:dʒ/ *jk*/ (rrezet) mblidhen; konvergjojnë; (mendimet) takohen ♦ ~nce *em* konvergjim; takim

convers:ation /konvə(r)'seiʃn/ *em* bisedë ♦ ~ational /-'eiʃənəl/ *mb* bisedor ♦ ~e[1] *jk*/bisedoj; kuvendoj

converse[2] /'konvə:s/ *em* i përkundërt ♦ ~ly *nd* anasjellas

conver:sion /kən'və:(r)ʃn/ *em* kthim; këmbim, konvertim (i monedhës etj.) ♦ ~t /'konvə:(r)t/ *em* i kthyer (në fe tjetër); i konvertuar ♦ /kən'və:(r)t/ *k*/ kthej; konvertoj (into në) ♦ ~tible /-təbl/ *mb* i shndërrueshëm; i këmbyeshëm ♦ *em* makinë me mbulesë portative

convex /'konveks/ *mb* i mysët; konveks

convey /kə'nvei/ *k*/ bart; transportoj; përçoj (një mendim) ♦ ~or belt *em* rrip transmisioni/i transportierit

convict /'konvikt/ *em* i dënuar me punë të detyrueshme; i burgosur ♦ /kən'vikt/ *k*/dënoj; nxjerr fajtor ♦ ~ion[1] /'vikʃn/ *em* dënim: previous ~ion precedent penal

conviction[2] *em* bindje: it does not carry ~ nuk është bindës

convinc:e /kən'vins/ *k*/ bind; kandis ♦ ~ing *em* bindje; kandisje ♦ *mb* bindës

convivial /kən'viviəl/ *mb*/i gostisë; gostiar; shoqëror

convoluted /'konvəlu:tid/ *mb* i përdredhur; (arsyetim) i ngatërruar

convoy /'konvoi/ *em* vargan; autokolonë

convuls:e /kən'vʌls/ *k*/ zë ngërçi; shund; tund: be ~ed with laughter shkulem së qeshuri ♦ ~ion /-'vʌlʃn/ *em* ngërç

coo /ku:/ *jk*/ (foshnja) bën guga

cook /kuk/ *em* gjellëbërës; kuzhinier ♦ *k*/ gatuaj; *fg* falsifikoj: ~ the books falsifikoj regjistrat e llogarisë ♦ ~er *em*/sobë gatimi; mollë për të pjekur ♦ ~ery *em* kuzhinë: ~ book *em* libër i gatimit/i kuzhinës ♦ ~ing *em* gatim ♦ ~ *em am* biskotë

cool /ku:l/ *mb*/i freskët; (njeri)i qetë; i paafruar: that's ~ *bs*/kjo qenka e fortë ♦ *k*/freskoj; ftoh ♦ *jk*/ (moti) freskohet; ftohet (down)

coop /ku:p/ *em* qymez; kotec ♦ *k*: ~ up mbaj mbyllur (në burg)

co-op /kou'op/ *em bs* kooperativë ♦ ~erate / kou'opəreit/ *jk*/bashkëpunoj ♦ ~eration /-'reiʃn/ *em* bashkëpunim ♦ ~erative /kou'opərətiv/ *em* kooperativë

co-opt /kou'opt/ *k*/ kooptoj (një anëtar në një organ)

co-ordinat:e /kou'o:(r)dineit/ *em* koordinatë ♦ *k*/ bashkërendoj ♦ ~ion /-'neiʃn/ *em* bashkërendim

cop[1] /kop/ *em bs* polic

cop[2] *k*/ *bs*/kap; zë

cope /koup/ *jk*/ *bs*/ia dal; bëj si bëj: can she ~ by herself? ia del dot vetëm ajo?; ~ with e përballoj (diçka)

copious /'koupiəs/ *mb*/i bollshëm; i shumtë

copper[1] /'kopə(r)/ *em*/bakër ♦ ~s *sh*/monedha bakri ♦ *mb* i bakërt; (prej) bakri

copper[2] *em bs* polic

coppice /'kopis/ *em* zabel; shkurrishtë

copulate /'kopjuleit/ *jk*/ çiftohen; (kafsha) ndiqet, mbarset, merr ♦ ~ion /-'leiʃn/ *em* çiftim; mbarsje

copy /'kopi/ *em* kopje: make a ~ bëj/ nxjerr një kopje ♦ *k*/kopjoj ♦ ~book /-buk/ *em*/fletore ♦ ~cat /-kæt/ *em* kopjac ♦ ~right /-rait/ *em* e drejtë e autorit ♦ ~ utility /-ju:'tiliəti/ *em inf* pajisje/ program (foto)kopjimi

coral /'korəl/ *em*/koral; merxhan

cord /ko:(r)d/ *em* kordon; gjalmë; pejzë; kadife me viza; ~s *sh*/pantallona kadifeje me viza: vocal ~s pejza të zërit

cordial /'ko:(r)diəl/ *mb*/i përzemërt ♦ *em*/tonik ♦ ~ly *nd*/me përzemërsi

cordon /'ko:(r)dn/ *em* kordon ♦ ~ off *k*/ndaj me kordon (policor)

corduroy /'ko:(r)dəroi/ *em*/kadife me viza

core /ko:(r)/ *em* bërthamë; zemër; thelb

cork /ko:(r)k/ *em*/tapë; dru tape ♦ *k*/tapos ♦ ~screw /'-skru:/ *em*/kapatapë

corn[1] /ko:(r)n / *em*/kokërr (drithi, piperi); drithë; grurë; *am*/misër

corn[2] *em mk*/kallo

cornea /'ko:(r)niə/ *em*/brisë; korné (e syrit)

corned beef /-bi:f/ *em*/mish kau i kripur

corner /'ko:(r)nə(r)/ *em* kënd; qoshe; kthesë; *sp* goditje këndi: round the ~ te cepi i rrugës; (ngjarja) afron, është e afërt ♦ *k*/ *fg*/zë keq; bllokoj; *trg*/akaparoj (tregun) ♦ ~ kick /-kik/ *em sp*/goditje këndi

cornet /'ko:(r)nit/ *em mz*/kornetë; kaush (i akullores)

corn:-flour /-'flauə(r)/, ~ starch /-'sta:(r)tʃ/ *em*

niseshte me miell misri

corny /'ko:(r)ni/ *mb (shaka)* bajate; *(njeri)* banal; vul-gar; *(fjalë)* velëse

coronary /'korənəri/ *mb* koronar; i koronës: ~ **thrombosis** *mk* trombozë koronare

coronation /korə'neiʃən/ *em*▸kurorëzim

coroner /'korənə(r)/ *em* hetues për vdekje të dyshimta

corporal[1] /'ko:(r)pərəl/ *em ush* rreshter

corporal[2] *mb* trupor: ~ **punishment** ndëshkim trupor/ fizik

corporation /ko:(r)pə'reiʃən/ *em* korporatë; ent; këshill komunal *(i qytetit)*

corps /ko:(r)/ *em (sh* **corps** /ko:(r)z/) korpus; trup: **army** ~ truparmatë; **diplomatic** ~ trup diplomatik

corpse /ko:(r)ps/ *em* kufomë

corpulent /'ko:(r)pjulənt/ *mb* madhosh; trupmadh

corpuscle /'ko:(r)pʌsl/ *em* trupth

correct /kə'rekt/ *mb* i saktë; i duhur; që ka të drejtë: ~ **answer** përgjigje e saktë ♦ *k/* ndreq; korrigjoj ♦ ~**ion** /-ekʃn/ *em* ndreqje; korrigjim ♦ ~**ly** *nd* saktë; drejt

correspond /kori'spond/ *jk/* i përgjigjet; përputhet **(to** me); shkruaj; kam korrespondencë ♦ ~**ence** *em* korrespondencë ♦ ~**ent** *em* korrespondent

corridor /'korido:(r)/ *em* korridor; rruginë; mesore

corro:de /kə'roud/ *k/* brej; gërryej ♦ *jk/* brehet; gërryhet ♦ ~**sion** /-'rouʒn/ *em* brejtje; gërryerje ♦ ~**sive** /-'rouziv/ *mb* gërryes

corrugated /'korəgeitid/ *mb* i valëzuar; i rrudhur; ~ **iron** *em* llamarinë e valëzuar

corrupt /kə'rʌpt/ *mb* i prishur; i korruptuar ♦ *k/* prish; korruptoj ♦ ~**ion** /-'rʌpʃn/ *em* prishje; korruptim

corset /'ko:(r)srt/ *em* korsé; brez

Corsica /'ko:(r)sikə/ *em* Korsikë ♦ ~**an** *mb, em* korsikan

cortege /ko:(r)'teiʒ/ *em:* **(funeral)** ~ vargan varrimi

cosh /koʃ/ *em* shkop gome

cosmetic /koz'metik/ *mb* kozmetik ♦ *em:* ~**s** *sh* mjete/prodhime kozmetike

cosm:ic /'kozmik/ *mb* kozmik: ~ **dust** pluhur kozmik ♦ ~**onaut** /'kozməno:t/ *em* kozmonaut ♦ ~**os** *em* kozmos; hapësirë kozmike

cost /kost/ *em* kosto; ~**s** *sh dr* shpenzime të gjyqit: ~ **of living** *em* kosto e jetesës; **at all** ~**s** *mb* me çdo kusht; **I learnt to my** ~ e pësova; e mësova në kurrizin tim ♦ *k/* **(cost)** bëj koston; kushton; **it** ~ **me a world** më kushtoi qimet e kokës ♦ *k/* **(-ed) - (out)** nxjerr koston *(e prodhimit)* ♦ ~**ly** /'kostli/ *mb* i kushtueshëm

costume /'kostju:m/ *em* kostum

cosy /'kouzi/ *mb* i rehatshëm; komod; *(bs edë)* e ngrohtë; intime

cot /kot/ *em* shtrat i vogël; *am* shtrat kampimi

cottage /'kotidʒ/ *em* kasolle; vilë fshati

cotton /'kotn/ *em* pambuk ♦ *mb* i pambuktë; (prej) pambuku ♦ ~ **on** *jk/ bs* mësohem *(me diçka):* ~ **to sb** më hyn në zemër dikush ♦ ~ **wool** /-wul/ *em* pambuk hidrofil

couch /kautʃ/ *em* divan; minder

cough /kof/ *em* kollë ♦ *jk/* kollitem ♦ *k/ fg* nxjerr; *bs* paguaj, tund paratë **(up)**

cough mixture /-'mikstʃə(r)/ *em* shurup për kollë

could /kud/, *e patheksuar* /kəd/ *folje ndihmëse shih* **can**[2]: ~ **I have a glass of water?** a më jep një gotë ujë, po munde? **he** ~**n't have done it with-out help** s'mund ta bënte pa ndihmë; **you** ~ **have phoned** të më kishe telefonuar; **I** ~**n't care less** aq më bënte mua

council /'kaunsl/ *em* këshill ♦ ~**lor** /-silə(r)/ *em* këshilltar; anëtar i këshillit *(të bashkisë)*

counsel /'kaunsl/ *em dr* avokat: ~ **for the defence** avokat mbrojtës

count[1] /kaunt/ *em* kont

count[2] *em* llogari: **keep** ~ mbaj llogarinë ♦ *k/, jk/* llogarit; numëroj ♦ ~ **on** *k/* kam besim te ♦ ~**down** /-daun/ *em* numërim së prapthi *(para nisjes së raketës etj.)*

countenance /'kauntənəns/ *em* shprehje *(e fytyrës)* ♦ *k/* miratoj

counter[1] /'kauntə(r)/ *em* banak; sportel: **under the** ~ nën banak/ dorë

counter[2] *nd* kundër; në drejtim/ kah të kundërt; **go** ~ **to sth** shkoj kundër diçkaje ♦ *k/, jk/* kundërshtoj; dal kundër ♦ ~**attack** /'kauntərə'tæk/ *em* kundërsulm: **on the** ~ në kundërsulm ♦ *k/, jk/* kundërsulmoj ♦ ~**-espionage** /-'espiənə.ʒ/ *em* kundërspiunazh

counterfeit /'kauntə(r)fi:t/ *mb* i rremë; i falsifikuar; kallp ♦ *em* falsifikim ♦ *k/* falsifikoj ♦ ~**er** *em* falsifikues *(monedhash etj.)*

counterfoil *em* matricë; amë, trup *(i çekut)*

counter:part /-pa:(r)t/ *em* barazvlerës; homolog; kopje; pjesë plotësues ♦ ~**sign** /-sain/ *k/* kundërnënshkruaj

countess /'kauntis/ *f* konteshë

countless /'kauntlis/ *mb* i panumërt

country /'kʌntri/ *em* vend; atdhe; fshat: **in the** ~ në fshat; **go to the** ~ shkoj në fshat; *p/* kërkoj të bëhen zgjedhje ♦ ~**house** /-haus/ *em* vilë fshati ♦ ~**-man** /-mən/ *em* fshatar; bashkëkombës ♦ ~**side** /-said/ *em* fshat

county /'kaunti/ *em* konté *(njësi administrative)*

coup /ku:/ *em p/* grusht shteti

couple /'kʌpl/ *em* çift: **a** ~ **of** nja dy ♦ *k/* çiftoj

courage /'kʌridʒ/ *em* guxim ♦ ~**ous** /kə'reidʒəs/ *mb* guximtar; i guximshëm ♦ ~**ously** *nd* me guxim

courgette /kuə'ʒet/ *em bt, gjl* kungull i njomë

courier /'kuriə(r)/ *em* korrier; udhëheqës turistik

course /ko:s/ *em* kurs; mësim; *dt* rrugë; vijë detare; *gjl* pjatë; *sp* fushë *(golfi):* **of** ~ sigurisht; **off** ~ *dt* jashtë kursit; **in due** ~ me kohë; në kohën e duhur;

~ of treatment *mk* mjekim

court /ko:(r)t/ *em* gjykatë; gjyq; fushë *(tenisi etj.);* oborr: **royal ~** oborr mbretëror; **take sb to ~** hedh në gjyq dikë; **grass ~** fushë bari *(për tenis)* ♦ *k/* i sillem përqark *(një gruaje);* sfidoj, s'pyes për *(rrezikun)*

courte:ous /'ko:(r)tiəs/ *mb (sjellje)* oborrtare ♦ **~sy** /'kə:(r)tsi/ *em* oborrësí; mirësjellje ♦ **~ously** *mb* i mirësjellë; *(sjelle)* e hijshme

court-martial /-ma:(r)ʃəl/ *em (sh ~s martial)* gjykatë ushtarake ♦ *k/* nxjerr/ hedh në gjyq ushtarak ♦ **~yard** /-ja:(r)d/ *em* oborr

cousin /'kʌzn/ *em* kushëri; fis: **first ~** kushëri i parë

cover /'kʌvə(r)/ *em* mbulesë; këllëf *(jastëku);* kapak *(i librit etj.):* **take ~** mbrohem; **under separate ~** veçan ♦ *k/* mbuloj; i bëj këllëf *(jastëkut);* i vë kapak *(librit); (gazetari)* raporton *(një ngjarje)* ♦ **~ up** *k/* mbuloj; *fg* fshej *(një skandal)* ♦ **~age** /'kʌvə(r)idʒ/ *em* raportim: **give a lot of ~** i kushtoj rëndësi një ngjarjeje *(në shtyp)* ♦ **~ charge** /-tʃa(r)dʒ/ *em* tarifë për vendin *(në restorant)* ♦ **~ing** /'kʌəriŋ/ *em* mbulesë; veshje *(e mureve);* shtrim *(i dyshemesë):* **~ing letter** letër përcjellëse *(e një dokumenti)* ♦ **~-up** /-ʌp/ *em* mbulim; fshehje *(e një skandali)*

covet /'kʌvit/ *k/* lakmoj; kam zili

cow /kau/ *em* lopë

coward /'kauə(r)d/ *em* frikacak; burracak ♦ **~ice** /-is/ *em* frikë; burracakëri ♦ **~ly** *mb* frikacak

cowboy /'kauboi/ *em* lopar; pelar; kauboi; *bs* birbo

cower /'kauə(r)/ *k/* ligështohem; shukem

cox /koks/, **~swain** /'koksn/ *em dt* timonier

coy /koi/ *mb* i druajtur; i turpshëm: **be ~ about sth** bëj sikur s'ma ka qejfi diçka

crab /kræb/ *em z/* gaforre

crack /kræk/ *em* plasë; plasaritje; kërcitje: **have a ~** bëj një provë ♦ *mb:* **~ shot** qitës i mbaruar ♦ *k/* plasarit; zbërthej, deshifroj *(një kod):* **~ a joke** *bs* këput një qyfyr ♦ *jk/ (pjata, gota:)* kriset; plasaritet; *(kamxhiku)* kërcet ♦ **~ down (on)** *jk/ bs* marr masa të rrepta (kundër) ♦ **~ed** /krækt/ *mb* i plasaritur; i krisur; i celfosur; *bs* i krisur ♦ **~er** *em* biskotë e fortë; fishekzjarr; kërcasë *(tub letre me gjëzë brenda, për Krishtlindje)* ♦ **~ers** *mb bs* i krisur; i luajtur mendsh

crackle /'krækl/ *jk/* kërcëllin

cradle /'kreidl/ *em* djep

craft[1] /kra:ft/ *em* mjet lundrimi

craft[2] /kra:ft/ *em* mjeshtëri; zanat; mjet lundrimi ♦ **~sman** /-smən/ *em* zejtar ♦ **~y** *mb* finok; hileqar

crag /kræg/ *em* serrë; shkëmb i thepisur; thep

cram /kræm/ *k/* ngjesh; rrash; dynd **(into** in) ♦ *jk/* mësoj derrçe *(për provimet)*

cramp /kræmp/ *em* ngërç; spazmë muskulore

crane /krein/ *em* vinç *(i portit detar); z/* lejlek ♦ *k/:* **~ one's neck** zgjat qafën

crank[1] /kræŋk/ *em* njeri i vështirë; maniak

crank[2] *em tk* manivelë ♦ **~ shaft** *em* bosht motorik; kollodok

cranky /'kræ(r)ki/ *mb* strampalato; *(am: irritable)* irritabile

cranny /'kræni/ *em* plasë; plasaritje

crap /kræp/ *em v/* dhjes ♦ *em* e dhier; dhjerje; mut; budallallëk me thes: **cut the ~!** mos fol marrëzira!

crape /kreip/ *em tks* krep; rrip krepi *(si shenjë zie)*

crapshoot /'kræpʃu:t/ *em* punë e pasigurt

crash /kræʃ/ *em* kërcitje; krismë; rënie *(e tregut financiar);* falimentim; *av* ulje jashtë piste; *au* përplasje ♦ *jk/ (aeroplani)* rrëzohet; ulet jashtë piste; *(makina)* përplaset ♦ *k/* përplas *(makinën)* ♦ **~ course** /-ko:(r)s/ *em* kurs i shpejtë/ intensiv ♦ **~-helmet** /-'helmət/ *em* kaskë ♦ **~-landing** /-'lændiŋ/ *em* ulje jashtë piste *(e aeroplanit)*

crate /kreit/ *em* arkë ambalazhi

crater /'kreitə(r)/ *em* krater; gropë

crav:e /kreiv/ *k/* lakmoj ♦ **~ing** *em* lakmi; dëshirë e fortë

crawl /kro:l/ *em* not krol; stil i lirë; zvarritje: **at a ~** zvarrë; me hapin e breshkës; si kërmill ♦ *jk/* zvarritem; eci këmbadoras: **~ with** gëlon; është mbushur plot me ♦ **~ ~er lane** *au* korsí e ngadalshme

crayon /'kreiən/ *em* pastel; laps me ngjyrë

craze /kreiz/ *em* maní; modë

crazy /'kreizi/ *mb* i çmendur; i luajtur: **be ~ about** dalldis për

cream /kri:m/ *em* ajkë *(qumështi);* krem: **~ cheese** *em* djathë i butë ♦ *mb (bojë)* kremi ♦ *k/* i marr ajkën *(qumështit)* **(off)** ♦ **~y** *mb* i butë si krem; ngjyrëkrem

crease /kri:s/ *em* palë; rrudhë ♦ *k/* rrudh; bëj me palë *(rroben)* ♦ *jk/* rrudhet

creat:e /kri:'eit/ *k/* krijoj; bëj ♦ **~ion** /-'eiʃn/ *em* krijim ♦ **~ive** *mb* krijues ♦ **C~or** *em* krijues; Perëndi ♦ **~ure** /'kri:tʃə(r)/ *em* krijesë; qenie

creche /kreʃ/ *em* çerdhe fëmijësh

credentials /kri'denʃlz/ *em sh* kredenciale

credib:ility /kredi'biləti/ *em* besueshmëri ♦ **~le** /'kredibl/ *mb* i besueshëm

credit /'kredit/ *em* kredi(t); nder; lavdi: **take the ~ for** marr lavdinë për; **on ~** me kredi ♦ *k/* jap me kredi ♦ **~ bank** /-bæŋk/ *em* bankë krediti ♦ **~-card** /-ka:(r)d/ *em* kartë krediti ♦ **~or** *em* kreditor

creed /kri:d/ *em* kredo; bindje; *ft* besojmë

creek /kri:k/ *em* gotull; gji i vogël; *am* përrua

creep /kri:p/ *jk/* **(crept** /krept/) zvarritem ♦ *em bs* faqezi

cremat:e /kri'meit/ *k/* djeg në kremator ♦ **~orium** /kremə'to:riəm/ *em* kremator

creme /kri:m/ *em* krem *(për gatim)*

crept /krept/ *shih* **creep**

crescent /'kresənt/ *em* draper i hënës; gjysmëhënë

crest /krest/ *em* kreshtë
Cretan /'kri:tn/ *mb, em* (banor) i Kretës ♦ **Crete** / kri:t/ *em gjg* Kretë
crevice /'krevis/ *em* plasë; plasaritje
crew /kru:/ *em* ekuipazh *(i anijes);* grup
crib[1] /krib/ *em* djep
crib[2] *kl, jkl bs* kopjoj
crick /krik/ *em.:* **~ in the neck** ngërç i qafës
cricket[1] /'krikit/ *em zl* bulkth
cricket[2] *em* bulkth; *sp* kriket ♦ **~er** *em* lojtar kriketi
crim:e /kraim/ *em* krim; kriminalitet: **petty ~** krim ordiner ♦ **~inal** /'kriminl/ *mb* kriminel; *(gjykatë)* penale: **~ offence** shkelje *(e ligjit)* ♦ *em* kriminel
crimson /'krimzn/ *mb (ngjyrë)* kërmëz
cringe /krindʒ/ *jkl* strukem; ngërdheshem
crinkle /'kriŋkl/ *kl* rrudh; zhubros ♦ *jkl* rrudhet; zhubroset
cripple /'kripl/ *em* ulok; sakat ♦ *kl* lë ulok; gjymtoj; *fig* prish ♦ **~d** *mb (njeri)* ulok; sakat; i gjymtuar; *(anije)* e dëmtuar
crisis /'kraisis/ *em (sh* **-ses** /-si:z/) krizë: **go through a ~** jam në krizë
crisp /krisp/ *mb (bukë)* e thekur; *(kore)* e fortë, që kërcet; *(ajër)* i fohtë ♦ **~s** *em sh* petë patatesh të thata
criterion /krai'tiəriən/ *em (sh* **~ria** /-riə/) kriter
critic /'kritik/ *em* kritik ♦ **~al** *mb* kritik ♦ **~ally** *nd:* **~ally ill** i sëmurë rëndë ♦ **~ise** /-saiz/ *kl* kritikoj ♦ **~ism** /-sizm/ *em* kritikë
crock /krok/ *em bs :* **old ~** *(njeri)* i mbaruar; *(kalë)* gërdallë; *(makinë)* shpartallinë ♦ *jkl bs* cof; ngordh; mbaroj
crockery /'krokəri/ *em* poçeri; prodhime balte/ argjili
crocodile /'krokədail/ *em zl* krokodil
crocus /'krokəs/ *em (sh* **-es**) *bt* kokërdhojë
crony /'krouni/ *em* shok; kumbarë
crook /kruk/ *em bs* batakçi ♦ **~ed** /-id/ *mb* i shtrembër; i kërrusur; *bs* batakçi
crop /krop/ *em* të korra; të vjela ♦ *kl* mbjell; kultivoj; pres, qeth, shkurtoj ♦ **~ up** *jkl bs* del befas
cross[1] /kros/ *mb* i zemëruar; qejfmbetur: **talk at ~ purposes** njëri i bie thumbit, tjetri potkoit
cross[2] *em* kryq; *bi* kryqëzim ♦ *kl* dyvijëzoj *(çekun);* kryqëzoj *(racat):* **~ oneself** bëj kryqin; **it ~ed my mind** më ra ndër mend ♦ *jkl (rrugët)* kryqëzohen; vijat *(ndërpriten)* ♦ **~ out** *kl* prish, fshij ♦ **~ over** *jkl* hidhem matanë; dal përtej ♦ **~bar** /-ba:(r)/ *em* tra i portës; hekur *(i biçikletës)* ♦ **~-bencher** /-'bentʃə(r)/ *em* deputet i pavarur ♦ **~-country** /-kʌntri/ *em sp* kros masiv ♦ **~-breed** /-bri:d/ *em* racë e kryqëzuar ♦ *kl* kryqëzoj *(racat)* ♦ **~-examination** /-igzæmi'neiʃn/ *em* hetim i imtësishëm ♦ **~-eyed** /-'aid/ *mb* i vëngër; vëngërosh ♦ **~-fire** /-faiə(r)/ *em ush* zjarr i kryqëzuar ♦ **~-patch** /-pætʃ/ *em* grindavec; *(grua)* piperkë ♦ **~roads** /-roudz/ *em sh* kryqëzim i rrugëve; udhëkryq ♦ **~wise** /-

waiz/ *nd* tërthor; së kithi; kryqas; diagonalisht ♦ **~word** /-wə(r)d/ *em:* **~word (puzzle)** fjalëkryq
crotchety /'krotʃiti/ *mb* trillan
crouch /krautʃ/ *jkl* kërrusem; kurrukatem
crow /krou/ *em zl* korb: **as the ~ flies** në vijë të drejtë ♦ *kl* këndoj
crowbar /-ba:(r)/ *em* lloz; qysqi
crowd /kraud/ *em* turmë: **~ control** kontroll i turmës *(nga policia)* ♦ *kl* ngjesh; rras ♦ *jkl (turma)* ngjishet; ngjishemi ♦ **~ed** /-id/ *mb* i mbushur plot me njerëz; *(dhomë)* e ngushtë
crown /kraun/ *em* kurorë ♦ *kl* kurorëzoj
crucial /'kru:ʃl/ *mb (çast)* vendimtar; kritik
crucif:ix /'kru:sifiks/ *em* kryq ♦ **~ixion** /-'fikʃn/ *em* kryqëzim; mbërthim në kryq *(si dënim)* ♦ **~y** /-fai/ *kl* kryqëzoj; mbërthej në kryq
crude /kru:d/ *mb* i papërpunuar; *(naftë)* bruto; *(gjuhë)* e papunuar; *(njeri)* i pagdhendur
cruel /kru:əl/ *mb* i egër; mizor **(to me)** ♦ **~ly** *nd* egër; me egërsi/ mizorí ♦ **~ty** *em* egërsi; mizorí
cruis:e /kru:z/ *em* lundrim ♦ *jkl* bëj një lundrim; lundroj me shpejtësi normale ♦ **~er** *em ush-dt* kryqëzor; motoskaf; automobil i patrullës së policisë ♦ **~ing** *em* shpejtësi normale e lundrimit
crumb /krʌm/ *em* thërrime
crumble /'krʌmbl/ *kl* thërrmoj; harmoj ♦ *jkl* thërrmohet; shpërbëhet
crumple /'krʌmpl/ *kl* rrudh; zhubros ♦ *jkl* rrudhet; zhubroset
crunch /krʌntʃ/ *em bs :* **when it comes to the ~** kur vjen çasti vendimtar ♦ *jkl (bora)* kërcet *(nën këmbë)*
crusade /kru:'seid/ *em* kryqëzatë ♦ **~r** *em* kryqëtar, kryqëzatës
crush /krʌʃ/ *em* turmë e madhe; shtypje: **have a ~ on sb** më bie në kokë/ zë qymyri për dikë ♦ *kl* shtyp; dërrmoj; ngjesh
crust /krʌst/ *em* kore *(e tokës, e bukës)* ♦ **~y** *mb (bukë)* me kore
crutch /krʌtʃ/ *em* patericë
crux /krʌks/ *em fg* thelb *(i çështjes)*
cry /krai/ *em* klithmë; britmë; ankim: **have a good ~** qaj sa ngopem; **a far ~ from** *fig* krejt ndryshe/ tjetër ♦ *jkl* qaj; thërres; ankohem
crypt /kript/ *em* kript ♦ **~ic** *mb* kriptik; i fshehtë
crystal /'kristl/ *em* kristal; gotë kristali ♦ **~lise** *jkl* kristalizoj; sqaroj
cub /kʌb/ *em* këlysh
Cuba /'kju:bə/ *em* Kubë ♦ **~an** *mb, em* kuban
cub:e /kju:b/ *em* kub ♦ **~ic** *mb* kubik ♦ **~icle** /-ikl/ *em* kubik; kthinë e vogël
cuckoo /'kuku:/ *em zl* qyqe ♦ **~ clock** /-klok/ *em* orë me qyqe
cucold /'kʌkld/ *em* brinar
cucumber /'kju:kʌmbə(r)/ *em* kastravec
cuddle /'kʌdl/ *em* përqafim: **have a ~** përqafohem;

rri ngjitur pas *k/* përqafoj; ledhatoj ♦ *jk/* i ngjitem; rri ngjitur (**up to** pas) *(dikújt)*

cudgel /'kʌdʒl/ *em* shkop; çomagë

cue[1] /kju:/ *em* shenjë; *tt* përgjigje; replikë

cue[2] *em* stekë *(e bilardos)* ♦ **~ ball** /-bo:l/ *em* çok *(e bilardos)*

cuff /kʌf/ *em* kapak i mëngës *(së këmishës):* **off the ~** pa u përgatitur; me improvizim; *(fjalim)* i improvizuar ♦ **~ link** /-liŋk/ *em* kapëse e kapakut të mëngës

cul-de-sac /'kʌldəsæk/ *em* udhë pa krye

culinary /'kʌlinəri/ *mb (art)* i gatimit

cull /kʌl/ *k/* përzgjedh; skartoj

culminat:e /'kʌlmineit/ *k/* kulmoj; arrin kulmin ♦ **~ion** /kʌlmi'neiʃn/ *em* kulm(im)

culottes /kju:'lots/ *em sh* fund-pantallona

culprit /'kʌlprit/ *em* fajtor

cult /kʌlt/ *em* kult

cultivat:e /'kʌltiveit/ *k/* kultivoj; *fg* lëvroj ♦ **~tion** /-'veiʃn/ *em* kultivim; *fg* lëvrim

cultur:al /kʌltʃərəl/ *mb* kulturor ♦ **~e** /'kʌltʃə(r)/ *em* kulturë ♦ **~ed** *mb* i kulturuar

cumbersome /'kʌmbəsəm/ *mb* i rëndë; i pavolitshëm; i kabashëm

cunning /'kʌniŋ/ *mb* dredharak ♦ *em* dredhi; hile

cup /kʌp/ *em* tas; kupë: **~ final** finale e kupës; **~ winner's ~** kupë e kupave

Cupid /'kju:pid/ *em mit* Kupid ♦ **c~ity** *em* lakmi; epsh

curable /'kjuərəbl/ *mb* i mjekueshëm

curator /kjuə'reitə(r)/ *em* drejtor *(muzeumi)*

cupboard /'kʌbə(r)d/ *em* dollap

cupboard love /-'lʌv/ *bs* dashuri për interes

cupola /'kju:pələ/ *em* kupolë

curb /kə:(r)b/ *em* gojëz e frerit të kalit; frenim; buzë e trotuarit ♦ *k/* frenoj; përmbaj *(ndjenjat);* bëj zap

curdle /'kə:(r)dl/ *jk/ (qumështi)* pritet; *fg* (më) ngrin *(gjaku)*

cure /kjuə(r)/ *em* mjekim, kurë ♦ *k/* mjekoj, kuroj: krip, thaj *(mishin)* ♦ **~-all** *em* bar dorëmenjë; bar që shëron gjithë sëmundjet

curfew /'kə:fju:/ *em* ndalimqarkullim

curio:sity /kjuəri'osəti/ *em* kureshtje; kuriozitet ♦ **~us** /'kjuəriəs/ *mb* kureshtar ♦ **~usly** *nd* çuditërisht; për çudi; me kureshtje

curl /kə:(r)l/ *em* kaçurrel; krelë; dredhë *(e flokëve)* ♦ *k/* dredh; bëj kaçurrela *(flokët)* ♦ **up** *jk/* kërvesh; mbledh kular/kutullaç; *(macja)* rri kulaç ♦ **~er** *em* bigudi; mashë *(për folokët)* ♦ **~y** *mb* kaçurre; i dredhur

currant /'kʌrənt/ *em* rrush i thatë

currency /'kʌrənsi/ *em* monedhë *(e një vendi);* valutë; përhapje, qarkullim *(i fjalëve, i lajmëve):* **foreign ~** valutë e huaj

current /'kʌrənt/ *mb (monedhë)* në qarkullim; *(muaj)* në vazhdim: **~ affairs/ events** aktualitete; ngjarje

aktuale ♦ *em* rrymë *(uji, elektriku)* ♦ **~ly** *nd* tani; aktualisht; zakonisht

curriculum /kə'rikjuləm/ *em* program shkollor/i studimeve: **~ vitae** /'vi:tai/ jetëshkrim i shkurtër

curry[1] /'kʌri/ *em* karri; gjellë me karri

curry[2] *k/:* **~ favour with sb** i kreh bishtin dikujt

curse /kə:(r)s/ *em* mallkim; sharje ♦ *k/* mallkoj; truaj ♦ *jk/* shaj

cursor /'kə:(r)sə(r)/ *em inf* kursor

cursory /'kə:(r)səri/ *mb* i përciptë

curt /kə:(r)t/ *mb* i prerë; i thatë

curtail /kə:(r)'teil/ *k/* shkurtoj; pakësoj ♦ **~ment** *em* shkurtim *(i personelit)*

curtain /'kə:(r)tn/ *em* perde ♦ *k/* pres/ ndaj me perde *(një dhomë)*

curve /kə:(r)v/ *em* kurbë; lakore ♦ *jk/* lakohet

cushion /'kuʃn/ *em* jastëk; shilte ♦ *k/* mbështet; mbroj; amortizoj; thith *(topin, goditjen)*

cushy /'kuʃi/ *mb bs* i lehtë; *(punë)* e rehatshme

custard /'kʌstə(r)d/ *em gjl* kustardë, krem për ëmbëlsirë

custod:ian /kʌ'stoudiən/ *em* rojë; mbrojtës ♦ **~y** /'kʌstədi/ *em* kujdestarí *(e një fëmije);* burgim; mbajtje në arrest

custom /'kʌstəm/ *em* zakon; *dr* e drejtë zakonore; *trg* klientë ♦ **~ary** *mb* i zakonshëm: **it's ~ to...** është zakon të... ♦ **~er** *em* klient

customs /'kʌstəmz/ *em sh* doganë: **clear the ~** kaloj doganën ♦ **~ duty** /-'dju:ti/ *em* taksë doganore ♦ **~ officer** /-'ofisə(r)/ *em* doganier

cut /kʌt/ *em* prerje; e prerë *(me thikë etj)* ♦ *(***cut, cutting***) k/* pres; shkurtoj: **~ one's hair** qethem ♦ *jk/* pritem; pres *(letrat për të filluar lojën)* ♦ **~-and-dried** /-ən'draid/ *mb* i rëndomtë; i thatë; pa imagjinatë ♦ **~ back** *k/* shkurtoj; qeth *(flokët);* pakësoj *(shpenzimet)* ♦ **~-back** /-bæk/ *em* shkurtim *(i shpenzimeve)* ♦ **~ down** *k/* pres, rrëzoj *(pemën);* pakësoj, zvogëloj, pres *(shpenzimet)* ♦ **~ off** *k/* pres; heq; ndërpres *(ushimin e qarkut);* fg veçoj, izoloj: **I was ~ off** m'u pre linja *(e telefonit)* ♦ **~ out** *k/* pres; fshij; heq: **be ~ out for** jam i prerë për ♦ **~ up** *k/* copëtoj; pres copa-copa

cute /kju:t/ *mb bs* i këndshëm; i lezetshëm; i zgjuar

cutlery /'kʌtləri/ *em* komplet thikash

cutlet /'kʌtlit/ *em gjl* kotoletë

cut:ter /'kʌtə(r)/ *em* prerës; *kn* montazhier; *tk* presë; teh ♦ **~ price** /-'prais/ *em* çmim i ulur ♦ **~throat** /-θrout/ *mb* i pamëshirshëm; i egër ♦ **~ting** /'kʌtiŋ/ *mb* i mprehtë; që (të) pret; *(vëretje)* therëse ♦ *em* copë e prerë nga gazetat/ filmi; montim i filmit

cuttle-fish /'kʌtlfiʃ/ *em z/* sepje

CV /'si:vi:/ *em shkrt i* **curriculum vitae** jetëshkrim i shkurtër, CV

cyanide /'saiənaid/ *em* cinaur

cybernetics /saibə'netiks/ *em* kibernetikë

cycl:e /'saikl/ *em* biçikletë ♦ *jk/* shkoj me biçikletë ♦

~ing ~ çiklizëm ♦ **~ist** *em* çiklist
cyclone /'saikloun/ *em* ciklon
cylind:er /'silində(r)/ *em* cilindër ♦ **~rical** /-'lindrikl/ *mb* cilindrik
cynic /'sinik/ *em* cinik ♦ **~al** *mb* cinik ♦ **~ism** /-sizm/ *em* cinizëm
cypher /'saifə(r)/ *em* shifër *(e kodit)*
cypress /'saiprəs/ *em* qiparis; selvi

Cypr:iot /'sipri:ət/ *mb, em* qipriot ♦ **~us** /'saiprəs/ *em* Qipro
cyst /sist/ *em* cist ♦ **~itis** /-'staitis/ *em* cistit
Czech /tʃek/ *mb* çek: **~ Republic** *mb* Republika Çeke ♦ *em* çek; çekishte
Czechoslovak /tʃekou'slouvæk/ *mb* çekosllovak ♦ **~ia** /-'vækiə/ *em* Çekosllovakí

D

dab /dæb/ *em* prekje/goditje e lehtë: **a ~ of** një thërrime ♦ *kl* prek lehtë; lyej lehtë: **~ on** *kl* vë pak *(të kuq në fytyrë)*

dabble /'dæbl/ *jkl:* **~ in sth** *fg* merrem sa për qejf/ si dilentant *(me diçka)*

dad(dy) /'dæd(i)/ *em bs* baba; tatë ♦ **~-long-legs** /-lɔŋ'legz/ *em am bs* merimangë

daffodil /'dæfədil/ *em bt* narcis lëndine

daft /da:ft/ *mb* budalla; rrotë; *bs* koqe

dagger /'dægə(r)/ *em* shish; kamë: **look ~s at sb** e shoh dikë sikur do ta ha/ mbys

dahlia /'deiljə/ *em bt* gjeorgjinë

daily /'deili/ *mb* ditor; i përditshëm ♦ *nd* për ditë ♦ *em* (gazetë) e përditshme; pastruese e përditshme

dainty /'deinti/ *mb* (gjellë) e zgjedhur, *(qëndrim)* i hijshëm

dairy /'dɛəri/ *em* baxhë; bulmetore ♦ **~ cow** /-kau/ *em* lopë qumështi/ qumështore ♦ **~ products** /- 'prodʌkts/ *em sh* bulmetra

daisy /'deizi/ *em bt* luleshqerrë; luledhensh

dale /deil/ *em* luginë

dam /dæm/ *em* digë; pritë ♦ *kl* zë me pritë/digë

damag:e /'dæmidʒ/ *em* dëm (to); **~es** *sh dr* zhdëmtim ♦ *kl* dëmtoj; prish ♦ **~ing** *mb* i dëmshëm; i keq

dame /deim/ *em* zonjë; damë; *am sl* grua

damn /dæm/ *mb bs* i mallkuar ♦ *nd* shumë keq ♦ *em:* **I don't care/ give a ~** s'më bëhet vonë; s'dua t'ia di fare ♦ *psth* dreq (o punë)

damp /dæmp/ *mb* i lagësht ♦ *em* lagështirë ♦ *kl* lagështoj ♦ **~en** *kl* lag; njom; lagështoj; *fg* pres *(hovin, entuziazmin)* ♦ **~ness** *em* lagështi(rë)

dance /da:ns/ *em* vallëzim; kërcim; valle: **lead sb a ~** *bs* i'a sjell festen vërdallë dikujt ♦ *kl, jkl* vallëzoj; kërcej ♦ **~er** *em* valltar; balerin *(klasik)* ♦ **~-hall** /-ho:l/ *em* sallë vallëzimi ♦ **~ music** /-'mju:zik/ *em* muzikë vallëzimi ♦ **~ing** *em* vallëzim; balet

dandelion /'dændilaiən/ *em bt* qumështore; lule qumështi

dandruff /'dændrʌf/ *em* zbokth; shqimth; pah i kokës

Dane /dein/ *em* danez

danger /'deindʒə(r)/ *em* rrezik: **in/ out of ~** në rrezik/ jashtë rrezikut ♦ **~ous** /-rəs/ *mb* i rrezikshëm ♦ **~ously** *nd* rrezikshëm; me rrezik: **~ ill** i sëmurë rëndë

dangle /'dæŋgl/ *jkl* lëvarem ♦ *kl* lëvar; tund *(këmbët, krahët)*

Danish /'deiniʃ/ *mb, em* danez ♦ *em* danishte; (gjuhë) daneze

dar:e /dɛə(r)/ *kl, jkl* guxoj; kuturis; rrezikoj; sfidoj **(to** të): **~ (to) do sth** guxoj të bëj diçka; **i ~ say!** ndoshta! ♦ *em* guxim; sfidë ♦ **~ing** *mb* i guximshëm; trim ♦ *em* guxim; trimëri ♦ **~devil** / 'devl/ *em* kokëkrisur

dark /da:(r)k/ *mb* i errët: **~ brown** ngjyrëkafe e errët; **~ room** dhomë e errët *(e fotografit);* **it's getting ~** po nis të erret; **~ horse** *fig* fitues i paparashikuar; misterioz; **keep sth ~** *fig* mbaj të fshehtë diçka ♦ *em* errësirë; terr; mug: **after ~** pasi erret; **in the ~** në terr; **keep sb in the ~** *fig* e lë në terr dikë për diçka ♦ **~en** *kl* errësoj *(ngjyrat etj.)* ♦ *jkl* errësohet; nxihet; *(qielli)* vrenjtet ♦ **~ness** *em* errësirë; terr

darling /'da:(r)liŋ/ *mb, em* i dashur; *(figurë)* e adhuruar: **the ~ of the press** i dashuri i shtypit; **no, my ~** jo, i dashur/ more!

darn /da:(r)n/ *kl* arnoj ♦ **~ing** *em* arnim; arnë; arnesë: **invisible ~** arnim i padukshëm

dart /da:(r)t/ *em* shigjetë; pincë ♦ **~s** *sh* lojë pincash/ shigjetash ♦ *jkl* lëshohem si shigjetë ♦ **~board** /- bo:d/ *em* tabelë *(për lojë shigjetash)*

dash /dæʃ/ *em sht* vizë; thërrime; sulm, vërsulje: **a ~ of milk** një pikë qumësht; **make a ~ for** sulem për ♦ *jkl* sulem: **I must ~** duhet të nisem menjëherë ♦ *kl* rrënoj *(shpresat)* ♦ **~ off** *jkl* nisem ♦ *kl* shënoj shpejt e shpejt ♦ **~ out** *jkl* dal si shigjetë

dashboard /'dæʃbo:(r)d/ *em au* kruskot; kuadër i

drejtimit

dashing /'dæʃiŋ/ *mb (djalë)* i hedhur; i gjallë; *(pamje)* tërheqëse

data /'deitə/ *em sh* të dhëna ♦ **~base** /-beiz/ *em tk* bazë informacioni; databazë ♦ **~comms** /-komz/ *em* telematikë ♦ **~ processing** /-'prouseiŋ/ *em tk* përpunim kompjuterik i të dhënave

date¹ /deit/ *em bt* hurmë Arabie

date² *em* datë; takim; shok, mik, dashnor: **to ~** gjer sot; **out of ~** i vjetruar; i dalë mode; **make a ~ with sb** i lë takim dikujt; **be up to ~** është modern ♦ *kl, jkl* datoj; dal *(me një shok):* **are you ~ing him?** a shihesh me të? ♦ **~d** /-id/ *mb* i vjetruar ♦ **~line** /-lain/ *em gjg* vijë e (ndërrimit të) datës

daub /do:b/ *kl* bojatis *(muret)*

daughter /'do:tə(r)/ *em* bijë ♦ **~-in-law** /-in'lo:/ *em (sh ~s-in-law)* e re; nuse

dawn /do:n/ *em* agim: **at ~** në agim; në të zbardhur *(të ditës)*

daunt /do:nt/ *kl* tremb: **nothing ~ed** pa pikë frike ♦ **~ing** *mb (punë)* e vështirë; e rëndë ♦ **~less** *mb* i patrembur ♦ **~lessly** *nd* pa frikë

dawdle /'do:dl/ *jkl* ngalem; vonohem; ngarrit

dawn /do:n/ *em* agim: **at ~** në agim; në të zbardhur *(të ditës);* **it ~ed on me** *fg* 'u bë e qartë; e kuptova

day /dei/ *em* ditë: **these ~s** këto ditë; **in those ~s** atëherë; **it's had its ~** *bs* e ka kaluar të vetën, e ka ngrënë çairin ♦ **~break** /-breik/ *em:* **at ~** kur zbardhi dita ♦ **~-dream** /-dri:m/ *em* ëndërr në diell ♦ **~-light** /-lait/ *em* ditë; dritë e ditës ♦ **~time** /-taim/ *em* ditë: **in the ~time** gjatë ditës

daze /deiz/ *em:* **in a ~** i trullosur; *fg* i hutuar ♦ **~d** *mb* i hutuar

dazzl:e /'dæzl/ *kl* lëbyr *(sytë)* ♦ **~ing** *mb* lëbyrës

deacon /'di:kn/ *em ft* dhjak; xhakua

dead /ded/ *mb* i vdekur; *(këmbë etj.)* e mpirë: **~ body** kufomë; **~ centre** mu në mes ♦ *nd:* **~ slow** shumë ngadalë; **~ tired** i lodhur për vdekje; **you're ~ right** ke shumë/plotësisht të drejtë; **be ~ on time** jam shumë i përpiktë; jam në orar; **stop ~** *(makina)* nuk ecën fare ♦ *em:* **the ~** *sh* të vdekurit: **in the ~ of night** në mes të natës ♦ **~en** *kl* mbyt, shuaj *(zhurmën);* qetësoj *(dhembjen)* ♦ **~-end** /-end/ *em* udhë pa krye ♦ **~ heat** /-hi:t/ *em:* **it was a ~** qe garë e barabartë ♦ **~line** /-lain/ *em* afat: **meet the ~** jam në afat ♦ **~lock** /-lok/ *em* ngecje; pikë e vdekur: **reach a ~lock** ngec; arrin në pikë të vdekur ♦ **~ly** *mb* vdekjeprurës: **~ sins** mëkate mortore

deadpan /'dedpæn/ *mb* i patundur; *(humor)* anglez

deaf /def/ *mb* shurdh; i shurdhër: **~ and dumb** shurdhmemec ♦ **~en** /'defn/ *kl* shurdhoj; lë shurdh ♦ **~ening** *mb* shurdhues ♦ **~ness** *em* shurdhësí

deal /di:l/ *em* marrëveshje; pazar; dorë *(në lojë me letra):* **whose ~?** kush e ka dorën *(të ndajë lerat)?*; **a good/ great ~** shumë; goxha; **get a raw ~** *bs*

ma punojnë keq/padrejtësisht ♦ *kl* **(dealt** /delt/) jap; ndaj, bëj *(letrat):* **~ sb a blow** i jap një goditje dikujt ♦ **~ in** *kl* merrem me ♦ **~ out** *kl* ndaj *(letrat);* shpërndaj ♦ **~ with** *kl* merrem me; trajtoj; ka të bëjë me ♦ **~er** *em* tregtar; shpërndarës *(i drogës);* ai që ka dorën *(në lojë me letra)* ♦ **~ings** *em sh:* **have ~ with** kam lidhje/ punë me

dean /di:n/ *em dhe ft* dekan ♦ **~ery** *em* dekanat

dear /diə(r)/ *mb, em* i dashur ♦ *psth:* **oh ~!** sa keq! ♦ **~ly** *nd (dua)* shumë; *(paguaj)* shtrenjtë

dearth /də:(r)θ/ *em* mungesë; zi

death /deθ/ *em* vdekje; mort: **at the point of ~** në prag të vdekjes ♦ **~ certificate** /-sə(r)'tifikət/ *em* certefikatë e vdekjes ♦ **~ duty** /-'dju:ti/ *em* taksë e trashëgimisë ♦ **~ly** /'deθli/ *mb:* **~ silence** heshtje varri ♦ *nd* **~ pale** i zbehtë si kufomë ♦ **~ penalty** /-'penəlti/ *em* dënim me vdekje ♦ **~ roll** /-roul/ *em* listë e të rënëve; listë e të dënuarve me vdekje *(që presin ekzekutimin)* ♦ **~ toll** /-'toull/ *em* vdekshmëri; viktima

debar /di'ba:(r)/ *kl* përjashtoj

debase /di'beis/ *kl* ul; poshtëroj; zhvlerësoj ♦ **~ment** *em* poshtërim; zhvlerësim *(i monedhës)*

debat:able /di'beitəbl/ *mb* i diskutueshëm ♦ **~e** /-'beit/ *em* debat; diskutim ♦ *kl* diskutoj; rrah *(një mendim)* ♦ *jkl:* **~ whether to...** s'di a të...

debauchery /di'bo:tʃəri/ *em* shthurje; zvetënim

debility /di'biləti/ *em* dobësi

debit /'debit/ *em* debi; detyresë; borxh ♦ *kl trg* debitoj

debt /det/ *em* borxh: **be in ~** jam borxh ♦ **~or** *em* borxhli

début /'deibju:/ *em* debut; fillim

decade /'dekeid/ *em* dekadë; dhjetëvjeçar

decaden:ce /'dekədəns/ *em* rënie; dekandencë ♦ **~t** *mb* dekandent

decaf /di'kæf/, **~feinated** /di:'kæfi:ineitid/ *mb* i shkafeninizuar

decant /di'kænt/ *kl* dekantoj ♦ **~er** *em* kanë; karafë *(për pije)*

decapitate /di'kæpiteit/ *kl* i pres majën/kokën

decay /di'kei/ *em* kalbëzim; prishje; shthurje ♦ *jkl* kalbet; prishet

deceased /di'si:st/ *mb* i vdekur ♦ *em:* **the ~** i vdekuri; të vdekurit

decei:t /di'si:t/ *em* gënjeshtër; mashtrim: **practise ~ on sb** ia punoj një rreng/ ia hedh dikujt ♦ **~tful** *mb* i rremë; mashtrues ♦ **~ve** /di'si:v/ *kl* gënjej; mashtroj

December /di'sembə(r)/ *em* dhjetor

decen:cy /'di:sənsi/ *em* hijeshi; nder ♦ **~t** *mb* i hijshëm; i ndershëm; i respektuar: **make a ~ profit** fitoj mirë ♦ **~tly** *nd* hijshëm; me ndershmëri; me mirësjellje

decentralise /di:'sentrəlaiz/ *kl* decenralizoj

decept:ion /di'sepʃn/ *em* mashtrim; gënjeshtë ♦ **~ive** /di'si:v/ *mb* mashtrues ♦ **~ively** /di'septivli/

nd me mashtrim; **it looks ~ easy** duket e lehtë, por të gënjen

decibel /'desibel/ *em fz* decibel

decide /di'said/ *kl* vendos ♦ *jkl* marr ♦ **~d** /-id/ *mb* i vendosur; i prerë

decima:l /'desiml/ *mb (sistem)* dhjetor: **~ point** *em* presje dhjetore ♦ *em* numër dhjetor ♦ **~te** /'desimeit/ *kl* dhjetoj

decipher /di'saifə(r)/ *kl* deshifroj; zbërthej

decisi:on /di'siʒn/ *em* vendim ♦ **~ve** /-'saisiv/ *mb* vendimtar ♦ **~vely** *nd* në mënyrë vendimtare

deck¹ /dek/ *kl* vesh; nis e stolis

deck² *em* kuvertë; urë *(e anijes);* kat i sipërm *(i autobusit dykatësh);* platformë fluturimi: **top ~** kat i dytë *(i autobusit me dy kate)* ♦ **~-chair** /-'tʃeə(r)/ *em* shezlong

deck³ *em* (një) palë letra *(bixhozi)*

declar:ation /deklə'reiʃn/ *em* deklaratë ♦ **~e** /di'kleə(r)/ *kl, jkl* deklaroj; shpall

declension /di'klenʃn/ *em gjuh* lakim

declin:e /di'klain/ ♦ *em gjh* lakim ♦ *kl* kundërshtoj; refuzoj; nuk pranoj ♦ *jkl* them jo; nuk pranoj; *(shëndeti)* bie ♦ **~ing** *mb (shëndet)* në rënie

decod:e /di:'koud/ *kl* deshirfoj; zbërthej ♦ **~ing** *mb* në rënie

decommission /dikə'miʃn/ *kl* çarmatos, nxjerr nga shërbimi *(një anije);* nxjerr në lirim *(një oficer)*

decompos:e /dikəm'pouz/ *kl* shpërbëj *(një lëndë)* ♦ *jkl (lënda)* shpërbëhet ♦ **~ition** /-pə'ziʃən/ *em* shpërbërje *(e lëndës)*

decoy /'di:koi/ *em* joshë; grackë; kurth

décor /'deiko:(r)/ *em* dekor; zbukurim

decorat:e /'dekəreit/ *kl* zbukuroj; pikturoj; vesh me tapiceri *(murin)* ♦ **~ion** /-'reiʃn/ *em* dekoratë; zbukurim ♦ **~ive** /-rətiv/ *mb* zbukurimor ♦ **~or** *em:* **painter and ~** bojaxhi

decorum /di'ko:rəm/ *em* dekor; hijeshi

decrease /'di:kri:s/ *em* zvogëlim ♦ /di'kri:s/ *kl* zvogëloj ♦ *jkl* zvogëlohet

decree /di'kri:/ *em* dekret ♦ *kl, jkl* dekretoj

decrepit /di'krepit/ *mb* i lënë pas dore; i rrënuar ♦ **~ude** *em* rrënim

dedicat:e /'dedikeit/ *kl* kushtoj; dedikoj; *ft* shuguroj ♦ **~ion** /-'keiʃn/ *em* kushtim; dedikim; *ft* shugurim

deduc:e /di'dju:s/ *kl* nxjerr si përfundim; deduktoj ♦ **~t** /di'dʌkt/ *kl* zbres; heq; mbaj **(from** nga) ♦ **~tion** /di'dʌkʃn/ *em* zbritje; mbajtje *(e parave nga rroga);* deduksion

deed /di:d/ *em* vepër; bëmë

deem /di:m/ *kl* mendoj; pandeh

deep /di:p/ *mb* i thellë: **~ in thought** i zhytur në mendime; **go off the ~ end** marr kot ♦ **~en** /'di:pn/ *kl* thelloj ♦ **~freeze** /-fri:z/ *em* frizer; kat i akullit *(i frigoriferit)*

deep:ly /'di:pli/ *nd* thellë(isht) ♦ **~ness** *em* thellësi

deer /diə(r)/ *em zl* dre

deface /di'feis/ *kl* shfytyroj; shëmtoj

defamation /defə'meiʃn/ *em* përfolje; përgojim ♦ **~ory** /di'fæmətəri/ *mb* përfolës; përgojues

default /di'fo:lt/ *em* mosparaqitje në gjyq/ në ndeshje; mungesë; mospagim i borxhit: **win by ~** *sp* fitoj me që kundërshtari nuk paraqitjet *(në ndeshje);* **in ~ of** në mungesë të ♦ *jkl* nuk paguaj

defeat /di'fi:t/ *em* mundje; thyerje; dështim: **suffer ~** mundem ♦ *kl* mund; thyej; prish *(planet)*

defect¹ /'di:fekt/ *em* e metë; cen; defekt ♦ **~ive** /di'fektiv/ *mb* i metë; i mangët

defect² /di'fekt/ *jkl pl* dezertoj; hidhem me palën tjetër ♦ **~or** *em pl* dezertor

defen:ce /di'fens/ *em* mbrojtje ♦ **~celess** *mb* i pambrojtur ♦ **~d** *kl* mbroj; shfajësoj; i dal zot ♦ **~sive** *mb* mbrojtës ♦ *em* mbrojtje: **on the ~** në pozita mbrojtëse

defer /di'fə:(r)/ *kl* shtyj *(për më vonë)* ♦ *jkl:* **~ to sb** i parashtroj dikujt

deference /'defərəns/ *em* nderim, respekt ♦ **~tial** /-'renʃəl/ *mb* i respektueshëm

defian:ce /di'faiəns/ *em* sfidë; provokim ♦ **~t** *mb* sfidues; provokues ♦ **~tly** *nd* me pamje sfiduese

deficien:cy /di'fiʃənsi/ *em* mungesë; pamjaftueshmëri ♦ **~t** *mb* i pamjaftueshëm

deficit /'defisit/ *em* deficit: **budget ~** deficit buxhetor

defile /di'fail/ *kl fg* përdhos, ndyej

defin:e /di'fain/ *kl* përkufizoj, skajoj ♦ **~ite** /'definit/ *mb* i përcaktuar; i saktë; *(përmirësim)* i dukshëm; *(përgjigje)* e prerë; **he was ~ about it** ai u shpreh qartë ♦ **~itely** *nd* saktë, në mënyrë të përcaktuar ♦ **~ition** /defi'niʃn/ *em* përkufizim, skajim ♦ **~itive** /di'finitiv/ *em* përfundimtar

deflat:e /di'fleit/ *kl* shfryj ♦ **~ion** /-eiʃn/ *em trg* rënie *(e vlerës);* deflacion *(i monedhës)*

deflect /di'flekt/ *kl* shmang *(goditjen)* ♦ **~ion** /-'flekʃn/ *em* shmangie; devijim

deform:ed /di'fo:(r)md/ *mb* i shformuar; i përçudnuar ♦ **~ity** *em* shformim; përçudni

defraud /di'fro:d/ *jkl* marr me mashtrim; zhvat ♦ **~er** *em* mashtrues

defrost /di:'frost/ *kl* shkrij *(frigoriferin)*

deft /deft/ *mb* i shkathët

defunct /di'fʌnt/ *mb* i vdekur e i varrosur; i dalë jashtë përdorimit

defus:e /di'fju:z/ *kl* çaktivizoj *(një predhë të paplasur);* ul *(tensionin)* ♦ **~ion** /-'fju:ʒn/ *em* çaktivizim; ulje *(e tensionit)*

defy /di'fai/ *kl* sfidoj; i qëndroj *(tundimit)*

degenerat:e /di'dʒenəreit/ *jkl* degjeneron; shkarëzehet ♦ /-'dʒenərət/ *mb* i degjenderuar ♦ **~tion** /-'reiʃən/ *em* degjenerim

degrad:ation /degrə'deiʃn/ *em* degradim; zvetënim ♦ **~ e** /di'greid/ *kl* zhgradoj, degradoj; prish; *(ujërat)* gërryejnë *(bregun)* ♦ **~** *jkl* degradohet; zvetënohet;

prishet ♦ **~ing** /di'greidiŋ/ *mb* zvetënues

degree /di'gri:/ *em* shkallë; gradë: **obtain a ~ in** fitoj një titull shkencor për; **first ~ burn** djegie e shkallës së parë/ e lehtë

dehydrate /di:'haidreit/ *k/* dehidratoj ♦ **~d** /-id/ *mb* i dehidratuar

de-ice /di:'ais/ *k/* shkrij akullin e

deign /dem/ *jk/:* **~ to do sth** begenis

deity /'di:əti/ *em* hyjni; perëndi

deject:ed /di'dʒektid/ *mb* i dëshpëruar; i ligështuar ♦ **~ion** /-kʃən/ *em* dëshpërim; ligështi *(shpirtërore)*

delay /di'lei/ *em* vonesë ♦ *k/* vonoj: **be ~ed** vonohem; **~ed action** *(bombë)* me plasje të vonuar ♦ *jk/* vonohem

delegat:e /'deligət/ *em* delegat ♦ /'deligeit/ *k/* delegoj; jap *(pushtet, fuqi)* ♦ **~ion** /deli'geiʃn/ *em* delegim *(i pushtetit);* delegat

delet:e /di'li:t/ *k/* shuaj; fshij *(një fjalë)* ♦ **~ion** /-i:ʃn/ *em* shuarje; prishje; fshirje

deliberat:e /di'libərət/ *mb* i qëllimshëm; i matur ♦ *k/* diskutoj; rrah *(një çështje)* ♦ **~ely** *nd* qëllimisht; me dashje ♦ **~ion** /-'reiʃn/ *em* diskutim; rrahje *(mendimesh)*

delica:cy /'delikəsi/ *em* mirësjellje; hajthmëri *(e trupit);* ushqim i shijshëm; shije e hollë *(në të ngrënë)* ♦ **~te** /'delikət/ *mb* delikat; *(trup)* i brishtë ♦ **~tessen** /-'tesn/ *em* bonjëri; ushqime të zgjedhura

delicious /di'liʃəs/ *mb* i këndshëm; i shijshëm

delight /di'lait/ *em* kënaqësi; gëzim ♦ *k/* kënaq ♦ *jk/:* **~ in** kënaqem me ♦ **~ed** /-id/ *mb* i gëzuar; i kënaqur ♦ **~ful** *mb* shumë i mirë

delinquen:cy /di'liŋkwənsi/ *em* kundërvajtje: **juvenile ~** krim i të miturve ♦ **~t** *mb, em* kundërvjatës

deliri:ous /di'liriəs/ *mb:* **be ~** jam në jerm; *fg* s'di ç'bëj nga gëzimi ♦ **~um** /-riəm/ *em* jerm

deliver /di'livə(r)/ *k/* dërgoj; shpërndaj *(postën);* shpëtoj ♦ *jk/* mbaj premtimin ♦ **~ance** /-rəns/ *em* çlirim; lehtësim ♦ **~y** /-əri/ *em* livrim; shpërndarje *(e postës);* shpëtim; lindje: **cash on ~y** pagesa me pará në livrim

delude /di'lu:d/ *k/* gënjej: **~ oneself** rrej veten; shkoj me shpresë të kotë

deluge /'delju:dʒ/ *em* përmbytje; vërshim ♦ *k/* përmbyt; *fig* mbyt *(me kërkesa)*

delusion /di'lu:ʒn/ *em* zhgënjim

delve /delv/ *jk/:* **~ into** rrëmoj *(nëpër xhepa);* kërkoj; gërmoj *(në të shkuarën)*

demand /di'ma:nd/ *em* kërkesë ♦ *k/* kërkoj **(of/ from** nga) ♦ **~ing** *mb (njeri)* kërkues; i rreptë në kërkesa

demeanour /di'mi:nə(r)/ *em* sjellje; qëndrim

demented /di'mentid/ *mb* i çmendur

demise /di'maiz/ *em* vdekje

demo /'demou/ *em (sh ~s) bs* demonstratë, manifestim

democra:cy /di'mokrəsi/ *em* demokraci ♦ **~t** /'demәkræt/ *em* democrat ♦ **~tic** /demә'krætik/ *mb* demokratik

demoli:sh /di'moliʃ/ *k/* shkatërroj; dërrmoj ♦ **~tion** /demә'liʃn/ *em* prishje; shkatërrim *(i ndërtesave të vjetra)*

demon /'di:mən/ *em* demon; shpirt i lig; djall ♦ **~ize** *k/* demonizoj

demonstrat:e /'demәnstreit/ *k/* demonstroj; vërtetoj ♦ **~ion** /demәn'streiʃn/ *em* demonstrim; *pl* demonstratë, manifestim ♦ **~iv** /di'monstrətiv/ *gjuh* dëftor: **be ~ of** tregon; është shprehje ♦ **~or** *em* demonstrues; manifestues

demoralise /di'morәlaiz/ *k/* demoralizoj; ligështoj shpirtërisht

demot:e /di'mout/ *k/* zhgradoj ♦ **~ion** /-'mouʃn/ *em* zhgradim

demure /di'mjuә(r)/ *mb* i përmbajtur; i druajtur

den /den/ *em* strufull; strukë; kuvli

denial /di'naiәl/ *em* përgënjeshtrim; mohim

denim /'denim/ *em* dok xhin; **~s** *sh* veshje xhins

Denmark /'denma:(r)k/ *em gjg* Danimarkë

denote /di'nout/ *k/* shënoj; tregoj, shpreh

denomination /dinomi'neiʃn/ *ft* sekt; prerje, vlerë *(e monedhës)*

denounce /di'nauns/ *k/* denoncoj; kallëzoj

dens:e /dens/ *mb* i dendur; i ngjeshur; *fg* i trashë ♦ **~eness, ~ity** *em* dendësi

dent:al /'dentl/ *mb* dentar; *(higjienë)* e dhëmbëve: **~ surgery** klinikë dentare ♦ **~ist** *em* dentist ♦ **~ry** *em* odontologji: **study ~** studioj për dentist ♦ **~ure** /'dentʃə(r)/ *em* protezë dhëmbësh; **~s** *bs* dhëmbë të vënë

denunciation /dinʌnsi'eiʃn/ *em* denoncim; kallëzim *(në polici)*

deny /di'nai/ *k/* mohoj; përgënjeshtroj: **~ sb sth** ia mohoj/ s'ia jap dikujt diçka

deodorant /di:'odәrәnt/ *em* deodrant

depart /di'pa:(r)t/ *jk/ (treni etj.)* niset; iki; shmangem **(from** nga)

department /di'pa:(r)tmənt/ *em* repart *(i dyqanit); pl* ministri; degë *(e fakultetit)* ♦ **~ store** /-'sto:(r)/ *em* shitore e madhe

departure /di'pa:(r)tʃə(r)/ *em* nisje; shmangie **(from** nga): **point of ~** pikënisje

depend /di'pend/ *jk/* varet **(on** nga); i var shpreat **(on** te): **it ~s** varet; **~ing on what he says** duke u nisur nga sa thotë ai ♦ **~able** /-әbl/ *mb* i besueshëm ♦ **~ant** *em* person në ngarkim ♦ **~ence** *em* varësi ♦ **~ent** *mb* i varur **(on** nga)

depict /di'pikt/ *k/* përshkruaj; paraqit *(figurativisht)* ♦ **~ion** /-'pikʃn/ *em* përshkrim; paraqitje figurative

deplete /di'pli:t/ *k/* zbraz; çmbush: **totally ~d** i shteruar plotësisht

deplor:able /di'plo:rәbl/ *mb* i vajtueshëm; për të ardhur keq ♦ **~e** *k/* vajtoj; më vjen keq për *(një veprim)*

deploy /di'ploi/ *kl ush* dislokoj *(trupat)* ♦ *jkl (ushtria)* dislokohet

deport /di'pɔ:(r)t/ *kl* përzë; dëboj; internoj; shpërngul me dhunë ♦ **~ation** /-'teiʃn/ *em* dëbim; përzënie; shpërngulje me dhunë

depose /di'pouz/ *kl* rrëzoj; shfronëzoj

deposit /di'pozit/ *em* depozitë ♦ *kl* depozitoj; vë në bankë *(para);* paguaj *(këstin)*

depot /'depòu/ *em* depo; pikë grumbullimi; *am* stacion treni/ autobusi

deprav:e /di'preiv/ *kl* prish; zvetënoj ♦ **~ed** *mb* i prishur; i shthurur; i zvetënuar ♦ **~ity** /di'præveti/ *em* prishje; zvetënim

depreciat:e /di'pri:ʃieit/ *kl* zhvlerësoj ♦ **~ion** / dipriʃi'eiʃn/ *em* zhvlerësim

depress /di'pres/ *kl* shtyp; ul; *fg* shkaktoj depresion; demoralizoj: **keep sth ~ed** mbaj të shtypur diçka ♦ **~ed** *mb* zemërlëshuar; i demoralizuar; *(vend)* në depresion ekonomik ♦ **~ion** /-'preʃn/ *em* shtypje; demoralizim; *ek, psk* depresion

depriv:ation /depri'veiʃn/ *em* heqje; humbje *(e një të drejte);* shfuqizim; shkarkim ♦ **~e** /di'praiv/ *kl* heq; lë pa *(of sth* diçka); privoj

depth /depθ/ *em* thellësi: **in ~** *(studioj)* në thellësi; me rrënjë; **in the ~ of winter** në mes të dimrit; **be out of one's ~** s'më zënë këmbët dhe *(në ujë); fg* s'jam në fushën time ♦ **~ charge** /'tʃa:(r)dʒ/ *em usht-det* bombë kundër nëndetëseve

deput:ise /'depjutaiz/ *kl* veproj në emër të ♦ **~y** *em* zëvendës; deputet ♦ **~ chairman** /'tʃɛə(r)mən/ *em* nënkryetar ♦ **~ prime minister** /-praim'ministə(r)/ *em* zëvendëskryeministër

derail /di'reil/ *kl* nxjerr nga shinat *(trenin)* ♦ **~ment** *em* dalje nga shinat *(e trenit)*

deranged /di'reindʒd/ *mb* i luajtur mendsh

derelict /di'relikt/ *mb* i braktisur; i lënë pas dore

deri:de /di'raid/ *kl* përqesh; tall ♦ **~sory** /di'raizəri/ *mb* përqeshës; tallës

deriv:ation /deri'veiʃn/ *em* prejardhje; burim; *mat, km* derivat ♦ **~e** /di'raiv/ *kl* përftoj; nxjerr: **be ~ed from** e ka prejardhjen/vjen nga

dermatology /də:(r)mə'toledʒi/ *em* dermatologji

derogatory /di'rogətri/ *mb* cenues; përbuzës

descen:d /di'send/ *jkl* zbres; ulem *(nga)* ♦ **~dant** *em* pasardhës ♦ **~t** *em* zbritje; prejardhje

descri:be /di'skraib/ *kl* pëshkruaj ♦ **~ption** / di'skripʃn/ *em* përshkrim: **of any ~tion** çfarëdo; i çfarëdoshëm ♦ **~ptive** /-tiv/ *mb* përshkrimor

desecrat:e /'desikreit/ *kl* përdhos; dhunoj ♦ **~ion** / -'kreiʃn/ *em* përdhosje; dhunim

desert /'dezə(r)t/ *em* shkretëtirë ♦ /di'zə:(r)t/ *kl* braktis; lë shkret ♦ *jkl* dezertoj ♦ **~er** *em* dezertor

deserts /di'zə:ts/ *em sh:* **get one's just ~s** marr sa më takon

deserv:e /di'zə:(r)v/ *kl* meritoj; kam hak ♦ **~ing** *mb* i merituar: **~ing cause** çështje që meriton vëmendje

design /di'zain/ *em* projekt; dizenjo; model; qëllim: **by ~** me qëllim ♦ *kl* modeloj *(veshje të reja);* kam qëllim: **be ~ed for** është bërë për; ka si qëllim të ♦ **~er** *em* projektues; dizenjator; stilist, modelist; *tt* skenograf

desir:able /di'zaiərəbl/ *mb* i dëshiruar; i dëshirueshëm ♦ **~e** *em* dëshirë ♦ *kl* dëshiroj; dua

desk /desk/ *em* tryezë shkrimi; bankë *(e klasës, e punës);* zyrë, degë; arkë *(e pagesave):* **foreign ~** seksion i marrëdhënieve me jashtë ♦ **~top publishing** /-top'pʌbliʃiŋ/ *em tk* botim desktop ♦ **~top computer** /-kəm'pju:tə(r)/ *em* kompjuer desktop/ tryeze

desolate /'desələt/ *mb* i vetmuar; i braktisur; i shkretuar; i pikëlluar

despair /di'spɛə(r)/ *em* dëshpërim: **in ~** i dëshpëruar; *(bëj diçka)* nga dëshpërimi ♦ *jkl* dëshpërohem: **~ of sb** i pres shpresat për dikë

despatch /dis'pætʃ/ *em* nisje; dërgim; mesazh i dërguar me korrier; vrasje ♦ *kl* nis; dërgoj; mbaroj shpejt *(një punë);* vras, qëroj

desperat:e /'despərət/ *mb* i dëshpëruar; shpresëhumbur ♦ **~ion** /-'reiʃn/ *em* dëshpërim: **in ~ion** nga dëshpërimi; me dëshpërim

despicable /di'spikəbl/ *mb* i poshtër; i përbuzshëm

despise /di'spaiz/ *kl* përbuz; shpërfill *(këshillën e dikujt)*

despite /di'spait/ *prfj:* **(in) ~ of** me gjithë

despot /'despot/ *em* despot

dessert /di'zə:(r)t/ *em* ëmbëlsirë ♦ **~ spoon** /'spu:n/ *em* lugë ëmbëlsire

destin:ation /desti'neiʃn/ *em* pikëmbërritje; destinacion; fat ♦ **~e** /'destin/ *kl* caktoj; shënoj: **it was ~ed to...** qe e thënë të *(ndodhte)* ♦ **~y** / 'destini/ *em* fat

destitut:e /'destitju:t/ *mb* skamnor; i zhveshur (**of** nga) ♦ *em:* **the ~** skamësit; të varfërit ♦ **~ion** /- 'tju:ʃn/ *em* skamje

destr:oy /dis'troi/ *kl* shkatërroj; rrënoj ♦ **~er** *em ush dt* destrojer; tropedinier ♦ **~ucti:on** /-'trʌkʃn/ *em* shkatërrim; rrënim ♦ **~ictive** /-'strʌktiv/ *mb* shkatërrimtar; shkatërrues; rrënues

detach /di'tætʃ/ *kl* shkëput; ndaj ♦ **~able** *mb* i ndashëm ♦ **~ed** *mb* i ndarë; *fg* i paanshëm: **~ed house** shtëpi më vete; vilë ♦ **~ment** *em* shkëputje; ndarje; *ush* detashment; moskokëçarje

detail /'di:teil/ *em* hollësi; imtësi ♦ *kl* shpjegoj hollësisht ♦ *ush* mision ♦ **~ed** *mb* i hollësishëm: **~ account** raport i hollësishëm

detain /di'tein/ *kl* mbaj në paraburgim; vonoj, mbaj ♦ **~ee** /ditei'ni:/ *em* i paraburgosur

detention /di'tenʃn/ *em* paraburgim; mbajtje pas mësimit *(e nxënësit për dënim)*

detect /di'tekt/ *kl* zbuloj; gjej *(gabimin);* pikas; diktoj ♦ **~ion** *em* zbulim; gjetje *(e gabimit, e defektit);*

pikasje ♦ **~ive** em hetues ♦ mb: ~ **story** em tregim policor/ me detektiv ♦ **~or** /di'tektə(r)/ em detektor; zbulor; lokalizues

detention /di'tenʃn/ em paraburgim; mbajtje pas mësimit *(për dënim)*

deter /di'tə:(r)/ k/ndaloj; pengoj: ~ **sb from doing sth** s'e lë dikë të bëjë diçka

detergent /di'tə:(r)dʒənt/ em pluhur/ ilaç larës

deteriorat:e /di'tiəriəreit/ jk/ prishet; *(gjendja, shëndeti)* keqësohet ♦ **~ion** /-'reiʃən/ em keqësim; prishje

determin:ation /ditə:(r)mi'neiʃn/ em vendosmëri ♦ **~e** /di'tə:(r)min/ k/ përcaktoj; vendos

deterrent /di'terənt/ em parandalim; mjet frikësimi

detest /di'test/ k/urrej ♦ **~able** mbi urryer ♦ **~ation** /-'teiʃn/ em urrejtje; neveri

detonat:e /'detəneit/ k/ shpërthej; plas *(minën)* ♦ jk/plas; shpërthen ♦ **~ion** /-neiʃən/ em shpërthim; plasje ♦ **~or** em shpërthyer; plasës

detour /'di:tuə(r)/ em shmangie; largim

detract /di'trækt/ jk/: ~ **from** pakësoj *(meritat e dikujt);* prish *(kënaqësinë)*

detriment /'detrimənt/ em: **to the ~ of** në dëm të ♦ **~al** /-'mentl/ mb i dëmshëm

deuce /dju:s/ em dyzet baraz *(në tenis)* ♦ psth dreq

devalu:ation /di:vælju'eiʃn/ em zhvlerësim ♦ **~e** / di:'vælju/ k/ zhvlerësoj *(monedhën)*

devastat:e /'devəsteit/ k/ rrënoj: **be ~ed** jam i dërrmuar/ shumë i tronditur ♦ **~ing** mb dërrmues; *(lajm)* tronditës ♦ **~ion** /-'teiʃən/ em rrënim; shkatërrim

develop /di'veləp/ k/ zhvilloj; ndërtoj *(një zonë)* ♦ jk/ zhvillohem; bëhem (**into**) ♦ **~ing** mb: **~ing country** em vend në zhvillim ♦ **~ment** em zhvillim

deviat:e /'di:vieit/ jk/shmangem ♦ **~ion** /-'eiʃn/ em shmangie

device /di'vais/ em mjet: **leave sb to his own ~s** e lë dikë të pëpiqet me të vetat

devil /'devl/ em djall ♦ **~ry** em djallëzi

devious /'di:viəs/ mb hileqar; që shkon me shtrembëri ♦ **~ly** nd me dredhi/ shtrembëri

devise /di'vaiz/ k/shestoj, hartoj *(një plan);* shpik

devoid /di'void/ mb: ~ **of** pa; i mbetur pa

devolution /di:və'lu:ʃn/ em decentralizim; devolucion *(i pushtetit)*

devot:e /di'vout/ k/kushtoj; i kushtohem ♦ **~ed** mb i dashur; i dhembshur: **be ~ed to sth** i kushtohem diçkaje ♦ **~ee** /devə'ti:/ em i dhënë pas; i apasionuar; qejfli ♦ **~ion** /di'vouʃn/ em (për)kushtim; **~s** sh ft lutje

devour /di'vauə(r)/ k/ përpij; gallabëroj

devout /di'vaut/ mb i përshpirtshëm; i bërë me gjithë zemër

dew /dju:/ em vesë; bulë vese/ djerse

dexterity /dek'sterəti/ em shkathtësi

diabet:es /daiə'bi:ti:z/ em mk diabet ♦ **~ic** /-'betik/ mb, em diabetik

diabolical /daiə'bolikl/ mb djallëzor

diadem /'daiədem/ em diademë; kurorë *(si stoli)*

diagnos:e /'daiəgnouz/ k/diagnostikoj; analizoj *(një problem)* ♦ **~es** /-'nousis/ em *(sh* **-ses** /-si:z/) diagnozë

diagonal /dai'ægənl/ mb diagonal ♦ em diagonale; tërthore ♦ **~ly** nd diagonalisht; tërthor

diagram /'daiəgræm/ em diagram

dial /'daiəl/ em fushë *(e sahatit, e aparatit matës);* disk *(i telefonit)* ♦ jk/formoj numrin *(e telefonit)* ♦ k/ i bie *(telefonit)* ♦ ~ **tone** /-'toun/ em am sinjal i linjës së lirë *(në telefoni)*

dialect /'daiəlekt/ em dialeket

dialling-code /'daiəliŋ'koud/ em prefiks telefonik

dialogue /'daiəlog/ em bashkëbisedim; dialog ♦ jk/ marr pjesë në bashkëbisedim ♦ k/shprej me dialog

diamet:er /dai'æmitə(r)/ em diametër ♦ **~rically** nd diametrikisht: ~ **opposed** diametralisht i kundërt

diamond /'daiəmənd/ em diamant; romb; **~s** sh karó *(në letra);* sp fushë bejzbolli

diaper /'daiəpə(r)/ em am pelenë; ndrizë *(për foshnjen)*

diaphragm /'daiəfræm/ em fiz, an diafragmë

diarrhoea /daiə'ri:ə/ em mk diarré; heqje barku

diary /'daiəri/ em kalendar *(i takimeve);* ditar

dice /dais/ em *(sh* **die**) zar *(i tavllës);* lojë me zar; kub *(supe të gatshme):* **no ~** kot; pa dobi ♦ k/ pres në kube; zbukuroj me katrorë ♦ jk/ luaj me zarë; lë paratë në lojë me zarë

dick /dik/ em bs shok, mik; detektiv; sl v/kar, pallë

dictat:e /dik'teit/ k/, jk/ diktoj ♦ **~ion** /-'teiʃn/ em diktim; diktat ♦ **~or** em diktator ♦ **~orship** /-'teitə(r)ʃip/ em diktaturë

dictionary /'dikʃənəri/ em fjalor

did /did/ shih **do**

didactic /di'dæktik/ mb didaktik

diddle /'didl/ k/ bs rrej; gënjej

didn't /'didnt/ shkrt i **did not**

die¹ /dai/ jk/ (**dying**) vdes (**of** nga): **be dying to do sth** bs vdes nga dëshira të bëj diçka ♦ ~ **down** jk/ qetësohet: *(zjarri)* fashitet; shuhet ♦ ~ **out** jk/ shuhet; fiket; shugatet; *(zakoni)* harrohet

die² em sh i **dice: the ~ is cast** zarët u hodhën

diesel /'di:zl/ em tk diezel: ~ **engine** motor me djegie të brendshme

diet /'daiət/ em dietë: **slimming ~** dietë dobësimi ♦ ~ **food** /-fud/ em ushqim dietetik

differ /'difə(r)/ jk/ ndryshon; është ndryshe; s'jam i një mendimi ♦ **~ence** /'difrəns/ em ndryshim; mospajtim; mbetje ♦ **~ent** mb i ndryshëm; tjetër: **be ~ from** është ndryshe nga ♦ **~ential** /-'renʃl/ em diferencial ♦ **~rentiate** /-'renʃieit/ k/dalloj; bëj dallim (**between** midìs); diskriminoj ♦ **~ently** /

'difrəntli/ *nd* ndryshe: **~ from** ndryshe/ tjetërsoj nga

difficult /'difikəlt/ *mb* i vështirë ♦ **~y** *em* vështirësi; zor; hall

diffus:e /di'fju:z/ *kl* shpërhap ♦ /-fju:s/ *mb* i shpërhapur; i paqartë ♦ **~ion** /-'fju:ʒn/ *em* shpërhapje

dig /dig/ *em* e shtyrë; thumb; fjalë me thumb; gërmim arkeologjik; punim i tokës; **~s** *sh bs* dhomë e mobiluar ♦ *kl, jkl* (**dug** /dʌg/, **digging**) gërmoj; punoj *(tokën);* ngul: **~ deep** gërmoj thellë; *fg* mbledh të gjitha forcat; **~ sb in the ribs** i bie me bërryl në brinjë dikujt ♦ **~ out** *kl* nxjerr në shesh ♦ **~ up** *kl* punoj *(tokën);* gërmoj *(kanal); fg* gjej

digest /dai'dʒest/ *kl* tret *(ushqimin);* përthith; asimiloj ♦ **~ible** *mb* i tretshëm; i asimilueshëm ♦ **~ion** /-'dʒestʃn/ *em* tretje; asimilim; përmbledhje, antologji ♦ **~ive** *mb* tretës; i tretjes

digg:er /'digə(r)/ *em* gërmues; *tk* ekskavator ♦ **~ing** *em* gërmim

digit /'didʒit/ *em* shifër; gisht ♦ **~al** *mb (sistem)* shifror: **~ clock** orë shifrore; **~ tv** televizor shifror

digni:fied /'dignifaid/ *mb* hijerëndë; i nderuar ♦ **~ty** *em* denjësi; dinjitet; nder

digress /dai'gres/ *jkl* shmangem ♦ **~ion** /-eʃn/ *em* shmangie; largim nga tema

dike /daik/ *em* digë

dilat:e /dai'leit/ *jkl* zgjerohet ♦ **~ion** /-'leiʃən/ *em* zgjerim *(i bebes së syrit etj.)*

dilemma /di'lemə/ *em* dilemë; mëdyshje: **in the horns of ~** mëdyshas

dilettante /dili'tænti/ *em* diletant; fillestar

dilly-dally /'dilidæli/ *jkl bs* ngurroj; e dredh

dilut:e /dai'lu:t/ *kl* holloj *(tretësirën)* ♦ **~ion** /-'lu:ʃn/ *m* hollim

dim /dim/ *mb (dritë)* e dobët; i errët ♦ *kl, jkl* errësoj; dobësoj ♦ **~ly** *nd (shoh)* si në mjegull; në mënyrë të paqartë; dobët

dime /daim/ *em am* monedhë dhjetësentëshe

dimension /dai'menʃn/ *em* përmasë

dimin:ish /di'miniʃ/ *kl* zvogëloj; pakësoj ♦ *jkl* zvogëlohet; pakësohet ♦ **~utive** /-'minju:tiv/ *mb* i vogël; zvogëlues

dimmer /'dimə(r)/ *em au* çelës i dritave të shkurtra

dimple /'dimpl/ *em* gropë; burmë *(e faqes)*

din /din/ *em* zhurmë; potere

dine /dain/ *jkl* ha drekë/ darkë

dinghy /'diŋgi/ *em* gomone

dingy /'dindʒi/ *mb* i ndyrë

dining: car /'dainiŋ'ka:(r)/ *em* vagon-restorant ♦ **~ room** /-ru:m/ *em* dhomë buke/ e ngrënies

dinner /'dinə(r)/ *em* drekë; darkë ♦ **~ jacket** /-'dʒækit/ *em* smoking ♦ **~ party** /-'pa:(r)ti/ *em* darkë *(me të ftuar)*

dinosaur /'dainəso:(r)/ *em* dinosaur

dint /dint/ *em:* **by ~ of** *mb* me anë të

diocese /'daiəsis/ *em* dioqezë

dip /dip/ *em* kredhje, zhytje; *sl* xhepash; hajdut xhepash/ kuletash ♦ *jkl* kridhem; zhytem

diphtheria /dif'θiəriə/ *em mk* difterit

diphthong /'difθoŋ/ *em* diftong

diploma:cy /di'plouməsi/ *em* diplomaci ♦ **~t** /'dipləmæt/ *em* diplomat ♦ **~tic** /diplə'mætik/ *mb* diplomatik

dip-stick /-stik/ *em aut* nivel i vajit

dire /'daiə(r)/ *mb* i tmerrshëm; kobzi; shumë i keq: **~ news** lajm i kobshëm

direct /d(a)i'rekt/ *mb* i drejtpërdrejtë: **~ current** *el* rrymë e vazhduar ♦ *nd* drejtpërdrejt ♦ *kl* drejtoj; tregoj *(udhën);* bëj regjinë e *(filmit)* ♦ **~ion** /-'rekʃn/ *em* drejtim; regji *(e filmit etj.);* **~s** *sh* udhëzime ♦ **~ly** *nd* drejtpërdrejt; drejt e; menjëherë; në çast ♦ *ldh* me të; sapo ♦ **~or** *em trg* drejtor; regjisor ♦ **~ory** *em* regjistër *(i adresave):* **telephone ~** numërator telefonik

dirt /də:(r)t/ *em* lerë; zhul; dhe ♦ **~iness** *em* lerë; papastërti ♦ **~y** *mb* i ndyrë; i ndotur; i fëlliqur: **~ money** para e ndyrë ♦ **~ cheap** /-tʃi:p/ *mb* i lirë baltë

disab:ility /disə'biliti/ *em* paaftësi; pamundësi ligjore: **~ allowance** kompensim invaliditeti ♦ **~led** /dis'eibld/ *mb* invalid; i paaftë

disadvantage /disəd'va:ntidʒ/ *em* humbje; disavantazh: **at a ~** me humbje; në pozitë të vështirë ♦ **~d** *mb* i humbur; (i vënë) në vështirësi ♦ **~ous** *mb* i keq; i vështirë; me humbje

disagree /disə'gri/ *jkl* s'pajtohem (**with** me): **fish ~s with me** peshku më bie rëndë/bën keq ♦ **~able** *mb* i pakëndshëm ♦ **~ment** *em* grindje; mosmarrëveshje

disappear /disə'piə(r)/ *jkl* zhdukem ♦ **~ance** *em* zhdukje

disappoint /disə'point/ *kl* zhgënjej; prish qejfin: **be ~ed** jam i zhgënjyer ♦ **~ing** *mb* zhgënjyes ♦ **~ment** *em* zhgënjim

disapprov:al /disə'pru:vl/ *em* mosmiratim ♦ **~e** *jkl:* **~ of sb/ sth** s'më pëlqen dikush/ diçka

disarm /dis'a:(r)m/ *kl* çarmatos ♦ *jkl ush* çarmatosem ♦ **~ament** *em* çarmatim ♦ **~ing** *mb* çarmatosës

disarray /disə'rei/ *em* shpartallim: **in ~** i shpartalluar; me rrëmujë

disast:er /di'za:stə(r)/ *em* rrënim; shkatërrim; katastrofë ♦ **~rous** *mb* katastrofik; që të fik derën

disband /dis'bænd/ *kl* shpërndaj *(turmën);* çmobilizoj *(ushtrinë)* ♦ *jkl (turma)* shpërndahet; *(ushtria)* çmobilizohet

disbelief /disbi'li:f/ *em* mosbesim: **in ~** me mosbesim

disc /disk/ *em* pllakë; disk: **compact ~** kompakt disk; **floppy ~** disketë; **hard ~** hard disk

discard /dis'ka:(r)d/ *kl* hedh; heq; lëshoj; pushoj nga puna

discern /di'sə:(r)n/ *kl* dalloj; shquaj ♦ **~ible** *mb* i dallueshëm ♦ **~ing** *mb* mendjehollë; i mprehtë

discharge /dis'tʃa:(r)dʒ/ *em* shkarkim; nxjerrje në lirim ♦ *jkl el* shkarkon ♦ *kl* shkarkoj; nxjerr në lirim *(një usharak)*

disciplin:ary /disi'plinəri/ *mb* disiplinor ♦ **~e** / 'disiplin/ *em* disiplinë ♦ *kl* disiplinoj; ndëshkoj

disc-jockey /-'dʒoki/ *em* diskxhoki

disclaim /dis'kleim/ *kl* shpërnjoh; nuk pranoj përgjegjësi për

disclos:e /dis'klouz/ *kl* nxjerr; tregoj; zbuloj ♦ **~ure** /-'klouʒə(r)/ *em* nxjerrje në shesh; zbulim

disco /'diskou/ *em* disko(tekë)

discolour *kl* çngjyros ♦ *jkl* çngjyroset

discomfort /dis'kʌmfət/ *em* bezdi; shqetësim; mungesë komoditeti; angështi, zor

disconnect /diskə'nekt/ *kl* zgjidh; shkëput; hap *(qarkun)* ♦ **~ed** *mb* i zgjidhur; i shkëputur; *(qark)* i hapur; *(fjalë)* pa lidhje

discontent /diskən'tent/ *em* pakënaqësi ♦ **~ed** /-id/ *mb* i pakënaqur

discontinue *kl* ndërpres; pushoj; resht; pezulloj

discord /dis'ko:d/ *em* mospërputhje; çarkordim ♦ **-ant** /di'sko:dənt/ *mb:* **~ant note** mospajtim; notë e çakorduar

discord /dis'ko:(r)d/ *em* përçarje; *mz* disonancë; shtingëllim

discotheque /'diskətek/ *em* diskotekë

discount /dis'kaunt/ *em* zbritje *(në çmim, në tarifë):* **at a ~** me zbritje

discourage /dis'kʌridʒ/ *kl* shkurajoj; ia pres hovin/ krahët *(dikujt)*

discourse /dis'ko:(r)s/ *em* fjalim; fjalë

discover /dis'kʌvə(r)/ *kl* zbuloj ♦ **~y** *em* zbulim

discredit /dis'kredit/ *em* diskreditim ♦ *kl* diskreditoj; ia nxjerr bojën *(dikujt)*

discreet /dis'kri:t/ *mb* i matur; i përmbajtur ♦ **~ly** *nd* me maturí; me kujdes

discrepancy /di'skrepənsi/ *em* mospërputhje; mospajtim

discretion /dis'kreʃn/ *em* mendje; dëshirë: **at your ~** si të duash; **age of ~** moshë e arsyes

discriminat:e /dis'kriminit/ *jkl* dalloj; diskriminoj; kam paragjykim **(against** kundër): **~ between** bëj dallim midis ♦ **~ion** /-'neiʃn/ *em* diskriminim; dallim

discus /'diskəs/ *em dhe sp* disk ♦ **~ thrower** /- 'θrouə(r)/ *em sp* hedhës i diskut

discuss /dis'kʌs/ *kl* diskutoj; rrah, shqyrtoj *(një çështje)* ♦ **~ion** /'kʌʃn/ *em* diskutim

disdain /dis'dein/ *em* përbuzje; shpërfillje ♦ *kl* përbuz; shpërfill ♦ **~ful** *mb* përbuzës ♦ **~fully** *nd* me përbuzje

disease /di'zi:z/ *em* sëmundje ♦ **~d** *mb* i sëmurë

disembark /disim'ba:(r)k/ *jkl* zbarkoj; zbres

disenchant /disin'tʃa:nt/ *kl* çmagjeps; zhgënjej ♦

~ment *em* çmagjepsje; zhgënjim

disengage /disin'geidʒ/ *kl* shkëput; çliroj; zgjidh; nxjerr *(friksionin)* ♦ **~ment** *em* shkëputje; çlirim; zgjidhje *(e nyjës)*

disentangle /disin'tæŋgl/ *kl* zgjidh; shkoklavit

disfigure /dis'figə/ *kl* shfytyroj; shëmtoj ♦ **~ment** *em* shfytyrim; shëmtim

disgrace /dis'greis/ *em* turp: **be in ~** bëhem për turpi; **it's a ~** sa turp ♦ *kl* turpëroj; poshtëroj ♦ **~ full** *mb* i turpshëm; poshtërues ♦ **~fully** *nd* për turp

disgruntled /dis'grʌntld/ *mb* i mërzitur; i pezmatuar

disguise /dis'gaiz/ *em* maskë; maskim: **blessing in ~** *(më vjen)* një e mirë nga s'e kuptoj ♦ *kl* maskoj; fsheh; mbuloj

disgust /dis'gʌst/ *em* neveri; përbuzje: **in ~** me neveri ♦ *kl* neverit ♦ **~ed** /-id/ *mb* i neveritur

dish /diʃ/ *em* pjatë: **do the ~es** laj pjatat ♦ **~ out** *kl* nxjerr; shpërndaj

dishearten /dis'ha:(r)tn/ *kl* shkurajoj ♦ **~ed** *mb* zemërlëshuar; i shkruajuar

dishevelled /di'ʃevld/ *mb* i shpupurishur

dishon:est /dis'onist/ *mb* i pandershëm; faqezi ♦ **~our** /-'onə(r)/ *em* turp; çnderim ♦ *kl* turpëroj; nuk mbaj *(fjalën);* nuk paguaj dot *(çekun)* ♦ **~esty** *em* turp; pandershmëri

dishwasher /'diʃwoʃə(r)/ *em* pjatalarës; makinë pjatalarëse

disillusion /disi'lju:ʒn/ *kl* zhgënjej ♦ *em* zhgënjim ♦ **~ment** *em* zhgënjim

disinfect /disin'fekt/ *kl* dezinfektoj; shkrimb ♦ **~ant** *em* dezinfektues; dezinfektant

disinherit /disin'herit/ *kl* lë pa trashëgimi

disintegrate /dis'intəgreit/ *jkl* shpërbëhet

disinterested /dis'intrəstid/ *mb* i painteresuar

disjointed /dis'dʒointid/ *mb* i palidhur; pa lidhje

disk(ette) /disk, disk'et/ *em tk* disk(etë): **format-ted ~** disketë e formatuar

dislike /dis'laik/ *em* mospëlqim; antipati ♦ *kl:* **I ~ him** s'më pëlqen

dislocate /'disləkeit/ *kl* nxjerr; *ush* dislokoj: **~ one's shoulder** nxjerr shpatullën

disloyal /dis'lojəl/ *mb* i pabesë ♦ **~ty** *em* pabesí

dismal /'dizməl/ *mb* i zymtë; *(lajm)* i keq ♦ **~ly** *nd* shumë keq; *(e bëj punën)* për faqe të zezë

dismantle /dis'mæntl/ *kl* çmontoj; zbërthej

dismay /dis'mei/ *em* tronditje; mërzi e madhe; dëshpërim ♦ *kl* trondit; mërzit shumë

dismiss /dis'mis/ *kl* pushoj nga puna ♦ **~al** *em* pushim nga puna

dismount /dis'maunt/ *jkl* shkaloj; zbres nga kali

disobe:dience /disə'bi:djəns/ *em* mosbindje ♦ **~dient** *mb* i pabindur ♦ **~y** /-'bei/ *kl* nuk i bindem *(urdhrit)* ♦ *jkl* nuk bindem

disorder /dis'o:də(r)/ *em* çrregullim; *mk* shqetësim ♦ **~ly** *mb* i çrregullt; *(turmë)* e trazuar; që shkakton trazirë: **~ conduct** prishje e qetësisë publike

disorganise /dis'o:(r)gənaiz/ *k/*çorganizoj ♦ **~d** *mb* i çorganizuar

disorientat:e /dis'oriənteit/ *k/*çorientoj; hutoj ♦ **~ion** /-ʃn/ *em* çorientim

disown /dis'oun/ *k/* çnjoh; shpërnjoh; mohoj *(fëmijën)*

disparity /di'spærəti/ *em* pabarazi

dispassionate /dis'pæʃənət/ *mb* i qetë; gjakftohtë ♦ **~ly** *nd* qetë; pa pasion

dispatch /dis'patʃ/ *em trg* dërgim; spedicion; telegram: **with ~** menjëherë ♦ *k/* nis; qëroj, vras

dispel /di'spel/ *k/* largoj; heq *(frikën);* shpërndaj

dispens:ary /di'spensəri/ *em* farmaci; poliklinikë ♦ **~e** /di'spens/ *k/* jap; shpërndaj: **~ with** ia bëj pa *(diçka)* ♦ **~r** *em* shpërndarës automatik; dollap ushqimesh ♦ **~ing : ~ing chemist** farmacist

dispers:al /dis'spə:(r)sl/ *em* shpërhapje; shpërndarje ♦ **~e** *k/* shpërhap; shpërndaj ♦ *jk/* shpërhapet ♦ **~ion** /-'pə:(r)ʃn/ *em* shpërhapje

dispirited /di'spiritid/ *mb* i dëshpëruar; i shkurajuar

displace /dis'pleis/ *k/* zhvendos; shpërngul: **internally ~ed people** refugjatë të brendshëm ♦ **~ment** *em* zhvendosje; shpërngulje

display /di'splei/ *em* shfaqje; manifestim; *trg* ekspozitë; reklamë; mburrje ♦ *k/* shfaq; ekspozoj; vë në ekspozitë

displeas:e /dis'pli:z/ *k/* mërzit; ia prish qejfin ♦ *jk/* jam i pakënaqur ♦ **~ure** /-'pleʒə/ *em* pakënaqësi

dispos:able /dis'pouzəbl/ *mb (ambalazh etj.)* vetëm për një përdorim; përdor e hidh ♦ **~al** /-'pouzəl/ *em* heqje qafe; shkarkim; spastrim *(i plehrave)* ♦ **~e** *jk/:* **~ of** heq qafe; shpëtoj *(nga një bela)*

disposition /dispə'ziʃn/ *em* karakter; natyrë; pritje, gatishmëri

dispute /di'spju:t/ *em* grindje; mosmarrëveshje ♦ *k/* diskutoj; vë në diskutim/ në dyshim *(një thënie etj.)*

disqualif:ication /diskwolifi'keiʃn/ *em* shkualifikim; heqje *(e patentës)* ♦ **~fy** /-'kwolifai/ *k/* përjashtoj; *sp* shkualifikoj: **~ sb from driving** ia heq patentën dikujt

disregard /disri'ga:(r)d/ *em* shpërfillje ♦ *k/* shpërfill

disrepair /disri'pɛə(r)/ *em:* **fall into ~** prishet; rrënohet

disreput:able /disri'pju:təbl/ *mb* famëkeq ♦ **~e** *em* emër i keq; diskreditim: **bring sb into ~** ia nxij emrin dikujt

disrespect /disri'spekt/ *em* mungesë respekti ♦ **~ful** *mb* i parespektueshëm

disrupt /dis'rʌpt/ *k/* këput; prish; ndërpres; përçaj ♦ **~ion** /-'rʌpʃn/ *em* prishje; ndërprerje ♦ **~ive** *mb (njeri)* që prish disiplinën

dissatisf:action /dissætis'fækʃn/ *em* pakënaqësi ♦ **~y** /-'sætisfai/ *k/* bëj të pakënaqur *(dikë);* ia prish qejfin *(dikujt)*

dissent /di'sent/ *em* mosmarrëveshje; disidencë

dissertation /disə(r)'teiʃn/ *em* dizertacion; temë dizertacioni

dissident /'disidənt/ *em* disident

dissimilar /di'similə/ *mb* i pangjashëm; i ndryshëm (**to** nga)

dissociate /di'souʃieit/ *k/:* **~ oneself from** largohem/ distancohem nga

dissolut:e /'disəlu:t/ *mb* i shthurur *(moralisht)* ♦ **~ion** /-'lu:ʃn/ *em* shthurje

dissolve /di'zolv/ *k/* shkrij ♦ *jk/* shkrihet

dissuade /di'sweid/ *k/* kandis; prish mendjen

distan:ce /'distəns/ *em* largësi: **in the ~** larg; në largësi; **from a ~** nga larg; së largu ♦ **~ ** *jk/* largohem; shkëputem: **~ oneself from** rri larg nga; nuk përzihem me ♦ **~t** *mb* i largët ♦ **~tly** *nd* larg; së largu

distaste /dis'teist/ *em* neveri; antipati ♦ **~ful** *mb* i neveritshëm

distil /di'stil/ *k/* distiloj ♦ **~lation** /-'leiʃn/ *em* distilim ♦ **~lery** /-ləri/ *em* distileri

distinct /di'stiŋkt/ *mb* i qartë; i dalluar ♦ **~ion** /-'stiŋkʃn/ *em* dallim; nota shkëlqyeshëm ♦ **~ive** *mb* i dalluar

distinguish /di'stiŋgwiʃ/ *k/, jk/* dalloj: **~ oneself** dallohem; shquhem ♦ **~ed** *mb* i shquar; i shkëlqyer

distort /di'sto:(r)t/ *k/* shtrembëroj ♦ **~ion** /-'to:(r)ʃn/ *em* shtrembërim

distract /di'strækt/ *k/* hutoj ♦ **~ion** /-'strækʃn/ *em* hutim; dëshpërim: **drive sb to ~** dëshpëroj dikë

distraught /dis'tro:t/ *mb* i hutuar; i turbulluar keq

distress /di'stres/ *em* ankth; vuajtje; pikëllim; vështirësi; hall: **ship in ~** anije në rrezik ♦ *k/* trondit; pikëlloj ♦ **~ signal** /-'signəl/ *em* sinjal për ndihmë *(i anijes etj.)*

distribut:e /di'stribju:t/ *k/* shpërndaj ♦ **~ion** /-'bju:ʃn/ *em* shpërndarje ♦ **~or** *em* shpërndarës (automatik)

district /'distrikt/ *em* krahinë; rreth

distrust /dis'trʌst/ *em* mosbesim ♦ *k/* s'kam besim te ♦ **~ful** *mb* mosbesues

disturb /dis'tə:b/ *k/* turbulloj; ngatërroj; shqetësoj ♦ **~ance** *em* turbullim; shqetësim; *sh* turbullirë, trazirë ♦ **~ ed** *mb* i prishur mendsh ♦ **~ ing** *mb* shqetësues

disuse /dis'ju:s/ *em:* **fall into ~** del jashtë përdorimit ♦ **~d** *mb* i papërdorur

ditch /ditʃ/ *em* gropë; hendek; kanal ♦ *k/ bs* braktis; lëshoj; lë në baltë

dither /'diðə(r)/ *jk/* dridhem; ngurroj

div:e /daiv/ *em* zhytje ♦ *jk/* kridhem; zhytem ♦ **~er** *em* zhytës; palombar

diverge /dai'və:(r)dʒ/ *jk/* shmangem ♦ **~ nt** *mb* divergjent; i shmangur

divers:e /dai'və:(r)s/ *mb* i ndryshëm; i larmishëm ♦ **~ion** /-'və:(r)ʃn/ *em* shmangie; diversion; zbavitje

♦ **~ity** *em* llojshmëri; larmi

divert /dai'və:(r)t/ *kl* shmang; tërheq *(vëmendjen)*

divest /dai'vest/ *kl* zhvesh *(nga pushteti);* lë pa (**of**)

divide /di'vaid/ *kl* ndaj; pjesëtoj; përçaj (**by** me) ♦ *jkl* ndahet; pjesëtohet; *(vendi)* përçahet

dividend /'dividənd/ *em fn* dividend: **pay ~s** *fig* (ma) shpërblen *(mundimin etj.)*

divine /di'vain/ *mb* hyjnor

diving /'daiviŋ/ *em* kërcim nga trampolina; zhytje; kredhje *(e palombarit etj.)* ♦ **~ board** /-'bo:(r)d/ *em* trampolinë ♦ **~ suit** /-'sju:t/ *em* skafandër

divinity /di'vinəti/ *em* hyjni; teologji; mësim i fesë

divisi:ble /di'vizibl/ *mb* i pjesëtueshëm (**by** me) ♦ **~on** /-'viʒn/ *em* ndarje; pjesëtim; kategori *(në sp);* pëçarje

divorc:e /di'vo:(r)s/ *em* ndarje; divorc ♦ *kl* ndahem nga; bëj divorc me ♦ **~ée** /divo:'si:/ *em* i ndarë; i divorcuar

divulge /dai'vʌldʒ/ *kl* bëj të ditur/njohur; shpall botërisht

DIY *em (shkrt* **do-it-yourself**) mobilie të gatshme për montim

dizz:iness /'dizinis/ *em* marramendth ♦ **~y** *mb* i marrakotur; marramendës: **feel ~** më merren mendtë

DNA /'di:'en'ei/ *em shkrt i* **deoxyribonucleid acids** ADN

do /du:/ *(v iii njëjës, e tanishme* **does** /dʌz/; **did** / did/, **done** 'dʌn/) *kl* bëj: **well done** të lumtë; *gjll (mish)* i pjekur mirë; **~ the rooms** ndreq dhomat; **~ the washing up** laj pjatat ♦ *jkl* bën; shkon; është i mirë; mjafton: **this will ~** mjafton kaq; kjo bën; **~ well/ badly** ia kaloj mirë/keq; **how is he ~ing** si ia shpie (ai)? ♦ *folje ndihmëse:* **~ you speak French?** flet frengjisht?; **~ come in** hyrë, pra; **how ~ you ~?** si je; tungjatjeta ♦ **~ away with** *kl* heq qafe; elimijoj; zhduk ♦ **~ for** *kl:* done for *am* i rrënuar; i mbaruar ♦ **~ in** *kl bs* vras: vritem: **done in** *bs* i dërrmuar; i kapitur ♦ **~ with** *kl:* **I could ~ with some help** do të doja pak ndihmë ♦ **~ without** *kl* ia bëj/ dal pa

docil:e /'dousail/ *mb* i butë ♦ **~ity** /-'siləti/ *em* butësi

dock /dok/ *em dr* bankë *(e të akuzuarit);* skelë; kantier detar; **~s** *em* port: **on the ~** në bankën e të akuzuarit ♦ **~er** *em* doker; punëtor i portit

dock:land /-lənd/ *em* doket *(e portit)* ♦ **~yard** /-ja:(r)d/ *em* kantier detar

doctor[1] /'doktə(r)/ *em* mjek; doktor *(i shkencave)* ♦ *jkl* bëj doktoraturë *(për një shkencë)*

doctor[2] *kl* falsifikoj *(llogarinë etj.);* përziej keq *(pijet)*

doctrine /'doktrin/ *em* doktrinë

document /'dokjumənt/ *em* dokument ♦ **~ary** /-'mentəri/ *mb, em* dokumentar

dodg:e /dodʒ/ *em bs* marifet; dredhi ♦ *jkl* dredhoj; shmangem: **~ out of the way** shmangem mënjanë ♦ **~y** *mb bs* mashtrues; dredharak

doe /dou/ *em* sorkadhe; femër *(e disá kafshëve)*

does /dʌz/ *shih* **do**

doesn't /'dʌznt/ *shkrt i* **does not**

dog /dog/ *em* qen ♦ *kl* ndjek; (më) bie më qafë; s'më ndahen *(hallet etj.)* ♦ **~-cheap** /-tʃi:p/ *nd* badiahava; xhaba ♦ **~fight** /-fait/ *em* betejë ajrore ♦ **~-house** /-'haus/ *em:* **in the ~-house** *bs* i poshtëruar; i turpëruar ♦ **~poor**/-puə(r)/ *mb* i varfër; i këputur; trokë

dogma /'dogmə/ *em* dogmë ♦ **~tic** /-'mætik/ *mb* dogmatik

dogsbody /'dogsbodi/ *em bs* zuzar; laro

do-it-yourself /'du:itjo:(r)'self/ *em* mobilie të gatshme për montim ♦ **~ shop** *em* dyqan me pjesë të gatshme për montim

doldrums /'doldrəmz/ *em sh:* **be in the ~** jam pa qejf; *(puna:)* bie; është në rënie

dole /daul/ *em* ndihmë papunësie; **be on the ~** mbahem me ndihma si i papunë ♦ *kl:* **~ out** *kl* shpërndaj; jap *(ndihma)*

doleful /'doulful/ *mb* i zymtë; i trishtuar

dogged /'dogid/ *mb* këmbëngulës ♦ **~ly** *nd* me këmbëngulje; qençe

doll /dol/ *em* kukull; kokonë: **a ~ of a woman** grua *(e bukur)* kukull ♦ **~ oneself up** *kl bs* nisem e stolisem *(si kukull)*

dollar /'dolə(r)/ *em* dollar

dolphin /'dolfin/ *em* delfin

domain /'domein/ *em dr* pronë; *fg* sferë, fushë; lëmë *(e veprimtarisë)*

dome /doum/ *em* kupolë; kupë *(e qiellit)*

domestic /də'mestik/ *mb* shtëpiak; *pl* i brendshëm ♦ **~ate** /-keit/ *kl* zbut *(një kafshë)*

domin:ant /'dominənt/ *mb* mbizotërues; dominues ♦ **~ate** /'domineit/ *kl, jkl* mbizotëroj; dominoj ♦ **~ation** /'neiʃn/ *em* mbizotërim; dominim ♦ **~eering** /domi'niəriŋ/ *mb* autoritar; prepotent; mujshar

domino /'dominou/ *em* gur dominoje; maskë domino ♦ **~es** lojë domino

don[1] /don/ *em* docent *(universiteti)*

don[2] *kl* vesh

donat:e /dou'neit/ *kl* dhuroj ♦ **~ion** /-eiʃn/ *em* dhuratë; dhurim

donkey /'doŋki/ *em* gomar: **~s years** *bs* shekuj; kohë shumë e gjatë

donor /'dounə(r)/ *em* dhurues: **blood ~** dhurues gjaku

don't /dount/ *shkrt i* **do not**

doodle /'du:dl/ *jkl* hallavitem

doom /du:m/ *em* fund; rrënim; vdekje ♦ *kl:* **be ~ed (to failure)** është i dënuar të dështojë

door /do:(r)/ *em* derë: **out of ~s** në natyrë ♦ **~keeper** /-ki:pə(r)/, **man** /-mən/ *em* portier; derëtar ♦ **~step** /-step/ *em* prag i portës

dope /doup/ *em bs* drogë; *bs* fjalë e lëshuar pa vend;

sh idiot: **on ~** i droguar ♦ *kl* drogoj ♦ **~y** *mb bs* i trullosur

dorm:ant /'do:(r)mənt/ *mb* i fjetur; i përgjumur ♦ **~itory** /'do:(r)mitri/ *em* fjetore

dormouse /'do:(r)maus/ *em zl* gjer

dos:age /'dousidʒ/ *em* dozim; dozë ♦ **~e** /dous/ *em* dozë ♦ *kl* dozoj

doss /dos/ *jkl* shtroj për të fjetur ♦ **~-house** /-haus/ *em* fjetore; hotel i keq

dot /dot/ *em* pikë: **at 8 o'clock on the ~** në orën 8 plot ♦ *kl* i vë pikën *(i-së)*

dote /dout/ *jkl* matufepsem; dalldis ♦ **~ on** bëj si i dalldisur për

dotted /'dotid/ *mb:* **~ line** vijë e pikëzuar

dotty /'doti/ *mb bs* i cikatur; i luajtur mendsh

double /'dʌbl/ *mb* i dyfishtë ♦ *adv* dyfish: **cost ~** kushton dyfish; **see ~** më bëjnë sytë (tek a) çift ♦ *em* çift; sozi; kipc; **~s** *sh* çift *(në tenis):* **at the ~** me vrap ♦ *kl* dyfishoj; palos dysh ♦ *jkl* dyfishohet ♦ **~ back** *jkl* bëj prapakthehu ♦ **~ up** *jkl* paloset dysh; përdor bashkë *(me dikë një dhomë)* ♦ **~-cross** /-kros/ *kl* mashtroj; fitoj *(një lojë)* pasi kam thënë se do ta lë ♦ **~-decker** /-dekə(r)/ *em* autobus dykatësh ♦ **~room** /-ru:m/ *em* dhomë dyshe

doubt /daut/ *em* dyshim ♦ *kl* dyshoj ♦ **~ful** *mb* dyshues; i dyshimtë ♦ **~less** *mb* i padyshimtë

dough /dou/ *em* brumë; *bs* pará, të holla

doughnut /'dounʌt/ *em* petull e ardhur

douse /daus/ *kl* shuaj *(zjarrin)*

dowdy /'daudi/ *mb* i lënë; i pakujdesur *(në paraqitje)*

dove /dʌv/ *em* pëllumb(eshë)

down *nd* poshtë: **come ~** zbres; **~ with...!** poshtë!; **be ~ with flue** jam me grip ♦ *prfj.* **walk ~ the road** shkoj rrugës ♦ *kl* rrëkëllej; pi me një frymë ♦ **~fall** /-fo:l/ *em* rënie; rrëzim; rrënim ♦ **~hill** /-hill/ *nd* zbritje; tatëpjetë: **go ~** marr tatëpjetën ♦ **~load** /-loud/ *kl* shkarkoj *(një program nga interneti, nga disku)* ♦ **~ payment** /-'piemənt/ depozitë ♦ **~right** /-rait/ *mb* i plotë; i tërë; absolut ♦ *nd* plotësisht ♦ **~stairs** /-'steə(r)z/ *nd* poshtë; në katin poshtë ♦ **~-to-earth** /-tu'ə:(r)θ/ *(njeri)* konkret ♦ **~town** /-'taun/ *em* qendër e qytetit ♦ *nd am* në qendër *(të qytetit)* ♦ **~ward** /-wə:(r)d/ *mb* i teposhtë ♦ *nd* teposhtë

dowry /'dauri/ *em* prikë; pajë

doze /douz/ *em* dremitje ♦ *jkl* dremit; marr një sy gjumë ♦ **~ off** *jkl* më mund gjumi; kotem

dozen /'dʌzn/ *em* dyzinë; dymbëdhjetë: **~s of** dhjetra

Dr *shkrt* doktor *(titull)*

drab /dræb/ *mb* monoton; i painteres

draft /dra:ft/ *em* skicë; projekt; *am ush* rekrutim; *sh* **-s** lojë damë ♦ *kl am ush* rekrutoj

drag[1] /dræg/ *em bs* njeri i mërzitshëm; barrë

drag[2] *em* zvarritje *(e këmbëve)* ♦ *kl* zvarrit; heq

rrëshqanthi; gërmoj *(shtratin e lumit):* **~ one's feet** ngurroj

dragon /'drægn/ *em* dragua ♦ **~fly** /-flai/ *em* pilivesë

drain /drein/ *em* tub shkarkimi; vijë kullimi; shterim: **the ~s** *sh* kanale të ujërave të zeza; **go down the ~** më merr lumi ♦ *kl* kulloj; shter; dranazhoj; thaj *(plagën)* ♦ *jkl* kullon; shter ♦ **~age** /'dreinidʒ/ *em* kullim; sistem drenazhimi; ujëra të zeza; **~ing** *em* kullim ♦ *mb* kullues: **~ing-pipe** *em* tub shkarkimi

drake /dreik/ *em zl* rosak

drama /'dra:mə/ *em* dramë ♦ **~tic** /drə'mætik/ *mb* drammatik ♦ **~tist** /'dræmətist/ *em* dramaturg ♦ **~ise** *kl* dramatizoj

drank /dræŋk/ *shih* **drink**

drapery /'dreipəri/ *em* dyqan metrazhesh

drastic /'dra:stik/ *mb* i madh; i thellë; i plotë

draught /dra:ft/ *em* rrymë ajri ♦ **~y** *mb (vend)* që ka korrente ajri

draw /dro:/ *em* tërheqje; *sp* barazim; short ♦ (**drew** /dru:/, **drawn** /dro:n/) u1 *(perdet)*; tërheq; bëj për vete; nxjerr barazim *(lojën)*; tendos *(harkun)*; telëzoj; shqyej: **~ lots** shtie lotari; **~ near** afrohem ♦ **~ back** *kl* heq; nxjerr ♦ **~back** /-bæk/ *em* ngecë; vështirësi; e metë ♦ *jkl* tërhiqem ♦ **~ in** *kl* thith; fut brenda *(thonjtë)* ♦ **~ out** *kl* nxjerr; shkul *(dhëmbin)*; tërheq *(para)* ♦ *jkl (treni)* niset; *(dita)* zgjatet ♦ **~ up** *kl* hartoj *(një dokument)*; afroj *(karrigen):* **~ oneself up to one's full height** ngrihem më këmbë sa jam i gjatë ♦ *jkl* ndaloj; ndalem; qëndroj në vend

♦ **~-bridge** /-bridʒ/ *em* urë ngritëse

drawer /dro:ə(r)/ *em* sirtar

drawers /'dro:ə(r)z/ *em sh* brekë; mbathje

drawing /'dro:iŋ/ *em* vizatim ♦ **~-pin** /-pin/ *m* pinseskë ♦ **~board** /-bo:(r)d/ *em* planshetë ♦ **~-room** /-ru:m/ *em* sallon; dhomë e pritjes

drawl /dro:l/ *em* shqiptim i zvargur

drawn /dro:n/ *shih* **draw**

dread /dred/ *em* tmerr ♦ *kl* kam tmerr ♦ **~ful** *mb* i tmerrshëm; i frikshëm ♦ **~fully** *nd* shumë; për tmerr; shumë keq

dream /dri:m/ *em* ëndërr ♦ *kl, jkl* (**dreamt** /dremt/, **dreamed**) ëndërroj (**about/ of** për): **I was ~ing** isha në ëndërr ♦ **~er** *em* ëndërrimtar

dreary /'dreəri/ *mb* i zymtë; i mërzitshëm; monoton

dredge /dredʒ/ *kl, jkl* gërmoj; thelloj *(shtratin e lumit etj.)* ♦ **~er** *em tk* dragë

dregs /'dregz/ *em sh* llum *(i kafes, i shoqërisë etj.)*

drench /drentʃ/ *kl* lag; njom; qull ♦ **~ed** *mb* i lagur ♦ **~er** *em* shi i madh/ që të bën qull

dress /dres/ *em* fustan; veshje grash ♦ *kl* vesh; ndreq *(gjellën)*; *mk* fashoj: **~ oneself** vishem ♦ *jkl* vishem

dressing /'dresiŋ/ *em* gjl mëlmesë, salcë *(për sallatë)*; *mk* fashim

dressing:-room /'dresiŋru:m/ *em* dhomë e

zhveshjes ♦ **~-table** /-teibl/ *em* komo; tryezë tualeti, tualet

drill /dril/ *em* trapan ♦ *jk/* shpoj: **~ for oil** bëj shpime për naftë

drink /driŋk/ *em* pije: **will you have a ~?** do të pish gjë?; **be in ~** jam i pirë ♦ *kl, jkl* (**drank** /dræŋk/ , **drunk** /drʌŋk/, **drinking**) pi ♦ **~ up** *kl* e pi të gjithë; mbaroj; shkulloj *(gotën)* ♦ *jkl* mbaroj gotën ♦ **~ing** *mb* pirje

drip /drip/ *em* pikë ♦ *jkl* pikon ♦ **~ping** *mb:* **~ wet** i lagur qull

driv:e /draiv/ *em* shëtitje me makinë; rruginë; vrull; *tk* motor; *tk* draiv *(e kompjuterit)* ♦ (**drove** /drouv/ , **driven** /'drivn/, *pjs e tanishme* **driving** /'draiviŋ/) *kl* çoj me makinë; ngas *(makinën);* ngul *(gozhdën etj.):* **~ sb mad** e luaj mendsh dikë ♦ *jkl* ngas makinën: **can you ~?** di ta ngasësh makinën? ♦ **~er** *em* shofer ♦ **~ing** *em* ngarje; drejtim *(i makinës)* ♦ **~ing lesson** /-'lesn/ *em* mësim i makinës ♦ **~ing licence** /-'laisns/ *em* patentë shoferi ♦ **~ing school** /-'sku:l/ *em* kurs shoferësh; autoshkollë ♦ **~ing seat** /-'si:t/ *em* ndenjëse e shoferit; post drejtues/ komandues: **be on the ~** *fg* drejtoj; komandoj

drizzle /'drizl/ *em* lagshtë; një vesë shi ♦ *jkl* veson

drop /drop/ *em* pikë, bulë *(uji);* rënie; hedhje *(me parashutë)* ♦ *kl* rrëzoj; hedh *(një bombë);* lëshoj ♦ *jkl* bie: **~ out of chool** lë shkollën ♦ **~per** *em* pikatore ♦ **~pings** *em sh* kakërdhi

drought /draut/ *em* thatësi

drown /draun/ *jkl* mbytem ♦ *kl* mbyt: **he was ~ed** (ai) u mbyt

drows:y /'drauzi/ *mb* i përgjumur ♦ **~iness** *em* përgjumje

drug /drʌg/ *em* drogë; *mk* bar, ilaç: **~ trade** trafiku i drogës; **take/ be on ~s** drogohem ♦ *kl* drogoj ♦ **~ addict** /-'ædikt/ *em* toksikoman ♦ **~ dealer** /- 'di:lə(r)/ *em* shpërndarës droge ♦ **~store** /-'sto:(r)/ *em am* farmaci; kinkaleri-farmaci

drum /drʌm/ *em* daulle; lodër ♦ **~stick** /-stik/ *em* shkop i daulles; *gjl* kofshë *(e pulës)*

drunk /drʌŋk/ *mb, em* i dehur: **get ~** dehem ♦ **~ard** *em* pijanec; dejmarak

dry /drai/ *mb* i thatë ♦ *kl, jkl* thaj: **~ one's eyes** fshij sytë/ lotët ♦ **~clean** /-kli:n/ *jkl* pastroj në të thatë *(rrobat)* ♦ **~-cleaner's** /-'kli:nə(r)z/ *em* pastërtí

DTP /'di:ti:'pi:/ *em shkrt i* **desktop publishing** botim desktop

dub /dʌb/ *kl* dubloj *(filmin)* ♦ **~bing** *em* dublim

dubious /'dju:biəs/ *mb* i dyshimtë; *(përfundim)* i pasigurt

duchess /'dʌtʃis/ *em* dukeshë

duck /dʌk/ *em z/* rosë ♦ *kl* kredh: **~ one's head** ul kokën ♦ *jkl* kridhem; ulem

due /dju:/ *mb* i duhur; i pritshëm: **be ~** *(treni)* pritet *(të vijë, të niset më);* **payment is ~ on** pagesa e ka afatin deri më...; **~ to** në saje të ♦ *nd* **~ north** drejt veriut ♦ **~s** /dju:z/ *em sh* kuotë *(pajtimi, anëtarësie)*

dugout /dʌgaut/ *em* strehim *(kundërajror)*

duke /dju:k/ *em* dukë

dull /dʌl/ *mb (qiell)* i vrenjtur; i muzgët; *(tingull)* i mbytur; *(njeri)* i trashë

duly /'dju:li/ *nd* ashtu si duhet

dumb /dʌm/ *mb* memec; *bs* i trashë; shushk

dummy /'dʌmi/ *em* maket; manikin *(i rrobaqepësit);* thithë, kapëz *(e foshnjes)*

dump /dʌmp/ *em* pirg; stok armësh ♦ *kl* shkarkoj

dune /dju:n/ *em* dunë; stom rëre

dung /dʌŋ/ *em* bajgë

duplicate /'dju:plikət/ *mb* i dyfishtë; në dy kopje ♦ *em* dublikatë *(e dokumentit)* ♦ /'dju:plikeit/ *kl* dyfishoj; bëj me dy kopje

durable /'djuərəbl/ *mb* rrojës; i fortë; jetëgjatë

duration /djuə'reiʃn/ *em* zgjatje; vazhdim: **of long ~** jetëgjatë

during /'djuəriŋ/ *prfj* gjatë: **~ his absence** gjatë mungesës së tij

dusk /dʌsk/ *em* muzg; ndajnatëherë

dust /dʌst/ *em* pluhur ♦ *kl* shpluhuros; marr pluhurat e; shkund *(qilimin)* ♦ **~bin** /-bin/ *em* kosh i plehrave ♦ **~cart** /-ka:(r)t/ *em* karrocë e plehrave ♦ **~y** *mb* i pluhurosur

Dutch /dʌtʃ/ *mb* holandez ♦ *em* holandishte; **the ~** *sh* holandezët: **double ~** fjalë pa kuptim

duty /'dju:ti/ *em* detyrë; taksë (dogane); shërbim: **be on ~** jam me shërbim ♦ **~free** /-fri:/ *mb* pa doganë ♦ **~ officer** /-'ofisə(r)/ *em* nëpunës i shërbimit/ i dezhurnit; dezhurn

DVD /'di:vi'di:/ *shkurt i* **digital video disc** DVD *(videodisk shifror/ digjital)*

dwarf /dwo:(r)f/ *em (sh* **-s, dwarves** /dwo:(r)vz/) xhuxh, *-mb* ♦ *kl* rrëgjohem

dwell /dwel/ *jkl* (**dwelt**) banoj; ndalem/ përqendrohem *(në një çështje)* ♦ **~ing** *em* banesë

dye /dai/ *em* bojë ♦ *kl* (**dyeing**) ngjyej

dynamic /dai'næmik/ *mb* dinamik

dynamite /'dainəmait/ *em* dinamit

dynamo /'dainəmou/ *em* dinamo

dynasty /'dinəsti/ *em* dinasti

dysentery /'disəntri/ *em mk* dizenteri; bark i keq

E

each /i:tʃ/ *mb* secili; çdo: ~ **one** çdonjëri ♦ *prm:* **£1**
~ një sterlinë secili/ copa ♦ ~ **other** njëri-tjetri
eager /ˈi:gə(r)/ *mb* i etur; i paduruar; i gatshëm ♦
~**ness** *em* etje; padurim
eagle /ˈi:gl/ *em zl* shqiponjë
ear¹ /iə(r)/ *em* kalli *(gruri)*
ear² vesh; vegjë: **by the** ~ për veshi; **by** ~ *(luaj një pjesë)* me vesh; **turn a deaf** ~ **to sth** bëj një vesh shurdh për diçka ♦ ~**ache** /-ˈeik/ *em* dhembje veshi ♦ ~**drop** /drop/ *em* vath ♦ ~**drum** /-drʌm/ *em an* lodër *(e veshit)* ♦ ~**lobe** /-loub/ *em an* bulë e veshit
earl /əː(r)l/ *em* kont
earflap /ˈiə(r)flæp/ *em* veshoke *(të kapelës etj.);* llapë e veshit
early /ˈəː(r)li/ *mb* i hershëm; i prakohshëm: **in the** ~ **morning** në mëngjes herët; ~ **retirement** pension i parakohshëm ♦ *nd* herët; shpejt; para kohe
earmark /ˈiə(r)ma:(r)k/ *kl* ndaj, caktoj, ruaj **(for** për)
earn /əː(r)n/ *kl* fitoj, nxjerr *(jetesën);* meritoj
earnest /ˈəː(r)nist/ *mb* serioz ♦ *em:* ~ **money** kapar ♦ ~**ly** *nd* me gjithë mend; seriozisht
earnings /ˈəː(r)niŋz/ *em sh* fitim; rrogë
ear:phone /-foun/ *em sh* kufje ♦ ~**ring** /-riŋ/ *em* vath ♦ ~**shot** /-ʃot/ *em:* **be out of** ~**shot** s'më vjen zëri
earth /əː(r)θ/ *em* tokë: **where/ what on** ~? ku/ çfarë djalli? ♦ *kl el* tokëzoj ♦ ~**enware** /-θnwɛə(r)/ *em* poçeri; enë balte ♦ ~**ly** /-θli/ *mb* tokësor; **it's no** ~ **use to me** s'më duhet fare ♦ ~**quake** /-kweik/ *em* tërmet ♦ ~**works** *em* punime fortifikuese me dhe; *ndr* gërmime ♦ ~**y** *mb* (prej) dheu; *fg* trashaman
earwig /ˈiə(r)wig/ *em zl* gërshërëz
ease /i:z/ *em* nge; rehati: **at** ~ me nge; **at** ~! *ush* qetësohu!; **with** ~ lehtë; kollaj ♦ *kl* qetësoj *(dhembjen);* ul *(tensionin);* ngadalësoj *(ritmin);* liroj *(rripin)* ♦ *jkl (dhembja etj.)* qetësohet; *(tensioni)* bie, ulet

east /i:st/ *em* lindje: **Middle E~** *gjg* Lindja e Mesme; **to the** ~ **of** në lindje të ♦ *nd* drejt lindjes; nga lindja
Easter /ˈi:stə(r)/ *em* Pashkë ♦ ~ **egg** /-eg/ *em* vezë e kuqe/ e Pashkës ♦ ~ **lamb** /-læm/ *em* qengj i Pashkës
easter:ly /ˈi:stə(r)li/ *mb* i lindjes ♦ ~**n** *mb* lindor ♦ ~**ward(s)** /-wə(r)d(z)/ *nd* drejt lindjes
easy /ˈi:zi/ *mb* i lehtë: **by** ~ **stages** pa u ngutur ♦ *nd* ngadalë; pa u ngutur: **take it** ~! merre shtruar! ♦ ~**chair** /-tʃɛə(r)/ *em* poltronë ♦ ~ **game** /-geim/ *em* sylesh ♦ ~**-going** /-goiŋ/ *mb* moskokëçarës
eat /i:t/ *kl, jkl* (**ate** /eit, et/ **eaten** /ˈi:tn/) ha; brej, gërryej ♦ ~**able** *mb* i ngrënshëm ♦ ~**en** *shih* **eat** ♦ *mb* i ngrënë: **worm-~** i ngrënë nga krimbi ♦ *em sh* ~**ables** gjëra që hahen ♦ ~**er** /-ə(r)/ *em* hamës: **a big** ~**er** hamës i madh
eau-de-Cologne /o:dəkəˈloun/ *em* kolonjë
eaves /i:vz/ *em sh* çikë; gjerbë
eaves:drop /-drop/ *jkl* përgjoj **(on)** ♦ ~**dropping** /-dropiŋ/ *em* përgjim
ebb /eb/ *em:* **at a low** ~ *fig* keq; në rënie ♦ *jkl (batica)* ulet; tërhiqet: *flg (popullariteti)* bie ♦ ~ **tide** /-taid/ *em* zbaticë
ebony /ˈebəni/ *em* abanoz
EC *em shkrt i* **European Community** BE *(Bashkësia Evropiane)*
eccentric /ikˈsentrik/ *mb, em* jashtëqendror, ekscentrik
ecclesiastical /ikli:ziˈæstikl/ *mb* klierik; kishtar; priftëror
echo /ˈekou/ *em (sh* **-es)** jehonë; ushtimë ♦ *jkl* jehon; ushton; kumbon
eclipse /iˈklips/ *em astr* eklips; zënie *(e hënës etj.)* ♦ *kl fg* eklipsoj; zë
ecology /iˈkolədʒi/ *em* ekologji
econom:ic /i:kəˈnomik/ *mb* ekonomik ♦ ~**ical** *mb* ekonomik; i kursyer ♦ ~**ise** /iˈkonəmaiz/ *kl* kursej **(on)** ♦ ~**ist** /iˈkonəmist/ *em* ekonomist ♦ ~**y** /

i'konəmi/ *em* ekonomi; kursim: **with ~ of words** me fjalë të kursyera

ecsta:sy /'ekstəsi/ *em* dalldi; ekstazë ♦ **~tic** /ik'stætik/*mb* i dalldisur; në ekstazë

ecu *l'*eikju:/ *em fn* eku

eczema /'eksimə/ *em mk* ekzemë

edg:e /edʒ/ *em* buzë; cep; teh *(i thikës):* **be on ~** jam me nerva të cingërisura; **have the ~ on** *bs* jam *k/*uar ndaj ♦ *k/*i bëj buzë; rrethoj me buzinë ♦ **~ forward** *jk/*përparoj ngadalë ♦ **~eways** /-weiz/ *nd* brinjas: **I can't get in a word ~** s'them dot as gjysmë fjale ♦ **~ing** *em* buzë; anë ♦ **~y** *mb* i nervozuar; nervoz

edible /'edibl/ *mb* i ngrënshëm

edit /'edit/ *k/* redaktoj; montoj *(filmin)* ♦ **~ion** /e'diʃn/ *em* botim; numër *(i gazetës)* ♦ **~or** *em* redaktor; montues *(i filmit)* ♦ **~orial** *em* (artikull) i redaksisë; redaksional

educat:e /'edjukeit/ *k/* arsimoj; edukoj ♦ **~ed** /-id/ *mb* i sjellshëm; i edukuar ♦ **~ion** /-'keiʃn/ *em* arsim; shkollim; kulturë ♦ **~al** *mb* arsimor

eel /i:l/ *em z/* ngjalë

eerie /'iəri/ *mb* shqetësues; i mistershëm

effect /i'fekt/ *em* efekt; ndikim; veprim: **in ~** në të vërtetë; **take ~** *(ligji)* hyn në fuqi; *(ilaçi)* vepron; **side~** veprim anësor *(i ilaçit)* ♦ *k/* bëj; kryej: **~ a change** bëj një ndryshim ♦ **~ive** *mb* i efekteshëm; efektiv ♦ *em ush* efektiv ♦ **~ively** *nd* efektivisht; në të vërtetë

efficien:cy /i'fiʃənsi/ *em* efektshmëri; aftësi ♦ **~t** *mb* i efektshëm; *(njeri)* i aftë

effort /'efə(r)t/ *em* përpjekje: **make an ~** përpiqem ♦ **~less** *mb* i lehtë ♦ **~lessly** *nd* lehtë; pa mundim

effusive /i'fju:siv/ *mb* i pakursyer; *(fjalë)* të ngrohta

e. g. /'i:dʒi:/ *shkrt i* **exempli gratta** për shembull, p. sh.

egalitarian /igæli'tεəriən/ *mb* barazimtar

egg /eg/ *em* vezë: **the white of the ~** e bardha e vezës ♦ **~cup** /-kʌp/ *em* kupë e vezës ♦ **~head** / -hed/ *em bs* intelektual ♦ **~plant** /-pla:nt/ *em bt* patëllxhan; ngjyrë patëllxhani ♦ **~shell** /-ʃel/ *em* lëvozhgë veze ♦ **~yolk** /-jolk/ *em* e verdhë e vezës

ego /'i:gou/ *em* ego; uni ♦ **~ism** *em* egoizëm ♦ **~ist** *em* egoist

Egypt /'i:dʒipt/ *em* Egjipt ♦ **~ian** /i'dʒipʃn/ *mb, em* egjiptian

eight /eit/ *nm, mb, em* tetë ♦ **~teen** *nm* tetëmbëdhjetë ♦ **~teenth** *mb* i tetëmbëdhjetë ♦ **~th** /eitθ/ *mb, em* i tetë ♦ **~ieth** /'eitiiθ/ *mb* i tetëdhjetë ♦ **~y** /'eiti/ *nm, mb* tetëdhjetë: **in the ~ies** në vitet tetëdhjetë

either /'aiðə(r), 'i:ðə(r)/*mb, prm:* **~ (of them)** njëri ose tjetri; **on ~ side** nga të dyja anët ♦ *nd:* **I don't ~ as** unë, jo; **I don't like ~ this or that** s'më pëlqen as kjo, as ajo ♦ *ldh:* **~ ... or...** ose..., ose...: **~ at home or at work** a në shtëpi, a në punë; **~**

it is done now or it is never done o bëhet tani, o s'bëhet kurrë

eject /i'dʒekt/ *k/* nxjerr/ hedh jashtë ♦ *jk/* hidhem; katapultoj ♦ **~ion** /-dŋekʃən/ *em* hedhje/ nxjerrje jashtë; katapultim

eke /i:k/ *k/:* **~ out** plotësoj; rrumbullakoj; **~ out a living** nxjerr me vështirësi jetesën

elaborate /i'læbərət/ *mb* i shtjelluar hollë; i stërholluar ♦ /-reit/ *jk/* shtjelloj; stërholloj (**on**)

elapse /i'læps/ *jk/ (koha) k/* on; rrjedh

elastic /i'læstik/ *mb* i fushkët; elastik: **~ band** llastik ♦ *em* llastik

elbow /'elbou/ *em* bërryl ♦ *k/* shtyj/ çaj me bërryl *(rrugën)* ♦ **~ grease** /gri:z/ *em* punë e rëndë ♦ **~room** /rum/ *em* hapësirë; *fg* liri veprimi

elder[1] /'eldə(r)/ *em bt* shtog

elder[2] *mb (vëlla)* i madh; *(motër)* e madhe ♦ *em:* **the ~** i madhi ♦ **~erly** *mb* i vjetër; plak ♦ **~est** *mb (vëllai)* më i madh ♦ **the ~est** më i madhi

elect /i'lekt/ *mb:* **the president ~** presidenti i ardhshëm ♦ *k/* zgjedh; **~ to do sth** vendos të bëj diçka ♦ **~ion** /-'lekʃn/ *em* zgjedhje ♦ **~or** *em* zgjedhës ♦ **~oral** *mb* zgjedhor; i zgjedhjeve: **~ roll** listë e zgjedhësve ♦ **~orate** /-ərət/ *em* zgjedhës; elektorat

electr:ic /i'lektrik/ *mb* elektrik: **~ blanket** *em* batanije me korrent ♦ **~ical** *mb* elektrik ♦ **~ician** /-'triʃn/ *em* elektricist ♦ **~icity** /-'trisəti/ *em* elektricitet ♦ **~ify** /i'lektrifai/ *k/* elektrifikoj; *fig* elektrizoj ♦ **~ifying** /i'lektrifaiiŋ/ *mb fg* elektrizues ♦ **~on** *em fiz* elektron ♦ **~onic** /ilek'tronik/ *mb* elektronik: **~ mail** *em* postë elektronike ♦ **~onics** /ilek'troniks/ *em sh (me folje në njëjës)* elektronikë

elegan:ce /'eligəns/ *em* elegancë; hijeshi ♦ **~t** *mb* elegant; i hijshëm

element /'eliment/ *em* element; **~s** *sh* forcat e natyrës ♦ **~ary** /-'mentəri/ *mb* elementar: **~ particle** *fz* thërrmijë elementare

elephant /'elifənt/ *em z/* elefant

elevat:e /'eliveit/ *k/* ngre; lartësoj ♦ **~ion** /-'veiʃn/ *em* lartësim; lartësi; ngritje ♦ **~tor** *em am* ashensor

eleven /i'levn/ *nm, mb, em* njëmbëdhjetë: **room ~** dhoma njëmbëdhjetë ♦ **~th** *mb* i njëmbëdhjetë: **at the ~ hour** *bs* në çastin e fundit

eligible /'elidʒəbl/ *mb* i përshtatshëm; i pranueshëm: **~ young man** djalë i mirë *(për burrë)*; **be ~ for** kam të drejtë të; më takon *(një përfitim)*

eliminat:e /i'limineit/ *k/* eliminoj ♦ **~ion** /-'neiʃn/ *em* eliminim

élite /ei'li:t/ *em* elitë; lule

ellip:se /i'lips/ *em* elips ♦ **~tical** *mb* eliptik

elm /elm/ *em bt* vidh

elope /i'loup/ *jk/ (vajza)* ikën *(nga shtëpia me të dashurin)* ♦ **~ment** *em* ikje *(e vajzës me të dashurin)*

eloquen:ce /ˈeləkwəns/ *em* gojëtarí ♦ **~t** *mb* gojëtar; elokuent ♦ **~tly** *nd* me gojëtarí

else /els/ *nd* ndryshe: **what** ~**?** çfarë tjetër?; **who** ~**?** kush tjetër?; **nothing** ~ asgjë; **or** ~ përndryshe; **someone** ~ tjetërkush; **somewhere** ~ tjetërkund; në ndonjë vend tjetër; **anyone** ~ ndonjë tjetër; tjetërkush; *(në pyetje)* asnjë tjetër?; **anything** ~ ndonjë gjë tjetër; *(në pyetje)* tjetër gjë? ♦ **~where** /-wɛə(r)/ *nd* tjetërkund; gjetiu; gjetkë

elucidate /iˈluːsideit/ *kl* sqaroj; shpjegoj; kthjelloj

elu:de /iˈluːd/ *kl* shmang; evitoj: **the name** ~**s me** s'më kujtohet emri ♦ **~sive** /iˈluːsiv/ *mb* i pakapshëm; *(përgjigje)* me dredha

e-mail /ˈiːmeil/ *em* postë elektronike ♦ *kl* dërgoj me posë elektronike

emancipat:e /iˈmænsipeit/ *kl* emancipoj; çliroj ♦ **~ed** /-id/ *mb* i emancipuar ♦ **~ion** /-ˈpeiʃn/ *em* emancipim; çlirim *(i skllavit)*

embankment /imˈbæŋkmənt/ *em* pritë; digë; breg

embargo /emˈbaː(r)gou/ *em (sh* **-s**) embargo

embark /imˈbaː(r)k/ *jkl* hipi *(në anije)* ♦ *kl* i përvishem *(një pune)*

embarrass /emˈbærəs/ *kl* ngatërroj; hutoj; bezdis ♦ **~ed** *mb* i ngatërruar; i hutuar ♦ **~ing** *mb (çast)* i bezdisshëm ♦ **~ment** *em* ngatërrim; hutim; bezdi

embassy /ˈembəsi/ *em* ambasadë; mesazh

embers /ˈembə(r)z/ *em sh* thëngjij; gaca

embezzle /imˈbezl/ *kl* përvetësoj *(fondet publike)* ♦ **~ment** *em* përvetësim i fondeve publike

embitter /imˈbitə(r)/ *kl* pikëlloj; helmoj; mërzit keq; pezamtim

emblem /ˈembləm/ *em* emblemë ♦ **~atic** /-ˈmætik/ *mb* simbolik

embod:iment /imˈbodimənt/ *em* trupëzim; mishërim ♦ **~y** *kl* trupëzoj; mishëroj

embrace /imˈbreis/ *em* përqafim ♦ *kl* përqafoj; ngush ♦ *jkl* përqafohem

embroider /imˈbroidə(r)/ *kl* qëndis ♦ **~er** *em* qëndistar ♦ **~y** *em* qëndisje; qëndistarí

embryo /ˈembriou/ *em* embrion

emerald /ˈemərəld/ *em* smerald

emerge /iˈməː(r)dʒ/ *jkl* dal; lind; dal në dritë; *(bari)* mbin; *(dielli)* del

emergency /iˈməː(r)dʒənsi/ *em* e papritur; emergjencë

emery /ˈeməri/ *em* smeril

emigra:nt /ˈemigrənt/ *em* emigrant ♦ **~te** /-greit/ *jkl* emigroj ♦ **~tion** /-ˈgreiʃn/ *em* emigrim; emigracion

eminent /ˈeminənt/ *mb* i shquar

emi:ssion /iˈmiʃn/ *em* nxjerrje; rrezatim; shpërhapje ♦ **~t** /iˈmit/ *kl* nxjerr; lëshoj *(gazra etj.)*

emoti:on /iˈmouʃn/ *em* emocion ♦ **~ional** *mb* plot emocion; i emocionuar ♦ **~ve** *mb (tip)* emotiv; i prekshëm; që mallëngjehet

emperor /ˈempərə(r)/ *em* perandor

emphasis /ˈemfəsis/ *em* theksim; nënvizim ♦ **~e** /ˈemfəsaiz/ *kl* theksoj; nënvizoj

empire /ˈempaiə(r)/ *em* perandori

empirical /emˈpirikl/ *mb* empirik; praktik

employ /emˈploi/ *em:* **in the** ~ **of** në shërbim të ♦ *kl* punësoj; marr në punë; përdor ♦ **~ee** /-ˈjiː/ *em* nëpunës; i punësuar ♦ **~er** *em* punëdhënës ♦ **~ment** *em* punë(sim)

empress /ˈempris/ *em f* perandore(shë)

empower /imˈpauə(r)/ *kl* autorizoj; mundësoj

empt:ies /ˈemptiz/ *em sh* boshe *(arka, ambalazh)* ♦ **~y** *mb* bosh; i zbrazët; *(fjalë)* në erë ♦ *kl* zbraz; derdh ♦ *jkl (lumi etj.)* derdhet; zbrazet

emulat:e /ˈemjuleit/ *kl* nxit ♦ **~ion** /-ˈleiʃn/ *em* nxitje; emulacion

enable /iˈneibl/ *kl:* ~ **sb to do sth** i jap mundësi dikujt të bëjë diçka

enact /iˈnækt/ *kl tt* luaj *(një rol);* dekretoj *(një ligj)*

enamel /iˈnæml/ *em* smalt ♦ *kl* smaltoj

enamour /inˈæmə(r)/ *kl* bëj për vete; magjeps ♦ **~ed** *mb* i dashuruar; i magjepsur

enchant /inˈtʃaːnt/ *kl* magjeps; mahnit; kënaq ♦ **~ing** *mb* magjepsës; i magjishëm; i kënaqur; i gëzuar ♦ **~ment** *em* magjepsje; kënaqësi ♦ **~ress** *em f* grua magjepsëse/ joshëse

encircle /inˈsəː(r)kl/ *kl* rrethoj; qarkoj ♦ **~ment** *em* rrethim

enclos:e /inˈklouz/ *kl* rrethoj; bashkëlidh *(letrën me...)* ♦ **~ed** *mb (vend, kopsht)* i rrethuar; i mbyllyr; i bashkëlidhur ♦ **~ure** /-ʒə(r)/ *em* rrethim; dokument (etj.) i bashkëngjitur *(me letrën)*

encourag:e /inˈkʌridʒ/ *kl* nxit; kurajoj: ~ **sb to do sth** i jap zemër dikujt të bëjë diçka ♦ **~ement** *em* nxitje ♦ **~ing** *mb* nxitës; kurajues

encroach /inˈkroutʃ/ *kl:* ~ **on** shkel; cenoj; uzurpoj; ndërhyj

encumb:er /inˈkʌmbə(r)/ *kl* rëndoj; ngarkoj ♦ **~rance** *em* ngarkesë; rëndim

encyclop(a)edi:a /insaikləˈpiːdiə/ *em* enciclopedi ♦ **~c** /-ik/ *mb* enciclopedik

end /end/ *em* fund; qëllim; synim: **in the** ~ në fund; **at the** ~ **of May** në fund të majit; **for days on** ~ për ditë të tëra; **come to an** ~ mbaron ♦ *kl, jkl* mbaroj: ~ **in tears** mbaron keq; ~ **up doing sth** mbaroj së bëri diçka

endanger /inˈdeindʒə(r)/ *kl* rrezikoj; vë në rrezik: **~ed species** specie të rrezikuara

endear:ing /inˈdiəriŋ/ *mb* tërheqës; i dashur ♦ **~ment** *em:* **term of** ~ fjalë të ëmbëla

endeavour /inˈdevə(r)/ *em* përpjekje; orvatje ♦ *jkl* përpiqem; orvatem **(to** të)

end:ing /ˈendiŋ/ *em* fund; përfundim ♦ **~less** *mb* i pafund; i pambarim ♦ **~lessly** *nd* pa fund; pa mbarim; pa të sosur ♦ ~ **line** *em* vijë fundore *(në basketboll, tenis)*

endorse /enˈdoːs/ *kl* xhiroj *(një çek);* mbështet; i bëj reklamë *(dikujt);* miratoj *(në plan)* ♦ **~ment** *em* xhirim *(i çekut);* mirtim; përkrahje; mbështetje; regjistrim *(në patentë i një kundërvajtjeje)*

endow /in'dau/ *k/* pajis; pajoj; jap prikë

endur:able /in'djuərəbl/ *mb* i durueshëm ♦ **~ance** /-rəns/ *em* durim; qëndrueshmëri; **it is beyond ~ance** është e padurueshme ♦ **~e** *k/* duroj ♦ *jk/* zgjat; vazhdon ♦ **~ing** *mb* i vazhdueshëm; i qëndrueshëm: **~ memory of** kujtim i paharrueshëm

end user /-ju:sə(r)/ *em* përdorues i fundit *(i mallit të kontraktuar)*

enemy /'enəmi/ *em, mb* armik; kundërshtar

energ:etic /enə(r)'dʒetik/ *mb* energjik ♦ **~y** /'enədʒi/ *em* energji

enforce /in'fo:(r)s/ *k/* zbatoj; vë në zbatim *(ligin)* ♦ **~ed** *mb* i bërë me shtrëngim; i detyrueshëm

engag:e /in'geidʒ/ *k/* punësoj; i vë marshin *(makinës):* **~ in** angazhohem në; zihem me *(një punë)* ♦ **~d** *mb* i zënë *(me punë etj.);* i fejuar: **the line is ~** linja është e zënë ♦ **~ment** *em* fejesë; takim pune; *ush* luftim ♦ **~ing** *mb* tërheqës; që të bën për vete

engender /in'dʒendʒ(r)/ *k/ fg* përftoj; krijoj; bijoj

engine /'endʒin/ *em* motor; lokomotivë ♦ **~er** /endʒi'niə(r)/ *em* inxhinier; teknik; *dt, hk am* makinist; *fg* ideator ♦ *k/* kurdis *(një komplot)* ♦ **~ering** /endʒi'niərin/ *em* inxhinierí

Engl:and /'iŋglənd/ *em gjg* Angli ♦ **~ish** /'iŋgliʃ/ *mb* anglez ♦ *em* anglishte; **the ~** *sh* anglezët ♦ **~man** /-mən/ *em* anglez ♦ **~woman** /-'wumən/ *em* angleze

engrav:e /in'greiv/ *k/* gdhend; skalit ♦ **~ing** *em* gdhendje; skalitje

engross /in'grous/ *k/* **~ed in** i përpirë/ i dhënë shumë *(pas leximit etj.)*

engulf /in'gʌlf/ *k/ (zjarri, dallga)* përpin

enhance /in'ha:ns/ *k/* shtoj *(bukurinë etj.),* përmirësoj

enigma /i'nigmə/ *em* enigmë ♦ **~tic** /enig'mætik/ *mb* enigmatik

enjoy /in'dʒoi/ *k/* gëzoj *(shëndet):* **~ oneself** dëfrej; kënaqem; **she ~s painting** asaj i pëlqen piktura ♦ **~able** /-əbl/ *mb* i këndshëm ♦ **~ment** *em* kënaqësi

enlarge /in'la:(r)dʒ/ *k/* zmadhoj ♦ **~ment** *em* zmadhim

enlighten /in'laitn/ *k/* ndriçoj *(mendjen)* ♦ **~ed** *mb* mendjendritur; iluminist ♦ **~ment** *em:* **The E~** iluminizmi

enlist /in'list/ *k/ ush* rekrutoj: **~ sb's help** siguroj ndihmën e dikujt

enliven /in'laivn/ *k/* gjallëroj

enmity /'enməti/ *em* armiqësi

enormous /i'no:(r)məs/ *mb* i stërmadh; i pamasë ♦ **~ly** *nd* jashtëzakonisht; së tepërmi

enough /i'nʌf/ *mb, em* (sasi) e mjaftueshme: **that's ~** mjafton; **that is more than ~** më del e më tepron ♦ *nd* mjaft: **funnily ~** për çudi; **good ~** i mjaftueshëm

enquir:e /in'kwaiə(r)/ *jk/* hetoj; pyes: **~ about** *k/* pyes për; kërkoj të dhëna për ♦ **~y** *em* hetim; pyetje

enrage /in'reidʒ/ *k/* tërboj

enrich /in'ritʃ/ *k/* pasuroj ♦ **~ment** *em* pasurim

enrol /in'roul/ *jk/* regjistrohem *(për provime, në një klub etj.);* shkruhem **(for** për, në) ♦ **~ment** *em* regjistrim

ensemble /ən'sæmbl/ *em* anbambël; kompleks

enslave /in'sleiv/ *k/* skllavëroj; robëroj ♦ **~ment** *em* skllavërim; robërim

ensue /in'sju:/ *jk/* vijon; vjen si përfundim: **the ~ing discussion** diskutimi që vijon

ensure /in'ʃuə(r)/ *k/* siguroj: **~ that** bindem/ sigurohem që

entail /in'teil/ *jk/* shkakton; sjell si përfundim; ka si pasojë

entangle /in'tæŋgl/ *k/* ngatërroj

enter /'entə(r)/ *k/* hyj në; shkruhem në/ për *(një garë);* regjistrohem në *(shkollë);* bëj hyrje *(një zë në regjistër);* shënoj ♦ *jk/* hyj; *tt* hyj në skenë; regjistrohem

enterpris:e /'entə(r)praiz/ *em* iniciativë; sipërmarrje ♦ **~ing** *mb (njeri)* me iniciativë

entertain /entə(r)'tein/ *k/* pres *(miq);* dëfrej; ushqej *(një shpresë)* ♦ **~ing** *mb (njeri)* i këndshëm në shoqëri; *(film etj.)* zbavitës ♦ **~ment** *em* dëfrim; zbavitje; argëtim

enthusias:m /in'θju:ziæzm/ *em* entuziazëm ♦ **~tic** /-'æstik/ *mb* i entuziazmuar

entice /in'tais/ *k/* josh; tërheq; afroj me ledhe ♦ **~ment** *em* joshje; tërheqje

entire /in'taiə(r)/ *mb* i tërë; i gjithë; i plotë ♦ **~ly** *nd* krejt(ësisht); plot(ësisht): **~ly satisfied** plotësisht i kënaqur ♦ **~ty** /-rəti/ *em:* **in its ~ty** në tërësi

entittle:d /in'taitld/ *mb:* **be ~ to sth** kam të drejtë për/ më takon diçka ♦ **~ment** *em* e drejtë

entity /'entəti/ *em* njësi; entitet

entrance[1] /'entrəns/ *em* hyrje: **no ~** ndalohet hyrja ♦ **~ examination** /-igzæmi'neiʃn/ *em* provim pranimi ♦ **~ fee** /-fi:/ *em* biletë hyrjeje

entrance[2] /in'tra:ns/ *k/* vë në trans; hipnotizoj; deh, dalldis

entreat /in'tri:t/ *k/* i lutem; i përgjërohem *(dikujt)* ♦ **~ing** *mb* i përgjëruar: **~ look** vështrim lutës

entrench /in'trentʃ/ *k/* mbroj/rrethoj me llogore *(një pozicion)* ♦ *jk/* hap hendek ♦ **~ed** *mb (mendim)* i ngulitur; i rrënjosur

entrepreneur /a:ntrəprə'nə(r)/ *em* sipërmarrës ♦ **~ial** *mb (njeri)* me iniciativë

entrust /in'trʌst/ *k/:* **~ sb with sth/ ~ sth to sb** ia besoj/lë në dorë diçka dikujt

entry /'entri/ *em* hyrje; zë *(në fjalor, regjistër);* shënim *(në kalendarin e punës):* **no ~!** ndalohet hyrja; ndalim kalimi ♦ **~ form** /-fo:(r)m/ *em* formular pranimi ♦ **~ visa** /-'vizə/ *em* vizë hyrjeje

enumerate /i'nju:məreit/ *kl* numëroj

enunciate /i'nʌnsieit/ *kl* njoftoj; shpall

envelop /in'veləp/ *kl* mbështjell: **~ed in mystery** i mbështjellë me mister

envelope /'envəloup/ *em* zarf

envious /'enviəs/ *mb* ziliqar ♦ **~ly** *nd* me zili

environment /in'vairənmənt/ *em* mjedis ♦ **~al** /-'mentl/ *mb* ambiental; i mjedisit ♦ **~alist** *em* ambientalist ♦ **~ally** *nd:* **~ friendly** i kujdesshëm për mjedisin

envisage /in'vizidʒ/, **envision** /in'viʒn/ *kl* parashikoj

envoy /'envoi/ *em* i dërguar

envy /'envi/ *em* zili ♦ *kl:* **~ sb sth** ia kam zili dikujt diçka

enzyme /'enzaim/ *em* enzimë

epic /'epik/ *mb* epik ♦ *em* epope

epidemic /epi'demik/ *em* epidemi

epilep:sy /'epilepsi/ *em* epilepsi ♦ **~tic** /epi'leptik/ *mb, em* epileptik

epilogue /'epilog/ *em* epilog

episode /'episoud/ *em* epizod

epoch /'i:pək/ *em* epokë

equal /'i:kwəl/ *mb* i barabartë: **of ~ height** i së njëjtës lartësi; **be ~ to the task** jam në lartësinë e detyrës ♦ *kl* është i barabartë; barazohet me; barazoj *(rezultatin):* **ten and ten ~s twenty** dhjetë e dhjetë bëjnë njëzet ♦ **~isation** /i:kwəlai'zeiʃn/ *em* barazim ♦ **~ise** /-laiz/ *jkl sp* barazoj ♦ **~iser** /-laizə/ *em sp* gol/ pikë barazimi ♦ **~ity** /i'kwoləti/ *em* barazi ♦ **~ly** /'i:kwəli/ *nd* barabar; njëlloj: **~ intelligent** i zgjuar njëlloj

equanimity /ekwə'niməti/ *em* qetësi; gjakftohtësi

equat:e /i'kweit/ *kl:* **~ sth with sth** barazoj një gjë me një tjetër ♦ **~ion** /-'eiʃn/ *em mat* barazim; ekuacion

equator /i'kweitə(r)/ *em* ekuator

equestrian /i'kwestriən/ *mb (figurë)* kalorësiake

equilibrium /i:kwi'libriəm/ *em* baraspeshim; ekuilibër

equinox /'i:kwinoks/ *em* sanataditë; ekuinoks

equip /i'kwip/ *kl* pajis: **fully ~ped** me pajisje të plotë ♦ **~ment** *em* pajisje

equit:able /'ekwətəbl/ *mb* i drejtë ♦ **~y** *em* drejtësi

equivalen:ce /i'kwivələns/ *em* barasvlerë ♦ **~t** *mb* barasvlerës: **be ~** është i barabartë me

equivocal /i'kwivəkl/ *mb* i paqartë

era /'iərə/ *em* periudhë; erë *(gjeologjike)*

eradicat:e /i'rædikeit/ *kl* çrrënjos; shkul ♦ **~ion** /irædi'keiʃən/ *em* çrrënjosje; shkulje

erase /i'reiz/ *kl* fshij; prish ♦ **~r** *em* fshirëse *(e dërrasës së zezë);* gomë

erect /i'rekt/ *mb fzo* i ngrehur; pingul ♦ *kl* ngreh ♦

~ion /-'rekʃən/ *em* ngritje; ngrehje

ero:de /i'roud/ *kl* brej; gërryej ♦ **~sion** /i'rouʒn/ *em* erozion; brejtje; gërryerje

erotic /i'rotik/ *mb* erotik ♦ **~ism** /-tisizm/ *em* erotizëm

err /ə:(r)/ *jkl* gaboj; mëkatoj

errand /'erənd/ *em* porosi

erratic /'irætik/ *mb* i çrregullt; *(njeri)* i paparashikueshëm; *(kurs këmbimi)* i paqëndrueshëm

erro:neous /e'rouniəs/ *mb* i gabuar ♦ **~r** /'erə(r)/ *em* gabim: **in ~** gabimisht

erudit:e /'erudait/ *mb* erudit ♦ **~ion** /eru'diʃn/ *em* erudicion

erupt /i'rʌpt/ *jkl* shpërthen; *(puçrra)* bën majë; del; *fg* shpërthej *(me inat)* ♦ **~ion** /-pʃn/ *em* shpërthim *(i vullkanit)*

escalat:e /'eskəeit/ *jkl* shkallëzhet; rritet; intensifikohet ♦ *kl* shkallëzoj; intensifikoj ♦ **~ion** /eskə'leiʃn/ *em* shkallëzim ♦ **~or** /'eskəleitə(r)/ *em* shkallë elektrike

escap:e /i'skeip/ *em* ikje; arratisje *(nga burgu);* rrjedhje *(të gazit):* **have a narrow ~** shpëtoj për një qime ♦ *jkl (i burgosuri)* arratiset; largohem (**from** nga); i shpëtoj *(kontrollit); (kafsha)* shpëton nga zinxhiri/ kafazi; *(gazi etj.)* ka humbje/rrjedhje: **~ notice** nuk bie në sy; **his name ~s me** s'më kujtohet emri ♦ **~ism** /i'skeipizm/ *em* largim *(nga realiteti)*

Eskimo /'eskimou/ *em* eskimez

escort /'esko:(r)t/ *em* shoqërues; shpurë ♦ /i'sko:(r)t/ *kl* shoqëroj

especial /i'speʃl/ *mb* i posaçëm; i veçantë ♦ **~ly** *nd* veçanërisht; posaçërisht

espionage /'espiəna:ʒ/ *em* spiunazh

essay /'esei/ *em* ese; sprovë; temë hartimi

espresso /es'presou/ *em (kafe)* ekspres

essen:ce /'esns/ *em* thelb; esencë ♦ **~tial** /i'senʃl/ *mb* thelbësor; esencial ♦ **~tially** *nd* në thelb; kryesisht

establish /i'stæbliʃ/ *kl* vendos *(lidhjen me dikë);* themeloj *(një kompani);* provoj, vërtetoj: **~ oneself as** bëj emër si ♦ **~ment** *em* themelim; kompani: **the E~** qeveria

estate /i'steit/ *em* pronë; *dr* pasuri: **housing ~** lagje/ zonë banimi ♦ **~ agent** /-'eidʒənt/ *em* agjent i shitblerjes së pasurive të paluajtshme

esteem /i'sti:m/ *em* vlerësim; nderim ♦ *kl* vlerësoj; quaj; gjykoj

estimat:e /'estimət/ *em* vlerësim; preventiv ♦ /-meit/ *kl* vlerësoj; preventivoj ♦ **~ion** /-'meiʃn/ *em* vlerësim

estuary /'estjuəri/ *em* deltë; grykëderdhje

etc. /et'setərə/ *shkrt i* **et cetera** etj.

etern:al /i'tə:(r)nl/ *mb* i përjetshëm ♦ **~ity** *em* përjetësi

ether /'i:θə(r)/ *em* eter; valë ajrore *(të radios etj.)*

ethic /'eθik/ *em* etikë ♦ **~al** *mb* etik ♦ **~s** *em* etikë

etiquette /'etiket/ *em* etiketë

Ethiopia /i:θi'oupiə/ *em* Etiopi ♦ **~an** *mb, em* etiopian

ethnic /'eθnik/ *mb* etnik: **~ cleansing** spastrim etnik

EU *shkrt i* **European Union** Bashkimi Evropian

eucalyptus /ju:kə'liptəs/ *em bt* eukalipt

eulogy /'ju:lədʒi/ *em* lavdëri; mburrje

euphemism /'ju:fəmizm/ *em* eufemizëm

euphoria /ju:'fo:riə/ *em* eufori ♦ **~ic** *mb* euforik

euro- /'juərou/ *em, mb fn* euro: **E~cheque** *em* euroçek; **~dollar** *em* eurodollar

Europe /'juərəp/ *em* Evropë ♦ **~an** /-'piən/ *mb, em* evropian

evacuat:e /i'vækjueit/ *k/* zbraz; boshatis; evakuoj ♦ **~ion** /ivækju'eiʃn/ *em* zbrazje; boshatisje; evakuim

evade /i'veid/ *k/* shmang *(taksat);* i dredhoj *(kundërshtarit):* **~ an answer** i shmangem përgjigjes së një pyetjeje

evaluat:e /i'væljueit/ *k/* vlerësoj ♦ **~ion** /-'eiʃn/ *em* vlerësim

Evangeli:cal /i:væn'dʒelikl/ *mb* ungjillor; evangjelik ♦ **~st** /i'vændʒəlist/ *em* ungjillor; evnagjelist

evaporat:e /i'væpəreit/ *jk/* avullon; shter ♦ **~ion** /-'reiʃn/ *em* avullim; shterim

evasi:on /i'veiʒn/ *em* shmangie *(e taksave etj.)* ♦ **~ve** /i'veiziv/ *mb* shmangës

eve /i:v/ *em* prag, vigjilie: **New Year's Eve** nata e Vitit të Ri

even /'i:vn/ *mb* i sheshtë; i barabartë; *(nmër)* çift: **get ~ with** barazohem me *(dikë);* marr hak ♦ *nd* edhe: **~ if** edhe pse; **~ better** akoma/ ca/ edhe më mirë ♦ *jk/* barazoj; sheshoj, dystoj *(truallin etj.):* **~ the score** *sp* barazoj rezultatin

evening /'i:vniŋ/ *em* mbrëmje: **this ~** sonte; **good ~!** mirëmbrëma!

evenly /'i:vnli/ *nd* barabar; *(pulsi rreh)* në mënyrë të rregullt

event /i'vent/ *em* ngjarje; veprimtari; *sp* ndeshje, takim: **in the ~ of** në rast se; po të ndodhë që

eventual /i'ventjuəl/ *mb:* **the ~ winner was...** në fund fitoi... ♦ **~ly** *nd* në fund; **~ly!** më në fund!

ever /'evə(r)/ *nd* ndonjëherë; *(në mohim)* kurrë: **for ~** përgjithmonë, përherë; **hardly ~** thuajse kurrë; **~ since** që atëherë; prej asaj kohe; **~ so** *bs* vërtet ♦ **~green** /-gri:n/ *mb (bimë)* me gjelbërim të përhershëm ♦ **~lasting** /-la:stiŋ/ *mb* i përjetshëm

every /'evri/ *mb* çdo; gjithë: **~ other day** një ditë po, një ditë jo ♦ **~body** /-bodi/ *prm (të)* gjithë ♦ **~day** /-dei/ *mb* i përditshëm; çdo ditë ♦ **~one** /-wʌn/ *prm* të gjithë; gjithësecili: **~one else** gjithë të tjerët ♦ **~thing** /-θiŋ/ *prm* gjithçka: **~ else** gjithë të tjerat ♦ **~where** /-weə(r)/ *nd* kudo; gjithandej

evict /i'vikt/ *k/* përzë; nxjerr *(dikë nga shtëpi)* ♦ **~ion** /-ikʃn/ *em* përzënie; dëbim; nxjerrje nga shtëpia

eviden:ce /'evidəns/ *em* provë; tregues ♦ **~t** *mb* i dukshëm: **it is ~** është e qartë ♦ **~tly** *nd* dukshëm; qartë

evil /'i:vl/ *mb* i lig; i keq ♦ *em* e keqe ♦ **~-eyed** /-aid/ *mb* sy i keq; që (të) merr mësysh ♦ **~minded** /-maindid/ *mb* mendjezi; dashalig

evoke /i'vouk/ *k/* evokoj; kujtoj

evolution /i:və'lu:ʃn/ *em* evolucion ♦ **~ve** /i'volv/ *k/* përpunoj; shtjelloj ♦ *jk/* evoluon; pëson evolucion

ewe /ju:/ *em* dele

exact /ig'zækt/ *mb* i saktë ♦ *k/* kërkoj ♦ **~itude** /-itju:d/, **~ness** *em* saktësi

exacerbat:e /ig'zæsəbeit/ *k/* acaroj; rëndoj *(gjendjen)* ♦ **~ion** /-'beiʃən/ *em* acarim; rëndim

exaggerat:e /ig'zædʒəreit/ *jk/* teproj; stërmadhoj ♦ **~ion** /-'reiʃn/ *em* teprim; stërmadhim

exam /ig'zæm/ *em* provim; kontroll ♦ **~ination** /igzæmi'neiʃn/ *em* provim; *mk* vizitë ♦ **~ine** *k/* marr në provim; vizitoj *(pacientin)*

example /ig'za:mpl/ *em* shembull: **make an ~ of sb** ndëshkoj dikë për ta bërë shembull; **be an ~ to sb** bëhem shembull për dikë

exasperat:e /ig'zæspəreit/ *k/* dëshpëroj ♦ **~ion** /-'reiʃn/ *em* dëshpërim

excavat:e /'ekskəveit/ *k/* gërmoj ♦ **~ion** /-'veiʃn/ *em* gërmim

exceed /ik'si:d/ *k/* tejkaloj ♦ **~ingly** *nd* tepër; së tepërmi; me teprí

excel /ik'sel/ *jk/* shkëlqej; jam shumë i zoti ♦ **E~lency** /'eksələnsi/ *em (titull)* Shkëlqesi ♦ **~lent** /'eksələt/ *mb* i shkëlqyer

except /ik'sept/ *prf* (për)veç; me përjashtim të: **~ for** përveç; **~ that...** veç që... ♦ **~ion** /-'sepʃn/ *em* përjashtim: **take ~ to** kam kundërshtim për ♦ **~ional** *mb* i jashtëzakonshëm

excerpt /'eksə:(r)pt/ *em* pjesë e zgjedhur/ nxjerrë *(nga një libër)*

excess /ik'ses/ *em* tepri; tepricë: **in ~ of** më shumë se ♦ **~ baggage** /-'bægidʒ/ *em* bagazh i tepërt/ mbi peshë ♦ **~ fare** /-'feə(r)/ *em* biletë shtesë ♦ **~ive** /ik'sesiv/ *mb* i tepërt; i tepruar ♦ **~ly** *nd* tepër; së tepërmi

exchange /iks'tʃeindʒ/ *em* shkëmbim; central telefonik; bursë e vlerave: **in ~** me këmbim (**for** për) ♦ *k/* këmbej; thyej *(paratë)*; **~ rate** /-'reit/ *em fn* kurs i këmbimit *(të monedhës)*

exchequer /iks'tʃekə(r)/ *em* thesar i shtetit

excise /'eksaiz/ *em fn* akcizë

excit:e /ik'sait/ *k/* ngacmoj *(një nerv);* zgjoj; ngjall *(kureshtje, emocion);* emocionoj ♦ **~ed** /-id/ *mb* i paduruar; i emocionuar ♦ **~ement** *em* ngacmim; padurim; emocion ♦ **~ing** *mb* emocionues; stimulues

excla:im /iks'kleim/ *k/, jk/* thërres ♦ **~mation** /iksklə'meiʃn/ *em* thirrje; pasthirrmë ♦ **~mation mark** /-'ma:(r)k/, *a:rn* **~ point** /-'point/ *em* pikëçuditje

exclu:de /iks'klu:d/ *k/* përjashtoj ♦ **~sion** /-ʒn/ *em* përjashtim; ndalim ♦ **~sive** /iks'klu:siv/ *mb* përjashtimor; i posaçëm: ~ **of**... me përjashtim të

excommunicate /ekskə'mju:nikeit/ *kl* shkishëroj

excrement /'ekskrəmənt/ *em* jashtëqitje

excursion /iks'kə:(r)ʃn/ *em* ekskursion ♦ ~**ist** *em* ekskursionist

excuse /iks'kju:s/ *em* shfajësim ♦ /-ju:z/ *kl* shfajësoj (**from**): ~ **me!** më fal!; me leje *(të kaloj);* si the/ thatë?

ex-directory /eksdi'rektəri/ *mb:* **be** ~ s'e kam emrin në numërator telefonik

execut:e /'eksikju:t/ *kl* zbatoj; ekzekutoj *(të dënuarin)* ♦ ~**ion** /eksi'kju:ʃn/ *em* zbatim; ekzekutim ♦ ~**tive** /ig'zekjutiv/ *mb* ekzekutiv ♦ *em* drejtues; udhëheqës politik

exemplary /ig'zempləri/ *mb* shembullor

exemplify /ig'zemplifai/ *kl* ilustroj/ demonstroj me shembull

exempt /ig'zempt/ *mb* i përjashtuar ♦ *kl* përjashtoj (**from** nga) ♦ ~**ion** /-'zempʃən/ *em* përjashtim *(nga taksat etj.)*

exercise /'eksə(r)saiz/ *em* ushtrim; *ush* manovër: **physical** ~ gjimnastikë ♦ *kl* ushtroj *(trupin);* stërvit ♦ *jkl* ushtrohem; bëj gjimnastikë ♦ ~ **book** /-'buk/ *em* fletore

exert /ig'zə:(r)t/ *kl* përpiqem të: ~ **oneself** mundohem; rrekem; përpiqem ♦ ~**ion** /-'zə:ʃn/ *em* përpjekje; mundim; rrekje

exhale /eks'heil/ *kl, jkl* nxjerr frymën

exhaust /ig'zo:st/ *em au* marmitë; tub gazranxjerrës ♦ *kl* shteroj; dërrmoj ♦ ~**ed** /-id/ *mb* i shteruar; i mbaruar; i kapitur, i dërrmuar ♦ ~**ion** /-stʃn/ *em* këputje; *mk* ezauriment

exhibit /ig'zibit/ *em* eksponat/ objekt ekspozite; *dr* provë materiale ♦ *kl* tregoj; nxjerr në pah; ekspozoj; nxjerr në ekspozitë ♦ ~**ion** /eksi'biʃn/ *em* ekspozitë; demonstrim

exhilerated /ig'ziləreitid/ *mb* i ngazëllyer ♦ ~**ing** *mb* nxitës; stimulues; fuqidhënës ♦ ~**ion** /-'reiʃn/ *em* ngazëllim; hare

exhume /ig'zju:/ *kl* zhvarros

exile /'eksail/ *em* megrim; mërgimtar

exist /ig'zist/ *jkl* ekzistoj; jam ♦ ~**ence** *em* ekzistencë; qenie: **in** ~ ekzistues: **be in** ~**ence** ekzistoj; jam ♦ ~**ing** *mb* ekzistues; i tanishëm; *(gjendje)* aktuale

exit /'eksit/ *em* dalje; *tt* dalje nga skena: **fire** ~ dalje në rast zjarri ♦ *jkl tt* dal nga skena; *inf* dal nga programi

exonerat:e /ig'zonəreit/ *kl* shfajësoj; laj; nxjerr të pafajshëm ♦ ~**ion** /-'reiʃən/ *em* shfajësim; nxjerrje pa faj

exorbitant /ig'zo:(r)bitənt/ *mb (çmim)* tepër i lartë

exorcis:e /'ekso:(r)saiz/ *kl* çysht ♦ ~**ist** *em* çyshtës; ekzorcist

exotic /ig'zotik/ *mb* ekzotik

expan:d /ik'spænd/ *kl* bymej; zgjeroj ♦ *jkl* bymehet;

zgjerohet; *(tregu)* zhvillohet; ~ **on** *fg* shpjegoj me hollësi; thellohem në *(një çështje)* ♦ ~**se** *em* shtrirje; hapësirë ♦ ~**ion** /-'pænʃn/ *em* shtrirje; përhapje; zhvillim; bymim; *pl* ekspansion ♦ ~**ive** /-'pænsiv/ *mb* fjalëshumë; bujar

expatriate /eks'pætriət/ *em* i çatdhesuar

expect /iks'pekt/ *kl* pres *(një lajm);* mendoj, pandeh, kujtoj *(se);* kërkoj: ~ **sth of sb** pres diçka nga dikush; **be** ~**ing** *(gruaja)* është shtatzënë; **what can you** ~ **of him?** ç'pret prej tij? ♦ ~**ation** / ekspek'teiʃn/ *em* pritje; shpresë: **in the** ~ **of** në pritje të; me shpresë se

expedient /ik'spi:diənt/ *mb* i volitshëm ♦ *em* mjet; mënyrë

expedition /ekspi'diʃn/ *em* ekspeditë

expel /iks'pel/ *kl* përjashtoj *(dikë nga shkolla etj.);* nxjerr *(frymën)*

expen:d /ik'spend/ *kl* shpenzoj ♦ ~**dable** *mb* i sakrifikueshëm ♦ ~**iture** /-itʃə(r)/ *em* shpenzim ♦ ~**s** *em* shpenzim: **spare no** ~ nuk kursehem ♦ ~**sive** *mb* i kushtueshëm; i shtrenjtë ♦ ~**sively** *nd* shtrenjtë: ~ **dressed** i veshur me rroba të shtrenjta

experience /iks'piəriəns/ *em* përvojë; eksperiencë: **she had a terrible** ~ ajo kishte parë keq ♦ *kl* provoj; kam *(një ndjenjë)*

experiment /iks'perimənt/ *em* eksperiment; provë ♦ /iksperi'ment/ *jkl* eksperimentoj ♦ ~**al** /-'mentl/ *mb* eksperimental; për provë

expert /'ekspə:(r)t/ *mb, em* ekspert ♦ ~**ise** /-'ti:z/ *em* ekspertizë

expir:e /iks'paiə(r)/ *jkl (afati)* mbaron ♦ ~**y** *em* mbarim i afatit

expiry date /-'deit/ *em* afat skadimi

expla:in /iks'plein/ *kl* shpjegoj ♦ ~**nation** / eksplə'neiʃn/ *em* shpjegim

explicit /iks'plisit/ *mb* i qartë; i shkoqitur ♦ ~**ly** *nd* qartë; shkoqitur

explode /iks'ploud/ *jkl* shpërthen; plas ♦ *kl* shpërthej

exploit /iks'ploit/ *kl* shfrytëzoj ♦ ~**ation** /~'teiʃn/ *em* shfrytëzim

explor:ation /eksplo'reiʃn/ *em* zbulim; eksplorim ♦ ~**e** /iks'plo:(r)/ *kl* zbuloj; exploroj; *fig* studioj ♦ ~**r** /iks'plo:rə(r)/ *em* zbulues; eksplorator

explosi:on /iks'plouʒn/ *em* shpërthim; plasje ♦ ~**ve** /-siv/ *mb, em* eksploziv

export /'ekspo:(r)t/ *em* eksport ♦ *kl* /-'po:(r)t/ eksportoj ♦ ~**er** *em* eksportues

expos:e /iks'pouz/ *kl* nxjerr/lë jashtë; zbuloj, nxjerr në pah; demaskoj ♦ ~**ure** /-ʒə(r)/ *em* ekspozim; demaskim *(i krimit);* pozë *(e filmit):* **36** ~**s** 6 poza

expound /ik'spaund/ *kl* shpjegoj; shkoqit

express /iks'pres/ *mb* ekspres ♦ *em (tren)* i shpejtë; ekspres ♦ *kl* shpreh: ~ **oneself** shprehem ♦ ~**ion** /-'preʃn/ *em* shprehje ♦ ~**ive** *mb* shprehës

expulsion /iks'pʌlʃn/ *em* përjashtim

exquisite /eks'kwizit/ *mb* i zgjedhur; i shkëlqyer

ex-serviceman /eks'sə:(r)vismən/ *em* ish luftëtar; veteran

exten:d /iks'tend/ *k/* shtrij; zgjat; shtyj *(afatin)* ♦ **~sion** *em* zgjatim; shtesë; aneks *(i ndërtesës);* shtesë *(e kabllos);* telefon paralel; shtyrje *(e afatit, e vizës);* numër telefonik i brendshëm ♦ **~t** *em* shtrirje; gjerësi; gamë: **o a certain ~** deri në një pikë/ masë; **to the ~ that...** deri në atë pikë sa...

extenuating /ik'stenjueitiŋ/ *mb:* **~ circumstances** rrethana lehtësuese

exterior /iks'tiəriə(r)/ *mb, em* (anë) e jashtme

exterminat:e /iks'tə:(r)mineit/ *k/* shfaros ♦ **~ion** /-'neiʃn/ *em* shfarosje ♦ **~or** *em* shfarosës

external /iks'tə:(r)nl/ *mb* i jashtëm: **for ~ use only** *mk* për përdorim të jashtëm ♦ **~ly** *nd* jashtë; nga ana e jashtme

extinguish /iks'tiŋgwiʃ/ *k/* shuaj; fik ♦ **~er** em fikës: **fire ~** zjarrfikës *(pajisje)*

extort /iks'to:(r)t/ *k/* zhvat ♦ **~ion** /-'to:(r)ʃn/ *em* zhvatje ♦ **~ionate** /-'to:(r)ʃənət/ *mb (çmim)* shumë i lartë; zhvatës

extra /'ekstrə/ *mb* i shtuar; tjetër: **an ~ hundred** një qind më shumë ♦ *nd* më shumë; më tepër: **pay ~** paguaj shtesë; **~ strong/ large** shumë i fortë/ madh ♦ *em tt* figurant ♦ **~s** *sh* shpenzime mbi/ plus

extract /'ekstrækt/ *em* ekstrakt; esencë ♦ /iks'trækt/ *k/* nxjerr; shtrydh; shkul *(dhëmbin etj.)* ♦ **~ion** /-'-

trækʃn/ *em* nxjerrje; shtrydhje; prejardhje ♦ **~or** **(fan)** *em* aspirator

extraordinar:y /iks'tro:(r)dinəri/ *mb* i jashtë-zakonshëm ♦ **~ily** /-ili/ *nd* jashtëzakonisht

extravagan:ce /iks'trævəgəns/ *em* teprim *(në shpenzime)* ♦ **~t** *mb* prishanik; i tepruar; i stër-madhuar

extrem:e /iks'tri:m/ *mb* i skajshëm ♦ *em* skaj: **in the ~** në maksimum ♦ **~ely** *nd* tejet; tepër ♦ **~ist** *em* esktremist ♦ **~ity** *em* skaj; cep; anësí; gjymtyrë

extricat:e /'ekstrikeit/ *k/* shkoklavit; shthur; shkokëloj; zgjidh ♦ **~ion** /-'keiʃn/ *em* shkoklavitje; zgjidhje

exuberant /ig'zju:bərənt/ *mb* i bollshëm; i harlisur

exude /ig'zju:d/ *k/ dhe fg* djersit

exult /ig'zʌlt/ *jk/* ngazëllehem; galdoj; triumfoj ♦ **~ation** /-'teiʃn/ *em* ngazëllim

eye /ai/ *em* sy; vrimë *e gjilpërës):* **keep an ~ on** s'ia ndaj sytë *(dikujt);* **see ~ to ~** jam i një mendimi *(me dikë);* **an ~ for an ~** dhëmb për dhëmb ♦ *k/* vështroj; shoh ♦ **~ball** /-bo:l/ *em* kokërdhok i syrit ♦ **~brow** /-brau/ *em* vetull ♦ **~glasses** /-'gla:siz/ *em sh* syze ♦ **~-lash** /-læʃ/ *em* qerpik ♦ **~lid** /-lid/ *em* kapak i syrit, qepallë ♦ **~-opener** /-'oupənə(r)/ *em:* **it was an ~opener for him** kjo ia hapi sytë ♦. **~ shadow** /-'ʃædou/ *em* strehë *(e kapelës)* ♦ **~sight** /-sait/ *em* pamje; të parët ♦ **~sore** /-'so:(r)/ *em* shëmtirë; pamje që të vret sytë ♦ **~ witness** /-'witnis/ *em* dëshmitar pamor

F

fable /'feibl/ *em* fabul

fabric /'fæbrik/ *em* pëlhurë; basmë; *fg* strukturë *(e shoqërisë)*

fabricat:e /'fæbrikeit/ *k*/fabrikoj, bëj; *fg*trilloj ♦ **~ion** /-'keiʃn/ *em* fabrikim; *fg*trillim

fabulous /'fæbjuləs/ *mb bs* i pabesueshëm; përrallor

façade /fə'sa:d/ *em* ballë; fasadë *(e ndërtesës)*

fac:e /feis/ *em* fytyrë; pamje: **in the ~ of** përballë *(rrezikut);* **on the ~ of it** në dukje ♦ *k*/ jam me fytyrë nga: **~ up to** pranoj *(faktet);* i dal përballë *(dikujt)* ♦ **~er** *em*flakurimë ♦ **~eless** *mb*anonim ♦ **~elift** /-lift/ *em* plastikë e fytyrës ♦ **~e value** /-'vælju:/ *em*vlerë nominale ♦ **~ial** /'feiʃl/ *mb*i fytyrës ♦ *em* masazh/ trajtim i fytyrës

facilit:ate /fə'siliteit/ *k*/lehtësoj; bëj të mundur ♦ **~y** *em* mjet; mundësi

facing /'feisŋ/ *prfj:* **~ the sea** me pamje nga deti

facsimile /fæk'siməli/ *em* facsimile; faks

fact /fækt/ *em* fakt: **in ~** në të vërtetë; **as a matter of ~** të ndjekësh të drejtën; hollë-hollë

faction /'fækʃn/ *em* fraksion

factor /'fæktə(r)/*em* faktor

factory /'fæktəri/ *em* fabrikë; punishte

factual /'fæktjuəl/ *mb*faktik ♦ **~ly** *ndajf*në fakt

faculty /'fækəlti/ *em* fakultet; aftësi; zotësi

fad /fæd/ *em*tekë; trill; e shkrepur; naze

fade /feid/ *jk*/ *(boja)* del, zbardhet; *(tingulli, drita)* venitet, shuhet, fiket; *(lulja)* venitet, fishket ♦ **~ in/ out** *k*/ *(figura)* hapet/ mbyllet gradualisht

fag /fæg/ *em* angari; punë e rëndë/pa dukë; *bs* duhan, cigare; *am* homeksksual ♦ **~end** *em bs* bisht cigareje ♦ **~ged** *mb bs* i dërrmuar; i kapitur

Fahrenheit /'færənhait/ *em, mb* (temperaturë) Fahrenhait

fail /feil/ *em* dështim: **without ~** patjetër ♦ *jk*/ dështoj; *(makina etj.)* prishet; rrëzohem *(në provim)* ♦ *k*/ rrëzoj *(dikë në provim);* lë në baltë *(dikë):* **words ~ me** s'më vijnë fjalët ♦ **~ing** *em*

defekt ♦ *prfj:* **~ that** përndryshe ♦ **~-safe** /-seif/ *mb* i sigurt; i pababueshëm ♦ **~ure** /'feil ə(r)/ *em* dështim; dështak

faint /feint/ *mb* i lehtë; *(zë)* i dobët: **feel ~** kam të fikët; **~-hearted** zemërdobët ♦ *em*të fikët; të hollët ♦ *jk*/më bie të fikët ♦ **~ly** *nd*lehtë; paksa; dobët ♦ **~ness** *em*dobësi; zalí; të fikët

fair¹ /feə(r)/ *em* panair

fair² *mb* flokëverdhë; *(lëkurë)* e bardhë; *(mot)* i bukur; *(njeri)* i drejtë: **~ play** *em* lojë korreke/ e pastër ♦ **~ly** *nd*me drejtësi; më mirë; mjaft ♦ **~y** /'feəri/ *em* e mirë; orë; fatí: **~ story/ tale** përrallë

faith /feiθ/ *em* besim: **in good/ bad ~** me qëllim të mirë/ keq ♦ **~ful** *mb* besnik; i besës ♦ *em sh* besimtarë ♦ **~fully** *nd*me besnikëri; besnikërisht: **yours ~** të fala *(në letër)* ♦ **~fulness** *em*besnikëri ♦ **~ healer** /-'hi:lə(r)/ *em* mjekës; shërues

fake /feik/ *mb* i falsifikuar; fals ♦ *em* falsifikim; falsifikues; shtiracak; *sp* lëvizje mashtruese ♦ *k*/ falsifikoj; shtirem

fakir /fə'kir/ *em* fakir

falcon /'fo:lkn/ *em zl*/fajkua

fall /fo:l/ *em*rënie; rrëzim; *am* vjeshtë ♦ *jk*/ (**fell** /fel/ , **fallen** /'fo:lən/) bie; rrëzohem; *(nata)* zbret: **~ in love** bie në dashuri, dashurohem ♦ **~ about** *jk*/ këputem *(së qeshuri)* ♦ **~ back on** *k*/kthehem te; gjej mbështetje te ♦ **~ for** *k*/ *bs* bie në dashuri; bie brenda; e ha tekun/rrenën ♦ **~ down** *jk*/ rrëzohem; *(ndërtesa)* shembet ♦ **~ in** *jk*/ bie brenda; shembem; *ush*vihem në rresht: **~ in with** pajtohem/jam i një mendjeje me ♦ **~ off** *jk*/ bie; rrëzohem; pakësohet ♦ **~ out** *jk*/zihem, prishem *(me dikë);* *(flokët)* më bien ♦ **~-out** *em* shi radioaktiv ♦ **~ over** *jk*/ bie sipër; pengohem ♦ **~ through** *jk*/ *(plani)* dështon

fallacy /'fæləsi/ *em* gabim; arsyetim i gabuar

fals:e /fo:ls/ *mb* i rremë: **~ teeth** dhëmbë të vënë; **~ start** *sp* nisje e gabuar ♦ **~ify** *k*/falsifikoj

falter /'fo:ltə(r)/ *jk*/ lëkundem; më mbahet goja ♦

~ing /-riŋ/ *mb* i lëkundur; *(njeri)* që i mbahet goja

fame /'feim/ *em* emër; zë; famë; nam

famil:iar /fə'miljə(r)/ *mb (fytyrë etj.)* e njohur ♦ **~iarise** /-əraiz/ *k/* njihem; familjarizohem ♦ **~iarity** /fəmili'æriti/ *em* njohje; familjaritet ♦ **~y** /'fæmili/ *em* familje

famine /'fæmin/ *em* zi buke

famished /'fæmiʃt/ *mb* i uritur

famous /'feiməs/ *mb* i famshëm; i dëgjuar ♦ **~ly** *nd* për bukuri; mirë fort

fan¹ /fæn/ *em* ventilator; freskore ♦ *k/* ventiloj; ajros: **~ oneself** freskohem me erashkë; **~ the flames** i fryj zjarrit; **~ the flames** *fg* i fryj zjarrit ♦ **~ out** *jk/ (trupat)* shpërndahen në formacion erashke

fan² *em* adhurues; tifoz sporti

fanatic /fə'nætik/ *em* fanatik ♦ **~al** *mb* fanatik ♦ **~ism** /-sizm/ *em* fanatizëm

fanc:iful /'fænsiful/ *mb* trillan; *(punë)* me fantazi ♦ **~y** *em* fantazi; tekë; e shkrepur: **as the ~ takes him** si t'i shkrepet ♦ *mb* i punuar/ bërë me fantazi: **~ dress** *em* kostum për ballo me maska ♦ *k/* besoj, kujtoj; dua, më pëlqen: **he ~ies you** ai të ka qejf/ të do; **~ that!** pa shih!

fang /fæŋ/ *em* dhëmb shqyes *(i derrit të egër)*; dhëmb helmues *(i nëpërkës)*

fantas:ise /'fæntəsaiz/ *jk/* fantazoj ♦ **~tic** /fən'tæstik/ *mb* fantastik; i çuditshëm ♦ **~y** /'fæntəzi/ *em* fantazi

far /fa:(r)/ (**farther** /'fa:(r)ðə(r)/; **farthest** /'fa:(r)ðist/) *nd* larg; shumë: **by ~** shumë *(më i mirë, më i madh etj.);* **~ away** larg; **as ~ as I know** me sa di unë ♦ *mb* i fundit; tjetër; i largët: **The F~ East** Lindja e Largët

farce /fa:(r)s/ *em* farsë ♦ **~ical** *mb* qesharak

fare /fɛə(r)/ *em* tarifë; çmim *(i ushqimit, i transportit);* ushqim, gjellë

farewell /fɛə(r)'wel/ *psth, em* mirupafshim; lamtumirë

far-fetched /'fa:(r)'fetʃt/ *mb* i pabesueshëm; *(zgjidhje)* e kërkuar

farm /fa:(r)m/ *em* fermë ♦ *jk/* punoj si fermer/ bujk ♦ *k/* punoj *(tokën)* ♦ **~er** *em* bujk; fermer ♦ **~ing** *em* bujqësi

far:-reaching /'fa:(r)'ri:tʃiŋ/ *mb* me rreze të gjatë veprimi; me efekt të fortë; me pasoja të mëdha ♦ **~sighted** /-saitid/ *mb fg* largpamës; i matur

fart /fa:(r)t/ *em bs* pordhë ♦ *jk/* pjerdh

farther /'fa:(r)ðə(r)/ *nd (krahasore e* **far**) më tej ♦ *mb:* **at the ~ end of** në anën tjetër të

fascinat:e /'fæsineit/ *k/* magjeps ♦ **~ing** *mb* magjepsës ♦ **~ion** /-'neiʃn/ *em* magjepsje

fascism /'fæʃizm/ *em* fashizëm ♦ **~ist** *mb, em* fashist

fashion /'fæʃn/ *em* modë; mënyrë: **in a ~** në njëfarë mënyre ♦ *k/* modeloj; formësoj; trapit ♦ **~able** *mb* i modës: **be ~** shkoj me modën ♦ **~ably** *nd* sipas modës

fast¹ /fa:st/ *mb* i shpejtë; *(ngjyrë)* që nuk del; i shtrënguar fort: **my watch is ~** ora ime shkon/ është përpara ♦ *nd* shpejt; fort: **be ~ asleep** fle top; **make ~** shtrëngoj; lidh; **~er and ~er** përherë e më shpejt; **thick and ~** shpesh e shpesh; dendur

fast² *em* kreshmë; agjërim: **break ~** prish kreshmën/ agjërimin ♦ *jk/* kreshmoj; agjëroj

fasten /'fa:sn/ *jk/* mbërthej; mbyll *(dritaren)* ♦ *jk/* mbërthehet; mbyllet ♦ **~er** *em* mbërtheckë ♦ **~ing** *em* mbërthim

fastidious /fə'stidiəs/ *mb (njeri)* i vështirë; kërkues

fat /fæt/ *mb* i trashë; i majmë; i dhjamur ♦ *em* dhjamë; yndyrë

fat:al /'feitl/ *mb* fatal; i pashmangshëm ♦ **~alism** *em* fatalizëm ♦ **~alist** /-təlist/ *em* fatalist ♦ **~ality** /fə'tæləti/ *em* vdekje: **decide sb's ~** vendos fatin e dikujt ♦ **~e** *em* fat: **decide sb's ~** vendos fatin e dikujt ♦ **~eful** *mb* fatal; vendimtar

fat-head /'fæthed/ *em bs* kokëtul; kokëmish ·

father /'fa:ðə(r)/ *em* atë, baba: **from ~ to son** brez pas brezi ♦ **~hood** /-hud/ *em* atësi ♦ **~-in-law** /'fa:ðərin'lo:/ *em (sh* **~s-in-law**) vjehër ♦ **~ly** /'fa:ðə(r)li/ *mb* atëror

fathom /'fæθ(ə)m/ *em dt* pash *(njësi thellësie)* ♦ *k/* mat thellësinë e *(ujit)* ♦ *fg* kuptoj **(out)**

fatt:en /'fætn/ *k/* dhjam; shëndosh; majmëroj *(bagëtinë)* ♦ **~ening** *em* shëndoshje; majmëri *(e bagëtisë)* ♦ *mb (ushqim)* që të shëndosh ♦ **~y** *mb* i yndyrshëm ♦ *em bs* trashaman

faucet /'fo:sit/ *em am* rubinet; duq

fault /fo:lt/ *em* e metë; cen: **at ~** në gabim; **to a ~** së tepërmi; **it's my ~** e kam fajin unë; **find ~ with** gjej ku të kapem ♦ *k/* qortoj ♦ **~less** *mbi* patëmetë ♦ **~y** *mb (punë)* me të meta; *(pajisje)* me defekte

favour /'feivə(r)/ *em* mirësi; e mirë: **do sb a ~** i bëj një të mirë dikujt; **be in ~ of sth being done** jam i mendimit që diçka të bëhet ♦ *k/* pëlqej; parapëlqej; më pëlqen ♦ **~able** /-ərəbl/ *mb* i mbarë; i volitshëm; i leverdisshëm ♦ **~ite** /-rit/ *mb, em* i zgjedhur; favorit ♦ **~ism** *em* hatër; anësi; mbajtje me hatër; favoritizëm

fawn /fo:n/ *mb (ngjyrë)* gështenjë e çelët ♦ *em* këlysh dreri

fax /fæks/ *em* faks: **by ~** me faks ♦ *k/* dërgoj me faks; faksoj ♦ **~ machine** /-'məʃi:n/ *em* faks ♦ **~-modem** /-'moudəm/ *em (pajisje)* faks-modem

fear /fiə(r)/ *em* frikë: **no ~!** *bs* mos ki frikë!, mos u tremb! ♦ *k/* kam frikë nga/ për ♦ *jk/:* **~ for one's life** kam frikë se më shkon koka ♦ **~ful** *mb* frikacak; i frikshëm ♦ **~less** *mb* i patrembur ♦ **~lessly** *nd* pa frikë ♦ **~some** /-səm/ *mbi* frikshëm

feasib:ility /fi:zə'biləti/ *em* mundësi praktike ♦ **~le** *mb* i mundshëm; i realizueshëm

feast /fi:st/ *em* festë; gosti ♦ *jk/* shtroj gosti; bëj festë: **~ on** kënaqem; gëzoj

feat /fi:t/ *em* bëmë; vepër trimërie

feather /'feðə(r)/ *em* pupë; pendë; pendël ♦ *jk/* *(zogu)* mbushet me pupla ♦ *k/* mbush me pupla *(dyshekun)*

feature /'fi:tʃə(r)/ *em* karakteristikë; artikull; rubrikë; *sh* tipare

February /'februəri/ *em* shkurt

fed /fed/ *shih* **feed** ♦ *mb:* **be ~ up** *bs* jam i ngopur/ deri në grykë *(me diçka);* e kam në majë të hundës *(dikë)*

Fed *em am bs* Agjent i FBI-së

federa:l /'fed(ə)rəl/ *mb* federal ♦ **~tion** /fedə'reiʃn/ *em* federatë

fee /fi:/ *em* tarifë; honorar *(i mjekut);* kuotë *(regjistrimi në një shoqatë etj.);* taksë regjistrimi *(në universitet)*

feeble /'fi:bl/ *mb* i dobët; *(zë)* i mekur: **~-minded** i dobët mendërisht; debil

feed /fi:d/ *em* ushqim; haje; hesë: **chicken ~** ushqim për pula ♦ **(fed)** *k/* ushqej ♦ *jk/* ushqehem; ha

feedback /'fi:dbæk/ *em* kundërveprim; reagim

feel /fi:l/ **(felt)** *k/* ndiej, provoj; prek ♦ *jk/* ndjehem; jam; ndiej *(me të prekur):* **~ hungry** kam uri; **~ soft** është i butë në të prekur; **~ well** ndjehem mirë; **~ like laughing** më vjen për të qeshur; **it doesn't ~ right** s'më duket mirë; **it ~s like rain** duket sikur do të bjerë shi ♦ **~ing** *em* ndjenjë; prekje; të prekur

feet /fi:t/ *shih* **foot**

feign /fein/ *k/* shtirem si

fell¹ /fel/ *k/* rrëzoj; pres *(pemën)* ♦ *em* goditje; e rënë

fell² *shih* **fall**

fellow /felou/ *em* anëtar *(i një shoqate);* koleg; punonjës kërkimor-shkencor *(pranë një kolegji);* *bs* njeri, tip ♦ **~ship** *em* shoqëri; shoqatë

felon /'felən/ *em* shkelës i ligjit. ♦ **~y** *em* shkelje; krim

felt¹ /felt/ *shih* **feel**

felt² *em* tirk; plis ♦ **~ -tip-pen** /-tip'pen/ *em* stilolaps me majë shtupe

fem:ale /'fi:meil/ *mb* femëror ♦ *em* femër ♦ **~inine** /'feminin/ *mb* femëror ♦ *em gjuh* (gjini) femërore ♦ **~inist** /'feminist/ *mb, em* feminist; (a)nëtar i lëvizjes feministe

fenc:e /fens/ *em* rrethim; gardh; *bs* mbajtës i sendeve të vjedhura ♦ *jk/ sp* luaj skermë ♦ **~ in** *k/* rrethoj me gardh/ largoj rrezikun **(off)** ♦ **~er** *em* skermist ♦ **~ing** *em* rrethim me gardh; *sp* skermë

fend /fend/ *jk/:* **~ for oneself** mbahem me të miat; **~ off** pres *(goditjen);* mbrohem nga sulmet ♦ **~er** *em* zjarrpritëse; *am au* baltëpritëse

fennel /'fenl/ *em bt* finok

ferment¹ /'fə:(r)ment/ *em* maja; tharm; farë *(brumi);* *fg* trazirë ♦ **~** /fə'ment/ *jk/* fermentoj; *(brumi)* tharmëtohet; *(vera)* ndizet ♦ *k/* tharmëtoj; fermentoj

♦ **~ation** /fə:men'teiʃn/ *em* tharmëtim; fermentim; ndezje *(e verës, e drithit)*

fern /fə:(r)n/ *em bt* fier

feroci:ous /fə'rouʃs/ *mb* i egër ♦ **~ty** /-'rosəti/ *em* egërsi ♦ **~ously** *nd* egër; me egërsi

ferret /'ferit/ *em zl* qelbës i zbutur

ferry /'feri/ *em* trap; traget ♦ *k/* bart me trap/ traget ♦ **~ boat** /-bout/ *em* trap; traget

fertil:e /'fə:(r)tai1/ *mb* pjellor ♦ **~iti** /-'tiliti/ *em* pjellori

fester /'festə(r)/ *jk/ (plaga)* zë qelb; malcon

festiv:al /'festivl/ *em mz, tt* festival; *ft* festë: **~ season** festat e Krishtlindjes ♦ **~ities** /fe'stivətiz/ *em sh* kremtime

festoon /fe'stu:n/ *em* lulevarg ♦ *kl:* **~ with** zbukuroj me lulevarg

fetch /fetʃ/ *k/* sjell; marr; thërres; *(malli)* shitet me *(një çmim):* **~ the doctor** marr mjekun ♦ **~ing** *mb* tërheqës

fetid /'fetid/ *mb* i qelbur; erëkeq

fetish /'fetiʃ/ *em* idhull; fetish

fetter /'fetə(r)/ *em sh* **~s** pranga ♦ *k/* vë në pranga

fettle /'fetl/ *em:* **in fine ~** me damar të mirë

feud /fju:d/ *em* grindje; mosmarrëveshje: **blood-~** gjak(marrje)

feudal /'fju:dl/ *mb* feudal

fever /'fi:və(r)/ *em* ethe ♦ **~ish** *mb* me/ në ethe; *fg* i ethshëm

few /fju:/ *mb* ca; pak: **quite a ~** jo pak; **not ~er than** jo më pak se ♦ *prm:* **~ of us** ca të paktë nga ne

fiancé /fi'ənsei/ *em* i fejuar ♦ **~e** *em f* e fejuar

fiasco /fi'æskou/ *em* dështim; fiasko

fib /fib/ *em* rrenë pa dëm

fibre /'faibə(r)/ *em* fill; fibër ♦ **~-cable** /-'keibl/ *em* kabllo fibre ♦ **~ optics** /-'optiks/ *em sh (me folje në njëjës)* optikë fibrore

fickle /'fikl/ *mb* i paqëndrueshëm; levarash

ficti:on /'fikʃn/ *em* trillim; prozë tregimtare/ artistike: **science ~** letërsi fantastike-shkencore ♦ **~tious** /fik'tiʃəs/ *mb (personazh)* imagjinar; i trilluar

fiddle /'fidl/ *em bs* violinë; gënjeshtër; budallallëk ♦ *jk/* ngas, trazoj **(with)** ♦ *kl bs* mashtroj *(në llogari)*

fidelity /fi'deləti/ *em* besnikëri; saktësi

fidget /'fidʒit/ *jk/* lëviz pareshtur/ sikur kam krimbat ♦ **~y** *mb* i shqetësuar

field /fi:ld/ *em* fushë; arë ♦ *k/* nxjerr në fushë *(një skuadër);* vël nxjerr një kandidat për ♦ **~ events** /-i'vents/ *em sh* atletikë e lehtë ♦ **~-glasses** /-'gla:siz/ *em sh* dylbi ♦ **~work** /-'wə:(r)k/ *em* punë në bazë/ në terren; punë studimore në terren

fierce /fiə(r)s/ *mb* i egër; i rreptë: **give sb a ~ look** i hedh një vështrim të egër dikujt ♦ **~ly** *nd* egër; me egërsi; rreptë, me rreptësi

fiery /'faiəri/ *mb* i zjarrtë

fif:teen /fif'ti:n/ *nm, mb, em* pesëmbëdhjetë ♦ **~teenth** *mb* i pesëmbëdhjetë ♦ **~th** /fifθ/ *mb* i pestë ✦ **~tieth** /'fiftiiθ/ *mb* i pesëdhjetë ✦ **~ty** / 'fifti/ *nm, mb* pesëdhjetë ✦ **~-fifty** *nd, mb* barabar: **go ~ with sb** ndaj barabar me dike

fig /fig/ *em bt* fik; *bis* çikërrimë; hiçgjë

fight /fait/ *em* luftë; rrahje; zënie; ndeshje *(boksi)* ✦ **(fought** /fo:t/) ✦ *kl dhe fg* luftoj; përpiqem ✦ *jkl* zihem, rrihem; bëj ndeshje boksi ✦ **~er** *em* luftëtar; *av* aeroplan gjuajtës; boksier

figment /'figmənt/ *em* shpikje; sajim; trillim

figur:ative /'figjurətiv/ *mb (kuptim)* i figurshëm *(i fjalës); (art)* figurativ ✦ **~e** /'figə(r)/ *em* shifër; figurë; trup: **~ of speech** metaforë; **cut a bad/ poor ~** bëj figurë të keqe ✦ *jkl* dukem; shfaqem ✦ *kl* përfytyroj; paraqit numerikisht: **can you ~ it?** e përfytyron dot? ✦ **~ out** *kl* kuptoj; marr me mend ✦ **~e-head** /'figəhed/ *em* figurë; statujë ✦ **~e skating** /-'skeitiŋ/ *em* patinazh artistik

file[1] /fail/ *em* skedë; kartelë; *inf* fishë ✦ *kl* skedoj; arkivoj *(dokumente)*

file[2] *em* varg; rresht: **in single ~** në rresht për një

file[3] *em tk* limë ✦ *kl* limoj ✦ **~ings** *em sh* limurina ✦ **~ing cabinet** /-'kæbinət/ *em* skedar

filings /'failiŋz/ *em sh* limurina

fill /fil/ *em* mbushje *(e makinës me benzinë, e dhëmbit etj.)*: **eat one's ~** ha sa ngopem ✦ *kl* mbush; ngarkoj ✦ *jkl* mbushet ✦ **~ in/ out** *kl* mbush *(formularin)* ✦ **~ up** *kl* mbush *(makinën me benzinë)* ✦ *jkl (makina etj.)* mbushet ✦ **~ing** *em gjll* (harxhë për) mbushje; mbushje *(e dhëmbit)* ✦ **~ing station** /'steiʃn/ *em* (pikë furnizimi me) karburant

filly /'fili/ *em* mëz; *fg* vajzë shtathedhur

film /film/ *em* film ✦ *kl, jkl* filmoj ✦ **~ director** /-'direktə(r)/ *em* regjisor ✦ **~ industry** /-'indəstri/ *em* industri kinematografike ✦ **~ library** /-'laibrəri/ *em* kinoarkiv ✦ **~-maker** /-'meikə(r)/ *em* kineast ✦ **~-making** /-'meikiŋ/ *em* kinematografi ✦ **~ star** /'sta:(r)/ *em* yll i kinematografisë ✦ **~studio** /-'stu:diou/ *em* kinostudio

filter /'filtə(r)/ *em* filtër ✦ *kl* filtroj; kulloj ✦ *jkl* filtron; kullon; përhapet **(through)**

filth /filθ/ *em* ndyrësi ✦ **~y** *mb* i ndyrë: **~ rich** i krimbur në pará

fin /fin/ *em* pendë *(e peshkut)*

final /'fainl/ *mb* i fundit; përfundimtar; vendimtar ✦ *em sp* finale; **~s** *sh* provime përfundimtare; *sp* finale: **reach the ~** dal në finale: **cup ~** *sp* finale e kupës së kupave ✦ **~ise** *kl* përfundoj *(tekstin e kontratës etj.)* ✦ **~ist** *em* finalist ✦ **~ly** *nd* më në fund; përfundimisht

financ:e /fai'næns/ *em* financë ✦ *kl* financoj ✦ **~ial** /-'nænʃl/ *mb* financiar

find /faind/ *em* gjetje; zbulim ✦ *kl* **(found** /faund/) gjej; zbuloj; shpall: **~ sb guilty** *dre* shpall/ e nxjerr fajtor dikë; **~ fault with sth** gjej kleçka; kritikoj diçka ✦ **~ out** *kl* zbuloj; gjej ✦ *jkl* pyes; hetoj ✦

~ings *em sh* përfundim; konkluzion

fine[1] /fain/ *em* gjobë ✦ *kl* gjobit

fine[2] *mb* i bukur; i këndshëm; i hijshëm; i hollë: **~ arts** *em sh* artet e bukura; **~ edge** teh i mprehtë; **I am ~** jam mirë (me shëndet) ✦ *nd* mirë; bukur: **that's ~!** bukuri!; shumë mirë!; **cut it ~** mezi arrij *(të bëj diçka)* ✦ *psth* mirë ✦ **~ly** *nd (pres)* hollë

finery /'fainəri/ *em* veshje elegante

finesse /fi'nes/ *em* elegancë; hijeshi

finger /'fiŋgə(r)/ *em* gisht i dorës ✦ **~-nails** /-neilz/ *em sh* thonj ✦ **~print** /-print/ *em* shenjë e gishtave ✦ **~-tip** /-tip/ *em* majë e gishtit: **have sth at one's ~s** e kam në majë të gishtave diçka

finicky /'finiki/ *mb (njeri)* pedant

finish /'finiʃ/ *em* fund; mbarim; përfundim; *sp* finish, mbërritje ✦ *kl* mbaroj; përundoj: **~ reading** mbaroj leximin ✦ *jkl* mbaron; përfundon: **~ off** qëroj; vras ✦ **~ed** *mb:* **~ product** prodhim i gatshëm *(për trg)* ✦ **~ing** *mb:* **~ touch** dorë e fundit *(e punës)*

finite /'fainait/ *mb* i kufizuar; i skajuar

Fin:land /'finlənd/ *em* Finlandë ✦ **~n** /fin/ *em* finlandez ✦ **~nish** *mb* finlandez ✦ *em* finlandishte

fiord /fjo:d/ *em gjg* fjord

fir /fə:(r)/ *em bt* bredh

fire /'faiə(r)/ *em* zjarr; e shtënë: **be on ~** digjet; **catch ~** ndizet; merr zjarr ✦ *kl* pjek *(poçerinë);* shtie, hap zjarr *(me armë); bs* dëboj; pushoj nga puna ✦ *jkl* qëlloj; shtie **(at** mbi) ✦ **~-alarm** /-ə'la:(r)m/ *em* alarm zjarri ✦ **~-arm** /-a:(r)m/ *em* armë zjarri ✦ **~-brigade** /-'brigeid/ *em* zjarrfikës ✦ **~-engine** /-'endʒin/ *em* makinë zjarrfikëse ✦ **~-extinguisher** - eks'tiŋwiʃə(r)/ *em* fikës ✦ **~man** /-mən/ *em* zjarrfikës ✦ **~place** /-pleis/ *em* vatër ✦ **~-plug** /-plʌg/ *em* hidrant ✦ **~proof** /-'pru:f/ *mb* zjarrdurues; i padjegshëm ✦ **~-station** /-'steiʃn/ *em* repart i zjarrfikëseve ✦ **~ service** /-'sə:(r)vis/ *em* shërbim i zjarrfikëseve; mbrojtje kundër zjarrit ✦ **~-wood** - wud/ *em* dru zjarri ✦ **~works** /-'wə:(r)ks/ *em sh* fishekzjarre

firing squad /'faiəriŋ'skwod/ *em* skuadër pushkatimi

firm[1] /fə:(r)m/ *em* firmë; kompani

firm[2] *mb* i fortë; i qëndrueshëm; i sigurt; *(stof)* i ngjeshur; *(zë)* i prerë; i vendosur: **stand ~** qëndroj i patundur ✦ *kl* përforcoj; siguroj; vendos përfundimisht; stabilizoj **(up)** ✦ **~ly** *nd* fort; pa u tundur

first /fə:(r)st/ *mb, em* i parë: **at ~** në fillim; **~ and foremost** para së gjithash; pikë së pari; **come in ~** mbërrij i pari ✦ *nd (mbërrij)* i pari; në krye; për herë të parë; së pari; në fillim ✦ **~ aid** /-eid/ *em* ndihmë e shpejtë ✦ **~-class** /-'kla:s/ *mb* i klasës/ cilësisë së parë ✦ *nd (udhëtoj)* në klasë të parë ✦ **~ floor** /-'flo: (r)/ *em* kat i parë ✦ **~-hand** /-hænd/ *mb (burim)* i drejtpërdrejtë *(i informacionit)* ✦ **~**

lady /-'leidi/ *em am* grua e presidentit/ e guvernatorit ♦ **~ name** /-'neim/ *em* emër ♦ **~ night** /-'nait/ *em tt, kn* premierë; natë e parë *(e shfaqjes)* ♦ **~-rate** /-'reit/ *mb* shumë i mirë

fish /fiʃ/ *em* peshk; **F~es** *sh ast* Peshku; yjësia e Peshkut: **I've got other ~ to fry** më ha meraku gjetiu; **queer ~** nﻻeri tuhaf ♦ *kl, jk* peshkoj ♦ **~out** *kl* nxjerr ♦ **~-and-chip shop** /-ənd'tʃip'ʃop/ *em* restorant i vogël për peshk me patate të skuqura ♦ **~-bone** *em* halë peshku ♦ **~erman** /'fiʃə(r)mən/ *em* peshkatar ♦ **~ing** *em* peshkim ♦ **~ing-boat** / -'bout/ *em* peshkatore; barkë peshkimi ♦ **~-line** / -lain/ *em* tojë ♦ **~-rod** /-rod/ *em* kallam peshkimi ♦ **~monger** /-mʌŋgə(r)/ *em* peshkshitës ♦ **~y** *mb* i peshkut; si peshk; *(vështrim)* pa jetë; *bs* i dyshimtë; i qelbur

fist /fist/ *em* grusht ♦ **~ful** *em* (një) grusht plot **(of me)**

fit[1] /fit/ *em* krizë *(epilepsie);* (një) palë *(ethe);* dell, damar *(bujarie etj.)*

fit[2] *mb* i përshtatshëm; i shëndetshëm; në formë *(sportive);* i aftë *(për shërbim ushtarak):* **be ~ to do sth** jam i aftë të bëj diçka; **eat ~ to burst** ha sa mënt plas; **keep ~** mbaj/ ruaj formën

fit[3] *em* prerje *(e rrobave):* **it's a good ~** *(rroba)* bie mirë ♦ *jk* bën, është i përshtatshëm; *(rroba)* bie/ rri mirë: **it won't ~** nuk hyn; nuk (më) bën ♦ *kl* vë; fut; shtie; montoj: **it does not ~ me** s'më bie mirë ♦ **~ in** *jk* mësohem *(me një gjendje):* **it does not ~ in** nuk shkon/ bën; **I'll ~ you in** do ta gjej kohën/ një dritare për ty ♦ **~ with** pajis me

fitful /'fitful/ *mb* i herëpashershëm; i bërë me hope ♦ **~fully** *nd (fle)* me copa

fitments /'fitmənts/ *em sh* pajisje shtëpiake të montuara

fitness /'fitnis/ *em* gjendje e mirë; formë *(sportive)*

fitted: carpet /-'ka:(r)pit/ *em* tapet ♦ **~ cupboard** / -'kʌbəd/ *em* dollap në mur ♦ **~ kitchen** /-'kitʃən/ *em* pajisje kuzhine të montuara ♦ **~ sheet** /-'ʃi:t/ *em* çarçaf zarf

fitt:er /'fitə(r)/ *em* montues; instalues ♦ **-ing** *mb* i përshtatshëm; i volitshëm ♦ *em* provë *(e xhaketës etj.); tk* montim, instalim; **~s** *sh* pjesë ndihmëse ♦ **~ing room** /'fitiŋru:m/ *em* kthinë/ kabinë e provës *(së rrobave)*

five /faiv/ *nm, mb, em* pesë ♦ **~r** *em bs* pesëshe; pesësterlinëshe; pesëdollarëshe

fix /fiks/ *em* hall: **be in a ~** *bs* jam/ bie ngushtë ♦ *kl* mbërthej; rregulloj; përgatit *(gjellën);* shes *(lojën)* ♦ **~ up** *kl* caktoj *(datën, orën e takimit)* ♦ **~ation** /fik'seiʃn/ *em* ngulitje; fiksim ♦ **~ed** *mb* i ngulur; i mbërthyer; i fiksuar ♦ **~ture** /'fikstʃə(r)/ *em sp* ndeshje; takim: **~s and fittings** pajisje të montuara

fizzle /'fizl/ *jkl, kl:* **~ out** dështon

fizzy /'fizi/ *mb* i gazuar: **~ drink** *em* pije me gaz

flab /flæb/ *em* lapër *(e mishrave)*

flabbergasted /'flæbə(r)ga:stid/ *mb:* **be ~** mbetem shtang

flabby /'flæbi/ *mb* i qullët; i flashkët

flag[1] /flæg/ *em* flamur ♦ *kl* bëj shenjë me flamur: **~ down** i bëj shenjë të ndalet *(taksisë)*

flag[2] *jk* varet; bie; flashket

flag-pole /'flægpoul/ *em* shtizë e flamurit

flagrant /'fleigrent/ *mb* flagrant; i dukshëm

flagship /'flægʃip/ *em dt* anije flamurtare/ flamurmbajtëse

flagstone /'flægstoun/ *em* gur kalldrëmi; plloçë

flair /fleə(r)/ *em* talent; nuhatje; stil

flake /fleik/ *em* flok bore; petë *(me miell misri etj.)* ♦ *jkl:* **~ off** leskërohet; petëzohet ♦ **~y** *mb* i petëzuar

flamboyant /flæm'boiənt/ *mb (njeri)* i shkëlqyer; *(ngjyrë)* e ndezur

flame /fleim/ *em* flakë: **old ~** dashnore e vjetër/ e dikurshme ♦ *jk* flakëron; digjet

flank /flæŋk/ *em* ije; shpat *(i malit);* krah *(i ushtrisë)* ♦ *kl* i marr krahët *(armikut)*

flannel /'flæn(ə)l/ *em* fanellë; fanellatë; peshqir/ pece fanellate ♦ **~ette** /flænə'let/ *em* fanellë pambuku

flap /flæp/ *em* kapak *(i xhepit, i zarfit);* krah *(i tryezës)*

flare /fleə(r)/ *em* flakërim; fushqetë ♦ *jk* flakërin **(up)**

flash /flæʃ/ *em* llambë; blic; vetëtimë; shkreptimë: **in a ~** sa çel e mbyll sytë ♦ *jk* vetëtin; shkreptin; **~ past** kaloj vetëtimthi ♦ **~-back** /-bæk/ *em* skenë në retrospektivë ♦ **~-bulb** /-bʌlb/ *em* llambë blici ♦ **~-light** /-lait/ *em* blic; *am* elektrik dore

flask /fla:sk/ *em* faqore; palore: **vacuum ~** termos

flat[1] /flæt/ *mb* i sheshtë; i dystë; *(bateri)* e mbaruar; *(gomë)* e shpuar: **~ rate** *em* tarifë e pandryshueshme; **have a ~ tyre** më shpohet goma ♦ *em* gomë e shpuar ♦ **~ly** *nd* plotësisht; prerë: **refuse ~ly** kundërshtoj prerë

flat[2] *em* apartament: **bachelor ~** garsonierë

flat[3] *mz* bemol

flatten /'flætn/ *kl* shtyp; bëj petë

flatter /'flætə(r)/ *kl* lajkatoj; laj e lyej; lavdëroj ♦ **~y** *em* lajkatarí; mburrje; lëvdata

flaunt /flo:nt/ *kl* mburrem me

flautist /'flo:tist/ *em* flautist

flavour /'fleivə(r)/ *em* shije; aromë ♦ *kl* ndreq; aromatizoj

flaw /flo:/ *em* e metë; cen ♦ **~ed** *mb* i gabuar ♦ **~less** /-lis/ *mb* i patëmetë ♦ **~lessly** *nd* pa të metë

flax /flæks/ *em* li ♦ **~en** *mb (flokë)* të verdhë/ si ngjyrë kashte

flea /fli:/ *em* plesht ♦ **~ market** /-'ma:(r)kit/ *em* treg/ pazar i tezgave; *bs* tezgat

fled /fled/ *shih* **flee**

flee /fli:/ *kl, jkl* **(fled** /fled/**)** iki; arratisem **(from** nga**)**

fleece /fli:s/ *em* bashkë *(e leshit)* ♦ *kl bs* rrjep; zhvat

fleet[1] /fli:t/ *em* flotë; park *(makinash)*

fleet² *mb* (këmbë)lehtë ♦ **~ing** *mb* kalimtar; fluturak; i përkohshëm: **catch a ~ glance of ~sth** më kalon parasysh për një çast diçka

flesh /fleʃ/ *em* mish; tul: **in the ~** dora vetë vetë ♦ **~y** *mb* i mishtormë, i mishmë; i kolmë

flew /flu:/ *shih* **fly²**

flex /fleks/ *k/* forcoj *(muskujt)* ♦ **~iblility** /fleksi'biləti/ *em* epshmëri; elasticitet ♦ **~ible** /'felksibl/ *mb* i epshëm; i përkulshëm; elastik

flick /flik/ *k/* qëlloj lehtë; shkund *(pluhurin e cigares)* **(off)** ♦ **~ through** *k/* shfletoj

flicker /'flikə(r)/ *jk/* dridhet; lëkundet

flight¹ /flait/ *em* fluturim; hov; flurudhë *(e predhës);* ikje me vrap: **the next ~ is at 10. 00** aeroplani tjetër niset më 10. 00; **put to ~** shpartalloj *(armikun)*

flisht² *em:* **a ~ of stairs** një palë shkallë

flighty /'flaiti/ *mb* i lehtë; mendjelehtë

flimsy /'flimzi/ *mb (stof)* i lehtë; i papeshë; *(argument)* i dobët

flinch /flintʃ/ *jk/* tërhiqem; sprapsem: **~ from a task** tërhiqem para një detyrə

fling /fliŋ/ *em* qejf; dëfrim ♦ *k/* **(flung** /flʌŋ/) hedh; flak; hap *(krahët)*

flint /flint/ *em* gurzjarr; strall; gur makine/ çakmaku

flip /flip/ *k/* qëlloj lehtë; shkund *(cigaren);* hedh *(kokë a pilë);* rrokullis *(makinën në hendek)* ♦ *jk/ bs* marr kot ♦ **~ out** *jk/* hutohem ♦ **~ through** *k/* shfletoj

flipant /'flipənt/ *mb* i paturp; mendjelehtë

flipper /'flipə(r)/ *em* fletë notuese; lopata *(të notarit)*

flirt /flə:(r)t/ *em* dashuriçkë; flirt ♦ *jk/* bëj dashuriçka; flirtoj ♦ **~ ation** /-'teiʃn/ *em* dashuriçkë ♦ **~atious** /-'teiʃəs/ *mb* vidulues; që i pëlqejnë flirtet

flit /flit/ *k/* iki; përbishtem; përvidhem

float /flout/ *em* trup pluskues; bovë mbiujëse ♦ *jk/* pluskon; qëndron mbi ujë; hedh/ nxjerr/ vë në bursë *(një kompani)*

flock /flok/ *em* grigjë; tufë ♦ *jk/* mblidhemi tufë **(around sb** rreth dikujt)

flog /flog/ *k/* fshikulloj; vregënoj

flood /flʌd/ *em* përmbytje ♦ *k/, jk/* përmbyt

floodlight /'flʌdlait/ *em* projektor; reflektor ♦ *k/* **(floodlit)** ndriçoj me reflektorë

floor /flo:(r)/ *em* dysheme; kat; pistë *(vallëzimi)* ♦ *k/* hutoj; lë pa ndjenja; dërrmoj

flop /flop/ *em bs* dështim; rrëzim *(në provim)* ♦ *jk/ bs* rrëzohem; dështoj; dal huq

floppy /'flopi/ *mb* i butë: **~ disk** disketë

flor:a /'flo:rə/ *em bt* florë ♦ **~al** *mb* lulor; i lules ♦ **~ist** /'florist/ *em* luleshitës ♦ **~escence** /-'resəns/ *em* lulim ♦ **~escent** /-'resənt/ *mb* i luluar

flounce /flauns/ *em* hov; vrull ♦ *jk/* hov; vrullem; kërcej ♦ **~ out** *jk/* dal i hutuar

flounder¹ /'flaundə(r)/ *jk/* ngatërrohem; qorroʆitem; përpëlitem

flounder² *em zl/* shojzë deti

flour /'flauə(r)/ *em* miell: **corn ~** niseshte

flourish /'flʌriʃ/ *em* lëvizje e vrullshme; lajle *(për zbukurim)* ♦ *jk/* lulëzoj ♦ *k/* nxjerr në pah; mburrem me

flout /flaut/ *k/* përbuz; shpërfill *(rregullat)*

flow /flou/ *em* rrjedhë; gulsh; fluks ♦ *jk/* rrjedh; derdhet; vërshon; *(stili)* është i rrjedhshëm

flower /'flauə(r)/ *em* lule: **~ of the youth** lulja e rinisë; **in full ~** në lulëzim ♦ *jk/* lulëzon ♦ **~y** *mb* i lulëzuar

flown /floun/ *shih* **fly²**

flu /flu:/ *em mk* rrufë; grip

flub /flʌb/ *em* punë e katranosur ♦ *k/* katranos; nxiros *(punën)*

flubdub 'flʌbdʌb/ *em* dokrra; broçkolla

fluctuat:e /'flʌktjueit/ *jk/* luhatet ♦ **~ion** /-'eiʃn/ *em* luhatje

fluen:cy /'flu:ənsi/ *em* rrjedhshmëri ♦ **~t** *mb* i rrjedhshëm: **he is ~ in several languages** ai flet rrjedhshëm disa gjuhë ♦ **-ly** *nd* rrjedhshëm

fluff /flʌf/ *em* push ♦ **~y** *mb* pushator; pushbutë; ilehtë

fluid /'flu:id/ *mb* i rrjedhshëm; *(gjendje)* e papërcaktuar ♦ *em* lëng; fluid

fluke /flu:k/ *em* pikë e/ gol i shënuar rastësisht

flung /flʌŋ/ *shih* **fling**

flunk /flʌŋk/ *jk/ bs* ngel; rrëzohem *(në provim)* ♦ *k/* ngel; rrëzoj në provim

fluorescent /fluə'resnt/ *mb* i ndritshëm, fluoreshent

flurry /'flʌri/ *em* stuhi me borë; *fg* shqetësim; nervozizëm ♦ *jk/* shetësohem; nervozohem

flush¹ /flʌʃ/ *em* skuqje *(nga turpi);* shpërthim *(i ujit)* ♦ *jk/* skuqem *(nga turpi)* ♦ *k/* shpëlaj me ujë të bollshëm me çurg *(banjën)*

flush² *em* flosh *(në poker);* *sp* seri me tri porta në slalom

flush³ *mb* i shëndetshëm; kuq si molla

flush⁴ *nd* rrafsh *(me tokën);* *(qëlloj)* mu, drejt e në ♦ *k/* drejtoj; rrafshoj; niveloj

fluster /'flʌst/ *k/* deh, sjell në qejf me pije; nxeh, shqetësoj ♦ **~ed** *mb* i nxehur, i shqetësuar

flut:e /flu:t/ *em mz* flaut ♦ **~ist** *em* flautist

flux /flʌks/ *em:* **in a state of ~** në ndryshim të përhershëm

fly¹ /flai/ *em* mizë fluturake: **~ in the ointment** qime në qull

fly² **(flew** /flai/, **flown** /'floun/) *jk/* fluturoj ♦ *k/* pilotoj *(aeroplanin);* trasportoj me aeroplan; fluturoj me *(një linjë)*

fly³ *em* filetë *(e zinxhit të pantallonave)*

fly:er /'flaiə(r)/ *em* aviator; fletushkë ♦ **~ing circus** /-'sə:(r)kəs/ *em* luftim ajror me grup ♦ **~ing colours** /-'kʌlə(r)z/: **with ~ clours** *mb* me fitore; *fg* me flamurë të shpalosur ♦ **~ing saucer** /-'so:sə(r)/ *em* disk fluturues ♦ **~ing-school** /-'sku:l/ *em* shkollë aviacioni ♦ **~leaf** /-li:f/ *em* fletë e shkëputur *(e albumit)* ◆ **~over** /'ouvə(r)/ *em* mbikalim

foal /foul/ *em z*/ mëz ◆ *jk*/ *(pela)* pjell mëz

foam /foum/ *em* shkumë ◆ *jk*/shkumon; shkumohet: **~ at the mouth** më del shkumë nga goja; shkumëzoj/ bëhem tym *(nga inati)*

fob /fob/ *em* mashtrim; e kallur ◆ *k*/: **~ sth off** ia kall dikujt me diçka; **~ sb off** qëroj dikë

focus /'foukəs/ *em* vatër; qendër; përqendrim ◆ *k*/ fokusoj; vë në vatër/qendër ◆ *jk*/fokusohet; bie në vatër/ qendër; përqendrohem ◆ **~sed** *mb* i përqendruar; i fokusuar

fodder /'fodə(r)/ *em* foragjer; hesë

foe /fou/ *em* armik

foetus /'fi:təs/ *em (sh* **-es)** fetus

fog /fog/ *em* mjegull ◆ **~gy** *mb* i mjegulluar; *(pamje)* e turbullt; i lënë *(nga trutë)*

foible /'foibl/ *em* dobësi, pikë e dobët

foil[1] /foil/ *em* fletë/ petë metali: **tin ~** letër varaku

foil[2] */k*/mund *(dikë);* prish *(planin)*

foil[3] *em* rapierë; *sp* skermë

fold[1] /fould/ *em* vathë *(e dhenve)*

fold[2] *em* palë ◆ *k*/palos: **~ one's arms** rri duarkryq ◆ **~er** *em* fletëpalosje; dosje; xhaketë *(e librit)* ◆ **~ing** *mb* i palosshëm: **~ chair** karrige që paloset; **~ money** para letër

foliate /'foulieit/ *mb* gjethor; si gjethe; *(lis)* i gjethur

folk /fouk/ *em sh* njerëz: **my ~s** të mitë; njerëzit e mi/ të familjes sime ◆ **~-dance** /-'da:ns/ *em* valle popullore ◆ **~lore** /-'lo:(r)/ *em* folklor ◆ **~song** /-'soŋ/ *em* këngë popullore

follow /'folou/ *k*/, *jk*/ndjek: **it doesn't ~** s'ka kuptim ashtu; **as ~s** si më poshtë ◆ **~er** *em* pasues; përkrahës

folly /'foli/ *em* çmendurí

fond /fond/ *mb* i butë; i dashur: **be ~ of** më pëlqen; kam qejf ◆ **~ly** *nd* me butësi/ dashuri/ ëmbëlsi ◆ **~ness** *em* butësi; dashuri; ëmbëlsi

fondu(e) /'fondju/ *em* gjll/fondy *(ëmbëlsirë me djathë e verë të bardhë)*

font /font/ *em* krua; burim; *sht* shkronjë shtypi

food /fu:d/ *em* ushqim ◆ **~ poisoning** /-'poizəniŋ/ *em* helmim nga ushqimi ◆ **~ processor** /'prosesə/ *em* kombinat ushqimor *(për kuzhinë shtëpiake)*

fool /fu:l/ *em* budalla: **he's some ~** ai është një koqe budallai; **make a ~ of oneself** bëhem qesharak ◆ *jk*/shapakotem; hiqem si budalla ◆ *k*/ tall; vë në lojë ◆ *jk*/: **~ around** çmahem; endem kot; marr lehtë *(një punë); (gruaja)* ka dashnor ◆ **~hardy** /-ha:(r)di/ *mb* i pamatur; kokëkrisur ◆ **~ish** /'fuliʃ/ *mb* i pamenduar; *(njeri)* i rrjedhur ◆ **~ishly** *nd* marrëzisht; si budalla; pa mend ◆ **~ishness** *em* budallallëk

foot /fut/ *em (sh* **feet** /fi:t/) këmbë; shputë *(e çorapit);* putër *(e kafshës);* rrëzë *(e malit):* **on ~** *(shkoj)* më këmbë; **my ~!** *psth* ç'na the!, jo more! ◆ **~-and-**

mouth disease /-ənd'mauθdi'zi:z/ *em vt* shap; aftë epizotike ◆ **~ball** /-bo:l/ *em* futboll; top futbolli ◆ **~baller** /-bo:lə(r)/ *em* futbollist ◆ **~boy** /-boi/ *em* pazh; shërbyes klubi/ hoteli ◆ **~brake** /-breik/ *em* fren i këmbës ◆ **~bridge** /-'bridʒ/ *em* palavig; kalojë ◆ **~hold** /-hould/ *em* pikëmbështetje ◆ **~note** /-nou/ *em* shënim në fund të faqes ◆ **~path** /-paθ/ *em* shteg ◆ **~print** /-print/ *em* gjurmë e këmbës ◆ **~-rest** /-rest/ *em* mbështetëse e këmbëve ◆ **~-soldier** /-'souldʒə(r)/ *em* këmbësor; ushtar i këmbësorisë ◆ **~step** /-step/ *em* hap: **follow in sb's ~steps** ndjek shembullin e dikujt ◆ **~wear** /-weə(r)/ *em* këpucë

fop /fop/ *em* bandill; pispiruq

foppery /'fopəri/ *em* budallallëk

for /fo:(r), *e patheksuar* fə(r)/ *prlj* për: **~ this reason** për këtë arsye; prandaj; **~ years and ~** për vite me radhë; **~ all that** pavarësisht nga kjo; **~ one is worth** me sa fuqi kam; **~ all the world** sikur botën të ma falin; **what ~?** pse?, me çfarë qëllimi?; **it's ~ you to decide** e vendos ti ◆ *ldh* meqë; sepse

forage /'foridʒ/ *em* foragjer

forage[2] *jk*/: **~ for** kërkoj

foray /'fo*rei/ *em* plaçkitje

forbade /fo(r)'beid/ *shih* **forbid**

forbear /fo:'beə(r)/ *k*/ mbaj veten *(që të mos bëj diçka)* ◆ *jk*/përmbahem ◆ **~ance** /-rəns/ *em* durim; vetëpërmbajtje ◆ **~ing** *mb* i përmbajtur; i duruar

forbid /fə'bid/ *k*/ (**forbade** /fə(r)'beid/, **forbidden** /fə(r)'bidn/; **forbidding**) ndaloj ◆ **~ding** *mb (e ardhme)* e zymtë; *(njeri)* i frikshëm

force /fo:(r)s/ *em* forcë; fuqi: **in ~** *(ligj)* në fuqi; me shumicë; **come into ~** *(ligji)* hyn në fuqi; **the ~s** *sh* forcat e armatosura ◆ *k*/ detyroj; shtrëngoj: **~ sb to do sth** e shtrëngoj dikë të bëjë diçka; **~ sth on sb** ia jap me zor dikujt diçka ◆ **~ful** *mb* i fortë; i dhunshëm ◆ **~fully** *nd* me forcë; me dhunë

forceps /'fo:(r)seps/ *em sh mk* forceps

forcible /'fo:(r)sibl/ *mb* i përdhunët

ford /fo:(r)d/ *em* va *(i lumit)* ◆ *k*/kalojl/ hedh në va *(lumin)*

fore:arm /'fo:(r)a:(r)m/ *em* llërë; parakrah ◆ **~cast** /-ka:st/ *em* parashikim *(i motit etj.)* ◆ *k*/ (**-cast**) parashikoj ◆ **~fathers** /-'fa:ðə(r)z/ *em sh* paraardhës ◆ **~finger** /-fiŋə(r)/ *em* gisht tregues ◆ **~front** /-frʌnt/ *em:* **be in the -front** jam në ballë/ vangardë ◆ **~gone** /-gon/ *mb:* **a ~gone conclusion** përfundim i ditur ◆ **~ground** /-graund/ *em* plan i parë ◆ **~hand** /-hænd/ *em* goditje me të mbarën e raketës *(në tenis)* ◆ **~head** /'fo:(r)hed, 'forid/ *em* ballë

foreign /'forin/ *mb* i huaj; *(tregti)* e jashtme; i panjohur: **~ currency** valutë e huaj; **F~ Office** Forin Ofis *(ministri e punëve të jashtme e Britanisë së Madhe)* ◆ **~er** *em* i huaj

fore:man /-mən/ *em* përgjegjës reparti ♦ **~most** / 'fo:(r)moust/ *mb* kryesor ♦ *nd:* **first and ~** para së gjithash ♦ **~runner** /-rʌnə(r)/ *em* pararendës ♦ **~see** /-si:/ *kl* (**-saw** /so:/, **-seen** /si:n/) parashikoj ♦ **~sight** /-sait/ *em* parashikim; largpamje

forest /'forist/ *em* pyll ♦ **~er** *em* rojë e pyjores; pojak

fore:tell /-tel/ (**-told** /-tould/) parathem; parashikoj ♦ **~word** /-wə:(r)d/ *em* parathënie

forever /fə'revə(r)/ *nd* përherë; përgjithmonë: **he's compaining ~** ai mbeti duke u ankuar

fore:warn /fo:(r)wo:(r)n/ *kl* paralajmëroj ♦ **~word** / 'fo:(r)wə:d(r)/ *em* parathënie

forgave /fə(r)'geiv/ *shih* **forgive**

forge[1] /fo:(r)dʒ/ *jkl:* **~ ahead** çaj përpara; bëj përparim

forge[2] *em* farkë; farkëtarí ♦ *kl* farkoj; falsifikoj ♦ **~er** *em* falsifikues ♦ **~ry** *em* falsifikim

forget /fə(r)'get/ *kl, jkl* (**forgot** /-got/, **forgotten** /-gotn/, **forgetting** /-getiŋ/) harroj; lë *(diçka diku)* ♦ **~ful** *mb* harraq ♦ **~fulness** *em* harresë

forgive /fə(r)'giv/ *kl* (**forgave** /-geiv/, **forgiven** /-givn/): **~ sb for sth** ia fal dikujt diçka ♦ **~ness** *em* falje

forgot(ten) /fə(r)'got(ə)n/ *shih* **forget**

fork /fo:(r)k/ *em* pirun; sfurk; bel çatall; degëzim *(i rrugës)* ♦ *jkl (rruga)* degëzohet; **~ right** marr djathtas ♦ **~ out** *kl bs* derdh; tund *(paratë)* ♦ **~-lift truck** /-lift'trʌk/ *em* vinç pirun

forlorn /fə(r)'lo:(r)n/ *mb (pamje)* e përhumbur; *(vend)* i lënë në rrënim; *(shpresë)* e kotë

form /fo:(r)m/ *em* trajtë; formë; formular; klasë: **sixth ~** klasë e fundit *(e së mesmes);* **application ~** formular i kërkesës; **~ of address** formulë mirësjelljeje ♦ *kl* formoj; trajtësoj; formuloj *(mendimin)* ♦ *jkl* formohet; trajtësohet; përftohet ♦ **~al** *mb* formal; zyrtar ♦ **~ality** /-'mæləti/ *em* formalitet ♦ **~ally** *nd* formalisht; sa për formë; zyrtarisht ♦ **~at** /-æt/ *em* format ♦ *kl inf* formatoj *(faqen, diskun)* ♦ **~ation** /-'meiʃn/ *em* formacion ♦ **~ative** *mb:* **~ years** vite të formimit *(të karakterit)*

former /'fo:(r)mə(r)/ *mb* i dikurshëm: **the ~, the latter** i pari, i fundit; i përmendur në fillim, në fund ♦ **~ly** *nd* më parë; dikur

formidable /'fo:(r)midəbl/ *mb (kundërshtar etj.)* i tmerrshëm; shumë i madh/fortë

formula /'fo:(r)mjulə/ *em* (*sh* **-ae** /-li:/, **-as** /-ləs/) formulë: **F~ One** *sp* Formula Një ♦ **~te** /-leit/ *kl* formuloj; shpreh saktë

forsake /fə(r)'seik/ *kl* (**-sook** /-suk/, **-saken** /-seikn) braktis; lë

fort /fo:(r)t/ *em ush* fortesë; fortifikatë; *am* qendër tregtare

forth /fo:(r)θ/ *nd:* **back and ~** para e prapa; **and ~** e kështu me radhë

forth:coming /-kʌmiŋ/ *mb* i afërm; që ndodh së shpejti; *(njeri)* i hapur, i afruar: **help is ~** po vjen ndihma ♦ **~right** /-rait/ *mb* i qartë; i prerë; i drejtë ♦ **~with** /wið/ *nd* menjëherë; në çast

forties /'fo:(r)tiz/ *em sh* vitet dyzet *(të shekullit...)* ♦ **~th** /'fo:(r)tiiθ/ *mb* i dyzetë

fortif:ication /fo: (r)tifi'keiʃn/ *em* fortifikim; forcim/ alkoolizim *(i vëës)* ♦ **~y** /'fo: (r)tifai/ *kl* forcoj; alkoolizoj *(verën)*

fortnight /'fo: (r)tnait/ *em* dyjavor ♦ **~ly** *mb* dyjavor ♦ *nd* çdo dy javë

fortress /'fo:(r)tris/ *em* fortesë

fortun:ate /'fo:(r)tʃənit/ *mb* fatmadh; fatbardhë: **that's ~!** sa mirë! ♦ **~ly** *nd* fatmirësisht; për fat të mirë; sa mirë (që) ♦ **~e** *em* fat; mbarësi; pasuri: **come into a ~** më bie pasuri; **tell ~s** shtie fall

forty /'fo:(r)ti/ *nm, mb, em* dyzet

fortuitous /fo: (r)'tju:itəs/ *mb* i rastësishëm; i rastit; i kotë

forum /'fo:rəm/ *em* forum

forward /'fo:(r)wə(r)d/ *nd* përpara; në ballë ♦ *em sp* sulmues ♦ *kl* përcjell *(një letër);* nis *(mallin)* ♦ **~s** *nd* përpara: **~ and backwards** para e prapa

fossil /'fosl/ *em* fosil ♦ **~ised** *mb* i fosilizuar; *(mendime)* të mykura

foster /'fostə(r)/ *kl* rrit *(fëmijën)* ♦ **~-child** /-tʃaild/ *em* bir për shpirt ♦ **~ father** /-fa:ðə(r)/ *em* baba i gjetur; njerk ♦ **~mother** /-'mʌðə(r)/ *em* nënë e gjetur; njerkë

fought /fo:t/ *shih* **fight**

foul /faul/ *mb (erë)* e keqe; e rëndë; e qelbur; *(fjalë)* e ndyrë; *(mot)* i keq ♦ *nd:* **fall ~ with** prishem me; **~ play** lojë e rëndë; *fg* hile ♦ *kl* ndot; ndyj; ngatërroj (**up**) ♦ **~-up** *em* gabim nga paaftësia; vështirësi mekanike

found[1] /faund/ *shih* **find**

found[2] *jkl* themeloj; mbështet *(mendimin)* ♦ **~ation** /faun'deiʃn/ *em* themel; bazë; fondacion ♦ **~er**[1] *em* themelues

founder[2] *jkl (anija)* fundoset

founding /'faundiŋ/ *mb:* **~ father** themelues

foundry /'faundri/ *em* shkritore; fonderi

fount /faunt/ *em* krua; burim ♦ **~ain** /-ən/ *em* krua; shatërvan ♦ **~ainpen** /-ənpen/ *em* stilograf

four /fo:(r)/ *nm, mb, em* katër: **on all ~s** këmbadoras; **run on all ~s** *bs* vrapoj me të katra/ stëkatrash ♦ **~fold** /-fould/ *mb* i katërfishtë ♦ *nd* katërfish; katër herë më shumë ♦ **~-letter word** *em* fjalë e ndyrë ♦ **~some** *em* katërshe ♦ **~-star** /-sta:(r)/ *mb (hotel etj.)* me katër yje ♦ **-teen** /-ti:n/ *mb, em* katërmbëdhjetë ♦ **~teenth** /-ti:nθ/ *mb* i katërmbëdhjetë ♦ **~th** *mb* i katërt ♦ **~-wheel drive** *em (automobil)* me të katër rrotat aktive

fowl /faul/ *em* shpend; shpezë ♦ **~er** *em* gjahtar shpezësh

fox /foks/ *em* dhelpër ♦ *kl* mashtroj; gaboj; shtie në gabim ♦ **~hole** /-houl/ *em ush* pikë zjarri ♦

~hound /-haund/ *em* langua për dhelpra ♦ **~tail** /-tail/ *em* bisht dhelpre ♦ **~trot** /-trot/ *em mz* fokstrot *(lloj vallëzimi)* ♦ **~y** *mb* dhelparak; *(shije)* e fortë *(e rrushit); (grua)* tërheqëse

foyer /'foiei/ *em tt* fuajé; sallë pushimi; sallon *(në hotel)*

fracas /'frækəs/ *em* grindje me zhurmë; gurgulé

fract:ion /'frækʃn/ *em* thyerje; fraksion; *mat* thyesë ♦ **~al** *mb* thyesor ♦ **~ure** /-tʃə(r)/ *em* thyerje; frakturë

fragil:e /'frædʒail, 'frædʒl/ *mb* i thyeshëm; i brishtë ♦ **~ity** /-dʒiliti/ *em* brishtësi

fragment /'frægmənt/ *em* copë; fragment; cefël *(e predhës)* ♦ /frəg'ment/ *k/* thyej; copëzoj; fragmentoj ♦ **~ary** *mb* fragmentar; i paplotë

fragran:ce /'frægrəns/ *em* merë; aromë ♦ **~t** *mb* i merë; erëmirë

frail /freil/ *mb* i brishtë; i thyeshëm; i dobët *(nga shëndeti)* ♦ **~ty** *em* brishtësi; dobësi

frame /freim/ *em* kornizë *(e tablosë etj.);* rreth *(i syzeve);* trup *(i biçikletës etj.):* **~ of mind** gjendje shpirtërore ♦ *k/* vë në kornizë; i bëj kornizë *(tablosë etj.); fg* mashtroj; shtie në kurth: **you've been ~ed** ta kanë hedhur

France /fra:ns/ *em gjg* Francë

franchise /'fræntʃaiz/ *em* e drejtë e votës; përjashtim nga detyrimet; privilegj

frank¹ /fræŋk/ *k/* postoj pa taksë *(letrat):* **~ed en-velope** zarf me taksë postare të paguar

frank² *mb* i çiltër; i hapur

frank³ *em* frank *(francez)*

frank⁴ *em gjll bs* salsiçe Frankfurti

Frankenstein /'fræŋkənʃtein/ *em* Frankenshtajn; përbindësh; krijesë e përbindshme

frankfurter /'fræŋkfə:(r)tə(r)/ *em* salsiçe Frankfurti; frankfurter

franklin /'fræŋklin/ *em* bujk i lirë anglez

frankly 'fræŋkli/ *nd* çiltërisht; haptas ♦ **~ness** *em* çiltërsi

frantic /'fræntik/ *mb* i tërbuar; i furishëm ♦ **~ally** *nd* me tërbim/ furi

fratern:al /frə'tə:nl/ *em* vëllazëror ♦ **~ise** /'frtənaiz/ *jk/* vëllazërohem ♦ **~ity** *em* vëllazëri; shoqatë

fraud /fro:d/ *em* mashtrim; mashtrues ♦ **~ulence** /-juləns/ *em* mashtrim ♦ **~ulent** /-julənt/ *mb* mashtrues

fraught /fro:t/ *mb* i ngarkuar; i ankthshëm, plot ankth: **~ with danger** plot rrezik

fray¹ /frei/ *em* përleshje; zënie

fray² *jk/ (rroba)* fërkohet; griset; më cingrisen nervat ♦ **~ed** *mb* i fërkuar; i grisur; *(nerva)* të cingrisura

frazzle /'fræzl/ *em* fërkim; grisje ♦ *k/* gris; *fg* mundoj; ia marr shpirtin *(dikujt)* ♦ *jk/* giset

freak /fri:k/ *em* tekë; trill; krijesë e përbindshme; *bs* hipi: **control ~** njeri me mani anormale të kontrollojë gjithçka; **~ of nature** rreng i natyrës ♦

jkl: **~ out** trembem ♦ *mb* anormal ♦ **~ish** *mb* i përbindshëm; çudan

freckle /'frekl/ *em* qukë *(e fytyrës)* ♦ **~d** *mb* qukalosh

free /fri:/ *mb* i lirë; i papenguar; i pazënë; i lehtësuar; pa (…); pa pagesë: **~ of charge** falas; **~ beech** plazh për nudistë; **~ enterprise** iniciativë e lirë; **~ fall** rënie e lirë *(e trupit)* ♦ *k/* liroj; lë të lirë; lëshoj ♦ **~bie, ~bee** /-bi:/ *em* qyl; biletë falas ♦ **~dom** *em* liri ♦ **~-for-all** /-fəro:l/ *em* ndeshje pa rregulla/ bjeri t'i biem ♦ **~-handed** /-hændid/ *mb* dorëhapur; dorëdhënë; bujar ♦ **~ kick** /-kik/ *em sp* goditje e lirë ♦ **~lance** /-la:ns/ *em* mercenar; bashkëpunëtor i jashtëm *(i një gazete etj.);* punëtor i pavarur ♦ **~ly** *nd* lirisht; me bujari ♦ **~~range** /-reindʒ/ *mb:* **~ egg** vezë pule të rritur në natyrë ♦ **~speech** /-'spi:tʃ/ *em* liri e fjalës ♦ **~-spoken** /-'spoukn/ *mb* gojëshpatë ♦ **~style** /-'stail/ *em sp* stil i lirë ♦ **~way** /-wei/ *em am* autostradë ♦ **~wheel** /-wi:l/ *jk/* e nxerr nga marshi makinën; *fg* e lëshoj pa frena/ pa duar

freez:e /fri:z/ *k/* (**froze** /frouz/, **frozen** /'fouzn/) ngrij; bllokoj *(pagat)* ♦ *jk/ (uji etj.)* ngrin: **I'm ~ing** po ngrij *(së ftohti)* ♦ **~er** *em* frizer; ngrirës ♦ **~ing** *mb* i ngrirë; i akullt: **below ~** nën zero

freight /freit/ *em* ngarkesë ♦ **~er** *em* anije mallrash ♦ **~ train** /-trein/ *em am* tren mallrash

French /frentʃ/ *mb, em* francez: **the ~** *sh* francezët; **~ leave** ikje/ largim pa leje; largim fshehtas; **~ letter** *bs* prezervativ ♦ *em* frëngjishte; **~ fries** patate të skuqura allafrënga ♦ **~-beans** /-'bi:nz/ *em sh bt, gjell* fasule të njoma ♦ **~ bread** /-'bred/ *em* franxhollë ♦ ♦ **~man** /-mən/ *em* francez ♦ **~woman** /-'wumən/ *em* franceze

frenetic /fri'netik/ *mb shih* **frenzied**

frenz:ied /'frenzid/ *mb* i tërbuar; i furishëm ♦ **~y** *em* tërbim; furí

frequen:cy /'fri:kwənsi/ *em* denduri; shpeshtësi ♦ **~t** *mb* i dendur; i shpeshtë ♦ /fri'kwent/ *k/* frekuentoj; vizitoj/ shoh ♦ **~tly** *nd* dendur; shpesh

fresco /'freskou/ *em art* afresk; pikturë muri

fresh /freʃ/ *mb* i freskët; i ri: **make a ~ attempt** bëj një përpjekje tjetër ♦ **~en** *jk/ (era)* ftohet ♦ **~ener** *em* freskues ♦ **~ness** *em* freski

freshwater /'freʃwotə(r)/ *mb (peshk)* i ujërave të ëmbla

fret /fret/ *em* grisje; brejtje; grindje nga nervozizmi, xanxë ♦ *jk/* grindem; jam nervoz ♦ *k/* brej; çapalit; fërkoj, gris ♦ **~ful** *mb* i grindur; i shqetësuar

friar /'fraiə(r)/ *em ft* frat ♦ **~ary** *em ft* manastir i fretërve

fribble /'fribl/ *em* vogëlsirë; gjë pa vlerë ♦ *jk/* merrem me vogëlsira

fricassee /'frikəsi:/ *em gjll* frikasé

friction /'frikʃn/ *em* fërkim; *fg* mospajtim; *tk* friksion ♦ **~al** *mb* fërkimor

Friday /'fraid(e)i/ *em* e premte: **Good F~** *ft* e Premtja e Madhe

fridge /fridʒ/ *em bs* frigorifer

fried /fraid/ *shih* **fry** ♦ *mb* i skuqur: **~ egg** vezë e skuqur

friend /frend/ *em* mik; shok; i dashur ♦ **~ly** *mb* miqësor; *(mjet pune)* i lehtë: **be ~ly with sb** kam miqësi me dikë ♦ *em* ndeshje miqësore ♦ **~ship** /-ʃip/ *em* miqësi: **out of ~** për hir të miqësisë

frig /frig/ *jk/ v/* qi; palloj ♦ **~ing** *mb sl:* **~ idiot** idiot i shkretë

frig *em* frigorifer

frigate /ˈfrigeit/ *em dt* fregatë; *z/* shqiponjë deti

fright /frait/ *em* frikë: **take ~** më hyn frika ♦ **~en** *k/* tremb ♦ **~ened** *mb* i trembur ♦ **~ful** *mb* i frikshëm ♦ **~fully** *nd* tmerrësisht: ♦ **~ large** i stërmadh

frigid /ˈfridʒid/ *mb* i ftohtë; apatik ♦ **~ity** /friˈdʒidəti/ *em* ftohtësi; apati

frill /fril/ *em* rrudhë, palë *(e jakës):* **put on ~s** shes mend; **no ~s** pa hile *(në çmimin e mallit)* ♦ *k/* zbukuroj me pala *(jakën e fustanit etj.)*

fringe /frindʒ/ *em* thek *(i shallit);* buzë; anë; skaj: **~ benefit** të ardhura shtesë/ suplementare; **live on the ~ of society** jetoj në skaj të shoqërisë

frippery /ˈfripəri/ *em* rroba të vjetra; veshje me zbukurime/ me lajlelule; sqimë e tepruar

frisk /frisk/ *k/* kontrolloj *(dikë në trup për armë etj.)* ♦ *jk/* kërcej; lodroj ♦ **~y** bredharak; lozonjar; gazmor

fritter /ˈfritə(r)/ *em* bluzhdë; tërrime ♦ **~ away** *k/* prish; bluzhdoj; thërrmoj

frivol:ity /friˈvoləti/ *em* mendjelehtësi ♦ **~ous** /ˈfrivələs/ *mb* mendjelehtë

frizz /ˈfriz/ *em* kaçurrel ♦ **~y** *mb (flok)* i dredhur; kaçurrel

fro /frou/ *prf/* nga: **to and ~** tutje tëhu

frock /frok/ *em* veshje; fustan *(për fëmijë etj.)* ♦ **~ coat** *em* frak

frog /frog/ *em z/* brektosë ♦ **~man** /-mən/ *em* zhytës; palombar ♦ **~march** /-ma:tʃ/ *k/* tërheq për shkapularësh

frolic /ˈfrolik/ *jk/ (qengji)* lodron; dëfrej

from /from/ *prf/* nga; prej; qysh: **beginning ~ now** duke filluar që tani; **~... to...** nga... deri (në)...; **~ now on** tani e tutje; **~ exhaustion** nga lodhja; **beginning ~ now** duke filluar që tani; **~ time to time** herë pas here; **set free ~** çliroj nga

front /frʌnt/ *em* ballë; fasadë; përparëse *(e këmishës etj.):* **in ~ of** përballë; **to the ~** përpara ♦ *mb* i përparmë ♦ **~al** *mb* ballor ♦ **~door** /-do:(r)/ *em* derë e hyrjes; portë kreysore ♦ **~ garden** /-ˈga:(r)dn/ *em* kopsht para shtëpisë

frontier /ˈfrʌntiə(r)/ *em* kufi

front seat /-si:t/ *em* ndenjëse e përparme *(në makinë);* vend i radhës së parë *(në teatër etj.)* ♦ **~-wheel drive** /-wi:ˈldraiv/ *em* automobil me rrotat e parme aktive

frost /frost/ *em* ngricë; brymë: **Jack ~** cingërimë ♦ **~ bite** /-bait/ *em* fraq ♦ **~-bitten** /ˈbitn/ *mb* i ngrirë; i fraquar ♦ **~ed** /-id/ *mb:* **~ed glass** xham akulli ♦ **~ily** *nd* me pamje/ton të ngrirë ♦ **~ing** *em am gjl/* ëmbëlsirë me sheqer të ngrirë/kristalizuar ♦ **~y** *mb* i ngrirë; me brymë

froth /froθ/ *em* shkumë ♦ *jk/* shkumoj; shkumëzoj ♦ **~y** *mb* i shkumëzuar

frown /fraun/ *em* vrenjtje; rrudhje *(e ballit)* ♦ *jk/* ngrysem; ngrys vetullat

froze /frouz/ *shih* **freeze** ♦ **~n** *mb* i ngrirë; i akulluar; i vënë në akull: **~ food** ushqim frigoriferi

frugal /ˈfru:gl/ *mb* i kursyer; kursimtar ♦ **~ity** /-ˈgæləti/ *em* kursim

fruit /fru:t/ *em* frut; fryt; pemë: **bear ~** *(pema)* lidh kokrra; *fg (plani)* jep rezultat ♦ **~ful** *mb fg* i frytshëm ♦ **~fully** *nd* me fryt; me dobi ♦ **~ growing** /-ˈgrouiŋ/ *em* pemëtari ♦ **~ juice** /-ˈdʒu:s/ *em* lëng frutash ♦ **~ salad** /-ˈsæləd/ *em* sallatë me fruta

frumpy /ˈfrʌmpi/ *mb* shkatarraq

frustrat:e /frʌˈstreit/ *k/* prish; përmbys; rrënoj *(shpresat, planet)* ♦ **~ing** *mb* dëshpërues ♦ **~ion** /-ˈstreiʃn/ *em* prishje; përmbysje; rrënim *(i paneve, i shpresave)*

fry[1] /frai/ *k/* fërgoj; tiganis

fry[2] /frai/ *em:* **small ~** *fg* njeri pa rëndësi; gjepura

frying pan /ˈfraiŋˈpæn/ *em* tigan

fuck /fʌk/ *v/ k/, jk/* qi; *s/* prish, shkërdhej *(një pune)* ♦ *psth* punë muti ♦ **~ing** *mb (punë)* muti

fuddy-duddy /ˈfʌdidʌdi/ *em bs* prapanik

fudge /fʌdʒ/ *em* karamele e shkrirë; *bs* budallallëk

fuel /ˈfju:əl/ *em* lëndë djegëse; karburant ♦ *k/* furnizoj me karburant; *fg* ndez *(mëritë, armiqësitë)* ♦ *jk/* furnizohem me kraburant

fugitive /ˈfju:dsitiv/ *em* i ikur; i arratisur

fugue /fju:g/ *em mz* fugë

fulfil /fulˈfil/ *k/* plotësoj; përmbush; kënaq ♦ **~ment** *em* kënaqje; plotësim; përmbushje *(e dëshirës)*

full /ful/ *mb* i mbushur; plot **(of** me); i plotë, i hollësishëm; i zënë: **at ~ speed** me gjithë shpejtësinë; **in ~ swing** në vlug; në valë *(të punës)* ♦ **~ moon** /-mu:n/ *em* hënë e plotë ♦ **~-scale** /-skeil/ *mb (model)* në shkallë reale; *(operacion ushtarak)* në shkallë të gjerë; *(gjendje)* shumë erioze ♦ **~stop** /-stop/ *em* pikë ♦ **~ time** *(punëtor)* me orar të plotë; *(student)* me shkëputje nga puna ♦ **~y** *nd* plotësisht: **we're ~ booked** të gjitha vendet janë të zëna *(në restorant etj.);* **you ~ deserve it** e meriton plotësisht

fumble /ˈfʌmbl/ *jk/:* **~ in** qorrollisem ♦ **~ for** kërkoj me tahmin; rrëmoj

fum:e /fju:m/ *em* tym; avull; gaz ♦ *jk/* bëhem tym; mbërdhezem; inatosem keq ♦ **~igate** /ˈ-igeit/ *k/* tymoj *(bletën etj.)*

fun /fʌn/ *em* dëfrim; argëtim: **for ~** për qejf; nga qejfi; **for ~** për qejf; nga qejfi; **make ~ of** vë në loję; **have** ~ zbavitem; bëj qejf

function /'fʌŋkʃn/ *em* funksion; veprimtari; ceremoni ♦ *jk/ (pajisja etj.)* funksionon; punon ♦ **~al** *mb* funksional

fund /fʌnd/ *em* fond ♦ *fg* thesar; pus *(dijesh);* **~s** *sh* gjendje financiare ♦ *k/* financoj

fundamental /fʌndə'mentl/ *mb* themelor ♦ **~ly** *nd* në themel; kryesisht

funeral /'fju:nərəl/ *em* varrim; salikim; funeral ♦ **~ home** /-'houm/, *am* **~ parlour** /-'pa:(r)lə(r)/ *em* dhomë e përzishme ♦ **~ march** /-ma:(r)tʃ/ *em* marsh funebër ♦ **~ service** /-'sə:(r)vis/ *em* shërbesë varrimi

funfair /'fʌnfeə(r)/ *em* park lojërash

fungus /'fʌŋgəs/ *em* (*sh* **-gi** /-dʒai/) *bt* kërpudhë helmuese

funk /fʌŋk/ *em* frikë; lëngjyrë

funnel /'fʌnl/ *em* hinkë; oxhak *(i anijes)*

funn:ily /'fʌnili/ *nd* me shaka; me të qeshur; ~ **enough** për çudi ♦ **~y** /'fʌni/ *mb* qesharak; i lezetshëm i çuditshëm; tuhaf: ~ **business** *em* punë e papaqme; *bs* tallje

fur /fə:(r)/ *em* lëkurë; peliçe; gëzof; bigorr *(i ibrikut)* ♦ ~ **coat** /-kout/ *em* gëzof

furious /'fjuəriəs/ *mb* i tërbuar ♦ **~ly** *nd* me tërbim; si i tërbuar

furnace /'fə:(r)nis/ *em* furrë: **blast** ~ furrnaltë

furnish /'frə:(r)niʃ/ *k/* jap *(prova);* mobiloj *(dhomën)* ♦ **~ings** *em sh* mobilie

furniture /'fə:(r)nitʃə(r)/ *em* mobilie

furrow /'fʌrou/ *em* hulli; brazdë

furth:er /'fə:(r)ðə(r)/ *mb (krahasore e* **far**) tjetër; i mëtejshëm: **at the** ~ **end** në skajin tjetër; ~ **on** më tutje; ~ **education** arsim parauniversitar ♦ **~more** /-'mo:(r)/ *nd* për më shumë

furthest /'fə:(r)ðist/ *mb (sipërore e* **far**) më i largëti ♦ *nd* më larg; fare larg

furtive /'fə:(r)tiv/ *mb* i fshehtë; *(vështrim)* vjedhurazi

fury /'fjuəri/ *em* furi; tërbim

fuse /fju:z/ *em* fitil; *el/* siguresë: **the ~s are down** u dogjën siguresat ♦ *k/* shkrij; djeg *(siguresën)* ♦ *jk/* shkrihet; *el/ (siguresa)* digjet ♦ **~-box** /-boks/ *em* kuti e siguresave

fuselage /'fju:zəlidʒ/ *em* trup *(i aeroplanit)*

fusion /'fju:ʒn/ *em* shkrirje; bashkim

fuss /fʌs/ *em* zhurmë; fjalë: **make a** ~ e bëj të madhe *(një gjë pa rëndësi);* **make a** ~ **of** i rri para e prapa *(dikut)* ♦ *jk/* shqetësohem; bëj naze

fussy /'fʌsi/ *mb* buzëhollë; nazemadh; *(veshje)* e mbushur me xhinglamingla

fusty /'fʌsti/ *mb* i mykur; bajat; *(ajër)* i ndenjur

futile /'fju:tail/ *mb* i kotë; i padobishëm ♦ **~lity** /fju'tiliti/ *em* kotësi

future /'fju:tʃə(r)/ *em* e ardhme; **in** ~ në të ardhmen; ~ **perfect** *gjh* e ardhshme e përparshme

futuristic /fju:tʃə'ristik/ *mb* futurist

fuzz /fʌz/ *em* push; *s/* polic

fuzzy /'fʌzi/ *mb* i shpupurishur; *(pamje)* e mjegulluar; i hutuar

G

gab /gæb/ *em bs* llomoti; llafe: **have the gift of the ~** jam i gojës ♦ **~ble** /'gæb(ə)l/ *kl* llomotit; grij kot ♦ **~by** *mb* llafatar

gad¹ /gæd/ *em* baromine; qysqi

gad² *jkl:* **~ about** bredh; endem

gad³ *psth:* **by ~!** bre!, pasha Zotin!

gadfly /'gædflai/ *em zl* zukal

gadget /'gædʒit/, **~ry** *em* vegël; marifet

Gaelic /'geilik/ *mb, em* gelik; skocishte e malësive të Skocisë

gaffe¹ /gæf/ *em* teatër i lirë

gaff² *em* fuzhnjë

gaff³ *em* e keqe; mashtrim, hile; shtupë *(për të zënë gojën):* **stand the ~** duroj të keqen/ të shárat ♦ *kl* mashtroj; shtupoj; zë *(gojën)*

gag⁴ /gæg/ *em* numër; skeç i shkurtër humoristik ♦ *kl* improvizoj një skeç humoristik

gaga /'ga:ga:/ *mb* i matufosur: **go ~** matufosem

gagster /'g ægstə/ *em* shakatar

gai:ety /'geiəti/ *em* gëzim; dëfrim ♦ **~ly** /'gili/ *nd* me gëzim

gain /gein/ *em* fitim ♦ *kl* fitoj; marr; shtoj: **~ access** hyj; **~ weight** shtoj në peshë ♦ *jkl (ora)* shkon përpara ♦ **~ful** *mb:* **~ employment** punë me fitim

gainsay /'geinsei/ *kl* (**~said** /sed/) *kl* përgënjeshtroj; kundërshtoj; mohoj

gait /geit/ *em* ecje; e ecur; mënyrë të ecuri

gal /gæl/ *em* vajzë; grua

gala /'ga:lə/ *em* gala; festë; manifestim

galaxy /'gæləksi/ *em* galaksi

gale /geil/ *em* stuhi ere; hershem

gall /go:l/ *em* vrer; paturpësi; lëndim në sedër

gallant /'gælənt/ *mb* guximtar; kavalier, i sjellshëm ♦ **~ry** *em* guxim

gall-bladder /'go:lblædə(r)/ *em* fshikë e thëmthit

gallery /'gæləri/ *em* galeri

galley /'gæli/ *em* kuzhinë e anijes: **~ (proof)** kolonë *(e bocave)*

Gallic /'gælik/ *mb* galik; i galëve

gallon /'gælən/ *em* gallon *(= 4. 5 l, am = 3. 7 l)*

gallop /'gæləp/ *em* galop *(i kalit)* ♦ *jkl* ngas galop *(kalin)*

gallows /'gælouz/ *em* trekëmbësh *(për ekzekutim me varje)* ♦ **~ bird** /-bə:(r)d/ *em bs* (njeri) i hurit e litarit

galore /gə'lo:(r)/ *nd* plot me

galvanise /'gælvanaiz/ *kl tk* galvanizoj; *fg* elektrizoj

gambit /'gæmbit/ *em* hapje *(e lojës së shahut)*

gamble /'gæmbl/ *em* lojë; kumar; bixhoz ♦ *kl* luaj me rrezikun; luaj kumar; spekuloj *(në bursë)* ♦ **~er** *em* bixhozçi; kumarxhi ♦ **~ing** *em* bixhoz; kumar ♦ **~ing house** /-haus/ *em* lokal kumari

game /geim/ *em* lojë; ndeshje; kafshë gjahu; objekt talljeje: **Olympic G~s** lojërat olimpike; **play ~s** *bs* bëj lojëra ♦ *mb* i gatshëm: **are you ~?** je gati? *(të hysh në lojë)* ♦ **~ bird** /bə:(r)d/ *em* shpend gjahu ♦ **~ster** *em* bixhozçi

gammon /'gæmən/ *em* gjil çerek mish derri; proshutë e tymosur

gamut /'gæmət/ *em fg* gamë; asortiment

gamy /'geimi/ *mb (kafshë)* që nuk trembet; *(mish)* gjahu; erëkeq; *(mish)* që ka nisur të prishet; *(punë)* e ndyrë, *(njeri)* i korruptuar, i prishur

gander /'gændə(r)/ *em zl* patok; *bs* torollak

gang /gæŋ/ *em* bandë; skuadër *(punëtorësh);* grup *(sharrash)* ♦ *jkl* bëhemi grup (**up on sb** kundër dikujt) ♦ **~ bang** /-bæŋ/ *em vl* shih **gangrape** ♦ **~land** /-lænd/ *em* botë e krimit të organizuar ♦ **~rape** *em vl* përdhunim në grup; seancë kolektive marrëdhëniesh homoseksuale

gangling /'gæŋliŋ/ *mb* gallan; gjatahu

ganglion /'gæŋliən/ *em an* nyjë *(nervore etj.);* ganglion

gangrene /'gæŋgri:n/ *em mk* gangrenë; brejë; *fg* kalbje

gangster /'gæŋstə(r)/ *em* gangster

gangway /'gæŋwei/ *em* kalim; *dt, av* shkallë-urë

gannet /'gænit/ *em zl* patë deti

gantry /'gæntri/ *em* këmbalec; kullë *(e sinjaleve hekurudhore)*

gaol /dʒeil/ *em* burg ✦ *k*/burgos ✦ **~er** *em* rojë burgu

gap /gæp/ *em* hapësirë; zbrazëtirë; hendek; qafëmal; *fg* hendek, dallim i madh

gap:e /geip/ *jk*/ gogësij; më shqyhet goja; rri gojëhapur, habitem: **~ at** rri e shoh gojëhapur ✦ **~ing** *mb* i hapur; gojëshqyer

garage /'gæra:ʒ/ *em* garazh ✦ **~man** /-mæn/ *em* punëtor garazhi

garbage /'ga:(r)bidʒ/ *em* plehra; *bs* marrëzira ✦ **~-can** /-cæn/ *em* kazan/ kosh i plehrave ✦ **~-truck** /-trʌk/ *em* makinë e plehrave

garble /'ga:(r)bl/ *k*/ prish, shtrembëroj *(kuptimin e fjalëve);* ngatërroj ✦ **~ed** *mb* i çoroditur; i hutuar

garçon /ga:(r)'so/ *em* kamerier

garden /'ga:(r)dn/ *em* kopsht; **~s** *sh* park; lulishte ✦ **~er** *em* kopshtar; lulishtar ✦ **~ing** *em* kopshtarí; lulishtarí

garderobe /'ga:(r)dəroub/ *em* garderobë; dhomë gjumi

gargle /'ga:(r)gl/ *em* gargarë ✦ *jk*/ bëj gargarë

garish /'gɛəriʃ/ *mb (ngjyrë)* e fortë, lëbyrëse

garlic /'ga:(r)lik/ *em* *bt* hudhër

garment /'ga:(r)mənt/ *em* veshje

garner /'ga:(r)nə(r)/ *em* hambar drithi; grumbull, kapicë

garnet /'ga:(r)nit/ *em* Garnet *(gur i çmuar i kuq)*

garnish /'ga:(r)niʃ/ *em* rregullim; zbukurim ✦ *k*/ rregulloj; ndreq; zbukuroj

garrison /'gærisn/ *em* garnizon

garrot /gə'rot/ *em* garrotë; mbytje me lak

garrulous /'gærjuləs/ *mb* llafazan; fjalëshumë

garter /'ga:(r)tə(r)/ *em* llastik i çorapeve; zharretierë *(e të dënuarit me vdekje)*

gas /gæs/ *em* gaz; *am bs* benzinë ✦ **~bag** /-bæg/ *em* kacek gazi; *bs* llafazan ✦ **~ bottle** /-'botl/ *em* bombol gazi ✦ **~ chamber** /-'tʃeimbə(r)/ *em* dhomë e gazit ✦ **~ eous** *mb* i gaztë ✦ **~ cooker** /-'kukə(r)/ *em* sobë me gaz ✦ **~ mask** /-'ma:sk/ *ush em* maskë kundërgaz ✦ **~ meter** /-mi:tə(r)/ *em* matës i gazit ✦ **~-oil** /-oil/ *em* gazoil ✦ **~ring** /-riŋ/ *em* furnelë me gaz

gastri:c /'gæstrik/ *mb* gastrik; i stomakut ✦ **~ ulcer** *em mk* ulcerë gastrike ✦ **~tis** *em mk* gastrit

gastronomy /gæs'tronəmi/ *em* gjelltari; art i të gatuarit

gas works /'gæswə:(r)ks/ *em sh* uzinë e gazit

gash /gæʃ/ *em* e prerë; çallatë ✦ *k*/ pres; çallatoj

gasoline /'gæsəli:n/ *em am* benzinë

gasp /ga:sp/ *jk*/ më mbahet fryma; mbetem pa frymë; mekem

gas:-station /-'steiʃn/ *em am* pikë furnizimi me benzinë

gastric /'gæstrik/ *mb* gastric: **~ ulcer** *em* ulcerë gastrike

gastronomy /gæ'stronəmi/ *em* gastronomi

gat gæt/ *em s*/ pisqollë; kobure

gate /geit/ *em* portë; derë

gateau /'gætau/ *em* ëmbëlsirë; tortë

gate: ~crash /-kræʃ/ *k*/ vij i paftuar ✦ **~crasher** /-kræʃə/ *em* mik i paftuar ✦ **~house** /-haus/ *em* kabinë e rojës së portës ✦ **~keeper** /-ki:pə(r)/ *em* rojë e portës ✦ **~way** /-wei/ *em* portë e madhe; hyrje kryesore

gather /'gæðə(r)/ *k*/ mbledh; përkoq; marr me mend: **~ together** mbledh bashkë; **~ speed** *(makina)* merr shpejtësi; **so far as I can ~** me sa kuptoj unë ✦ **~er** *em* (taksa)mbledhës ✦ **~ing** /-riŋ/ *em* grumbullim, tubim: **family ~** takim familjar

gaud /go:d/ *em* zbukurim; xhingël ✦ **~y** *mb* i zbukuruar pa shije; *(ngjyrë)* lëbyrëse/ që të vret sytë

gauge /geidʒ/ *em* kalibër; *hk* gjerësi *(midís shinave)* ✦ **~** *k*/ mat; kalibroj

gaunt /go:nt/ *mb* thatim; i hequr

gauntlet /'go:ntlit/ *em* dorezë e hekurt; *fg* sfidë

gauze /go:z/ *em* garzë; napë ✦ **~y** *mb* i hollë si napë

gave /geiv/ *shih* **give**

gavel /'gævl/ *em* çekiç druri *(i gjykatësit etj.)*

gawk /go:k/ *em* guhak ✦ **~y** *mb* (si) guhak

gay /gei/ *mb* i gëzuar, i qeshur, gazmor ✦ *mb, em* homoseksual ✦ **~ety** *em* gaz; gëzim

gaze /geiz/ *em* vështrim i ngulët ✦ *jk*/ vështroj ngultas **(at)**

gazette /gə'zet/ *em* gazetë zyrtare ✦ **~er** /-'tiə(r)/ *em* fjalor i emrave gjeografikë

GB *shkrt i* **Great Britain** Britani e Madhe

gear /giə(r)/ *em* pajisje; *tk* ingranazh; *au* marsh: **change ~** ndërroj marshin ✦ *jk*/ përshtatet; përputhet **(to** me); **~ up** përgatitem ✦ **~box** /-boks/ *em au* kuti e trupit të ingranazheve/ ndërrimit të shpejtësive ✦ **~lever** /-li:və(r)/, *am* **~-shift** /-ʃift/ *em* levë e marsheve

gee[1] /dʒi:/ *psth* xhia *(për të nxitur kalin);* ua *(sa mirë)*

gee[2] *em s*/ njëmijë dollarë

geese /gi:s/ *shih* **goose**

gee-whiz /'dʒi:wiz/ *mb* i habitshëm

geezer /'gi:zə(r)/ *em s*/ soj; tip; farë burri

gel /dʒel/ *em* xhel; fundërresë xhelatinore ✦ **~atin** *em* xhelatinë ✦ **~ous** *mb* xhelatinor

gelation /dʒi'leiʃən/ *em* ngrirje

geld /geld/ *k*/ tredh *(kafshën)*

gelid /'dʒelid/ *mb* i akullt; i ngrirë ✦ **~ity** *em* akullsi; ftohtësi

gelt /gelt/ *em* pará; të holla

gem /dʒem/ *em* gur i çmuar; xhevahir

Gemini /'dʒeminai/ *em astr* Binjakë; yjësi e Binjakëve

gndarme /ʒa:'da:rm/ *em* xhandar ✦ **~rie** /-ri:/ *em* xhandarmëri

gender /'dʒendə(r)/ *em gjuh* gjini

gene /dʒi:n/ *em bi* gjen ♦ **~alogy** /dʒi:ni'ælədʒi/ *em* gjenealogji

general /'dʒenrəl/ *mb* i përgjithshëm: ~ **practitioner** mjek i përgjithshëm ♦ *em* gjeneral ♦ **~isation** /-ai'zeiʃn/ *em* përgjithësim ♦ **~ise** /-aiz/ *jk/* përgjithësoj ♦ **~ly** *nd*në përgjithësi; përgjithësisht ♦ **~-purpose** /-'pə:(r)pəs/ *mb (vegël)* me përdorim të përgjithshëm

generat:e /'dʒenəreit/ *k/* prodhoj; përftoj ♦ **~ion** /-'reiʃn/ *em* brez(ni); përftim ♦ **~or** /-reitə(r)/ *em* gjenerator; përftues

generic /'dʒəˈnerik/ *mb (emër etj.)* i përgjithshëm

genero:sity /dʒenəˈrositi/ *em* bujari; zemërgjerësi ♦ **~us** /'dʒenərəs/ *mb* bujar; zemërgjerë ♦ **~usly** *nd* bujarisht

genesis /'dʒenəsəs/ *em* prejardhje; gjenezë

genetic /dʒi'netik/ *mb* gjenetik: ~ **engineering** *em* inxhinieri gjenetike; ~ **map** hartë gjenetike ♦ **~s** *em sh (me folje në njëjës)* gjenetikë

genial /'dʒi:niəl/ *mb (klimë)* e butë; e ngrohtë; *(njeri)* i përzemërt

genie /'dʒi:ni:/' *em* xhind

genital /'dʒenitl/ *mb* gjinor ♦ **~s** *em sh* organe gjinore

genitive /'dʒenitiv/ *mb, em* (rasë) gjinore

genius /'dʒi:niəs/ *em (sh* -**uses)** gjeni

genocide /'dʒenəsaid/ *em* gjenocid

genre /'ʒa:nrə/ *em* xhanër; gjini *(letrare etj.)*

gent /dʒent/ *em bs* zotëri: **the ~s** *sh* banjë/ nevojtore për burra

genteel /dʒen'ti:l/ *mb* aristokratik; elegant; i hijshëm

gentle /'dʒentl/ *mb* i butë; i ëmbël; *(malore)* e lehtë ♦ **~man** /'dʒentlmən/ *em* zotëri: **~'s agreement** fjalë burri ♦ **~manlike** /-mənlaik/ *mb (qëndrim)* fisnik; i hijshëm ♦ **~manly** *nd* si zotëri ♦ **~woman** /-womən/ *em f* zonjë ♦ **~ly** *nd* me të butë

gentry /'sʒentri/ *em* fisnikëri; aristokraci

genuine /'dʒenjuin/ *mb* i vërtetë; i përnjëmendshëm ♦ **~ly** *nd* me të vëtetë; përnjëmend

genus /'dʒi:nəs/ *em bio* gjini

geo:graphy /dʒi'ogrəfi/ *em* gjeografi ♦ **~logy** /-lədʒi/ *em* gjeologji ♦ **~metry** *em* gjeometri ♦ **~politics** /-'politiks/ *em sh (me folje në njëjës)* gjeopolitikë

Georgia /'dʒo:(r)dʒə/ *em gjg* Gjeorgji ♦ **~an** *mb, em* Gjeorgjan

geranium /dʒi'rænjəm/ *em bt* barbarozë; idërshah

geriatric /dʒeriˈætrik/ *mb* gjeriatrik; i pleqërisë: ~ **ward** *em* pavijon i gjeriatrisë ♦ **~s** *em (me folje në shumës)* gjeriatri

germ /dʒə:(r)m/ *em bi* mikrob ♦ **~warfare** /-'wo:(r)fɛə(r)/ *em* luftë bakteriologjike

german /'dʒə:(r)mən/ *mb (vëlla etj.)* prej nëne e babai; kushëri i afërm

German *em, mb* gjerman ♦ *em* gjermanishte ♦ *nd* gjermanisht ♦ **~ic** /-mænik/ *mb* gjermanik ♦ **~y** *em gjg* Gjermani

germinate /'dʒə:(r)mineit/ *jk/* mbin; mugullon ♦ **~ation** /-'neiʃən/ *em* mbirje; mugullim

gerontology /dʒerən'tolədʒi/ *em* gjerontologji *(shkencë e plakjes)*

gest:iculate /dʒe'stikjuleit/ *jk/* bëj lëvizje; lëviz/ jap e marr me këmbë e me duar ♦ **~ure** /'dʒestsə(r)/ *em* gjest; lëvizje ♦ *jk/* bëj lëvizje; bëj një gjest *(mirësie etj.)*

get /get/ (**got** /got/, *am* **gotten** /'gotn/, **getting** /'getiŋ/) *k/* marr; kap; *bs* kuptoj: ~ **sb to do sth** e vë dikë të bëjë diçka ♦ *jk/* bëhem: ~ **tired/ bored/ angry** lodhem/ mërzitem/ zemërohem; **it's ~ting late** po bëhet vonë; ~ **dressed** vishem ♦ ~ **across** *jk/* kapërcej ♦ ~ **about** *jk/* lëviz; vihem në lëvizje ♦ ~ **along** *jk/* ia kaloj/ shpie *(mirë me dikë)* ♦ ~ **at** *jk/* what are you ~ting at? çfarë kërkon të thuash? ♦ ~ **away** *jk/* largohem; iki; shpëtoj ♦ **~-away** *em* ikje; arrati; nisje; shkëputje fillestare ♦ ~ **back** *jk/* kthehem ♦ *k/* marr prapë; rifitoj ♦ ~ **by** *jk/* kaloj; e shtyj; arrij *(të bëj diçka)* ♦ ~ **down** *jk/* zbres; ulem; ~ **down to work** i përvishem punës ♦ *k/* ul; lëshoj përdhe ♦ ~ **in** *jk/* hyj ♦ *k/* vë brenda; sjell në shtëpi ♦ ~ **off** *jk/* zbres; ulem; iki *(nga puna)*; dal i larë *(nga një akuzë):* ~ **off my back!** mos më bjer më qafë/ havale ♦ **~-off** *em* shkëputje; ngritje *(e aeroplanit)* ♦ ~ **on** *jk/* hipi; ngjitem lart; e kam mirë me *(dikë);* bëj përparim: **how are you ~ting on?** si shkon/ ia çon/ ia shpie? ♦ ~ **out** *jk/* dal; zbres *(nga makina):* ~ **out!** jashtë! ♦ ~ **over** *jk/* kapërcej; kaloj ♦ *k/ fg* marr veten pas sëmundjes ♦ ~ **round** *k/* i bie përqark; *bs* e sjell në majë të gishtit/ kandis *(dikë)* ♦ *jk/:* **I never ~ round to it** s'po arrij ta bëj dot ♦ ~ **through** *k/* lidhem me telefon me *(dikë)* ♦ **~-together** /-tə'geðə(r)/ *em* takim shoqëror/ familjar; mbledhje ♦ ~ **up** *jk/* ngrihem; hipi ♦ **~-up** *em* veshje; tualet; pispillosje

geyser /'gi:zə(r)/ *em* gejzer; *tk* ujëngrohëse

ghastly /'ga:stli/ *mb* shumë i keq; i frikshëm: **feel** ~ jam i dërrmuar

gherkin /'gə:(r)kin/ *em bt, gjl* kastravec për turshi

ghetto /'getou/ *em* geto *(e çifutëve, e zezakëve)*

ghost /goust/ *em* hije; fantazmë

ghoulish /'gu:liʃ/ *mb* makabër; i frikshëm

giant /'dʒaiənt/ *mb, em* vigan

gibberish /'gibəriʃ/ *em* broçkolla

gibe /dʒaib/ *em* thumb i hidhur

giblets /'dʒiblits/ *em sh* të përbrendshme *(të shpendëve)*

gidd:iness /'gidinis/ *em* marramenth; hutim ♦ **~y** *mb:* **feel** ~ më merren mendtë

gift /gift/ *em* dhuratë; dhunti, talent ♦ *k/* dhuroj ♦ **~ed** /-id/ *mb* i talentuar

gig /gig/ *em mz bs* muzikë; koncert

gigantic /dʒai'gæntik/ *mb* vigan
giggle /'giəl/ *em* kakarisje; e qeshur e mbytur ♦ *jkl* qesh mbytur
gild /gild/ *kl* praroj
gills /gilz/ *em sh* verza *(të peshkut)*
gilt /gilt/ *mb* i praruar: **~-edged stock** investim i sigurt ♦ *em* prarim
gimmick /'gimik/ *em* marifet; mjet; yçkël
gin /dʒin/ *em* xhin: **~ and tonnic** xhin me (ujë) tonik
ginger /'dʒindʒə(r)/ *mb* e kuqe e ndezur: **~head** kokëkuq ♦ *em bt* xhenxhefil; *fg* energji
gingerly /'dʒindʒə(r)li/ *nd* me kujdes ♦ *mb* i kujdesshëm
gipsy /'dʒipsi/ *em shih* **gypsy**
giraffe /dʒi'ra:f/ *em zl* gjirafë
girl /gə:(r)l/ *em* vajzë; çupë; gocë; bijë; dashnore, e dashur; shërbëtore: **my old ~** gruaja ime ♦ **~friend** /-frend/ *em* shoqe; mikeshë; dashnore ♦ **~hood** /-hud/ *em* vajzëri ♦ **~lish** *mb (sjellje)* prej vajze ♦ **~ie** *mb (revistë)* me vajza lakuriq
giro /'dʒaiərəu/ *em bs* urdhër xhirimi; çek i ndihmave *(për të papunët)*
girth /gə:(r)θ/ *em* perimetër
gismo /'gizmou/ *em bs* vegël; marifet
gist /dʒist/ *em:* **the ~ of the matter** thelbi i çështjes
give /giv/ *em* dhënie; përkulshmëri; epshmëri; tolerancë ♦ *kl* **(gave** /geiv/, **given** /'givn/) jap; dhuroj; bëj *(mësim, leksion):* **~ birth** lind; **~ way** lëshoj udhë/ pe ♦ *jkl* bëj dhuratë; jap kontribut; dhuroj; lëshoj pe ♦ **~ away** *kl* jap; lëshoj; shpërndaj; tradhtoj: **~ away the bride** e çoj nusen te dhëndri ♦ **~ back** *kl* kthej prapë ♦ **~ in** *kl* dorëzoj ♦ *jkl* jepem; dorëzohem ♦ **~ off** *kl* lëshoj ♦ **~ over** *jkl* mbaroj; pushoj; resht ♦ **~up** *kl* dorëzoj: **~ one-self up** dorëzohem ♦ *jkl* heq dorë ♦ **~ way** *jkl* lëshoj pe; *au* hap krahun; shembem, rrëzohem
given /'givn/ *shih* **give** ♦ *mb:* **~ name** emër pagëzimi
gizzard /'gizə(r)d/ *em* rrëcoj *(i shpendëve)*
glacier /'glæsiə(r)/ *em* akullnajë
glad /glæd/ *mb* i gëzuar; i kënaqur **(of** për) ♦ **~den** /'glædn/ *kl* gëzoj; kënaq ♦ **~ly** *nd* me kënaqësi; me dëshirë
glance /gla:ns/ *em* vështrim; prekje e lehtë ♦ *jkl* vështroj **(at)**; prek lehtë
gland /glænd/ *em an* gjëndër ♦ **~ular** *mb* gjëndëror; i gjëndrës
glar:e /gleə(r)/ *em* shkëlqim; rrezëllim; vështrim i egër ♦ *jkl:* **~ at** vështroj me të egër ♦ **~ing** *mb:* **~ lie** rrenë me bisht
glass /gla:s/ *em* xham; qelq; gotë; qelqe; **~es** *sh* size: **a ~ of water** një gotë (me) ujë ♦ **~-house** /-haus/ *em* serrë ♦ **~ware** /-weə(r)/ *em* qelqurina; qelqe ♦ **~y** *mb* i qelqtë; qelqor; si xham: *(vështrim)* i ngrirë/ pajetë
gleam /gli:m/ *em* vegullim ♦ *jkl* vegullon ♦ **~ing** *mb* vegullues

glean /gli:n/ *kl* mbledh; përkoq; qëmtoj *(informata)*
glee /gli:/ *em* gëzim; hare ♦ **~ful** *mb* i gëzuar; gamzor
glen /glen/ *em* lugore; luginë e ngushtë; grykë
glib /glib/ *mb (gjuhë)* e lirshme; e lëshuar; *kq* i pasinqertë
glide /glaid/ *jkl* rrëshqet; planeroj ♦ **~r** *em* planer
glimmer /'glimə(r)/ *em* vagëllimë ♦ *jkl* vagëllon
glimpse /glimps/ *em* shikim i çastit: **catch a ~ of** shoh kalimthi ♦ *kl* shoh/ më zë syri kalimthi
glint /glint/ *em* vezullim ♦ *jkl* vezullon
glisten /'glisn/ *jkl* shkëlqen; shndrit
glitter /'glitə(r)/ *em* shndritje; shkëlqim ♦ *jkl* shndrit
gloat /glout/ *jkl* gëzohem me ligësi **(over** për)
glob:al /'gloubl/ *mb* botëror; global ♦ **~e** *em* rruzull; glob
gloom /glu:m/ *em* errësirë; terr; muzg; zymtësi ♦ **~y** *mb* i zymtë
glor:ify /'glo:rifai/ *kl* mburr; ngre në qiell; përlëvdoj ♦ **~ious** *mb* i lavdishëm; *(ditë)* e mrekullueshme ♦ **~y** *em* lavdi; bukuri, shkëlqim; mburrje, krenarí
gloss /glos/ *em* shkëlqim; lustër ♦ **~ over** *kl* zbukuroj; lustroj *(të vërtetën)* ♦ **~y** *mb* i lustruar; *(revistë)* me ilustrime
glove /glʌv/ *em* dorezë, dorashkë: **fit like a ~** më bie pikë/ për bukuri; **be hand in ~ with sb** i kam pipëzat me dikë; **~ compartment** *em au* kruskot
glow /glou/ *em* kuqëlim; skuqje *(e qiellit, e faqeve)*; dritë e dobët *(e kandilit)* ♦ *jkl* kuqëlon; skuqet; rrezëllin; shkëlqen ♦ **~ing** *mb* i kuqëluar; *(përshkrim)* i ndezur; i zjarrtë ♦ **~-lamp** /-læmp/ *em* llambë inkandeshente
glucose /'glu:kous/ *em* glukozë
glu:e /glu:/ *em* tutkall; zamkë; ngjitëse ♦ *kl* ngjit ♦ **~ing** *mb* ngjitës
glum /glʌm/ *mb* i zymtë; i vrenjtur
glut /glʌt/ *em* ngopje; shuarje *(e urisë, e etjes)*
glutton /'glʌtən/ *em* makut; llupës ♦ **~ous** /-əs/ *mb* makut; llupës ♦ **~y** *em* makutërí
gnarled /na:(r)ld/ *mb* nejç; me nyje
gnash /næʃ/ *kl:* **~ one's teeth** kërcëlloj dhëmbët
gnat /næt/ *em zl* harrje
gnaw /no:/ *kl* brej; çapalit
gnome /noum/ *em* xhuxh; shkurtabiq
go /gou/ *em (sh* **goes)** energji; vrull; hov; provë; orvatje: **on the ~** në lëvizje; **at one ~** me një provë; me të parën; **it's your ~** e ke radhën ti ♦ *jkl* **(went** /went/, **gone** /gon/) shkoj; vete; behem; shitet: **~and see** shkoj të shoh; **~ swimming/ shopping** shkoj për të bërë not/pazar; **where's he gone?** ku iku ai?; **it's all gone** u mbarua; **I'm not ~ing to** nuk dua; s'kam ndërmend *(ta bëj)* ♦ **~ about** *jkl* shkoj andej-këtej ♦ **~ ahead** *jkl* shkoj përpara; përparoj ♦ **~ at** *kl* i sulem *(dikujt)* ♦ **~ away** *jkl* iki; largohem ♦ **~ back** *jkl* kthehem ♦ **~**

by *jk*/ kaloj nga; i bie nga ♦ **~ down** *jk*/ zbres; *(anija)* fundoset; *(ënjtja)* ulet, bie ♦ **~ for** *k*/dal për *(një punë);* vendos për *(të bërë diçka);* sulem: **he's not the kind I ~ for** ai s'është nga ata që më shkon ♦ **~ in** *jk*/ hyj: **~ in for** *k*/ marr pjesë; hyj *(në garë);* jepem pas *(një sporti)* ♦ **~ off** *jk*/ ikin; nisem; *(zilja)* bie; *(arma)* shkrep; *(bomba)* plas; *(ushqimi)* prishet; **~ off well** del me sukses ♦ **~ on** *jk*/ vazhdoj: **what's ~ing on?** çfarë bëhet/ ndodh?; **~ on with you!** *jk*/ *bs* ikë, mbushu! ♦ **~ out** *jk*/ dal; *(zjarri)* shuhet ♦ **~ over** *jk*/ shkoj ♦ *k*/ kontrolloj ♦ **~ round** *jk*/dal shëtitje; shkoj për vizitë; vërtitem; sillem përqark: **there is enough to ~ round** mjafton për të gjithë ♦ **~ through** *jk*/kaloj përmes; *(propozimi)* miratohet; heq pikën e zezë ♦ **~under** *jk*/ kaloj poshtë; *(nëndetësja)* zhytet; dështoj ♦ **~ up** *jk*/shkoj lart; ngjitem; dal në seknë ♦ **~ with** *k*/ shoqëroj ♦ **~ without** *k*/ ia bëj pa; rri pa *(darkë, gjumë):* **it ~es without saying** s'do mend

goad /goud/ *k*/ shtyj; shpoj; nxit; ngacmoj

go-ahead /gouə'hed/ *mb* i guximshëm; i hedhur ♦ *em* miratim; leje: **give sb the ~** i jap leje dikujt *(të nisë një punë)*

goal /goul/ *em* portë; gol; qëllim, objektiv: **own goal** autogol; **score a ~** shënoj gol ♦ **~ie** *em bs* portier ♦ **~keeper** /-ki:pə(r)/ *em sp* portier ♦ **~post** /-poust/ *em* shtyllë e portës

goat /gout/ *em z*/dhi ♦ **~ee** /-'ti:/ *em* mjekër majuce

God, god /god/ *em* zot; perëndi: **~ forbid!** mos e dhëntë Zoti!

godchild /'godtʃaild/ *em* fijan ♦ **~-daughter** /-do:tə(r)/ *em* fijane

Goddess, goddess /'godis/ *em* perëndeshë

godfather /'godfa:ðə(r)/ *em* kumbar

godfearing /-fiəriŋ/ *mb* që ka nderim për perëndinë ♦ **~-forsaken** /-fə(r)'seikn/ *mb* i harruar nga perëndia

godmother /'godmʌðə(r)/ *em* kumbarë ♦ **~parents** /-peərənts/ *em sh* nunëri ♦

godsend /'godsend/ *em* fat i madh; dhuratë nga qielli/ perëndia ♦ **~son** /-sʌn/ *em* fijan

go-getter /'gougetə(r)/ *em* ambicioz

goggle /'gogl/ *jk*/ *bs* çakërrit sytë ♦ **~s** *em sh* syze mbrojtëse *(të notarit etj.)*

going /'gouiŋ/ *mb (kurs, çmim)* i ditës; **~ concern** veprimtari në lulëzim ♦ *em* **it's hard ~** është *(punë)* e lodhshme; **while the ~ is good** sa të mundemi; **~s-on** *em sh* ngjarje; ndodhí

gold /gould/ *em* ar; flori ♦ *mb* ari; i artë ♦ **~en** *mb* i artë: **~ handshake** ndarje e përzemërt *(në fund të një pune);* **~ mean** mesatare e artë; **~ wedding** përvjetor i artë i martesës ♦ **~-finch** /-fintʃ/ *em z*/kryeartëz ♦ **~fish** /-fiʃ/ *em* peshk i kuq ♦ **~mine** /-main/ *em* minierë ari ♦ **~-plated** /-pleitid/ *mb* i praruar ♦ **~smith** /-smiθ/ *em* arpunues

golf /golf/ *em sp* golf ♦ **~-club** /-klʌb/ *em* klub golfi; shkop golfi ♦ **~-course** /-'ko:(r)s/ *em* fushë golfi ♦ **~er** *em* lojtar golfi

gondola /'gondələ/ *em* gondolë ♦ **~lier** /-'liə(r)/ *em* gondolier

gone /gon/ *shih* **go**

gong /goŋ/ *em* gong

good /gud/ (**better** /'betə(r)/, **best** /best/) *mb* i mirë; *(njeri)* i zoti; *(film)* i bukur: **~ at** i zoti për; **a ~ deal of** shumë; **as ~ as** njëlloj si; gati si; **~ morning** mirëmëngjes; **~ night** natën e mirë; **have a ~ time** ia kaloj mirë; dëfrej ♦ *em* e mirë: **for ~** përgjithmonë; **it's no ~** s'bën; s'ia vlen; **~ for you!** të lumtë!; **he is up to no ~** ai s'ka mendje të mirë ♦ **~bye** /-'bai/ *psth* mirupafshim ♦ **~-for-nothing** /-fə(r)'nʌθiŋ/ *em* i pahajër ♦ **G~ 'Friday** /-'fraidei/ *em* e Premtja e Madhe/Zezë ♦ **~-looking** /-lukiŋ/ *mb* i pashëm ♦ **~-natured** /-neitʃə(r)d/ *mb* natyrëbutë ♦ **~ness** *em* mirësi: **my ~!** Zot i madh!; **thank ~!** mirë me kaq!

goods /gudz/ *em sh* mallra: **deliver the ~** dorëzoj/ livroj mallin; kryej porosinë

good: sense /-sens/ *em* gjykim i shëndoshë ♦ **~will** /-wil/ *em* dashamirësi; vullnet

goody /'gudi/ *em* i pashëm; i madh; i bëshëm ♦ **~goody** *em* fetar hipokrit

gooey /'gu:i/ *mb bs* i krisur

goof /gu:f/ *jk*/ *bs* këput një gafë

goose /gu:s/ *(sh* **geese** /gi:z/) *z*/ patë ♦ **~berry** /-bəri/ *em bt* rrush toke ♦ **~-flesh** /-fleʃ/, **~-pimples** /-pimplz/ *em sh* mornica

gore[1] /go: (r)/ *em* gjak i mpiksur

gore[2] *k*/ çaj me brirë

gorge /go:(r)dʒ/ *em* gjeog grykë; gorgë

gorgeous /'go:(r)dʒəs/ *mb* i mrekullueshëm

gorilla /gə'rilə/ *em z*/gorillë; *bs* rojë trupore *(e parisë së mafias);* *bs* kafshë

gormless /'go:(r)mlis/ *mb am* budalla

gorse /go:(r)s/ *em bt* gjineshtër

gory /'go:ri/ *mb* i përgjakur; mizor

gosh /goʃ/ *psth bs* ta marrë e mira

gosling /'gosliŋ/ *em* bibë

Gospel /'gospl/ *em* ungjill: **~ truth** e vërtetë e pakundërshtueshme

gossip /'gosip/ *em* thashethem; llafazan; përfolës; ngjelkë

got /got/ *shih* **get: have ~** kam: **I have ~ to do sth** kam një punë/ diçka për të bërë

Gothic /'goθik/ *mb* gotik

gotten /'gotn/ *shih* **get**

gouge /gaudʒ/ *k*/: **~ out** nxjerr; gërmoj

gourmet /'guə(r)mei/ *em* shijehollë; njohës *(i verërave)*

gout /gaut/ *em mk* cermë; podagër

govern /'gʌvən/ *k*/, *jk*/ qeveris; vendos ♦ **~ment** *em* qeveri ♦ **~or** *em* guvernator; drejtor *(i burgut);*

bs shef, kryetar

gown /gaun/ *em* rrobë; togë *(e gjykatësit, e akademikut)*

GP /'dʒi:pi:/ *em shkrt i* **General Practitioner** mjek i përgjithshëm *(i ambulacës së lagjes)*

grab /græb/ *k/:* ~ **(hold of)** sth mbërthej/ nuk lëshoj diçka; **it's up for ~s** kush ta marrë, ta marrë ♦ **~-all** /-o:l/ *em bs* tamahqar

grac:e /greis/ *em* hir; lutje *(para buke);* hirësi *(titull fetar):* **with good** ~ me dëshirë; me hir ♦ *k/* nderoj; hijeshoj; zbukuroj ♦ **~ful** *mb* i hirshëm; hirplotë ♦ **~fully** *nd* hijshëm; me hir ♦ **~ious** /'greiʃəs/ *mb (njeri)* i shkueshëm; hirplotë: ~ **me!** ruajna Zot! ♦ **~iously** *nd* plot hir; me hir

grad:e /greid/ *em* shkallë; nivel; *trg* cilësi; notë; *am* klasë; *am* pjerrësi ♦ **~ient** /-iənt/ *em* pjerrësi ♦ **~ual** /'grædʒuəl/ *mb* i shkallëzuar ♦ **~uate** /'grædjuət/ *em* i diplomuar ♦ /-eit/ *jk/* diplomohem ♦ **~uation** /grædju'eiʃn/ *em* diplomim

graffiti /grə'fi:ti/ *em sh* grafit

graft /gra:ft/ *em bt, mk* shartim ♦ *k/* shartoj

grain /grein/ *em* kokërr *(rërе, gruri);* fije *(e drurit);* *bs* dëshirë, prirje: **it goes against the** ~ *fg* është kundër dëshirës/ prirjes/ natyrës

gram /græm/ *em* gram

gramma:r /'græmə(r)/ *em* gramatikë ♦ ~ **school** /-sku:l/ *em* shkollë klasike

gramophone /'græməfoun/ *em* gramafon

granary /'grænəri/ *em* hambar

grand /grænd/ *mb* madhështor; i madh ♦ *em* një mijë ♦ **~dad** /-dæd/ *em* babagjysh ♦ **~child** /-tʃaild/ *em (sh* **-children** /-tʃildrn/) nip ♦ **~daughter** /-do:tə(r)/ *em* mbesë ♦ **~father** /-fa:ðə(r)/ *em* gjysh ♦ ~**mother** /-mʌðə(r)/ *em* gjyshe; nënëgjyshe ♦ **~parents** /-pærənt/ *em sh* gjyshër ♦ **~son** /-sʌn/ *em* nip *(fëmija e fëmijës)* ♦ **~stand** /-stænd/ *em* tribunë kryesore

granite /'grænit/ *em* granit

granny /'græni/ *em bs* gjyshe

grant /gra:nt/ *em* lejim; lëshim; *fn* grant; bursë studimesh ♦ *k/* jap; pranoj; lejej: **take sth for ~ed** e quaj të sigurt diçka

granul:ated /'grænjuleitid/ *mb:* ~ **sugar** sheqer kokërr ♦ **~ar** *mb* kokërrizor ♦ **~e** /'grænju:l/ *em* kokrrizë

grape /greip/ *em* kokërr rrushi; ~s *sh* rrush

grapeshot /'greipʃot/ *em* saçmë

graph /gra:f/ *em* grafik ♦ **~ic** /'græfik/ *mb (paraqitje)* grafike; *(përshkrim)* i gjallë ♦ ~s *em sh* grafikë

grapple /'græpl/ *jk/:* përleshem me **(with)**

grasp /gra:sp/ *em* shtrëngim; kuptim: **within** ~ i arritshëm ♦ *k/* kap; shtrëngoj; mbaj fort; kuptoj

grass /gra:s/ *em* bar; *bs* marihuanë ♦ **~-hopper** /-'hopə(r)/ *em* karkalec ♦ **~land** /-lænd/ *em* livadh ♦ **~-root** /-ru:t/ *em:* **at the ~s** në bazë; në terren ♦ **~y** *mb* i mbjellë me bar

grate *k/* gjell grij në rende

grateful /'greitful/ *mb* mirënjohës ♦ **~ly** *nd* me mirënjohje

grater /'greitə(r)/ *em* rende

gratify /'grætifai/ *k/* kënaq ♦ **~ing** *mb* i kënaqur

gratis /'gra:tis/ *mb* i falur ♦ *nd* falas

gratitude /'grætitju:d/ *em* mirënjohje

grave[1] /greiv/ *mb* hijerëndë

grave[2] *em* varr: **mass** ~ varr kolektiv

gravel /'grævl/ *em* zhur; zhavorr

grave:-stone /-stoun/ *em* gurvarr ♦ **~yard** /-ja:(r)d/ *em* varrezë

gravity /'grævəti/ *em* seriozitet; rëndësi; rëndesë: **specific** ~ *fz* peshë specifike

gravy /'greivi/ *em* gjll (salcë me) lëng mishi

gray /grei/ *mb am shih* **grey**

graze[1] /greiz/ *jk/ (kafsha)* kullot

graze[2] *em* gërvishtje; fluturim rrafsh me tokën ♦ *k/* cakoj; prek lehtë; gërvisht; *(topi)* shkon rrafsh me token

grease /gri:s/ *em* lyrë; graso ♦ *k/* lyrësoj; grasatoj: ~ **sb's palm/ hand** ia lyej dorën dikujt; **like ~d lightning** vetëtimthi

great /greit/ *mb* i madh; *bs* i shkëlqyer; i mrekullueshëm; i hatashëm: **that's ~!** mrekulli!; bukur fort! ♦ **G~ Bear** /-bɛə(r)/ *em ast* Arushë e Madhe ♦ **G~ Britain** /-'britn/ *em gjg* Britani e Madhe ♦ **g~-grandchild** /-tʃaild/ *em (sh* **~grand-children** /-grændtʃildrn/) stërnip ♦ **g~-grandfather** /-grænd'fa:ðə(r)/ *em* stërgjysh ♦ **g~-grandmother** /-grænd'mʌðə(r)/ *em* stërgjyshe ♦ **~ly** *nd* së tepërmi ♦ **~ness** *em* madhësi; madhështi ♦ **~-uncle** /'greit'ʌŋkl/ *em* ungj i babait/ i nënës ♦ **G~ War** /-wo:(r)/ *em* Lufta e Parë Botërore

Greece /gri:s/ *em gjg* Greqi

greed /gri:d/ *em* lakmi; makutëri ♦ **~ily** *nd* me lakmi; *(ha)* si makut ♦ **~iness** *em* lakmi ♦ **~y** *mb* lakmitar; makut

Greek /gri:k/ *mb, em* grek: ~ **calends** kurrë; ditën e moskurrit; nesër ♦ *em* greqishte

green /gri:n/ *mb* i blertë; jeshil; i gjelbër; *fg* i papërvojë; i papjekur ♦ *em* blerim ♦ ~ **belt** /-belt/ *em* brez i gjelbër *(i qytetit)* ♦ ~ **card** /-ka:(r)d/ *em au* kartë jeshile ♦ ~ **fingers** /-'fiŋə(r)z/ *em:* **have** ~ **fingers** më jepet për kopshtari; më zë dora ♦ **~fly** /'gri:nflai/ *em* morr bimësh ♦ **~-grocer** /-grosə(r)/ *em* perimeshitës ♦ **~-house** /-haus/ *em* serrë ♦ **~-house effect** /-'fekt/ *em* efekt serrë ♦ **~-light** /-lait/ *em* miratim; dritë jeshile

greet /gri:t/ *k/* përshëndet; mirëpres ♦ **~ing** *em* përshëndetje; mirëpritje

gregarious /gri'gɛəriəs/ *mb (kafshë)* që jetojnë në kope; *(njeri)* i shoqërueshëm

grenade /gri'neid/ *em ush* granatë; bombë dore

grey /grei/ *mb, em* i përhimë; gri

grid /grid/ *em* rrjet

grief /gri:f/ *em* brengë; dhembje; pikëllim: **come to ~** mbaroj keq; *(plani)* dështon

griev:ance /'gri:vəns/ *em* brengë ♦ **~e** *kl* brengos ♦ *jkl* brengosem

grill /gril/ *em* skarë; mish i skarës; rosticeri ♦ *kl* pjek në skarë *(mishin); fg* ia marr shpirtin/ frymën *(dikujt)*

grim /grim/ *mb* i prerë; i rreptë

grimace /gri'meis/ *em* ngërdheshje ♦ *jkl* ngërdheshem

grim:e /graim/ *em* lerë; zgjyrë ♦ **~y** *mb* i lerosur; i zgjyrosur

grin /grin/ *em* qeshje; zgërdheshje ♦ *jkl* qesh; zgërdheshem

grind /graind/ *em* bluarje; *bs* punë e rëndë ♦ *kl* (**ground** /graund/) bluaj; mpreh në gur *(thikën); am* grij; ia marr shpirtin *(në punë dikujt):* **~ one's teeth** kërcas dhëmbët; **have an axe to ~** kam hesapin/ interesin tim

grip /grip/ *em* kapje; mbërthim; *fg* kontroll: **get a ~ of oneself** përmbahem ♦ *kl* kap; mbërthej; tërheq *(vëmendjen)*

gripe /graip/ *em bs* dhembje barku

gripping /'gripiŋ/ *mb* tërheqës; që të mbërthen

grisly /'grizli/ *mb* i lemerishëm

grist /'grist/ *em* drithë bloje: **bring ~ to the mill (sb's mill)** çoj ujë në mullirin e dikujt

gristle /'grisl/ *em an* kërc

grit /grit/ *em* kokrrizë; rërë e trashë; *fg* guxim; zemër ♦ *kl* shtroj me rërë *(udhën); ~* **one's teeth** shtrëngoj dhëmbët

grizzle /'grizl/ *jkl* ankohem; qahem

grizzly /'grizli/ *mb* i murrmë; i thinjur: **~ bear** *zl* ari i murrmë

groan /groun/ *em* rënkim; ofshamë ♦ *jkl* rënkoj

grocer /'grousə(r)/ *em* bakall: **~'s (shop)** dyqan ushqimesh ♦ **~y** *em* ushqimore; dyqan ushqimesh

groggy /'grogi/ *mb* i trullosur; i lëkundur; *(hap)* i pasigurt

groin /groin/ *em an* baqth; vete

groom /gru:m/ *em* dhëndër; stallier ♦ *kl* kashais *(kalin); fg* përgatit *(një kandidat)*

groove /gru:v/ *em* vjaskë *(e pushkës);* hullí

grope /group/ *jkl* eci me tahmin; qorrollisem: **~ for** kërkoj me tahmin

gross /grous/ *mb* i trashë; i ndyrë; vulgar; trashanik; *(gabim)* i rëndë; *(prodhim, peshë)* bruto: **~ negligence** pakujdesi e dënueshme *(në punë)*

grotesque /grou'tesk/ *mb* grotesk

grotto /'grotou/ *em* shpellë *(e ndrequr për vizitorë)*

grotty /'groti/ *mb bs (vend)* i ndyrë; i mbajtur keq

ground¹ *em* dhe, tokë, truall; *sp* fushë; arsye; *el* tokëzim; **~s** *sh* kopsht, park; bërsi, cipurina *(të kafesë etj.):* **under the ~** nën tokë; në dhe; **on what ~s?** për ç'arsye?; **house with ~s** shtëpi me kopsht; **touch ~** takoj tokë

ground² *jkl (anija)* ngec në cekëtinë ♦ *kl* bllokoj

(aeroplanin në pistë); el tokëzoj

ground³ *shih* **grind**

ground-floor /-flo:(r)/ *em* kat përdhes/ i parë ♦ **~ing** *em* bazë ♦ **~less** *mb* i pabazuar ♦ **~work** /-wə:(r)k/ *em* punë përgatitore

group /gru:p/ *em* grup ♦ *kl* grupoj ♦ *jkl* mblidhemi; tubohemi; grupohemi

grouse¹ /graus/ *em zl* gjel i egër

grouse² *jkl bs* hungëroj; ankohem; qahem

grovel /'grovl/ *jkl* zvarritem ♦ **~ling** *mb* sahanlëpirës; servil

grow /grou/ (**grew** /gru:/, **grown** /groun/) ♦ *jkl* rritem; bëhem; zmadhohem: **~ tall** zgjatem; lëshoj shtat ♦ *kl* rrit; kultivoj: **~ one's hair** zgjat flokët ♦ **~ out: ~ of a habit** harroj një zakon me moshë ♦ **~ up** *jkl* rritem: **~ man!** mos u bëj fëmijë!

growl /graul/ *em* hungërimë ♦ *jkl* hungëroj

grow:n /groun/ *shih* **grow** ♦ *mb* i rritur: **~-up** *mb, em* i rritur ♦ **~th** *em* rritje; shtim; *mk* tumor

grub /grʌb/ *em* larvë; ushqim.

grubby /'grʌbi/ *mb* i pistë; i ndyrë

grudg:e /grʌdʒ/ *em* mëri: **bear sb a ~** i mbaj mëri dikujt ♦ **~ing** *mb* i mërishëm; smirëzi ♦ **~ingly** *nd* me pahir; pa dëshirë

gruelling /'gru:əliŋ/ *mb* dërrmues; kapitës

gruesome /'gru:səm/ *mb* makabër; rrëqethës

gruff /grʌf/ *mb* i zymtë; i rëndë

grumble /'grʌmbl/ *jkl* ankohem; hungëroj me pakënaqësi *(kundër dikujt)*

grumpy /'grʌmpi/ *mb* i vrerët; i mërzitur; që s'i qesh buza

grunt /grʌnt/ *em* kërritje *(e derrit)* ♦ *jkl (derri)* kërret; hungëroj

guarant:ee /gærən'ti:/ *em* garanci; dorëzani ♦ *kl* garantoj; bëhem dorëzanës për ♦ **~or** *em* dorëzanës; garant

guard /ga:(r)d/ *em* rojë; përgjegjës treni; *tk* perde sigurimi: **be on one's ~** ruhem; **be on ~** jam rojë ♦ *kl* mbroj; ruaj: **~ against** *kl* ruhem nga; **~ your tongue!** mbaje gjuhën! ♦ **~ian** *em* rojë; kujdestar *(i një të mituri)*

guerrilla /gə'rilə/ *em* guerrilje

guess /ges/ *em* hamendje: **my ~ is as good as yours** sa di ti, di dhe unë ♦ *kl* gjej me hamendje; marr me mend ♦ *jkl* hamendësoj: **~ who's coming** e di kush po vjen?

guesswork /-wə:(r)k/ *em* hamendje; supozim

guest /gest/ *em* i ftuar; klinet *(në hotel):* **be my ~** kur/ si të duash ♦ **~house** /-haus/ *em* hotel-pension; shtëpi pritjeje ♦ **~room** /-rum/ *em* dhomë e miqve / e mirë

guffaw /gʌ'fo:/ *em* gajasje ♦ *jkl* gajasem

guid:ance /'gaidəns/ *em* udhëzim; këshillë ♦ **~e** *em* udhëzues; udhërrëfyes ♦ *kl* udhëzoj ♦ **~ed** /-id/ *mb* i telekomanduar: **~ missile** *em ush* raketë e telekomanduar ♦ **~-dog** /-dog/ *em* qen për të

verbër ♦ **~liness** /-lainz/ *em sh* direktiva
guild /gild/ *em* korporatë
guile /gail/ *em* dredhi; hile
guillotine /'giləti:n/ *em* gijotinë; tranxhë *(për letra)*
guilt /gilt/ *em* faj ♦ **~y** *mb* fajtor: **have a ~ con-
science** më vret ndërgjegja
guise /gaiz/ *em:* **in the ~ of** i maskuar si
guitar /gi'ta:(r)/ *em* kitarë ♦ **~ist** *em* kitarist
gulf /gʌlf/ *em gjeog* gji; *flg* hendek; dallim i madh
gull /gʌl/ *em zl* çafkë; pulëbardhë
gullet/'gʌlit/ *em an* ezofag; gurmaz
gullible /'gʌlibl/ *mb* sylesh
gully /'gʌli/ *em* vijë uji; përroskë; gorgë
gulp /gʌlp/ *em* gëlltitje; kafshatë; gllënjkë ♦ *kl* gëlltit;
pi; glluq
gum[1] /gʌm/ *em an* mish i dhëmbëve; trysë
gum[2] *em* gomë; çamçakëz ♦ *kl* gomoj; vesh me
gomë
gun /gʌn/ *em* pistoletë; pushkë; top; *bs* dorës,
vrasës i paguar: **under great ~** nën presion të
madh; **go great ~s** shkoj me shpejtësi të madhe/
me ngut ♦ *kl:* **~ down** grij me plumba ♦ **~ for** *kl*
ndjek ♦ **~-boat** /-bout/ *em ush, dt* kanonierë ♦
~fire /-faiə(r)/ *em ush* zjarr i artilerisë ♦ **~ner** *em
ush* topçi; artilier ♦ **~point** /-point/ *em* shënjeshtër:
at ~ me kërcënimin e armëve ♦ **~powder** /-
paudə(r)/ *em* barut ♦ **~-running** /-'rʌniɳ/ *em*
kontrabandë e armëve ♦ **~shot** /-ʃot/ *em* e shtënë

me armë (zjarri) ♦ **~smith** /-smiθ/ *em* armëtar
gurgle /'gə:(r)gl/ *em* gurgullimë; gargarë ♦ *jkl (kroi)*
gurguɬon; bëj gargarë
gush /gʌʃ/ *jkl* çurgon; shpërthen; flas me entuziazëm
(over për) ♦ **~ out** *jkl* derdhet me gulshe ♦ **~ing**
mb tepër i entuziazmuar
gust /gʌst/ *em* rribë ere; shkulm ♦ **~y** *mb (mot)* me
erë; *(njeri)* i rrëmbyer
gut /gʌt/ *em* zorrë; **~s** *sh* bark; *bs* guxim; zemër ♦
kl gjll qëroj të përbrendshmet e *(kafshës së therur);*
~ted by fire *(shtëpi)* e mbetur gufockë nga zjarri
♦ **~sy** *mb* guximtar; *(stil)* i thjeshtë
gutter /'gʌtə(r)/ *em* kanal; ulluk; vijë uji; *fg* lagje e
varfër; lɭum ♦ *mb* vulgar; trashanik
guy /gai/ *em bs* njeri; soj; tip
guzzle /'gʌzl/ *kl* gëlltit; gllabëroj; kullufit ♦ **~r** *em*
hamës i madh; llupës; makut
gym /dʒim/ *em bs* palestër; gjimnastikë ♦ **~nasium**
/-'neiziəm/ *em* palestër ♦ **~nast** /'dʒimnæst/ *em*
gjimnast ♦ **~ics** /-'næstiks/ *em* gjimnastikë ♦ **~
shoes** /-ʃu:z/ *em sh* këpucë gjimnastike/ atelete ♦
~-slip /-slip/ *em* paliçeta
gynaecolog:ical /gainikə'lodʒikəl/ *mb* gjinekologjik
♦ **~y** *em* gjinekologji
gyp /dʒip/ *em* rrenacak; mashtrues; hileqar
gypsy /'dʒipsi/ *em* arixhi
gyrate /dʒai'reit/ *jkl* rrotullohet; sillet rrotull

H

haberdasher /'hæbə(r)dæʃə(r)/ *em* çikërrima; *am* veshje për burra ♦ **~y** /-'dæʃəri/ *em* kinkaleri; *am* dyqan veshjesh për burra

habilitat:e /hə'biliteit/ *k/* aftësoj ♦ **~ion** /-'teiʃn/ *em* aftësim

habit /'hæbit/ *mb* zakon; huq; shprehi; *ft* petk

habita:tion /hæbi'teiʃən/ *em* banesë ♦ **~nt** / 'hæbitnt/ *em* banor

habitual /hə'bitjuəl/ *mb* i zakonshëm; *(klient)* i rregullt; *(pijanec)* i pandreqshëm ♦ **~ually** / hə'bitjuəli/ *adv* zakonisht; rregullisht

hack¹ /hæk/ *em* shkrimtaruc; kalemxhi

hack² *k/* çikëloj; grij; lakanis: **~ to pices** pres copa-copa ♦ **~er** *em bs* specialit në kompjuter; pirat informacioni të kompjuterizuar

hackney /'hækni/ *em* hekni *(e folme e Heknit të Londrës)*

had /hæd/ *shih* **have**

haemorrh:age /'heməridʒ/ *em* hemorragji; gjakrrjedhje ♦ **~oids** /-oidz/ *em sh mk* hemorroide

hag /hæg/ *em:* **old ~** plakë e keqe; shtrigë

haggard /'hægə(r)d/ *mb (fytyrë)* e thatë; e hequr; e prishur

haggle /'hægl/ *jk/* hahem *(në pazar)*

hail¹ /heil/ *k/* përshëndet; ngjatjetoj; brohoras; i thërres/ bëj shenjë *(taksisë)* ♦ *jk/:* **~ from** vij nga

hail² *em* breshër ♦ *jk/* breshëron; bie breshër ♦ **~-stone** /-stoun/ *em* kokërr breshëri ♦ **~-storm** /-sto:(r)m/ *em* stuhi me breshër

hair /heə(r)/ *em* flokë; qime *(të kafshës):* **do one's hair** bëj flokët; **he did not turn a ~** atij s'ia bëri syri tërr; **win by a ~** fitoj me rezultat shumë të ngushtë/ për një qime ♦ **~-brush** /-brʌʃ/ *em* furçë flokësh ♦ **~-cut** /-kʌt/ *em* qethje: **have a ~** qethem ♦ **~-do** /-du:/ *em* krehje ♦ **~-dresser** /-dresə(r)/ *em* flokëtar ♦ **~-dressing** /-dresiŋ/ *em* flokëtari ♦ **~-dryer** /-draiə(r)/ *em* flokëtharëse ♦ **~pin** /-pin/ *em* karficë flokësh ♦ **~pin bend** /-pin'bend/ *em* kthesë e fortë ♦ **~raising** /-'reiziŋ/ *mb* i frikshëm; që t'i

ngre flokët përpjetë ♦ **~style** /-stail/ *em bs* krehje; mënyrë të krehuri ♦ **~y** *mb* leshator; *bs* i frikshëm

hale /heil/ *mb:* **~ and hearty** plot shëndet

half /ha:f/ *em (sh* **halves** /ha:vz/) gjysmë: **cut in ~** ndaj për gjysmë; **~ an hour** gjysmë ore; **by halves** gjysma-gjysma; **~ measures** masa gjysmake ♦ *mb* gjysmë; i përgjysmuar: **at ~ price** me gjysmë çmimi ♦ *adv:* **~ board** gjysmë pensioni *(lloj hoteli);* **~ past two** dy e gjysmë ♦ **~-back** /-bæk/ *em sp* gjysmëmbrojtës ♦ **~-hearted** /-ha:(r)tid/ *mb* me gjysmë zemre; me ngurrim ♦ **~ hour** /-auə(r)/ *em:* **have a bad ~** e shoh pisk ♦ **~-hourly** /-auə(r)li/ *mb* i çdo gjysmë ore ♦ **~-mast** /-ma:st/ *mb (flamur i ngritur)* në gjysmështizë ♦ **~-open** /-'oupn/ *mb* i hapur përgjysmë ♦ **~term** /-tə:(r)m/ *em* gjysmë tremestri ♦ **~-time** /-taim/ *em sp* pushim *(midis pjesëve të lojës)* ♦ **~way** /-wei/ *mb:* **~way stage** fazë e ndërmjetme ♦ *nd/* në mes të rrugës: **get ~ way** shkoj deri në gjysmë të rrugës/punës ♦ **~wit** /-wit/ *em* gjysmak *(nga trutë)*

hall /ho:l/ *em* hyrje; holl *(i hotelit);* sallë; banesë fshati: **~ of residence** fjetore e studentëve

hallmark /'ho:lma:(r)k/ *em* vulë; shenjë kontrolli *(e prodhimit)*

hallo /hə'lou/ *psth* tungjatë; alo *(në telefon);* **say ~ to** përshëndet

Halloween /hælou'i:n/ *em ft* natë e gjithë shenjtorëve

hallucinat:e /hə'lu:sineit/ *jk/* kam halucinacion/ kllapi ♦ **~ion** /-'neiʃn/ *em* halucinacion; kllapi

halo /'heilou/ *em (sh* **-es**) brerore; aureolë

halt /ho:lt/ *em* ndalesë; qëndrim: **bring to a ~** ndal; bllokoj *(ekonominë)* ♦ *jk/* ndalem; qëndroj

halve /ha:v/ *k/* gjysmoj; ndaj përgjysmë

ham /hæm/ *em gj/* proshutë; *tt* aktor i keq; radioamator

hamburger /'hæmbə(r)gə(r)/ *em gj/* hamburger

hamlet /'hæmlit/ *em* fshat

hammer /'hæmə(r)/ *em* çekiç; çekan ♦ *k/* rrah me

çekiç

hammock /'hæmək/ *em* hole; shtrat i varur
hamper¹ /'hæmpə(r)/ *em* kosh; kanistër; shportë
hamper² *k/* pengoj
hamster /'hæmstə(r)/ *em zl* (mi) hamster
hand /hænd/ *em* dorë; akrep *(i orës);* shkrim; punëtor krahu: **at/ to ~** i afërt; që arrihet me dorë; **by ~** dorazi; *(i punuar)* me dorë; **cash in ~** (me) para në dorë; **on the one ~** nga njëra anë; **on the other ~** nga ana tjetër; **out of ~** i dalë dore; i pakontrollueshëm; **give sb a ~** ngjit dorën dikujt ♦ *k/* dorëzoj ♦ **~ down** *k/* ndihmoj të zbresë; lë trashëgimi ♦ **~ in** *k/* dorëzoj ♦ **~ out** *k/* shpërndaj ♦ **~ over** *k/* kaloj; çoj; dorëzoj *(dikë në polici)* ♦ **~-bag** /-bæg/ *em* çantë grash ♦ **~ball** /-bo:l/ *em sp* hendboll; prekje e topit me dorë ♦ **~book** /-buk/ *em* doracak; manual ♦ **~brake** /-breik/ *em* fren dore ♦ **~cuffs** /-kʌfs/ *em sh* pranga ♦ **~ful** *em* (një) grusht plot (**of** me): **she's quite a ~** *bs* ajo s'bëhet zap
handi:cap /'hændikæp/ *em* e metë *(fizike, mendore)* ♦ **~capped** *mb:* **mentally/ physically ~** me të meta mendore/ fizike ♦ **~craft** /-kra:ft/ *em* artizanat ♦ **~work** /-wə:(r)k/ *em* punë krahu
hand:kerchief /'hændkə(r)tʃif/ *em (sh* -**s, -chieves** /-tʃivz/) shami dore ♦ **~le** /'hændl/ *em* dorezë *(e derës etj.);* vegjë; vegsh *(i enës):* **fly of the ~** *bs* marr kot/ si flakë kashte ♦ *k/* përdor; merrem me *(një çështje);* trajtoj *(një temë)* ♦ **~luggage** /-'lʌgidʒ/ *em* bagazh dore ♦ **~made** /-meid/ *mb* i punuar/ bërë me dorë ♦ **~-out** /-aut/ *em* fletushkë; lëmoshë ♦ **~rail** /-reil/ *em* pramak ♦ **~shake** /-ʃeik/ *em* toka; shtrëngim i dorës
handsome /'hænsəm/ *mb* i pashëm; i bukur; *fg* bujar; zemërgjerë: **~ price** çmim bukur i lartë
hand:stand /-stænd/ *em* vertikale ♦ **~work** /-wə:(r)k/ *em* punë dore/ krahu ♦ **~-writing** /-raitiŋ/ *em* shkrim ♦ **~-written** /-ritn/ *mb* i shkruar me dorë ♦ **~y** *mb* i dobishëm; *(njeri)* i zoti: **have sth ~** e kam afër/ të volitshme diçka
handyman /'hændimən/ *em* (shërbëtor) për të gjitha punët
hang /hæŋ/ (**hung** hʌŋ) *k/* var *(tablonë në mur etj.)* ♦ (**-ed**) *k/* dënoj me varje; var në litar *(kriminelin):* **~ oneself** varem ♦ *jk/* varet; lëvaret; bie; zbret: **you'll hang for it** do të shkosh në litar për këtë *em* përdorim; rënie në trup *(e rrobës):* **get the ~ of** ia marr dorën ♦ **~ about** *jk/* sillem përqark ♦ **~ up** *k/* var; ul/mbyll *(telefonin):* **don't ~ on me** mos ma mbyll (mua) telefonin
hangar /'hæŋə(r)/ *em* hangar
hanger /'hæŋə(r)/ *em* grep; varëse ♦ **~-on** *em*

sahanlëpirës; laro
hang:-glider /-glaidə(r)/ *em* deltaplan ♦ **~-gliding** /-glaidiŋ/ *em* fluturim me deltaplan **man** /-mən/ *em* xhelat ♦ **~-over** /-ouvə(r)/ *em bs* dhembje koke pas një nate me të pirë ♦ **~-up** *em bs* pengesë
hanky /'hæŋki/ *em bs* shami hundësh
hanky-panky /hæŋki'pæŋki/ *em bs* mashtrim; hile; dredhi
haphazard /hæp'hæzə(r)d/ *mb* i rastit
happen /'hæpn/ *jk/* ndodh: **what's ~ing?** çfarë po ndodh?; ç'bëhet? ♦ **~ing** *em* ngjarje; ndodhí
happ:ily /'hæpili/ *nd* në lumturi ♦ **~iness** /-nis/ *em* lumturi ♦ **~y** *mb* i lumtur; i kënaqur; i gëzuar: **~ birthday!** gëzuar ditëlindjen!; **I'd be ~ to help you** do të ndihmoj me gjithë qejf; **~-go-lucky** *mb* moskokëçarës; ku rafsha mos u vrafsha
harass /'hærəs/ *k/* përndjek; ngas; mërzit ♦ **~ment** *em* përndjekje: **sexual ~** ngarje seksuale
harbour /'ha:(r)bə(r)/ *em* port; liman ♦ *k/* strehoj *(dikë);* ushqej *(një ndjenjë);* kam *(mëri etj.)*
hard /ha:(r)d/ *mb* i fortë; *(pyetje)* e vështirë; *(njeri)* i ashpër; *(pazar)* i angësht; *(grusht)* i rëndë: **~ of hearing** i rëndë nga veshët; **~ cash** *em* para të thata; **be ~on sb** tregohem i ashpër me dikë; **~ hit by the crisis** i goditur rëndë nga kriza; **take sth ~** e marr mbrapsht/keq diçka ♦ *nd/* fort; ashpër; keq; me të keq: **think ~!** mendohu mirë!; **try ~** përpiqem fort; **~ done by** *bs* i trajtuar keq/ padrejtësisht ♦ **~-and-fast** /-ənd'fa:st/ *mb:* **~ rules** rregulla të rrepta/ prera ♦ **~back** /-bæk/ *em* botim me lidhje të fortë ♦ **~-boiled** /-boild/ *mb (vezë)* e zier fort ♦ **~currency** /'kʌrənsi/ *em* valutë ♦ **~ copy** /-kopi/ *em* kopje për shtyp ♦ **~ disk** /-disk/ *em* hard disk, disk i fortë ♦ **~en** *jk/* forcohet; ngurtësohet ♦ **~-feeling** /-'fi:liŋ/ *em* armiqësi; inat ♦ **~-headed** /-'hedid/ *mb* kokëfortë; *(njeri)* praktik ♦ **~-hearted** /-'ha:(r)tid/ *mb* zemërgur ♦ **~labour** /-'leibə(r)/ *em* punë e detyrueshme ♦ **~ line** /-lain/ *em* vijë e fortë/e ashpër: **~ lines!** sa keq! ♦ **~line** /-lain/ *mb* i fortë ♦ **~liner** /-lainə(r)/ *em* pasues i vijës së fortë ♦ **~ luck** /-'lʌk/ *em* fatkeqësi; mbrapshti ♦ **~ly** *nd/* me zor; mezi; me vështirësi: **~ ever** gati kurrë ♦ **~ness** *em* fortësi; ngurtësi ♦ **~ship** /'ha:dʃip/ *em* vështirësi; prapësi ♦ **~ shoulder** /-'ʃouldə(r)/ *em au* korsi e urgjencës *(në autostradë)* ♦ **~-up** /-ʌp/ *mb bs* keq për para ♦ **~ware** /-weeə(r)/ *em* pajisje metalike; *tk* harduer *(pajisje bazë të kompjuterit)* ♦ **~-working** /-wə:(r)kiŋ/ *mb:* **be ~- working** jam punëtor i fortë ♦ **~y** *mb* i qëndrueshëm; rezistent *(ndaj të nxehtit, të ftohtit)*
hare /heə(r)/ *em zl* lepur i egër ♦ **~-brained** /-breind/ *mb bs (punë)* pa mend; *(njeri)* mendjelehtë
hark /ha:(r)k/ *jk/:* **~ back to** *fg* kthehem në *(një histori, avaz)*
harm /ha:(r)m/ *em* dëm; dëmtim; e keqe: **out of**

~'s way në vend të sigurt; **it won't do any ~** nuk bën dëm ♦ *kl* dëmtoj; prish ♦ **~ful** *mb* i dëmshëm; i keq ♦ **~less** *mb* i padëmshëm ♦ **~lessly** *nd* pa dëm

harmon:ica /ha:(r)'monikə/ *em* harmonikë; saze goje ♦ **~ious** /-'mouniəs/ *mb* i harmonishëm ♦ **~iously** *nd* me harmoni ♦ **~ise** /'ha:(r)mənaiz/ *jkl* harmonizoj ♦ **~y** /'ha:(r)məni/ *em* harmoni; mirëkuptim

harness /'ha:(r)nis/ *em* takëm *(i kalit);* pajime *(të parashutistit)* ♦ *kl* mbrej *(kalin në karrocë etj.)*

harp /ha:(r)p/ *em mz* harpë

harpoon /ha:(r)'pu:n/ *em* haprion; fuzhnjë peshkimi

harpsichord /'ha:(r)psiko:(r)d/ *em mz* klaviçembal

harrowing /'hærouiŋ/ *mb* sfilitës

harsh /ha:(r)ʃ/ *mb* i ashpër; i vrazhdë; *(ndriçim)* tepër i fortë ♦ **~ly** *nd* ashpër; vrazhdë ♦ **~ness** *em* ashpërsi; vrazhdësi

harvest /'ha:(r)vist/ *em* të korra; korrje; vjelje *(e rrushit)* ♦ *kl* korr; vjel

has /hæz/ *shih* **have**

hash /hæʃ/ *em* gjll mish i grirë ♦ *kl* grij

hashish /'hæʃiʃ/ *em* hashish

hassle /'hæsl/ *em bs* grindje; prishje

hast:e /heist/ *em* ngut; nxitim: **make ~** nxitoj; ngutem ♦ **~en** *jkl* nxitoj; ngutem ♦ **~ty** *mb* i ngutur; i nxituar

hat /hæt/ *em* kapelë; rol, punë, post: **at the drop of a ~** pa një pa dy; **my ~!** *bs* jo more!; **wear two ~s** kam dy role/ punë/ detyra; **~ in hand** me përultësi; **pass the ~** mbledh ndihma me qeleshe/ tepsi; **take one's ~ off to sb** i heq kapelën dikujt/ kam respekt të madh për dikë

hatch¹ /hætʃ/ *em* (një) e shtruar e klloçkës ♦ *jkl (zogu)* del nga veza; *(veza)* çel **(out)**; *(pula)* shtrohet ♦ *kl (pula etj.)* klloçit, ngroh *(vezët)*

hatch² *em* qepen; kapak *(i hambarit të anijes)* ♦ **~back** /-bæk/ *em* derë e bagazhit

hatchet /'hætʃit/ *em* latë; sëpatë e lehtë

hat:e /heit/ *em* urrejtje; mëri ♦ *kl* urrej ♦ **~eful** *mb* i urryer ♦ **~red** *em* urrejtje

haught:y /'ho:ti/ *mb* kryelartë ♦ **~ily** *nd* me kryelartësi; me mendjemadhësi

haul /ho:l/ *em* peshkim me rrjetë; (një) rrjetë *(peshq);* tërheqje, nxjerrje *(e rrjetës, e litarit)* ♦ *kl* tërheq; nxjerr; transportoj *(mall)* ♦ *jkl:* **~ out** tërheq; nxjerr; **~ sb over the coals** ia skuq mirë dikujt ♦ **~age** /-idʒ/ *em* transport ♦ **~ier** *em* kamion; sipërmarrës/ kompani transporti

haunt /ho:nt/ *em* vend i pëlqyer; limer, strehë ♦ *kl* shkoj shpesh në; nuk më ndahet nga mendja; më ndjek; më shpifet *(një fantazmë, një ëndërr):* **this house is ~ed** kjo shtëpi ka fantazma

have /hæv/ *kl (v iii njëjës* **has; had**) kam: **all I ~** gjithë sa kam; **I ~ it from a good source** e di nga një burim i mirë; **~ a drink** pi diçka; **~ lunch/**

dinner ha drekë/ darkë; **~ a rest** bëj një pushim; **I had my hair cut** u qetha; **I ~ things to do this morning** sot në mëngjes kam ca punë për të bërë; **~ him call me** i thuaj të më marrë në telefon; **you've had enough, ~n't you?** u ngope? ♦ *folje ndihmëse* kam; jam: **he has done it** ai e bëri; **he has never been there** ai s'ka qenë kurrë atje; **you've grown** qenke rritur ♦ **~ on** *kl* vesh, mbaj veshur; kam *(një punë);* mashtroj, gënjej, shtie në kurth; tall ♦ **~ out** *kl:* **~ it out with sb** sqarohem me dikë ♦ *em sh:* **~s and the ~ nots** kamës e skamës; të pasur e të varfër

haven /'heivn/ *em fg* limer; vend i sigurt

haversack /'hævə(r)sæk/ *em* çantë shpine; krahosh

havock /'hævək/ *em* kërdi: **play ~ with** bëj kërdinë

haw /ho:/ *shih* **hum**

hawk /ho:k/ *em zl* fajkua; *fg* skifter

hawthorn /'ho:θo:(r)n/ *em bt* murriz

hay /hei/ *em* bar i thatë; sanë ♦ **~-fever** /-'fi:v(r)/ *em* rrufë e barit ♦ **~wire** *mb:* **go ~** *bs* marr kot; *(planet)* digjen

hazard /'hæzə(r)d/ *em* rrezik; gropë, pengesë *(në fushën e golfit)* ♦ *kl* rrezikoj ♦ **~ous** *mb* i rrezikshëm; i dëmshëm

haze /heiz/ *em* mjegullinë

hazel /'heizl/ *em* lajthi ♦ **~-nut** /-nʌt/ *em* kokërr lajthie

hazy /'heizi/ *mb* i mjegulluar; *(pamje)* e vagëlluar; *fg* i hutuar

he /hi:/ *prm* ai: **~'s back** (ai) u kthye; **~ said it** ai tha ashtu; **it's a ~** është/ lindi djalë

head /hed/ *em* kokë; krye; kryetar, drejtor; shkumë *(e birrës):* **~ first** *mb* me kokë poshtë; **~ of state** kryetar i shtetit; **~ or tails?** kokë a pilë?; **~ over heels in love** i dashuruar marrëzisht; **at the ~ of** në krye të; **give sb his ~** e lë dikë të lirë/ të bëjë si të dojë; **per ~** për kokë/ frymë/ njeri; **be off one's ~** s'e kam kokën në vend; **have a good ~ for business** ma pret (mendja) për punë tregtie; **have a good ~ for heights** nuk kam marramendth; **lose one's ~** hutohem; **10 pounds a ~** 10 sterlina për kokë; **20 ~ of cattle** 20 krerë bagëti; **talk sb's ~ off** ia bëj kokën/ trutë dhallë dikujt ♦ *kl* kryesoj; jam kryetar i; përplas me kokë; titulloj *(një artikull)* ♦ *jkl:* **~ for** drejtohem nga; shkoj për në: **~ disaster** shkoj drejt rrënimit ♦ **~-ache** /-eik/ *em* dhembje koke ♦ **~-dress** /-dres/ *em* krehje e flokëve; zbukurim për kokën ♦ **~er** *em* goditje/ gol me kokë; zhytje me kokë ♦ **~ hunter** /-'hʌntə(r)/ *em* gjahtar kokash

heading /'hediŋ/ *em* titull; kapitull: **under this ~** në këtë zë/ kapitull

head:-lamp /-læmp/ *em au* fener ♦ **~light** /-lait/ *em au* dritë e përparme ♦ **~line** /-lain/ *em* titull: **hit the ~s** *(një ngjarje)* del në të gjitha lajmet ♦ **~long** /-loŋ/ *mb* kokëposhtë ♦ **~master** /-ma:stə(r)/ *em* drejtor shkollë ♦ **~-mistress** /-mistris/ *em* drejtore shkolle ♦ **~ office** /-ofis/ *em* seli; zyrë qendrore ♦ **~-on** *mb (përplasje)* kokë më kokë; hundë më hundë *(e anijeve);* turi më turi *(e makinave)* ♦ *nd* ballas; përballë ♦ **~phones** /-founz/ *em sh* kufje ♦ **~quarters** /-kwo:(r)tə(r)z/ *em sh* seli; shtab i përgjithshëm ♦ **~-rest** /-rest/ *em* mbështetëse e kokës ♦ **~room** /-ru:m/ *em* lartësi e tavanit ♦ **~scarf** /-ska:(r)f/ *em* shami koke ♦ **~strong** /-stroŋ/ *mb* kokëfortë ♦ **~ waiter** /-weitə(r)/ *em* kryekamerier ♦ **~way** /-wei/ *em* përparim ♦ **~wind** *em* skundër ♦ **~y** *mb (verë, pije)* e fortë; që të bie në kokë

heal /hi:l/ *k/* shëroj ♦ *jk/* shërohem ♦ **~er** *em* mjekës; mjet shërimi

health /helθ/ *em* shëndet: **mental ~** gjendje psikike/ mendore; **be in good ~** jam mirë me shëndet ♦ **~ centre** /-'sentə(r)/ *em* qendër shëndetësore ♦ **~ certificate** /-sə:(r)'tifikət/ *em* certifikatë mjekësore ♦ **~officer** /-'ofisə(r)/ *em* nëpunës i shëndetësisë ♦ **~ service** /-'sə:(r)vis/ *em* shërbim shëndetësor ♦ **~y** *mb* i shëndetshëm

heap /hi:p/ *em* kapicë: **~s of** *bs* mori; shumicë ♦ *k/:* **~ (up)** grumbulloj; vë kapicë ♦ **~s** *nd:* **she was ~ better** ajo u bë ku e ku më mirë

hear /hiə(r)/ *k/, jk/* (**heard** /hə:d/) dëgjoj: **~, ~!** të lumtë! ♦ **~ of** *jk/* dëgjoj nga të tjerët për: **he would not ~ of it** ai as as do ta dëgjojë ♦ **~ing** /'hiəriŋ/ *em* dëgjim ♦ **~ing-aid** /-eid/ *em* aparat dëgjimi ♦ **~say** /-sei/ *em* thashethem: **from ~** nga sa thuhet/ thonë; *(e kam)* me të dëgjuar

hearse /hə:(r)s/ *em* karrocë/ makinë varrimi

heart /ha:(r)t/ *em* zemër; **~s** *sh* spathi *(në letra bixhozi):* **break sb's ~** ia thyej zemrën dikujt; **by ~** për mendësh; **in the ~ of winter** në mes ë dimrit; **have one's ~ in one's mouth** më ngrin gjaku; **lose ~** më le zemra; ligështohem; **set one's ~ on sth** më len me zemër për diçka ♦ **~-ache** /-eik/ *em* mundim ♦ **~ attack** *em* infarkt ♦ **~beat** /-bi:t/ *em* rrahje e zemrës ♦ **~-break** *em* pikëllim; zemër e thyer ♦ **~-breaking** *mb* që të këput shpirtin ♦ **~-broken** *mb* zemërplasur; zemërthyer ♦ **~burn** *em* uth; djegësirë e stomakut; gulçi ♦ **~en** *k/* i jap zemër; kurajoj ♦ **~-felt** /-felt/ *mb* i përzemërt

hearth /ha:(r)θ/ *em* vatër

heart:ily /'ha:(r)tili/ *nd* përzemërsisht; me gjithë zemër; *(ha)* me oreks: **be ~ sick of the whole thing** e kam në majë të hundës nga gjithë kjo (punë) ♦ **~less** *mb* i pazemër; zemërngushtë/ tharë/ gur ♦ **~-searching** /-'sə:(r)tʃiŋ/ *em* rrëmim i ndërgjegjes ♦ **~-to-~** /-tu'ha:(r)t/ *mb (bs edë)* me zemër të hapur ♦ **~y** *mb* i përzemërt; *(ushqim)* i bollshëm; *(njeri)* i hapur, i sinqertë

heat /hi:t/ *em* ngrohtësi; nxehtësi; vapë; *sp* eliminatore ♦ *k/* ngroh; nxeh *(ujin)* ♦ *jk/* ngrohem;

nxehem ♦ **~ed** *mb* i ngrohur; i nxehur; *(bs edë)* e ashpër; *(serrë)* me ngrohje ♦ **~er** *em* sobë për ngrohje; kalorifer; ujëngrohës, kaldajë; *au* radiator

heathen /'hi:ðən/ *mb, em* pagan

heather /'heðə(r)/ *em bt* shqopë

heat:ing /'hi:tiŋ/ *em* ngrohje: **central ~** ngrohje qendrore ♦ **~ -stroke** /-strouk/ *em* pikë e diellit ♦ **~ wave** /-weiv/ *em* valë e nxehtë

heaven /'hev(ə)n/ *em* qiell; parajsë: **Good H~s!** o Zot! ♦ **~ly** *mb* qiellor; *bs* i mrekullueshëm

heavily 'hevili/ *nd* rëndë; fort ♦ **~y** *mb* i rëndë; *(shi)* fortë; *(të ftohtë)* i madh: **a ~ dinker** pijanec i madh; **~ weight** peshë e rëndë *(në boks);* *bs* njeri i rëndësishëm ♦ *nd:* **food that lies ~** ushqim që bie rëndë

Hebrew /'hi:bru:/ *mb, em* hebre; çifut; (gjuhë) hebraishte

heckle /'hekl/ *k/* bezdis; ndërpres vazhdimisht ♦ **~r** *em* njeri i bezdisshëm

hectic /'hektik/ *mb* i ankthshëm; në ethe

hedge /hedʒ/ *em* gardh i blertë

hedgehog /'hedʒhog/ *em zl* iriq

heed /hi:d/ *em:* **pay ~ to sb** i vë veshin dikujt ♦ *k/, jk/* kam kujdes; mbaj vesh *(fjalët e dikujt)* ♦ **~ful** *mb* i vëmendshëm ♦ **~less** *mb* i pavëmendshëm; i hutuar

heel /hi:l/ *em* thembër; takë *(e këpucës):* **take to one's ~s** *bs* u grah/ua mbath këmbëve ♦ **~ed** *mb:* **well-~** i mbërthyer mirë me pará

heifer /'hefə(r)/ *em* mëshqerrë

height /hait/ *em* lartësi *(e shtatit etj.);* kulm *(i stinës):* **maximum ~** lartësi maksimale *(e tavanit të tunelit etj.);* **at the ~ of** në kulmin e; **what is your ~?** sa i gjatë je?; **the ~ of folly** kulmi i marrëzisë ♦ **~en** *k/ fg* lartësohet; rritet

heir /ɛə(r)/ *em* trashëgimtar ♦ **~ess** /'ɛəris/ *em* trashëgimtare

held /held/ *shih* **hold** ♦ *mb:* **hand-~ computer** minimupjuter

helicopter /'helikoptə(r)/ *em* helicopter ♦ **~ gunship** /-gʌnʃip/ *em* helikopter ushtark ♦ **~-pad** /-pæd/ *em* platformë e ngritjes/ uljes së helikopterëve

hell /hel/ *em* skëterrë; ferr: **make a ~ of a noise** bëj zhurmë skëterre; **give sb ~** ia marr shpirtin dikujt ♦ *psth* punë dreqi

hello /hə'lou/ *psth, em shih* **hallo**

helm /helm/ *em* timon: **at the ~** *fg* në krye; në udhëheqje

helmet /'helmit/ *em* helmetë; kaskë: **crash ~** kaskë e motoçiklistit

help /help/ *em* ndihmë: **you've been a great ~** më ke ndihmuar shumë; *t/* lëre sa më ke ndihmuar! ♦ *k/* ndihmoj: **~ yourself** si të duash; urdhëro e ha; **I can't ~ it** s'kam ç'i bëj; **I could not ~ laugh-**

ing s'rrija dot pa qeshur; **it cannot be ~ed** s'ke ç'i bën ♦ *jk/* ndihmoj: **will this ~?** bën punë kjo? ♦ **~er** *em* ndihmës ♦ **~ful** *mb (njeri)* që ndihmoj; ndihmës; *(këshillë)* e dobishme ♦ **~ing** *em:* **have a second ~** e mbush edhe një herë (pjatën) ♦ *mb* ndihmës ♦ **~less** *mb* i paaftë; i pafuqishëm ♦ **~mate** /'helpmeit/ *em* ndihmës

helter-skelter /heltə(r)'skeltə(r)/ *nd* rrokapjekthi; katrapilas ♦ *em* rrëmujë; katrapilë

hem /hem/ *em* buzë; anë; kind *(i rrobës)* ♦ *kl* i bëj buzë *(rrobës)* ♦ **~ in** *kl* rrethoj

hemisphere /'hemisfiə(r)/ *em* gjysmërruzull; hemisferë

hemp /'hemp/ *em bt* kërp

hen /hen/ *em* pulë; femër *(e zogjve)*

hence /hens/ *nd* pra

henceforth /hens'fɔ:(r)θ/ *nd* këtej/tani e tutje

henchman /'hentʃmən/ *em kq* laro; zagar

hen:-party /-pa:(r)ti/ *em bs* festë vetëm me gra ♦ **~pecked** /-pekt/ *mb (burrë)* që ia mbledh gruaja

her /hə:(r)/ *mb prn* i saj: **~ mother** nëna e saj ♦ *prm* atë; asaj: **I gave it to ~** ia dhashë asaj; **we know ~** ne e njohim (atë); **I left it with ~** ia lashë asaj

herald /'herəld/ *kl* lajmëroj; njoftoj

herb /hə:(r)b/ *em* barishte; bimë; **~s** *sh* erëza; beharna ♦ **~al** *mb* bimor: **~ tea** çaj bimor

herd /hə:(r)d/ *em* kope; tufë; grigjë

here /hiə(r)/ *nd* këtu: **in ~** këtu brenda; **come ~** eja këtu; **~ you are!** urdhëro!; ja ku është/ ku e ke! ♦ **~about(s)** /'hiərə'baut(s)/ *nd* këtu pari/ afër/ përqark ♦ **~after** /-'a:ftə(r)/ *nd* në të ardhmen; këtej e tutje ♦ *em* botë e përtejme

heredit:ary /hə'reditəri/ *mb* trashëgimor; i trashëgimisë ♦ **~y** *em* trashëgimí

here:sy /'herəsi/ *em* herezi ♦ **~tic** *mb, em* heretik

herewith /'hiə(r)wið/ *nd trg* me anë të kësaj

heritage /'heritidʒ/ *em* trashëgimí

hermetic /hə:(r)'metik/ *mb* hermetik ♦ **~ally** *nd* hermetikisht

hermit /'hə:mit/ *em* hermit

hernia /'hə:(r)niə/ *em mk* hernie

hero /'hiərou/ *em (sh -es)* hero ♦ **~ic** /-'rouik/ *mb* heroik

heroin /'herouin/ *em* heroinë *(drogë)*

heroi:ne /'herouin/ *em* heroinë ♦ **~sm** *em* heroizëm; vepër heroike

heron /'herən/ *em zl* gatë e përhime

herring /'heriŋ/ *em zl* harengë: **red ~** marifet; mashtrim

her:s /hə:(r)z/ *prm prn* i saj; i vet: **a friend of ~s** një miku i saj; **friends of ~s** miq të saj: **that is ~s** (ai) është i saji ♦ **~self** /hə:(r)'self/ *vetor, vtv* ajo vetë; vete: **she made ~ a coffee** ajo bëri një kafe për vete; **she told me ~** ajo vetë ma tha: **she's proud of ~** ajo është krenare me veten; **by ~** (ajo) vetë/pa ndihmë

hesita:nt /'hezitənt/ *mb* ngurrues; i lëkundur ♦ **~ntly** *nd* me ngurrim ♦ **~te** /'heziteit/ *jk/* ngurroj; mëdyshem; hezitoj ♦ **~ting** *mb* ngurrues; që ngurron ♦ **~tion** /-'teiʃn/ *em* ngurrim; mëdyshje; hezitim

het /het/ *mb:* **~ up** *bs* i shqetësuar

heterosexual /hetərou'seksjuəl/ *mb* heteroseksual

hexagon /'heksəgon/ *em* gjashtëkëndësh ♦ **~al** /-'sægənl/ *mb (figurë)* gjashtëkëndëshe

hey /hei/ *psth* hej

heyday /'heidei/ *em* kulm

hew /hju:/ *kl* **(hewed; hewn)** gdhend; skalit

hi /'hai/ *psth* tung(jatë)

hibernat:e /'haibə(r)neit/ *jk/* dimëroj; bie në gjumë dimëror ♦ **~ion** /-'neiʃn/ *em* dimërim; gjumë dimëror

hiccup /'hikʌp/ *em* lemzë; *bs* ngecë ♦ *jk/* më zë lemza; kam lemzë

hid /hid/ *shih* **hide²**

hidden /'hidn/ *shih* **hide²** ♦ *mb* i fshehur

hide¹ /haid/ *em* lëkurë *(e kafshës):* **tan sb's ~** ia kalb lëkurën në dru dikujt

hide² *em* fshehë; pusi; vend i fshehtë ♦ *kl/* **(hid, hidden** /'hidn/)** fsheh: **~ sth from sb** ia fsheh diçka dikujt ♦ *jk/* fshihem

hide-and-seek /-ənd'si:k/ *em:* **play ~** luaj kuka-fshehthi

hideous /'hidiəs/ *mb* i shëmtuar; i përçudshëm; i ndyrë; i urryer

hide-out /'haidaut/ *em* fshehë(tirë)

hiding¹ /'haidiŋ/ *em bs* rrahje; mundje

hiding² *em:* **go into ~** fshihem

hierarchy /'haiəra:(r)ki/ *em* hierarki

hieroglyphics /haiərə'glifiks/ *em sh* hieroglife

hi-fi /'haifai/ *em bs* stereo hai-fai

higgledy-piggledy /higldi'pigldi/ *nd* rrëmujë; çorap

high /hai/ *mb* i lartë; i ngritur; *(erë)* e fortë; *(njeri)* i droguar: **~er than** më i lartë se; **it's ~ time we...** është koha të...; **have a ~ time** bëj qejf ♦ *nd* lart: **~ and dry** *(anije)* e ngecur në stere; *bs* në hall/ vështirësi; **~ and low** lart e poshtë; **blow ~** fryn erë e fortë; **live ~** rroj në luks ♦ *em* kulm; maksimum; lartësi: **reach its ~est** arrin kulmin ♦ **~brow** /-brau/ *mb, em* intelektual ♦ **~class** /-kla:s/ *mb* i cilësisë së lartë; i dorës së parë ♦ **~ command** /kə'ma:nd/ *em* komandë e lartë ♦ **~ court** /-ko:(r)t/ *em* gjykatë e lartë ♦ **~er education** /-edju'keiʃn/ *em* arsim i lartë ♦ **~-fidelity** /-fi'deləti/ *em (pajisje)* me saktësi të lartë të riprodhimit *(të zërit, të figurës)* ♦ **~flyer** /-'flai(r)/ *em fg* ambicioz ♦ **~ frequency** /-'frikwənsi/ *em fz* frekuencë e lartë ♦ **~ hand** /-'hænd/ *em* arrocancë; arbitrariteti ♦ **~-handed** /-'hændid/ *mb* arrogant; despotik; arbitrar ♦ **~-heeled** /-hi:ld/ *mb* me taka të larta ♦ **~-heels** /-hi:lz/ *em sh* taka të larta ♦ **~ jump** /-dʒʌmp/ *em sp* kërcim së larti ♦ **~ life** /-laif/ *em* shoqëri e lartë

♦ **~light** /-lait/ *em fg* kulm *(i shfaqjes, i mbrëmjes)* ♦ *kl* theksoj; nxjerr në pah ♦ **~living** /-'iviŋ/ *em* jetë luksi ♦ **~ly** *nd* shumë; së tepërmi: **speak ~ of** lavdëroj; **think ~ of** kam mendim të lartë për ♦ **~-minded** /-'maindid/ *mb* mendjelartë; krenar; shpirtmadh ♦ **H!ness** /'hainis/ *em* lartmadhëri: **Your ~** Lartmadhëria Juaj ♦ **~ school** /'sku:l/ *em* shkollë e mesme; *am* institut i lartë ♦ **~ seas** /si:z/ *em sh* ujëra ndërkombëtare ♦ **~ society** /-sə'saiəti/ *em* shoqëri e lartë ♦ **~ street** /-'stri:t/ *em* rrugë kryesore *(me dyqane të mëdhenj, të modës)* ♦ **~-strung** /-strʌŋ/ *mb* i nervozuar ♦ **~ tide** /-taid/ *em* baticë ♦ **~way code** /-wei'koud/ *em* kod rrugor

hijack /'haidʒæk/ *kl* kthej me dhunë *(një aeroplan)* ♦ *em* kthim me dhunë i aeroplanit ♦ **~er** *em* pirat i ajrit *(që kthen aeroplanin me dhunë)*

hike /haik/ *em* ekskursion/ shëtitje më këmbë ♦ *jkl* bëj një ekskursion/shëtitje më këmbë ♦ **~r** *em* ekskursionist më këmbë

hilari:ous /hi'lɛəriəs/ *mb* i hareshëm ♦ **~ty** *em* haré

hill /hil/ *em* kodër; kodrinë; kojkë; sop ♦ **~y** *mb* kodrinor; malor

hilt /hilt/ *em* dorezë; kapëz *(e shpatës etj.):* **to the ~** plotësisht

him /him/ *vetor* atë; atij: **I gave it to ~** ia dhashë atij; **I saw ~** e pashë (atë); **give it to ~** jepja (atij); **you spoke with ~** ti fole me të ♦ **~self** /-'self/ *vtv* ai vetë; vetëm; vetë; **he poured ~ a drink** ai mbushi një gotë për vete; **you said so ~** unë s'thashë gjë; **he is proud of ~** ai është krenar me veten; **by ~** vetë; vetëm; më vete

hind /haind/ *mb* i pasmë: **~ leg** këmbë e pasme *(e kalit)*

hind:er /'hində(r)/ *kl* pengoj ♦ **~rance** /'hindrəns/ *em* pengesë

hindsight /'haindsait/ mendje tjetër, mendje pas kuvendit

hinge /hindʒ/ *em* mentëshë: **be off the ~s** *bs* s'jam në vete ♦ *jkl:* **~ on** *jkl* varet nga

hint /hint/ *em* çikje; aluzion; këshillë; një fjalë; pakicë; gjë e vogël: **with a ~ of irony** me ironi të lehtë ♦ *kl:* **~ that**... lë të kuptohet se... ♦ *jkl:* **~ at** përmend kalimthi; hedh larg e larg fjalën

hip /hip/ *em an* kërdhokull; këllk: **have sb on the ~** ia ha arrat dikujt

hippie /'hipi/ *em* hipi

hippo /'hipou/ *em zl* hipopotam

hip pocket /-'pokit/ *em* xhep prapa *(i pantallonave)*

hippopotamus /hipə'potəməs/ *em zl (sh* **-es** /-i:z/, **mi** /-mai/) hipopotam

hire /'haiə(r)/ *kl* marr/ zë me qira: **~ out** lëshoj me qira ♦ *em* qira(marrje); lëshim me qira: **'for ~'** "(lëshohet/ jepet) me qira"

hire purchase /-pə(r)tʃis/ *em* blerje me këste të qirasë

his /hiz/ *mb prn* i tij; i vet: **~ father** babai i tij; i ati ♦

prm prn i tij; i vet: **a friend of ~** një miku i tij; **that is ~, not yours** kjo është e tij, nuk është jotja

hiss /his/ *em* fishkëllimë ♦ *kl, jkl* fishkëllej

histor:ian /hi'sto:riən/ *em* historian ♦ **~ic** *mb* historik; me rëndësi historike ♦ **~ical** *mb* historik; i historisë ♦ **~y** /'histəri/ *em* histori: **make ~** hyj në/ bëj histori

hit /hit/ *em* goditje; *bs* sukses: **it's a ~** e qëlloi; i ra në të ♦ *kl, jkl* (**hit, ~ting**) godit; qëlloj; përplas: **~ on the head** qëlloj në kokë; **the car ~ the tree** makina u përplas me pemën; **~ the roof** *bs* marr kot; bëj si i marrë ♦ **~ off** *kl* merrem vesh mirë *(me dikë)* ♦ **~ on** *kl fg* gjej; i bie në të

hitch /hitʃ/ *em* pengesë; ngatërresë: **without a ~** pa pengesë; *(shkon)* fjollë ♦ *kl* tërheq; nduk: **~ a lift** kërkoj të më marrin me makinë ♦ **~ up** *kl* ngre *(pantaloonat)* ♦ **~-hike** /-haik/ *jkl* udhëtoj me makina të rastit ♦ **~-hiker** /-haikə(r)/ *em* udhëtar me makina të rastit

hither /'hiðə(r)/ *nd:* **~ and thither** andej-këtej ♦ **~to** /-'tu/ *nd* deri tani

hit:-or-miss /-o:(r)'mis/ *mb* të dalë ku të dalë: **on a ~ basis** pa ditur si do të dalë ♦ **~ parade** /-pə'reid/ *em* paradë e sukseseve *(e këngëve më të shitura)*

hive /haiv/ *em* koshere: **bee-~** koshere bletësh ♦ *kl:* **~ off** *trg* ndaj; veçoj

hoard /ho:(r)d/ *em* zahire; thesar i fshehur ♦ *kl* grumbulloj; fsheh *(thesarin)*

hoarse /ho:(r)s/ *mb (zë)* i ngjirur ♦ **~ly** *nd* me zë të ngjirur ♦ **~ness** *em* ngjirje

hobby /'hobi/ *em* punë për qejf; hobi ♦ **~ -horse** /-ho:(r)s/ *em fg* pasion

hockey /'hoki/ *em sp* hokej: **ice ~** hokej në akull

hoe /hou/ *em* shatë ♦ *kl* prashit

hog /hog/ *em* derr ♦ *kl bs* zë; monopolizoj

hoist /hoist/ *em* çirkik; makara ♦ *kl* ngre/ ul me makara

hold¹ /hould/ *em dt* hambar; *av* vend i bagazhit

hold² *em* kapje; mbajtje; *fg* ndikim; kontroll: **have a ~ on sb** e kam në dorë dikë ♦ (**held** /held/) *kl* mbaj; kap; *(ena)* nxë *(... vetë, litra etj.);* kam, jam pronar i; mbaj, nuk lëshoj; zë me punë: **~ sb's hand** mbaj dorën e dikut; ia mbaj dorën dikut; **~ one's tongue** mbaj gjuhën/gojën; **~ sb responsible** e quaj fajtor dikë; **~ that** besoj; mendoj; gjykoj ♦ *jkl* mbahem; qëndroj; ngurroj; sprapsem: **~ tight** mbahem fort; **the weather will ~** moti do të mbajë ♦ **~ down** *kl* e mbaj poshtë; mbaj të shtypur *(sustën)* ♦ **~ on** *jkl* pres; rri në linjë *(telefonike):* **~ on to** *kl* kapem pas ♦ **~ out** *kl* zgjat *(dorën etj.); fg* jap *(një mundësi);* hap *(perspektivë)* ♦ *jkl* qëndroj; rezistoj ♦ **~ up** *kl* mbaj lart; ngre; vonoj; grabit me armë *(një tren):* **~ one's head up** e mbaj kokën lart ♦ **~-all** /-o:l/ *em* çantë e madhe; harar ♦ **~er** *em* titullar; mbajtës *(i rekordit);* enë ♦ **~ing** *em* pronë; pasuri; tokë; *trg* aksione ♦

~ -up /'houldʌp/ *em* vonesë; plaçkitje; grabitje me armë

hole /houl/ *em* vrimë; gropë: **pick ~s in sth** gjej të meta në diçka

holiday /'holidei/ *em* pushim; ditë feste: **go on ~** shkoj për pushime

holiness /'houlinis/ *em* shenjtëri: **Your H~** Shenjtëria Juaj

Holland /'holənd/ *em gjg* Holandë

hollow /'holou/ *mb* i zgavërt; bosh; *(vend)* i bërë gropë ♦ *em* gropë; zgavër; zgërbonjë

holly /'houli/ *em bt* beronjë; ashnje

holocaust /'holəko:st/ *em* holokaust

holster /'houlstə(r)/ *em* këllëf *(i armës)*

holy /'houli/ *mb* i shenjtë: **H~ Ghost** *ft* Shpirt i Shenjtë; **~ water** *ft* ujë i bekuar; **H~ Week** *ft* Javë e Madhe; **H~ Writ** *em ft* shkrim i shenjtë

homage /'homidʒ/ *em* homazh: **pay/ render/ do ~ to sb** i bëj homazhe dikujt

home /houm/ *em* shtëpi; azil, institut; vend; atdhe: **at ~** në shtëpi; pritje; **~ for the elderly** azil pleqsh ♦ *nd* në shtëpi; *sp* në fushën e vet: **bring sth ~ to sb** ia bëj të qartë dikujt diçka; **come ~** vij në shtëpi; **feel at ~** jam si në shtëpinë time; jam rehat; **go ~** shkoj në shtëpi; *bs* vdes; **return ~** kthehem në shtëpi/ në atdhe; **there is nothing to write ~ about** s'ka gjë për të shënuar ♦ *mb* shtëpiak; *p/* i brendshëm; kombëtar: **~ address** adresë e shtëpisë; **~ computer** *em* kompjuter shtëpie ♦ **~land** /-lænd/ *em* atdhe ♦ **~less** *mb* i pastrehuar; i mbetur pa shtëpi: **be made ~** mbetem pa strehim/ pa shtëpi ♦ *em* i pastrehuar ♦ **~-made** /-meid/ *mb* i bërë në shtëpi ♦ **~sick** /-'sik/ *mb* i (për)malluar për atdhe ♦ **~ town** /-'taun/ *em* qytet i lindjes ♦ **~ truth** /-'tru:θ/ *em* e vërtetë sheshit ♦ **~ward** /-wə:(r)d/ *mb* që kthehet në shtëpi/ atdhe ♦ **~wards** /-wə:(r)dz/ *nd* drejt shtëpisë/atdheut ♦ **~work** /-wə:(r)k/ *em* detytë shtëpie *(e nxënësit)*; punë në shtëpi

homicide /'homisaid/ *em* vrasje *(krim)*

homosexual /houmou'seksjuəl/ *mb, em* homoseksual

honest /'onist/ *mb* i ndershëm; i drejtë; i paqmë: **~ money** pará e mirë/ pa hile ♦ **~ly** *nd* ndershmërisht: **~!** *psth* për nder ♦ **~y** *em* ndershmëri; çiltëri

honey /'hʌni/ *em* mjaltë; *bs* zemër, shpirt ♦ **~comb** /-ku:m/ *em* pite, hoje mjalti ♦ **~moon** /-mu:n/ *em* muaj i mjaltit ♦ **~-mouthed** /-mauðd/ *mb* gojëmjaltë ♦ **~suckle** /-'sʌkl/ *em bt* dorëzonjë; lule mustak

honk /hoŋk/ *jk/ k/* i bie borisë

hono:rary /'onərəri/ *mb* nderi; i nderit; i bërë pa shpërblim ♦ **~ur** /'onə(r)/ *em* nder: **Your H~** Zoti (President, Gjykatës); **~s degree** *em mb* diplomë shkëlqyer ♦ *k/* nderoj ♦ **~urable** /'onərəbl/ *mb* i

nderuar

hood /hud/ *em* kapuç; kapak; mbulesë *(e karrocës)*; kapë *(e sobës)*

hoof /hu:f/ *em (sh* **~s, hooves** /hu:vz/) thundër *(e kalit etj.)*

hook /huk/ *em* kanxhë; grep: **get sb off the ~** e shpëtoj nga e keqja dikë ♦ *k/* var në grep/ganxhë ♦ *jk/* varet në grep/ ganxhë: ♦ **~ed on** *bs* i droguar; i martuar; **be ~ed on skiing** bëj si i marrë për ski ♦ **~er** *em s/ am* kurvë ♦ **~ey** *em:* **play ~** *am bs* i bëj naftën shkollës

hooligan /'hu:ligən/ *em* huligan ♦ **~ism** *em* huliganizëm

hoop /hu:p/ *em* rreth *(i aktorit të cirkut etj.)*

hooray /hu'rej/ *psth, em* urra

hoot /hu:t/ *em* e rënë e borisë; sirenë; klithmë *(e bufit)* ♦ *jk/ (bufi)* këlthet; bërtas; i bie borisë; *(sirena)* bie; fishkëllej, zë me fishkëllima ♦ **~er** *em* sirenë; bori

Hoover®, hoover /'hu:və(r)/ *em* pluhurthithëse; fshesë me korrent ♦ *k/* fshij me fshesë me korrent *(qilimin);* i bie një fshesë me korrent *(shtëpisë)*

hooves /hu:vz/ *shih* hoof

hop /hop/ *em* hov; kërcim pupthi ♦ *jk/* hov; kërcej pupthi ♦ **~ in** *jk/* hipi me një kërcim: **~ in!** hipë!

hope /houp/ *em* shpresë ♦ *jk/* shpresoj (**for**): **I ~ so** shpresoj se ashtu do të dalë ♦ *k/:* **~ that** kam shpresë se ♦ **~ful** *mb* shpresëplotë; premtues; që jep shpresë: **be ~ that** kam shpresë se ♦ **~fully** *nd* me shpresë ♦ **~less** *mb* i pashpresë; shpresëprerë; i kotë; i padobishëm; i paaftë: **he's ~** atë s'e ke për gjë ♦ **~lessly** *nd* me dëshpërim; më kot; *pmb* shpresë; me paaftësi; plotësisht; krejt ♦ **~lessness** *em* dëshpërim

horde /ho:(r)d/ *em* hordhi

horizon /hə'raizn/ *em* horizont: **on the ~** në horizont ♦ **~tal** /hori'zontl/ *mb* horizontal ♦ **~tally** *nd* horizontalisht

hormone /'ho:(r)moun/ *em* hormon

horn /ho:(r)n/ *em* bri; *au* bori ♦ **~y** *mb* i brirtë; *bs* i ndezur me epsh

horoscope /'horəskoup/ *em* horoskop

horri:ble /'horibl/ *mb* i tmerrshëm; i ndyrë ♦ **~bly** *nd:* **it went ~ wrong** u katranos ♦ **~d** /'horid/ *mb* i frikshëm; i lemerishëm ♦ **~fic** /hə'rifik/ *mb* i lemerishëm; i rrëqethshëm ♦ **~fy** /'horifai/ *k/* lemeris; rrëqeth ♦ **~fying** *mb* i lemerishëm

horror /'horə(r)/ *em* frikë; tmerr ♦ **~ flim** /-film/ *em* film tmerri

hors-d'œuvre /o:(r)də:vr/ *em* antipastë; pjatë e parë

horse /ho:(r)s/ *em* kalë; kalorës: **talk ~** flas për kuaj; e kam mendjen te garat e kuajve ♦ **~-back** /-bæk/ *em:* **on ~** kaluar ♦ **~man** /-mən/ *em* kalorës ♦ **~play** /-plei/ *em* shaka e trashë ♦ **~power** /-pauə(r)/ *em* kalëfuqi ♦ **~-racing** /-reisiŋ/ *em* garë me kuaj ♦ **~shoe** /-ʃu/ *em* potkua

horticultur:al /ho:(r)ti'kʌltʃərl/ *mb* i kopshtarisë ♦ **~e** /'ho:(r)tikʌltʃə(r)/ *em* kopshtari

hose /houz/ *em* zorrë uji; tub llastiku; markuç ♦ **~ down** k/ laj/ ujit me zorrë

hospi:ce /'hospis/ *em* spital për të sëmurë pa shpresë ♦ **~table** /ho'spitəbl/ *mb* mikpritës; bujar; derëhapur ♦ **~tal** /'hospitl/ *em* spital ♦ **~ise** k/ shtroj në spital ♦ **~tality** /hospi'tæləti/ *em* mikpritje; bujari

host[1] /houst/ *em:* **a ~ of** mizëri

host[2] *em* zot shtëpie; pronar hoteli: **play ~ to sb** e pres në shtëpi dikë ♦ k/: **~ a dinner** jap/ shtroj një darkë

host[3] *em* ft nafore

hostage /'hostidʒ/ *em* peng: **take/ hold sb ~** e zë/ marr peng dikë

hostel /'hostl/ *em* fjetore: **youth ~** fjetore rinia/ për të rinj

hostess/'houstis/ *em* zonjë shtëpie; *av* hostesë

hostil:e /'hostail, *am* 'hostl/ *mb* armiqësor ♦ **~ity** / hos'tiləti/ *em* armiqësi

hot /hot/ *mb* i nxehtë; *(gjellë)* djegëse: **be/ feel ~** kam vapë; kam temperaturë; **give it ~ to sb** ia skuq mirë dikujt; **be in ~ water** *fg* jam në hall të madh

hotbed /'hotbed/ *em* serrë; *fg* vatër *(krize etj.)*

hotchpotch /'hotʃpotʃ/ *em* turli; përzierje

hotdog /-dog/ *em* gjil/ hotdog *(sanduiç me salsiçe)*

hotel /hou'tel/ *em* hotel ♦ **~lier** /-iə(r)/ *em* pronar hoteli; hotelist ♦ **~-keeper** /-'ki:pə(r)/ *em* hotelist ♦ **~ manager** /-'mænidʒə/ *em* përgjegjës/ drjtor/ administrator hoteli

hot:head /-hed/ *em* kokëkrisur; kryendezur; kokëshkretë ♦ **~house** /-haus/ *em* serrë me ngrohje ♦ **~ly** *nd* nxehtë; *fg* flakë për flakë; me zemërim; fort; angësht ♦ **~-plate** /-pleit/ *em* pllakë e sobës me korrent ♦ **~ potato** /-pə'teitou/ *em* punë me spec ♦ **~stuff** /-stʌf/ *em* s/ shpuzë; njeri shumë i zoti ♦ **~-tempered** /-'tempə(r)d/ *mb* gjaknxehtë ♦ **~-water bottle** /-'wotə(r)'botl/ *em* borsë me ujë të nxehtë

hound /haund/ *em* langua ♦ k/ fg ndjek; përndjek

hour /'auə(r)/ *em* orë ♦ **~ly** *mb* i përsëritur çdo orë; *(pagese)* me orë ♦ *nd* çdo/për orë

house /haus/ *em* shtëpi; sale; firmë tregtare: **publishing ~** shtëpi botuese; **a full ~** sallë e mbushur plot; **lion ~** kafaz i luanit ♦ k/ strehoj ♦ **~-breaking** /-'breikiŋ/ *em* vjedhje me thyerje të banesës ♦ **~hold** /-hould/ *em* shtëpi; familje ♦ **~ing** /'hauziŋ/ *em* strehim: **shortage of ~** mungesa për strehim ♦ **~-keeper** /-'ki:pə(r)/ *em* kujdestar i shtëpisë; amvisë ♦ **~-keeping** *em* kujdestari e shtëpisë; amvisëri ♦ **~-warming** *em* festë e shtëpisë së re ♦ **~-wife** /-waif/ *em* (sh **wives** /-waivz/) shtëpiake ♦ **~-work** š-wə:(r)k/ *em* punë shtëpie/ në shtëpi

hovel /'hovl/ *em* kolibe; kasolle e keqe

hover /'hovə(r)/ jk/ *(zogu etj.)* rri pezull/pa lëvizur krahët; *(aeroplani)* sillet mbi; *fg* ngurroj; lëkundem

hovercraft /'hovə(r)kra:ft/ *em* hovërkraft *(mjet transporti me jastëk ajri)*

how /hau/ *ndjaf* si: **~are you?** si je/ jeni?; **~ about a break?** a ta bëjmë një pushim?; **~ long** sa kohë; **~ many** sa *(vetë etj.)*; **~ much** sa *(para etj.)*; **and ~!** që ç'ke me të! ♦ **~ever** /-'evə(r)/ *nd* megjithatë; sidoqë; sadoqë: **~ much you try** sado që të përpiqesh; **if, ~, you disagree...** megjithatë, po nuk pranove...

howl /haul/ *em* ulërimë; angullimë ♦ jk/ ulërij; angullij ♦ **~er** *em* bs proçkë; kumbull; gabim i trashë

HP /'eitʃpi:/ *em* shkrt i **Hire Purchase** blerje me këste; **Horse Power** kalëfuqi

hub /hʌb/ *em* tk bucelë *(e rrotës)*; *fg* qendër *(e gjithësisë)*

hubbub /'hʌbʌb/ *em* potere

hub-cap /hʌbkæp/ *em* au kapak, tas *(i rrotës)*

huddle /'hʌdl/ jk/: **~ together** mblidhemi/ngjishemi *(pranë njëri-tjetrit)*

hue[1] /hju:/ *em* ngjyrë

hue[2] *em:* **~ and cry** lebeti

huff /hʌf/ *em:* **be in/ into a ~** zemërohem/ prekem

hug /hʌg/ *em* përqafim ♦ k/ përqafoj; mbaj shtrënguar; rri afër

huge /hju:dʒ/ *mb* i stërmadh ♦ **~ly** *nd* së tepërmi

hulking /'hʌlkiŋ/ *mb* bs madhosh

hull /hʌl/ *em* guaskë; lëvore *(e orizit etj.);* trup, skaf *(i barkës)*

hullo /hə'lou/ *psth* tungjatjeta; alo

hum /hʌm/ *em* murmurimë ♦ k/ murmurit ♦ jk/ *(motori)* gumëzhin; *(qyteti)* është plot gjallëri: **~ and haw** ngurroj

human /'hju:mən/ *mb* njerëzor; i njeriut ♦ **~e** /-mejn/ *mb* njerëzor; i njerëzishëm ♦ **~itarian** / hju:mæni'təəriən/ *mb* humanitar ♦ **~ity** /-'mænəti/ *em* njerëzi ♦ **~ities** /-'mænətiz/ *sh* studime klasike/ greko-latine

humble /'hʌmbl/ *mb* i përunjur; i përvuajtur; modest ♦ k/ përul; përunj

humdrum /'hʌmdrʌm/ *mb* i mërzitshëm; monoton

humid /'hju:mid/ *mb* i lagësht ♦ **~ifier** /-'midifaiə(r)/ *em* lagështues; pajisje për kontrolli *em* e lagështirës ♦ **~ity** /-'midəti/ *em* lagështi

humili:ate /hju:'milieit/ k/ poshtëroj ♦ **~ation** /-'eiʃn/ *em* poshtërim ♦ **~ty** /-'miləti/ *em* përvujtëri

humo:rous /'hju:mərəs/ *mb* humoristik; me humor : **have a sense of ~** di të bëj shaka; kam humor ♦ **~ur** *em* humor ♦ k/ sjell në qejf

hump /hʌmp/ *em* gungë

hunch /hʌntʃ/ *em* nuhatje; intuitë: **I had a ~ that** më hante dyshimi se

hunchback /'hʌntʃbæk/ *em* gungaç; kurrizo

hundred /'hʌndrəd/ *mb* njëqind ♦ *em* qind; **~s** qindra ♦ **~th** *mb* i qindtë; e qindta *(pjesë e)*

hung /hʌŋ/ *shih* **hang**
Hungar:ian /hʌŋ'gɛəriən/ *mb, em* hungarez ♦ *em* hungarishte ♦ **~y** /'hʌŋgəri/ *em* Hungari
hung:er /'hʌŋgə(r)/ *em* uri ♦ *jk/* kam uri; jam i uritur **(for)** ♦ **~er strike** /-'straik/ *em* grevë urie ♦ **~ily** / 'hʌŋgrili/ *nd* me uri ♦ **~y** *mb* i uritur; i unshëm; i unët: **be ~** kam uri
hunk /hʌŋk/ *em* llokmë; copë e madhe; rrygje; sundër
hunt /hʌnt/ *em* gjueti; gjah ♦ *k/* gjuaj; ndjek *(një kriminel)* ♦ *jk/* gjuaj; dal për gjah: **~ for** kërkoj; ndjek ♦ **~er** *em* gjahtar ♦ **~ing** *em* gjueti
hurdle /'hə:(r)dl/ *em* pengesë: **400 metre ~s** *sp* 400 metra me pengesa
hurl /hə:(r)l/ *k/* flak; hedh; përplas
hurrah /hu'ra:/, **hurray** /hu'rei/ *psth, em* urra
hurricane /'hʌrikein/ *em* uragan
hurr:ied /'hʌrid/ *mb* i ngutur; i nxituar ♦ **~iedly** *nd* me ngut; me nxitim ♦ **~y** *em* ngut; nxitim: **be in a ~** jam me ngut; **young man in a ~** i riu si veriu ♦ *jk/* ngutem; nxitoj **(up)** ♦ *k/* ngut; shtyj
hurt /hə:(r)t/ **(hurt)** *k/* lëndoj; vras; fyej; prek në seder: **it will not ~** nuk të dhemb; s'të bën keq/ dëm ♦ *jk/* më dhemb; më vret: **my leg ~s** më dhemb këmba; **it ~s to be told** të vjen hidhur kur ta thonë
hurtle /'hə:(r)tl/ *jk/:* **~ along** shkoj me tërë shpejtësinë
husband /'hʌzbənd/ *em* burrë; bashkëshort ♦ *k/*
administroj; qeveris *(shtëpinë, ekonominë)*
hush /hʌʃ/ *em* i heshtur ♦ **~ up** *k/* hesht; mbyll *(një skandal)* ♦ **~ed** *mb (zë)* i ulët
husk /hʌsk/ *em* lëvore; lëvozhgë ♦ *k/* zhvesh *(orizin)*
hut /hʌt/ *em* kasolle
hybrid /'haibrid/ *mb, em* hibrid
hydrant /'haidrənt/ *em* hidrant; fikës me ujë
hydraulic /hai'dro:lik/ *mb* hidraulik: **~ ram** dash hidraulik
hydrogen /'haidrədʒən/ *em* hidrogjen
hyena /hai'i:na/ *em z/* hienë
hygien:e /'haidʒi:n/ *em* higjienë ♦ **~ic** /-'dʒi:nik/ *mb* higjienik
hymn /him/ *em* himn ♦ **~al** /-himnəl/ *em ft* libër i himneve
hyphen /'haifn/ *em* vizë lidhëse *(e fjalës)* ♦ **~ate** *k/* bashkoj me vizë lidhëse
hypno:sis /hip'nousis/ *em* hipnozë ♦ **~tic** *mb* hipnotik ♦ **~tism** /'hipnətizm/ *em* hipnotizëm ♦ **~tise** /'hipnətaiz/ *k/* hipnotizoj
hypocri:sy /hi'pokrəsi/ *em* hipokrizi ♦ **~te** /'hipəkrit/ *em* hipokrik
hypodermic /haipə'də:(r)mik/ *mb, em* (shiringë) hipodermike
hypothe:sis /hai'poθəsis/ *em* hipotezë ♦ **~tical** /-ə'θetikl/ *mb* hipotetik
hysteri:a /hi'stiəriə/ *em* histeri; histerizëm ♦ **~ical** /-'sterikl/ *mb* histerik

I

I /ai/ *prm* unë: **I am working** po punoj; **I'll do it** do ta bëj

ice /ais/ *em* akull: **cut no ~** s'pi ujë; **on ~** i ngrirë; në akull ♦ *jk/ (rruga etj)* ngrin; zë akull ♦ **~-age** /-eidʒ/ periudhë akullnajore ♦ **~berg** /-bə:(r)g/ *em* ajsberg ♦ **~box** /-boks/ *em am* dollap akulli, frigorifer ♦ **~breaker** /-breikə(r)/ *em* (anije) akullthyese ♦ **~-cream** /-kri:m/ *em* akullore ♦ **~ hockey** /-hoki/ *em* hokej në akull

Iceland /'aislənd/ *em* Islandë ♦ **~er** *em* islandez ♦ **~ic** *mb, em* islandez

ice: lolly /-loli/ *em* kasatë ♦ **~pack** /-pæk/ *em* kompresë akulli ♦ **~rink** /-riŋk/ *em* pistë patinazhi ♦ **~ skater** /-skeitə(r)/ *em* patinator në akull ♦ **~ skating** /-skeitiŋ/ *em* patinazh në akull

icicle /'aisikl/ *em* hell akulli

icon /'aikən/ *em dhe inf* ikonë

ic:y /'aisi/ *mb dhe fg* i ngrirë, i akullt ♦ **~ily** *nd* ftohtë, në mënyrë të akullt

idea /ai'diə/ *em* ide: **I've (got) no ~** s'ia kam idenë

ideal /ai'diəl/ *mb, em* ideal: **~ gas** *fz* gaz ideal ♦ **~ise** *k/* idealizoj ♦ **~ism** *em* idealizëm ♦ **~ist** *em* idealist ♦ **~ly** *nd* në mënyrë ideale

identi:cal /ai'dentikl/ *mb* i njëjtë, identik ♦ **~fy** /ai'dentifai/ *k/* identifikoj ♦ **~kit** /-kit/ *em* identikit *(i kriminelit)* ♦ **~ty** *em* identitet; njëjtësi ♦ **~ty card** /-ka: (r)d/ *em* letër njoftimi

ideological /aidiə'lodʒikl/ *mb* ideologjik ♦ **~y** /-'oledʒi/ *em* ideologji

idiosyncrasy /idiə'siŋkrəsi/ *em* idiosinkrazi

idiom /'idiəm/ *em* idiomë ♦ **~atic** /idiə'mætik/ *mb* idiomatik

idiot /'idiət/ *em* idiot ♦ **~ic** /idi'otik/ *mb* idiotik, si idiot

idl:e /'aidl/ *mb* dembel, përtac; *(fjalë)* boshe, të kota: **run ~** *(makineria)* punon pa ngarkesë ♦ *jk/* dembelosem, rri kot ♦ **~eness** *em* përtaci ♦ **~y** *nd* me dembelí; përtueshëm; *(rri, sillem)* kot/ pa punë

idol /'aidl/ *em* idhull ♦ **~ise** *k/* adhuroj; fetishizoj

idyllic /i'dilik/ *mb* idilik

i. e. *shkrt i* **id est** *dmth*

if /if/ *ldh* në se; në qoftë se; po qe se; në rast se; po të: **as ~** gjoja; sikur

ignit:e /ig'nait/ *k/* ndez; i vë zjarr ♦ *jk/* ndizet; merr zjarr ♦ **~tion** /-'niʃn/ *em au* ndezje ♦ **~tion key** /-ki:/ *em au* çelës i kuadrit

ignor:amus /ignə'reiməs/ *em* i paditur; injorant ♦ **~ance** /'ignərəns/ *em* paditurí; padije ♦ **~ant** *mb* i paditur; injorant ♦ **~e** /ig'no:(r)/ *k/* shpërfill; bëj sikur s'e njoh

ill /il/ *mb* i sëmurë; i mbrapshtë; i keq: **feel ~ at ease** jam në siklet; **~ blood** inat ♦ *em* e keqe; ligësi ♦ *nd* keq; sëmurë

illeg:al /i'li:gl/ *mb* i paligjshëm; ilegal ♦ **~itimacy** /i'lidʒitiməsi/ *em* paligjshmërí; jashtëligjshmërí ♦ **~itimate** /-ili'dʒitimət/ *mb* i paligjshëm; i jashtëligjshëm

illicit /i'lisit/ *mb* i paligjshëm; i ndaluar

illitera:cy /i'litərəsi/ *em* analfabetizëm ♦ **~te** *mb, em* analfabet

illness /'ilnis/ *em* sëmundje

illogical /i'lodʒikl/ *mb* i palogjikë; i palogjikshëm

ill-treat /il'tri:t/ *k/* keqtrajtoj ♦ **~ment** *em* keqtrajtim

illuminat:e /i'lu:mineit/ *k/* ndriçoj ♦ **~ion** /-'neiʃn/ *em* ndriçim

illus:ion /i'lu:ʒn/ *em* iluzion: **be under the ~ that** më rren mendja se ♦ **~ory** /-səri/ *mb* i rremë; gënjeshtër

illustrat:e /'iləstreit/ *k/* shpjegoj; ilustroj ♦ **~ion** /-'streiʃn/ *em* shpjegim; ilustrim

illustrious /i'lʌstriəs/ *mb* i shkëlqyer; i dëgjuar; i famshëm

ill will *em* (dasha)ligësi

imag:e /'imidʒ/ *em* figurë ♦ **~ery** *em* figuracion *(artistik)* ♦ **~ination** /imædʒi'neiʃn/ *em* përfytyrim; imagjinatë; fantazi: **it's your ~ion** të duket ty ♦ **~ine** /i'mædʒin/ *k/* përfytyroj; trilloj: **can you ~**

it? e përfytyron dot?

imbecil:e /'imbəsail/ *mb, em* imbecil; i metë nga mendja ♦ **~ity** /-'siləti/ *em* imbecilitet; marrëzi

imbue /im'bju:/ *kl:* **~d with** mbush me

imitat:e /'imiteit/ *kl*imitoj; kopjoj ♦ **~ion** /-'tei∫n/ *em* imitim ♦ **~tor** *em* imitues

immaculate /i'mækjulət/ *mb* i papërlyer; i panjollë

immaterial /imə'tiəriəl/ *mb* i parëndësishëm; pa lidhje

immatur:e /imə'tjuə(r)/ *mb* i papjekur ♦ **~ity** / imə'tjurəti/ *em* papjekuri

immediate /i'mi:diət/ *mb* i menjëhershëm; i afërt; i ngushtë: **in the ~ vicinity** ngjitur me ♦ **~ly** *nd* menjëherë; fill pas: **~ next to** menjëherë pas *(dikujt, diçkaje)* ♦ *ldh* me të *(mbërritur, ardhur)*

immemorial /imi'mo:riəl/ *mb:* **from time ~** që kur s'mbahet mend

immense /i'mens/ *mb* i pamasë; i paanë ♦ **~ly** *nd:* **~ rich** i pasur sa s'ka

immers:e /i'mə:(r)s/ *kl* kredh; zhyt: **be ~ed in** *fg* jam i kredhur në ♦ **~ion** /i'mə:(r)∫n/ *em* zhytje ♦ **~ion heater** /-'hi:tə/ *em* shufër elektrike

immigra:nt /'imigrənt/ *em* imigrant; ardhës ♦ **~te** *jkl*imigroj ♦ **~tion** /-'grei∫n/*em*imigrim; imigracion

imminent /'ininənt/ *mb* i shpejtë; i afërt ♦ **~ly** *nd*së afërmi

immobil:e /i'moubail/ *mb* i palëvizshëm ♦ **~isation** /imoubəlai'zei∫n/ *em*gozhdim; paralizim ♦ **~lise** / i'moubəlaiz/ *kl*gozhdoj; paralizoj

immoderate /i'modərət/ *mb* i pamasë; i papërmbajtur: **be ~ in drink** pi pa masë ♦ **~ly** *nd*pa masë

immoral /i'morəl/ *mb* i pamoral; imoral ♦ **~ity** / imə'ræləti/ *em* imoralitet

immortal /i'mo:(r)tl/ *mb* i pavdekshëm ♦ **~ity** /-'tæləti/ *em* pavdekësi; amshim

immovable /i'mu:vəbl/ *mb fg* i patundur

immun:e /i'mju:n/ *mb* i imunizur; i përjashtuar **(to** nga) ♦ **~isation** /imju:nai'zeiən/ *em* imunizim ♦ **~ise** *kl*imunizoj ♦ **~ity** *em*paprekshmëri; imunitet

imp /imp/ *em*çamarrok, fëmijë shejtan; qipull; xhuxh

impact /'impækt/ *em* përplasje; ndikim: **it has an ~ on** ndikon në

impair /im'peə(r)/ *kl* dëmtoj; prish ♦ **~ment** *em* dëmtim; prishje

impart /im'pa:(r)t/ *kl*njoftoj; kumtoj; jap *(një lajm);* transmetoj; tejçoj

impartial /im'pa:(r)∫l/ *mb* i paanshëm ♦ **~ity** /-∫i'æləti/ *em* paanshmëri

impasse /im'pa:s/ *em fg* udhë pa krye

impassioned /im'pæ∫ənd/ *mb*i flaktë; i zjarrë; plot pasion

impatien:ce /im'pei∫ns/ *em* padurim ♦ **~t** *mb* i paduruar ♦ **~tly** *nd* me padurim

impeccable /im'pekəbl/ *mb* i patëmetë; i paqortueshëm ♦ **~y** *nd*pa të metë

imped:e /im'pi:d/ *kl* pengoj ♦ **~iment** /-'pedimənt/ *em* pengesë; mbajtje e gojës

impel /im'pel/ *kl* shtrëngoj; detyroj

impending /im'pendiη/ *mb (rrezik)* i afërt; i ardhshëm

imperative /im'perətiv/ *mb* urdhëror ♦ *em* gjuh mënyrë urdhërore; detyrim

imperfect /im'pə:(r)fikt/ *mb* i papërsosur; i metë ♦ **~ion** /-'fek∫n/ *em* papërsosuri; e metë

imperial /im'piəriəl/ *mb* perandorak ♦ **~ism** *em* imperializëm ♦ **~ist** *em* imperialist

imperious /im'piəriəs/ *mb* urdhërues; arrogant; autoritat; urgjent

impersonal /im'pə:(r)sənl/ *mb* pavetor; i papërcaktuar

impersonate /im'pə:(r)səneit/ *kl* imitoj ♦ **~or** *em* imitues

impertinen:ce /im'pə:(r)tinəns/ *em* paturpësi ♦ **~t** *mb* i paturp

impetu:ous /im'petjuəs/ *mb* i vrullshëm ♦ **~s** / 'impetəs/ *em* vrull; hov

implacable /im'plækəbl/ *mb* i pamëshirshëm; i paepur

implant /im'pla:nt/ *kl* ngulit; transplantoj ♦ *kl* transplantim

implement /'iplimənt/ *em* vegël; mjet ♦ *kl* zbatoj; vë në jetë ♦ **~ation** /-'tei∫n/ *em* zbatim; vënie në jetë

implicat:e /'implikeit/ *kl* ngatërroj *(dikë në diçka);* nënkuptoj ♦ **~ion** /-'kei∫n/ *em*ngatërrim; ndërlikim; nënkuptim

implicit /im'plisit/ *mb* i nënkuptuar; i padyshimtë; absolut ♦ **~ly** *nd*me nënkuptim

implor:e /im'plo:(r)/ *kl*lut; i përgjërohem ♦ **~ing** /-riη/ *mb (vështrim)* lutës; i përgjëruar

imply /im'plai/ *kl* nënkuptoj: **what are you -ing?** çfarë do të thuash?

import /'impo:(r)t/ *em trg* import ♦ /im'po:t/ *kl* importoj

importan:ce /im'po:(r)təns/ *em* rëndësi ♦ **~t** *mb* i rëndësishëm

impos:e /im'pouz/ *kl* imponoj; detyroj; vë *(taksë);* mashtroj ♦ *jkl:* **~ on sb** përfitoj nga dikush ♦ **~ing** *mb*madhështor; hijerëndë ♦ **~ition** /impə'zi∫n/ *em* taksë, tatim; mashtrim

impossib:ility /imposə'biliti/ *em*pamundësi ♦ **~le** /im'posəbl/ *mb* i pamundur; i pamundshëm

impostor /im'postə(r)/ *em*mashtrues

impoten:ce /'impətəns/ *em* pamundësi; pafuqi; impotencë *(seksuale)* ♦ **~t** *mb*impotent

impoverish /im'povəri∫/ *kl* varfëroj ♦ **~ment** *em* varfërim

impractica:ble /im'præktikəbl/ *mb*i pazbatueshëm ♦ **~l** *mb*jopraktik; i pavolitshëm

impregnable /im'pregnəbl/ *mb* i pakapshëm; i papushtueshëm

impregnate /'impregneit/ *k/* ngij; ngop; *bi* pllenoj; mbars

impress /im'pres/ *k/* i bëj përshtypje *(dikujt);* ngulit: ~ **sth upon sb** ia bëj të qartë dikujt diçka ♦ **~ion** /-'preʃn/ *em* mbresë; përshtypje: **make an** ~ **(on)** bën përshtypje ♦ **~ionism** /-'preʃənizm/ *em* impresionizëm ♦ **~ionist** /-'preʃənist/ *em* impresionist ♦ **~ive** *mb* i rëndësishëm; i madh; shumë i mirë

imprison /im'prizn/ *k/* burgos ♦ **~ment** *em* burgim; burgosje

imprint /'imprint/ *em* gjurmë ♦ ~ *k/* shtyp *(një libër); fg* ngulit: **~ed on my mind** i ngulitur në mendje

improbable /im'probəbl/ *mb* i pagjasë: **it's not** ~ edhe mund të ndodhë

improp:er /im'propə(r)/ *mb* i pasaktë; i papërshtatshëm; *(sjellje)* e pahijshme ♦ **~erly** *nd* në mënyrë të pasaktë ♦ **~riety** /-'praiəti/ *em* pahijeshi *(e sjelljes)*

improve /im'pru:v/ përmirësoj: ~ **upon** *k/* përsos ♦ **~ment** *em* përmirësim; përsosje

improvise /'imprəvaiz/ *k/, jk/* improvizoj; sajoj

impudenc:e /'impjudəns/ *em* paturpësi ♦ **~t** *mb* i paturp

impuls:e /'impʌls/ *em* nxitje; impuls; ngacmim ♦ **~ive** /-'pʌlsiv/ *mb* i ngutur; i rrëmbyer; impulsiv

impunity /im'pju:nəti/ *em:* **with** ~ pa u dënuar; pa u ndëshkuar

impur:e /im'pjuə(r)/ *mb* i papastër ♦ **~ity** /-'pjurəti/ *em* papastërti

in /in/ *prfj* në *(Londër, Nju Jork etj.);* më; për; nga; me: ~ **the garden** në kopsht; ~ **the street** në rrugë; rrugëve; ~ **bed** në shtrat; i sëmurë; ~ **the world** në botë; ~ **the rain/ sun** në shi/ diell; ~ **summer/ winter** në verë/dimër; ~ **2000** më 2000; ~ **the evening** në mbrëmje; ~ **a minute** për një minutë; **deaf** ~ **one ear** shurdh nga njëri vesh; ~ **the Navy** në marinë; ~ **English** anglisht; ~ **ink** me bojë; **dressed** ~ **white** veshur me të bardha; ~ **a gentle manner** me të butë; ~ **a hurry** me ngut; **in jest** me shaka; ~ **a loud voice** me zë të lartë; ~ **tears** me lotë; **to cry** ~ **pain** bërtas nga dhembja; **one** ~ **ten** një në dhjetë *(vetë);* ~ **the course of** gjatë; ~ **there** aty brenda; **the train is** ~ treni është në stacion; **day** ~ **day out** ditë për ditë; **bring** ~ sjell brenda; **come** ~ hyj; **send sb** ~ lë të hyjë dikë ♦ *mb bs* i modës ♦ *em:* **the ~s and outs** hollësitë; të brendshmet

inability /inə'biləti/ *em* paaftësi

inaccessible /inək'sesəbl/ *mb* i paafrueshëm

inaccura:cy /in'ækjurəsi/ *em* pasaktësi ♦ **~te** /-rit/ *mb* i pasaktë

inactiv:e /in'æktiv/ *mb* i plogët ♦ **~ity** /-'tivəti/ *em* plogështi

inadequa:cy /in'ædikwəsi/ *em* pamjaftueshmëri ♦ **~te** /-'ædikwit/ *mb* i pamjaftueshëm

inadmissible /inə'dmisəbl/ *mb* i papranueshëm

inadvertently /inəd'və:(r)təntli/ *nd* papritur

inane /i'nein/ *mb* i pakuptim; i kotë

inanimate /in'ænimət/ *mb* i pajetë; i pashpirt

inappropriate /inə'proupriət/ *mb* i papërshtatshëm ♦ **~ly** *nd* keq; në mënyrë të papërshtatshme

inarticulate /ina:(r)'tikjulit/ *mb* i panjëtuar; i paqartë

inasmuch /inəz'mʌtʃ/ *ldh:* ~ **as** me qenë se

inattentive /inə'tentiv/ *mb* i pavëmendshëm

inaudible /in'o:dəbl/ *mb* i padëgjueshëm

inaugura:l /i'no:gjurəl/ *mb* përurimor ♦ **~te** /-reit/ *k/* përuroj; inauguroj ♦ **~tion** /-'reiʃn/ *em* përurim; inaugurim

inborn /in'bo:(r)n/ *mb (defekt)* i lindur

inbred /in'bred/ *mb* i bashkëlindur

incalculable /in'kælkjuləbl/ *mb* i pallogaritshëm

incapacitate /inkə'pæsiteit/ *k/* çaftësoj; bëj të paaftë

incapable /in'keipəbl/ *mb* i paaftë; i pazoti

incarnate /in'ka:(r)nət/ *mb:* **the devil ~e** djalli vetë

incendiary /in'sendiəri/ *mb* ndezës: ~ **bomb** bombë ndezëse

incense[1] /'insens/ *em* temjan; kem

incense[2] /in'sens/ *k/* ndez; zemëroj

incentive /in'sentiv/ *em* nxitje; stimul

incessant /in'sesənt/ *mb* i pandërprerë ♦ **~ly** *nd* pa andërprerje

incest /'insest/ *em* incest

inch /intʃ/ *em* inç *(= 2.54 cm):* **every** ~ **of** çdo pëllëmbë e

inciden:ce /'insidəns/ *em* incidencë; frekuencë ♦ **~t** *em* ngjarje; incident ♦ **~tal** /-'dentl/ *mb* i rastit; i rastësishëm: ~ **expenses** shpenzime të dorës së dytë ♦ **~tally** /-'dentəli/ *nd* rastësisht; me që ra fjala

incinerat:e /in'sinəreit/ *k/* hijoj; djeg *(kufomën)* ♦ **~or** *em* furrë për djegien e kufomave

incis:ion /in'siʒn/ *em* çarje; shpim; hapje; gdhendje ♦ **~ive** /in'saisiv/ *mb* prerës; therës; i mprehtë; sarkastik ♦ **~er** /in'saizə(r)/ *em* dhëmb prerës

incite /in'sait/ *k/* nxit; stimuloj ♦ **~ment** *em* nxitje

inclin:ation /inkli'neiʃn/ *em* pjerrësi; prirje ♦ **~e** /'inklain/ *em* plan i pjerrët; pjerrësi ♦ /in'klain/ *k/* pjerr; anoj; prier: **be ~d to do sth** jam i prirur të bëj diçka

inclu:de /in'klu:d/ *k/* përfshij ♦ **~ding** *prfj* përfshirë; brenda ♦ **~sion** /-u:ʒn/ *em* përfshirje ♦ **~sive** /-'klu:siv/ *mb* përfshirës: ~ **of** përfshirë dhe: **be ~ of** përfshin dhe

incoherent /inkou'hiərənt/ *mb (fjalë)* pa lidhje logjike

incognito /inkog'ni:tou/ *nd* pa u njohur

income /'inkʌm/ *em* të ardhura; hyrje *(në arkë):* **unearned** ~ rentë ♦ **~ tax** /-tæks/ *em* tatim mbi të ardhurat

incoming /'inkʌmiŋ/ *mb* në mbërritje: ~ **tide** baticë

incomparable /in'kompərəbl/ *mb* i pakrahasueshëm

incompatib:ility /inkəmpætə'biliti/ *em* mospërputhje; papajtueshmëri; mospajtim ♦ **~le** /-'pætəbl/ *mb* i mospërputhur; i papajtueshëm

incompeten:ce /in'kompətns/ *em* paaftësi; pamundësi ♦ **~t** *mb* i paaftë; i pamundur *(juridikisht)*

incomplete /inkəm'pli:t/ *mb* i paplotë ♦ **~ness** *em* paplotësi; mangësi

incomprehensible /inkompri'hensəbl/ *mb* i pakuptueshëm

inconceivable /inkən'si:vəbl/ *mb* i pakonceptueshëm

inconclusive /inkən'klu:siv/ *mb* jopërfundimtar

incongruous /in'koŋgruəs/ *mb* jokonsekuent; i plidhur; i pavend

inconsequential /inkonsi'kwenʃl/ *mb* i parëndësishëm

inconsiderate /inkən'sidərit/ *mb* i pamenduar; i papeshuar; mospërfillës

inconsisten:cy /inkən'sistənsi/ *em* mospërputhe; pavijimësi *(logjike)* ♦ **~tent** *mb* kontradiktor; i pathemel; i papajtuar ♦ **~tently** *nd* në mënyrë kontradiktore

inconvenien:ce /inkə'vi:njəs/ *em* shqetësim; bezdisje ♦ **~t** *mb (orë)* e pavolitshme ♦ **~tly** *nd* me bezdi

incorrect /inkə'rekt/ *mb* i pasaktë ♦ **~ly** *nd* gabim ♦ **~ness** *em* pasaktësi

incorporate /in'ko:(r)pəreit/ *k/* inkorporoj; përfshij

incorrigible /in'koridʒəbl/ *mb* i pandreqshëm

increas:e /'inkri:s/ *em* shtesë; rritje ♦ /in'kri:s/ *k/* shtoj; rrit ♦ *jk/* shtohet; rritet ♦ **~ing** *mb* në rritje; që shtohet/ rritet/ zmadhohet ♦ **~ingly** *nd:* **~ colder** përherë e më ftohtë

incred:ible /in'kredəbl/ *mb* i pabesueshëm ♦ **~ibly** *nd* në mënyrë të ♦ **~ulous** /-djuləs/ *mb* mosbesues

increment /'inkrimənt/ *em* shtesë; rritje

incriminat:e /in'krimineit/ *k/ dr* fajësoj ♦ **~ion** /-'neiʃn/ *em* fajësim

incubat:e /'inkjubeit/ *k/* inkuboj; vë në inkubacion ♦ **~ion** /inkju'beiʃn/ *em* incubacion: **~ion period** periudhë inkubacioni ♦ **~or** *em* inkubator *(për të porsalindurit)*

incumbent /in'kʌmbent/ *mb:* **be ~on sb** i takon si detyrë dikujt; **the ~ president** presidenti në fuqi

incur /in'kə:(r)/ *k/* vë në rrezik; marr, hyj në *(borxhe)*

incurable /in'kjuərəbl/ *mb* i pashërueshëm; i pandreqshëm

incursion /in'kə:(r)ʃn/ *em* inkursion; sulm i befasishëm

indebted /in'detid/ *mb* i detyruar; borxhli; mirënjohës

indecent /in'di:snt/ *mb* i pahijshëm; i pavend: **~ assault** *dr* tentativë përdhunimi

indecisi:on /indi'siʒn/ *em* pavendosmëri ♦ **~ve** /-'saisiv/ *mb* i pavendosur ♦ **~veness** /-'saisivnis/ *em* pavendosmëri

indeed /in'di:d/ *nd* vërtet; në të vërtetë; në fakt: **yes ~** patjetër; **thank you very much ~** shumë faleminderit; **~?** vërtet?; ashtu?

indefinite /in'definit/ *mb* i papërcaktuar; *gjh (përemër)* i pakufishëm; *(nyjë)* joshquese ♦ **~ly** *nd* pa kufizim; pa përcaktim

indelible /in'delibl/ *mb* i pashlyeshëm

indemnity /in'demnəti/ *em* zhdëmtim; dëmshpërblim

indent /'indent/ *em sht* kryeradhë; *dr* kontratë ♦ / in'dent/ *k/ sht* dal kryeradhë; *dr* lidh kontratë ♦ **~ation** /inden'teiʃn/ *em* dhëmbëzim

independen:ce /indi'pendəns/ *em* pavarësi ♦ **~t** *mb* i pavarur ♦ **~tly** *nd:* **~ of** pavarësisht nga/ prej

indescribable /indi'skraibəbl/ *mb* i papërshkrueshëm

indestructible /indi'strʌktəbl/ *mb* i pashkatërrueshëm

indeterminate /indi'tə:(r)minət/ *mb* i pacaktuar: **an ~ number of** një numër i pacaktuar me

index /'indeks/ *em* tregues; katalog; eksponent: **card ~** skedar ♦ **~ card** /-'ka:(r)d/ *em* skedë ♦ **~ finger** /-'fiŋgə(r)/ *em* gisht tregues ♦ **~linked** /-'liŋkt/ *mb (pension)* i lidhur me nivelin e jetesës

India /'indiə/ *em* Indi ♦ **~n** *mb, em* indian; indian i Amerikës; lëkurëkuq: **~ Ocean** *gjg* Oqeani Indian; **~ corn** misër

indicat:e /'indikeit/ *k/* tregoj; dëftej; shënoj ♦ *jk/ (shigjeta)* tregon ♦ **~ion** /-'keiʃn/ *em* tregues ♦ **~ive** /in'dikətiv/ *mb* **be ~ of** është tregues i ♦ *em gjh* dëftor; mënyrë dëftore ♦ **~or** *em au* shigjetë; tregues

indifferen:ce /in'difərəns/ *em* moskokëçarje ♦ **~t** *mb* moskokëçarës; *(mall)* i dosidoshëm

indigenous /in'didʒənəs/ *mb* indigjen; vendës

indigesti:ble /indi'dʒestəbl/ *mb (ushqim)* i patretshëm ♦ **~on** *em* mostretje

indigna:nt /in'dignənt/ *mb* i zemëruar; i indinjuar ♦ **~tion** /-'neiʃn/ *em* zemërim; indinjatë ♦ **~antly** *nd* me zemërim

indignity /in'dignəti/ *em* fyerje; poshtërim

indirect /indi'rekt/ *mb* i zhdrejtë: **~ question** *gjh* pyetje e zhdrejtë ♦ **~ly** *nd* tërthor(az)

indiscre:et /indi'skri:t/ *mb* i pamatur; i patakt ♦ **~tion** /-'skreʃn/ *em* pamaturi; fjalë pa vend

indiscriminate /indi'skriminət/ *mb* i padallim ♦ **~ly** *nd* pa dallim

indispensable /indis'pensəbl/ *mb* i domosdoshëm

indisputable /indi'spju:təbl/ *mb* i padiskutueshëm

individual /indi'vidjuəl/ *mb* individual; vetjak ♦ *em* individ ♦ **~iti** /-'æləti/ *em* individualitet ♦ **~ly** *nd* veçe e veç; individualisht

indivisible /indi'vizəbl/ *mb* i pandashëm

Indo- /'indou/: **~-European** *mb, em* indoervopian

indoctrinate /in'dotrineit/ *k/* indoktrinoj

indomitable /in'domitəbl/ *mb* i pamposhtur; i paepur

indoor /'indo:(r)/ *mb* i brendshëm; *(rrobë)* shtëpie; *(pishinë)* e mbuluar; *(stadium)* i mbyllur ♦ **~s** /-'do:(r)z/ *nd* brenda: **stay ~** rri brenda/ në shtëpi

induce /in'dju:s/ *k/* bind; kandis ♦ **~ment** *em* bindje; kandisje

indulge /in'dʌldʒ/ *k/* kënaq; prish, llastoj *(fëmijën):* **~ in drink** pi pa u përmbajtur ♦ **~nce** *em* kënaqje; llastim ♦ **~nt** *mb* i butë; zemërbutë: **he's ~ with his children** ai s'ua prish dot fëmijëve

industr:ial /in'dʌstriəl/ *mb* industrial: **~ action** grevë; **~ estate** zonë industriale ♦ **~ialisation** /indʌstriəlai'zeiʃn/ *em* industrializim ♦ **~ialise** /in'dʌstriəlziz/ *k/* industrializoj ♦ **~ious** *mb* punëtor; i zellshëm; punëdashës ♦ **~y** /'indəstri/ *em* industri; zell

inebriat:ed /i'ni:brieitid/ *mb* i dehur ♦ **~ion** /-eiʃən/ *em* dehje

inedible /in'edəbl/ *mb* i pangrënshëm

ineffective /ini'fektiv/ *mb* i paefketshëm ♦ **~ness** *em* paefektshmëri

inefficien:cy /ini'fiʃənsi/ *em* paaftësi ♦ **~t** *mb* i paaftë

ineffectual /ini'fektʃuəl/ *mb* i padobishëm; *(njeri)* i paaftë

inept /i'nept/ *mb (veprim)* i pavend; *(person)* i paaftë

inequality /ini'kwoləti/ *em* pabarazi

inert /i'nə:(r)t/ *mb* inert; i plogësht ♦ **~ia** /-ʃə/ *em* inerci; plogështi

inestimable /in'estiməbl/ *mb* tepër i çmueshëm; i paçmueshëm

inevitabl:e /in'evitəbl/ *mb* i pashmangshëm ♦ **~ly** *nd* pashmangshmërisht; në mënyrë të pashmangshme

inexact /inig'zækt/ *mb* i pasaktë ♦ **~itude** /-'zæktitju:d/ *em* pasaktësi

inexcusable /iniks'kju:zəbl/ *mb (gabim)* i pafalshëm

inexhaustible /inig'zo:stəbl/ *mb* i pashtershëm

inexperienced /inik'spiriənst/ *mb* i papërvojë

infam:ous /'infəməs/ *mb* i ulët; i poshtër; i turpshëm ♦ **~y** *em* turp; poshtërsi

infan:cy /'infənsi/ *em* foshnjëri ♦ **~t** *em* foshnjë ♦ **~tile** /-tail/ *mb* foshnjor

infantry /'infəntri/ *em ush* këmbësori

infatuat:e /in'fætjueit/ *k/* dalldis për *(dikë)* ♦ **~ion** /-'eiʃn/ *em* dalldi; pasion i marrë

infect /in'fekt/ *k/* infektoj ♦ **~ion** /-'fekʃn/ *em* infeksion; infektim ♦ **~ive** *mb* infektiv

inferior /in'fiəriə(r)/ *mb* i poshtëm; i ulët; *(cilësi)* e dobët ♦ **~ity** /-'orəti/ *em psk* inferioritet

infern:al /in'fə:(r)nəl/ *mb* i ferrit; i skëterrshëm ♦ **~o** *em* ferr; skëterrë

infest /in'fest/ *k/* kërdis; mbush *(me parazitë)*

infiltrat:e /'infiltreit/ *k/* depërtoj; futem në ♦ *jk/* depërton; futet ♦ **~ion** /-'treiʃn/ *em* depërtim

infinite /'infinət/ *mb* i pafund; i pakufizuar; *gjh* paskajor ♦ *em* pafundësi; kozmos; *gjh* paskajore

infirm /in'fə:(r)m/ *mb* i pafuqishëm; i dobët ♦ **~ary** *em* infermieri ♦ **~ity** *em* pafuqi; dobësi

inflam:e /in'fleim/ *k/* ndez; përflak ♦ **~able** /-'flæməbl/ *mb* i përflakshëm ♦ **~mation** /inflə'meiʃn/ *em* pezmatim; malcim *(i plagës)* ♦ **~matory** /-'flæmətri/ *mb mk* pezmatues; *fg* nxitës; ndezës

inflat:able /in'fleitəbl/ *mb* pneumatik; që fryhet me ajër ♦ **~e** *k/* fryj ♦ **~ion** /-'fleiʃn/ *em* fryrje; inflacion *(i ekonomisë)*

inflexib:ility /infleksə'biləti/ *em* papërkulshmëri ♦ **~le** /in'fleksəbl/ *mb* i papërkulshëm; i paepur

inflexion /in'flekʃn/ *em* përkulje; *gjh* eptim

inflict /in'flikt/ *k/* shkakoj *(humbje)* **(on)**

influence /'influəns/ *em* ndikim; influencë ♦ **~tial** /-'enʃl/ *mb (njeri)* me ndikim të madh

influenza /influ'enzə/ *em mk* grip

influx /'inflʌks/ *em* dyndje; derdhje

inform /in'fo:(r)m/ *k/* informoj; njoftoj ♦ **~al** *mb* jozyrtar; pa formalitet ♦ **~ant** *em* informator ♦ **~ation** /info:(r)'meiʃn/ *em* informacion; të dhëna: **a piece of ~** (një) informatë ♦ **~er** *em* informator; kallëzues

infra red /infrə'red/ *mb fz* inrakuq

infrastructure /'infrəstrʌktʃə(r)/ *em* infrastrukturë

infringe /in'frindʒ/ *jk/* shkel; uzurpoj; thyej *(rregullin)* ♦ **~ment** *em* shkelje; thyerje

infuriat:e /in'fjuərieit/ *k/* tërboj; bëj bishë ♦ **~ion** /-'eiʃn/ *em* tërbim

infus:e /in'fju:z/ *k/* përvëloj *(çajin)*; *fg* ngjall *(besim)* ♦ **~ion** /-'fju:ʒn/ *m* çaj *(kamomili etj.)*; përvëlesë mjekësore

ingen:ious /in'dʒi:niəs/ *mb* i shkathët; mendjemprehtë ♦ **~uity** /-dʒə'njuəti/ *em* mendjemprehtësi

ingot /'ingət/ *em* lingotë; shufër

ingrained /in'greind/ *mb* i ngulitur; *(zakon)* i rrënjosur

ingratiate /in'greiʃieit/ *k/* bëj për vete; i hyj në zemër

ingratitude /in'grætitjud/ *em* mosmirënjohje

ingredient /in'gri:diənt/ *em* përbërës

inhabit /in'hæbit/ *k/* banoj në ♦ **~ant** *em* banor

inhale /in'heil/ *k/* thith; marr *(frymë)*

inherent /in'hiərənt/ *mb* i natyrshëm; i brendaqenësishëm

inherit /in'herit/ *k/* trashëgoj ♦ **~ance** *em* trashëgimi

inhibit /in'hibit/ *k/* pengoj; frenoj; ndaloj ♦ **~ed** *mb* i penguar ♦ **~on** /-'biʃn/ *em* pengesë

inhospitable /in'hospətəbl/ *mb* derëmbyllur; mosmikpritës

inhuman /in'hjumən/ *mb* çnjerëzor

initia:l /i'niʃl/ *mb* fillimor ♦ *em* shkronjë e parë *(e emrit etj.)* ♦ **~lly** *nd* në fillim ♦ **~te** /-ʃieit/ *k/* nis ♦ **~tion** /-'eiʃn/ *em* fillim; nisje ♦ **~tive** /i'niʃətiv/ *em* nismë

inject /in'dʒekt/ k/injektoj; fut; shtie (**into**) ♦ **~ion** / -'dʒekʃn/ em injeksion; gjilpërë

injur:e /'indʒə(r)/ k/lëndoj; dëmtoj; prek, fyej; plagos ♦ **~ed** mb, em i plagosur ♦ **~y** em plagë; lëndim; fyerje

injustice /in'dʒʌstis/ em padrejtësi

ink /iŋk/ em bojë shkrimi: **invisible** ~bojë simpatike/ e padukshme

inkling /'iŋkliŋ/ em ndjenjë e papërcaktuar; dyshim

inlaid /'inleid/ mb i kallur; i ngulur

inland /'inlənd/ em brendësi (e vendit) ♦ nd në thellësi të vendit

in-laws /'inlo:z/ em sh krushq(i)

inlay /'inlei/ em ngul; kall; inkrustoj

inlet /'inlet/ em mëngë deti

inmate /'inmeit/ em pacient (në spital); shok dhome/ qelie (në burg)

inmost /'inmoust/ mb i ngushtë; intim

inn /in/ em bujtinë; han

innate /i'neit/ mb i bashkëlindur; i natyrshëm

inner /'inə(r)/ mb i brendshëm ♦ **~most** /-moust/ mb shumë/më i thellë ♦ **~ tube** /-'tju:b/ em kamerdare

innkeeper /'inki:pə(r)/ em bujtinar; hanxhi

innocen:ce /'inəsəns/ em pafajësi; padjallëzi ♦ **~t** mb i pafaj; i padjallëzuar

innocuous /i'nokjuəs/ mb i padëmshëm

innovat:e /'inəveit/ jk/ përtërihet ♦ **~ion** /inə'veiʃn/ em përtëritje; novacion ♦ **~ive** /'inəveitiv/ mb përtëritës ♦ **~or** em /'inəveitə(r)/ em novator

innuendo /inju'endou/ em (sh **~es**) insinuatë

innumerable /i'nju:mərəbl/ mb i panumërt

inoculat:e /i'nokjuleit/ k/ vaksinoj ♦ **~ion** /-'leiʃn/ em vaksinim

inoffensive /inə'fensiv/ mb i padëmshëm; i parrezikshëm

inoperable /in'opərəbl/ mb mk i paoperueshëm; i papërdorshëm

inopportune /in'opətjun/ mb i pavolitshëm

inordinate /i'no:dinət/ mb i tepruar; i pamasë

inorganic /ino:(r)'gænik/ mb inorganik; joorganik

in-patient /-peiʃənt/ em i shtruar në spital

input /'input/ em tk hyrje; ushqim; informacion

inqu:est /'inkwest/ em hetim ♦ **~ire** /in'kwaiə(r)/ jk/ pyes; hetoj (**about, into**) ♦ k/pyes për ♦ **~iry** em pyetje; hetime ♦ **~isition** /inkwi'ziʃn/ em hetim; Inkuzicion ♦ **~isitive** /in'kwɪzətiv/ mb kureshtar; biramel

inroad /'inroud/ em: **make ~s into** grij; shkatërroj; prish pa hesap; filloj të zgjidh (një problemë)

insan:e /in'sein/ mb i çmendur; i pamend ♦ **~itary** /-'sænitəri/ mb i pashënetshëm ♦ **~ity** /in'sænəti/ em çmenduri

insatiable /in'seiʃəbl/ mb i pangopur

inscri:be /in'skraib/ k/brendshkruaj; mbishkruaj (një

pllakë përkujtimore) ♦ **~ption** /-'skripʃn/ em mbishkrim

inscrutable /in'skru:təbl/ mb i pahetueshëm; i palexueshëm

insect /'insekt/ em kandër; insekt ♦ **~icide** /-'sektisaid/ em insekticid

insecur:e /insi'kjuə(r)/ mb i pasigurt; i paqëndrueshëm ♦ **~ity** em pasiguri

insemination /insemi'neiʃn/ em farëzim; fekondim

insensitive /in'sensətiv/ mb i pandjeshëm

inseparable /in'sepərəb/ em i pandashëm

insert /'insə:(r)t/ em fletë e shtuar ♦ /in'sə:(r)t/ k/shtoj (një fletë, një fashikull)

inside /in'said/ em brendësi; **~s** sh bs të përbrendshme ♦ mb i brendshëm: **~ right** em sp gjysmësulmues i djathtë ♦ nd/brenda; në ♦ **~- out** mb i kthyer nga e prapta, (kontroll) rrënjësor ♦ prfj brenda: **~ the house** brenda/ në shtëpi

insight /'insait/ em mendjemprehtësi; intuitë (**into** për)

insignia /in'signiə/ em sh shenjë; simbol

insignificant /insig'nifikənt/ mb i parëndësishëm

insincer:e /insin'siə/ mb i pasinqertë; i shtirë ♦ **~ity** /-'serəti/ em paçiltërsi; shtirje

insinuat:e /in'sinjueit/ k/hedh fjalën për; kallem/ hyj në ♦ **~ion** /-'eiʃn/ em insinuatë; kallje

insipid /in'sipid/ mb i amshtë; i pashije; i shpëlarë ♦ **~ity** /-'pidəti/, **~ness** /-'sipidnis/ em amështi

insist /in'sist/ k/, jk/ këmbëngul (**on** për) ♦ **~ence** em këmbëngulje ♦ **~ent** mb këmbëngulës ♦ **~ently** nd/me këmbëngulje; me ngulm

insolen:ce /'insələns/ em patrupësi; arrogancë ♦ **~t** mb i paturp; arrogant

insoluble /in'soljubl/ mb i patretshëm

insolven:cy /in'solvənsi/ em paaftësi paguese ♦ **~t** mb i paaftë të paguajë

insomnia /in'soumniə/ em pagjumësi

inspect /in'spekt/ k/ inspektoj; kontrolloj ♦ **~ion** /-kʃn/ em inspektim; kontroll ♦ **~or** em inspektor; kontroll

inspir:ation /inspi'reiʃn/ em frymëzim ♦ **~e** /ins'paiə(r)/ k/ frymëzoj

instability /instə'biləti/ em paqëndrueshmëri

install /in'sto:l/ k/ instaloj; vendos, vë ♦ **~ation** / insto'leiʃn/ em instalim

instalment /in'stolmənt/ em trg këst; seri (e botimit); fashikull

instance /'instəns/ em rast; shembull: **in the first ~** në radhë të parë; (gjykim)në gjykatë të shkallës së parë; **for ~** për shembull

instant /'instənt/ mb i menjëhershëm; (ushqim) i çastit ♦ em çast ♦ **~aneous** /-'teiniəs/ mb i menjëhershëm; i bërë në çast ♦ **~ly** nd/në çast; menjëherë

instead /in'sted/ nd: **~of** në vend të; në vend që të

instep /'instep/ em samar i këmbës

instigat:e /'instigeit/ *k*/nxit ♦ **~ion** /-'geiʃn/ *em*nxitje: **at his ~ion** me nxitjen e tij ♦ **~or** *em* nxitës

instill /in'stil/ *k*/ngulit; shtie (**into** në)

instinct /'instiŋkt/ *em* instinkt ♦ **~ive** /-'stiŋktiv/ *mb* istintiv

institut:e /'institju:t/ *em* institut ♦ **~ion** /insti'tju:ʃn/ *em* institucion; azil pleqsh; çmendinë

instruct /in'strʌkt/ *k*/instruktoj; udhëzoj; porosit ♦ **~ion** /'strʌkʃn/ *em* instruktim; udhëzim; porosi ♦ **~or** *em* instruktor

instrument /'instrumənt/ *em*instrument; vegël ♦ **~al** /-'mentl/ *mb* i vlefshëm; i dobishëm; ndihmës; instrumental: **be ~al in** shërbej për ♦ **~alist** *em* instrumentist

insubordinat:e /insə'bo:(r)dinit/ *mb* i pabindur ♦ **~ion**/-'neiʃn/ *em* mosbindje

insufferable /in'sʌfərəbl/*mb* i padurueshëm

insufficient /insə'fiʃnt/ *mb* i pamjaftueshëm

insula:r /'insjulə(r)/ *mb* ishullar; *fg (mendësi)* e ngushtë; mendjengushtë ♦ **~te** /-leit/ *k*/izoloj; veçoj ♦ **~ing** *mb*: **~ tape** shirit izolimi ♦ **~ion** /-'leiʃn/ *em* izolim; veçim

insulin /'insjulin/ *em* insulinë

insult /'insʌlt/ *em* fyerje ♦ /in'sʌlt/ *k*/fyej

insuperable /in'su:pərəbl/ *mb* i pakalueshëm; i pakapërcyeshëm

insu:rance /in'ʃuərəns/ *em* sigurim *(i pasurisë etj.):* **fire ~** sigurim në rast zjarri/ kundër zjarrit ♦ **~e** *k*/ siguroj *(pasurinë etj.)*

insurrection /insə'rekʃn/ *em* kryengritje

intact /in'tækt/ *mb* i paprekur; i panisur; i pangarë

intake /'inteik/ *em tk* marrje *(e ushqimit)*

intangible /in'tændʒəbl/ *mb* i paprekshëm

integr:al /'intigrəl/ *mb, em* integral ♦ *mb (pjesë)* përbërëse ♦ **~ate** *k*/shkrij; bashkoj ♦ *jk*/bashkohet ♦ **~ation** /-'greiʃn/ *em* shkrirje; bashkim; integrim ♦ **~ity** /-'tegrəti/ *em*tërësi; paprekshmëri; integritet

intellect /'intəlekt/ *em* mendje; intelekt ♦ **~ual** / inti'lektjuəl/ *mb, em* intelektual

intelligen:ce /in'telidʒəns/ *em*inteligjencë; zbulim: **~ and counter~** zbulim e kundërzbulim ♦ **~t** *mb* i zgjuar; inteligjent ♦ **~tly** *nd*me zgjuarsi

intend /in'tend/ *k*/ synoj; kërkoj; dua; kam qëllim: **~ed for** i caktuar për ♦ **~d** *mb* i qëllimshëm; i paramenduar ♦ *em bs* i fejuar: **my ~** e fejuara ime

intens:e /in'tens/ *mb* i fortë; i madh; i përqendruar ♦ **~ify** /-ifai/ *k*/ përforcoj; intensifikoj ♦ *jk*/shtohet; shpeshtohet ♦ **~ity** /-əti/ *em* intensitet; fuqi; forcë ♦ **~ive** *mb* intensiv; i shpeshtë: **~ care** *mk* reanimacion

intent /in'tent/ *mb* i qëllimshëm: **be ~ on doing sth** kam synim të bëj diçka ♦ *em*qëllim; synim: **to all ~s and purposes** nga të gjitha anët ♦ **~ion** /-'tenʃn/ *em*qëllim; synim ♦ **~ional** /-'tenʃənl/ *mb* i qëllimshëm

interacti:on /intər'ækʃn/ *em* bashkëveprim ♦ **~ve** /-'æktiv/ *mb* bashkëveprues

intercede /intə'si:d/ *jk*/ndërmjetësoj (**on behalf of** në të mirë të, në emër të)

intercept /intə(r)'sept/ *k*/ (ndër)pres ♦ **~ion** *em* ndërprerje; interceptim

interchange /intə(r)'tʃeindʒ/ *em* shkëmbim; pikë këmbimi *(rrugore)* ♦ **~able** *mb*i ndërkëmbyeshëm

intercom /'intə(r)kom/ *em* interkom; telefon i brendshëm

intercourse /'intə(r)ko:(r)s/ *em* marrëdhënie seksuale

interdict /intə(r)'dikt/ *k*/ndaloj *(me ligj)*

interest /'intrəst/ *em* interes: **be of ~** është me/ paraqit interes; **vested ~s** interesa vetjake ♦ *k*/ interesohem për ♦ **~ing** *mb*interesant ♦ **~ rate** / -'reit/ *em fin* përqindje e interesit

interface /'intə(r)feis/ *em inf* ndërfaqe; ndërlidhje *(midis programeve)* ♦ *k*/lidh ♦ *jk*/ lidhet; ka lidhje

interfer:e /intə(r)'fiə(r)/ *jk*/ndërhyj (**with** me); prish ♦ **~ence** *em* ndërhyrje ♦ **~ing** *mb (njeri)* që fut hundët/ që përzihet *(në punët e të tjerëve)*

interim /'intərim/ *mb* i përkohshëm ♦ *em*: **in the ~** ndërkohë; ndërkaq

interior /in'tiəriə(r)/ *mb* i brendshëm: **~ designer** *em* dekorator për punime të brendshme ♦ *em* brendësi

interject /intə(r)'dʒekt/ *k*, *jk*/ ndërhyj; lëshoj një pasthirrmë ♦ **~ion** /-'dʒekʃn/ *em gjh* pasthirrmë

interlude /'intə(r)lu:d/ *em* interlud; interval

intermarry /intə(r)'mæri/ *jk*/martohem brenda fisit/ grupit

intermedia:te /intə(r)'mi:diət/ *mb* i ndërmjetëm ♦ **~ry** *em* ndërmjetës

interminabl:e /in'tə:(r)minəbl/ *mb* i pambarim; i pafund ♦ **~y** *nd* pa fund; pa mbarim

intermi:ssion /intə(r)'miʃn/ *em* ndërprerje; interval ♦ **~ttent** /-'mitənt/ *mb* i ndërprerë; me hope; i herëpashershëm

intern /in'tə:(r)n/ *k*/internoj

internal /in'tə:(r)nl/ *mb* i brendshëm ♦ **~ly** *nd* brenda; nga brenda

international /intə(r)'næʃənl/ *mb*ndërkombëtar: **~ waters/ air space** ujëra/ hapësirë ajrore ndërkombëtare

Internet /'intə(r)net/ *em* internet

internment /in'tə:(r)nmənt/ *em* internim

interplay /intə(r)'plei/ *em* ndërveprim; veprim i ndërsjellë

interpret /in'tə:(r)prit/ *k*/interpretoj; përkthej me gojë ♦ *jk*/ punoj si interpret ♦ **~ation** /intə(r)pri'teiʃn/ *em* interpretim ♦ **~er** *em* interpret

interrogat:e /in'terəgeit/ *k*/ pyes; marr në hetime/ pyetje ♦ **~ion** /-'geiʃn/ *em* pyetje; hetim

interrupt /intə'rʌpt/ *k*, *jk*/ndërpres ♦ **~ion** /-'rʌpʃn/ *em* ndërprerje

intersect /intə(r)'sekt/ *jk*/ndërpres ♦ *jk*/ndërpritet ♦

~ion /-'sekʃn/ *em* ndërpreje; kryqëzim *(i rrugëve)*
interspersed /intə(r)'spə:st/ *mb:* **with** i stërpikur me
intertwine /intə(r)'twain/ *jk/* ndërlidh; pleks
interval /'intə(r)vl/ *em* interval; ndërkohë: **bright ~s** kthjellime të herëpashershme *(të motit)*
interven:e /intə(r)'vi:n/ *jk/* ndërhyj ♦ **~tion** /-'venʃn/ *em* ndërhyrje
interview /'intə(r)vju:/ *em* intervistë ♦ *k/* intervistoj ♦ **~ee** /-i:/ *em* i intervistuar ♦ **~er** *em* intervistues
intestin:e /in'testin/ *em* zorrë ♦ **~al** *mb* i zorrëve; *fg* i brendshëm; *(luftë)* civile
intima:cy /'intiməsi/ *em* intimitet; ngushtësi *(e marrëdhënieve)* ♦ **~te**[1] /'intimət/ *mb* i ngushtë; intim
intimate[2] /'intimeit/ *k/* lë të kuptohet; nënkuptoj
intimately *nd (i lidhur)* ngushtë
intimidat:e /in'timideit/ *k/* tremb; kërcënoj ♦ **~ing** *mb* kërcënues; frikësues ♦ **~ion** /-'deiʃn/ *em* frikësim; kërcënim
into /'intu, -ə/ *prfj* brenda; në: **go ~ the house** hyj në shtëpi; **go ~ detail** hyj në hollësira; **turn ~ ice** bëhet akull; ngrin; **I'm not ~ that** kjo s'më pëlqen; **4 ÷ 8 is 2** katra te teta hyn dy herë; **from... ~...** nga në...; **get ~ trouble** bie në telash
intolera:ble /in'tolərəbl/ *mb* i padurueshëm ♦ **~nce** *em* intolerancë ♦ **~nt** *mb* intolerant
inton:e /in'toun/ *k/, jk/* recitoj me zë monton ♦ **~ation** /intə'neiʃn/ *em* intonacion; theks
intoxicat:e /in'toksikeit/ *k/* deh; *mk* helmoj ♦ **~ion** /-'keiʃn/ *em* dehje; *mk* helmim
intractable /in'træktəbl/ *mb (njeri)* i vështirë; kokëfortë; që s'bën lëshime
intransigent /in'trænsidʒnt/ *mb* i papajtueshëm; i pamarrëvesh
intransitive /in'trænsitiv/ *mb (folje)* jklimtare; moskalimtare
intravenous /intrə'vi:nəs/ *mb mk (injeksion)* brendavenoz
intrepid /in'trepid/ *mb* i patrembur; i patutur ♦ **~ity** /-'pidəti/, **~ness** *em* të qenët i patrembur; burrëri
intrica:cy /'intrikəsi/ *em* ndërlikim; ngatërresë; vështirësi ♦ **~te** *mb* i ndërlikuar
intrigue /in'tri:g/ *em* ngatërresë; intrigë ♦ *jk/* intrigoj; bëj intriga ♦ *k/* zgjoj kureshtje; bëj kureshtar
intrinsic /in'trinsik/ *mb* vetjak; i brendshëm; *(veti)* thelbësore
introduc:e /intrə'dju:s/ *k/* paraqit; shtie/fut brenda ♦ **~tion** /-'dʌkʃən/ *em* hyrje; paraqitje; parathënie ♦ **~ory** /-'dʌktəri/ *mb* i hyrjes; i parathënies
introspective /intrə'spektiv/ *mb* introspektiv
introvert /'intrəvə:(r)t/ *em* introvert; i tërhequr; i kthyer përbrenda
intru:de /in'tru:d/ *jk/* ndërhyj; furem; futem me dhunë ♦ **~er** *em* ndërhyrës; furacak ♦ **~sion** /-u:ʒn/ *em* ndërhyrje; furje

intuiti:on /intju'iʃn/ *em* intuitë; nuhatje ♦ **~ve** /in'tju:itiv/ *mb* i intuitës; i bërë me nuhatje
inundate /'inəndeit/ *k/ fg* mbyt **(with** me) *(kërkesa)*
invad:e /in'veid/ *k/* pushtoj; zë; uzurpoj ♦ **~r** *em* pushtues; uzurpator ♦ **~ing** *mb:* **~ army** ushtri e pushtuesit
invalid[1] /'invəlid/ *em* invalid
invalid[2] /in'vælid/ *mb* i pavlefshëm ♦ **~ity** *em* pavlefshmëri
invaluable /in'væljuəbl/ *mb* i paçmueshëm; i vyer
invariabl:e /in'vɛəriəbl/ *mb* i pandryshueshëm ♦ **~y** *nd* pa ndryshim
invasion /in'veiʒn/ *em* pushtim
invent /in'vent/ *k/* shpik; tilloj ♦ **~ion** /-'venʃn/ *em* shpikje ♦ **~er, ~or** *em* shpikës
inventory /'invəntri/ *em* inventar
inver:se /in'və:(r)s/ *mb* i anasjellë; i kundërt ♦ *em* anasjellë; e kundërt ♦ **~t** *k/* anasjell; përmbys ♦ **~ed** *mb:* **in ~ed commas** në thonjëza
invest /in'vest/ *k/* vesh; investoj; *ush* rrethoj ♦ *k/, jk/* investoj
investigat:e /in'vestigeit/ *k/* hetoj ♦ **~ion** /-'geiʃn/ *em* hetim
investment /in'vestmənt/ *em* investim ♦ **~er, -or** *em* investues
invidious /in'vidiəs/ *mb* smirëzi; ziliqar ♦ **~ly** *nd* me zili
invigilat:e /in'vidʒəleit/ *jk/* mbikëqyr provimin ♦ **~or** *em* kujdestar/ mbikëqyrës i provimit
invigorat:e /in'vigəreit/ *k/* gjallëroj; i jap fuqi ♦ **~ing** *mb* gjallërues; fuqidhënës ♦ **~ion** /-'reiʃn/ *em* gjallërim
invincible /in'vinsəbl/ *mb* i pathyeshëm
inviola:ble /in'vaiələbl/ *mb* i pacenueshëm; i paprekshëm ♦ **~te** *mb* i paprekur; i pacenuar
invisible /in'vizəbl/ *mb* i padukshëm: **~ ink** bojë simaptike/ e padukshme
invit:ation /invi'teiʃn/ *em* ftesë ♦ **~e** /in'vait/ *k/* ftoj; tërheq ♦ **~ing** *mb* tërheqës; joshës
invoice /'invois/ *em* faturë ♦ *k/* ia faturoj *(dikujt një shpenzim)*
invoke /in'vouk/ *k/* lutem; kërkoj me lutje; thërres, ysht *(shpirtrat)*
involuntar:ily /involən'tærili/ *nd* pa dashje; në mënyrë të pavullnetshme ♦ **~y** /-'volənteri/ *mb* i pavullnetshëm; (i bërë) pa dashje
involve /in'volv/ *k/* përziej, ngatërroj *(dikë me diçka)*; ndërlikoj; vështirësoj: **get ~d with sb** kam lidhje (dashurie) me dikë ♦ **~ment** *em* lidhje; ngatërrim
invulnerable /in'vʌlnərəbl/ *em* i paprekshëm
inward /'inwə(r)d/ *mb* i brendshëm; i fshehtë ♦ **~s** /-wə:(r)dz/ *nd* me drejtim brenda
iodine /'aiədi:n/ *em* jod
iota /ai'outə/ *em* thërrime; pikë: **not an ~** asnjë pikë
IOU *em shkrt i* **I owe you** kam borxh; detyrohem
IQ /'aikju:/ *shkrt i* **intelligence quotient** koeficient

i inteligjencës

IRA /'ai'a:r'ei/ *em shkrt i* **Irish Republican Army** IRA *(Ushtria Republikane e Irlandës)*

Iran /i'ra:n/ *em gjg* Iran ♦ **~ian** /i'reiniən/ *mb, em* iranian

Iraq /i'ra:k/ *em gjg* Iraq ♦ **~i** /-ki/ *mb, em* iraken

Ireland /'aiələnd/ *em gjg* Irlandë: **Northern ~** Irlandë e Veriut

iris /'airis/ *em an* iridë; cipë e ylbertë

Irish /'airiʃ/ *mb* irlandez ♦ *em:* **the ~** *sh* irlandezët ♦ **~man** *em* irlandez ♦ **~woman** *em f* irlandeze

iron /'ai(r)ən/ *em* hekur; hekur për hekurosje ♦ *kl, jkl* hekuros; bëj me hekur *(rrobat)* ♦ **~ out** *kl* shtroj; sheshoj *(vështirësitë)*

iron:ic(al) /ai'ronik(l)/ *mb* ironik ♦ **~y** /'airəni/ *em* ironi; qesëndi

iron:ing /'aiə(r)niŋ/ *em* hekurosje; rroba për të hekurosur: **do the ~** bëj hekurin ♦ **~ing-board** /-'bo:(r)d/ *em* tryezë e hekurit ♦ **~monger** /aiə(r)n'mʌŋgə(r)/ *em:* **~'s shop** punishte e hekurpunuesit

irradiat:e /i'reidieit/ *kl* rrezatoj; hedh dritë në ♦ **~ion** /ireidi'eiʃn/ *em* rrezatim

irrational /i'ræʃənl/ *mb* i paarsyeshëm; iracional

irreconcilable /irekən'sailəbl/ *mb* i papajtueshëm ♦ **~ness** *em* papajtueshmëri; mospërputhje

irregular /i'regjulə(r)/ *mb* i çrregullt; i parregullt ♦ **~ity** /-'lærəti/ *em* parregullsi

irrelevant /i'reləvənt/ *mb* i papërfillshëm; pa lidhje

irreparabl:e /i'repərəbl/ *mb* i pandreqshëm ♦ **~ly** *nd* në mënyrë të pandreqshme

irreplaceable /irə'pleisəbl/ *mb* i pazëvendësueshëm

irreparabl:e /i'repərəbl/ *mb* i pandreqshëm ♦ **~y** *nd* në mënyrë të pandreqshme

irrepressible /iri'presəbl/ *mb* i papërmbajtshëm

irresistable /iri'zistəbl/ *mb* i papërballueshëm; i pakundërshtueshëm

irresolute /i'rezəlu:t/ *mb* i pavendosur

irresponsible /iris'ponsəbl/ *mb* i papërgjegjshëm

irreverent /i'revərənt/ *mb* i pabesë; i parespektueshëm

irreversible /iri'və:(r)səbl/ *mb* i pakthyeshëm

irrevocabl:e /i'revəkəbl/ *mb* i pakthyeshëm; i paprapësueshëm ♦ **~y** *nd* pa kthim: **~ lost** i humbur përgjithmonë

irrigat:e /'irigeit/ *kl* njom; ujit; vadit ♦ **~ion** /-'geiʃn/ *em* njomje; ujitje; vaditje

irrita:ble /'iritəbl/ *mb* i ngacmueshëm; zemërak ♦ **~nt** *em* lëndë ngacmuese *(e lëkurës etj.)* ♦ **~te** *kl* ngacmoj; acaroj ♦ **~tion** /-'teiʃn/ *em* ngacmim; acarim

Islam /'izla:m/ *em* islamizëm ♦ **~ic** /iz'læmik/ *mb* islamik

island /'ailənd/ *em* ishull; zonë këmbësore e sigurt *(në rrugë)* ♦ **~er** *em* ishullar

isle /ail/ *em* ishullth

isolat:e /'aisəleit/ *kl* veçoj; izoloj ♦ **~ed** *mb* i veçuar; i izoluar ♦ **~ion** /-'leiʃn/ *em* veçim; izolim ♦ **~ist** /-leiʃənist/ *em pl* izolacionist

Israel /'izriel/ *em gjg* Izrael ♦ **~i** /iz'reili/ *mb, em* izraelit

issue /'iʃju:/ *em* përfundim; numër *(i gazetës);* emetim *(i pullave);* bijëri; çështje, pikë: **at ~** *(çështje)* në diskutim; **take ~ with sb** dal kundër dikujt; **die without ~** vdes pa lënë fëmijë prapa ♦ *kl* nxjerr; shpërndaj; lëshoj *(pasaportë);* botoj; **be ~d with sth** pajisem me *(pasaportë etj.)* ♦ *jkl:* **~ from** del nga

isthmus /'isməs/ *em (sh -es)* istëm

it /it/ *dft* ai; ajo: **~'s a small room** dhoma është e vogël; **~'s hot** vbën vapë; **~'s me** jam unë; **who is ~?** kush është?; **~ is two o'clock** ora është dy; **I doubt ~** s'e besoj

Ital:ian /i'tæljən/ *mb, em* italian ♦ *em* italishte ♦ **~ic** *mb* italik ♦ **~ics** *em sh (shkronja)* kursive ♦ **~y** /'itəli/ *em gjg* Itali

itch /itʃ/ *em* e kruajtur ♦ *jkl* kruhem: **be ~ing for bs** s'më rrihet ♦ **~y** *mb* që kruhet; **my eyes are ~y** më kruhen sytë

item /'aitəm/ *em* artikull; pikë *(e programit);* zë *(në listë);* lajm

itinerary /ai'tinərəri/ *em* udhë; itinerar

its /its/ *prn* i tij; i vet: **the river and ~ banks** lumi dhe brigjet e tij

it's = **it is; it has**

itself /it'self/ *vtv* vetë; vetëm: **by ~** vetëm; vetë; pa ndihmë; **the dog looked at ~ in the water** qeni pa veten në ujë; **the storm spent ~** stuhia u shua; **she is kindness ~** ajo është mishërimi i mirësisë

ivory /'aivəri/ *em* fildish

ivy /'aivi/ *em bt* urth

J

jab /dʒæb/ *em* goditje e thatë; *bs* xëpe, gjilpërë ♦ *k/* shpoj

jabber /'dʒæbə(r)/ *jk/* dërdëllit; flas mbytur

jack¹ /dʒæk/ *em au* krik ♦ **~ up** *k/ au* ngre me krik

jack² *em* fant *(në letra bixhozi)*

jackdaw /'dʒækdo:/ *em z/* stërqokë

jacket /'dʒækit/ *em* xhaketë; setër; këllëf; veshje; cipë, lëkurë: **~ potato** *em* patate e gatuar me gjithë lëkurë

jack:knife /-naif/ *em (sh* **-knives** /-naivz/) thikë xhepi ♦ **~pot** /-pot/ *em* çmim i parë *(i lotarisë):* **win the ~** fitoj lotarinë; **hit the ~** *fg* i përlaj të gjitha paratë *(në tryezë kumari)*

jade /dʒeid/ *em* nefrit; gur nefriti

jagged /'dʒægid/ *mb* i dhëmbëzuar

jail /dʒeil/ *shih* **gaol**

jalopy /dʒə'lopi/ *em bs* qerre; makinë e keqe

jam¹ /dʒæm/ *em* marmalatë

jam² *em au* bllokim; ngecje *(në trafik); bs* vështirësi; hall ♦ *k/* bllokoj; i vë zhurmues *(një stacioni televiziv etj.);* ngjesh, ngul, rras ♦ *jk/ (mekanizmi)* ngec; *(rruga)* zihet

Jamaica /dʒə'meikə/ *em gjeog* Xhamajkë ♦ **~n** *mb, em* xhamajkan

jam packed /-'pækt/ *mb bs* i ngjeshur ♦ **~ session** /-'seʃn/ *em* diskutim i lirë

jangle /'dʒæŋgl/ *k/* kërcas ♦ *jk/* kërcet; zhangëllin

janitor /'dʒænitə(r)/ *em* kujdestar; derëtar; rojë *(e shkollës)*

January /'dʒænjuəri/ *em* janar

Japan /dʒə'pæn/ *em* Japoni ♦ **~ese** /dʒæpə'ni:z/ *mb, em* japonez: **the ~** japonezët ♦ *em* japonishte

jar¹ /dʒa:(r)/ *em* kavanoz; poçe qelqi

jar² *jk/* gërvin

jargon /'dʒa:(r)gən/ *em* zhargon

jaundice /'dʒo:ndis/ *em mk* verdhëz; *fg* smirë; zili ♦ **~d** *fg* smirëzi; ziliqar

jaunt /dʒo:nt/ *em* shëtitje

jaunty /'dʒo:nti/ *mb* i lirshëm; i shpenguar

javelin /'dʒævlin/ *em dhe sp* shtizë ♦ **~ thrower** /-'θrouə(r)/ *em sp* hedhës i shtizës

jaw /dʒo:/ *em* nofull; fulqi; *s/* llomoti: **don't give me any ~** mos më dërdëllit mua ♦ **~-bone** /-boun/ *em* nofull; kockë e nofullës ♦ *k/ s/* i bëj presion të fortë *(dikujt)* ♦ **~breaker** /-'breikə(r)/ *em* karamele e fortë; *s/* fjalë që mezi shqiptohet; *tk* makinë gurëthyese

jay /dʒei/ *em z/* grifshë

jay-walker /'dʒeiwo:kə(r)/ *em* këmbësor hutaq

jazz /dʒæz/ *em* xhaz ♦ **~up** *k/* gjallëroj ♦ **~y** *mb* i gjallë; i fortë

jealous /'dʒeləz/ *mb* xheloz; ziliqar ♦ **~y** *em* xhelozi; zili

jeans /dʒi:nz/ *em sh* (veshje) (blu)xhins

Jeep® /dʒi:p/ *em au* xhip

jeer /dʒiə(r)/ *em* përqeshje; tallje ♦ *jk/* përqesh; tall: **~ at** marr me të qeshur ♦ *k/* zë me fishkëllima *(dikë)*

jell /dʒel/ *jk/* mpikset; xhelatinohet ♦ **~y** *em* xhelatinë ♦ **~-fish** /-fiʃ/ *em z/* kandil deti

jeopard:ise /'dʒepədaiz/ *k/* rrezikoj ♦ **~y** *em:* **in ~** në rrezik

jerk /dʒə:(r)k/ *em* shkundje; tundje; ndukje; shtytje; *bs* trap, rrip ♦ *k/* shkund; tund; nduk *jk/* shkundet; tundet; shkoj duke u tundur e shkundur ♦ **~ily** *nd* me të tundur ♦ **-y** *mb (lëvizje)* e menjëhershme

jersey /'dʒə:zi/ *em* triko leshi; *sp* fanellë *(e skuadrës)*

jest /dʒest/ *em* shaka: **in ~** me shaka ♦ *jk/* bëj shaka; tallem ♦ **~er** *em* shakatar, hokatar

Jesus /'dʒi:zəs/ *em* Jesu ♦ *psth* pash Zotin!

jet¹ /dʒet/ *em* gagat; gur i çmuar i zi

jet² /dʒet/ *em* curil; fiskajë; çurg; bek *(i gazit);* (aeroplan) reaktiv

jetblack /dʒet'blæk/ *mb* i zi pisë/sterrë

jetlag /'dʒetlæg/ *em* lodhje nga ndryshimi i shpejtë i zonave të orës *(gjatë udhëtimit me reaktivë)* ♦ **~-propelled** /-prə'peld/ me reaksion; reaktiv

jettison /'dʒetisn/ *k/* hedh; flak jashtë; *fg* braktis

jetty /'dʒeti/ *em* mol; skelë; pistë në det

Jew /dʒu:/ *em* çifut

jewel /'dʒu:əl/ *em* xhevahir ♦ **~ler** *em* bizhutier ♦ **~lery** *em* bixhuteri

Jewess /'dʒu:is/ *em* çifute ♦ **~ish** *mb* çifut

jiffy /'dʒifi/ *em bs :* **in a ~** sa çel e mbyll sytë

jigsaw /'dʒigso:/ *em:* **~ puzzle** lojë me konstruksione

jingle /'dʒiŋgl/ *em* vjershë/ këngë e thjeshtë ♦ *jk/ (zilja)* tringëllin

jinx /dʒiŋks/ *em* këmbëters

jitters /'dʒitə(r)z/ *em sh bs :* **have the ~s** më hyjnë të dridhurat ♦ **~y** *mb bs* i trembur

job /dʒob/ *em* punë: **odd ~s** punë të rastit; **it's a good ~ that...** mirë që... ♦ **~ber** /'dʒobə(r)/ *em* matrapaz ♦ **~less** *mb, em* i papunë

jockey /'dʒoki/ *em* xhokej

jocular /'dʒokjulə(r)/ *mb* gazmor

jog /dʒog/ *em* e rënë me bërryl; e shtyrë: **at a ~** menjëherë; **go for a ~** dal për të bërë pak vrap ♦ *k/* përplas: **~ sb's memory** ia kujtoj dikujt *(diçka)* ♦ *jk/* bëj xhoging ♦ **~ging** *em* xhoging

john /dʒon/ *em am bs* nevojtore; klient i një prostitute

join /dʒoin/ *em* lidhje; bashkim ♦ *k/* bashkoj; lidh; hyj, shkruhem në *(një shoqatë etj.):* **~ battle** hyj në betejë ♦ *jk/ (rrugët)* takohen ♦ **~ in** *jk/* marr pjesë ♦ **~ up** *jk/ ush* shkruhem ushtar ♦ *k/* bashkoj

joiner /'dʒoinə(r)/ *em* marangoz ♦ **~y** *em* punë/ punishte e marangozit

joint /dʒoint/ *mb* i përbashkët ♦ *em* nyjëtim; pikë lidhjeje; lidhje; *gjl/* nishan *(mishi);* *bs* pijetore

joke /dʒouk/ *em* shaka; barcaletë ♦ *jk/* bëj shaka ♦ **~ing** *em:* **~ing apart** pa shaka

jolly /'dʒoli/ *mb* gazmor ♦ *nd bs* shumë; së tepërmi: **~ good fellow** burrë i pashoq; **~ good** mirë fort

jolt /dʒoult/ *em* tundje; troshitje ♦ *k/* tund; troshit ♦ *jk/* tundet; troshitet

Jordan /'dʒo:(r)dn/ *em gjg* Jordani; lumi Jordan ♦ **~ian** /-'deiniən/ *mb, em* jordanez

jostle /'dʒosl/ *k/* shtyj; gjuaj

jot /dʒot/ *em* (një) thërrime; *fg* asgjë ♦ *k/:* **~ down** mbaj shënim; shënoj ♦ **~ter** *em* bllok shënimesh

journal /'dʒə:(r)nl/ *em* ditar; gazetë ♦ **~ese** /-ə'li:z/ *em* zhargon gazetaresk ♦ **~ism** *em* gazetarí ♦ **~ist** *em* gazetar

journey /'dʒə:(r)ni/ *em* udhëtim ♦ **~man** *em* udhëtar

jovial /'dʒouviəl/ *mb* gazmor; i hareshëm

joy /dʒoi/ *em* gëzim ♦ **~ful, ~ous** *mb* gazmor; i gëzuar

joy ride /-raid/ *em bs* shëtitje me makinë të vjedhur ♦ **~stick** /-stik/ *em av* timon i aeroplanit; *tk* timon i lojërave *(në kompjuter)*

jubila:nt /'dʒu:bilənt/ *mb* galdues; ngazëllues ♦ **~tion** /-'leiʃn/ *em* galdim; ngazëllim

jubilee /'dʒu:bili:/ *em* jubile

judder /'dʒʌdə(r)/ *em* dridhje e fortë

judge /dʒʌdʒ/ *em* gjykatës; gjyqtar ♦ *k/* gjykoj; vlerësoj ♦ **~(e)ment** *em* gjykim; vendim i gjyqit

judici:al /dʒu:'diʃl/ *mb* gjyqësor ♦ **~ary** *em* drejtësi; sistem i drejtësisë

judo /'dʒu:dou/ *em sp* xhudo

jug /dʒʌg/ *em* kanë; brokë; meçe

juggernault /'dʒʌgə(r)no:t/ *em bs* maunë

juggle /'dʒʌgl/ *jk/* bëj numra xhongleri ♦ **~er** *em* xhongler

juic:e /dʒu:s/ *em* lëng: **orange ~** lëng portokalli ♦ **~y** *mb* i lëngshëm; plot lëng; *bs (tregim)* i lezetshëm

juke-box /'dʒu:kboks /em* xhukboks

July /dʒu'lai/ *em* korrik

jumble /'dʒʌmbl/ *em* përzierje; artikuj të përzier ♦ **~ sale** /-seil/ *em* shitje për bëmirësi

jumbo /'dʒʌmbou/ *em:* **~ jet** aeroplan (reaktiv) xhumbo

jump /dʒʌmp/ *em* kërcim: **high/ long ~** kërcim së larti/ së gjati; **triple ~** kërcim trehapësh ♦ *k/* kërcej; kapërcej *(pengesën)* ♦ *jk/* kërcej, hov, brof *(nga frika);* *(çmimet)* ngrihen menjëherë: **~ to conclusions** nxjerr përfundime të nxituara; **~ the gun** *fg* ngutem; **~ the queue** nuk mbaj/ hyj pa radhë ♦ **~ at** *k/ fg* pranoj me qejf *(një propozim)* ♦ **~up** *jk/* brof në këmbë ♦ **~er** *em* triko golf ♦ **~y** *mb* nervoz; i nervozuar

junction /'dʒʌŋkʃn/ *em* kryqëzim *(rrugor);* nyjë *(hekurudhore)*

June /dʒu:n/ *em* qershor

jungle /'dʒʌŋgl/ *em* xhungël

junior /'dʒu:niə(r)/ *mb* më i vogël; më i ri; vartës; *(skuadër)* e të rinjve: **~ school** *em* shkollë fillore

juniper /'dʒu:nipə(r)/ *em bt* dëllinjë

junk /dʒʌŋk/ *em* vjetërsirë ♦ *mb* i pavlerë: **~ food** *em bs* ushqim kashtë/ pa gjë brenda; **~ mail** postë për kosh

junkie /'dʒʌŋki/ *em s/* toksikoman; drogaxhi

junk-shop /'dʒʌŋkʃop/ *em* dyqan vjetërsirash

jur:idical /dʒuə'ridikl/ *mb* juridik ♦ **~isdiction** / dʒuəris'dikʃn/ *em* juridiksion ♦ **~or** /'dʒuərə(r)/ *em* anëtar i jurisë; betar ♦ **~y** /'dʒuəri/ *em* juri

just /dʒʌst/ *mb* i drejtë ♦ *nd* aq; sa; vetëm; pikërisht; tamam; saktë: **~ as tall** po aq i lartë; **~ as I was leaving** sa po dilja; **I've ~ arrived** ja, sa mbërrita; **it's ~ as well** më mirë kështu; mirë dhe kaq; **~ the same** po ashtu; **~ at that moment** pikërisht në atë çast; **~ listen!** pa dëgjo!

justice /'dʒʌstis/ *em* drejtësi; gjykatës: **to do ~ to sb** tregohem i drejtë me dikë; **J~ of the Peace** gjykatës pajtimi

justif:iable /'dʒʌstifaiəbl/ *mb* i justifikueshëm ♦ **~ication** /dsʌstifi'keiʃn/ *em* shfajësim; justifikim ♦ **~y** /'dʒʌstifai/ *k/* shfajësoj; justifikoj

justly /'dʒʌstli/ *nd* me të drejtë

jut /dʒʌt/ *jk*/ del mbi/ përtej (**out**)
juvenile /'dʒuːvənail/ *mb*rinor; fëmijëror ♦ i ri; i mitur:
~ **delinquency** *em* kriminalitet i të miturve; ~

court gjykatë për të mitur
juxtapos:e /dʒʌkstə'pouz/ *k*/ pranëvë ♦ **~ition** /-pə'ziʃn/ *em* pranëvënie

K

kangaroo /kæŋgə'ru:/ *em z*/kangur ♦ ~ **court** *em* gjyq që shkel të gjitha rregullat juridike
karate /kə'ra:ti/ *em sp* karate
kebab /ki'bæb/ *em gjll* qebab: **shish** ~ shihqebab
keel /ki:l/ *em* kallumë *(e barkës)* ♦ ~ **over** *jk*/ përmbyset
keen /ki:n/ *mb* i mprehtë; *(vesh)* i hollë; *(tip)* i gjallë; plot entuziazëm; *(garë)* e fortë: **as** ~ **as mustard** *bs (djalë)* i zgjuar, zhivë; **be** ~ **on** jam gati për; e kam shumë qejf *(dikë, diçka)*; **be** ~ **to do sth** kam qejf të bëj diçka ♦ ~**ness** *em* gatishmëri; qejf; entuziazëm
keep /ki:p/ *em* mbajtje: **for** ~**s** përherë; përgjithmonë; **you may have it for** ~**s** mbaje se ta kam falur ♦ **(kept** /kept/) *k*/mbaj; ruaj; vonoj; rrit *(pula etj.);* kam *(një dyqan):* ~ **sth hot** e mbaj të ngrohtë diçka; ~ **sb from doing sth** s'e lë dikë të bëjë diçka; ~ **sth from sb** ia mbaj të fshehtë dikujt diçka ♦ *jk*/rri; mbetem; qëndroj; *(ushqimi)* ruhet, nuk prishet: ~ **calm** rri i qetë; ~ **left/right!** mbaja majtas/djathtas!; ~ **(on) doing sth** vazhdoj të bëj diçka ♦ ~ **back** *k*/mbaj; s'e lë dikë *(të ikë):* ~ **sth back from sb** s'ia tregoj dikujt diçka ♦ *jk*/ rri prapa dikujt ♦ ~ **in with** *k*/e mbaj mirë me dikë ♦ ~ **on** *jk/bs* i qepem dikujt ♦ ~ **up** *jk*/mbaj hapin/ ritmin ♦ *k*/ vazhdoj ♦ ~**er** *em* rojë; *sp* portier: **shop**~ shitës; dyqanxhi ♦ ~**ing** *em* ruajtje: **be in** ~**ing with** përputhet me; **have sth in safe-**~ kam në ruajtje diçka
keepsake /'ki:pseik/ *em* (send për) kujtim
keg /keg/ *em* vedër; fuçi e vogël birre
kennel /'kenl/ *em* stele *(e qenit);* fermë për rritjen e qenve
Kenya /'kenjə/ *em gjg* Kenie ♦ ~**n** *mb, em* kenian
kept /kept/ *shih* **keep:** ~ **woman** mantenutë
kerb /kə:(r)b/ *em* buzë e trotuarit/ rrugës
kernel /'kə:(r)nl/ *em* bërthamë *(e frutit);* thelb
kerosene /'kerəsi:n/ *em am* vajgur
ketchup /'ketʃʌp/ *em gjll* keçap

kettle /'ketl/ *em* ibrik
key /ki:/ *em* çelës; tastë *(e pianos etj.):* **under lock and** ~ i mbyllur me kyç; **on a lower** ~ me tonë më të ulët ♦ *kl:* ~ **in** shtyp *(një shkronjë)* ♦ ~**board** /-bo:(r)d/ *em tk, mz* tastierë ♦ ~**-hole** /-houl/ *em* vrimë e çelësit ♦ ~**-ring** /-riŋ/ *em* mbajtëse/unazë e çelësave
khaki /'ka:ki/ *mb (ngjyrë)* kaki ♦ *em* stof kaki
kick /kik/ *em* shkelm; goditje; vickë; *bs* qejf: **get a** ~ vij në qejf; **goal-**~ rivënie e topit në lojë nga vija fundore ♦ *k*/ shkelmoj: ~ **the bucket** *bs* ngordh; tund këmbët; kthej këmbët nga dielli ♦ *jk*/ *(kafsha)* shkelmon; hedh vicka ♦ ~ **off** *jk*/ filloj *(lojën)* ♦ ~**off** /-of/ *em sp* fillim i lojës/ i ndeshjes *(në futboll)* ♦ ~**start** *k*/nis, filloj; vë në lëvizje ♦ ~ **up** *kl:* ~ **up a row** *bs* bëj njërën
kid /kid/ *em* kec; *bs* fëmijë; kalama ♦ *kl bs* tall ♦ *jk*/ tallem; bëj si fëmijë: **are you** ~**ing?** mos u tall!
kidnap /'kidnæp/ *kl*/grabit; rrëmbej *(dikë)* ♦ ~**per** *em* grabitës; rrëmbyes ♦ ~**ing** *em* grabitje/ rrëmbim i personit
kidney /'kidni/ *em an* veshkë; *gjll* bubrek
kill /kil/ *em* vrasje ♦ *k*/vras ♦ ~**er** *em* vrasës ♦ ~**ing** *em* vrasje: **make a** ~ *bs* bëj pará të madhe
killjoy /'kildʒoi/ *em* çartaqejfas
kiln /kiln/ *em* furrë tullash; (pajisje, dhomë) tharëse
kilo /'kilou/ *em* kilo
kilo:gram /-græm/ *em* kilogram ♦ ~**metre** / ki'lomitə(r)/ *em* kilometër ♦ ~**watt** /-wot/ *em* kilovat
kilt /kilt/ *em* fustanellë
kin /kin/ *em* kushëri; fis: **next of** ~ kushëri i afërm
kind[1] /kaind/ *em* lloj; soj; gjini: **human** ~ gjinia njerëzore; **two of a** ~ dy të njëjtë/ njësoj; **he and his** ~ ai me sojin e vet; **pay in** ~ paguaj në natyrë
kind[2] *mb* i butë; i mirë; i dashur; bujar: **be** ~ **to sb** i sillem me të mirë dikujt
kindergarten /'kindəga:(r)tn/ *em* kopsht fëmijësh
kindle /'kindl/ *k*/ ndez
kindred /'kindrid/ *mb* i afërm; i ngjashëm

kinetic /ki'netik/ *mb* kinetik

kind:ly /'kaindli/ *mb* ♦ **~ly** *nd* me të mirë ♦ *mb* zemërmirë; i këndshëm; dashamirë ♦ **~ness** *em* butësi; dashamirësi

king /kiŋ/ *em* mbret: **King of Heaven** *ft* Perëndi; Jezu ♦ **~dom** *em* mbretëri

king:fisher /-fiʃə(r)/ *em* *zl* martin peshkatar ♦ **~sized** /-saizd/ *mb (cigare)* e gjatë; *(shtrat)* dysh; i martesës

kink /kiŋk/ *em* nyjë ♦ **~y** *mb bs* i çuditshëm

kiosk /'ki:osk/ *em* kiosk; qoshk; kabinë telefonike

kip /kip/ *em bs* shtrat; vend për të fjetur; një sy gjumë ♦ *jkl bs* bëj një sy gjumë

kipper /'kipə(r)/ *em* harengë e tharë/ e tymosur

kiss /kis/ *em* puthje; e puthur ♦ *kl* puth ♦ *jkl* puthem

kit /kit/ *em* pajisje; vegla ♦ *kl* pajis (**out**)

kitchen /'kitʃin/ *em* kuzhinë; pajisje kuzhine ♦ **~ette** /-'net/ *em* ankes gatimi ♦ **~ garden** /-'ga:(r)dn/ *em* kopsht perimesh ♦ **~roll** /-roul/ *em* rul letre për duart ♦ **~sink** /-'siŋk/ *em* sqoll

kite /kait/ *em* balonë

kitten /'kitn/ *em* kotele

kleptomaniac /kleptə'meiniæk/ *em* kleptomaniak

knack /næk/ *em* aftësi; prirje: **have the ~ for do-ing sth** më jepet për të bërë diçka

knave /neiv/ *em* horr; fant *(në letra)*

knead /ni:d/ *kl* gatuaj *(brumin)*

knee /ni:/ *em* gju ♦ **~l** /ni:l/ *jkl* (**knelt** /nelt/): **~ (down)** gjunjëzohem; **be ~ing** jam në gjunjë/ i gjunjëzuar

knew /nju:/ *shih* **know**

knickers /'nikə(r)z/ *em sh* mbathje

knick-knacks /'niknæks/ *em sh* zbukurime; çinglamingla

knife /naif/ *em (sh* **knives** /naivz/) thikë ♦ *kl bs* ther me thikë

knight /nait/ *em* kalorës; oficer *(në shah)* ♦ *kl* i jap titullin e kalorësit; dorëzoj kalorës *(dikë)*

knit /nit/ *kl/jkl* (**knit**) thur/ bëj me shtiza *(triko etj.)* ♦ **~ting** *em* thurje/ punë me shtiza ♦ **~ting-needle** /-'ni:dl/ *em* shtizë; kërrabë *(për triko etj.)* ♦ **~wear** /-wɛə(r)/ *em* triko; prodhime trikotazhi

knives /naivz/ *shih* **knife**

knob /nob/ *em* dorezë e rrubullakët; kokë *(e bastunit);* tokël *(gjalpi, sheqeri)*

knock /nok/ *em* trokitje; goditje; e rënë ♦ *kl* trokas *(në derë);* *bs* dërrmoj: **~ one's head** përplas kokën (**on** pas, në) ♦ *jkl* trokas *(në derë)* ♦ **~ about** *kl* nëpërkëmb; marr me të keq ♦ *jkl* bredh ♦ **~ down** *kl* rrëzoj; hedh përdhe; shtrij *(me një grusht);* përplas *(makinën)* ♦ **~down** /-daun/ *em sp* nokdaun ♦ *mb:* **~down price** çmim me zbritje ♦ **~ off** *kl bs* vjedh; mashtroj *(në llogari);* *bs* lë *(punën);* smontoj, zbërthej *(një pajisje)* ♦ **~ out** *kl* eliminoj; qëroj; lë pa ndjenja; trullos; *sp* nxjerr nokaut ♦ **~ over** *kl* përmbys

knocker /'nokə(r)/ *em* trakull; batoq *(i derës);* **up to the ~** *sl* punë e madhe; bukuri

knock-kneed /-'ni:d/ *mb* këmbështrembër; shalëngjitur ♦ **~out** *em sp* nokaut

knot /not/ *em* nyjë; kokël; pisk ♦ *kl* lidh nyjë/ pisk/ kokël ♦ **~y** *mb* i lidhur nyjë/pisk

know /nou/ (**knew** /nju:/, **known** /noun/) ♦ *kl* di; njoh: **get to ~ sb** njihem me dikë ♦ *jkl* di: **~ better** e di vetë; **~ how to read** di lexim ♦ *em:* **in the ~** *bs* në dijeni ♦ **~ing** *mb* i ditur; i njoftuar/ informuar: **she is a ~ one** asaj i di shumë lëkura ♦ **~ingly** *ndjaf* me dijeni; me dashje ♦ *em:* **there is no ~** nuk i dihet ♦ **~ledge** /'nolidʒ/ *em* dijeni; dije ♦ **~able** /-əbl/ *mb* i ditur; i informuar

known /noun/ *shih* **know** ♦ *mb* i njohur; i dëgjuar: **well-known** i mirënjohur; **unknown** i panjohur

knuckle /'nʌkl/ *em* noçkë *(e gishtit)* ♦ **~ down** *jkl* i përvishem me zell (**to**) ♦ **~ under** *jkl* dorëzohem

Koran /kə'ra:n/ *em ft* Koran

Korea /kə'riə/ *em* Kore ♦ **~n** *mb, em* korean ♦ *em* koreançe

kosher /'kouʃə(r)/ *em (mish etj.)* kosher; i therur sipas ritit çifut

kowtow /kau'tau/ *jkl* përkulem thellë/me nderim

kudos /'kju:dəs/ *em bs* famë; lëvdatë

Ku-Klux-Klan /ku:'kluksklæn/ *em* kukluksklan

Kurd /kə:d/ *em, mb* kurd ♦ **~ish** *mb* kurd

Kuwait /kju'weit/ *em gjg* Kuvait ♦ **~i** *mb, em* kuvaitjan

L

lab /læb/ *em bs* laborator

label /ˈleibl/ *em* etiketë ♦ *kl dhe fg* etiketoj

laboratory /ləˈbɔːrətri/ *em* laborator: **language ~** laborator i gjuhës

labour /ˈleibə(r)/ *em* punë; fuqi punëtore; mund, lodhje; *mk* të prera të lindjes; *p/* laburist: **be in ~** *(gruaja)* ka të prerat e lindjes ♦ *jkl* lodhem; rrekem *(të bëj diçka); (gruaja)* ka të prerat e lindjes ♦ **~er** *em* punëtor krahu ♦ **L~ist** *em, mb* laburist ♦ **~-saving** /-ˈseiviŋ/ *mb* që kursen punë

labyrinth /ˈlæbərinθ/ *em* labirint

lace /leis/ *em* lidhëse *(e këpucëve);* dantellë ♦ *kl* i hedh/shtie *(pije të fortë kafesë)*

lacerat:e /ˈlæsəreit/ *kl* shqyej; gris; çjerr ♦ **~ion** /-ˈreiʃn/ *em* grisje; shqyerje; çjerrje *(e mishrave)*

lack /læk/ *em* mungesë ♦ *kl:* **~ the means** s'kam me se ♦ *jkl:* **be ~ing in sth** s'kam diçka

lackadaisical /lækəˈdeizikl/ *em* i mëveshët; qullash

laconic /ləˈkonik/ *mb* lakonik; i prerë; i shkurtër

lacquer /ˈlækə(r)/ *em* llak

lackey /ˈlæki/ *em* laké; shërbëtor

lad /læd/ *em* çun; djalë: **be a good ~** bëhu djalë i mbarë

laden /ˈleidn/ *mb* i ngarkuar; i mbushur **(with** me)

ladder /ˈlædə(r)/ *em* shkallë; fije e ikur *(e çorapit të grave)*

ladle /ˈleidl/ *em* qepshe ♦ *kl:* **~ (out)** ndaj/nxjerr me qepshe *(supën)*

lady /ˈleidi/ *em* zonjë; *(titull)* lady: **~ies (room)** banjë për gra ♦ **~-bird** /-bəː(r)d/, *am* **~bug** /-bʌg/ *em* nusepashkë ♦ **~-killer** /-ˈkilə(r)/ *em* gruar; donzhuan ♦ **~love** /-lʌv/ *em* e dashur; dashnore

lag¹ /læg/ *em:* **time ~** ndryshimi i orës *(sipas zonave gjeografike)* ♦ *jkl:* **~ behind** mbetem prapa

lag² izoloj; vesh *(tubacionin)*

lager /ˈlaːgə(r)/ *em* birrë lager

lagoon /ləˈguːn/ *em* lagunë

laid /leid/ *shih* **lay³**

lain /lein/ *shih* **lie²**

lair /leə(r)/ *em* limer *(hajdutësh)*

lake /leik/ *em* liqen; gjol ♦ **~shore** /-ʃɔː(r)/ **side** /-said/ *em* buzë e liqenit

lamb /læm/ *em* qengj: **Easter ~** *ft* qengj i Pashkës

lame /leim/ *mb dhe fg* i çalë ♦ **~ly** *nd* çalë

lament /ləˈment/ *em* ankesë; ankim; qarje ♦ *kl, jkl* ankohem ♦ **~able** *mb* i vajtueshëm; për të ardhur keq

laminated /ˈlæmineitid/ *mb* i petëzuar; i laminuar

lamp /læmp/ *em* llambë: **by the light of the ~** me dritë llambe ♦ **~-holder** /-houldə(r)/ *em* porto-llambë

lampoon /læmˈpuːn/ *em* satirë e fortë ♦ *kl* satirozoj *(dikë)*

lamp:-post /ˈlæm(p)poust/ *em* shtyllë e dritës *(në rrugë)* ♦ **~shade** /-ʃeid/ *em* abazhur

lance¹ /laːns/ *em* heshtë; *ush* heshtar

lance² *kl mk* çaj; hap *(lungën)* ♦ **~et** *em* bisturi; neshter

land /lænd/ *em* tokë; vend; terë; **~s** *sh* troje ♦ *kl* zbarkoj; zbres; *bs* shtie në dorë: **be ~ed with sth** më bie në dorë diçka ♦ *jkl av* zbret; ulet ♦ **~ing** *em dt* zbarkim; *av* zbritje; sheshpushim *(i shkallës)* ♦ **~ing-stage** /-steidʒ/ *em* urë zbarkimi ♦ **~strip** /-strip/ *em* pistë zbritjeje

landlady /ˈlændleidi/ *em* pronare e shtëpisë

landlocked /ˈlændlokt/ *mb (vend)* p*mb* dalje në det

landlord /ˈlændlɔː(r)d/ *em* pronar i shtëpisë

landmark /ˈlændmaː(r)k/ *em* qokë; pikë referimi; *fg* etapë historike ♦ **~mine** /-main/ *em ush* minë tokësore ♦ **~owner** /-ounə(r)/ *em* pronar tokash ♦ **~scape** /-skeip/ *em art* piezazh ♦ **~slide** /-slaid/ *em* rrëshqitje e dherave; *p/* fitore e thellë

lane /lein/ *em* shteg; *aut, sp* korsi; pistë; vrapore

language /ˈlæŋgwidʒ/ *em* gjuhë: **foreign ~** gjuhë e huaj; **computer ~** gjuhë e kompjuterit

languish /ˈlæŋgwiʃ/ *jkl* lëngoj *(në shtrat)*

lantern /ˈlæntə(r)n/ *em* fener

lap¹ /læp/ *em* pëqi, prehër: **in the ~ of luxury** si

veshka mes dhjamit; me gjithë të mirat

lap² *em* etapë *(e udhëtimit); sp* xhiro ♦ *kl* kaloj *(kundërshtarin në garë)*

lap³ *kl:* ~ **up** llap; pi me llapë; pi me etje; *bs* e ha kallëp *(rrenën);* më pëlqejnë *(lajkat)*

lapel /lə'pel/ *em* kapak *(i xhaketës)*

lapse /læps/ *em* gabim; lajthitje; shkarje; interval ♦ *jkl (afati)* mbaron; bie, rrëshqas *(moralisht):* ~ **into** bie në *(harresë, gjumë etj.)*

laptop /'læptop/ *em:* ~ **(computer)** kompjuter portativ

larceny /'la:(r)səni/ *em* vjedhje

lard /la:(r)d/ *em* gjll sallo

larder /'la:(r)də(r)/ *em* qilar ushqimesh

large /la:(r)dʒ/ *mb* i madh; i bëshëm *(nga trupi);* i shumtë *(në nmër):* **at** ~ i lirë; në përgjithësi; **by and** ~ në tërësi; **the ~st part of** pjesa më e madhe ♦ ~ **ly** *nd:* ~ **because of** kryesisht për shkak se

lark /la:(r)k/ *em zl* laureshë; çerdhukël; *bs* shaka; qejf; dëfrim ♦ *jkl* bredhërij (**about**)

larva /'la:(r)və/ *em (sh* -**vae** /-vi:/) vemje; larvë

laryngitis /lærin'dʒaitis/ *em mk* laringjit

larynx /'læriŋks/ *em an* laring

lascivious /lə'siviəs/ *mb* epshor; epsharak

laser /'leizə(r)/ *em* lazer ♦ ~ **beam** /bi:m/ *em fz* rreze lazer ♦ ~ **disc, disk** /-disk/ *em tk* disk (me) lazer ♦ ~ **printer** /-'printə(r)/ *em* printer me lazer

lash¹ /læʃ/ *em* qerpik

lash² *em* fshikull ♦ *kl* fshikulloj; lidh shtrënguar/ mirë ♦ ~ **out** *jkl* sulem; shpenzoj pa kursim (**on** për)

lashings /'læʃiŋz/ *em sh* ~ **of** plot; shumë

lass /læs/ *em* çupë; çikë; gocë

lasso /læsu:/ *em* lak

last¹ /la:st/ *mb* fundit: ~ **year** vjet; ~ **night** mbrëmë; **at** ~ më në fund; **that's the** ~ **straw** *bs* edhe kjo duhej! ♦ *em* i fundit: **the** ~ **but one** i parafundit ♦ *nd* në fund; së fundi; herë e fundit ♦ *jkl* zgjat; rron; duron: **it won't** ~ s'e ka të gjatë ♦ ~**ing** *mb* i përhershëm; i qëndrueshëm ♦ ~**ly** *nd* në fund

last² *em* kallëp i këpucëve

latch /lætʃ/ *em* reze *(e derës)*

late /leit/ *mb* i vonë; i vonuar; me vonesë: ~ **at night** natën vonë ♦ *nd* vonë: **stay up** ~ rri (zgjuar) vonë ♦ ~**ly** *nd* kohët e fundit; tani vonë

latent /'leitnt/ *mb dhe mk* i fshehur; i fjetur; i heshtur; i pazhvilluar

later /'leitə(r)/ *mb* mëvonshëm; *(botim)* më i ri ♦ *nd* më vonë: ~ **on** më vonë; pastaj

lateral /'lætərəl/ *mb* anësor; i anshëm; i tërthortë

latest /1eitist/ *mb* i fundit; më i ri; **have the** ~ **news** marr lajmet e fundit ♦ *em* **tomorrow at the** ~ shumë- shumë deri nesër

lathe /leið/ *em tk* torno ♦ ~ **operator** /-'opəreitə(r)/ *em* tornitor

lather /'la:ðə(r)/ *em* shkumë sapuni; sapunisje ♦ *jkl*

shkumon; sapunisem ♦ *kl* shkumoj, sapunis *(mjekrën)*

Latin /'lætin/ *mb, em* latin ♦ *em* latinishte ♦ *nd* latinisht ♦ ~ **America** *em* Amerikë Latine ♦ ~ **American** *mb, em* latino-amerikan

latitude /'lætitju:d/ *em gjeog* gjerësi; *fg* liri veprimi; liberalizëm

latter /'lætə(r)/ *mb* i fundit ♦ *em:* **the** ~ ky i fundit/ përmendur në fund

lattice /'lætis/ *em* thurimë; trinë

Latvia /'lætviə/ *em* Latvia; Letoni ♦ ~**an** *em, em* leton ♦ *em* letonishte

laudable /'lo:dəbl/ *mb* i lavdërueshëm

laugh /la:f/ *em* qeshje; e qeshur: **loud** ~ e qeshur me zë të lartë/ e trashë/ trashanike ♦ *jkl* qesh (**at/ about** me, për): ~ **at sb** tallem/qesh me dikë ♦ ~**able** *mb* qesharak ♦ ~**ing** *em* e qeshur: ~**ing stock** loli; objekt talljeje ♦ ~**ter** *em* qeshje; e qeshur; të qeshura

launch¹ /lo:ntʃ/ *em* barkë *(e anijes)*

launch² *em* nisje; lëshim *(i anijes)* ♦ *kl* lëshoj; nis *(raketën, anijen);* hedh në treg *(mallin e ri)* ♦ ~ **pad** /-pæd/ *em* shtrat lëshimi *(i anijes kozmike, i raketës)*

laund:er /'lo:ndə(r)/ *kl* pastroj *(rrobat):* ~ **money** *fg* pastroj paratë (e ndyra) ♦ ~**erette** /-'ret/ *em* pastërti automatike ♦ ~**ry** *em* pastërti

laurel /'lo:rl/ *em bt* dafinë: **rest on one's** ~**s** *fg* fle mbi dafina

lava /'la:və/ *em* lavë *(e vullkanit)*

lavatory /'lævətri/ *em* nevojtore

lavish /'læviʃ/ *mb* i pakursyer ♦ *kl:* ~ **praise on sb** e mbyt me lëvdata dikë

law /lo:/ *em* ligj: **court of** ~ gjykatë; ~ **and order** / lo:rənd'o:(r)də(r)/ rend publik ♦ ~**ful** *mb* i ligjshëm: **wife** grua me ligj ♦ ~**fully** *nd* me ligj ♦ ~**less** *mb* i paligj(shëm)

lawn /lo:n/ *em* lëndinë angleze ♦ ~-**mower** /-mouə(r)/ *em* makinë qethëse për bar lëndine ♦ ~ **tennis** /-'tenis/ *em sp* tenis në bar

law: school /-sku:l/ *em* fakultet juridik ♦ ~-**suit** /-sju:t/ *em* proces gjyqësor ♦ ~**yer** *em* avokat

lax /læks/ *mb* i butë; i lëshuar; i lënë pas dore; i shthurur *(moralisht)* ♦ ~**ative** /-ətiv/ *em* laksativ; zbutës ♦ ~**ity** *em* butësi; shkujdesje; shthurje

lay¹ /lei/ *mb* laik; *fg* profan; i paditur

lay² *shih* **lie²**

lay³ (**laid** /leid/) *kl* vë; shtrij; shtroj *(tryezën)* ♦ *jkl (pula)* pjell ♦ ~ **down** *kl* lë/ vë poshtë; caktoj *(kushtet)* ♦ ~ **off** *kl* pushoj nga puna ♦ *jkl* pushoj, resht: ~ **off!** mjaft, de!, pusho! ♦ ~ **out** *kl* nxjerr në dukje/ shesh; planifikoj; shpenzoj; *sht* faqos

lay:-about /-ə'baut/ *em* dembel ♦ ~-**by** /-bai/ *em* korsi pushimi

layer /'leiə(r)/ *em* shtresë

layman /-mən/ *em* laik; shekullar ♦ ~**out** /-aut/ *em* venosje; sistemim; *sht* faqosje

laz:e /leiz/ *jk/:* ~ (**about**) ngarritem; dembelosem ♦ ~**y** *mb* dembel; përtac: ~**-bones** dembel; gjumash

lb *shkrt i* **pound** libër *(njësi peshe = 454 g)*

lead¹ /led/ *em* plumb ♦ *mb:* ~ **pencil** laps plumbi

lead² /li:d/ *em* udhëzues; kapistër; rrip *(i qenit);* drejtim; kryesim *(i garës); tt* rol kryesor; *el* përcjellës; epërsi: **in the** ~ në krye ♦ (**led** /led/, ~**ing** /'li:diŋ/) *jk/* udhëheq; kryesoj; jam në krye ♦ *k/* drejtoj; udhëheq; tregoj udhën; shtie në kurth: ~ **the way** tregoj udhën; prij; vihem në krye ♦ *jk/* jam në krye; jam i pari ♦ ~ **to** *k/* çoj në ♦ ~ **up to** *k/* të shpie në: **what will this ~?** ku të shpie kjo (gjë)?

leaded /'ledid/ *mb* i plumbtë; i forcuar me plumb ♦ ~**en** /'ledn/ *mb* i plumbtë; prej plumbi

lead:er /'li:də(r)/ *em* udhëheqës; kryetar; *mz* violinë e parë; artikull redaksional ♦ ~**ship** /-ʃip/ *em* udhëheqje: **show** ~ tregoj aftësi udhëheqëse ♦ ~**ing** *mb* kryesor: ~ **article** kryeartikull; ~ **lady** *em* aktore në rol kryesor; ~ **question** pyetje tendencioze; ~ **role** rol kryesor

leaf /li:f/ *em* (*sh* **leaves** /li:vz/) gjethe; fletë ♦ ~**let** *em* fletushkë; trakt

league /li:g/ *em* lidhje; aleancë; *sp* kampionat: **be in** ~ **with** bëj besabesë me dikë

leak /li:k/ *em* vrimë; rrjedhje, humbje *(gazi);* nxjerrje me dashje *(e sekretit)* ♦ *jk/* kullon; rrjedh; *(tubi)* ka rrjedhje; *(anija)* merr ujë ♦ *k/:* ~ **sth to sb** *fg* i tregoj fshehtas dikujt diçka ♦ ~**age** *em* rrjedhje; humbje të rrjetit

lean¹ /li:n/ *mb* i dobët; i hollë; *(mish)* pa dhjamë

lean² (**leaned** /li:nd/, **leant** /lent/) *k/* mbështet ♦ *jk/* mbështetem (**against** pas, te) ♦ ~ **back** *jk/* mbështetem prapa ♦ ~ **forward** *jk/* përkulem përpara ♦ ~ **out** *jk/* zgjatem jashtë *(dritares)* ♦ ~ **over** *jk/* përkulem ♦ ~**ing** *mb* i mbështetur; i pjerrët: **the L~ Tower of Pisa** kulla e pjerrët e Pizës ♦ *em* prirje; tendenë

leap /li:p/ *em* kërcim ♦ (**leapt** /lept/ *ose* **leaped** /li:pt/) *jk/* kërcej; hidhem: ~ **at an opportunity** s'e lë të bjerë në tokë një rast; ~ **for joy** hidhem përpjetë nga gëzimi ♦ ~**frog** /'li:pfrog/ *em* kaluç

leap year /-jə:(r)/ *em* vit i brishtë

learn /lə:(r)n/ *k/* (**learnt** /lə:(r)nt/, **learned** /'lə:(r)nid/ *k/, jk/* mësoj; nxë ♦ ~**ed** /'lə:(r)nid/ *mb* i mësuar; i ditur ♦ ~**er** *em* studiues; *au* kursant *(në kursin e shoferëve)* ♦ ~**ing** *em* dituri; kulturë: **age of** ~ iluminizëm

lease /li:s/ *em* kontratë qiramarrjeje ♦ *k/* marr/ lëshoj me qira

leash /li:ʃ/ *em* litar; rrip; zinxhir *(i qenit):* **have sb on a short** ~ e bëj zapt dikë

least /li:st/ *mb:* **the** ~ **common multiple** *mat* shumëfishi më i vogël i përbashkët ♦ *em:* **the** ~

më i pakti; më i vogli; **at** ~ **së** paku; **not in the** ~ aspak ♦ *nd* më pak: **the** ~ **expensive** më pak i shtrenjtë

leather /'leðə(r)/ *em* lëkurë; meshin *(i këpucës)* ♦ *mb* (prej) lëkure; i lëkurtë

leave /li:v/ *em* leje; pushim; liridalje *(e ushtarakut):* **on** ~ me leje; me pushim; **by your** ~ me leje *(a mund të...)* ♦ (**left**) *k/* lë; lëshoj; dal nga *(puna, shtëpia):* ~ **me alone** lermë rehat; **there is nothing left** s'ka mbetur asgjë ♦ *jk/* iki; largohem; *(treni)* niset: ~ **behind** *k/* lë prapa; harroj; lë ♦ ~ **out** *k/* harroj; lë jashtë

leaves /li:vz/ *shih* **leaf**

Lebanon /'lebənon/ *em* Liban ♦ ~**ese** /lebə'ni:z/ *mb, em* libanez

lecher /'letʃə(r)/ *em* pusht ♦ ~**rous** *mb* i shthurur *(nga morali); (burrë)* pusht ♦ ~**y** *em* veprime/ sjellje pushti

lecture /'lektʃə(r)/ *em* leksion; qortim ♦ ~**r** *em* lektor

lecturn /'lektə(r)n/ *em* foltore

led /led/ *shih* **lead²**

ledge /ledʒ/ *em* kornizë; parvaz *(i dritares)*

ledger /'ledʒə(r)/ *em* regjistër i madh; amzë

leech /li:tʃ/ *em* *zl* shushunjë

leek /li:k/ *em* *bt* pras

leer /liə(r)/ *em* vështrim pushti ♦ *jk/* - (**at**) vështroj me epsh/si pusht

leeway /'li:wei/ *em* *fg* liri veprimi

left¹ /left/ *shih* **leave**

left² *mb* e majtë: ~ **hand** dorë *e/* krah i majtë; ~**handed** mëngjërash; ~**-wing** *p/* i krahut të majtë, i së majtës ♦ *nd* majtas ♦ *em* anë e majtë; *p/* majtë: **on the** ~ në të majtë; majtas

left: luggage (office) /-'lʌgidʒ('ofis)/ *em* dhomë e bagazheve të harruar ♦ ~**-overs** /-ouvə(r)z/ *em* *sh* mbetje; të mbetura

leg /leg/ *em* këmbë; kofshë; etapë *(e udhëtimit)/* xhiro *(e garës së vrapimit):* ~ **of lamb** *gj/* kofshë qengji; **long-~ged** shalëgjatë

legacy /'legəsi/ *em* trashëgimi

legal /'li:gl/ *mb* ligjor; i ligjshëm: **take** ~ **action** hap gjyq ♦ ~**ise** /-laiz/ *k/* legalizoj ♦ ~**ity** /-'gæləti/ *em* ligjshmëri; legalitet ♦ ~**ly** *nd* ligërisht; me ligj

legend /'ledʒənd/ *em* legjendë ♦ ~**ary** *mb* legjendar

legible /'ledʒəbl/ *mb* i lexueshëm ♦ ~**ly** *nd* (*shkruaj*) lexueshëm; qartë

legislat:e /'ledʒisleit/ *jk/* ligjësoj; vë me ligj ♦ ~**ion** /-'leiʃn/ *em* legjislacion ♦ ~**ive** /-lətiv/ *mb* legjislativ ♦ ~**ure** /-leitʃe(r)/ *em* legjislaturë

legitimate /li'dʒitimət/ *mb* i ligjshëm; legjitim

leisure /'leʒə(r)/ *em* nge; kohë e lirë: **at your** ~ kur të kesh nge ♦ ~**ly** *mb* me nge

lemon /'lemən/ *em* *bt* limon ♦ ~**ade** /-neid/ *em* limonadë ♦ ~ **juice** /-'dʒu:s/ *em* lëng limoni

lend /lend/ *k/* (**lent**) huaj; jap hua/borxh ♦ ~**er** *em* huadhënës; kreditor ♦ ~**ing** *mb* huazues: ~ **bank**

bankë huadhënëse; ~ **library** em bibliotekë huazuese

length /leŋθ/ em gjatësi; kohëzgjatje: **fall full ~** bie sa jam i gjatë ♦ **~en** k/ zgjat ♦ jk/ zgjatem ♦ **~y** mb i zgjatur

lenien:ce /'li:niəns/, **~cy** /-si/ em butësi; qëndrim i butë) ♦ **~t** mb i butë; zemërbutë

lens /lenz/ em thjerrëz; xham i objektivit; xham i syzeve; kristalth (i syrit)

Lent /lent/ em Kreshmë

lent shih **lend**

lenten /'lentn/ mb (gjellë) kreshmore

lentil /'lentl/ em bt, gjll thjerrëz

Leo /'li:ou/ em astr Luan; yjësi e Luanit

leopard /'lepə(r)d/ em z/ leopard

lep:er /'lepə(r)/ em mk i gërbulur ♦ **~rosy** /'leprəsi/ em gërbulë; lebër

Lesbian, lesbian /'lezbiən/ mb, em lezbik

less /les/ mb (**lesser** /'lesə(r)/, **least** /li:st/) më pak; më i vogël: **~ than** më pak se; **~ and ~** gjithmonë e më pak; **more or ~** pak a shumë ♦ nd, prfj më pak ♦ em më e pakta: **say the least** pak së paku; në mos më keq ♦ **~en** k/, jk/ pakësoj; zvogëloj; ul (dhembjen) ♦ **~er** mb më i vogël

lesson /'lesn/ em mësim; orë mësimi: **let this be a ~ to you** pësimi të të bëhet mësim

lest /lest/ ldh se mos; nga frika se: **~ you forget** se mos harrosh

let /let/ k/ (**let, letting**) lë; lejoj; lëshoj me qira: **~ alone** aq më pak; **'to ~'** "lëshohet me qira"; **~ me go** lëshomë; **~ us go** (le të) shkojmë; **~ sb do sth** e lë/lejoj dikë të bëjë diçka; **just ~ him try!** le ta provojë (po ia mbajti)! **~ oneself in for sth** bs ngatërrohem në një punë ♦ **~ down** lëshoj (flokët); ul (perdet); lë në baltë ♦ **~ in** k/ lë të hyjë; fut brenda ♦ **~ off** k/ lësho; këput (një grusht); fal ♦ **~ out** k/ nxjerr; lëshoj, zgjat, zgjeroj (rrobën); lëshoj (një klithmë) ♦ **~ through** k/ lë të kalojë ♦ **~ up** jk/ bs pakësim

let-down /'letdaun/ em zhgënjim

lethal /'li:θəl/ mb vdekjeprurës

lethargic /li'θa:(r)dʒik/ mb letargjik; i përgjumur ♦ **~y** /'leθədʒi/ em letargji; përgjumje

letter /'letə(r)/ em letër; shkronjë: **in capital ~s** me shkronja të mëdha; **registered ~** letër rekomande ♦ **~-box** /-boks/ em kuti e letrave ♦ **~-head** /-hed/ em kokë e letrës/shkresës ♦ **~ing** em shkrim; shkronja

lettuce /'letis/ em bt marule; leçikë

let-up /'letʌp/ em: **without ~** bs pa pushim

leuk(a)emia /lu:'ki:miə/ em mk leucemi

level /'levl/ mb i sheshtë; horizontal; i barabartë; në një lartësi/ nivel me: **draw ~ with sb** dal baraz me dikë; **~-headed** /-'hedid/ mb i matur; i gjykueshëm; i ekuilibruar ♦ em nivel; lartësi: **air-~** tk nivel me flluskë ajri; **on the ~** bs rrafsh; baraz

♦ k/ niveloj; rrafshoj

lever /'li:və(r)/ em levë ♦ **~ up** k/ ngre me levë ♦ **~age** /-ridʒ/ em ngritje me levë; fg ndikim

leveret /'levəret/ em z/ lepur njëvjeçar

levy /'levi/ k/ vë, mbledh (taksat)

lewd /lju:d/ mb i fëlliqur; lapërdha; gojëndyrë

lexic:al /'leksikl/ mb leksik; i leksikut ♦ **~on** em fjalës (i fjalorit)

liab:ility /laiə'biləti/ em detyrim; borxh; barrë ♦ **~le** /'laiəbl/ mb përgjegjës; i prirur (të bëj diçka)

liais:e /li'eiz/ jk/ bs mbaj lidhje; lidhem ♦ **~on** /li'eizon/ em lidhje (dashurie); ush ndërlidhje

liar /'laiə(r)/ em gënjeshtar; rrenacak

libel /'laibl/ em shpifje; fyerje: **sue sb for ~** padit për shpifje dikë ♦ k/ shpif

liber:al /'lib(ə)rəl/ mb mendjegjerë; bujar; p/ liberal ♦ **~ally** nd pa kursim; me bujarí ♦ **~ate** k/ çliroj; emancipoj ♦ **~ation** /-'reiʃn/ em çlirim; emnacipim ♦ **~ator** em çlirimtar ♦ **~ty** em liri: **take the ~ of doing sth** marr guximin të bëj diçka; **be at ~ to do sth** jam i lire të bëj diçka

Libra /'librə/ em astr Peshore; yjësi e Peshores

librar:ian /lai'breəriən/ em bibliotekar ♦ **~y** /'laibrəri/ em bibliotekë

Libya /'libiə/ em Libi ♦ **~n** mb, em libian

lice /lais/ shih **louse**

licence /'laisns/ em leje; patentë; liri; guxim: **driving ~** patentë e shoferit; **poetic ~** liri poetike ♦ **~ plate** /-'pleit/ em targë e makinës

license k/ autorizoj; lejoj: **be ~d to** kam leje/ jam i autorizuar të; **~d premises** lokal me leje për shitjen e alkoolit; **off-~** leje për nxjerrjen e pijeve alkoolike jashtë dyqanit

licentious /lai'senʃəs/ mb i shthurur; i pamoralshëm

lick /lik/ em lëpirje; e lëpirë: **a ~ of paint** një dorë bojë ♦ k/ lëpij; bs rrah; mund: **~ sb's shoes** i lëpij këmbët/ këpucët dikujt ♦ **~ing** em lëpirje; bs rrahje: **give sb a ~** i heq një dru dikujt

lid /lid/ em kapak; qepallë (e syrit)

lie¹ /lai/ em gënjeshtër; rrenë: **tell a ~/ ~s** gënjej ♦ jk/ gënjej; rrej

lie² jk/ (**lay** /lei/, **lain** /lein/, **lying** /'laiŋ/) shtrihem; ndodhem; (një vend) shtrihet (nga... në): **leave things lying around** i lë gjërat lart e poshtë ♦ **~ down** jk/ shtrihem; bie poshtë (në shtrat) ♦ **~down** /-'daun/ em: **have a ~** bëj një pushim të shkurtër; shtrihem të pushoj pak ♦ **~-in** /-'in/ em bs **have a ~in** rri deri vonë shtrirë (në shtrat)

lieu /lju:/ em: **in ~ of** në vend të

lieutenant /lef'tenənt, am lu'tenənt/ em toger

life /laif/ em (sh **lives**) jetë; gjallëri; shoqëri: **high ~** shoqëri e lartë; **way of ~** mënyrë jetese; **full of ~** plot gjallëri; **without loss of ~** pa asnjë humbje/ të vrarë; **run for one's ~** vrapoj për të shpëtuar kokën ♦ **~-belt** /-belt/ em brez shpëtimi ♦ **~boat** /-bout/ em barkë shpëtimi ♦ **~-buoy** /-boi/ em bovë shpëtimi ♦ **~guard** /-ga: (r)d/ *em* rojë plazhi ♦ **~insurance** /-in'ʃurəns/ *em* sigurim i jetës ♦ **~jacket** /-'dʒækit/ *em* brez shpëtimi ♦ **~less** / 'laiflis/ *mb* i pajetë; jofrymor ♦ **~ly** *nd* pa jetë ♦ **~like** /-laik/ *mb* realist; jetësor ♦ **~-line** /-lain/ *em* mjet/ mundësi shpëtimi; shpëtim ♦ **~long** /-loŋ/ *mb* i përjetshëm ♦ **~-sized** /-saizd/ *mb* me madhësi natyrore ♦ **~time** /-taim/ *em:* **the chance of a ~** rast që troket një herë në jetë

lift /lift/ *em* ashensor; *bs* vjedhje; *au* udhëtim: **can you give me a ~?** a më çon me makinë (deri në)? ♦ *k/* ngre; heq *(një kufizim); bs* vjedh *(dyqane)* ♦ *jk/ (mjegulla)* ngrihet ♦ **~off** *em* ngritje; shkëputje *(e raketës nga baza)*

ligament /'ligəmənt/ *em an* lidhje; pejzë

light[1] /lait/ *mb* i ndriçuar; i ndritshëm; me dritë; *(ngjyrë)* e çelët/hapët: **~ blue** e kaltër ♦ *em* dritë; llambë: **in the ~ of** *fg* në dritën e; **have you got a ~?** ke të ma ndezësh?; **come to ~** del në dritë ♦ **(lit** /lit/, **lighted** /'laitid/) *k/* ndez; ndiçoj; hap *(dritën)* ♦ **~ up** *jk/* ndriçon; *(fytyra)* çelet; ndrin

light[2] *mb* i lehtë: **~er-than-air** *fz* aerostatik ♦ *nd:* **travel ~** udhëtoj me pak plaçka

light-bulb /-bʌlb/ *em* llambë; poç i dritës

lighten[1] /'laitn/ *k/* ndriçoj

lighten[2] *k/* lehtësoj ♦ *jk/ (qielli)* hapet; *(ngjyra)* zbardhet; çelem *(në fytyrë)*

lighter /'laitə(r)/ *em* çakmak; *dt* barkë: **gas ~** çakmak me gaz

light:-fingered /-'fiŋə(r)d/ *mb* dorëlehtë; *(hajdut)* i shkathët ♦ **~ -headed** /-hedid/ *mb* mendjelehtë ♦ **~-hearted** /-ha:(r)tid/ *mb* i shkujdesur; gazmor

lighthouse /-haus/ *em dt* far

lighting /'laitiŋ/ *em* ndriçim

lightly /'laitli/ *nd* lehtë; me mendjelehtësi; me pamje të shkujdesur

lightning /'laitniŋ/ *em* shkrepëtimë; vetëtimë; rrufe

light-weight /'laitweit/ *mb* i peshës së lehtë *(në boks)*

like[1] /laik/ *mb* i ngjashëm: **as ~ as two peas** të ngjashëm si dy pika uji ♦ *nd* si: **what is it ~?** si është?; **~ a shot** fishek; menjëherë ♦ *prfj:* **~ this/ that** kështu/ ashtu ♦ *ldh bs* si: **it was just ~ he said** ishte ashtu si tha ai

like[2] *k/* (më) pëlqen; kam qejf; dua: **I should ~ to** do të desha të; **how do you ~ it?** si të duket?; **I ~ that!** *bs* kjo qenka e bukur! ♦ **~able** /'laikəbl/ *mb* i këndshëm; i pëlqyeshëm

likely /'laikli/ *mb* i mundshëm: **most ~ he is at home** ka shumë të ngjarë të jetë në shtëpi ♦ *nd* ndoshta: **not ~!** s'është e mundur!; as mos e ço nëpër mend!

like-minded /-'maindid/ *mb* i një mendjeje; i një mendimi

liken /'laikən/ *k/* barazoj; ia ngjaj; krahasoj **(to)** ♦ **~ess** *em* ngjashmëri

likewise /'laikwaiz/ *nd* po ashtu; gjithashtu

liking /'laikiŋ/ *em* dëshirë: **to my ~** ashtu si dua unë; **take a ~ to sb** më hyn në qejf dikush

lilac /'lailək/ *em bt* jargavan ♦ *mb* ngjyrëjargavan

lily /'lili/ *em bt* zambak

limb /lim/ *em* gjymtyrë; anësi ♦ *k/* shqyej; copëtoj; krasit rëndë *(një pemë)*

limber /'limbə(r)/ *jk/:* **~ up** shkrydh muskujt

lime[1] /laim/ *em bt* qitro ♦ **~ juice** /-dʒu:s/ *em* lëng qitroje

lime[2] *em* gëlqere

lime[3] *em bt* bli

limelight *em:* **be in the ~** shquhem

limit /'limit/ *em* cak; kufi; *mat* limit: **that's the ~** *bs* ky është kulmi; **the sky is the ~** s'ka kufi; është i pakufizuar ♦ *k/* kufizoj ♦ **~ation** /-'teiʃn/ *em* kufizim; dobësi ♦ **~ed** *mb* i kufizuar: **~ed company** shoqëri aksionare me përgjegjësi të kufizuar

limousine /'liməzi:n/ *em* limuzinë

limp[1] /limp/ *em* çalim ♦ *jk/* çaloj; shqepoj

limp[2] *mb* i qullët; i shkrehur; i lëshuar; *sht (lidhje)* e butë

linchpin /'lintʃpin/ *em* bosht; *fg* strumbullar

line /lain/ *em* vizë, vijë; copë *(litari, fije);* rrudhë; varg *(poezie);* linjë *(ajrore, telefonike etj.);* radhë; fushë *(e profesionit):* **along these ~s** në këtë mënyrë; **bring into ~** *bs* ia mbledh rripat *(dikujt);* **draw the ~** vë kufirin; **in ~ with** në një radhë me; sipas *(udhëzimeve);* **the ~ is busy** linja (telefonike) është e zënë ♦ *k/* vizoj; rendit; rreshtoj; vesh me astar *(xhaketën)*

linear /'liniə(r)/ *mb* linear; gjatësor; drejtëvizor

linen /'linin/ *em* pëlhurë liri; të linjta

liner /'lainə(r)/ *em dt* anije e linjës: **ocean-~** transoqeanik

linesman /'lainsmən/ *em sp* vijërojtës

line-up /-ʌp/ *em* radhitje; renditje; *ush* formacion *(luftimi)*

linger /'liŋgə(r)/ *jk/* vohohem; mënoj; mbetem *(prapa)*

lingerie /'lêʒərei, -ri:/ *em* ndërresa, të brendshme *(grash)*

linguist /'liŋgwist/ *em* gjuhëtar ♦ **~ic** /-'gwistik/ *mb* i gjuhësisë; linguistik ♦ **~s** *em sh (me folje në njëjës)* gjuhësi

lining /'lainiŋ/ *em* astar; veshje *(e furrës); tk* guarnicion *(i frenave)*

link /liŋk/ *em* hallkë *(e zinxhirit); fg* lidhje: **the missing ~** *bi* hallka që mungon ♦ *k/* lidh ♦ *jk/* bashkohem, lidhem **(up with** me)

lino /'lainou/, **linoleum** /li'nouliəm/ *em* linoleum

lint /lint/ *em* garzë; pëlhurë e hollë (prej) liri

lion /'laiən/ *em zl* luan; *astr:* **L~** Luan; yjësi e Luanit: **~'s share** pjesa e luanit ♦ **~ess** *em* luaneshë

lip /lip/ *em* buzë; buzinë: **keep a stiff upper ~** s'e jap/ bëj veten ♦ **~-service** /-'sə:(r)vis/ *em:* **pay ~ to sb** ia bëj qejfin me fjalë dikujt ♦ **~stick** /-stik/

em i kuq (buzësh)

liqueur /li'kjuə(r)/ *em* liker

liquid /'likwid/ *em* lëng ♦ *mb* i lëngët: ~ **gas** gaz i lëngët ♦ **~ise** *k*/lëngëzoj; lëngështoj ♦ **~iser** *em gjll* makinë për pure frutash

liquidate /'likwideit/ *k*/ shlyej; laj *(borxhin);* likuidoj ♦ **~ion** /-'deiʃn/ *em* shlyerje; larje; likuidim: **go into** ~ *(kompania)* bën/ shpall likuidimin

liquor /'likwə(r)/ *em* pije alkoolike ♦ ~ **store** /-sto:(r)/ *em* shitore për pije alkoolike

lisp /lisp/ *em* thuthuqësi ♦ *jk*/ bëj thuqthuq

list¹ /list/ *em* listë ♦ *k*/ vë në listë; bëj listen e *(porosive)*

list² *jk*/ *(anija:)* anohet

listen /'lisn/ *jk*/ dëgjoj (**to**): ~ **in** dëgjoj radion; përgjoj ♦ **~er** *em* dëgjues

listings /'listiŋz/ *em sh* program televiziv

listless /'listlis/ *mb* i qullët; i mefshtë; i pavëmendshëm

lit /lit/ *shih* **light¹** ♦ *mb* i ndriçuar; i ndezur

litera:cy /'litərəsi/ *em* alfabetizëm ♦ **~l** *mb* i fjalëpërfjalshëm ♦ **~lly** *nd*/fjalë për fjalë ♦ **~ry** *mb* letrar ♦ **~te** *mb:* **be** ~ di shkrim e lexim ♦ **~ture** /-rətʃə(r)/ *em* letërsi

Lithuania /liθjuˈeiniə/ *em* Lituani ♦ **~n** *mb, em* lituanez ♦ *em* lituanishte ♦ *nd*/ lituanisht

litigation /litiˈgeiʃn/ *em* gjyq; process gjyqësor

litre /'li:tə(r)/ *em* litër

litter /'litə(r)/ *em* plehra; *zl*/pjellë; këlyshë të një barku ♦ *kl*: **be** ~**ed with** *(dhoma etj.)* është mbushur me *(plehra, letra)*

little /'litl/ *mb* (**less; least**) i vogël; i paktë: ~ **boy** çun ♦ *nd*/pak; (një) çikë: ~ **better** pak më mirë ♦ *em* pakicë; gjë e vogël: ~ **later** pak më vonë; **a** ~ **milk** pak/një çikë qumësht; ~ **by** ~ *mb* pak e nga pak; çikë nga një çikë

liturgy /'litə(r)dʒi/ *em ft* liturgji

live¹ /laiv/ *mb* i gjallë; *(municion)* luftarak: ~ **broadcast** transmetim i drejtpërdrejtë; ~ **wire** *e*/fill nën tension ♦ *nd (transmetim)* drejtpërdrejt

live² /liv/ *jk*/jetoj; banoj: ~ **with** banoj me; **he** ~**s** ai rron ♦ ~ **down** *k*/harroj ♦ ~ **off** *k*/jetoj në kurriz të ♦ ~ **on** *k*/ jetoj me ♦ *jk*/ mbetgem gjallë *(pas një aksidenti);* mbijetoj ♦ ~ **up** *kl:* ~ **it up** bëj jetë/ qejf ♦ ~ **up to** *k*/jam në lartësinë e *(detyrës);* mbaj *(premtimin)*

live:lihood /'laivlihud/ *em* mjete jetese ♦ **~liness** *em* gjallëri ♦ **~ly** *mb* i gjallë; i hedhur ♦ **~n** *kl:* ~ **up** gjallëroj ♦ *jk*/ gjallërohem

liver /'livə(r)/ *em an* mëlçi e zezë

lives /laivz/ *shih* **life**

livestock /'laivstok/ *em* bagëti

livid /'livid/ *mb bs* i mavijosur *(së ftohti)* ♦ **~ity** *em* mavijosje

living /'liviŋ/ *mb* i gjallë ♦ *em:* **earn one's** ~ nxjerr jetesën; **the** ~ të gjallët

living-room /-ru:m/ *m* dhomë e ndenjjes

lizard /'lizəd/ *em zl*/hardhucë; hardhje

load /loud/ *em* ngarkesë; barrë: ~**s of** *bs*/një qerre me ♦ *kl*/ ngarkoj; mbush *(armën)* ♦ **~ed** *mb* i ngarkuar; *bs*/ i krimbur në para; shumë i pasur

loaf¹ /louf/ *em (sh* **loaves** /louvz/) (një) bukë; karavele/ çyrek buke

loaf² *jkl*/sorollatem; bjerr kohën

loan /loun/ *em* hua: **on** ~ i dhënë hua ♦ *kl*/ huaj; huazoj

loath /louθ/ *mb:* **be** ~ **to** do sth kam neveri të bëj diçka ♦ **~e** /louð/ *kl*/neverit ♦ **~ing** /-louðiŋ/ *mb* i neveritshëm ♦ **~some** /'louðsm/ *mb*/ i neveritshëm

loaves /louvz/ *shih* **loaf**

lobby /'lobi/ *em* paradhomë; hyrje; holl; *p*/lobi, grup influence

lobster /'lobstə(r)/ *em zl*/aragostë

local /'loukl/ *mb*/vendor; lokal: **I'm not** ~ s'jam prej këtej; ~ **authority** *em*/pushtet vendor/lokal; ~ **call** *em*/telefonatë locale/qytetëse; ~ **doctor** *em*/mjek i lagjes; **~government** *em*/ pushtet lokal; ~ **network** *dhe infr*/rjet lokal ♦ *em*/banor vendës ♦ **~ise** *k*/lokalizoj ♦ **~ity** /lou'kæləti/ *em*/ lokalitet; vend, zonë ♦ **~ly** *nd*/në vend; *(banoj)* këtu; *(jam)* i kësaj ane/ lagjeje

locat:e /lou'keit/ *k*/lokalizoj; gjej vendin e *(ngjarjes):* **be** ~**ed** ndodhem; jam *(në një vend)* ♦ **~ion** /-'keiʃn/ *em* vendndodhje; pozicion; **filmed on** ~**ion** i filmuar jashtë studios

lock¹ /luk/ *em* cullufe *(flokësh)*

lock² *em* dry; bravë *(e derës):* **break a** ~ thyej / shpërthej bravën ♦ *kl*/mbyll me dry/ me kyç; i vë drynin *(derës);* bravos ♦ *jkl*/mbyllet ♦ ~ **in** *k*/mbyll brenda ♦ ~ **out** *k*/lë jashtë ♦ ~ **up** *k*/mbyll brenda/ në burg ♦ *jkl*/mbyllem ♦ **~er** *em* dollap me çelës ♦ **~er room** /-ru:m/ *em* gardërobë

locket /'lokit/ *em* medalion

lock-out /'lokaut/ *em* llokaut *(mbyllje e fabrikës si masë kundër grevistëve)*

locomotive /loukə'moutiv/ *em* lokomotivë

locust /'loukəst/ *em zl*/ karkalec *(dëmtues i të lashtave)*

lodg:e /lodʒ/ *em*/kabinë e portierit; loxhë *(masonike)* ♦ *kl*/ paraqit *(një ankesë etj.)* ♦ *jkl*/ banoj në hotel pensioni (**with** te); ngulet ♦ **~er** *em* qiraxhi ♦ **~ings** *em sh* dhoma me qira

loft /loft/ *em* ahur i/ kullë e sanës

loft:iness /'loftinis/ *em* lartësi; fisnikëri; kryelartësi ♦ **~y** *mb*/ i lartë; fisnik; kryelartë; mendjemadh

log /'log/ *em*/trung; cung; *dt*/ditar i bordit ♦ *k*/regjistroj ♦ ~ **on** *k/ tk* lidhem *(me internetin etj.)*

loggerheads /'logə(r)hedz/ *em sh:* **be at** ~ s'merremi vesh fare

logic /'lodʒik/ *em*/ logjikë ♦ **~al** *mb*/ logjik; i logjikshëm

logistics /lo'dʒidstik/ *em sh (me folje në njëjë)*

logjistikë

logo /'loogou/ *em* logo *(shenjë dalluese e një ko-mpanie)*

loin /loin/ *em* ije; kryqe

loiter /'loitə(r)/ *jk/* vonohem; sorollatem; ngarritem

loll:ipop /'lolipop/ *em* sheqerkë; kasatë me shkop; tabelë e rrumbullakët e vënë majë një shkopi për të ndaluar trafikun *(në rrugë pranë shkollës)* ♦ **~y** *em* kasatë me shkop

London /'lʌndən/ *em* Londër ♦ **~er** *em* londinez ♦ **~ese** /-'ni:z/ *em* e folme e Londrës

lone /loun/ *mb* i vetëm; i vetmuar ♦ **~liness** /'lounlinis/ *em* vetmi ♦ **~ly** *mb* i vetmuar

long[1] /'loŋ/ *mb* i gjatë: **10 ft ~** dhjetë këmbë i gjatë; **a ~ way** rrugë e gjatë; **in the ~ run** në fund (të fundit); tekefundit; **~-distance** *(thirrje telefonike)* ndërqytetëse; *(garë)* e thellësisë ♦ *nd:* **how ~?** sa kohë?; sa zgjat?; **~ before** para shumë kohësh; **before ~** pas pak; së shpejti; **as ~ as** sa kohë që; **at ~ last** më në fund; **he's no ~er here** ai s'është më këtu; **as ~ as** sa kohë që; derisa; me kusht që; **don't take too long** mos u vono

long[2] *jk/:* **~ for** dëshirohem/ digjem për ♦ **~ing** *em* dëshirë; mall; përmallim

longitude /'loŋgitju:d/ *em gjeog* gjatësi

long: jump /-dʒʌmp/ *em* kërcim së gjati ♦ **~life milk** /-'laif'milk/ *em* qumësht me afat të gjatë përdorimi ♦ **~-lived**/-livd/ *mb* jetëgjatë ♦ **~range** /-reindʒ/ *mb ush, av* me rreze të gjatë *(veprimi); (parashikim)* afatgjatë ♦ **~sighted** /-saitid/ *mb* dritëgjatë; presbiter ♦ **~-sleeved** /-sli:vd/ *mb* me mëngë të gjata ♦ **~suffering** /-sʌfəriŋ/ *mb* i durua ♦ **~-term** *mb* afatgjatë ♦ **~ wave** /-weiv/ *em* valë të gjata *(të radios)*

loo /lu:/ *em bs* nevojtore

look /luk/ *em* vështrim; (një) sy; pamje; dukë: **(good) ~s** bukuri; **have a ~ at** i hedh një sy; **new ~** modë e re ♦ *jk/* vështroj; më duket: **~ here!** shih këtu!; **~ like** duket si ♦ **~ after** *k/* kujdesem; shoh ♦ **~ down** *jk/:* **~ down on sb** *fig* shoh nga lart poshtë/ me përbuzje dikë ♦ **~ forward to** *k/* pres me padurim ♦ **~ in on** *k/* kaloj sa për ta parë *(dikë)* ♦ **~ into** *k/* kontrolloj; hetoj ♦ **~ out** *jk/:* **~ out for** kërkoj; **~ out!** kujdes!; hap sytë! ♦ **~ round** *jk/* shoh përqark; kthehem të shoh; i hedh një sy *(mallrave në dyqan);* dal për të parë *(qytetin)* ♦ **~ through** *k/* i hedh një vështrim të shpejtë *(shënimeve, librit)* ♦ **~ up** *jk/* ngre kokën/sytë; shoh lart: **~ up to sb** *fig* shoh me respekt dikë ♦ *k/* kërkoj *(një fjalë);* i shkoj për vizitë dikujt ♦ **~er** *em:* **on~shikues;** sehirxhi; spektator ♦ **~ing** *mb:* **good-~** *(vajzë)* e pashme; e bukur ♦ **~ing-glass** /-'gla:s/ *em* pasqyrë ♦ **~-out** *em* rojë: **be on the ~ for** i hap sytë mirë për

loom /lu:m/ *jk/* duket; shquhet; *fg (rreziku)* kanoset

loony /'lu:ni/ *mb, em bs* i luajtur mendsh

loop /lu:p/ *em* lak

loophole /'luphoul/ *em* e çarë; frengji *(në mur); fg* rrugëdalje

loose /lu:s/ *mb* i zgjidhur; *(rrobë)* e gjerë; *(para)* të shkoqura; *(mall)* i paambalazhuar; *(goditje)* e pasaktë; *(top)* pa adresë: **be at a ~ end** s'di ç'të bëj; **come ~** *(nyja, lidhësja)* zgjidhet; **set ~** liroj; lëshoj; **~ change** të holla; pará të vogla/ shkoqura; **play fast and ~** luaj si macja me miun *(me dikë)* ♦ **~ly** *nd* lirshëm; vagëllimthi, në mënyrë të paqartë ♦ **~n** *k/* zgjidh; liroj *(brezin):* **~ one's tongue** zgjidh/ lëshoj gjuhën ♦ *jk/ (nyja)* zgjidhet; *(vidha)* lirohet

loot /lu:t/ *em* plaçkë ♦ *k/, jk/* plaçkit ♦ **~er** *em* plaçkitës ♦ **~ing** *em* plaçkitje

lop /lop/ *k/* krasit; pres; shkadhit; qëroj **(off)**

lop-sided /lop'saidid/ *mb (zhvillim)* i pabarabartë

Lord /lo:(r)d/ *em* zotëri; *(titull)* lord: **House of L~s** Dhomë e Lordëve: **the L~'s Prayer** atynë; **good L-!** Zot i madh!

lore /lo:(r)/ *em* traditë

lorry /'lori/ *em* kamion

lose /lu:z/ **(lost** /lost/) *k/* humb; lë *(para në bixhoz):* **~ the game** humb lojën; mundem; **~ face** më nxihet faqja ♦ *jk/* humb; mundem; *(ora)* mbetet prapa: **get/ be lost** humb rrugën; **get lost!** *bs* shporru! ♦ **~r** *em* humbës; i mundur

loss /los/ *em* humbje: **be at a ~** hutohem; **be at a ~ for words** s'e gjej dot fjalën e duhur

lost /lost/ *shih* **lose** ♦ *mb* i humbur: **~ property office** zyrë e sendeve të gjetura

lot[1] /lot/ *em* short; lotari: **draw ~s** hedh/ shtie short

lot[2] *em:* **the ~** e gjitha; **a ~/ ~s of** shumë; një thes/ tufë me; **it has changed a ~** ka ndryshuar shumë

lot[3] *em* parcelë: **parking ~** vendparkim

lotion /'louʃn/ *em* locion; bar i lëngët

lottery /'lotəri/ *em* lotari

loud /laud/ *mb (zë)* i lartë; *(ngjyra)* të forta, *(sjellje)* harbute ♦ *nd* fort; shumë; me zë të lartë: **out ~** me zë të lartë ♦ **~ly** *nd* fort; me zë të lartë ♦ **~-mouthed** /-'mauðd/ *mb* llafazan; mburravec ♦ **~speaker** /-'spi:kə(r)/ *em* altoparlant

lounge /laundʒ/ *em* sallon; holl *(i hotelit);* poltronë

lous:e /laus/ *em (sh* **lice)** morr ♦ **~y** /'lauzi/ *mb* morracak; *bs* i ndyrë; i qelbur: **a ~ five pounds** pesë sterlina të qelbura

lout /laut/ *em* gdhe ♦ **~ish** *mb* gdhe; katundar

lov:able /'lʌvəbl/ *mb* i dashur; i ëmbël ♦ **~e** *em* dashurí; e dashur: **for ~** për qejf; se më pëlqen; **fall in ~** bie në dashuri ♦ *k/* dua; dashuroj: **I'd ~ to do it** do ta bëja me dëshirë ♦ **~-affair** /-ə'feə(r)/ *em* dashurí ♦ **~ letter** /-'letə(r)/ *em* letër dashurie ♦ **~ely** /'lʌvli/ *mb* i bukur; i këndshëm; tërheqës: **have a ~ time** dëfrej; kënaqem; argëtohem; ia kaloj mirë ♦ **~e: song** /-soŋ/ *em* këngë dashurie

♦ ~ **story** /-stoːri/ *em* histori dashurie ♦ **~ing** / 'lʌviŋ/ *mb* i dashur; i dhënë pas

low /lou/ *mb* i ulët; *(rezerva)* të pakta ♦ *nd* poshtë: **feel ~** ndjehem i dërrmuar ♦ **~er** *mb, nd shih* **low** ♦ *kl* ul: **~ oneself** ul veten; poshtërohem ♦ **~-grade** /-greid/ *mb* i cilësisë së ulët ♦ **~-key** /-kiː/ *mb (ton)* i ulët ♦ **~lands** /-lændz/ *em sh* ultësirë ♦ **~ tide** /-taid/ *em* zbaticë

loyal /'loiəl/ *mb* besnik ♦ **~ty** *em* besnikëri

lozenge /'lozindʒ/ *em* romb; hape; tabletë

LP /'el'piː/ *em shkrt i* **long-playing record** pllakë gramafoni me 33 1/3 rrotullime në minutë

Ltd /'elti:'di:/ *shkrt i* **limited** sh. p. k.

lubrica:nt /'luːbrikənt/ *em* lubrifikues ♦ **~te** / 'luːbrikeit/ *k/* lubrifikoj; lyrësoj ♦ **~tion** /luːbri'keiʃn/ *em* lubrifikim; lyrësim

lucid /'luːsid/ *mb (shpjegim)* i qartë; *(mendje)* e kthjellët ♦ **~ity** /-'sidəti/ *em* qartësi; kthjelltësi

luck /lʌk/ *em* fat: **bad ~** fat i keq; fatkeqësi; **good ~!** të vaftë mbarë! ♦ **~ily** *nd* për fat të mirë ♦ **~y** *mb* fatbardhë: **be ~** kam fat; më ecën fati; **~ charm** hajmali

lucrative /'luːkrativ/ *mb* fitimprurës

ludicrous /'luːdikrəs/ *mb* qesharak ♦ **~ly** *nd* në mënyrë qesharake

lug /lʌg/ *kl bs* ia këput kot; flas në tym

luggage /'lʌgidʒ/ *em* bagazh: **left ~** bagazh i harruar

lukewarm /'luːkwoː(r)m/ *mb* i vakët; *fg (njeri)* që s'të ngroh

lull /lʌl/ *em* qetësi; pushim; ndërprerje

lullaby /'lʌləbai/ *em* këngë djepi; ninullë

lumbago /lʌm'beigou/ *em mk* dhembje mesi/ kryqesh

lumber /'lʌmbə(r)/ *em* vjetërsira; rrangulla; *am* lëndë druri e sharruar ♦ *kl bs* mbush me rrangulla

(shtëpinë): **~ sb with sth** ngarkoj dikë me diçka ♦ **~jack** /-dʒæk/ *em* sharrëtar; sharrok

lumino:sity /lumi'nosəti/ *em* ndriçim; dritë ♦ **~us** / 'luːminəs/ *mb* i ndritshëm

lump /lʌmp/ *em* shuk *(dheu);* tokël *(sheqeri etj.);* gungë; ënjtje: **have a ~ in the throat** më bëhet një lëmsh në grykë; **sell in the ~** shes toptan ♦ *kl:* **~ together** vë bashkë; marr pa dallim; grumbulloj; **~ it** *bs* e pranoj si të jetë

lump sum /-sʌm/ *em* shumë e përgjithshme

luna:cy /'luːnəsi/ *em* çmenduri ♦ **~r** *mb* hënor; i hënës: **~ probe** *ast* sondë e hënës ♦ **~tic** *mb, em* i çmendur; i përhënur

lunch /lʌntʃ/ *em* drekë ♦ *jkl* drekoj; ha drekë ♦ **~on** *em* drekë e lehtë

lung /lʌŋ/ *em an* mushkëri: **iron ~s** mushkëri artificiale

lurch¹ /ləː(r)tʃ/ *em:* **leave sb in the ~** lë në baltë dikë

lurch² *jkl* sorollatem; endem kot

lure /'luə(r)/ *kl* josh; magjeps

lurid /'luərid/ *mb* i ndyrë

luscious /'lʌʃəs/ *mb* i lëngshëm; i shijshëm; *fg (femër)* tërheqëse

lust /lʌst/ *em* epsh; etje *(for)* ♦ *jkl:* **~ after** lakmoj ♦ **~ful** *em* epshor ♦ **~y** *mb* i fortë; i fuqishëm

lute /luːt/ *em mz* llautë

lustre /'lʌstə(r)/ *em* shkëlqim; lustër: **lack-~** i mërzitshëm

luxur:iant /lʌg'ʒuəriənt/ *mb* i begatë; i harlisur; luksoz ♦ **~ious** *mb* luksoz ♦ **~y** /'lʌkʃəri/ *em* luks

lying /'lain/ *shih* **lie¹,²** ♦ *em* gënjeshtër

lynch /lintʃ/ *kl* linçoj ♦ **~ing** *em* linçim

lynx /liŋks/ *em zl* rrëqebull

lyric /'lirik/ *mb, em* lirik ♦ **~al** *mb* lirik ♦ **~s** *em sh* fjalët *(e këngës)*

M

ma /ma:/ *em bs* ma(ma)

mac /mæk/ *em bs* mushama *(shiu)*

Mac[1] *em* mik/ shok *(kur i drejtohemi dikujt që s'ia dimë emrin)*

Mac[2] *em* (kompjuter) Makintosh

macabre /mə'ka:bə(r)/ *mb* i lemerishëm; makabër

macadam /mə'kædəm/ *em* rrugë e asfaltuar

mace /meis/ *em vj ush* topuz

machinations /mæki'neiʃnz/ *em sh* makinacione; intriga

machine /mə'ʃi:n/ *em* makinë, makineri ♦ *kl* punoj; qep në makinë ♦ **~machine-gun** /-gʌn/ *em* mitraloz ♦ **~-made** /-meid/ *mb* i fabrikuar; i prodhuar në fabrikë ♦ **~ry** *em* makineri ♦ **~ist** *em* makinist

macho /'mætʃou/ *mb am bs* burrë; mashkull

mackerel /'mækrl/ *em zl* (peshk) skumbri

mackintosh /'mækintoʃ/ *em* mushama

Mackintosh® *em* (kompjuter) Makintosh

mad /mæd/ *mb* i çmendur; i nxehur (**at** me): **like ~** *bs* si i çmendur; me tërbim; **be ~ about sb/ sth** bëj si i çmarrë pas dikujt/ diçkaje

madam /'mædəm/ *em* zonjë

madden /'mædn/ *kl* çmend

made /meid/ *shih* **make** ♦ *mb*: **~ to measure** i bërë me masë; **~ to order** i bërë me porosi

mad:ly /'mædli/ *nd bs* çmendurisht; si i çmendur: **~ly in love** i dashuruar marrëzisht ♦ **~man** *em* i çmendur ♦ **~ness** *em* çmenduri

magazine /mægə'zi:n/ *em* revistë; *ush* karikator; *fot etj.* kuti e filmit/ e bojës

maggot /'mægət/ *em* larvë; krimb mishi; skra; *fg* tekë

magic /'mædʒik/ *em* magji; numra shpejtësie: **black ~** magji e zezë ♦ *mb* magjik; *(nmër)* shpejtësie ♦ **~al** *mb* magjik ♦ **~ian** /mə'dʒiʃn/ *em* magjistar; prestidigjitator ♦ *mb* magjik

magistrat:e /'mædʒistreit/ *em* magjistrat ♦ **~ure** /-trətʃə(r)/ *em* magjistraturë

magnanimity /mægnə'niməti/ *em* shpirtmadhësi ♦ **~ous** /-'næniməs/ *mb* shpirtmadh

magnet /'mægnit/ *em* magnet ♦ **~ic** *mb* magnetik: **~ field** fushë magnetike ♦ **~ism** /-izm/ *em* magnetizëm

magni:fication /mægnifi'keiʃn/ *em* zmadhim ♦ **~ficence** /mæg'nifisəns/ *em* madhështi ♦ **~ficent** /mæg'nifisənt/ *mb* madhështor ♦ **~fy** /'mægnifai/ *kl* zmadhoj; e teproj ♦ **~fing glass** *em* xham zmadhues ♦ **~itude** /'mægnitju:d/ *em* madhësi; rëndësi; ballë *(i tërmetit)*: **star of the first ~** *ast* yll i madhësisë së parë

magpie /'mægpai/ *em zl* laraskë

mahogany /mə'hogəni/ *em bt* mogan ♦ *mb (dru etj.)* mogani

maid /meid/ *em* kameriere; shërbëtore; vajzë: **old ~** *kq* lëneshë ♦ **~en** *mb (fjalim)* i parë *(i deputetit të ri në parlament); (udhëtim)* i inaugurimit *(të anijes):* **~en name** *em* emër i vajzërisë

mail /meil/ *em* postë: **e-mail** *em* postë elektronike; **by air~** me postë ajrore ♦ **~-bag** /-bæg/ *em* thes i postës ♦ **~-box** /-boks/ *em am* kuti e postës ♦ **~ing list** /-list/ *em* listë e adresave *(të pajtimtarëve)* ♦ **~man** /-mən/ *em* postjer ♦ **~ order** /-'o:(r)də(r)/ *em* porosi me póstë; mandatëpostë

maim /meim/ *kl* gjymtoj ♦ **~ed** *mb* i gjymtuar

main /mein/ *em* tub/ kanalizim/ kabëll kryesor *(i ujit, i elektrikut):* **in the ~** kryesisht; **connect to the ~s** lidh me ushqimin *(një pajisje)* ♦ *mb* kryesor: **the ~ thing is** kryesorja është; **~ street** rrugë kryesore; *fg* provincializëm materialist

mainland /-lænd/ *em* kontinent

mainly /'meinli/ *nd* kryesisht

mainstay /'meinstei/ *em* mbështetje

maint:ain /mein'tein/ *kl* (mirë)mbaj; them; pretendoj (**that** se) ♦ **~enance** /'meintənəns/ *em* mbajtje *(me ushqim etj.)*; mirëmbajtje; para për ushqim

maisonette /meizə'net/ *em* apartament dykatësh

maize /meiz/ *em bt* misër

majest:ic /mə'dʒestik/ *mb* madhështor ♦ **~y** / 'mædʒəsti/ *em* madhëri: **His/Her M~** Madhëria e Ti/saj

major /'meidʒə(r)/*mb* madhor; epror; më i madh ♦ *em ush* 'major ♦ *jkl am* specializohem/diplomohem (**in** për) ♦ **~ity** /mə'dʒorəti/ *em* shumicë: **be in the ~** jemi shumica

mak:e /meik/ *em* markë prodhimi ♦ (**made**) *kl* bëj; fitoj; bëj *(të qartë, të kuptueshëm);* shkaktoj: **~ sb laugh** bëj për të qeshur dikë; **~ sb do sth** e vë dikë të bëjë diçka; **~ it** ia dal; dal me sukses; mbërrij *(në kohë)* ♦ *jkl*: **~ as if to** bëj sikur ♦ **~ do** *jkl* ndreqem; rregullohem; e nxjerr *(me aq sa kam)* ♦ **~ for** *kl* drejtoh*em* nga ♦ **~ off** *jkl* iki ♦ **~ out** *kl* dalloj; lëshoj, shkruaj *(një çek);* bëj *(një listë);* bëj sikur ♦ **~ over** *kl* ia kaloj *(dikujt një pasuri)* ♦ **~ up** *kl* bëj; hartoj; plotësoj *(kohën e humbur);* krijoj, shpik, sajoj; i bëj tualet; bëj *(pakon):* **~ up one's mind** e ndaj mendjen; vendos; **~ it up with s. o** ♦ pajtohem me dikë; **~ up for** plotësoj; kompensoj *(kohën e humbur, të prapambeturat)* ♦ **~ believe** /-bi'li:v/ shtirje ♦ **~er** *em* prodhues: **M~** *ft* Krijues; Perëndi ♦ **~eshift** /-ʃift/ *mb* i rastit; rrethanor ♦ *em* mjet rrethanor ♦ **~eup** /-ʌp/ *em* tualet; grim; përbërje; karakter; natyrë ♦ **~ing** /'meikiŋ/ *em:* **have the ~s of** jam gatuar si/ për

maladjusted /mælə'dʒʌstid/*mb* i papërshtatur

malaise /mə'leiz/ *em* shqetësim; dobësi

malaria /mə'leəriə/ *em mk* malarie

Malaysia /mə'leiziə/ *em gjg* Malezi ♦ **~n** *mb, em* malezian

male /meil/ *mb* mashkullor: **~ nurse** infermier; **~ chauvinism** shovinizëm mashkullor ♦ *em* mashkull

malevolanc:e /mə'levələns/ *em* dashaligësi ♦ **~t** *mb* dashalig

malfunction /mæl'fʌŋkʃn/ *em* keqfuksionim ♦ *jkl* funksionon/ punon keq

malic:e /'mælis/ *em* ligësi ♦ **~ious** /mə'liʃəs/ *mb* dashalig; i mërishëm

malign /mə'lain/ *kl* shpif për ♦ **~ancy** /-'lignənsi/ *em* ligësi; *mk* malinjitet

malinger /mə'liŋgə(r)/ *kl* shtirem si i sëmurë ♦ **~er** *em* hileqar në punë

malleable /'mæliəbl/ *mb* i farkëtueshëm; i butë; i përkulshëm

mallet /mælit/ *em* çekiç druri

malnutriton /mælnu'triʃn/ *em* ushqim i pamjaftueshëm; dietë e varfër

malpractice /mæl'præktis/ *em* pakujdesi në detyrë; shpërdorim i postit; *mk* dështim i kundërligjshëm

malt /mo:lt / *em* malt *(për distilimin e uiskit)*

Malta /'mo:ltə/ *mb gjg* Maltë ♦ **~ese** /mo:l'ti:z/ *mb, em* maltez: **~ cross** kryqi i Maltës

maltreat /mæl'tri:t/ *kl* keqtrajtoj ♦ **~ment** *em* keqtrajtim

mama, mamma /mə'ma:/ *em* mama

mammal /'mæml/ *em* gjitar; sisor ♦ **~ian** /mə'meiljn/ *mb (kafshë)* gjitare; sisore

mammoth /'mæməθ/ *mb* vigan ♦ *em zl* mamuth

man /mæn/ *em (sh* **men**) burrë; ushtar *(edhe në shah)* ♦ *kl* pajis me ekuipazh *(anijen);* mbush radhët *(e regjimentit etj)*

manag:e /'mænidʒ/ *kl* drejtoj *(punët e kompanisë);* ia dal *(një pune):* **I can't ~ it** s'e bëj dot ♦ *jkl* ujdis; ndreq; ia dal në krye ♦ **~eable** *mb (flokë)* të shtruar; i mundshëm; i manovrueshëm; *(njeri)* i butë; i praktik ♦ **~ement** *em* drejtim *(i punëve):* **the ~** drejtoria; administrata ♦ **~er** *em* drejtor; përgjegjës; *sp* manazher ♦ **~eress** /-'res/ *em* drejtore; përgjegjëse ♦ **~erial** /-'dʒiəriəl/ *mb (personel)* drejtues; administrativ ♦ **~ing** / 'mænidʒiŋ/ *mb:* **~director** drejtor administativ

mandarin /'mændərin/ *em bt* mandarinë; **M~** *em* Mandarin; kinez mandarin; kinezçe; zyrtar/ funksionar i lartë

mandate /'mændeit/ *em* mandat ♦ **~ory** /-dətri/*mb* i detyrueshëm

mandoline /'mændəlin/ *em mz* mandolinë

mane /mein/ *em* krifë *(e luanit, e kalit)*

manger /'mændʒə(r)/ *em* grazhd: **dog in the ~** shpirtqen

mangle /'mæŋgl/ *kl* gjymtoj; prish; dëmtoj

mango /'mæŋgou/ *em bt (sh* **-es**) *bt* mango

mangy /'meindʒi/ *mb (qen)* kromash

man:-handle /-'hændl/ *kl* keqtrajtoj; rrah; vë dorë më ♦ **~hole** /-'houl/ *em* pusetë; dritare kontrlli: **~hole cover** kapak i pusetës ♦ **~hood** /hud/ *em* burrëri; pjekuri burrërore: **reach ~** bëhem burrë ♦ **~hour** /-auə(r)/ *em* orë pune për njeri

mania /'meiniə/ *em* mani ♦ **~c** /-iæk/ *mb* maniak

manicur:e /'mænikjuə(r)/ *em* manikyr ♦ **~ist** *em* manikyrist

manifest /'mænifest/ *mb* manifest ♦ *kl:* **~ itself** manifestohet; shfaqet ♦ **~ation** /-'teiʃən/ *em* manifestim ♦ **~ly** *nd* dukshëm; haptas ♦ **~o** /- 'festou/ *em p/* manifest

manifold /'menifould/*mb* i shumëfishtë

manikin /'mænikin/ *em* manekin

manipulat:e /mə'nipjuleit/ *kl* përpunoj; *mk* manipuloj; ndryshoj; falsifikoj ♦ **~ion** /-'leiʃn/ *em* manipulim; përpunim; ndryshim; falsifikim

man:kind /'mænkaind/ *em* njerëzim ♦ **~ly** /'mænli/ *mb* burrëror ♦ **~made** /-meid/ *mb* artificial; sintetik: **~ disaster** fatkeqësi e shkaktuar nga njeriu

manner /'mænə(r)/ *em* mënyrë; sjellje; soj *(njeriu):* **in this ~** kështu; **by all ~ of means** gjithësesi; **teach sb ~s** i tregoj dikujt si të sillet; **have no ~s** s'di të sillem; sill*em* keq; **good/ bad ~s** sjellje e mirë/keqe ♦ **~ism** *em* shtirje

man(o)euvre /mə'nu:və(r)/ *em* manovër ♦ *kl*

manovroj

manor /'mænə(r)/ *em* pronë feudale

man-of-war /'mænəv'wo:(r)/ *em ush, dt* luftanije ♦ **~power** /-pauə(r)/ *em* fuqi punëtore ♦ **~servant** /-sə:(r)vnt/ *em* shërbëtor

mansion /'mænʃn/ *em* pallat; bllok apartamentesh; kështjellë

manslaughter /'mæslo:tə(r)/ *em* vrasje; *dr* vrasje nga pakujdesia

mantle /'mæntl/ *em* mantel; mbulesë ♦ **~piece** /-pi:s/ *em* buhar i oxhakut

manual /'mænjuəl/ *mb (punë)* krahu ♦ *em* doracak; manual ♦ **~ly** *nd* me dorë; me fuqinë e krahut

manufactur:e /mænju'fæktʃə(r)/ ♦ *em* prodhim ♦ *k/* prodhoj; **~ed in** prodhuar në ♦ **~er** *em* prodhues ♦ **~ing** *mb:* **~ industry** industri përpunuese

manure /mə'njuə(r)/ *em* pleh ♦ *k/* plehëroj

manuscript /'mænjuskript/ *em* dorëshkrim

many /'meni/ *mb, prm* shumë; i shumtë: **a great ~ people** shumë njerëz; **ever so ~ times** sa e sa herë; **in ~ ways** në shumë mënyra; **as ~ as** po aq sa; **twice as ~** dy herë aq/ më shumë; **how ~?** sa?; **too ~** tepër; **one too ~** një më shumë; **~ a time** shumë herë ♦ **~-coloured** /-'kʌləd/ *mb* shumëngjyrësh ♦ **~-sided** /-saidid/ *mb* i shumanshëm; shumëfaqësh

map /mæp/ *em* hartë: **put on the ~** vë në hartë; bëj të njohur ♦ *k/* bëj hartën e; *fig* programoj ♦ **~-making** *em* hartografi

maple /'meipl/ *em bt* panjë; dru panje

mar /ma:(r)/ *k/* prish

marathon /'mærəθən/ *em sp* maratonë ♦ **~er** *em sp* maratonist

marble /'ma:(r)bl/ *em* mermer; çok *(në disa lojëra)* ♦ *mb* i mermertë; (prej) mermeri

March /ma:(r)tʃ/ *em* mars

march *em* marshim; *mz* marsh ♦ *jk/* marshoj ♦ *k/* nis në marshim **(of)**

mare /meə(r)/ *em* pelë

margarine /ma:(r)dʒə'ri:n/ *em* margarinë

margin /'ma:(r)dʒin/ *em* buzë; buzinë; anë; skaj ♦ **~al** *mb* anësor ♦ **~ally** *nd* në anë; në skaj

marguerite /ma:(r)gə'ri:t/ *em bt* luleshqerrë

marigold /'mærigould/ *em bt* kumak

marihuana /mærə'wa:nə/ *em dhe bt* marihuanë

marine /mə'ri:n/ *mb* detar ♦ *em* ushtar i këmbësorisë së marinës

marionette /mæriə'net/ *em* kukull teatri

marital /'mæritl/ *mb* martesor; bashkëshortor: **~ status** gjendje civile

maritime /'mæritaim/ *mb* detar; i detarisë

mark[1] /ma:(r)k/ *em* markë *(monedhë gjermane)*

mark[2] *em* njollë; shenjë; notë *(e nxënësit)* ♦ *k/* njollos; shënoj; i vë notë *(nxënësit);* **~ my words** mbaji mend fjalët e mia; **~ time** bëj në vend numëro; ngec në vend; *ush* caktoj ritmin e ecjes; **~ my**

words mbaji mend fjalët e mia ♦ **~ out** *k/* shënoj; ndaj me vizë; vizoj; vizatoj ♦ **~ed** /ma:(r)kt/ *mb* i shënuar ♦ **~ly** /-kidli/ *nd* dukshëm ♦ **~er** *em* shenjë; shënues; vizues *(i fushës);* laps me ngjyrë *(për dallimin e fjalës);* komision i provimit

market /'ma:(r)kit/ *em* treg; pazar: **on the ~** në treg ♦ **~ economy** /-i'konəmi/ *em* ekonomi e tregut ♦ **~eer** /ma:(r)ki'tiə(r)/ *em* tregtar; matrapaz ♦ **~ing** /'ma:(r)kitiŋ/ *em* tregtim; komercializim

marksman /'ma:(r)ksmən/ *em* qitës

marmalade /'ma:(r)məleid/ *em* marmelatë

maroon /mə'ru:n/ *mb* ngjyrëgështenjë

marooned /mə'ru:nd/ *mb* i braktisur

marquee /ma:(r)'ki:/ *em* tendë

marquis /'ma:(r)kwis/ *em* markez

marri:age /'mæridʒ/ *em* martesë: **children of the first ~** fëmijë me gruan/ burrin e parë ♦ **~ed** *mb* i martuar; *(jetë)* bashkëshortore

marrow /'mærou/ *em an* palcë; *bt* kungull

marry /'mæri/ *k/* martohem me; martoj: **get ~ied** martohem

Mars /ma:(r)z/ *em ast, mit* Mars

marsh /ma:(r)ʃ/ *em* moçal

marshal /'ma:(r)ʃl/ *em ush* mareshal; mjeshtër/ shef i ceremonive

marshy /'ma:(r)ʃi/ *mb* moçalor

marsupial /ma:(r)'su:piəl/ *em zl* marsupial

marten /'ma:tn/ *em zl* kunadhe

martial /'ma:ʃl/ *mb* luftarak; ushtarak: **~ art** art ushtarak; art i luftimit; **court ~** gjyq ushtarak

martyr /'ma:(r)tə(r)/ *em* dëshmor; fli; theror ♦ *k/* therorizoj; flijoj ♦ **~dom** *em* therorizim; flijim ♦ **~ed** *mb bs* i therorizuar; i flijuar

marvel /'ma:(r)vl/ *em* mahnitje; mrekulli ♦ *jk/* mahnitem; mrekullohem **(at** me) ♦ **~ous** *mb* i mrekullueshëm; i mahnitshëm

mascara /mæ'ska:rə/ *em* rimel *(për sytë)*

mascot /'mæskət/ *em* maskot *(kafshë për fat në regjiment, në skuadër)*

masculine /'mæskjulin/ *mb* mashkullor ♦ *em gjh* (gjini) mashkullore ♦ **~ity** /mæskju'linəti/ *em* mashkullorësi

mash /mæʃ/ *k/* shtyp; bëj brumë: **~ed potatoes** patate të shtypura; brumë patatesh

mask /ma:sk/ *em* maskë ♦ *k/* maskoj

masochism /'mæsəkizm/ *em* mazokizëm ♦ **~ist** /-ist/ *em* mazokist

mason /'meisn/ *em* mason; murator ♦ **~ic** /mə'sonik/ *mb* masonik ♦ **~ry** *em*

masquerade /mæskə'reid/ *em fg* maskaradë; festë/ ballo me maska ♦ *jk/:* **~as** shtirem si

mass[1] /mæs/ *em ft* meshë

mass[2] *em* masë; turmë; shumicë: **~es of** *bs* një qerre me ♦ *jk/ (turma)* mblidhet

massacre /'mæsəkə(r)/ *em* masakër; plojë ♦ *k/* masakroj

mass:age /'mæsa:ʒ/ *em* masazh; fërkim ♦ **~eur** /-'sə:(r)/ *em* masazhier ♦ **~se** /-'sə:z/ *em* masazhiere

massive /'mæsiv/ *mb* masiv; i stërmadh

mass:-media /-mi:diə/ *em sh* mjete të komunikimit masiv, mas media ♦ **~ produce** *kl* prodhoj në seri ♦ **~-production** /-prə'dʌkʃn/ *em* prodhim në seri

mast /ma:st/ *em dt* direk; antenë *(e radiostacionit)*

master /'ma:stə(r)/ *em* zotëri; mësues; mjeshtër ♦ **M~** *em* zotëri i ri ♦ *kl* zotëroj *(një lëndë)*

master-key /-ki:/ *em* çelës kopil

master:ly /'ma:stə)li/ *mb* mjeshtëror ♦ **~mind** /-maind/ *em* kokë drejtuese ♦ **~piece** /-pi:s/ *em* kryevepër ♦ **~y** *em* zotërim *(i lëndës);* mjeshtëri

masturbate /'mæstəbeit/ *jkl* masturboj; *bs* i bie me dorë ♦ **~ion** /-'beiʃn/ *em* masturbim

mat /mæt/ *em* rrogoz; shtrojë e pjatës *(në tryezë)*

match¹ /mætʃ/ *em* përputhje; çift; *sp* ndeshje: **be no ~ for** nuk matem dot me; **be no ~ for** nuk matem/ krahasohem dot me ♦ *kl* barazoj; përqas; bashkoj, lidh ♦ *jkl* shkon; përputhet; krahasohet

match² *em* kunj i shkrepëses ♦ **~box** /-boks/ *em* kuti e shkrepëses

match:ing /'mætʃiŋ/ *mb* i përputhur; i përshtatur ♦ **~less** *mb* i pashoq

mate¹ /meit/ *em* shok; *bs* mik; ndihmës; *dt* oficer *(në anije tregtare):* **work-~** shok pune ♦ *jkl* çiftohet; *(zogjtë)* ndiqen ♦ *kl* çiftoj

mate² *em:* **check ~** shah mat

material /mə'tiəriəl/ *em* material; lëndë; stof: **raw ~s** lëndë të para ♦ **~istic** /-'listik/ *mb* materialist ♦ **~ise** /-laiz/ *jkl* materializohet

matern:al /mə'tə:(r)nl/ *mb* amëtar; amënor; i nënës ♦ **~ity** *em* amësi ♦ **~ity ward** /-wo:(r)d/ *em* repart i lindjes

matey /'meiti/ *mb* miqësor; shoqëror

mathematic:al /mæθi'mætikl/ *mb* matematik ♦ **~ian** /-mə'tiʃn/ *em* matematicien ♦ **~s** /-'mætiks/ *em* matematikë

maths /mæθs/ *em bs* matematikë

matinee /'mætinei/ *em tt* shfaqje e paradites

mating /'meitiŋ/ *em* çiftim: **~ season** stinë e çiftimit *(të zogjve)*

matriculate /mə'trikjuleit/ *jkl* regjistrohem ♦ **~ion** /-'leiʃn/ *em* rgjistrim; matrikull

matrix /'meitriks/ *em (sh* **matrices** /-si:z/) *em* kallëp; matricë

matter /'mætə(r)/ *em* çështje; pyetje; qelb; *fz* lëndë, materie: **as a ~ of fact** në të vërtetë; **what is the ~?** çfarë ka? ♦ *jkl* ka rëndësi (**to** për): **it doesn't ~** s'ka rëndësi; s'prish punë

matter-of-fact /'mætərəv'fækt/ *mb* praktik

mattress /'mætris/ *em* dyshek: **spring ~** dyshek me sustë

matur:e /mə'tjuə(r)/ *mb* i pjekur; *fin* i maturuar ♦ *jkl* piqem ♦ *kl* pjek ♦ **~ity** *em* pjekuri; *fn* maturim

maul /mo:l/ *kl* kopanis; rrah keq; zhdem; copëtoj; shqyej

mauve /mouv/ *mb* ngjyrëmavi

maxi /'mæksi/ *mb, em* maksi; (veshje) e gjatë ♦ **~mum** *mb* më i madh; maksimal: **ten minutes ~** shumë-shumë dhjetë minuta ♦ *em (sh* -ima) maksimum

May /mei/ *em* maj

may /mei/ *folje ndihmëse (vetëm në të tanishmen)* mund: **~ I come in?** mund të hyj? **if I ~ say so** në se më lejohet; **I ~ as well go** më mirë të shkoj; **~ you both be very happy** qofshi të lumtur të dy; **it ~ be true** mund të jetë/ndoshta është e vërtetë; **he ~ be old, but...** ♦ është plak, por...

maybe /'meibi:/ *nd* ndoshta

mayonnaise /meiə'neiz/ *em gjll* majonezë

mayor /'meiə(r)/ *em* kryetar bashkie ♦ **~ess** *f* kryetare bashkie; grua e kryetarit të bashkisë

maze /meiz/ *em* labirint

me /mi:/ *prm* mua; më: **she asked ~ to come** ajo më tha të vi; **give it to ~** jepma (mua)

meadow /'medou/ *em* livadh

meagre /'mi:gə(r)/ *mb* i paktë; i varfër; thatim: **~ consolataion** ngushëllim i thënçin

meal¹ /mi:l/ *em* gjellë; haje; vaht: **three ~s a day** tri vahte në ditë; **make a ~ of sth** e bëj çorbë/ e katranos diçka

meal² *em* miell: **corn ~** miell misri

mealy-mouthed /mi:li'mauðd/ *mb* i dykuptimshëm

mean¹ /mi:n/ *mb* kurnac; i poshtër, i lig: **don't be ~!** mos u bëj i lig/ shpirvogël!

mean² *mb* i mesëm; mesatar: **Greenwich ~ time** ora mesatare e Greniçit ♦ *em* mesatare; **~s** *sh* mjet; mënyrë: **by ~s of** me anë të; **by no ~s** aspak; **a ~s to an end** mjet për të arritur një qëllim; **have the ~ to do sth** kam me se të bëj diçka

mean³ *kl* (**meant** /ment/) dua të them; nënkuptoj; kam si qëllim: **I ~ it!** e kam me gjithë mend!; **I didn't ~ to offend you** s'desha të të fyej ♦ **~ing** *em* kuptim; domethënie: **get the ~** kuptoj ♦ **~ingful** *mb* domethënës; kuptimplotë ♦ **~ingless** *mb* pa kuptim

meant /ment/ *shih* **mean³**

mean:time /'mi:ntaim/ *em:* **in the ~** ndërkaq; ndërkohë ♦ *nd* ndërkaq; ndërkohë ♦ **~while** /-wail/ *nd* ndërkaq; ndërkohë

measles /'mi:zlz/ *em mk* fruth

measly /'mi:zli/ *mb* i vogël; i varfër; i pavlerë; i ndyrë

measur:able /'meʒərəbl/ *mb* i matshëm ♦ **~e** /'meʒə/ *em* masë: **give short ~** e jap mangët masën; **in a large ~** me shumicë; **preventive ~** masë parandaluese ♦ *kl, jkl* mat: **~ up to** *fig* matem/ krahasohem me ♦ **~ed** *mb* i matur; i kujdesshëm ♦ **~ement** *em* (për)masë

meat /mi:t/ *em* mish; tul, thelb *(i arrës):* **roast ~** mish i pjekur; **lean ~** mish pa dhjamë ♦ **~ball** /-

bo:l/ *em gjl*/qofte me mish ♦ **~loaf** /-louf/ *em* qofte e madhe

mechani:c /mi'kænik/ *em* mekanik ♦ **~cal** *mb* mekanik: **~ engineering** inxhinieri mekanike ♦ **~se** /'mekənaiz/ *k*/mekanizoj ♦ **~sm** /'mekənizm/ *em* mekanizëm

medal /'medl/ *em* medalje ♦ **~lion** /mi'dæliən/ *em* medalion ♦ **~list** /'medəlist/ *em* fitues i medaljes; medalist

meddle /'medl/ *jk*/ përzihem; ngatërrohem; trazoj (**with**); intrigoj ♦ **~er** *em* ngatërrestar; intrigant ♦ **~some** *mb* ngatërrestar

media /'mi:diə/ *em sh:* **the ~** mjete të komunikimit në masë; media ♦ *shih* **medium**

median /'mi:'djən/*mb* i mesëm: **~ strip** *am* vijë e mesit të rrugës

mediat:e /'mi:dieit/ *jk*/ ndërmjetësoj ♦ **~ion** /midi'eiʃn/ *em* ndërmjetësim ♦ **~or** *em* ndërmjetësues; mesit

medi(a)eval /midi'i:vl/ *mb* mesjetar

medic:al /'medikl/ *mb* mjekësor ♦ **~ate** /-keit/ *k*/ mjekoj ♦ **~ation** /medi'keiʃn/ *em* mjekim me barna: **be under ~** jam me barna ♦ **~ine** /'medsin/ *em* bar; ilaç; mjekësi

medieval /medi'i:vl/*mb* mesjetar

mediocr:e /mi:di'oukə(r)/*mb* i dosidoshëm; mediokër ♦ **~ity** /midi'okrəti/ *em* mediokritet; njeri dosido

meditat:e /'mediteit/ *jk*/ mendoj; përsiatem; bluaj me mend ♦ **~ion** /-'etiʃn/ *em* të menduar; përsiatje; bluajtje me mend

Mediterranean /meditə'reiniən/ *em:* **the ~** (**Sea**) *gjg* (Deti) Mesdhe; Mesdheu ♦ *mb* mesdhetar

medium /'mi:diəm/*mb* i mesëm: **~-sized** *(veshje etj.)* e përmasave mesatare; **~-term** *(kredi)* afatmesme ♦ *em* mediúm

medley /'medli/ *em* përzierje; *mz* potpuri

meek /mi:k/ *mb* i butë; i bindur: **as ~ as a lamb** i urtë si qengj; qengj i urtë ♦ **~ly** *nd* butë; kokulur

meet /mi:t/ (**met**) *k*/takoj; dal të pres *(dikë)*; njihem me; paguaj *(shpenzimet)*; plotësoj *(kërkesat)* ♦ *jk*/ takohem; *(këshilli)* mblidhet: **~ with** takoj; has në *(vështirësi)* ♦ **~ing** *em* mbledhje; tubim; takim *(i atletikës)* ♦ **~ing place** *em* pikëtakim; vendtakim

mega:byte /'megəbait/ *em tk* megabait ♦ **~lomania** /-lou'memiə/ *em* megalomani ♦ **~phone** /'-foun/ *em* megafon

melancholy /'melənkoli/*mb* i trishtuar; i zymtë; melankolik ♦ *em* trishtim; zymtësi; melankoli

mellow /'melou/ *mb (verë)* e butë; *(njeri)* i ëmbël; *(fryt)* i pjekur; *(ngjyrë)* e ngrohtë

melo:dic /mi'lodik/*mb* melodik; i melodishëm ♦ **~drama** /'meledra:mə/ *em* melodramë ♦ **~dramatic** /meledrə'mætik/*mb* melodrammatik ♦ **~dious** /mi'loudiəs/ *mb* i melodishëm ♦ **~dy** /'melədi/ *em* melodi

melon /'melən/ *em bt* pjepër: **water ~** shalqi

melt /melt/ (**melted, molten** /'moultn/) *k*/ shkrij ♦ *jk*/ shkrihet ♦ **~ing** *em* shkrirje: **~-pot** *em fg* vend ku përzihen racat

member /'membə(r)/ *em* anëtar, pjesëtar *(i familjes etj.)*; gjymtyrë *(e fjalisë)*; kufizë *(e barazimit)*; organ ♦ **~ countries** vende anëtare; **M~ of Parliament** anëtar i parlamentit; deputet ♦ **~ship** *em* anëtarësi

membrane /'membrein/ *em* cipë; membranë

memo /'memou/ *em* përkujtesë ♦ **~irs** /'memwa:(r)z/ *em* kujtime ♦ **~rable** /'memərəbl/ *mb (ngjarje)* e paharrueshme ♦ **~randum** /-'rændəm/ *em* kujtesë; shënim për kujtesë ♦ **~rial** /mi'mo:riəl/ *em* përkujtimore; përmendore ♦ **~risation** /-rai'zeiʃn/ *em* ruajtje në kujtesë ♦ **~rise** /-raiz/ *k*/ mbaj mend; memorizoj; ruaj në kujtesë ♦ **~ry** /'meməri/ *em dhe inf* kujtesë; kujtim: **from ~** me kujtesë; përmendësh; **have a short ~** harroj shpejt

men /men/ *shih* **man**

menac:e /'menəs/ *em* kërcënim; bezdi; havale ♦ *k*/ kërcënoj ♦ **~ing** *mb* kërcënues

mend /mend/ *k*/ ndreq; arnoj: **~ one's ways** përmirësoj sjelljen ♦ *em:* **on the ~** në përmirësim/ shërim e sipër

menfolk /'menfouk/ *em* burra

menial /'mi:niəl/*mb* i ulët: **~ jobs** punë të ndyra/ të ulëta

meningitis /menin'dʒaitis/ *em mk* meningjit

menopause /'menəpo:z/ *em* menopauzë

menstruation /menstru'eiʃn/ *em* të përmuajshme; zakone

mental /'mentl/ *mb* mendor; *bs* i çmendur: **~ arithmetic** *em* llogaritje me mend; **~ hospital** spital psikiatrik ♦ *em bs* i çmendur ♦ **~ity** /-'tæləti/ *em* mendësi ♦ **~ly** *nd* mendërisht: **~ ill** i sëmurë nga mendja

mention /'menʃn/ *em* përmendje; lavdërim ♦ *k*/ përmend

menu /'menju:/ *em* meny; listë e gjellëve

MEP /'em'i:'pi:/ *em shkrt i* **Member of the European Parliament** deputet i Parlamentit Evropian

mercenary /'mə:(r)sənəri/ *mb, em* mercenar

merchan:dise /'mə:(r)tʃəndaiz/ *em* mall ♦ **~t** *mb, em* tregtar: **~ navy** *em* flotë tregtare; **~ bank** *em* bankë trgtare

merci:ful /'mə:(r)siful/*mb* i mëshirshëm ♦ **~fully** *nd* me mëshirë ♦ **~less** *mb* i pamëshirshëm

mercury /'mə:(r)kjuri/ *em* mërkur; zhivë

Mercury *ast, mit* Mërkur

mercy /'mə:(r)si/ *em* mëshirë: **be at sb's ~** jam në mëshirën/ dorën e dikujt; **have ~ on sb** kam mëshirë për dikë

mere /miə(r)/ *mb* vetëm; thjesht: **by ~ chance** rastësisht ♦ **~ly** *nd:* **she ~ smiled** ajo vetëm sa buzëqeshi ♦ **~st** *mb* më i vogël: **the ~ provoca-tion would...** provokimi më i vogël do të...

merge /mə:(r)dʒ/ *jk/* shkrihet; bashkohet ♦ **~r** *em* shkrirje; bashkim *(i kompanive)*

meridi:an /mə'ridiən/ *em gjg* mesditës; meridian ♦ **~onal** /-'ridiənl/ *mb* jugor; i jugut *(të Evropës)*

meringue /mə'ræŋ/ *em gjl* mafishe; kajmaklie *(me fruta)*

merit /'merit/ *em* meritë: **certificate of ~** fletë nderi; **on ~** sipas meritës ♦ *jk/* meritoj

mermaid /'mə:(r)meid/ *em mit* sirenë; floçkë; vajzë e valëve

merr:ily /'merili/ *nd* me hare ♦ **~iment** *em* hare ♦ **~y** *mb* gazmor; i hareshëm: **M~ Christmas!** Gëzuar Krishtlindjet!

merry-go-round /-gou'raund/ *em* rrotullame *(e këndit të lojërave)*

merrymaking /'merimeikiŋ/ *em* festë; dëfrim

mesh /meʃ/ *em* syth; lak *(i rrjetës);* rrjet

mesmerise /'mezməraiz/ *k/* mesmerizoj; hipnotizoj ♦ **~ing** *mb* mesmerizues; hipnotizues

mess /mes/ *em* rrëmujë; *bs* telash; pisllëk; *ush* mensë: **make ~ of** e bëj lëmsh *(punën)* ♦ **~ about** *jk/* ngarritem; humb kohë: **~ about with** zë duart me; trazoj ♦ *k/* tallem me ♦ **~ up** *jk/* bëj rrëmujë; *bs* katranos; ndrag; ngatërrohem, hutohem ♦ **~ with** *k/*: **don't ~ me!** mos u ngatërro me mua!

mess:age /'mesidʒ/ *em* mesazh; lajm ♦ **~enger** /'mesindʒə(r)/ *em* lajmëtar ♦ **~ service** /-'sə:(r)vis/ *em inf* shërbim i njoftimit *(për postën elektronike)*

Messiah /mi'saiə/ *em* Mesi

Messrs /'mesəz/ *em sh (në letër)* zotërinj

messy /'mesi/ *mb* shkatarraq

met /met/ *shih* **meet**

metal /'metl/ *em* metal ♦ **~ic** /mi'tælik/ *mb* metalik; metalor

meta:morphosis /metə'mo:(r)fəsis/ *em (sh ~es* /'si:z/) metamorfozë ♦ **~phor** /'metəfə(r)/ *em* metaforë ♦ **~phorical** /-'forikl/ *mb* metaforik

meteor /'mi:tiə(r)/ *em* meteor ♦ **~ic** /-'orik/ *mb* meteorik; i meteorit ♦ **~ological** /-rə'lodʒikl/ *mb* meteorologjik ♦ **~ologist** /-'roledʒist/ *em* meteorolog ♦ **~ology** /-'roledʒi/ *em* meteorologji

meter¹ /'mi:tə(r)/ *em* matës, sahat *(i elektrikut etj.)* ♦ *k/* mat me sahat *(ujin, gazin etj.)*

method /'meθəd/ *em* metodë ♦ **~ical** *mb* metodik ♦ **~ically** *nd* metodikisht ♦ **M~ist** *em ft* metodist

meths /meθs/ *em bs* alkool i çnatyruar

methylated /'meθileitid/ *mb:* **~ spirits** alkool i çnatyruar

meticulous /mi'tiloulэs/ *mb* shumë i përpiktë; merakli; pedant ♦ **~ly** *nd* me përpikëri të madhe/ merak

metr:e /'mi:tə(r)/ *em* metër: **sell by the ~** shes me metër/ metrazh ♦ **~ic** /'metrik/ *mb (sistem)* metrik

metropoli:s /mi'tropəlis/ *em* metropol ♦ **~tan** /

metrə'politən/ *mb* metropolitan

mew /mju:/ *em* mjaullimë ♦ *jk/* mjaullin

Mexic:an /'meksikən/ *mb, em* meksikan ♦ **~o** *em gjg* Meksikë; Meksiko

miaow /mi'au/ *em* mjau ♦ *jk/ (macja)* mjaullin

mice /mais/ *shih* **mouse**

mickey /'miki/ *em:* **take the ~ out of** tallem me/ e luaj minushë dikë

microbe /'maikroub/ *em* mikrob

micro:chip /-tʃip/ *em* mikrotransistor ♦ **~computer** /-kəm'pju:tə/ *em* mikrokomputer ♦ **~film** /-film/ *em* mikrofilm ♦ **~phone** /-foun/ mikrofon ♦ **~proccesor** /-'prousesə/ *em* mikroprocesor ♦ **~scope** /-skoup/ *em* mikroskop ♦ **~scopic** /-'skopik/ *mb* mikroskopik ♦ **~wave** /-weiv/ *em* mikrovalë; furrë me mikrovalë

mid /mid/ *mb* mes; i mesit ♦ **~ May** në mes të majit; **in ~ air** pezull në ajër ♦ **~day** /mid'dei/ *em* mesditë ♦ **~dle** /'midl/ *mb* qendor: **the M~ Ages** mesjeta ♦ *em* mes: **by the ~** për mesi/ beli; **in the ~ of** në mes të ♦ **~dle-aged** /-eidʒd/ *mb* meso *(burrë, grua)* ♦ **~dleman** /-mæn/ *em trg* ndërmjetës; mesit ♦ **~-field** /-fi:ld/ *em sp* mesfushë ♦ **~fielder** /-fi:ldə(r)/ *em sp* mesfushor ♦ **M~lands** /-ləndz/ *em sh:* **the ~** Anglia Qendrore ♦ **~most** /-moust/ *mb* mesqendror ♦ *nd* në mes/ qendër ♦ *em* mes; qendër ♦ **~night** /-nait/ *em* mesnatë ♦ **~riff** /-rif/ *em an* diafragmë ♦ **~st** *em* mes: **in the ~ of** në mes të; **in our ~** midis nesh ♦ **~sum-mer** /-'sʌmə(r)/ *em* mes i verës ♦ **~way** /-wei/ *adv* në mes të rrugës ♦ **~wife** /-wife/ *em* mami ♦ **~win-ter** /-'wintə(r)/ *em* mes i dimrit

might¹ /mait/ *folje ndihmëse* mund: **will you come? - I ~** do të vish? - ndoshta; **you ~ have said so!** ta kishe thënë!

might² *em* pushtet; fuqi ♦ **~y** *mb* i fuqishëm; i pushtetshëm; *bs* shumë; tepër (i madh, i fortë, i mirë etj.)

migraine /'mi:grein/ *em mk* migrenë

migra:nt /'maigrənt/ *mb* shtegtues ♦ *em* zog shtegtar; mërgimtar, emigrant ♦ **~te** /-'greit/ *jk/* shtegtoj; mërgoj; emigroj ♦ **~tion** /-'greiʃn/ *em* shtegtim; mërgim; emigrim

mike /maik/ *em bs* mikrofon

mild /maild/ *mb (mot)* i butë; *(njeri)* i butë, i ëmbël; *(shije)* e lehtë ♦ *nd:* **draw it ~** e marr butë/ shtruar/ pa u ngutur

mildew /'mildju:/ *em* myk

mild:ly /'maildli/ *nd* butë; ëmbël: **to put it ~** që ta them butë; pa e tepruar ♦ **~ness** *em* butësi

mile /mail/ *em* milje *(= 1.6 km)* ♦ **~age** /-idʒ/ *em* kilometrazh

milestone /'mailstoun/ *em* gur kilometrazhi/ miliar; *fg* ngjarje e shënuar

milit:ant /'militənt/ *mb, em* militant ♦ **~ary** *mb* ushtarak ♦ *em prmb* ushtarakë ♦ **~ate** /-eit/ *jk/:* **~**

again luftoj kundër ♦ **~ia** /-'liʃə/ *em* milici
milk /milk/ *em* qumësht ♦ *k*/mjel *(lopën etj.); fg* zhvat ♦ **~man** /-mən/ *em* qumështshitës; mjelës ♦ **~shake** /-ʃeik/ *em* lëng frutash me qumësht ♦ **~sop** /-sop/ *em bs* pulë e lagur; burrec ♦ **~teeth** /-ti:θ/ *em sh* dhëmbë qumështi ♦ **~y** *mb* qumështor; (prej) qumështi: **M~ Way** *em astr* Udhë e Qumështit; Kashtë e Kumtrit
mill /mil/ *em* mulli; fabrikë: **textile ~** fabrikë tekstili ♦ *k*/bluaj *(drithë); tk* frezoj ♦ *jkl:* **~ about/ around** *jkl/* sillem rrokthi
millennium /mi'leniəm/ *em* mijëvjeçar
miller /'milə(r)/ *em* mullis
milli:gram /'miligræm/ *em* miligram ♦ **~metre** /-mi:tə(r)/ *em* milimetër
milliner /'milinə(r)/ *em* modiste; kapelabërëse
million /'miljən/ *em, mb* milion: **one ~ pounds** një milion sterlina ♦ **~aire** /-'neə(r)/ *em* milioner ♦ **~th** *mb, em* (e) milionta pjesë (e)
millstone /'milstoun/ *em* mokër mulliri; *fg* peshë; barrë
mime /maim/ *em* mimikë ♦ *k*/imitoj
mimic /'mimik/ *em* imitues ♦ *k*/ imitoj ♦ **~ry** *em* imitim; mimetizëm
mimosa /mi'mouzə/ *em bt* mimozë
minaret /minə'ret/ *em ft* minare
mince /mins/ *em gjl*/mish i grirë ♦ *k*/grij: **~ed meat** mish i grirë; **not ~ one's words** flas troç ♦ **~meat** /-mi:t/ *em gjl*/mish i grirë; përzierje frutash të thata; shkatërrim: **make ~ of** *fg* e bëj fërtele ♦ **~pie** /-pai/ *em* gurabie me fruta të thatë ♦ **~er** *em* makinë mishi
mind /maind/ *em* mendje; arsye; mend: **absence of ~** hutim; **peace of ~** qetësi shpirtërore; **in two ~s** mëdysh; me dy mendje; **to my ~** për mendimin tim; sipas mendjes sime; **bear sth in ~** e kam në mendje diçka; mbaj parasysh diçka; **change one's ~** më prishet/ ndërrohet mendja; pendohem; **have sth in ~** kam në mendje diçka; **have sth on one's ~** më shqetëson diçka; **have a good ~ to** kam dëshirë të; **make up one's ~** vendos; **are you out of your ~?** luajte mendsh? ♦ *k*/kujdesem; ruaj; kam bezdi nga: **I don't ~ the cold** e duroj të ftohtit; **~ the step!** kujdes shkallën! ♦ *jkl:* **never -!** s'ka gjë!; **do you ~ if...?** të prish punë po të...? ♦ **~ed** *mb:* **light-~** mendjelehtë ♦ **~er** *em* kujdestare fëmijësh; *bs* rojë vetjake ♦ **~ful** *mb* i kujdesshëm; i vëmendshëm **(of për)** ♦ **~less** *mb* i pakujdesshëm; i shkudesur ♦ **~lessly** *nd* pa mend; pa e pasur mendjen
mine[1] /main/ *mb prn* im: **a friend of ~** një miku im; **friends of ~** miq të mi; **that is ~** kjo është imja
mine[2] *em* minierë; *ush* mine: **personnel ~** minë kundër trupave ♦ *ush* minoj
mine[3] *em* minierë; xehetore ♦ *k*/ nxjerr *(mineral)*
miner *em* minator; xehetar ♦ **~ral** *em* mineral; xehe ♦ *mb* minerar; mineral: **~ water** ujë mineral
minesweeper /'mainswi:pə(r)/ *em* (anije) minapastruese
mingle /'miŋgl/ *jkl:* **~ with** përziej; ngatërroj me
mini /'mini/ *em* mini; veshje mini; minifund ♦ **~ature** /-ətʃə(r)/ *em* miniaturë ♦ **~bus** /-bʌs/ *em* mikrobus ♦ **~cab** /kæb/ *em* minitaksi ♦ **~al** /'miniməl/ *mb* minimal; shumë i vogël ♦ **~um** *em* minimum ♦ **~skirt** /-ska:t/ *em* minifund
minist:er[1] /'ministə(r)/ *em* ministër; *ft* prift ♦ **~erial** /-'stiəriəl/ *mb* ministror ♦ **~ry** *em pl* ministri
minister[2] *jkl/* jap ndihmë; ndihmoj; i shërbej *(të sëmurit)*
mink /miŋk/ *em zl* vizon; gëzof vizoni
minor /'mainə(r)/ *mb* i mitur; më i vogël: **~ road** rrugë dytësore; **Asia M~** *gjg* Azi e Vogël ♦ *em* i mitur ♦ **~ity** /-'norəti/ *em* pakicë; moshë e mitur
mint[1] /mint/ *em* punishte e prerjes së monedhës
mint[2] *em dhe bt* mendër; mentë
minus /'mainəs/ *prfj* më pak; pa: **~ ten** dhjetë (gradë) nën zero; pa dhjetë ♦ *em:* **~ (sign)** shenjë e zbritjes/ minusit
minute[1] /'minit/ *em* minutë: **in a ~** pas pak; në çast; **last ~** i çastit të fundit
minute[2] /mai'nju:t/ *mb* shumë i vogël; i imtë; i saktë
minutes /'mainəts/ *em sh* procesverbal
mirac:le /'mirəkl/ *em* mrekulli; bindë ♦ **~ulous** /-'rækjuləs/ *mb* i mrekullueshëm
mirage /'mira:ʒ/ *em* mirazh; vegulli
mire /'maiə(r)/ *em* batak
mirror /'mirə(r)/ *em* pasqyrë ♦ *k*/pasqyroj
mirth /mə:(r)θ/ *em* gaz; hare; të qeshura
mis:adventure /misəd'ventʃə(r)/ *em* fatkeqësi ♦ **~apprehension** /-æpri'henʃn/ *em* keqkuptim: **be under a ~** s'merrem vesh ♦ **~behave** /-bi'heiv/ *jkl/* sillem keq ♦ **~calculate** /-kælkjuleit/ *k*/llogarit gabim ♦ **~carriage** /-'kæridʒ/ *em* dështim; shkuarje *(e barrës):* **~ of justice** padrejtësi ♦ **~carry** /-kæri/ *jkl/* dështoj; *(barra)* shkon
miscallaneous /misə'leiniəs/ *mb* i përzier
mischie:f /'mistʃif/ *em* prapësi; e pabërë; sherr ♦ **~vous** *mb* i prapë; sherret
mis:conception /miskən'sepʃn/ *em* koncpetim i gabuar; keqkuptim ♦ **~conduct** /-'kondʌkt/ *em* sjellje e keqe; shpërdorim ♦ **~demeanour** /-di'mi:nə(r)/ *em dr* shkelje
miser /'maizə(r)/ *em* koprrac
miserable /'mizrəbl/ *mb* i mjerë; i mërzitur; *fg (mot)* i keq, i mbrapshtë
misery /'mizəri/ *em* vuajtje; mundim: **put sb out of his ~** ia shkurtoj vuajtjet dikujt
mis:fire /mis'faiə(r)/ *jkl (pushka)* bën shkrap; nuk ndez; *fg* dal huq ♦ **~fit** /'misfit/ *em* rrobë që bie keq; *bs* dru e shtrembër ♦ **~fortune** /-'fo:(r)tʃən/ *em* fatkeqësi ♦ **~givings** /-'giviŋz/ *em sh* dyshime ♦ **~guided** /-'gaidid/ *mb* i shpërudhur; i drejtuar

gabim; i këshilluar keq ♦ **~hap** /'miʃhæp/ *em* fatkeqësi ♦ **~interpret** /-in'tə:prit/ *kl* keqkuptoj; keqinterpretoj ♦ **~judge** /-'dʒʌdʒ/ *kl* gjykoj gabim; vlerësoj gabim ♦ **~lay** /-'lei/ *kl* **(-laid)** humb; s'di ku kam lënë *(diçka)* ♦ **~lead** /-'li:d/ *kl* **(-led)** shpërudh; mashtroj ♦ **~manage** /-'mænidʒ/ *jkl* keqadministroj ♦ **~management** /-mænidʒmənt/ *em* keqadministrim ♦ **~print** /-print/ *em* gabim shtypi ♦ **~quote** /-'kwout/ *kl* citoj gabim ♦ **~represent** /-repri'zent/ *kl* paraqit gabim/ shtrembër

Miss /mis/ *em (sh -es)* zonjushë

miss /mis/ *em* huq ♦ *kl* dal huq; nuk zë *(trenin etj.)*; kam mall për; nuk vë re: **I ~ed it** s'e vura re; **you didn't ~ much** s'humbe gjë të madhe ♦ *jkl* dal huq; gjuaj jashtë: **~ a sitter** *bs* humb gol të sigurt

missile /'misail/ *em ush* raketë; send i gjuajtur: **to throw ~s into the pitch** gjuaj me gurë (shishe etj.) në fushë *(të sportit)*

missing /'misiŋ/ *mb:* **be ~** nuk gjendet; **~ persons** persona të humbur

mission /'miʃn/ *em* mision: **on a ~** me mision ♦ **~ary** *em* misionar

missis /'misis/ *em* zonjë; grua; (ime) shoqe

mist /mist/ *em* mjegull ♦ *kl* vesh me avull; mjegulloj *(pamjen)* ♦ *jkl* mjegullohet; vishet me avull **(over, up)**

mistake /mi'steik/ *em* gabim: **by ~** gabimisht ♦ *kl* **(~took** /-'tuk/, **~taken** /-'teikn/) gaboj; keqkuptoj: **~ for** marr tjetër për tjetër; ngatërroj *(dikë me dikë tjetër)* ♦ **~en** *mb* i gabuar: **if I am not ~** në mos gabofsha; **~ identity** gabim i identitetit *(të personit)* ♦ **~ly** *nd* gabimisht

mistletoe /'misltou/ *em bt* veshtull

mistress /'mistris/ *em* zonjë; pronare; mësuese; dashnore

mistrust /mis'trʌst/ *em* mosbesim ♦ *kl* s'i besoj; s'kam besim; dyshoj te

misty /'misti/ *mb* i mjegulluar; *(xham)* i veshur me avull, i përavulluar

mis:understand /misʌndə(r)'stsænd/ *kl* (**~stood** /-'stud/) keqkuptoj ♦ **~ing** *em* keqkuptim ♦ **~use** /-'ju:z/ *kl* keqpërdor ♦ /mis'ju:s/ *em* keqpërdorim

mite /mait/ *em* thërrime; gjë e vogël: **a ~ of a child** çika e fëmijës

mitigat:e /'mitigeit/ *kl* zbut; lehtësoj ♦ **~ion** *em* zbutje; lehtësim *(i dënimit)*

mitten /'mitn/ *em* dorashkë me një gisht

mix /miks/ *kl* përziej; trazoj ♦ *jkl* përzihem; bëhem *(me shokët)* **(with)**: **~ up** trazoj; ngatërroj; hutoj; **get ~ed up** ngatërrohem; hutohem ♦ **~er** *em* përzierëse; njeri i shkueshëm: **he's a good ~** ai është i shkueshëm *(me shokë)* ♦ **~ture** /-tʃə(r)/ *em* përzierje ♦ **~up** /'miksʌp/ *em* trazirë; rrëmujë; punë lesh e li

mo' /mo/ *em bs* çast

moan /moun/ *em* ankim; rënkim ♦ *jkl* ankohem; rënkoj

moat /mout/ *em* hendek *(rreth kalasë)*

mob /mob/ *em* turmë; vulg; *bs* bandë ♦ *kl (turma)* sulmon, e vë përpara *(dikë)*

mobile /'moubail/ *mb* i lëvizshëm; portativ: **~ home** rulo; **~ (phone)** telefon celular

mobilis:ation /mobilai'zeiʃn/ *em* mobilizim ♦ **~e** /'mobilaiz/ *kl* mobilizoj; mbledh *(forcat)*

mock /mok/ *em* tallje; përqeshje ♦ *kl* tall, qesëndis; përqesh ♦ *mb*: **~ exam** provim kontrolli ♦ **~ery** *em* përqeshje: **make a ~ of sth** e bëj qesharake diçka

mock-up /'mokʌp/ *em* maket

mode /moud/ *em tk* modalitet; mënyrë

model /'modl/ *em* model ♦ *mb (njeri)* model; shembull; *(aeroplan)* maket: **her role-~** njeriu që ajo e kishte si model *(në jetë)* ♦ *kl* modeloj ♦ *jkl* punoj si model *(në firmë mode)*; pozoj *(për një piktor)*

modem /'moudem/ *em tk* modem

moderat:e /'modərət/ *mb* i zbutur; i përmbajtur; i moderuar; i matur, i përkorë ♦ /'modəreit/ *kl* zbut; ul *(fjalët)*; moderoj *(qëndrimin)* ♦ *jkl (moti)* zbutet; *(toni)* ulet ♦ **~ely** *adv* me përkore; deri diku ♦ **~ion** /-'reiʃn/ *em* zbutje; moderim; masë, përkore

modern /'modə(r)rn/ *mb* modern ♦ **~isation** /-nai'zeiʃn/ *em* modernizim ♦ **~ise** /-naiz/ *kl* modernizoj

modest /'modist/ *mb* i thjeshtë; modest; *(rrogë etj.)* e vogël ♦ **~y** *em* thjeshtësi; modesti

modicum /'modikəm/ *em:* **with ~ of sense** me pak mend

modif:ication /modifi'keiʃn/ *em* ndyrshim; modifikim ♦ **~y** /'modifai/ *kl* ndryshoj; modifikoj

module /'modju:l/ *em tk* modul; koeficient

moist /moist/ *mb* i njomë; i lagët; i mekët ♦ **~en** /'moisn/ *kl* njom; lag; mekëtoj ♦ **~ure** /'moistʃə(r)/ *em* lagështirë

molar /'moulə(r)/ *em an* dhëmballë

molasses /mə'læsiz/ *em* melasë

mole[1] /moul/ *em* nishan *(në faqe)*

mole[2] *em zl* urith; *bs* spiun

molecule /'molikju:l/ *em* molekulë; *bs* thërrime

molest /mə'lest/ *kl* ngas; trazoj ♦ **~ation** /moulə'steiʃn/ *em* ngarje; trazim

mollycoddle /'molikodl/ *kl* përkëdhel; marr me të mirë

molten /'moultən/ *mb* i shkrirë; i tretur

mom /mom/ *em am bs* momë, mëmë

moment /'moumənt/ *em* çast: **at the ~** në këtë çast; **every ~** *(pres dikë, diçka)* nga çasti në çast; **just a ~!** ja *(erdha, e bëra)*!; prit pak! ♦ **~arily** /-'tærili/ *nd* tani për tani ♦ **~ary** *mb* i çastit

momentous /mə'mentəs/ *mb* shumë i rëndësishëm

momentum /mə'mentəm/ *em* vrull; hov; *fz* shpejtësi e fituar, energji kinetike

monarch /'monə(r)k/ *em* monark ♦ **~ist** *mb, em* monarkist ♦ **~y** *em* monarki

monast:ery /'monəstri/ *em* manastir ♦ **~ic** / mə'næstik/ *mb* i manastirit

Monday /'mʌndei/ *em* e hënë

mone:tary /'mʌnitri/*mb* monetar ♦ **~y** /'mʌni/ *em* para: **make ~** bëj/ fitoj pará; **bad ~** pará kallp/ e falsifikuar ♦ **~bag** /-bæg/ *em* qese/ çantë e parave ♦ **~box** /-boks/ *em* kumbara ♦ **~ grubber** /-'grʌbə(r)/ *em* qen i parasë ♦ **~lender** /-lendə(r)/ *em* fajdexhi ♦ **~ market** /-'ma:(r)kit/ *em* treg i parasë ♦ **~ order** /-'od:(r)də(r)/ *em* urdhërpagesë

Mongolia /mon'goliə/ *em gjg* Mongoli ♦ **~n** *mb, em* Mongol ♦ *em* mongolishte ♦ *nd* mongolisht

mongrel /'mʌngrəl/ *em* qen bastard

monitor /'monitə(r)/ *em tk* monitor ♦ *k/* kontrolloj; monitorizoj; vëzhgoj *(zhvillimin e ngjarjeve)*

monk /mʌŋk/ *em ft* murg

monkey /'mʌŋki/ *em zl* majmun; *bs* papagall ♦ **~-nut** /-nʌt/ *em bt* arrë e Amerikës ♦ **~-wrench** /-rentʃ/ *em* çelës anglez

mono /'monou/ *em* mono; një ♦ **~chrome** /-kroum/ *mb* njëngjyrësh ♦ **~gram** /'monəgræm/ *em* monogram ♦ **~logue** /-log/ *em* monolog ♦ **~polize** / mə'nopəlaiz/ *k/* monopolizoj; zë *(tregun)* ♦ **~poly** /mə'nopəli/ *em* monopol ♦ **~tone** /-toun/ *em:* **speak in a ~** flaz me zë monoton ♦ **~tonous** / mə'notənəs/ *mb* monoton; i mërzitshëm ♦ **~tony** /mə'notəni/ *em* monotoni

monsoon /mon'su:n/ *em* muson

monst:er /'monstə(r)/ *em* përbindësh ♦ **~rosity** / mon'strosəti/ *em* përçudnim ♦ **~rous** /-monstrəs/ *mb* i përbindshëm

month /mʌnθ/ *em* muaj: **this day ~** sot një muaj ♦ **~ly** *mb* mujor: **~ pay** pagesë mujore ♦ *nd* për muaj; çdo muaj; në muaj ♦ *em* (revistë) e përmuajshme

monument /'monjumənt/ *em* monument ♦ **~al** /-'mentl/ *mb fg* monumental

moo /mu:/ *em* bulurimë; pëllitje *(e lopës)* ♦ *jk/ (lopa)* pëllet

mooch /mu:tʃ/ *jk/:* **~ about** sillem përqark/ kot *(nëpër shtëpi)*

mood /mu:d/ *em* humor; dell; orë: **be in a good/ bad ~** jam me orë të mirë/ keqe; **be in the ~ for** jam në humor/ qejf për ♦ **~y** *mb* tekanjoz; inatçi

moon /mu:n/ *em* hënë: **be over the ~** *bs* futuroj nga gëzimi ♦ **~light** /-lait/ *em* dritë e hënës ♦ *jk/ bs* punoj në të zezë ♦ **~lit** /-lit/ *mb* me dritë të hënës ♦ **~ probe** *em ast* sondë e Hënës ♦ **~walk** /-wo:k/ *em ast* shëtitje në Hënë

moor[1] /muə(r)/ *em* shqopishtë

moor[2] *k/ dt* bregëzoj; ankoroj ♦ **~ings** *em* litarë ankorimi

moose /mu:s/ *em (sh* **moose)** *zl* dre brilopatë

moot /mu:t/ *mb:* **it's a ~ point** është çështje e diskutueshme

mop /mop/ *em* shagë, shtupë *(për fshirjen e dyshemesë)* ♦ *k/* laj me shagë: **a ~ of hair** flokë (si) shtupë ♦ **~ up** *k/* marr me shagë/ shtupë *(ujërat)*

mope /moup/ *jk/* rri buzëvarur/me turinj

moped /'mouped/ *em* motoçikletë e vogël; ciklomotor

mopping-up /'mopiŋʌp/ *em:* **~ operation** operacion spastrimi

moral /'morəl/ *mb* i moralshëm ♦ *em* moral *(i ushtrisë)* ♦ **~ise** *k/* i bëj moral *(dikujt)* ♦ **~ity** / mo'ræləti/ *em* moral

morbid /'mo:(r)bid/ *mb* i sëmurë: **~ anatomy** anatomopatologji

more /mo:(r)/ *mb, nd* më shumë: **some ~ tea?** (a do) edhe pak çaj?; **would you like some ~?** do më/ dhe ca?; **no ~, thank you** s'dua më, falemnderit; **~ than** më shumë se; **once ~** dhe një herë; **~ or less** pak a shumë; **~ and ~ quickly** përherë e më shpejt; **the ~ he has, the ~ he wants** sa më shumë ka, aq më shumë kërkon ♦ **~over** /mo:(r)'rouvə(r)/ *nd* për më tepër; përveç kësaj

morgue /mo:(r)g/ *em* morg

moribund /'moribʌnd/ *mb (i sëmurë)* në të vdekur e sipër; në fill të mortjes

morning /'mo:(r)niŋ/ *em* mëngjes: **in the ~** në mëngjes; **tomorrow ~** nesër në mëngjes; **good ~!** mirëmëngjes; **the ~ after** dhembje koke pas një nate me të pirë

Morocco /mə'rokou/ *em gjg* Marok ♦ **~an** *mb, em* maroken

moron /'mo:ron/ *em bs* budalla; i metë

morose /mə'rous/ *mb* i zymtë; i vrenjtur

morphine /'mo:(r)fi:n/ *em frm* morfinë

Morse /mo:(r)s/ *em:* **~ code** alfabet Mors

morsel /'mo:(r)sl/ *em* kafshatë: **easy ~** llokum/ arrë në gojë

mortal /'mo:(r)tl/ *mb, em* vdekatar; mortor ♦ **~ity** /-'tæləti/ *em* vdekshmëri ♦ **~ly** *nd* për vdekje; *(i fyer)* rëndë

mortar[1] /'mo:(r)tə(r)/ *em* llaç

mortar[2] *em ush* mortajë

mortgage /'mo:(r)gidʒ/ *em* hipotekë ♦ *k/* hipotekoj

mosaic /mau'zeiik/ *em* mozaik

Moslem /'mozləm/ *mb, em* mysliman

mosque /mosk/ *em ft* xhami

mosquito /mos'ki:tou/ *em (sh* **~es)** mushkonjë

moss /mos/ *em* myshk ♦ **~y** *mb* me myshk; i myshkët

most /moust/ *mb, nd* më shumë; *(pjesa)* më e madhe: **~ people think...** shumica e njerëzve mendojnë...; **a ~ costly business** punë me shumë shpenzime; **~ likely** ka shumë të ngjarë ♦ *prm:* **~ of them** shumica prej tyre; **at (the) ~**

tekeshumta; shumë-shumë; **make the ~ of**
shfrytëzoj sa më shumë; **~ of the time** pjesa më
e madhe e kohës ♦ **~ly** *adv* kryesisht; në pjesën
më të madhe; në përgjithësi

MOT *em* provë e motorit

motel /mou'tel/ *em* motel; fjetore për udhëtarë

moth /moθ/ *em* tenjë; molitë *(e rrobave)* ♦ **~ball** /-
bo:l/ *em* naftalinë; bar molite ♦ **~-eaten** /-i:tn/ *mb*
i ngrënë nga molita

mother /'mʌðə(r)/ *em* nënë: **~ of two** nënë me dy
fëmijë; **M~'s day** festa e nënës ♦ *k/*i bëhem/ sillem
si nënë dikujt ♦ **~board** /-bo:(r)d/ *em tk* skedë
amë *(e kompjuterit)* ♦ **~-in-law** /-inlo:/ *em (sh* **~s-
in-law**) vjehër ♦ **~land** /-lænd/ *em* mëmëdhe ♦
~-of-pearl /-əf'pə:(r)l/ *em* sedef ♦ **~ship** /-ʃip/ *em*
ush, *dt* anije bazë ♦ **~-to~be** /-tu'bi:/ *em* grua
shtatzënë ♦ **~ tongue** /-tʌŋ/ *em* gjuhë amtare

mothproof /'moθpruf/ *mb (stof)* që s'i bie mola

motif /mou'ti:f/ *em art, lt, mz* motiv

motion /'mouʃn/ *em* lëvizje; gjest; *p/*mocion ♦ *kl:* **~
(to) sb to come in** ia bëj me shenjë dikujt të hyjë
♦ **~less** *mb* i palëvizshëm ♦ **~lessly** *adv* pa
lëvizur ♦ **~ picture** /-piktʃə(r)/ *em* film

motiv:ate /'moutiveit/ *k/* motivoj ♦ **~ation** /-'veiʃn/
em motivim ♦ **~e** *em* motiv

motley /'motli/ *mb* i shumëllojshëm

motor /'moutə(r)/ *em* motor; makinë ♦ *mb* me mo-
tor; *(fuqi)* motorike ♦ *jk/* udhëtoj/shkoj me makinë
♦ **~bike** /-'baik/ *em bs* motiçikletë ♦ **~boat** /-bout/
em motoskaf ♦ **~cade** /-keid/ *em am* vargan
automobilash ♦ **~car** /-ka:(r)/ *em* automobil ♦
~cycle /-saikl/ *em* motoçiketë ♦ **~cyclist** /-
'saiklist/ *em* motoçiklist ♦ **~ing** *em* automobilizëm
♦ **~ise** /-aiz/ *k/* motorizoj ♦ **~ist** *em* automobilist
♦ **~power** /-pauə(r)/ *em* fuqi motorike ♦ **~racing**
/-reisiŋ/ *em* garë automobilistike ♦ **~road** /-roud/
em udhë automobilistike ♦ **~show** /-ʃou/ *em* sallon
automobilistik; ekspozitë automobilash ♦ **~ve-
hicle** /-'vehikl/ *em* automjet ♦ **~way** /-wei/ *em*
autostradë

mottled /'motld/ *mb* ilarmë; laragan

mould[1] *em* formë; stampë femër; kallëp ♦ *k/* hedh
në kallëp; stampoj; *fg* formoj *(karakterin)*

mould[2] /mould/ *em* myk ♦ **~y** *mb* i mykur; *bs*
prapanik

motto /'motou/ *em (sh* **-es**) moto; fjalë e urtë

mound /maund/ *em* kapicë; kodrinë; muranë

mount[1] /maunt/ *em* kalë shale; kornizë *(e fotografisë
etj.)* ♦ *k/* ia hipi *(kalit);* hipi në *(biçikletë);* i bëj kornizë
(tablosë) ♦ *jk/* shtohet ♦ **~ up** *jk/* shtoj

mount[2] *em* mal: **M~ Everest** Mali i Everestit ♦ **~ain**
/'mauntin/ *em* mal ♦ **~ain** /'mauntin/ *em* mal ♦ *mb:*
~ high i lartë sa një mal ♦ **~ain bike** /
'mauntənbaik/ *em* mauntën bajk ♦ **~aineer** /
mountə'niə(r)/ *em* alpinist ♦ **~aineering** /-'niəriŋ/
em alpinizëm

mourn /mo:(r)n/ *k/, jk/* mbaj zi për ♦ **~er** *em* njeri i
pëzitur/ që mban zi ♦ **~ful** *mb* i zymtë; i përzishëm
♦ **~ing** *em:* **in ~ing** në zi; përzishëm; i veshur
për zi

mouse /maus/ *em (sh* **mice**) *zl, tk* mi ♦ **~trap** /-
træp/ *em* çark minjsh

moustache /mə'sta:ʃ/ *em* mustaqe ♦ **~ed** *mb* me
mustaqe *(të zeza etj.)*

mousy /'mausi/ *mb* bojëmi

mouth /mauθ/ *em* gojë; grykë *(e lumit); bs* paturpësi:
down at the ~ buzëvarur ♦ *k/* flas; them me gojën
plot: **~ sth** them diçka pa zë ♦ **~ful** *em* kafshatë
♦ **~piece** /-'pi:s/ *em* zëdhënës ♦ **~wash** /-woʃ/
em gargarë

mov:able /'mu:vəbl/ *mb* i lëvizshëm ♦ **~e** /mu:v/
em lëvizje; bartje, shpërngulje: **on the ~** në lëvizje;
get a ~ on *bs* lëviz; tundem ♦ *k/* lëviz; prek,
mallëngjej; bart; shpërngul; propozoj: **~ house**
bartem ♦ *jk/* lëviz; bartem; shpërngulem ♦ **~ along**
jk/ shkoj përpara ♦ *k/* çoj përpara ♦ **~ away** *jk/*
largohem; shpërngulem; bartem ♦ *k/* largoj ♦ **~
forward** *jk/* dal përpara ♦ *k/* çoj përpara ♦ **~ in** *jk/*
hyj *(në shtëpi të re);* shpërngulem ♦ **~ off** *jk/*
(makina) lëviz; niset ♦ **~ out** *jk/* dal *(nga shtëpia);*
iki ♦ **~ over** *jk/* zhvendosem ♦ *k/* zhvendos ♦ **~
up** *jk/* lëviz; dal sipër; shtoj ♦ **~ement** *em* lëvizje
♦ **~ie** /'mu:vi/ *em* film: **go to the ~s** shkoj në
kinema ♦ **~ing** *mb* i lëvizshëm; *fg* prekës,
mallëngjyes

mow /mou/ *k/* (**mowed** /moud/, **mown** /moun/) qeth
(lëndinën): **~ down** *k/* kosit; grij ♦ **~er** *em* makinë
qethëse *(e lëndinës)*

Mr /'mistə(r)/ *em (sh* **Messrs**) zotëri

Mrs /'misiz/ *em* zonjë

Ms /miz/ *em* zonjë *(për gra, pa dalluar gjendjen
civile)*

much /mʌtʃ/ *mb, nd, prm* shumë: **how ~ is it?** sa
kushton?; **~ better** shumë më mirë; **~ more in-
telligent** shumë më i zgjuar; **thank you very
much** falemnderit shumë; **as ~** po aq; **as ~ as a
hundred** nja njëqind; **too ~** tepër; **so ~ so that...**
aq shumë sa...

muck /mʌk/ *em* ndyrësi; pisllëk; pleh; *bs* punë e
ndyrë ♦ **~ about** *jk/ bs* humb kohë: **~ about with**
ngarritem me ♦ **~ up** *k/ bs* prish; katranos; fëlliq;
ndyj ♦ **~y** *mb* i ndyrë; ndyravec

mucus /'mju:kəs/ *em* jargë; qurra

mud /mʌd/ *em* baltë; lerë

muddle /'mʌdl/ *em* rrëmujë; ngatërresë ♦ *k/* ngatë-
rroj; i bëj çorap *(punët)* (**up**)

muddy /'mʌdi/ *mb* i baltë; baltak; *(ujë)* i turbullt

mudguard /mʌd'ga:(r)d/ *em au* baltëpritëse

muffle /'mʌfl/ *k/* mbyt *(zhurmat);* mbështjell me
(shall) ♦ **~r** *em* zhurmëthithës; shall leshi

mug[1] /mʌg/ *em* filxhan, bardhak; krikëll birre; *bs*
surrat

mug² *k/* grabit ♦ **~ger** *em* vjedhës *(i çantave të grave etj.)*

muggy /'mʌgi/ *mb (mot)* mbytës

mulberry /'mʌlbəri/ *em bt* man

mul:e /mju:l/ *em zl* mushkë ♦ **~ish** *mb* kokëmushkë

mull /mʌl/ *kl:* **~over** bluaj në mendje

multi /'mʌlti/: **~coloured** /-'kʌlə(r)d/ *mb* shumëngjyrësh ♦ **~lateral** /-'lætərəl/ *mb* shumëpalësh ♦ **~media** /-mi:diə/ *em* multimedia ♦ **~millionaire** /'miliənεə(r)/ *mb, em* miliarder ♦ **~national** /-'næʃənəl/ *mb* shumëkombësh ♦ *em* shumëkombëshe ♦ **~ple** /'mʌltipl/ *em* shumëfish ♦ *mb* i shumëfishtë ♦ **~plication** /mʌltipli'keiʃn/ *em* shumëfishim; shumëzim ♦ **~ply** /'mʌltiplai/ ♦ *kl* shumëzoj **(by** me) ♦ **~storey** /mʌlti'sto:ri/ *mb* shumëkatësh ♦ **~tude** /-tju:d/ *em* shumicë; turmë: **the ~** turma; populli

mum¹ /mʌm/ *mb:* **keep ~** *bs* mos hap gojë/u ndiej/ u bëj i gjallë

mum² *em bs* mama

mumble /'mʌmbl/ *kl, jkl* belbëzoj

mummy¹ /'mʌmi/ *em bs* mami

mummy² *em arkl* mumje

mumps /mʌmps/ *em mk* shyta

munch /mʌntʃ/ *ka, jkl* përtyp; bluaj

mundane /mʌn'dein/ *mb* tokësor; mondan

municipal /mju'nisipl/ *mb* bashkiak; i bashkisë; komunal

murder /'mə:(r)də(r)/ *em* vrasje ♦ *kl* vras; *bs* rrënoj; shkatërroj ♦ **~er** *em* vrasës ♦ **~ous** *mb* vrasës; *bs* shkatërrimtar

murky /'mə:(r)ki/ *mb* i errët

murmur /'mə:(r)mə(r)/ *em* murmurimë ♦ *kl, jkl* murmurit

musc:le /'mʌsl/ *em* muskul ♦ **~ular** /'mʌskjulə(r)/ *mb* muskular; muskuloz

muse /mju:z/ *jkl* mendoj **(on** për)

museum /mju:'ziəm/ *em* muzeum

mushroom /'mʌʃrum/ *em bt* kërpudhë ♦ *jkl* mbin si kërpudhë

music /'mu:zik/ *em* muzikë ♦ **~al** *mb* muzikor ♦ *em* komedi muzikore ♦ **~ian** /- 'ziʃn/ *em* muzikant

Muslim /'muzlim/ *mb, em* mysliman

mussel /'mʌsl/ *em zl* midhje

must¹ /mʌst/ *folje ndihmëse (vetëm në të tanishmen)* duhet: **you ~ not be late** s'duhet të vonohesh; **she ~ have gone by now** tashmë duhet të ketë shkuar ♦ *em bs* detyrim; gjë e rëndësishme

mustach /'mʌstæʃ/ *em am shih* **moustache**

mustard /'mʌstə(r)d/ *em gjl* mustardë

musty /'mʌsti/ *mb* i mykur

mutation /mju:'teiʃn/ *em bi* përndryshim; mutacion

mute /mju:t/ *mb* shurdh; i shurdhër ♦ **~d** /-id/ *mb (tingull)* i mbytur

mutilate /'mju:tileit/ *kl* gjymtoj ♦ **~ion** /-'leiʃn/ *em* gjymtim

mutiny /'mju:tini/ *em* ndërkryerje; rebelim

mutter /'mʌtə(r)/ *kl, jkl* murmurij; them nëpër dhëmbë

mutton /'mʌtn/ *em gjl* mish dashi ♦ **~-chop** /-tʃop/ *em gjl* kotoletë dashi

mutual /'mju:tjuəl/ *mb* i ndërsjellë; *bs* i përbashkët ♦ **~ly** *adv* ndërsjellas

muzzle /'mʌzl/ *em* turizë *(e kafshës);* tytë, grykë *(e armës së zjarrit)*

my /mai/ *mb pronor* im: **~ home** shtëpia ime; **~ country** vendi im ♦ **~self** /-'self/ *vtv* unë vetë; vetëm: **I've seen it ~** e kam parë vetë; **by ~** vetëm; pa ndihmë; **I said to ~** thashë me vete

myster:ious /mi'stiəriəs/ *mb* misterioz; i mistershëm; i fshehtë ♦ **~y** /'mistəri/ *em* mister: **in great ~** me fshehtësi të madhe; **unravel a ~** zhbiroj një të fshehtë

mystic:(al) /'mistik(l)/ *mb* mistik ♦ **~cism** /-sizm/ *em* misticizëm

mystif:ied /'mistifaid/ *mb* i hutuar; i çoroditur ♦ **~y** /'mistifai/ *kl* ngatërroj

mystique /mi'sti:k/ *em* mistikë

myth /miθ/ *em* mit ♦ **~ical** /'miθikl/ *mb* mitik ♦ **~ology** /-'θolədʒi/ *em* mitologji

N

nab /næb/ *k*/ *bs* zë; arrestoj; mbërthej

naff /næf/ *mb* *bs* trashanik

nag *k*/ ngas; ngacmoj; mundoj ♦ *jk*/ këmbëngul ♦ *em* gërnjar; kalë shpirraq ♦ **~ging** *mb* (dhembje) e vazhdueshme

nail /neil/ *em* gozhdë; thua (i gishtit) ♦ *k*/ mbërthej me goxhdë (**down**): ~ **sb down to the spot** e lë shtang dikë ♦ **~-brush** /-brʌʃ/ *em* furçë thonjsh ♦ **~-file** /-fail/ *em* limë thonjsh ♦ ~ **polish** /-'poliʃ/ *em* llak thonjsh ♦ ~ **scissors** /-'sizə(r)z/ *em sh* gërshërë thonjsh ♦ **~varnish** /-'va:(r)niʃ/ *em* llak thonjsh

naive /nai'i:v/ *mb* naiv; i padjallëzuar ♦ **~ty** /-əti/ *em* naivitet; padjallëzi

naked /'neikid/ *mb* lakuriq; i zhveshur: **with the ~ eye** *mb* me sy të zhveshur/ pa mjete ♦ **~ly** *nd* lakuriq; zhveshur

name /neim/ *em* emër: **what's your ~?** si të quajnë?; **know sb by ~** e njoh me emër dikë; **by the ~ of Brown** me emrin Braun; **call sb ~s** *bs* shaj dikë ♦ *k*/ i vë emër (dikujt); pagëzoj (dikë) ♦ **~less** *mb* i paemër ♦ **~ly** *nd* pra; dmth ♦ **~-plate** /-pleit/ *em* pllakë me emrin (e personit) ♦ **~sake** /-seik/ *em* adash

nanny /'næni/ *em* dado; tajë ♦ ~ **goat** /-'gout/ *em* dhi

nap /næp/ *em* dremitje; një sy gjumë: **have a ~** marr një sy gjumë ♦ *jk*/: **catch sb ~ping** e zë befas dikë

nape /neip/ *em*: ~ **of the neck** zverk

nap:kin /'næpkin/ *em* shami; pelenë (për fëmijë) ♦ **~py** *em* pelenë; shpargë (për fëmijë)

narco:sis /na:(r)'kousis/ *em mk* narkozë ♦ **~tic** *mb, em* narkotik

narrat:e /nə'reit/ *k*/ tregoj (një histori) ♦ **~ion** /-'reiʃn/ *em* tregim; rrëfim ♦ **~ive** /'nærətiv/ *mb* tregimtar ♦ *em* tregim

narrow /'nærou/ *mb* i ngushtë: **a ~ victory** fitore me rezultat të ngushtë; **have a ~ escape** shpëtoj për një qime ♦ *jk*/ ngushtohet ♦ *k*/ ngushtoj ♦ **~ly** *nd* për pak ♦ **~-minded** /-'maindid/ *mb* mendjengushtë ♦ **~ness** *em* ngushtësi

nasal /'neizl/ *mb* hundor: ~ **twang** theks hundor

nast:ily /'na:stili/ *nd* me ligësi ♦ **~y** /'na:sti/ *mb* (erë) e keqe; (fjalë) e hidhur, e ligë; (plagë) e keqe, e rrezikshme

nation /'neiʃn/ *em* komb ♦ **~al** /'næʃənl/ *mb* kombëtar: ~ **anthem** himn kombëtar; **N~ Health Service** Shërbim Shëndetësor Kombëtar ♦ *em* qytetar; shtetas: **Albanian ~s** shtetas shqiptarë ♦ **~alisation** /næʃənəlai'zeiʃn/ *em* shtetëzim ♦ **~alise** /'næʃənəlaiz/ *k*/ shtetëzoj ♦ **~alism** /'næʃənəlizm/ *em* nacionalizëm ♦ **~alist** /'næʃənəlist/ *em, mb* nacionalist ♦ **~ality** /næʃə'næləti/ *em* kombësi ♦ **~ly** /'næʃənəli/ *ndjaf* në shkallë kombëtare ♦ **~wide** /-waid/ *mb* në shkallë kombëtare; kombëtar

nativ:e /'neitiv/ *mb* vendës; i vendit; rrënjës: ~ **land** vendlindje; ~ **language** gjuhë kombëtare ♦ *em* vendës; banor i vendit; indigjen ♦ **N~ity** /nə'tivəti/ *em*: **the** ~ lindja (e Jesu Krishtit)

natter /'nætə(r)/ *jk*/ *bs* këput broçkolla

natur:al /'nætʃərəl/ *mb* natyror: ~ **gas** metan; ~ **history** histori e natyrës ♦ **~alisation** /nætʃərəlai'zeiʃn/ *em* natyralizim ♦ **~lise** *k*/ natyralizoj ♦ **~alist** natyralist ♦ **~ally** *nd* natyrisht; sigurisht ♦ **~e** /'neitʃə(r)/ *em* natyrë: **it's become his second** ~ i është bërë petk

naught:ily /'no:tili/ *nd* mbrapsht; keq ♦ **~y** *mb* (fëmijë) i prapë; i pabindur; (qëndrim) i pahijshëm

nausea /'no:ziə/ *em* të përzier; neveri ♦ **~te** *k*/ neverit ♦ **~ting** *mb* i neveritshëm

nautical /'no:tikl/ *mb* detar: ~ **mile** *em* milje detare

naval /'neivl/ *mb* detar; i flotës detare: ~ **base** bazë ushtarake-detare

nave /neiv/ *em* anijatë qendrore (e kishës)

navel /'neivl/ *em* kërthizë

naviga:ble /'nævigəbl/ *mb* i lundrueshëm ♦ **~te** /-

geit/ /jk/lundroj ♦ k/lundroj në ♦ **~tion** /-'geiʃn/ em lundrim ♦ **~or** /-'geitə(r)/ em lundërtar; pilot

navy /'neivi/ em flotë luftarake detare: **serve in the ~** shërbej në flotë

navy blue /-blu:/ mb, em (blu) deti

Nazi /'na:tsi/ em, mb nazist ♦ **~sm** em nazizëm ♦ **~st** mb, em nazist

near /'niə(r)/ mb i afërt; i shpejtë, që do të ndodhë së shpejti: **the ~est bank** bregu më i afërt, bregu i këtejmë; **Near East** gjg Lindje e Afërt ♦ nd afër; pranë: **draw ~** afrohem; qasem; **he lives ~ by** ai banon këtu afër ♦ prfj pranë; rreth ♦ k/ afrohem te; i afrohem ♦ **~ly** nd gati; thuajse: **it's not ~ enough** nuk para mjafton; **we're ~ there** edhe pak mbërritëm ♦ **~ness** em afërsi ♦ **~ miss** /-mis/ em: **it was a ~** (shpëtoi) për pak ♦ **~ side** /-said/ mb au (rrotë) e krahut të majtë; i djathtë ♦ **~-sighted** /-saitid/ mb dritëshkurtër; miop

neat /ni:t/ mb i rregullt; i pastër; i zgjuar; (pije) e paholluar ♦ **~ly** nd pastër; me rregull ♦ **~ness** em rregull; pastërti

necess:arily /nesə'særili/ nd pa tjetër; medoemos ♦ **~ary** /'nesəseri/ mb i nevojshëm ♦ **~itate** /ni'sesiteit/ k/ bëj të nevojshme ♦ **~ity** /ni'sesəti/ em nevojë: **out of ~** nga e keqja/ nevoja

neck /nek/ em qafë; jakë: **~ and ~** rrotë më rrotë/ këmbakëmbës; **~ and crop** këputaqafas ♦ **~band** /-bænd/ em qafore ♦ **~lace** /-lis/ em varëse gushe; gjerdan ♦ **~line** /-lain/ em jakë ♦ **~tie** /-tai/ em kravatë; kollare

neé /nei/ mb: **~ Morgan** (grua) me mbiemër Morgan nga i ati

need /ni:d/ em nevojë; hall; e keqe: **be in ~ of** kam nevojë për; **if ~ be** po të jetë nevoja; **there is no ~ for** s'ka nevojë për; **it ~s to be done** do bërë ♦ folje ndihmëse: **you ~ not to go** s'ke pse shkon; **I ~ hardly tell you that** s'është fare nevoja të ta them; **~ he come too?** a duhet të vijë edhe ai? ♦ **~ful** mb i nevojshëm

needle /'ni:dl/ em gjilpërë; shtizë (për triko) ♦ k/ bs ngacmoj; shpoj ♦ **~work** /-wə:(r)k/ em punë me shtizë/ gjilpërë

need:less /'ni:dlis/ mb i kotë ♦ **~ly** nd kot; pa arsye ♦ **~y** mb nevojtar

negati:on /ni'geiʃn/ em mohim ♦ **~ve** /'negətiv/ mb mohor; negativ ♦ mohim; fot negativ: **in the ~** (përgjigjem) me mohim; gjh në trajtën mohore

neglect /ni'glekt/ em pakujdesi; lënie pas dore: **~ of duty** pakujdesi në detyrë; **in a state of ~** i lënë pa kujdes; i braktisur ♦ k/ lë pas dore; ia heq fillin; **he ~ed to write** ai s'e vuri ujin në zjarr të shkruante ♦ **~ed** mb i braktisur; i lënë pa kujdes; i harruar nga pakujdesia ♦ **~ful** mb i pakujdesshëm; i shkujdesur; i pakujtueshëm

negligé /'negliʒei/ em veshje joceremoniale

negligen:ce /'neglidʒəns/ em moskokëçarje;

pakujdesi ♦ **~t** mb moskokëçarës; i pakujdesshëm

negotia:ble /ni'gouʃəbl/ mb (çështje) e diskutueshme; (rrugë) e kalueshme; që mund të punohet; trg (çek) i këmbyeshëm: **not ~** (çek) i pathyeshëm ♦ **~te** /-eit/ k/ bisedoj; negocioj ♦ jk/ bëj bisedime ♦ **~ion** /-'eiʃn/ em bisedime

Negr:ess /'ni:gris/ em f kq zezake ♦ **~o** mb, em (sh -es) kq zezak; negër

neigh /nei/ em hingëllimë ♦ jk/ (kali) hingëllin

neighbour /'neibə(r)/ em fqinj ♦ **~hood** em lagje; fqinjë: **in the ~ of** në rrethinat e; rreth; nja; ca ♦ **~ing** mb i afërt; fqinj ♦ **~ly** mb miqësor

neither /'naiðə(r), -'ni:-/ mb, prm asnjë (nga të dy), as njëri as tjetri ♦ nd: **~... nor** as... as ♦ ldh as: **~ did I** as unë (s'desha)

neon /'ni:on/ em km neon ♦ **~ lights** /-'laits/ em sh drita/ reklama neoni

nephew /'nevju:/ em nip (djalë i vëllait, i motrës)

nerv:e /nə:(r)v/ em nerv; bs guxim; bs paturpësi: **lose one's ~** më lëshon zemra ♦ **~ous** mb nervoz; i trembur; i shqetësuar: **make ~** nervozoj; ngre nervat; **~ breakdown** këputje nervore ♦ **~ously** nd me nervozizëm; me frikë/ shqetësim ♦ **~ousness** em nervozizëm; tension (para se të dal në skenë etj.) ♦ **~y** mb i nervozuar; nevrik; am i pafytyrë

nest /nest/ em çerdhe; folé: **feather one's ~** ngroh xhepin ♦ k/, jk/ bëj çerdhe

nestle /'nesl/ jk/ strukem; tulatem (pas dikujt)

net¹ /net/ em rrjetë ♦ k/ zë me rrjetë

net² mb (peshë) neto: **~ profit** fitim neto; **~ result** përfundim ♦ k/ kam fitim neto prej

netball em sp netboll

Netherlands /'neðələndz/ em sh: **the ~** gjg i Vendet e Ulëta

netting /'netiŋ/ em rrjetë (teli etj.); rrethim me rrjetë

nettle /'netl/ em bt hithër ♦ k/ nxeh; mërzit

network /'netwə:(r)k/ em rrjet (shërbimi, agjenture etj.): **local ~** dhe inf rrjet i shërbimit lokal

neur:algia /njuə'rældʒiə/ em nevralgji ♦ **~ologist** /njuə'rolədʒist/ em neurolog ♦ **~ology** /-'rolədʒi/ em neurologji ♦ **~sis** /-'rousis/ em (sh **~ses** /-si:z/) neurozë ♦ **~tic** /-'rotik/ mb neurotik

neut:er /'nju:tə(r)/ mb gjh asnjanës ♦ em gjh gjini asnjanëse ♦ k/ sterilizoj; tredh (dacin) ♦ **~ral** mb asnjanës ♦ em: **in ~** au pa marsh; i nxjerrë nga marshi ♦ **~ise** /-laiz/ k/ asnjanësoj; neutralizoj ♦ **~ity** /-'træləti/ em asnjanësi ♦ **~ron** /'nju:trn/ em fz neutron ♦ **~ron-bomb** /-bom/ em ush bombë me neutron

never /'nevə(r)/ nd kurrë ♦ psth bah; **~ again** kurrë më; **well I ~!** ku ta dija!; **~-ending** mb i pafund ♦ **~theless** /-ðə'les/ nd megjithatë; prapëseprapë

new /nju:/ mb i ri: **brand ~** flakë i ri; **~ moon** hënë e re; **N~ Testament** ft Dhjatë e Re; **N~ Year's Day** Kryevit; Ditë e Vitit të Ri; **N~ Zealand** Zelandë e Re; **N~ Zealander** neozelandez

new:born /-bo:(r)n/ *mb* i porsalindur ♦ **~comer** /-kʌmə(r)/ *em* i porsaardhur ♦ **~fangled** /-'fæŋgld/ *mb* modern; i ri ♦ **~laid** /-leid/ *mb (vezë)* e freksët

new:ly /'nju:li/ *nd* së fundi; kohët e fundit; tani shpejt: **~ built** i ndërtuar rishtas; **~-weds** çift i porsamartuar; të porsamartuarit ♦ **~ness** *em* risi

news /nju:z/ *em* lajm; njoftim; emision i lajmeve: **it's old ~** kjo dihet; **piece of ~** lajm ♦ **~agent** /-eidʒənt/ *em* gazetashitës: **at the ~** në kiosk ♦ **~ bulletin** /-buletin/ *em* ditar i lajmeve ♦ **~-caster** /-ka:stə(r)/ *em* tele/radio kronist ♦ **~flash** -flæʃ/ *em* lajm i shkurtër ♦ **~-letter** /-letə(r)/ *em* buletin i lajmeve ♦ **~paper** /-peipə(r)/ *em* gazetë; letër për gazetë ♦ **~reader** /-ri:də/ *em* lexues i lajmeve

next /nekst/ *mb* tjetër; fqinj; i afërt: **~ door** ngjitur; fqinj; **~ to nothing** gati asgjë; **the ~day** të nesërmen ♦ *nd* prapë; pastaj: **when will you ~ come?** kur do të vish prapë?; **what did you do ~?** po pastaj, çfarë bëre? ♦ *em* gjë e parë; gjë e afërt: **~ of kin** kushëri i parë

NHS /'en'eitʃ'es/ *em shkrt i* **National Health Service** Shërbim Shëndetësor Kombëtar

nib /nib/ *em* majë pene

nibble /'nibl/ *kl, jkl* micëroj; quk; kep; grapcoj *(ushqimin etj.)*

nice /nais/ *mb (mot)* i bukur; *(njeri)* i këndshëm/ sjellshëm; *(ushqim)* i mirë: **it was ~ meeting you** sa mirë që u takuam; gëzohem që ju njoha ♦ **~ly** *nd* mirë; bukur; me mirësjellje ♦ **~ties** /-ti:z/ *em sh* hollësi

nick /nik/ *em* çallatë ♦ *kl* çallatoj; *bs* kap/ zë

nickel /'nikl/ *em* nikel; *am* monedhë pesëcentëshe

nickname /'nikneim/ *em* nofkë ♦ *kl* i vë/ ngjit nofkë

nicotine /'nikəti:n/ *em* nikotinë

niece /ni:s/ *em* mbesë *(vajzë e vëllait, e motrës)*

Nigeria /nai'dʒiəriə/ *em* Nigeri ♦ **~n** *mb, em* nigerian

niggling /'nigliŋ/ *mb (hollësi)* e panevojshme; *(dhembje)* e bezdisshme; *(dyshim)* që s'të shqitet

night /nait/ *em* natë; mbrëmje: **at ~** natën; në mbrëmje **Monday ~** të hënën mbrëma ♦ *mb* i natës; mbrëmjesor ♦ **~cap** /-kæp/ *em* skufje nate; një gotë pije para gjumit ♦ **~club** /-klʌb/ *em* klub nate ♦ **~dress** /-dres/ *em* këmishë nate ♦ **~fall** /-fo:l/ *em* buzëmbrëmje; muzg: **at ~** në ndajnatëherë; buzë mbrëmjes ♦ **~gown** /-gaun/ *em* rrobë nate

nightingale /'naitingeil/ *em z/* bilbil

night:-life /-laif/ *em* jetë e natës ♦ **~mare** /-mɛə(r)/ *em* makth ♦ **~ school** /-sku:l/ *em* shkollë nate/e mbrëmjes ♦ **~time** /-taim/ *em:* **at ~time** natën; gjatë natës ♦ **~ watchman** /-wotʃmən/ *em* rojë nate

nil /nil/ *em* zero: **three ~** tre me zero

nimble /'nimbl/ *mb* i shkathët ♦ **~y** *nd* shkathët; me shkathtësi

nine /nain/ *nm, mb, em* nëntë: **~ days' wonder** flakë kashte ♦ **~teen** /-ti:n/ *mb* i nëntëmbëdhjetë ♦ *em* nëntëmbëdhjetë ♦ **~teenth** /-ti:nθ/ *mb, em* i nëntëmbëdhjetë ♦ **~tieth** /-ti:iθ/ *em, em* i nëntëdhjetë ♦ **~ty** /-ti/ *nm, mb, em* nëntëdhjetë: **in the ~ies** në vitet nëntëdhjetë ♦ **~th** *mb, em* i nëntë

nip /nip/ *em* pickim; cimbisje; kafshim ♦ *kl* pickoj; cimbis; kafshoj: **~ in the bud** *fig* mbyt që në djep/ vezë ♦ *jkl bs* vrapoj; iki me vrap

niple /'nipl/ *em* thithë *(e gjirit)*

nippy /'nipi/ *mb bs (erë)* që të than; i shpejtë

nippers /'nipə(r)z/ *em sh* pinca *(të elektricistit)*

nitrogen /'naitrədʒn/ *em km* azot ♦ **~ous** /-'trodʒənəs/ *mb* azotik; i azotit

nitwit /'nitwit/ *em* qyp; rrotë

no /nou/ *nd* jo ♦ *em (sh* **noes**) jo ♦ *mb:* **I have ~ time** s'kam kohë; **in ~ time** sakaq; **'~ parking'** "ndalim parkimi"; **'~ smoking'** "ndalohet duhani"; **~ one** *shih* **nobody**

nob:ility /nou'biləti/ *em* fisnikëri ♦ **~le** /'noubl/ *mb* fisnik ♦ **~man** *em* fisnik

nobody /'noubədi/ *prm* asnjë; askush: **he knows ~** ai nuk njeh njeri/kënd ♦ *em:* **he's a ~** ai s'është askush

nocturn /nok'tə:n/ *em mz* nokturn ♦ **~al** *mb* i natës

nod /nod/ *em* shenjë pohimi me kokë ♦ *kl* ia bëj me shenjë me kokë; shpreh pranimin me lëvizje të kokës ♦ *kl:* **~ one's head** bëj shenjë po me kokë ♦ **~ off** *jkl* kotullohem

noddle /'nodl/ *em bs* kaplloqe; kaptinë; rradake

nod:e /noud/ *em* nyjë; lëmsh, gjë e ngatërruar ♦ **~ule** /-ju:l/ *em* nyjë; gungë

nohow /'nouhau/ *nd* kurrësesi; në asnjë mënyrë

nois:e /noiz/ *em* zhurmë; poterë ♦ **~eless** *mb* i qetë; pa zhurmë ♦ **~ily** *nd* me zhurmë; me poterë ♦ **~y** *mb* i zhurmshëm; i potershëm

nomad /'noumæd/ *em* endacak; nomad ♦ **~ic** /-'mædik/ *mb (fis)* endacak; nomad

nomenclature /nou'menklətʃə/ *em* nomenklaturë

nomin:al /'nominəl/ *mb* emëror ♦ **~ate** /-neit/ *kl* emëroj si kandidat; caktoj ♦ **~ation** /-'neiʃn/ *em* emërim si kandidat ♦ **~ative** *mb, em gjh* **~ (case)** (rasë) emërore ♦ **~ee** /-'ni:/ *em* kandidat; person i emëruar si kandidat *(për një post, për një çmim)*

non-alcoholic /nonælkə'holik/ *mb (pije)* joalkoolike

nonchalant /'nonʃələnt/ *mb* i çlirët; i lirshëm; i shkujdesur

non:-commissioned /nonkə'miʃənt/ *mb:* **~ officer** nënoficer ♦ **~-committal** /-kə'mitl/ *mb* dorëjashtë; i paangazhuar ♦ **~descript** /nondi'skript/ *mb* i çfarëdoshëm; i pacaktuar

none /nʌn/ *prm* askush; asnjë; asgjë: **~ of us** asnjë nga ne; **there's ~ left** s'ka mbetur asgjë/më ♦ *nd* aspak: **she's ~ too happy** ajo s'është aspak e kënaqur; **I'm ~ the wiser** s'mora vesh gjë

non:entity /non'entəti/ *em* kurrkush; njeri i kotë ♦ **~event** /-i'vent/ *em* dështim; prishje ♦ **~existent** /-ig'zistənt/ *mb* i paqenë ♦ **~iron** /-'aiə(r)n/ *mb* (rrobë) që nuk hekuroset ♦ **~plussed** /-'plʌst/ *mb* i hutuar ♦ **~sense** /'nonsəns/ *em* fjalë boshe; budallallëk ♦ **~smoker** /'smkoukə(r)/ *em* njeri që s'pi duhan; vagon ku ndalohet duhani ♦ **~stop** /-'stop/ *mb:* **~flight** fluturim i drejtpërdrejtë ♦ *nd* pa ndalim/ ndalesë ♦ **~violent** /-'vaiəlnt/ *mb* i padhunshëm; pa dhunë

noodles /'nu:dlz/ *em* gjll makarona të holla
nook /nuk/ *em* kënd; cep (i dhomës); skutë
noon /nu:n/ *em* mesditë: **at ~** në mesditë; në mes të ditës
noose /nu:s/ *em* lak (i litarit)
nor /no:(r)/ *nd, ldh* as: **~ do I** as unë (nuk dua...)
Nordic /'no:(r)dik/ *mb* nordik; skandinav
norm /no:(r)m/ *em* normë ♦ **~al** *mb* normal ♦ **~ality** /-'mæləti/ *em* gjendje normale ♦ **~ally** *nd* normalisht
Norse /no:(r)s/ *em, mb* Norvegjez ♦ *em* norvegjishte
north /no:(r)θ/ *em* veri: **to the ~ of** në veri të ♦ *mb* verior; i veriut: **N~ America** Amerikë e Veriut/ Veriore; **N~ Sea** Det i Veriut ♦ *nd* në veri ♦ **~bound** /-baund/ *mb* (anije, tren etj.) i drejtuar për në veri ♦ *nd* drejt veriut ♦ **~-east** /-i:st/ *mb* verilindor ♦ *em* verilindje
northern /'no:(r)ðən/ *mb* verior; i veriut: **N~n Ireland** *em* Irlandë e Veriut ♦ **~ward(s)** /-wəd(z)/ *nd* drejt veriut ♦ **~west** /-west/ *mb* veriperëndimor; i veriperëndimit ♦ veriperëndim ♦ *nd* drejt veriperëndimit
Nor:way /'no:(r)wei/ *em* gjg Norvegji ♦ **~wegian** / no'wi:(r)dʒn/ *mb, em* norvegjez ♦ *em* norvegjishte
nose /nouz/ *em* hundë: **lead sb by the ~** heq për hunde dikë; **pay through the ~** më del për hundësh; **pull/ make a long ~** var turinjtë ♦ *jkl:* **~ around** fut hundët ♦ **~bleed** /-bli:d/ *em* gjak për hundësh ♦ **~dive** /-daiv/ *em av* pikjatë ♦ **~rag** /-ræg/ *em* shami hundësh
nostalgia /nos'tælʒiə/ *em* nostalgji; mall ♦ **~ic** /-ik/ *mb* nostalgjik; i përmalluar
nostril /'nostrl/ *em* flegër (e hundës)
nosy /'nouzi/ *mb* kureshtar; furacak; hundëgjatë
not /not/ *nd* nuk; s'; mos; jo: **he is ~ in** ai s'është në shtëpi; **I hope ~** shpresoj se jo; **~ at all** aspak; **~ a bit** asnjë thërrime; **~ yet** ende jo; **~ only... but also...** jo vetëm... por edhe
notabl:e /'noutəbl/ *mb* i shquar; i dalluar; i rëndësishëm ♦ **~y** *nd* në veçanti; veçanërisht
notary /'noutəri/ *em* noter: **~ public** noter publik
notch /notʃ/ *em* qokë; shenjë (e prerë) ♦ **~ up** *kl* shënoj (fitore)
note /nout/ *em* shënim, pusullë; bankënotë: **of ~** (njeri) i shquar; (ngjarje) e shënuar; **make a ~ of** mbaj shënim; **take ~ of** vërej ♦ *kl* vërej; shënoj;

mbaj shenim (**down**) ♦ **~book** /-buk/ *em* bllok shënimesh; kompjuter portativ ♦ **~d** /'noutid/ *mb* i shënuar; i mbëshenjuar; i shquar (**for** për) ♦ **~paper** /-'peipə(r)/ *em* letër për korrespondencë ♦ **~worthy** /-wə̃:(r)ði/ *mb* i rëndësishëm; i dukshëm; që bie në sy
nothing /'nʌθiŋ/ *prm* asgjë; fare ♦ *nd* fare; aspak: **for ~** më kot; pa shkak/ arsye; falas; **~ but** veç; vetëm; **~much** fare pak; **it's ~ to do with me** s'ka të bëjë fare me mua ♦ *em:* **next to ~** gati asgjë
notice /'noutis/ *em* lajmërim; njoftim: **~ to leave** lajmërim për të dalë nga shtëpia/ për t'u larguar nga puna; **give sb ~** njoftoj për pushim nga puna dikë; **take no ~!** mos ia vër re! ♦ *kl* vërej; (më) bie në sy ♦ **~able** /-əbl/ *mb* i dukshëm ♦ **~ably** /-əbli/ *nd* dukshëm; dallueshëm ♦ **~ board** /-bo:(r)d/ *em* tabelë e lajmërimeve
notif:ication /noutifi'keiʃn/ *em* njoftim; lajmërim ♦ **~fy** /'noutifai/ *kl, jk/ njoftoj; lajmëroj ♦ **~ied** /-aid/ *mb* i njoftuar
notion /'nouʃn/ *em* nocion; ide; mendim ♦ **~s** *em sh* teka; trill
notori:ety /noutə'raiəti/ *em* nam; emër i keq ♦ **~ous** /-'to:(r)riəs/ *mb* famëkeq; i dëgjuar; i njohur
notwithstanding /notwið'stændiŋ/ *prf* pavarësisht nga ♦ *nd* megjithatë; prapëseprapë
nougat /'nu:gət/ *em* gjll torronë
nought /no:t/ *em* zero: **set to ~** e bëj / shumëzoj me zero
noun /naun/ *em* gjh emër: **proper ~** emër i përveçëm
nourish /'nʌriʃ/ *kl/ ushqej ♦ **~ment** *em* ushqim
novel /'novl/ *mb* i ri; i pazakonshëm ♦ *em* roman ♦ **~ist** *em* romancier ♦ **~ty** *em* risi; gjë e re
November /nou'vembə(r)/ *em* nëntor
novice /'novis/ *em* rishtar; fillestar; nxënës
now /nau/ *nd* tani; tashti: **by ~** tashmë; **just/ right ~** ja, tani; në këtë çast; **~ and again, ~ and then** heraherës ♦ *ldh:* **~ that...** tani që... ♦ *em:* **from ~ on** tani e tutje; **up to ~** deri tani ♦ **~adays** /'nauədeiz/ *nd* sot; në ditët e sotme
nowhere /'nouwɛə(r)/ *nd* askund; asgjëkund
noxious /'nokʃəs/ *mb* i dëmshëm; i keq
nozzle /'nozl/ *em* lëfyt; çyç (i ibrikut); grykë (e armës)
nuance /'n(j)u:əns/ *em* nuancë
nucle:ar /'n(j)u:kliə(r)/ *mb* bërthamor: **~ reactor** reaktor bërthamor ♦ **~us** *em* (sh -lei /-liai/) bërthamë
nude /n(j)u:d/ *mb* lakuriq ♦ *em dhe art* nudo: **in the ~** lakuriq
nudge /nʌdʒ/ *em* e rënë me bërryl ♦ *kl* shtyj me bërryl
nudism /'n(j)u:dizm/ *em* nudizëm ♦ **~ist** *em* nudist ♦ **~ity** /-iti/ *em* lakuriqësi
nugget /'nʌgit/ *em* tokël ♦ **~ity** *em* lakuriqësi

nuisance /'n(j)u:səns/ *em* bezdi; havale; *bs* ferrë: **what a ~!** ç'më gjeti!

nuke /n(j)u:k/ *em bs* armë bërthamore; central bërthamor

null /nʌl/ *mb:* **~ and void** i pavlefshëm

numb /nʌm/ *mb* i mpirë: **~ with cold** i mpirë së ftohti

number /'nʌmbə(r)/ *em* numër: **even/ odd ~** numër çift/ tek; **a ~ of us** disa nga ne ♦ *k/* numëroj; përfshij *(dikë në radhën e miqve)* ♦ **~plate** /-pleit/ *em au* targë

numer:al /'nju:mərəl/ *em* numër; shifër; *gjh* numëror ♦ **~ate** /-ət/ *mb:* **be ~** di aritmetikë ♦ **~ical** / nju:'merikl/ *mb* numerik ♦ **~ous** /'nju:mərəs/ *mb* i shumtë

nun /nʌn/ *em ft* murgeshë; motër ♦ **~nery** *em* kuvend *(i murgeshave)*

nurs:e /nə:(r)s/ *em* infermier ♦ *k/* mënd; rrit; ushqej; mjekoj ♦ *jk/* punoj si infermier; *fg* kujdesem *(për dikë)* ♦ **~ery** *em* dhomë e fëmijëve; fidanishte: **(day) ~** çerdhe ditore ♦ **~ery rhyme** / 'nə:(r)səri'raim/ *em* vjershë për fëmijë ♦ **~ry school** /-'sku:l/ *em* kopsht me arsim parashkollor ♦ **~ing** /'nə:(r)siŋ/ *em* infermierí; profesion i infermierit ♦ **~ery-home** /-houm/ *em* shtëpi për pleq

nurture /'nə:tʃə(r)/ *k/* rrit; selit; kultivoj

nut /nʌt/ *em* arrë; *tk* dado; *bs* rradake: **a hard ~ to crack** kockë e fortë; **be ~s on sb** *bs* çmendem për dikë ♦ **~crackers** /-krækə:(r)z/ *em sh* arrëthyese ♦ **~meg** /-meg/ *em* arrë moskat

nutriti:on /nju:'triʃn/ *em* ushqim; vlerë ushqyese ♦ **~ve** *mb (vlerë)* ushqyese

nutshell /'nʌtʃel/ *em:* **in a ~** *fig* me pak fjalë; shkurt; përmbledhtas

nutty /'nʌti/ *mb s/* i krisur; i çmendur

nuzzle /'nʌzl/ *k/ (qeni etj.)* fërkon turirin pas *(të zot)*

nylon /'nailən/ *em* nailon: **~s** *sh* çorape nailoni ♦ *mb* (prej) nailoni

nymph /nimf/ *em dhe mit* nimfë

nymphomania /nimfə'meinjə/ *em psk* nimfomaní ♦ **~c** /-'meinjək/ *mb psk* nimfomaniak

O

o /ou/ *em* zero *(në nmrat e telefonit):* **dial ~·~** bjeri numrit zero-zero

oak /əuk/ *em* dushk; lis ♦ *mb* (prej) dushku/ lisi ♦ **~en** *mb* (prej) dushku/ lisi

oar /ɔː(r)/ *em* lopatë; rrem *(i barkës)* ♦ *jk/* vozit

oarsman /ˈɔː(r)smən/ *em* rremtar; vozitës i barkës

oasis /ouˈeisis/ *em (sh* **oases** /-siːz/) oazë

oath /ouθ/ *em* betim; e sharë; mallkim: **take the ~** bëj betimin *(në gjyq)*

oat /outs/ *em bt* tërshërë: **sow one's wild ~s** *fg* bëj qejf në rini

obedien:ce /əˈbiːdiəns/ *em* bindje ♦ **~t** *mb* i bindur; i dëgjuar ♦ **~tly** *nd* me bindje

obes:e /əˈbiːs/ *mb* i dhjamur; i trashë ♦ **~ity** *em* trashësi; dhjamje

obey /əˈbei/ *k/* i bindem *(dikujt);* zbatoj *(urdhrin, porosinë)* ♦ *jk/* bindem

obituary /əˈbitjuəri/ *em* nekrologji

object /ˈobdʒikt/ *em* objekt, send; qëllim: **money is no ~** s'është halli te paratë ♦ *jk/* /əbˈdʒekt/ kundërshtoj; jam kundër (to): **~ that...** nuk më pëlqen që... ♦ **~ion** /əbˈdʒekʃn/ *em* kundërshtim: **raise an ~** bëj një vërejtje; **overrule an ~** s'pranoj një vërejtje ♦ **~ive** /əbˈdʒektiv/ *mb, em* objektiv ♦ **~ively** *nd* objektivisht; me objektivizëm ♦ **~ivity** /-ˈtivəti/ *em* objektivizëm

oblig:ation /obliˈgeiʃn/ *em* detyrim: **be under an ~** kam një detyrim ♦ **~atory** /əˈbligətri/ *mb* i detyrueshëm ♦ **~e** /əˈblaidʒ/ *k/* ia bëj borxh *(dikujt);* i bëj një të mirë: **much ~d** falemnderit shumë ♦ **~ing** *mb* i gjindshëm; i gatshëm të ndihmojë

oblique /əˈbliːk/ *mb* i pjerrët; i tërthortë; *(njeri)* dredharak ♦ **~ly** *nd* pjerrët; tërthor

obliterat:ion /əblitəˈreiʃn/ *em* fshirje; shuarje ♦ **~e** /əˈblitəreit/ *k/* fshih; shuaj

oblivio:n /əˈbliviən/ *em* harresë; harrim ♦ **~us** *mb* i harruar: **be ~** harroj

oblong /ˈobloŋ/ *mb* gjatush; i zgjatuar

obnoxious /əbˈnokʃəs/ *mb* i qortueshëm; i papëlqyer; *(erë)* e keqe

oboe /ˈoubou/ *em mz* oboe

obscen:e /əbˈsiːn/ *mb* gojëlashtë; *(fjalë)* e ndyrë ♦ **~ity** /əbˈsenəti/ *em* fëlliqësi; lapërdhi

obscur:e /əbˈskjuə(r)/ *mb* i errët ♦ *k/* errësoj; ngatërroj *(çështjen)* ♦ **~ity** *em* errësirë

obsequious /əbˈsiːkwiəs/ *mb* lajkatar; servil

observ:ance /əbˈzə(r)vəns/ *em* zbatim; respektim; ruajtje *(e zakonit)* ♦ **~ant** *mb* i vëmendshëm ♦ **~ation** /-ˈveiʃn/ *em* vëzhgim; vërejtje ♦ **~atory** /əbˈzə(r)vətri/ *em* observator ♦ **~e** *k/* vëzhgoj; vërej; mbaj *(një të kremte);* festoj ♦ **~er** *em* vëzhgues

obsess /əbˈses/ *k/:* **be ~ed by** më ngulitet/ mundon *(një mendim)* ♦ **~ion** /-ˈseʃn/ *em* mani; ide e ngulët ♦ **~ive** *mb (mendim)* i ngulët

obsolete /ˈobsəliːt/ *mb* i vjetruar; i dalë jashtë përdorimit

obstacle /ˈobstəkl/ *em* pengesë

obstetrics /əbˈstetriks/ *em mk* obstetrikë

obstina:cy /ˈobstinəsi/ *em* kokëfortësi ♦ **~te** /ˈobstinət/ *mb* kokëfortë

obstreperous /əbˈstrepərəs/ *mb* zhurmëmadh

obstruct /əbˈstrʌkt/ *k/* zë; bllokoj; pengoj ♦ **~ion** /-ˈstrʌkʃn/ *em* bllokim; pengesë ♦ **~ive** *mb:* **be ~** nxjerr pengesa

obtain /əbˈtein/ *k/* arrij *(të marr diçka);* siguroj ♦ **~able** *mb* i arritshëm; që mund të gjendet

obtrusive /əbˈtruːsiv/ *mb* i vardisur; që (të) bie më qafë

obtuse /əbˈtjuːs/ *mb* i trashë; majështypur; *(kënd)* i gjerë

obvious /ˈobviəs/ *mb* i qartë; i afërmendshëm: **it's ~** duket sheshit ♦ **~ly** *nd* qartë; afërmendsh

occasion /əˈkeiʒn/ *em* rast; ngjarje; veprimtari: **on the ~ of** me rastin ♦ **~al** *mb* i rastit; i rrallë: **~ showers** shira të herëpashershëm ♦ **~ally** *nd* nganjëherë; (më të) rrallë

occult /oˈkʌlt/ *mb* i fshehtë; okult

occup:ant /ˈokjupənt/ *em* banor; pronar *(toke)* ♦

~ation /-'peiʃn/ *em* zënie; pushtim; punë, profesion ♦ **~ational** /-'peiʃənl/ *mb* profesional: **~al disease** sëmundje profesionale ♦ **~ier** /-paiə(r)/ *em* banor; pushtues, zaptues ♦ **~y** /'okjupai/ *kl* pushtoj; zë: **~ oneself with** merrem me

occur /ə'kə:(r)/ *jkl* ndodh; ngjan; *(një festë)* bie për: **it ~red to me that** më shkoi në mendje që ♦ **~rence** /ə'kʌrəns/ *em* ndodhí; ngjarje

ocean /'ouʃn/ *em* oqean: **Atlantic O~** Oqeani Atlantik

o'clock /ə'klok/ *nd*: **it's 7 ~** ora është 7; **at 6 ~** në ora gjashtë; më gjashtë

OCR /'ou'si:'a:(r)/ *em shkrt i* **Optical Character Recognition** lexim optik i shkronjave

octave /'oktiv/ *em mz* oktavë

October /ok'toubə(r)/ *em* tetor

octopus /'oktəpəs/ *em (sh ~puses)* tetëkëmbësh; likurishtë; oktapod

oculist /'okjulist/ *em* okulist; mjek i syve

odd /od/ *mb (nmër)* tek; i çuditshëm: **forty ~ years** dyzet e ca vjet; **~ jobs** punë të rastit; **at ~ moments** më të rrallë ♦ **~ly** *nd* çuditërisht; për çudi: **~ enough** për çudi ♦ **~ments** *em* të ndryshme; artikuj të ndryshëm ♦ **~ity** *em* gjë e çuditshme ♦ **~s** *em sh* mundësi; gjasë: **~ and ends** mbetje, çikërrima; **it makes no ~** s'prish punë; **the ~ are against me** s'kam gjë në torbë

ode /oud/ *em lt* ode

odour /'oudə(r)/ *em* erë; kundërmim ♦ **~less** *mb* i paerë ♦ **~ous** *mb* kundërmues

of /ov, əv/ *prfj*: **all ~ us** të gjithë ne; **love ~ life** dashuri për jetën; **made ~ gold** prej ari; **a friend ~ mine** një miku im; **first ~ all** para së gjithash; **~ late** kohët e fundit; **short ~ money** pa para; **the whole ~ the nation** gjithë kombi; **ask sth ~ sb** i kërkoj dikujt diçka

off /of/ *prfj*: **~ the coast** larg bregut; **get ~** zbres; **take 25% ~** bëj 25% zbritje; **that is ~ the point** kjo s'ka lidhje me çështjen; **have time ~ work** marr leje nga puna ♦ *nd*: **far ~** shumë lárg; **a mile ~** një milje larg; **with his coat ~** pa xhaketë; **be well ~** jam mirë nga gjendja; **go ~** nisem; *(arma)* shkrep; **the brakes are off** frenat nuk punojnë; **turn ~ the gas** mbyll gazin; **it rained ~ and ~** binte shi herë pas here ♦ *mb (anë)* e djathtë; pa; i shtyrë; i pezulluar; i mbyllur; i prerë; *(konsum)* jashtë lokalit: **~ side** anë e djathtë *(e rrugës)*; **~ street** rrugë anësore; **~ day** ditë pushimi; **it's one of his ~ days** qe një nga ditët e tij të errëta

offal /'ofl/ *em gjill* të (për)brendshme

off:-beat /'ofbi:t/ *mb* i rrallë; i ndryshëm nga të tjerët ♦ **~-chance** /-tʃa:ns/ *em* mundësi e vogël ♦ **~-colour** /-kʌlə(r)/ *mb* pa qejf; keq *(me shëndet); (tregim)* i ndyrë

offen:ce /ə'fens/ *em* fyerje; lëndim; *dr* shkelje: **take**

~ fyhem (at nga) ♦ **~d** *kl* fyej; lëndoj ♦ **~er** *em dr* shkelës; fajtor ♦ **~sive** *mb (erë)* e keqe; *(fjalë)* fyese ♦ *em* ofensivë; mësymje

offer /'ofə(r)/ *em* ofertë ♦ *kl* jap; ofroj; propozoj: **~ oneself for sth** zotohem për diçka ♦ **~ing** *em* ofertë; propozim

offhand /'ofhænd/ *mb* i vetvetishëm; i bërë rastësisht ♦ *nd* në çast; aty për aty

offic:e /'ofis/ *em* zyrë; post; detyrë; punë ♦ **~er** *em* nëpunës; polic: **army ~** oficer ♦ **~ial** /ə'fiʃl/ *mb* zyrtar ♦ *em* funksionar; zyrtar; *sp* arbitër *(i ndeshjes)* ♦ **~iate** /ə'fiʃieit/ *jkl ft* shërbej; bëj shërbesën; veproj si, kryesoj

offing /'ofiŋ/ *em*: **in the ~** në afërsi; i afërt; i pritshëm

off:-licence /'oflaisəns/ *em* dyqan për shitjen e pijeve alkoolike/ për konsum jashtë lokalit ♦ **~-load** /-loud/ *kl* shkarkoj ♦ **~-putting** /-putiŋ/ *mb* shkurajues ♦ **~set** /-set/ *kl* (-set, -setting) kompensoj; bilancoj; *sht* shtyp në ofset ♦ **~shore** /-ʃo:/ *mb (erë)* që fryn nga toka; *(kompani e regjistruar)* jashtë shtetit: **~ rig** *em* platformë nafte në det të hapur ♦ **~side** /-said/ *mb sp (pozicion)* jashtë loje; i majtë; i djathtë ♦ **~spring** /-spriŋ/ *em* pjellë; pasardhës; fëmijë ♦ **~stage** /-steidʒ/ *nd* prapa perdes ♦ **~-white** /-wait/ *mb* e bardhë e pistë

often /'of(t)n/ *nd* shpesh: **how ~ does he come?** sa shpesh vjen?; **every so ~** nganjëherë

ogle /'ougl/ *kl* vështroj me përgjërim; përëndoj sytë pas *(dikujt)*

oh /ou/ *psth* oh; **~ dear!** ashtu

oil /oil/ *em* vaj; naftë: **cooking ~** vaj gatimi ♦ *kl* lyej me vaj

oil:field /'oilfi:ld/ *em* fushë naftëmbajtëse ♦ **~-painting** /-'peintiŋ/ *em* pikturë në vaj ♦ **~ refinery** /-ri'fainəri/ *em* rafineri nafte ♦ **~ rig** /-rig/ *em* plaftormë për nxjerrjen e naftës në det ♦ **~-slick** /-slik/ *em* njollë nafte *(e derdhur në det)* ♦ **~-tanker** /-'tæŋkə(r)/ *em* anije naftëmbajtëse ♦ **~-well** /-wel/ *em* pus nafte ♦ **~y** *mb* vajor; *fg* lajkatar

ointment /'ointmənt/ *em* melhem; pomadë

OK /ou'kei/ *psth* mirë ♦ *mb*: **if that's ~ with you** po të pëlqeu (ty) ♦ *nd* mirë ♦ *kl* jap pëlqimin

old /ould/ *mb* i vjetër; plak; i vjetruar; i dikurshëm: **how ~ is he?** sa vjeç është?; **in the good ~ days** dikur; **an ~ man** plak; **an ~ woman** plakë ♦ *em*: **~ and young** pleq e të rinj ♦ **~-age** /-eidʒ/ *em* pleqëri ♦ **~-age pension** /-'penʃn/ *em* pension pleqërie ♦ **~ boy** /-boi/ *em* ish nxënës; shok i vjetër shkolle ♦ **~-fashioned** /-'fæʃənd/ *mb* i vjetruar; i modës së vjetë ♦ **~ girl** /-gə:(r)l/ *em* ish nxënëse; shoqe e vjetër shkolle ♦ **~ maid** /-meid/ *em* lëneshë ♦ **~ master** /-ma:stə(r)/ *em* mjeshtër i vjetër (i mbaruar); tablo nga një mjeshtër i vjetër ♦ **O~ Testament** /-'testəmənt/ *em* Dhjatë e Vjetër ♦ **~ timer** /-'taimə(r)/ *em* veteran ♦ **O~ World** /-

'weː(r)ld/ *em* Evropë

olive /'oliv/ *em dhe bt* ulli; i ngjyrë ulliri ♦ *mb* (prej) ulliri; ngjyrëulliri

Olympic /ə'limpik/ *mb* olimpik: **O~ Games** olimpiadë; Lojëra olimpike

omelette /'omlit/ *em gjll* omletë

om:en /'oumən/ *em* ogur; shenjë ♦ **~inous** /'ominəs/ *mb* kërcënues; ndejllamirë/keq

omi:ssion /o'miʃn/ *em* kapërcim; lënie jashtë *(e një fjale në fjali etj.)* ♦ **~t** /o'mit/ *kl* kapërcej: **~ to do sth** lë pa bërë diçka

omnipotent /om'nipətənt/ *mb* i plotfuqishëm

on /on/ *prfj* në; më; mbi; sipër: **~ Monday** të hënën; **~ Mondays** për të hënë; të hënave; **~ the first of January** më/ për një janar; **~ arriving** pas mbërritjes; me të mbërritur; **~ foot** më këmbë; **stand ~ one's head** bëj vertikalen me kokë; **~ the right/ left** në/ më të djathtë/ majtë; **on the Danube** në Danub; **~ the radio/ television** në radio/ televizor; **~ the bus/ train** në autobus/ tren; **go ~ the train** shkoj me tren; **get ~ the bus/ train** hipi në autobus/ tren; **~ me** me vete; **it's ~ me** qiras/ paguaj unë ♦ *nd* më tutje; pastaj; ndezur; në veprim: **'on'** *(makineri)* e ndezur; **he had his shoes ~** ai i kishte mbathur këpucët; **with the lid ~** i mbuluar me kapak; **be ~** *(filmi etj.)* jepet; shfaqet; **it's not ~** s'është mirë; **be ~ at** *bs* i bëhem rodhe *(dikujt)*; mundoj; **~ and ~** pa pushim; **~ and off** me ndërprerje; me hope; herë po, herë jo; **and so ~** e kështu me radhë; **go ~** vazhdoj *(udhën, punën)*; **stick ~** ngjit; vë; **sew ~** qep *(kopsën)* ♦ *mb (konsum)* në lokal

once /wʌns/ *nd* një herë; dikur: **~ upon a time there was** na ishte se ç'na ishte; **at ~** menjëherë; **~ and for all** një herë e përgjithmonë/ mirë; **for this once** kësaj here ♦ *ldh* me të; sapo ♦ **~-over** /-ouvə(r)/ *em bs* : **give sth the ~** i hedh një sy shpejt e shpejt diçkaje

oncoming /'onkʌmiŋ/ *mb* që vjen në drejtim të kundërt/ përballë

one /wʌn/ *nm, mb* një: **a hundred and ~** njëqind e një; **not ~ person** asnjë njeri ♦ *em* një: **one and twenty** njëzet e një ♦ *prm (dhe pavetor)* një; njëri: **~ another** njëri-tjetri; **~ by ~** një nga një; me nga një; **~ never knows** ku i dihet; si dihet ♦ **~-eyed** /-aied/ *mb* me një sy; i verbër nga një sy ♦ **~-off** /-of/ *mb* i rrallë; i vetëm *(në lloje e vet)* ♦ **~-parent family** /-'pæərənt'fæməli/ *em* familje me një prind ♦ **~self** /-self/ *prm (vetvetor)* vetë; vete: **by ~** vetëm; pa njeri/ ndihmë; **be proud of ~** jam krenar (për veten) ♦ **~-sided** /-saidid/ *mb* i njëanshëm ♦ **~way** /-wei/ *mb (rrugë)* njëdrejtimëshe; *(biletë)* vetëm për vjajtje

ongoing /'ongoiŋ/ *mb* i vazhdueshëm: **~ process** proces në vazhdim

onion /'ʌnjən/ *em bt* qepë

onlooker /'onlukə(r)/ *em* shikues; spektator

only /'ounli/ *mb* i vetëm: **~ child** fëmijë i vetëm ♦ *nd, ldh* vetëm (se); **~ just** sapo; ja; pakëz; **members ~** *(hyrja në klub)* vetëm për anëtarët

onset /'onset/ *em* fillim

onslaught /'onsloːt/ *em* sulm

onus /'ounəs/ *em*: **the ~ is on me** më bie mua barra **(to** për)

onward(s) /'onwə(r)d(z)/ *nd* përpara; e këtej: **from this time ~** që tani e tutje

ooze /uːz/ *jkl (lëngu)* del; kullon; depërton

opal /'oupl/ *em* opal; ngyrëopal

opaque /ou'peik/ *mb* i patejdukshëm; opak

open /'oupən/ *mb* i hapur; i lirë; *(park)* publik: **in the ~ air** jashtë; në natyrë; **~ secret** e fshehtë që e marrin vesh të gjithë ♦ *em*: **in the ~** jashtë; *fg* sheshit ♦ *kl* hap ♦ *jkl* hapet; është hapur; *(lulja)* çel; zbërthen ♦ **~ up** *kl* hap ♦ *jkl* hapet; çelet ♦ **~er** em çelës *(për hapjen e koservave)* ♦ **~ing** *em* hapje; e çarë; vrimë; fillim; vend i lirë pune; përurim *(i punimeve)*: **~ hours** /-ouə(r)z/ *em sh* orar i punës *(së dyqanit)* ♦ **~ house** *em* shtëpi mikpritëse ♦ **~ly** *nd* haptas; sheshit ♦ **~-minded** /-maindid/ *mb* mendjegjerë; i paanshëm ♦ **~mouthed** /-mauðd/ *mb* i mbetur gojëhapur *(nga habia)* ♦ **~-plan** /-plæn/ plan i hapur *(për diskutim)* ♦ **~ ticket** biletë e hapur ♦ **O~ university** universitet i hapur/me korrespondencë

opera /'oupərə/ *em* operë

operable /'opərəbl/ *mb* i operueshëm; i zbatueshëm

opera: glasses /-'glaːsiz/ *em sh* binokël teatri ♦ **~ house** /-haus/ *em* teatër lirik/ i operës ♦ **~ singer** /-siŋgə(r)/ *em* këngëtar lirik/ i operës

operat:e /'opəreit/ *kl* vë në punë; përdor: **~ the brakes** shkel / tërheq frant ♦ *jkl* operoj, bëj operacion **(on)**; *tk (pajisja)* punon; funksionon ♦ **~ion** /-'reiʃn/ *em* operacion; *tk* funksionim: **in ~** në gjendje pune/funksionim; **come into ~** *fig* fillon të punojë; hyn në veprim; *(ligji)* hyn në fuqi; **have an ~** *mk* bëhem operacion ♦ **~ional** /-'reiʃənl/ *mb* veprues; *(ligj)* në fuqi ♦ **~ive** /'opərətiv/ *mb* oeprativ; veprues; në funksionim ♦ **~or** *em* përdorues; operator; centralist

operetta /opə'retə/ *em* operetë

opinion /ə'pinjən/ *em* mendim; opinion: **in my ~** për mendimin tim ♦ **~ated** /-eitid/ *mb* kokëfortë; dogmatik; *(njeri)* që niset me paramendim

opponent /ə'pounənt/ *em* kundërshtar

opportun:e /'opətjuːn/ *mb* i volitshëm ♦ **~ist** /-'tjuːnist/ *em* portunist ♦ **~ity** /opə(r)'tjuːnəti/ *em* rast; shteg; mundësi

oppos:e /ə'pouz/ *kl* kundërshtoj: **be ~ed to sth** jam kundër diçkaje; **as ~ed to** në kundërvënie me; përkundër ♦ **~ing** *mb* i kundërt ♦ **~ite** /'opəzit/ *mb* i përkundërt; përballë: **the ~ sex** gjinia tjetër ♦ *prfj* përballë ♦ **~ition** /opə'ziʃn/ *em* kundërshtim; *pl* opozitë

oppress /ə'pres/ *kl*shtyp ♦ **~ion** /-'preʃn/ *em*shtypje ♦ **~ive** *mb* shtypës; *(vapë)* mbytëse ♦ **~or** *em* shtypës

opt /opt/ *jkl:* ~ **for** zgjedh; ~ **out** nuk marr pjesë (**of** në)

optic:al /'optikl/ *mb* optik: ~ **illusion** iluzion optik ♦ **~ian** /-'tiʃn/ *em* okulist;

optimis:m /'optimizm/ *em* optimizëm ♦ **~t** *em* optimist ♦ **~tic** /-'mistik/ *mb* optimist; shpresëtar

option /'opʃn/ *em* e drejtë/liri për të vendosur;·*trg* optim: **I had no** ~ s'kisha nga ia mbaj ♦ **~al** *mb* fakultativ

opulen:ce /'opjuləns/ *em* pasuri; begati ♦ **~t** *mb* i pasur; i begatë

or /o:(r)/ *ldh* ose; o; *(në mohim)* as; *(në pyetje)* apo: ~ **else** përndryshe; **either... or...** ose... ose...; **he cannot read ~ write** ai s'di as lexim, as shkrim; **in a year ~ two** për nja/një a dy vjet

oracle /'orəkl/ *em* orakull

oral /'o:rəl/ *mb*gojor ♦ *em bs*provim me gojë ♦ **~ly** *nd* gojarisht; me gojë

orange /'orindʒ/ *em* portokall; ngjyrë portokalli ♦ *mb* ngjyrëportokall ♦ **~ade** /-eid/ *em* arançatë

orator /'orətə(r)/ *em* orator; gojëtar; ligjërues ♦ **~y** *em* oratorí; gojëtarí

orbit /'o:(r)bit/ *em* orbitë; *an* zgavër; gropë

orchard /'o:(r)tʃəd/ *em* kopsht pemësh; pemishtë

orchestra /'o:(r)kistrə/ *em* orkestër ♦ **~tral** / o:'kestrəl/ *mb* orkestror ♦ **~trate** /'o:(r)kistreit/ *kl* orkestroj; drejtoj

orchid /'o:(r)kid/ *em bt* orkidé

ordain /o: (r)'dein/ *kl* dekretoj; caktoj; *ft* shuguroj; dorëzoj

ordeal /o:(r)'di:l/ *em fg* provë e rëndë

order /'o:(r)də(r)/ *em* rend; radhë; rregull; urdhër; *ush* formacion; *trg* porosi: **out of** ~ *(makinë)* e prishur; **in ~ that** me qëllim që; **in ~ to** për të ♦ *kl* urdhëroj; porosit ♦ **~ly** /'o:(r)dəli/ *mb* i rregullt ♦ *em ush* ordinancë; sanitar *(në spital)*

ordinar:y /'o:(r)dinəri/ *mb* i zakonshëm; i rëndomtë ♦ **~ily** /o:(r)di'næerili/ *nd* zakonisht

ordination /o:(r)di'neiʃn/ *em ft*shugurim; dorëzim prift

ore /ə:(r)/ *em* mineral; xeheror

organ /'o:(r)gən/ *em dhe an* organ; *mz* organo ♦ **~ic** /o:'gænik/ *mb* organik ♦ **~isation** /-ai'zeiʃn/ *em* organizatë ♦ **~ise** *kl* organizoj ♦ **~ism** *em* organizëm ♦ **~ist** *em mz* organist

orgasm /'o:(r)gæzm/ *em fzo* orgazëm

Orient /'o:riənt/ *em* Lindje ♦ **~al** /o:ri'entl/ *mb* Lindor; i Lindjes

orientat:e /'o:rienteit/ *kl:* **~ate oneself** orientohem ♦ **~ation** /-'teiʃn/ *em* orientim; drejtim

origin /'oridʒin/ *em* prejardhje; burim; zanafillë; origjinë ♦ **~al** /o'ridʒin(ə)l/ *mb* origjinal; zanafillës ♦ *em* origjinal: **in the** ~ në origjinal ♦ **~ality** /-'næ-ləti/ *em* origjinalitet; risi; freski ♦ **~ate** /ə'ridʒineit/

jkl: ~ **in** e ka prejardhjen nga ♦ **~ator** /ə'ridʒi-neitə(r)/ *em* krijues

orna:ment /'o:(r)nəmənt/ *em* zbukurim ♦ **~mental** /-'mentl/ *mb* zbukurimor; ornamental ♦ **~te** / o:(r)'neit/ *mb* i zbukuruar

orphan /'o:(r)fn/ *em* jetim ♦ *kl* lë jetim: **be ~ed** mbetem jetim ♦ **~age** /-idʒ/ *em* jetimore

orthodox /'o:(r)θədoks/ *mb, em dhe ft* ortodoks

orthopaedic /o:(r)θə'pi:dik/ *mb* ortopedik

oscillat:e /'osileit/ *jkl* luhatet ♦ **~ion** /osə'leiʃn/ *em* luhatje

osseous /'osiəs/ *mb (ind)* kockor, i kockave; eshtëror

ostentation /ostən'teiʃən/ *em* mburrje

osteopath /'ostiəpæθ/ *em mk* osteopat

ostracise /'ostrə(r)saiz/ *kl* dëboj; syrgjynos; dënoj me ostarcizëm

ostrich /'ostritʃ/ *em zl* struc; pendë struci

other /'ʌðə(r)/ *prm, mb*tjetër: **the ~ two** dy të tjerët; **two ~s** edhe dy; ~ **people** të tjerë; **any ~ questions?** ka më pyetje (të tjera)?; **the ~ day** dje; **the ~ evening** mbrëmë ♦ *nd:* ~ **than him** përveç atij; **somehow or** ~ kështu apo ashtu ♦ **~wise** *nd* (për)ndryshe

otitis /ou'taitis/ *em mk* otit; pezmatim i veshit

otter /'otə(r)/ *em zl* lundër(z); vidër

ouch /autʃ/ *psth* ou; oi

ought /o:t/ *folje ndihmëse:* **I ~ to get ready** duhet të bëhem gati; **he ~ not to have said it** të mos e kishte thënë; **that ~ to be enough** kaq do të ishte e mjaftueshme

ounce /auns/ *em* ons *(= 28,35 g)*

our /'auə(r)/ *mb*ynë; jonë: ~ **house** shtëpia jonë ♦ **~s** /'auəz/ *prm prn* ynë: **a friend of** ~ një miku ynë; **friends of** ~ miq tanë; **that is** ~ kjo është jona ♦ **~selves** /auə(r)'selvz/ *vtv* ne; vetë; vete; vetëm: **we made ~ coffee** bëmë kafe për vete/e; **we did it** ~ e bëmë vetë/pa ndihmë; **by** ~ vetëm; me vete

out /aut/ *nd:* **be** ~ *(drita)* është shuar; *(punëtorët)* janë në grevë; *(llogaria)* është gabim; jam pa ndjenja; **the sun is** ~ ka dalë dielli; ~ **and about** më këmbë; i ngritur *(pas një sëmundjeje);* **get ~!** përjashta!; dil jashtë!; ~ **with** *bs* nxirre *(fjalën)* ♦ *prfj:* ~ **of date** i vjetruar; ~ **of order** i prishur; ~ **of danger** jashtë rrezikut; ~ **of work** pa punë; **nine ~ of ten** nëntë më dhjetë; **be ~ of one's mind** çmendem ♦ **~bid** /'autbid/ (**~bid, ~ding**) *kl:* ~ **sb** vë më shumë se dikush *(në baste)* ♦ **~age** /'outidʒ/ *em* prerje e korrentit ♦ **~back** /-bæk/ *em* brendësi e vendit ♦ **~board** /-bo:(r)d/ *mb:* ~ **motor** motor jashtë bordit ♦ **~break** /-breik/ *em* shpërthim *(i luftës, i sëmundjes)* ♦ **~building** /-bildiŋ/ *em* aneks; ndërtim i shtuar ♦ **~burst** /-bə:(r)st/ *em*plasje; shpërthim ♦ **~come** /-kʌm/ *em* përfundim ♦ **~cry** /-krai/ *em* protestë ♦ **~dated** /-

deitid/ *mb* i kapërcyer; i vjetruar ♦ **~do** /-du/ (**~did** /-'did/, **~done** /-'dʌn/ k/kaloj; kapërcej; bëj më mirë se ♦ **~door** /-do:(r)/ *mb (jetë)* në natyrë; jashtë: **~ swimming pool** pishinë e zbuluar ♦ **~doors** /-do:(r)z/ *nd* në natyrë: **go ~s** dal në ajër të pastër ♦ **~ em** pajisje; (një) palë *(rroba etj.); bs* organizatë; grup ♦ **~er** *mb* i jashtëm ♦ **~fit** /'autfit/ *em* pajisje; (një) palë *(rroba etj.); bs* organizatë; grup ♦ **~fitters** /-fitə(r)z/ *sh* veshje të sipërme ♦ **~going** /-ɡôin/ *mb (kryetar)* që lë postin; *(postë)* e dërguesit; *(njeri)* i dalë ♦ **~goings** /-ɡoinz/ *sh* shpenzime; dalje ♦ **~grow** /-'ɡrou/ (**~grew** /-'ɡru:/, **~grown** /-'ɡroun/) *jk/* rritem shumë; ia kaloj me trup ♦ **~house** /-haus/ *em* aneks; shtojcë *(e shtëpisë)* ♦ **~ing** /'autiŋ/ *em* shëtitje ♦ **~landish** /aut'lændiʃ/ *mb* i huaj; ekzotik ♦ **~law** /-lo:/ *em* person i nxjerrë jashtë ligjit ♦ **~line** /-lain/ *em* përvijë; përmbledhje ♦ k/aut'lain/ përvijoj; përshkruaj ♦ **~live** /-'liv/ k/ mbijetoj; jetoj më shumë se ♦ **~lying** /-laiŋ/ *mb:* **~ area** zonë e jashtme/ periferike ♦ **~look** /-luk/ *em* perspektivë; e ardhme ♦ **~number** /-nʌmbə(r)/ k/ kam epërsi numerike ndaj ♦ **~patient** /-peiʃənt/ *em* pacient ambulatory: **~s' department** ambulancë *(e spitalit)* ♦ **~put** /-put/ *em* prodhim; rendiment ♦ **~rage** /-reidʒ/ *em* dhunë; cenim; shkelje e rëndë ♦ k/dhunoj; shkel; zemëroj ♦ **~rageous** /-'reidʒəs/ *mb* shumë i rëndë; skandaloz; i padurueshëm ♦ **~right** /-rait/ *mb* i plotë; i tërë ♦ *nd* /aut'rait/ plotësisht; tërësisht; menjëherë; haptas ♦ **~set** /-set/ *em* fillim: **from the ~** nga fillimi ♦ **~side** /-said/ *mb* i jashtëm ♦ *em* anë e jashtme ♦ *nd* /aut'said/ jashtë; përjashta: **go ~** dal jashtë ♦ *prfj* jashtë ♦ **~sider** /-saidə(r)/ *em* i jashtëm; i papërzier *(me një punë)* ♦ **~skirts** /-skə:(r)ts/ *em sh* lagje të jashtme; periferi ♦ **~spoken** /-spoukn/ *mb* i qartë; i shprehur troç ♦ **~standing** /-stændiŋ/ *mb* i shquar; i dalluar; i dallueshëm; i dukshëm; *(llogari)* e zbuluar ♦ **~stretched** /-'stretʃt/ *mb* i zgjatur ♦ **~strip** /-'strip/ k/ia kaloj *(dikujt)* ♦ **~ward** /-wə(r)d/ *mb* i jashtëm; *(udhëtim)* në vajtje ♦ *nd* me drejtim jashtë; në dalje ♦ **~wards** /-wə(r)dz/ *nd* me drejtim jashtë; nga ana e jashtme ♦ **~weigh** /-'wei/ k/ jam më i rëndë/ peshoj më shumë ♦ **~wit** /-'wit/ k/ia hedh/punoj; ia prish planet *(dikujt)*

oval /'ouvl/ *mb* vezak; oval **O~ Office** ♦ **~**selia e qeverisë së SHBA-së ♦ *em* figurë vezake/ovale

ovary /'ouvəri/ *em an* vezore

ovation /ou'veiʃn/ *em* ovacion; brohoritje

oven /'ʌvn/ *em* furrë

over /'ouvə(r)/ *prfj:* **~ twenty** mbi njëzet; **~ the phone** me telefon; **~ the page** në faqen tjetër; **all ~ the country** anembanë vendit ♦ *nd:* **~ again** prapë: **~ and ~** edhe një herë nga e para; **~ and above** më shumë se; mbi; **~ here/ there** këtu/ atje; **it's all ~** mbaroi ♦ *em* tepricë; mbetje ♦ **~alls** /'ouvəro:lz/ *em sh* kominoshe; bluzë pune ♦

~cast /-ka:st/ *mb (qiell)* i vrenjtur ♦ **~coat** /-kout/ *em* pallto ♦ **~come** /-kʌm/ (**~came** /-'keim/, **~come** /-'kʌm/) k/ mund; dërrmoj: **be ~ by** mposhtem; mundem ♦ **~do** /-du/ (**~did** /-'did/, **~done** /-'dʌn/) k/ e teproj ♦ **~grown** /-groun/ *mb (kopsht)* i mbytur nga barërat ♦ **~head** /-'hed/ *nd* sipër; lart ♦ *mb* /'ouvə(r)hed/ ajror; *(hekurudhë)* e ngritur; *(ndriçim)* nga tavani ♦ *em:* **~s** *sh* shpenzime të përgjithshme ♦ **~hear** /-hiə(r)/ k/(**~heard** /-hə:(r)d/) më zë veshi ♦ **~look** /-luk/ k/ mbizotëroj; më kalon *(një gabim)* ♦ **~night** /ouvə(r)'nait/ *nd* natën: **stay ~** rri për të fjetur një natë ♦ *mb* /'ouvə(r)nait/ i natës: **~ stay** qëndrim për një natë ♦ **~power** /-pauə(r)/ k/mund; mposht; vë poshtë ♦ **~ride** /-raid/ (**~rode** /-roud/, **ridden** /'ridn/ k/tejkaloj; *dr* prapësoj *(një vendim)* ♦ **~run** /-'rʌn/ (**~ran** /-'ræn/, **~run** /-'rʌn/, **~running** /-'rʌniŋ/) k/pushtoj; tejkaloj; mbyt: **be ~ with weeds** *(kopsht)* i mbytur nga barishtet ♦ **~seas** /-si:z/ *nd* përtej detit; jashtë vendit/shtetit ♦ *mb* /'ouvə(r)si:z/ i përtejdetit; i jashtëm ♦ **~see** /-si:/ (**~saw** /-'so:/, **~seen** /-'si:n/) k/ mbikëqyr ♦ **~shadow** /-'ʃædou/ k/hijezoj; eklipsoj ♦ **~sight** /-sait/ *em* pakujdesi ♦ **~step** /'step/ k/ e shkel; e kaloj *(masën)* ♦ **~take** /-teik/ (**~took** /-'tuk/, **~taken** /-'teikn/) k/ia kaloj ♦ **~ing** *em* tejkalim; parakalim (i një makine): **no ~ing** ndalim parakalimi ♦ **~tax** /'tæks/ k/ *fg* rëndoj me taksa; mbingarkoj; stërmundoj ♦ **~throw** /-θrou/ *em pl* përmbysje ♦ k/ /ouvə(r)'θrou/ (**~threw** /-'θru/, **~thrown** /-'θroun/) *pl* përmbys ♦ **~time** /-taim/ *em* punë jashtë orarit ♦ *nd:* **work ~** bëj punë jashtë orarit

overture /'ouvətjuə(r)/ *em mz* uvertyrë; **~s** *sh fg* përçapje të para

over:turn /ouvə(r)'tə:(r)n/ k/ përmbys; kthej së prapthi ♦ *jk/* përmbyset ♦ **~weight** /-'weit/ *mb* mbipeshë ♦ **~whelm** /-welm/ k/mbyt (**with** me); hutoj ♦ **~ing** *mb* i papërmbajtur; *(fitore)* dërrmuese

owe /ou/ k/kam detyrim; i jam borxhli (**to sb** dikujt): **who do I ~ this honour?** kujt t'ia di për nder? ♦ **~ing** *prfj:* **~ing to** në saje të

owl /oul/ *em z/* buf; hutin

own¹ /oun/ *mb, prm* i vet: **I saw it with my ~ eyes** e pashë me sytë e mi/ këta dy sy; **on one's ~** vetë(m); më vete; **get one's ~ back** *bs* marr atë që më takon ♦ **~goal** /-goul/ *em sp* autogol

own² k/ zotëroj; kam; pranoj, pohoj ♦ **~ up** *jk/* rrëfehem; rrëfej (**to sth** di, ak) ♦ **~er** *em* pronar ♦ **~ship** *em* pronësi

oyster /'oistə(r)/ *em z/* stridhe; goçë deti

ox /oks/ *em (sh* **oxen**) buall

oxide /'oksaid/ *em* oksid

oxygen /'oksidʒən/ *em* oskigjen: **~ mask** maskë oksigjeni

oyster /'oistə(r)/ *em* stridhe; goçë deti

ozone /'ouzoun/ *em* ozon ♦ **~ layer** /-leiə(r)/ *em* shtresë ozoni

P

PA /ˈpiːˈei/ *shkrt i* **per annum** në vit

pace /peis/ *em* hap; shpejtësi; ritëm ♦ *jkl:* ~ **up and down** eci lart e poshtë ♦ ~**-maker** /-meikə(r)/ *em mk* pejsmeikër; *sp* përcaktues i ritmit të garës

pacific /pəˈsifik/ *mb* i qetë, i butë ♦ **P~** *em:* **the ~ (Ocean)** Oqeani Paqësor; Paqësori

pacif:ier /ˈpæsifaiə(r)/ *em* kapë, biberon; qetësues ♦ ~**ist** *em* pacifist ♦ ~**ism** *em* pacifizëm ♦ ~**y** *kl* qetësoj; paqësoj *(vendin)*

pack /pæk/ *em* pako; paketë; (një) palë *(letra bixhozi);* tufë *(zagarësh)* ♦ *kl* paketoj *(mallin);* bëj *(valixhen)* ♦ *jkl* mbledh plaçkat: **send sb ~ing** i jap duart dikujt ♦ ~ **up** *kl* paketoj ♦ *jkl bs* lë në baltë ♦ ~**age** /-idʒ/ *em* pako; paketë ♦ *kl* paketoj

package: deal /-diːl/ *em* ofertë e përgjithshme ♦ ~ **holiday** /-ˈholidei/ *em* pushim i organizuar ♦ ~ **tour** /-tuə(r)/ *em* udhëtim i organizuar

pack:ed /pækt/ *mb* i paketuar; *(dhomë etj.)* e mbushur plot *(me njerëz)* ♦ ~**et** /ˈpækit/ *em* paketë ♦ ~**ing** *em* paketim; ambalazhim ♦ ~ **paper** *em* letër ambalazhimi

pact /pækt/ *em* pakt; marrëveshje

pad¹ *em* hap i lehtë ♦ *jkl* eci pa u ndier

pad² /pæd/ *em* jastëk, vatë *(pambuku);* bllok *(letrash shkrimi):* **launch ~** *ast* platformë e nisjes/ e lëshimit *(së raketës)* ♦ *kl* mbush me pambuk; i vë vatë *(supeve)* ♦ ~ **out** *kl* fryj ♦ ~**ded** /-did/ *mb* i mbushur me pambuk/ vatë ♦ ~**ding** *em* mbushje; vatë

paddle /ˈpæd(ə)l/ *em* rrem; lopatë ♦ *jkl* vozit; llapashitem

paddock /ˈpædək/ *em* rrethim; vend i rrethuar *(për kuajt)*

paddy /ˈpædi/ *em* oriz i pazhveshur

padlock /ˈpædlok/ *em* dry

paediatric:ian /piːdiəˈtriʃn/ *em* pediatër ♦ ~**s** /-ˈætriks/ *em sh (me folje në njëjës)* pediatri

pagan /ˈpeign/ *mb, em* pagan

page¹ /peidʒ/ *em* faqe *(e librit):* **start a new ~** dhe

fg nis faqe të re; ~ **the page** kthej faqen

page² *em* pazh; shatër; ndihmës *(në hotel)* ♦ *kl* thërres me radio *(dikë)*

pageant /ˈpeidʒənt/ *em* paradë

page-maker /-ˈmeikə(r)/ *em inf* faqosës; program i faqosjes ♦ ~**setup** /-setʌp/ *em* formatim i faqes

pager /ˈpeidʒə(r)/ *em* radio për ndërlidhje vetjake

paginate /ˈpædʒineit/ *kl* faqos *(librin)*

paid /peid/ *shih* **pay** ♦ *mb* i paguar

pail /peil/ *em* kovë ♦ ~**ful** *em* (një) kovë plot **(of me)**

pain /pein/ *em* dhembje: **be in ~** kam dhembje; **take -s** përpiqem; ~ **in the neck** havale ♦ *kl* më dhimbet ♦ ~**ful** *mb* i dhembshëm; që dhemb; i mundimshëm; i rëndë ♦ ~**fully** *nd* me dhembje; me mundim ♦ ~**less** *mb:* **it's ~** nuk të dhemb ♦ ~**lessly** *nd* pa dhembje; pa mundim

painstaking /ˈpeinzteikiŋ/ *mb* merakli *(për punë);* i duruar

paint /peint/ *em* pikturë; ~**s** *sh* bojëra; ngjyra ♦ *kl, jkl* pikturoj; bojatis *(shtëpinë)* ♦ ~**er** *em* piktor; bojaxhi ♦ ~**ing** *em* pikturë ♦ ~**-work** /-wə:(r)k/ *em* pikturë; bojatisje

pair /peə(r)/ *em* palë: ~ **of trousers** një palë pantallona; ~ **of scissors** një palë gërshërë; **the ~ of them** ata të dy

pajamas /pəˈdʒaːməz/ *em am* pizhame

Pakistan /paːkiˈstaːn/ *em gjg* Pakistan ♦ ~**i** *mb, em* pakistanez

pal /pæl/ *em bs* shok; mik

palace /ˈpælis/ *em* pallat

palat:able /ˈpælətəbl/ *mb* i shijshëm; i këndshëm ♦ ~**e** *em an* qiellzë

palatial /pəˈleiʃl/ *mb (ndërtesë)* madhështore

palaver /pəˈlaːvə(r)/ *em* llafe; muhabet i gjatë; pallavra

pale¹ /peil/ *mb* i zbehtë ♦ ~ *kl* zbehem ♦ ~**ness** *em* zbehtësi

pale² *em* hu *(gardhi):* **outside the ~ of law** jashtë ligjit; që s'e zë ligji

Palestin:e /'pælistain/ *em gjg* Palestinë ♦ **~ian** /-
'stiniən/ *mb, em* palestinez

palette /'pælit/ *em* paletë *(e piktorit)*

pallid /'pælid/ *mb* i zbehtë ♦ **~or** *em* zbehtësi

palm /pa:m/ *em bt* palmë; pëllëmbë ♦ **~ off** *kl:* **~
sth off on sb** ia kall dikujt me diçka ♦ **~-held** /-
held/ *mb (kompjuter)* miniportativ; dore

palpable /'pælpəbl/ *mb* i prekshëm *(me dorë);* i
dukshëm

palpitate /'pælpiteit/ *jkl* rreh; regëton ♦ **~ions** /-
'teiʃnz/ *em sh* regëtima

paltry /'po:ltri/ *mb* shumë i vogël; i parëndësishëm

pamper /'pæmpə(r)/ *kl* prish; llastoj *(dikë);* i jap llasë
(dikujt)

pamphlet /'pæmflit/ *em* pamflet ♦ **~eer** /-iə(r)/ *em*
pamfletist

pan /pæn/ *em* tigan; tavë; pjatë *(e peshores):* **fry-
ing ~** tigan ♦ *kl bs* dërrmoj me kritika

panache /pə'næʃ/ *em* mburrje

Panama /'pænəmə/ *em gjg* Panama ♦ **~nian** *mb,
em* panamez

pancake /'pænkeik/ *em gjl* petull ♦ **~ landing** *em*
zbritje me bark *(e aeroplanit)*

pancreas /'pæŋkriəs/ *em an* pankreas; tërëmishëz

panda /'pændə/ *em zl* pandë ♦ **~ car** /-ka(r)/ *em*
automobil i patrullës së policisë

pandemonium /pændi'mouniəm/ *em* katrahurë

pander /'pændə(r)/ *jkl:* **~ to sb** bëj kodoshëri për
dikë ♦ **~er** *em* kodosh; tutor

pane /pein/ *em* xham *(i dritares)*

panegyric /pæni'dʒirik/ *mb* panegjirik; lavdërues ♦
em panegjirik; lavdërim

panel /'pænl/ *em* katror *(i xhamit të dritares);* panel
(diellor); tk pult/ kuadër drejtimi; juri; komison ♦
~ling *em* panela

pang /pæŋ/ *em:* **~s of hunger** të prera për të
ngrënë; **~s of conscience** vrasje e ndërgjegjes

panic /'pænik/ *em* panik; datë ♦ *jkl* **(~cked)** më
hyn data/ paniku ♦ **~ky** *mb (ndjenjë)* paniku; i
trembur

panoram:a /pænə'ra:mə/ *em* panoramë; pamje ♦
~ic /-'ræmik/ *mb* panoramik

pansy /'pænzi/ *em bt* manushaqe trengjyrëshe; *bs*
homoseksual

pant /pa:nt/ *jkl* gulçoj; dihat

panther /'pænθə(r)/ *em zl* panterë

panties /'pæntiz/ *em sh* mbathje; brekë

pantomime /'pæntəmaim/ *em* pantomimë

pantry /'pæntri/ *em* qilar *(për ushqime)*

pants /pænts/ *em sh* mbathje; brekë *(grash);*
pantallona

papal /'peipl/ *mb* papal; i papës

paper /'peipə(r)/ *em* letër; gazetë; provim; **~s** *sh*
dokumente; letër njoftimi; **on ~** në letër/ teori; **put
down on ~** bëj me shkrim ♦ *mb (prej)* letre ♦ *kl*
vesh me letër/tapiceri letre *(murin)* ♦ **~back** /-bæk/
em botim i lirë ♦ **~-clip** /-klip/ *em* kapëse letrash
♦ **~-hanger** /'hæŋə(r)/ *em* tapicier ♦ **~-knife** /-
naif/ *em (sh* -**knives** /-naivz/) thikë për letra ♦
~work /-wə:(r)k/ *em* shkresori; punë me shkresa/
zyre

par /pa:(r)/ *em:* **on a ~ with** baraz me; **feel below
~** s'jam në formë

parable /'pærebl/ *em* shëmbëlltyrë; parabolë

parachute /'pærəʃu:t/ *em* parashutë: **drop by ~**
hidhem me parashutë ♦ *jkl* parashutoj; hidhem me
parashutë ♦ *kl* parashutoj; lëshoj/ hedh me
parashutë ♦ **~ist** *em* parashutist

parade /pə'reid/ *em* paradë *(ushtarake):* **hit ~**
paradë e sukseseve ♦ *kl fg* mburrem me

paradise /'pærədais/ *em* parajsë; parriz

paradox /'pærədoks/ *em* paradoks ♦ **~ical** /-
pærə'doksikəl/ *mb* paradoksal

paraffin /'pærəfin/ *em* parafinë

paragon /'pær1gən/ *em* shembull i lártë: **~ of vir-
tue** model virtyti

paragraph /'pærəgra:f/ *em* kryeradhë; paragraf ♦
kl ndaj me/ nxjerr kryeradhë ♦ *jkl* dal kryeradhë/
paragraph

parallel /'pærəlel/ *mb, nd* paralel **(with, to** me) ♦
em paralele; *gjeog, ast* paralel: **without ~** i
pashoq; **draw a ~** bëj një paralelizëm/ analogji ♦
~ bars /-ba:(r)z/ *em sh dhe sp* paralele ♦ **~port** /
-po:(r)t/ *em inf* portë paralele

paralys:e /'pærəlaiz/ *kl* paralizoj: **~ed with fear** i
shtangur nga frika ♦ **~is** /pə'ræləsis/ *em (sh* -**es** /
-si:z/) paralizë

parameter /pə'ræmitə(r)/ *em* përmasë; parametër

paramount /'pærəmunt/ *mb* shumë i lartë, epror;
madhor: **be ~** ka rëndësi të dorës së parë

paranoia /pærə'noiə/ *em* paranojë ♦ **~c** *mb*
paranojak

paraphernalia /pærəfə(r)'neiliə/ *em* pajisje vetjake;
vegla

paraphrase /'pærəfreiz/ *em* parafrazë ♦ *kl*
parafrasare

paraplegic /pærə'pli:dʒik/ *mb, em* paraplegjik

parasite /'pærəsait/ *em* parazit; skrodh

parasol /'pærəsol/ *em* çadër/ tendë dielli

paratrooper /'pærətru:pə(r)/ *em* parashutist

parcel /'pa:(r)sl/ *em* koli; pako: **~ post** postë e kolive

parch /pa:(r)tʃ/ *kl* thaj: **be ~ed** thahem për ujë

parchment /'pa:(r)tʃmənt/ *em* pergamenë

pardon /'pa:(r)dn/ *em* falje: **general ~** falje e
përgjithshme; **~?** më falni?; **I beg your ~?** më
falni/çfarë thatë? ♦ *kl* fal

pare /peə(r)/ *kl* qëroj *(patate);* pres *(thonjtë)*

parent /'peərənt/ *em* prind: **single-~ child** fëmijë
me një prind ♦ **~hood** /-hud/ *em* prindërí

parenthesis /pə'renθəsis/ *em (sh* **~ses** /-si:z/)
kllapë; parantezë

parish/'pæriʃ/ *em* famulli ♦ ~ **council** /-'kaunsl/ *em* këshill i famullisë ♦ ~ **priest** /'-pri:st/ *em* famulltar; prift i famullisë

parity /'pærəti/ *em* barazi *(e monedhës etj.)*

park /pa:(r)k/ *em* park; vendparkim ♦ *kl, jkl au* parkoj ♦ ~**ing** *em* parkim ♦ ~ **lights** /-laits/ *au* drita parkimi ♦ ~**-lot** /-lot/ *em am* vendparkim ♦ ~**meter** /-'mi:tə(r)/ *em* sahat parkimi ♦ ~ **ticket** /-'tikit/ *em* gjobë parkimi

parliament /'pa:(r)ləmənt/ *em* parlament ♦ ~**arian** /pa:(r)ləmən'teəriən/ *em* parlamentar; anëtar i parlamentit ♦ ~**ary** /-'mentəri/ *mb* parlamentar

parlour /'pa:(r)lə(r)/ *em* sallon: **beauty** ~ sallon bukurie; flokëtore për gra

parochial /pə'rokiəl/ *mb* i famullisë; *fg* i ngushtë; *(interes)* local ♦ ~**ism** *em* lokalizëm

parody /'pærədi/ *em* parodi ♦ *kl* parodizoj

parole /pə'roul/ *em:* **on** ~ në lirim me kusht ♦ *kl* liroj me kusht *(nga burgu)*

parquet /'pa:(r)kei/ *em:* ~ **floor** parket

parrot /'pærət/ *em zl* papagall ♦ *kl* përqesh; imitoj

parsimon:ious /pa:(r)si'mouniəs/ *mb* i kursyer ♦ ~**y** /'pa:(r)siməni/ *em* kursim

parsley /'pa:(r)sli/ *em bt gjll* majdanoz

parsnip /'pa:snip/ *em bt gjll* pastinak

parson /'pa:(r)sn/ *em ft* pastor

part /pa:(r)t/ *em* pjesë; detal *(i makinerisë);* hise: **for my** ~ për sa më takon (mua); **play a** ~ **in** kam rol në; **take sb's** ~ bëhem me dikë; i mbaj anën dikujt; ~ **water and** ~ **milk** një pjesë ujë e një pjesë qumësht ♦ *kl* ndaj: ~ **one's hair** ndaj flokët me shteg ♦ *jkl (njerëzit)* ndahen: ~ **friends** ndahemi si miq ♦ ~**ial** /'pa:(r)ʃl/ *mb* i pjesshëm: **be** ~ **to sb** e mbaj me hatër dikë ♦ ~**iality** /pa:(r)ʃi'æləti/ *em* anësi; hatër ♦ ~**ially** *nd* pjesërisht ♦ ~**icipant** /-'tisipənt/ *em* pjesëmarrës ♦ ~**icipate** /-'tisipeit/ *jkl* marr pjesë (**in** në) ♦ ~**icipation** /-tisi'peiʃn/ *em* pjesëmarrje ♦ ~**icle** /-ikl/ *fz* grimcë, thërrmijë; *gjh* pjesëz

particular /pə(r)'tiltjulə(r)/ *mb* i veçantë; *(njeri)* kërkues, i rreptë: **in** ~ në veçanti; posaçërisht; **be** ~ **about sth** tregohem i rreptë për diçka ♦ ~**ly** *nd* veçanërisht; posaçërisht

parting /'pa:(r)tiŋ/ *em* ndarje; shteg *(i flokëve):* ~ **kiss** puthje para ndarjes

partisan /pa:(r)ti'zæn/ *em* partizan; përkrahës

partly /'pa:(r)tli/ *nd* pjesërisht

partner /'pa:(r)tnə(r)/ *em trg* ortak; partner; *sp* shok i skuadrës ♦ ~**ship** *em* ortakëri; partneritet

partridge /'pa:(r)tridʒ/ *em zl* thëllëzë

part-time /'pa:(r)t'taim/ *mb, nd:* **be/ work** ~ jam/ punoj me orar të shkurtuar; ~ **student** student pa shkëputje nga puna

party[1] /'pa:(r)ti/ *em* pritje; gosti; festë; të ftuar; *p/* parti: **throw a** ~ shtroj një gosti; jap një pritje; **be** ~ **to** marr pjesë në ♦ *jkl* bëj gosti/ festë

party[2] *em* parti politike; grup ♦ ~ **line** /-'lain/ *em* linjë telefonike e përbashkët; *p/* vijë e partisë

pass /pa:s/ *em* lejekalim; qafë *(mali); sp* kalim *(i topit);* notë kalueshëm *(në shkollë):* **make a** ~ **at** *bs* i propozoj/ia kërkoj *(një vajze)* ♦ *kl* (tej)kaloj; miratoj; *dr* jap *(një vendim)* ♦ *jkl* kalon; shkon; kaloj provimin ♦ ~ **away** *jkl* vdes ♦ ~ **down** *kl* kaloj *(dorë më dorë)* ♦ ~ **out** *jkl bs* humb ndjenjat ♦ ~ **through** *kl* kaloj/ i bie përmes ♦ ~ **up** *kl* tregoj; lë të duket; *bs* lë të kalojë *(një rast)* ♦ ~**-able** *mb (rrugë)* e kalueshme; *(notë)* mjaftueshëm ♦ ~**age** /'pæsidʒ/ *em* kalim; korridor; udhëtim me det; pjesë, fragment

passenger /'pæsindʒə(r)/ *em* udhëtar ♦ ~ **train** *em* tren udhëtarësh

pass:er-by /pa:sə(r)'bai/ *em (sh ~s-by)* kalimtar ♦ ~**ing: in** ~ kalimthi

passion /'pæʃn/ *em* pasion; afsh; zjarr; duf ♦ ~**ate** *mb* i pasionuar; i zjarrtë ♦ ~ **flower** /-flauə(r)/ *em bt* lule sahati

passive /'pæsiv/ *mb* pasiv; *gjh (trajtë)* pësore ♦ *em* pasiv

pass mark /'pa:sma:(r)k/ *em* notë kalueshëm

Passover /'pa:souvə(r)/ *em* Pashkë e çifutëve

pass:port /'pa:spo:(r)t/ *em* pasaportë ♦ ~**-word** *em* parullë

past /pa:st/ *mb* i shkuar: ~ **tense** *gjh* kohë e kryer; **the** ~ **week** java e shkuar; **in the** ~ **few days** para ca ditësh; ♦ *em* e shkuar: **in the** ~ në të shkuarën ♦ *prfj:* **at ten** ~ **midnight** më dymbëdhjetë e dhjetë pas mesnate; **half** ~ **six** gjashtë e gjysmë ♦ *nd* pranë; ngjat: **go** ~ kaloj pranë

pasta /'pa:stə/ *em gjll* brumë; makarona; brumëra

paste /peist/ *em* brumë; ngjitëse ♦ *kl* ngjit; vë

pastel /'pæstl/ *em art* pastel

pasteurise /'pa:stʃəraiz/ *kl* pastërizoj

pastille /'pæstil/ *em* hape; tabletë

pastime /'pa:staim/ *em* kohë e lirë; dëfrim; argëtim

pastoral /'pa:stərəl/ *mb* baritor

pastry /'peistri/ *em gjll* pastë; petë *(për ëmbëlsirë etj.);* ëmbëlsirë me peta

pasture /'pa:stʃə(r)/ *em* kullotë

pasty[1] /'pæsti/ *em* byrek me mish

pasty[2] /'peisti/ *mb* brumor; i brumët; *bs* i zbehtë, pa gjak

pat /pæt/ *em* rrahje *(e shpatullave);* copë *(gjalpi)* ♦ *nd:* **have sth off** ~ e kam në majë të gishtave diçka ♦ *kl* i rrah shpatullat *(dikujt);* përgëzoj

patch /pætʃ/ *em* arnë; pullë; copë; ngastër toke; parcelë; copë here: **he is not a** ~**on you** *bs* ai s'të vjen as te maja e gishtit; **have a bad** ~ *bs* e shoh pisk për një çast ♦ *kl* arnoj ♦ ~ **up** *kl* arnoj; ndreq; pajtoj

patchy /'pætʃi/ *mb* i paqëndrueshëm

paté /'pætei/ *em gjll* paté

patent /'peitnt/ *mb* i hapur; i qartë: ~ **leather shoes**

em sh këpucë lustrina ♦ *em* patentë ♦ *kl* patentoj ♦ **~ly** *nd* haptas; qartë

patern:al /pə'tə:(r)nł/ *mb* atëror: **~ grandfather** gjysh nga babai ♦ **~ity** *em* atësi

path /pɑ:θ/ *em (sh~s* /pɑ:ðz/ shteg; rrugë; flurudhë *(e predhës)*

pathetic /pə'θetik/ *mb* për të ardhur keq; shumë i keq

patholog:ist /pə'θlədʒist/ *em* patolog ♦ **~y** *em* patologji

patien:ce /'peiʃns/ *em* durim; soliter *(lojë me letra):* **have ~!** ki durim! ♦ **~t** *mb* i duruar ♦ *em* pacient; i shtruar *(në spital)* ♦ **~tly** *nd* me durim

patio /'pætiou/ *em* oborr i shtruar me rrasa

patriarch /'peitriɑ:(r)k/ *em* patriark; baba/ themelues *(i një organizate);* plak i nderuar ♦ **~al** *mb* patriarkal ♦ **~ate** *em* patriarkat

patrician /pə'triʃən/ *em* patric *(i Romës së lashtë)*

patriot /'peitriət/ *em* patriot ♦ **~ic** /-'otik/ *mb* patriotik ♦ **~ism** *em* patriotizëm

patrol /pə'troul/ *em* patrullë ♦ *kl, jkl* patrulloj ♦ **~ car** /-kɑ:(r)/ *em* makinë e (patrullës së) policisë

patron /'peitrən/ *em* mbrojtës; zot, patron *(i pijetores etj.);* klient i rregullt ♦ **~ise** /'pætrənaiz/ *kl* jam klient i rregullt i; *fg* begenis ♦ **~ising** *mb* begenisës ♦ **~isingly** *nd* me begeni

patter /'pætə(r)/ *em* kërcitje ♦ *kl (shiu)* kërcet *(në çati)*

pattern /'pætə(r)n/ *em* shembull; model; mostër; vizatim; motiv *(i stofit)*

paunch /po:ntʃ/ *em* bark i madh; dëngë

pauper /'po:pə(r)/ *em* varfanjak ♦ **~ise** *kl* varfëroj

pause /po:z/ *em* pushim ♦ *jkl* pushoj; ndalem; bëj një pushim

pave /peiv/ *kl* shtroj *(rrugën):* **~ the way** ia shtroj rrugën *(dikujt)* **(for** për) ♦ **~ment** *em* kalldrëm; rrugë e shtruar

pavilion /pə'viljən/ *em* pavijon

paw /po:/ *em* putër *(e kafshës)* ♦ *kl bs* trazoj; ngas *(një femër)*

pawn¹ /po:n/ *em* ushtar *(në shah); fg* gur shahu

pawn² *kl* pengoj; lë peng ♦ *em:* **in ~** i lënë peng ♦ **~broker** /-'broukə(r)/ *em* pengmarrës ♦ **~shop** /-ʃop/ *em* dyqan i pengjeve

pay /pei/ *em* pagë; pagesë: **weekly ~** pagesë/ rrogë javore; **in the ~ of** i paguar nga ♦ (**paid** / paid/) *kl* paguaj; i kushtoj *(vëmendje);* i bëj *(vizitë dikujt):* **~ cash** paguaj me para në dorë ♦ *jkl* paguaj; vlen: **it doesn't ~ to...** *fig* nuk ia vlen të... ♦ **~ back** *kl* kthej paratë ♦ **~ off** *kl* shlyej *(borxhin)* ♦ *jkl fg (mundimi)* shpërblehet; jep fryt ♦ **~ up** *jkl* paguaj ♦ **~able** *mb* i pagueshëm: **make cheque ~ to...** çeku t'i paguhet... ♦ **~ day** /-dei/ *em* ditë e rrogës/ e rrogave ♦ **~ing** *em* pagesë ♦ *mb:* **~ing guest** /-gest/ *em* banor në hotel pensioni ♦ **~master** /-'mɑ:stə(r)/ *em* pagator ♦ **~nent** *em* pagesë

♦ **~ packet** /-'pækit/ *em* zarf i rrogës/pagës ♦ **~phone** /-foun/ *em* telefon me monedhë/ me kartë ♦ **~roll** /-roul/, **~sheet** /-ʃi:t/ *em* bordero e rrogave ♦ **~slip** /-slip/ *em* fletëpagesë

PC /'pi:'si:/ *em shkrt i* **personal computer** kompjuter personal (KP)

pea /pi:/ *em bt, gjll* bizele: **green ~s** bizele të njoma

peace /pi:s/ *em* paqe: **~ of mind** qetësi me shpirtin ♦ **~able** *mb* i qetë ♦ **~ful** *mb* i qetë: **~ settlement** zgjidhje (me mjete) paqësore ♦ **~fully** *nd* në paqe; me qetësi; në mënyrë paqësore ♦ **~maker** /-meikə(r)/ *em* ndërmjetësues për pajtim; pajtues

peach /pi:tʃ/ *em bt* pjeshkë; *bs* kumbull, vajzë tërheqëse

peacock /'pi:kok/ *em zl* pallua

peak /pi:k/ *em* majë; majucë; *flg* kulm: **mountain ~** majë mali ♦ **~ hours** /-auə(r)z/ *em sh* orët kulmore *(në qarkullimin rrugor)*

peal /pi:l/ *em* kumbim; rëngë *(e kambanave);* shpërthim *(duartrokitjesh);* gjëmim *(i rrufesë):* **~s of laughter** kukurisma të qeshurash

peanut /'pi:nʌt/ *em bt* kikirik; qiqër; **~s sh bs** gjë pa vlerë: **roast ~s** kikirikë të pjekur

pear /pɛə(r)/ *em bt, sp* dardhë

pearl /pə:(r)l/ *em* perlë; margaritar

peasant /'peznt/ *em* fshatar; katundar ♦ **~ry** *em* fshatarësi

pebble /'pebl/ *em* gur zalli

peck /pek/ *kl* çukit me sqep; çepkat; puth lehtë (**at**) ♦ **~ing** *em, mb:* **~ing order** hierarki; renditje sipas rëndësisë *(brenda grupit)* ♦ **~ish** /'pekiʃ/ *mb:* **be ~ bs** e kam stomakun të vrarë

peculiar /pi'kju:liə(r)/ *mb* i çuditshëm; tuhaf; i veçantë: **~ to** tipik për ♦ **~ity** /-'ærəti/ *em* veçanti

pedal /'pedl/ *em* këmbëz; pedale ♦ *jkl* u jap pedaleve

pedantic /pi'dæntik/ *mb* pedant; i ngurtë

pedestal /'pedistl/ *em* piedestal

pedestrian /pi'destriən/ *em* këmbësor ♦ **~ crossing** /-'krosiŋ/ *em* vendkalim i këmbësorëve

pedicure /'pedikjuə(r)/ *em* pedikyr

pedigree /'pedigri:/ *em* kafshë race; preardhje; gjenealogji ♦ *mb (kafshë)* race

pee /pi:/ *jkl bs* bëj çiçin; haj një ujë

peek /pi:k/ *jkl bs* hedh një sy

peel /pi:l/ *em* qëresë; lëkurë ♦ *kl* qëroj; zhvoshk *jkl* rripet; zhvoshket

peep /pi:p/ *em* vështrim i shpejtë ♦ *jkl* shoh shkarazi; del; duket ♦ **~hole** /-houl/ *em* vrimë përgjimi; sy magjik

peer¹ /piə(r)/ *jkl:* **~ at** ia ngul sytë *(dikujt)*

peer² *em* lord *(anëtar i dhomës së lordëve);* fisnik; shok: **life ~** lord i përjetshëm; **my ~s** shokët/ moshatarët e mi ♦ **~age** *em* fisnikëri

peg /peg/ *em* grep; varëse; grremç: **off the ~ bs** rroba të gatshme

pejorative /pi'dʒorətiv/ *mb* keqësues
pelican /'pelikən/ *em zl* pelikan; laradash; nosit
pellet /'pelit/ *em* saçmë; topth *(letre, brumi)*
pelt /pelt/ *kl* gjuaj me breshëri; bombardoj ✦ *jkl bs*
ua mbath këmbëve: ~ **(down)** bie shi me gjyma
pelvis /'pelvis/ *em an* legen; komblik
pen¹ /pen/ *em* rrethore *(për kafshët);* vathë
pen² *em* penë; stilograf: **ball-point** ~ stilolaps me
sferë ✦ *kl* shënoj/ shkruaj me penë
penal /'pi:nl/ *mb* penal ✦ ~**ise** *kl* dënoj; ndëshkoj;
gjobit ✦ ~**ty** /'penəlti/ *em* ndëshkim; gjobë; *sp*
penalltia ✦ ~ **kick** /-'kik/ *em sp* penallti;
njëmbëdhjetëmetërsh: **convert a** ~ shënoj gol
nga penalltia ✦ ~ **spot** /-'spot/ *em sp* goditje
penatllie/ njëmbëdhjetëmetërshi
penance /'penəns/ *em* pendesë
pence /pens/ *shih* **penny**
pencil /'pensl/ *em* kalem; laps ✦ *kl* vizatoj/ shkruaj/
mbaj shënim me laps
pendant /'pendənt/ *em* varëse *(e gjerdanit)*
pending /'pendiŋ/ *mb* i pezulluar ✦ *nd:* në pritje;
gjatë: ~ **payment** në pritje të pagesës
pendulum /'pendjuləm/ *em* lavjerrës
penetrat:e /'penitreit/ *kl* depërtoj; hyj; fut ✦ *jkl*
depërton; hyn; futet ✦ ~**ing** *em (zë)* i mprehtë ✦
~**ion** /-treiʃn/ *em* depërtim; hyrje; futje
penguin /'peŋgwin/ *em zl* pinguin
penicillin /peni'silin/ *em frm* penicilinë
peninsula /pen'insjulə/ *em* gadishull
penis /'pi:nis/ *em an* penis
peniten:ce /'penitəns/ *em* pendesë ✦ ~**t** *mb* i
penduar ✦ *em* pendestar ✦ ~**tiary** /-'tenʃəri/ *em*
am burg
pen:knife /-naif/ *em (sh* -**knives** /naivz/) thikë për
lapsa ✦ ~-**name** /-neim/ *em* pseudonim
pennant /'penənt/ *em* flamur
penniless /'penilis/ *mb* trokë; fishek; pa një grosh
(në xhep)
penny /'peni/ *em (sh* **pence;** *monedhë* **pennies)**
peni; *am* sent: **that will cost you a pretty** ~ do
të kushtojë qimet e kokës; **spend a** ~ *bs* shkoj
në nevojtore
pension /'penʃən/ *em* pension: **retire on a** ~ dal
në pension ✦ ~**er** *em* pensionist
Pentecost /'pentikost/ *em ft* Rrëshaj
penthouse /'penthaus/ *em* shtesë mbi katin e
sipërm *(të ndërtesës);* shtesë ngjitur me murin e
një ndërtese
pent-up /'pentʌp/ *mb* i ndrydhur; i përmbajtur
penultimate /pin'ʌltimət/ *mb* i parafundit
people /'pi:pl/ *em sh* njerëz(i); popull: **a lot of** ~
një tufë njerëz; **English** ~ anglezë; ~ **say** thuhet;
thonë; **young** ~ të rinj ✦ *kl* populloj
pep /pep/ *em bs* fuqi; gjallëri; energji
pepper /'pepə(r)/ *em* piper; spec ✦ *kl* i hedh piper;
piperos *(gjellën)* ✦ ~**corn** /-ko:(r)n/ *em* kokërr

piperi ✦ ~ **mill** /-mill/ *em* mulli piperi ✦ ~**mint** /-
mint/ *em* mentë me piper; karamele me mentë ✦
~**pot** /-pot/ *em* shishe piperi
per /pə:(r)/ *prf* për; në; ~ **annum** në vit; ~ **cent** për
qind
perceive /pə(r)'si:v/ *kl* perceptoj; kuptoj; interpretoj
percentage /pə(r)'sentidʒ/ *em* përqindje
percepti:ble /pə(r)'septəbl/ *mb* i peceptueshëm; i
dukshëm ✦ ~**on** /-'sepʃn/ *em* perceptim ✦ ~**ve**
mb mendjemprehtë
perch /pə:(r)tʃ/ *em* purtekë; shkop *(i qymezit)* ✦ *jkl*
(zogu) ndalet/ ulet/ rri në degë; mblidhet
percussion /pə(r)'kʌʃn/ *em* goditje; perkusion
percolator /'pə:(r)kəleitə(r)/ *em* kullesë; makinë
kafeje me filtër
peremptory /pə'remptəri/ *mb (ton)* i prerë
perennial /pə'reniəl/ *mb* i përjetshëm; *(bimë)*
shumëvjeçare ✦ *em* bimë shumëvjeçare
perfect /'pə:(r)fikt/ *mb* i përsosur; i përkryer ✦ *kl* /
pə(r)'fekt/ përsos; përkryej ✦ ~**ion** /-'fekʃn/ *em*
përsosje: **to do sth to** ~**ion** e qaj/ bëj me merak
diçka ✦ ~**ionist** /-'fekʃənist/ *em* njeri që kërkon
përsosuri në gjithçka ✦ ~**ly** *nd* përsosur; në
mënyrë të përkryer
perforat:e /'pə:(r)fəreit/ *kl* shpoj; biroj ✦ ~**ion** /-'reiʃn/
em shpim; birim
perform /pə(r)'fo:(r)m/ *kl* kryej; bëj; ekzekutoj *(një*
pjesë muzikore etj.); luaj *(një rol);* vë në skenë *(një*
shfaqje) ✦ *jkl tt* luaj një pjesë: *tk (pajisja)* punon,
funksionon ✦ ~**ance** *em* ekzekutim; shfaqje; *tk*
rendiment
perfume /'pə:(r)fju:m/ *em* parfum ✦ *kl* parfumoj ✦
~**ery** *em* parfumeri
perfunctory /pə(r)'fʌŋktəri/ *mb* i përciptë; i bërë
shkel e shko
perhaps /pə(r)'hæps/ *nd* ndoshta
peril /'peril/ *em* rrezik ✦ ~**ous** *mb* i rrezikshëm
perimeter /pə'rimitə(r)/ *em* perimetër
period /'piəriəd/ *em* periudhë; të përmuajshme *(të*
gruas); orë mësimi; pikë ✦ ~**ic** /-'odik/ *mb* periodik
✦ ~**ical** /-'odikl/ *em* periodik; revistë
peripher:al /pə'rifərəl/ *mb* periferik ✦ ~**y** *em* periferi
perish /'periʃ/ *jkl* prishem; shuhem; vdes ✦ ~**able**
mb (mall) i dëmtueshëm; ~**s** *sh* mallra të
dëmtueshëm
perk /pə:(r)k/ *em* gjallërim; mëkëmbje ✦ ~ **up** *kl*
gjallëroj; mëkëmb ✦ *jkl* gjallërohem; mëkëmbem
perm /pə:(r)m/ *em bs* permanent *(i flokëve)* ✦
~**anent** *mb* i përhershëm
permanent /'pə:(r)mənənt/ *mb* i përhershëm ✦ ~**ly**
nd përherë
permissi:on /pə(r)'miʃn/ *em* leje: **ask for** ~ kërkoj
leje ✦ ~**ve** *mb (njeri)* i gjerë; i duruar
permit *em* /'pə:(r)mit/ leje; autorizim ✦ /pə(r)'mit/ *kl*
lejoj; autorizoj
perpendicular /pə:(r)pən'dikjulə(r)/ *mb* pingul;

perpendikular ✦ *em* pingule; perpendikulare

perpetua:l /pə(r)'petjuəl/ *mb* i përjetshëm; i përhershëm ✦ **~te** /-eit/ *k*/ përjetësoj

perplex /pə(r)'pleks/ *k*/ hutoj; ngatërroj ✦ **~ity** *em* hutim

persecut:e /'pə:(r)sikju:t/ *k*/ përndjek; persekutoj ✦ **~ion** /-'kju:ʃn/ *em* përndjekje; persekutim

persever:ance /pə:(r)si'viərəns/ *em* këmbëngulje; ngulmim ✦ **~e** /k/ këmbëngul; ngulmoj ✦ **~ing** *mb* këmbëngulës; ngulmues

Persian /'pə:(r)ʃn/ *mb, em* persian: **P~ Gulf** *gjg* Gjiri Persik ✦ *em* persishte ✦ *nd* persisht

persist /pə(r)'sist/ *jk*/ vazhdon: **~ in doing sth** vazhdoj me këmbëngulje të bëj diçka ✦ **~ence** *em* vazhdim; këmbëngulje ✦ **~ent** *mb* këmbëngulës ✦ **~èntly** *nd* me këmbëngulje; me ngulm

person /'pə:(r)sn/ *em* person; njeri; *gjh* vetë: **in ~** dora vetë; **third ~ singular** *gjuh* veta e tretë njëjës ✦ **~al** *mb* personal; vetjak; *gjh* vetor: **~al hygiene** higjienë vetjake; **~ pronoun** *gjh* përemër vetor; **~al organiser** *tk* bllok elektronik ✦ **~ally** *nd* vetë; personalisht ✦ **~ality** /-'næləti/ *em* personalitet; figurë; personazh ✦ **~nel** /-'nel/ *em* kuadër; personnel

perspective /pə(r)'spektiv/ *em* perspektivë; e ardhme: **see things from a different ~** i shoh gjërat nga një kënd tjetër

perspir:ation /pə:(r)spi'reiʃn/ *em* djersitje; djersë ✦ **~ire** /pə:(r)'spaiə(r)/ *jk*/ djersit

persua:de /pə(r)'sweid/ *k*/ bind; kandis ✦ **~sion** /-'sweiʒn/ *em* bindje; kandisje ✦ **~ive** *mb* bindës

pertinent /'pə:(r)tinənt/ *mb* i lidhur drejtpërdrejt (**to** me); i saktë

perturb /pə(r)'tə:(r)b/ *k*/ turbulloj; hutoj

perver:se /pə(r)'və:(r)s/ *mb* i paarsyeshëm; i mbrapshtë ✦ **~sion** /-'və:ʃn/ *em* mbrapshti ✦ **~t** /'pə:və:t/ *em* i mbrapshtë; pervert ✦ **~ted** /-tid/ *mb* i mbrapshtuar; i shtrembëruar

pessimis:m /'pesimizm/ *em* pesimizëm ✦ **~t** *em* pezimist; ndjellazi ✦ **~tic** /-'imistik/ *mb* pesimist ✦ **~tically** *nd* me pesimizëm

pest /pest/ *em mk* murtajë; parazit; *fg* havale; *inf* virus

pester /'pestə(r)/ *k*/ kërdis *(dikë);* i kalisem *(dikujt)*

pesticide /'pestisaid/ *em* pesticid

pet /pet/ *em* kafshë shtëpiake; manar; kanakar ✦ *mb* i zgjedhur; i përkëdhelur ✦ *k*/ përkëdhel

petal /'petl/ *em bt* petël; petal

petition /pə'tiʃn/ *em* kërkesë; peticion ✦ *jk*/ bëj kërkesë/ peticion

petal /'petl/ *em bt* petël; petal

peter /'pi:tə(r)/ *jk:* **~ out** mbaron; shteron

pet name /-'neim/ *em* emër përkëdhelës

petrify /'petrifai/ *k*/ nguros

petrol /'petrəl/ *em* benzinë ✦ **~eum** /pi'trouliəm/ *em* naftë ✦ **~ pump** /'pʌmp/ *em* pompë e benzinës ✦

~ station /-'steiʃn/ *em* (pikë furnizimi me) karburant ✦ **~ tank** /-tæŋk/ *em* serbator i benzinës

petticoat /'petikout/ *em* këmishë grash

petty /'peti/ *mb* i vogël; i parëndësishëm; shpirtvogël

petulant /'petjulənt/ *mb* i paduruar; i rrëmbyer

pew /pju:/ *em* ndenjëse; bankë *(në kishë)*

pewter /'pju:tə(r)/ *em* kallaj; kllaje; gotë

phallic /'fælik/ *mb (kult)* falik

phantom /'fæntəm/ *em* fantazmë

pharmac:ist /'fa:(r)məsist/ *em* farmacist; barnator ✦ **~y** *em* farmaci; barnatore

phase /feiz/ *em* fazë ✦ *k*/: **~ in** /k/ bëj shkallë-shkallë/ me faza

Ph. D. /'pi:'eitʃ'di:/ *em shkrt* i **Doctor of Philosophy** doktoraturë

pheasant /'feznt/ *em z*/ fazan; *gj*/ mish fazani, fazan

phenomen:al /fi'nominl/ *mb* fenomenal ✦ **~on** *em (sh* -na) fenomen; dukuri

philanthrop:ic /filən'θropik/ *mb* njeridashës; filantropik ✦ **~ist** /-'lænθrəpist/ *em* filantrop ✦ **~y** /-'lænθrəpi/ *em* njeridashje; filantropi

philatel:ist /fi'lætəlist/ *em* filatelist ✦ **~y** *em* filateli

philarmonic /fila:(r)'monik/ *em* orkestër filarmonike; filarmoni ✦ *mb* filarmonik

Philippin:es /'filipi:nz/ *em sh gjg* Filipine ✦ **~o** *mb, em* filipinas

philosoph:er /fi'losəfə(r)/ *em* filozof ✦ **~ical** / filə'sofikl/ *mb* filozofik ✦ **~y** *em* filozofi

phlegm /flem/ *em* këlbazë

phlegmatic /fleg'mætik/ *mb* flegamtik; gjakftohtë

phobia /'foubiə/ *em* fobí; frikë patologjike

phone /foun/ *em* telefon: **be on the ~** jam (duke folur) në telefon ✦ *k*/, *jk*/ telefonoj ✦ **~ book** /-buk/ *em* numërator telefonik ✦ **~-box** /-boks/ *em* kabinë telefoni ✦ **~-card** /-ka:(r)d/ *em* kartë telefonike ✦ **~-call** /-ko:l/ *em* thirrje telefonike ✦ **~ number** /-'nʌmbə(r)/ *em* numër i telefonit

phonetic /fə'netik/ *mb* fonetik ✦ **~s** *em sh (me folje në njëjës)* fonetikë

phosphorus /'fosfərəs/ *em km* fosfor

photo /'foutou/ *em* foto(grafi) ✦ **~-album** /'ælbəm/ *em* album fotografish ✦ **~copier** /'kopiə(r)/ *em* fotokopje; makinë fotokopjimi ✦ **~copy** /'kopi/ *em* fotokopje ✦ *k*/ fotokopjoj ✦ **~graph** /-gra:f/ *em* fotografi ✦ *k*/ fotografoj ✦ **~grapher** /-'tografə(r)/ *em* fotogräf ✦ **~graphic** /-'græfik/ *mb* fotografik ✦ **~graphy** /-'tografi/ *em* fotografi

phrase /freiz/ *em* shprehje ✦ *k*/ shpreh; formuloj

physical /'fizikl/ *mb* fizik: **~ education** fizikulturë; **~ attraction** bukuri trupore

physician /fi'ziʃn/ *em* mjek

physic:ist /'fizisist/ *em* fizikant ✦ **~s** *em sh (me folje në njëjës)* fizikë

physio:logy /fizi'olədʒi/ *em* fiziologji ✦ **~therapy** /-'θerəpi/ *em* fizioterapi

physique /fi'zi:k/ *em* fizik; trup

pian:ist /'pi:ænist/ *em* pianist ♦ **~o** /-'ænou/ *em* piano ♦ **~forte** /-fo:(r)ti/ *em* pianofortë

pick¹ /pik/ *em* kazmë

pick² *em:* **take your ~** zgjidh vetë; **~ of the day** pjesa më e bukur/ e zgjedhur e ditës *(në program)* ♦ *k/* zgjedh; mbledh, këput *(lule, pemë);* hap *(një bravë);* vjedh *(kuleta)* ♦ *jk/* kep, ha me naze: **~ and choose** bëj shumë naze; **~ one's nose** kruaj hundën me gisht; **~ hole in** *bs* gjej ku të kapem; **~ at one's food** ha me naze ♦ **~ on** *k/ bs* ngas, cys ♦ **~ up** *k/* ngre *(që përdhe);* mbledh *(informata);* mësoj; marr, (më) ngjitet *(një sëmundje);* marr, kap *(sinjalin);* kap, arrestoj; *bs* zë dashnore *(një vajzë):* **~ oneself up** marr veten; ngrihem ♦ *jk/* përmirësohem; ndreqem

pickaxe /'pikæks/ *em* kazmë guri

picket /'pikit/ *em* piketë; kunj ♦ *k/* piketoj

pickle /'pikl/ *em:* **~s** *sh* të regjura; **in a ~** *fg* në hall/ bela ♦ *k/* shtie; regj; vë turshi

pick:-pocket /'pokit/ *em* xhepásh ♦ **~-up truck** /ʌp'trʌk/ *em* kamionçinë; furgon

picnic /'piknik/ *em* piknik ♦ *jk/* **(-nicked)** bëj piknik

picture /'piktʃə(r)/ *em* pikturë; fotografi; film: **the ~s** kinemaja; filmi; **in the ~** i informuar; në dijeni ♦ *k/* përfytyroj; imagjinoj ♦ **~sque** /piktʃə'resk/ *mb* piktoresk

pie¹ /pai/ *em gjil*byrek: **apple ~** ëmbëlsirë me petë e me mollë: **~ in the sky** ëndërra në diell

pie² *zl* laraskë

piece /pi:s/ *em* copë; gur *(në domino etj.):* **all of a ~** i tërë;·i paprishur; **go all to ~s** shkatërrohem ♦ **~ together** *k/* montoj; rindërtoj *(skenën e krimit etj.)*

piecemeal /'pi:smi:l/ *nd* pjesë-pjesë

pier /piə(r)/ *em* mol; shtyllë

pierc:e /piə(r)s/ *k/* shpoj ♦ **~ing** *mb (klithmë)* e çjerrë

piety /'paiəti/ *em* fetarí

pig /pig/ *em zl* derr

pigeon /'pidʒin/ *em* pëllumb ♦ **~-hole** /-houl/ *em* kafaz pëllumbi; syze *(e raftit)* ♦ *k/* mbyll në sirtar *(një kërkesë, një propozim)* ♦ **~-house** /-haus/ *em* kafaz pëllumbi

pig:gy /'pigi/ *mb* si derr ♦ **~gyback** /-bæk/ *nd* kalakiç ♦ *em:* **give sb a ~back** marr kalakiç dikë ♦ **~ bank** *em* kumbara ♦ **~-headed** /-hedid/ *mb farn* kokëderr ♦ **~skin** *em* lëkurë derri ♦ **~sty** /-stai/ *em* thark derrash ♦ **~tail** /-teil/ *em* gërshet; *bs* kinez ♦ **~-iron** /-'ai(r)ən/ *em* gizë

pile *em* kapicë; **~s** *sh mk bs* hemorroide, meme ♦ *k/* hedh kapicë ♦ **~ up** *k/* bëj/ hedh/ vë kapicë ♦ *jk/* bëhet kapicë

pilfer /'pilfə(r)/ *jk/* picas; vjedh gjëra të vogla ♦ **~ing** *em* braci; strujni

pilgrim /'prigrim/ *em* pelegrin ♦ **~age** /-idʒ/ *em* pelegrinazh, shtegtari *(në vende të shenjta)*

pill /pil/ *em* hape; pilulë (kontraceptive): **on ~s**

(grua) që përdor pilula kontraceptive

pillage /'pilidʒ/ *em* plaçkitje ♦ *k/* plaçkit

pillar /'pilə(r)/ *em* shtyllë: **the ~s of society** shtyllat e shoqërisë

pillory /'piləri/ *em* shtyllë e turpit

pillow /'pilou/ *em* jastëk; nënkrejëse ♦ **~case** /-keiz/ *em* faqe jatëku ♦ **~slip** /-slip/ *em* këllëf jastëku

pilot /'pailət/ *em* pilot ♦ *k/* pilotoj ♦ **~-lamp** /-læmp/ , **light** /-lait/ *em* llambë kontrolli ♦ **~ project** /-'prodʒikt/ *em* projekt pilot

pimp /pimp/ *em* kodosh

pimple /'pmipl/ *em* puçërr; kokërr; koqëz

PIN /pin/: **~ number** kod i fshehtë *(i kartës së kreditit etj.)*

pin /pin/ *em* gjilpërë me kokë; karficë; *el* spinë: **be on ~s and needles** jam si mbi gjemba ♦ *k/* kap/ zë me gjilpërë me kokë; shpoj; ngul, mbërthej: **~sb down to a task** e lidh pas një pune dikë; **~ sth on sb** *bs* ja ngec diçka dikujt ♦ **~ up** *k/* mbërthej; karfos; citos

pinafore /'pinəfo:(r)/ *em* përparëse; grykëse

pincers /'pinsə(r)z/ *em sh* darë; mashë

pinch /pintʃ/ *em* pickim; *fg* nevojë: **at a ~** në rast nevoje; **when it comes to the ~** kur mbetesh keq ♦ *k/* pickoj; *bs* vjedh ♦ *jk/ (këpuca)* vret

pine¹ /pain/ *em bt* pishë

pine² *jk/* lëngoj; tretem **(away)**

pineapple /'painæpl/ *em bt* ananas

ping /piŋ/ *em* ping; pingërimë ♦ **~-pong** /-poŋ/ *em* pingpong

pink /piŋk/ *mb, em* ngjyrëtrëndafil

pinnacle /'pinəkl/ *em* shigjetë *(e kambanares së kishës);* *fg* kulm, majë

pinpoint /'pinpoint/ *k/* lokalizoj me saktësi

pinstripe /'pinstraip/ *mb (stof)* me viza

pint /paint/ *em* pintë *(= 0,5 l, am =0,4 l):* **a ~ of beer** një krikëll birrë

pin-up /'pinʌp/ *em* fotografi artisteje *(e varur në mur, në kapak reviste)*

pioneer /paiə'niə(r)/ *em* pionier ♦ *k/* jam pionier/ eksperimentoj në *(një fushë të shkencës etj.)*

pious /'paiəs/ *mb* fetar; *fg* hipokrit

pip /pip/ *em* farë *(e mollës)*

pipe /paip/ *em* tub; gyp; llullë; **the ~s** *mz* gajde ♦ *k/* sjell me tubacion *(ujë etj.)* ♦ **~ down** *jk/ bs* ul zërin; qetësohem ♦ **~ing** *mb:* **~ hot** i përvëluar; i valë ♦ **~line** /-lain/ *em* tubacion; (ujë/gaz)sjellës: **in the ~** në projekt

piper /'paipə(r)/ *em* gajdexhi

pira:cy /'pairəsi/ *em* pirateri ♦ **~te** *em* pirat

Pisces /'paisi:z/ *em astr* Peshq; yjësi e Peshqve

piss /pis/ *jk/ s/* pshurr: **~ off!** pirdhu!; **get ~ed** nxehem shumë

pistol /'pistl/ *em* pistoletë

piston /'pistn/ *em tk* piston

pit /pit/ *em* gropë; pus *(i minierës);* arenë; plaé *(e* *orkestrës)*

pitch¹ /pitʃ/ *em* ton; nivel; lartësi; *sp* fushë; *fg* shkallë: **reach fever ~** *fg (puna)* nxehet fort ♦ *kl* ngre *(çadrën në fushim);* hedh përpjetë

pitch² *em* katran ♦ **~ black** /-blæk/ *mb* i zi pisë ♦ **~ dark** /-da:(r)k/ *mb* i errët sterrë

pitcher /ˈpitʃə(r)/ *em* shtambë

pitchfork /ˈpitʃfo:k/ *em* sfurk

piteous /ˈpitiəs/ *mb* i mjerë; i mjerueshëm

pitfall /ˈpitfo:l/ *em* gropë; *fg* kurth

pith /piθ/ *em* palcë *(e kërcellit të bimës);* e bardhë *(e lëkurës së limonit etj.)* ♦ **~y** *mb* i shkurtër; i përmbledhur

pit:iful /ˈpitiful/ *mb* i mjerë; i shkretë; mëshirëplotë ♦ **~y** *em* mëshirë: (**what a**) **~!** sa keq/ gjynah!; **take ~ on** kam mëshirë për ♦ *kl* mëshiroj; kam mëshirë për

pizza /ˈpi:tsə/ *em* gjll picë

placard /ˈplæka:(r)d/ *em* pllakat

placate /pleˈkeit/ *jkl* qetësoj; paqësoj

place /pleis/ *em* vend; *bs* shtëpi; shenjë *(në libër):* **all over the ~** kudo; rrëmujë; **out of** *(fjalë)* pa vend; **put sb in his ~** ia tregoj vendin dikujt; **take ~** ndodh; **take your ~s** zini vendet; nëpër vende!; **they were all over the ~** ata e kishin humbur krejt; ata s'ishin kurrkund ♦ *kl* vë; caktoj: **~ an order** bëj një porosi; **I know his face but I can't ~ him** e njoh si fytyrë por s'di ku e kam parë ♦ **~ment** *em* renditje ♦ **~namë** /-neim/ *em* emër vendi; toponim

plagiarism /ˈpleidʒərizm/ *em* plagjaturë

plague /pleig/ *em* murtajë; flamë ♦ *kl* i bie havale *(dikujt)*

plaice /pleis/ *em* zl shojzë pikëverdhë

plain¹ /plein/ *mb* i qartë; i thjeshtë; *(fytyrë)* e papashme: **the ~ truth** e vërteta troç/ pa zbukurime; **in ~clothes** i veshur civil ♦ *nd* thjeshtë

plain² *em* fushë; rrafshinë

plaintiff /ˈpleintif/ *em dr* palë paditëse

plaintive /ˈpleintiv/ *mb* ankimtar

plait /pleit/ *em* bishtalec ♦ *kl* thur bishtalec *(flokët)*

plan /plæn/ *em* plan ♦ *kl* planifikoj; kam qëllim: **what do you ~ to do this evening?** çfarë ke ndër mend të bësh sonte?

plane¹ /plein/ *em bt* rrap

plane² *em* aeroplan: **by ~** me aeroplan

plane³ *em tk* zdrugth; pjalë ♦ *kl* zdrugoj; pjaloj

plane⁴ *em* rrafsh; plan

planet /ˈplænit/ *em* planet: **~ Mars** planeti i Marsit

plank /plæŋk/ *em* dërrasë

planning /ˈplæniŋ/ *em* planifikim: **town-~** urbanistikë ♦ **~ permission** /pə(r)ˈmiʃn/ *em* leje ndërtimi

plant /pla:nt/ *em* bimë; uzinë ♦ *kl* mbjell; vë: **~ a spy** vë një spiun; **~ oneself before sb** ngulem para dikujt ♦ **~ation** /plænˈteiʃn/ *em* plantacion

plaque /pla:k/ *em* pllakë *(përkujtimore)*

plasma /ˈplæzmə/ *em* plazmë

plaster /ˈpla:stə(r)/ *em* suva; llaç; *mk* allçi ♦ *kl* suvatoj; vë në allçi ♦ **~ed** *mb s/* i dehur

plastic /ˈplæstik/ *em* plastikë ♦ *mb* plastik: **~ money** kartë kredie; **~ surgery** kirurgji plastike

plate /pleit/ *em* pjatë; pllakë; ilustrim *(në libër)* ♦ *kl* vesh *(me ar etj.);* galvanizoj: **nickel ~** nikeloj

plateau /ˈplætou/ *em (sh ~z* /-ouz/ rrafshnaltë

platform /ˈplætfo:(r)m/ *em* platformë; skenë

platinum /ˈplætinəm/ *em* platin ♦ *mb* (prej) platini

platitude /ˈplætitju:d/ *em* fjalë banale; formulë klishé

platonic /pləˈtonik/ *mb* platonik

platoon /pləˈtu:n/ *em ush* togë

platter /ˈplætə(r)/ *em* pjatancë

plausible /ˈplo:zəbl/ *mb* i mundshëm; i besueshëm

play /plei/ *em* lojë; interpretim; shfaqje; dramë: **~ on words** lojë fjalësh; **fair play** lojë korrekte/ e pastër ♦ *kl* luaj me; interpretoj; i bie *(një vegle);* hedh *(një letër, një figurë):* **~ on the piano** luaj në piano; **~ safe** nuk rrezikoj ♦ **~down** *kl* zvogëloj; minimizoj ♦ **~ up** *jkl bs* bëj lodra

playboy /ˈpleiboi/ *em* bandill; plejboi

play:er /ˈpleiə(r)/ *em* lojtar ♦ **~full** lozonjar ♦ **~fully** *nd* plot me ojna/ me naze ♦ **~ground** /-graund/ *em* oborr i lojërave *(në shkollë etj.)* ♦ **~mate** /-meit/ *em* shok ♦ **~thing** /-θiŋ/ *em* lodër ♦ **~wright** /-rait/ *em* dramaturg

plc /ˈpi:el'si:/ *em shkrt i* **public limited company** sh.p.k.

plea /pli:/ *em* kërkesë; lutje

plead /pli:d/ *jkl* lutem; kërkoj *(for):* **~ guilty** pranoj se jam fajtor; **~ with sb** i lutem dikujt

pleasa:nt /ˈplez(ə)nt/ *mb* i këndshëm ♦ **~ry** *em* shaka ♦ **~e** /pli:z/ *nd* të lutem ♦ *kl* kënaq: **~ yourself!** bëj si të kesh qejf ♦ **~d** /pli:zd/ *mb* i kënaqur ♦ **~ing** /ˈpli:ziŋ/ *mb* i këndshëm ♦ **~sure** /ˈpleʒə(r)/ *em* kënaqësi: **with ~** me kënaqësi/ gjithë qejf

pledge /pledʒ/ *em* zotim; premtim ♦ *kl* premtoj; zotohem se; lë peng

plent:iful /ˈplentiful/ *mb* i bollshëm; i shumtë ♦ **~y** *em* shumicë; bollëk: **there's ~ of time** ka kohë plot; **the land of ~** vend ku ha qeni petulla

pliers /ˈplaiə(r)z/ *em sh tk* pinca

plight /plait/ *em* gjendje: **in a sad ~** për të qarë hallin

plod /plod/ *jkl* eci rëndë; tërheq këmbët; *bs* punoj fort/ rëndshëm

plonk /ploŋk/ *em bs* verë e keqe

plot /plot/ *em* komplot; fabul *(e tregimit):* **~of land** parcelë toke ♦ *jkl* komplotoj (**against** kundër)

plough /plau/ *em* plug ♦ *kl* plugoj; çaj *(dheun, detin)*

ploy /ploi/ *em bs* manovër; dredhi

pluck /plʌk/ *em* guxim; zemër ♦ *kl* këput (**off**); shkul *(vetullat);* qëroj *(pulën);* mbledh *(lule):* **~ up courage** *kl* marr guxim ♦ **~y** *mb* guxim tar

plug /plʌg/ *em* shtupë; tapë; *el* spinë: **pull the ~ on sb** e lë thatë dikë ♦ *kl* shtupos; *bs* i bëj reklamë të madhe *(diçkaje)*

plum /plʌm/ *em bt* kumbull; *bs* vend pëllumbash

plumage /ˈpluːmidʒ/ *em* pupla

plumb /plʌm/ *mb* pingul: **out of plumb** i pjerrët ♦ *nd* saktë ♦ *em* plumbç ♦ *kl* lidh (**in**)

plumb:er /ˈplʌmə(r)/ *em* hidraulik ♦ **~ing** *em* pajisje hidraulike

plummet /ˈplʌmit/ *jkl* bie pingul; *(tregu)* ka rënie të fortë

plump /plʌmp/ *mb* topolak; *(grua)* e kolme ♦ *kl* zgjedh (**for**)

plunder /ˈplʌndə(r)/ *em* grabitje ♦ *kl* grabit ♦ **~er** *em* grabitës

plung:e /plʌndʒ/ *em* zhytje: **take the ~** *bs* hidhem; i hyj detit më këmbë ♦ *kl* kredh; zhyt ♦ *jkl* zhytet; kridhet ♦ **~ing** *mb (jakë)* shumë e hapur

plural /ˈpluərəl/ *mb, em* shumës ♦ **~ism** *em* plural-ism

plus /plʌs/ *prfj* më ♦ *mb* plus; pozitiv; më shumë: **100 ~** më shumë se 100; 100 e ca ♦ *em* plus; shenjë e plusit; edhe ♦ *nd* më shumë

plush /plʌʃ/ *em* pelush ♦ *mb* i pasur; luksoz

plutonium /pluˈtouniəm/ *em* pluton: **depleted ~** pluton i varfëruar

ply¹ /plai/ *kl*: **~ sb with drink** e ngas në pije dikë; e dënd me pije dikë

ply² *kl* ushtroj *(një profesion)*

ply³ *em* shtresë *(e kompensatës etj.)* ♦ **~wood** /-ud/ *em* kompensatë

PM /ˈpiːˈem/ *shkrt i* **Prime Minister** kryeministër ♦ **p.m. post meridiem** pasdite

pneum:atic /njuːˈmætik/ *mb* pneumatik; *(gomë)* me ajër ♦ **~onia** /-ˈmouniə/ *em mk* pneumoní

PO /ˈpiːˈou/ *shkrt i* **Post Office** postë

poach /poutʃ/ *kl gjll* ziej; gjuaj/peshkoj pa leje: **~ed egg** vezë e zier pa lëvozhgë ♦ **~er** *em* gjahtar/ peshkatar paleje

pocket /ˈpokit/ *em* xhep; qeskë *(e syve të ënjtur)*: **pick-~** xhepash, hajdut xhepash; **be 100 out of ~** jam njëqind (sterlina) mangut ♦ **~book** /-buk/ *em* bllok xhepi; kuletë ♦ **~full** /-ful/ *em* (një) xhep plot (me) ♦ **~ money** /-ˈmʌni/ *em* para xhepi ♦ **~-size** /-saiz/ *em* format xhepi *(i librit)*

pockmark /ˈpokmɑː(r)k/ *em* shenjë e lisë së dhenve

pod /pod/ *em bt* bishtajë; *ast* kapsulë ♦ *kl* qëroj *(bizele etj.)*

podgy /ˈpodʒi/ *mb* topolak; rrumbullak

poe:m /ˈpouim/ *em* poezi ♦ **~t** *em* poet ♦ **~tess** /-tis/ *f* poeteshë ♦ **~tic** /-ˈetik/ *mb* poetik ♦ **~try** *em* poezi

poignant /ˈpoinjənt/ *mb (shaka)* e fortë; *(satirë)* therëse

point /point/ *em* pikë; majë; *el* prizë korrenti; *hk* këmbim: **~ of a joke** kripë e shakasë; **~s of a**

star cepat e yllit; **~ of view** pikëpamje; **be on the ~ of doing sth** jam gati të bëj diçka; **do you see the ~?** kupton?; **off/ beside the ~** jashtë temës; **score a ~** shënoj një pikë; **what is the ~?** ç'kuptim ka? ♦ *kl* tregoj *(me dorë, me gisht)* (**at** nga); drejtoj/ kthej *(armën)*: **~ the way to sb** i tregoj rrugën dikujt ♦ **~ out** *kl* nxjerr në dukje/ pah ♦ **~ed** /-id/ *mb* i mprehtë; majuc; me majë; *(pyetje)* e drejtpërdrejtë ♦ **~er** *em* majë; shigjetë; tregues; **~s** *sh* këshillë ♦ **~less** *mb* i kotë; pa kuptim

poise /poiz/ *em* (vetë)përmbajtje ♦ **~d** *mb* i drejtpeshuar; i përmbajtur: **~ed to** gati për

poison /ˈpoizn/ *em* helm ♦ *kl* helmoj ♦ **~ous** *mb* helmues

poke /pouk/ *em* e shtyrë; e rënë *(me bërryl etj.)* ♦ *kl* shtyj; trazoj; shpurrit *(zjarrin);* vë, fut: **~ fun at sb** vë në lojë dikë ♦ **~ about** *jkl* rrëmoj nëpër ♦ **~r¹** /ˈpoukə(r)/ *em* mashë; hekur *(për të shpurritur zjarrin)*

poker² *em* poker *(lojë)* ♦ **~ face** /-feis/ *em* fytyrë pa shprehje

Poland /ˈpoulənd/ *em gjg* Poloni

polar /ˈpoulə(r)/ *mb* polar; i polit

Pole /poul/ *em* polak

pole¹ *em* hu; shtyllë; shtizë *(e flamurit)*

Pole, pole² *em gjeog, el* pol: **North/ South Pole** poli i veriut/ jugut

pole-vault /ˈpoulvɔːlt/ *em sp* kërcim me shkop

police /pəˈliːs/ *em sh* polici ♦ *kl* ruaj me polici *(rendin);* patrulloj ♦ **~man** *em* polic ♦ **~ precinct** /-ˈpriːsiŋkt/ *em am* rajon i policisë ♦ **~-station** /ˈ-steiʃən/ *em* rajon/ komisariat i policisë ♦ **~ van** /-væn/ *em* makinë e burgut të policisë ♦ **~woman** /-wumən/ *em* police

policy¹ /ˈpolisi/ *em* politikë

policy² *em* policë *(sigurimi):* **life insurance ~** policë e sigurimit të jetës

polio /ˈpouliou/ *em mk bs* poliomielit

Polish /ˈpouliʃ/ *mb* polak ♦ *em* polonishte ♦ *nd* polonisht

polish /ˈpoliʃ/ *em* shkëlqim; lustër; llak *(për thonjtë); fg* qytetërim ♦ *kl* shkëlqej; lustroj ♦ **~ off** *kl bs* mbaroj shpejt e shpejt; fshij *(pjatën)* ♦ **~ed** *mb* i lustruar; i shkëlqyer; i llakuar; *fg* i qytetëruar

polite /pəˈlait/ *mb* i sjellshëm; i njerëzishëm; i mirësjellë ♦ **~ly** *nd* me mirësjellje ♦ **~ness** *em* mirësjellje

politic /ˈpolitik/ *mb* i matur ♦ **~al** /pəˈlitikl/ *mb* politik ♦ **~ian** /poliˈtiʃn/ *em* politikan ♦ **~s** *em sh (me folje në njëjës)* politikë

poll /poul/ *em* votim; zgjedhje; sondazh *(i opinionit):* **go to the ~s** shkoj në votime ♦ *kl* marr *(x vota)*

pollen /ˈpolən/ *em bt* end; pjalm; polen

polling /ˈpouliŋ/: **~-booth** /-buð/ *em* kabinë e votimit ♦ **~station** /-stei ʃn/ *em* qendër votimi

poll tax /'poultæks/ *em* taksë për frymë/ kokë

pollute /pə'lu:t/ *kl* ndot ♦ **~ion** /-'lu:ʃn/ *em* ndotje

polo /'poulou/ *em sp* polo ♦ **~-neck** /-nek/ *em* jakë e lartë ♦ **~shirt** /-ʃə(r)t/ *em* bluzë polo

polyester /poli'estə(r)/ *em* poliester

polytechnic /poli'teknik/ *mb, em* politeknik

pomegranate /'pomigrænit/ *em bt* shegë

pomp /pomp/ *em* pompozitet; salltanet; pohte ♦ **~ous** /'pompəs/ *mb* pompoz

pond /pond/ *em* pellg

ponder /'pondə(r)/ *kl, jkl* mendoj

pong /poŋ/ *em bs* qelbje; erë e rëndë; kutërbim

pontiff /'pontif/ *em* papë; prelat

pony /'pouni/ *em* (kalë) poni; kalush ♦ **~tail** /-teil/ *em* bishtkalë

pool[1] /pu:l/ *em* pellg: (**swimming-**)~ pishinë

pool[2] *em* arkë; fonde të përbashkëta; dorë *(në bixhoz);* bilardo; park *(makinash)* ♦ **~s** *em sh* lotari e futboolit ♦ *kl* shtiem bashkë *(paratë);* kartelizoj, bashkoj në kartel

poor /puə(r)/ *mb* i varfër; i prishur; i keq: **in ~ health** me shëndet të keq ♦ *em sh* **the ~** të varfër ♦ **~ly** *nd:* **be ~ ly** s'jam mirë ♦ *nd* keq

pop[1] /pop/ *em* kërcitje; pije e gazuar ♦ *jkl (tapa e shishes)* kërcet/ bëj puf: **~ in** hyj/ mbërrij befas ♦ *kl:* **~ the question** i propozoj *(një gruaje)*

pop[2] *em bs* (muzikë) pop

pope /poup/ *em ft* papë

poplar /'poplə(r)/ *em bt* plep

poppy /'popi/ *em bt* lulëkuqe; hashash

popula:r /'popjulə(r)/ *mb* popullor; *(besim)* i përhapur ♦ **~rity** /-'lærəti/ *em* popullorësi; popullaritet ♦ **~te** /'popjuleit/ *kl* populloj ♦ **~tion** /-'leiʃn/ *em* popullsi

porcelain /'po:slin/ *em* porcelan

porch /po:(r)tʃ/ *em* portik; *am* verandë

porcupine /'po:(r)kjupain/ *em zl* ferrëgjatë

pore[1] /po:(r)/ *em* por; shkojës *(e lëkurës)*

pore[2] *jkl:* **~ over** lexoj/studioj me vëmendje

pork /po:(r)k/ *em gjl* mish derri

porn /po:(r)n/ *em bs* porno(grafi) ♦ **~ography** /po:(r)'nogrəfi/ *em* pornografi

porridge /'poridʒ/ *em gjl* bollgur; qull (me miell) tërshëre

port /po:(r)t/ *em* port *(detar);* portë; *dt* gallustër: **parallel ~** *inf* portë paralele *(e kompjuterit)*

portable /'po:(r)təbl/ *mb* portativ

porter /'po:(r)tə(r)/ *em* derëtar; portier; hamall

portfolio /po:(r)t'fouliou/ *em* portofol; çantë *(dokumentesh);* kuletë

portion /'po:(r)ʃn/ *em* pjesë; racion *(ushqimi);* hise ♦ *kl* ndaj; pjesëtoj (**out**)

portra:it /'po:(r)trit/ *em* portret ♦ **~y** /-'treil/ *kl* portretizoj; përshkruaj ♦ **~yal** /-'treiəl/ *em* portretizim

Portug:al /'po:(r)tjugl/ *em* Portugali ♦ **~uese** /-'gi:z/

mb, *em* portugez ♦ *em* portugalishte; portugezë ♦ *nd* portugalisht

pose /pouz/ *em* pozë ♦ *kl* shtroj *(një problem);* bëj *(në pyetje);* ngre *(një çështje)* ♦ *jkl* pozoj: **~ as** hiqem/ shitem/ mbahem si

posh /poʃ/ *mb bs* luksoz; i pasur

position /pə'ziʃn/ *em* pozitë; pozicion; vend pune; mundësi: **be in a ~ to do sth** jam në gjendje të bëj diçka

positiv:e /'pozitiv/ *mb* pozitiv; i sigurt; konkret ♦ *em* pozitiv ♦ **~ely** *nd* prerë; qartë; me siguri/bindje ♦ **~ism** *em fil* pozitivizëm

possess /pə'zes/ *kl* zotëroj; jam pronar i; kam: **~ oneself** përmbahem; mbaj veten ♦ **~ion** /-'zeʃn/ *em* zotërim; **~s** *sh* plaçka ♦ **~ive** *mb gjh* pronor; *fg* i pangopur ♦ **~iveness** *em* etje për dominim ♦ **~or** *em* posedues; prnar; nëdorës

possib:ility /posə'biləti/ *em* mundësi; gjasë ♦ **~le** /'posibl/ *mb* i mundshëm ♦ **~ly** /'posəbli/ *nd* ndoshta: **he ~ly can** ndoshta e bën

post[1] /poust/ *em* shtyllë *(e portës, e elektrikut)* ♦ *kl* ngjit, vë *(afishe)*

post[2] *em* vend pune; post *(i rojës)* ♦ *kl* vendos; caktoj me punë *(dikë diku)*

post[3] *em* postë: **by ~** me postë: **the ~ has come** erdhi posta/ postieri ♦ *kl* postoj ♦ **~age** /'poustidʒ/ *em* taksë/ pullë poste ♦ **~age stamp** /'-stæmp/ *em* pullë poste/ postare ♦ **~al** /'poustl/ *mb* postar: **~ order** mandatpostë **post-box** /-boks/ *em* kuti e postës/e letrave ♦ **~card** /-ka:(r)d/ *em* kartolinë ♦ **~code** /-koud/ *em* kod postar

poster /'poustə(r)/ *em* afishe; fletushkë *(reklame)*

posteri:or /po'stiəriə(r)/ *em an* i pasmë; *bs* prapanicë; i pastajmë ♦ **~ty** /pos'teriti/ *em* pasardhës

posthumous /'postjuməs/ *mb* i pasvdekjes; postum ♦ **~ly** *nd* pas vdekjes

post:man /'poustmən/ *em* postier ♦ **~mark** /-ma:(r)k/ *em* vulë postare/e postës ♦ **~ office** /-'ofis/ *em* postë ♦ **~paid** *em* pullë postare e paguar

postpone /poust'poun/ *kl* shtyj *(afatin e pagesës etj.)* ♦ **~ment** *em* shtyrje *(e afatit të pagesës etj.)*

post-war /'poustwo:(r)/ *mb* i paslufte

pot[1] /pot/ *em* saksi; vazo; poçe; ibrik; tenxhere: **go to ~** *bs* e merr lumi/ dreqi ♦ *kl* konservoj *(fruta etj.)*

pot[2] *em* pikë *(në bilardo)* ♦ **~** *kl* shtie në gropë *(gurin)*

pot[3] *em* marihuanë

potato /pə'teitou/ *em bt (sh-es)* patate: **~s in their jacket** patate (të ziera) me gjithë lëkurë/ pa qëruar; **hot ~** punë me spec

potent /'poutənt/ *mb* i fortë; i fuqishëm ♦ **~ate** *em* potentat

potential /pə'tenʃl/ *mb* i mundshëm; potencial ♦ *em* potencial

pot:garden /-'ga:(r)dn/ *em* kopsht zarzavatesh/

perimesh ♦ **~-herbs** /-hə:bz/ *em sh*erëza; beharna ♦ **~hole** /-houl/ *em* gropë: **road full of ~s** rrugë me gropa ♦ **~-shot** /-ʃot/ *em:* **take a ~ at** shtie më tym

potted /'potid/ *mb* i konservuar; i përmbledhur ♦ **~plant** /-pla:nt/ *em* bimë për vazo

potter /'potə(r)/ *em* poçar; vorbar; vegshar ♦ **~y** *em* poçeri

potty /'poti/ *mb bs* i marrë; *(punë)* e kolljashme

pouch /pautʃ/ *em* xhep *(i kangurit);* qese

poultry /'poultri/ *em* pula; shpendë

pound[1] /paund/ *em* libër *(= 454g);* sterlinë *(monedhë britanike, irlandeze)*

pound[2] *kl* rrah; shtyp; dërrmoj; *ush* përtop, gjuaj me top/ me artileri *(një pozicion)* ♦ *jkl (zemra:)* rreh fort; vrapoj rëndë

pour /po:(r)/ *kl* derdh; shtie, mbush *(një gotë):* ~ **cold water on sb** ia ftoh kryet dikujt ♦ *jkl* derdhet: **it was ~ing with rain** binte shi me shtamba ♦ **~ing** *mb (shi)* i rrëmbyer

pout /paut/ *em* puçitje; mbledhje e buzëve ♦ *jkl* mbledh buzët; puçit

poverty /'povə:(r)ti/ *em* varfëri: **squalid ~** varfëri e ndyrë

powder /'paudə(r)/ *em* pluhur; barut; pudër ♦ *kl* pluhuros; pudors ♦ **~y** *mb* i pluhurt; si pudër; i pudrosur

power /'pauə(r)/ *em* fuqi; *el* elektricitet; pushtet ♦ **~ed** *mb:* **~ed by electricity** i ushqyer me korrent ♦ **~ful** *mb* i fuqishëm ♦ **~less** *mb* i pafuqishëm

PR /'pi:'a:(r)/ *em shkrt i* **public relations** marrëdhënie publike

practi:cal /'præktikl/ *mb* praktik; i zbatueshëm; *(njeri)* praktik, realist: ~ **joke** tallje; rreng ♦ **~ce** *em* praktikë; zakon; ushtrim; *sp* stërvitje: **in ~** në të vërtetë/praktikë; **out of ~** pa praktikë/ stërvitje ♦ **~se** /'præktis/ *kl* ushtroj; zbatoj; vë në jetë ♦ *jkl* ushtrohem; praktikohem

practitioner /præk'tiʃənə(r)/ *em* profesionist: **general ~** mjek i përgjithshëm

praise /preiz/ *em* lavde; lavdërim ♦ *kl* lavdëroj ♦ **~worthy** /-wə:(r)ði/ *mb* i lavdërueshëm

pram /præm/ *em* karrocë për fëmijë

prance /pra:ns/ *jkl* tërhuzje; ngritje kas *(e kalit)*

prank /præŋk/ *em* rreng; lojë

prawn /pro:n/ *em zl* karkalec deti

prattle /'prætl/ *jkl* dërdëllit; përrallisem

pray /prei/ *jkl* lutem ♦ **~er** /preə(r)/ *em* lutje ♦ **~ beads** *em sh* rozare; tespihe ♦ **~book** /-buk/ *em* libër i lutjeve

preach /pri:tʃ/ *kl* predikoj ♦ **~er** *em* predikues; prift

preamble /pri:'æmbl/ *em* hyrje; parathënie

precarious /pri'kɛəriəs/ *mb* i pasigurt; i rrezikshëm ♦ **~ly** *nd* pa siguri

precaution /pri'ko:ʃn/ *em* kujdes; masë paraprake

preced:e /pri'si:d/ *kl* paraprij; dal para ♦ **~ence** /

'presidənz/ *em* përparësi ♦ **~ent** /'presədənt/ *em dr* precedent; shembull i mëparshëm: **without ~** i pashembullt

precinct /'pri:siŋkt/ *em* zonë e ndaluar për qarkullimin e automjeteve; *am* zonë elektorale; rajon i policisë

precious /'preʃəs/ *mb* i vyer, i shtrenjtë; *(stil)* i stërholluar: ~ **few** pak fare; shumë pak

precipice /'presipis/ *em* humnerë

precipitat:e /pri'sipiteit/ *kl* shtyj; ngut; afroj, nxitoj *(punët)* ♦ **~ion** /-'teiʃn/ *em* ngutje; nxitim; reshje *(atmosferike);* fundërresë *(kimike etj.)*

precis:e /pri'sais/ *mb* i skatë ♦ **~ly** *nd* pikërisht ♦ **~ion** /-'siʒn/ *em* saktësi

predator /'predətə(r)/ *em* grabitës ♦ **~y** *mb* grabitqar

predecessor /'pri:disesə(r)/ *em* paraardhës

predicament /pri'dikəmənt/ *em* hall; gjendje e vështirë

predict /pri'dikt/ *kl* parathem; parashikoj ♦ **~able** /-əbl/ *mb* i parashikueshëm ♦ **~ion** /-'dikʃn/ *em* parashikim

predomina:nt /pri'dominənt/ *mb* mbizotërues ♦ **~te** /-neit/ *jkl* mbizotëron

pre-eminent /pri:'eminənt/ *mb* i shquar; i spikatur

preen /pri:n/ *kl* pastroj; lëmoj; zbukuroj; ~ **oneself** zbukurohem; pispillosem

prefab /'pri:fæb/ *em bs* shtëpi me parafabrikate

preface /'prefis/ *em* parathënie

prefer /pri'fə:(r)/ *kl* parapëlqej; preferoj ♦ **~bly** *nd* më mirë ♦ **~ence** /'prefərəns/ *em* parapëlqim; preferencë ♦ **~tial** /prefə'renʃl/ *mb (tarifë)* e privilegjuar

prefix /'pri:fiks/ *em gjh* parashtesë; prefiks *(teleonik)*

pregnan:cy /'pregnənsi/ *em* shtazëni ♦ **~t** *mb* shtatzënë

prehistoric /pri:his'to:rik/ *mb* parahistorik

prejudice /'predʒədis/ *em* paragjykim; besëtytëni ♦ *kl* paragjykoj ♦ *jkl* kam paragjykime: **be ~ed against sb** kam paragjykim kundër dikujt

preliminary /pri'liminəri/ *mb* paraprak: ~ **round** *sp* eliminatore

prelude /'prelju:d/ *em* prelud

premature /'premətjuə(r)/ *mb* i parakohshëm ♦ **~ly** *nd* para kohe

premeditat:ed /pri:'mediteitid/ *mb (krim)* i paramenduar; i bërë me paramendim ♦ **~ion** /-'teiʃn/ *em* paramendim

premier /'premjə(r)/ *mb* i parë; parësor ♦ *em pl* kryeministër

première /'premieə(r)/ *em* premierë

premises /'premisiz/ *em sh* lokal: **on the ~** *(konsum i pijeve etj.)* në vend/ lokal

premium /'pri:miəm/ *em* çmim: **at a ~** *(gjë)* e rrallë; i vlerësuar shumë

premonition /premə'niʃn/ *em* parandjenjë

preoccup:ation /priɔkju'peiʃn/ *em* shqetësim ♦ **~ied** /-'okjupaid/ *mb* i shqetësuar ♦ **~y** /-'okjupai/ *kl* shqetësoj; mërzit

prepar:ation /prepə'reiʃn/ *em* përgatitje ♦ **~atory** /pri'pærətri/ *mb* përgatitor ♦ *nd* **~ to** para se ♦ **~e** /pri'peə(r)/ *kl* përgatit; gatit; gatuaj ♦ *jkl* përgatitem (**for** për): **I am not ~ed to do it** s'më pëlqen ta bëj; s'dua ta bëj

preposition /prepə'ziʃn/ *em gjh* parafjalë ♦ **~al** *mb gjh* parafjalor

prescription /pri'skripʃn/ *em mk* recetë

presence /'prezns/ *em* prani: **~ of mind** mendjemprehtësi; gjakftohtësi

present¹ *em* dhuratë; peshqesh ♦ /pri'zent/ *kl* jap; dhuroj

present² /pri'zent/ *kl* paraqit; njoh *(dikë me dikë tjetër)* ♦ **~able** *mb:* **be ~able** kam paraqitje ♦ **~ation** /prezn'teiʃn/ *em* paraqitje; propozim; shfaqje *(e një filmi)*

present² /'preznt/ *mb* i tanishëm; i pranishëm ♦ *em* kohë e tanishme: **at ~** tani ♦ **~ly** *nd* pas pak; tani; *am* në këtë çast

preserv:ative /pri'zə:(r)vətiv/ *em* masë mbrojtëse; prezervativ; lëndë konservuese /ruajtëse *(e ushqimeve)* ♦ **~e** *kl* ruaj; konservoj

preside /pri'zaid/ *kl* kryesoj *(një mbledhje)* (**over**) ♦ **~ncy** /'prezidənsi/ *em* kryesi; presidencë ♦ **~nt** /'prezidənt/ *em* president

press /pres/ *em* shtyp; shtypje ♦ *kl* shtyp; ngjesh; shtyj, nxit; hekuros ♦ *jkl* shtyj; nxit ♦ **~ for** *jkl* bëj presion për: **be ~ed for time** s'kam kohë ♦ **~ing** *mb* i ngutshëm; urgjent ♦ **~ review** /-ri'vju:/ *em* pasqyrë e shtypit ♦ **~ release** /-ri'li:s/ *em* komunikatë e shtypit

pressure /'preʃə(r)/ *em* presion: **put ~ on sb** i bëj presion dikujt ♦ *kl* bëj presion ♦ **~cooker** /-kukə(r)/ *em* tenxhere me presion ♦ **~ group** /-gru:p/ *em* grup presioni

prestig:e /pre'sti:ʒ/ *em* prestigj; emër ♦ **~ious** /-'tidʒəs/ *mb* i dëgjuar; me emër

presum:ably /pri'zju:məbli/ *nd* me hamendje; me sa kuptohet ♦ **~e** *jkl* marr me mend; pandeh: **~ upon sb's friendship** shpërdoroj miqësinë me dikë ♦ **~ption** /-'zʌmpʃən/ *em* marrje me mend; pandehmë

presuppose /pri:sə'pouz/ *kl* marr me mend; pandeh; presupozoj

preten:ce /pri'tens/ *em* pretendim; shtirje ♦ **~d** *jkl* kam pretendime; shtirem/ bëj *(si i sëmurë)* ♦ **~der** *em* pretendues; mëtues: **~ to the throne** pretenduesi i fronit

pretext /'pri:tekst/ *em* shkas; pretekst

pretty /'priti/ *mb* i bukur: **it'll cost you a ~ penny** *bs* do të të kushtojë shtrenjtë ♦ *nd bs* mjaft; pak a shumë; rreth: **~ much the same** pak a shumë njëlloj ♦ **~pretty** *mb (bukuri)* e shpëlarë

preva:il /pri'veil/ *jk* mbizotëroj; mposht; bind: **~ on sb to do sth** ia mbush mendjen dikujt të bëjë diçka ♦ **~lent** /'prevələnt/ *mb (mendim)* mbizotërues; i përgjithshëm

prevent /pri'vent/ *kl* pengoj: **~ sb (from) doing sth** s'e lë dikë të bëjë diçka ♦ **~ion** /-'venʃn/ *em* (para)ndalim ♦ **~ive** *mb* (para)ndalues

preview /'pri:vju:/ *em* vizionim *(i filmit)*

previous /'pri:viəs/ *mb* i mëparshëm ♦ **~ly** *nd* më parë

pre-war /pri:'wo:(r)/ *mb* i paraluftës

prey /prei/ *em* pre: **bird of ~** shpend grabitqar ♦ *jkl:* **~ on** pretoj

price /prais/ *em* çmim: **name your ~** sa kërkon?; sa e ke çmimin? ♦ **~less** *mb* i paçmueshëm; *bs (shaka)* shumë e bukur ♦ **~y** *mb* i shtrenjtë

prick /prik/ *em* shpim; *bs* trap ♦ *kl* shpoj ♦ **~ up** *kl:* **~ up one's ears** ngreh veshët ♦ **~le** *em* gjemb; shpim; mizërim *(i trupit)*

pride /praid/ *em* krenarí ♦ *kl:* **~ oneself on** mburrem me/ për

priest /pri:st/ *em* prift ♦ **~ly** *mb* priftëror

prim /prim/ *mb* i matur; i përmbajtur

prim:ary /'praiməri/ *mb* i parë; kryesor: **~ school** shkollë fillore ♦ **~e** /praim/ *mb* i parë; kryesor; i shkëlqyer: **in one's ~** në lule të moshës; **P~ Minister** kryeministër

primitive /'primitiv/ *mb* primitiv

primrose /'primrouz/ *em bt* aguliçe

prince /prins/ *em* princ ♦ **~ss** /-is/ *em f* princeshë

principal /'prinisəpl/ *mb* kryesor ♦ *em* drejtor *(i shkollës)*

principle /'prinsəpl/ *em* parim: **in ~** në parim/ teori; **on ~** parimisht

print /print/ *em* gjurmë; shenjë; *fot* kopje; shtyp: **in ~** në shtyp; i shtypur; **out of ~** *(libër)* i shitur ♦ *kl* shtyp; shkruaj me shkronja shtypi: **~ from disk** shtyp nga disku *(një dokument)* ♦ **~er** *em* tipograf; makinë shtypi; printer: **laser ~** *inf* printer/ makinë shtypi me lazer ♦ **~ing** *em* tipografi ♦ **~out** /-aut/ *em inf* shtyp; material i shtypur

prior¹ /'praiə(r)/ *mb* më parë: **~ to** *prfj* para se

prior² *em ft* kryemurg; igumen

priority /prai'orəti/ *em* përparësi

priory /'praiəri/ *em* manastir; kuvend

prism /prizm/ *em* prizëm

prison /'priz(ə)n/ *em* burg ♦ **~er** *em* i burgosur; rob: **~ of war** rob lufte

prissy /'prisi/ *mb (burrë)* i pispillosur si grua

priva:cy /'praivəsi/ *em* fshehtësi; intimitet ♦ **~te** *mb* privat; *(sekretar)* privat, personal, vetjak: **~ eye** detektiv privat ♦ *em* fshehtësi; ushtar i thjeshtë: **in ~** privatisht ♦ **~tely** *nd* privatisht; me rrugë private; fshehtas; me mirëbesim; nga brenda ♦ **~tisation** /praivətai'zeiʃn/ *em* privatizim ♦ **~tise** *kl* privatizoj

privilege /'privəlidʒ/ *em* privilegj; e drejtë e veçantë ♦ **~d** *mb* i privilegjuar

privy /'privi/ *mb:* **be ~ to** kam dijeni për

prize /praiz/ *em* çmim ♦ *mb* i përsosur ♦ *kl* vlerësoj; çmoj ♦ **~ money** /-'mʌni/ *em* pará/ të holla të vëna si çmim ♦ **~ winner** /-winə(r)/ *em* fitues i çmimit ♦ **~-winning** /-winiŋ/ *mb* fitues

pro /prou/ *em* profesionist; (votë) pro, për: **the ~s and cons** votat pro dhe kundër

probab:ility /probə'biləti/ *em* gjasë; mundësi; probabilitet ♦ **~le** /'probəbl/ *mb* i mundshëm ♦ **~ly** /'probəbli/ *nd* ndoshta

probe /proub/ *em* sondë; *fg* hetim: **moon ~** *astr* sondë e hënës

problem /'probləm/ *em* problem(ë): **solve a ~** zgjidh një problem(ë); **that's your ~** punë për ty ♦ *mb:* **~ child** fëmijë i prapë/ i vështirë ♦ **~alic** /-'mætik/ *mb* problematik; i vështirë

procedure /prə'si:dʒə(r)/ *em* procedurë; ecuri

proceed /prə'si:d/ *jkl* vazhdoj; hidhem *(në temë tjetër):* **~ cautiously** veproj me kujdes ♦ **~ings** *em sh* punime *(të mbledhjes);* *dr* ndjekje gjyqësore ♦ **~s** /'prousi:dz/ *em sh* hyrje *(në arkë);* arkëtim

process /'prouses/ *em* proces; procedurë; *dr* gjyqësi: **in the ~ of** gjatë kohës që ♦ *kl* përpunoj; shqyrtoj *(një kërkesë);* *fot* zhvilloj *(filmin)*

procession /prə'seʃn/ *em* vargan; procesion; kortezh

procla:im /prə'kleim/ *kl* shpall ♦ **~mation** /proklə'meiʃən/ *em* shpallje; proklamatë

procure /prə'kjuə(r)/ *kl* gjej; siguroj; furnizoj ♦ *jkl* bëj kodoshëri

prod /prod/ *em* shkop me majë; *fg* nxitje ♦ *kl* shpoj; shtyj; *fg* nxit: **he needs ~ding** ai e ka me të shtyrë

prodigal /'prodigl/ *mb (djalë)* plëngprishës

prodig:ious /prə'didʒəs/ *mb* i mrekullueshëm ♦ **~y** /'prodidʒi/ *em* gjeni; fëmijë i jashtëzakonshëm

produc:e /'prodju:s/ *em* prodhim ♦ /prə'dju:s/ *kl* prodhoj; bëj; shkaktoj ♦ **~er** *em* prodhues ♦ **~t** /'prodʌkt/ *em* prodhim ♦ **~tion** /prə'dʌkʃn/ *em* prodhim; *tt* shfaqje ♦ **~ive** /prə'dʌktiv/ *mb* prodhues; prodhimtar

profan:ation /profə'neiʃən/ *em* përdhosje; dhunim *(i një vendi a gjëje të shenjtë)* ♦ **~e** /prə'fein/ *mb* profan; laik, shekullar: **~ word** blasfemi ♦ **~ity** /-'fænəti/ *em* përdhosje; blasfemi

profess:ion /prə'feʃn/ *em* profesion ♦ **~al** *mb* profesional; (si) profesionist: **go ~** bëhem profesionist ♦ *em* profesionist ♦ **~or** *em* profesor

profile /'proufail/ *em* profil

profit /'profit/ *em* fitim: **make a ~** dal me fitim ♦ *jkl:* **~ from** kam fitim nga ♦ **~able** *mb* fitimprurës ♦ **~eer** *em* spekulator ♦ **~ sharing** /-'ʃeəriŋ/ *em* sistem i ndarjes së fitimeve të kompanisë ndërmjet punonjësve

profound /prə'faund/ *mb* i thellë ♦ **~ly** *nd* thellë(sisht)

profus:e /prə'fju:s/ *mb:* **~ apologies** një mijë falje ♦ **~ion** /-'fju:ʒn/ *em* shumicë; tepri

prognos:is /prəg'nousis/ *em (sh* **-oses***)* prognozë; parashikim

program(**me**) /'prougræm/ *em* program ♦ *kl* programoj ♦ **~er** *em* programues

progress /'prougres/ *em* përparim: **in ~** në udhë e sipër; në vazhdim ♦ /prə'gres/ *jkl* përparoj; bëj përparim ♦ **~ive** /prə'gresiv/ *mb* paravajtës; progresiv

prohibit /prə'hibit/ *kl* ndaloj; nuk lejoj ♦ **~ion** /prohi'biʃən/ *em* prohibicion ♦ **~ive** *mb* frenues: **~ price** çmim i pakapshëm

project /'prodʒekt/ *em* projekt; temë *(studimi)* ♦ /prə'dʒekt/ *kl* hedh; projektoj ♦ *jkl* del (**out**) ♦ **~ile** /prə'dʒektail/ *em* predhë ♦ **~or** *em* projektor

proliferation /prəlifə'reiʃn/ *em* përhapje

prolific /prə'lifik/ *mb* pjellor

prologue /'proulog/ *em* prolog

prominen:ce /'prominəns/ *em* dallim; pozitë e shquar ♦ **~t** *mb* i shquar; i dukshëm

promis:e /'promis/ *em* premtim ♦ *kl* premtoj ♦ **~ing** *mb* premtues; shpresëdhënës

promot:e /prə'mout/ *kl* përkrah; ngre në përgjegjësi; gradoj; i bëj reklamë *(një malli)* ♦ **~ion** /-'mouʃn/ *em* përkrahje; ngritje në përgjegjësi; gradim; reklamë

prompt¹ /prompt/ *kl* nxit; *tt* i jap batutën *(aktorit)* ♦ *jkl* tregoj *(në provim);* *tt* punoj si sufler

prompt² *mb* i menjëhershëm; i përpiktë ♦ *nd* në çast; në vend; menjëherë ♦ **~ly** *nd* me përpikëri

prone /proun/ *mb:* **be ~ to do sth** jam i prirur të bëj diçka

prong /proŋ/ *em* dhëmb *(i sfurkut, i pirunit)*

pronoun /prə'naun/ *em gjh* përemër

pronounc:e /prə'nauns/ *kl* shqiptoj; shpall, nxjerr *(fajtor etj.)* ♦ **~ounced** *mb* i dukshëm; i madh

pronunciation /prənʌnsi'eiʃn/ *em* shqiptim

proof /pru:f/ *em* provë; *sht* bocë

prop /prop/ *em* mbështetje ♦ *kl:* **~ open** mbaj të hapur; **~ against** mbështet pas

propaga:nda /propə'gændə/ *em* propagandë ♦ **~te** /'propəgeit/ *jkl* përhapet ♦ **~tion** /-'geiʃn/ *em* përhapje; shtim

propel /prə'pel/ *kl* shtyj; çoj përpara ♦ **~ler** *em* helikë

proper /'propə(r)/ *mb* i drejtë; i saktë; i përshtatshëm; i mirë; i vërtetë: **~ name/ noun** *gjh* emër i përveçëm ♦ **~ly** *nd* drejt; saktë; mirë

property /'propə(r)ti/ *em* pasuri; **~ies** *sh* cilësi, veti, karakteristikë

prophe:cy /'profəsi/ *em* profeci ♦ **~** *kl* profetizoj ♦ **~t** /'profit/ *em* profet ♦ **~tic** /prə'fetik/ *mb* profetik

proportion /prə'po:ʃn/ *em* përpjesëtim; pjesë; hise; **~s** *sh* përmasa ♦ **~al** *mb* propocional; i përpjesëtuar

propos:al /prə'pouzl/ *em* propozim ♦ **~e** /-'pouż/ *kl* propozoj; kam ndër mend ♦ *jkl* propozoj për martesë ♦ **~ition** /propə'ziʃən/ *em* propozim

proprietor /prə'praiətə(r)/ *em* pronar

prosaic /prou'zeik/ *mb* prozaik ♦ **~e** /prouz/ *em* prozë

prosecut:e /'prosikju:t/ *kl* procedoj në gjyq ♦ **~ion** /-'kju:ʃn/ *em* procedim në gjyq: **the ~ion** akuza ♦ **~or** *em:* (**Public**) **P~** prokuror i shtetit

prospect /'prospekt/ *em* perpektivë; e ardhme, shpresë ♦ /prə'spekt/ *jkl:* **~ for** bëj kërkime për ♦ **~ive** *mb* i ardhshëm; i së ardhmes; i mundshëm ♦ **~or** *em* kërkues *(mineralesh)*

prospectus /prə'spektəs/ *em* program *(shkollor etj.);* prospekt *(i një kompanie)*

prosper /'prospə(r)/ *jkl* lulëzoj; begatohem ♦ **~ity** /-'perəti/ *em* lulëzim; begati ♦ **~ous** *mb* i lulëzuar; i begatë

prostitut:e /'prostitju:t/ *em* prostitutë ♦ **~ion** /-'tju:ʃn/ *em* prostitucion

prostrate /'prostreit/ *mb* i shtrirë përdhe; i dërrmuar

protagonist /prou'tægənist/ *em* protagonist

protect /prə'tekt/ *kl* mbroj ♦ **~ion** /-'tekʃn/ *em* mbrojtje ♦ **~or** *em* mbrojtës; dalzotës

protein /'protii:n/ *em bi* proteinë

protest /'proutest/ *em* protestë ♦ /prə'test/ *kl, jkl* protestoj: **~ one's innocence** them se jam i pafajshëm ♦ **P~ant** /'protistənt/ *mb, em ft* protestant ♦ **~er** /prə'testə/ *em* protestues

protract /prə'trækt/ *kl* zgjat *(një drejtëz);* zvarrit *(një punë)*

proud /praud/ *mb* krenar: **~ flesh** *mk* mishi i egër; flluskë; **do oneself ~** *bs* e mbaj veten me gjithë të mirat ♦ **~ly** *nd* me krenarí

prove /pru:v/ *kl* provoj; dëshmoj; vërtetoj ♦ *jkl:* **it ~ed to be a lie** doli rrenë ♦ **~n** *mb* i provuar; i vërtetuar

proverb /'provə:(r)b/ *em* proverb ♦ **~ial** /prə'və:(r)biəl/ *mb* proverbial

provid:e /prə'vaid/ *kl* furnizoj: **~sb with sth** i siguroj dikujt diçka; furnizoj dikë me diçka ♦ *jkl:* **~ for** *(ligji)* parashikon ♦ **~ence** *em* provaní; prashikim; urtësi; **P~** perëndi ♦ **~ent** *mb* parashikues ♦ **~ing: ~ that** me kusht që ♦ **~ed: ~ (that)** me kusht që

provinc:e /'provins/ *em* provincë; *fig* fushë, sferë ♦ **~ial** /prə'vinʃl/ *mb* provincial

provis:ion /prə'vinʒn/ *em* sigurim; furnizim *(me ushqime etj.);* dispozitë *(ligjore);* **~s** *sh* ushqime ♦ **~ional** *mb* i përkohshëm; provizor ♦ **~o** /-'vaizou/ *em* kusht

provo:cation /provə'keiʃn/ *em* provokim; provokacion ♦ **~ke** /prə'vouk/ *kl* provokoj; shkaktoj; ngjall *(zemërim etj.)*

provost /'provest/ *em* rektor

prow /prau/ *em dt* plor; bash *(i barkës)*

prowl /praul/ *jkl* endem rrugëve *(për të vjedhur)*

proximity /prə'ksiməti/ *em* afërsi; afëri

proxy /'proksi/ *em* ndërmjetësi; kodosh: **by ~** me ndërmjetës

prude /pru:d/ *em:* **be a ~** jam shumë i turpshëm ♦ **~nce** /-dəns/ *em* urtësi; maturi ♦ **~nt** /-dənt/ *mb* i matur ♦ **~ntly** *nd* me maturi; me urtësi

prune /pru:n/ *em* kumbull e thatë

pry /prai/ *jkl* fut hundët

psalm /sa:m/ *em ft* psalm

pseudonym /'sju:dənim/ *em* pseudonim

psych:iatry /sai'kaiətri/ *em* psikiatri ♦ **~ic** /'saikik/ *mb* psikik; i çmendur

psycho:analysis /sakouə'næləsis/ *em psk* psikanalizë ♦ **~logist** /sai'kolədʒist/ *em* psikolog ♦ **~logy** /sai'kolədʒi/ *em* psikologji ♦ **~path** /'saikəpæθ/ *em* psikopat

pub /pʌb/ *em bs* bar; pijetore: **village ~** klubi i/ pijetorja e fshatit

puberty /'pju:bəti/ *em* pubertet

public /'pʌblik/ *mb* publik: **~ convenience** banjë/ nevojtore publike; **~ holiday** festë zyrtare; **~ school** shkollë private; *am* shkollë publike/ shtetërore; **be ~-spirited** kam ndjenjën e qytetarisë ♦ *em:* **the ~** publiku: **in ~** botërisht ♦ **~an** *em* pronar i pijetores ♦ **~ation** /-'keiʃn/ *em* botim ♦ **~ise** /-saiz/ *kl* reklamoj; i bëj reklamë ♦ **~ty** /-'lisəti/ *em* reklamë; bujë

publish /'pʌbliʃ/ *kl* botoj ♦ **~er** *em* botues; shtëpi botuese ♦ **~ing** *em* botim ♦ *mb (veprimtari)* botuese

pudding /'pudiŋ/ *em gjll* buding

puddle /'pʌdl/ *em* pellg; llagaç

pudgy /'pʌdʒi/ *mb* topolak; rrumbullak

puff /pʌf/ *em* frymë *(ere);* fjollë *(tymi);* pufe *(për pudër)* ♦ *kl* fryj

pull /pul/ *em* tërheqje; *bs* ndikim ♦ *kl* tërheq; nxjerr; shkul; këput *(një muskul):* **~ faces** shrembëroj fytyrën/ buzët; **~ oneself together** mbledh veten; **~ one's weight** i vë të gjitha forcat; **~ sb's leg** *bs* vë në lojë dikë ♦ **~ down** *kl* shemb; rrëzoj ♦ **~ off** *kl* heq; shkul; nxjerr ♦ *jkl* nisem ♦ **~ out** *kl* nxjerr ♦ *jkl au* nisem; tërhiqem *(nga gara)* ♦ **~ through** *jkl* ia dal mbanë ♦ **~ up** *kl* shkul me gjithë rrënjë; *bs* qortoj ♦ *jkl (makina)* ndalet

pulley /'puli/ *em tk* makara; pulexhë

pullover /pul'ouvə(r)/ *em* pulovër

pulp /pʌlp/ *em* tul; mish *(i frytit);* brumë *(për letër)*

pulpit /'pʌlpit/ *em* amvonë; predikatore

puls:ate /pʌl'seit/ *jkl* rreh; regëtin ♦ **~e** *em* puls: **feel sb's pulse** i zë/ mat pulsin dikuj

pummel /'pʌml/ *kl* zë me grushte; shemb në dru

pump /pʌmp/ *em* pompë ♦ *kl* pompoj ♦ **~ up** *kl* fryj; gufmoj

pumpkin /'pʌmpkin/ *em bt* kungull

pun /pʌn/ *em* lojë fjalësh ♦ *jkl* luaj me fjalë; bëj lojë fjalësh

punch /pʌntʃ/ *em* grusht ♦ *kl* qëlloj me grusht
punch:-line /'pʌntʃlain/ *em* fjalë e fundit
punch-up /'pʌntʃʌp/ *em* rrahje me grusht
punctual /'pʌŋktjuəl/ *mb* i përpiktë ♦ **~ity** /-'æləti/ *em* përpikëri
punctuate /'pʌŋktjueit/ *kl* pikëzoj; theksoj ♦ **~ion** / pʌŋktju'eiʃn/ *em* pikëzim
puncture /'pʌŋktʃə(r)/ *em* vrimë *(e kamerdares)* ♦ *kl* shpoj *(kamerdaren, lungën)*
pungent /'pʌndʒənt/ *mb* i athët; *(erë)* shpuese; *fg* fshikullues
puni:sh /'pʌniʃ/ *kl* ndëshkoj ♦ **~shment** *em* ndëshkim ♦ **~tive** /'pju:nitiv/ *mb* ndëshkimor; ndëshkues
punk /pʌŋk/ *em mz* (rok) pank
puny /'pju:ni/ *mb* i vocërr
pupil[1] /'pju:pl/ *em* nxënës
pupil[2] *em* bebe *(e syrit)*
puppet /'pʌpit/ *em* kukull
puppy /'pʌpi/ *em* këlysh *(qeni etj.)*
purchase /'pə:(r)tʃəs/ *em* blerje; psonisje; pikëmbështetje *(e levës)* ♦ *kl* blej; psonis
pure /pjuə(r)/ *mb* i pastër; safi; i papërzier
purée /'pjuərei/ *em* gjill pure
purely /'pjuə(r)li/ *nd* thjesht
purg:atory /'pə:(r)gətri/ *em fet, fg* purgator ♦ **~e** / pə:(r)dʒ/ *pl em* spastrim; purgë ♦ *kl* spastroj ♦ *jkl mk* bëj purgë
puri:fication /pjuərifi'keiʃn/ *em* pastrim ♦ **~fy** *kl* pastroj ♦ **~ty** /'pjuəriti/ *em* pastërti ♦ **~tan** / 'pjuəritən/ *em:* **P~** *ft* puritan ♦ **~tanical** /-'tænikl/ *mb* puritan
purple /'pə:(r)pl/ *mb, em* (ngjyrë) e purpurt ♦ *em* veshje e kardinalit
purpose /'pə:(r)pəs/ *em* qëllim; vendosmëri: **on ~** me qëllim/ dashje ♦ **~ly** *nd* qëllimisht; me dashje
purr /pə:(r)/ *em* kërrmëz *(e maces)* ♦ *jkl (macja)* kërrnjon
purse /pə:(r)s/ *em* kuletë; *am* çantë dore; qese *(e parave):* **cut-~** hajdut çantash/ kuletash
pursu:e /pə(r)'sju:/ *kl* ndjek ♦ **~uit** /'pə:(r)sju:t/ *em* ndjekje; kërkim
pus /pʌs/ *em* qelb

push/puʃ/ *em* shtyrje; të shtyra; përpjekje: **at a ~** në nevojë; kur ta dojë puna; **get the ~** *bs* më japin duart *(nga puna);* **when ~ comes to shove** *bs* kur vjen veza ♦ *kl* shtyj; nxit; bëj presion: **be ~ed for time** s'kam/s'më del koha ♦ *jkl* shtyhem ♦ **~ aside** *kl* shtyj mënjanë; spostoj ♦ **~ back** *kl* shtyj prapa; zmbraps ♦ **~ off** *kl* heq ♦ *jkl bs* iki; hiqem sysh ♦ **push on** *jkl* vazhdoj ♦ **~ up** *kl* ngre *(çmimin)* ♦ **~er** *em* shtytës; karrierist, arrivist; shpërndarës *(i drogës)* ♦ **~y** *em bs* agresiv ♦ *mb* mendjemadh; arrgant e agresiv
puss(y) /'pus(i)/ *em* kotele; micë; *bs* mickë; *sl* grua; *sl vl* piçkë
put /put/ *kl* **(put, putting)** vë; bëj; caktoj; përdor ♦ *jkl:* **~ to sea** dal në det ♦ **~ aside** *kl* vë mënjanë ♦ **~ away** *kl* heq tutje ♦ **~ back** *kl* kthej; vë prapë në vend ♦ **~ down** *kl* lëshoj poshtë; shtyp; mbaj shënim: **~ one's foot down** ngul këmbë; *au* ia shkel gazin ♦ **~ forward** *kl* vë/ shtyj përpara ♦ **~in** *kl* vë brenda; parashtroj ♦ *jkl:* **~ in for** bëj kërkesë për ♦ **~ off** *kl* shtyj; lë për më vonë: **~ sb off** e mbaj me sot e me nesër dikë; hutoj: **~ sb off sth** ia neverit dikujt diçka ♦ **~ on** *kl* vesh *(rrobat);* ndez *(zjarrin);* vë në skenë *(një shfaqje);* mësoj, marr *(një zakon):* **~ on weight** shtoj në peshë ♦ **~ out** *kl* shuaj; zgjat *(dorën);* krijoj telashe ♦ **~ through** *kl* shkoj/ kaloj përmes; lidh *(dikë në telefon)* ♦ **~ up** *kl* ngre; ndërtoj; hap *(çadrën);* ngjit *(afishe);* buj *(mikun):* **~ sb up to sth** ia ngul në kokë diçka dikujt ♦ *jkl* rri *(në hotel);* **~ up with** duroj ♦ *nd:* **stay ~**! rri aty!; mos luaj!
putty /'pʌti/ *em* stuko *(për xhamat)* ♦ *kl* stukoj
put-up /'putʌp/ *mb:* **~ job** mashtrim
puzzle /'pʌzl/ *em* enigmë; gjëzë ♦ *kl* hutoj; ngatërroj ♦ *jkl:* **~ over** vras mendjen ♦ **~ing** *mb* i ngatërruar; i pashpjegueshëm
pygmy /'pigmi/ *em* pigme
pyjamas /pə'dʒa:məz/ *em sh* pizhame
pyramid /'pirəmid/ *em* piramidë
pyrotechnics /pairou'tekniks/ *em sh (me folje në njëjës)* piroteknikë; fishekzjarre
python /'paiθn/ *em zl* piton

Q

quack[1] /kwæk/ *em* gagaritje *(e rosës)* ♦ *jk/ (rosa)* gagarit

quack[2] *em* mjekës; xherah; sharlatan

quadr:angle /'kwodræŋgl/ *em* katërkëndësh ♦ **~ruped** /-druped/ *em* katërkëmbësh ♦ **~ruple** /-rupl/ *nd, mb* katërfish ♦ *k/* katërfishoj ♦ *jk/* katëfishohet

quagmire /'kwægmaiə(r)/ *em* moçal

quaint /kweint/ *mb* i çuditshëm; *(njeri)* tuhaf

quake /kweik/ *em bs* lëkundje; tërmet: **earth-~** tërmet ♦ *jk/* dridhem

quali:fication /kwolifi'keiʃn/ *em* cilësi; aftësi; kualifikim ♦ **~fied** /'kwolifaid/ *mb* i aftë; i kualifikuar ♦ **~fy** /'kwolifai/ *k/* aftësoj; kualifikoj; saktësoj, kufizoj ♦ *jk/* kualifikohem *(në një garë);;* specializohem (**as** për) ♦ **~ty** /'kwoləti/ *em* cilësi

qualm /kwo:m/ *em* skrupull; brejtje e ndërgjegjes

quandary /'kwondəri/ *em* pasiguri; dilemë

quantity /'kwontəti/ *em* sasi: **in ~** me sasi të madhe

quarantine /'kworənti:n/ *em* karantinë ♦ *k/* karantinoj; vë në karantinë

quarrel /'kwærəl/ *em* grindje; zënie ♦ *jk/* zihem ♦ **~some** /-səm/ *mb* grindavec

quarry /'kwori/ *em* gurore e hapur

quarter /'kwo:(r)tə(r)/ *em* çerek; tremujor; *am* çerek dollari, 25 sent; **~s** *sh ush* strehim; post luftimi: **at (a) ~ to/** past six më gjashtë pa/e një çerek; **a ~ of an hour** (një) çerek ore ♦ *k/* ndaj katërsh ♦ **~final** /*em sort* çerekfinale ♦ **~ly** *mb* tremujor ♦ *nd/* një herë në tre muaj

quartz /kwo:(r)ts/ *em* kuarc ♦ *mb:* **~ watch** *em* orë me kuarc

quash /kwoʃ/ *k/* përmbaj; frenoj; mbyt; *dr* shfuqizoj

quay /ki:/ *em* mol

queasy /'kwi:zi/ *mb:* **feel ~** më përzihet

queen /kwi:n/ *em* mbretëreshë

queer /kwiə(r)/ *mb* i çuditshëm; i dyshimtë; *bs* homoseksual ♦ *em bs* homoseksual

quell /kwel/ *k/* shtyp; mbyt; shuaj

quench /kwentʃ/ *k/:* **~ one's thirst** shuaj etjen

query /'kwiəri/ *em* pyetje; pikëpyetje ♦ *k/* pyes; vë në dyshim/ pikëpyetje

quest /kwest/ *em* kërkim (**for** për)

question /'kwestʃn/ *em* pyetje; çështje: **out of the ~** pa diskutim; **without ~** pa dyshim; **in ~** *(çështja)* në fjalë; **pop the ~** i propozoj *(një gruaje)* ♦ *k/* pyes; marr në pyetje; vë në dyshim ♦ **~able** *mb* i diskutueshëm; i dyshimtë ♦ **~mark** /-'ma:(r)k/ *em* pikëpyetje ♦ **~naire** /-'nɛə(r)/ *em* pyetësor

queue /kju:/ *em* radhë ♦ *jk/* zë radhën; rri në radhë (**up**): **jump the ~** hyj pa radhë

quick /kwik/ *mb* i shpejtë: **be ~!** shpejto!; **have a ~ start** kam nisje/shkëputje të shpejtë ♦ *nd/* shpejt; me të shpejtë ♦ *em:* **cut to the ~** *fig* lëndoj atje ku i djeg/ dhemb ♦ **~ bread** /-bred/ *em* bukë me brumë të ardhur ♦ **~ fix** /-fiks/ *em* zgjidhje e shpejtë ♦ **~-freeze** /-'fri:z/ *em* ngrirje e shpejtë *(e ushqimeve)* ♦ **~ie** /'kwiki/ *em bis* punë e bërë me ngut; teke *(marrëdhënie seksuale e kryer shpejt e shpejt)* ♦ **~ly** *nd* shpejt; me të shpejtë ♦ **~sand** /-'sænd/ *em* gropë thithëse me rërë ♦ **~silver** /-'silvə(r)/ *em bs* zhivë ♦ **~-tempered** /-'tempə(r)d/ *mb* i rrëmbyer; gjaknxehtë ♦ **~witted** /-'witid/ *mb* mendjemprehtë

quid /kwid/ *em bs* sterlinë

quiet /'kwaiət/ *mb* i qetë; i urtë; *(zë)* i ulët: **keep ~!** rri(ni) urtë!; **keep ~ about** *bs* mos ia tregoni kujt; **on the ~** fshehtas; pa u nider ♦ **~en** *k/* qetësoj: **~ down** *jk/* qetësohem ♦ **~ly** *nd* qetë; urtë; me zë të ulët ♦ **~ness** *em* qetësi

quilt /kwilt/ *em* jorgan ♦ **~ed** *mb (xhaketë)* e mbushur *(me pambuk)*

quit /kwit/ *k/* lë; ndërpres ♦ *jk/ bs* iki; largohem; *tk* dal nga programi: **give sb notice to ~** paralajmëroj se do të dal *(nga puna etj.)*

quite /kwait/ *nd* mjaft; plotësisht; vërtet: **~ a few** disa

quits /kwits/ *mb* i barabartë: **we're ~** u lamë; jemi

baraz
quiver /'kwivə(r)/ *jk*/ dridhem
quiz /kwiz/ *em* provim *(si lojë)* ♦ *k*/ pyes

quot:ation /kwou'teiʃn/ *em* citat; preventiv *(i çmimit);* kuotim *(i aksioneve)* ♦ **~e** /kwout/ *em:* **in ~s** në thonjëza ♦ *k*/ citoj; kuotoj *(një çmim)*

R

Rabbi, rabbi /ˈræbai/ *em* rabin
rabble /ˈræbl/ *em* fundërri; vulg
rabbit /ˈræbit/ *em* z/ lepur i butë
race¹ /reis/ *em* garë ♦ *jk/* vrapoj ♦ *k/* bëj garë me
rac:e² *em* racë ♦ **~ial** /ˈreiʃl/ *mb* racial ♦ **~course** / -ˈkoː(r)s/ *em* hipodrom ♦ **~horse** /-ˈhoː(r)s/ *em* kalë gare
racial /ˈreiʃl/ *mb* racial ♦ **~ist** *mb* racial
racing /ˈreisiŋ/ *em* garë *(vrapimi, automobilizmi etj.)* ♦ *mb (lumë)* i rrëmbyer
racis:m /ˈreisizm/ *em* racizëm ♦ **~t** *mb, em* racist
rack¹ /ræk/ *em* raft; dollap *(për vegla etj.)*; vendparkim për biçikleta; rrjetë e bagazhit; skarë
rack² *em* grazhd; mjet torture; torturë, ankth: **go to ~ and ruin** rrënohet
rack³ *em* mish i qafës *(së viçit etj.)*
racket¹ /ˈrækit/ *em sp* raketë; pallaskë
racket² *em* poterë; *bs* mashtrim, shantazh për zhvatje parash ♦ **~-eer** /-ˈtiə(r)/ *em* zhvatës parash me shantazh
racy /ˈreisi/ *mb* i shkathët, plot gjallëri; *(anekdotë)* e fortë
radar /ˈreida:(r)/ *em* radar
raddle /ˈrædl/ *em* bojë okër e kuqe
radia:nce /ˈreidiəns/ *em* shkëlqim; rrezëllim ♦ **~nt** /-ənt/ *mb* rrezëllitës ♦ **~te** /-eit/ *kl, jk/* rrezatoj ♦ **~tion** /-ˈeiʃn/ *em* rrezatim ♦ **~tor** /-eitə(r)/ *em* radiator
radical /ˈrædikl/ *mb* radikal; i rrënjësishëm ♦ *em* radikal; *mat* shenjë e rrënjës
radio /ˈreidiou/ *em* radio: **on the ~** në radio ♦ *kl* njoftoj me radio ♦ **~active** /-ˈæktiv/ *mb* radioaktiv ♦ **~activity** /-ækˈtivəti/ *em* radioaktivitet ♦ **~carbon** /-ˈka:(r)bən/ *em* karbon radioaktiv ♦ **~graphy** /-ˈogrəfi/ *em* radiografi ♦ **~logy** /-ˈolədʒi/ *em* radiologji ♦ **~ operator** /-ˈopəreitə(r)/ *em* radist ♦ **~scopy** /-ˈoskəpi/ *em* radioskopi ♦ **~station** /-ˈsteiʃən/ *em* radiostacion ♦ **~therapy** /-ˈθerəpi/ *em* radioterapi

radish /ˈrædiʃ/ *em bt* rrepkë
radius /ˈreidiəs/ *em (sh -dii* /ˈdiai/) rreze
raffle /ˈræfl/ *em* lotari
raft /ra:ft/ *em* argsh; trap
rag /ræg/ *em* rreckë; *kq* paçavure, gazetë e keqe: **nose ~** shami hundësh; **in ~s** me rrecka
rage /reidʒ/ *em* tërbim; zemërim: **all the ~** *bs* i modës së fundit ♦ *jk/* tërbohem; *(epidemia etj.)* bën kërdinë; *(lufta, stuhia)* zien ♦ **~ing** *mb (det)* i tërbuar
ragged /ˈrægid/ *mb* i rreckosur; *(shkëmb)* i thepët
raid /reid/ *em* grabitje; *ush* sulm; bastisje *(nga policia):* **air-~** sulm ajror ♦ *kl ush* sulmoj; bastis
rail /reil/ *em* parmak; kangjella; binar, shinë *(e trenit):* **by ~** me tren ♦ **~ing** *em* shina
railery /ˈreiləri/ *em* tallje; qesëndi
rail:road /-roud/ *em am,* **~way** /-wei/ *em* hekurudhë
rain /rein/ *em* shi: **in the ~** në shi; **~ or shine** në shi e në diell; *fg* në të mirë e në të ligë ♦ *jk/* bie shi; resh ♦ *kl:* **~ blows on sb** e mbyt me grushte dikë ♦ **~bow** /ˈreinbou/ *em* ylber ♦ **~coat** /-kout/ *em* mushama ♦ **~drop** /-drop/ *em* pikë shiu ♦ **~fall** / -foːl/ *em* reshje ♦ **~proof** /-pruːf/ *mb* i papërshkueshëm nga shiu; *(copë)* mushamaje ♦ **~y** *mb (ditë)* me shi: **~ day** ditë me shi; *fg* ditë e zezë
raise /reiz/ *em am* ngritje; shtesë *(rroge):* **ask for a ~** kërkoj ngritje rroge ♦ *kl* ngre; rrit *(pula etj.);* mbledh *(para):* **don't ~ your voice!** mos e ngre zërin!; **~ sb from the dead** e ngjall (prej) së vdekuri dikë; **~ an army** ngre ushtri
raisin /ˈreizin/ *em* rrush i thatë
rake /reik/ *em* krehër, grabujë, rashqel
rally /ˈræli/ *em* mbledhje; tubim; miting; *au* rali; *sp* gjuajtje e pritje
RAM /ræm/ *em tk* (**random access memory**) kujtesë e gjallë (RAM)
ram /ræm/ *em* dash: **the R~** *ast* Dashi, yjësia e Dashit ♦ *kl* ngjesh; rras; përplas

rambl:e /'ræmbl/ *em* shëtitje e gjatë; *bs* dërdëllitje; përçartje ♦ *jk/* shëtit; *bs* flas përçart ♦ **~r** *em* ekskursionit; *bt* trëndafil kacavjerrës ♦ **~ing** *mb* i përçartur; *(grup)* ekskursionistësh

ramp /ræmp/ *em* shkallë *(e aeroplanit)*; plan i/ platformë e pjerrët

rampage /'ræmpeidʒ/ *em:* **be/ go on the ~** marr kot; bëj si i tërbuar ♦ *jk/:* **~ through the streets** lëshohem me tërbim rrugëve

ramshackle /'ræmʃækl/ *mb* i shkallmuar

ran /ræn/ *shih* **run**

ranch /ra:ntʃ/ *em* rançë; fermë për bagëti

rancour /'ræŋkə(r)/ *em* smirë; mllef

random /'rændəm/ *mb* i rastësishëm ♦ *em:* **at ~** rastësisht; më tym

rang /ræŋ/ *shih* **ring**

range /reindʒ/ *em* varg *(malesh);* seri; asortiment *(i prodhimit); mz* gamë, shkallë; *ush* poligon i qitjes; *ush* rreze e qitjes; sobë gatimi: **mountain ~** vargmal; **at a ~ of** nga një largësi prej ♦ *k/* rendit; radhit

rangy /'reindʒi/ *mb* shalëgjatë

rank /ræŋk/ *em* rresht; *ush* gradë; pozitë shoqërore; shkallë: **~ and file** anëtarësi e thjeshtë *(e partisë);* **the ~s** ushtarët e thjeshtë ♦ *k/* rendit **(among** midis, me) ♦ *jk/* renditem

rankle /'ræŋkl/ *jk/ fg (një fjalë)* më-djeg; acarohem

ransack /'rænsæk/ *k/* rrëmoj, kërkoj; plaçkit

ransom /'rænsəm/ *em* peng; shpërblesë: **hold sb to ~** mbaj peng dikë

rant /rænt/ *jk/:* **~ (and rave)** bërtas; flas me të egër

rap[1] /ræp/ *em* goditje e thatë; kërcitje; përgjegjësí për pasojat; akuzë: **take the ~** pranoj pasojat ♦ *k/* godit ♦ *jk/:* **~ at** kërcas; trokas ♦ **~ping** *em* goditje e thatë

rap[2] *em* gjë e vogël; çikërrimë: **he doesn't care a ~** atij s'i bëhet vonë fare

rape /reip/ *em* përdhunim ♦ *k/* përdhunoj

rapid /'ræpid/ *mb* i shpejtë ♦ **~ity** /rə'pidəti/ *em* shpejtësi; rrëmbesë *(e lumit);* vrull

rapist /'reipist/ *em* përdhunues

rapport /ræ'po:(r)/ *em* mirëkuptim; marrëdhënie miqësore

raptur:e /'ræptʃə(r)/ *em* dalldi; ekstazë ♦ **~ous** /- rəs/ *mb* i dalldisur

rar:e /reə(r)/ *mb* i rrallë; *(mish)* gjak, i pabërë: **~ bird** *bs* njeri i rrallë/ që i ka shokët të rrallë ♦ **~ely** *nd* rrallë(herë) ♦ **~efied** /'reərifaid/ *mb* i rralluar ♦ **~efy** *k/* rralloj ♦ **~ity** /'reərəti/ *em* rallësi; gjë e rrallë

rascal /'ræskl/ *em* horr; i poshtër; maskara ♦ **~ly** *mb (burrë)* i poshtër

rase /reiz/ *k/* fshij; spastroj; qëroj

rash[1] /ræʃ/ *em mk* ekzantemë

rash[2] *mb* kokëndezur; i rrëmbyer; i pamenduar ♦ **~ly** *nd* pa mend; me rrëmbim

rasp /ra:sp/ *em* gërvishtje, zhurmë gërvishtëse; kruajtje *(me letërsmeril etj.)* ♦ *k/* gërvisht; kruaj me letërsmeril

rasure /'reizə(r)/ *em* spastrim; fshirje

raspberry /'ra:zbəri/ *em bt* mjedër; shfryrje përçmuese *(me buzë):* **~ tart** *s/* pordhë

rat /ræt/ *em z/* mi arash; *bs* renegat; tradhtar: **smell a ~** *bs* i bie hilesë

rat-a-tat /'rærətæt/ *em* trokëllimë/ trokitje e vazhdueshme

rate /reit/ *em* shpejtësi; tarifë; kurs *(i këmbimit):* **at any ~** sidoqoftë; **at this ~** me këtë shpejtësi/ ritëm *(të rritjes, të zhvillimit);* **exchange ~** kurs i këmbimit ♦ **~** *k/* vlerësoj ♦ *jk/.* **~ as** quhem si; **~ among** renditem ndër *(të mirët)*

rather /'ra:ðə(r)/ *nd* më mirë; në vend që **(than):** **I'd ~ go too** më mirë të shkoj dhe unë; **~ not!** aspak!; **she's ~ better now** ajo është disi më mirë tani

rating /'reitiŋ/ *em:* **~s** *sh* tregues i dëgjuesve/ shikuesve *(të radios, televizionit);* tregues i popullaritetit *(të një figure publike)*

ratio /'reiʃiou/ *em* raport; përpjesëtim: **at the ~ of one to five** në raport një me pesë

ration /'reiʃn/ *em* racion *(ushqimi)* ♦ *k/* racionoj

rational /'ræʃənəl/ *mb* i arsyeshëm; racional

rat race /-reis/ *em bs* karrierizëm; konkurrencë e egër

rattle /'rætl/ *em* trakullimë; rrapëllimë; çakalle; rrake(take) *(për fëmijë)* ♦ *jk/* trakullin; rrapëllin ♦ *k/* tund; *bs* hutoj: **he was ~ed** ai u trondit/ u hutua

rattlesnake /-sneik/ *em z/* gjarpër me zile

rattrap /'ræ(t)træp/ *em* çark minjsh; *fg* kurth

raucous /'ro:kəs/ *mb (zë)* i ngjirur

ravage /'rævidʒ/ *em* rrënim: **~s of the war** rrënimet e luftës ♦ *k/* rrënoj

rave /reiv/ *jk/* jermoj; flas përçart: **~ about** luaj mendsh/dalldis për

ravel /'rævl/ *k/* ngatërroj ♦ *jk/* ngatërrohem

raven /'reivn/ *em z/* korb ♦ *mb (flok)* i zi si pendë korbi ♦ *jk/* ha si i babëzitur ♦ **~ous** *mb* i babëzitur ♦ **~ly** *nd* me babëzi; si i babëzitur

ravine /rə'vi:n/ *em* përroskë

raving /'reiviŋ/ *mb* përçartur; *(bukuri)* e mahnitshme

ravish /'ræviʃ/ *k/* magjeps, mahnit; rrëmbej, grabit *(një grua)* ♦ **~ing** *mb* magjepsës

raw /ro:/ *mb* i pagatuar; *(lëndë)* e papërpunuar, e parë; *(mot)* i lagësht e i ftohtë; *(njeri)* i pamësuar; i papërvojë: **~ meat** mish i gjallë/ i pabërë; **in the ~** lakuriq; pa zbukurim; **get a ~ deal** *bs* ma hedhin; e ha tekun; dal me humbje

ray /rei/ *em* rreze: **~ of hope** rrezel fije shprese; **X ~** *fz* rreze X

razzle-dazzle /ræzl'dæzl/ *em am,* **razzmatazz** / mæzmə'tæz/ *em* rrëmujë; të qeshura plot zhurmë; manovër e ngatërruar; ngjyra të përziera kot

razor /'reizə(r)/ *em* brisk rroje ♦ **~-blade** /-bleid/

em brisk i berberit; teh i briskut ✦ **~edge** /-edʒ/ *em:* **be on a ~** jam në tel të thikës

re /ri:/ *prfj* për; lidhur me

reach /ri:tʃ/ *em* zgjatje; nderje *(e dorës);* rreze *(e veprimit):* **within ~** i arritshëm; i kapshëm; **out of ~** i paarritshëm; **the upper ~s of the river** rrjedhja e sipërme e lumit ✦ *kl* zgjat *(dorën);* kap; mbërrij; arrij, kaloj: **I can't ~ it** s'e arrij/ kap dot; nuk mbërrij dot; **~ for sth** zgjatem për të kapur diçka

react /ri'ækt/ *jkl* kundërveproj ✦ **~ion** /-'ækʃn/ *em* reaksion; kundërveprim ✦ **~or** *em* reaktor

read /ri:d/ (**read** /red/) *kl, jkl* lexoj; studioj: **~ out** lexoj me zë të lartë ✦ **~er** *em* lexues; libër leximi

readi:ly /'redili/ *nd* me dëshirë; me lehtësi; kollaj ✦ **~ness** *em* gatishmëri

reading /'ri:diŋ/ *em* lexim: **this book makes good ~** ky libër lexohet me kënaqësi

ready /'redi/ *mb* i gatshëm; i shpejtë: **get ~** përgatitem ✦ **~made** /-meid/ *mb (rroba)* të gatshme ✦ **~ money** /-'mʌni/ *em* para të thyera ✦ **~-to-cook** /-tu'kuk/ *mb (ushqim)* gjysmë i gatshëm ✦ **~-to-wear** /-tə'wɛə(r)/ *mb (rroba)* të gatshme

reaffirm /riə'fə:(r)m/ *kl* konformoj

reagent /ri:'eidæənt/ *em km* reaktiv; lëndë reaktive

real /ri:əl/ *mb* i vërtetë: **~ estate** *em* pasuri e patundshme; **is it ~?** ✦ *nd* vërtet

realis:ation /riəlai'zeiʃn/ *em* përmbushje *(e qëllimit);* kuptim; perceptim ✦ **~e** /'riəlaiz/ *kl* përmbush *(qëllimin);* kuptoj: **I did not ~ that...** s'e kuptova që...

real:ism /'riəlizm/ *em* realizëm ✦ **~ist** /em* realist ✦ **~istic** /-'listik/ *mb* realist ✦ **~ity** /ri'æləti/ *em* realitet ✦ **~ly** /'riəli/ *nd* vërtet: **~!** ashtu

reap /ri:p/ *kl* korr; kosit ✦ **~er** *em* korrës; kositës

reappear /ri:ə'piə(r)/ *jkl* rishfaqem; dal/ dukem përsëri

rear[1] /riə(r)/ *kl* rrit ✦ *jkl (kali)* ngrihet kas (**up**)

rear[2] *mb* i pasmë; i prapmë: **~ end** fund; **~-light** *au* dritë e pasme; **~-view mirror** *au* pasqyrë e pasme ✦ *em:* **from the ~** nga prapa; në shpinë; *ush* në prapavijë

reason /'ri:zn/ *em* arsye: **within ~** i arsyeshëm ✦ *jkl* arsyetoj: **~ with** kërkoj të bind ✦ **~able** *mb* i arsyeshëm ✦ **~ing** *em* arsyetim

reassur:e /ri:ə'ʃuə(r)/ *kl* risiguroj; siguroj; qetësoj ✦ **~ing** *mb (lajm)* qetësues; që të ngroh *(zemrën)*

rebate /'ribeit/ *em* ulje; zbritje *(e çmimit)* ✦ *kl* i bëj zbritje *(çmimit)* ✦ *jkl* shes me zbritje

rebel /'rebl/ *em* rebel ✦ /ri'bel/ *jkl* rebelohem; ngre krye ✦ **~lion** /ri'beljən/ *em* rebelim ✦ **~lious** / ri'beljəs/ *mb* i rebeluar; i pabindur

rebirth /ri'bə:(r)θ/ *em* rilindje

rebound /'ri:baund/ *em* përplasje; kthim; kundërveprim *(pas një disfate):* **catch sth on the ~** kap fluturimthi diçka ✦ /ri'baund/ *jkl (topi)* kërcen; *(çeku)* kthehet, prapësohet, nuk pranohet

rebuff /ri'bʌf/ *em* qortim i ashpër; fyerje ✦ *kl* qortoj ashpër; fyej

rebuild /ri:'bild/ *kl* (**~built** /-bilt/) rindërtoj

rebuk:e /ri'bju:k/ *em* qortim ✦ *kl* qortoj ✦ **~ing** *mb (vështrim)* qortues

rebuttal /ri'bʌtl/ *em* kundërshtim; hedhje poshtë

recall /ri'ko:l/ *em* prapësim; revokim: **beyond ~** i paprapësueshëm ✦ *kl* prapësoj; revokoj; kthej në atdhe *(një diplomat);* kujtoj; sjell në mend

receipt /ri'si:t/ *em* dëftesë; faturë e pagesës; marrje në dorëzim ✦ **~s** *sh trg* arkëtim; hyrje

receive /ri'si:v/ *kl* marr ✦ **~r** *em* marrës; radio-marrëse; mbajtës i sendeve të vjedhura

recent /'ri:snt/ *mb* i (kohëve të) fundit ✦ **~ly** *nd* së fundi

reception /ri'sepʃn/ *em* pritje; marrje *(me rd);* sportel *(i regjistrimit në hotel)* ✦ **~ist** *em* sportelist, recepsionist *(i hotelit)*

recession /ri'seʃn/ *em* tërheqje *(e ujërave);* ek recesion; rënie

recharge /ri:'tʃa:(r)dʒ/ *kl* ringarkoj *(bateritë)*

recipe /'resəpi/ *em* recetë *(e mjekut, e gatimit)*

reciproca:l /ri'siprəkl/ *mb* i ndërsjellë, reciprok ✦ **~te** /-keit/ *kl* shkëmbej; i përgjigjem *(së mirës me të mirë etj.)*

reckless /'reklis/ *mb* i pamenduar; i krisur ✦ **~ly** *nd* pa mend; si i krisur

reckon /'rekn/ *kl* llogarit: **~ on/ with** i bëj llogaritë me; kam besim te; **I ~ so** ashtu më duket ✦ **~ing** *em* llogari: **be out in one's ~s** i bëj gabim llogaritë

recla:im /ri'kleim/ *kl* ndreq; përmirësoj; kthej në udhë të mbarë *(dikë)* ✦ **~mation** /reklə'meiʃn/ *em* ndreqje; përmirësim; kthim në udhë të mbarë

recogni:se /'rekəgnaiz/ *kl* njoh ✦ **~tion** /rekə'gniʃn/ *em* njohje; mirënjohje

recoil /ri'koil/ *jkl* zmbrapsem *(nga frika)*

recollect /rekə'lekt/ *kl* kujtoj ✦ **~ion** /-'lekʃn/ *em* kujtim

recommend /rekə'mend/ *kl* rekomandoj ✦ **~ation** /-'deiʃn/ *em* rekomandim

recompense /'rekəmpens/ *em* shpërblim

reconcil:e /'rekənsail/ *kl* pajtoj; përputh: **~ one-self to** pajtohem me ✦ **~iation** /rekənsili'eiʃn/ *em* pajtim

reconnaissance /ri'konisəns/ *em ush* zbulim

reconstruct /ri:kən'strʌkt/ *kl* rindërtoj ✦ **~ion** /-'strʌkʃn/ *em* rindërtim

record[1] /ri'ko:(r)d/ *kl* regjistroj; shënoj

record[2] /'reko:(r)d/ *em* dokument; dosje; *mz* pllakë; *sp* rekord: **keep ~ of** mbaj dosje për; **off the ~** jozyrtar; **have a** (**criminal**) **~** kam dosje penale; **break a ~** *sp* thyej një rekord

record:er /ri'ko:(r)də(r)/ *em* regjistrues; proto-kollues: **tape ~** magnetofon ✦ **~ing** *em* regjistrim

record-holder /-houldə(r)/ *em sp* rekordmen ♦ **~-player** /-pleiə(r)/ *em* gramafon

recount[1] /ri'kaunt/ *k/* tregoj

recount[2] /'ri:kaunt/ *em pl* numërim i votave ♦ / ri:'kaunt/ *k/* numëroj

recover /ri'kʌvə(r)/ *k/, jk/* rimarr; rifitoj *(paratë e humbura);* e marr prapë veten; mëkëmb(em) ♦ **~y** *em* rifitim; mëkëmbje

recreation /rekri'eiʃn/ *em* zbavitje; argëtim

recrimination /rikrimi'neiʃn/ *em* ankim

recruit /ri'kru:t/ *em ush* rekrut; punëtor i ri ♦ *k/* rekrutoj; punësoj ♦ **~ment** *em* rekrutim; punësim ♦ **~ agency** /-'eidʒənsi/ *em* zyrë pune

rectang:le /'rektæŋgl/ *em* katërkëndësh ♦ **~ular** / -'tæŋgjulə(r)/ *mb (figurë)* katërkëndëshe

recurren:ce /ri'kʌrəns/ *em* përsëritje *(e një dukurie)* ♦ **~t** *mb* i përsëritur

recycl:e /ri:'saikl/ *k/* riqarkulloj; ricikloj ♦ **~ing** *em* riqarkullim; riciklim

red[1] /red/ *mb, em* i kuq: **in the ~** *(llogari)* e zbuluar; **see ~** më erren sytë *(nga zemërimi)*

red[2] *shih* **read**

red alarm /-ə'la:(r)m/, **alert** /-ə'lə:(r)t/ *em* arlamr numër një ♦ **~card** /'-ka:(r)d/ *em sp* karton i kuq ♦ *k/* nxjerr me karton të kuq *(një lojtar nga fusha)*

redden /'redn/ *k/* skuq ♦ *jk/* skuqem ♦ **~ish** *mb* kuqalash

rede:em /ri'di:m/ *k/ ft* shpëtoj, shëlboj; shlyej, laj *(një borxh)* ♦ **~ing quality** anë e mirë ♦ **~emption** / -'dempʃn/ *em* shpengim; shpërblesë

red:-handed /-'hændid/ *mb:* **catch sb ~** zë me presh në duar dikë ♦ **~ heat** /-hi:t/ *em* skuqje e metalit *(në temperaturë të lartë)* ♦ **~ herring** /-'heriŋ/ *em* mashtrim ♦ **~-hot** /-hot/ *mb* i skuqur *(në zjarr)* ♦ **R~ Indian** /-'indjən/ *em* Indian lëkurëkuq ♦ **~letter** /-letə(r)/ *mb (ditë)* feste; festiv ♦ **~ light** /-lait/ *em au* dritë e kuqe e semaforit ♦ **~ light district** *em* lagje e bordellove

redouble /ri:'dʌbl/ *k/* dyfishoj; shtoj *(përpjekjet, shumën)*

redress /ri'dres/ *em* ndreqje; rregullim ♦ *k/* ndreq; rivendos *(raportin e forcave)*

red tape /-teip/ *em* burokraci; procedurë burokratike

reduc:e /ri'dju:s/ *k/* zvogëloj; ul; *mat* thjeshtoj; nënshtroj, shtyp ♦ **~tion** /ri'dʌkn/ *em* pakësim; zvogëlim; nënshtrim; zbritje

redundan:cy /ri'dʌndənsi/ *em* pushim nga puna ♦ **~t** *mb* i tepërt; i pushuar nga puna; **make ~t** pushoj nga puna; nxjerr të tepërt; **be made ~t** pushohem nga puna

reed /ri:d/ *em bt* kallam

reek /ri:k/ *jk/* qelbet; bie erë **(of)**

reel /ri:l/ *em* bobinë; rrotë; gjep *(i fijes)* ♦ *jk/* lëkundem; më merren këmbët

refer /ri'fə:(r)/ *k/* përcjell; e kaloj *(çështjen në instancë tjetër);* lidh; shpjegoj: **~ to** bëj fjalë për; i referohem

(një autori) ♦ **~ee** /refə'ri:/ *em* arbitër; gjykatës ♦ *k/, jk/* arbitroj; gjykoj ♦ **~ence** /'refərəns/ *em* referim; përcjellje; rekomandim *(për punë):* **'your ~'** "lidhur me tuajën"; **with ~ to** për sa i takon ♦ **~endum** / refə'rendəm/ *em* referendum

refill /'ri:fil/ *em* rezervë *(stilolapsi etj.)* ♦ /ri:'fil/ *k/* rimbush; ringarkoj

refine /ri'fain/ *k/* pastroj; rafinoj ♦ **~ment** *em* pastrim; rafinim; sqimë ♦ **~ry** *em* rafineri

reflect /ri'flekt/ *k/* pasqyroj ♦ *jk/* mendoj; përsiat **(on):** **~ badly on sb** *fig* nxjerr në dritë të keqe dikë ♦ **~ion** /-'flekʃn/ *em* pasqyrim; figurë e pasqyruar: **on ~ion** si mendohem mirë ♦ **~or** *em* reflektor *(i telskopit etj.)*

reflex /'ri:fleks/ *em* refleks ♦ *mb (folje)* vetvetore

reform /ri'fo:(r)m/ *em* reformë ♦ *k/* reformoj; riedukoj ♦ *jk/* reformohem; ndreqem ♦ **Reformation** / refə(r)'meiʃn/ *em ft* reformacion ♦ **~er** *em* reformator

refrain[1] /ri'frein/ *em mz, lt* refren

refrain[2] *k/* përmbaj; ndrydh: **~ oneself from doing sth** e mbaj veten që të mos e bëj diçka ♦ *jk/* përmbahem **(from)**

refresh /ri'freʃ/ *k/* rifreskoj; përtërij ♦ **~ing** *mb* përtëritës; freskues ♦ **~ments** *em sh* shprishë; pije freskuese

refrigerate /ri'fridʒəreit/ *k/* ruaj në frigorifer ♦ **~or** *em* frigorifer

refuel /ri:'fjuəl/ *k/* furnizoj me karburant ♦ *jk/* furnizohem me karburant

refuge /'refju:dʒ/ *em* strehë; mbrojtje: **take ~ in** strehohem me ♦ **~e** /-'dʒi:/ *em* refugjat

refund /'ri:fʌnd/ *em* ripagim; kthim *(i parave)* ♦ / ri'fʌnd/ *k/* ripaguaj; kthej *(paratë)*

refurbish /ri:'fə:(r)biʃ/ *k/* përtërij, ndërroj *(tapicerinë etj. e shtëpisë)* ♦ **~ment** *em* përtëritje *(e shtëpisë)*

refu:se /'refju:s/ *em* hedhurina; shkarkesa; mbeturina ♦ /ri'fju:z/ *k/, jk/* nuk pranoj; hedh poshtë; refuzoj ♦ **~sal** *em* prapësim; mospranim; refuzim ♦ **~te** /ri'fju:t/ *k/* rrëzoj me prova ♦ **~tation** / rifju:'teiʃn/ *em* prapëzim; refuzim; hedhje poshtë

regal /'ri:gl/ *mb* mbretëror ♦ **~ia** /-'geiliə/ *em sh* tagër mbretëror

regard /ri'ga:(r)d/ *em* nderim; vlerësim; **~s** *sh* përshëndetje; të fala: **send my ~s to...** bëji të fala... ♦ *k/* nderoj; vlerësoj; quaj, gjykoj: **as ~s** lidhur me ♦ **~ing** *prfj* lidhur me ♦ **~less** *nd* pavarësisht nga: **~ of expense** pa pyetur për shpenzimet

regatta /ri'gætə/ *em sp* regatë *(garë me barka)*

regime /rei'ʒi:m/ *em* regjim

regiment /'redʒimənt/ *em* regjiment

region /'ri:dʒən/ *em* krahinë; rajon: **in the ~ of** *fig* rreth; afërsisht ♦ **~al** *mb* krahinor

regist:er /'redʒistə(r)/ *em* regjistër: **cash ~** makinë e arkës ♦ *k/* regjistroj ♦ *jk/* regjistrohem ♦ **~ered**

mb (markë prodhimi) e regjistruar; *(mk etj.)* i diplomuar ♦ **~rar** /-ra:(r)/ *em* nëpunës i gjendjes civile ♦ **~ration** /-'reiʃn/ *em* regjistrim; sigurim *(i bagazhit)* ♦ **~ry** *em* zyrë e gjendjes civile ♦ **~ office** /-'ofis/ *em* zyrë e gjendjes civile

regret /ri'gret/ *em* pendim; keqardhje ♦ *k*/ më vjen keq, pendohem për: **I ~ that** më vjen keq që ♦ **~able** *mb (gabim)* për të ardhur keq; i vajtueshëm ♦ **~fully** *nd* me keqardhje

regula:r /'regjulə(r)/ *mb* i rregullt; i zakonshëm ♦ *em* klient i përhershëm/ rregullt ♦ **~rity** /-'lærəti/ *em* rregullsi ♦ **~rly** *nd* rregullisht ♦ **~te** /-eit/ *k*/ regulloj ♦ **~tion** /-'leiʃn/ *em* rregull(ore)

rehabilitate /ri:hə'biliteit/ *k*/ rehabilitoj ♦ **~ion** /-'teiʃn/ *em* rehabilitim *(i të dënuarit)*

rehears:e /ri'hə:(r)s/*k*/, *jk*/ bëj prova ♦ **~al** *em tt* provë: **dress ~** provë me kostume

reign /rein/ *em* sundim; mbretërim ♦ *jk*/ mbretëroj; sundoj

rein /rein/ *em* ʄre *(i kalit)*

reimburse /ri:im'bə:s/ *k*/: **~ sb for sth** ia kthej paratë dikujt për diçka

reincarnation /ri:inka:(r)'neiʃn/ *em* rimishërim; tritrupëzim

reinforce /ri:in'fo:(r)s/ *k*/ përforcoj ♦ **~d concrete** *em* betonarmé ♦ **~ment** *em* përforcim

reject /'ri:dʒækt/ *em* prodhim skarco, skarcitet; njeri i hedhur jashtë shoqërisë ♦ /ri'dʒekt/ *k*/ hedh poshtë ♦ **~ion** /-'dʒekʃn/ *em* hedhje poshtë ♦ **~ shop** /-ʃop/ *em* dyqan skarcitetesh

rejoic:e /ri'dʒois/ *jk*/ gëzohem **(at, over** për) ♦ **~ing** *em* gëzim

relapse /ri'læps/ *em* rënie; rikthim ♦ *jk*/ bie; kthehem prapë *(në një zakon)*

relat:e /ri'leit/ *k*/ tregoj; lidh *(dy fakte etj.)* ♦ *jk*: **~ to** ka lidhje me; jam fis *(me dikë)* ♦ **~ion** /-'leiʃn/ *em* marrëdhënie; kushëri; krushqi: **~ by marriage** krushk ♦ **~tionship** /-'leiʃnʃip/ *em* lidhje *(gjaku, krushqie)*; marrëdhënie ♦ **~ive** /'relətiv/ *em* kushëri; fis ♦ *mb* i lidhur me; që ka lidhje; relativ ♦ **~ively** *nd* deri diku; relativisht; në krahasim me

relax /ri'læks/ *k*/ lëshoj; shtendos *(nervat, muskujt)*; qetësoj; zbut ♦ *jk*/ qetësohem ♦ **~ation** /-'seiʃn/ *em* lëshim; shtendosje *(e nervave, e muskujve)*; qetësim ♦ **~ing** *mb (atmosferë)* qetësuese

relay /'ri:lei/ *em e*/ rele; *sp* stafetë ♦ *k*/ *rtv* ritransmetoj

release /ri'li:s/ *em* lëshim; shpërndarje, nxjerrje në qarkullim *(e filmit)*: **press ~** njoftim i shtypit ♦ *k*/ lëshoj; nxjerr *(një film etj.)*; *(një reaksion)* çliron *(oskigjen etj.)*

relegat:e /'religeit/ *k*/ ul; zbres; degdis: **be ~d** *sport (një skuadër)* del/ bie nga kategoria ♦ **~ion** /relə'geiʃn/ *em* ulje/ zbritje *(në kateogori të dytë etj.)*

relent /ri'lent/ *jk*/ lëshoj; zbutem ♦ **~less** *mb* i pamëshirshëm; i paprerë ♦ **-lessly** *nd* pa pushim

relevan:ce /'reləvəns/ *em* përkatësi; lidhje ♦ **~t** *mb*

---

përkatës; i lidhur **(to** me)

relia:bility /rilaiə'biləti/ *em* besueshmëri; siguri ♦ **~ble** /-'laiəbl/ *mb (burim)* i besueshëm; i sigurt ♦ **~nce** /ri'laiəns/ *em* mbështetje; besim **(on** te, në)

relic /'relik/ *em ft* relik; **~s** *em sh* eshtra; mbetëza

relie:f /ri'li:f/ *em* lehtësim; ndihmë: **with some ~** me njëfarë lehtësimi

relief *em* relief

relieve /ri'li:v/ *k*/ lehtësoj; zëvendësoj: **~ sb of sth** e çliroj dikë nga diçka

religio:n /ri'lidʒən/ *em* fe ♦ **~us** *mb* fetar ♦ **~sity** *em* fetarí

relinquish /ri'liŋkwiʃ/ *k*/ lëshoj; lë; braktis: **~ sth to sb** ia lë diçka dikujt

relish /'reliʃ/ *em* shije; kënaqësi ♦ *k*/, *jk*/ shijoj; vlerësoj

reluctan:ce /ri'lʌktəns/ *em* pahir; ngurrim ♦ **~t** *mb* ngurrues; i stepur ♦ **~ly** *nd* me ngurrim

rely /ri'lai/ *jk*/ mbështetem; kam besim **(on)**

remain /ri'mein/ *jk*/ rri; mbetem ♦ **~s** *em sh* mbetje; eshtra *(të të vdekurit)* ♦ **~der** *em* mbetje ♦ **~ing** *mb* i mbetur: **in the ~ days** në ato ditë që kishin mbetur

remand /ri'ma:nd/ *em* paraburgim ♦ *k*/ **~ in custody** kthej në paraburgim

remark /ri'ma:(r)k/ *em* vërejtje; vëzhgim ♦ *k*/ vërej; vrojtoj ♦ **~able** *mb* i jashtëzakonshëm

remedy /'remədi/ *em* bar; shpëtim ♦ *k*/ shëroj; ndreq *(një gabim)*

rememb:er /ri'membə(r)/ *k*/ kujtoj; kujtohem për ♦ **~rance** *em* përkujtimore

remind /ri'maind/ *k*: **~ sb of sth** ia kujtoj diçka dikujt ♦ **~er** *em* (për)kujtesë; letër paralajmërimi

remiss /ri'mis/ *mb* i pakujdesshëm; punëlënë

remi:ssion /ri'miʃn/ *em* ndjesë; falje ♦ **~t** /-'mit/ *k*/ ndjej; fal ♦ **~tance** /-mitəns/ *em* ndjesë; falje; pagesë: **~s from abroad** para të ardhura (në vend) nga jashtë

remnant /'remnənt/ *em* mbetje; mbeturinë; tepricë

remorse /ri'mo:(r)s/ *em* pendim; keqardhje; brejtje e ndërgjegjes ♦ **~full** *mb* i penduar

remote /ri'mout/ *mb* i largët; *(mundësi)* tepër e vogël: **~ access** *inf* lidhje në largësi; **~ control** telekomandë; **~controlled** i telekomanduar ♦ **~ly** *nd* largas

remov:al /ri'mu:vl/ *em* heqje; shkarkim *(nga puna)*; shpërngulje; smontim ♦ **~e** *k*/ largoj; heq *(njollën, dyshimin)*; zhvesh

remunerat:e /ri'mju:nəreit/ *k*/ shpërblej ♦ **~ion** /-'reiʃn/ *em* shpërblim ♦ **~ive** *mb (punë)* që paguhet mirë

rend /rend/ **(rent)** gris; shqyej

render /'rendə(r)/ *k*/ bëj *(një të mirë)* ♦ **~ing** *em mz* interpretim

renew /ri'nju:/ *k*/ përtërij; shtyj afatin e *(kontratës, librit)* ♦ **~al** *em* përtëritje *(e kontratës)*; shtyrje e afatit

renounce /ri'nauns/ *kl* heq dorë nga; braktis

renovat:e /'renəveit/ *kl* përtërij ✦ **~ion** /renə'veiʃn/ *em* përtëritje

renown /ri'naun/ *em* emër; famë ✦ **~ed** *mb* i dëgjuar; i famshëm

rent /rent/ *em* qirá ✦ *kl* lëshoj me qirá (**out**) ✦ **~al** *em* lëshim me qirá

renunciat:e /ri'nʌnsieit/ *kl* hed dorë; mohoj ✦ **~ion** /-'eiʃn/ *em* mohim; heqje dorë (**of** nga)

rep¹ /rep/ *em trg bs* përfaqësues

rep² /rep/ *em* teatër i repertorit

repair /ri'pɛə(r)/ *em* ndreqje; riparim; **in good ~** në gjendje të mirë ✦ *kl* ndreq; riparoj

repay /ri:'pei/ *kl* (-**paid** /-'peid/) kthej *(paratë);* paguaj *(borxhin);* ripaguaj; shpërblej: **~ sb a hundred-fold** ia shpërblej njëqindfish dikujt

repeat /ri'pi:t/ *em* përsëritje; ritransmetim *(i programit)* ✦ *kl, jkl* përsërit ✦ **~ed** /-id/ *mb* i përsëritur ✦ **~edly** *nd* përsëri

repent /ri'pent/ *jkl* pendohem ✦ **~ance** *em* pendim; pendesë

repercussions /ri:pə(r)'kʌʃənz/ *em sh* jehonë

repertoire /'repətwa:(r)/ *em* repertor

repetiti:on /repi'tiʃn/ *em* përsëritje ✦ **~ve** /'petitiv/ *mb* përsëritës; *(armë)* automatike

replace /ri'pleis/ *kl* kthej në vend; rivendos; zëvendësoj ✦ **~ment** *em* zëvendësim; zëvendësues: **my ~ has not arrived** s'më ka ardhur zëvendësi ✦ **~ part** /-'pa:(r)t/ *em* pjesë ndërrimi/ këmbimi

replay /'ri:plei/ *em sp* ndeshje e përsëritur: (**action**) **~** kthim *(i shiritit të videos etj.)*

replica /'replikə/ *em* kopje; ripordhim

reply /ri'plai/ *em* përgjigje (**to**): **~ paid** *(telegram)* me përgjigje të paguar ✦ *kl, jkl* përgjigjem

report /ri'po:(r)t/ *em* njoftim; raport; thashethem ✦ *kl* raportoj; njoftoj; **~sb to the police** denoncoj në polici dikë ✦ *jkl* raportoj; paraqitem ✦ **~edly** *nd* nga sa thuhet ✦ **~er** *em* reporter; (radio/ tele)-kronist

repose /ri'pouz/ *em* pushim; prehje

reprehensible /repri'hensəbl/ *mb* i qortueshëm; i dënueshëm

represent /repri'zent/ *kl* përfaqësoj ✦ **~ative** *mb, em* përfaqësues

repress /ri'pres/ *kl* shtyp ✦ **~ion** /-'preʃn/ *em* shtypje; represion ✦ **~ive** *mb* shtypës

reprieve /ri'pri:v/ *em* pezullim; zbutje *(e masës); fg* pushim ✦ *kl* pezulloj; zbut *(masën)*

reprimand /'reprima:nd/ *em* qortim ✦ *kl* qortoj

reprisal /ri'praizl/ *em* raprezalje; hakmarrje: **in ~ for** si hakmarrje kundër

reproach /ri'proutʃ/ *em* qortim ✦ *kl* qortoj ✦ **~ful** *mb* qortues ✦ **~fully** *nd* qortueshëm; me qortim

reproduc:e /ri:prə'dju:s/ *kl* riprodhoj ✦ *jkl* riprodhohet ✦ **~tion** /-'dʌkʃn/ *em* riprodhim

reprov:e /ri'pru:v/ *kl* qortoj; dënoj *(një veprim)* ✦ **~ing** *mb* qortues

reptile /'reptail/ *em zl* zvarranik; rrëshqanor

republic /ri'pʌblik/ *em* republikë ✦ **~an** *mb, em* republikan

repudiat:e /ri'pju:dieit/ *kl* shpërnjoh, mohoj; hedh poshtë, kundërshtoj ✦ **~ion** /-'eiʃən/ *em* mohim; kundërshtim

repugnance /ri'pʌgnəns/ *em* neveri; ndot ✦ **~t** *mb* i neveritshëm

repulsi:on /ri'pʌlʃn/ *em* shtytje; zmbrapsje; efsh: ndot ✦ **~ve** /-'pʌlsiv/ *mb* i ndotë; i krupshëm ✦ **~vely** *nd* me ndot; me neveri; në mënyrë të neveritshme

reputa:ble /'repjutəbl/ *mb* i nderuar; i dëgjuar; i besueshëm ✦ **~tion** /-'teiʃn/ *em* emër; nam; nderim: **he has a ~ as a lier** atij i ka dalë nami i gënjeshtar

request /ri'kwest/ *em* kërkesë ✦ *kl* kërkoj

require /ri'kwaiə(r)/ *kl* kërkoj; kam nevojë për; (më) nevojitet *(diçka):* **you re ~d to...** duhet të... ✦ **~ment** *em* kërkesë; nevojë

rescue /'reskju:/ *em* shpëtim ✦ *kl* shpëtoj ✦ **~r** *em* shpëtimtar ✦ **~ operation** /-opə'reiʃn/ *em* operacion shpëtimi ✦ **~ party** /-pa:(r)ti/ *em* grup shpëtimi

research /ri'sə:tʃ/ *em* kërkim; hulumtim ✦ *kl* kërkoj; bëj kërkime për ✦ *jkl* hetoj; hulumtoj (**into** për) ✦ **~er** *em* kërkues; hulutmues; punonjës kërkimor

resembl:ance /ri'zemblens/ *em* ngjashmëri: **bear ~** ka ngjashmëri ✦ **~e** *kl* ngjaj me

resent /ri'zent/ *kl* mërij; kam inat ✦ **~ful** *mb* i mërishëm ✦ **~ment** *em* mëri; zemërim

reserv:ation /rezə'veiʃn/ *em* rezervë; kusht; rezervim; ruajtje ✦ **~e** /ri'zə:v/ *em* rezervë; ndruajtje ✦ *kl* rezervoj; ruaj *(të drejtën të)* ✦ **~oir** /'rezəvwa:(r)/ *em* rezervuar

reshuffle /ri:'ʃʌfl/ *em p/* ndryshim *(i qeverisë)* ✦ *kl pl* ndryshoj *(kabinetin qeveritar)*

reside /ri'zaid/ *jkl* banoj ✦ **~nce** /'rezidəns/ *em* banesë; qëndrim; rezidencë ✦ **~nt** *mb* banues; me banim/ me rezidencë (në) ✦ *em* banor ✦ **~ntial** /rezi'denʃl/ *mb (lagje)* banimi

resign /ri'zain/ *kl* jap dorëheqjen nga: **~ oneself to** i nënshtrohem *(fatit)* ✦ *jkl* jap dorëheqjen ✦ **~ation** /rezig'neiʃn/ *em* dorëheqje

resilien:ce /ri'ziliəns/ *em* elasticitet ✦ **~t** *mb* elastik

resin /'rezin/ *em* rrëshirë

resist /ri'zist/ *kl* i qëndroj; rezistoj *(diçkaje);* duroj: **~ temptation** i qëndroj tundimit ✦ *jkl* qëndron; rezistoj; duron ✦ **~ance** *em* qëndresë; rezistencë ✦ **~ant** *mb* i qëndrueshëm; rezistent: **fire-~** zjarrdurues

resolut:e /'rezəlu:t/ *mb* i vendosur ✦ **~ly** *nd* me vendosmëri ✦ **~ion** /-'lu:ʃən/ *em* vendosmëri;

rezolutë

resolve /ri'zolv/ *em* vendosmëri; vendim ♦ *kl:* **~ to do** vendos të bëj

resonance /'rezənəns/ *em* rikumbim ♦ **~t** *mb* rikumbues

resort /ri'zo:(r)t/ *em* vend pushimi: **last ~** mjet i fundit ♦ *jkl:* **~ to** i drejtohem *(ligjit);* përdor *(dhunë etj.)*

resound /ri'zaund/ *jkl* kumbon; ushton (**with** me, nga) ♦ **~ing** *mb:* **~ victory** fitore e bujshme/ vendimtare

resource /ri'so:(r)s/ *em:* **~s** *sh* burime *(materiale, njerëzore)* ♦ **~ful** *mb* i shkathët; mendjefemër; që s'mbetet kurrë keq; *(zgjidhje)* e mençur

respect /ri'spekt/ *em* respekt; anë, pikëpamje: **with ~ to** lidhur me; për sa ka të bëjë me ♦ *kl* respektoj ♦ **~able** *mb* respektueshëm ♦ **~ful** *mb* i respektuar; që respekton ♦ **~fully** *nd* me respekt

respective /ri'spektiv/ *mb* përkatës ♦ **~ly** *nd* përkatësisht

respirat:ion /respi'reiʃn/ *em* frymëmarrje ♦ **~ory** /ri'spaiərətri/ *mb (organ)* i frymëmarrjes

respite /'resp(a)it/ *em* pushim; ndërprerje: **without ~** pa pushim

respon:d /ri'spond/ *jkl* përgjigjem; kundërveproj (**to** ndaj) ♦ **~se** *em* përgjigje; kundërveprim ♦ **~sibility** /-sə'biləti/ *em* përgjegjësi ♦ **~sible** /-'sponsəbl/ *mb* përgjegjës; i përgjegjshëm; *(punë)* me përgjegjësi ♦ **~sive** /-siv/ *mb:* **be ~** *(salla)* pret *(mirë lojën e aktorit etj.);* kundërpërgjigjem

rest¹ /rest/ *em* pushim: **at ~** në prehje/ pushim; **have a ~** pushoj; bëj një pushim ♦ *kl* pushoj; mbështet; vë ♦ *jkl* pushoj; prehem; mbështetem; var shpresat: **it ~s with you** ti e ke në dorë; **here ~s** këtu prehet

rest² *em:* **the ~** mbetje; të tjerët; **keep the ~** mbaje kusurin/ mbetjen

restaurant /'restərənt/ *em* restorant

restful /'restful/ *mb* prehës

restive /'restiv/ *mb* i shqetësuar; i trazuar

restless /'restlis/ *mb* i shqetësuar; i ethshëm ♦ **~ly** *nd* me shqetësim; në ethe

restor:ation /restə'reiʃn/ *em* kthim; restaurim; rivendosje ♦ **~e** /ri'sto:(r)/ *kl* rivendos; restauroj *(një tablo);* jap prapë, kthej

restrain /ri'strein/ *kl* pengoj; mbaj; frenoj ♦ **~t** *em* frenim; vetëpërmbajtje; përkorë

restrict /ri'strikt/ *kl* kufizoj; ngushtoj: **~ oneself to** kufizohem/mjaftohem me ♦ **~ion** /-'strikʃn/ *em* kufi; kufizim ♦ **~ive** *mb* kufizues

result /ri'zʌlt/ *em* përfundim; rezultat: **as a ~ of** për shkak të ♦ *jkl* përfundon; del; shkaktohet (**from** nga)

resum:e /ri'zju:m/ *kl* rifilloj ♦ **~ption** /ri'zʌmpʃn/ *em* rifillim

resurrect /rezə'rekt/ *kl* ringjall ♦ **~ion** /-ekʃn/ *em:*

the R~ion *ft* Ringjallja

resuscitate /ri'sʌsiteit/ *kl* ringjall; kthej në jetë ♦ **~ion** /-'teiʃn/ *em* ringjallje

retail /'ri:teil/ *em* shitje me pakicë ♦ *mb, nd* me pakicë: **~ price** çmim i shitjes me pakicë ♦ **~er** *em* shitës me pakicë

retain /ri'tein/ *kl* mbaj; ruaj: **~ a clear memory of sth** më kujtohet mirë diçka

retaliat:e /ri'tælieit/ *jkl* hakmerrem ♦ **~ion** /-'eiʃən/ *em* hakmarrje

retard /ri'ta:(r)d/ *kl* vonoj ♦ *jkl* vonohem ♦ *em* njeri me zhvillim mendor/ fizik të vonuar ♦ **~ed** *mb (zhvillim mendor, fizik)* i vonuar

retentive /ri'tentiv/ *mb (kujtesë)* e fortë

reticence /'retisəns/ *em* heshtje ♦ **~cent** /-sənt/ *mb* i heshtur

retina /'retinə/ *em ant* rrjetëz, retinë

retinue /'retinju:/ *em* përcjellë; shpurë

retir:e /ri'taiə(r)/ *jkl* tërhiqem; largohem; dal në pension/ lirim ♦ *kl* nxjerr në pension/ në lirim ♦ **~ing** *mb* i druajtur ♦ **~ement** *em* pension; dalje në pension/ në lirim

retort /ri'to:t/ *em* replikë ♦ *kl* kthej *(fjalë, përgjigje)*

retouch /ri:tʌtʃ/ *kl* retushoj *(fotografinë)*

retract /ri'trækt/ *kl* tërheq; marr prapë *(një fjalë)* ♦ *jkl* tërhiqem ♦ **~ion** /-'trækʃn/ *em* tërheqje (e fjalës së thënë)

retreat /ri'tri:t/ *em* tërheqje; strehë ♦ *jkl* tërhiqem

retrospect /'retrəspekt/ *em* prapavështrim ♦ **~ive** /-'spektiv/ *mb* prapavështrues; prapaveprues ♦ *em* retrospektivë

return /ri'tə:(r)n/ *em* kthim; *trg* fitim; biletë vajtjeardhje: **by ~ (of post)** *mb (kthej përgjigje)* me postën tjetër; **in ~** si këmbim (**for** me); **many happy ~s!** u bëfsh njëqind! ♦ *jkl* kthej ♦ *kl* kthej; jap prapë; kthej prapë; zgjedh ♦ **~ match** /-mætʃ/ *em* ndeshje e kthimit; revansh ♦ **~ ticket** /-'tikit/ *em* biletë vajtje-ardhje

reuni:on /ri:'ju:njən/ *em* ribashkim; takim *(i ish nxënësve të një shkolle, klase)* ♦ **~te** /ri:ju'nait/ *kl* bashkoj

rev /rev/ *em aut bs* rrotullim *(i motorit)* ♦ *jkl (motori)* ka xhiro të tepërta

reve:al /ri'vi:l/ *kl* zbuloj; nxjerr

revel /'revl/ *em* dëfrim; zbavitje; festë ♦ *jkl* zbavitem; dëfrej; festoj; bëj festë

revelation /revə'leiʃn/ *em* zbulim; *ft* zbulesë, apokalips

revenge /ri'vendʒ/ *em* hakmarrje; *sp* revansh ♦ *kl* hakmerrem për ♦ **~ful** *mb* hakmarrës

revenue /'revənju:/ *em* të ardhura ♦ **~ tax** *em* taksë mbi të ardhurat

revere /ri'viə(r)/ *kl* nderoj; respektoj ♦ **~nce** *em* nderim; respektim ♦ **~nd** /'revərənd/ *em (në tituj fetarë)* i përndeshëm ♦ **~nt** /'revərənt/ *mb* i nderuar

revers:e /ri'və:(r)s/ *mb* i (për)kundërt; i anasjellë:

in ~ order në rend të përkundërt; anapraptas ♦ *em au* marsh prapa ♦ *k/* përmbys *(gjendjen);* anasjell; kthej së prapthi; prapësoj ♦ *jk/ au* shkoj me marsh prapa; vë marshin prapa ♦ **~ible** *mb* i prapësueshëm

revert /ri'və:t/ *jk/:* ~ **to** kthehem te

review /ri'vju:/ *em* rishikim; rishqyrtim; revistë; *ush* paradë, revistë; recension ♦ *k/* rishikoj; rishqyrtoj; *ush* kaloj në revistë *(trupat);* i bëj recension *(librit)*

revise /ri'vaiz/ *k/* rishikoj; përsërit *(lëndën për provim);* revizionoj ♦ **~ion** /-'viʒn/ *em* rishikim; përsëritje *(për provim);* revizionim

reviv:al /ri'vaivl/ *em* ringjallje ♦ **~e** *k/* ringjall ♦ *jk/* ringjallem

revo:cation /revə'keiʃn/ *em* shfuqizim; revokim ♦ **~ke** /ri'vouk/ *k/* shfuqizoj; revokoj

revolt /ri'volt/ *em* revoltë ♦ *jk/* bëj revoltë ♦ *k/* revoltoj ♦ **~ing** *mb* revoltues

revol:ution /revə'lu:ʃn/ *em* revolucion; rrotullim: **~s per minute** rrotullime në minutë ♦ **~utionary** /-'lu:ʃənəri/ *mb, em* revolucionar ♦ **~ve** /ri'volv/ *jk/* rrotulloj; sjell rrotull ♦ **~er** /ri'volvə(r)/ *em* revolver ♦ **~ing** *mb:* ~ **door** derë rrotulluese

revue /ri'vju:/ *em* revistë

revulsi:on /ri'vʌlʃn/ *em* ndot, neveri ♦ **~ve** *mb* i ndotshëm; i neveritshëm

reward /ri'wo:(r)d/ *em* shpërblim ♦ *k/* shpërblej

rhapsody /'ræpsədi/ *em lt, mz* rapsodi

rhetoric /'retərik/ *em* retorikë ♦ **~al** /-'torikl/ *mb* retorik

rheumatism /'ru:mətizm/ *em mk* reumatizëm

rhinoceros /rai'nosərəs/ *em z/* rinoqeront; hundërbri

rhyme /raim/ *em* rimë; **~s** *sh* vargje të rimuar

rhythm /'riðm/ *em* ritëm ♦ **~ic(al)** *mb* ritmik

rib /rib/ *em an* brinjë; *gj/* kotoletë, mish brinje

ribald /'ribld/ *mb* gojëprishur; banal ♦ **~ry** *em* fjalë të ndyra/ banale

ribbon /'ribn/ *em* shirit; kordele: **in ~s** *(i shqyer)* kortarë-kortarë

rice /rais/ *em bt* oriz

rich /ritʃ/ *mb* i pasur; *(ushqim)* i rëndë: **get ~** pasurohem; **that's ~** *bs* kjo është e lezetshme ♦ *em:* **the~** *sh* të pasurit; **~s** *sh* pasuri ♦ **~ly** *nd* pa kursim; me bollëk; plotësisht: **he ~ly deserves it** e ka hak plotësisht ♦ **~ness** *em* pasuri

rick /rik/ *em* mullar bari/ kashte

rickety /'rikiti/ *mb* shkatarraq; *(karrige etj.)* që nuk mban

ricochet /'rikeʃei/ *em* bredhje; rikoshet

rid /rid/ *k/* **(rid, ridding)** spastroj; qëroj; heq qafe: **get ~ of** heq qafe; ~ **the country of...** e pastroj vendin nga... ♦ **~dance** /'ridns/ *em:* **good~!** mirë që u shpor!

ridden /'ridn/ *shih* **ride**

riddle /'ridl/ *em* gjëzë; enigmë

riddled /'ridld/ *mb:* ~ **with** i bërë shoshë me

ride /raid/ *em* shëtitje *(me makinë etj.);* udhëtim: **give sb a ~** e çoj me makinë dikë; **take sb for a ~** vë në lojë dikë ♦ **(rode** /roud/, **ridden** /'ridn/) *k/* ngas *(kalin);* shkoj me *(biçikletë)* ♦ *jk/* udhëtoj, shkoj *(kaluar, me makinë etj.)* ♦ **~r** *em* kalorës; xhokej; çiklist

ridge /ridʒ/ *em* kreshtë *(e malit);* kulm *(i çatisë)*

ridicul:e /'ridikju:l/ *em* tallje ♦ *k/* tall; vë në lojë ♦ **~ous** /-'dikjuləs/ *mb* qesharak ♦ **~ously** *nd* në mënyrë/në sasi qesharake

riding /'raidiŋ/ *em* kalërim

rife /raif/ *mb:* **be ~** *(mjerimi)* pllakos; *(sëmundja)* merr dhenë; ~ **with** i mbushur me

riff~raff /'rifræf/ *em* fundërri; llum

rifle /'raifl/ *em* pushkë; vjaskë *(e tytës së armës); ush* pushkatar ♦ *k/* qëlloj me pushkë ♦ **~-shot** /-ʃot/ *em* krismë e pushkës

rig¹ /rig/ *em* pajisje; plaftormë detare ♦ *k/* pajis **(out)** ♦ ~ **up** *k/* pajis; kompletoj

rig² *em* hile, dredhi; manipulim *(i bursës, i zgjedhjev)* ♦ *k/* manovroj; manipuloj *(zgjedhjet)*

right /rait/ *mb* i drejtë; i mirë; *(anë)* e mbarë; *(krah)* i djathtë: ~ **angle** kënd i drejtë; **be ~** kam të drejtë; **put ~** ndreq; vë *(orën);* **that's ~!** ashtu, de!; mirë e ke! ♦ *nd* drejt; mirë; si duhet; djathtas; plotësisht: ~ **ahead** drejt përpara; ~ **away** menjëherë; në çast; ~ **enough** patjetër ♦ *em* e drejtë; drejtësi; e mirë; (anë) e djathtë; **on/ to the ~** në/më të djathtë; **be in the ~** kam të drejtë; jam me të drejtën ♦ *k/* drejtoj; ndreq: ~ **a wrong** *fig* ndreq një të keqe ♦ **~eous** *mb* i drejtë; i ndershëm ♦ **~face** /-feis/ *em ush* djathtasnderim ♦ **~ful** *mb* i drejtë; i ligjshëm ♦ **~-handed** /-'hændid/ *mb* djathtak ♦ **~hand man** /-'hændmən/ *em fg* krah i djathtë ♦ **~ly** *nd* me të drejtë/ arsye ♦ ~ **side** /-said/ *em* anë e mbarë *(e stofit etj.)* ♦ ~ **wing** /-wiŋ/ *em* parti e së djathtës

rigid /'ridʒid/ *mb* i ngrirë; i rreptë, i papërkulshëm ♦ **~ity** *em* ngurtësi; rreptësi, papërkulshmëri

rigor /'rigə(r)/ *em mk* shtangëti *(e kufomës)*

rigorous /'rigərəs/ *mb* i rreptë ♦ **~ly** *nd* rreptë; rreptas

rile /rail/ *k/ bs* ngas; cyt

rim /rim/ *em* buzë *(e pyllit etj.);* kornizë e syzeve; disk *(i rrotës së karrocës)*

rime /raim/ *em* brymë

rind /raind/ *em* lëkurë *(e frytit);* cipë *(e djathit);* qëresë; cipurinë

rim /rim/ *em* buzë; qerm; kornizë ♦ **~med** *mb:* **gold-~ spectacles** syze me skelet ari

ring¹ /riŋ/ *em* unazë; rreth; ring *(i boksit);* pistë ♦ *k/* rrethoj

ring² *em* tingull; kumbim: **give sb a ~** i bëj një telefon dikujt ♦ **(rang** /ræŋ/, **rung** /rʌŋ/) *k/* i bie *(ziles, kambanës)* ♦ *jk/* tingullon; *(veshët)* më kumbojnë: ~ **(up)** telefonoj

ringleader /'riŋli:də(r)/ *em* kryebandit; kryetar bande
ring-roud /'riŋroud/ *em* unazë *(e qytetit)*
rink /riŋk/ *em* pistë patinazhi
rinse /rins/ *em* shpëlarje ♦ *k/* shpëlaj
riot /'raiət/ *em* trazirë; rrëmujë: **run ~** tërbohem; marr kot; *(bima)* harliset ♦ **~er** *em* element trazues ♦ **~ous** *mb* i shfrenuar
rip /rip/ *em* shqyerje; grisje ♦ *k/* shqyej; gris
ripe /raip/ *mb* (fryt) i pjekur; i bërë ♦ **~n** *jkl (fryti etj.)* piqet; bëhet ♦ *k/* pjek; lë të piqet/ të bëhet ♦ **~ness** *em* pjekuri
rip-off /'ripof/ *em bs* zhvatje
ripple /'ripl/ *em* rrudhë; murmuritje *(pakënaqësie);* dallgëzim i lehtë; rrudhje *(e sipërfaqes së ujit)*
ris:e /raiz/ *em* ngritje; lindje *(e diellit);* *fg* hipje *(në pushtet);* rritje; shtim: **give ~ to** shkaktoj; **sun-~** lindje e diellit ♦ **rose** /rouz/, **risen** /'rizn/ *jkl* ngrihem; *(dielli)* lind; *(brumi etj.)* fryhet, vjen; *(çmimet)* ngrihet ♦ **~ing** *mb (diell)* i lindjes/ që lind: **~ star** yll në ngritje/ i ri; **~ generation** brez i ri ♦ *em* kryengritje
risk /risk/ *em* rrezik: **at one's own ~** me rrezikun tim; **take the ~** marr në sy rrezikun ♦ *k/* rrezikoi **~y** *mb* i rrezikshëm
risqué /'riskei/ *mb (shaka)* e tepruar
rite /rait/ *em* rit: **last ~s** sakramente
ritual /'ritjuəl/ *mb* ritual ♦ *em* rit; zakon
rival /'raivl/ *mb, em* rival; shemër: **she has no ~** ajo është e pashoqe; ajo ka shoqe veten *(për bukuri etj.)* ♦ **~ry** *em* rivalitet; shemëri
river /'rivə(r)/ *em* lumë ♦ **~bank** /-bæŋk/ *em* breg i lumit ♦ **~bed** /-bed/ *em* shtrat i lumit
rivet /'rivit/ *em* perçinë ♦ *k/* perçinoj; *fg* gozhdoj; mbërthej në vend
road /roud/ *em* rrugë; *dt* radë: **ring ~** unazë *(e qytetit);* **be on the ~** jam në rrugë; **hit the ~** marr udhët ♦ **~block** /-blok/ *em* bllok rrugor ♦ **~hog** /-hog/ *em bs* shofer i krisur ♦ **~map** /-mæp/ *em* hartë rrugore ♦ **~ sense** /-sens/ *em* njohje e rrugëve ♦ **~sign** /-sain/ *em* tabelë rrugore ♦ **~ster** /-stə(r)/ *em* automobil i zbuluar dyvendësh ♦ **~way** /-wei/ *em* korsi ♦ **~worthy** /-wə:(r)ði/ *mb (makinë)* e sigurt *(për udhëtim)* ♦ **~-wise** /-waiz/ *mb (njeri)* që di të orientohet në rrugë
roam /roum/ *em* shëtitje; bredhje, endje ♦ *jkl* endem; bredh
roan /roun/ *em* kalë pullali
roar /ro:(r)/ *em* ulurimë; shpërthim: **~s of laughter** shpërthim të qeshurash ♦ *jkl* ulërij; kaloj me vrundullimë
roast /roust/ *mb, em* (mish) i pjekur: **~ pork** mish derri i pjekur ♦ *k/* pjek *(mishin, etj.)*
rob /rob/ *k/* grabit; plaçkit ♦ **~ber** *em* grabitës; plaçkitës ♦ **~bery** /'robəri/ *em* grabitje; plaçkitje: **daylight ~** vjedhje sy për sy
robe /roub/ *em* rrobë; *am* rrobë banje

robin /'robin/ *em zl* gushëkuq
robot /'roubot/ *em* robot
robust /rou'bʌst/ *mb* i fuqishëm; i fortë
rock[1] /rok/ *em* shkëmb; tokël *(sheqeri):* **on the ~s** *(anije)* e përplasur në shkëmbinj; *(martesë)* e mbaruar; *(pije)* me akull; *(njeri)* i shkundur nga paratë
rock[2] *k/* tund, londit *(foshnjen);* përkund; trondit ♦ *jkl* tundem; përkundem
rock[3] *em mz* rock ♦ **~-and-roll** *em* rokenroll
rocket /'rokit/ *em* raketë ♦ *jkl (çmimet)* ngrihen në qiell
rocky[1] /'roki/ *mb* shkëmbor
rocky[2] i lëkundshëm; i dobët; i keq
rod /rod/ *em* shufër; shkop *(për ndëshkim);* kallam *(peshkimi)*
rode /roud/ *shih* **ride**
rodent /'roudnt/ *em zl* brejtës
rogue /roug/ *em* horr: **~s' gallery** album me fotografi të kriminelëve ♦ **~ry** *em* horrllëk; sjellje prej horri
role /roul/ *em* rol *(i aktorit):* **reverse the ~s** përmbys rolet
roll[1] /roul/ *em* (një) bukë, çyrek
roll[2] listë
roll[3] *tk* tambur; rul *(i letrës së rotativës)* ♦ *k/* rrotulloj; mbledh top; rrokullis; tëholl *(petë);* dredh *(një duhan)* ♦ *jkl* mblidhet top; rrokulliset: **be ~ing in money** *bs* jam i krimbur me para
roll-call —ko:l/ *em* apel; thirrje e emrave
roller /'roulə(r)/ *em tk* rul, cilindër; bigudi; petës; dallgë e bregut
roller:-coaster /-'koustə(r)/ *em* tren i ngritur *(në park lojërash)* ♦ **~-skate** /-skeit/ *em* patinë me rrota
rolling~pin /-'pin/ *em* petës; okllai
Roman /'roumən/ *mb, em* romak: **~ numeral** shifër romake
Romania /roumeiniə/ *em gjg* Rumani ♦ **~n** *mb, em* rumun ♦ *em* rumanishte
romanti:c /rou'mæntik/ *mb* romantik ♦ **~cism** /-tisizm/ *em* romantizëm
romp /romp/ *em* lojë me zhurmë; poterë; punë e lehtë ♦ *jkl* luaj me zhurmë ♦ **~ers** *em sh* paliçeta
roof /ru:f/ *em* çati; qiellzë *(e gojës):* **hit the ~** *fg* hidhem përpjetë ♦ *k/* i vë çatinë *(shtëpisë)*
rook /ruk/ *em zl* korb; kala *(në shah)*
room /ru:m/ *em* dhomë; sallë; hapësirë ♦ **~-mate** /-'meit/ *em* shok dhome ♦ **~y** *mb* i gjerë
roost /ru:st/ *jkl (pulat)* mblidhen ♦ **~er** *em* këndes
root /ru:t/ *em bt, mat dhe fg* rrënjë ♦ *jkl (bima)* lëshon rrënjë; *fg* ngulem
rope /roup/ *em* litar: **know the ~s** *bs* i di marifetet e zanatit ♦ **~ in** *kl bs* shtie në kurth; ngatërroj; **give sb ~** i jap liri veprimi dikujt
rose[1] /rouz/ *em bt* trëndafil; kokë e ujitëses
rose[2] *shih* **rise**

rosemary /'rouzməri/ *em bt* rozëmari(në)

rosette /rou'zet/ *em* kokardë; rozetë

roster /'rostə(r)/ *em* listë e radhë së shërbimit

rostrum /'rostrəm/ *em* podium

rosy /'rouzi/ *mb* i trëndafiltë; (prej) trëndafili

rot /rot/ *em* kalbësirë; kalbje; *bs* budallallëk: **talk ~** flas marrëzira ♦ *kl* kalb ♦ *jkl* kalbet

rota /'routə/ *em* radhë e shërbimit; turn

rota:ry /'routəri/ *mb* rrethor; rrotullues ♦ **~te** /-'teit/ *kl* rrotulloj; sjell rrotull; qarkulloj (bimët) ♦ **~tion** /-'teiʃn/ *em* rrotullim; qarkullim (i bimëve): **in ~ion** me radhë

rote /rout/ *em:* **by ~** mekanikisht; pa vetëdije

rotten /'rotn/ *mb* i kalbur; i ndyrë

rough /rʌf/ *mb* i ashpër; (vend) i thyer; (njeri) trashanik; (kopje) e parë, e keqe; (ndërhyrje) e rëndë; (mot) i keq; (det) i dallgëzuar; (vlerësim) i përafërt ♦ *nd* (luaj) rëndë: **sleep ~** fle jashtë; **play ~** bëj lojë të rëndë; **cut up ~** zemërohem ♦ **~ly** *nd* trashë; me afërsi ♦ **~ness** *em* ashpërsi; trashësi

roughshod /'rʌfʃod/ *mb:* **ride ~** i kalisem; i bie më qafë (dikujt)

roulette /ru:'let/ *em* ruletë (e kazinos)

round /raund/ *mb* i rrubullakët ♦ *em* rrumbullakësi; rreth; radhë ♦ *prfj:* **open ~ the clock** i hapur 24 orë ♦ *nd:* **all ~** gjithandej; rrethqark ♦ *kl* rrumbullakos; sillem përqark ♦ **~ off** *kl* mbyll; përfundoj ♦ **~ on** *kl* i sulem; i përvishem ♦ **~up** *kl* mbledh, grumbulloj; rrumbullakoj (çmimin) ♦ **~about** /-ə'baut/ *nd* afërsisht; rreth ♦ *em* rrotullame; kalim i tërthortë ♦ **~trip** /-trip/ *em* udhëtim vajtje-ardhje

rous:e /rauz/ *kl* zgjoj/ ngre nga gjumi; zgjoj, ngjall (dyshim, dëshirë) ♦ **~ing** *mb* nxitës; (fjalim) i zjarrtë

route /ru:t, *am* raut/ *em* rrugë; vijë; udhë

routine /ru:'ti:n/ *mb* (punë) rutinë ♦ *em* rutinë; *tt* numër

rove /rouv/ *jkl* bredh; endem ♦ **~ing** *mb* (ambasador) shëtitës

row¹ /rou/ *em* radhë; rresht: **three years in a ~** tre vjet rresht

row² /jkl/ vozit; lundroj me rrema ♦ **~ing** *em* vozitje: **~ boat** barkë me rrema

row³ /rau/ *em bs* grindje; zhurmë ♦ *jkl bs* grindem; zihem

royal /'roiəl/ *mb* mbretëror ♦ **~ty** *em* pushtet mbretëror; **~ies** *sh* honorare të autorit; e drejtë e autorit/ liçencës

rpm /'a:(r)pi:'em/ *shkrt i* **revolutions per minute** rrotullime në minutë

rub /rʌb/ *em* fërkim: **give sth a ~** fërkoj diçka ♦ *kl* fërkoj: **~ elbows with sb** kam miqësi me dikë

rubber /'rʌbə(r)/ *em* gomë (lapsi, boje) ♦ **~ stamp** /-'stæmp/ *em* shabllon

rubbish /'rʌbiʃ/ *em* plehra; *bs* budallallëk; *bs* vjetërsira; hedhurina ♦ *kl* e bëj paçavure; e dërrmoj

(dikë me kritika)

rubbish:-bin /-bin/ *em* kosh plehrash ♦ **~ dump** /-dʌmp/ *em* plehërishte; pikë e grumbullimit të plehrave

ruby /'ru:bi/ *em* rubin; gurgjak ♦ *mb* (prej) rubini

rudder /'rʌdə(r)/ *em* timon

ruddy /'rʌdi/ *mb* i kuq; (fytyrë) e shëndetshme

rude /ru:d/ *mb* i pagdhendur; trashanik ♦ **~ly** *nd* trashë; pa hijeshi ♦ **~ness** *em* pahijeshí

rudiment /'ru:dimənt/ *em* rudimet; organ rudimentar; **~s** *sh* nocione themelore ♦ **~ary** /rudi'mentəri/ *mb* rudimentar

rueful /'ru:ful/ *mb* i zymtë; i trishtuar

ruffle /'rʌfl/ *kl* shpupurish (flokët); turbulloj ♦ *jkl* përpiqem; rrekem

rug /rʌg/ *em* qilim; batanije

rugby /'rʌgbi/ *em:* **~ (football)** *sp* ragbi

rugged /'rʌgid/ *mb* (breg) shkëmbor; (tipar) i ashpër

ruin /'ruin/ *em* rrënim: **in ~s** i rrënuar ♦ *kl* rrënoj ♦ **~ed** *mb* i rrënuar ♦ **~ous** *mb* rrënues

rule¹ vizore, metër ♦ *kl* vizoj (letrën)

rul:e¹ /ru:l/ *em* rregull; *sh* **~s** rregullore ♦ *kl* sundoj: **~ that** vendos që ♦ *jkl* qeveris ♦ **~e out** *kl* përjashtoj

ruler¹ *em* vizore

ruler² sundimtar ♦ **~ing** *mb* (klasë) sunduese; (parti) në pushtet ♦ *em* vendim

rum¹ /rʌm/ *em* rum (pije)

rum² *mb* (tip) i çuditshëm

rumble /'rʌmbl/ *em* gjëmim ♦ *jkl* gjëmon

rumina:nt /'ru:minənt/ *em* kafshë ripërtypëse ♦ **~te** /-neit/ *kl, jkl* ripërtyp: **~ over** mendohem mirë për ♦ **~tion** /-'neiʃən/ *em* ripërtypje

rummage /'rʌimdʒ/ *jkl* rrëmoj (**in/ through** në, nëpër)

rumour /'ru:mə(r)/ *em* fjalë; thashethem ♦ *jkl:* **it is ~ed that** ka fjalë se

rump /rʌmp/ *em* vithe (të kafshës) ♦ **~-steak** /-steik/ *em gjill* ramstek

rumpus /'rʌmpəs/ *em* potere; grindje; kacafytje

run /rʌn/ *em* vrap(im); pistë; tirazh (i gazetës); *am* syth i ikur (i çorapit): **at a ~** me vrap; **on the ~** në ikje; **in the long ~** në fund të fundit; **have the ~ of** kam në përdorim ♦ (**ran** /ræn/, **run** /rʌn/, **running**) ♦ *jkl* vrapoj; (lumi) rrjedh; (hunda) kullon; (treni) bën linjën (nga... deri...); vë kandidaturën (në zgjedhje) ♦ *kl* drejtoj (një firmë etj.); çoj me makinë; botoj (një artikull); shkoj (dorën nëpër flokë etj.): **~ the bath** mbush banjën ♦ **~ across** *kl* has; takoj; ndesh ♦ **~ away** *jkl* arratisem ♦ **~away** /'rʌnəwei/ *em* i arratisur ♦ **~ down** *jkl* (ora) shkurdiset; shtyp (me makinë dikë); *bs* dërrmoj me qortime ♦ **~down** /-daun/ *mb* (zonë) e pazhvilluar; e rrënuar; (njeri) i dërrmuar ♦ **~ into** *jkl* has rastësisht; përplasem ♦ **~off** *kl* iki me vrap ♦ *kl* shtyp, nxjerr (kopje të librit) ♦ **~out** *jkl* dal me vrap; *(ushqimet etj.)* mbarojnë, sosen ♦ **~ over** *jk/* shkoj me vrap; derdhet ♦ *kl au* shtyp *(me makinë dikë)* ♦ **~ through** *jk/* kaloj përmes me vrap ♦ *jk/* shpoj ♦ **~ up** *jk/* ngjitem me vrap; mbërrij me vrap ♦ *kl* më mblidhen *(borxhe);* qep

rung¹ /rʌŋ/ *em* këmbë; kryqësore *(e shkallës)*

rung² *shih* **ring²**

run:ner /'rʌnə(r)/ *em* vrapues; patinë *(e slitës):* **~up** i dytë në klasifikim

♦ **~ning** *mb (ikje)* me vrap; *(çështje)* e ditës; *(ujë)* i rrjedhshëm: **four times ~** katër herë me radhë/ radhazi; **~ commentary** *em* kronikë e pandërprerë ♦ *em* vrapim; drejtim; administrim

runny /'rʌni/ *mb* i lëngështuar: **~ nose** rrufë

run:-of-the-mill /rʌn'ofθə'mil/ *mb* i zakonshëm ♦ **~-up** /-ʌp/ *em sport* vrull *(para kërcimit së larti etj.):* **the ~-up to** periudha para *(zgjedhjeve etj.)* ♦ **~way** /-wei/ *em* pistë

rural /'ruərəl/ *mb* fshtar; i fshatit

ruse /ru:z, ru:s/ *em* hile; dredhi

rush¹ /rʌʃ/ *em bt* xunkth

rush² *em* ngut; nxitim; dyndje: **in a ~** me ngut ♦ *jk/* ngut*em* ♦ *kl* ngutem të; ngus *(punën):* **~ sb to hospital** çoj urgjent në spital dikë ♦ **~ hour** /-'auə(r)/ *em* orë e dyndjes *(në trena etj.)*

Russia /'rʌʃə/ *em gjg* Rusi ♦ **~n** *mb, em* rus ♦ *em* rusishte ♦ *nd* rusisht

rust /rʌst/ *em* ndryshk ♦ *jk/* ndryshket

rustic /'rʌstik/ *mb* fshatar(ak); i fshatit

rustle /'rʌsl/ *jk/* fëshfërit ♦ *kl am* vjedh *(bagëti)* ♦ **~up** *kl* ndreq

rusty /'rʌsti/ *mb* i ndryshkur

ruthless /'ru:θlis/ *mb* i pamëshirshëm; mizor ♦ **~ly** *nd* pa mëshirë; mizorisht ♦ **~ness** *em* mizori

rye /rai/ *em bt* thekër

S

sabot:age /ˈsæbəta:ʒ/ *em* sabotim ♦ *kl* sabotoj ♦
~eur /-ˈtə:(r)/ *em* sabotues, sabotator

sack¹ /sæk/ *kl* plaçkit

sack² *em* thes; qese: **get the ~** *bs* më përzënë
nga puna ♦ *kl bs* pushoj nga puna ♦ **~ing** *em*
sargi për thasë; *bs* pushim nga puna

sacred /ˈseikrid/ *mb* i shenjtë ♦ **~ness** *em* shenjtëri

sacrific:e /ˈsækrifais/ *em* theror, sakrificë ♦ *kl*
therorizoj; sakrifikoj ♦ **~ial** /ˈfiʃəl/ *mb* blatues;
(kafshë etj.) për theror

sad /sæd/ *mb* i pikëlluar: **how ~!** sa keq! ♦ **~den**
kl pikëlloj

saddle /ˈsædl/ *em* shalë ♦ *kl* shaloj *(kalin)*

safe /seif/ *mb* i sigurt: **~ and sound** shëndoshë e
mirë ♦ *em* kasafortë ♦ **~ly** *nd* me siguri; në vend
të sigurt; *(mbërrij)* shëndoshë e mirë ♦ **~ty** *em*
siguri ♦ **~-belt** /-belt/ *em* rrip sigurimi ♦ **~-pin** /-
pin/ *em* gjilpërë me kokë ♦ **~-valve** /-ˈvælv/ *em*
valvul sigurimi

sag /sæg/ *jkl* varet, lëshohet, bie si qull

sage /seidʒ/ *em bt* sherbelë

sagging /ˈsægiŋ/ *em* varje; lëshim *(i trupit);* squllje
(e muskujve)

Sagittarius /sædʒiˈtəariəs/ *em ast* Shigjetar; yjësi
e Shigjetarit

sail /seil/ *em* vel; udhëtim me barkë me vela ♦ *kl, jkl*
lundroj; nisem për lundrim **(off)** ♦ *kl* pilotoj *(anijen)*
♦ **~ing** *em* lundrim: **plain ~** fushë me lule ♦ **~or**
em detar

saint /seint/ *em* shenjtor ♦ **~ly** *mb* si shenjtor; i
shenjtë

sake /seik/ *em:* **for the ~ of** për hir/ hatër të

salad /ˈsæləd/ *em* gjll sallatë

salar:y /ˈsæleri/ *em* rrogë ♦ *kl* i lidh rrogë *(dikujt)* ♦
~ied *mb (punëtor)* me rrogë; rrogëtar

sale /seil/ *em* shitje; shitje me ulje/ zbritje çmimesh:
for/ on ~ në shitje ♦ **~s:man** /ˈseilzmən/ *em* shitës
♦ **~-woman** /-wumən/ *em* shitëse

salmon /ˈsæmən/ *em zl* salmon; gjll salmon

saloon /səˈlu:n/ *em* sallon *(i hotelit);* automobil luksi;
am pijetore

salt /so:lt/ *em* kripë: **take sth with a grain of ~** e
marr me rezerva diçka ♦ *mb* i kripur; i njelmët ♦ *kl*
krip, shtie në kripë ♦ **~-box** /-boks/ *em* kripore;
kuti e kripës ♦ **~-cellar** /-selə(r)/ *em* kripore;
kripëse ♦ **~-pan** /-pæn/ *em* kripore; kripërishtë ♦
~ water /-wotə(r)/ *em* ujë i kripur/ deti

salute /səˈlu:t/ *em* përshëndetje: **21 gun ~**
përshëndetje me 21 të shtëna topash ♦ *kl*
përshëndet ushtarakisht

salvation /sælˈveiʃn/ *em* shpëtim; shëlbim

same /seim/ *mb* i njëjtë; njëlloj **(as** si): **by the ~
token** po ashtu; në të njëjtën mënyrë; **at the ~
time** njëkohësisht; në të njëjtën kohë ♦ *prm:* **it's
all the ~ to me** për mua është njëlloj ♦ *nd:* **the ~**
njëlloj; po ashtu; **all the ~** megjithatë

sample /ˈsa:mpl/ *em* mostër; gjedh; kampion ♦ *kl*
provoj

sanatorium /sænəˈto:riəm/ *em* sanatorium

sanctify /ˈsæŋktifai/ *kl* shenjtëroj; shpall shenjt; *fg*
përligj

sanction /ˈsæŋkʃn/ *em* sanksion; masë
ndëshkimore ♦ *kl* sanksionoj

sanctuary /ˈsæŋktjuəri/ *em* vend i shenjtë; *fg*
strehim; rezervat *(për kafshë të egra)*

sand /sænd/ *em* rërë ♦ *kl* shtroj me rërë **(down)**

sandal /ˈsændl/ *em* sandale

sand:-bag /-bæg/ *em* thes me rërë/ rëre ♦ **~bank** /
-bæŋk/ *em* stom/ breg rëre ♦ **~-cloth** /-kloθ/, **-pa-
per** /-ˈpeipə(r)/ *em* letër smerili ♦ *kl* smeriloj ♦ **~pit**
/-pit/ *em* gropë e rërës *(në kopsht fëmijësh etj.)*

sandwich /ˈsændwitʃ/ *em* sanduiç ♦ *kl:* **~ed be-
tween** i mbërthyer/ vënë midis

sandy /ˈsændi/ *mb (breg)* ranor; *(flokë)* bojërërë, të
zbërdhylët

sang /sæŋ/ *shih* **sing**

sanitary /ˈsænitəri/ *mb* higjienik; *(shërbim)* sanitar
♦ **~ napkin** /-ˈnæpkin/, *am* **~-towel** /-ˈtauəl/ pece

higjienike

sanit:ation /sæni'teiʃn/ *em* shërbim sanitar; masa higjienike ♦ **~y** /'sænəti/ *em* shëndet; gjendje mendore normale; gjykim i shëndoshë

sapphire /'sæfaiə(r)/ *em* safir ♦ *mb* blu safiri

sarcas:m /'sa:(r)kæzm/ *em* sarkazëm ♦ **~tic** /-'kæstik/ *mb* sarkastik

sardine /sa:(r)'di:n/ *em zl* sardele

sat /sæt/ *shih* **sit**

Satan /seitn/ *em* satan(a) ♦ **~ic** *mb* satanik; i satanait

satchel /'sætʃl/ *em* çantë; trastë

satellite /'sætəlait/ *em* satelit: **put a ~ into orbit** hedh/ nxjerr në orbitë një satelit ♦ **~-dish** /-diʃ/ *em bs* antenë sateliti; saç

satin /'sætin/ *em tks* atlas ♦ *mb (prej)* atlasi; i atlastë

satir:e /'sætaiə(r)/ *em* satirë ♦ **~ical** /sə'tirikl/ *mb* satirik ♦ **~ist** /'sætirist/ *em* satirist

satisf:action /sætis'fækʃn/ *em* kënaqësi; pëlqim: **be to sb's ~** kënaq dikë ♦ **~actory** /-'fæktəri/ *mb* i kënaqshëm; i pëlqyeshëm ♦ **~actorily** /-'fæktərili/ *nd* kënaqshëm ♦ **~ied** *mb* i kënaqur ♦ **~y** /'sætisfai/ *kl* kënaq; bind; lë të kënaqur

Saturday /'sætə(r)di/ *em* e shtunë

sauce /so:s/ *em gjll* salcë; *bs* paturpësi

saucepan /-pən/ *em* tenxhere me bisht

saucer /'so:sə(r)/ *em* pjatë çaji/ kafejə

saucy /'so:si/ *mb* i paturp

saunter /'so:ntə(r)/ *em* shëtitje; hap i shtruar

sausage /'so:sidʒ/ *em gjll* salsiçe; suxhuk

savage /'sævidʒ/ *mb, em* i egër ♦ *kl* e bëj copë, e shqyej ♦ **~ry** *em* egërsi

sav:e /seiv/ *em sp* pritje *(e topit)* ♦ *kl* shpëtoj **(from** nga); mbaj, mbledh; kursej *(kohë, para)*; pres *(topin)*; shpëtoj *(portën)*; ruaj ♦ *jkl* kursej, bëj kursim **(up)** ♦ *prfj* përveç ♦ **~ings** *em sh* kursime

saviour /'seiviə(r)/ *em* shpëtimtar

savour /'seivə(r)/ *em* shije; aromë ♦ *kl* shijoj; provoj shijen e *(gjellës etj.)* ♦ *jkl* ka shije *(si diçka)* ♦ **~y** /-ri/ *mb* i shijshëm

saw¹ *shih* **see**

saw² /so:/ *em* sharrë ♦ *kl /jkl* **(sawed, sawn** /so:n) sharroj ♦ **~dust** /-dʌst/ *em* tallash ♦ **~yer** *em* sharrëtar, sharrok

saxophone /'sæksəfoun/ *em* saksofon

say /sei/ *em* thënie: **have a ~** më shkon fjala ♦ *kl, jkl* **(said** /sed/) them: **that is to ~** pra, dmth; **when I ~ so** kur të jap leje unë ♦ **~ing** *em* thënie, fjalë e urtë: **that goes without ~ing** flet vetë *(puna)*; s'do mend

scab /skæb/ *em* zgjebe; dregëz e zgjebes ♦ **~ies** *em mk* zgjebe ♦ **~by** *mb* zgjebarak; i zgjebosur

scaffold /'skæfəld/ *em* skelë *(ndërtimi)* ♦ **~ing** *em* skeleri

scald /sko:ld/ *kl* përvëloj; ziej; valoj ♦ *em* përvëlim

scale¹ /skeil/ *em* luspë *(e peshkut)*

scale² *em* shkallë: **on a grand ~** në shkallë të gjerë

♦ *kl* i ngjitem *(murit etj.)*; përpjesëtoj

scales /skeilz/ *em sh* peshore

scam /skæm/ *em* mashtrim ♦ **~** *kl* mashtroj

scamper /'skæmpə(r)/ *jkl:* **~ away** vrapoj; iki me vrap

scan /skæn/ *em mk, inf* skanim; zbërthim *(i figurës)* ♦ *kl* kontrolloj, shqyrtoj; i hedh një vështrim të shpejtë; skanoj, analizoj, zbërthej *(një figurë)*

scandal /'skændl/ *em* skandal; thashethem ♦ **~ise** *kl* skandalizoj ♦ *jkl* merrem me thashetheme

Scandinavia /skændi'neiviə/ *em gjg* Skandinavi ♦ **~n** *mb, em* skandinav

scann:er *em mk, tk* skaner ♦ **~ing** *em* skanim; zbërthim *(i figurës)*

scant /skænt/ *mb* i pakët; i rrallë ♦ **~y** *mb* i paktë; *(veshje)* e hollë; i pamjaftueshëm

scapegoat /'skeipgout/ *em* kokë turku

scar /ska:(r)/ *em* vrajë; shenjë plage ♦ *kl* lë shenjë/ mbresë

scarc:e /'skeə(r)s/ *mb* i rrallë; i paktë ♦ **~ely** *nd:* **~ anything** gati asgjë ♦ **~ity** /'skeə(r)səti/ *em* mungesë

scare /skeə(r)/ *em* frikë; panik: **she's a ~** ajo është si dordolec ♦ *kl* tremb: **be ~d** kam frikë **(of** nga); **you ~ed me** më trembe ♦ **~crow** /'skeəkrou/ *em* dordolec; shëmtirë ♦ **~monger** /-mʌngə/ *em* alarmist

scarf /ska:(r)f/ *em (sh* **scarves)** shall, sharpë

scarlet /'ska:(r)lət/ *mb* bojalle

scarlet fever /-'fi:və(r)/ *mk* skarlatinë

scatter /'skætə(r)/ *kl* shpërndaj; shpërhap ♦ *jkl* shpërndahet ♦ **~-brained** /-'breind/ *mb bs* shushatur; hutaq; i hutuar

scavenge /'skævindʒ/ *jkl* rrëmoj në plehra

scenario /si'neəriou/ *em kn* skenar; *fg* plan për veprim

scene /si:n/ *em* skenë; grindje: **behind the ~s** prapa skene ♦ **~ry** *em* pamje; skenë

scent /sent/ *em* aromë; erë; tragë, gjurmë *(e gjahut)*; parfum ♦ *kl* parfumoj

sceptic:al /'skeptikl/ *mb* skeptik ♦ **~ism** /'skeptisizm/ *em* skepticizëm

schedule /'ʃedju:l, 'skedju:l/ *em* plan; program *(i ditës, i punës)*; orar; afat: **behind ~** *(jam)* prapa me punën; **on ~** në afat; sipas parashikimit ♦ *kl* vë në plan; programoj ♦ **~d** *mb:* **~ flight** aeroplan i linjës

scheme /ski:m/ *em* plan; komplot ♦ *jkl kq* bëj makinacione

schizo /'skitsou/ *em bs* skizofren ♦ **~phrenia** /skitsə'fri:niə/ *em* skizofreni ♦ **~phrenic** /skitsə'frenik/ *mb* skizofrenik

scholar /'skolə(r)/ *em* student; studiues ♦ **~ly** *mb* i ditur; i shkolluar ♦ **~ship** *em* dituri; bursë studimi

school¹ *em* tufë *(peshqish)*

school² /sku:l/ *em* shkollë; fakultet; degë: **~ of art**

shkollë artistike ♦ **~-boy** /-boi/ *em* nxënës ♦ **~- girl** /-gə:(r)l/ *em* nxënëse ♦ **leáving certificate** /-li:viŋsə(r)'tifikət/ *em* dëftesë lirimi ♦ **~ing** *em* shkollim; mësim; arsim ♦ **~mate** /-meit/ *em* shok shkolle ♦ **~ teacher** /-'ti:tʃə/ *em* mësues

scien:ce /'saiəns/ *em* shkencë: **~ fiction** *(letërsi)* fantastike-shkencore ♦ **~tific** /-'tifik/ *mb* shkencor

scissors /'sizəz/ *em sh* gërshërë: **a pair of ~** një palë gërshërë

scoff /skof/ *jkl:* **~ at** përbuz; përçmoj ♦ **~ing** *em* përbuzje; përçmim ♦ *mb* përbuzës; përçmues

scold /skould/ *kl* qortoj ♦ **~ing** *em* qortim ♦ *mb* qortues

scone /skoun/ *em gjll* kulaç me brumë të ardhur

scoop /sku:p/ *em* lugë *(për akullore);* spol, kovë; *bs* fitim i madh, një dorë e mirë para; reportazh ekskluziv ♦ *jkl* gërrmoj/ hap gropë

scoot /sku:t/ *jkl* ua mbath këmbëve

scooter /'sku:tə(r)/ *em* (moto)skuter

scope /skoup/ *em* rreze veprimi; mundësi: **have full ~** kam liri të plotë veprimi

scorch /sko:(r)tʃ/ *kl* përcëlloj; djeg

score /sko:(r)/ *em* pikë e shënuar; njëzet; *mz* partiturë; muzikë *(e filmit):* **on this ~** për këtë pikë/ çështje ♦ *kl* shënoj *(pikë, gol)* ♦ *jkl* bëj pikë; shënoj goj ♦ **~er** /'sko:rə(r)/ *em* golashënues; pikëshënues

scorn /sko:(r)n/ *em* përbuzje ♦ *kl* përbuz ♦ **~full** *mb* përbuzës

Scorpio /'sko:(r)piou/ *em ast* Akrep; yjësi e Akrepit ♦ **~n** /'sko:(r)piən/ *em* akrep

Scot /skot/ *em* skocez ♦ **~ch** /skotʃ/ *mb* skocez *em* uiski skocez ♦ **~land** /'skotlənd/ *em gjg* Skoci ♦ **~sman** /'skotsmən/ *em* skocez ♦ **~tish** *mb* skocez ♦ **~swoman** *em f* skoceze

scoundrel /'skaundrəl/ *em* maskara; horr ♦ **~ly** *mb* masakara; horr; i poshtër

scout /skaut/ *em ush* zbulues: **Boy S~** bojskaut

scowl /skaul/ *em* vrenjtje; ngrysje *(e fytyrës)* ♦ *jkl* vështroj shtrembër; ngrysem *(në fytyrë)*

scramble /'skræmbl/ *em* ngjitje; kacavarje ♦ *jkl* ngjitem; kacavarem: **~ for** kacafytem për ♦ *kl* krijoj zhurma *(në linjë telefonike);* thërrmoj *(vezën e skuqur)* ♦ **~d** *mb:* **~ eggs** vezë të skuqura të thërrmuara

scrap /skræp/ *em* copë; thërrime; ashkël; skrap/ hekurishte: **~s of food** të lëna të gjellës; **sell a ship for ~** e shes për hekurishte një anije

scrape /skreip/ *kl* kruaj; gërvisht; prish ♦ **~ through** *jkl* ia dal me të keq

scratch /skrætʃ/ *em* gërvishtje; kruajtje: **start from ~** nis nga asgjë/ hiçi; **up to ~** *(punë)* në nivelin e duhur ♦ *kl* gërvisht; kruaj ♦ *jkl* gërvishtem; kruhem ♦ **~-card** /'-ka:(r)d/ *em* kartë (lotarie) me gërvishtje

scrawl /skro:l/ *em* shkarravinë ♦ *kl, jkl* shkarravit

scream /skri:m/ *em* klithmë; çirrmë ♦ *kl, jkl* çirrem; thërras

screen /skri:n/ *em* perde; pritë; ekran ♦ *kl* mbroj; mbuloj; projektoj në ekran; ekranizoj *(një roman etj.)*

screw /skru:/ *em* vidhë ♦ *kl* vidhos; shtrembëroj, vëngëroj *(sytë); sl* prish, katranos *(një punë); vl* palloj/ shtyp *(një grua:* **~ you!** ik or, pirdhu! ♦ **~- bolt** /-boult/ *em tk* bulon ♦ **~driver** /-'draivə(r)/ *em* kaçavidhë

scribble /'skribl/ *em* shkarravinë ♦ *kl, jkl* shkarravit

script /skript/ *em* shkrim; shkronjë; *kn* skenar *(i filmit)* ♦ **~ girl** /-gə:(r)l/ *em* sekretare e regjisë

Scripture /'skriptʃə/ *em:* **The Holy ~** Bibla; Shkrimet e Shenjta

script writer /-'raitə(r)/ *em* skenarist

scroll /skroul/ *em* rrotë; gyp *(letre);* përdredhë *(si zbukurim);* pergamenë

scrub[1] /skrʌb/ *em* shkurre

scrub[2] *em* fërkim; pastrim me fërkim; *bṡ* punë e rëndë/ angari ♦ *kl* fërkoj; pastroj me fërkim

scrubby /'skrʌbi/ *mb (fytyrë)* terë qime te ashpra

scruff /skrʌf/ *em:* **by the ~ of the neck** për shkapularësh/ zverku

scrup:le /'skru:pl/ *em* skrupull ♦ **~ulous** /-juləs/ *mb (njeri)* me skrupull; merakli *(për punën)*

scuba /'sku:bə/ *em* skubë *(pajisje për frymëmarrje nën ujë)*

scuffle /'skʌfl/ *em* rrahje; përleshje ♦ *jkl* rrihem; zihem; përleshem

sculpt:or /'skʌlptə(r)/ *em* skulptor ♦ **~ure** /-tʃə(r)/ *em* skulpturë

scum /skʌm/ *em* shkumë; llum; zgjyrë: **the ~ of the earth** balta/ llumi i dheut

scurry /'skʌri/ *jkl* ngas me vrap; shpejtoj hapin

scythe /saið/ *em* kosë

sea /si:/ *em* det: **at ~** në det; *fig* i hutuar, i çoroditur; **by ~** *(udhëtoj)* me det ♦ **~bed** /-bed/ *em* shtrat/ fund i detit ♦ **~board** /-bo:(r)d/ *em* bregdet ♦ **~coast** /-koust/ *em* bregdet ♦ **~cow** /-kau/ *em zl* lopë deti *(lloj foke)* ♦ **~food** /-fud/ *em* midhje ♦ **~front** /-frʌnt/ *em* buzëdet ♦ **~gull** /-gʌl/ *em zl* çafkë deti; pulëbardhë

seal[1] /si:l/ *em zl* fokë

seal[2] *em* vulë; mbyllje hermetike ♦ *kl* vulos: **~ off** izoloj; mbyll

seam /si:m/ *em* tegel; shtresë *(qymyrguri)*

sea:man /'si:mən/ *em* detar; marinar ♦ **~manship** /-mənʃip/ *em* art i lundrimit ♦ **~plane** /-plein/ *em* hidro(aero)plan ♦ **~port** /-'po:(r)t/ *em* port detar ♦ **~power** /-pauə(r)/ *em* fuqi (ushtarake-)detare

search /sə:(r)tʃ/ *em* kërkim: **in ~ of** në kërkim të ♦ *kl* kërkoj; rrëmoj; **~ for** kërkoj; **~ing** *mb (vështrim)* zhbirues

searchlight /'sə:tʃlait/ *em* projektor

searchparty /'sə:tʃpa:(r)ti/ *em* skuadër kërkimi

sea:-scape /'si:skeip/ *em art* peizazh detar ♦ **~sick**

/-sik/ *mb:* **be/ get** ~ më zë deti ♦ **~side** /-said/ *em* bregdet: **at/ to the ~-side** në det/plazh

season¹ /'si:zn/ *em* stinë ♦ **~ ticket** /-'tikit/ *em* biletë pajtimi; abone

season² *k/* lezetoj; aromatizoj *(verën, gjellën)*

seasonal /'si:zənl/ *mb* stinor

seat /si:t/ *em* ndenjëse; vend *(në teatër etj.);* fund *(i pantallonave);* prapanicë/ të ndenjura; seli *(e qeverisë):* **take a ~** ulem; zë vend ndenjur ♦ *k/* vë ndenjur; ul ♦ **~-belt** /-belt/ *em* rrip sigurimi *(në aeroplan, në makinë)*

sea:way /-wei/ *em* udhë/ linjë detare; tallaz i detit ♦ **~weed** /-wi:d/ *em bt* algë

second¹ /'sekənd/ *mb* i dytë: **on ~ thoughts** pasi mendohem mirë; **have ~ thoughts** pendohem; **~ to none** i pashoq ♦ *em* i dytë; **~s** *sh* mall i dorës së dytë: **have ~s** porosit për së dyti *(të njëjtën gjellë);* **John the S~** Xhoni i Dytë ♦ *nd* në vend të dytë *(në garë)* ♦ *k/* mbështet; përkrah *(një mendim)*

second² *em* sekondë: **in a ~** në çast

secondary /'sekəndri/ *mb* dytësor; *(rol)* i dorës së dytë: **~ school** shkollë e mesme e përgjithshme

second: class /-kla:s/ *nd (udhëtoj)* me klasë të dytë ♦ *mb* i klasës/ dorës së dytë ♦ **~ hand** /-hænd/ *em* akrep i sekondave ♦ *mb, nd* i dorës së dytë; i përdorur ♦ **~-in-command** /-inkə'ma:nd/ *em* zëvendëskomandant ♦ **~rate** /-reit/ *mb (mall)* i dorës së dytë; i dobët

secre:cy /'si:krəsi/ *em* fshehtësi ♦ **~t** *mb* i fshehtë; sekret ♦ *em* fshehtësi, sekret ♦ **~tary** /'sekrətəri/ *em* sekretar ♦ **~tly** /'si:kritli/ *nd* në fshehtësi; me sekret; fshehtas

sect /sekt/ *em* sekt ♦ **~arian** /-'tɛəriən/ *mb* sektar

section /'sek∫n/ *em* seksion; prerje *(e një trupi gjeometrik);* pamje

sector /'sektə(r)/ *em* sektor

secular /'sekjulə(r)/ *mb* shekullar; laik

secur:e /si'kjuə(r)/ *mb* i sigurt; i mbyllur/ lidhur mirë ♦ *k/* siguroj; mbyll mirë *(derën)* ♦ **~ely** *nd* sigurt; mirë; fort ♦ **~ity** /-'kjurəti/ *em* siguri(m); garanci

sedative /'sedətiv/ *mb (efekt)* qetësues ♦ *em* (bar) qetësues, sedativ

sediment /'sedimənt/ *em* fundërresë

seduc:e /si'dju:s/ *k/* mashtroj ♦ **~tion** /si'dʌk∫n/ *em* mashtrim; ngashënjim

see¹ /si:/ **(saw** /so:/, **seen** /si:n/) *k/* shoh; kuptoj; marr vesh; shoqëroj: **~ you!** mirupafshim! **~ you later!** do të shihemi!; **~ing that** meqë ♦ *jk/* shoh; shkoj; kuptoj; marr vesh: **~ that** kujdesohu/ sigurohu që; **go and ~** shkoj të shoh; vizitoj; **wait and ~** shohim e bëjmë ♦ **~ out** *k/* përcjell; dëboj; përzë; nis ♦ **~ through** *jk/* shoh përtej; *fig* nuk gënjehem ♦ *k/* çoj deri në fund; nxjerr në dritë ♦ **~ to** *jk/* kujdesem për

see² *em* seli: **the Holy S~** selia e shenjtë, Vatikani

seed /si:d/ *em* farë; *sp* klasifikim i serisë *(në tenis):* **go to ~** *(bima)* zë farë; *(perimet)* lashtohen; *fg* prishet: **~ of discord** farë e sherrit ♦ **~ed** *mb:* **~ player** *em* lojtar tenisi i klasifikuar në seri

seedy /'si:di/ *mb* i ndyrë; *(shtëpi)* e pistë

seeing /'si:iŋ/ *em* të parë; shikim: **~ is believing** ta shoh pa ta besoj; **~ that...** meqë

seek /si:k/ *k/* **(sought** /so:t/) kërkoj: **it is much sought after** kërkohet shumë

seem /si:m/ *jk/* duket ♦ **~ingly** *nd* në dukje; në të parë ♦ **~y** *nd* i keq; i errët

seen /si:n/ *shih* **see**

seethrough /'si:θru/ *mb* i tejdukshëm

segment /'segmənt/ *em* segment; thelë *(e protokallit)*

seiz:e /si:z/ *k/* kap; mbërthej; *dr* konfiskoj ♦ **~ure** /'si:ʒə(r)/ *em dr* konfiskim; *mk* krizë epilepsie

seldom /'seldəm/ *nd* (më të) rrallë

select /si'lekt/ *mb* i zgjedhur ♦ *k/* zgjedh ♦ **~ion** /-'lek∫n/ *em* (për)zgjedhje; seleksionim ♦ **~ive** *mb* selektiv; përzgjedhës

self /self/ *em* vetë; vetja ♦ **~-assurance** /-ə'∫uərəns/ *em* vetësiguri ♦ **~-conceit** /-kən'si:t/ *em* mendjemadhësi ♦ **~-conceited** /-kən'si:tid/ *mb* mendjemadh ♦ **~-confidence** /-'konfidəns/ *em* votëbesim ♦ **~-confident** /-'konfidənt/ *mb* i sigurt në vetvete ♦ **~-conscious** /-'kon∫əs/ *mb* i vetëdijshëm; mendjemadh ♦ **~-control** /-kən'troul/ *em* vetëkontroll ♦ **~-defence** /-di'fens/ *em* vetëmbrojtje; *dr* mbrojtje e ligjshme ♦ **~-denial** /-di'naiəl/ *em* vetëmohim ♦ **~-employed** /-imp'loid/ *mb* i vetëpunësuar; me punë më vete ♦ **~-esteem** /-is'ti:m/ *em* sqimë; sedër ♦ **~ish** *mb* egoist ♦ **~ishness** *em* egoizëm ♦ **~less** *mb* i painteres ♦ **~lessly** *nd* pa interes; me vetëmohim ♦ **~lesness** *em* vetëmohim; altruizëm ♦ **~-portrait** /-'po:(r)trit/ *em* autoportret ♦ **~respect** /-ris'pekt/ *em* sedër ♦ **~-sacrifice** /-'sækrifais/ *em* vetëmohim ♦ **~-satisfaction** /-satis'fæk∫n/ *em* vetëkënaqësi ♦ **~-satisfied** /-'sætisfaied/ *mb* i vetëkënaqur ♦ **~-service** /-'sə:(r)vis/ *em* vetëshërbim ♦ **~-sufficient** /-sə'fi∫nt/ *mb* i vetëmjaftueshëm; autarkik ♦ **~willed** /-'wild/ *mb* kokëfortë; kryeneç

sell /sel/ *em* shitje ♦ **(sold** /sould/) *k/* shes: **be sold** *k/* është mbaruar/ shitur i gjithë ♦ *jk/* shitet ♦ **~ off** *k/* shes krejt; likuidoj *(mallit)* ♦ **~er** *em* shitës ♦ **~out** /-aut/ *em* tradhti

semaphore /'seməfo:(r)/ *em* semafor

semblance /'sembləns/ *em* dukje, pamje: **put on a ~** shtirem

semen /'si:mən/ *em an* farë; spermë

semi: circle /'semi/: **~circle** /-'sə:(r)kl/ *em* gjysmërreth ♦ **~colon** /-kouln/ *em* pikëpresje ♦ **~conductor** /-kən'dʌktə(r)/ *em tk* gjysmëpërçues ♦ **~-final** /-'fainl/ *em* gjysmëfinale ♦ **~finalist** /-'fainəlist/ *em* *sp* gjysmëfinalist

seminar /'semina:(r)/ *em* seminar ✦ **~y** /-nəri/ *em ft* seminar

semolina /semə'li:nə/ *em* miell ermik

senat:e /'senət/ *em* senat ✦ **~or** *em* senator

send /send/ (**sent** /sent/) dërgoj; nis: ~ **sb packing** i jap duart dikujt ✦ ~ **back** *k*/kthej prapë ✦ ~ **for** thërres *(dikë të vijë)* ✦ ~ **off** *k*/përzë, dëboj; nxjerr nga loja ✦ ~ **up** *k*/ngre; çoj lart ✦ **~er** *em* dërgues

senior /'si:niə(r)/ *mb* plak; i vjetër; *(gradë)* e lartë; më i moshuar ✦ **~ity** /-'orəti/ *em* vjetërsi *(në detyrë etj.)*

sensation /sen'seiʃn/ *em* sensacion; bujë ✦ **~al** *mb* sensacional; i bujshëm

sense /sens/ *em* shqisë; ndijë; logjikë; kuptim: **good/ common** ~ mend; gjykim i shëndoshë; **in a** ~ në një kuptim të caktuar; **make** ~ ka kuptim ✦ *k*/ndiej *(rrezikun etj.)* ✦ **~less** *mb* i pamend; pa ndjenja ✦ **~ible** /'sensəbl/ *mb* me mend; mendar; i volitshëm; i duhur ✦ **~ibly** *nd* me mend; në mënyrë të menduar; si duhet ✦ **~itive** /-ətiv/ *mb* i ndjeshëm; i prekshëm ✦ **~itivity** /-'tivəti/ *em* ndjeshmëri

sensual /'sensjuəl/ *mb* sensual; epshor ✦ **~ity** /-'æləti/ *em* sensualizëm

sent /sent/ *shih* **send**

sentence /'sentəns/ *em* fjali; *dr* vendim; dënim

sentiment /'sentimənt/ *em* ndjenjë ✦ **~al** /-'mentl/ *mb* sentimental

sentry /'sentri/ *em* rojë: **post a** ~ nxjerr rojë

separat:e /'sepərit/ *mb* i ndarë; i veçuar ✦ *k*/ /-eit/ ndaj; veçoj ✦ *jk*/ndahet; veçohet ✦ **~ely** *nd*veçan; veç e veç ✦ **~ion** /-'reiʃn/ *em* ndarje; veçim

September /sep'tembə(r)/ *em* shtator

serenade /serə'neid/ *em*serenadë ✦ *k*/bëj serenadë

seren:e /si'ri:n/ *mb* i qetë; *(qiell)* i pastër, i kulluar ✦ **~ity** /-'renəti/ *em* qetësi; kthjelltësi *(e qiellit)*

sergeant /'sa:(r)dʒənt/ *em ush* rreshter

seri:al /'siəriəl/ *em*tregim/ film me seri; libër i botuar me fashikuj ✦ **~es** /'siəri:z/ *em* seri

serious /'siəriəs/ *mb*serioz; hijerëndë: **are you ~?** me gjithë mend/ vërtet e ke? ✦ **~ly** *nd*seriozisht; *(i sëmurë)* rëndë: **take** ~ e marr me gjithë mend ✦ **~ness** *em*seriozitet; rëndësi *(e gjendjes)*

sermon /'sə:(r)mən/ *em dhe ft* predikim, predk

serpent /'sə:(r)pənt/ *em zl* gjarpër

serum /'siərəm/ *em mk* serum: **blood** ~ serum i gjakut

serv:ant /'sə:(r)vənt/ *em* shërbëtor ✦ **~e** *em sp* shërbim ✦ *k*/shërbej; bëj shërbimin; bëj *(burg)*: ~ **its purpose** kryen / mbaron/ bën punë; **it ~s you right!** mirë të të bëhet! ✦ *jk*/ *sp* jam në shërbim ✦ **~er** *em tk* server, qendër e shërbimit ✦ **~ice** *em* shërbim; *ft* shërbesë; mirëmbajtje; **~s** *sh* forcat e armatosura: **in the** ~ me shërbim nën armë: **of** ~

to i dobishëm; **out of** ~ jashtë përdorimit, i prishur ✦ *kl tk* mirëmbaj ✦ **~iceable** *mb* i dobishëm ✦ **~ice area** /-'eəriə/ *em* zonë shërbimi *(në rrugë automobilistike)* ✦ **~man** /-mən/ *em* ushtarak

servil:e /'sə:(r)vail/ *mb*servil; skllav; shpirtrob ✦ **~ity** /sə:(r)'viləti/ *em* servilizëm; nënshtrim prej skllavi

session /'seʃn/ *em* sesion; vit akademik: **special** ~ sesion i jashtëzakonshëm

set /set/ *em* seri; komplet; takëm; *tv, rd* aparat *(rd, televizor); tt*skenar; *sp* set; dorë, taraf *(njerëzish);* formë *(e flokëve)* ✦ *mb* i gatshëm; i ngrirë, i palëvizshëm: **be ~ on doing sth** e ndaj mendjen të bëj diçka ✦ *(set, setting) jk*/ vë; vendos; rregulloj; caktoj; lë *(ditën për një punë);* montoj *(gurin e çmuar në unazë);* ndreq *(tryezën për të ngrënë);* vë në vend *(kockën e thyer etj.):* ~ **fire to** i vë zjarr; ~ **sb free** liroj dikë ✦ *jk*/ *(dielli)* perëndon; *(llaçi)* ngrin, forcohet ✦ **~about:** ~ **doing sth** nis të bëj diçka ✦ ~ **back** *k*/ vë prapa *(orën);* prapësoj; vonoj ✦ **~back** /-bæk/ *em* hap prapa; prapësi ✦ ~ **off** *jk*/ nisem ✦ *k*/ nis, vë në lëvizje; vë *(zilen e orës);* shpërthej *(minën)* ✦ ~ **out** *jk*/nisem: ~ **out to do sth** dua të bëj diçka ✦ *k*/nxjerr/ vë në dukje ✦ ~ **to** *jk*/i vihem punës ✦ ~ **up** *k*/themeloj *(një kompani)*

settle /'setl/ *k*/ vendos; ndaj mendjen; zgjidh *(një grindje);* ndaj *(datën); (nevat);* qetësoj *(nevat);* paguaj *(faturën)* ✦ *jk*/ rregullohem *(në jetë); (bora)* zë; *(fundërresa)* bie në fund ✦ ~ **down** *jk*/rregullohem *(në jetë);* qetësohem; rri urtë ✦ ~ **for** *k*/kënaqem *(me diçka)* ✦ **~ment** *em* marrëveshje; pagim *(i llogarisë);* koloni ✦ **~r** *em* kolon

set-up /'setʌp/ *em* kurth

seven /'sevn/ *nm, mb, em*shtatë: **at sixes and ~s** as te hapi, as te hupi ✦ **~teen** /-ti:n/ *mb* shtatëmbëdhjetë ✦ **~teenth** /-ti:nθ/ *mb* i shtatëmbëdhjetë ✦ **~th** *mb* i shtatë; *(pjesë)* e shtatë *(of* e) ✦ **~tieth** /-tiiθ/ *mb* i shtatëdhjetë ✦ **~ty** *nm, mb, em* shtatëdhjetë; **~ies** *sh* vitet shtatëdhjetë: **in the ~ties** në vitet shtatëdhjetë

several /'sevrəl/ *mb, prm* ca; disa ✦ **~ly** *nd* veç e veç: **jointly and** ~ bashkë dhe veç e veç

sever /'sevə(r)/ *k*/pres; këput; prish *(marrëdhëniet)*

sever:e /si'viə(r)/ *mb* i rreptë; *(dhembje)* e fortë; *(dimër)* i egër ✦ **~ly** *nd*me rreptësi; rreptë ✦ **~ity** /-'verəti/ *em* rreptësi; egërsi

sew /sou/ *k*/, *jk*/ (**sewed** /soud/, **sewn** /soun/) qep ✦ ~ **up** *k*/qep, mbyll me tegel

sew:age /'su:idʒ/ *em* ujëra të zeza ✦ **~er** *em* kanal i/ gropë e ujërave të zeza

sewing machine /'souiŋmə'ʃi:n/ *em*makinë qepëse

sewn /soun/ *shih* **sew**

sex /seks/ *em* seks; gjini ✦ **~ual** *mb* seksual: **~al intercourse** marrëdhënie seksuale ✦ **~y** *mb* seksual; epshor; *(vajzë)* provokuese

shabby /'ʃæbi/ *mb*i keq; i prishur; *(rrobë)* e cergosur

shade /ʃeid/ *em* hije; nuancë; kapuç *(i llambës);* perde *(e dritares);* **~s** *sh bs* syze dielli: **a ~ better** një çikë/ fije më mirë ♦ *k/* zë dritën *(me abazhur);* hijezoj *(vizatimin)*

shadow /'ʃædou/ *em* hije ♦ *k/* ndjek nga prapa ♦ **~y** *mb* me hije ♦ **~ cabinet** /-'kæbinət/ *em* qeveri e opozitës ♦ **~ figure** /-'fiɡə(r)/ *em* siluetë

shady /'ʃeidi/ *mb* i hijesuar; *bs* i errët; i dyshimtë

shaft /ʃa:ft/ *em tk* bosht; balë, fashë *(drite);* pus *(i minierës);* shtizë *(e karrocës)*

shag /ʃæɡ/ *em* qime e ashpër drize; xhufkë/ tufë qimesh

shag² *k/* ia shaloj *(gruas së botës)* ♦ *jk/ (gruaja)* shalohet *(me burrë tjetër)*

shaggy /'ʃæɡi/ *mb* qimeashpër

shake /ʃeik/ *em* shkundje; tundje; shtrëngim i dorës ♦ *(***shook** /ʃuk/, **shaken** /'ʃeikn/ *k/* shkund; tund: **~ hands with** i shtrëngoj dorën; bëj toka; **~ one's head** tund kokën; bëj jo me kokë ♦ *jk/* dridhem ♦ **~ off** *k/* heq qafe/i lë pendët ♦ **~ up** *k/* tund; shkund ♦ **~-up** /-ʌp/ *em pl* ndryshim *(i kabinetit);* riorganizim; ristrukturim ♦ **~ing** *em* tundje; shkundje ♦ *mb* i dridhur ♦ **~y** *mb* i dridhur; i pasigurt; *(karrige)* shkatarrinë

shall /ʃæl/ *folje ndihmëse:* **I ~ go** do të shkoj; **we ~ see** do ta shohim; **what ~ I do?** çfarë të bëj?; **I'll come too, ~ I?** të vi dhe unë, mirë?

shallow /'ʃælou/ *mb* i cekët; *fg* i përfaqshëm ♦ *em* cektësirë

sham /ʃæm/ *mb* i rremë ♦ *em* shtirje ♦ *jk/* shtirem; bëj si(kur)

shambles /'ʃæmblz/ *em* trazirë; rrëmujë; *fg* vrasje; plojë

shame /ʃeim/ *em* turp: **it's a ~ that** mëkat që; **put sb to ~** bëj me turp dikë; **what a ~!** sa keq! ♦ **~ful** *mb* i turpshëm ♦ **~less** *mb* i paturp(shëm)

shampoo /ʃæm'pu:/ *em* shampo ♦ *k/, jk/* laj me shampo

shape /ʃeip/ *em* trajtë; formë; figurë: **take ~** merr trajtë; **get back in ~** vij prapë në formë ♦ *k/* formoj; trapit; modeloj ♦ *jk/* formohet; mishërohet: **~ up nicely** *(puna)* merr mbarë ♦ **~less** *mb* i shformuar; i paformë ♦ **~ly** *mb (grua)* me trup të bukur

share /'ʃeə(r)/ *em* pjesë; copë; hise; *trg* aksion ♦ *k/* ndaj bashkë; përdor bashkë; kam të përbashkëta *(pikëpamjet etj.):* **~ a room with sb** kam një dhomë me dikë; **~ expenses** ndajmë shpenzimet ♦ *jk/* marr pjesë ♦ **~-holder** /-'houldə(r)/ *em* aksionist

shark /ʃa:(r)k/ *em zl* peshkaqen; *fg* mashtrues; spekulator i madh

sharp /ʃa:(r)p/ *mb* i mprehtë; i hollë; me majë; *(qortim)* i fortë, i ashpër; *(kontrast)* i fortë; *(njeri)* i paskrupull; *(shije)* e thartë: **~ pain** e prerë ♦ *nd:* **look ~!** tundu! ♦ *em mz* diez ♦ **~ly** *nd* fort;

mprehtë: **the road turns ~** rruga bën kthesës të fortë ♦ **~en** *k/* mpreh *(thikën, lapsin)*

shatter /'ʃætə(r)/ *k/* thyej; thërrmoj; *fg* bëj copë e çikë

shave /ʃeiv/ *em* rroje, e rruar: **have a close ~** shpëtoj për qime ♦ *k/* rruaj ♦ *jk/* rruhem ♦ **~er** *em* makinë rroje elektrike ♦ **~ing** *em* rroje; e rruar ♦ **~-brush** /-brʌʃ/ *em* furçë rroje ♦ **~-foam** /-foum/ *em* pastë rroje ♦ **~-soap** /-soup/ *em* sapun rroje

shawl /ʃɔ:l/ *em* shall

she /ʃi:/ *prm* ajo: **who is ~?** kush është ajo?; **it's a ~** është/ lindi vajzë

sheaf /ʃi:f/ (**sheaves** /ʃi:vz/) *em* dorë; demet, krah *(gruri të korrur)*

shear /ʃiə(r)/ *k/* (**sheared, shorn** /ʃɔ:(r)n/) qeth *(dhentë, gëmushat)*

shears /ʃiə(r)z/ *em sh* gërshërë *(për qethjen e gëmushave etj.)*

shed¹ /ʃed/ *em* kolibe; stallë *(bagëtish);* hangar

shed² *k/ (pema)* rrëzon *(gjethet);* lëshoj; derdh *(gjak, lot):* **~ light on** hedh dritë në *(një mister)*

sheep /ʃi:p/ *em* dele: **one thousand ~** njëmijë krerë dhen; **wolf in ~'s clothing** ujk me lëkurë qengji ♦ **~-dog** /-dog/ *em* qen stani ♦ **~-farm** /-fa:(r)m/ *em* fermë dhensh

sheepish /'ʃi:piʃ/ *mb* i hutuar; i tutur ♦ **~ly** *nd* me ngurrim

sheer /ʃiə(r)/ *mb* i plotë; i mirëfilltë; i pastër; *(shkëmb)* i pjerrët thikë; i tejdukshëm: **~ waste of time** humbje kohe e kotë ♦ *nd (shkëmbi bie)* pjerrët, thikë *(në det)*

sheet /ʃi:t/ *em* fletë *(xhami, llamarine);* faqe *(letre)*

shelf /ʃelf/ *em (sh* **shelves** /ʃelvz/) raft; syth rafti ♦ *k/* mbyll në sirtar *(një çështje)*

shell /ʃel/ *em* guaskë; lëvozhgë; guall *(i breshkës);* koracë; skelet *(i ndërtesës); ush* predhë ♦ *k/* qëroj *(bizele etj.); ush* përtop, gjuaj me artileri ♦ **~fish** /-fiʃ/ *em zl* butak ♦ **~-proof** /-pru:f/ *mb* i blinduar; i koracuar

shelter /'ʃeltə(r)/ *em* strehë; (vend)strehim: **air-raid ~** strehim kundërajror; **seek ~ from the rain** kërkoj vend ku të futem nga shiu ♦ *k/* strehoj/ mbroj *(from kundër, nga);* buj *(dikë për natën)* ♦ *jk/* strehohem; ruhem ♦ **~ed** *mb* i strehuar; i mbrojtur *(nga shiu etj.)*

shelves /'ʃelvz/ *shih* **shelf**

shepherd /'ʃepə(r)d/ *em* bari ♦ *k/* punoj si bari: **~'s pie** *gjl* byrek me mish të grirë e me brumë patatesh

shield /ʃi:ld/ *em* mburojë; mbrojtje ♦ *k/* mbroj; mbuloj *(***from** nga); *tk* blindoj *(transformatorin)*

shift /ʃift/ *em* ndërrim *(i qëndrimit);* ndryshim; lëvizje; turn, ndërresë *(e punës):* **in ~s** me turne; **be at one's last ~s** jam në pikë të hallit ♦ *k/* ndërroj; ndryshoj; hedh *(fajin)* ♦ *jk/* ndërroj vend; *(era)* ndryshon drejtim ♦ **~y** *mb* hileqar; i pabesë shin /ʃin/ em kërci *(i këmbës)*

shin:e /ʃain/ em shkëlqim: **shoe** ~ bojë këpucësh ♦ **(shone** /ʃoun/) *jk/* shkëlqen; ndriçon: **her face was ~ing with joy** asaj i ndrinte fytyra nga gëzimi ♦ *k/* shkëlqej; lustroj; ndriçoj; i hedh dritën ♦ **~ing** *mb* i shkëlqyer; i ndritshëm ♦ **~y** *mb* i ndritshëm; *(rrobë)* që ka marrë shkëlqim *(nga përdorimi)*

ship /ʃip/ em anije ♦ *k/* nis; transportoj *(me anije)* ♦ **~-builder** /-bildə(r)/ *em* ndërtues anijesh ♦ **~ment** *em* spedicion; dërgim; transport me det; ngarkesë ♦ **~-owner** /-ounə(r)/ *em* pronar i anijes; armator ♦ **~ping** *em* transpot; anije transporti ♦ **~-plane** /-plein/ *em* hidroplan

shipshape /'ʃipʃeip/ *mb, nd* në gjendje të shkëlqyer; në formë të mirë

shipwreck /-rek/ *em* mbytje e anijes; anijethyerje ♦ **~yard** /-ja:(r)d/ *em* kantier detar

shire /'ʃaiə(r)/ *em* konté; *(me emra gjeografikë)* | ʃə(r)/ **Yorkshire** /'jo:(r)kʃə(r)/ Jorkshir

shirk /ʃə:(r)k/ *k/* shmang detyrën; bëj bish ♦ **~er** *em* hileqar në punë

shirt /ʃə:(r)t/ *em* këmishë: **keep your ~!** *bs* mos u nxeh!

shit /ʃit/ *em, psth v/* mut: ~! punë muti! ♦ *jk/* **(shat /** ʃæt/) dhjes

shiver /'ʃivə(r)/ *em* rrëqethje; të dridhura ♦ *jk/* dridhem; kam të rrëqethura

shock /ʃok/ *em* përplasje; tronditje; *el* shkarkim elektrik; elektroshok: **get the ~ of one's life** më bie pika ♦ *k/* përplas; trondit; lë pa mend ♦ **~ing** *mb* tronditës; skandaloz; *bs (mot, shkrim etj.)* i keq; i ndyrë

shoddy /'ʃodi/ *mb (mall)* i keq; i dobët

shoe /ʃu:/ *em* këpucë; potkua ♦ **~-black** /-blæk/ *em* bojë këpucësh ♦ **~-horn** /-ho:(r)n/ *em* lugë këpucësh ♦ **~lace** /-leis/ *em* lidhëse këpucësh ♦ **~-maker** /-meikə (r)/ *em* këpucar ♦ **~-shine** /-ʃain/ **boy** *em* lustraxhi ♦ **~string** /-striŋ/ *em:* **on a ~string** *bs* me pak para; me kursim të madh

shone /ʃoun/ *shih* **shine**

shoot¹ /ʃu:t/ *em bt* mugull; syth

shoot² gjueti ♦ **(shot** /ʃot/) *k/* gjuaj; hedh *(një gur);* qëlloj *(me armë, me gurë):* ~ **an arrow** gjuaj me shigjetë ♦ *jk/* gjuaj; dal për gjah; filmoj ♦ ~ **down** *k/* rrëzoj *(një aeroplan etj.)* ♦ ~ **out** *jk/* vërsulem jashtë; shpërthej; *(uji)* del çurg ♦ **~out** /'ʃu:taut/ *em* shkëmbim zjarri; të shtëna *(midis bandave etj.)* ♦ ~ **up** *jk/* rritet shpejt; *(çmimet)* ngrihen shpejt

shop /ʃop/ *em* tregtore; dyqan; punishte; oficinë ♦ *jk/* blej; bëj pazarin; psonis ♦ ~ **around** *jk/* kontrolloj çmimet nëpër dyqane ♦ ~ **assistant** /-əs'istənt/ *em* shitës ♦ **~keeper** /-'ki:pə(r)/ *em* shitës; pronar dyqani ♦ **~-lifting** /-'liftiŋ/ *em* vjedhje dyqanesh ♦ **~per** /'ʃopə(r)/ *em* blerës ♦ **~ping** *em* blerje; psonisje: **do the/ go ~** bëj pazarin ♦ **~-bag** /-bæg/ *em* çantë e psonisjes ♦ **~-centre** /-

-'sentə(r)/ *em* qendër tregtare ♦ **~-window** /-'windou/ *em* vitrinë *(e dyqanit)* ♦ **~woman** /-'wumən/ *em* shitëse

shore /ʃo:(r)/ *em* breg: **off shore** në det të hapur ♦ **~line** /-lain/ *em* vijë bregdetare

shorn /'ʃo:(r)n/ *shih* **shear**

short /ʃo:(r)t/ *mb* i shkurtër: **a ~ time ago** pak më parë: **be in ~ supply** ka me pakicë; është (gjë) e rrallë; **make ~ work of** i bie shpejt e shpejt/ me gishtin e madh diçkaje; **give ~ weight** ha/ rrej në peshë ♦ *nd* me ngut: **in ~** shurt(imisht); **stop ~ of doing sth** për pak sa nuk bëj diçka; **to cut a long story ~** për t'i rënë shkurt *(muhabetit)*

shortage /'ʃo:(r)tidʒ/ *em* mungesë; mangësi

short:-circuit /-'sə:(r)kit/ *em el* qark i shkurtër ♦ **~coming** /-kʌmiŋ/ *em* e metë; cen; defekt ♦ **~-cut** /-kʌt/ *em* shkurtore; rrugë e shkurtër ♦ **~en** *k/* shkurtoj; pres shkurt ♦ **~-hand** *em* stenografi ♦ **~list** /-lit/ *em* listë përfundimtare *(kandidatësh për një post)* ♦ **~-lived** /-livd/ *mb* jetëshkurtër ♦ **~ly** *nd* pas pak, së shpejti: **~ly before/ after** pak më parë/ pas ♦ **~-range** /-'reidʒ/ *mb (armë)* me rreze të shkurtër

shorts /ʃo:(r)ts/ *em sh* mbathje të shkurtra

short:-sighted /-'saitid/ *mb* dritëshkurtër, miop ♦ **~-spoken** /-'spoukn/ *mb* fjalëpakë ♦ **~-story** /-'sto:ri/ *em* tregim ♦ ~ **temper** /-tempə(r)/ *em* gjaknxehtësi ♦ **~-tempered** /-'tempə(r)d/ *mb* gjaknxehtë ♦ **~-term** /-'tə:(r)m/ *mb* afatshkurtër ♦ ~ **time** /-taim/ *em* orar i shkurtuar ♦ **~wave** /-weiv/ *em rd* valë e shkurtër ♦ *mb* me valë të shkurtra ♦ **~winded** /-windid/ *mb* frymëzënë; astmatik

shot /ʃot/ *shih* **shoot** ♦ *em* qitje, e shtënë; saçmë; gjyle; qitës; fotografi e çastit; gjilpërë; provë; hamendje: **a good/ bad ~** e shtënë plot/ bosh; **give it another ~** *bs* bëje edhe një provë; **like a ~** *bs (nisem)* fishek, flur ♦ **~gun** /-gʌn/ *em* armë gjahu ♦ **~-put** /-put/ *em sp* hedhje e gjyles ♦ **~-putter** /-'putə(r)/ *em sp* hedhës i gjyles

should /ʃud/ *folje ndihmëse:* **I ~ go** (më) duhet të shkoj; **you ~n't have done it** të mos e kishe bërë; **I ~ like to...** do të kisha dëshirë të...; **if he ~ come** po të vijë

shoulder /'ʃouldə(r)/ *em* shpatull; sup: ~ **to ~** sup më sup; **hard ~** korsi e urgjencave *(në autostradë)* ♦ *k/* shtyj me sup; i vë shpatullat *(punës); fg* marr përsipër *(një barrë, përgjegjësi)* ♦ **~-bag** /-bæg/ *em* krahol, çantë shpine ♦ **~blade** /-bleid/ *em an* shpatull; kockë e shpatullës ♦ **~piece** /-pi:s/ *em* supore ♦ **~-strap** /-stræp/ *em* tirantë; aski *(e pantallonave)*

shout /ʃaut/ *em* thirrje, britmë ♦ *k/, jk/* thërres, bërtas ♦ ~ **at** *jk/* i bërtas *(dikujt)* ♦ ~ **down** *k/* e mbyt me britma *(folësin)*

shove /ʃʌv/ *em* shtyrje, e shtyrë: **when push comes to ~** kur vjen veza; kur mblidhet litari ♦ *k/*

shtyj; *bs* ngul, fut ♦ *jk/* shtyhem ♦ **~ off** *jk/ bs* heq qafe; iki; zhdukem

shovel /'ʃʌvl/ *em* lopatë ♦ *k/* hedh/ gërmoj me lopatë ♦ *jk/* punoj me lopatë

show /ʃou/ *em* shfaqje; demonstrim; ekspozitë; mburrje; program: **on ~** i ekspozuar; i vënë në ekspozitë/ vitirinë: **make a poor ~** bëj figurë të keqe; **give the ~ away** nxjerr lakrat; **good ~!** të lumtë! ♦ (**showed** /ʃoud/, **shown** /ʃoun/) *k/* tregoj; nxjerr/vë në ekspozitë/ vitrinë; shfaq *(një film)* ♦ *jk/ (filmi)* shfaqet: **your slip is ~ing** ti të duket këmisha *(poshtë fustanit)* ♦ **~ off** *jk/ bs* kërkoj të dukem ♦ *k/* vë në dukje, nxjerr në pah ♦ **~ up** *jk/* evidentoj; *bs* vij, mbërrij, dukem ♦ *k/ bs* e nxjerr në dritë të keqe

show-down /'ʃoudaun/ *em* rregullim/ ndreqje e hesapeve; ballafaqim; provë e forcës

shower /'ʃauə(r)/ *em* dush; rrebesh shiu: **have a ~** bëj dush ♦ **~y** *mb (shi)* i rrëmbyer ♦ **~-bath** /-ba:θ/ *em* banjë me dush

showy /'ʃoui/ *mb* i spikatur; i dukshëm; *bs* i shtirur; sa për t'u dukur/ sy e faqe

shrank /ʃræŋk/ *shih* **shrink¹**

shred /ʃred/ *em* rreckë; copë: **not a ~** *fg* asnjë thërrime ♦ *k/* (**shredded** /'ʃredid/, **shred**) rreckos; gjill grij ♦ **~der** *em* makinë grirëse *(e leckave, e dokumenteve)*

shrewd /ʃru:d/ *mb* i zgjuar ♦ **~ness** *em* zgjuarsi

shriek /ʃri:k/ *em* klithmë ♦ *k/, jk/* klith

shrill /ʃril/ *mb (klithmë)* e çjerrë

shrimp /ʃrimp/ *em zl/* karkalec deti

shrink¹ /ʃriŋk/ *jk/* (**shrank** /ʃræŋk/, **shrunk** /ʃrʌŋk/) rrëgjohem; tërhiqem, zmbrapsem (**from** nga)

shrink² *em bs* psikiatër

shroud /ʃraud/ *em* savan; qefin; çarçaf *(i të vdekurit)*

Shrove /ʃrouv/ *em ft:* **~tide** të lidhura; **~ Tuesday** e martë e të lidhurave

shrub /ʃrʌb/ *em* gëmushë; shkurre

shrug /ʃrʌg/ *em* mbledhje; rrudhje e supeve ♦ *k/, jk/:* **~ (one's shoulders)** mbledh/ rrudh supet

shrunk /ʃrʌŋk/ *shih* **shrink¹**

shudder /'ʃʌdə(r)/ *em* dridhje ♦ *jk/* dridhem: **~ at thinking** dridhem kur e mendoj

shuffle /'ʃʌfl/ *em* tërheqje e këmbëve; përzierje *(e letrave të bixhozit)* ♦ *jk/* tërheq këmbët zvarrë/ osh ♦ *k/* përziej *(letrat e bixhozit)*

shun /ʃʌn/ *k/* i shmangem; mbyllem në: **he ~ned everybody** ai s'donte të kishte punë me njeri

shut /ʃʌt/ *mb* i mbyllur ♦ (**shut, -ting**) *k/* mbyll ♦ *jk/* mbyllem ♦ **~ away** *k/* izoloj ♦ **~ down** *k/* mbyll *(dyqanin)* ♦ **~ up** *k/* e mbyll gojën; pushoj ♦ *jk/ bs* rri urtë: **~ up!** pusho!

shutter /'ʃʌtə(r)/ *em* bllokues ♦ **~s** grila

shuttle /'ʃʌtl/ *em* sovajkë ♦ *jk/* shkoj e vij; bëj ecejake

shy /ʃai/ *mb* i turpshëm; i druajtur; *(kafshë)* e pamësuar: **fight ~ of a job** kam frikë t'i hyj një

pune ♦ **~ness** *em* turp; druajtje ♦ *jk/* tutem; druhem; *(kali)* tërhuzet (**from**)

sick /sik/ *mb* i sëmurë; *(humor)* i lig: **be ~** kam të vjella; **be ~ of sth** *bs* e kam në majë të hundës/ kam neveri nga diçka ♦ **~en** *k/* neverit ♦ *jk/:* **~ at the sight of sth** kam neveri kur shoh diçka ♦ **~bay** /-bei/ *em* infermieri ♦ **~ening** *mb* i neveritshëm ♦ **~-headache** /-'hedeik/ *em mk* migrenë ♦ **~-leave** /-li:v/ *em* mungesë me raport ♦ **~ly** *mb* shëndetlig ♦ **~ness** *em:* **morning ~** të vjella të mëngjesit *(të shtatzënës)* ♦ **~-pay** /-pei/ *em* pagesë me raport *(e rrogës)* ♦ **~-room** /ru:m/ *em* infermierí

side /said/ *em* anë; krah; brinjë *(mali)*; buzë *(e rrugës)*: **~ by ~** përbri; krah për krah; **take ~s** mbaj anë, bëj me hatër; **be on the safe ~** për të qenë brenda ♦ *mb* anësor ♦ *jk/:* **~ with** bëhem me *(dikë)* ♦ **~-board** /-bo:(r)d/ *em* bufe në mur; sergjen ♦ **~burns** /-bə:(r)nz/ *em sh* baseta, favorite ♦ **~effect** /-i'fekt/ *em* efekt anësor *(i barit)* ♦ **~horse** /-ho:(r)s/ *em sp* kaluç me doreza ♦ **~kick** /-kik/ *em* ortak ♦ **~line** /-lain/ *em* veprimtari/ punë e dytë ♦ **~long** /-loŋ/ *mb (vështrim)* me bisht të syrit ♦ **~step** /-step/ *k/* mënjanoj; shmang ♦ **~street** /-stri:t/ *em* rrugë anësore ♦ **~-throw** /-θrou/ *em sp* rivënie anësore ♦ **~-track** /-træk/ *k/* kaloj anësh *(një problem)* ♦ **~-walk** /-wo:k/ *em am* këmbësore; trotuar ♦ **~ways** /-weiz/ *nd* tërthor; kërthazi

siege /si:dʒ/ *em* rrethim: **under ~** i rrethuar

sieve /siv/ *em* sitë; shoshë ♦ *k/* shoshit; sitos

sift /sift/ *k/* shoshit; sitos: **~ (through)** *fig* kaloj në sitë; shoshit; seleksionoj *(kandidatë për një post)*

sigh /sai/ *em* psherëtimë: **heave a ~** lëshoj një psherëtimë ♦ *jk/* psherëtij

sight /sait/ *em* pamje; shënjestër: **the ~s** *sh* pika turistike *(të një qyteti)*; **at first ~** me pamjen e parë; **lose ~ of** humb sysh; nuk mbaj parasysh; **know by ~** njoh për fytyrë; **have a bad ~** jam keq nga sytë; **you're a ~!** ç'je bërë kështu! ♦ *k/* shoh; dalloj; shquaj ♦ **~ing** *em* vrojtim; vëzhgim; shenjim *(i armës)*

sightseeing /'saitsi:iŋ/ *em:* **go ~** dal të shoh pikat turistike/ historike *(të një vendi)*

sign /sain/ *em* shenjë; njoftim; tregues: **~ language** gjuhë e shenjave; **road ~s** shenja të trafikut rrugor ♦ *k/, jk/* nënshkruaj ♦ **~ in** *k/* regjistrohem; shkruhem ♦ **~ out** *k/* çregjistrohem

signal /'signl/ *em* shenjë; sinjal ♦ *k/* bëj shenjë; sinjalizoj ♦ *jk/* bëj me shenjë: **~ to sb** ia bëj me shenjë dikujt (**to** që të)

signature /'signətʃə(r)/ *em* nënshkrim

signif:icance /sig'nifikəns/ *em* kuptim; domethënie ♦ **~icant** *mb* kuptimplotë; domethënës ♦ **~y** /'signifai/ *k/* do të thotë; shpreh *(qëllimin)*; bëj të ditur

sign post /'sainpoust/ *em* tabelë e shenjave rrugore

silen:ce /'sailəns/ *em* qetësi: **in ~** në heshtje ♦ *k/* ia mbyll gojën; mbyt *(kritikën)* ♦ **~t** *mb* i heshtur; *(film)* pa zë: **remain ~** hesht; rri pa fjalë ♦ **~tly** *nd* në heshtje

silk /silk/ *em* mëndafsh ♦ *mb* i mëndafshtë: **~ fab-rics** të mëndafshta ♦ **~en** *mb* i mëndafshtë; *(prej)* mëndafshi ♦ **~screen** /'silkskri:n/ *em* serigrafi ♦ **~worm** /-wə:(r)m/ *em zl* krimb mëndafshi ♦ **~y** *mb* i mëndafshtë; si mëndafsh; *(prej)* mëndafshi

silly /'sili/ *mb, em* budalla; marrok: **don't be ~!** mos u bëj budalla!; jo more!

silver /'silvə(r)/ *em* argjend; argjendari, enë argjendi ♦ *mb* i argjendtë; *(letër)* e argjenduar: **have a ~ tongue** jam i gojës ♦ *k/* argjendoj ♦ **~-plated** /-pleitid/ *mb* i argjenduar ♦ **~smith** /-smiθ/ *em* argjendar ♦ **~ware** /-wɛə(r)/ *em* argjendurina ♦ **~-wedding** /-'wediŋ/ *em* përvjetor i argjendtë/ 25-vjetor i martesës ♦ **~y** *mb* i argjendtë: **~ hair** flokë të bardhë si argjend

similar /'similə(r)/ *mb* i ngjashëm ♦ **~ity** /-'læræti/ *em* ngjashmëri ♦ **~ly** *nd* po ashtu; në të njëjtën mënyrë

simmer /'simə(r)/ *k/, jk/* ziej ngadalë; me zjarr të ulët; *fg* ziej përbrenda *(nga zemërimi)*

simpl:e /'simpl/ *mb* i thjeshtë; *(njeri)* i leshtë, dede: **~-minded** mendjelehtë ♦ **~eton** /-tən/ *em* leshko ♦ **~icity** /-'plisəti/ *em* thjeshtësi; çiltëri ♦ **~ification** /-ifi'keiʃən/ *em* thjeshtësim ♦ **~ify** /'simplifai/ *k/* thjeshtëzoj ♦ **~y** *nd* thjesht: **she ~ wouldn't** ajo s'donte që s'donte

simultane:ous /siməl'teiniəs/ *mb* i njëkohshëm ♦ **~ously** *nd* njëkohësisht; në të njëjtën kohë (**with** me) ♦ **~ity** /-tə'neiti/ *em* njëkohshmëri

sin /sin/ *em* mëkat ♦ *jk/* mëkatoj; bie në mëkat

since /sins/ *prfj* nga; prej ♦ *nd* qysh atëherë ♦ *ldh* qysh/që kur; me që

sincer:e /sin'siə(r)/ *mb* i çiltër; i sinqertë ♦ **~ely** *nd* çiltërisht; sinqerisht: **Yours ~** të fala *(në fund të letrës)* ♦ **~ity** /-'serəti/ *em* çiltëri; sinqeritet

sinful /'sinful/ *mb* i mëkatshëm; mëkatar

sing /siŋ/ *k/, jk/* (**sang** /sæŋ/, **sung** /sʌŋ/) këndoj: **~ small** *bs* bëhem pulë; **~ us a song** na këndo një këngë ♦ **~er** *em* këngëtar ♦ **~ing** *em* këngë; të kënduarit ♦ *mb* i këngës; i të kënduarit: **~ master** mësues i këngës

single /'siŋgl/ *mb* vetëm; tek; beqar; i pamartuar: **~ bed** krevat tek ♦ *em (biletë treni etj.)* vetëm për vajtje; *sp (ndeshej)* teke, individuale ♦ *k/* zgjedh; dalloj; i vë gishtin *(dikujt si më i miri)* ♦ **~handed** /-'hændid/ *mb, nd* vetëm; pa ndihmë ♦ **~minded** /-'maindid/ *mb* i vendosur; i prerë në mendime ♦ **~ parent** /-'pærənt/ *em* prind i ndarë *(që e rrit vetëm fëmijën)*

singular /'siŋgjulə(r)/ *mb* i përveçëm; *gjh* njëjës ♦ *em* njëjës: **used in the ~** përdoret në njëjës

sinister /'sinistə(r)/ *mb* i keq; i mbrapshtë; i kobshëm

sink /siŋk/ *em* sqoll; lajtore ♦ (**sank** /sæŋk/, **sunk** /sʌŋk/) *jk/* fundosem ♦ *k/* fundos *(anijen)* ♦ **~ in** *jk/* depërton: **let it ~ in** *bs* prit sa ta kuptosh

sinn:er /'sinə(r)/ *em* mëkatar ♦ **~ing** *em* mëkatim

sip /sip/ *em* hurbë ♦ *k/* hurb *(kafen, çajin)*

siphon /'saifn/ *em* shishe sifoni; sifon ♦ *k/:* **~ off** derdh/ heq me sifon

sir /sə:(r)/ *em* zotëri; **Sir** *(titull)* Sër

siren /'sairən/ *em dhe mit* sirenë

sister /'sistə(r)/ *em* motër; infermiere; kryeinfermiere *(e sallës)* ♦ **~-in-law** /-rin'lo:/ *em (sh* **~s-in-law**) kunatë

sit /sit/ (**sat** /sæt/, **-ting**) *jk/* ulem; rri ulur; *(komisioni)* mblidhet; *(pula)* bie klloçkë: **~ tight** s'lëviz vendit ♦ **~ back** *jk/ fg* rri pa punë, rri e shoh ♦ **~ down** *jk/* ulem; rri nenjur ♦ **~ up** *jk/* ngrihem ndenjur *(në shtrat):* **~ up all night** rri zgjuar gjithë natën

site /sait/ *em* vend; kantier ♦ *jk/* lokalizoj; dalloj; shoh

sitting /'sitiŋ/ *em* seancë; vendosje e të ftuarve në tryezë ♦ **~-duck** /-dʌk/ *em bs* punë/ gjë e lehtë; llokum në gojë ♦ **~room** /-ru:m/ *em* dhomë e ndenjjes

situation /sitju'eiʃən/ *em* gjendje; vend; pozicion; punë; post

six /siks/ *nm, mb, em* gjashtë: **~ of one and hand a dozen of another** Ali hoxha, hoxhë Alia; **at ~es and sevens** rrëmujë ♦ **~teen** /-ti:n/ *mb* gjashtëmbëdhjetë ♦ **~teenth** /-ti:nθ/ *mb* i gjashtëmbëdhjetë ♦ **~th** /siksθ/ *mb* (e) gjashta pjesë ♦ **~tieth** /-tiiθ/ *mb* i gjashtëdhjetë ♦ **~ty** *nm, mb, em* gjashtëdhjetë; *sh* **~ies** vitet gjashtëdhjetë; moshë gjashtëdhjetë vjeçare

size /saiz/ *em* përmasë; masë *(e rrobës);* numër *(i këpucës):* **what is your ~?; what ~ do you wear?** çfarë numri i ke (rrobat etj.)? ♦ **~ up** *k/ bs* mat; vlerësoj *(gjendjen)*

skate *em* patinë ♦ *jk/* rrëshqas me patina ♦ **~er** *em* patinator ♦ **~ing** *em* patinazh

skelet:al /'skelitl/ *mb* skeletik; si skelet ♦ **~on** *em* eshtëri; skelet ♦ **~on:-key** /-ki:/ *em* çelës kopil ♦ **~on staff** /-sta:f/ *em* personel i shkurtuar së tepërmi

sketch /sketʃ/ *em* skicë; *tt* skeç ♦ *k/* skicoj ♦ **~block** /-blok/ *em* bllok vizatimi ♦ **~book** /-buk/ *em* album skicash ♦ **~map** /-mæp/ *em* hartë memece ♦ **~y** *mb mb* i skicuar; *(përshkrim)* i shkurtër, i thatë

skew /skju:/ *mb* i shtrembër; i vëngër ♦ **~eyed** /-aid/ *mb* vëngërosh; i vëngër

skewer /'skju:ə(r)/ *em* hell për mish

ski /ski:/ *em* ski ♦ *jk/* bëj ski: **go ~ing** shkoj për ski ♦ **~er** *em* skitar ♦ **~-jump** /-dʒʌmp/ *em sp* kërcim me ski nga trampolina; trampolinë e kërcimit me ski ♦ **~-run** /-rʌn/ *em* pistë për ski

skid /skid/ *em* rrëshqitje ♦ *jk*/ rrëshqas

skil:ful(l) /'skilfi/ *mb* i shkathët; i zoti ♦ **~l** /skil/ *em* aftësi; kualifikim ♦ **~ed** *mb* i aftë: **~labour** krahë pune të kualifikuar

skim[1] /skim/ *k*/ skremoj; tund *(qumështin)* ♦ **~med milk** /-milk/ *em* qumësht i skremuar

skim[2] *k*/ prek lehtë

skimp /skimp/ *k*/, *jk*/ kursej; jap me kursim ♦ **~y** *mb* dorështrënguar; kurnac

skin /skin/ *em* lëkurë; lëvore; lapër; calik, rrëshiq: **I should not like to be in his ~** ai pastë hijen e vet; s'dua ta vë lëkurën me të: **by the ~ of one's teeth** me zor të madh ♦ *k*/ rrjep ♦ **~-deep** /-di:p/ *mb* i përciptë ♦ **~ diver** /-'daivə(r)/ *em* peshkatar nënujës ♦ **~flint** /-flint/ *em bs* kurnac; cingun ♦ **~head** /-hed/ *em* kokërruar ♦ **~ner** *em bs* zhvatës; gabitqar ♦ **~ny** *mb* i lëkurët; shumë i dobët ♦ **~-tight** /-tait/ *mb (rrobë)* e ngjitur pas trupit

skip *em* kërcim pupthi; hop; hedhje; kalim ♦ *k*/ kapërcej; lë mënjanë; luaj litarthi

skip:er /'skipə(r)/ *em dt, sp* kapiten

skipping /'skipiη/ *em* kërcim; kapërcim ♦ **~-rope** /'skipiη'roup/ *em* litarth

skirmish /'skə:(r)miʃ/ *em* përleshje ♦ **~** *jk*/ përleshem; *fg* grindem me fjalë

skirt /skə:t/ *em* fund: **mini~** minifund

skittish /'skitiʃ/ *mb bs (grua)* lozonjare

skull /skʌl/ *em* kafkë; rrashtë *(e kokës)* ♦ **~cap** /-kæp/ *em* kësulë

skunk /skʌηk/ *em z*/ qelbës

sky /skai/ *em* qiell: **out of the clear/ blue ~** papritmas; nga qielli; **the ~ is the limit** s'ka kufi; është i pakufizuar ♦ **~blue** /-blu:/ *em* (ngjyrë) e kaltër ♦ **~diving** /-'daiviη/ *em sp* parashutim me hapje të vonuar ♦ **~-high** /-hai/ *nd* deri në qiell ♦ **~jack** /-'dʒæk/ *em* pirat i ajrit ♦ **~lark** /-la:(r)k/ *em z*/ çafkëlore ♦ **~light** /-lait/ *em* gallustër; baxhë ndriçimi ♦ **~line** /-lain/ *em* vijë e horizontit/ sfondit ♦ **~-rocket** /-rokit/ *jk*/ *bs (çmimet)* shkojnë në qiell ♦ **~scraper** /-skreipə(r)/ *em* rrokaqiell; grataçel ♦ **~-way** /-wei/ *em* autostradë e mbingritur

slab /slæb/ *em* pllakë; plloçë; copë *(çokollate)*

slack /slæk/ *em* shtendosje; amulli; papunësi; **~s** *sh* pantallona sportive ♦ *mb* i lirë, i shtendosur; i ngadalshëm, i ngathët; i amullt ♦ **~en** *k*/ ngadalësoj; ul *(ritmin)* ♦ *jk*/ *(tregtia)* bie; *(shpejtësia)* ulet; pakësohet

slag[1] /slæg/ *em* skorie; zgjyrë

slain /slein/ *shih* **slay**

slam /slæm/ *em* përplasje *(e derës)*: **grand ~** fitore e të gjitha lojëve *(në brixh, në tenis)* ♦ *k*/ përplas

slander /'sla:ndə(r)/ *em* shpifje ♦ *k*/, *jk*/ shpif ♦ **~ous** *mb* shpifarak; shpifës

slang /slæη/ *em* sleng; zhargon *(profesional etj.)* ♦ **~y** *mb* i slengut; i zhargonit

slant /sla:nt/ *em* pjerrësi: **on the ~** pjerrët ♦ *k*/ vë pjerrët; *fg* shtrembëroj *(faktet)*

slap /slæp/ *em* flakurimë ♦ *k*/ shuplak; i bie ♦ **~bang** /-bæη/ *nd* me nxitim; shkel e shko ♦ **~ out** *nd* mu/ drejt e në

slash /slæʃ/ *em* e prerë; çallatë ♦ *k*/ pres; çallatoj

slat /slæt/ *em* fletë *(e grilës së dritares)*

slate /sleit/ *em* pllakë; plloçë: **clean the ~** fshij defterët

slaughter /'slo:tə(r)/ *em* thertore; masakër ♦ *k*/ ther; *fg* masakroj ♦ **~-house** /-haus/ *em* thertore

Slav /sla:/ *mb, em* sllav

slave /sleiv/ *em* skllav ♦ *mb (punë)* skllavi ♦ *jk*/ punoj si skllav ♦ **~ry** *em* skllavëri

slay /slei/ (**slew** /slu:/; **slain** /slein/) *k*/ ther; vras me thikë

sleaz:e /sli:z/ *em* ndyrësi; fëlliqësi; përlyerje ♦ **~y** *mb* i përlyer; i fëlliqur

slege /sleds/ *em* slitë

sledge-hammer /-'hæmə(r)/ *em* varé

sleek /sli:k/ *mb* i shtruar; i lëmuar; *(qime)* e ndritur

sleep /sli:p/ *em* gjumë: **go to ~** shkoj të fle/ bie në gjumë ♦ (**slept**) *jk*/ fle: **~ well!** gjumë të ëmbël!; **~ like a log** fle top; **~ on one's laːrels** fle mbi dafina ♦ **~er** *em hk* tren me vagon fjetjeje: **be a light/ heavy ~r** e kam gjumin të lehtë/ të rëndë ♦ **~ily** *ndaj* përgjumësh; si nëpër gjumë ♦ **~ing** *em* fjetje; gjumë; të fjetur ♦ *mb* i gjumit; për gjumë; i fjetjes ♦ **~ing-bag** /'sli:piηbæg/ *em* dyshek-thes ♦ **~ing-car** /-ka:(r)/ *em* vagon fjetjeje ♦ **~ing-pill** /-pil/, **~ingtablet** /-'tæblit/ *em* hape gjumi ♦ **~less** *mb* i pagjumë ♦ **~lessness** *em* pagjumësi ♦ **~y** *mb* i përgjumur: **be/ feel ~** më vjen gjumë; **~head** gjumash

sleet /sli:t/ *em* llohë bore ♦ *jk*/: **it is ~ing** bie llohë

sleeve /sli:v/ *em* mëngë; manikotë: **have a plan up one's ~** kam një plan të fshehtë ♦ **~less** *mb* pa mëngë

sleigh /slei/ *em* slitë

slender /'slendə(r)/ *mb* i hollë; i hajthëm; i patul; *(mundësi)* e rrallë, e vogël *(për të fituar)*

slept /slept/ *shih* **sleep**

slew /slu:/ *shih* **slay**

slice /slais/ *em* thelë; flegër; copë ♦ *k*/ thelëmoj; pres thela-thela; riskoj

slick /slik/ *mb* i shkathët; i zhdërvjellët ♦ *em:* **oil ~** njollë vaji *(në det)*

slid /slid/ *shih* **slide**

slid:e /slaid/ *em* rrëshqitë(se) *(në këndin e lojërave)*; diapozitiv ♦ (**slid**) *jk*/ rrëshqas ♦ **~ing** *mb* i rrëshqitshëm; *(derë)* rrëshqitëse

slight /slait/ *mb* i lehtë; i vogël; i parëndësishëm; i hajthëm: **not in the ~est** aspak ♦ **~ly** *nd* lehtë; pak(sa): **~ better** pak më mirë

slim /slim/ *mb* i hollë; i hajthëm; *fig* i rrallë; *(mundësi)* e vogël ♦ *jk*/ dobësohem; hajthem ♦ **~ming diet** /-daiət/ *em* dietë dobësimi/ hollimi

slime /slaim/ *em* lëmashk; llum

sling /sliŋ/ *em mk* fashim/ rrip krahaqafë *(për krahun e thyer);* hobe ♦ *kl* (**slung** /slʌŋ/) hedh; gjuaj me hobe

slip¹ /slip/ *em* rrëshqitje; shkarje/ gabim; këmishë grash; këllëf jastëku; pece higjienike: **~ of the tongue** shkarje e gjuhës ♦ *jkl* rrëshqas ♦ *kl:* **he ~ped it into his pocket** e vuri në xhep pa u vënë re; **~ the mind** (më) del nga mendja ♦ **~ up** *jkl bs* gaboj; rrëshqas; bie në gabim

slip² *em* filiz i njomë: **a ~ of a girl** vajzë biskonjë

slip:case /'slipkeiz/ *em* këllëf *(i librit)* ♦ **~cover** /-kʌvə(r)/ *em* mbulesë *(e mobilieve)*

slipper /'slipə(r)/ *em* pantofël

slippery /'slipəri/ *mb* i rrëshqitshëm: **as ~ as an eel** *(njeri)* që rrëshqet si ngjalë; **be on the ~ slope** *fg* jam në truall të rrëshqitshëm

slipshod /'slipʃod/ *mb (punë)* e bërë me këmbë; *(njeri)* shkatarraq; punëlënë

slit /slit/ *em* çarje, e çarë *(e fundit);* vrimë ♦ *kl* (**slit**) pres; çaj; gris ♦ *mb:* **~ skirt** fund i/ me të çarë

slob /slob/ *em* baltë; lloç; *bs* kërpaç, punëzi

slobber /'slobə(r)/ *jkl* jargavitem ♦ *kl* përjarg; mbyt me jargë/ me pështymë ♦ **~y** *mb* i jargosur

slog /slog/ *em* punë e rëndë ♦ *jkl* punoj derrçe; mësoj si peshkop (**away**)

slogan /'slougən/. *em* parullë

slop¹ /slop/ *em* lëng; lëngëtyrë; gjellë e keqe

slop² *kl* derdh *(gjellën në tryezë);* laturis: **~ over** *jkl* derdhet

slop:e /sloup/ *em* pjerrësi; pistë skie ♦ *jkl* vjen i pjerrët; ulet; varet: **the sun was ~ing down** dielli po falej ♦ **~ing** *mb* i pjerrët

sloppy /'slopi/ *mb* i lerosur; i llangosur; *(punë)* e katranosur; *(roman)* sentimental

slot /slot/ *em* e çarë; vrimë; dritare, çast i lirë/ pa punë ♦ **~-machine** /-mə'ʃi:n/ *em* shpërndarës automatik *(me monedhë)*

sloth /sloθ/ *em* plogështi; dembelí ♦ **~ful** *mb* i plogët; dembel

slouch /slautʃ/ *em* gërmuqje *(e kurrizit)* ♦ **~** *jkl* gërmuqem; rri pa kujdes; ngathem

Slovakia /slou'vækiə/ *em gjg* Sllovaki ♦ **~n** *em, mb* sllovak

Slovenia /slou'vi:niə/ *em gjg* Slloveni ♦ **~n** *mb, em* slloven

slovenly /'slʌvnli/ *mb* shkatarraq; llosh; llapazhar

slow /slou/ *mb* i ngadalshëm; i ngathët: **in ~ motion** me ngadalësim; **~ coach** ngalakaq; dembel ♦ *nd* ngadalë ♦ **~ down/ up** *kl, jkl* ngadalësoj ♦ **~ly** *nd* ngadalë ♦ **~ness** *em* ngadalësi

sludge /slʌdʒ/ *em* baltë; llucë

slug /slʌg/ *em z/* ligavec, jargavec; plumb *(i fishekut); bs* qullash

sluggard /'slʌgəd/ *mb* përtac; qullaman

slum /slʌm/ *em* shtëpi e ndyrë: **~s** *sh* lagje të varfëra/ ndyra

slumber /'slʌmbə(r)/ *em* dremitje; një sy gjumë ♦ *jkl* fle; dremit; marr një sy gjumë

slump /slʌmp/ *em* shembje; rënie *(ekonomike);* depresion

slung /slʌŋ/ *shih* **sling**

slur /slə:(r)/ *em* njollë; *fg* shpifje ♦ *kl* njollos; katranos *(punën);* ia nxij *(emrin dikujt);* shpif për *(dikë);* gjh errësoj *(një tingull)*

slush /slʌʃ/ *em* llohë; llapërkajë

slut /slʌt/ *em* lelë; lavire; larashe

sly /slai/ *mb* hileqar; hilës ♦ *em:* **on the ~** me hile; fshehtas

smack /smæk/ *em* shuplakë, flakurimë; përplasje e buzëve ♦ *kl* i heq një shuplakë/ flakurimë; përplas buzët *(duke ngrënë)*

small /smo:l/ *mb* i vogël: **in a ~ way** me pakicë; **the ~est cog of the wheel** *fg* vrima e fundit e kavallit ♦ *nd:* **chop up ~** bëj çika-çika; **feel ~** më duket vetja leckë; **sing ~** bëhem pulë; byll sqepin ♦ *em:* **the ~ of the back** kërbisht ♦ **~ change** /-tʃeindʒ/ *em* para të vogla ♦ **~fry** /-frai/ *em* cironkë; korrobace; *fg* njerëz pa rëndësi/ peshë ♦ **~pox** /-poks/ *em mk* li ♦ **~ print** /-print/ *em* shkronjë e vogël; shënim *(në fund të faqes)* ♦ **~ talk** /-to:k/ *em* llafe kote; muhabet groshi ♦ **~time** *mb:* **~ thief** hajdut i vogël, që vjedh vogëlima

smart /sma:(r)t/ *mb* elegant; i zgjuar; *(hap)* energjik; *bs* hileqar ♦ *jkl:* **~ for** *(vërejtja)* më djeg; më vjen hidhur ♦ **~ly** *nd (i veshur)* elegant

smash /smæʃ/ *em* kërcitje; përplasje; thyerje ♦ *kl* thyej; përplas fort ♦ *jkl* thyhet; kris; përplaset me zhurmë ♦ **~ing** *mb bs* i mrekullueshëm ♦ *psth* bukur fort

smattering /'smætəriŋ/ *em:* **have a ~ of** kam njohuri të përcipta për

smear /smiə(r)/ *em* njollë ♦ *kl* njollos; shpif; lyej (**with** me)

smell /smel/ *em* erë ♦ (**smelt** /smelt/, **~ed**) ♦ *kl* i jap erë (aromë); i marr erë, nuhurit: **a rat** i bie hilesë ♦ *jkl* bie era (**of**) ♦ **~ing** *em* nuhatje; shqisë e të nuhaturit ♦ **~y** *mb* erëkeq; i qelbur

smelt¹ /smelt/ *shih* **smell**

smelt² *kl* shkrij ♦ **~ing** *em* shkrije

smil:e /smail/ *em* buzëqeshje ♦ *jkl* buzëqesh: **~ at** i buzëqesh *(dikujt);* qesh me *(diçka);* **force a ~** buzëqesh nga zori/ pahiri ♦ **~ing** *mb* buzëqeshur; buzagas

smith /smiθ/ *em* farkëtar; kovaç ♦ **~y** *em* farkë; kovaçhanë

smithereens /smiðə'ri:nz/ *em sh* copërina; bërllok

smoke /smouk/ *em* tym ♦ *kl* tymos*)* ♦ *jkl* tymos; bëj/ lëshoj tym ♦ **~less** *mb* që digjet pa tym ♦ **~er** *em* duhanxhi; *hk* vagon për duhanpirës ♦ **~ing** *em* tym; tymosje; pirje e duhanit: **'no ~'** "ndalohet duhani" ♦ **~screen** /-'skri:n/ *em* tym maskues

smooth /smu:ð/ *mb* i lëmuar; i sheshtë; i shtruar; *(lojë)* e shtruar; *(det)* i qetë; *(sjellje)* e butë ♦ *kl* lëmoj; sheshoj; shtroj (**out**) ♦ **~ly** *nd* shtuar; shesh; qetë; butë

smother /ˈsmʌðə(r)/ *kl* mbyt; këndirr *(dikë);* ia marr frymën *(dikujt)*

smuggl:e /ˈsmʌgl/ *kl* bëj kontrabandë ♦ **~er** *em* kontrabandist ♦ **~ing** *em (mall)* kontrabandë

snack /snæk/ *em* prishë; një kafshatë: **have a ~ at lunch** ha një kafshatë sa për dreke

snail /sneil/ *em zl* kërmill: **at a ~s pace** me hap kërmilli

snake /sneik/ *em zl* gjarpër

snap /snæp/ *em* goditje e thatë; fotografi e çastit; kafshim ♦ *mb (vendim)* i çastit ♦ *jkl* thyhet; këputet: **~at** *(qeni)* hidhet të kafshojë; flas prerë ♦ *kl* thyej; këput; them prerë; *fot* bëj një fotografi të çastit ♦ *jkl (qeni)* skërmitet; nxjerr dhëmbët; kafshon ♦ **~ fastener** /-ˈfa:snə(r)/ *em* sustë; kopsë me sustë ♦ **~shot** /-ʃot/ *em* fotografi e çastit; e shtënë në tym

snare /snɛə(r)/ *em* kurth ♦ *kl* shtie në kurth

snarl /sna:(r)l/ *em* skërmitje *(e qenit)* ♦ *jkl (qeni)* skërmitet; hakërrehem

snatch /snætʃ/ *em* tërheqje; kapje; rrëmbim; pjesë/ fragment; vjedhje: **make a ~ at** matem/ rrekem të kap ♦ *kl* rrëmbej nga dora; vjedh; grabit ♦ *jkl* kap fluturimthi: **~ at an offer** s'e lë një ofertë të bjerë përdhe

sneak /sni:k/ *em bs* spiun ♦ *jkl bs* spiunoj; vjedh; kobit; përvidhem (**in, out**)

sneakers /ˈsni:kə(r)z/ *em sh am* këpucë sporti, atlete

sneer /snɪə(r)/ *em* kërveshje; nënqeshje tallëse ♦ *jkl* kërveshem; nëqesh me tallje

sneeze /sni:z/ *em* teshtimë ♦ *jkl* teshtij

snicker /ˈsnɪkə(r)/ *em* qeshje e mbytur

sniff /snif/ *em* nuhatje *(e qenit)* ♦ *jkl* rrufit; thith hundët ♦ *kl* nuhat; nuhurit; i marr erë *(lules);* thith *(kokainë)*

sniffle /ˈsnifl/ *jkl* rrufit/ thith hundët

snigger /ˈsnɪgə(r)/ *jkl* nënqesh; qesh nën hundë

snip /snip/ *em* copë e prerë me gërshërë; *bs* punë e lehtë; rast i mirë ♦ *kl* pres me gërshërë

snipe /snaip/ *em zl* shapkë; pulëdushke

sniper /ˈsnaipə(r)/ *em* snajper; shenjëtar

snitch /snitʃ/ *em bs* spiun

snivel /ˈsnivl/ *jkl* rrufit hundët; përqurrem

snob /snob/ *em* snob ♦ **~bery** *em* snobizëm ♦ **~bish** *mb* si snob

snooker /ˈsnu:kə(r)/ *em* bilardo

snoop /snu:p/ *jkl* fut hundët; spiunoj (**on**)

snooze /snu:z/ *em* dremitje; një sy gjumë ♦ *jkl* dremit; marr një sy gjumë

snore /sno:(r)/ *em* gërhitje; gërhimë ♦ *jkl* gërhas

snorkel /ˈsno:(r)kl/ *em* tub ajrimi *(i nëndetëses);* tub ajri *(i zhytësit)*

snort /sno:(r)t/ *em* shkrofëtimë ♦ *jkl* shkrofëtij

snot /snot/ *em* qurra; handrak ♦ **~ty** *mb* qurrash

snout /snaut/ *em* feçkë; turi *(i kafshës)*

snow /snou/ *em* borë; *sl* kokainë ♦ *jkl* bie/ resh borë ♦ **~-ball** /-bo:l/ *em* top bore ♦ *jkl* luaj me topa bore ♦ **~-bird** /-bə:(r)d/ *em zl* borës; zborak ♦ **~flake** /-fleik/ *em* flok/ cufël bore ♦ **~man** /-mæn/ *em* burrë bore

snub[1] /snʌb/ *em* qortim ♦ *kl* qortoj

snub[2] *mb* hundështypur

snuff[1] /snʌf/ *em* burnot: **a pinch of ~** një pisk burnot

snuff[2] *kl* shuaj *(qiriun)* ♦ **~ers** *em sh* mashë për të shuar qirinjtë

snug /snʌg/ *mb* rehat; i qetë; i mirë; i puthitur

snuggle /ˈsnʌgl/ *jkl* strukem; tulatem (**up**)

so /sou/ *nd* kështu: **~ far** deri këtu/tani; **that is ~** kështu është; **~ much** kaq shumë; **~ much the better** aq më mirë; **~ as to** me qëllim që; **~ long** mirupafshim ♦ *prm:* **I hope/ think/ am afraid ~** shpresoj/ mendoj/ kam frikë se ashtu është; **I told you ~** ta thashë unë; **or ~** rreth; nja; **very much ~** njashtu; ashtu po; **and ~ forth/ on** e kështu me radhë; **you don't say ~**! jo more!; ashtu! ♦ *ldh* pra; prandaj; me qëllim që: **~ that** me qëllim që; **~ what**? e çfarë?

soak /sauk/ *kl* bëj qull ♦ *jkl* bëhem qull ♦ **~ into** njom; vë njokë ♦ **~ up** *kl* thith *(ujin)*

soap /soup/ *em* sapun ♦ *kl* sapunis ♦ **~-box** /-boks/ *em* arkë e sapunit ♦ **~-box orator** /-oːˈreitə(r)/ *em* orator demagog/ rrugësh ♦ **~-opera** /-ˈopərə/ *em* telenovelë ♦ **~ powder** /-ˈpaudə(r)/ *em* pluhur sapuni

soar /so:(r)/ *jkl* ngrihet; *(çmimet)* shkojnë në qiell

sob /sob/ *em* dënesë ♦ *jkl* dënes; qaj me ngashërim

sober /ˈsoubə(r)/ *mb* esëll; serioz; hijerëndë ♦ **~ up** *jkl* bëhem esëll

so-called /ˈsouko:ld/ *mb* i ashtuquajtur

soccer /ˈsokə(r)/ *em* futboll

social /ˈsouʃəl/ *mb* shoqëror: **~ oder** rend shoqëror; **climb the ~ lader** ngjitem në shkallën shoqërore/ bëj karrierë në shoqëri ♦ **~-climber** /-klaimbə(r)/ *em* karrierist; arrivist ♦ **~ evil** /-ˈi:vl/ *em* e keqe/ sëmundje shoqërore; prostitucion ♦ **~ise** /-aiz/ *kl* shoqërizoj ♦ *jkl* shoqërohem; bëhem *(me shokë);* shkoj mirë *(me shokët)* ♦ **~m** *em* socializëm ♦ **~t** *mb, em* socialist ♦ **~te** /-ait/ *em* figurë e shoqërisë së lartë ♦ **~ service** /-ˈsə:(r)vis/ *em* shërbime sociale ♦ **~ standing** /-ˈstændiŋ/ *em* pozitë shoqërore ♦ **~work** /-ˈwə:(r)k/ *em* asistencë sociale

society /səˈsaiəti/ *em* shoqëri: **high ~** shoqëri e lartë/ e modës

sociology /souʃiˈolədʒi/ *em* sociologji

sock[1] /sok/ *em* çorap

sock[2] *em* goditje e fortë *(me grusht)* ♦ *kl* i sëlloj *(dikujt);* ia ngjesh me grusht *(dikujt)*

socket /ˈsokit/ *em* prizë korrenti; protollambëzgavër/

gropëz *(e syrit)*

sod *em* plis *(bari);* bukëbar

soda /'soudə/ *em* sodë: **~ water** *em* ujë i gazuar

sodden /'sodn/ *mb* i lagur; i njomur

sofa /'soufə/ *em* divan; kanapé

soft /soft/ *mb* i butë; *(zë)* i ëmbël; *(ngjyrë)* e zbutur; *bs* budalla; qullash: **~ life** jetë në rehati; **~ job** punë e rehatshme; **have a ~ spot for sb** kam dobësi për dikë; **~ drink** pije joalkoolike ✦ **~en** /'sofn/ *k/* zbut; ëmbëlsoj ✦ **~ener** *em* zbutës; lëndë zbutëse ✦ *jk/* zbutem ✦ **~-head** /-hed/ *mb* kokëtul; qole ✦ **~-soap** /-soup/ *em* sapun i butë ✦ *k/* lajkatoj; marr me lajka ✦ **~-spoken** /-spoukn/ *mb* gojëmbël; fjalëbutë ✦ **~-ware** /-wɛə(r)/ *em tk* program *(i kompjuterit)* ✦ **~y** *mb* qullash; frikash; *(tip)* sentimental

soggy /'sogi/ *mb (tokë)* e qullët; i lagët; me lagështirë

soil¹ /soil/ *em* dhe; tokë

soil² *em* lerë; zdralë ✦ *k/* ndyj; leros

solace /'souləs/ *em* ngushëllim

solar /'soulə(r)/ *mb* diellor: **~ energy** energji diellore; **~ year** vit diellor

sold /sould/ *shih* **sell**

solder /'souldə(r)/ *k/* saldoj; ngjit me saldim

soldier /'souldʒə(r)/ *em* ushtar; ushtarak ✦ **~ly** *nd (qëndroj)* si ushtar

sole¹ /soul/ *em* shputë *(e këmbës);* shollë *(e këpucës)*

sole² *mb* i vetëm; i pashoq ✦ **~ly** *nd* vetëm; vetëm e vetëm

sole³ *em* z/ shojzë

solemn /'soləm/ *mb* solemn ✦ **~ly** *nd* solemnisht; me solemnitet

solicit /sə'lisit/ *k/* shqetësoj; josh; ia kërkoj *(një gruaje); (prostituta)* kërkon *(klientë)*

solicitor /sə'lisətə(r)/ *em* avokat

solicitude /sə'lisitju:d/ *em* kujdes, hall, merak; shqetësim

solid /'solid/ *mb* i ngjeshur; masiv ✦ *em (trup)* i ngurtë; **~s** *sh* ushqim i ngurtë

solidarity /soli'dærəti/ *em* solidarësi; solidaritet

solidity /sə'liditi/ *em* ngurtësi

solitary /'solitəri/ *mb* i vetëm; i vetmuar; i izoluar

solitude /'solitju:d/ *em* vetmi

solo /'soulou/ *em mz* solo; fluturim i pavarur/ pa instruktor ✦ *mb* njësh; tek; me një vend ✦ *nd* solo, pa shoqërim ✦ **~ist** *em* solist

solu:ble /'soljubl/ *mb* i tretshëm ✦ **~tion** /sə'lu:ʃn/ *em* tretësirë; zgjidhje

solve /solv/ *k/* zgjidh *(një problemë)*

solven:cy /'solvənsi/ *em fn* aftësi paguese ✦ **~t** *mb fn* i aftë të paguaj *(detyrimet)* ✦ *em km* tretësirë

sombre /'sombə(r)/ *mb* i zymtë; *(veshje)* e errët

some /sʌm/ *mb* ca; disa; ndonjë; ndokush: **~ day** ndonjë ditë (prej ditësh); **I need ~ money** më nevojiten ca para ✦ *prm* ca; pak; disa: **I want ~**

më duhen ca; **a hundred and ~** një qind e ca ✦ **~body** /-bədi/ *prm, em* dikush ✦ **~how** /-hau/ *nd* në njëfarë mënyre: **~ or other** qoftë kështu, apo ashtu ✦ **~one** /-wʌn/ *prm, em shih* **somebody**

somersault /'sʌməso:lt/ *em* kollotumbë; laradash: **turn a ~** bëj një kollotumbë

some:thing /'sʌmθiŋ/ *prm* diçka: **~ else** tjetër gjë ✦ **~time** /-taim/, **~times** /-taimz/ *nd* nganjëherë; ndonjëherë: **~ last summer** dikur verën e shkuar ✦ **~what** /-wot/ *nd* disi; deri diku ✦ **~where** /-wɛə(r)/ *nd* diku: **~ to eat** një vend për të ngrënë

son /sʌn/ *em* bir: **only ~** bir i vetëm; **~ of a bitch** bir bushtre; **like father like ~** bëmë baba të të ngjaj

song /soo/ *em* këngë: **for a ~** *(shes)* falur; baltë; badiava

son-in-law /'sʌnin'lo:/ *em (sh* **~s-in-law**) dhëndër

soon /su:n/ *nd* shpejt; së shpejti; së afërmi; herët; pas pak: **~ after** menjëherë pas; **~er or later** herët e vonë; **as ~ as possible** sa më parë që të jetë e mundur; **no ~er had I arrived than...** pa mbërritur mirë, kur...; **I would ~er go** më mirë të iki; **the ~er the better** sa më shpejt aq më mirë; **to be shown ~** së shpejti *(shfaqet, del në kinema)*

soot /sut/ *em* blozë

sooth:e /su:ð/ *k/* qetësoj; resht *(fëmijën që ankohet etj.)* ✦ **~ing** *mb (fjalë)* qetësuese

sop /sop/ *k/* lag; qull ✦ **~ing** *mb:* **~ wet** i bërë qull

sophisticated /sə'fistikeitid/ *mb* i stërholluar; *(shije)* e hollë

soprano /sə'pra:nou/ *em mz* soprano

sorcere:r /'so:(r)sərə(r)/ *em* magjistar; shtrigan ✦ **~ess** *em f* magjistare; shtrigë

sordid /'so:(r)did/ *mb* i ndyrë; i fëlliqur ✦ **~ness** *em* ndyrësi; fëlliqësi

sore /so:(r)/ *mb* i dhembur; që ka dhembje; *am* i inatosur: **have a ~ throat** më dhemb fyti; **with a ~ head** me kokën daulle ✦ *em* plagë

sorr:ow /'sorou/ *em* mërzi ✦ **~y** *mb:* **you'll be ~** do të pendohesh; **I'm ~** më vjen keq; **~!** më fal!; **be ~ for sth** më vjen keq për diçka

sort /so:(r)t/ *em* lloj; soj; tip; humor, dell: **all ~s of** gjithëfarësh; **of ~s** njëfarëlloj; dosido; **out of ~s** *bs* pa qejf; i mërzitur

sort *k/* zgjedh; ndaj *(letrat sipas adresave); fg* zgjidh *(vështirësinë);* klasifikoj; grupoj; merrem me *(dikë)* **(out): I'll ~ him out** e zgjidh unë punën e tij; i ndreq unë atij

sot /sot/ *em* pijanec i pandreqshëm

Soudan (the) /(ðə)su'dæn/ *em gjg* Sudan ✦ **~ese** *mb, em* sudanez

sought /so:t/ *shih* **seek** ✦ *mb* i kërkuar: **much ~ after** *(mall)* tepër i kërkuar

soul /soul/ *em* shpirt; frymë: **poor ~!** i shkreti! ✦ **~ful** *mb* i përzemërt; *(interpretim)* i ndier/ i bërë me ndjenjë

sound[1] /saund/ *mb* i shëndetshëm; *(njeri)* mendar; i sigurt; *(e rrahur)* e mirë

sound[2] *em* tingull; zhurmë: **I dont like the ~ of it** *bs* s'më pëqlen, se si më duket ♦ *k/* tingëlloj; shqiptoj *(një tingull); mk* dëgjoj *(pacientin); dt* sondoj *(thellësinë)* ♦ *jk/* më duket/ ngjan ♦ **~card** /-ka:(r)d/ *em tk* skedë e zërit ♦ **~ effects** /-i'fekts/ *em sh kn* zhurma ♦ **~ film** /-film/ *em* film me zë

sound[3] *k/* sondoj; mat me sondë thellësinë e

soundly /'saundli/ *nd (në gjumë të)* thellë; *(rrah, mund)* keqas

sound: mixer /'saund'miksə(r)/ *em kn* teknik i zërit ♦ **~-proof** /pruf/ *mb (sallë)* me izolim akustik ♦ **~track** /-træk/ *em kn* pistë zanore/ e zërit

soup /su:p/ *em* supë

sour /'sauə(r)/ *mb* i thartë; *fig (fytyrë)* e thartuar; e prishur; qejfprishur

source /so:(r)s/ *em* burim: **reliable ~** burim i besuar *(të dhënash)*

south /sauθ/ *em* jug: **to the ~ of** në jug të ♦ *mb* jugor ♦ *nd* drejt jugut ♦ **~bound** /'baund/ *mb (tren etj.)* i drejtuar për në lindje; që shkon drejt lindjes ♦ **~east** /-i:st/ *em* juglindje ♦ **~eastern** /-i:stə(r)n/ *mb* jugperëndimor ♦ **~ern** /'sʌðən/ *mb* jugor; i jugut ♦ **~ner** jugor; banor i vendeve të jugut ♦ **S~ Pole** /-poul/ *em* pol i jugut ♦ **~ward(s)** /'sauθwə(r)d(z)/ *nd* drejt jugut ♦ **~west** /-west/ *em* jugperëndim ♦ **~western** /-westə(r)n/ *mb* jugperëndimor

souvenir /su:və'niə(r)/ *em* (send për) kujtim

sovereign /'sovrin/ *mb, em* sovran ♦ **~ty** *em* sovranësi; sovranitet

sow[1] /sau/ *em z/* dosë

sow[2] /sou/ *k/* (**sowed, sown**) mbjell: **~ the seed of discord** shtie farën e sherrit

sown /soun/ *shih* **sow**[2]

soy /soi/, **soya** /'soiə/, **soybean** /-bi:n/ *em* fasule soje

spa /spa:/ *em* llixhë; burim ujërash termale

space /speis/ *em* hapësirë; kozmos ♦ **~ out** *k/* ralloj; hap *(radhët e shtypit)* ♦ **~craft** /-kra:ft/ *em* anije kozmike ♦ **~probe** /-proub/ *em* sondë kozmike ♦ **~ship** /-ʃip/ *em* anije kozmike ♦ **~ shuttle** /-ʃʌtl/ *em* anije kozmike vajtje-ardhje

spade /speid/ *em* lopatë: **queen of ~s** çupë spathi

spaghetti /spə'geti/ *em sh gjl* spageti

Spain /spn/ *em gjg* Spanjë

span /spæn/ *em* hapësirë; hark *(kohor)* ♦ *k/* shtrihet; zë *(një hapësirë)*

Span:iard /'spænjəd/ *em* spanjoll ♦ **~ish** *mb, em* spanjoll: **the ~ish** *sh* spanjollët ♦ *em* spanjishte

spank /spæŋk/ *k/* i bie me shuplakë prapanicave ♦ **~ing** *em* rrahje me shuplakë prapanicave

spanner /'spænə(r)/ *em tk* çelës dadosh

spar:e /speə(r)/ *mb* i tepërt; *(karrige)* e pazënë; tjetër; rezervë ♦ *em* pjesë këmbimi/ rezervë ♦ *k/* kursej;

ia bëj/ dal pa *(diçka):* **can you ~ a ten pounds?** më huan dot dhjetë sterlina?; **I have three to ~** më teprojnë tre ♦ **~ing** *mb* i kursyer: **~ of words** fjalëpakë ♦ **~-time** /-taim/ *em* kohë e lirë ♦ **~wheel** /-wi:l/ *em* rrotë rezervë

spark /spa:(r)k/ *em* shkëndijë: **~ing plug** *em au* kandelë ♦ **~le** *em* shkëndijë; xixë ♦ *jk/* xixëllon; lëshon shkëndijë

sparrow /'spæruo/ *em z/* trumcak; harabel

sparce /spa:(r)s/ *mb (popullsi)* e rrallë

Spartan /'spa:(r)tn/ *mb* spartan; i rreptë ♦ *em* spartan; banor i Spartës

spasm /spæzm/ *em mk* spazmë; ngërç

spat /spæt/ *shih* **spit**[2]

spatial /'speiʃl/ *mb* kozmik; i hapësirës kozmike

spatter /'spætə(r)/ *k/* stërpik; pikëloj

spawn /spo:n/ *em* vezë peshku (bretkose) ♦ *jk/ (peshku)* lëshon vezët ♦ *k/ fg* krijoj; pjell

speak /spi:k/ *jk/* (**spoke** /spouk/, **spoken** /'spoukn/) flas (**to** me): **~ing** *(në telefon)* unë jam ♦ *k/* them: **~ one's mind** them çfarë mendoj ♦ **~ for** *jk/* flas për/ në emër të ♦ **~ up** *jk/* ngre zërin ♦ **~er** *em* folës; orator ♦ **~ing** *em* fjalë ♦ *mb:* **they are not on ~ terms** ata s'flasin/ janë zënë; **evil-~** gojëkeq

spear /spiə(r)/ *em* heshtë; ushtë ♦ *k/* shpoj me heshtë ♦ **~head** /-hed/ *em* kohë e heshtës ♦ *k/* drejtoj *(sulmin etj.)*

special /'speʃəl/ *mb* special; i veçantë ♦ **~ise** *jk/* specializohem ♦ **~ist** *em* specialist ♦ **~ity** /speʃi'æliti/ *em* specialitet

species /'spi:ʃi:z/ *em bi* specie

specif:ic /spə'sifik/ *mb* specific ♦ **~ication** /spəsifi'keiʃən/ *em* specifikim; udhëzim i hollësishëm; hollësi ♦ **~y** /'spesifai/ *k/* specifikoj; jap udhëzime të hollësishme: **without ~ing** pa dhënë/ pa hyrë në hollësi

speck /spek/ *em* njollë; thërrime; thërrmijë; plaçkë *(në sy)*

specks /speks/ *em sh bs* gjyzlykë

spectacle /'spektəkl/ *em* shfaqje; **~s** *sh* syze; gjyzykë

spectacular /spek'tækjulə(r)/ *mb* i bujshëm; i mahnitshëm

spectator /spek'teitə(r)/ *em* shikues, spektator

specter /'spektə(r)/ *em* hije; fantazmë

speculat:e /'spekjuleit/ *jk/* hamendësoj; spekuloj ♦ **~ion** /-'leiʃn/ *em* hamendësim; spekulim ♦ **~ive** /'spekjulətiv/ *mb* spekulues; spekullativ ♦ **~or** *em* spekulator; spekulues

sped /sped/ *shih* **speed**

speech /spi:tʃ/ *em* gjuhë; e folur; fjalim ♦ **~less** *mb* i pagojë; gojëlidhur; memec: **remain ~** mbetem pa gojë; më pritet

speed /spi:d/ *em* shpejtësi; *aut* marsh: **at ~** me shpejtësi ♦ *jk/* (**sped** /sped/) shpejtoj: **~ up** (**speeded**) ngas me shpejtësi ♦ **~-boat** /-bout/

em motoskaf ♦ **~-way** /-wei/ em pistë garash automobilizmi; rrugë automobilistike pa kufizim shpejtësie

spell¹ em magji; lidhje me magji: **cast a ~** lidh/ bëj magji; magjeps

spell² (**~led, spelt** /spelt/) k/: **can you ~ your name?** di të ma thuash si shkruhet emri yt? ♦ jk/: **he can't ~** ai bën shumë gabime shkrimi ♦ **~ling** em drejtëshkrim

spell-bound /'spelbaund/ mb i magjepsur

spelt /spelt/ shih **spell²**

spend /spend/ (**spent**) k/, jk/ harxhoj (paratë); kaloj (kohën) ♦ **~thrift** /-θrift/ mb, em dorëshpuar; prishës i madh

spent /spent/ shih **spend** ♦ mb i shuar; i mbaruar; i kapitur: **~ match** shkrepëse e shuar

sperm /spə:(r)m/ em fzo spermë; bs farë

spew /spju:/ em të vjellë ♦ k/, jk/ vjell

spher:e /'sfiə(r)/ em sferë; glob; rruzull ♦ **~ical** / 'sferik/ mb sferik

sphinx /sfiŋks/ (**sphinges** /'sfindʒi:z) em sfinks

spic:e /spais/ em gj/ beharna; erëza; fg lezet, shije ♦ **~y** mb (gjellë) me erëza; pikante

spider /'spaidə(r)/ em z/ merimangë

spik:e /spaik/ em majë; bt, z/ gjemb; gozhdë (e këpucës)

spill /spil/ k/ derdh (gjellën) ♦ jk/ derdhet (**over**)

spill-over /'ouvə(r)/ em përhapje (e konfliktit)

spin /spin/ em rrotullim; tjerrje; dredhje; centrifugim; av turjelë: **put a ~ to sb's words** ia shtrembëroj fjalët dikujt ♦ k/ (**spun** /spʌn/, **-ning**) rrotulloj; sjell rrotull; tjerr, dredh; centrifugoj ♦ jk/ sillet përqark; rrotullohet; (makina larëse) centrifugon ♦ k/ bs e bëj tërkuzë (muhabetin) (**out**)

spinach /'spinidʒ/ em bt spinaq

spin:al /'spainl/ mb: **~ column** an shtyllë kurrizore ♦ **~e** em shtyllë kurrizore; kurriz; bt, z/ gjemb

spin-doctor /'spin'doktə(r)/ em manipulues i opinionit

spinning wheel /-wi:l/ em tks çikrik (i tjerrjes)

spir:al /'spairl/ mb spiral; i dredhur ♦ k/ bëj spirale; dredh ♦ jk/ ngrihet si spirale ♦ **~e** /'spiə(r)/ em dredhë; spirale

spirit /spirit/ em shpirt; **~s** sh pije akloolike; humor; gjendje shpirtërore: **in low ~s** shpirtvrarë ♦ **~ed** /-id/ mb i gjallë; i hedhur; energjik ♦ **~ual** / spi'ritjuəl/ mb shpirtëror ♦ em këngë fetare e zezakëve ♦ **~ism** em spiritizëm ♦ **~ist** em spiritist

spit¹ /spit/ em hell (i mishit)

spit² em pështymë ♦ k/, jk/ (**spat** /spæt/, **-ting**) pështyj; (yndyra në zjarr) kërcet: **~ blood** pështyj gjak; fg tërbohem; **~ it out!** nxirre (të shkretën)!

spite /spait/ em inat; mëri: **in ~ of** megjithë ♦ k/ mërij ♦ **~ful** mb i mërishëm

spitt:le /'spitl/ em pështymë ♦ **~oon** em pështymore

splash /splæʃ/ em pllaquritje; spërkë (balte); pikë (uji); titull i madh (që zë gjerësinë e gjithë faqes) ♦ k/ stërpik; pllaqurit ♦ **~ down** jk/ (anija kozmike) ulet në det

spleen /spli:n/ em an shpretkë; hipokondri

splend:id /'splendid/ mb i shkëlqyer; i mrekullueshëm ♦ psth mrekulli; shkëlqyeshëm ♦ **~our** em shkëlqim

splint /splint/ em mk shinë (për të mbajtur gjymtyrën e thyer); ashkël ♦ jk/ ashkëlohet ♦ **~er** em ashkël

split /split/ em e çarë; grindje; përçarje; këputje ♦ (**split, -ting**) k/ çaj (dru); ndaj (fitimet); gris; përçaj ♦ jk/ çahet; griset; (njerëzit) përçahen: **~ one's sides with laughter** më këputen brinjët së qeshuri

spoil /spəil/ em: **~s** sh plaçkë (e grabitur) ♦ (**spoilt** ose **-led**) k/ prish; rrënoj; llastoj (fëmijën): **don't ~ the fun!** mos na e prish lezetin! ♦ jk/ prishet; rrënohet

spoil sport /-spo:(r)t/ em çartaqejfas

spoilt /spoilt/ shih **spoil** ♦ mb (fëmijë) i llastuar; (ushqim) i prishur

spoke /spouk/ shih **speak** ♦ **~n** /spoukn/ shih **speak** ♦ mb: **~ English** anglishte e folur; **well-~** gojëmbël ♦ **~s:man** /'spouksmən/, **~person** /-'pə:(r)sn/ em zëdhënës

spong:e /spʌndʒ/ em sfungjer ♦ **~** ♦ **~-cake** /-keik/ em gj/ pandëspanjë ♦ **~y** mb i butë si sfungjer; sfungjeror

sponsor /'sponsə(r)/ em dorëzanës; rd, tv sponsor; kujdestar (i një të mituri) ♦ k/ bëhem garant për; sposorizoj ♦ **~ship** em sponsorizim

spontane:ity /sponte'neiti/ em vetvetishmëri ♦ **~ous** /-'teiniəs/ mb i vetvetishëm; spontan ♦ **~ously** nd vetiu; në mënyrë spontane

spool /spu:l/ em bobinë (e filmit, e fillit)

spoon /spu:n/ em lugë ♦ **~ful** em (një) lugë plot (**of** me)

sporadic /spo:'rædik/ mb sporadik; i herëpashershëm

sport /spo:(r)t/ em sport; qejf; dëfrim; njeri i këndshëm ♦ k/ mburrem me ♦ **~s:-car** / 'spo:(r)tska:(r)/ em automobil sportiv/gare ♦ **~sman** /-mən/ em sortist ♦ **~swoman** /-wumən/) em sportiste

spot /spot/ em njollë; pullë; puçërr; vend; pikë (uji, shiu); **~s** sh mk kurtesh: **a ~ of** një çikë; një kafshatë; **a ~ of bother** bezdi e vogël; **on the ~** në vend; në çast; menjëherë; **in a** (**tight**) **~** bs (zë) ngushtë ♦ k/ njollos; bs dalloj; shquaj, veçoj ♦ **~less** mb i panjollosur

spotlight /'spotlait/ em projektor: **hold the ~** jam në qendër të vëmendjes

spouse /spauz/ em bashkëshort

spout /spaut/ em lëfyt (i ibrikut); ulluk (i çatisë etj.);

çurg

sprain /sprein/ *em* ndrydhje; përdredhje ♦ *k*/ndrydh; përdredh *(këmbën)*

sprang /spræŋ/ *shih* **spring²**

sprawl /spro:l/ *jk*/ shtrihem sa gjatë gjerë; *(qyteti:)* hapet; shtrihet pa sistem

spray /sprei/ *em* stërkitë; spërkatje; spërkatës ♦ *k*/ spërkat

spread /spred/ *em* shtrirje; përhapje *(e sëmundjes);* mbulesë *(e shtratit);* bs gosti ♦ (**spread** /spred/) *k*/ përhap; shtrij *(gjalpin në bukë);* shtroj *(rrobën e zhubrosur);* përhap/ çoj *(fjalë, lajm);* ~ **sth with** lyej diçka me ♦ *jk*/përhapet; shtrihet; shtrohet (**out**)

spreadsheet /'spredʃi:t/ *em inf* spredshjt *(faqe elektronike për tabela llogarie)*

spree /spri:/ *em bs :* **go on a** ~bëj qejf; **go on a shopping** ~ shpenzoj pa mend

spring¹ /spriŋ/ *em* pranverë ♦ *mb* pranveror

spring² *em* kërcim; hop; burim *(uji);* sustë; elasticitet ♦ (**sprang** /spræŋ/, **sprung** /sprʌŋ/) *jk*/ kërcej; hidhem; hov; del; e ka prejardhjen (**from** nga) ♦ *k*/: ~ **sth on sb** ia them befas dikujt diçka ♦ ~ **up** hov përpjetë ♦ ~-**bed** /-bed/ *em* kreavat me sustë ♦ ~**board** /-bo:(r)d/ *em* trampolinë ♦ ~**matress** / -mætris/ *em* dyshek me sustë ♦ ~**time** /-taim/ *em* pranverë

sprinkle /'spriŋkl/ *k*/ stërpik; lag; mekëtoj; pluhuros *(me sheqer)*

sprint /sprint/ *em sp* sprint ♦ *k*/ bëj sprint; sprintoj ♦ ~**er** *em* sprinter

sprung /sprʌŋ/ *shih* **spring²**

spun /spʌn/ *shih* **spin**

spur /spə:(r)/ *em* shpor *(i mamuzeve);* fg nxitje; stimul: **on the** ~ **of the moment** *(vendim)* i marrë në çast ♦ *k*/: ~ (**on**) *fig* nxit; shpoj

spurn /spə:(r)n/ *k*/ përbuz; shpërfill

spurt /spə:(r)t/ *em* shpërthim; vrull; *sp* shkëputje e menjëhershme ♦ *jk*/ *(uji)* shpërthen; shkëputem menjëherë; kam shpejtësi në nisje

spy /spai/ *em* spiun ♦ *k*/, *jk*/ spiunoj; përgjoj; ruaj (**on**) ♦ ~**ing** *em* spiunim; spiunazh

squad /skwod/ *em* skuadër; ekip: **firing** ~ skuadër pushkatimi ♦ ~**ron** *em ush* skuadron

squander /'skwondə(r)/ *k*/ prish pa mend *(paratë)*

square /skwεə(r)/ *mb* katror; *(ushqim)* që të mbush/ mban; i vjetruar: **all** ~ *bs* baraz; **have a** ~ **meal** ha sa ngopem ♦ *em* katror; shesh *(i qytetit);* kuti *(e tabelës së shahut):* **go back to** ~ **one** kthehem nga e para/ nga fillimi ♦ *k*/ ndaj në kartorë; *mat* ngre në fuqi të dytë; *s*/ rregulloj hesapet

squash /skwoʃ/ *em* shtypje; lëng i shtrydhur *(frutash);* sp skuosh ♦ *k*/ shtyp; shkalaviq; zgërlaq

squat /skwot/ *mb* ulje/ qëndrim galuc; ndërtesë e zënë pa leje ♦ *jk*/ ulem galuc ♦ ~ **in** zë pa leje një ndërtesë ♦ ~**er** *em* zaptues *(i një ndërtese)*

squeal /skwi:l/ *em* klithmë; kërcitje; gërvimë *(e*

menteshave) ♦ *jk*l *(zogu)* klith; *(menteshat)* gërvijnë; *bs* shes/ tradhtoj shokët; spiunoj

squeeze /skwi:z/ *em* shtrëngim; të shtyra ♦ *k*/ shtrëngoj; shtyj; shtrydh

squid /skwid/ *em z*/ kallamar

squint /skwint/ *em* vëngëri; strabizëm ♦ *jk*/ vëngëroj; shoh vëngër

squire /'skwaiə(r)/ *em* zotëri fshati; pari e fshatit

squirrel /'skwirəl/ *em z*/ ketër

St *em shkrt* i **saint**; **street**

stab /steb/ *em* goditje me thikë; shpim; sëmbim, dhembje therëse ♦ *k*/ ther

stabili:sation /steibəlai'zeiʃn/ *em* qëndrueshmëri ♦ ~**se** /'steibəlaiz/ *k*/ stabilizoj ♦ *jk*/ stabilizohet ♦ ~**ty** /stə'biliti/ *em* qëndrueshmëri; stabilitet

stable¹ /'steibl/ *mb* i qëndrueshëm

stable² *em* stallë; ekip *(kuajsh, automobilash të gârës)*

stack /stæk/ *em* pirg; mullar *(bari);* bs një mal me ♦ *k*/ vë pirg; ngre mullar

stadium /'steidiəm/ *em* stadium

staff /sta:f/ *em* shkop; personel; trup mësimor; *ush* shtab, shtatmadhori: **chief of** ~ *ush* shef i shtabit

stag /stæg/ *em z*/ dre

stage /steidʒ/ *em* skenë; teatër; fazë, etapë *(e udhëtimit);* shkallë *(zhvillimi):* **go on the** ~ hyj në teatër, bëhem aktor; **by/ in** ~**s** me etapa ♦ *k*/ vë në skenë; organizoj *(grusht shteti)* ♦ ~**direction** /-di'rekʃn/ *em* drejtim skenik ♦ ~ **effect** /-i'fekt/ *em* efekt skenik ♦ ~**manager** /-'mænidʒə(r)/ *em* drejtues skenik ♦ ~**setting** /-'setiŋ/ *em* skenografi

stagger /'stægə(r)/ *jk*/ lëkundem; habitem ♦ *k*/ lëkund; trondit; habit: **be** ~**ed** mbetem i habitur ♦ *em* lëkundje; tronditje; habi ♦ ~**ing** *mb* i habitshëm

stagna:nt /'stægnənt/ *mb (ujë)* i ndenjur; i amullt ♦ ~**te** *jk*/ *(uji)* amullohet; rri amull; *(ekonomia)* është në amulli ♦ ~**tion** /-'neiʃn/ *em* amulli

stain /stein/ *em* njollë; *fg* vrug; turp ♦ *k*/ njollos; *fg* bëj me vrug/ turp: ~**d glass** xham i ngjyrosur ♦ ~**less** *mb* i panjollosur; *(çelik)* i paoksidueshëm

stair /stεə(r)/ *em (zakonisht në shumës)* shkallë: **a flight of** ~**s** një palë shkallë ♦ ~**case** /-keiz/ *em* shkallë

stake /steik/ *em* hu; bast; *trg* pjesëmarrje: **the** ~**s are high** rreziku është i madh; **at** ~ *(para etj.)* të rrezikuara

stale /steil/ *mb* bajat; i ndenjur; i motuar; i nditshëm: ~ **bread** bukë bajate

stalemate /'steilmeit/ *em (në shah)* pat; *fg* pikë e vdekur; ngecje

stalk¹ /sto:k/ *em* kërcell *(i bimës)*

stalk² *k*/ ndjek; gjimoj ♦ *jk*/ eci i krekosur

stall /stə:l/ *em* boks *(i viçave, i kuajve);* ~**s** *sh tt* plate; tezga *(në trg të hapur)* ♦ *jk*/ *(motori)* shuhet; bllokohet; *fg* vonohem ♦ *k*/ shuaj *(motorin);* vonoj

stammer /'stæmə(r)/ *em* belbë; belbëzim ♦ *k*/, *jk*/

belbëzoj ♦ **~ing** em belbëzim

stamp /stæmp/ *em* pullë (poste); *fg* vulë ♦ *k/* vulos; përplas *(këmbët);* shkel me këmbë; *fg* shuaj (**out**) ♦ **~ duty** /-dju:ti/ *em* taksë pulle

stand /stænd/ *em* qëndrim; pozicion; mbështetëse *(për biçileta etj.);* stendë *(e eskpozitës);* tezgë *(e tregut);* tribunë *(e folësit, e stadiumit);* podium; bankë *(e dëshmitarit); fg* qëndresë ♦ (**stood** /stud/) *jk/* rri/ ngrihem më këmbë; ndodhem, jam; dal si kandidat; vlen, bën: **~ still** rri pa lëvizur; **I don't know where I ~** s'e di në ç'gjendje jam; **~ firm** *fig* mbahem mirë/fort; **~ to reason** ka logjikë ♦ *k/* i bëj qëndresë; duroj; vë, vendos më këmbë; qiras: **~ a chance** kam gjasë/mundësi *(të dal mirë);* **~ one's ground** qëndroj në pozitat e mia; **~ the test of time** kaloj provën e kohës; **~ sb a beer** qiras me një birrë dikë ♦ **~ by** *jk/* rri mënjanë/ gati ♦ *k/* përkrah ♦ **~ down** *jk/* tërhiqem; largohem *(nga skena politike)* ♦ **~ for** *k/* përfaqësoj ♦ **~ in for** *k/* zëvendësoj ♦ **~ out** *jk/* shquhem ♦ **~ up** *jk/* ngrihem më këmbë: **~ up for** *k/* dal në mbrojtje: **~ up for oneself** tregoj kush jam/ sa vlej ♦ **~ up to** *k/* përballoj

standard[1] *mb* flamur ♦ **-bearer** /-'bɛərə(r)/ *em* flamurtar; flamurmbajtës

standard[2] /'stændəd/ *em* standard; normë; nivel; cilësi; **~s** *sh* zakone; norma morale: **it is ~ practice that...** është praktikë e zakonshme që...; **~ of living** nivel i jetesës ♦ **~ English** /-iŋli∫/ *em* anglishte normative ♦ **~ time** /-taim/ *em* orë zyrtare

stand:-by /-stændbai/ *em* rezervë ♦ **~-in** /-in/ *em* zëvendësues; figurant ♦ **~easy** /-'i:zi/ *em* pozicion qetësohu ♦ **~ing** *em* qëndrim; pozitë shoqërore; kohëzgjatje ♦ *mb* më këmbë; drejtë; i përhershëm: **~ capacity/ room** vende më këmbë *(në autobus etj.);* **~ army** ushtri aktive; **~ committee** *em* komitet i përhershëm; **~ order** *em* urdhër në fuqi ♦ **~-off** /-of/ *em* ballafaqim; përplasje ♦ **~point** /-point/ *em* pikëpamje ♦ **~still** /-stil/ *em* ndalje; pezullim; amulli; pikë e vdekur: **come to a ~** ndalem; **at a ~** në pushim; pa punë ♦ **~-to** /-tu/ *em ush* gjendje gatishmërie ♦ **~-up** /-ʌp/ *em* qëndresë; rezistencë ♦ *mb (jakë)* e ngritur; *(drekë)* këmbësore, më këmbë

stank /stæŋk/ *shih* **stink**

staple[1] /'steipl/ *em* kapëse metalike *(për qepjen e letrave)* ♦ *k/* zë me kapëse metalike

staple[2] *em* prodhim bazë; *(ushqim)* kryesor

star /sta:(r)/ *em* yll; yllëz: **film ~** yll i kinemasë; **rising ~** yll i ri ♦ *k/, jk/* luaj rol kryesor

starch /sta:(r)t∫/ *em* amidon; niseshte; koll ♦ *k/* kollarit

stare /stɛə(r)/ *em* vështrim i ngulët ♦ *jk/* vështroj ngultas/ pa turp (**at**)

star:fish /'sta:(r)fi∫/ *em* z/ yll deti ♦ **~ jelly** *em bt* jargëz

stark /sta:(r)k/ *mb* i rreptë; *(dallim)* i fortë ♦ *nd* krejt:

~ naked cull; picak; krejt lakuriq

starling /'sta:(r)liŋ/ *em* z/ cirlua; shturë

starry /'sta:ri/ *mb* i mbushur me yje; yjendritur

start /sta:(r)t/ *em* fillim; nisje; hov: **from the ~** nga fillimi; **for a ~** sa për të filluar; **false ~** *sp* nisje e gabuar; faull në nisje ♦ *jk/* nisem; *(motori)* ndizet; kërcej, hov *(i trembur):* **to ~ with...** sa për fillim... ♦ *k/* filloj; nis; shkaktoj; themeloj, hap *(një kompani);* vë në lëvizje; ndez *(motorin);* hap *(fjalë)* ♦ **~er** *em gj/* gjellë e parë; pjesëmarrës në garë; *au* motorino; vijë e nisjes *(e garës)* ♦ **~ing** *em* nisje; ndezje *(e makinës)* ♦ **~ block** /-blok/ *em sp* pedanë e nisjes ♦ **~ point** /-point/ *em* pikënisje

startle /'sta:(r)tl/ *k/* trondit; tremb

starv:ation /sta:(r)v'ei∫n/ *em* uri ♦ **~e** *jk/* vdes urie ♦ *k/* e vdes urie; e lë të vdesë urie *(dikë):* **I'm ~ing** po sharroj ♦ **~eling** *em* zorrëthatë

state /steit/ *em* shtet; madhështi, pohte; ankth, shqetësim: **~ of the art** *(pajisje etj.)* moderne; **in a ~** i përpushur; me nerva të ngritura; **lie in ~** *(i vdekuri)* nxirret për nderimet e fundit ♦ *mb (shkollë)* shtetërore; ceremonial ♦ *k/* deklaroj ♦ **~ly** *mb* madhështor: **~ home** kështjellë feudale ♦ **~ment** *em* deklaratë; *dr* deponim; raport *(i bankës)* ♦ **~esman** /'steitsmən/ *em* burrë shteti

static /'stætik/ *mb* statik ♦ *em el* elektricitet statik; **~s** *sh* shkarkime atmosferike

station /'stei∫n/ *em* stacion; rajon, komisariat *(i policisë)* ♦ *k/* vë, nxjerr *(rojë):* **troops ~ed overseas** trupa të dislokuara jashtë shtetit ♦ **~ary** *mb* i palëvizshëm

station wagon /-wægn/ *em am au* furgon

statistic:al /stə'tistikl/ *mb* statistikor ♦ **~s** *em sh* statistikë

statue /'stætju:/ *em* statujë

statute /'stætju:t/ *em* statut ♦ **~ory** *mb* i ligjshëm; i caktuar me statut; zyrtar

staunch /sto:nt∫/ *mb* besnik

stay /stei/ *em* qëndrim; ndejë ♦ *jk/* rri; qëndroj; mbetem; banoj: **~ put** nuk lëviz ♦ *kl:* **~ the course** s'lëviz nga imja; **~ sb's hand** ia mbaj dorën dikujt *(të mos qëllojë)*

stead /sted/ *em:* **in his ~** në vend të tij; **stand sb in good ~** i gjindem dikujt

steadfast /'stedfa:st/ *mb* besnik; *(kundërshtim)* i prerë

steady /'stedi/ *mb* i qëndrueshëm; i patundur; *(punë)* e përhershme; *(njeri)* i besës

steak /steik/ *em gjl/* thelë *(mishi);* biftek

steal /sti:l/ (**stole** /stoul/; **stolen**/'stouln/) *k/* vjedh (**from** nga): **~ in/ out** *jk/* hyj/ dal vjedhurazi; përvidhem ♦ **~th** /stelθ/ *em:* **by ~** fshehtas; vjedhtas ♦ **~thy** /'stelθi/ *mb* i fshehtë

steam /sti:m/ *em* avull; *fg* fuqi, energji: **under one's own ~** *bs* vetë; me forcat e mia/ veta ♦ *k/ gjl/* gatuaj me avull/ në tenxhere me presion ♦ *jk/* avulloj;

lëshoj avull ✦ **~ up** *jk/* avullohem; nxehem ✦ **~er** *em* avullore; vapor; tenxhere me presion ✦ **~-roller** /-roulə(r)/ *em* rul; kompresor ✦ **~ship** /-∫ip/ *em* avullore; vapor; anije me avull

steel /sti:l/ *em* çelik

steep *mb* i pjerrët; i thikët; i rrëpirët; *bs (çmim)* i lartë

steeple /'sti:pl/ *em ark* kambanare e kishës

steeplechase /'sti:plt∫eis/ *em* vrapim me pengesa *(me kuaj);* tremijëmetërsh me pengesa

steer /stiə(r)/ *kl, jkl* drejtoj ✦ **~ing** *em auto* sistem drejtimi ✦ **~ wheel** /-wi:l/ *em aut* timon

stem¹ /stem/ *em* bisht; shkëmb *(i gotës);* rrënjë *(e fjalës)* ✦ *jkl:* **~ from** vjen/ e ka prejardhjen nga

stem² *kl* frenoj; përmbaj: **~ the growth** pengoj rritjen

stench /stent∫/ *em* grahmë; taft

step /step/ *em* hap; shkalc *(i shkallës):* **in ~** me hap; **be out of ~** prish hapin; **~ by ~** hap pas hapi ✦ *jkl:* **~ down** *jkl fg* zbres; jap dorëheqjen ✦ **~ forward** *jkl* bëj një hap para; dal përpara ✦ **~ in** *jkl fg* ndërhyj ✦ **~ into** hyj në ✦ **~ out** *jkl:* **~ out of line** dal nga rrjeshti ✦ **~ up** *kl* shpejtoj; intensifikoj

step:-brother /-brʌðə(r)/ *em* vëlla i gjetur ✦ **~child** /-t∫aild/ *em ɱ* gjetur ✦ **~daughter** /-do:tə(r)/ *em* thjeshtër, bijë e gjetur ✦ **~father** /-fa:θə(r)/ *em* njerk ✦ **~-mother** /-mʌðə(r)/ *em* njerkë ✦ **~-sister** /-sistə(r)/ *em* motër e gjetur ✦ **~son** /-sʌn/ *em* thjeshtër; bir i gjetur

stereo /'steriou/ *em* stereo: **in ~** në stereofoni ✦ **~phonic** /-'founik/ *mb* stereofonik ✦ **~type** /-taip/ *em* stereotip ✦ **~typed** /-taipt/ *mb* stereotipik

steril:e /'sterail/ *mb* steril; shterp ✦ **~ity** /stə'riləti/ *em* shterpësi

sterling /'stə:(r)liɳ/ *mb fig* i vyer; i vlefshëm ✦ *em* sterlinë: **pound ~** lirë sterlinë

stern¹ /stə:n/ *mb (qëndrim)* i rreptë

stern² *em dt* kiç

stethoscope /'steθəskoup/ *em* stetoskop

stew /stju:/ *em* kazërtma: **in a ~** *bs* në hall; i hutuar

steward /'stju:ə(r)d/ *em* organizator *(i mbledhjes);* ekonomat; kujdestar i kuzhinës *(në anije)* ✦ **~ess** *em* hostesë, shoqëruese *(e aeroplanit)*

stick¹ /stik/ *em* shkop; kërcell; *sp* shkop; **~s** *sh bs* këmbë

stick² **(stuck** /stʌk/) *kl/* ngul; ngjit; *bs* vë; *bs* duroj ✦ *jkl* ngjitem; rri ngjitur **(to** pas); *bs* bllokohet; ngec; **~ to** u qëndroj besnik *(fakteve);* nuk e ndryshoj *(atë që them);* vazhdoj me këmbëngulje *(punën);* **~ at it** *bs* mbahem fort; nuk jepem; **~ at nothing** *am* nuk ndalem para asgjëje; **be stuck** *(motori)* bllokohet; ngec; **I am stuck with it** *bs* më ngeli në dorë ✦ **~ out** *jkl* del mbi; dallohet; shquhet; bie në sy ✦ *kl bs* nxjerr gjuhën ✦ **~ up for** *kl bs* dal në mbrojtje të ✦ **~er** *em* (letër)ngjitëse ✦ **~ing** *mb*

ngjitës: **~ plaster** *em* leukoplast ✦ **~ler** *em* rrodhe; njeri që s'të shqitet: **be a ~ for trifles** kapem fort pas vogëlsirave ✦ **~y** *mb* ngjitës; i ngjitur; *fg (njeri)* i bezdisur; rrodhe

stiff /stif/ *mb* i ngrirë; i fortë; i papërkulshëm; *(dënim)* i rëndë; *(furçë, qime)* e ashpër; *(çmim)* tepër i lartë: **have a ~ neck** më ngrin qafa; më zë ngërçi qafën ✦ *em bs* kufomë ✦ **~en** *kl* ngrij ✦ *jkl* ngrin

stifl:e /'staifl/ *kl* mbyt *(gogësimën, kundërshtimet)* ✦ **~ing** *mb (atmosferë)* mbytëse; *(ndjenjë)* asfiksie

still *mb* i palëvizshëm; i qetë; *(pije)* e pagazuar: **~ life** *art* natyrë e qetë; **keep/ stand ~** rri pa lëvizur; s'lëviz ✦ *em* qetësi; heshtje; pozë *(e filmit)* ✦ *nd* edhe; madje; ende; megjithatë; sidoqoftë: **he is ~ not well** ai ende s'është përmirësuar ✦ **~ness** *em* qetësi; heshtje; palëvizshmëri

stimula:nt /'stimjulənt/ *em* nxitje; bar nxitës; stimulues ✦ **~te** *kl* nxit; stimuloj; eksitoj ✦ **~tion** /-'lei∫n/ *em* stimulim

sting /stiɳ/ *em* majë; gjemb; thumb; qukë *(e bletës, e hithrës etj.):* **the ~ is in the tail** dardha e ka bishtin prapa ✦ **(stung** /stʌɳ/) *kl* shpoj; thumboj ✦ *jkl (bleta etj.)* shpon; thumbon; ngul thumbin; *(hithra)* djeg ✦ **~ing nettle** /-'netl/ *em bt* hithër djegëse

stingy /'stindʒi/ *mb* koprrac; cingun

stink /stink/ *em* grahmë; erë e qelbur ✦ *kl* **(stank** /staɳk/, **stunk** /stʌɳk/) qelbet

stir /stə:(r)/ *em* përzierje; trazim; rrëmujë ✦ **(~red)** *kl* lëviz; përziej; trazoj ✦ *jkl* lëviz; bëhem i gjallë

stirrup /'stərʌp/ *em* yzengji

stitch /stit∫/ *em* e qepur; qepje, kapëse *(e plagës);* syth *(në punë me shtiza);* shpim, sëmbim: **have sb in ~es** *bs* e shqyej gazit dikë ✦ *kl* qep

stock /stok/ *em* stok *(i mallit në dyqan);* bagëti; pasardhës; *fn* kapital; *gjl* lëng mishi: **in ~** *(mall)* në gjendje; i disponueshëm; **out of ~** *(mall)* i mbaruar; i shitur krejt; **take ~ of** *fg* shoh si është gjendja ✦ *mb (shprehje)* e përditshme ✦ *kl* mbush me mall *(dyqanin)* ✦ **~broker** /-broukə(r)/ *em* agjent i bursës së këmbimit ✦ **~-company** /-kʌmpəni/ *em* shoqëri aksionare ✦ **S~ Exchange** /-iks't∫eindʒ/ *em* Bursë e vlerave ✦ **~-farming** /-fa:(r)miɳ/ *em* blegtori

stocking /'stokiɳ/ *em* çorap grash

stock:-market /-'ma:(r)kit/ *em* treg i aksioneve ✦ **~pile** /-pail/ *em* mall stok; *ush* stok armatimesh

stogy /'stodʒi/ *mb (ushqim)* i rëndë; *(bukë)* e paardhur, e papjekur mirë

stoic /'stoik/ *mb, em* stoik ✦ **~ism** /'stoisizm/ *em* stoicizëm

stoke /stouk/ *kl* ushqej; mbush *(furrën, kaldajën)*

stole¹ /stoul/ *em ft* stolë; petrahil *(i priftit)*

stole² *shih* **steal**

stolen /'stouln/ *shih* **steal** ✦ *mb (send)* i vjedhur

stomach /'stʌmək/ *em* bark; *an* stomak ✦ *kl bs* mbaj;

duroj: **I can't ~ it** s'e duroj dot

ston:e /stəon/ em gur; bërthamë *(e pjeshkës etj.);* rërë *(e dardhës);* gurëz *(në veshkë);* stoun *(njësi peshe =6,348 kg)* ♦ *mb* i gurtë: **~e wall** mur (prej) guri ♦ **~e-cold** /-kould/ *mb* i bërë akull/ kërcu *(së ftohti)* ♦ **~e-cutter** /-kʌtə(r)/ *em* gurgdhendës ♦ **~e-dead** /-ded/ *mb* i vdekur kallkan ♦ **~e-deaf** / -def/ *mb* shurdh tape/ pykë *(nga veshët)* ♦ **~y** i 'stouni/ *mb* i gurtë; *(vështrim)* që të ngrin gjakun: **~ broke** i shkundur; kripë *(nga xhepat)*

stool /stu:l/ *em* ndenjëse; stol; shkëmb; jashtëqitje

stoop /stu:p/ *em* kërrusje ♦ *jk/* kërrusem; rri gërmuq; përkulem; *fg* përulem

stop /stop/ *em* ndalesë; ndalim; stacion i ndërmjetëm; *gjh* pikë: **come to a ~** ndalem; **put a ~ to sth** i jap fund diçkaje ♦ *k/* ndal(oj); mbaj; nuk lë; pengoj: **~ sb doing sth** s'e lë dikë të bëjë diçka; **~ doing sth** nuk bëj më diçka; **~ it!** mjaft më!; pusho! ♦ *jk/* ndalem; *(shiu)* pushon, resht ♦ **~ up** *k/* shtupos; mbush *(një vrimë)* ♦ **~-bath** /-ba:θ/ *em fot* banjë fiksimi ♦ **~-gap** /-gæp/ *em* shtupë; zgjidhje e përkohshme/ sa për të kaluar radhën ♦ **~over** /-ouvə(r)/ *em* ndalesë ♦ **~page** / 'stopidʒ/ *em* ndërprerje; pezullim; *mk* bllokim, ndalim *(i hemorragjisë);* grevë *(me ndërprerje të punës)* ♦ **~per** *em* tapë *(e shishes)* ♦ **~-press** / 'pres/ *em* lajm i fundit *(për sht)* ♦ **~watch** /-wotʃ/ *em* kronometër

storage /'sto:ridʒ/ *em* depositë; magazinim; *tk* kujtesë *(e kompjuterit)*

store /sto:(r)/ *em* (mall në) magazinë; dyqan i madh; depo: **in ~** rezervë; në gjendje magazine; **what the future holds in ~ for us** çfarë na pret në të ardhmen; **set great ~ by** e kam për gjë të madhe *(diçka)* ♦ *k/* magazinoj; mbush, furnizoj ♦ **~-keeper** / em* magazinier ♦ **~-room** /ru:m/ *em* magazinë; qilar i ushqimeve *(në anije)*

storey /'sto:ri/ *em* kat ♦ **~ed** *mb:* **three-~ house** shtëpi trekatëshe/ katërkatëshe *(në Britaninë e Madhe)*

stork /sto:(r)k/ *em zl* shtërg

storm /sto:(r)m/ *em* stuhi; furtunë: **weather a ~** kaloj stuhinë ♦ *k/* pushtoj, marr me sulm ♦ **~-bird** /-bə:(r)d/ *em zl* zgalem ♦ **~-troops** /-trups/ *em sh ush* trupa sulmuese ♦ **~y** *mb* i stuhishëm

story /'sto:ri/ *em* histori; tregim; rrëfenjë; artikull *(gazete)* ♦ **~-teller** /-telə(r)/ *em* tregimtar; kallëzimtar

stout /staut/ *mb* i fortë; *(njeri)* trupngjeshur ♦ **~ly** *nd* me trup të ngjeshur

stove /stouv/ *em* stufë; sobë; furrë gatimi

stow /stou/ *k/* vë mënjanë; mbuloj; fsheh; stivoj ♦ **~-away** /-əwei/ *em* udhëtar i fshehur

straight /streit/ *mb* i drejtë; *(përgjigje)* e drejpërdrejtë/ pa dredha; *(pije)* pa ujë; e papërzier ♦ *nd* drejt(përdrejt): **~ on/ ahead** drejt përpara;

~ out *bs* drejt; pa hile; **go ~** *bs* ia mbaj drejt; **put sth ~** vë në rregull diçka; **sit/ stand up ~** rri drejt ♦ **~en** *k/* drejtoj; vë drejt; sqaroj **(up)** *(një punë)* ♦ *jk/* drejtohet ♦ **~away** /-ə'wei/ *nd* menjëherë; në çast ♦ **~-faced** /-feist/ *mb* serioz ♦ **~forward** /- 'fo:(r)wə(r)d/ *mb* i drejtë; i çiltër; i hapur; i thjeshtë; *(lëvizje)* drejtvizore

strain /strein/ *em* lodhje; këputje *(e mishit);* përpjekje, mundim; **put a ~ on** mundoj ♦ *k/* këput *(mish);* lodh *(sytë);* gjll kulloj *(zarzavatet e ziera)* ♦ *jk/* lodhem; përpiqem fort; rrekem ♦ **~ed** *mb:* **~ relations** marrëdhënie të acaruara/ tensionuara ♦ **~er** *em* kullesë

strait /streit/ *em* ngushticë: **in dire ~s** në vështirësi të mëdha; në pikë të hallit *(ekonomikisht);* **the S~ of Gibraltar** *gjg* Ngushtica e Gjibraltarit ♦ *mb* i ngushtë ♦ **~-jacket** /-'dʒækit/ *em* këmishë e forcës ♦ **~-laced** /-leist/ *mb* puritan; mendjengushtë

strand /strænd/ *em* buzë *(e lumit etj.)* bregdet; plazh ♦ *k/:* **be ~ed** ngec; mbetem keq

strange /streindʒ/ *mb* i huaj; i panjohur; i çuditshëm; i pamësuar **(to** me) ♦ **~ly** *nd* çudterisht: **~ly enough** për çudi ♦ **~r** *em* i huaj: **he is a perfect ~ to me** s'e njoh fare

strangle /'stræŋgl/ *em* mbytje ♦ *k/* mbyt *(me litar etj.);* *fg* shtyp ♦ **~-hold** /-hould/ *em* shtrëngim mbytës: **have a ~ on the economy** ia marr frymën ekonomisë

strangulat:e /'stræŋgjuleit/ *k/* mbyt; i zë frymën *(dikujt)* ♦ **~ion** /-'leiʃn/ *em* mbytje

strap /stræp/ *em* rrip; dorezë lëkure *(për t'u mbajtur në autobus etj.);* aski *(e pantallonave)* ♦ *k/* lidh me rrip; rrah me rrip: **~ in/ down** shtrëngoj me rrip

straw /stro:/ *em* kashtë; pipëz kashte; kërcell kashte; biule: **the last ~** pika e fundit; sa s'mban më

straw:berry /'stro:bəri/ *em* luleshtrydhe; dredhëz

strawhat /'stro:hæt/ *em* kapelë kashte

stray /strei/ *mb (kafshë)* arrakate; pa zot ♦ *em* arrakat; qen/ fëmijë rrugësh ♦ *jk/* humb rrugën; arrakatem; shmangem **(from** nga)

streak /stri:k/ *em* vijë; shirit; brez; *fg* dell; damar: **a ~ of madness** damar marrëzie

stream /stri:m/ *em* krua; përrua; curril *(gjaku);* rrëke/ mizëri *(njerëzish)* ♦ *jk/* rrjedh; çurgon: **~ in/ out** derdhet, vërshon; **her eyes were ~ing with tears** asaj i shkonin lotët çurg

street /stri:t/ *em* rrugë: **we are not in the same ~** s'jemi të një dore; nuk krahasohemi ♦ **~-car** /- ka:(r)/ *am* tramvaj ♦ **~ urchin** /-'ə:(r)tʃin/ *em* fëmijë rrugësh ♦ **~ walker** /-'wo:kə(r)/ *em* prostitutë; rrugaçe

strength /streŋθ/ *em* fuqi; forcë; qëndrueshmëri: **on the ~ of** në sajë të; për arsye të; **go from ~ to ~** forcohem gjithmonë e më shumë ♦ **~en** *k/* (për)forcoj

strenuous /'strenjuəs/ *mb* i fortë; *(përpjekje)* e

madhe; *(punë)* e lodhshme ✦ **~ly** *nd* fort; me përpjekje të mëdha

stress /stres/ *em* theks(im); *mk* tension nervor; *mek* rrekje; shtytje ✦ *k/* theksoj; ngulmoj ✦ **~ed** *mb gjh (rrokje)* e theksuar; *mk* i tensionuar ✦ **~ful** *mb (punë)* me tension; që të lodh nervat

stretch /stretʃ/ *em* nderje; shtrirje; shtriqje *(e gjymtyrëve);* tendosje; largësi; (një) copë rrugë/ herë: **at a ~** me një frymë; pa ndërprerje ✦ *k/* ndej; tendos; zgjeroj *(këpucët);* shtriq *(krahët)* ✦ *jk/* zgjerohet; shtrihet; shtriqem ✦ **~er** *em* vig; shkalc; *sh* **-s** streçe

strew /stru:/ *k/* (**strewn** /stru:n/, **strewed**) hedh; shpërndaj; shtroj *(rrugën me rërë etj.)*

strewn /stru:n/ *shih* **strew**

stricken /'strikn/ *shih* **strike** ✦ *mb* i dërrmuar; i rraskapitur: **~ with** i sëmurë me

strict /strikt/ *mb* i prerë; i rreptë; i saktë ✦ **~ly** *nd* prerë; rreptë: **~ly speaking** në kuptimin e ngushtë të fjalës

stride /straid/ *em* hap i gjatë/ madh ✦ *jk/* (**strode** / stroud/, **stridden** /'stridn/) eci me hap të gjatë/të madh; bëj përparime

strife /straif/ *em* grindje; mospajtim; mosmarrëveshje

strike /straik/ *em* goditje; *ush* sulm; grevë: **go on ~** bëj grevë ✦ (**struck** /strʌk/ *ose* **stricken** /'strikn/) *k/* godit; qëlloj; gjuaj; *ush* sulmoj; ndez/ shkrep *(shkrepësen);* gjej *(damarin, depozitën e naftës);* prish/ fshij *(një fjalë);* më bie ndër mend ✦ *jk/ (rrufeja)* bie; *(ora)* tingëllon/ bie; *ush* sulmoj; bëj një sulm; bëj grevë: **~ lucky** i bie në të; kam fat ✦ **~ off/ out** *k/* fshij; heq; eliminoj ✦ **~ up** *k/* zë *(miqësi);* hyj në *(bs edë)* ✦ **~-breaker** /-'breikə(r)/ *em* grevëthyes ✦ **~er** *em* grevist; *sp* sulmues ✦ **~ing** *mb* i madh; i dukshëm; i habitshëm; tërheqës: **~ beauty** bukuri mahnitëse

string /striŋ/ *em* spango; tel *(i violinës etj.);* fije *(e raketës);* varg; vistër; seri: **the ~s** *em sh mz* harqet; **pull the ~** *bs* përdor miqësitë ✦ *k/* (**strung** /strʌŋ/) lidh varg; shkoj në fill *(rruazat)* ✦ **~ instrument** / -'instrumənt/ *em mz* vegël me tela

strip /strip/ *em* rrip; brez; shirit; gjuhë *(e tokës në det);* pistë *(e figurës së filmit, e aeroportit)* ✦ *k/* zhvesh; rrjep: **~ sb naked** e lë zhveshur dikë ✦ *jk/* zhvishem

stripe /straip/ *em* shirit; *ush* fije *(e gradës)*

strip:per /'stripə(r)/ *em* aktore striptize: **paint ~** solvent; *bs* pije e keqe *(që të djeg zorrët)* ✦ **~-tease** /-'ti:z/ *em* zhveshje; striptiz

strive /straiv/ *jk/* (**strove** /strouv/, **striven** /'strivn/) përpiqem; orvatem; rrekem; mundohem (**for**)

striven /'strivn/ *shih* **strive**

stroke[1] /strouk/ *em* goditje; e rënë; vizë; stil noti; *mk* pikë: **~ of luck** fat i mirë; **on ~** me përpikëri; **put sb off his ~** ia ngatërroj fillin dikujt; **he had**

a ~ atij i ra pika/ damllaja; **finishing ~** dorë e fundit; **breast ~** *sp* not bretkosë

stroke[2] *k/* ledhatoj; përkëdhel

stroll /stroul/ *em* shëtitje ✦ *jk/* shëtit

strong /stroŋ/ *mb* i fortë; i mirë: **~ drink** pije e fortë/ alkoolike; **~ language** gjuhë e rendë; të shara; **~ meat** ushqim i ngurtë ✦ **~arm** /-a:m/ *mb* i dhunshëm ✦ **~box** /-boks/ *em* kasafortë ✦ **~-headed** /-hedid/ *em* kokëfortë ✦ **~hold** /-hould/ *em* kala; kështjellë ✦ **~-minded** /-maindid/ *mb* i vendosur; i prerë *(në mendime)* ✦ **~room** /-ru:m/ *em* dhomë e blinduar ✦ **~-willed** /-wild/ *mb* vullnetfortë; i vendosur; i prerë; kokëfortë

strove /strouv/ *shih* **strive**

struck /strʌk/ *shih* **strike**

structur:al /'strʌktʃərl/ *mb* strukturor ✦ **~e** / 'strʌktʃə(r)/ *em* strukturë ✦ *k/* strukturoj

strudel /'stru:dl/ *em gjll* strudel

struggle /'strʌgl/ *em* luftë; përpjekje: **with a ~** me mundim/ përpjekje ✦ *jk/* përpiqem; luftoj; mundohem: **~ for breath** mezi marr frymë; më mbahet fryma; **~ to do sth** bëj me vështirësi diçka; **~ to one's feet** ngrihem në këmbë me vështirësi

strung /strʌŋ/ *shih* **string**

stub /stʌb/ *em* cung; kërçep; bisht *(i cigarcs së shuar);* thumb ✦ *k/* cungoj; pres cung; shtyp *(bs htin e cigares)*

stubble /'stʌbl/ *em* mjekër e ashpër/ si furçë

stubborn /'stʌbən/ *mb* kokëfortë; kryengjeshur ✦ **~ness** *em* kokëfortësi

stucco /'stʌkou/ *em* stuko; baltë xhamash

stuck /stʌk/ *shih* **stick**[2]

stud *em* stallë kuajsh; kuaj të një stalle

stud:ent /'stju:dənt/ *em* student; nxënës ✦ **~y** /'stʌdi/ *em* studio; studim ✦ *k/, jk/* studioj; mendohem

stuff /stʌf/ *em* stof; *bs* gjë; plaçkë ✦ *k/* mbush *(dyshekun etj.);* dënd; rras; ngop: **~ sth into a drawer** rras/ hedh në sirtar diçka; **get ~ed!** *bs* shko, or, mbushu! ✦ **~ing** *em* mbushje, material mbushës; *gjll* mish (etj.) për të mbushura ✦ **~y** *mb (ajër)* i ndenjur

stumble /'stʌmbl/ *jk/* pengohem; zë këmbën: **~ across/ on** ndeshem/ takohem me

stump /stʌmp/ *em* cung *(i dorës, i këmbës së prerë etj.);* cubël; kupon *(i çekut)*

stun /stʌn/ *k/* trullos; lë pa mend; hutoj ✦ **~ning** *mb bs* i mahnitshëm; *(goditje)* trullosëse

stung /stʌŋ/ *shih* **sting**

stunt /stʌnt/ *em bs* reklamë; bujë; akrobaci ✦ **~-flying** /'stʌnt'flaiiŋ/ *em* akrobaci ajrore ✦ **~man** /-mən/ *em kn* stantmen

stupefy /'stju:pəfai/ *k/* trullos; lë pa mend

stupendous /stju:'pendəs/ *mb* i mahnitshëm ✦ **~ly** *nd* mrekulli

stupid /'stju:pid/ *mb* budalla; trashanik ✦ **~ity** /-'pidəti/ *em*

sturdy /'stə:(r)di/ *mb (burrë)* i fortë, kaproç; *(lëndë)* e plotë; e fortë; *(mur)* i trashë

sturgeon /'stə:(r)dʒn/ *em z/* bli

stutter /'stʌtə(r)/ *em* belbë ♦ *kl, jk/* belbëzoj ♦ **~ing** *em* belbëzim

sty¹, stye /stai/ *em mk* byc; kath; elbth

sty² *em* thark/ poçek derri

styl:e /stail/ *em* stil; modë: **in ~** me stil; me lezet ♦ **~ist** *em* stilist; flokëtar; parrukier ♦ **~ic** *mb* stilistik; stilistikor

subconscious /sʌb'kɒnʃəs/ *mb* i nënvetëdijes ♦ *em* nënvetëdije; subkoshiencë

subdue /səb'dju:/ *kl* nënshtroj; ul; pakësoj ♦ **~ed** *mb (zë)* i ulët

subject /'sʌbdʒikt/ *mb:* **~ to** i nënshtruar; që e zë *(ligji etj);* **~ to your consent** me pëlqimin tuaj ♦ *em* (nën)shtetas; subjekt *(i një shkence);* lëndë mësimore; *gjh* kryefjalë ♦ /səb'dʒekt/ *kl* sulmoj; nënshtroj ♦ **~ive** /səb'dʒektiv/ *mb* subjektiv

sublime /sə'blaim/ *mb* i lartë; sublim

sub-machine-gun /sʌbmə'ʃi:ngʌn/ *em* mitraloz i lehtë

submarine /sʌb'məri:n/ *em* nëndetëse

submer:ge /sʌb'mə:(r)dʒ/ *kl* zhyt; kredh ♦ **~sion** /-'mə:ʃn/ *em* zhytje; kredhje

submi:ssi:on /səb'miʃn/ *em* nënshtrim; parashtrim ♦ **~ssive** /-'misiv/ *mb* i nënshtruar ♦ **~t** /səb'mit/ ♦ *kl* nënshtroj *(një vend);* parashtroj *(një lutje)* ♦ *jk/* nënshtrohem

subscri:be /səb'skraib/ *kl* pajtohem; абрnohem *(në një gazetë etj.)* ♦ **~ption** /-'skripən/ *em* pajtim, abonim

subsequent /'sʌbsikwənt/ *mb* i mëpastajmë ♦ **~ly** *nd* më pastaj; më vonë

substan:ce /'sʌbstəns/ *em* lëndë; substancë ♦ **~tial** /səb'stænʃl/ *mb* lëndor; konkret; *(ndryshim)* i madh

substitut:e /'sʌbstitju:t/ *em* zëvendës: **~ for coffee** lëndë që zëvendëson kafen ♦ *kl* zëvendësoj ♦ *jkl:* **~ for sb** zëvendësoj dikë ♦ **~ion** /-'tju:ʃn/ *em* zëvendësim

subtl:e /'sʌtl/ *mb* i hollë; mendjehollë; delikat: **~ distinctions** dallime të holla ♦ **~ety** *em* delikatesë ♦ **~y** *nd* me delikatesë

subtract /'sʌbtrækt/ *kl* zbres, heq *(një shifër)* ♦ **~ion** /-'trækʃn/ *em* zbritje; heqje

suburb /'sʌbə:(r)b/ *em* periferi; lagje e jashtme ♦ **~an** /sə'bə:bən/ *em* banor i periferisë

subway /'sʌbwei/ *em* nënkalim; *am* metro

succe:ed /sək'si:d/ *jk/* ia dal mbanë; kam sukses; pasoj; ndjek; vjen/ ndodh pas: **~ in doing sth** ia dal të bëj diçka; **nothing ~s like success** një sukses sjell tjetrin ♦ **~ing** *mb* pasues; vijues; ndjekës ♦ **~ss** /sək'ses/ *em* sukses: **be a ~** kam sukses; më ecën *(në jetë)* ♦ **~ful** *mb* i suksesshëm; që ka sukes ♦ **~ive** *mb* i njëpasnjëshëm; i

vijueshëm ♦ **~or** *em* pasardhës

such /sʌtʃ/ *mb* i tillë: **~ a thing** gjë e tillë; kësisoj gjëje; **as ~** kështu; ashtu; **~ as** i tillë; i këtillë; i atillë; **and ~** e të tjerë si ky; **~ as it is** kështu siç është

suck /sʌk/ *kl* thit ♦ **~up** *kl* përthith: **~ up to** *kl bs* i lëpihem/ lëvirem dikuj

sucker /'sʌkə(r)/ *em bt* filiz mashkull; *bs* laskuç, parazit; *bs* leshko

suction /'sʌkʃn/ *em* thithje

Sudan /su'da:n/ *em gjg* Sudan ♦ **~ese** *mb, em* sudanez

sudden /'sʌdn/ *mb* i papritur: **all of a ~** papritmas ♦ **~ly** *nd* papritmas; pa pritur e pa kujtuar

sue /su:/ *kl* hedh në gjyq **(for** për) ♦ *jk/* bëj gjyq

suffer /'sʌfə(r)/ *jk/* vuaj **(from** nga) ♦ *kl* duroj; pësoj *(humbje):* **he cannot ~ heat** ai s'e duron vapën ♦ **~ing** /-riŋ/ *em* durim; vuajtje

sufficient /sə'fiʃənt/ *mb* i mjaftueshëm

suffocate /'sʌfəkeit/ *kl* mbyt; i zë frymën ♦ *jk/* mbytem; më zihet fryma

sugar /'ʃugə(r)/ *em* sheqer ♦ *kl/* sheqeros ♦ **~beat** /-bi:t/ *em bt* panxhar sheqeri ♦ **~-candy** /-kændi/ *em* sheqerkë ♦ **~coat** /-kout/ *em* veshje me sheqer *(e hapes)* ♦ *kl* vesh me sheqer; ëmbëlsoj *(hapen)*

suggest /sə'dʒest/ *kl* sugjeroj; jap *(mendim);* tregoj; lë të kuptohet ♦ **~ion** /-tʃən/ *em* sugjerim; mendim; nënkuptim; hije/ fije **(of)**

suicide /'sju:isaid/ *em* vetëvrasje; vetëvrasës: **commit ~** vras veten

suit /sju:t/ *em* veshje; kostum; komplet; seri *(letrash në bixhox);* apartament, hyrje suitë *(hoteli);* *dr* gjyq: **follow ~** *fg* bëj si gjithë bota; ndjek shembullin *(e dikujt)* ♦ *jk/* shkon; bën; është i përshtatshëm; më volit ♦ *kl* përshtat: **be ~ed for/ to** bën mirë për; **~yourssIf** si të duash/ ta kesh qejfin ♦ **~able** *mb* i përshtatshëm

suitcase /'sju:tkeiz/ *em* valixhe

suite /swi:t/ *em mz* suitë; komplet mobiliesh; përcjellë, shpurë

sulk /sʌlk/ *jk/* var turinjtë; rri buzëvarur

sullen /'sʌlən/ *mb* i muzgët; muzgan; i vrenjtur

sulphur /'sʌlfə(r)/ *em* squfur ♦ **~ic** /sʌl'fju:rik/ *mb (acid)* sulfurik

sultry /'sʌltri/ *mb (mot)* me zabullimë; mbytës

sum /sʌm/ *em* shumë; mbledhje, veprim i mbledhjes ♦ **~ up** *jk/* përmbledh ♦ *kl/* vlerësoj; bëj vlerësimin e

summar:ise /'sʌməraiz/ *kl* përmbledh *(një tregim etj.)* ♦ **~y** *em* përmbledhje

summer /'sʌmə(r)/ *em* verë ♦ **~time** /-taim/ *em* stinë e verës; verë; orë verore ♦ **~-wear** /-weə(r)/ *em* veshje verore

summit /'sʌmit/ *em* kulm; majë ♦ **~ conference** /-'kɒnfərəns/ *em* konferencë e nivelit të lartë

summon /'sʌmən/ *kl* thërres; *dr* ftoj në gjyq ♦ **~s** *em* ftesë gjyqi ♦ **~ up** *kl* mbledh *(forcat)*

sumptuous /'sʌmptjuəs/ *mb* luksoz; madhështor

sun /sʌn/ *em* diell: **rising** ~ diell i lindjes; **in the** ~ haptas; ditën nëpër diell; **under the** ~ në botë ◆ **~-bath** /-baːθ/ *em* banjë dielli ◆ *jk*/ shullëhem në diell ◆ **~ bed** /-bed/ *em* dyshek plazhi ◆ **~burn** /-bəː(r)n/ *em* djegie nga dielli

Sunday /'sʌndei/ *em* e diel ◆ ~ **school** /-skuːl/ *em* *ft* mësim i katekizmit

sun:dial /'sʌndaiəl/ *em* orë diellore ◆ **~flower** /-flauə(r)/ *em* *bt* lule dielli ◆ **~glasses** /-glaːsiz/ *em* *sh* syze dielli

sung /sʌŋ/ *shih* **sing**

sun:ny /'sʌni/ *mb* me diell; i rrahur nga dielli ◆ **~rise** /-raiz/ *em* lindje e diellit ◆ **~set** /-set/ *em* perëndim i diellit ◆ **~-shade** /-ʃeid/ *em* çadër dielli ◆ **~shine** /-ʃain/ *em* dritë e diellit; diell ◆ **~stroke** /-strouk/ *em* *mk* pikë e diellit ◆ **~tan** /-tæn/ *em* nxirje në diell

super /'suːpə(r)/ *mb* *bs* mrekulli; bukurí ◆ **~b** /-'pəːb/ *mb* i mrekullueshëm

superficial /suːpə(r)'fiʃl/ *mb* i sipërfaqshëm; i cekët

superfluous /su'pəː(r)fluəs/ *mb* i tepërt; i panevojshëm

superintendant /suːpərin'tendət/ *em* mbikëqyrës

superior /suː'piriə(r)/ *mb* epror; i lartë ◆ *em* epror

super:man /-mæn/ *em* mbinjeri ◆ **~market** /'maːk(r)it/ *em* tregtore; supermerkat ◆ **~natural** /-'nætʃərəl/ *mb* i mbinatyrshëm ◆ **~power** /-pauə(r)/ *em* superfuqi ◆ **~sonic** /-sounik/ *mb* supersonik

superstition /supə(r)stiʃn/ *em* besëtytëni ◆ **~stitious** /-stiʃəs/ *mb* bestëtytë; supersticioz

supervise /'supə(r)vaiz/ *kl* mbikëqyr ◆ **~vision** /-viʒn/ *em* mbikëqyrje ◆ **~visor** /-vaizə(r)/ *em* mbikëqyrës

supper /'sʌpə(r)/ *em* darkë ◆ *jk*/ ha darkë; darkoj

supple /'sʌpl/ *mb* i butë; elastik

supplement /'sʌplimənt/ *em* shtojcë ◆ *kl*/ plotësoj ◆ **~ary** /-'mentəri/ *mb* plotësues

supply /sə'plai/ *em* furnizim: **run out of ~ies** mbetem pa furnizime; më mbarojnë furnizimet ◆ *kl*/furnizoj; jap *(të dhëna etj.)*

support /sə'poː(r)t/ *em* mbështetje; mbështetëse; bazë; mbajtje *(me ushqim etj.)* ◆ *kl*/ mbaj; ushqej; përkrah; jam tifoz *(i një skuadre)* ◆ **~er** *em* përkarahës; *sp* tifoz

suppos:e /sə'pouz/ *kl*/ marr me mend; supozoj; mendoj; them: **I ~ so** them se po ◆ **~ition** /səpou'ziʃn/ *em* hamdendje; supozim

suppress /sə'pres/ *kl*/ shtyp; mbyt ◆ **~ion** /-'preʃn/ *em* shtypje; mbytje

supreme /suː'priːm/ *mb* suprem; epror; i shkallës më të lartë: ~ **court** gjykatë e lartë

sure /'ʃuə(r)/ *mb* i sigurt: **make ~** sigurohem; **be ~ to do it** mos harro ta bësh; **are you ~?** vërtet *(nuk do një kafe etj.)*? ◆ *nd am* *bs* sigurisht: ~ **enough** patjetër; **dead ~** i sigurt si vdekja ◆ **~ly**

nd sigurisht; *am* me gjithë qejf ◆ **~ty** *em* siguri; garanci

surf /səː(r)f/ *em* shkumë; dallgë e bregut ◆ *kl* *tk:* ~ **the Net** lexoj në Internet

surface/'səː(r)fis/ *em* sipërfaqe ◆ *jk*/ dal; dukem; shfaqem ◆ ~ **mail** /-meil/ *em* postë e thjeshtë/ zakonshme

surge/səː(r)dʒ/ *em* valomë; vlim *(i zemërimit)*; ngritje e menjëhershme *(e tensionit etj.)* ◆ *jk*/ngrihet valë; shkulmon: ~ **forward** sulem përara

surg:eon/'səː(r)dʒən/ *em* kirurg ◆ **~ery** *em* kirurgji; ambulancë ◆ **~ical** *mb* kirurgjik

surly /'səː(r)li/ *mb* turivarur; qejfmbetur

surmount /sə(r)'maunt/ *kl*/ kapërcej; kaptoj

surname /'səː(r)neim/ *em* mbiemër; llagap

surpass /sə(r)'paːs/ *kl*/ (tej)kaloj

surpris:e /sə(r)'praiz/ *em* çudi; habi ◆ *kl*/çudit; habit: **be ~ed** habitem (**at** me) ◆ **~ing** *mb* i habitshëm; i çuditshëm

surrender /sə'rendə(r)/ *em* dorëzim ◆ *kl*/dorëzohem ◆ *kl*/ dorëzoj; kthej; jap

surrogate /'sʌrəgət/ *em* zëvendësues; surrogat

surround /sə'raund/ *kl*/ rrethoj ◆ **~ing** *mb* rrethues ◆ **~ings** *em* *sh* rrethina

surve:illance /sə(r)'veiləns/ *em* mbikëqyrje; ndjekje; survejim ◆ **~y** /'səː(r)vei/ *em* vështrlm; këqyrje; sondazh *(i opinionit)*; matje topografike ◆ /sə'vei/ *kl*/ vlerësoj; bëj matje topografike ◆ **~yor** *em* vlerësues; topograf

surviv:al /sə'vaivl/ *em* mbijetesë; relikt ◆ **~e** *kl*/ mbijetoj; jetoj më shumë se; mbetem/ shpëtoj gjallë pas *(një aksidenti)* ◆ **~or** *em* i mbetur gjallë

suspect /sə'spekt/ *kl*/ dyshoj ◆ /'sʌspekt/ *mb*, *em* (person) i dyshimtë

suspend /sə'spend/ *kl*/ pezulloj; var ◆ **~er belt, ~ders** *em* *sh* llastika *(të çorapeve)*; *am* aski *(të pantallonave)*

suspense /sə'spens/ *em* tension; gjendje ankthi: **in ~** i mbetur pezull/ në ankth

suspicio:n /sə'spiʃən/ *em* dyshim; një fije, paksa; një thërrime: **under ~** i dyshuar; i dyshimtë; i vënë në dyshim ◆ **~us** *mb* i dyshimtë

swallow[1] /'swolou/ *kl*, *jkl*/ gëlltit: ~ **up** përpij; gllabëroj

swallow[2] *em* *zl* dallëndyshe

swam /swæm/ *shih* **swim**

swamp /swomp/ *em* përmbyt ◆ **~y** *mb* moçalor; kënetor

swan /swon/ *em* *zl* mjellmë: **~s song** kënga e mjelmës

swank /swæŋk/ *mb* mburravec ◆ *jk*/ mburrem

swap /swop/ *em* këmbim; ndërrim; trambë ◆ *kl* *bs* këmbej; ndërroj (**for** me) ◆ *jk*/ bëj trambë

swarm /swoː(r)m/ *em* roitje; shtënie *(e bletës)*; turmë; mizëri: **be ~ing with** mizëron; është plot me ◆ *jk*/ *(bleta)* shtie; luzmon

swarthy /'swo:(r)ði/ *mb* zeshkan

sway /swei/ *em fig* ndikim; pushtet ♦ *jk/* lëkundem

swear /sweə(r)/ (**swore** /swo:(r)/, **sworn** /swo:(r)n/) *k/, jk/* shaj; mallkoj; truaj; nëm: **~ at sb** shaj dikë; **~ by/ on sb** besoj verbërisht te

sweat /swet/ *em* djersë ♦ *jk/* djersit

sweater /'swetə(r)/ *em* triko golf

sweat-shop /-ʃop/ *em* punishte që shfrytëzon pa mëshirë krahun e punës

Swede /swi:d/ *mb, em* suedez ♦ **~en** Suedi ♦ **~ish** *mb* suedez; *em* suedishte

sweep /swi:p/ *em* fshirje: **make a clean ~** *bs* i qëroj të gjitha *(paratë në tryezën e kumarit);* e bëj fushë ♦ (**swept** /swept/) *k/* fshij; pastroj; *(era)* merr me vete ♦ *jk/* pastroj; fshij (**away, up**); iki si erë *(era)* të

sweet /swi:t/ *mb* i ëmbël: **have a ~ tooth** më pëlqejnë/i ha shumë të ëmbëlat ♦ *em* të ëmbëla; karamele; ëmbëlsira ♦ **~en** *k/* ëmbëlsoj ♦ **~er** *em* ëmbëlsues; zëvendësues i sheqerit ♦ **~heart** /-ha:(r)t/ *em* i/ e dashur; dashnor(e) ♦ **~ness** /'swi:tnis/ *em* ëmbëlsi ♦ **~ pea** /-pi:/ *em* bizele e njomë ♦ **~shop** /-ʃop/ *em* ëmbëltore ♦ **~-spoken** /-spoukn/ *mb* gojëmbël ♦ **~-talk** /-to:k/ *em* fjalë të ëmbla; lajka

swell¹ /swel/ (**~ed, swollen** /'swouln/, **~ed**) *jk/* ënjtjet; rritet; fryhet ♦ *k/* fryj; shtoj; rrit

swell² *mb bs* elegant; shumë i mirë

swept /swept/ *shih* **sweep** ♦ *mb:* **wind-~** *(vend)* që e rreh era

swift /swift/ *mb* i shpejtë; *(lumë)* i rrëmbyer

swim /swim/ *em* not ♦ (**swam** /swæm/, **swum** /swʌm/) *jk/* notoj; më merren mendë: **my head is ~ming** e kam kokën dhallë ♦ *k/* dal/ kapërcej me not ♦ **~mer** *em* notar ♦ **~ming** *em* not; notim ♦ **~ming: costume** /-'kostju:m/ *em* kostum banje/ plazhi/ noti ♦ **~-pool** /-pu:l/ *em* pishinë ♦ **~trunks** /-trʌnks/ *em sh* mbathje banje

swindle /'swindl/ *em* mashtrim ♦ *k/* mashtroj ♦ **~r** *em* mashtrues

swine /swain/ *em bs* derr

swing /swiŋ/ *em* luhatje; shilarës; *mz* sving: **in full ~** në veprimtari të plotë; **go with a ~** *bs (puha)* shkon fjollë/ hutë ♦ (**swung**) ♦ *jk/* luhatem; shilarem; shmangem ♦ *k/* luhat; lëkund; tund në shilarës: **you'll ~** do të të varin *(në litar)*

swirl /swə:(r)l/ *em* shtëllungë *(tymi, pluhuri)* ♦ *jk/ (uji)* sillet shtjellë/ vorbull

Swiss /swis/ *mb, em* ♦ zviceran ♦ **~ the** *sh* zviceranët

switch /switʃ/ *em* çelës; ndërrim; këmbim ♦ *k/* këmbej; ndërroj ♦ *jk/* këmbehet; ndërrohet ♦ **~ off** *k/* shuaj; mbyll ♦ **~ on** *k/* ndez; hap ♦ **~-board** /-bo:(r)d/ *em* central telfonik

Switzerland /'switsələnd/ *em gjg* Zvicër

swollen /swouln/ *shih* **swell¹** ♦ *mb* i fyrë

swoop /swu:p/ *em* sulm ♦ *jk/ (skifteri)* zhytet/ bie *(mbi pre); fig (policia)* hyn befas; sulmon

sword /so:(r)d/ *em* shpatë

swore /swo:(r)/, **sworn** /swo:(r)n/ *shih* **swear**

swum /swʌm/ *shih* **swim**

swung /swʌŋ/ *shih* **swing**

syllable /'siləl/ *em* rrokje

syllabus /'siləbəs/ *em* program mësimor

symbol /'simbl/ *em* simbol (**of** i) ♦ **~ic** /-'bolik/ *mb* simbolik ♦ *k/* simbolizoj

symmetr:ical /si'metrikl/ *mb* simetrik ♦ **~y** /'simetri/ *em* simetri

sympath:etic /simpə'θetik/ *mb* dashamirë; miqësor; i butë; *(fjalë)* ngushëllimi ♦ **~ise** /'simpəθaiz/ *jk/* kuptoj; më vjen keq; ngushëlloj: **~ with sb** më vjen keq për dikë; ngushëlloj dikë; kam simpati për dikë ♦ **~iser** *em pl* simpatizues; përkrahës ♦ **~y** /'simpəθi/ *em* keqardhje; mirëkuptim; simpati; ngushëllim: **in ~ with** *(grevë)* solidariteti me

symphon:ic /sim'fonik/ *mb* simfonik ♦ **~y** /'simfəni/ *em* simfoni

symptom /simptəm/ *em* simptomë ♦ **~atic** /-'mætik/ *mb* simptomatik

synagogue /'sinəgog/ *em ft* sinagogë

syndicate /'sindikət/ *em* sindikatë

synchron:ic /siŋ'krounik/ *mb* sinkronik; i njëkohshëm ♦ **~y** /'siŋkrəni/ *em* sinkroni

synonym /'sinənim/ *em* sinonim ♦ **~ous** /-'noniməs/ *mb* sinonimik

syntax /'sintæks/ *em gjh* sintaksë

synthesis /'sinθəsis/ *em* (*sh* -**ses** /-si:z/) sintezë ♦ **~e** *k/* sintetizoj ♦ **~er** *em mz* sintetizator

synthetic /sin'θetik/ *mb* sintetik; i bërë me fibër sintetike

syphili:s /'sifilis/ *em mk* sifilis ♦ **~tic** /-'litik/ *mb* sifilitik

syphon /'saifn/ *em shih* **siphon**

Syria /'siriə/ *em gjg* Siri ♦ **~an** *mb, em* sirian

syringe /si'rindʒ/ *em* shiringë

syrup /'sirəp/ *em* shurup

system /'sistəm/ *em* sistem: **nervous ~** *an* sistem nervor; **ignition ~** *au* mekanizëm i ndezjes ♦ **~atic** /-'mætik/ *mb* sistematik

T

ta /ta:/ *psth, em bs* falemnderit

tab /tæb/ *em* llapë *(e këpucës);* etiketë; pullë; **keep ~s on** *bs* mbikëqyr dikë; i rri pullë prapa dikujt

table /'teibl/ *em* tryezë; pasqyrë, tabelë; pllakë: **at (the) ~** në tryezë; **under the ~** *fg* fshehtas; nën dorë; **~ of contents** tryezë e lëndës; **turn the ~s on sb** ia përmbys planet dikujt ♦ *kl* propozoj; shtroj për diskutim ♦ **~-cloth** /-kloθ/ *em* sofrabez ♦ **~-lamp** /-læmp/ *em* llambë tryeze/ komodine ♦ **~-land** /-lænd/ *em* rrafshinë; pllajë ♦ **~-salt** /-so:lt/ *em* kripë e bardhë/ tryeze ♦ **~-spoon** /-spu:n/ *em* lugë buke

tablet /'tæblit/ *em farm* tabletë, hape; *tk* lastër; copë, kallëp *(çokolate)*

table:-tennis /-'tenis/ *em* pingopong ♦ **~-ware** /-weə(r)/ *em* komplet tryeze

tabloid /'tæbloid/ *em* gazetë populllore/ e skandaleve

taboo /tə'bu:/ *mb, em* tabu

tack¹ /tæk/ *em* thumb, pineskë; e qepur kalore: **come down to brass ~s** hyj në thelb të çështjes ♦ *kl* mbërthej me thumba/me pineska; qep kalore

tack² *em* manovrim i velave: **change ~** *bs* ndërroj taktikë

tackle /'tækl/ *em* pajime; takëme; ndërhyrje *(ndaj kundërshtarit në futboll)*

tact /tækt/ *em* takt ♦ **~ful** *mb* prekatar; me takt; *(fjalë)* e matur

tactical /'tæktikl/ *mb* taktik ♦ **~s** *sh (me folje në njëjës)* taktikë

tactless /'tæktlis/ *mb* i patakt; i pamatur ♦ **~ly** *nd* pa takt

tag /tæg/ *em* etiketë; pullë ♦ *kl* etiketoj; i vë bisht *(diçkaje)*

tail /teil/ *em* bisht; **~s** *sh* frak ♦ *kl bs* i bëhem bisht *(dikujt)* ♦ **~ off** *jkl* pakësohet ♦ **~back** /-bæk/ *em* varg *(makinash)* ♦ **~coat** /-kout/ *em* frak; xhaketë me bisht ♦ **~end** /-end/ *em* fund, bisht ♦ **~lamp** /-'æmp/, **light** /-lait/ *em au* dritë e pasme

tailor /'teilə(r)/ *em* rrobaqepës ♦ *kl* bëj me porosi *(rrobat);* *fg* përshtat *(diçka sipas kërkesës)* ♦ **~ing** /-riŋ/ *em* rrobaqepësi

taint /teint/ *em* njollë ♦ *kl* njollos *(emrin, nderin)*

take /teik/ *em* marrje; *kn* filmim ♦ **(took** /tuk/, **taken** /'teikn/) *kl* marr; kap; çoj *(dikë diku); (makina etj.)* nxë, merr *(x vetë);* duroj; nevojiet *(forcë etj.);* bëj *(provim, pushim);* mat *(thellësinë etj.);* prek/ mat *(pulsin):* **~ action against sb** marr masa kundër dikujt; **~ care of sb** kujdesem për dikë; **~ sb prisoner** zë rob dikë; **~ sth calmly** e marr me qetësi diçka; **~ a liking to sb** më hyn në qejf dikush; **~ one thing for another** i marr tjetër për tjetër; **be ~en ill** sëmurem ♦ *jkl (bima:)* zë; *(spiranca)* zë, mban ♦ **~ after** *kl* ngjaj ♦ **~ away** *kl* marr me vete: heq/ zbres *(një shumë):* **'to ~ away'** *(ushqim etj.)* 'për ta marrë me vete' ♦ **~away** /-ə'wei/ *em (ushqim)* gjysmë i gatshëm; gjellëtore me gjysmë të gatshme ♦ **~ back** *kl* marr prapë; tërheq *(fjalën)* ♦ **~ down** *kl* zbres poshtë/ ul; heq; mbaj shënim ♦ **~ in** *kl* sjell; shtie brenda; kuptoj; mashtroj, gënjej; shkurtoj *(robën);* përfshij ♦ **~ off** *kl* heq; zhvesh *(rrobat);* imitoj: **~ time off** bëj pushim; **~ oneself off** hiqem tutje ♦ **~-off** /-of/ *em av* ngritje; shkëputje ♦ *jkl (avioni)* ngrihet ♦ **~ on** *kl* marr përsipër; marr në punë; kapem me *(dikë)* ♦ **~ out** *kl* nxjerr; heq; tërheq *(para etj.):* **it out on sb** *bs* kapem me dikë ♦ **~ over** *kl* marr drejtimin e *(kompanisë)* ♦ **~over** /-ouvə(r)/ *em* marrje; kalim i pushtetit ♦ *jkl:* **~ over from sb** zëvendësoj dikë ♦ **~ to** *kl* jepem pas; zë/ mësoj *(një zakon);* **he took to her immediately** ajo i hyri në zemër menjëherë ♦ **~ up** *kl* çoj sipër; ngre; pranoj *(një ofertë);* i hyj *(një zanati);* i kushtohem *(një pune);* zë *(vend);* shkurtoj *(robën):* **~ sth up with sb** bisedoj/diskutoj diçka me dikë ♦ *jkl:* **~ up with sb** lidhem pas dikujt

tale /teil/ *em* tregim; rrëfim; përrallë

talent /'tælənt/ *em* talent ♦ **~ed** *mb* i talentuar

talk /to:k/ *em* bisedë; thashethem; llafe: **small ~** muhabet bosh ♦ *jk/* fas; bisedoj; bëj muhabet: **~ big** mburrem ♦ *k/* flas për *(punë etj.):* **~ sb into sth** e bind dikë të bëjë diçka; **~ over** diskutoj; ˙ah *(një mendim)* ♦ **~ative** *mb* fjalaman; llafazan ˌ **~er** *em* bisedues; kuvendar ♦ **~ing** *em* fjalë; ɔisedë: **he did all the ~** foli vetëm ai ♦ **~ing-to /** 'to:kiŋtu/ *em* qortim

tall /to:l/ *mb* i lartë; shtatlartë: **~order** punë e vështirë; gjë e përpjetë; **~ story** përrallë me mbret; *(këput)* të trasha ♦ **~ness** *em* (shtat)lartësi

tame /teim/ *mb* i butë; i zbutur; i painteres ♦ *k/* zbut *(një kafshë të egër)*

tamper /'tæmpə(r)/ *jk/:* **~ with** trazoj; ngas *(gjërat e tjetrit)*

tan /tæn/ *mb, em* (ngjyrë) kafe e çelët ♦ *em:* **sun~** nxirje nga dielli ♦ *k/* regj *(lëkurët)* ♦ *jk/* nxihem në diell

tangent /'tændʒənt/ *em gjm* tangjente

tangle /'tæŋgl/ *em* ngatërresë ♦ *k/:* **~ (up)** ngatërroj, koklavit; lidh pisk ♦ *jk/* ngatërrohet; koklavitet; lidhet pisk

tango /'tæŋgou/ *em mz* tango

tangy /'tæbdʒi/ *mb (shije)* e fortë

tank /tæŋk/ *em* serbator; cisternë; rezervuar; sternë; akuarium; *ush* tank ♦ **~er** *em* anije cisternë; autobot: **oil ~** anije naftëmbajtëse ♦ **~driver** /-'draivə(r)/, **operator** /-'opəreitə(r)/ *em* tankist

tann:ed /'tænd/ *mb:* **sun-~ned** i nxirë në diell ♦ **~er** *em* lëkurëpunues

tap /tæp/ *em* rubinet; trokitje; rrahje *(e shpatullave):* **turn the ~ on/ off** hap/ mbyll rubinetin; **on ~** i lirë; në dispozicion ♦ *k/* trokas lehtë; përgjoj *(telefonat)* ♦ *jk/* qëlloj lehtë ♦ **~ dance** /-da:ns/ *em* taptap *(vallëzim)*

tape /teip/ *em* shirit; kasetë: **on ~** i regjistruar *(në magnetofon)* ♦ *k/* ngjit me/ regjistroj në shirit ♦ **~-measure** /-meʒə(r)/ *em* metër shirit ♦ **~-recorder** /-ri'ko:(r)də(r)/ *em* magnetofon me shirit ♦ **~ re-cording** /-ri'ko:(r)diŋ/ *em* regjistrim në shirit/ magnetofon

tapestry /'tæpistri/ *em* sixhade muri; tapiceri

tap-water /'tæpwotə(r)/ *em* ujë i çezmes

tar /ta:(r)/ *em* katram ♦ *k/* katramoj

target /'ta:(r)git/ *em* shenjë; objektiv; synim ♦ *k/* vë në shënjestër

tariff /'tærif/ *em* tarifë

tarmac /'ta:(r)mæk/ *em* asfalt bitumi; pistë e aeroportit

tarnish /'ta:(r)niʃ/ *jk/* nxihet; oksidohet; *(emri etj.)* njolloset ♦ *k/* nxij; oksidoj; *fg* njollos; përlyej

tart¹ /ta:(r)t/ *mb* i ashpër; *fig* i thartë

tart² *em* tortë; pastë; *s/* prostitute, kurvë

task /ta:sk/ *em* detyrë: **take sb to ~** qortoj dikë ♦ **~-force** /-'fo:(r)s/ *em ush* njësi operative; *p/* komision i posaçëm ♦ **~-master** /-'ma:stə(r)/ *em*

mbikëqyrës i rreptë

taste /teist/ *em* shije; ngjërim: **get a ~ of sth** *fg* provoj shijen e diçkaje; ngjëroj diçka ♦ *k/* ka shije si ♦ *jk/* shijon/ ka shijen **(of** e): **it ~s lovely** sa e shijshme është! ♦ **~ful** *mb* i shijshëm ♦ **~less** *mb* i pashijshëm; pa shije ♦ **~y** *mb* i shijshëm

tat /tæt/ *em:* **tit for ~** një për një; dhëmb për dhëmb

tatter:ed /'tætə(r)d/ *mb* i rreckosur; i grisur ♦ **~s** *em sh:* **in ~s** me rrecka; i bërë rreckë

tattoo¹ /tæ'tu:/ *em* tatuazh ♦ *k/* i bëj tatuazh *(dikujt)*

tattoo² *em ush* bori e gjumit ♦ *jk/* i bie borisë së gjumit

taught /to:t/ *shih* **teach**

Taurus /'to:rəs/ *em ast* Dem; yjësi e Demit

tavern /'tæv(ə(r))n/ *em* tavernë

tax /tæks/ *em* taksë; tatim *(mbi të ardhurat)* ♦ *k/* taksoj; tatoj; *fg* vë në provë të rëndë ♦ **~ation** /-'seiʃən/ *em* tatim; taksa ♦ **~ evasion** /-i'veiʒn/ *em* shmangie e taksave ♦ **~free** /-fri:/ *mb* i patatuar; pa taksë

taxi /'tæksi/ *em* taksi ♦ *jk/ (aeroplani)* manovron në pistë ♦ **~ driver** /-'draivə(r)/, **~man** /-mæn/ *em* shofer taksie ♦ **~ rank** /-ræŋk/ *em* vendqëndrim i taksive ♦ **~way** /-wei/ *em av* pistë e manovrimit

tax-payer /'tækspeiə(r)/ *em* taksapagues

tea /ti:/ *em* çaj: **another cup of ~** tjetër hesap/ punë/ gjë; **that's not my cup of ~** s'është gjë/ punë për mua

teach /ti:tʃ/ *k/, jk/* **(taught** /to:t/) mësoj; jap mësim: **~ sb sth** i mësoj dikujt diçka; **~ sb a lesson** i jap një mësim dikujt; **I'll ~ you!** ta tregoj unë qejfin! ♦ **~er** *em* mësues ♦ **~ing** *em* mësuesí ♦ *mb* mësimor: **~ profession** mësuesí

tea:-cup /'ti:kʌp/ *em* filxhan çaji ♦ **~kettle** /-ketl/ *em* ibrik çaji

team /ti:m/ *em* skuadër; ekip

tea:-pot /-pot/ *em* çajnik; ibrik çaji

tear¹ /tɛə(r)/ *em* grisje ♦ **(tore** /to:/, **torn** /to:n/) *k/* gris; shqyej; këput: **~ a muscle** këput mish ♦ *jk/* griset; shqyhet; vrapoj me të katra ♦ **~ apart** *k/* gris; shkafangjit; *fg* dërrmoj/ copëtoj/ bëj fërtele *(me kritika);* copëtoj ♦ **~ away** *k/:* **~ oneself away** shkëputem *(nga krahët e dikujt)* ♦ **~ open** *k/* hap duke shqyer/ grisur ♦ **~up** *k/* gris; prish *(një marrëveshje)*

tear² /tiə(r)/ *em* lot ♦ **~ful** *mb* losh; përloshan; i përlotur ♦ **~-drop** /em* pikë loti ♦ **~gas** /gæs/ *em* gaz lotsjellës

tease /ti:z/ *k/* ngas; tall; qesëndis ♦ **~ing** *mb* qesëndisës

tea:-spoon /-spu:n/ *em* lugë çaji ♦ **~spoon(ful)** /-'spu:nful/ *em* (një) lugë çaji plot **(of** me)

technic:al /'teknikl/ *mb* teknik ♦ **~ality** /-'kæləti/ *em* anë/ hollësi teknike; *dr* çështje e ngatërruar juridike ♦ **~ian** /-'niʃn/ *em* teknik

technolog:ical /teknə'lodʒikəl/ *mb* teknologjik ♦ **~y**

/tek'nolədʒi/ *em* teknologji

teddy /'tedi/ *em:* ~ (**bear**) arush

tedious /'ti:diəs/ *mb* i mërzitshëm

teem /ti:m/ *jkl* është plot me; gëlon

teen:age /'ti:neidʒ/ *mb:* ~ **boy** adoleshent ♦ **~ager** *em* adoleshent ♦ **~s** *em sh* adoleshencë; moshë 13 deri 19 vjeç

teeth /ti:θ/ *sh* i **tooth** ♦ **~e** /ti:ð/ *jkl (fëmijës)* i dalin dhëmbët

teetotal /ti:'toutl/ *mb (njeri)* antialkoolist; që s'përdor pije alkoolike ♦ **~er** *em* antialkoolist; njeri që s'përdor pije alkoolike

tele /'teli/ *em bs* televizor; telefon ♦ **~camera** /-'kæmərə/ *em* telekamerë ♦ **~communications** /-kəmju:ni'keiʃənz/ *em sh* telecomunikacion ♦ **~gram** /-græm/ *em* telegram ♦ **~graph** /-gra:f/ *em* telegraf ♦ **~graphic** /-'græfik/ *mb* telegrafik: ~ **pole** *em* shtyllë telegrafi ♦ **~pathy** /te'lipəθi/ *em* telepatí ♦ **~phone** /-foun/ *em* telefon: **be on the ~** jam (duke folur) në telefon ♦ *kl, jkl* telefonoj ♦ **~phone-book** /-founbuk/ *em* numërator telefonik ♦ **~phone booth** /-bu:ð/, **box** /-boks/ *em* kabinë telefonike ♦ **~phone directory** /-di'rektəri/ *em* libër i pajtimtarëve telefonikë ♦ **~line** /-lain/ *em* linjë telefonike ♦ **~printer** /-'printə(r)/ *em* tele-printer ♦ **~scope** /-skoup/ *em* teleskop ♦ **~text** /-tekst/ *em* teletekst ♦ **~type** /-taip/ *em* teletajp ♦ **~vision** /-'viʒn/ *em* televizion; televizor: **watch ~** shoh televizor ♦ **~vision set** /-'viʒnset/ *em* televizor

tell /tel/ *kl* (**told** /tould/) them; tregoj; dalloj; kuptoj dallimin (**from** midis): ~ **sb sth** i tregoj dikujt diçka; ~ **the time** njoh orën; **I couldn't ~ why...** s'e dija pse...; ~ **tales** rrëfej përralla; *bs* rrej ♦ *jkl* tregoj; ndikon; ka efekt: **time will ~** koha do ta tregojë; **age is beginning to ~** mosha ka filluar ta bëjë të vetën; **you mustn't ~** mos rrëfe!; ~ **off** numëroj me zë të lartë; qortoj ♦ **~ing** *mb* kuptimplotë; *(fjalë)* me vend; *(argument)* bindës: ~ **blow** goditje dërrmuese ♦ *em:* **there is no ~** ku i dihet

tell-tale /'telteil/ *em* spiun; veprim që të tradhton

telly (**box**) /'teli(boks)/ *em bs* televizor

temper /'tempə(r)/ *em* karakter; temperament; humor; zemërim: **lose one's ~** zemërohem; **be in a ~** jam me inat; **keep one's ~** ruaj gjakftohtësinë

temperament /'temprəmənt/ *em* temperament ♦ **~al** /-'mentl/ *mb* tekanjoz

temperature /'temprətʃə(r)/ *em* temperaturë; zjarrmi: **have a ~** jam me/ kam ethe

tempest /'tempist/ *em* stuhi; shtrëngatë ♦ **~uous** /-'pestjuəs/ *mb* i stuhishëm ♦ **~ly** *nd* me vrull; si era me shiun

temple[1] /'templ/ *em* tempull

temple[2] *em an* tëmth *(i ballit)*

temporary /'tempərəri/ *mb* i përkohshëm

tempt /tempt/ *kl* tundoj; josh: **be ~ed** joshem; më

prishet mendja (**to të**) ♦ **~ation** /-'teiʃn/ *em* tundim; joshje ♦ **~ing** *mb* tundues; joshës

ten /ten/ *nm, mb, em* dhjetë: **one in ~** një në/ më dhjetë; **there were ~s of** kishte me dhjetëra

tenaci:ous /ti'neiʃəs/ *mb* i fortë; ngulmues; *(njeri)* që s'të shqitiet ♦ **~ously** *nd* fort; me këmbëngulje; pa u shqitur ♦ **~ty** /-'næsəti/ *em* qëndrueshmëri

tenant /'tenənt/ *em* banor me qira; qiraxhi; qiramarrës

tend[1] /tend/ *kl* kujdesem për *(dikë)*

tend[2] *jkl:* ~ **to do sth** kam prirje të bëj diçka ♦ **~ency** *em* prirje; tendencë

tender[1] /'tendə(r)/ *em trg* ofertë; tender: **legal ~** monedhë e ligjshme në qarkullim; valutë ♦ *kl* ofroj; paraqit *(dorëheqjen)*

tender[2] *mb* i butë; *(pjesë e trupit)* që dhemb ♦ **~ly** *nd* me të butë; me dashuri ♦ **~ness** *em* butësi; dhembje; dashuri

tendon /'tendən/ *em* dell/ lak i kyçeve

tennis /'tenis/ *em* tenis: **lawn ~** tenis në bar; **table ~** pingpong ♦ **~-court** /-ko:(r)t/ *em* fushë tenisi ♦ ~ **player** /-'pleiə(r)/ *em* lojtar tenisi

tenor /'tenə(r)/ *em mz* tenor

tense[1] /tens/ *em gjuh* kohë *(e foljes)*

tens:e[2] *mb* i tendosur; i nderë: **make ~** tendos *(telin, gjendjen);* nder ♦ *kl* tendos ♦ **~ion** /'tenʃn/ *em* tension; tendosje: **ease the ~** ul tensionin

tent /tent/ *em* çadër; tendë

tenterhooks /'tentə(r)huks/ *em sh:* **be on ~** jam si mbi gjemba/ në ankth

tenth /tenθ/ *mb, em* i dhjetë: **three ~s of** tre të dhjetat e

term /tə:(r)m/ *em* periudhë; trimestër; term *(ligjor, teknik);* shprehje; **~s** *sh* kushte: **on my ~s** me kushtet e mia; ~ **of office** mandat *(i pushtetit etj.);* **in the long ~** me afat të gjatë; **be on good ~s** e kam mirë *(me dikë)*

termina:l /'tə:(r)minəl/ *mb* fundor; *mk (gjendje)* e pashërueshme *(e të sëmurit)* ♦ fundore, terminal *(i aeroportit);* stacion i fundit *(i trenit etj)* ♦ **~lly** *nd:* **be ~ ill** jam i sëmurë në pikë të fundit/ pa shërim ♦ **~te** /'tə:(r)mineit/ *kl* përfundoj; prish, zgjidh *(një kontratë)* ♦ **~tion** /-'neiʃən/ *em* fund; mbarim; *mk* prishje *(e barrës)*

terrace /'terəs/ *em* brezare, terracë; varg shtëpish të ngjitura: **the ~s** *sp* shkallët e stadiumit ♦ *kl* terracoj ♦ **~d** *mb:* **~d houses** *em* shtëpi/ bllok banesash të ngjitura me njëra-tjetrën

terribl:e /'terəbl/ *mb* i tmerrshëm; shumë i madh ♦ **~y** *nd* tmerrësisht; tëpër: ~ **bad** shumë i keq

terrific /te'rifik/ *mb bs* i shkëlqyer; i mrekullueshëm; shumë i madh

terrify /'terifai/ *kl* tmerroj; lemerit ♦ **~ing** *mb* tmerrues; i frikshëm; i lemerishëm

territor:ial /teri'to:riəl/ *mb* territorial ♦ **~y** /'teritəri/ *em* truall; territor

terror /'terə(r)/ *em* terror ♦ **~ise** *k*/terrorizoj; tmerroj ♦ **~ism.** *em* terrorizëm ♦ **~ist** *mb, em* terrorist: **~ act** aksion terrorist

test /test/ *em* provim *(i dijes);* provë *(laboratorike);* eksperiment: **put to the ~** vë në provë ♦ *k*/provoj; eksperimentoj

testament /'testəmənt/ *em* testament; Dhjatë: **Old/ New T~** Dhjata e Re/ e Vjetër

testicles /'testiklz/ *em sh an* herdhe

testi:fy /'testifai/ *k*/, *jk*/ dal dëshmitar ♦ **~mony** /-məni/ *em* dëshmi

test:-match /-mætʃ/ *em sp* takim ndërkombëtar *(në kriket)* ♦ **~-tube** /-tju:b/ *em* provëz,

tetanus /'tetənəs/ *em mk* sharrëz; tetanoz

tête /tɛt/ *em:* **~ à** – kokë më kokë

text /tekst/ *em* tekst; paragraf *(nga Bibla);* temë diskutimi ♦ **~book** /-buk/ *em* tekst *(mësimor)* ♦ *mb (shembull)* tipik

textile /'tekstail/ *mb, em* tekstil

texture /'tekstʃə(r)/ *em* strukturë *(e thurjes, etj.):* **of a smooth ~** i butë, i lëmuar

than /ðæn, ðən/ *ldh:* **older ~ I/ ~ me** më i madh në moshë se unë; **more ~** më shumë se

thank /θæŋk/ *k*/ falënderoj: **~ you very much** shumë faleminderit ♦ **~ful** *mb* mirënjohës ♦ **~fully** *nd* me mirënjohje; për fat të mirë ♦ **~less** *mb* mosmirënjohës ♦ **~s** /θæŋks/ *em sh* falënderim: **~!** *bs* falemnderit!; **~ to** në saje të; **no ~s to** pa ndihmën e ♦ **~-you-mam** /-ju'mæm/ *em bs* gropë e rrugës

that /ðæt/ *mb, prm (sh* those) ai (send); ajo (gjë): **~ one** ai (atje); **~ is** pra; **is ~ you?** ti je?, ti qenke?; **who is ~?** kush është?; **like ~** ashtu; i tillë; **~ is why** ja pse; **~s all** ja; kaq; mbaroi; mjafton; u bë; **and ~'s ~!** kaq dhe pikë/ mbaroi!; **all ~ I know** kaq sa di unë ♦ *nd:* **it wasn't ~ good** s'ishte fort e mirë ♦ *prm:* **the man ~ I spoke to** burri me të cilin fola; **all ~ I know** gjithë sa di; **I think ~...** mendoj se...

thatch /θætʃ/ *em* çati kashte ♦ **~ed** *mb (çati)* kashte, e mbuluar me kashtë

thaw /θo:/ *em* shkrirje *(e akullit, e borës)* ♦ *k*/ shkrij *(ushimin e frigoriferit)* ♦ *jk*/ *(ushqimi)* shkrin: **it's ~ing** po shkrin

the /ðə/, *para zanoreve* /ði:/ *nyjë shquese:* **~ universe** gjithësia; **~ Adriatic** (Deti) Adriatik; **at ~ cinema/ station** në kinema/ stacion ♦ *nd:* **~ more ~ better** sa më shumë aq më mirë; **all ~ better** ca më mirë

theatr:e /'θiətə(r)/ *em* teatër; *mk* sallë operacioni ♦ **~ical** *mb* teatror; teatral

theft /θeft/ *em* vjedhje

their /ðeə(r)/ *mb* i tyre: **~ mother/ father** nëna e tyre/ babai i tyre ♦ **~s** *prn* i tyre; **a friend of ~** një shoku i tyre; **friends of ~** miq të tyre; **those are ~** këto janë të tyret

them /ðəm/ *prm (kundrinë e drejtë)* ata; *(kundrinë e zhdrejtë)* atyre; *(me parafjalë)* ata: **we haven't seen ~** s'i kemi parë (ata); **give ~ the money** jepua (atyre) paratë; **I've spoken to ~** kam folur me ta

theme /θi:m/ *em* temë; motiv kryesor *(i këngës)*

themselves /ðəm'selvz/ *prm vetvetor* ata vetë: **they made ~ some coffee** ata bënë kafe për vete; **they said so ~** ata vetë e thanë; **they kept it to ~** e mbajtën për vete; **by ~** vetë

then /ðen/ *nd* atëherë; pastaj; **by ~** ndërkaq; pastaj; **since ~** që atëherë; prej asaj kohe; **before ~** përpara (asaj dite etj.); **now and ~** herë-herë; **there and ~** në çast;

theology /θi'olədʒi/ *em* teologji

theor:etical /θiə'retikl/ *mb* teorik ♦ **~y** /'θiəri/ *em* teori: **in ~** në teori; teorikisht

there /ðeə(r)/ *nd* atje; aty: **down ~** atje poshtë; **~ is/ are** ka; **~ he is** ja (ku është)

there:abouts /'ðeə(r)ə'bauts/ *nd* aty pari; pak a shumë; rreth; nja ♦ **~after** /-a:ftə(r)/ *nd* pastaj ♦ **~by** *nd* kështu; prandaj; si rrjedhim ♦ **~fore** *nd* pra; për këtë arsye

thermal /'θə:(r)ml/ *mb (ujëra)* termale

thermometer /θə(r)'momitə(r)/ *em* termometër

Thermos /'θə:(r)məs/ *em:* **~ (flask)** termos; shishe termosi

these /ði:z/ *shih* this: **~ people** këta njerëz; **~ girls** këto vajza

thesis /'θi:sis/ *em (sh* ~ses /-si:z/) tezë

they /ðei/ *prm* ata: **~ are safe** ata janë shëndoshë e mirë; **we're going, but ~ are not** ne do të vijmë, kurse ata nuk do të vijnë; **~ say** thuhet

thick /θik/ *mb* i trashë; *(pyll)* i dendur; i ngjeshur: **~ and fast** shpesh e shpesh; **the ice is ~** akulli ishte itrashë ♦ *nd* trashë; dendur; **~-head** kokëtrashë ♦ *em:* **in the ~ of...** në mes të... *(betejës etj.)* ♦ **~en** *k*/trash *(brumin etj.);* dendësoj; ngjesh ♦ **~ly** *nd* trashë; me copa të trasha ♦ **~ness** *em* trashësi

thie:f /θi:f/ *em (sh* thieves /θi:vz/) hajdut; hajn ♦ **~ve** *jk*/ vjedh; jam hajdut ♦ **~ving, ~ish** *mb* vjedhës; që ka dorë/ vjedh

thigh /θai/ *em* kofshë

thimble /'θimbl/ *em* gishtëz ♦ **~full** *em* (një) thërrime/ çikë

thin /θin/ *mb* i hollë; *(supë)* e lëngshme, e hollë; *(veshje)* e lehtë; *(trup)* i imët; *fg (tregim)* që nuk mbahet/ qëndron; *(rrenë)* e trashë ♦ *nd shih* thinly ♦ *k*/ holloj ♦ *jk*/ hollohet; rrallohet ♦ **~ out** *jk*/ hollohet; rrallohet; *(flokët)* rrallohen, bien ♦ **~ly** *nd (vend)* me popullsi të rrallë; *(mbjell)* rrallë; lehtë; *(i prerë)* hollë

thing /θiŋ/ *em* gjë; **~s** *sh* plaçka; sende: **for one ~** në radhë të parë; **the right ~** punë me vend; **just the ~!** ajo që duhet!; **how are ~s?** si shkojnë punët?; **the latest** ~ *bs* moda e/ prodhimi i fundit; **the best** ~ **would be** më mirë do të ishte; **poor** ~! i shkreti!

think /θiŋk/ *em* mendim: **give it a** ~ mendoje ♦ *kl, ˈjkl* (**thought** /θo:t/) mendoj; besoj; them me vete: **I** ~ **so** besoj se po; **what do you** ~? çfarë mendon/thua?; ~ **of/ about** *kl* mendoj për; **what do you** ~ **of it?** si të duket?; ~ **well of sb** kam mendim të mirë për dikë ♦ ~ **over** *kl* mendohem për: **I'll** ~ **it over** do ta mendoj ♦ ~ **up** *kl* sajoj ♦ ~**er** *em* mendimtar ♦ ~**ing** *em* mendim; të menduarit

third /θɜ:(r)d/ *mb, em* i tretë: **one** ~ një e treta ♦ ~**ly** *nd* së treti ♦ ~**-rate** /-reit/ *mb* i dorës së tretë; *(mall)* i keq

thirst /θɜ:(r)st/ *em* etje ♦ ~**y** *mb* i etur: **be** ~ kam etje; jam i etur

thirt:een /θɜ:(r)'ti:n/ *nm, mb, em* trembëdhjetë ♦ ~**eenth** *mb* i trembëdhjetë ♦ ~**ieth** /'θɜ:(r)tiiθ/ *mb* i tridhjetë ♦ ~**y** /'θɜ:(r)ti/ *nm, mb, em* tridhjetë; ~**ies** *sh* vitet tridhjetë: **in his early** ~**ies** tridhjetë e ca vjeç

this /ðis/ *mb (sh* **these**) ky; kjo: ~ **man** ky burrë; **these men** këta burra; ~ **evening** sonte (në darkë) ♦ *prm (sh* **these**) ky; kjo: **talk about** ~ **and that** flas për gjithçka; **like** ~ kështu; ~ **is John** jam Xhoni *(edhe në telefon);* **who is** ~? kush është/flet *(në telefon)*? ♦ *nd* kaq: ~ **big** kaq i madh

thistle /'θisl/ *em bt* gjembaç

thorn /θo:(r)n/ *em* gjemb

thorough /'θʌrə/ *mb* i plotë; i tërë; *(dije)* a thellë; *(kontroll)* i gjithanshëm; *(punë)* me themel; merakli *(në punë)* ♦ ~**ly** *nd* plotësisht; me rrënjë; *(e bëj punën)* me merak

those /ðouz/ *sh i* **that**: ~ **boys/ girls** ata djem/ ato vajza

though /ðou/ *ldh* edhe pse: **as** ~ gjoja; sikur ♦ *nd bs* megjithatë

thought /θo:t/ *shih* **think** ♦ *em* mendim; ide ♦ ~**ful** *mb* i menduar; i kujdesshëm ♦ ~**fully** *nd* mendueshëm; me kujdes ♦ ~**less** *mb* i pamenduar; i pamatur ♦ ~**lessly** *nd* pa u menduar; pa mend

thousand /'θauznd/ *nm, mb* (një) mijë ♦ *em* mijë: ~**s of** mijëra *(vetë);* **by the** ~ me mijëra ♦ ~**th** *mb* i mijtë ♦ *em* e mijta pjesë **(of** e)

thrash /θræʃ/ *kl* rrah; mund; shemb: ~ **out** *kl* rrah *(një mendim)* ♦ ~**ing** *em* rrahje

thread /θred/ *em* fill; fije; filetë *(e vidhës)*

threadbare /'θredbɛə(r)/ *mb (rrobë)* e cergosur: **worn** ~ *(shaka)* e bërë bozë

threat /θret/ *em* kërcënim: **death** ~ kërcënim me vdekje ♦ ~**en** *kl* kërcënoj (**to do** se do të bëj) ♦ ~**ening** *mb* kërcënues; *(atmosferë)* e zymtë; kërcënuese ♦ ~**eningly** *nd* me kërcënim; kërcënueshëm

three /θri:/ *nm, mb, em* tre; tri: **in twos and** ~**s** me nga dy e me nga tre ♦ ~**-course** /-ko:(r)s/ *mb (drekë)* me tri gjellë ♦ ~**-D** *mb* tripërmasor ♦ ~**fold** /-fould/ *mb, nd* trefish ♦ ~ **quarter** /-kwo:(r)tə(r)/ *mb* treçerkësh

thresh /θreʃ/ *kl* shij *(grurin)* ♦ ~**er** *em* shirës; makinë shirëse ♦ ~**ing** *em* shirje ♦ ~**ing ground** /-graund/ *em* lëmë

threshold /'θreʃhould/ *em* prag; kufi *(i dëgjimit etj.)*

threw /θru:/ *shih* **throw**

thrift /θrift/ *em* economi; kursim ♦ ~**y** *mb* i kursyer; kursimtar

thrill /θril/ *em* emocion; dridhje *(nga frika)* ♦ *kl* emocionoj: **be** ~**ed** jam në ethe (padurimi); jam plot entuziazëm: **I'm not** ~**ed** s'më prishet mendja ♦ ~**er** *em* libër/ film i verdhë ♦ ~**ing** *mb* emocionues; i ankthshëm; i ethshëm

thrive /θraiv/ *jkl* (**thrived, throve** /θrouv/, **thrived, thriven** /'θrivn/) *(puna)* lulëzon; shkon mbarë; *(fëmija etj.)* rritet mirë: **she** ~**es on pressure** ajo punon më mirë kur ka tension

thriven /'θrivn/ *shih* **thrive**

throat /θrout/ *em* grykë; fyt: **sore** ~ dhembje të grykës

throb /θrob/ *em* rrahje; pulsim ♦ *jkl (zemra)* (më) dridhet; *(motori)* rreh

throne /θroun/ *em* fron: **on the** ~ në fron; *bs* në nevojtore

throng /θroŋ/ *em* turmë e ngjeshur ♦ *jkl (turma)* derdhet *(në rrugë etj.)*

through /θru:/ *prfj* përmes; gjatë; me anë të; në saje të: **Saturday** ~ **Tuesday** *am* nga e shtuna deri të martën ♦ *nd* përmes: ~ **and** ~ deri në fund; **wet** ~ i lagur qull; **let** ~ lë të kaloj *(dikë, diçka)* ♦ *mb (tren)* pa ndalesa: **be** ~ mbaroj *(punën, bs edën);* zë linjën telefonike; lidhem me telefon

throughout /θru:'aut/ *prfj* gjithandej; anembanë ♦ *nd* plotësisht; gjatë gjithë kohës

throve /'θrouv/ *shih* **thrive**

throw /θrou/ *em* gjuajtje; hedhje: **javelin** ~ *sp* hedhje e shtizës ♦ *kl* (**threw** /θru:/, **thrown** /θroun/) gjuaj; hedh; rrëzoj; *bs* jap, shtroj *(gosti):* **I felt like** ~**ing** më erdhi për të vjellë ♦ ~ **up** *kl* hedh përþjetë; vjell; nxjerr ushimin ♦ ~**-away** /-ə'wei/ *em* hedhurinë

thrown /θroun/ *shih* **throw**

thrush /θrʌʃ/ *em zl* tushë

thrust /θrʌst/ *em* shtytje; forcë shtytëse ♦ *kl (* **thrust**) shtyj; ngul: ~ **(up)on** imponoj; jap me detyrim

thud /θʌd/ *em* zhurmë e mbytur

thug /θʌg/ *em* kriminel

thumb /θʌm/ *em* pulqer: **the rule of** ~ rregull praktik

thump /sʌmp/ *em* goditje; zhurmë e goditjes ♦ *kl* përplas; godit me grusht ♦ *jkl (zemra)* rreh fort

thunder /'θʌndə(r)/ *em* bubullimë ♦ *jkl* bubullon;

gjëmon: **tanks ~ed by** tanket kaluan me rrapëllimë ✦ **~-clap** /-klæp/ *em* gjëmim i bubullimës ✦ **~storm** /-sto:(r)m/ *em* stuhi me bubullimë ✦ **~y** *mb (mot)* me bubullimë

Thursday /'θɜ:(r)zdei/ *em* e enjte

thus /ðʌs/ *nd* kështu

thyme /taim/ *em bt* trumzë

thyroid /θai'roid/ *em an* tiroide

tick /tik/ *em* tik-tak *(i orës)*; shenjë spontimi; çast ✦ *jk/ (ora)* bën tik-tak ✦ **~ off** *k/* shënoj, vë shenjën e spontimit në, spontoj *(një emër në listë etj.); bs* qortoj

ticket /'tikit/ *em* biletë; kartelë; skedë; fletë gjobe ✦ **~-collector** /-kə'lektə(r)/ *em* kontroll i biletave ✦ **~office** /-'ofis/ *em* biletari

tickle /'tikl/ *em* gudulisje ✦ *k/* gudulis ✦ *jk/* kam të kruajtura

tide /taid/ *em gjg* maré; rrjedhë *(e ngjarjeve)*

tidy /'taidi/ *mb* i rregullt; *bs (shumë)* e madhe ✦ *k/:* **~ (up)** rregulloj; ndreq

tie /tai/ *em* kollare; kravatë; lidhëze; *fg* lidhje; pengesë; *sp* barazim ✦ *(pjs tashme* **tying***) k/* lidh; bëj kordhel: **be ~d** jam i zënë ✦ *k/* barazoj *(rezultatin)* ✦ **~ in with** *jk/* përkon; përputhet

tier /'taiə(r)/ *em* gomë; koperton; shkallë *(e stadiumit)*

tiger /'taigə(r)/ *em z/* tigër

tight /tait/ *mb* i ngushtë; i shtrënguar; i puthitur *(pas trupit); bs* dorështrënguar: **~ corner** *bs* vështirësi; hall; pisk ✦ *nd* ngushtë; fort; shtrënguar; puthitur *(pas trupit)* ✦ **~en** *k/* shtrëngoj; puthit ✦ **~fisted** /-'fistid/ *mb* dorërrudhur ✦ **~-lipped** /-lipt/ *mb* buzëkyçur ✦ **~rope** /-roup/ *em* litar *(i akrobatit të cirkut)* ✦ **~rope-walker** /-roup'wo:kə(r)/, **dancer** /-'da:nsə(r)/ *em* ekuilibrist; akrobat në litar/ tel

tights /taits/ *em sh* gete; tuta të ngushta/ të puthitura pas këmbëve

tigress /'taigris/ *em f z/* tigreshë

tile /tail/ *em* pllakë; tjegull: **have a loose ~** kam një dërrasë mangët ✦ *k/* shtoj/ vesh me pllaka

till[1] /til/ *prfj, ldh shih* **until**

till[2] *em* arkë *(e bankës)*

time /taim/ *em* kohë; rast; orë; herë: **two ~s two** dy herë dy; **at any ~** kurdo; **this ~** këtë herë; kësaj radhe; **at ~s/ from ~ to ~** herë-herë; **and again** shpesh herë; **two at a ~** dy e nga dy; me nga dy; **on ~** në orar; **in ~** në kohën e duhur; me kohë; **behind ~** me vonesë; **behind the ~s** prapanik; i vjetruar; **what is the ~?** sa është ora?; **have a nice ~** ia kaloj mirë; dëfrej; bëj qejf ✦ *k/* gjej çastin e duhur; kronometroj *(punën, garën):* **be well ~d** është llogaritur mirë çasti ✦ **~-bomb** /-bom/ *em* bombë me sahat ✦ **~-clock** /-klok/ *em* kronometër ✦ **~-keeper** /-ki:pə(r)/ *em* kronometrues ✦ **~lag** /-læg/ *em* interval kohor; ndryshim i orës *(sipas zonave gjeografike)* ✦ **~less**

mb i përjetshëm ✦ **~-limit** /-limit/ *em* afat ✦ **~ly** *mb* i duhur; me vend; në çastin e duhur ✦ **~-out** /-aut/ *em sp* pushim *(midis pjesëve të lojës)* ✦ **~-sheet** /-ʃi:t/ *em* fletë e orëve të punës ✦ **~-serving** /-'sə:(r)viη/ *mb* oportunist ✦ *em* oportunist ✦ **~-signal** /-'signəl/ *em* sinjal i orës së saktë ✦ **~-table** /-teibl/ *em* orar *(i trenave etj.)*

timid /'timid/ *mb* i druajtur; i turpshëm ✦ **~ity** /-midəti/ *em* druajtje; tutë

tin /tin/ *em* kallaj; kallaje; kuti konserve ✦ *k/* kallajis ✦ **~-foil** /-foil/ *em* letër varaku ✦ **~-opener** /-oupnə(r)/ *em* çelës për kuti konservash

tingle /'tiηgl/ *jk/ (veshët)* pingërojnë; *(lëkura)* cuks

tinker /'tiηkə(r)/ *em* kallajxhi ✦ *k/* kallajis; mballos; zë duart me *(punë dosido)*

tinsmith /'tinsmiθ/ *em* kallajxhi; teneqexhi

tint /tint/ *em* ngjyrë; bojë ✦ *k/* ngjyej *(flokët)*

tiny /'taini/ *mb* i vockël; i vocërr

tip[1] /tip/ *em* majë: **the ~ of the iceberg** maja e ajsbergut

tip[2] *em* bakshish; këshillë e fshehtë ✦ *k/* i jap bakshish; shpërblej: **~ sb off** i jap të dhëna të fshehta dikujt

tip[3] *k/* anoj; përmbys; kthej përmbys ✦ *jk/* anohet; përmbyset **(over)** ✦ **~car** /-ka:(r)/ *em* automjet vetëshkarkues

tiptoe /'tiptou/ *em:* **on ~** në majë të gishtave *(të këmbës)*

tire /'taiə(r)/ *k/* lodh; mërzit ✦ *jk/* lodhem; mërzitem: **she never ~s of...** ajo s'mërzitet kurrë me... ✦ **~d** *mb* i lodhur; i mërzitur: **~d of** i mërzitur me; **~d out** i dërrmuar; i lodhur për vdekje ✦ **~less** *mb* i palodhur ✦ **~some** *mb* i lodhshëm; i mërzitshëm

tissue /'tiʃu:/ *em an* ind; shami letre

tit[1] /tit/ *em z/* cinxami

tit[2] *em:* **~ for tat** dhëmb për dhëmb; qit e prit

tit[3] *em* thithë *(e gjirit); bs* sisë

title /'taitl/ *em* titull ✦ *k/* titulloj ✦ **~-deed** /-di:d/ *em* tapi ✦ **~-role** /-rul/ *em tt* rol kryesor

to /tu:, tə/ *prfj* në; te(k); drejt; deri; gjer: **go ~ school** shkoj në shkollë; **ten ~ ten** dhjetë pa dhjetë; **~the end** deri në fund; **~ this day** deri sot; **~ the best of my recollection** me sa më kujtohet; **give it ~ me** ma jep, jepma, nëma; **there's nothing ~ it** është gjë pa rëndësi ✦ *(për të ndërtuar paskajoren):* **~ go** shkoj; **learn ~ swim** mësoj të notoj; **it's easy ~ forget** harrohet lehtë; **I dont want ~** nuk dua *(ta bëj)* ✦ *nd:* **pull ~** mbyll; **~ and fro** *(çapitem)* lart e poshtë; tutje-tëhu

toad /toud/ *em z/* thithëlopë

toast[1] /toust/ *em* bukë e thekur ✦ *k/* thek *(bukën)* ✦ **~er** *em* bukëthekëse

toast[2] *em* dolli ✦ *k/* ngre dolli për *(dikë)*

tobacco /tə'bækou/ *em* duhan ✦ **~nist** *em* duhashitës; duhantore

today /tə'dei, tu-/ *mb, nd* sot: **~ week** sot një javë;
~'s paper gazeta e sotme

toe /tou/ *em* gisht i këmbës; majë *(e çorapit etj.)*;
çyç *(i këpucës)* ♦ **~nail** /-neil/ *em* thua i (gishtit
të) këmbës

toffee, toffy /'tofi/ *em gjl* karamele me gjalpë

together /tə'geðə(r)/ *nd* bashkë; njëkohësisht: **~
with** bashkë me ♦ **~ness** *m* solidaritet

toil /toil/ *em* mund(im); përpjekje ♦ *jk* mundohem;
përpiqem; robtohem; rrekem

toilet /'toilit/ *em* banjë; nevojtore ♦ **~ paper** /-
peipə(r)/ *em* letër higjienike

told /tould/ *shih* **tell**

tolera:ble /'tolərəbl/ *mb* i durueshëm; i pranueshëm
♦ **~bly** *nd:* **~ good** deri diku i mirë ♦ **~nce** *em*
durim; durim; *tk* lejesë ♦ **~nt** *mb* i duruar; tolerant
♦ **~te** *k/* duroj; lejoj ♦ **~tion** /-'reiʃn/ *em* durim;
lejim; tolerancë

toll[1] /toul/ *em* kambanë e përmortshme

toll[2] *em:* **death ~** numër i të vdekurve

tomato /tə'ma:tou/ *em (sh ~es)* domate ♦ **~
ketchup** /-'ketʃʌp/ *em* ketçap domatesh ♦ **~
sauce** /-'so:s/ *em* salcë domatesh

tomb /tu:m/ *em* varr

tombstone /'tumstoun/ *em* gur varri

tomorrow /tə'morou/ *nd* nesër ♦ *em* e nesërme: **~
morning** nesër në mëngjes; nesërejt; **the day
after ~** pasenesër

ton /tʌn/ *em* ton (= 1,016 kg.): **~s of** *am (ka)* me
tonelata; me thes

tone /toun/ *em* ton; tonalitet ♦ *k/:* **~ down** *k/* ul fjalët/
zërin/ kërkesat

tongs /toŋz/ *em sh* pinca; mashë: **hammer and ~**
me zhurmë; me të fortë/ dhunë

tongue /tʌŋ/ *em* gjuhë; gjuhëz: **~ in cheek** *bs
(them)* me të tallur; **hold your ~** mbaj gjuhën/
gojën

tonic /'tonik/ *em* (bar, ujë) tonik; fuqizues: **gin and
~** xhin me ujë tonik

tonight /tə'nait/ *nd* sonte ♦ *em* e sontme

tonne /tʌn/ *em* ton

tonsil /'tonsl/ *em an* bajame

too /tu:/ *nd* tepër; edhe: **~ many/ much** tepër; **~
little** tepër pak; **none ~** aspak

took /tuk/ *shih* **take**

tool /tu:l/ *em* mjet; vegël ♦ **~bag** /-bæg/, **~kit** /-kit/
em çantë/ trastë e veglave ♦ **~rack** /-ræk/ *em* raft
i veglave

toot /tu:t/ *em* e rënë e borisë ♦ *jk/* i bie borisë

tooth /tu:θ/ *em (sh* **teeth** /tiθ/) dhëmb: **back ~**
dhëmballë; **~ and nail** me thonj e me dhëmbë;
lie in one's teeth gënjej sy për sy; **by the skin
of one's teeth** me zor ♦ **~ache** /-eik/ *em* dhembje
dhëmbi ♦ **~brush** /-brʌʃ/ *em* fuçë e dhëmbëve ♦
~paste /-peist/ *em* pastë e dhëmbëve ♦ **~pick** /
-pik/ *em* kunj dhëmbësh

top[1] *em* majë; i parë i klasës; pjesë e sipërme; krye;
sipërfaqe; tapë *(e shishes);* bluzë; këmishë; *au*
marsh i fundit: **at the ~** *fig* në majë; **at the ~ of
one'i voice** me sa kam zë; **on ~ of** sipër; **on ~
of that** për më tepër; **from ~ to bottom** fund e
krye ♦ *mb* i lartë; madhor; epror; më i mirë;
(nxënës) i parë *(i klasës); (shpetësi)* maksimale ♦
k/ jam/ dal në krye të *(listës);* tejkaloj; i pres majën
(bimës); mbuloj; mbyll me kapak: **~ped with
icecream** *(ëmbëlsirë)* me akullore përsipër ♦ **~
up** *k/* mbush prapë *(gotën)* ♦ **~-coat** /-kout/ *em*
pardësy ♦ **~dog** /-dog/ *em fg* fitimtar; kapo; kryetar
(grupi) ♦ **~hat** /-hæt/ *em* kapelë cilindër

topic /'topik/ *em* temë; çështje për diskutim

top-notch /-notʃ/ *mb* i shkëlqyer; i dorës së parë

topograph:er /to'pogrəfə(r)/ *em* topograf ♦ **~y** *em*
topografi

top:-ranking /-ræŋkiŋ/ *mb (gradë)* e lartë ♦ **~-se-
cret** *mb* tepër sekret

topsy-turvy /topsi'tə:(r)vi/ *mb* i çrregullt ♦ *nd*
katrapilas

torch /to:tʃ/ *em* elektrik dore; llambë saldimi me
flakë; pishtar: **put to the ~** i vë pishën/ zjarrin;
kall

tore /to:(r)/ *shih* **tear**[1] ♦ **torn** /to:(r)n/ *shih* **tear**[1] ♦
mb i grisur; i cjerrë

torpedo /to:(r)'pi:dou/ *em (sh ~es)* silur ♦ *k/* siluroj
♦ **~-boat** /-bout/ *em ush, dt* torpedinierë

torrent /'torənt/ *em* rrëke ♦ **~ial** /tə'renʃl/ *mb (shi)* i
rrëmbyer

torrid /'torid/ *mb (vapë)* përvëluese

tortoise /'to:(r)təs/ *em zl* breshkë

tortuous /'to:(r)tjuəs/ *mb* i dredhur; *fg* dredharak ♦
~ly *nd* me dredha; lakadredhas

torture /'to:(r)tʃə(r)/ *em* torturë: **put sb to the ~** vë
në torturë dikë ♦ *k/* torturoj

toss /tss/ *k/* hedh; tund; shkund; shtie kokë e pilë ♦
jk/: **~ and turn** përpëlitem *(në shtrat);* **let's ~ for
it** ta hedhim në short

tot *k/* bëj mbledhjen e; llogarit/ nxjerr shumën e
përgjithshme

total /'toutl/ *mb* i përgjithshëm; total ♦ *em* shumë e
përgjithshme ♦ *k/* nxjerr shumën e përgjitshme

touch /tʌtʃ/ *em* prekje; të prekurit; kontakt; gjë e
vogël; hije *(dyshimi);* **get/ be in ~** mbaj lidhje *(me
dikë)* ♦ *k/* prek; *fig* mallëngjej ♦ *jk/* prekem,
mallëngjehem ♦ **~ down** *jk/ (aeroplani)* zbret ♦ **~
on** *k/ fig* prek; përmend ♦ **~ up** *k/* retushoj ♦ **~-
and-go** /-ən'gou/ *mb (punë)* e shpejtë, e nxituar;
e pasigurt ♦ **~-down** *em* zbritje *(e aeroplanit); sp*
pikë *(në futbollin amerikan)* ♦ **~mb** prekës;
mallëngyes ♦ **~-me-not** /-mi'not/ *em bt* lule
mosmëprek ♦ **~type** /-taip/ *k/* daktilografoj me
dhjetë gishta ♦ **~y** *mb* i prekshëm; *(temë)* delikate

tough /tʌf/ *mb* i egër; i ashpër; *(mish)* i fortë; i
qëndrueshëm

tour /tuə(r)/ *em* shëtitje; vizitë *(për turizëm); tt, sp* turné: **be on a ~ of duty** jam me shërbim ♦ *kl* vizitoj; shoh *(një vend si turist)* ♦ *jkl* bëj një shëtitje si turist; *tt (trupa)* është në turné ♦ **~ism** *m* turizëm ♦ **~t** *em* turist ♦ *mb* turistik

tow /tou/ *em* rimorkjo ♦ *kl* rimorkjoj

toward(s) /tə'wo:d(z)/ *prfj* drejt: **~ the end** aty nga fundi

towel /'tauəl/ *em* peshqir: **throw in the ~** dorëzohem

tower /'tauə(r)/ *em* kullë

town /taun/ *em* qytet ♦ **~ dweller** /-dwelə(r)/ *em* banor i qytetit; qytetar ♦ **~ centre** /-sentə(r)/ *em* qendër e qytetit ♦ **~hall** /-ho:l/ *em* bashki ♦ **~-planning** /-plæniŋ/ *em* urbanistikë ♦ **~sman** /-zmən/ *em* qytetar

toy /toi/ *em* lodër: **~ with** *kl* luaj/ bëj lodra me

trace /treis/ *em* gjurmë; tragë: **lost without a ~** i humbur pa gjurmë ♦ *kl* gjurmoj; gjej; skicoj; kalkoj/ nxjerr me letër kalku

track /træk/ *em* gjurmë; shteg; *sp* pistë; *hk* binar: **keep ~ of** ndjek me vëmendje; gjurmoj ♦ *kl* ndjek; gjurmoj **(down)**; shkoj në gjurmët e

tractor /'træktə(r)/ *em* traktor ♦ **~-driver** /-'draivə(r)/ *em* traktorist

trade /treid/ *em* tregti; punë; mjeshtëri ♦ *kl* bëj tregti me; këmbej: **~ sth for sth** këmbej diçka me diçka; **~ places with sb** ndërroj vend me dikë ♦ *jkl:* **~ in** bëj tregti me këmbim të pjesshëm

trademark /'treidma:k/ *em* markë e fabrikës: **registered ~** markë e regjistruar

tradition /trə'diʃn/ *em* traditë ♦ **~al** *mb* tradicional ♦ **~ally** *nd* për traditë

traffic /'træfik/ *em* trafik: **arms' ~** trafik i armëve ♦ *jkl* **(~ked,** *pjs e tanishme* **~cking)** merrem me trafikun e ♦ **~-jam** /-dʒæm/ *em* bllokim i trafikut ♦ **~ lights** /-laits/ *em sh* semafor ♦ **~ signs** /-sainz/ *em sh* shenja të qarkullimit rrugor

trag:edy /'trædʒədi/ *em* tragjedi ♦ **~ic** *mb (aktor etj.)* tragjik

trail /treil/ *em* gjurmë; shteg ♦ *jkl* gjurmoj; *(bima)* kacavaret: **~ (behind)** ngelem/ jam prapa; jam me humbje ♦ *kl* tërheq prapa; zvarrit

trailer /'treilə(r)/ *em aut* rimorkjo; *am* rulo

train¹ /trein/ *em* tren: **goods/ passanger ~** tren mallrash/ udhëtarësh; **miss the ~** s'e zë trenin, më lë treni

train² *kl* stërvit; shenjoj *(armën);* arsimoj; kualifikoj ♦ *jkl* stërvitem; mësohem; kualifikohem ♦ **~ed** *mb (kafshë)* e stërvitur *(për cirk etj.)* ♦ **~er** *em sp* trainer; stërvitës/ zbutës *(i kafshëve)* ♦ **~ers** *sh* këpucë atlete/ sporti ♦ **~ing** *em* stërvitje; kualifikim; zbutje *(e kafshëve të cirkut)* ♦ **~ing course** /-ko:(r)s/ *em* kurs specializimi/ kualifikimi ♦ **~ing machine** /-mə'ʃi:n/ *em av* aeroplan mësimor ♦ **~ing ship** /-ʃip/ *em dt* anije mësimore

trait:or /'treitə(r)/ *em* tradhtar ♦ **~orous** *mb* tradhtar ♦ **~ress** /'treitris/ *em f* tradhtare

tram /træm/ *em* tramvaj; tram ♦ **~car** /-ka:(r)/ *em* vagon tramvaji ♦ **~line** /-lain/ *em* udhë e tramvajit

trammel /'træml/ *em* rrjetë *(për zogj, peshq);* **~s** *fg* pengesë ♦ *kl* zë me rrjetë *(zogj, peshq); fg* pengoj

tramp /træmp/ *em* udhëtim më këmbë; endacak; përplasje e këmbëve; shkelje me këmbë ♦ *jkl* eci me hap të rëndë; shkoj më këmbë

trample /'træmpl/ *kl, jkl:* **~ (on)** shkel; shtyp me këmbë

trampoline /'træmpəli:n/ *em* trampolinë

tranquil /'træŋkwil/ *mb* i qetë ♦ **~ity** /træŋ'kwiləti/ *em* qetësi

transaction /træns'æʃən/ *em* transaksion; veprim; operacion *(financiar)*

transfer /'trænsfə(r)/ *em* shpërngulje; transferim; kalkim *(i figurës)* ♦ /træns'fə(r)/ *kl* transferoj; shpërngul ♦ *jkl* shpërngulem; transferohem

transform /træns'fo:(r)m/ *kl* shndërroj ♦ **~ation** /-fə(r)'meiʃn/ *em* shndërrim ♦ **~er** *em* trasformator

transfusion /træns'fju:ʒn/ *em* transfuzion

transistor /træn'zistə(r)/ *em* transistor; radio me transistorë

transit /'trænzit/ *em* transit: **in ~** *(mallra)* transiti

translat:e /trænz'leit/ *kl* përkthej ♦ **~ion** /-'leiʃn/ *em* përkthim ♦ **~or** *em* përkthyes

transmi:ssion /trænz'miʃn/ *em* transmetim ♦ **~t** /-'mit/ *kl* tejçoj; transmetoj ♦ **~tter** *em* transmetues

transparen:cy /træn'spærənsi/ *em* transparencë; qartësi; *sht* lastër ♦ **~t** *mb* i tejdukshëm

transplant /'trænspla:nt/ *em* tejmbjellje; *mk* transplantim ♦ /-'pla:nt/ *kl* tejmbjell; *mk* transplantoj

transport /'trænspo:(r)t/ *em* transport ♦ /-'po:(r)t/ *kl* transportoj; *fg* bëj për vete, entuziazmoj ♦ **~tation** /-'teiʃn/ *em* trasport(im)

transvers:al /trænz'və:(r)sl/ *mb* i tërthortë; i pjerrët ♦ **~e** /'trænzvə:(r)s/ *mb* i tërthortë

trap /træp/ *em* kurth; *bs* gojë: **mouse ~** çark minjsh ♦ *kl* shtie në/zë me kurth; zë keq *(gishtin etj. në derë)*

trash /træʃ/ *em* gjë pa vlerë; mall i keq; plehtra; marrëzira

trauma /'tro:ma/ *em* traumë; tronditje ♦ **~tic** /-'mætik/ *mb* tronditës; traumatik

travel /'trævl/ *em* udhëtim ♦ *jkl* udhëtoj; shkoj: **~ by train** udhëtoj me tren ♦ *kl* mbuloj *(distancën)* ♦ **~ler** *em* udhëtar; **~s** *sh* arixhinj ♦ **~ling** *em* udhëtim ♦ **~ allowance** /ə'lauəns/ *em* shpenzime/ dietë udhëtimi ♦ **~crane** /-krein/ *em tk* vinç urë

traverse /'trævə:(r)s/ *kl* kaloj, kaptoj *(detin etj.);* përshkoj *(një copë rruge)*

travesty /'trævəsti/ *em* parodi ♦ *kl* parodizoj

tray /trei/ *em* tabaka; tavë *(pjekjeje)*

treacher:ous /'tretʃərəs/ *mb* tradhtar; besëkeq ♦ **~y** *em* tradhti

tread /tred/ *em* ecje; hap; shkelëse e shkallës; lule *(të gomës së automobilit)* ♦ (**trod** /trod/, **trodden** /'trodn/) *jk/* eci; shkoj më këmbë

treason /'tri:zn/ *em* tradhti: **high ~** tradhti e lartë ♦ **~ous** *mb* tradhtar; i pabesë

treasure /'treʒə(r)/ *em* thesar ♦ *kl* vlerësoj; e kam për gjë të madhe ♦ **~r** *em* ruajtës i thesarit; financier

treat /tri:t/ *em* qerasje: **give sb a ~** qaras dikë ♦ *kl* qeras; trajtoj; përpunoj; *mk* mjekoj: **~ sb to sth** qeras dikë me diçka ♦ **~ment** *em* trajtim; *mk* mjekim; kurë

treatise /'tri:tiz/ *em* traktat; disertacion

treaty /'tri:ti/ *em* traktat: **non-aggression ~** traktat mossulmimi

treble /'trebl/ *mb, nd* trefish ♦ *kl* trerishoj ♦ *jk/* trefishohet

tree /tri:/ *em* dru; pemë; lis: **fruit-~** pemë frutore; **be up a ~** *fg* jam në hall ♦ **~ house** /-haus/ *em* kasolle në pemë ♦ **~-line** /-lain/ *em* gjg vijë e drurëve ♦ **~top** /-top/ *em* majë e pemës

trek /trek/ *em* udhëtim/ ecje më këmbë; shtegtim: **star ~** shtegtim ndër yje

tremble /'trembl/ *em* dridhje; të dridhura: **be all of a ~** dridhem i tëri ♦ *jk/* dhridhem; fërgëlloj; kam të dridhura

tremendous /tri'mendəs/ *mb* vigan; shumë i madh; i shkëlqyer

tremor /'tremə(r)/ *em* dridhje; lëkundje: **earth ~** tërmet

trench /trentʃ/ *em* hendek; *ush* transhe: **~ warfare** luftë e llogoreve

trend /trend/ *em* rrymë; prirje; tendencë; modë ♦ **~y** *mb bs* i modës

trespass /'trespəs/ *jk/:* **~ on** hyj pa leje; shkel *(në pronat private të dikujt); fg* shkel, nëpërkëmb; cenoj; bëj kundërvajtje/ shkelje *(të ligjit)* ♦ **~er** *em* kundërvajtës

trial /'traiəl/ *em dr* gjyq; proces gjyqësor; provë: **on ~** në provë; *dr* në gjyq: **by ~ and error** me provë; me tahmin; **stand ~** dal në gjyq; **~ by jury** gjykim me juri

triang:le /'traiæŋgl/ *em* trekëndësh ♦ **~ular** /trai'æŋgjulə(r)/ *mb (formë)* trekëndëshe

tribal /'traibl/ *em* fisnor ♦ **~e** *em* fis; tribu

tribunal /trai'bju:nl/ *em* gjykatë: **military ~** gjykatë ushtarake

tribune /'tribju:n/ *em* tribunë; platformë

tribute /'tribju:t/ *em* haraç; nderim: **pay ~** bëj nderimet *(e fundit)*

trick /trik/ *em* marifet; truk; *(joke)* shaka; hile *(në lojë):* **play a ~ on sb** i punoj një rreng dikut ♦ *kl* ngatërroj ♦ *jk/* bëj hile *(në lojë)*

trickle /'trikl/ *em* kullim: **a ~ of** pak gjë ♦ *jk/* kullon

trick:ster /'trikstə(r)/ *em* hileqar ♦ **~y** *mb mb* i ngatërruar; *(gjendje)* e vështirë

trifl:e /'traifl/ *em* çikërrimë; gjë e vogël; *gjll* supë ♦ **~ing** *mb* i parëndësishëm

trigger /'trigə(r)/ *em* këmbëz *(e armës së zjarrit):* **pull the ~** tërheq/ shkel këmbëzën ♦ *kl:* **~ (off)** shkaktoj

trim /trim/ *mb* i mbajtur mirë; i pastër; *(trup)* i hajthëm ♦ *em* qethje *(e flokëve, e gardhit të blertë);* zbukurim; pastrim: **in good ~** në gjendje të mirë; i mirëmbajtur; në formë *(sportive)* ♦ *kl* qeth; pastroj; zbukuroj; mbaj mirë; *dt* drejtoj *(velat)*

trio /'triou/ *em* treshe; trio

trinket /'triŋket/ *em* xhingël; stringël

trip /trip/ *em* udhëtim; pengesë ♦ *kl* pengoj ♦ *jk/* pengohem; zë këmbën (**on, over** në)

tripe /traip/ *em gjll* gjellë me plëndës

triple /'tripl/ *mb* i trefishtë ♦ *kl* trefishoj ♦ *jk/* trefishohet ♦ **~ jump** /-dʒʌmp/ *em sp* (kërcim) trehapësh

triumph /'traiəmf/ *em* ngadhënjim; triumf ♦ *jk/* ngadhënjej; triumfoj (**over** mbi) ♦ **~ant** / trai'ʌmf(ə)nt/ *mb* ngjadhënjimtar

trivial /'triviəl/ *mb (njeri)* (mendje)lehtë

trolley /'troli/ *em* karrocë; tramvaj ♦ **~-bus** /-bʌs/ *em* trolejbus

trombone /trom'boun/ *em mz* trombon

troop /tru:p/ *em* trupë; skuadër ♦ **~er** *em* ushtar i kalorësisë; kalë ushtrie

trophy /'troufi/ *em* trofe

tropic /'tropik/ *em* tropik: **the T~ of Cancer** *gjg* Tropiku i Gaforres ♦ **~al** *mb* tropikal; i tropikut

trot /trot/ *em* trok(th) ♦ *jk/ (kali)* shkon trokthi ♦ **~ter** *em* kalë vrapimi; **~s** *sh bs* këmbë

trouble /'trʌbl/ *em* hall; telash; vështirësi; *mk* sëmundje: **get sb into ~** i hap telashe dikut; e lë me barrë një vajzë; **take the ~ to do sth** mundohem të bëj diçka ♦ *kl* shqetësoj; merakos; i hap punë *(dikujt)* ♦ **~ed** *mb* i turbulluar; *(me mendje)* të prishur: **~ waters** ujëra të turbullta ♦ **~-maker** /-meikə(r)/ *em* ngatërrestar ♦ **~-shooting** /-ʃu:tiŋ/ *mb* ndreqje e defekteve ♦ **~some** /-səm/ *mb* i bezdisur; shqetësues

trough /trʌf/ *em* lug; govatë

trounce /'trauns/ *kl/* rrah; zhdëp në dru; mund rëndë *(kundështarin)*

troupe /tru:p/ *em* trupë *(teatrale)*

trousers /'trauzə(r)z/ *em sh* pantallona

trout /traut/ *em zl* troftë

trowel /'trauəl/ *em* mistri *(e muratorit);* lopatë e vogël *(e kopshtarit)*

truant /'tru:ənt/ *em:* **play ~** i bëj naftën shkollës

truce /tru:s/ *em* armëpushim ♦ *jk/* bëj armëpushim

truck[1] /trʌk/ *em* kamion ♦ **~age** /-idʒ/ *em* transport me kamion

truck[2] *em* kopsht perimesh

trucker /'trʌkə(r)/ *em* shofer kamioni

true /tru:/ *mb* i vërtetë: **come ~** ndodh; realizohet; **is it ~?** e vërtetë është? ♦ **~ly** *nd* vërtet: **Yours**

~ shumë të fala *(në mbyllje të letrës)*

trumpet /'trʌmpit/ *em* trombë; bori ♦ **~er** *em* trombist; borizan

trump /trʌmp/ *em* atu; letër e fortë: **turn up ~s** fitoj ♦ *k/* sajoj; gjej *(një arsye për të bërë diçka)* ♦ **~ed** *mb:* **~ up charges** akuza të trilluara

trunk /trʌŋk/ *em* trung *(i drurit, i trupit të njeriut);* feçkë *(e elefantit);* baulle; *am* bagazh *(i makinës);*

trunk *em inf* qark elektronik; qark midis dy centraleve telefonike: **~ call** thirrje telefonike ndërkombëtare

trunk s /trʌŋks/ *sh* mbathje banje

trust /trʌst/ *em* besim; trust: **on ~** me mirëbesim ♦ *k/* besoj ♦ *jk/:* **~ in** kam besim në/te ♦ **~ed** *mb* i besuar; i besës

truth /tru:θ/ *em (sh ~s* /tru:ðz/) e vërtetë: **in ~** në të vërtetë ♦ **~ful** *mb* i vërtetë

try /trai/ *em* përpjekje; orvatje; provë; goditje dënimi *(në ragbi)* ♦ *k/* provoj; përpiqem të; vë në provë të vështirë; *dr* procedoj, hedh në gjyq: **~ to do sth** përpiqem të bëj diçka ♦ *jk/* provoj; mundohe ♦ **~ on** *k/* provoj; vesh për provë *(rrobën)* ♦ **~ out** *k/* provoj

trying /'traiiŋ/ *mb* i rëndë; *(njeri)* që të plas shpirtin

T-shirt /'ti:ʃə(r)t/ *em* bluzë me mëngë të shkurtra

tub /tʌb/ *em* tinar; fuçi; govatë; vaskë banje

tube /tju:b/ *em* tub; tubet *(i pastës së dhëmbëve);* metro

tuberculosis /tju:bə:(r)kju'lousis/ *em mk* tuberkuloz

tuck /tʌk/ *em* palë *(e rrobës)* ♦ *k/* vël shtie brenda; i bëj palë *(rrobës)* (**in**) ♦ *jk/ bs* ha me oreks; *jk/* mbështillem *(me batanije në shtrat)*

Tuesday /'tju:zdei/ *em* e martë

tug /tʌg/ *em* ndukje; tërheqje: **~ of war** *sp* tërheqje litari ♦ *k/* tërheq; nduk

tuition /tju:'iʃn/ *em* mësim

tulip /'tju:lip/ *em bt* tulipan

tumble /'tʌmbl/ *em* rrokullisje; laradash; shembje ♦ *jk/* rrokullisem; bëj laradash; shembet ♦ rrëzoj *(qeverinë)* ♦ **~-down** /-daun/ *mb* i shembur; *(shtëpi)* karakatinë

tummy /'tʌmi/ *em bs* bark

tumour /'tju:mə(r)/ *em mk* tumor

tumult /'tju:mʌlt/ *em* rrëmujë; poterë ♦ **~uous** /-'mʌltjuəs/ *mb* i rrëmujshëm

tuna /'tju:nə/ *em zl* (peshk) ton

tune /tju:n/ *em* motiv; melodi: **in/ out of ~** *(instrument)* i akorduar/ i çakorduar; **to the ~ of** *bs* për njëshumë të vogël prej ♦ *k/* akordoj *(veglat);* sintonizoj *(radion etj.);* taroj (**in**) ♦ **~ful** *mb* i melodishëm/ harmonishëm

tunnel /'tʌnl/ *em* tunel ♦ **~ vision** /'viʒn/ *em fg* mendjengushtësi

turban /'tə:(r)bn/ *em* çallmë

turbine /'tə:(r)bain/ *em* turbinë

turf /tə:(r)f/ *em* livadh; bukëbar

Turk /tə:k/ *em* turk ♦ **T~ey** *em gjg* Turqi ♦ **~ish** *mb*

turk: **~ bath** hamam; **~ delight** llokum ♦ *em* turqishte ♦ *nd* turqisht

turkey /'tə:(r)ki/ *em* gjel deti

turmoil /'tə:(r)moil/ *em* rrëmujë; trazirë

turn /tə:(r)n/ *em* rrotullim; sjellje përqark; një shëtitje e shkurtër; kthesë *(e rrugës, e ngjarjeve);* radhë; *tt* numër; *bs* sulm: **a ~ for the better** përmirësim; **do sb a good ~** i bëj një nder dikujt; **take ~s** bëj me radhë; **in/ out of ~** me/ pa radhë; **it's your ~** e ke ti radhën ♦ *k/* rrotulloj; sjell përqark; kthej, drejtoj *(sytë etj. nga)* ♦ *jk/* rrotullohem; sillem; *(gjethet)* zverdhen; prishem *(në fytyrë);* bëhem: **~ right** kthehem djathtas; **~ sour** thartohet; **~ to sb** kthehem nga/ *fg* mbështetem te dikush ♦ **~ against** *jk/* bëhem kundër ♦ *k/* nxjerr kundër ♦ **~ away** *k/* përzë; kthej mënjanë *(kokën)* ♦ **~ down** *jk/* ul; palos *(jakën);* ul *(vëllimin e radios etj.);* hedh poshtë *(një propozim)* ♦ **~ in** *k/* fut përbrenda; zvogëloj; dorëzoj *(një send të gjetur);* *bs* shkoj të fle ♦ **~ off** *k/* shuaj *(makinën)* ♦ **~ on** *k/* ndez *(motorin);* hap *(rubinetin)* ♦ **~ out** *k/* nxjerr jashtë, përzë; shuaj *(dritën etj.);* nxjerr, prodhoj, bëj; derdh; zbraz ♦ *jk/* del: **~ out well** del mirë; *(puna)* shkon mirë ♦ **~ over** *k/* rrotulloj ♦ *jk/* rrotullohem: **please ~ over** shihni faqen prapa ♦ **~ round** *jk/* kthehem prapa; rrotullohem ♦ **~ up** *k/* ngre *(jakën);* ngre *(vëllimin e radios etj.)* ♦ *jk/* dukem

turncoat /'tə:(r)nkout/ *em* tradhtar; renegat

turner /'tə:(r)nə(r)/ *em* tornitor

turnip /'tə:(r)nip/ *em bt* rrepë

turn:-out /'tə:(r)naut/ *em* pjesëmarrje ♦ **~-over** /-ouvə(r)/ *em trg* xhiro; ndryshim *(i personelit)*

turret /'tʌrit/ *em* kullë *(e tankut etj.)*

turtle /'tə:(r)tl/ *em zl* breshkë uji ♦ **~-dove** /'tə:(r)tldʌv/ *em zl* turtull; *bs* dashnor

tusk /tʌsk/ *em* çatall *(i derrit të egër);* dhëmb *(i elefantit)*

tussle /'tʌsl/ *em* grindje; rrahje

tutelage /'tju:təlidʒ/ *em* tutetë

tutor /'tju:tə(r)/ *mb* mësimor ♦ *em* mësues privat/ kujdestar ♦ **~ial** /-'to:riəl/ *em* mësim privat

tv *em shkrt i* **television** tv

tweed /twi:d/ *em* (stof leshi) tuid

tweezers /'twi:zə(r)z/ *em sh* piskatore

twel:fth /twelfθ/ *mb* i dymbëdhjetë ♦ **~ve** *nm, mb, em* dymbëdhjetë

twent:ieth /'twentiiθ/ *mb* i njëzetë ♦ **~y** *nm, mb, em* njëzet; **~ies** *sh* vitet njëzet; moshë njëzet-vjeçare

twice /twais/ *nd* dy herë: **~ as much/ many** dy herë aq/ kaq

twiddle /'twidl/ *k/* luaj me; eglendisem

twig /twig/ *em* degë; shkarpë

twilight /'twailait/ *em* muzg

twin /twin/ *mb, em* binjak: **~ beds** shtrat dysh/ me dy kate; **his ~ sister** motra e tij binjake

twine /twain/ *em* spango; sixhim

twinge /twindʒ/ *em* e therur, dhembje therëse

twinkle /'twiŋkl/ *em* xixëllim ✦ *jk/ (ylli)* xixëllon

twirl /twə:(r)l/ *em* rrotullim; vërtitje; piruetë *(e balerinit)*

twist /twist/ *em* përdredhje; lak *(i litarit);* kthesë *(e ngjarjes)* ✦ *kl* përdredh; bëj lak; shtrembëroj: **~ one's ankle** ndrydh nyellin e këmbës ✦ *jk/* përdridhet; lakohet; *(rruga)* ka kthesa ✦ **~y** *mb* i përdredhur; *(rrugë)* gjarpërushe

twitch /twitʃ/ *em* tik nervor; ndukje ✦ *jk/* kam tik nervor

two /tu:/ *nm, mb, em* dy: **break in ~** ndaj (më) dysh ✦ **~-faced** /-feist/ *mb* hipokrit; dyfaqesh ✦ **~fold** /-fould/ *nd* dyfish ✦ **~handed** /-hændid/ *mb (vegël)* dyshe, që përdoret me dy duar ✦ **~piece** /-pi:s/ *(kostum banje për gra)* me dy pjesë; komplet ✦ **~way** /-weil/ *mb (rubinet)* dykalimësh

tycoon /tai'ku:n/ *em* magnat; industrialist i madh

type /tai/ *em* tip; shkronjë *(tipografike)* ✦ *jk/* shkruaj *(me kompjuter, makinë shkrimi)* ✦ **~setting** /-setiŋ/ *em* sht radhim ✦ **~writer** /-raitə(r)/ *em* makinë shkrimi ✦ **~writing** /-raitiŋ/ *mb* daktilografim

typhoid /'taifoid/ *em* tifo

typical /'tipikl/ *mb* tipik

typi:ng /'taipiŋ/ *em* daktilografim ✦ **~st** *em* daktilografist

typo /'taipou/ *em bs* tipograf; gabim shtypi ✦ **~graph:er** /tai'pogrəfə(r)/ *em* tipograf ✦ **~y** *em* tipografi

tyran:ny /'tirəni/ *em* tiraní ✦ **~t** /'tairənt/ *em* tiran

tyre /'taiə(r)/ *em* gomë *(e automobilit):* **flat ~** gomë e shpuar

tzar /tsa:(r)/ *em* car

U

UFO /'ju:ef'ou/ *em* (**Unidentified Flying Object**) Ufo

ugl:iness /'ʌglinis/ *em* shëmti ♦ **~y** /'ʌgli/ *mb* i shëmtuar

UK *em shkrt i* **United Kingdom** /'ju:naitid'kiŋdm/ Mbretëri e Bashkuar (e Britanisë së Madhe)

ulcer /'ʌlsə(r)/ *em* ulcerë

Ulster /'ʌlstə(r)/ *em gjg* Allstër

ultimatum /ʌlti'meitəm/ *em* ultimatum

umbrella /ʌm'brelə/ *em* çadër

UN *em shkrt i* **United Nations** OKB

unable /ʌn'eibl/ *mb:* **be ~ to do sth** s'jam i zoti/ në gjendje të bëj diçka

unauthorised /ʌn'oθəraizd/ *mb* i paautorizuar

unaware /ʌnə'weə(r)/ *mb:* **be ~ of sth** s'e kuptoj/ di diçka ♦ **~s** *nd:* **catch sb ~** e zë befas/ të papërgatitur dikë

unbearabl:e /ʌn'beərəbl/ *mb* i padurueshëm ♦ **~ly** *nd:* **~ hot** vapë e padurueshme

unbelievable /ʌnbi'li:vəbl/ *mb* i pabesueshëm

unbiased /ʌn'baiəst/ *mb* i paanshëm; objektiv

unbreakable /ʌn'breikəbl/ *mb* i pathyeshëm

unbridled /ʌn'braidld/ *mb (sulm)* i shfrenuar

uncalled-for /ʌn'ko:ldfo:(r)/ *mb* i pavend; i kotë

uncertain /ʌn'sə:(r)tn/ *mb* i pasigurt; i paqëndrueshëm: **in no ~ terms** troç ♦ **~ty** *em* pasiguri

uncle /'ʌŋkl/ *em* ungj; xhaxha; dajë; ungj: **U~ Sam** Daj Sami

uncomfortable /ʌn'kʌmfə(r)təbl/ *mb* i parehatshëm; *(heshtje)* e bezdisur

uncommon /ʌn'kʌmn/ *mb* i pazakonshëm

unconditional /ʌnkən'diʃənl/ *mb* i pakushtëzuar ♦ **~ly** *nd* pa kushte

unconscious /ʌn'konʃəs/ *mb* pa ndjenja; i pavetëdijshëm ♦ **~ness** *em* gjendje pa ndjenja

uncover /ʌn'kʌvə(r)/ *kl* zbuloj

undeniable /ʌndi'naiəbl/ *mb* i pamohueshëm

under /'ʌndə(r)/ *prfj* poshtë; nën; më pak se: **~ there** aty/ atje poshtë; **~ construction** në ndërtim e sipër; **~ way** në (punë etj.) e sipër ♦ *nd* nën

under:clothes /-klouðz/, **clothing** /-klouðiŋ/ *em sh* të brendshme; të linjta; të holla ♦ **~cover** /-kʌvə(r)/ *mb (agjent)* i fshehtë ♦ **~dog** /-dog/ *em* palë e dobët; i pafavorizuar ♦ **~done** /-dʌn/ *mb (mish)* me gjak; i pabërë ♦ **~estimate** /-'estimeit/ *kl* nënvlerësoj ♦ **~foot** /-fut/ *nd:* **trample ~** shkel me këmbë ♦ **~go** /-gou/ *kl* (**~went** /went/, **~gone** /gon/) i nënshtrohem *(presionit);* bëj *(operacion):* **~ repair** është në ndreqje ♦ **~graduate** /-'grædjuit/ *em* student ♦ **~ground** /-graund/ *nd* nën dhe ♦ *mb* i nëndheshëm; nëntokësor; klandestin ♦ *em* metro ♦ **~line** /-lain/ *kl* nënvizoj ♦ **~mine** /-main/ *kl* dhe *fg* minoj ♦ **~neath** /-ni:θ/ *prfj* nën; poshtë ♦ *nd* nën; poshtë ♦ **~nourished** /-'nʌriʃt/ *mb* i ushqyer keq ♦ **~paid** /-peid/ *mb* i paguar pak/ keq: **~ and overworked** punë shumë e rrogë pak ♦ **~rate** /-reit/ *kl* nënvlerësoj ♦ **~shirt** /-ʃə:(r)t/ *em am* fanellë në mish ♦ **~stand** /-stænd/ *kl* (**-stood** /-stud/) kuptoj: **I ~ that...** kam marrë vesh/dëgjuar se...; merret vesh se ♦ *jkl* kuptoj; kuptohet ♦ **~standable** /-stændəbl/ *mb* i ♦ **~standing** /-stændiŋ/ *mb* i kuptueshëm; që kupton ♦ *em* kuptim; marrëveshje: **on the ~ that** *mb* me kusht që ♦ **~take** /-'teik/ *kl* (**~took** /tuk/, **~taken** /-teikn/) marr përsipër; zotohem: **~ to do sth** zotohem të bëj diçka ♦ **~taker** *em* sipërmarrës varrimesh ♦ **~taking** /-teikiŋ/ *em* sipërmarrje; premtim; zotim ♦ **~value** /-vælju:/ *kl* nënvlerësoj ♦ **~water** /-wotə(r)/ *mb* i nënujshëm ♦ *nd* nën ujë ♦ **~wear** /-weə(r)/ *em* të linjta; të brendshme ♦ **~world** /-wə:(r)ld/ *em* kriminelë; botë e krimit; *fg* ferr; skëterrë

undesirable /ʌndi'zaiərəbl/ *mb* i padëshirueshëm ♦ *sh* të padëshirueshëm

undo /ʌn'do/ (*sh* **~did** /did/, **~done** /dʌn/) prish; zhbëj; zgjidh *(lidhësen);* zbërthej *(fustanin);* shkopsit; *fg* prish *(kontratën)*

undoubted /ʌn'dautit/ *mb* i padyshimtë ♦ **~ly** *nd* pa dyshim

undress /ʌn'dres/ *k/* zhvesh: **get ~ed** zhvishem ♦ *jk/* zhvishem

undu:e /ʌn'dju:/ *mb* i tepruar; i tepërt; i panevojshëm ♦ **~ly** *nd:* **~ harsh** tepër i ashpër

unearth /ʌn'ə:(r)θ/ *k/* zhvarros; *fig* nxjerr, zbuloj *(të fshehtën)* ♦ **~ly** *mb* i mbinatyrshëm; i panatyrshëm: **at an ~ly hour** në orë krejt të papërshtatshme

uneas:e /ʌn'i:z/, **~iness** *em* bezdi ♦ **~y** *mb* i parehatshëm; *(paqe)* e pasigurt

unemploy:ed /ʌnim'ploid/ *mb* i papunë ♦ *em sh* **the ~** të papunët ♦ **~ment** *em* papunësi ♦ **~ment benefit** /-'benəfit/ *em* ndihmë për të papunët

unequal /ʌn'i:kwl/ *mb* i pabarabartë: **be ~ to a task** s'jam në lartësinë e detyrës

uneven /ʌn'i:vn/ *mb* i çrregullt; i pabarabartë; *(nmër)* tek

unexpected /ʌniks'pektid/ *mb* i papritur ♦ **~ly** *nd* papritmas

unfair /ʌn'feə(r)/ *mb* i padrejtë ♦ **~ly** *nd* padrejtësisht ♦ **~ness** *em* padrejtësi

unfaithful /ʌn'feiθful/ *mb* i pabesë

unfavourab:le /ʌn'feivərəbl/ *mb* i pavolitshëm; i pafavorshëm; i mbrapshtë; negativ: **~ impression** përshtypje e keqe ♦ **~ly** *nd* keq; mbrapsht

unfit /ʌn'fit/ *mb* i papërshtatshëm; *(sportist)* jashtë forme: **be ~ for work** s'jam në gjendje për punë

unfold /ʌn'fould/ *k/* shpalos; hap; *fg* tregoj ♦ *jk/* *(pamja)* hapet; shpaloset

unforgettable /ʌnfə(r)'getəbl/ *mb* i paharrueshëm

unfortunate /ʌn'fo:(r)tʃənit/ *mb* i pafat; fatkeq; *(fjalë)* e pagoditur: **it's ~ that...** më vjen keq që... ♦ **~ly** *nd* për fat të keq; fatkeqësisht

ungrateful /ʌn'greitful/ *mb* mosmirënjohës

unhappy /ʌn'hæpi/ *mb* fatkeq; i pakënaqur; i mërzitur; i pavend; i papërshtatshëm

unharmed /ʌn'ha:(r)md/ *mb* i padëmtuar

uniform /'ju:nifo:(r)m/ *mb* i njëtrajtshëm ♦ *em* uniformë ♦ **~ity** *em* njëtrajtësi

unif:ication /ju:nifi'keiʃən/ *em* bashkim ♦ **~y** /'ju:nifai/ *k/* njësoj; unifikoj; bashkoj

unilateral /ju:ni'lætərəl/ *mb* i njëanshëm; njëpalësh

union /'ju:niən/ *em* bashkim; sindikatë: **U~ Jack** *em* flamur i Mbretërisë së Bashkuar

unique /ju:'ni:k/ *mb* unik; i vetëm; i pashoq ♦ **~ly** *nd* në mënyrë të pashoqe

unit /'ju:nit/ *em* njësi; repart *(i dyqanit);* element *(i mobilies)*

unite /ju:'nait/ *k/* bashkoj ♦ *jk/* bashkohem ♦ **~d** /-id/ *mb* i bashkuar: **U~ Kingdom** Mbretëria e Bashkuar; **U~ Nations** Kombet e Bashkuara; **U~ States (of America)** Shtetet e Bashkuara (të Amerikës)

unity /'ju:niti/ *em* bashkim; unitet

univers:al /ju:ni'və:(r)sl/ *mb* i përgjithshëm ♦ **~ally** *nd* përgjithësisht ♦ **~e** /'ju:nivə:s/ *em* gjithësi ♦ **~ity** /-'və:(r)səti/ *em* universitet

unjust /ʌn'dʒʌst/ *mb* i padrejtë ♦ **~ly** *nd* padrejtësisht; me padrejtësi

unkind /ʌn'kaind/ *mb* i pashpirt; i lig; i ashpër

unknown /ʌn'noun/ *mb* i panjohur: **~ soldier** ushtar i panjohur

unlawful /ʌn'lo:ful/ *mb* i paligjshëm ♦ **~ly** *nd* në mënyrë të paligjshme

unleash /ʌn'li:ʃ/ *k/* lëshoj; zgjidh *(qenin)*

unless /ʌn'les/ *ldh* në mos: **~ I am mistaken** në mos u gabofsha

unlike /ʌn'laik/ *mb* ndryshe ♦ *prfj:* **that's ~ him** ai s'e ka zakon ashtu; **~ me, he...** ndryshe nga unë, ai... ♦ **~ly** *mb:* **it is very ~ that...** si e vështirë duket që...

unlimited /ʌn'limitid/ *mb* i pakufizuar; i pakufishëm

unload /ʌn'loud/ *k/* shkarkoj ♦ **~ing** *em* shkarkim

unlucky /ʌn'lʌki/ *mb* i pafat: **its ~ to spill salt** është tërsllëk të dcrdhësh kripë

unmistakabl:e /ʌnmi'steikəbl/ *mb* i pagabueshëm ♦ **~ly** *nd* pa gabim

unnatural /ʌn'nætʃərl/ *mb* i panatyrshëm; *kq* anormal

unnecessar:y /ʌn'nesəsəri/ *mb* i padobishëm ♦ **~ily** *nd* pa dobi; më kot

unpaid /ʌn'paid/ *mb* i papaguar

unparalleled /ʌn'pærələld/ *mb* i pa(kund)shoq

unpleasant /ʌn'pleznt/ *mb* i pakëndshëm

unpopular /ʌn'popjulə(r)/ *mb* jopopullor: **become ~** humb popullaritetin

unpredictable /ʌnpri'diktəbl/ *mb* i paparashikueshëm

unprepared /ʌnpri'pɛəd/ *mb* i papërgatitur

unquestionabl:e /ʌn'kwestʃənəbl/ *mb* i pakundërshtueshëm; i padyshimtë ♦ **~ly** *nd* pa dyshim

unreal /ʌn'riəl/ *mb* joreal; *bs* i pagjasë

unreasonabl:e /ʌn'ri:zənəbl/ *mb* i paarsyeshëm ♦ **~y** *nd:* **~ high prices** çmime tepër të larta

unreliable /ʌnri'laiəbl/ *mb* i pabesueshëm; që s'ia ke besën; i pasaktë

unrest /ʌn'rest/ *em* trazirë: **student ~** trazira studentore

unruly /ʌn'ru:li/ *mb* i padisiplinuar; *(fëmijë)* xanxar

unsafe /ʌn'seif/ *mb* i pasigurt

unselfish /ʌn'selfiʃ/ *mb* i painteresuar; zemërgjerë

unsettle /ʌn'setl/ *k/* çekuilibroj; prish *(qetësinë etj.)* ♦ **~ed** *mb* i çekuilibruar; *(mot)* i paqëndrueshëm

unskilled /ʌn'skild/ *mb (punëtor)* i pakualifikuar

unstable /ʌn'steibl/ *mb* i paqëndrueshëm; i çekuilibruar *(mendërisht)*

unsuitable /ʌn'sju:təbl/ *mb* i papërshtatshëm; i pavlitshëm

unthinkable /ʌn'θiŋkəbl/ *mb* që s'ta pret mendja; i paperceptueshëm

untidy /ʌn'taidi/ *mb* i parregullt; i çrregullt
untie /ʌn'tai/ *kl* zgjidh
until /ʌn'til/ *prfj* deri; gjer: ~ **the evening** gjer në mbrëmje; ~ **his arrival** deri sa të vijë ai ♦ *ldh* deri sa; gjer sa/kur: **not ~ you've seen it** jo para se ta shohësh vetë
untold /ʌn'tould/ *mb (pasuri)* e pallogaritshme; *(vuajtje)* e papërshkrueshme; *(histori)* e patreguar/ padëgjuar
untrue /ʌn'tru:/ *mb:* **that's ~** s'është e vërtetë
unusual /ʌn'juʒuəl/ *mb* i pazakonshëm ♦ ~**ly** *nd* jashtëzakonisht; tepër: ~ **warm** *(mot)* tepër i ngrohtë *(për stinën)*
unveil /ʌn'veil/ *kl* zbuloj *(një pllakë përkujtimore etj.)*; i heq vellon
unwell /ʌn'wel/ *mb* pa qejf: **be ~** s'jam mirë
unwilling /ʌn'wiliŋ/ *mb* i pahir; ngurrues ♦ ~**ly** *nd* pa dëshirë
unworthy /ʌn'wə:(r)ði/ *mb* i padenjë
up /ʌp/ *nd* sipër; ngritur; lart: **prices are ~** çmimet janë ngrut; **be ~ for sale** është në shitje; ~ **here/ there** këtu/atje sipër; **times ~** kaq kohë kishte; **whats ~?** *bs* ç'bëhet?; ~ **to** deri/ gjer te; **be ~ to the task** jam në lartësinë e detyrës; **whats he ~to?** *bs* ç'bën ai ashtu?; **go ~** hipi, ngjitem; ~ **against** *fig* në vështirësi ♦ *prfj:* **he ran ~ the hill** ai iu ngjit kodrës me vrap; ~ **the river** në rrjedhën e sipërme të lumit; **be ~ on/ in sth** i jam i informuar mirë për diçka ♦ *em:* ~**s and downs** *em sh* ulje e zbritje; tallandi
up:bringing /-'briŋiŋ/ *em* edukim ♦ ~**coming** /'kʌmiŋ/ *mb* i ardhshëm ♦ ~**date** /-deit/ *em* përditësim; azhurnim ♦ ~**grade** /-greid/ *kl* ngre në përgjegjësi; gradoj; pasuroj *(mineralin)* ♦ ~**ed** *mb:* ~**ed version of** version i përmirësuar i ♦ ~**hill** /-hil/ *mb* i përpjetë ♦ *nd* përpjetë; tërmal ♦ ~**hold** /-hould/ *kl* (**upheld** /ʌp'held/) ngre lart; *fg* mbështet; konfirmoj ♦ ~**holstery** /-'holstəri/ *em* tapet; tapiceri ♦ ~**keep** /-ki:p/ *em* mirëmbajtje
upon /ə'pon/ *prfj* me; si; pas: ~ **arriving home** si mbërriti në shtëpi
upper /'ʌpə(r)/ *mb* i sipërm ♦ *em* suprinë/ faqe *(e këpucës)* ♦ ~**class** /-kla:s/ *em* klasë/borgjezi e lartë ♦ ~**hand** /-hænd/ *em:* **have the ~ hand** jam i fituar; e kontrolloj gjendjen ♦ ~**most** /-moust/ *mb* më i larti: **that's ~most in my mind** e kam parasysh mbi të gjitha
up:right /'ʌprait/ *mb* i drejtë; *fig* i ndershëm ♦ ~**rising**

/-raiziŋ/ *em* kryengritje ♦ ~**roar** /-ro:(r)/ *em* zhurmë; zallahi ♦ ~**root** /-ru:t/ *kl* shkul me rrënjë; çrrënjos ♦ ~**set** /-'set/ *kl* (**upset** /ʌp'setiŋ/, ~**ting**) përmbys; trondit; mëzit: **get ~ about sth** mërzitem për diçka; **have an ~ stomach** më është prishur stomaku ♦ ~**side down** /-said'daun/ *nd* përmbys ♦ ~**stairs** /-stɛə(r)z/ *nd* në katin sipër ♦ *mb* i katit të sipërm ♦ ~**take** /-teik/ *em:* **be quick on the ~** i kap shpejt gjërat ♦ ~**-to-date** /-tu'deit/ *mb* modern; *(lajme)* të fundit; i modës ♦ ~**ward** /-wə:(r)d/ *mb* i drejtuar lart ♦ ~**s** *nd:* ~**s of a hundred** më shumë se një qind
uranium /ju'reiniəm/ *em* uranium
urban /'ə:(r)bən/ *mb* urban; qytetës ♦ ~**e** /'ə:(r)bein/ *mb* i sjellshëm; i njerëzishëm ♦ ~**isation** /-ai'zeiʃən/ *em* urbanizim ♦ ~**ise** /kl* urbanizoj
urge /'ə:(r)dʒ/ *em* dëshirë e fortë; pasion ♦ *kl* nxit (**to** për);
urgen:cy /'ə:(r)dʒənsi/ *em* ngut; urgjencë ♦ ~**t** *mb* i ngutshëm; urgjent
urin:ate /'juərineit/ *jkl* urinoj ♦ ~**e** /'juərin/ *em* urinë
us /ʌs/ *prm* ne: **they know ~** ata na njohin (ne); **give ~ the money** na i jep paratë; **they meant ~, not you** e kishin fjalën për ne, jo për ju
US, USA *em sh shkrt i* **United States of America** SHBA
use /ju:s/ *em* përdorim; dobi: **be of ~** ka dobi; **make ~ of** përdor; **it is no ~** është e kotë; **what's the ~?** e pse kot? ♦ /ju:z/ *kl* përdor: ~ **up** *kl* konsumoj; mbaroj ♦ ~**d** /ju:zd/ *mb* i përdorur ♦ /ju:st/: **be ~ to** jam mësuar me diçka; **get ~ to** mësohem me; **he ~ to live here** banonte këtu ♦ ~**ful** /-ful/ *mb* i dobishëm ♦ ~**less** *mb* i padobishëm; *bs (njeri)* që s'e ke për gjë ♦ ~**lessly** *nd* më kot; pa dobi
usual /'ju:ʒuəl/ *mb* i zakonshëm: **as ~** si përherë ♦ ~**ly** *nd* zakonisht
usurer /'ju:ʒuə(r)/ *em* fajdexhi
usurp /ju:'zə:(r)p/ *kl* uzurpoj
usury /'ju:ʒəri/ *em* fajde
utensil /ju:'tensl/ *em* enë *(kuzhine)*
utilis:ation /ju:təlai'zeiʃən/ *em* përdorim ♦ ~**e** /'ju:tilaiz/ *kl* përdor
utmost /'ʌtmoust/ *mb* i skajshëm ♦ *em* skaj: **one's ~** gjithë sa mundem
utter[1] /'ʌtə(r)/ *mb* i plotë; i tërë ♦ ~**ly** *nd* plotësisht
utter[2] *kl* them; shpreh; lëshoj *(një psherëtimë, një fjalë)* ♦ ~**ance** *em* thënie
U-turn /'ju:tə:(r)n/ *em* kthesë 180 gradë

V

vacancy /'veik(ə)nsi/ *em* vend pune i lirë; dhomë e lire *(në hotel)* ♦ **~t** *mb* i lirë; i pazënë; *(vështrim)* i zbrazët

vacation /və'keiʃn/ *em* pushime *(shkollore)*

vaccin:ate /'væksineit/ *k/* vaksinoj ♦ **~ation** /-'neiʃn/ *em* vaksinim ♦ **~e** *em* vaksinë

vacuum /'vækjuəm/ *em* vakuum; zbrazëtirë ♦ *k/* pastroj me pluhurthithëse ♦ **~-cleaner** /-kli:nə(r)/ *em* pluhurthithëse, fshesë me korrent ♦ **~ flask /** -fla:sk/ *em* termos ♦ **~packed** *mb* i paketuar në-vakuum

vagabond /'vægəbond/ *em* vagabond; rrugaç

vagina /va'dʒainə/ *em an* vagjinë

vagrant /'veigrənt/ *em* bredhës; bredharak

vague /veig/ *mb* i vagët; i vagëlluar; *(pamje)* e paqartë ♦ **~ly** *nd* vagëllimthi

vain /vein/ *mb* i kotë; *(fjalë)* boshe: **in ~** më kot ♦ **~ly** *nd* kot; pa dobi

valentine /'vælentain/ *em* i dashur; i zgjedhur *(i shën Valentinit)*

valiant /'væliənt/ *mb* trim ♦ **~ly** *nd* trimërisht

valid /'vælid/ *mb* i vlefshëm; i mirëqenë: **the ticket is ~ for the whole day** bileta bën/ shkon për gjithë ditën ♦ **~ate** *k/* konfirmoj ♦ **~ity** /və'lidəti/ *em* vërtetësi; rregullsi

valley /'væli/ *em* luginë

valour /'vælə(r)/ *em* trimëri; guxim

valu:able /'vælju:əbl/ *mb* i vyer; *fig* i çmuar; **~s** *em sh* sende me vlerë ♦ **~ added tax** /'ædid'tæks/ *em fn (shkrt* VAT) taksë mbi vlerën e shtuar (TVSH) ♦ **~ate** *k/* vlerësoj; çmoj *(mallin)* ♦ **~ation** /-'eiʃn/ *em* vlerësim ♦ **~e** *em* vlerë; dobi ♦ *k/* vlerësoj; çmoj

valve /vælv/ *em* valvul; kllapë; *z/* guaskë *(e butakëve)*

vampire /'væmpaiə(r)/ *em* vampir

van /væn/ *em* furgon

vandal /'vædl/ *em, mb* vandal ♦ **~ise** *k/* vandalizoj ♦ **~ism** *em* vandalizëm

vanguard /'vænga:(r)d/ *em* pararojë

vanilla /və'nilə/ *em* vanilje

vanish /'væniʃ/ *jk/* zhdukem: **~ into thin air** bëhem tym

vanity /'vænəti/ *em* kotësi; sqimë e kotë; skrutë: **out of ~** *(bëj diçka)* për sqlmë të kotë ♦ **~-bag** /-bæg/ , **-box** /-boks/, **-case** /-keiz/ *em* çantë tualeti

vanquish /'vænkwiʃ/ *k/* mund; mposht ♦ **~ed** *mb, em* i mundur

vantage point /'va:ntidʒpoint/ *em* pikë vëzhgimi; *fg* pikëpamje

vapour /'veipə(r)/ *em* avull

varia:ble /'veəriəbl/ *mb* i ndryshueshëm; *(mot, humor)* i paqëndrueshëm ♦ **~nce** *em* **be at ~** s'jam i një mendjeje me ♦ **~ant** /'veəriənt/ *em* variant ♦ **~tion** /veəri'eiʃn/ *em* ndryshim; variacion

varicose /'værikous/ *mb:* **~ veins** *em sh* varice

varie:d /'veərid/ *mb* i ndryshëm; i larmishëm ♦ **~ty** /və'raiəti/ *em* varietet; llojshmëri ♦ **~ty show** /-ʃou/ *em* shfaqje variete

various /'veəriəs/ *mb* i ndryshëm ♦ **~ly** *nd* rrë mënyra të ndryshme; ndryshe

varnish /'va:(r)niʃ/ *em* vërnik; smalt *(për manikur)* ♦ *k/* bëj me vërnik *(thonjtë)*

vary /'veəri/ *k/, jk/* ndryshon: **~ing** *mb* i ndryshueshëm; tjetër

vase /va:z/ *em* vazo

vast /va:st/ *mb* shumë i mdh ♦ **~ly** *nd* tepër; së tepërmi; ku e ku *(më i madh etj.)*

VAT /'vi:ei'ti:, væt/ *em shkrt i* **Value Added Tax** taksë mbi vlerën e shtuar (TVSH)

Vatican /'vætikən/ *em:* **The ~** Vatikani

vault[1] /vo:lt/ *em* kube *(e çatisë)*; kupë *(e qiellit)*; kasafortë e blindura; kript *(i varrit)*

vault[2] *em sp* kërcim *(i kaluçit, me shkop)* ♦ *k/, jkl:* **~ (over)** kërcej; kapërcej

vaunt /vo:nt/ *em* mburrje; lëvdatë ♦ *jk/* mburrem; lëvdohem

VDU *em shkrt i* **visual display unit** VDU

veal /vi:l/ *em* gjll mish viçi

veer /viə(r)/ *jk/* ndërroj drejtim; kthehem

vegeta:ble /'vedʒətəbl/ *em* perime; zarzavate ♦ *mb (vaj)* bimor, vegjetal ♦ **~rian** /vedʒi'tɛəriən/ *mb, em* vegjetarian ♦ **~te** /'vedʒiteit/ *jk/* gjalloj; vegjetoj ♦ **~tion** /vedʒi'teiʃn/ *em* bimësi

vehėmen:ce /'vi:əməns/ *em* fuqi; vrull ♦ **~t** *mb* i fuqishëm; *(erë)* e vrullshme ♦ **~tly** *nd* me fuqi; me vrull

vehicle /'vi:hikl/ *em* mjet transporti; automjet; *fg* mjet; *bi* bartës *(i mikrobeve)*

veil /veil/ *em* vel(lo); tis ♦ *k/* mbuloj me vel(lo)

vein /vein/ *em* venë; damar; humor ♦ **~ed** *mb (mermer etj.)* damarë-damarë

velocity /vi'losəti/ *em* shpejtësi

velvet /'velvit/ *em* kadife ♦ **~y** *mb* i kadifenjtë; *fg* i butë si kadife

vendetta /ven'detə/ *em* gjakmarrje

vend:ing-machine /'vendiŋmə'ʃi:n/ *em* shpër-ndarës automatik ♦ **~or** *em* shitës: **street ~** shitës në rrugë

veneer /və'niə(r)/ *em* lustër; rimeso ♦ *k/* lustroj; rimesoj

vengeance /'vendʒəns/ *em* hakmarrje: **with a ~** *bs* me të gjitha fuqitë

venereal /vi'niəriəl/ *mb:* **~ disease** *em* sëmundje veneriane

Venetian /və'ni:ʃən/ *mb, em* venecian: **~ blind** *em* grilë me fletë për dritare

vengeance /'vendʒəns/ *em* hakmarrje: **with a ~** *bs* me të gjtha fuqitë

venison /'venisn/ *em gjl/* mish kaprolli

venom /'venəm/ *em* helm ♦ **~ous** *mb* i helmët; helmues: **~ tongue** gjuhë me helm

vent /vent/ *em* vrimë; dalje; hapje: **give ~ to** *fg* shpreh lirshëm

ventilat:e /'ventileit/ *k/* ajros ♦ **~ion** /-'leiʃn/ *em* ajrim; sistem ajrimi ♦ **~or** *em* ventilator

ventriloquist /ven'triləkwist/ *em* ventrilok

venture /'ventʃə(r)/ *em* sipërmarrje; ndërmarrje: **joint ~** ndërmarrje e përbashkët ♦ *k/* kuturis ♦ *jk/* i hyj një aventure

venue /'venju:/ *em* vend *(i shfaqjes, i ngjarjes)*

veranda /və'rændə/ *em* verandë; hajat

verb /və:(r)b/ *em gjh* folje ♦ **~al** *mb* foljor ♦ *nd* fjalë për fjalë ♦ **~atim** /və:'beitim/ *mb* i fjalëpërfjalshëm ♦ *nd* fjalë për fjalë ♦ **~ose** /və:(r)'bous/ *mb* fjalëshumë; i zgjatur

verdict /'və:(r)dikt/ *em* vendim *(i gjyqit);* mendim; gjykim

verge /və:(r)dʒ/ *em:* **be on the ~ of tears** i kam lotët gati ♦ *k/* jam në buzë të **(on)**

verger /'və:(r)dʒə(r)/ *em* kishar; sakristan

verif:ication /verifi'keiʃn/ *em* vërtetim; verifikim ♦ **~y** /'verifai/ *k/* vërtetoj; verifikoj

vermin /'və:(r)min/ *em* kafshë parazitare

vermouth /'və:(r)məθ/ *em* vermut *(pije)*

vernacular /və(r)'nækjulə(r)/ *em* e folme vendëse/ popullore

versatile /'və:(r)sətail/ *mb* i shumanshëm ♦ **~ity** /və:sə'tiləti/ *em* shumanshmëri

verse /və:(r)s/ *em* varg *(i poezisë);* verset *(i Biblës)*

versed /və:(r)st/ *mb:* **~ in** i sërvitur/ i rrahur/ i mësuar me

version /'və:(r)ʃn/ *em* version

versus /'və:(r)səs/ *prfj* kundër

vertebra /'və:(r)tibra/ *em (sh* **~brae** /'bri:)* *an* rruazë; vertebër

vertical /'və:(r)tikl/ *mb, em* pingul; vertikal ♦ **~ly** *nd* pingul; vertikalisht

vertigo /'və:(r)tigou/ *em mk* marramenth

verve /və:(r)v/ *em* dell; frymëzim

very /'veri/ *nd* shumë; tepër: **~ much/ many** shumë; **~ probably** ka shumë të ngjarë; **~ well** shumë mirë ♦ *mb:* **the ~ first** i pari fare; **at the ~ end** në fund fare; **that ~ day** pikërisht atë ditë;; **the ~ thought** vetëm mendimi *(më tremb etj.);* **only a ~ little** fare pak; pak fare

vessel /'vesl/ *em* anije; enë

vest /vest/ *em* kanotierë; *am* jelek: **life ~** jelek kundërplumb ♦ **~ed** *mb:* **~ interest** interes vetjak

vestige /'vestidʒ/ *em* mbeturinë; mbetje *(e së kaluarës)*

vestment /'vestmənt/ *em ft* veshje priftërore

vestry /'vestri/ *em ft* sakristi

vet¹ /vet/ *em bs* veteriner

vet² *k/* shoshit; kontrolloj me imtësi

veteran /'vetərən/ *em* veteran

veterinary /'vetərinəri/ *mb* veteriner: **~ surgeon** mjek veteriner

veto /'vi:tou/ *em (sh* **~es)** veto ♦ *k/* ndaloj; nuk lejoj; vë veton

vex /veks/ *k/* bezdis; inatos ♦ **~ation** /-'seiən/ *em* bezdi; inat ♦ **~ed** *mb* i bezdisur; i inatosur: **~ed question** çështje e bezdisur

VHF *em shkrt i* **very high frequency** *fiz* VHF

via /'vaiə/ *prfj* nga; përmes; *(by means of)* me anë të

viable /'vaiəbl/ *mb* i aftë për të jetuar më vete; *(propozim)* praktik; i zbatueshëm

viaduct /'vaiədʌkt/ *em* viadukt

vibrat:e /vai'breit/ *jk/* dridhje ♦ **~ion** /'breiʃn/ *em* dridhje ♦ **~or** *em tk* vibrator

vicar /'vikə(r)/ *em* vikar, prift famullie *(protestant)* ♦ **~age** /-əridʒ/ *em* famulli

vice¹ /vais/ *em* ves: **the ~ of gambling** vesi i bixhozit

vice² *em tk* morsë; mengjene

vice: chairman /-'tʃɛə(r)mən/ *em* nënkryetar ♦ **~ president** /-'presidənt/ *em* nënpresident

vice versa /vaisi'və:(r)sə/ *nd* anasjellas

vicinity /vi'sinəti/ *em* fqinjësi; afërsi: **in the ~ of** në afërinat e

vicious /'viʃəs/ *mb* i lig; *(sulm)* i ulët; i keq; dashalig;

(qen) që kafshon; *(mushkë)* xanxare
victim /'viktim/ *em* viktimë ♦ **~ise** *k/* bëj raprezalje kundër
victor /'viktə(r)/ *em* fitues; fitimtar ♦ **~ious** /-'to:riəs/ *mb* fitimtar ♦ **~y** *em* fitore
video /'vidiou/ *em* video; videokasetë; videoregjistrues: **on ~** në video(kasetë/ shirit) ♦ *mb* video ♦ *k/* regjistroj në video ♦ **~-card** /-ka:(r)d/ *em tk* kartë video ♦ **~ cassette** /-kə'set/ *em* videokasetë ♦ **~game** /-geim/ *em* lojë në video ♦ **~ recorder** /-ri'ko:(r)də(r)/ *em* videoregjistrues ♦ **~tape** /-teip/ *em* videokasetë ♦ *k/* regjistroj në videokasetë
vie /vai/ *jk/* *(pjs e tanishme* **vying)** rivalizoj
view /vju:/ *em* pamje; mendim; pikëpamje: **house with a ~** shtëpi me pamje/ panoramë; **in my ~** për mendimin tim; **in ~ of** duke pasur parasysh; **on ~** i dukshëm; që shihet; **with a ~ to** me qëllim që ♦ *k/* inspektoj; shoh *(një shtëpi para se ta blej);* shqyrtoj; vizionoj *(një film)* ♦ **~er** *em tv* teleshikues; *fot* kuadër ♦ **~-finder** /-faində(r)/ *em fot* kuadër ♦ **~point** /-point/ *em* pikëpamje; këndvështrim
vigil /'vidʒil/ *em* ruajtje *(e të sëmurit, e të vdekurit)* ♦ **~ance** *em* vigjilencë ♦ **~ant** *mb* vigjilent; syhapët
vigo:rous /'vigərəs/ *mb* i fuqishëm ♦ **~ly** *nd* me fuqi ♦ **~ur** *em* fuqi
vile /vail/ *mb* i ndyrë; i ulët; *(mot)* i keq; *(dell)* i lig
villa /'vilə/ *em* vilë (për pushime)
village /'vilidʒ/ *em* fshat; katund ♦ **~r** *em* fshatar; katundar
villain /'vilən/ *em* horr: **the ~ of the piece** i keqi *(i tregimit, i përrallës)*
vindicate /'vindikeit/ *k/* shfajësoj; **you are ~d** kishe të drejtë
vine /vain/ *em* hardhi
vinegar /'vinigə(r)/ *em* uthull
vine:-grower /'vaingrouə(r)/ *em* vreshtar ♦ **~-yard** /'vinja:(r)d/ *em* vresht
vintage /'vintidʒ/ *em* vit i prodhimit ♦ **~-year** /-jə:(r)/ *em* vit i prodhimit *(të verës)*
viola /vi'oulə/ *em mz* violë
viol:ate /'vaiəleit/ *k/* dhunoj; cenoj ♦ **~ation** /-'leiʃn/ *em* dhunim; cenim ♦ **~ence** /'vaiələns/ *em* dhunë ♦ **~t** *mb* i dhunshëm
violet /'vaiələt/ ♦ *em bt* manushaqe; ngjyrë manushaqe ♦ *mb* ngjyrëmanushaqe
violin /'vaiəlin/ *em* violinë ♦ **~ist** *em* violinist
VIP *em shkrt i* **Very Important Person** VIP
virgin /'və:(r)dʒin/ *mb* i virgjër ♦ *em* virgjëreshë ♦ **~ity** /-'dʒinəti/ *em* virgjëri
Virgo /'və:(r)gou/ *em ast* Virgjëreshë; yjësi e Virgjëreshës
virile /'virail/ *mb* burrëror ♦ **~lity** /vi'riləti/ *em* burrëri; mashkulli
virtual /'və:(r)tjuəl/ *mb* virtual; efektiv ♦ **~ly** *nd* praktikisht; në të vërtetë

virtu:e /'və:(r)tju:/ *em* virtyt; avantazh, e mirë: **by/ in ~ of** në saje të ♦ **~ous** *mb* i virtytshëm
virulent /'virulənt/ *mb (mikrob)* virulent
virus /'vaiərəs/ *em* virus
visa /'vi:zə/ *em* vizë: **single-entry ~** vizë njëshe
vis-a-vis /vi:za:'vi:/ *prf* lidhur me
viscount /'vaikaunt/ *em* viskont
viscous /'viskəs/ *mb* viskoz; vishtullor
visib:ility /vizə'biləti/ *em* dukshmëri ♦ **~le** /'vizəb'l/ *mb* i dukshëm
vision /'viʒn/ *em* pamje ♦ **~ary** /'viʒənəri/ *mb* vizionar
visit /'vizit/ *em* vizitë ♦ *k/* vizitoj; i shkoj për/ i bëj vizitë *(dikujt);* shkoj te *(mjeku);* dal për të parë *(qytetin si turist)* ♦ **~ing** *em:* **~ hours** *em sh* orar i vizitave/ i pritjeve ♦ **~or** *em* vizitor; klient *(i hotelit)*
visor /'vaizə(r)/ *em* callatë *(e përkrenares);* *au* strehë *(para xhamit të shoferit)*
vista /'vistə/ *em* pamje; panoramë; visore
visual /'vizjuəl/ *mb* i dukshëm ♦ **~ly** *nd* me sy; me të parë: **~ly handicapped** që nuk sheh; me shikim të dëmtuar
visualise /'vizjuəlaiz/ *k/* përfytyroj; shoh
vital /'vaitl/ *mb* jetësor; jetik ♦ **~ity** /vai'tæləti/ *em* gjallëri ♦ **~ly** *nd* tepër; shumë
vitamin /'vitəmin/ *em* vitaminë
viv:acious /vi'veiʃəs/ *mb* i gjallë; i shkathët ♦ **~id** /'vivid/ *mb* i gjallë; *(ngjyrë)* e fortë ♦ **~ly** *nd* plot gjallëri/ jetë
vocabulary /və'kəbjuləri/ *em* fjalor; listë fjalësh
vocal /'voukl/ *mb* zanor; i zëshëm; *(protestë)* e fortë: **~ cords** *em sh* pejëza të zërit ♦ **~ist** *em* vocalist
vocation /və'keiʃn/ *em* prirje ♦ **~al** *mb (arsim)* profesional
vociferous /və'sifərəs/ *mb* zhurmëmadh; zëmadh
vodka /'vodkə/ *em* vodkë
vogue /voug/ *em* modë: **in ~** në modë
voice /vois/ *em* zë; *gjh* trajtë: **active ~** trajtë veprore *(e foljes)* ♦ *k/* shpreh: **~ one's concern** shpreh shqetësimin ♦ **~-mail** /-meil/ *em tk* postë elektronike me zë
void /void/ *mb* i pavlefshëm; i zbrazët; bosh: **~ of meaning** pa kuptim ♦ *em* zbrazëti
volatil:e /'volətail/ *mb* i paqëndrueshëm; *(gjendje)* e rrezikshme ♦ **~ity** /volə'tiləti/ *em* paqëndrueshmëri
volcan:ic /vol'kænik/ *mb* vullkanik ♦ **~o** /vol'keinou/ *em* vullkan
volition /və'liʃn/ *em:* **of his own ~** me vullnet; me dëshirën e vet
volley /'voli/ *em* breshëri *(të shtënash);* *sp* gjuajtje volé/ pa prekur topi në tokë
volleyball /'volibo:l/ *em sp* volejboll ♦ **~ player** /-pleiə(r)/ *em sp* voljebollist
volt /voult/ *em el* volt ♦ **~age** /-idʒ/ *em el* voltazh
voluble /'voljubl/ *mb* fjalaman; llafazan

volume /'volju:m/ *em* vëllim; sasi *(punë)* ♦ **~inous** /və'lju:minəs/ *mb* i vëllimshëm

volunt:arily /volən'tærili/ *nd* vullnetarisht ♦ **~ary** /'volənteri/ *mb* vullnetar: **~ work** *em* punë vullnetare ♦ **~eer** /-'tiə(r)/ *em* vullnetar ♦ *kl* jap vullnetarisht ♦ *jkl* dal vullnetar

voluptuous /və'lʌptjuəs/ *mb* i këndshëm; epshor

vomit /'vomit/ *em* e vjellë ♦ *kl, jkl* vjell ♦ **~ing** *em* të vjella

voracious /və'reiʃəs/ *mb* i pangopur; makut ♦ **~ly** *nd* si i pangopur; babëzisht

vote /vout/ *em* votë; votim; e drejtë e votës: **take a ~ on** hedh në votë ♦ *jkl* votoj ♦ *kl:* **~s sb presi**dent zgjedh president dikë ♦ **~er** *em* zgjedhës ♦ **~ing** *em* votim

vouch /vautʃ/ *jkl:* **~ for** bëhem dorëzanë për ♦ **~er** *em* bono: **privatisation ~s** bono privatizimi

vow /vau/ *em* betim ♦ *kl* betohem

vowel /'vauəl/ *em* zanore

voyage /'voidʒ/ *em* udhëtim; lundrim; fluturim *(kozmik)*

vulgar /'vʌlgə(r)/ *mb* vulgar

vulnerable /'vʌlnərəbl/ *mb* i cenueshëm; i prekshëm; i dëmtueshëm; i pambrojtur

vulture /'vʌltʃə(r)/ *em* z/ hutë; kalë i qyqes

vying /'vaiŋ/ *shih* **vie**

wad /wod/ *em* shtupë; tufë *(letrash)* ♦ **~ding** *em* vatë *(e supeve të xhaketës etj.)* ♦

waddle /'wodl/ *jkl* eci si patë

wade /weid/ *jkl* hedh në va *(lumin):* **~ through** *bs* bëj me zor/ pa qejf

wafer /'weifə(r)/ *em* vafer; *ft* oste

waffle /'wofl/ *jkl bs* dërdëllit

waft /woft/ *kl* mbart; çoj ♦ *jkl (aroma)* përhapet

wag /wæg/ ♦ *kl* tund; luaj: **it's the tail ~ging the dog** më i rëndë bishti se sëpata ♦ *jkl* tundet; luan

wage¹ *em:* **~s** *sh* rrogë

wage² *kl* bëj: **~ war** bëj luftë

wage earner /-'ə:(r)nə(r)/ *em* rrogtar

waggle /'wægl/ *kl* tund ♦ *jkl* tundem

wag(g)on /'wægən/ *em* qerre; karrocë; *hk* vagon

waist /weist/ *em* mes; bel: **narrow round the ~** me bel të hollë; belhollë ♦ **~coat** /'weistkout/ *em* jelek ♦ **~line** /-lain/ *em* bel; qemer

wait /weit/ *em* pritje: **lie in ~ for** rri e pres për; zë pusi për ♦ *kl, jkl* pres: **~ for** pres *(për dikë);* **~ one's turn** pres radhën; **~ a little** prit pak ♦ **~ on** *kl* shërbej *(si kamerier)*

waiter /'weitə(r)/ *em* kamerier

waiting /'weitiŋ/ *em* pritje; të pritur ♦ **~ list** /-list/ *em* listë e radhës/ pritjes ♦ **~ room** /-ru:m/ *em* dhomë/ sallë e pritjes

waitress /'weitris/ *em f* kameriere

waive /weiv/ *kl* heq dorë *(nga një kërkesë);* nuk marr parasysh *(një rregull)*

wake¹ /weik/ **(woke** /wouk/, **woken** /woukn/) *kl* zgjoj *(nga gjumi)* ♦ *jkl* zgjohem **(up)**

wake² *em* gjurmë; rrym *(i anijes në det):* **in the ~ of** *fg* në gjurmë e; menjëherë pas

waken /'weikn/ *kl* zgjoj ♦ *jkl* zgjohem ♦ **~ing** *em* zgjim

Wales /weilz/ *em gjg* Uells

walk /wo:k/ *em* shëtitje; ecje; shteg; këmbësore: **go for a~** dal të bëj një shëtitje *(më këmbë)* ♦ *jkl* eci; shkoj më këmbë; shëtit ♦ *kl* nxjerr shëtitje *(dikë);*

kaloj me hap *(rrugën)* ♦ **~ away from** *kl* shpëtoj nga; dal shëndoshë e mirë nga ♦ **~ out** *jkl* iki; largohem; *(punëtorët)* bëjnë grevë: **~ out on sb** e lë në baltë dikë ♦ **~er** *em* këmbësor; ekskursionist ♦ **~ing** *em* ecje; të ecur; ekskursion ♦ **~ing-stick** /-stik/ *em* bastun; shkop ♦ **~-out** / 'wo:kaut/ *em* grevë ♦ **~-over** /-ouvə(r)/ *em fg* fitore e lehtë

wall /wo:l/ *em* mur: **go to the ~** *bs* mundem keq; **drive sb up the ~** *bs* e vë me shpatulla për muri dikë ♦ **~ up** *kl* muroj

wallet /'wolit/ *em* kuletë *(e parave)*

wallop /'woləp/ *em bs* e rënë; goditje ♦ *kl* shqep në dru

wallow /'wolou/ *jkl* zhgërryhem; kridhem: **be ~ing in money** jam i krimbur në pará

wall-painting /-peintiŋ/ *em* afresk; pikturë murale ♦ **~paper** /-peipə(r)/ *em* letër/tapiceri muri ♦ *kl* vesh me letër/tapiceri *(murin)*

walnut /'wo:lnʌt/ *em bt* arrë: **shelled ~s** arra të qëruara

waltz /wo:lts/ *em mz* valc ♦ *jkl* kërcej valc

wan /wæn/ *mb* i zbehtë; i pagjak: **~ expression** shprehje e pajetë

wand /wond/ *em* shkop *(magjik)*

wander /'wondə(r)/ *jkl* endem; bredh; *fig* largohem; shmangem ♦ **~er** *em* endacak

wane /wein/ *em:* **be on the ~** venitet; perëndon

want /wont/ *em* nevojë; e keqe; mungesë ♦ *kl* dua; kam nevojë për: **~ (to have) sth** më nevojitet diçka; **we ~ to stay** duam të rrimë; **the house ~s painting** shtëpia do lyer; **you ~ to learn how to do it** mësoje si ta bësh ♦ *jkl:* **~ for** nuk kam; më duhet ♦ **~ed** *mb* i nevojitshëm ♦ **~ing** *mb:* **be ~ing in** s'kam, (më) duhet/ nevojitet *(diçka)*

war /wo:(r)/ *em* luftë: **at ~** në luftë; **declare ~ on** shpall luftë

ward /wo:(r)d/ *em* pavijon; repart *(i spitalit);* krah *(i burgut);* fëmijë nën kujdestari ♦ **~en** *em* rojë burgu; rojtar; kujdestar i një të mituri

warder /'wo:(r)də(r)/ *em* rojë burgu, gardian

wardrobe /'wo:(r)droub/ *em* teshatore; gardërobë

warehouse /'wɛə(r)haus/ *em* magazinë

war:fare /'wo:(r)fɛə(r)/ *em* luftë ♦ **~head** /-hed/ *em* mbushje *(e raketës)*

warily /'wɛərili/ *nd* me kujdes; me dyshim; me mosbesim

warm /wo:(r)m/ *mb* i ngrohtë; *(veshje)* e trashë; *(pritje etj.)* e përzemërt: **be ~** kam vapë; **it is ~** bën vapë; *(moti)* është i nxehtë; **~er regions** vise më të ngrohtë ♦ *kl.* **~ up** *k/* ngroh ♦ *jk/* ngrohem; *fig* gjallërohem ♦ **~hearted** *mb* zemërgjerë; i përzemërt ♦ **~ly** *nd (vishem)* trashë; *(pres)* përzemërsisht ♦ **~th** *em* ngrohtësi

warn /wo:(r)n/ *k/* paralajmëroj ♦ **~ing** *em* paralajmërim

warp /wo:(r)p/ *k/* shtrembëroj; shformoj ♦ *jk/* shtrembërohet

war-path /-pa:θ/ *em: on the ~* në rrugën e luftës

warped /wo:(r)pt/ *mb fig* i shtrembëruar; i çoroditur *(seksualisht)*

warrant /'worənt/ *em* urdhër *(arrestimi)* ♦ *k/* jusifikoj; garantoj ♦ **~y** *em* garanci

warri:ng /'wo:(r)riɳ/ *mb: ~* **parties** palët ndërluftuese ♦ **~or** /'woriə(r)/ *em* luftëtar·

warship /'wo:(r)ʃip/ *em* luftanije

wart /wo:(r)t/ *em* lyth; iriq

wartime /'wo:(r)taim/ *em* kohë e luftës

wary /'wɛəri/ *mb* i kujdesshëm; dyshues; mosbesues

was /woz, *e patheksuar* wəz/ *shih* **be**

wash /woʃ/ *em* larje: **have a ~** lahem ♦ *k/* laj; *(deti)* lag: **~ ones hands** *dhe fg* laj duart ♦ *jk/* lahem ♦ **~ out** *k/* shpëlaj ♦ **~ up** *k/* laj ♦ *jk/* laj pjatat/ enët; *am* lahem ♦ **~-basin** /-beizn/ *em* lavaman; lajtore ♦ **~er** *em tk* guarnicion; rondele; makinë rrobalarëse ♦ **~ing** *em* larje e rrobave: **do the ~** laj rrobat; **dry ~** pastrim i thatë ♦ **~ing-machine** /-məʃi:n/ *em* makin rrobalarëse ♦ **~ing-powder** /-paudə(r)/ *em* pluhur larës ♦ **~ -out** /-aut/ *em* shpëlarje; *fg* dështak ♦ **~-room** /-ru:m/ *em* banjë ♦ **~-up** /-woʃʌp/ *em* larje e enëve: **do the ~** ˡlaj enët

wasp /wosp/ *em zl* grerëz

wastage /'weistidʒ/ *em* humbje; firo

waste /weist/ *em* prishje; mbeturinë; dobësim *(i shëndetit):* **~ of time** humbje kohe; **go to ~** shkon dëm; prishet; *(ara)* mbetet djerr ♦ *mb (prodhim)* skarco; i shkretuar: **lay ~** shkretoj ♦ *k/* prish; çoj dëm: **don't ~ your breath!** mos e ço frymën kot! ♦ **~ away** *jk/* prishet; shkon dëm ♦ **~ -disposal unit** /-dis'pouzl'ju:nit/ *em* pikë e përpunimit të mbeturinave ♦ **~ful** *mb* shkapërdar; dorëprishur ♦ **~-paper basket** /-peipə(r)'ba:skit/ *em* kosh/ shportë letrash

watch /wotʃ/ *em* rojë **be on the ~** bëj rojë; rri syhapur ♦ *k/* vëzhgoj; ruaj; shoh *(një ndeshje, një film në televizor);* kujdesem për ♦ *jk/* vështroj; shoh ♦ **~ out** *jk/* ruaj; rri në bef; **~ out for** *k/* rri e ruaj dikë; pres të vijë dikush

watch² *em* orë: **what is the time by your ~?** sa e ke orën?

watchful /'wotʃful/ *mb* i vëmendshëm; syhapur; vigjilent

watch:~maker /-meikə(r)/ *em* orëbërës ♦ **~man** /-mən/ *em* rojë ♦ **~strap** /-stræp/ *em* rrip i orës

watchword /'wotʃwə:(r)d/ *em* parullë

water /'wa:tə(r)/ *em* ujë ♦ *k/* ujit; holloj me ujë ♦ *jk/ (sytë)* lotojnë: **my mouth was ~ing** më shkonte lëng për goje ♦ **~down** *k/* holloj me ujë ♦ **~-closet** /-'klozit/ *em* nevojtore ♦ **~-colour** /-kʌlə(r)/ *em* akuarel; bojë uji ♦ **~-cress** /-kres/ *em bt* groshël ♦ **~-engine** /-'endʒin/ *em* motopompë ♦ **~-fall** /-fo:l/ *em* ujëvarë; katarakt ♦ **~-front** /-frʌnt/ /*em* bregujë; buzëdet ♦ **~ing** /'wotəriɳ/ *em* ujësim; ujitje ♦ *mb:* **~ing can** /-cæn/ *em* ujitëse ♦ **~ lily** /-lili/ *em bt* lëkua ♦ **~-logged** /-logd/ *mb (vend)* ligatinë; *(fushë)* e bërë gjol ♦ **~main** /-mein/ *em* ˡtub i ujësjellësit ♦ **~-melon** /'melən/ *em bt* shalqi ♦ **~ polo** /-polou/ *em* vaterpolo ♦ **~-proof** /-pru:f/ *mb* i hidroizoluar ♦ **~-rat** /-ræt/ *em z/* mi ujës ♦ **~shed** /-ʃed/ *em* ujëndarëse; *fig* kthesë ♦ **~-snake** /-sneik/ *em z/* gjarpër ujës; *ast* **W~ Snake** hidër; yjësi e Hidrës ♦ **~tight** /-tait/ *mb* i hidroizoluar; *fg (argument)* i pakundërshtueshëm ♦ **~way** /-wei/ *em* kanal i lundrueshëm ♦ **~works** /-wə:(r)ks/ *em sh* ujësjellës ♦ **~y** *mb* i ujshëm; *(sy)* të përlotur

watt /wot/ *em el* vatt

wave /weiv/ *em* dallgë; valë; përshëndetje/shenjë me dorë; valëvitje ♦ *k/* tund *(dorën si përshëndetje);* valëvit *(flamurin)* ♦ *jk/* bëj shenjë me dorë; *(flamuri)* valëvitet ♦ **~ length** /-leɳθ/ *em* gjatësi e valës *(së radios)*

waver /'weivə(r)/ *jk/* lëkundem; ngurroj ♦ **~ing** *mb* i lëkundur

wavy /'weivi/ *mb* i valëzuar; i dallgëzuar

wax¹ /wæks/ *jk/ (hëna)* rihet: **~ lyrical** *fg* më hipën delli i lirizmit

wax² *em* dyllë ♦ *k/* dyllos ♦ **~-works** /-wə:(r)ks/ *em* muzeum i figurave prej dylli

way /wei/ *em* udhë; drejtim; mënyrë; **~s** *sh* zakone: **be in the ~** pengoj; rri nëpër këmbë; **on the ~ to …** rrugës për në…; **this ~** këtej; nga kjo anë; kështu; **by the ~** me që ra fjala; **in one ~ or another** o kështu, o ashtu; **in a bad ~** *(i sëmurë)* rëndë; **lead the ~** hap rrugë; prij; **make ~** bëj vend *(për dikë);* **give ~** *aut* hap krahun ♦ *nd:* **~ behind** shumë prapa; **he's a friend from ~ back** e kam mik prej kohësh ♦ **~-in** /'wei'in/ *em* hyrje; **~-out** /-aut/ *em* dalje; rrugëdalje; zgjidhje ♦ *mb* *bs* tuhaf ♦ **~side** /-said/ *em* buzë e rrugës ♦ **~ward**

/-wə:(r)d/ *mb* kryeneç

WC *em shkrt* WC: **the ~** nevojtorja; tualeti

we /wi:/ *prm* ne: **~'re the first to...** ne jemi të parët që

weak /wi:k/ *mb* i dobët; *(zë)* i mekët; *(pije)* e holluar: **have a ~ heart** jam me zemër (të dobët); **grow ~er** dobësohen ♦ **~en** *k/* dobësoj ♦ *jk/* dobësohem; ligem ♦ **~ling** *em* ngordhalaq ♦ **~ness** *em* dobësi; pikë e dobët

wealth /welθ/ *em* pasuri; *fg* shumicë ♦ **~y** *mb* i pasur

wean /wi:n/ *k/* ndaj *(qengjin nga delja, fëmijën nga gjiri)*

weapon /'wepən/ *em* armë ♦ **~ry** *em* armatime; armë

wear /wɛə(r)/ *em* veshje: **everyday ~** rroba për të mbajtur për ditë; **worse for ~ and tear** *(rrobë)* e grisur ♦ **(wore** /wo:(r)/, **worn** /wo:(r)rn/) *k/* vesh; mbaj; gris; konsumoj: **~ a hole in sth** u bëj vrimë *(pantallonave etj.);* **what shall I ~**? çfarë të vesh? ♦ *jk/* griset; konsumohet ♦ **~ off** *jk/* zhduket; mbaron ♦ **~ out** *k/* përdor deri në fund; lodh, kapit ♦ *jk/* lodhem; kapitem

weary /'wiəri/ *mb* i këputur; i mbaruar ♦ *k/* lodh; dërrmoj ♦ *jk/:* **~ of** mërzitem me *(dikë, diçka)*

weazel /'wl:zl/ *em z/* nuselalë

weather /'weðə(r)/ *em* mot: **in this ~** me këtë mot; **under the ~** *bs* i mërzitur; i vrarë *(shpirtërisht)* ♦ **~ forecast** /-'fo:(r)ka:st/ *em* parashikim i motit ♦ **~glass** /-gla:s/ *em* barometër ♦ **~man** /-mən/ *em* meteorolog ♦ **~ report** /-ri'po:(r)t/ *em* buletin meteorologjik

weave[1] /wi:v/ *jk/* **(weaved)** shkoj zigzag

weave[2] *em* pëlhurë ♦ *k/* **(wove** /wouv, **woven** /'wouvn/) end *(pëlhurën);* thur; pleks ♦ **~r** *em* endës

web /web/ *em* rrjetë; cergë *(e merimangës)*; **~bed feet** *em sh* këmbë membranore ♦ **Web** *em* rrjet elektronik dokumentesh në sistem ♦ **W~ page** /-peidʒ/ *em inf* faqe e Rrjetit/ e Web-it ♦ **W~site** /-sait/ *em inf* Website

wed /wed/ *k/* martohem me ♦ **~ding** *em* martesë; dasmë ♦ **~ding cake** /'wediŋ'keik/ *em* ëmbëlsirë e dasmës ♦ **~ding day** /-'dei/ *em* ditë e dasmës ♦ **~dingdress** /-dres/ *em* fustan i nusërisë ♦ **~ding guest** /-'gest/ *em* dasmor ♦ **~ding ring** /-'riŋ/ *em* unazë e martesës ♦ **~lock** /'wedlok/ *em:* **born out of ~** fëmijë i jashtëligjshëm

Wednesday /'wenzdei/ *em* e mërkurë

wee /wi:/ *mb bs* i vogëlth; i vocërr

wee *jk/ bs* bëj çiçin

weed /wi:d/ *em* barishte; *bs* duhan; marihuanë ♦ *k/* tëharr; spastroj **(out)** ♦ **~ -killer** /-kilə(r)/ *em* herbicid

week /wi:k/ *em* javë: **~ in ~ out** javë për javë ♦ **~day** /'wi:kdei/ *em* ditë jave ♦ **~end** /-en/ *em* fundjavë: **at the ~** në fund të javës ♦ **~ly** *mb* javor; i përjavshëm: **~ pay** pagesë e përjavshme ♦ *em*

e përjavshme *(gazetë etj.)* ♦ *nd* për javë: **pay sb ~** paguaj një herë në javë dikë

weep /wi:p/ **(wept** /wept/) *jk/* qaj; *(ena)* kullon ♦ **~ing** *em* e qarë; të qarë

weigh /wei/ *k/, jk/* peshoj: **~ anchor** ngre spirancën ♦ **~ down** *k/ fg* përkul ♦ **~ up** *k/ fg* ngre pezull; vlerësoj *(një njeri)* ♦ **~ing machine** /-mə'ʃi:n/ *em* peshore

weight /weit/ *em* peshë; *fg* rëndësi: **put on/ lose ~** shtoj/ bie në peshë ♦ **~less** *mb* i papeshë ♦ **~lifter** /-liftə(r)/ *em sp* peshëngritës; ngritës peshash ♦ **~-lifting** /-liftiŋ/ *em sp* peshëngritje; ngritje peshash ♦ **~ty** *mb* i rëndë; i rëndësishëm; me peshë

weir /wiə(r)/ *em* digë; dajlan

weird /wiə(r)/ *mb* i mistershëm; ngjethës ♦ **~o** *em* njeri (i veshur) ndryshe nga bota

welcome /'welkəm/ *mb* i mirëpritur: **you're ~!** të lutem!; **you're ~ to have it** merre, si jo ♦ *em* pritje ♦ *k/* mirëpres; vlerësoj

weld /weld/ *k/* ngjit; saldoj ♦ **~er** *em* saldator ♦ **~ing** *em* saldim

welfare /'welfeə(r)/ *em* mirëqenie; ndihmë, asistencë ♦ **~ state** /-steit/ *em* shtet i asistencës sociale

well[1] /wel/ *em* pus: **watcr ~** pus uji/ i ujit

well[2] **(better, best)** *mb* i mirë; i shëndoshë: **he is not ~** (ai) s'është mirë: **get ~ soon!** shërim të shpejtë! ♦ *psth* aha!: **~ I never!** jo, kurrësesi! ♦ *nd* **(better, best)** mirë: **I'll take this as ~** do ta marr edhe këtë; **~ done!** të lumtë!; **very ~** shumë mirë ♦ **~-behaved** /-bi'hevd/ *mb* i sjellshëm; me edukatë ♦ **~being** /-biiŋ/ *em* mirëqenie ♦ **~bred** /-bred/ *mb* i edukuar ♦ **~-intentioned** /-in'tenʃənd/ *em* dashamirës ♦ **~-known** /-noun/ *mb* i njohur; i dëgjuar; i famshëm ♦ **~-meaning** /'mi:niŋ/ *mb* mendjemirë ♦ **~meant** /-ment/ *mb* i nisur me qëllim të mirë ♦ **~off** /-'of/ *mb* në gjendje të mirë ♦ **~-read** /-red/ *mb* i kulturuar ♦ **~-spoken** /-spoukn/ *em* fjalëmirë; gojëmbël ♦ **~-to-do** /-tu'du:/ *mb* i kamur; i pasur

Welsh /welʃ/ *mb, em* uellsian; **the ~** uellsianë ♦ *em* (gjuhë) uelsh ♦ **~man** /-mən/ *em* uellsian ♦ **~ rabbit** /-'ræbit/ *em gjl* bukë e skuqur me djathë

went /went/ *shih* **go**

wept /wept/ *shih* **weep**

were /wə:(r)/ *shih* **be**

west /west/ *em* perëndim: **the W~** perëndimi; bota perëndimore; **to the ~ of** në perëndim të ♦ *mb* perëndimor ♦ *nd* drejt perëndimit: **go ~** *bs* marr fund keq ♦ **~bound** /-baund/ *mb (tren etj.)* drejtuar/ me drejtim për në perëndim ♦ **erly** /'westə(r)li/ *mb* i drejtuar nga perëndimi ♦ **~ern** *mb* perëndimor ♦ *em* film uestërn ♦ **W~ Germany** /-'dʒə:(r)məni/ *em gjg* Gjermani Perëndimore ♦ **W~ Indies** /-'indi:z/ *em sh gjg* Antile ♦ **~ward(s)** /-wə(r)d(z)/ *nd* drejt perëndimit

wet /wet/ *mb* i lagur; *(bojë)* e njomë; *(ditë)* me shi: **get** ~ lagem ♦ *k/* lag; njom

whal:e /weil/ *em zl* balenë

wharf /wo:(r)f/ *em* bankinë *(e portit);* molo

what /wat/ *prm* çfarë; ç': ~ **for?** përse?; ~ **is it?** ç'është?; ~ **is it like?** si është/ të duket?; ~ **is your name?** si e ke emrin?, si të quajnë?; ~ **is he talking about?** për se flet ai?, *bs* ç'llafos ai?; **he asked me** ~ **she had said** më pyeti çfarë tha ajo; ~ **about going to the cinema?** sikur të shkojmë në kinema?; ~ **if it rains?** po ra shi? ♦ *mb* çfarëdo: **take** ~ **books you want** merri gjithë librat që do; **at** ~ **time?** kur? ♦ *nd* çfarë: ~ **a lovely day!** sa ditë e bukur! ♦ *psth* çfarë ♦ **~ever** /-'evə(r)/ *mb* i çfarëdolloji ♦ *prm* çfarëdo (që): ~ **happens** çfarëdo që të ndodhë; **nothing** ~ asgjë prej gjëje ♦ **~soever** /-sou'evə(r)/ *mb, prm shih* **whatever**

wheat /wi:t/ *em bt* grurë ♦ **~en** *mb (bukë)* e grunjtë

wheedle /'wi:dl/ *k/* i përqallem; ia prish mendjen me lajka *(dikujt)*

wheel /wi:l/ *em* rrotë; timon: **at the** ~ në timon ♦ *k/* shtyj ♦ *jk/* rrotullohet (**round**) ♦ **~barrow** /-bærou/ *em* karrocë dore ♦ **~chair** /-tʃɛə(r)/ *em* karrige me rrota ♦ **~-clamp** /-klæmp/ *em* kllapë e bllokimit të makinës në kundërvajtje

when /wen/ *nd, ldh* kur: **the day** ~ dita kur/ që; ~ **working** duke punuar ♦ **~ever** /'evə(r)/ *nd, ldh* kurdoqoftë; sa herë që: ~ **did it happen?** kur paska ndodhur?

where /wɛə(r)/ *nd, ldh* ku: **the place** ~ **I left it** vendi ku e lashë; ~ **are you going?** ku po shkon? ♦ **~abouts** /-rəbauts/ *nd* ku; në ç'vend ♦ *em:* **nobody knows his** ~ asnjeri s'e di ku ndodhet (ai) ♦ **~as** *ldh* ndërsa; nga koha që ♦ **~ver** /-'evə(r)/ *nd* kudo ♦ *ldh* kudo që: ~ **possible** sa herë që të jetë e mundur; ~ **is he?** po ku qenka?

whet /wet/ *k/* mpreh *(thikën):* ~ **one's appetite** hap oreksin

whether /'weðə(r)/ *ldh* në se; në: ~ **you like it or not** të pëlqen a s'të pëlqen

which /witʃ/ *mb, prm* që; i cili: ~ **one?** cili?; ~ **one of you?** cili prej jush?; ~ **way?** nga?; në ç'drejtim? ♦ *lidhor* gjë që: ~ **he does often** gjë që e bën shpesh ♦ **~ever** /-'evə(r)/ *prm* kush; cilido: ~ **it is** cilado (gjë) qoftë; ~ **one of you** cilido prej jush

whiff /wif/ *em* erë; fill ere: **have a** ~ **of sth** bie era si

while /wail/ *em* copë herë: **a little/ long** ~ pak/ shumë kohë; një copë herë e shkurtër/ e gjatë ♦ *nd* sa kohë që; deri sa; ndërsa; megjithëse ♦ ~ **away** *k/* kaloj *(kohën)*

whilst /wailst/ *ldh shih* **while**

whim /wim/ *em* tekë; e tekur

whimper /'wimpə(r)/ *jk/* dënes; përloshem; *(qeni)* kujit

whimsical /'wimzikl/ *mb* tekanjoz; trillan; rreban; *(punë)* e çuditshme

whine /wain/ *em* ankim; qarje; kujisje *(e qenit)* ♦ *jk/* qahem; ankohem; *(qeni)* kujis

whip /wip/ *em* kamxhik; *p/* kryetar i grupit parlamentar ♦ *k/* fshikulloj me kamxhik; *gjll* rrah *(vezë);* rrëmbej; *bs* vjedh ♦ ~ **up** *k/* nxit; *bs* qortoj

whirl /wə:(r)l/ *em* shtjellë; vorbull: **my mind was in a** ~ e kisha mendjen dhallë ♦ *k/* shtjell; vorbulloj ♦ **~pool** /-pu:l/ *em* vorbull ♦ ~ **wind** /-wind/ *em* dredhë; shakullimë ere

whirr /wə:(r)/ *jk/* dihas

whisk /wisk/ *em* fshikje; prekje e lehtë ♦ *k/* fshik; prek lehtë ♦ ~ **away** *k/* rrëmbej; marr me vete

whisker /'wiskə(r)/ *em:* **~s** *sh* mustaqe *(të maces);* qime; favorite: **by a** ~ për një qime

whisky /'wiski/ *em* uiski: ~ **on the rocks** uiski me akull

whisper /'wispə(r)/ *em* pëshpëritje; thashethem ♦ *k/, jk/* pëshpërit; pështëllij

whistle /wisl/ *em* fishkëllimë ♦ *k/* fishkëllej; i bie bilbilit për

white /wait/ *mb* i bardhë: ~ **lie** *em* rrenë pa të keq; **go** ~ zbehem; më ikën gjaku ♦ *em* e bardhë *(e vezës); (njeri)* i (racës së) bardhë ♦ **~en** *k/* zbardh ♦ *jk/* zbardh(on) ♦ **~ness** *em* bardhësi ♦ **~bear** /-'bɛə(r)/ *em zl* ari i bardhë/ polar ♦ ~ **coffee** /-'kofi/ *em* kafe me qumësht ♦ **~-collar worker** /-'kolə(r)'wə:(r)kə(r)/ *em* nëpunës ♦ **~n** *k/* zbardh ♦ *jk/* zbardhëllon ♦ ~ **fox** /-'foks/ *em zl* dhelpër e bardhëp/ polare ♦ ~ **frost** /-'frost/ *em* brymë ♦ **~haired** /-hɛə(r)d/ *mb* flokëbardhë; i thinjur ♦ **W~hall** /-ho:l/ *em* Uaitholl *(rrugë e Londrës, seli e zyrave të qeverisë britanike);* *fg* administrata britanike ♦ **W~ House** /-'haus/ *am* Shtëpia e Bardhë *(ekzekutivi i qeverisë amerikane; rezidenca zyrtare e presidentit amerikan)* ♦ **~ness** /-nis/ *em* bardhësi ♦ ~ **pepper** /-'pepə(r)/ *em gjll* piper i bardhë ♦ ~ **slave** /-'sleiv/ *em* prostitutë e detyruar ♦ ~ **trash** /-'træʃ/ *em bs* varfanjak i bardhë ♦ **~wash** /-'woʃ/ *em* sherbet i gëlqeres; *fig* furçe, lustër *(për të mbuluar diçka)* ♦ *k/* lyej me sherbet gëlqereje; *fig* mbuloj; fsheh *(realitetin)* ♦ ~ **whale** /-'weil/ *em zl* belugë

Whitsun /'witsn/ *em* Rrëshajë

whittle /'witl/ *k/:* ~ **down** pakësoj; holloj

whizz /wiz/ *em* vërshëllimë ♦ *jk/ (plumbi etj.)* vërshëllen

whizz-kid /'wizkid/ *em bs* fëmijë gjeni

who /hu:/ *pyetës* kush: **~'s there!** kush është? ♦ *lidhor* që; i cili: **the children,** ~ **were all tired...** fëmijët, që ishin lodhur të gjithë ♦ **~ever** /-'evə(r)/ *prm* kushdo: ~ **he is** kushdoqoftë ai; ~ **can that be?** kush të jetë? ♦ **~soever** /-sou'evə(r)/ *shih* **whoever**

whole /houl/ *mb* i gjithë; i paprekur; i paprishur: **the** ~ **truth** e gjithë e vërteta; **the** ~ **world** gjithë bota; **the** ~ **lot** *(e marr)* të gjithë ♦ *em* e gjitha: **as a** ~ në tërësi; **on the** ~ përgjithësisht; **the** ~ **of the**

world gjithë bota ♦ **~~hearted** /-'ha:(r)tid/ *mb* (i bërë) me gjithë zemër ♦ **~meal** /-mi:l/ *mb (bukë)* me miell të pasitur ♦ **~sale** /-seil/ *mb, nd* toptan; *fg* mbarë, pa dallim; *(çmim)* i shitjes me shumicë

wholesome /'houlsəm/ *mb* i shëndetshëm

wholly /'houli/ *nd* plotësisht; krejtësisht

whom /hu:m/ *lidhor* që; i cili; cilin: **the man ~ I saw** njeriun që pashë; **to/ with ~** me kë/ cilin ♦ *pyetës* kë; cilin; kujt: **to ~ did you speak?** me kë/kujt i fole?

whooping cough /'hupiŋ'kʌf/ *em* kollë e mirë/ e bardhë

whore /ho:(r)/ *em* kurvë ♦ **~dom** /-dəm/ *em* prostituta; prostitucion ♦ **~house** /-haus/ *em* bordell ♦ **~master** /-ma:stə(r)/, **~monger** /-mʌŋgə(r)/ *em* kurvar

whose /hu:z/ *lidhor* i kujt; i cili: **people ~ problems can be solved** njerëzit, problemet e të cilëve mund të zgjidhen ♦ *pyetës* i i kujt: **~ is that?** i kujt është ky? ♦ *mb:* **~ car did you use?** makinën e kujt përdore?

why /wai/ *nd pyetëse* pse: **the reason ~** arsyeja pse; **that's ~** ja pse ♦ *psth* e pse

wick /wik/ *em* fitil *(i llambës)*

wicked /'wikid/ *mb* i lig; dashalig; mistrec; *s/* shumë i mirë

wicker / vikə(r)/ *em* thupër shelgu ♦ **~ basket** / 'ba:skit/ *em* shportë me thupra shelgu

wide /waid/ *mb* i gjerë; *(përvojë)* e madhe; *(dallim)* i madh; i thellë; larg; jashtë objektivit: **10 cm ~** 10 cm i gjerë ♦ *nd:* **~ awake** i zgjuar; **~ open** i hapur kanat më kanat; **far and ~** anekënd ♦ **~ly** *nd* gjerësisht; përgjithësisht; thellësisht; krejtësisht ♦ **~en** *k/* zgjeroj ♦ *jk/* zgjerohet; hapet ♦ **~pread** /-spred/ *mb* i përhapur

widow /'widou/ *em* vejushë ♦ **~ed** *mb* i mbetur i ve ♦ **~er** *em* vejan

width /widθ/ *em* gjerësi: **ten miles in ~** dhjetë milje (për) së gjeri

wield /wi:ld/ *k/* përdor; ushtroj *(pushtetin)*

wife /waif/ *em (sh* **wives** /'waivz/) grua; bashkëshorte

wig /wig/ *em* paruke

wiggle /'wigl/ *jk/* dridhem; përdridhem ♦ *k/* përdredh

wild /waild/ *mb* i egër; i furishëm; i tërbuar; *(mendim)* i çmendur, i kotë: **~ cat** mace e egër; *bs* egërsirë; njeri i rrëmbyer; *bs* punë me rrezik; **be ~ about** bëj si i marrë për; **make a ~ guess** a këput kot ♦ *nd:* **run ~** rritet pa kontroll; merr kot ♦ *em:* **in the ~** në natyrë; **the ~es** *sh* vend i humbur

wilderness /'wildənis/ *em* shkretëtirë; *fg* xhungël

wild:fire /'waild'faiə(r)/ *em:* **spread like ~** përhapet si zjarri në kashë ♦ **~ goose chase** /-gu:s'tʃeis/ *em:* **go on a ~** kërkoj qiqra në hell; i hyj detit më këmbë ♦ **~life** /-laif/ *em* kafshë të egra në gjendje të lirë/ në natyrë

wile /wail/ *em* dredhi; hile; punë e djallëzuar

wilful /'wilful/ *mb* i qëllimshëm; kokëfortë ♦ **~ly** *nd* qëllimisht; me kokëfortësi

will¹ *em* vullnet; dëshirë; testament: **strong ~** vullnet i fortë

will² /wil/ *folje ndihmëse* (**will not, won't**): **he ~ arrive soon** ai do të mbërrijë së shpejti; **I won't tell anyone** nuk do t'ia them asnjeriu; **you ~ be back soon, won't you?** do të kthehesh shpejt, a po jo?; **~ you go?** do të shkosh?; ke ndër mend të shkosh?; **~ you close the door please?** mbylle derën, të lutem?; **~ you have a coffee?** do një kafe?; **the door won't open** dera nuk hapet dot ♦ **~ing** *mb* i gatshëm; i gjendshëm ♦ **~ingly** *nd* me dëshirë; me vullnet; me hir ♦ **~ingness** *em* dëshirë; gatishmëri

willow /'wilou/ *em bt* shelg

willy-nilly /'wili'nili/ *nd* dashur pa dashur; me hir e me pahir

willpower /'wilpauə(r)/ *em* forcë e vullnetit

wilt /wilt/ *jk/* fishet; tretet; stërkeqet

wily /'waili/ *mb* finok

wimp /wimp/ *em* degë; filiz

win /win/ *em* fitore: **have an easy ~** fitoj me lehtësi ♦ (**won**, **winning**) *k/* fitoj ♦ *jk/* fitoj; korr fitore ♦ **~ over** *k/* bind; kandis; bëj për vete

wince /wins/ *jk/* tkurrem; tutem; ngurroj

winch /wintʃ/ *em tk* çikrik; arganë

wind¹ /waind/ (**wound** /'waund/) *k/* mbështjell; kurdis *(orën)* ♦ *jk/ (rruga)* dredhon ♦ **~ up** *k/* kurdis *(orën);* përfundoj/ mbyll *(bs edën etj.)*

wind² /wind/ *em* erë; frymë; gazra: **in the ~** në erë; **get/ have the ~ up** më hyn frika; **get ~ of** më bie era; nuhat *(një të keqe);* **break ~** lëshoj gazra/ *bs* pordhë ♦ *k/:* **~ sb** ia marr frymën dikujt ♦ **~bag** /'windbæg/ *em* kacek *(i farkës, i gajdes)* ♦ **~fall** /-fo:l/ *em* fryt i rrëzuar; *fg* fat i papritur ♦ **~ instrument** /-'instrumənt/ *em* vegël frymore ♦ **~mill** /-mil/ *em* mulli me erë

window /'windou/ *em* dritare: **shop ~** vitrinë *(dyqani)* ♦ **~-cleaner** /-kli:nə(r)/ *em* xhampastrues ♦ **~-dresser** /-'dresə(r)/ *em* teknik vitrinash ♦ **~dressing** /-dresiŋ/ *em* mjeshtëri e vitrinistit ♦ **~pane** /-pein/ *em* xham i dritares ♦ **~-shopping** /-'ʃopiŋ/ *em:* **go ~** dal për të parë vitrinat ♦ **~sill** *em* parvaz

wind:screen /'windskri:n/, *am* **~shield** /-ʃi:ld/ *em* xham i parë *(i makinës)* ♦ **~swept** /-swept/ *mb* i rrahur nga era; *(njeri)* i nervozuar; i trembur ♦ **~y** *mb* me erë; i rrahur nga/ që e ha era

wine /wain/ *em* verë: **table ~** verë buke ♦ *k/* i shtroj verë *(mikut)* ♦ **~glass** /-gla:s/ *em* gotë vere ♦ **~list** /-list/ *em* lisë e verërave

wing /wiŋ/ *em* krah; flatër; *sp* anësor; sulmues i krahëve; *av* skuadrilje: **in the ~s** në pritje; rezervë; **take sb under one's ~** marr në mbrojtje dikë ♦

~-leader /-li:də(r)/ *em av*komandant i skuadriljes

wink /wiŋk/ *em* shenjë me sy; e shkelur e syrit: **he did not sleep a ~** s'mbylli sy ♦ *jk/* shkel syrin; bëj shenjë me sy (**at**)

win:ner /'winə(r)/ *em* fitues; i fituar ♦ **~ning** *mb* fitues; *(buzëqeshje)* tërheqëse: **~ post** *em sp* mbërritje ♦ **~nings** *em sh* fitore; fitime

winter /'wintə(r)/ *em* dimër ♦ **~ry** *mb* dimëror ♦ **~ sleep** /-sli:p/ *em* gjumë i dimrit; dimërim *(i ariut)* ♦ **~ sport** *em* sport dimëror

wipe /waip/ *em* fshirje; pastrim; tharje me leckë ♦ *k/* fshij; pastroj; thaj me leckë ♦ **~ off** fshij; prish ♦ **~ out** *k/* spastroj; fshij nga faqja e dheut ♦ **~ up** *k/* thaj/ fshij *(enët e lara)* ♦ **~er** *em* fshirëse; furçë *(e xhamit të makinës)*

wir:e /'waiə(r)/ *em* tel; fill; kordon: **live ~** *e/* fill nën tension ♦ **~eless** *em* radio ♦ **~ing** /'waiəriŋ/ *em e/* lidhje e rrjetit elektrik; skemë e rrjetit ♦ **~** *mb* trupçelik; *(flokë)* si tel; i ashpër

wisdom /'wizdəm/ *em* urtësi; mençuri ♦ **~ tooth** /-tu:θ/ *em* dhëmballë e pjekurisë: **cut one's ~** më del dhëmballa e pjekurisë

wise /waiz/ *mb* i urtë; i mençur; i matur ♦ **~ly** *nd* me urtësi; urtë; me mend

wish /wiʃ/ *em* dëshirë: **make a ~** shpreh një dëshirë; **with best ~es** *(të uroj)* gjithë të mirat ♦ *k/* dëshiroj; uroj: **I ~ you every success** paç fat; **I ~ you could stay** sikur të kishe ndenjur; **I ~ I were** sikur të isha ♦ *jk/*: **~ for sth** dua të kem diçka ♦ **~ful** *mb*: **~ thinking** dëshirë e kotë

wishy-washy /'wiʃiwoʃi/ *mb (kafe etj.)* e hollë; lëtyrë; i amshtë; pa shije; *(njeri)* pa këllqe; që s'ta mbush syrin

wisp /wisp/ *em* cullufe *(flokësh);* fjollë *(tymi);* xhufkë *(bari)*

wistful /'wistful/ *mb* i përmalluar ♦ **~ly** *nd* me përmallim

wit /wit/ *em* mendje(mprehtësi): **be at one's ~s end** s'di nga t'ia mbaj

witch /witʃ/ *em* shtrigë ♦ **~craft** /-kra:ft/ *em* shtrigëri; magji ♦ **~hunt** /-hʌnt/ *em* gjueti shtrigash/ e shtrigave

with /wið/ *prfj* me; nga; prej: **~ anger** me zemërim; nga inati; **away ~ him** në djall me gjithë të; **I'm not ~ you** *bs* s'të kuptoj; **leave it ~ me** lërma mua

withdraw (**~drew** /-'dru:/, **~drawn** /-'dro:n/) *k/* tërheq ♦ *jk/* tërhiqem ♦ **~al** *em* tërheqje; mbyllje në vetvete

wither /'wiðə(r)/ *jk/ (lulja)* vyshket; thahet

withhold /wið'hould/ *k/* (**-held** /-held/) mbaj; nuk jap; fsheh

within /wið'in/ *prfj* në; brenda; deri në *(fund të muajit etj.)* ♦ *nd* brenda

without /wið'aut/ *prfj* pa: **~ stopping** pa ndalim

withstand /wið'stænd/ (**~stood** /-stud/) *k/* qëndroj;

rezistoj; duroj

witness /'witnis/ *em* dëshmitar ♦ *k/* vërtetoj *(nënshkrimin);* dal dëshmitar për

witness:-box /-boks/, *am* **~-stand** /-stænd/ *em* bankë e dëshmitarit

witt:icism /'witisizm/ *em* mendjemprehtësi ♦ **~ingly** *nd* me dijeni ♦ **~y** /'witi/ *mb* mendjemprehtë

wives /waivz/ *shih* **wife**

wizard /'wizə(r)d/ *em* magjistar; *inf* udhëzues ♦ **~ry** *em* shtrigëri; magji

wobble /'wobl/ *jk/* dridhem; më dridhen këmbët ♦ **~ly** *mb* i dridhur; i pasigurt

woke /wouk/, **woken** /'woukn/ *shih* **wake**[1]

wolf /wulf/ *em* (*sh* **wolves** /wulvz/) ujk; *bs* kurvar

wolf whistle /-wisl/ *em* fishkëllimë admirim seksual për një femër ♦ *jk/*: **~ at** i fishkëllej nga prapa *(një gruaje)*

wolves /wulvz/ *shih* **wolf**

woman /'wumən/ *em* (*sh* **women** /'wimin/) grua ♦ **~iser** *em* gruar ♦ **~ly** *mb* femëror

womb /wu:m/ *em an* mitër

won /wʌn/ *shih* **win**

wonder /'wʌndə(r)/ *em* mrekulli; habi: **no ~!** s'është çudi!; **its a ~ that...** çudi se si... ♦ *jk/* habitem; mrekullohem: **I ~ whether he is ill** s'e di mos është sëmurë? ♦ **~ful** *mb* i mrekullueshëm ♦ **~fully** *nd* (për) mrekulli

won't /wount/ **= will not** *shih* **will**

woo /wu:/ *k/* i sillem përqark *(një vajze);* *fg* tërheq *(votuesit)*

wood /wud/ *em* dru; pyll: **out of the ~** *fig* jashtë rrezikut; **touch ~!** marshalla!; mos e marr më sysh! ♦ **~ed** *mb* i pyllëzuar ♦ **~en** *mb* (prej) druri; *fig* i trashë ♦ **~ spirit** /-spirit/ *em ind* alool druri/ metilik ♦ **~ wind** /-wind/ *em* vegla frymore ♦ **~work** /-wə:(r)k/ *em* punime druri; zdrukthëtari ♦ **~worm** /-wə:(r)m/ *em* krimb i drurit

wool /wul/ *em* lesh: **pull the ~ over sb's eyes** i hedh hi syve dikujt ♦ *mb* i leshtë; (prej) leshi ♦ **~len** *mb* i leshtë; **~s** *em sh* të leshta ♦ **~ly** *mb* i leshtë; leshtor

word /wo:(r)d/ *em* fjalë; njoftim: **by ~ of mouth a** me fjalë goje; me gojë; **have a ~ with sb** i them nja dy fjalë dikujt; **have ~s** grindemi; **in other ~s** me fjalë të tjera ♦ **~ing** *em* formulim me fjalë ♦ **~ order** /-'o:(r)də(r)/ *em gjh* rend i fjalëve *(në fjali)* ♦ **~-perfect** /-pə:(r)fikt/ *mb* i mësuar përmendësh ♦ **~ processor** /-'prousesə(r)/ *em tk* procesor Word ♦ **~ processing** /-'prousesiŋ/ *em tk* përpunim i fjalës

wore /wo:(r)/ *shih* **wear**

work /wə:(r)k/ *em* punë; vepër: **~s** *sh* uzinë; mekanizëm; **at ~** në punë; **out of ~** pa punë ♦ *jk/* punoj; *(makineria)* funksionon ♦ *k/* vë në punë *(makinerinë, dikë);* u jap detyra *(nxënësve)* ♦ **~ off** *k/* shfrej *(zemërimin);* punoj për të shlyer *(borxhin);* dobësohem me punë ♦ **~ out** *kl* përpunoj *(një plan);* zgjidh *(problemën);* llogarit *(shpenzimet):* **I ~ed out how he did it** e kuptova si e bëri ♦ **~ up** *kl:* **I've ~ed up an appetite** më ka ardhur një oreks (që...); **don't get ~ed up** mos u ngut; mos u nxeh ♦ **~able** *mb* i mundshëm; i realizueshëm ♦ **~aholic** */-ə'holik/ em* maniak i punës ♦ **~-bag** */-bæg/ em* çantë e punës/ veglave ♦ **~er** *em* punëtor: **manual ~** punëtor krahu ♦ **~force** */'wə:(r)kfo:(r)s/ em* krahë pune; fuqi punëtore ♦ **~ing** *mb (veshje etj.)* pune: **~ day** ditë pune; **in ~ order** në gjendje pune; **~ class** *em* klasë punëtore; **~ conditions** kushte të punës ♦ **~ing-class** */-kla:s/ mb* i klasës punëtore ♦ **~-man** */mən/ em* punëtor ♦ **~manship** */-mənʃip/ em* ♦ **~shop** */-ʃop/ em* punishte; diskutim; seancë diskutimi

world */wə:(r)ld/ em* botë: **there's a ~ of difference** ndryshon si nata me ditën; **think the ~ of sb** kam mendim shumë të lartë për dikë ♦ **~ out-look** */-'autluk/ em* botëkuptim ♦ **~wide** */-waid/ mb* botëror; i përbotshëm ♦ *nd* botërisht ♦ **~ war** */-wo:(r)/ em* luftë botërore

worm */wə:(r)m/ em* krimb ♦ *kl:* **~ one's way into** përbirohem në; hyj në ♦ **~-eaten** */-i:tn/ mb* i krimbur/ ngrënë nga krimbi

worn */wo:(r)n/ shih* **wear** ♦ *mb* i prishur ♦ **~out** *mb* i grisur *(nga përdorimi, (njeri)* i kapitur; i dërrmuar

worr:y */'wʌri/ em* shqetësim ♦ *kl* shqetësoj; bezdis ♦ *jkl* shqetësohem: **~ to death** mërzitem shumë ♦ **~ ied** */'wʌrid/ mb* i shqetësuar ♦ **~ing** *mb* shqetësues

worse */wə:(r)s/ mb (krahasore e **bad**)* më i keq: **be the ~ for wear** është grisur/ prishur/ dëmtuar *(nga përdorimi)* ♦ *nd* më keq ♦ *em* më i keqi ♦ **~en** *kl* keqësoj ♦ *jkl* keqësohem

worship */'wə:(r)ʃip/ em* kult; adhurim; falje; shërbesë *(kishtare):* **His W~** *(në tituj)* hirësi; zotëri: **idol ~** falje e idhujve; idhujtari ♦ *kl* nderoj; adhuroj; fal ♦ *jkl* falem

worst */wə:(r)st/ mb (sipërore e **bad**)* më i keq; shumë i keq ♦ *nd* më keq; shumë keq ♦ *em:* **the ~** më e keqja; **get the ~ of it** dal keq; **if the ~ comes to the ~** të dalë ku të dalë, më keq s'ka ku shkon

worth */wə:(r)θ/ em* vlerë: **£100 ~ of...** 100 sterlina *(mall);* **he is ~ one million** ai ka një milion *(si pasuri)* ♦ *mb:* **be ~** vlen; ia vlen barra qiranë; **its ~ trying** ia vlen ta provoj; **it's ~ my while** më volit ♦ **~less** *mb* i pavlerë ♦ **~while** *mb* që ia vlen *(të bëhet); (punë)* e lavdërueshme

would */wud/ folje ndihmëse:* **I ~ do it** do ta bëja; **~ you?** vërtet?; *bs* ta mban?; **~ you mind...?** ka mundësi të...?; **he ~ come if he could** do të vinte, po të mundej; **he said he ~** tha se po; tha se do ta bënte; **what ~ you like to drink?** çfarë

do të pish?

wound¹ */wu:nd/ em* plagë ♦ *kl* pagos ♦ **~ed** */-id/ mb, em* i plagosur: **evacuate the ~** heq të plagosurit *(nga fusha e betejës etj.)*

wound² */'waund/ shih* **wind**

wove */wouv/, **woven** */'wouvn/ shih* **weave**

wrangle */'ræŋgl/ em* grindje ♦ *jkl* grindem

wrap */ræp/ em* shall; batanije; mbështjellje ♦ *kl* mbështjell; paketoj **(up):** **be ~ped up in thought** *fig* jam i humbur në të miat (në mendimet e mia) ♦ **~ping** *em* ambalazh; paketim ♦ **~ping paper** */-'peipə(r)/ em* letër ambalazhi

wrath */roθ/ em* zemërim; inat

wreak */ri:k/ kl:* **~ havoc with sth** bëj kërdinë në diçka

wreath */ri:θ/ em (sh-es /-ōz/)* kurorë: **lay a ~ at** vë një kurorë në *(një varr etj.)*

wreck */rek/ em* skelet *(i anijes, i makinës së prishur);* gërmadhë ♦ *kl* mbyt *(anijen);* prish; rrënoj ♦ **~age** *em* rrënojë; shkatërrinë

wrest */rest/ kl* rrëmbej **(from** nga)

wrestle */'rest/ jkl* mundem; bëj mundje; *fg* luftoj ♦ **~er** *em* mundës ♦ **~ing** *em* mundje e lirë

wretch */retʃ/ em* mjeran; ditëzi ♦ **~ed** */-id/ mb* i ndyrë; i neveritshëm: **feel ~ed** jam shumë i mërzitur; jam keq

wriggle */'rigl/ em* përdredhje ♦ *jkl* përdridhem: **~ out of sth** *bs* çlirohem nga diçka

wring */riŋ/ kl (**wrung**) përdredh *(qafën);* shtrydh *(rrobat):* **~ ones hands** përdredh duart ♦ **~ing** *mb:* **~ wet** i bërë për t'u shtrydhur

wrinkle */'riŋkl/ em* rrudhë ♦ *kl* rrudh(os) ♦ *jkl* rrudhem

wrist */rist/ em* kyç i dorës ♦ **~-watch** */-wotʃ/ em* orë dore

writ */rit/ em dr* mandat

write */rait/ kl, jkl (**wrote** /rout/, **written** /'ritn/) shkruaj: **he ~s a beautiful hand** ai ka shkrim të bukur ♦ **~ down** *kl* shënoj ♦ **~ off** *kl* i vë vizë; prish; shuaj; shlyej *(një borxh);* shkatërroj *(makinën)* ♦ **~er** *em* shkrimtar ♦ **~-off** */-of/ em* shkatërrinë; makinë e shkatërruar ♦ **~-up** */-ʌp/ em* recension; shkrim me lëvdata të tepruara

writhe */raið/ jkl* përdridhem *(nga dhembja)*

writing */'raitiŋ/ em* shkrim; të shkruar; fjalë e shkruar: **in ~** me shkrim ♦ **~ing desk** */-desk/ em* tryezë shkrimi ♦ **~ paper** */-peipə(r)/ em* letër shkrimi

written */'ritn/ shih* **write**

wrong */roŋ/ mb* i gabuar: **you are ~** e ke gabim; **what's ~?** ç'të keqe ka? ♦ *nd* gabim: **go ~** marr udhë të keqe; prishem; *(vegla)* prishet; punon keq ♦ *em* padrejtësi: **in the ~** në gabim; **know right from ~** di ç'është mirë e ç'është keq ♦ *kl* i bëj padrejtësi *(dikujt)* ♦ **~ful** *mb* i padrejtë ♦ **~ly** *nd* gabim; padrejtësisht; *(i informuar)* keq

wry */rai/ mb* i hidhur; i keq

wrote */raut/ shih* **write**

wrought iron /ro:t'ai(r)ən/ *em* hekur farke

wrung /rʌŋ/ *shih* **wring**

wryneck /'rainek/ *em* ngërç i qafës; qafë e shtrembër

xenophobia /zenou'foubjə/ *em* ksenofobi ◆ **~ic** *mb* ksenofob

Xerox® /'ziəroks/ *em tk* kseroks ◆ *k/* kseroksoj

Xmas /'krisməs/ *em bs* Krishtlindje

X-ray /'eksrei/ *em* radiografi

xylophone /'zailəfoun/ *em mz* ksilofon

Y

yacht /jot/ *em* jaht ♦ **~ing** *em* garë e barkave me vela ♦ **~sman** /-smən/ *em* jahtmen; pronar jahti
yank /jaŋk/ *kl bs* tërheq; nduk
Yankee /'jæŋki/ *em bs* amerikan
yap /jæp/ *jkl (qeni)* leh
yard /ja:(r)d/ *em* oborr; shesh *(i magazinës);* jard (= 91. 44 c) ♦ **~ goods** /-gudz/ *em sh* metrazhe
yawn /ja:n/ *em* gogësimë ♦ *jkl* gogësij ♦ **~ing** *mb (gojë)* e shqyer nga gogësima
year /jə:(r), jiə(r)/ *em* vit: **~ in ~ out** vit për vit; **for ~s** për shumë vite; **last ~** vjet; **New Y~** Vit i Ri; **next ~** mot; **this ~** sivjet; **this time next ~** si sot motmot; sot një vit ♦ **~-book** /-buk/ *em* vjetar ♦ **~long** /-loŋ/ *em* një vjeçar; motak ♦ **~ly** *mb* i përvitshëm; vjetor
yearn /jə:(r)n/ *jkl* kam mall ♦ **~ing** *em* dëshirë e fortë
yeast /ji:st/ *em* farë/ tharm buke
yell /jel/ *em* britmë ♦ *jkl* bërtas
yellow /'jelou/ *mb, em* i verdhë ♦ *jkl* zverdh(on) ♦ **~ fever** /-'fi:və(r)/ *em mk* ethe të verdha ♦ **~ pages** /-'peidʒiz/ *em sh* libër i adresave dhe telefonave ♦ **~ press** /-'pres/ *em* shtyp i verdhë/ skandaleve
yelp /jelp/ *em* lehje *(e qenit)* ♦ *jkl (qeni)* leh
yen *em* jen *(monedhë)*
yes /jes/ *nd* po: **yes, Sir!** siurdhëron! ♦ *em* po ♦ **~man** /-mən/ *em* servil
yesterday /'jestə(r)dei/ *mb, nd* dje: **~s paper** gazeta e djeshme; **the day before ~** pardje; **he was not born ~** ai s'është axhami
yet /jet/ *nd* ende; edhe; akoma: **as ~** deri tani; **not**

~ ende jo
yield /ji:ld/ *em* prodhim; fitim ♦ *kl* prodhoj; jap fitim; lëshoj, lë ♦ *jkl au* jap përparësi
yoga /'jougə/ *em* jogë
yoghurt /'jogə(r)t/ *em* kos: **fruit ~** kos me fruta
yoke /jouk/ *em* zgjedhë; qafore; jakë *(e rrobës)*
yokel /'joukl/ *em* katundar
yolk /jouk/ *em* e verdhë e vezës
you /ju:/ *prm* ti; ju; ty; të: **~ are very kind** sa i mirë je/ jeni; **all of ~** të gjithë ju; **I'll give ~ the money** do të t'i jap paratë; **~ have to be careful** ki/ kini kujdes
young /jʌŋ/ *mb* i ri: **~ lady** *em* zonjushë; **~ man** *em* i ri; djalosh ♦ *em sh* këlysh; zogth: **the ~** të rinjtë/rinia ♦ **~ster** *em* i ri; çun; kalama
your /jo:(r)/ *mb prn* yt: **~ bed** shtrati yt; **~ brothers** vëllezërit tuaj; **~ mother** nëna jote; **it's your decision** ti vendos, ju vendosni ♦ **~s** *prn* i yti: **a friend of ~** një miku yt/ juaj; **friends of ~** miqtë e tu/ tuaj; **that is ~** ai është yti ♦ **~self** *vetvetor* ti/ ju vetë: **make ~ at home** rri si në shtëpinë tënde; **you said so ~** vetë e the/e thatë; **you can be proud of ~** të jesh krenar me veten; **by ~** vetë(m) ♦ **~selves** *vetvetor* ju vetë: **you said so ~** vetë e thatë; **by ~** vetë(m)
youth /ju:θ/ *em (sh* **youths** /ju:ðz/) rini; djalë: **the ~** rinia; të rinjtë ♦ **~ful** *mb* i ri; rinor ♦ **~ hostel** /-'hostl/ *em* fjetore rinia/ për të rinj
Yugoslav /'ju:gəsla:v/ *mb, em* jugosllav ♦ **~ia** *em* Jugosllaví

Z

zany /'zeini/ *mb bs* i krisur
zeal /zi:l/ *em* zell; kushtim ♦ **~ous** /'zeləs/ *mb* i zellshëm; *(fetar)* fanatik ♦ **~ously** /'zeləsli/ *nd* me zell; me dëshirë; me fanatizëm
zebra /'zebrə/ *em* zebër ♦ **~ crossing** /-'krosiŋ/ *em* vija të bardha të këmbësorëve
zero /'ziərou/ *em* zero ♦ **~ hour** /-'auə(r)/ *em ush* orë e sulmit
zest[1] /zest/ *em* zell; dëshirë; kënaqësi
zest[2] cipë *(e lëkurës së limonit etj.)*
zigzag /'zigzæg/ *em* zigzag; lakadredhë ♦ *jkl* shkoj lakadredhas
zilch /ziltʃ/ *em bs* zero me xhufkë
zinc /ziŋk/ *em* zink

zip /zip/ *em:* zinxhir; *tk, inf* program zip *(për ngjeshjen e informacionit):* ~ (**fastener**) zinxhir *(i pantallonave etj.)* ♦ *kl:* ~ (**up**) mbyll zinxhirin
zip code /-koud/ *em am* kod postar
zipper /'zipə(r)/ *em* zinxhir i pantallonave; *inf* program *Zipper (i kompjuterit)*
zodiac /'zoudiæk/ *em* zodiak ♦ **~al** *mb (shenjë)* e zodiakut
zone /zoun/ *em* zonë
zoo /zu:/ *em* kopsht zoologjik
zoology /zou'olədʒi/ *em* zoologji
zoom /zu:/ *jkl* lëshohem/ ngrihem si shigjetë; gumëzhij ♦ **~-lens** /-lens/ *em* zum *(lente e teleobjektivit)*

CIP Katalogimi në botim BK Tiranë
Qesku, Pavli
Fjalor shqip-anglisht-shqip : 10.000 fjalë titull,
60.000 fjalë, 100.000 referenca
= English-albanian-english dictionary/Pavli Qesku.
- Tiranë : EDFA, 2004
526 f; 24 cm.
ISBN 99927-867-5-2
81'374.822=111=18
811.18'374.822=111
811.111'374.822=18
811.112